dictionnaire
de
l'ancien français
jusqu'au milieu du XIVe siècle

dictionnaire
de
l'ancien français

jusqu'au milieu du XIVe siècle

par

A.-J. Greimas

directeur d'études
à l'École pratique des Hautes Études

RÉFÉRENCES Larousse

17, RUE DU MONTPARNASSE - 75298 PARIS CEDEX 06

Pour Anna et Ada.

Le présent volume appartient à la dernière édition (revue et corrigée) de cet ouvrage.

ISBN 2-03-710002-7

PRÉFACE

L'utilisateur éventuel de ce dictionnaire ne trouvera pas une théorie lexicographique assurée sous-jacente au travail de sa confection : dans l'état actuel de nos connaissances linguistiques, une telle théorie semble difficile à concevoir. En effet, il paraît de plus en plus évident que le mot-lexème, unité de base du dictionnaire, n'est pas pertinent pour une description systématique des ensembles sémantiques. Les procédures modernes : l'approche syntagmatique où le sens des mots s'éclairerait par la seule utilisation des contextes, l'approche définitionnelle où une classification cohérente des concepts définissants serait préalablement mise en place, ne peuvent être tentées et éprouvées que sur des corpus considérables et en vue de dictionnaires généraux.

Tout autre dictionnaire, de caractère plus réduit ou de destination spécifique, ne peut être que le résultat d'un certain nombre de choix souvent délibérés, parfois arbitraires. Il en est ainsi du dictionnaire qui est ici présenté : une fois les dimensions de l'ouvrage et son caractère didactique posés, il s'est agi pour le rédacteur de faire le meilleur usage des sources existantes afin d'y intégrer le maximum des mots utiles, en les présentant de façon claire et économique, en cherchant à rendre sa consultation aussi aisée que possible.

I. Sources

Le savoir-faire qui est exigé du rédacteur du dictionnaire, s'il repose sur des connaissances linguistiques de caractère scientifique, comporte en même temps un aspect artisanal : chaque article de dictionnaire apparaît comme un compromis entre de nombreux critères et des exigences souvent contradictoires. C'est presque une affaire d'intuition, secondée, il est vrai, par une certaine expérience et une connaissance supposée du lecteur : les nôtres, en l'occurrence, reposent sur une quinzaine d'années d'enseignement de l'ancien français.

Il est évident, dans ces conditions, que ce dictionnaire ne peut prétendre à une originalité autre que pragmatique. Nos sources, le plus souvent, sont de seconde main, et le dictionnaire ne peut être que l'image réduite des dépouillements considérables recueillis dans les ouvrages fondamentaux de Godefroy et de Tobler-Lommœtzsch. Si on leur ajoute les matériaux fournis par les glossaires des éditions critiques des textes médiévaux, par les Datations et Documents lexicographiques *(en cours de publication) de B. Quemada, par la lecture attentive d'un certain nombre de textes intégraux, le tour des principales sources est vite fait. Nous avons, en plus, utilisé les analyses lexicales de certains ouvrages particuliers — tel le* Jeu de saint Nicolas *d'A. Henry, auquel nous avouons ici volontiers notre dette; les indications étymologiques nous ont été fournies par le* Dictionnaire *d'A. Dauzat, J. Dubois et H. Mitterand et, pour des cas plus difficiles, par le grand dictionnaire étymologique de W. von Wartburg.*

II. Fonds lexical

*Le domaine lexical recouvert par le dictionnaire correspond aux limites historiques de l'*ancien français *proprement dit et s'étend de la* Chanson de Roland *jusqu'à 1350, à l'exclusion, par conséquent, des écrits de Froissart, de Bersuire et d'Oresme. Cette distinction de l'ancien et du moyen français, tout en donnant au lexique traité un caractère plus homogène, a permis, en gardant le format de dictionnaire de consultation courante, de doubler au moins le nombre de mots introduits : plus de 80 p. 100 des mots décrits par Godefroy se retrouvent ainsi dans le dictionnaire réduit.*

L'espace ainsi gagné a permis, d'autre part, de corriger l'erreur traditionnelle qui consiste, en pratique, à ne considérer comme appartenant à l'ancien français que des mots qui n'existent plus en français moderne sous leur forme graphique identique ou comparable. Nous ne nous sommes pas contenté d'intégrer dans le fonds de l'ancien français les mots les plus communs faisant partie de ce qu'on appelle le vocabulaire fondamental : ayant remarqué que ces mots sont souvent soumis à des changements de sens considérables, nous les avons traités, en les expliquant, en multipliant les définitions de leurs acceptions, avec un soin particulier.

L'image de l'ancien français aurait été, d'autre part, déformée si l'on avait exclu du dictionnaire les emprunts au latin, qui commencent à devenir nombreux à partir de la seconde moitié du XIIIe siècle et caractérisent en partie cette période du Moyen Âge que Marc Bloch appelle le « troisième âge féodal » (1250-1340). Même si un grand nombre de ces mots savants se retrouvent en français moderne, leur sens est généralement plus proche de leurs modèles latins que de celui qu'ils possèdent aujourd'hui. Le dépérissement progressif des études latines nous a paru justifier, sur le plan pratique, leur intégration.

III. Organisation

L'organisation d'un dictionnaire didactique de dimensions réduites est en soi une gageure : il s'agit, en introduisant le plus de mots et de sens, de donner à leur sujet le maximum de renseignements en utilisant le minimum de place. Les procédés qui ont été choisis pour y parvenir sont de plusieurs sortes :

1. La réunion des mots en familles, tout en constituant un gain de place appréciable, est aussi un moyen indirect de précision de leur sens, le jeu de dérivation permettant aux mots de se définir les uns par les autres et faisant ressortir leur champ de signification et les sens principaux : l'usager est donc invité, chaque fois que le sens d'un mot fait difficulté, à relire l'ensemble de l'article consacré à sa famille.

2. La définition du sens des mots a été obtenue en utilisant simultanément trois formules différentes :
   ● les termes descriptifs se rapportant à des objets concrets ou à des activités pratiques ont été définis très simplement, sans donner d'exemples ni d'illustrations contextuelles;
   ● les glissements et les variations de sens d'un mot ont été précisés en utilisant les synonymes redondants, un deuxième ou un troisième synonyme rectifiant la polysémie des précédents;
   ● les termes exprimant des valeurs ou des conduites sentimentales, morales ou sociales ont été définis, autant que possible, par leurs contextes et illustrés par des exemples.
   Il est évident que ces principes raisonnables n'ont pas pu être toujours appliqués dans la pratique.

3. Une dérogation importante à cette règle d'économie a été faite en faveur de mots préfixés. Au souvenir de la perte de temps que constitue pour un médiéviste débutant la nécessité de feuilleter le dictionnaire à la recherche des renvois, on a tenu à accompagner les verbes préfixés ordinaires d'une brève indication de leur sens. Étant donné le caractère aspectuel, créateur de nouveaux sens, des préfixes de l'ancien français, on a éprouvé le besoin de traiter assez souvent les mots préfixés de façon autonome, en les expliquant et les illustrant par des exemples.

IV. Construction de l'article

L'article a été construit, en principe, autour du verbe ou de l'adjectif, et plus rarement à partir du substantif, considérés comme mots-vedettes, représentatifs de la famille. Deux formes canoniques principales des articles ont été ainsi retenues : d'une part, le verbe suivi de substantifs déverbaux, de verbes fréquentatifs, d'adjectifs et de noms d'agent; de l'autre, l'adjectif, suivi de substantifs et, éventuellement, de verbes dérivés. Ici aussi, les écarts entre la théorie et la pratique se sont révélés nombreux.

La disposition des sens d'un mot polysémique a constitué le problème quasi insoluble. A suivre l'ordre chronologique des textes, on aurait dû souvent inscrire comme premiers les sens dits figurés, symboliques ou abstraits, des mots. Appliquer, au contraire, l'hypothèse selon laquelle les sens propres sont à considérer comme des sens premiers aurait abouti à une reconstruction hasardeuse. Aussi a-t-on choisi l'approche pragmatique, en groupant des sens par affinités, afin de faciliter l'apparition, dans l'esprit du lecteur, d'un dispositif global de la signification d'un lexème polysémique.

En partant du principe, enfin, que l'usager du dictionnaire n'est pas un lecteur accidentel, mais permanent, et qu'il se familiarisera progressivement avec ses dispositions générales, on s'est permis d'introduire dans l'explication sémantique un certain nombre d'ellipses et de sous-entendus : ainsi, il nous a paru abusif d'expliciter chaque fois cette propriété du verbe de l'ancien français selon laquelle il peut, suivant les contextes, prendre le sens actif, passif ou factitif.

V. Morphologie

Le dictionnaire étant celui des mots et non des formes de mots, il nous a paru logique de le désencombrer des formes verbales irrégulières qui ne pouvaient être introduites qu'aux dépens de l'appauvrissement du lexique. Il est évident que les textes de l'ancien français, langue morte, ne peuvent être lus sans une initiation grammaticale préalable. Celle-ci, de son côté, ne peut se faire utilement à l'aide d'un mauvais résumé de grammaire qu'on adjoint traditionnellement aux dictionnaires et que — l'expérience le montre bien — personne ne lit. L'initiation à la grammaire relève du maître ou, à son défaut, des manuels spécialisés.

Aussi s'est-on contenté d'analyser les mots, en en séparant les préfixes — dont il nous a semblé utile de mettre en valeur le caractère aspectuel — et en dégageant le système productif des suffixes par la réunion des mots en familles.

Cette approche lexicale nous a fait finalement opter pour le maintien, malgré ses défaillances évidentes, d'une terminologie grammaticale conventionnelle. L'usager du dictionnaire est censé avoir certaines notions grammaticales de base; il n'est pas censé connaître la grammaire de l'ancien français dont la description, on le sait, laisse encore à désirer. Ainsi, une nouvelle classification des parties du discours, quoique nécessaire, doit trouver sa place d'abord dans les manuels de grammaire, et non dans le dictionnaire. On doit noter toutefois que :

a) les noms d'agent en -eor, cas régime, et -ere, -iere, cas sujet, bien qu'indiqués comme noms, fonctionnent à la fois comme substantifs et comme adjectifs;

b) *les participes, au présent et au passé, se comportent en même temps comme adjectifs et manifestent, de ce fait, la tendance à la spécification de leur sens. On a donc jugé utile d'indiquer séparément, quand cela était nécessaire, ce sens adjectival.*

VI. Datations

Le fonds lexical recouvert par le dictionnaire est considérable et s'étend sur plusieurs siècles. On a cherché à en préciser quelque peu les contours diachroniques, et cela de plusieurs manières :

a) en indiquant la date de la première apparition du mot dans les textes (sans chercher toutefois une trop grande précision, la datation des textes eux-mêmes n'étant souvent pas assurée);

b) en indiquant, entre parenthèses, quand cela était possible, l'apparition de nouveaux sens des mots;

c) en fixant indirectement le moment de la maturation de nouveaux sens à l'aide de la datation des dérivés du mot.

Une première distribution chronologique du vocabulaire, grossière mais assez visible, a pu ainsi être obtenue.

VII. Étymologies

C'est également avec le même souci de consultation rapide que sont indiquées les étymologies courantes des mots. Comme le dictionnaire lexical n'a pas l'intention de se substituer aux dictionnaires étymologiques, les étymologies non assurées ou contestées sont notées comme incertaines. Le groupement de mots par familles a pu, d'autre part, provoquer des intégrations étymologiques douteuses.

On a essayé, en plus, de se servir d'étymons pour distinguer les formes populaires (étymons latins à l'accusatif) des emprunts et des adaptations (étymons au nominatif). Comme partout ailleurs, la pureté du critère adopté a été difficile à maintenir.

VIII. Écriture conventionnelle

L'ancien français n'étant pas une langue au sens moderne, mais un ensemble des dialectes de la France du Nord, n'étant pas non plus un état de langue, du moins dans son aspect lexical, mais recouvrant une période diachroniquement assez étendue, il a fallu opter pour sa présentation graphique conventionnelle suffisamment homogène. Le choix traditionnel des formes graphiques standardisées ayant pour base le dialecte francien du XIIe siècle a été ainsi maintenu.

L'utilisation d'une écriture conventionnelle présuppose par conséquent, de la part de l'usager du dictionnaire, une connaissance, au moins sommaire, des règles phonétiques de corrélations dialectales et de changements diachroniques. Ici comme ailleurs, l'utilisation efficace du dictionnaire demande une initiation linguistique préalable.

Pour en faciliter la consultation, on a été amené toutefois à faire quelques concessions aux critères adoptés :

● en multipliant les variantes et les renvois des mots les plus courants, des mots-outils surtout; par contre, il nous a paru impossible d'indiquer toutes les formes agglutinées d'articles, de pronoms et de prépositions;

● en maintenant les graphies anormales ou en multipliant les renvois lorsqu'il s'agissait d'emprunts (au latin, au normano-picard ou aux dialectes de la langue d'oc), ou, finalement, lorsque l'étymologie du mot attesté n'était pas assurée. Par contre, on a maintenu les graphies conventionnelles gu- ou g- pour les formes dialectales comportant un w, les graphies c- ou qu- à la place de k, la lettre f au lieu de la graphie moderne ph; de même, le h n'a été maintenu que là où il est effectivement prononcé (mots d'origine germanique ou expressive), les emprunts au latin ou les graphies savantes ayant été classés selon la voyelle qui suit immédiatement le h.

En règle générale, *les variantes graphiques ne sont pas indiquées et les dérivés sont maintenus à l'intérieur de leurs familles si* les quatre premières lettres du mot *restent identiques. Dans ce cas, ne sont pas considérées comme variantes, sauf quelques exceptions, les variations graphiques indiquant des changements phonétiques sur le plan diachronique, dont les principales sont :*

> ei = oi =ai;
> o = ou;
> al, el, ol = au, eu ou;
> s *(en fin de syllabe)* = disparition de s;
> en = an, *etc.*

IX. Envoi

De ce qui précède, il ressort que, dans l'élaboration de ce dictionnaire, des exigences théoriques et la rigueur des critères logiques ont dû être atténuées, conciliées avec la facilité de la consultation ou avec la quantité d'informations à fournir. La confection d'un dictionnaire vraiment pratique devrait être, à la limite, le résultat de la collaboration de tous les usagers. Le rédacteur sera reconnaissant aux lecteurs des suggestions qu'ils auront à formuler, des erreurs qu'ils voudront bien lui signaler, les considérant comme des apports indispensables à un bien commun.

A. J. GREIMAS.

LISTE DES PRINCIPALES ABRÉVIATIONS
des noms d'auteurs et des titres d'ouvrages *

Adam : Jeu d'Adam (fin XIIe s.).

A. de la Halle : *Œuvres* d'Adam de la Halle (1240-1270).

Aden. : Adenet le Roi, *Enfances Ogier* (1276), *Cleomadès* (1285), *Bueve de Commarchis* (fin XIIIe s.), *Berte* (fin XIIIe s.).

Afait. Catun : *l'Afaitement Catun*, par Evrart de Kerkham (v. 1145).

Aimé : Aimé de Mont Cassin, *Ystoire de li Normant* (1308).

Aiol : chanson de geste (fin XIIe s.).

Ald. de Sienne : Aldebrandin de Sienne (1256).

Alexis : *Poème de saint Alexis* (XIe s.).

Alisc. : *les Aliscans,* chanson de geste (fin XIIe s.).

Am. et Id. . *Amadis et Idoine* (XIIe s.).

Anseis : *Anseis de Carthage* (fin XIIIe s.).

Antidot. Nic. : *Antidotaire Nicolas* (XIIIe s.).

Arch. : différentes archives départementales citées dans le *Dictionnaire* de Godefroy.

Ars d'am. : *Ars d'amour,* par Jehan le Bel (1350).

Artu : *la Mort le roi Artu* (v. 1240).

Asprem. : *Chanson d'Aspremont* (1188).

Ass. Jér. : *Assises de Jérusalem,* recueil de lois (XIIIe s.).

Atre pér. : *l'Atre périlleux* (v. 1250).

Auberi : *Auberi de Bourguignon* (XIIe s.).

Auc. et Nic. : *Aucassin et Nicolette* (fin XIIe s.).

Aymeri, Aym. de Narb. : *Aymeri de Narbonne* (v. 1170).

Barbast. : *Siège de Barbastre* (XIIe s.).

Bat. Sept Arts : v. H. D'ANDELI.

B. de Condé : *Œuvres* de Baudouin de Condé (fin XIIIe s.).

B. de Seb. : *Baudouin de Sebourc,* chanson de croisade (1330).

Beaum. : Beaumanoir, *Coutumes de Beauvoisis* (1283).

Ben. : Benoît de Sainte-Maure, *Chronique des ducs de Normandie* (1160).

Bers. : Pierre Bersuire, trad. de Tite-Live (1355).

Best. div. : *Bestiaire divin,* par Guillaume le Clerc (v. 1210).

B. de Hanst. : *Bueve de Hanstone,* légende épique (XIIIe s.).

Boèce : Boèce, *Consolation* (1295).

Bretel : J. Bretel, *Tournoi de Chauvenci* (1288).

Britton : *Britton, Lois d'Angleterre* (1292).

Br. Lat. : Brunetto Latini, *Livre du Trésor* (1260).

Cart. : différents Cartulaires cités dans le *Dictionnaire* de Godefroy.

C. de Béth. : Conon ou Quesnes de Béthune (fin XIIe s.).

Chans. : *Chansons* (XIIIe s.).

Chans. d'Ant. : *Chanson d'Antioche* (XIIIe s.).

Chardry : Chardry, *les Sept Dormants* (fin XIIe s.), *le Petit Plet* (déb. XIIIe s.).

Charr. Nîmes : *le Charroi de Nîmes,* chanson de geste (v. 1160).

Charte : différentes Chartes citées dans le *Dictionnaire* de Godefroy.

Chast. Vergi : *la Chastelaine de Vergi,* poème du XIIIe s.

Chev. cygne : *le Chevalier au cygne,* poème (fin XIIe s., déb. XIVe s.)

Chev. deux esp. : *le Chevalier aux deux espées,* chanson de geste (XIIe s.).

---

* Pour les auteurs ou les œuvres qui ne sont pas fréquemment cités, prière de se reporter à l'ouvrage de référence de Robert BOSSUAT : *Manuel bibliographique de la littérature française du Moyen Age,* Melun, d'Argences, 1951 et 1955, 1 volume et 2 suppléments.

Chr. de Troyes : Chrétien de Troyes, *Eric et Eneïde* (1164), *Guill. d'Angleterre* (1165), *Perceval* (1170), *Roman d'Alexandre* (1180), pour les autres : v. 1175.

Chron. Saint-Denis : *les Grandes Chroniques de Saint-Denis*, historiographie (XIIIᵉ s.).

Chron. Morée : *Chroniques de Morée* (1325).

Clef d'Am. : *Clef d'Amours* (déb. XIIIᵉ s.).

Coincy : Gautier de Coincy, *Œuvres* (v. 1220).

Comt. Poit. : *le Roman du comte de Poitiers* (XIIIᵉ s.).

Cortebarbe : *les Trois Aveugles de Compiègne*, par Cortebarbe (XIIIᵉ s.).

Couci : *les Chansons du chevalier de Couci* (fin XIIᵉ s.).

Cour. Louis : *le Couronnement de Louis* (fin XIIᵉ s.).

Court. d'Arras : *Courtois d'Arras* (XIIIᵉ s.).

D. : A. Dauzat, J. Dubois et H. Mitterand, *Nouveau Dictionnaire étymologique*, Larousse.

D. D. N. : *Datations et Documents lexicographiques*, publiés par B. Quemada.

Deguil. : G. de Deguileville, *les Trois Pèlerins* (1335), *Roman de la fleur de lis* (1338), etc.

Delb. : Delboulle, *Notes lexicographiques inédites* (manuscrit déposé à la Sorbonne).

D. G. : A. Hatzfeld et A. Darmesteter, *Dictionnaire général de la langue française*.

Dolop. : *Dolopathos*, recueil en vers (1210).

Doon de May. : *Doon de Mayence* (XIIIᵉ s.), chanson de geste.

Du Cange : Du Cange, *Glossarium mediae et infimae latinitatis*.

Durm. le Gall. : *Durmart le Gallois* (XIIIᵉ s.).

E. Boil. : Etienne Boileau, *Livre des métiers* (1268).

E. de Fougères : Estienne de Fougères, *Livre des manières* (1176).

Éd. le Conf. : *Vie d'Édouard le Confesseur* (fin XIIᵉ s.).

Eneas : *le Roman d'Eneas* (v. 1160).

Enf. Guill. : *Enfances Guillaume* (v. 1250).

Enf. Ogier : v. ADENET LE ROI.

Enf. Vivien : *Enfances Vivien* (v. 1180).

Est. Saint-Graal : *le Roman de l'Estoire Saint-Graal* (fin XIIᵉ s.).

Estamp. : *les Estampies françaises* (v. 1320).

Établ. Saint Louis : *Établissements de Saint Louis*, textes juridiques (déb. XIVᵉ s.).

Eulalie. : *Cantilène de sainte Eulalie* (Xᵉ s.).

Eust. le Moine : *Vie d'Eustache le Moine* (1230).

Evrat : Evrat, *Bible* (XIIᵉ s.).

Fabl. : *Fabliaux* (XIIIᵉ s.).

Fabl. d'Ov. : *Fables d'Ovide*, par Chrest. Legarais (XIIIᵉ s.).

Fatrasies : v. WATRIQUET.

Fauvel : *le Roman de Fauvel* (XIVᵉ s.).

Fet Rom. : *Fet des Romains*, trad. de Tite-Live (v. 1213).

F. Fitz Warin : *Foulque Fitz Warin* (déb. XIVᵉ s.).

Fierabr. : *Fierabras* (1170).

Fille du comte de P. : *la Fille du comte de Ponthieu*, roman courtois (XIIIᵉ s.).

Fl. et Blanch. : *Floire et Blancheflor* (1162).

Floov. : *Floovant* (XIIᵉ s.).

Florim. : *Florimont* (XIIᵉ s.).

Fragm. de Valenc. : *le Fragment de Valenciennes* (Xᵉ s.).

Franch. : différentes Franchises citées dans le *Dictionnaire* de Godefroy.

Fr. Angier : Frère Angier, *Vie de saint Grégoire* (XIIIᵉ s.).

Froiss. : Froissart, historiographe (1360).

G. : F. Godefroy, *Dictionnaire de l'ancienne langue française*.

Gaimar : Gaimar, *l'Estorie des Engles*, Chroniques (v. 1138).

Gar. de Mongl. : *Garin de Monglane*, chanson de geste (XIIIᵉ s.).

Gar. Loher : *Garin le Loherin*, chanson de geste (fin XIIᵉ s.).

Garn. : Garnier ou Guernes de Pont-Sainte-Maxence, *la Vie de saint Thomas le Martyr* (v. 1190).

Gaut. d'Aup. : *Gautier d'Aupais* (XIIIᵉ s.).

Gauvain (ou *Gauvin*) : *les Enfances Gauvain* (XIIIᵉ s.).

Gaydon : *Gaydon*, chanson de geste (XIIIᵉ s.).

G. d'Amiens : Girart d'Amiens (v. 1260).

G. d'Arras : G. d'Arras, *Eracle* (1165), *Ille et Galleron* (1167).

G. de Cambrai : Gui de Cambrai, auteur de contes (XIIIᵉ s.).

G. de Dole : *Guillaume de Dole*, par J. Renart (1213).

G. de la Bigne : Gace de la Bigne, *Roman des déduits* (1318).

G. de Lorris : Guillaume de Lorris, *Roman de la Rose* (v. 1240).

G. de Machaut : Guillaume de Machaut, *le Remède de Fortune* (1340).

G. de Montr. : Gerbert de Montreuil, *Roman de la Violette* (1229).

G. de Palerne : *Guillaume de Palerne* (1205).

G. de Rouss. : *Girart de Roussillon* (fin XIIᵉ s.; 1330).

G. de Saint-Pair : Guillaume de Saint-Pair, *Roman de Mont Saint Michel* (1180).

G. de Tyr : traduction de *Guillaume de Tyr* (fin XIIIᵉ s.).

G. de Vienne : *Girart de Vienne*, poème épique (v. 1180).

G. de Warwick : *Gui de Warwick*, poème anglo-normand (XIIIᵉ s.).

Geste Chypr. : *Geste des Chyprois* (v. 1320).

Geste Liège : *Geste de Liège*, par Jehan des Prées (1374).

G. li Muisis : Gilles li Muisis, *Poésies* (1349).

Gl. Raschi : *Gloses de Raschi* (XIᵉ s.).

Gl. Reich. : *Gloses de Reichenau* (VIIIᵉ s.).

Gloss. de Garl. : *Glossaire* de Jean de Garlande (XIIIᵉ s.).

Godefr. de Paris : Godefroy de Paris, *Chroniques* (1313).

Gorm. et Is. : *Gormant et Isembart* (v. 1125).

Gr. Charte : *la Grande Charte d'Angleterre*, donnée par Jean sans Peur (1215).

Guiart : Guiart, *Bible* (fin XIIIᵉ s.), *Royaux lignages* (1306).

Gui de Bourg. : *Gui de Bourgogne*, chanson de geste (déb. XIVᵉ s.).

Guill. le Maire : *le Livre de Guillaume le Maire* (1317).

Guill. le Maréch. : Guillaume le Maréchal (v. 1219).

Guiot : Guiot de Provins, *Bible* (fin XIIᵉ s.).

Ham : v. SARRAZIN.

H. Capet : Hugues Capet (1330).

H. d'Andeli : Henri d'Andeli, *Lai d'Aristote, Bataille des Sept Arts* (v. 1230).

H. de Bord. : Huon de Bordeaux, chanson de geste (v. 1190).

H. de Cambrai : Huon de Cambrai, *la Male Honte, le Vair Palefroi* (XIIIᵉ s.).

H. de Méry : Huon de Méry, *Tournoiement Antéchrist* (v. 1235).

Herman : Herman de Valenciennes, *Bible* (XIIᵉ s.).

Horn : roman d'aventures épiques en vers (XIIᵉ s.).

Inv. : différents Inventaires cités dans le *Dictionnaire* de Godefroy.

J. Bod. : Jean Bodel, le Feu de saint Nicolas (1190).

J. César : Histoire de Jules César, par Jehan de Tuym (XIIIᵉ s.).

J. de Condé : *Œuvres* de Jehan de Condé (déb. XIVᵉ s.).

J. de Garl. : Jean de Garlande (XIIIᵉ s.).

J. de Jorni : Jean de Jorni, *Dîme de pénitence* (1288).

J. de La Mote : Jehan de La Mote, *le Regret Guillaume* (1339), *Voyages d'Enfer* (1340).

J. de Meung : Jehan de Meung, *Roman de la Rose* (1277); autres ouvrages, fin XIIIᵉ s.

J. de Priorat : Jean de Priorat, *Végèce* (1288).

J. de Vignay : Jean de Vignay, *le Miroir historial* (1327).

Jeh. et Bl. : Jehan et Blonde, par Ph. de Rémi, sire de Beaumanoir (XIIIᵉ s.).

J. Fantosme : Jordan Fantosme, *Chronique* (XIIᵉ s.).

J. Lefebvre : J. Le Febvre, *Matheolus* (1322), *Vieille* (1349).

J. Le March. : J. Le Marchant, *Miracle de Notre-Dame* (XIIIᵉ s.).

Job : le Livre de Job (1130).

Joinv. : Joinville, *Vie de Saint Louis* (déb. XIVᵉ s.).

L. t E. Littré, *Dictionnaire de la langue française.*

Lai d'Aristote : v. H. D'ANDELI.

Livre de Jost. : Livre de Jostice et de Plet (XIIIᵉ s.).

Livr. Pass. : le Livre de la Passion (déb. XIVᵉ s.).

Loher. : la Geste des Loherins (fin XIIᵉ s.).

Lois Guill. : les Lois de Guillaume le Conquérant (fin XIᵉ s.).

Macch. : Livre des Macchabées (XIIᵉ s.).

Macé : Macé de La Charité, *Bible* (fin XIIIᵉ s.).

Manekine : la Manekine, par Th. de Rémi, sire de Beaumanoir (XIIIᵉ s.).

Marb. : Lapidaire de Marbode (v. 1125).

Maug. d'Aigr. : Maugis d'Aigremont (XIIIᵉ s.).

M. de Fr. : Marie de France, *Lais* (fin XIIᵉ s.).

Ménag. Paris : le Ménagier de Paris, 1398.

Menestr. Reims : Récits d'un ménestrel de Reims (1295).

Meraug. : Meraugis, par Raoul de Houdenc (fin XIIᵉ s.).

G. de Metz : Gautier de Metz, *Image du monde* (1246).

Mir. N.-D. : v. LE MARCHANT.

Mir. saint Eloi : Miracles de Saint Eloi (fin XIIIᵉ s.).

Mir. Saint Louis : Miracles de Saint Louis (fin XIIIᵉ s.).

Modus : les Livres du roi Modus (v. 1360).

Mon. Guill. : Moniage Guillaume (XIIᵉ s.).

Mondev. : *la Chirurgie* d'Henri de Mondeville (1314).

Mousk. : Philippe Mousket (v. 1260).

M. Polo : Voyage de Marco Polo (v. 1298).

Ogier : Chevalerie Ogier (fin XIIᵉ s.).

Ord. : différentes Ordonnances citées dans le *Dictionnaire* de Godefroy.

Otinel : chanson de geste (XIIIᵉ s.).

Ov. moral. : Ovide moralisé (v. 1320).

Parise : Parise la Duchesse (XIIᵉ s.).

Part. : Partenopeus de Blois (XIIᵉ s.).

Pass. Palat. : la Passion du Palatinus (déb. XIVᵉ s.).

Pastor. : Pastoralet (XIIIᵉ s.).

Pean Gatineau : Pean Gatineau, *la Vie de saint Martin* (v. 1215).

Pèler. Charl. : Pèlerinage de Charlemagne (v. 1150).

Percev. : v. CHR. DE TROYES (1170).

Petit Plet : v. CHARDRY.

Ph. de Nov. : Philippe de Novare, *Mémoires* (1247).

Ph. de Thaun : Philippe de Thaun, *Bestiaire* (1119), *Lapidaire* (1121).

Pir. et Tisb. : Piramus et Tisbée, moralité (XIVᵉ s.).

Pr. d'Orange : Prise d'Orange (XIIIᵉ s.).

Proth. : Protheselaus d'Huon de Rotelande (XIIᵉ s.).

Ps. : Liber Psalmorum (XIIᵉ s.-XIIIᵉ s.).

Ps. Cambr. : Psautier de Cambridge (déb. XIIᵉ s.).

Ps. Oxf. : Psautier d'Oxford (1120).

Queste Saint-Graal : la Queste de Saint-Graal (v. 1220).

R. de Beaujeu : René de Beaujeu, *le Bel Inconnu* (déb. XIIIᵉ s.).

R. de Cambr. : Raoul de Cambrai (v. 1180), chanson de geste.

R. de Moil. : Renclus de Moiliens, *Roman de Carité* (1204).

Reg. : différents Registres cités dans le *Dictionnaire* de Godefroy.

Ren. : le Roman de Renart (v. 1250).

Ren. le Contr. : Renart le Contrefait (v. 1330).

Ren. le Nouv. : *Renart le Nouvel,* par Jacquemart Gelée (1288).

Ren. de Mont. : Renaut de Montauban (v. 1200).

Rés. Sauv. : la Résurrection du Sauveur (XIIIᵉ s.).

Rest. du Paon : Restor du Paon, par G. de Brise-Barre (1335).

Rich. li Biaus : Richart li Biaus (XIIIᵉ s.).

Rois : le Livre des Rois (v. 1190).

Rol. : la Chanson de Roland (v. 1080).

Rom. d'Alex. : Roman d'Alexandre (1180).

Rom. et past. : Romans et pastourelles (XIIIᵉ s.).

Ronc. : Roncevaux, versions de *la Chanson de Roland* (XIIᵉ s.).

Rose : le Roman de la Rose, v. J. de Meung (1277).

Ruteb. : *Œuvres* de Rutebeuf (v. 1270).

Saint Bern. : saint Bernard, *Sermons* (1190).

Saint Brand. : le Voyage de saint Brandan (1112).

Saint Evroul : la Vie de saint Evroul (v. 1150).

Saint Gilles : la Vie de saint Gilles (1138).

PRINCIPALES ABRÉVIATIONS

Saint Grég. : *le Dialogue de saint Grégoire* (fin XIIe s.).

Saint Léger : la Vie de saint Léger (Xe s.).

Sainte Thaïs : Vie de sainte Thaïs (XIIIe s.).

Sarrazin : *Roman de Ham,* par Sarrazin (1278).

Sept Sages : Livre des Sept Sages (v. 1225).

Serm. : les Serments de Strasbourg (842).

Sermons : Sermons (XIIIe s.).

Simples Médec. : Simples Médecines (XIIIe s.).

Son. de Nans. : Sones de Nansay (fin XIIIe s.).

Sydrac : Sydrac, le grand philosophe, trad. (fin XIIIe s.).

Th. de Kent : Th. de Kent, *la Geste d'Aliscans* (XIIIe s.).

Thèbes : Roman de Thèbes (1150).

Thomas le Mart. : v. GARNIER.

Tourn. Antéchrist : v. H. DE MÉRY.

Tourn. Chauvenci : v. BRETEL.

Tourn. dames : v. WATRIQUET.

Trist. : Tristan de Beroul (fin XIIe s.).

Troie : le Roman de Troie (1160).

Trois Aveugles : v. CORTEBARBE.

Vair Palefroi : v. H. DE CAMBRAI.

Valenc. : v. *Fragm. de Valenc.*

Vie saint Mart. : v. PEAN GATINEAU.

Villeh. : *la Conquête de Constantinople,* par Villehardouin (av. 1212).

Vœux du paon : Vœux du paon, par Jacques de Longuyon (1312).

Voy. Charl. : Voyage de Charlemagne (déb. XIIe s.).

Wace : Wace, *la Vie de sainte Marguerite* (v. 1150), *la Conception de Notre-Dame* (v. 1150), *Saint Nicolas* (v. 1150), *Brut* (v. 1155), *Roce* (v. 1169).

Watriquet : Watriquet de Couvin, *Tournoi des dames* (v. 1327), *le Dit du connétable de France* (1329), *Fatrasies* (XIVe s.).

W. de Bibbesworth : Walter de Bibbesworth (v. 1290).

Year Books : Year Books of the Reign of Edward the First (à partir de 1304).

Ysop. Lyon : Ysopet de Lyon (fin XIIe s.).

ABRÉVIATIONS USUELLES

abl. :	ablatif	ital. :	italien
abrév. :	abréviation	jur., jurid. :	juridique
acc. :	accusatif	lat. chrét. :	latin chrétien
adapt. :	adapté	lat. eccl. :	latin ecclésiastique
adj. :	adjectif	lat. impér. :	latin impérial
adv. :	adverbe, adverbial	lat. médiév. :	latin médiéval
aggl. :	agglutination	lat. pop. :	latin populaire
all., allem. :	allemand	lat. tard. :	latin tardif
altér. :	altération	loc. :	locution
anal. :	analogique	m. ou masc. :	masculin
anc. :	ancien	méd. :	médical
angl. :	anglais	médiév. :	médiéval
apr. :	après	mérid. :	méridional
art. :	article	mil. :	milieu
auj. :	aujourd'hui	mod. :	moderne
auxil. :	auxiliaire	mor. :	moral
bret. :	breton	moy. :	moyen
celt. :	celtique	n. :	nom
cf. :	se reporter à	néerl. :	néerlandais
chang. :	changement	nor. :	norrois
comp. :	composé	norm. :	normand
compar. :	comparatif	norv. :	norvégien
compl. :	complément	num. :	numéral
conj. :	conjonction, conjonctive	obsc. :	obscur
conjug. :	conjugaison	onom., onomat. :	onomatopée, onomatopéique
contr. :	contraire	oppos. :	opposé, opposition
crois. :	croisement	ord. :	ordinal
dial. :	dialectal	orient. :	oriental
déb. :	début	orig. :	origine
déf. :	défini	p. passé :	participe passé
dém., démonstr. :	démonstratif	p. présent :	participe présent
dér. :	dérivé	part. :	participe
dev. :	devenu	partic. :	particulier
déverb. :	déverbal	péjor. :	péjoratif
dimin. :	diminutif	pers. :	persan, personnel
dir. :	direct	phys. :	physique
dissim. :	dissimilation	pic. :	picard
empr. :	emprunté	pl., plur. :	pluriel
esp. :	espagnol	poés., poèt. :	poésie, poètes
étym. :	étymologie	poss. :	possessif
ex. :	exemple	pr. :	propre, pronominal
expr. :	expression	préc. :	précédent
f., fém :	féminin	préf. :	préfixe
fig. :	figuré	prép. :	préposition, prépositive
flam. :	flamand	pron. :	pronom
form. :	formé, formation	propr. :	proprement
fr. :	français	prov. :	provençal, proverbe
fréq. :	fréquentatif	qq. :	quelque
gaul. :	gaulois	qqn , q'un :	quelqu'un
gén. :	génitif	rac. :	racine
germ. :	germanique	réfl. :	réfléchi
gr. :	grec	rég. :	régime
hébr. :	hébreu	s. :	siècle
imp. :	imparfait	scand. :	scandinave
impér. :	impératif	s. d. :	sans date
impers. :	impersonnel	sing. :	singulier
inc. :	inconnu	subj. :	subjonctif
incert. :	incertaine	subst. :	substantif, substantivé
ind. :	indirect	suff. :	suffixe
indic. :	indicatif	suiv. :	suivant
indéf. :	indéfini	suj. :	sujet
infl. :	influencé	superl. :	superlatif
interj. :	interjection	syn. :	synonyme
interm. :	intermédiaire	t. :	terme
interr. :	interrogatif	v. :	verbe, vers, voir
invar. :	invariable	V. :	Voir

a- préf. (lat. *ad-*). Le préfixe *a-* exprime, de façon générale, l'aspect ponctuel, discontinu, lorsqu'il se trouve mis en relation avec un terme ayant des valeurs duratives, continues. Il produit des verbes soit à partir d'autres verbes, soit à partir de substantifs ou d'adjectifs.

I. Formation déverbale. L'effet de sens que comporte le verbe préfixé dépend des valeurs aspectuelles contenues dans la racine verbale : 1° *A-* transforme les procès duratifs en terminatifs : *aporter, abatre, aduire.* — 2° *A-* transforme les états duratifs en inchoatifs : *aamer,* se mettre à aimer; *aparler,* adresser la parole. — 3° *A-* transforme les procès augmentatifs continus en discontinus : *aemplir,* combler, accomplir, en produisant parfois l'effet de sens intensif; *abeer,* désirer ardemment.

II. Formation dénominale. L'effet de sens que comporte le verbe ainsi formé dépend de la valeur sémantique du substantif ou de l'adjectif pris comme base : 1° A partir d'un terme à valeur discontinue, ponctuelle, le verbe exprime le procès terminatif : *ariver,* atteindre la rive; *aboner,* établir une borne, une limite; *areonder,* rendre rond. — 2° A partir d'un terme à valeur durative, continue, le procès exprimé par le verbe a un aspect inchoatif : *abaldir,* rendre gai, réjouir; *anuitier,* commencer à faire nuit. — 3° A partir d'un terme à valeur relative, le procès exprimé par le verbe a un aspect augmentatif ou intensif : *alonger, acorcier,* etc.

I. a, ad (devant voyelle) prép. (xe s., *Eulalie;* lat. *ad,* indiquant la destination).

A. De façon générale, introduit, lorsqu'il régit un substantif personnel ou animé, un des participants au procès désigné par l'énoncé. — 1° Le destinataire de l'action, même elliptique : *Et si escrie : Or a eus, chevalier,* allons sur eux *(Roncev.).* — 2° Le destinataire, complément d'attribution : *Droit a mon oncle le dirai (Vair Palefr.).* — 3° Le destinataire non grammatical, avec le sens de *vers : Seignurs baruns a Carlemagnes irez (Rol.).* — 4° Le destinataire qui, par l'intermédiaire du verbe, indique le but : *Les dismes furent establies et donees anciennement a*

sainte eglise soustenir (Beaum.). — 5° Le destinataire et, avec l'effacement de l'idée de mouvement, le possesseur : *Car fust l'espee a moult noble vassal (Rol.). Gentils fils a baron (Roncev.).* — 6° Qualité particulière de l'actant, Comme, à titre de : *Or a mari autre que vous n'aurai* (H. de la Ferté). 7° *A* introduit également le sujet sémantique de l'énoncé au passif : *Me gardez que ne soie prise a beste cuiverte* (Aden.). *A tous se fit amer Berte* (Aden.).

B. Lorsqu'il régit un substantif inanimé, *a* indique : 1° Le point d'aboutissement du procès : *Puis il s'escrie a sa voiz grant et haute : Baron franceis, as chevals et as armes! (Rol.).* — 2° Le point, dans l'espace ou le temps, auquel a abouti le procès : *Touz les princes qu'il pot a sa terre trover* (J. Bod.).

C. Partiellement confondu avec *a,* « avec », la préposition introduit les circonstants : 1° D'instrument : *A l'une main si ad sun piz batud (Rol.).* — 2° De manière : *L'olifan sunet a dulor e a peine (Rol.). A voiz escrie : Car chevauchez, baron! (Roncev.).*

D. Introduit également les compléments indirects, les infinitifs dépendant de verbes, d'adjectifs, etc. (avec la distribution qui peut être différente du français moderne).

E. al, au, formes contractées de *a* et de l'art. *le,* masc. sing. ◆ **als, as, aus,** formes contractées de *a* et de l'art. *les,* plur.

II. a, ab prép. (842, *Serm.;* lat. *apud*). Avec : *Entrer vuel en sa terre a mon barnage fier* (J. Bod.). ◆ V. ATOT, avec.

III. a! interj. (xie s., *Alexis*). onom.). Exclamation polysémique. ◆ **alas!** interj. (1175, Chr. de Tr.; comp. de l'interj. *a, ha,* et de l'adj. *las,* variable en genre et nombre). Hélas!

aace n. f. (XIIIᵉ s.; germ. *agaza*). Agace, pie. ◆ **aacier** v. (XIIIᵉ s., G.). Crier, en parlant de la pie.

aacier v. (1220, Coincy; lat. pop. *adaciare*, de *acies*, tranchant). *Aacier les dents à qn*, agacer qn : *Pechié leur aace les dents (Mir. N.-D.).* ◆ **aacement** n.m. (XIIIᵉ s., G.). *Aacement des dents*, agacement.

aage n. m. V. EAGE, âge.

aairier, airier v. (1190, J. Bod.; v. *aire*). 1° Nicher. — 2° S'arrêter, séjourner : *Karles a lonc tems de demorer s'aaire (J. Bod.).*

aaise n.f. et m. V. AISE, situation agréable, jouissance.

aaisier v. V. AISIER, mettre à l'aise.

aamer v. (fin XIIᵉ s., *Est. Saint-Graal;* v. *amer*). Se mettre à aimer, aimer avec tendresse : *Jhesu Crist vit; et en son cuer L'aama mout (Est. Saint-Graal).*

aancrer v. (1160, Ben.; v. *ancre*). Mettre à l'ancre, jeter l'ancre.

aate adj. (1080, *Rol.;* v. *ate*). Rapide, vif : *Li destriers est e curans e aates (Rol.).*

aatir v. (1160, Ben.; orig. incert., peut-être de *aate*). 1° Provoquer, défier. — 2° S'attaquer à : *Voire, dist li rois, vous aatissiez vous a moi* (Ben.). — 3° Déclarer sous serment; se vanter : *Car je m'os tres bien aatir Que j'ai amie la plus biele* (G. de Montr.). — 4° Comparer : *Bien les en os aatir tox Fors vous seul (Atre pér.).* ◆ **aatie** n.f. (1155, Wace), **aatine** (XIIᵉ s., *Barbast.*), **-ise, -isement, -ison** (XIIᵉ s.). 1° Empressement : *D'aler as messes n'as matines Ne font il pas grant ahatines* (Coincy). *Par grant aatison,* avec ardeur. — 2° Provocation, défi, pari : *La grant baronie Que en Espagne menai par aatie (Aym. Narb.).* — 3° Querelle : *Vos tençons ne vos aatines Ne pris ja mie un bouton* (Coincy). — 4° Gageure.

ab prép. V. A, avec.

abac n. m. (1150, *Thèbes;* lat. *abacus*, du grec). 1° Tableau recouvert de poussière sur lequel on traçait les nombres. — 2° Le calcul, l'arithmétique.

abaie n. f., abbaye. V. ABÉ, abbé.

I. abaier v. (XIIᵉ s., lat. pop. *abbaudiare*, de *baudari*). Aboyer. ◆ **abai, aba** n. m. (1170, *Fierabr.*), **-ement** (XIIIᵉ s.). Aboiement. ◆ **abaieor** n.m. (1327, J. de Vignay). 1° Chien qui aboie. — 2° Celui qui proteste.

II. abaier v. (XIIᵉ s.; v. *baier,* bayer). 1° Convoiter. — 2° Soupçonner. ◆ **abaierie** n.f. (XIIIᵉ s.). Convoitise. ◆ **abaieor** n.m. (XIIᵉ s.). 1° Envieux. — 2° Jaloux, soupçonneux : *L'une iert mestre abaeresse (Ren.).*

abaissier v. (XIIᵉ s., M. de Fr.; v. *baissier*). 1° Baisser. — 2° Apaiser, éteindre : *Maintien les bonnes coustumes de son royaume, et les mauvaises abaisse* (Joinv.). ◆ **abaissement** n.m. (1160, Ben.), **-ance** n.f. (1260, Br. Lat.). 1° Pente. — 2° Bassesse, abaissement : *Por demonstrer l'abaissance de lor condition* (Br. Lat.).

abait n.m. V. ABET, appât.

abalbir, es- v. (1220, Coincy; lat. *balbus*, bègue). 1° Étonner, déconcerter : *Un miracle vueit raconter Pour abaubir ceux [...] Qui sainz et saintes ne redoutent* (Coincy). — 2° Étourdir, effrayer.

abaldir v. (XIIIᵉ s., *Ps.;* v. *balt*, gai). Réjouir : *Ta verge, et tes bastons ausi, M'ait conforteit et abaudi (Ps.).*

abandoner v. (1080, *Rol.;* germ. *band*, juridiction). 1° Laisser en liberté, lâcher : *Le frein li abandunet (Rol.).* — 2° Permettre : *Li marchis li abandona qu'il i alast* (Villeh.). ◆ **abandon** n. m. (fin XIIᵉ s., *Loher.*). 1° Action d'abandonner. *A abandon,* largement. *Metre en abandon,* accorder son amour. *Metre en abandon de,* exposer au danger de. — 2° Le droit ou le fait de prendre un gage sous forme de biens meubles ou immeubles. ◆ **abandonement** n. m. (1265, J. de Meung), **-ance** n. f. (XIIIᵉ s.). Action d'abandonner.

abatre v. (VIIIᵉ s., *Gloss. Reich.;* v. *batre*). 1° Abattre. — 2° Dégager un chemin dans une forêt : *En la foriest estoient laron ki abatoient le fause voie (Fille du comte de P.).* ◆ **abateis** n. m. (1160, Ben.). Action d'abattre (personnes ou choses) : *Ne fu veu tel lanceis Ne s'estrange abateis* (Ben.). ◆ **abatement** n. m. (XIIIe s.). 1° Action d'abattre. — 2° Diminution, rabais.

I. **abé** n. m. (XIe s.), **-esse** n. f. (déb. XIIe s.; lat. *abbas, -atis*). Abbé, abbesse. ◆ **abeie, abaie** n. f. (XIe s., *Alexis*). Abbaye. ◆ **abaiete** n. f. (XIIIe s.). Petite abbaye.

II. **abé** n. m., vif désir. V. ABEER, désirer.

abechier v. (XIIIe s.; v. *bec*). 1° Donner la becquée à un jeune oiseau. — 2° Allécher : *Abekiés de regars de douce veue* (Jeh. Petit).

abecoi n. m. (1119, Ph. de Thaun; *a boi coi,* fin XIIIe s., *Sydrac;* formé des trois premières lettres de l'alphabet). Alphabet.

abee n.m. V. ABIET, sapin.

abeer v. (fin XIIIe s., *Son. Nans.;* v. *baer*). Désirer intensément : *Car son revenir abeoit (Son. Nans.).* ◆ **abé** n. m. (1160, *Charr. Nîmes*), **abeance** n. f. (1277, *Rose*). Vif désir. *Estre en abé de,* désirer ardemment. *En abé,* aux aguets, en embuscade.

abelir v. (fin XIIe s., *Est. Saint-Graal;* v. *bel*). 1° Embellir. — 2° Etre agréable : *Del chanter abelist mout (Rose).* ◆ **abeloier** v. (XIIIe s.). Prendre son plaisir.

abesoignier v. (1260, Br. Lat.; v. *besoignier*). 1° Avoir besoin : *Li prince de la terre abesoignent li amis.* (Br. Lat.). — 2° Etre nécessaire : *Les armeures qui abesoignent* (M. Polo). — 3° *Abesoignier avec,* avoir affaire à, combattre. ◆ **abesoignement** n. m. (1295, *Arch.*). Besogne.

abestos, -on (XIIe s.; lat. *asbestos, -i,* minéral incombustible). Amiante.

abeter v. (1160, Ben.; germ. *betan,* faire mordre). 1° Tromper, duper : *Oez cum li cuilverz l'abete* (Ben.). — 2° Inciter, favoriser : *Vo abbestates [...] discorde entre nostre seigneur le roy et la royne*

(1326, Du Cange). ◆ **abet, abeit** n. m. (1220, Coincy). Tromperie, ruse. ◆ **abeteor** n. m. (XIIIe s.). 1° Trompeur. — 2° Fauteur.

abevrer v. V. ABREVER, faire boire.

abiet, abiee n.m. (XIIe s.; lat. *abies, -etis*). Sapin.

abillier v. (1306, Guiart; dér. de *bille,* infl. par *habit*). 1° Préparer une bille de bois. — 2° Équiper pour la guerre. ◆ **abillement** n. m. (XIIIe s.). Engin, machine de guerre, arme.

abis, abisce n. m. (XIIe s.; lat. eccl. *abyssus*). Abîme. ◆ **abisme** n. f. (1190, J. Bod., avec un faux suffixe *-ismus*). 1° Abîme. — 2° Enfer. ◆ **abismer** v. (XIVe s.). 1° Jeter dans un abîme. — 2° Approfondir.

abit n. m. (fin XIIe s., *Trist.;* lat. *habitus,* manière d'être, costume). Habit ecclésiastique. ◆ **abituer** v. (déb. XIVe s.). Revêtir, habiller.

abiter v. (déb. XIIe s., *Ps. Cambr.;* lat. *habitare*). 1° Habiter. — 2° Copuler : *Ne l'un de vos l'autre abiter (Trist.).* — 3° Affronter : *Li couurt fuient, ne l'osent abiter (Alisc.).* ◆ **abit** n. m. (1155, Wace), **-oison** n. f. (1200, *Quatre Fils Aym.*), **-age** n. m. (1220, *Saint-Graal*), **-ance** n. f. (1288, J. de Priorat). Habitation, demeure. ◆ **abitement** n. m. (1155, Wace). 1° Logement, demeure. — 2° Cohabitation. ◆ **abitacle** n. m. (déb. XIIe s., *Ps. Cambr.*), **-aclement** n. m. (fin XIIe s., *Loher.*). Logement, cabane. ◆ **abiteor** n. m. (déb. XIIe s., *Ps. Cambr.*). Habitant.

abjurer v. (1327, J. de Vignay; lat. *abjurare*). Renoncer par serment.

ablai n.m. (1270, *Cart. de Ponth.;* lat. *ablatum,* enlevé). 1° Blé, moisson. — 2° Terre semée de blé.

ablandir v. (fin XIIe s., saint Grég.; v. *blander*). Flatter : *Car il nos ablandist par la dolzor des charneiz deseiers* (saint Grég.).

able, avle, aule adj. (1230, *Saint Eust.;* lat. *habilis*). 1° Propre à, convenable. — 2° Habile, agile : *Les deux* *jovenceax qui estoient grant et gent... e de cors able (Saint Eust.).*

aboivre v. (1277, *Rose;* v. *boivre,* boire). 1º Abreuver. − 2º Boire. ◆ **aboivrement** n. m. (1246, *Ass. Jér.*). 1º Action de faire boire. − 2º Question par l'eau : *La cort est puis tenue de ceaux destraindre par abevremint ou par martire (Ass. Jér.).* − 3º Droit sur le vin et autres boissons exposés au marché. − 4º Droit seigneurial qui se payait en sus, pot-de-vin officialisé (1311, *Arch.*). ◆ **aboivrage** n. m. (fin XIIIᵉ s., *Sydrac*). 1º Boisson. − 2º Boisson empoisonnée, poison.

abominer v. (1120, *Ps. Oxf.;* lat. eccl. *abominari*). Éprouver du dégoût devant une chose impie. ◆ **abominacion** n. f. (1120, *ibid.*). 1º Horreur de ce qui est impie. − 2º Répugnance, dégoût, nausée. ◆ **abominable** adj. (1120, *ibid.*). 1º Qui inspire le dégoût. − 2º Qui éprouve du dégoût : *Les privés sergens du roy en estoient abominables* (Joinv.).

abonacier v. (XIIᵉ s., *Ps.;* v. *bonace*). Calmer, ramener à la bonace.

abonder v. (1120, *Ps. Oxf.;* lat. *abundare,* déborder). Donner en abondance. ◆ **abonde** n. f. (1265, J. de Meung), -**ement** n. m. (1121, Ph. de Thaun), -**ance** n.f. (1121, *ibid.*). 1º Abondance. − 2º *Dame Habonde,* nom d'une fée bienveillante *(Rose).* − 3º *D'abondance,* à cœur joie. ◆ **abondable** (fin XIIᵉ s., *Gir. de Rouss.*), -**os** (1160, Ben.). Abondant.

aboner v. (1260, Br. Lat.; v. *bone,* borne). 1º Borner, établir la limite, la frontière. − 2º Se fixer un but, entreprendre : *Puis estuet qu'a dire m'abonne ... Com par eus fu mort li roys Pierres* (Guiart). − 3º Fixer une redevance régulière. − 4º Racheter ou céder ce droit. *Aboner qn de,* l'affranchir de. ◆ **aboné** adj. (XIIIᵉ s.). 1º Soumis à une redevance régulière. − 2º *Aboné de,* voisin de. ◆ **abonement** n. m. (1275, *Cart.*). 1º Fixation de bornes, de limites. − 2º Acquittement d'une taxe. − 3º Biens-fonds.

abonir v. (fin XIIᵉ s., *Est. Saint-Graal;* v. *bon*). Consentir : *A ce soufrir Ne se vourront plus aboennir (Est. Saint-Graal).*

aborder v. (1250, *Ren.;* v. *behorder*). Duper.

aborissement n. m., horreur. V. AVORIR, abhorrer.

abortir v. (1313, *Arch.;* lat. **abortire,* de *aboriri*). Accoucher avant terme. ◆ **abortif** n. m. (1337, *Arch.*). Avortement.

abosmer v. (déb. XIIᵉ s., *Ps. Cambr.;* lat. *abominari*). 1º Avoir en dégoût, abominer. − 2º Abattre, accabler : *Mout fu li rois dolans et abosmez (R. de Cambr.).* ◆ **abosme** n. m. (XIIᵉ s.), -**ement** (XIIᵉ s., *Ps.*). 1º Abomination, indignation. − 2º Chose abominable. ◆ **abosme, -é, -i** adj. (1190, *H. de Bord.*). Plongé dans la douleur, consterné.

aboter v. (1247, *Bans;* v. *bot,* bout). 1º Toucher par un bout, confiner : *Sezile qui sus mer aboute* (Guiart). − 2º Conduire auprès de. − 3º Aboutir à : *Tout leur consel abouterent A çou qu'al roi Felipre alerent* (Mousk.). − 4º Assigner. ◆ **abot** n.m. (1204, R. de Moil.), -**ement** n.m. (1276). 1º Borne, limite. − 2º Terre hypothéquée. − 3º *D'abot,* par-dessus le marché. ◆ **abotif** adj. (1268, E. Boil.). 1º Qui va jusqu'au bout. − 2º Entêté, buté : *Li foz et li roides et li aboutiz* (E. Boil.).

abracier v. (XIIᵉ s., *Chev. cygne;* v. *bras*). Entourer de ses bras, embrasser.

abrander v. (1160, Ben.; v. *brande,* flamme). S'enflammer, briller : *L'aube abrande, lieve e esclaire* (Ben.).

abraser v. (1160, Ben.; v. *braser,* embraser). 1º Enflammer, exciter : *Abrasez fu e plein de mal De la laide fure infernal* (Ben.). − 2º Enflammer (en parlant des choses). ◆ **abrasement** n. m. (XIIᵉ s.). Embrasement, incendie.

abrever v. (XIIIᵉ s.; *abevrer,* XIIᵉ s.; lat. pop. **abbiberare*). Abreuver. ◆ **abrevement** n. m. (1246, *Ass. Jér.*), -**age** n. m. (1262). Action de faire boire. ◆ **abrevoir** n. m. (1220, *Saint-Graal*). Verre, gobelet à boire.

abrevier, -gier v. (1190, saint Bern.; lat. pop. *abbreviare*). 1º Raccourcir, résumer. — 2° Humilier : ... *quels fu li besoigne por kai li sires de majesteit s'umiliest et s'abreviest ensi* (saint Bern.). — 3° Diminuer le nombre de : *Jo vei ma gent destruire et mal qui nus abriege* (J. Fantosme). ◆ **abregement** n.m. (1283, Beaum.). Diminution des services ou de la valeur d'un fief.

abriconer v. (1120, Coincy; v. *bricon*, fripon). Tromper, filouter : *Maint sage ai abriconé (Ren.).*

abrier v. (XIII° s., J. de Meung; lat. *apricari*, se mettre au soleil). 1° Mettre à l'abri du froid, de la pluie, etc. — 2° Couvrir, vêtir. *Abrier de mort*, couvrir du voile de la mort, faire mourir. ◆ **abri** n. m. (fin XII° s., *Rois*), **-ement** n. m. (1306, Guiart). Abri, maison, logement.

abriver v. (XII° s., *Chev. cygne*; v. *briver*). S'élancer, courir sus. ◆ **abrivé** adj. (fin XII° s., *Loher.*). 1° Rapide, impatient : *De bien faire tout abrievé (Atre pér.).* — 2° Impétueux (épithète fréq. de *cheval*).

abroti adj. (fin XII° s., *Loher.*; lat. *abruptus*, p. passé de *abrumpere*, briser, rompre). Accablé de chagrin : *Li enpereres en fu molt abrotis (Loher.).*

absent adj. V. ASSENTER, éloigner.

absorde adj. (1190, saint Bern.; lat. *absurdus*). Absurde.

abstraire v. réfl. (1237, J. de Vignay; lat. *abstrahere*, tirer). Se retirer : *Celluy sainct ... s'estoit abstraict du monde* (J. de Vignay).

abufer v. (1270, A. de la Halle; v. *bufe*). Tromper : ... *il nous va disant Ses bourdes dont il vous abuffe* (A. de la Halle).

abuissier v. (1155, Wace; v. *buissier*, cogner). Heurter, trébucher : *Laidement se va abuissant Et laidement chiet et chancele* (Coincy). ◆ **abuissail, -ement** n. m. (XII° s., *Part.*), cause de chute : *Ne mettez abuissail devant vostre frere ou esclandre* (Bible). — 2° Tromperie.

abuser v. (1312, *Cart.*; lat. *abusare*, de *abuti*). 1° Tromper. — 2° Faire mauvais usage. ◆ **abusion** (1260, A. de la Halle). 1° Tromperie, duperie. — 2° Erreur, illusion.

abuter v. (1250, *Ren.*; v. *buter*). 1° Diriger vers un but. — 2° Toucher à, arriver. —3° Décevoir.

acabler v. V. ACHABLER, écraser.

acachier v. V. ACHACIER, pousser.

acasie n.f. (XII° s., *Chev. cygne*; orig. incert.). Trône.

acater v. V. ACHATER, gagner, rendre service, acheter.

acatoner v. V. AQUASTRONER, s'abattre.

acceptable adj. (1160, Ben.; lat. *acceptabilis*). Agréable, gracieux : *Molt estoit bieus et acceptables (Troie).*

accide, -ie n. f. (1260, Br. Lat.; *accidia*, pour *acedia*, du grec). 1° Insouciance, indolence. — 2° Paresse : *Qui se pert par paresce que clers nomment accide* J. de Meung). ◆ **accidos** adj. (XIII° s.). Paresseux.

aceindre v. (1160, Ben.; v. *ceindre*). Entourer : *Tut le munde Que clot e aceint mer perfunde* (Ben.). ◆ **aceint** n. m. (fin XIII° s., G. de Tyr), **-e** n. f. (1190, J. Bod.). 1° Enceinte d'une ville. — 2° Espace de terre formant enclos. — 3° Terrasse.

acener v. (1160, Ben.; v. *cener*, faire signe). 1° Faire signe. — 2° Appeler : *Il les acena et il vinrent a lui (Auc. et Nic.).* ◆ **acenement** n. m. (XII° s., *Part.*). Signe de tête.

acenser v. (1213, *Fet Rom.*), **-ir** (1227, *Reg. aux bans*), **-oir** (1290, *Cart.*; v. *cens*). Prendre, donner à cens, à ferme. ◆ **acens** n. m. (XIII° s.). Cens, redevance. ◆ **acensement** n. m. (1234, *Arch.*). Bail à cens. ◆ **acensaige** n. m. (XIII° s.). Prix d'un bail à cens, droit de cens. ◆ **acense** n. f. (1313, *Arch.*). Héritage, ferme, bien qu'on tient à cens. ◆ **acensif** n. m. (1326, *Arch.*). Bien tenu à cens. ◆ **acenseor** n. m. (1310, *Ord.*). Celui qui prend ou qui tient une chose à cens.

aceri, -in adj. (fin XII° s., *Loher.*), **-é** (XII° s., *Roncev.*), **-ois** (fin XII° s., *R. de*

Cambr.; v. *acier*). 1º D'acier. — 2º Garni d'acier. — 3º Ferme comme l'acier, inébranlable : *Mes dieux par est si acerins, si tres vrais* (Coincy).

acerter v. (1190, Garn.; v. *certer*). 1º Assurer, affermir. — 2º Renseigner. ◆ **acertance** n. f. (xiiiᵉ s.). Assurance, certitude. ◆ **acertainer** v. (xiiiᵉ s.). Assurer, certifier.

acesmée n. f. (1180, *Rom. d'Alex.*; orig. obsc.). Souffle, coup de vent : *acesmée de vent* (*Rom. d'Alex.*).

acesmer, ass- v. (1160, *Charr. Nîmes;* orig. obsc.). 1º Orner, parer. 2º Équiper, préparer pour la bataille : *Prenez vos armes, et si vous acesmez* (*Charr. Nîmes*). ◆ **acesme** n. m. (xiiᵉ s.), **-ement** (fin xiiᵉ s., Couci). Ornement, atours de dame. ◆ **acesmeure** n. f. (1306, Guiart). Parure. ◆ **acesmé** adj. (xiiᵉ s.). 1º Orné, gracieux. 2º Paré de talents, de mérites.

achabler v. (1329, *Acte;* v. *chaabler*, abattre les arbres). 1º Abattre à terre. — 2º Écraser (sous une masse).

achacier v. (déb. xiiiᵉ s., R. de Clari; v. *chacier*, attraper). Pousser, faire marcher devant soi : *Li vens les acachoit a grant aleure* (R. de Clari).

achainte n. f. V. ACEINTE, enceinte.

achanter v. (1306, Guiart; v. *chant*, côté). Mettre de chant, appuyer sur le côté. *Achanter la lance,* l'appuyer sur la cuisse, la mettre en arrêt. ◆ **achanteler** v. (xiiᵉ s., *Part.*). 1º Incliner sur le côté. — 2º Ébranler : *Hurté l'a bien si l'aschantele* (*Part.*).

acharner v. (1160, Ben.; v. *charn*, chair). Nourrir de chair, mettre en appétit de chair (les chiens et les faucons).

achater v. (1190, J. Bod.; *acheder,* xᵉ s., *Jonas;* lat. pop. *accaptare*). 1º Prendre, gagner, procurer : *Et qui deniers n'a, s'en acate* (J. Bod.). — 2º Rendre service à qn, l'obliger : *Por nos amender Et por Dame Deu achater* (Ren.). — 3º Acheter. ◆ **achat** n. m. (1170, Prarond), **-ement** (1120, *Ps. Oxf.*). 1º Le fait de se procurer.

— 2º Mérite acquis par les services rendus : *Achatemens de Dieu et de paradis* (*Misér. N.-S.*).

I. ache n. f. (xiiᵉ s.; lat. *apia,* plur. de *apium,* sens plus gén.). Céleri.

II. ache, hace n. (xiiiᵉ s., *ABC;* orig. onom.). Nom de la lettre *h.* (V. HA.)

acheminer v. (1080, *Rol.;* v. *chemin*). Se mettre en route.

achenir v. (1220, Coincy; v. *chien*). S'acharner sur : *Tous tenz sus clers sunt acheni* (Coincy).

achetiver v. (fin xiiᵉ s., *Alisc.;* v. *chetif*, prisonnier). 1º Réduire en esclavage : *De France sui uns sers achaitives* (B. d'Hanst.). — 2º Emprisonner. — 3º *Achetiver de,* rendre malheureux en privant de.

achever v. (1080, *Rol.;* v. *chief*, tête). 1º Terminer. — 2º Atteindre le résultat, obtenir : *Mieux aing a li servir, si prometrey, Qu'a une autre achiever* (Couci). — 3º Aboutir à. ◆ **achevement** n. m. (xiiiᵉ s.). Chose à achever, entreprise.

I. achier n. m. (1270, *Ord.;* lat. *apiarium,* de *apis,* abeille). 1º Essaim. — 2º Ruche.

II. achier v. V. HACHIER, hacher.

achoison n. f. (1120, *Ps. Oxf.;* lat. *occasionem,* le *a-* initial probablement sous l'infl. de *accusare*). 1º Cause, raison : *Tuz contrarianz a mei senz achaisun* (*Ps. Oxf.*). — 2º Occasion, motif : *Mes il ad autre acheisun Que de receivre le pardun* (M. de Fr.). — 3º Accusation. ◆ **achoisoner** v. (1160, Ben.). 1º Accuser. — 2º Vexer : *Ly sire ne le doit punir ni achusonner en autre maniere* (1305, *Franch.*). ◆ **achoisonos** adj. (xiiᵉ s.). 1º Chicaneur. — 2º Précautionneux.

achoper v. (1175, Chr. de ·Tr.; v. *choper*). 1º Heurter, broncher. — 2º Accabler, assujettir : *Au povre que meschief assouppe* (Ysopet, I). — 3º Etre arrêté. ◆ **achopail** n. m. (xiiᵉ s.). Achoppement, obstacle : *Ostez les acopaus de la voie de mon pueple* (Bible). ◆ **achopement** n. m. (1340, *Ord.*). Préjudice, dommage.

acier n. m. (déb. XIIᵉ s., *Voy. Charl.;* lat. pop. **aciarium,* de *acies,* tranchant). 1º Outil ou arme tranchants. — 2º Métal dont ils sont faits, acier.

aclasser, asc-, esc- v. (1160, Ben.; orig. incert.). Se reposer, s'assoupir.

acliner v. (déb. XIIIᵉ s., R. de Beauj.; v. *cliner,* incliner). 1º Incliner, pencher. — 2º Fléchir, soumettre. — 3º Avoir du penchant. ◆ **aclin** adj. (1160, Ben.). 1º Incliné. — 2º Soumis : *Tote tere li fu acline* (Ben.).

aclore v. (1160, Ben.; v. *clore*). 1º Clore, entourer de murs. — 2º Fermer. ◆ **aclos** n. m. (1267, G.). Enclos.

acoardir v. (1155, Wace; v. *coart,* peureux). 1º Rendre lâche. — 2º Effrayer : *Qui de noient ne s'acoarde* (G. de Montr.).

acoillir v. V. ACUEILLIR, ramasser, attaquer.

acointe adj. (1170, Chr. de Tr.; lat. pop. **accognitum,* de *accognoscere,* reconnaître). 1º Familier; ami : *Un miens compains... qui de maint prodome est acointes* (Chr. de Tr.). — 2º Amant : *Car il est de la mere acointe Et de la fille (Mir. N.-D.).* ◆ **acointier** (fin XIIᵉ s., R. de Cambr.). 1º Faire connaissance de, aborder, avoir affaire à : *Onques n'acointastes plus felons anemis (Loher.).* — 2º Faire connaître, apprendre : *Por les nouveles de Charlon acointier (Enf. Ogier.).* — 3º Prévenir : *De ço vus voil bien acointier* (M. de Fr.). — 4º Avoir des relations avec : *Charles acointa une damoiselle nomee Gonor* (Ben.). — 5º *Acointe* (impers.), il plaît, il convient. ◆ **acoint** n.m. (XIIᵉ s.), -**ement** (déb. XIIIᵉ s., R. de Beauj.), -**ance** n. f. (1175, Chr. de Tr.), -**ise** (XIIᵉ s.). 1º Accueil, rencontre, fréquentation. — 2º Familiarité, amitié, commerce amoureux : *Sachiez que molt la trovai Douce a l'acointier (Rom. et past.).*

acoisier, aquisier v. (fin XIIᵉ s., *Loher.;* v. *coi,* tranquille). 1º Calmer, adoucir : *Et Sonnehaut ne puet nus achoisier* (Auberi). — 2º Se tenir tranquille, s'apaiser.

acolchier v. (fin XIIᵉ s., *Rois;* v. *colchier,* coucher). 1º Coucher, se coucher : *Acolchier la lance,* la baisser. — 2º S'aliter. — 3º Accoucher, mettre au monde. ◆ **acolchement** (fin XIIᵉ s.). 1º Action de se coucher. — 2º Accoucher.

acoldre v. (1204, R. de Moil.; v. *coldre,* coudre). 1º Coudre une chose à une autre, joindre. — 2º S'attacher, être lié.

acoler v. (XIᵉ s., *Alexis;* v. *col,* cou). 1º Se jeter au cou, embrasser. — 2º Frapper au cou : *Od le restiu de sun espié vot acoler le bon destrier (Gorm. et Is.).* ◆ **acoleis** n. m. (1306, Guiart), **acolie** n. f. (XIIIᵉ s.). Accolade, embrassade. ◆ **acolerie** n. f. (1306, Guiart). Embrassades répétées. ◆ **acolement** n. m. (1213, *Fet Rom.*). Rapprochement.

acolter v. V. *acoter,* appuyer.

acombler v. (1190, saint Bern.; v. *combler*). 1º Combler. — 2º Mettre le comble à. — 3º Accumuler (Mousk.).

acomenier, acomengier v. (1080, *Rol.;* v. *comenier*). 1º Donner la communion. — 2º Recevoir la communion, communier.

acompaignier v. (XIIᵉ s., *Roncev.;* v. *compain*). 1º Prendre pour compagnon. — 2º Donner pour compagnon ou compagne : *Il ot Adam et Eve acompagnié (Asprem.).* ◆ **acompaigniement** n. m. (1264, *Ord.*). Association, admission au partage d'un fief. ◆ **acompagnance** n. f. (déb. XIVᵉ s.). 1º Action d'accompagner. — 2º Dépendance.

acomparagier v. (XIIIᵉ s., Bible; v. *comparagier*). Comparer.

acomplir v. (1121, Ph. de Thaun; v. *complir,* achever). 1º Faire entièrement. — 2º Accorder pleinement : *El m'acomplit tout mon vouloir (Rose).* — 3º Rendre complet. ◆ **acomplim
ent** n. m. (1269, *Arch.*), -**issement** n. m. (XIIIᵉ s., *Merlin*). Achèvement, exécution. ◆ **acomplisseor** n. m. (1277, J. de Meung). Exécutant.

aconite n. m. (1160. Ben.; lat. *aconitum,* du grec). Aconit : *... puis prist aconite, c'est uns venins qui chiet de la lune (Fet Rom.).*

aconsivir, -ivre v. (déb. XIIᵉ s., *Voy. Charl.;* v. *sivir*, suivre). 1º Atteindre en poursuivant : *Que mort ne les puet aconsuivre (Rose).* − 2º Frapper. ◆ **aconseu** adj. (1220 *Saint-Graal*). Convaincu de.

aconter v. (1080, *Rol.;* v. *conter*). 1º Raconter. − 2º Compter, énumérer (1160, Ben.). − 3º Rendre compte, tenir compte de : *Point n'aconte a cose k'il die* (A. de la Halle). ◆ **acont** n. m. (1298), **-e** n. f. (1190, Garn.). Compte. *De quel aconte*, à quel titre, pour quelle raison. ◆ **acontage** n. m. (XIIIᵉ s.), **-ement** (1200, *Ren. de Montaub.*). Conte, récit.

acoper v. (1237, G.; orig. obsc.). Cocufier. ◆ **acopir** v. (v. 1270, J. de Meung). Débaucher la femme d'autrui. ◆ **acoperie** n. f. (XIVᵉ s.). État de l'homme ou de la femme trompés.

acoragier v. (XIIᵉ s.; *Trist.;* v. *corage*). Encourager. ◆ **acoragié** adj. (XIIIᵉ s.). Courageux.

acorcier v. (1175, Chr. de Tr.; v. *corcier*, raccourcir). 1º Abréger, raccourcir. − 2º Contracter : *La dite Jehenne eust la langue mout acourciee et retraite (Mir. Saint Louis).*

acorder v. (1155, Wace; lat. *accordare*, avec infl. de *chorda*). 1º Accorder (les voix). − 2º Réconcilier : *Pour traittier et accorder son seigneur a son frere* (Wace). − 3º Etre d'accord. ◆ **acordement** n. m. (1155, Wace). Action de réconcilier, accord : *Entretant parlerum de faire acordement* (Wace). ◆ **acort** n. m. (1160, Ben.), **acorde** n. f. (1080, *Rol.*), **-ison** (fin XIIᵉ s., *Alisc.*). 1º Accord (mus.). 2º Concorde, paix. *Par acorde*, en signe de paix. *A une acorde*, de concert. − 3º Volonté, avis, résolution. *C'est mes acors*, tel est mon avis. ◆ **acordance** n. f. (1160, Ben.). 1º Accord, harmonie : *Mult estoit belle l'acordance De leur piteus chans a ouir* (Rose). − 2º Convention de paix.

acorer v. (1160, Ben.; v. *cor*, cœur). 1º Arracher le cœur, les entrailles : *Si cume lous qu'aigneaus acorent* (Ben.). − 2º Tuer. − 3º Affliger : *De duel ai esté*

acoree *(Percev.).* ◆ **acoré** adj. (XIIᵉ s., *B. d'Hanst.*). Qui a bon cœur, qui a du cœur.

acorneter v. (XIIIᵉ s.; v. *cornet*, biberon). Faire boire au biberon.

acorre v. (XIᵉ s., *Alexis;* v. *corre*, courir). Accourir, courir. ◆ **acors** n. m. (fin XIIIᵉ s., Couci). Concours, affluence : *Et tout li acors des François* (Couci). ◆ **acorser** v. (fin XIIᵉ s., *Loher.*). Faire courir, pousser.

I. acort n.m. (1175, Chr. de Tr.; orig. incert.). Pan d'un manteau.

II. acort n. m., accord, concorde. V. ACORDER, réconcilier.

acostrer v. (XIIᵉ s., *Asprem.;* lat. pop. **acconsuturare*, rapprocher en cousant). 1º Arranger, disposer. ◆ **2º** Revêtir.

acostumer v. (1175, Chr. de Tr.; v. *costume*, coutume). 1º Transformer en coutume, établir. − 2º Avoir coutume, être d'usage. ◆ **acostumance** n. f. (1160, Ben.). 1º Coutume. − 2º Redevance due en vertu d'une coutume. ◆ **acostumement** n. m. (XIIᵉ s.). Coutume, habitude, usage.

acoter v. (1155, Wace), **acoster** (1190, Garn.), **acouder** (XIIᵉ s.; converg. prob. de *coste*, côte, et *code*, *cote*, du lat. *cubitum*, coude). 1º Toucher à, s'approcher de : *S'accoste a un arbre (Trist.).* − 2º Appuyer, être accoudé : *Sur les escus leur testes si orent acouté (Destr. Rome).* ◆ **acost** n. m. (1160, Ben.). Voisinage, union, accueil. *D'un acost*, d'un seul coup.

acoventer v. (1263, *Arch.;* v. *covent*, accord). Accorder par une convention, convenir.

acoveter v. (XIᵉ s., *Alexis;* v. *coveter*, couvrir). 1º Recouvrir, remplir. − 2º Couvrir, dissimuler : *Il acovatent lor vices* (saint Bern.).

acrampelir v. (1165, G. d'Arras; v. *crampir*, être tordu). 1º Donner la crampe. − 2º Courber, voûter, contrefaire.

acravater v. (1080, *Rol.;* v. *cravanter*, briser). 1º Renverser, abattre.

— 2° Écraser : *Les dolours acraventent les vertus* (Mondev.). ◆ **acravantement** n. m. (XIIe s.). Écrasement.

acreanter v. (1160, Ben.; v. *creanter*, même sens). Promettre, garantir, consentir. ◆ **acreantement** n. m. (XIIe s.). Promesse, consentement.

acroire v. (1120, *Ps. Oxf.;* v. *croire*). 1° Croire. — 2° Se fier, faire crédit. — 3° Prendre à crédit, emprunter. ◆ **acroiement** n. m. (XIIe s.). Manque de foi, infidélité. ◆ **acreor** n. m. (XIIIe s., *Ass. Jér.*). Créancier.

acroistre v. (fin XIIe s., *Rois;* lat. *accrescere*). Accroître, augmenter. ◆ **accroissement** n. m. (1165, G. d'Arras), -**ance** n. f. (1257, *Arch.*). Accroissement, augmentation. ◆ **acrois** n. m. (1190, Garn.). 1° Accroissement : *Metre acrois a,* faire augmenter la fortune de qn. — 2° Enchères : *Faites les criees et acroiz* (1308, *Arch.*). ◆ **acreue** n. f. (1246, *Arch.*). Ce qui croît sur une terre ou dans un bois.

acropir v. (1250, *Ren.*), -**er** (1220, Coincy; v. *crope*, croupe). 1° Abaisser, avilir. — 2° Se tenir accroupi. ◆ **acropie** n. f. (1220, Coincy). Action de s'accroupir, génuflexion.

acros adj. (XIIIe s.; orig. incert.). Horrible. ◆ **acros** n. m. (XIIIe s., *Ysopet*). Chose affreuse.

acruir v. (1220, Coincy; lat. **crudere,* de *crudus*). Endurcir, rendre dur (phys. et mor.).

actainer v. V. ATAINER, irriter.

acte n. f. (1338, *Cart.;* lat. jur. *actum,* plur. *acta*). Document de caractère officiel. ◆ **acter** v. (1260, Mousk.). Dater convenablement les lettres : *L'art d'acter aprist volentiers* (Mousk.).

acteor n. m. (XIIIe s.; lat. *actorem,* qui agit, par confusion avec *auctorem*). Auteur (d'un livre) : *Je, Froissars, acteres et cronisieres de ces croniques* (Froiss.). ◆ **actoresse** n. f. (1322, *Arch.*). Celle qui est chargée de défendre les intérêts de qn, intendante.

actoriser v. V. AUTORISER, donner de l'autorité, élever en fortune.

actuel adj. (1260, Br. Lat.; lat. phil. *actualis*). Effectif. ◆ **actuellement** adv. (1327, J. de Vignay). Par action, effectivement : *... ilz ont peché actuellement (ibid.).*

acueillir, acoillir v. (1080, *Rol.*), **acueldre** v. (fin XIIe s., *Loher.;* v. *cueillir*). 1° Ramasser (les choses) ou réunir (les personnes). — 2° Recevoir qn. — 3° Attaquer, poursuivre : *Fuit s'en li cerf, Tristan l'aqeut (Trist.).* — 4° Prendre sur soi, assumer. *Acueillir ire,* s'affliger. *Acueillir en hayne,* prendre en haine. — 5° Se mettre à, commencer : *acueillir son chemin, voie,* etc., *acueillir a errer, a manger,* etc. ◆ **acueil** n. m. (XIIe s., *Part.*), -**ement** n. m. (XIIe s.). 1° Rencontre, choc. — 2° Situation : *Les douze pairs a mis en mal acuel (Roncev.).* — 3° Accueil.

acuiser v. V. AGUISIER, aiguillonner, exciter.

aculer v. (1250, *Ren.;* v. *cul*). 1° Poser sur le derrière. — 2° Repousser, rejeter loin de soi.

aculvertir v. (XIIe s., *Asprem.;* v. *culvert,* serf). Asservir, mettre en servage : *Mort acuvertist roi et pape (Vers de la mort).*

ad prép. V. A prép.

adaignier v. (XIIe s., *Asprem.;* v. *daignier*). 1° Traiter avec égards. — 2° Estimer digne d'amour. — 3° Agréer, convenir (en parlant des choses).

adamagier v. (1160, Ben.; *damage*). Endommager, léser.

adamant, -as, n. m. (1121, Ph. de Thaun; lat. *adamas, -antem*). Pierre très dure, diamant.

adamer v. (1180, *Rom. d'Alex.;* v. *dam,* dommage). Perdre, ruiner.

adecertes adv. (1122, *Ord.;* v. *certes*). Certainement, positivement.

adefuers prép. (1290, G.; v. *fuers, fors,* hors de). Hors de.

adelgier v. (XIIe s.; v. *delgié,* fin). Amincir.

ademetre v. (1160, *Charr. Nîmes;* lat. **addimittere*). 1º Se précipiter de toutes ses forces : *Entre paiens se vont ademetant (Charr. Nîmes).* — 2º Condescendre : *Qui se vorra bien ademetre A lui servir* (Coincy). — 3º Soumettre. — 4º *Sans ademetre,* sans faute. ◆ **ademise** n. f. (XIIᵉ s.). Charge, tournoi.

ademplir v. V. AEMPLIR, combler, accomplir.

adenerer v. (1299, *Arch.;* v. *denier*). 1º Évaluer en argent. — 2º Vendre argent comptant.

adenter v. (1170, *Fierabr.;* v. *dent*). 1º Renverser sur les dents, le visage contre terre, tomber. — 2º Abattre, renverser (en parlant des choses). ◆ **adentee** n. f. (XIIIᵉ s.). 1º Action de tomber sur le visage. — 2º Coup de poing sur les dents.

adenz adv. (1080, *Rol.;* v. *dent,* proprement « sur les dents »). Face contre terre, à plat ventre : *L'uns gist sur l'altre, e envers e adenz (Rol.). Adenz* a pour antonyme *envers,* sur le dos : *chaent adenz, chaent envers* (Wace).

ades adv. (XIᵉ s.; v. *es,* lat. *ipsum,* renforcé par *ad* et *de*). Adverbe de temps : 1º Au sens ponctuel : à l'instant, au moment même, aussitôt. — 2º Au sens duratif : toujours, sans cesse : *di lui... k'il fache ades bele kiere* (A. de la Halle). *Tout ades,* toujours. ◆ **ades ..., ades,** conj. (1220, Coincy). Tantôt ..., tantôt : *Ades gemi, ades ora* (Coincy).

adesentir v. (XIIᵉ s., *Trist.;* v. *sentir,* avec cumul de préfixes). 1º Adhérer à l'opinion de. — 2º Apprendre à connaître : *Dont pourras faire un cointe ami Quant tu l'auras adesenti (Sept Sages).*

adeser, adeiser v. (1080, *Rol.;* lat. **adhaesare* ou **addensare*). 1º Toucher à. — 2º Approcher une chose d'une autre. — 3º Avoir le contact charnel : *Ne quier jou ja a vo car adeser (H. de Bord.).*

adestrer v. (1080, *Rol.;* v. *destre,* droit). 1º Donner la main, marcher à droite. — 2º Guider, accompagner. ◆ **adestre** adj. (fin XIIIᵉ s., B. de Condé).

1º Favorable, généreux. — 2º Adroit, doué.

adetir v. (1160, Ben.; orig. incert.). S'adonner, se dévouer : *A ton service ert adetiz* (Ben.).

adevaler v. (XIIᵉ s., *Asprem.;* v. *devaler*). 1º Descendre. — 2º Partir.

adevant adv. (XIIᵉ s.; v. *devant*). Adv. de temps, Avant, auparavant.

adeviner v. (1175, Chr. de Tr.; v. *deviner*). 1º Prévoir, s'imaginer. — 2º Etre dans l'incertitude. — 3º Prédire, deviner. ◆ **adevine** n. f. (XIIIᵉ s.), **-ement** n. m. (XIIIᵉ s.). Action de deviner, conjecture, soupçon. ◆ **adevinail** n. m. (XIIIᵉ s.), **-aille** n. f. (XIIIᵉ s.). Chose à deviner, énigme. *Prendre adevinaille,* tirer au sort. ◆ **adevineor** n. m. (XIIIᵉ s.). Devin, prophète, sorcier.

adire v. (1175, Chr. de Tr.; v. *dire*). Avertir.

adirer v. (fin XIIᵉ s., *Rois;* probablement de la loc. *estre a dire,* manquer). 1º Perdre, égarer : *Vos livres avez adirez (Ren.).* — 2º Perdre (mor.) : *J'eusse adirei gai cuer (Anc. poés. fr.).*

adit adj. (XIVᵉ s.; p. passé de *dire* avec le suffixe privatif). Bouleversé, interdit, hors de sa raison : *En sui premier adis et esbahis* (Froiss.).

aditer v. (XIVᵉ s.; lat. **addictare*). Ajouter. ◆ **aditement** n. m. (1314, Mondev.). Chose ajoutée, addition. ◆ **adition** n. f. (1265, J. de Meung). Augmentation.

adjutorie n. f. (XIᵉ s., *Alexis;* lat. *adjutoria*). Aide.

adober v. (1080, *Rol.;* germ. *dubban,* frapper). 1º Équiper un chevalier, armer chevalier : *Iluec fu adobez Pallas, L'espee li çaint Eneas* (Ben.). — 2º Orner. ◆ **adobé** n. m. ou adj. (1080, *Rol.*). 1º Chevalier revêtu de toutes les armures. — 2º *Lances adobées,* garnies de leurs gonfanons et prêtes pour la bataille. ◆ **adob** n. m. (1080, *Rol.*). 1º Armure, vêtement militaire. *Prendre ses adous,* être armé chevalier. — 2º Celui qui est capable de défendre et, en général, appui, soutien : *C'est lor adox, c'est lor fiance*

(Ben.). — 3° Revêtement. ◆ **adobement** n. m. (XIIe s.). 1° Action d'armer chevalier. — 2° Son armure. 3° Parure, fard. ◆ **adobeure** n. f. (XIIe s.). Arme dont un chevalier est adoubé.

adolcier v. (1160, Ben.; v. *dous*, doux). 1° Adoucir, calmer (en parlant des personnes). — 2° Amollir, rendre doux (pour les choses).

adoler v. (1175, Chr. de Tr.), **-ir** v. (1260, Br. Lat.; v. *doler*, souffrir). S'affliger, s'abandonner à la douleur. ◆ **adoloser** v. (XIe s., *Alexis*). Etre affligé.

adombrer v. V. AOMBRER, couvrir d'ombre.

adominer v. (XIIe s., *Asprem.*; v. *dominer*). Maîtriser, dompter.

adonc adv. (fin XIIe s., *Rois;* v. *donc*). I. Adverbe de temps. *Adonc* indique le temps ponctuel indépendant de la situation des interlocuteurs : 1° Le présent, Maintenant : *Des adonc, dès ce moment-ci; Des adonc en avant*, désormais (1344). — 2° Le passé, Alors : *Le tens d'adonc*, ce temps-là. — 3° Le futur : *D'ici adonc que*, jusqu'à ce que. — II. Conjonction de coordination : *Adonc covint terre braite et crier (Cour. Louis).* ◆ *D'ici a adonc que, de k'adonc ke,* conj., Jusqu'à ce que. ◆ **adonques** adv. (fin XIIe s., *Cour. Louis*). Alors, maintenant. ◆ *Desi adonques que,* conj. (1252, *Arch.*). Dès que.

adont adv. et conj. (1190, J. Bod.; v. *dont*). 1° Indique la conséquence. Alors, en ce cas-là : *Adont doi je bien gouster. Puis qu'il est tailliés a no moy* (J. Bod.). — 2° Indique la cause. C'est pourquoi, dont.

adosser v. (XIe s., *Alexis*; v. *dos*). 1° Renverser (sur le dos). — 2° Appuyer, garnir (les murs). — 3° Abandonner, quitter : *L'estor guerpissent et si l'ont adousé (Loher.).* — 4° Oublier, renier : *Com adosas tot ton gentil linage (Alexis).* ◆ **ados** n. m. (1160, Ben.). Appui, soutien.

adrecier v. (1190, saint Bern.; v. *drecier*, diriger). 1° Dresser, redresser. — 2° Diriger vers. — 3° Viser, pointer vers. — 4° Faire droit à : *[Tu dois] de son droit adrecier [le pauvre] (Cour. Louis).* —

5° Rendre droit, juste, régler : *[Il] adreçoit ses meurs selonc les vertus* (Br. Lat.). ◆ **adrecement** n. m. (1160, Ben.). 1° Action de redresser, réparation (des torts). — 2° Esprit droit, sagesse : *Hom de tel adrecement* (Aden.). — 3° Justification, amendement. — 4° Raccourci. ◆ **adrece** n. f. (1190, saint Bern.). 1° Droit chemin, bonne direction. — 2° Chemin de traverse (le plus court). — 3° Moyen, ressource, habileté. ◆ **adres** n. m. (1255, *Arch.*). Réparation, amende. ◆ **adreceor** n. m. (1175, Chr. de Tr.). — 1° Qui redresse. — 2° Qui règle, gouverne. — 3° Chemin de traverse.

adroit adj. (1175, Chr. de Tr.; lat. *directum*, avec le préfixe d'intensité). 1° Droit (phys. et mor.) : *Alons y dont, cuers adrois (Rom. et past.).* — 2° Bien fait. — 3° Qui est à droite. ◆ **adroit** n. m. (1289, *Cart.*). Le bon côté. *A l'adroit, aus adroiz,* loc. adv., le contraire de *à l'envers.*

aduire v. (1160, Ben.; v. *duire*, mener). 1° Conduire. — 2° Former, dresser : *Se voz cuers ne voles aduire A sacrifier a nos dieus (Myst. saint Cresp.).*

adulterer v. (1349, G. li Muisis; lat. *adulterare*). Commettre un adultère. ◆ **adultere** adj. et n. m. (1190, saint Bern.). 1° Qui commet l'adultère. — 2° Le fait de commettre l'adultère.

aduner v. V. AUNER, réunir.

adurer v. (1080, *Rol.;* lat. *durare*, rendre dur). 1° Rendre dur. — 2° Aguerrir, endurcir : *Que Franceis sunt gent aduree (Gorm. et Is.).* ◆ **aduré** adj. (fin XIIe s., *Cour. Louis*). 1° Solide, ferme. — 2° Fort, vaillant.

adusques prép. et conj. (déb. XIVe s., *Passion;* v. *dusque*). 1° Jusque. — 2° Jusqu'à ce que.

aé n.m. et f. V. EÉ, âge.

ael n. m. V. AIUEL, grand-père, ancêtre.

aemplir v. (1080, *Rol.;* v. *emplir*). 1° Remplir, combler. — 2° Accomplir : *Ademplir voeill vostre cumandement (Rol.).*

aengier v. (XIIe s., *Asprem.;* v. *engier,* produire). 1° Propager, accroître. — 2° Augmenter : *Partout voi le mal aengier* (B. de Condé). — 3° Pousser, croître. ◆ **aengié** adj. (1220, Coincy). Pourvu, comblé.

aengit adj. (1275, *Charte;* v. *engin,* habileté, adresse, avec un préfixe privatif ?). Sans esprit.

aerdre v. (1160, Ben.; v. *erdre,* s'attacher). 1° S'attacher à (au phys.). — 2° S'attacher, tenir à : *On s'ahert as paroles qui sont dites en cort* (Beaum.). — 3° Attirer, saisir. — 4°Attaquer, accuser : *Cil de Damas ki moult de no gent ont aierse* (Mousk.).◆ **aerdresse** n. f. (1246, *Ass. Jér.*). 1° Attachement. — 2° Acceptation, consentement.

aeriter, ahireter v. (1115, Wace; v. *eriter*). Faire hériter, investir. ◆ **aheritement** n. m. (1243, *Arch.*), **-ance** n. f. (XIIIe s.). Ensaisinement, investiture.

aermir v. (fin XIIe s., *G. de Rouss.;* v. *erme,* désert). Rendre désert, solitaire.

aescheri adj. (fin XIIe s., *Loher.;* v. *escheri,* petit). 1° Peu nombreux, peu accompagné : *De gent ala auques aescherit (Loher.).* — 2° Isolé, privé de, dénué de.

aeschier v. (1175, Chr. de Tr.; v. *esche,* appât). 1° Amorcer, appâter : *La color fresche Qui le cuer mon signor aesche* (Chr. de Tr.). — 2° Propager. ◆ **aeschement** (XIIe s.). Amorce, appât.

aesmer v. (fin XIIe s., *Loher.;* v. *esmer,* apprécier). 1° Estimer, apprécier. — 2° Comparer : *Ains le pooit on aesmer A chant de serene de mer* (Rose). ◆ **aesmement** n. m. (1190, saint Bern.), **-ance** n. f. *(ibid.).* Estimation, jugement, calcul.

aeugler v. V. AOILLIER, remplir un tonneau.

afader, -ir v. (XIIIe s.; v. *fade*). Affaiblir.

afaire n. m. et f. (1125, Marb.; v. *faire*). 1° Rang, dignité : *Trop est Robins povres et nus et de trop povre afaire (Rom. et past.).* Estre de grant

afaire, de haute condition. — 2° Caractère, conduite : *Ors et puans est ses afaires* (Coincy). — 3° Situation. — 4° Embarras : *Pour che n'aiés pas grant merveille se vous veés aucun afaire* (J. Bod.). — 5° Événement : *Petit demoura apres cest afaire (Fille du comte de P.).* ◆ **Apareillier son afaire,** faire ses préparatifs de voyage. *Sanz autre afaire,* simplement, sans s'embarrasser de rien. *A son afaire,* pour ce qui le concerne, pour son usage.

afaite n. f. (fin XIIe s., *Rois;* lat. *adfacta*). Entrefaite, circonstance : *Entre ces afaites (Rois).*

afaitier v. (1080, *Rol.;* v. *faitier,* disposer). 1° Façonner, arranger. — 2° Éduquer, dresser. — 3° Panser (les plaies). — 4° Se préparer à : *Por grant cop ferir s'afaite (Ren.).* ◆ **afaitement** n. m. (1160, Ben.). 1° Arrangement, façon. — 2° Éducation. — 3° Ensemble de qualités requises par la société : *Gens de bel afaitement (Rose).* — 4° Assaisonnement. ◆ **afaiture** n. f. (1155, Wace). 1° Construction. — 2° Manière de faire. ◆ **afaitié** adj. (fin XIIe s., *Cour. Louis*). 1° Arrangé, façonné : *Darz esmouluz, afaiteez por lancier (Cour. Louis).* — 2° Bien élevé, sage : *Li plus preus, li miez afetié (Rose).* ◆ **afaitiement** adv. (XIIe s., M. de Fr.). Avec grâce.

afamer v. (XIIIe s., *Petit Voc. lat.-fr.;* v. *feme, fame,* femme). Efféminer.

afaneor n. m. V. AHENÊOR, laboureur.

afautrer v. V. AFELTRER, harnacher.

afebler, -ir v. (déb. XIIe s., *Ps. Cambr.;* v. *feble,* faible). S'affaiblir. ◆ **afebliment** n. m. (XIIe s.). Affaiblissement. ◆ **afebloier** v. (1160, Ben.). S'affaiblir, se consumer.

afeltrer v. (fin XIIe s., *Loher.;* v. *feltrer,* garnir de feutre). 1° Harnacher. — 2° Se préparer au combat. ◆ **afeltreure** n. f. (1160, Ben.). 1° Partie rembourrée de la selle.

afenestré adj. (XIIe s., *Asprem.;* v. *fenestre*). 1° Qui a des fenêtres. — 2° Bien éclairé.

aferir v. (1175, Chr. de Tr.; v. *ferir*, frapper contre). Convenir, concerner : *Plus haut seignor qu'a moi n'afiert* (Chr. de Tr.). ◆ **aferant** adj. (fin XIIᵉ s., Couci). Qui convient, concernant. ◆ **aferable** adj. (XIIᵉ s.). Convenable : *Qui fust aferable a faire feste* (Ph. de Nov.). ◆ **aferue** n. f. (1260, *Arch.*), **-ure** n. f. (1302). Quotepart, proportion.

I. **afermer** v. (XIᵉ s., *Alexis*; v. *ferm*). 1º Consolider : *Saul fud enracinez e afermez el regne de Israel* (Rois). — 2º Confirmer : *La paiz fu affermee, ki gaires ne dura.* — 3º Arrêter. — 4º Affirmer. ◆ **afermement** n. m. (fin XIIᵉ s., *Rois*), **-acion** n. f. (fin XIIᵉ s., saint Grég.). Affermissement, soutien. ◆ **afermance** n. f. (1278, G.). 1º Affirmation. — 2º Engagement (en vue de mariage). ◆ **afermail** n. m. (déb. XIIIᵉ s., R. de Beauj.). Fermoir.

II. **afermer** v. (1160, Ben.; v. *ferme*). Mettre à ferme.

I. **afi** n. m. Insulte. V. AFITIER, insulter.

II. **afi** n. m. Confiance, bonne foi. V. AFIER, promettre, confier.

afichier v. (1080, *Rol.*; v. *fichier*, ficher). 1º Fixer, consolider. — 2º Attacher. — 3º Affirmer : *En son cuer jure et affiche* (Ben.). — 4º S'obstiner. ◆ **afiche** n. f. (1204, *l'Escoufle*). Boucle, agrafe. ◆ **afiquet** n. m. (XIIIᵉ s.). Agrafe.

afier v. (1115, Wace; v. *fier*, assurer). 1º Promettre, jurer : *Cascuns li afie sa fei* (M. de Fr.). — 2º Confier : *Si s'afia a la juvente* (Wace). ◆ **afi** n. m. (1190, Garn.), **-ement** n. m. (XIIIᵉ s., *Chans. sat.*). Confiance, bonne foi. ◆ **afiailles** n. f. pl. (XIIIᵉ s., *Ass. Jér.*). Fiançailles.

afigurer v. (1243, Ph. de Nov.; v. *figurer*). 1º Regarder. — 2º Comparer.

afiler v. (1080, *Rol.*; v. *filer*). 1º Couler : *Sur l'erbe verte li cler sancs s'en afilet* (Rol.). — 2º Affûter. ◆ **afilé** adj. (XIᵉ s.). Rapide, épithète fréq. de *cheval*.

afin adj. (fin XIIᵉ s., *G. de Rouss*); lat. *affinem*). Allié, parent. ◆ **afinité** n. f. (1160, Ben.). 1º Voisinage. — 2º Parenté par alliance.

I. **afiner** v. (1080, *Rol.*; v. *fin*, n. f.). 1º Finir, terminer. — 2º Mener à bonne fin : *Tantes batailles en avum afinees* (Rol.). — 3º Tuer, mourir.

II. **afiner** v. (fin XIIIᵉ s.; v. *fin*, adj.). Rendre fin, purifier. ◆ **afiné** adj. (XIIIᵉ s.). Parfait, pur : *Onques amour si affinee Ne fu* (Aden.).

afitier v. (1175, Chr. de Tr.; lat. *affectare*). Provoquer, insulter : *Se nus le laidenge n'afite* (Chr. de Tr.). ◆ **afi**, **-it** n. m. (1175, Chr. de Tr.). 1º Insulte. — 2º Provocation, défi. — 3º Haine, dédain. ◆ **afitos** adj. (1175, Chr. de Tr.). Insolent.

aflamer v. (1160, Ben.; *flame*). 1º Allumer, enflammer. — 2º Exciter.

afliger v. (déb. XIIᵉ s., *Ps. Cambr.*; lat. *affligere*, frapper violemment). 1º Blesser. — 2º Ruiner. ◆ **afliction** n. f. (XIᵉ s., *Alexis*). 1º Acte d'humilité. — 2º Génuflexion, prosternation : *Dunt se culcha en afflicciuns E dit tut suef uns oreisuns* (Rés. sauv.).

aflire v. (1160, Ben.; lat. *affligere*; v. le précédent). Abattre, désoler. ◆ **afliement** n. (XIIᵉ s.). Affliction. ◆ **aflit** adj. (XIIᵉ s.). Abattu, affligé.

afloré adj. (fin XIIᵉ s., *Aiol*; v. *flor*). Orné de dessins, de fleurs.

afoer v. (1204, R. de Moil.; lat. *affocare*, de *focus*). 1º Faire du feu, allumer. — 2º Chauffer. ◆ **afoage** n. m. (mil. XIIIᵉ s.). Affouage. ◆ **afoerece** n. f. (1255, G.). Provision de bois de chauffage. ◆ **afoement** n. m. (1324, *Arch.*). Impôt payé par feu. ◆ **afouailler** v. (1324, *Arch.*). Fournir du chauffage, chauffer.

I. **afoler** v. (1160, Ben.; v. *foler*, fouler). 1º Blesser sans effusion de sang, estropier : *Ki fiert de baston sans faire sanc et sans afoler* (1245, Ch. des compt. de Lille). — 2º Blesser en général : *Bels reis de majesté, defent mon cors que ne seie afolez* (Cour. Louis). — 3º Tuer : *Ainssy furent descolés Touz lez enfans et afolez* (Jeu des trois roys). ◆ **afoleure** n. f. (1283, Beaum.). Meurtrissure.

II. afoler v. (XIIIᵉ s., *Doon de May.;* v. *fole,* foule). Réunir en foule, en grand nombre : *Il avoit empris des barons afouler (ibid.).*

afoletir v. (XIIᵉ s., Guiot; v. *folet,* dim. de *fou*). Rendre fou.

afonder, -drer v. (1160, Ben.; v. *font,* fond). 1° Enfoncer, engloutir (au phys. et au mor.). — 2° Soutenir, servir d'appui : *Li piler sont de marbre ki a la vote afonde (Fierabr.)* ◆ **afondement** n. m. (XIIIᵉ s., Ruteb.). Profondeurs (de tristesse ou de malheur).

aforchier v. (fin XIIᵉ s., *Auc. et Nic.;* v. *forche*). 1° Disposer en manière de fourche. — 2° Former un carrefour (en parlant de chemins). ◆ **aforcheure** n. f. (1160, Ben.). Ouverture des jambes.

I. aforer v. (1190, J. Bod.; v. *forer*). Mettre en perce : *Le vin aforé de nouvel* (J. Bod.).

II. aforer (1238, G.; lat. **afforare,* de *forum*). Taxer, évaluer le prix des marchandises.

afrener v. (1160, Ben.; v. *frein*). 1° Munir de frein. — 2° Soumettre, contraindre : *Soufrance les orgueus afraine (Dis des sages).* — 3° Gouverner.

afrerir v. (1250, *Ren.;* v. *frere*). Associer comme frère.

afres, avres n. m. pl. (XIIIᵉ s., G.; orig. incert.). 1° Biens. — 2° Chevaux et bœufs.

afronter v. (1155, Wace; v. *front*). 1° Frapper sur le front, assommer. — 2° Faire rougir de honte : *Mes une remembrance M'espovente et affronte (Rose).*

afruitier v. (XIIIᵉ s., *Court. d'Arras;* v. *fruit*). 1° Planter. — 2° Porter des fruits. — 3° Nourrir (phys. et mor.).

afubler v. (1080, *Rol.;* lat. *fibula,* agrafe). 1° Agrafer. — 2° Vêtir. ◆ **afublement** n. m. (XIIIᵉ s.), **-ure** n. f. (XIIᵉ s.). 1° Vêtement. — 2° Coiffure (soutenue par des agrafes). ◆ **afublail** n. m. (fin XIIᵉ s. *Rois*). Sorte de vêtement.

afuir, afoir v. (fin XIIᵉ s., *Loher.;* v. *fuir*). S'enfuir, se réfugier.

afusci adj. (fin XIIᵉ s., *Loher.;* lat. *fuscum,* noirâtre). Noirci.

afuster v. (1155, Wace; v. *fust,* arbre). 1° Poster derrière un arbre. — 2° S'appuyer sur. ◆ **afusti** adj. (1260, Mousk.). Futé, rusé.

agab n. m. (1160, Ben.; v. *gab,* même sens). Plaisanterie : *Jetant agas et ranpornes disant* (Chr. de Tr.).

agaitier v. (1155, Wace; v. *gaitier*). 1° Épier, guetter. — 2° Tendre un piège. — 3° Regarder : *Que homs ne femme nes agait* (Wace). ◆ **agait** n. m. (1160, Ben.). 1° Guet, embuscade. — 2° Ruse, artifice : *Pleur de femme n'est fors qu'agait (Rose).* — 3° Groupe de guerriers faisant le guet. ◆ **agaiteor** n. m. (déb. XIIᵉ s., *Ps. Cambr.*). 1° Celui qui est aux aguets, en embuscade — 2° *Agaiteor de chemin,* brigand (fin XIIIᵉ s., *Sydrac*).

agapir v. (1204, R. de Moil.; v. *gape*). Gâter, se gâter.

agarder v. (Xᵉ s., *Fragm. de Valenc.;* v. *garder*). 1° Regarder, observer. — 2° Avoir en vue : *Et Thamar n'aguardoit mes autre choze que le mariage (Estories Rogier).* ◆ **agart** n. m. (1231, *Charte*). 1° Jugement, sentence. — 2°Arbitrage.

agarer v. (1270, A. de la Halle; francique **waron*). Regarder.

agencier v. (XIIᵉ s.; lat **adgentiare,* de *genitus,* [bien] né). 1° Parer, embellir : *Car vous iestes tant bielle et de corps agenssy (Chev. cygne).* — 2° Arranger : *Quant li rois voit qu'il velt tencier Si commença a agencier (Ren.).* ◆ **agencement** n. m. (XIIᵉ s.,*Ord.*). Parure, arrangement. ◆ **agencif** adj. (1190, saint Bern.). Propre à : *agencif a amour* (saint Bern.).

agesir v. (1210, *Cart.;* v. *gesir,* être couché). 1° Etre situé à côté. — 3° Accoucher : *La dame si ajut d'une fille* (Villeh.).

agier, algier, algiet n. m. (1080, *Rol.;* germ. *azger,* javelot). Toute arme de jet : javelot, dard, etc.

agire v. (XIIIᵉ s.; lat. **adjicere,* pour *adjacere*). Accoucher.

agister v. (1304, G.; v. *giste,* gîte).
Faire gîter, en parlant de bêtes.

agnel n. m. (1190, Garn.; lat. *agnellum,*
dim. de *agnus*). 1° Agneau. — 2° Fourrure d'agneau. ◆ **agnelet** n. m. (XIIᵉ s.,
M. de Fr.). Petit agneau. ◆ **agni** n. m.
(XIIᵉ s.). Bandelette de peau d'agneau.
◆ **agnelin** n. m. et adj. (1268, E. Boil.).
1° Petit agneau, d'agneau. — 2° Peau
d'agneau à laquelle on a conservé la laine.

agonie, agoine n. f. (1120, *Ps.
Oxf.;* lat. eccl. *agonia,* angoisse, du grec).
1° Angoisse, terreur : *Et tu, fille de Baby-
lone, Tu es chaitive et en agone (Ps. Oxf.).*
— 2° Lutte, agitation violente (sens étym.
grec).

agoter v. (1277, *Rose;* v. *gote*). Verser
goutte à goutte, dégoutter. ◆ **agot** n. m.
(1280, G.). Canal, égout.

agramir v. (XIIᵉ s., *Asprem.;* v. *gramir*). S'irriter, s'affliger.

agraper v. (XIIᵉ s., v. *grape,* crochet).
Accrocher, empoigner. ◆ **agrape** n. f.
(XIIᵉ s.). Crochet.

agreer v. (fin XIIᵉ s.; *Aiol;* v. *gré*).
1° Satisfaire. — 2° Etre satisfait. —
3° Payer (rendre ce qu'on doit pour
donner satisfaction). ◆ **agré, -oi** n. m.
(XIIᵉ s.). Agrément. ◆ **agreos** adj. (1277,
Rose). Qui plaît. ◆ **agreable** adj. (1160,
Ben.). 1° Qui peut être agréé. — 2° Satisfait.

agregler, agrever v. (1080, *Rol.;*
lat. **adgraviare, *adgravare,* de *gravis,*
lourd). 1° Rendre plus pesant. — 2° Accabler de coups ou d'injures. ◆ **agrege-
ment** n. m. (1204, R. de Moil.). Aggravation.

agrener v. (1220, Coincy; v. *graine*).
Produire beaucoup, bien rapporter.

agreslir v. (1180, *Rom. d'Alex.*),
-ier v. (1220, Coincy; v. *gresle*).
Devenir grêle.

I. **agroi** n. m. Agrément. V. AGREER,
satisfaire, payer.

II. **agroi** n. m. Hardiesse. V. AGROIER,
piquer, stimuler.

III. **agroi** n. m. Armure, harnais.
V. AGROIER, disposer, équiper.

I. **agroier, agrier** v. (XIIᵉ s., *Barbast.;* v. *aigre*). 1° Piquer : *Il broche le
destrier, des esperons l'aigrie (Barbast.).*
— 2° Presser, stimuler. — 3° Tourmenter.
◆ **agroi** n. m. (XIIIᵉ s., *Anseis*). Hardiesse.

II. **agroier** v. (XIIᵉ s.; scand. *greida,*
attirail). 1° Disposer. — 2° Équiper.
◆ **agroi, -ai** n. m. (XIIᵉ s., *Asprem.*).
1° Équipement, armure : *Il n'ont broigne,
ne haubert, ne agroi (Asprem.).* — 2° Harnais.

agrum n. m. (XIIIᵉ s.; lat. pop. **agru-
men*). Âcreté.

agrumer v. (fin XIIᵉ s., *Aym. Narb.;*
lat. *grumum,* tas, avec le préfixe privatif).
Enlever : *l'or et l'argent en fist il agrumer
(Aym. Narb.).*

agu adj. (1080, *Rol.;* empr. au prov., du
lat. *acutum*). 1° Aigu. — 2° Pointu, pénétrant : *Et faus et agus de parler et tranchans (Conq. Const.).* — 3° Aigre. ◆
agueté, -ece, n. f. (XIIIᵉ s.). 1° Acuité.
— 2° Aigreur. ◆ **aguet** adj. (1125, Marb.).
Un peu aigu. ◆ **aguete** n. f. (1314,
Mondev.). Partie aiguë, tranchante de
qch. ◆ **agun** n. m. (1120, *Ps. Oxf.*). Pointe,
tranchant, aiguillon. ◆ **agut** n. m. (1180,
Rom. d'Alex.). Pointe.

aguichier v. (fin XIIᵉ s., Couci; v.
guiche, courroie du bouclier) Mettre la
guiche à l'ecu.

aguille n. f. (XIIᵉ s.; lat. pop. *acucula*).
1° Aiguille de pin. — 2° Aiguille. ◆ **agui-
lete** n. f. (av. 1300). 1° Petite aiguille. —
2° Cordon ferré. ◆ **aguillier** n. m. (1240,
G. de Lorris). Étui à aiguilles. ◆ **aguillier**
v. (1260, Mousk.). 1° Piquer. — 2° Coudre.

aguillener, -oner v. (1160, Ben.; v.
aguille et *aguillon*). 1° Darder comme une
aiguille. — 2° Piquer, exciter. ◆ **aguillon**
n. m. (1130, *Job;* lat. pop. *aculeonem,*
confondu avec *aiguille*). Aiguillon. ◆
aguilee n. f. (1265, J. de Meung). Gaule
armée d'une pointe pour piquer les bœufs.
◆ **aguilloneor** n. m. (1281). Celui qui
pique, qui excite. ◆ **aguillonos** adj. (1265,
J. de Meung). Piquant, pointu.

I. aguillier, v. réfl. (1190, J. Bod.; v. *guiler,* tromper, attraper). S'arranger, régler avec quelqu'un : *Ne me puis a vos awillier Se une maille en deux ne coup* (J. Bod.).

II. aguillier v. Piquer, coudre. Voir AGUILLE, aiguille.

aguisier v. (fin XIIe s., *Rois;* lat. pop. *acutiare). Aiguillonner, exciter. ◆ **aguisement** n. m. (1190, Garn.). Excitation, sensation douloureuse.

agus n. m. pl. (XIIe s., *Part.;* forme savante de *augurium*). Connaissances des augures : *Qu'il sace bien agus et sors* (*Part.*). ◆ **agure** n. m. (XIIIe s., *Vie de Joseph*). Science de divination.

ahait n. m. (1160, *Athis;* v. *hait*). 1° Santé, joie. — 2° Désir.

ahan n. m. (Xe s., *Saint Léger;* lat. pop. *afannare, infl. par l'onom. *han,* marquant l'effort). 1° Effort, labeur. — 2° Peine, souffrance : *En paine sont et en ahan* (Wace). — 3° Labour. — 4° *Ahant d'ome,* coït (déb. XIVe s.). ◆ **ahaner** v. (XIe s., *Alexis*). 1° Labourer la terre. — 2° Se fatiguer. ◆ **ahenage** n. m. (1150, *Thèbes*). 1° Labourage. — 2° Travail, fatigue. ◆ **aheneor** n. m. (1130, *Job*), **-ier** (1155, Wace). Laboureur. ◆ **ahenable** adj. (1252, *Charte*). Cultivable.

ahastir v. (XIIe s.; v. *haste,* vivacité). Presser, exciter. ◆ **ahaste** n. f. (XIIe s.). Hâte. ◆ **ahastif** adj. (XIIIe s., *Mort Garin*). Rapide, vif.

ahaus n. m. pl. (1333, *Arch.;* orig. incert.). Ordures, immondices, fumier.

ahen, ahenc, interj. (1250, *Ren.;* onom.). Correspond à l'actuel *hem* : *Primaut le prist et dist : Ahenc, Bien puisses tu estre venuz* (Ren.).

ahenage n. m. Labourage, travail. V. AHAN, effort, peine.

ahi interj. (1080, *Rol.;* onom.). Exclamation exprimant la douleur morale (confondue, à partir du XVe s., avec *aïe*).

ahireter v. V. AERITER, faire hériter, investir.

ahochier v. (XIIIe s., *Fl. et Jeh.*). V. HOCHIER, accrocher.

ahoge adj. (1155, Wace; v. *hoge,* hauteur). Grand (haut, large, ample), énorme. ◆ **ahoge** adv. Grand nombre de.

ahonir v. (1155, Wace; v. *honir*). Déshonorer, insulter : *Nos aviler, nos ahonir.* (Ben.).

ahontir v. (1120, *Ps. Oxf.*), **-er** v. (XIIe s.; v. *honte*). Couvrir de honte, insulter. ◆ **ahontage** n. m. (1188, G.). Honte, opprobre. ◆ **ahontagier** v. (1277, J. de Meung). Déshonorer, avilir.

ahors interj. (1270, A. de la Halle; composé de l'interj. *a!* et de l'adverbe *hors*). 1° Exclamation de douleur, d'indignation. — 2° Cri d'alarme : *Ahors! le fu! le fu! le fu! Aussi bien canté je qu'il font* (A. de la Halle).

ahuchier v. (XIIe s., *Trist.;* v. *huchier*). Appeler en criant.

ahurir v. (1270, G.; v. *hure*). Hérisser (en parlant de la tête du faucon). ◆ **ahuri** adj. (XIIIe s.). Qui a une chevelure hérissée. ◆ **ahur** n. m. (1306, Guiart). Voleur.

ahurter v. (1160, Ben.; v. *hurter*). 1° Frapper, heurter. — 2° Arrêter. — 3° S'obstiner. ◆ **ahurtement** n. m. (déb. XIIe s., *Ps. Cambr.*). Obstacle, embûche.

ai interj. (fin XIIe s., *Auc. et Nic.;* onom.). Exclamation de douleur. ◆ **aimi, emi, hami, ainmy,** interj. (fin XIIe s., Couci). Exclamation de douleur : *Ainmi! com m'aves ahontie!* (Couci). ◆ **ai ore** interj. (XIIe s.), **ore ay** (fin XIIIe s.), **ai oire** (*Auc. et Nic.*). Exclamation de joie, Eh bien! allons! : *Le vin seigna et benei Et dist au boutellier : Aioire! (Mir. saint Éloi).*

aidier v. (1080, *Rol.;* lat. *adjutare*). 1° Secourir : *si m'aist Dieus,* invocation affirmative. — 2° Payer l'impôt appelé *aide.* ◆ **aide** n. f. (1268, E. Boil.), **-ement** n. m. (1120, *Ps. Oxf.*), **-ance** n. f. (XIIIe s.), **-age** n. m. (1277, J. de Meung). Aide, secours. ◆ **aidif** adj. (1190, *H. de Bord.*), **-ant** (1160, Ben.), **-il** (1160, Ben.), **-ois** (1180, *Rom. d'Alex.*). Qui aide, secourable. ◆ **aidable,** adj. (1155, Wace). Qui peut aider : *Poissant et bien aidable* (Wace). ◆ **aideor** n. m. (1160, Ben.), **-ant** n. m. (XIIᵉ s., M. de Fr.). Allié, auxiliaire, partisan.

aie, aue n. f. (1080, *Rol.;* subst. déverbal du précédent). 1° Aide, secours : *Bosuign avum d'aie* (Rol.). — 2° Effort. — 3° Vertu : *Mais lor aies* (des pierres) *sunt overtes, Li mire i trovent grant succurs* (Marb.). — 3° Sorte d'impôt seigneurial.

aiemant n. m. (1277, *Rose;* lat. *adamantem,* métal dur et diamant). Aimant : *Cum la pierre de l'aiment trait a soi le fer* (Rose).

aigage adj. V. EVAGE, riverain.

aigle, aille, n. f. (XIIᵉ s., *Roncev.;* lat. *aquila).* Aigle. ◆ **aiglel** n. m. (1160, Ben.). Aiglon. ◆ **aiglesse** n. f. (1190, Garn.). Femelle de l'aigle. ◆ **aiglantin** adj. (1260, Br. Lat.). D'aigle.

aiglent n. m. (XIIᵉ s.; lat. pop. **aquilentum,* pour **aculentum,* de *acus,* pointe). Églantier.

aigoine n. f. V. AGONIE, angoisse.

aigre, aire adj. (1130, *Job;* lat. pop. **acrum,* de *acer).* 1° Acide. — 2° Violent : *Tu es moult egres, si es fort par menacés* (Ren.). — 3° Actif, vif, vaillant : *En filosofie plus aigres Que nus l'on sache* (Lai d'Arist.). ◆ **aigret** adj. (1213, *G. de Dole).* 1° Triste, pénible. — 2° *Aigret a,* ardent à : *gens a mal faire aigretes* (Guiart). ◆ **aigrir** v. (1180, *Rom. d'Alex.).* Rendre acide, violent. ◆ **aigrisure** n. f. (XIIIᵉ s.). Caractère de ce qui est aigre. ◆ **aigret** n. m. (XIIIᵉ s.). Raisin vert.

aigron n. m. V. HAIRON, héron.

aigue n. f. (XIIᵉ s., *Roncev.;* lat. **acqua,* pour *aqua).* Eau : *L'aigue du cuer lui est as els monte* (Ronvev.). ◆ **aiguier, aisguer** v. (XIIIᵉ s.). 1° Arroser. — 2° Mêler d'eau. ◆ **aiguet** n. m. (1340, *Cart.).* Ruisseau, petit canal. ◆ **aiguier** n. m. (1329, G.). Vase à laver les mains, aiguière. ◆ V. AIVE, EVE.

aiguier v. (fin XIIIᵉ s.; lat. pop. **aequiare).* Rendre égal.

ail, n. m. (XIIᵉ s.), **aille** n. f. (XIIᵉ s.; lat. *allium,* ou le collectif *allia).* 1° Ail. —

2° Chose sans valeur. ◆ **aillie** n. f. (XIIᵉ s.). Sauce à l'ail. ◆ **alllier, -iere,** n. m. ou f. (1313, *Livr. taille).* Marchand (ou marchande) d'ail et de sauce à l'ail.

I. **aille** n. m. (XIIIᵉ s.). V. AIGLE.

II. **aille** n. f. V. AIL, ail.

aillevin n. m. Nourrisson, enfant trouvé. V. ALEVER, élever.

aillors, ailurs adv. (XIᵉ s., *Alexis;* lat. pop. **alioris,* comp. de *alius,* dans la locution *in aliore loco,* dans un autre lieu). Adverbe de lieu, Ailleurs.

aim, haim, ain n. m. (1160, Ben.; lat. *hamum,* même sens). 1° Hameçon. — 2° *Sur l'aim, en l'aim,* loc. adv., sur le point, au moment même. ◆ **ameçon** n. m. (déb. XIIᵉ s.). Hameçon. ◆ **amet** n. m. (XIIᵉ s.). Piège.

aimi interj. V. AI, exclam. de douleur.

I. **ain,** n. m. V. AIM, hameçon.

II. **ain** n. m. V. AINE, mode de propriété féodale.

ainc, ainz, ains adv. et prép. (XIᵉ s., *Alexis;* lat. pop. **untius,* de *ante).* I. Adverbe de temps, Avant, auparavant, jusqu'à maintenant. — II. Adverbe qualificatif. 1° Marque de préférence pour l'un des deux termes, Plutôt. — 2° Dénégation de cette préférence, Au contraire · *Frorc, ains urul mengiet avant* (A. de la Halle). — 3° Marque de préférence pour un temps, un lieu indéterminés : *Cil qui ainz te porra prendre* (Trist.). — 4° Dénégation de toute préférence, Jamais : *Ainz n'en osastes armes prendre* (Trist.). — III. Conjonction de coordination, marque de l'exclusion, Mais : *De rençon je n'en vueil Ainz le ferai detrenchier* (Cour. Louis).* — IV. Préposition. Indique l'antériorité dans le temps, Avant. *Ains ces heures,* naguère. ◆ Locutions adverbiales. *Ainz, ainz,* à l'envi. *Ainz mais,* jamais plus : *Mais ainc mais tel vilain ne vt* (J. Bod.). *Ainz onques,* à peine : *Ains, unques poent parler* (Ben.). *Qui ains ains,* à qui mieux mieux (Ben.). ◆ Locutions conjonctives. *Ains que,* avant que, plutôt que *(Alexis). Ains quoi que,* avant que

(1283, Beaum.). *Al ains que,* aussitôt que (XIIe s.).

ainçois, ainceis adv. et prép. (XIe s.; dér. de la même racine que *ainz*). I. Adverbe de temps, Avant, auparavant. — II. Adverbe de qualité : 1° Marque de préférence pour l'un des termes, Plutôt : *Ne me fai mes dieus renoier! Fai me anchois le teste soier* (J. Bod.) — 2° Dénégation de cette préférence, Mais non, au contraire : *Li rois : Senscal, dors tu ou tu veilles? - Li senescaus : Sire, anchois songoie merveilles* (J. Bod.). — III. Préposition, Avant : *ainceis le vespre ne le soleil colchie (Cour. Louis).* ◆ *Ainçois que,* loc. conj. (1175, Chr. de Tr.). Avant que.

aine, ain, enne, n. m. (1222, texte de Metz; orig. incert.). Mode de tenure ou de jouissance de propriété. Lié aux mots *fond* ou *trefond, aine* exprime l'idée de propriété complète.

ainmy interj. V. AI, exclam. de douleur.

ainsi, einsi adv. (1080, *Rol.;* composé de *si* affirmatif et d'un élément qui peut être *ains*). 1° Indique l'identité ou l'équivalence de comportements : *Ensi le croi je, Sire, Tierris lui respondit* (Roncev.). — 2° Confirme l'identité d'une qualité, Tel : *Ainsi a nom la dame qui a Pepin est drue* (Aden.). — 3° *Ainsi est,* il en est ainsi. — *Ainsi com,* ainsi que. ◆ V. ISSI.

ainsjornee, an- n. f. (1180, *G. de Vienne;* adv. *ainz* servant de préfixe). Point du jour. ◆ **ainsjornal** adj. (fin XIIe s., *G. de Rouss.*). Qui se fait avant le jour.

ainsné, aisné adj. (1155, Wace). Aîné. ◆ **ainsneage** n. m. (1155, Wace), **-ece** n. f. (XIIIe s., *Livr. de Jost.*). Droit d'aînesse : *Entre femeles n'a point de ennece (ibid.).*

ainsos, aisos adj. (1160, Ben.; lat. *anxiosus*). Anxieux.

I. aire n. m. ou f. (1080, *Rol.;* lat. *area,* emplacement). 1° Emplacement. — 2° En particulier, emplacement non cultivé. — 3° Situation, position. — 4° Origine, race :

Culverz, malvais hom de put aire (Rol.). — 5° Caractère, disposition (bonne ou mauvaise) : *Li dus fu de bon aire, kar de lui out pitié* (Wace). ◆ **airee** n. f. (XIIIe s.). Aire à battre le blé. ◆ **airet** n. m. (1326, *Arch.*). Emplacement non cultivé.

II. aire n. f. V. ERRE, voyage.

III. aire n. m. V. AVE, aïeul.

IV. aire adj. V. AIGRE, acide, violent, vaillant.

V. aire adj. V. ARE, aride.

airement n. m. V. AREMENT, matière dont on fait l'encre, encre.

I. airier v. (XIe s., *Alexis;* lat. pop. **adirare,* de *ira,* colère). Mettre en colère, irriter. ◆ **air** n. m. (1155, Wace), **-ee** n. f. (fin XIIe s. *Alisc.*), **-oison** n. f. (XIIe s.). Colère, violence, impétuosité : *La vile assaillent par marvillous air (Loher.).* ◆ **airos** adj. (1160, Ben.), **-ais** (XIIe s.), **-able** (1170, *Aym. Narb.*). Coléreux, irritable, emporté.

II. airier v. V. AAIRIER, nicher, séjourner.

ais n. m. (XIIe s.; lat. *axis*). Planche. ◆ **aissil, -el** (XIIIe s.). Planchette, aisseau. ◆ **aisselete** n. f. (1308, Delb.). Copeau, éclat de bois.

aise, aaise n. m. et f. (XIe s. *Gloses Raschi;* lat. *adjacens,* part. prés. substantivé de *adjacere,* être situé auprès). 1° Situation agréable : *aise du lit,* plaisir de l'amour. — 2° Chose dont on a le droit d'user, jouissance. ◆ **aise** adj. (XIIe s.). 1° Qui est à l'aise, content. — 2° adv. Facilement. ◆ **aisif** adj. (1204, R. de Moil.), **-ible, -ievle** adj. (1220, Coincy). 1° Facile. — 2° Confortable, agréable : *Bounes maisons et bien aisies en la ville* (Ph. de Nov.).

aisier v. (fin XIIe s., *Cour. Louis;* v. *aise;* élimine progressivement *aaisier*). 1° Satisfaire, fournir ce qui est nécessaire. — 2° Se mettre à l'aise; devenir facile. ◆ **aisement** n. m. (XIe s., *Rom. d'Alex.*), **-ance** (1257, *Cart.*). 1° Commodité, usage. — 2° Libre disposition, jouissance : *Il pooit retenir pour ses aissemens* *le cours des fontaines et des ruissiaus* (1271, *Arch.*). — 3° Chose dont on se sert, ustensile : *Tout aisement d'or et d'argent* (1231, *Hist. de Meaux*). — 4° Dépendances de la maison. — 5° Lieu d'aisances. *Faire ses aisemenz, son aisement,* faire ses besoins (1264, G.). ◆ **aisemance** n. f. (déb. XIVᵉ s., J. de Condé). Commodité.

aisin n. m. (1277, *Rose;* lat. *acinum,* grain de raisin). Vin aigre. ◆ **aisil** n. m. (1160, Ben.). Vinaigre. ◆ **aisne** n. m. (1190, J. Bod.). Marc de raisin.

aisné adj. V. AINSNÉ, aîné.

aisos adj. V. AINSOS, anxieux.

aisse, aze n. f. (XIIᵉ s., *Roncev.;* lat. *ascia,* pioche). 1° Hache, hachette. — 2° Sorte de doloire à l'usage des chapuiseurs de selles (1283, Beaum.).

aissil n. m. (fin XIIᵉ s., *Rois*), **aisuel** (déb. XIIᵉ s., *Voy. Charl.;* lat. pop. **axilem,* pour *axis,* axe). Essieu.

I. **aistre, aitre, atrie** n. m. (1080, *Rol.;* lat. *atrium*). 1° Parvis de l'église, d'un palais. — 2° Terrain près d'une église ou d'un monastère jouissant du droit d'asile. — 3° Cimetière entourant l'église.

II. **aistre** n. m. (1204, R. de Moil.; lat. pop. **astracum,* empr. au grec; la syll. initiale infl. par *aistre,* parvis). Âtre.

I. **ait** n. m. (1080, *Rol.;* lat. *actum*). Force. *Ad ait,* pour charger avec force : *Brochant ad ait pour le plus tost aler (Rol.).*

II. **ait** n. m. V. HAIT, joie.

aitant adv. (XIIᵉ s.; particule composée probablement de *ad, id,* et *tantum*). Adverbe de temps. Indique le temps sans relation avec la situation du message : 1° Temps ponctuel : alors. — 2° Temps concomitant : cependant.

aiue, aiude n. f. (842, *Serm.;* subst. déverbal, forme tonique de *aidier*). 1° Aide. — 2° Celui qui aide (1190, saint Bern.). — 3° Lettre de privilège permettant d'obtenir l'aide des autorités (XIIIᵉ s.). ◆ **aiuer** v. (XIIᵉ s.). Aider. ◆ **aiutor** n. m.

(XIIᵉ s., *Asprem.*), **aiueor** n. m. (1160, Ben.), Celui qui aide.

aiuel, ael n. m. (XIIᵉ s., Hues de la Ferté; lat. pop. *aviolum,* dim. de *avus*). 1° Grand-père, aïeul. — 2° Ancêtre. V. aussi AIVE, AIRE, AVE.

I. **aive** n. m. V. AVE, aïeul.

II. **aive** n. f. V. AIGUE, eau.

aïver v. (1306, Guiart; v. *iver,* égaler). Niveler, égaliser.

ajo, ajou n. m. (1271, *Arch.;* probablement un mot prélatin **jauga*). 1° Ajonc, genêt épineux. — 2° Terrain planté d'ajoncs.

ajorner v. (1080, *Rol.;* v. *jorn,* jour). 1° Faire jour. — 2° Renouveler chaque jour. ◆ **ajornee** n. f. (1080, *Rol.*), **-ail** n. m. (XIIIᵉ s., *Chans. d'Ant.*), **-ant** n. m. (1155, Wace). Point du jour. ◆ **ajor** n. m. (fin XIIIᵉ s., B. de Condé). Ajournement, assignation, citation. ◆ **ajorneor** n. m. (1283, Beaum.). Celui qui est chargé de porter l'ajournement.

ajoster v. (1080, *Rol.;* v. *joste,* auprès). 1° Unir, ajouter, allier. — 2° Rassembler. — 3° En venir aux prises, commencer le combat. ◆ **ajostee** n. f. (1080, *Rol.*). 1° Assemblée. — 2° Combat. ◆ **ajostement** n. m. (1160, Ben.). 1° Rapprochement, union, mariage : *D'amor firent ajostement* (Ben.). — 2° Corps de troupes réunies. — 3° Mêlée, engagement : *Lors peussiez vooir a cel ajostement Desronpre tant auberc* (Barbast.).

ajugier v. (1264, *Livre blanc;* lat. *adjudicare,* donner par jugement, confondu avec *jugier*). 1° Juger. — 2° Condamner. ◆ **a(d)judication** n. f. (déb. XIVᵉ s.). Jugement.

ajurer v. (XIIIᵉ s., *Saint Thomas;* lat. eccl. *adjurare,* adjurer). 1° Faire jurer au nom de Dieu. — 2° Faire promettre par serment. — 3° Exorciser.

al, el pron. (XIIᵉ s.; lat. pop. **alid* pour *aliud*). Pronom indéfini. Antonyme de *es,* même, appliqué aux non-animés; autre chose : *Bien voi que tu n'en feras al (Passion Palat.).*

alabarde n. f. (1333, G.; ital. *ala-barda*, du moy. haut all.). Hallebarde.

alabastre, labastre n. m. (1160, Ben.; lat. *alabastrum*, du grec). Albâtre.

alable adj. V. ALER.

alacier v. (1260, Br. Lat.; v. *laz*, lacet). 1° Prendre dans les lacs. — 2° Tromper : *Li mauvais home alace son ami* (Br. Lat.).

alaidier v. (1275, J. de Meung; v. *lait*, laid). Enlaidir.

alan, alant n. m. (1167, G. d'Arras; orig. obsc.). Gros chien de chasse.

alas interj. V. A, interj. de découragement.

alaschier v. (XIe s., *Alexis;* v. *laschier*). 1° Lâcher, débrider. — 2° Relâcher, délivrer. — 3° Soulager, affaiblir : *Ne n'a qi ses maus li alaque* (Anc. poés. française).

I. **albain** adj. (XIIe s.; francique *aliban*, appartenant à un autre clan). Étranger. ◆ **albaine** n. f. (XIIe s.). *Droit d'aubaine*, droit selon lequel la succession des étrangers revient au seigneur, plus tard au roi. ◆ **aubenaille** n. f. (1270, A. de la Halle). Argent, butin.

II. **albain** n. m. (1180, *Rom. d'Alex.;* lat. *albanum*). 1° Cheval blanc. — 2° Oiseau de proie de petite taille (fin XIIe s., *Alisc.*).

I. **albe, aube** adj. (XIIe s.; lat. *album*). Blanc. ◆ **albé** adj. (XIIe s.). 1° Blanchi. — 2° Revêtu de l'aube. — 3° Innocent. ◆ **alborne, albornaz** adj. (1160, Ben.). Blond. ◆ **aubagu** adj. (1175, Chr. de Tr.). Épithète de *cheval*, probablement blanc clair.

II. **albe, aube** n. f. (XIe s., *Alexis;* lat. *alba*). Tunique ou robe blanche; linge blanc.

III. **albe** n. f. (1268, É. Boil.; lat. *alba*). Bois blanc, aubier. ◆ **albain** n. m. (1220, Coincy), **-el** n. m. (XIIe s.). Aubier, peuplier blanc. ◆ **albor** n. m. (fin XIIe s., *Loher.;* lat. *alburnum*). Aubier, bois blanc. ◆ **alberoi, -oie** n. m. et f. (XIIIe s.). Lieu planté de peupliers blancs.

alberge n. f. V. HERBERGE, logement.

albespin n. m. (XIIe s., *Roncev.;* lat. pop. *alb-ispinum*). Aubépine.

I. **albor** n. f. (1080, *Rol.;* lat. *albor, -orem*). Aube, point du jour.

II. **albor** n. m. (fin XIIe s.; *Loher.;* lat. pop. *alburnum*). Cytise.

alborne, albornaz adj., blond. V. ALBE, blanc.

albun n. m. (XIIe s.; lat. *albumen, -inem*). Blanc d'œuf.

alçage n. m., hauteur, arrogance. Voir ALT, haut.

alçor adj. comp., plus haut. V. ALT, haut.

alcube n. m. (fin XIIe s., *Cour. Louis;* arabe *al gobbah*, tente; cf. *alcôve*). Sorte de tente.

alcun adj. et pron. (XIIe s., *Roncev.;* lat. pop. *aliquunum*, de *aliquis*, quelqu'un, et *unus*, un). 1° Adjectif quantitatif indéfini, exprimant une petite quantité, quelque : *Por che n'aiés pas grant merveille Se vous veés aucun affaire* (J. Bod.). — 2° Pronom quantitatif indéfini. Certains, quelques-uns : *Car aucun se sont aati* (A. de la Halle). — 3° Dénégation de cette quantité, dans un énoncé négatif : *Que vous ne m'en lairés aucun?* (J. Bod.). ◆ **Un alcun** (fin XIIe s., saint Grég.). Adjectif seulement indéfini, la quantité étant réduite à un quelconque : *D'un alcun evesque* (saint Grég.). ◆ **Un alcunui** (fin XIIe s., saint Grég.). Pronom personnel indéfini. Quelqu'un, un tel : *La maisons d'un alcunui estre edifié de tuiletes d'or* (saint Grég.).

I. **ale** n. f. (1280, DDN; empr. de l'angl.). Bière.

II. **ale** n. f. V. HALE, marché.

alé adj. (XIIe s.; v. *ele*, aile). Ailé. ◆ **aleron** n. m. (XIIe s.). 1° Aileron. — 2° Nageoire de poisson.

alealter v. (1243, Ph. de Nov.; v. *lealté*, loyauté). 1° Justifier. — 2° Légitimer : *Por aleauter la dame et ses enfanz* (Eracl. emp.).

alec adv. V. ALUEC, à l'endroit précis quelconque, ici; maintenant.

alechier v. (1130, *Job*; lat. pop. *allecticare*, de *allicere*, attirer, séduire). 1º Se délecter : *Et aussi se puet alechier Li povres en povre viande (Job).* — 2º Attirer, séduire, tromper. ♦ **alechement** n. m. (1295, Boèce). 1º Action de lécher, de se lécher les lèvres. — 2º Séduction.

alegier v. (fin XIe s., *Lois Guill.*; lat. pop. *alleviare*, de *levis*, léger). 1º Soulager. — 2º Calmer. — 3º Disculper. ♦ **alegement** n. m. (XIIe s., Couci). Soulagement, secours. ♦ **alejance** n. f. (1160, Ben.). 1º Soulagement, répit. — 2º Allégation (1326). ♦ **alege** n. f. (1162, Du Cange). Petite embarcation servant à décharger les navires.

alegrer v. (déb. XIIe s., *Ps. Cambr.*; v. *aliegre*, vif). Rendre allègre, réjouir. ♦ **alegrance** n. f. (1160, Ben.), **-eté** n. f. (XIIe s., *Pir. et Tisb.*). Allégresse.

aleguer v. (1283, Beaum.; lat. jur. *allegare*). 1º Envoyer. — 2º Notifier.

aleier v. (fin XIe s., *Lois Guill.*; v. *lei*, loi). 1º Déclarer sous serment. — 2º Gouverner selon la loi.

aleluie n. f. (1119, Ph. de Thaun; lat. eccl. *alleluia*, de l'hébreu). Dimanche de la Septuagésime.

alemande, -dre n. f. (XIIe s.; lat. pop. *amandula*, du lat. *amygdala*, avec altér. phon.). Amande. ♦ **alemandier** n. m. (fin XIIe s., *Auberi*). Amandier.

alemele n. f. (1160, Ben.; v. *lamele*). 1º Lame d'épée ou de lance. — 2º Arme tranchante quelconque. — 3º Diff. sens techniques.

alener v. (XIIe s., *Ami*; lat. *anhelare*, avec métathèse). 1º Souffler. — 2º Respirer une odeur. — 3º Faire des efforts. ♦ **aleine** n. f. (1180, *Rol.*), **alenee** n. f. (fin XIIe s., *R. de Cambr.*). 1º Souffle : *Si li escrie a mout grant anenee (R. de Cambr.).* — 2º Haleine. ♦ **alenier** adj. (1295, *Arch.*). Poussif.

alenter, -ir v. (1170, *Fierabr.*; v. *lent*). 1º Ralentir. — 2º Retarder.

aler v. (XIe s., *Alexis;* regroupement de plusieurs verbes latins : *ire, vadere, ambulare*). 1º Faire un mouvement, bouger, s'en aller : *Or, baron, de l'aler! (Roncev.).* — 2º Avec l'infinitif : *Je vei mostrer (Roncev.).* — 3º Désigne le procès qui dure : *Va s'en li jors, si revint la vespree (Roncev.).* — 4º Avec le participe présent : *François vont disant (Roncev.).* 5º Indique le procès sous son aspect terminatif : *Les roses... sunt en ung jor toutes alees (Rose).* — 6º Se perdre : *Car je sai vraiement, morte sui et allee (Aden.).* — 7º *Aler a fin*, mourir. — 8º *Aler entor*, faire la cour : *Li desloiaus rois Henris ala tant entour la damoisiele qu'il fut carnelement a li (Chron. Reims).* — 9º *Aler seur, aler contre*, se soulever, faire la guerre : *S'il aloient seur crestiens, il iroient contre la loi de Rome* (Villeh.). — 10º *En aler*, être dans le sens de, correspondre à. ♦ **alement** n. m. (fin XIIe s., saint Grég.). 1º Action d'aller, marche, pas. — 2º Voie. ♦ **aleure** n. f. (1138, *Saint Gilles*). Train, marche. ♦ **alee** n. f. (1160, Ben.). 1º Action d'aller. — 2º Voyage, expédition. — 3º Frais de route. — 4º *Bien alee*, cadeau de départ. ♦ **ale** n. f. (1220, Coincy). Voyage. ♦ **alier** n. m. (XIIIe s., Ben.). Attitude, conduite. ♦ **aloir, -eoir, -eor** n. m. (1160, Ben.). 1º Allée, corridor. — 2º Chemin de ronde. — 3º Échafaudage. ♦ **alable** adj. (1314, Mondev.). 1º Où l'on peut aller. — 2º *Devant alable*, qui précède, précurseur.

alerion n. m. (fin XIIe s., *Cour. Louis;* lat. *aquilarionem*). Oiseau de proie, grand aigle.

alesier v. (av. 1300, Anc. poèt.; v. *lé*). Élargir.

alesne n. f. (1204, R. de Moil.; germ. *alisna*). Ce qui pique, dard, pique, etc. ♦ **alesnaz** n. m. (XIIe s., *Part.*). Dague ou pique à longue lame triangulaire.

aleu n. m. V. ALUE, domaine héréditaire, propriété.

alever, aliver, v. (1160, Ben.; v. *lever*). 1º Tirer de basse condition, élever en dignité : *E quant jo fui a Lundres esliz et alevez A ceste digneté (Garn.).* — 2º Élever des enfants, nourrir des animaux, planter des végétaux. — 3° Lever les impôts (Garn.). ◆ **alevin, aillevin** n. m. (XIIᵉ s.; lat *allevamen*). 1° Nourrisson. — 2° Enfant trouvé.

alfage adj. et n. m. (fin XIIᵉ s., *Cour. Louis;* arabe *al-faras,* cheval). 1° Noble. — 2° Seigneur sarrasin. ◆ **alfajois** n. m. Cheval arabe.

alfaigne adj. et n. m. (1190, J. Bod.; d'orig. arabe). 1° adj. Effrayant, redoutable comme un Sarrasin. — 2° n. Chef des Sarrasins. — 3° n. Cheval de bataille.

alferant adj. (fin XIIᵉ s. *Cour. Louis;* d'orig. arabe). 1° De couleur grise. — 2° Impétueux. ◆ n. m. (1125, *Gorm. et Is.*). Cheval de bataille, coursier.

alfin n. m. (XIIᵉ s., J. Fantosme; d'orig. arabe). Pièce des échecs appelée actuellement le *fou.*

algalife n. m. (1080, *Rol.;* arabe *al-khalifa*). Calife. ◆ **augalie** n. m. (XIIIᵉ s.). Nom donné aux souverains d'Orient. ◆ **augalie** n. f. (1247, *Conq. Jér.*). Trône de souverain d'Orient.

alge n. m. ou f. (XIIᵉ s.; lat. *alveus,* cavité, de *alvus,* ventre). 1° Bassin. — 2° Auge. ◆ **alget** n. m. (XIIᵉ s., Herman). Corbeille. ◆ **algel** n. m. (1220, *Saint-Graal*). Lit de la mer.

algier, algiet n. m. V. AGIER, javelot.

algorisme n. m. (1220, Coincy; du nom d'*Al-Korismi,* mathématicien arabe). Art du calcul, arithmétique utilisant les chiffres arabes. *Estre chifre en algorisme,* n'être rien du tout, avoir la valeur du zéro dans le calcul.

alie n. f. (1175, Chr. de Tr.), **alis** n. m. (fin XIIᵉ s., *Loher.;* germ. *aliza*) Alise. ◆ **alier** n. m. (fin XIIᵉ s., *R. de Cambr.*). Alisier.

aliegre, haliegre adj. (fin XIIᵉ s., *Cour. Louis;* lat. pop. **alecrum,* pour *alacer*). Vif, leste. ◆ V. ALEGRER, réjouir.

alien adj. (XIᵉ s., *Alexis;* lat. *alienum,* autre). 1° Etranger (en parlant des choses). — 2° Qui est d'un autre lieu. — 3° Qui appartient à autrui. ◆ **aliene** n. f. (XIIIᵉ s.). Terre étrangère.

aliener v. (XIIIᵉ s., *Livr. de Jost.;* lat. *alienare,* rendre autre). 1° Vendre. — 2° Détacher, rendre hostile. ◆ **alienement** n. m. (1300, *Charte*), -**ance** n. f. (1299, *Arch.*). Action d'aliéner.

I. **alier, -oier** v. (1080, *Rol.;* lat. *alligare,* de *ligare,* lier). 1° Joindre, assembler. — 2° Lier par serment, par traité. — 3° Allier des métaux, mettre l'alliage légal. ◆ **aloi** n. m. (1268, E. Boil.). 1° Monnaie d'alliage. — 2° Valeur d'alliage. ◆ **aliement** n. m. (1155, Wace). 1° Lien, alliance. — 2° Obligation contractée par le serment de fidélité, liant le vassal à son seigneur : *Teus seit nostre aliement Qu'entre nos dous nul ne se mette* (Ben.). — 3° Alliage. **aliance** n. f. (1155, Wace), **aliaison** n. f. (1160, Ben.). 1° Alliance. — 2° Obligation. ◆ **aliancer** v. (fin XIIᵉ s., *Éd. le Conf.*). Allier : *Au duc sui aliance (Éd. le Conf.).* ◆ **aliere** n. f. (XIIᵉ s., *Trist.*). Bourse, gibecière.

II. **alier** n. m. V. ALER, aller.

alieu n. m. V. ALUE, domaine héréditaire, propriété.

alignagier v. (1326, *Arch.;* voir *lignage*). Établir sa filiation, prouver qu'on est du lignage.

alignier v. (1155, Wace; v. *lign,* ligne et lignée). 1° Mettre en ligne : *Si font les mençonges rimer Et les paroles alinier* (*Rom. de Ham*). — 2° Mesurer à la ligne, arpenter. — 3° Accoupler, s'accoupler. — 4° Peupler. ◆ **alignié** adj. (fin XIIᵉ s., *Cour. Louis*). 1° Bien fait, svelte : *Et fu greslete et alignie* (*Rose*). — 2° Doué.

aligot n. m. V. AMINGALT, encolure d'un vêtement.

I. **alis** adj. (fin XIIᵉ s., *Loher.;* v. *lis,* lisse). 1° Poli, fin (dè la taille). — 2° Délicat, qui a la peau douce : *Chieres pales et alises* (*Rose*).

II. **alis** n. m. V. ALIE, alise.

I. **aliver** v. (av. 1300, Anc. poèt.; v. *livel,* niveau). Niveler, réduire à sa juste mesure.

II. aliver v. V. ALEVER, élever en dignité; élever les enfants; nourrir les animaux.

almaçor, amaçor n. m. (1080, *Rol.;* arabe *al-mansur,* le victorieux). 1° Dignitaire chez les Orientaux, émir. — 2° Chef doué de bravoure.

almaille n. f. (1160, Ben.; lat. pl. *animalia*). 1° Le gros bétail. — 2° Une bête à cornes. ◆ **aumel** n. m. (XIIIᵉ s., *Court. d'Arras*). Bête à cornes. ◆ **armal** n. m. (1349, *Arch.*). Jeune bœuf. ◆ **almelin** adj. (1250, *Ren.*). Propre au gros bétail. ◆ **almaillier** n. m. (1347, *Arch.*). Bouvier.

almaire, -arie n. f. (XIIᵉ s., *Trist.;* lat. pl. neutre *armaria,* de *arma,* ustensiles). Armoire.

alme n. f. V. ANME, âme.

almirail n. m. V. AMIRAIL, chef.

almosne n. f. (XIᵉ s., *Alexis;* lat. pop. *alemosina,* du lat. chrét. *eleemosyna,* du grec). 1° Ce qu'on donne aux pauvres. — 2° Don en général. — 3° Charité. — 4° Maison religieuse, hôpital (E. Boil.). ◆ **almosner** v. (1133, *Test. de Renaud*). 1° Donner en aumône : *Et le puet* [l'héritage] *donner, almosner ou vendre* (Beaum.). — 2° Céder à titre gratuit. ◆ **almosnement** n. m. (1284), **-age** n. m. (1275, *Arch.*), **-ance** (1260, *Arch.*). 1° Charité. — 2° Don. ◆ **almosneor** n. m. (XIIᵉ s.). Celui qui fait l'aumône. ◆ **almosnier** n. m. (XIᵉ s., *Alexis*). 1° Celui qui fait l'aumône. — 2° Celui qui reçoit l'aumône, mendiant. — 3° Vase pour recueillir les aumônes. ◆ **almosnie** (XIIᵉ s.), **-erie** n. f. (1190, Garn.). Hôpital religieux.

almuce n. f. (XIIᵉ s., *Trist.;* orig. obsc.). Sorte de chapeau garni de fourrure, aumusse. ◆ **almucele** n. f. (1317, *Arch.*). 1° Petit capuchon. — 2° Pièce de harnais.

I. alne (XIIᵉ s.; lat. *alnum*). Aune, sorte d'arbre. ◆ **alnoi** n. m. (XIIᵉ s.), **-oie** n. f. (1160, Ben.). Aunaie.

II. alne n. f. (1080, *Rol.;* francique *alina,* avant-bras). Aune, unité de

mesure. ◆ **alner** v. (1175, Chr. de Tr.). 1° Mesurer à l'aune. — 2° Battre, frapper : *O maçues et o tiniaux Li ont bien auné ses buriaus (Ren.).* ◆ **aunerie** n. f. (1268, E. Boil.). Mesurage à l'aune. ◆ **auneor** n. m. (1190, saint Bern.). 1° Celui qui mesure, géomètre. — 2° Officier des mesures (1293).

I. aloe n. f. (1160, Ben.; lat. *alauda,* empr. au gaul.). Alouette. ◆ **aloete** n. f. (XIIᵉ s., *Mort Garin*), **aloel** n. m. (XIIIᵉ s., *Vie des Pères*). Alouette.

II. aloe n. m. V. ALUE, alleu.

III. aloe n. m. (1175, Chr. de Tr.; lat. *aloe,* du grec). Aloès.

aloer v. (XIᵉ s., *Alexis;* lat. *allocare,* placer). 1° Placer, situer : *Li rois le castel aseja ses burons entor aloa* (Wace). — 2° Louer, donner à louage. — 3° Louer, prendre à bail ou à gages. — 4° User, dépenser : *Tot aloa son heritage Et quanqu'il ot en fol usage* (Coincy). — 5° Mettre la monnaie en circulation. ◆ **aloement** n. m. (1120, *Ps. Oxf.*), **-ance** n. f. (1290). Action de placer, bail. *En alouance de,* au lieu de, à la place de. ◆ **aloeor** n. m. (1218). Celui qui prend ou donne à location. ◆ **aloé, aloat** n. m. (1264). 1° Serviteur à louage, étranger au fief et payant une redevance pour avoir les mêmes droits que les autres. — 2° Fondé de pouvoirs.

alol n. m. Monnaie d'alliage. V. ALIER, joindre.

aloignier v. (1155, Wace; v. *loing*). 1° Allonger. — 2° Prolonger, retarder. — 3° Éloigner. ◆ **aloing** n. m. (1160, Ben.), **aloignement** n. m. (XIIᵉ s.). Délai, prolongation. ◆ **aloigne** n. f. (XIIᵉ s.). 1° Retard, lenteur, délai. — 2° Atermoiement, faux-fuyant : *Quar je veuil savoir sans aloingne Se ainsi va vostre besoigne* (Chast. Vergi).

aloir n. m. V. ALER, aller.

alondre n. f. V. ARONDE, hirondelle.

alongier v. (1150, *Thèbes;* v. *long*). 1° Éloigner : *E dou pais vous alongerent (Athis).* — 2° Faire attendre. — 3° Éloigner le terme du paiement. — 4° Éloigner le fief du seigneur suzerain en en partageant une partie entre frères et sœurs et le transformant ainsi en arrière-fief. ◆ **alonge** n. f. (1250, *Ren.*). 1º Retard, délai. — 2º Allonge, laisse. ◆ **alongeure** n. f. (1180, *Rom. d'Alex.*). Prolongation.

aloser v. (1080,´*Rol.*; v. *los,* louange). 1º Louer, vanter. — 2º Par ironie, blâmer, accuser. ◆ **alose** adj. (XIIᵉ s.), **alosé** adj. (1155, Wace). Renommé, estimé : *Mult par est d'armes alosé (G. de Warwick).*

aloter v. (1304, *Year Books*; v. *lot*). Lotir, partager.

alpatriz, aupatriz n. m. (XIIᵉ s., *Barbast.*; d'orig. arabe). 1º Chef sarrasin. — 2º Le derrière.

alquant adj. (1080, *Rol.*; lat. *aliquanti*). 1º Adjectif quantitatif, indique une petite quantité, Quelque. — 2º Adjectif quantitatif, dans l'emploi interrogatif, Combien. ◆ **alquanz** pron. (1080, *Rol.*). Pronom personnel indéfini, désigne une petite quantité, Quelques-uns, certains, un certain nombre : *Alquanz nefrez, alquanz par mi feruz (Rol.).* ◆ **alquant** adv. Adverbe de quantité, sert à mesurer les objets dans l'espace ou le temps, Un peu, quelque temps.

alques adv. (XIᵉ s.; lat. *aliquid*). Adverbe de quantité, désigne une petite quantité, Un peu, quelque peu : *Nous sommes auques traviliet, s'avommes toute nuit veilliet (J. Bod.).* Il peut être déterminant de verbe, d'adjectif et d'adverbe. Emplois adjectifs fréquents. ◆ **alquetes** adv. (1160, *Eneas;* diminutif du précédent). Quelque peu : *La lance fu bien aceree Et fu auquetes coltelee (Eneas).* ◆ **alqueletes** adv. (XIVᵉ s., *Est. Rogier;* dim. dédoublé de *alques*). Un tout petit peu.

alqueton, hoqueton n. m. (1125, *Gorm. et Is.;* arabe *al-qutun,* coton). 1º Sorte de drap, généralement blanc. — 2º Hoqueton, vêtement ouaté.

als contraction de la prép. *a* et de l'art. *les*. V. A, prép.

alsi adv. (XIIᵉ s., *Barbast.;* composé de *al,* autre chose, et de *sic,* ainsi). 1º Marque l'équivalence entre deux termes, Aussi. —

2º Parfois confondu avec *ainsi (Alisc:).* ◆ **alsiment, alsement** adv. (1160, *Eneas*). De même, également.

alt, aut, haut adj. (XIᵉ s., *Alexis;* lat. *altum,* infl. par le francique **hoh,* haut.; v. *haut,* et ses dérivés). 1º Haut, élevé. — 2º Fort : *ore halt, ore bas,* tantôt à haute voix, tantôt à voix basse *(Saint Thomas). En haut,* à haute voix. — 3º Important : *les hautes festes comme Pasques, Penthecoste* (E. Boil.). — 4º Noble, fier : *Bon sont li comte, e lur paroles haltes (Rol.).* ◆ **alçor** adj. comp. (1080, *Rol.*). Plus haut. ◆ **altisme** adj. superl.(1080, *Rol.*). Très haut. ◆ **altain, -aigne** adj. (1080, *Rol.*). 1º Haut, profond. — 2º Important. ◆ **altece** n. f. (1212, Villeh.). 1º Hauteur, grandeur. — 2º Grandeur (au fig.) : *Onques on ne out plus por altece ne por proece* (Villeh.). ◆ **alçage** n. m. 1º Hauteur. — 2º Arrogance. ◆ V. HAUT.

altant adv. (1190, *Rois;* composé de *al,* autre et de *tant*). Adverbe de quantité. Indique l'équivalence quantitative entre deux termes, Autant.

altel adj. (1160, *Ben.;* composé de *al,* autre et *tel*). Adjectif indiquant l'équivalence des choses non identiques, Tel, semblable, pareil : *D'autele coleur comme la char de l'autre partie du dit enfant (Mir. Saint Louis.).* ◆ **altel que, altel comme,** loc. conj. de comparaison. ◆ **altels** adv. De la même manière, aussi. ◆ **altelment** adv. (1239, *Arch.*). Pareillement.

alter, -el n. m. (1150, *Pèler. Charl.;* lat. *altarem*). Autel. ◆ **autelet** n. m. (1306, Guiart). Petit autel. ◆ **autelage** n. m. (1300, *Cart.*). Profit de l'autel, droit de dîme qui portait sur les laines, les oies, etc.

altre adj. (1080, *Rol.;* lat. *alterum,* l'autre). I. Adj. indéfini personnel. 1º Indique une personne qui n'est pas la même ou l'ensemble de personnes à l'exception de celle dont il s'agit; un autre, quelqu'un : *S'autre le dist, mensonge fust prouvee (Roncev.).* — 2º Autrui, des autres : *Dottre quir large curreie* (proverbe). — 3º Adj. ordinal, le second : *Fu premiers li marchis* de Montferrei, li quens Baudoins de Flandres fui li autres (Villeh.). — 4° Opposé et lié à li uns, établit ou renforce la réciprocité des comportements : S'aidoient li uns l'autre contre les Arabis (Aden.). II. Adj. indéfini non personnel. 1° Indique une chose, un espace ou un temps qui ne sont pas les mêmes que ceux qui sont envisagés. La ou autre, là ou ailleurs. L'autre jour, le lendemain. — 2° Indique une partie restante de l'objet, distincte de la partie envisagée. L'autre cors, le reste du corps. L'autre meson, l'autre partie de la maison. — 3° Indique un objet semblable mais distinct. D'un chief en autre, de bout en bout. De mot en autre, mot pour mot : Le malfee comença counter de mot en autre (F. Fitz Warin). ◆ altrui n. m. (fin XIᵉ s., Lois Guill.). Cas oblique de altre, employé comme substantif). Un autre, quelqu'un d'autre : En lui est mes cuers si entirs Que jamais ne querrai autrui (J. Bod.). ◆ altrement adv. (1080, Rol.). D'une autre façon.

altrefeiz adv. (1160, Ben., v. feiz, fois). Adv. de temps, renvoie à un événement susceptible de répétition : 1° Dans le passé : Seigneur, je sai plus de covine de cest pais que vous ne savés, quar j'i ai esté autre fois (Villeh.). — 2° Dans le futur, une autre fois : Et autre fois ceux de notre costé ne s'aventureront pas si volontiers (Froiss.).

altresi adv. (1080, Rol.; v. si). Adverbe quantitatif, indique l'équivalence, sous un certain angle, entre deux termes, De même, également, ainsi, aussi : Cascum (ours) parolet altresi cum home (Rol.). ◆ altresiment adv. Ainsi, comme. ◆ altresitost adv. Aussitôt. ◆ altresi que, altresi come loc. conj. De même que, ainsi que.

altretant adj. et adv. (1190, Garn.; v. tant). 1° Adjectif quantitatif, sert à indiquer l'équivalence. — 2° Adverbe de quantité, Autant, également : Jou n'en ochie autretant Con Berengieres soiera d'orge (J. Bod.).

altretel adj. et adv. (1080, Rol.; v. tel). 1° Adjectif indéfini, indiquant l'équivalence du point de vue de la qualité ou de l'identité, Tel, pareil, semblable. —

2° Adv. comparatif, établissant l'équivalence, Autant, pareillement : Jamais n'iert an altretel ne vos face (Rol.).

altrier adv. (1080, Rol.; v. ier, hier). 1° Adverbe de temps, Avant-hier. — 2° L'altrier, loc. adv., l'autre jour, naguère : L'autrier un jor apres la Sainte Denise (C. de Béth.). ◆ altrui adv. (XIIᵉ s.; v. ui, aujourd'hui). Adverbe de temps, L'autre jour, naguère.

aluchier v. (1190, saint Bern.; orig. incert.). 1° Planter, semer, cultiver. — 2° Entretenir, favoriser : Luxure est un pechiez que glotonnie aluche (J. de Meung). — 3° Placer, fixer.

alue, aluef, aloe, aleu, alieu n. m. (1125, Gorm. et Is.; francique *al-ôd, propriété complète). 1° Domaine héréditaire pour lequel l'hommage de vassalité était dû au seigneur. — 2° Propriété, domaine. ◆ aleugerie n. f. (1290, Charte). Fief tenu en alleu.

aluec, alec adv. (1190, J. Bod.; composé contenant le lat. locus, lieu). I. Adverbe de lieu : 1° A l'endroit précis, mais quelconque : Alec u li rois se gist (Auc. et Nic.). — 2° Ici : Et tu qui m'esgardes alec Dont iés tu? (J. Bod.). — 3° Là.

II. Adverbe de temps : 1° Maintenant. — 2° Alors. ◆ alueques adv. (1112, Saint Brand.). Ici même.

alumer v. (1080, Rol.; lat. pop. *alluminare, de lumen, lumière). 1° Éclairer. — 2° Mettre le feu, allumer, incendier. — 3° Recouvrer la vue : Li mort i unt la vie, Li avogle i alument (Garn.). ◆ alumement n. m. (1130, Job). 1° Clarté. — 2° Action d'allumer. ◆ alumaille n. f. (XIᵉ s., Alexis), -ele n. f. (XIᵉ s., Alexis), -ete n. f. (1213, Fet Rom.). Ce qui sert à allumer (au phys. et au moral). ◆ alumoir n. m. (XIVᵉ s.). Éclair.

alustel n. m. (1277, Rose; orig. obsc.). Pots sans fond joints ensemble, servant à sublimer une matière volatile (alchimie).

alve, auve, aube n. f. (1080, Rol.; lat. alapa, soufflet). Bande de fer ou planchette reliant les deux arçons de la selle.

alven n. m. (1160, *Eneas;* orig. obsc., peut-être du gaul. **banno,* corne?). Galerie de fortification : *Alvens fist faire de desus (Eneas).*

am, an adj. cas sujet V. AMBES, les deux.

amaçor n. m. V. ALMAÇOR, émir.

amaier v. (fin XIIe s., *Loher.;* cf. *esmaier,* même sens). S'étonner, s'effrayer : *Ne t'amaier mies, mais soies toz seurs (Saint-Graal).* ◆ **amai** n. m. (XIIe s.). Émoi, effroi. *En amai,* en émoi.

amaisier, -ir v. (1155, Wace; v. *mais,* maison). Adoucir, pacifier, concilier. ◆ **amaisement** n. m. (1190, Garn.). Accord, réconciliation : *Ensi purra trover vers lui ameisement* (Garn.).

amaisnier, -ir v. (fin XIIe s., *Loher.;* v. *maisnie*). 1° Admettre dans la famille. — 2° Rassembler. — 3° Mettre d'accord, réconcilier. ◆ **amaisnement** n. m. (fin XIIe s., *Rois*), **-ance** (1283, *Cart.*). Conciliation, accord.

amanantir v. (1160, Ben.; v. *manant,* propriétaire établi). Enrichir, devenir riche.

amanevir, amanver v. (XIe s., *Alexis;* germ. *manvjan,* être dispos). 1° Préparer, fournir. — 2° Etre prêt, dispos. ◆ **amanevi** adj. (1125, *Gorm. et Is.*). 1° Dispos, adroit. — 2° Ardent : *La bataille fut esbaldie E del ferir amanevie (Gorm. et Is.).*

amarir v. (1190, Garn.; v. *marir*). Affliger.

amaser v. (1200, *Quatre Fils Aymon.* v. *mas, mais,* maison). 1° Bâtir, couvrir un emplacement de bâtiments. — 2° S'établir, fixer son domicile : *Quant le chastel fu fait Ileque s'amazerent les quatre fils Aymon (Quatre Fils Aymon).* ◆ **amasement** n. m. (1263, *Charte*). 1° Bâtiment, maison. — 2° Pièce d'une habitation.

I. **amasser** v. (1175, Chr. de Tr.; v. *masse,* amas). Réunir (en parlant des choses et des personnes). ◆ **amassement** n. m. (fin XIIIe s., G. de Tyr), **-eis** n. m. (1160, Ben.), **-ee** n. f. (1160, Ben.).

1° Action d'amasser, assemblage, amas. — 2° Assemblée, rassemblement de troupes.

II. **amasser** v. (1298, M. Polo; v. *masse,* massue). 1° Assommer avec une massue. — 2° Tuer en général.

amater v. (1270, Ruteb.; v. *mast,* mât?). Faire connaître par des signes.

amatir, ametir v. (fin XIIe s., *Rois;* v. *mat,* triste). 1° Abattre, vaincre, tuer. — 2° Abattre, humilier.

ambasse, -ee n. f. (1298, M. Polo; ital. *ambasciata*). 1° Ambassade, mission. — 2° Message. ◆ **ambasseor** n. m. (1260, Br. Lat.). Envoyé, ambassadeur.

ambes adj. plur. cas régime, **am, an, ams,** cas sujet (1080, *Rol.;* lat. *ambos*). Les deux. ◆ **ambesdous, ansdous,** adj. pl. cas régime, **ambedui, andui,** cas sujet (1080, *Rol.;* lat. *ambos duos*). Tous deux. ◆ **ambesas** n. m. (1190, Garn.). 1° Double as. — 2° Mauvaise chance, malheur. *Jeter, faire ambesas,* avoir mauvaise chance. ◆ **ambesparz** (déb. XIVe s., *F. Fitz Warin*). *D'ambepartz,* des deux côtés.

I. **ambler** v. (fin XIIe s., *Auc. et Nic.;* anc. prov. *ambler,* lat. *ambulare*). 1° Aller l'amble. — 2° Mener au pas de l'amble, conduire rapidement : *Li destriers li anble tost Bien l'enporte les galos (Auc. et Nic.).* ◆ **amble** n. m. (fin XIIIe s.), **-eure** n. f. (1150, *Pèler. Charl.*). Amble. ◆ **ambleor** n. m. (1160, Ben.). Qui va l'amble.

II. **ambler** v. V. EMBLER, voler.

ambore, ambure adv. (1080, *Rol.;* lat. *ambo* et *utrum*). 1° Tous les deux : *Ambure ocist seinz nul recoevrement (Rol.).* — 2° Ensemble, à la fois : *Chevaliers e serganz ambore* (Ben.). ◆ **ambore ... e,** conj. de coord. (1190, Garn.). Aussi bien ... que : *Ambure a l'arcevesque e a tut sun tenement* (Garn.).

ameçon n. m., hameçon. V. AIM, nameçon.

amembrer v. (fin XIIe s., *Alisc.;* lat. **admemorare*). Rappeler, se souvenir, mentionner. ◆ **amembré** adj. (1250, *Ren.*). 1° Qui se souvient. — 2° Qui a une bonne mémoire.

amen n. m. (1138, Gaimar; lat. chrét. *amen*, de l'hébreu). 1° Approbation. — 2° Souhait. ◆ **amen ore** interj. (1120, *Ps. Oxf.*). Exclamation traduisant le *euge* latin : *Ne dient en lur cuers : Aimen ore, aimen ore, a la nostre aneme (Ps. Oxf.).*

amender v. (fin XIᵉ s., *Lois Guill.*; lat. *emendare*, avec chang. de préfixe). 1° Réparer une faute, dédommager. *L'amender a*, faire des excuses, pardonner. — 2° Aider : *Se ja le grant Dieu m'ament (Pass. Palat.).* — 3° S'améliorer : *Tote la nuit fut an dolor Ne li amanda pas lo jor (Eneas).* ◆ **amende** n. f. (XIIᵉ s.), **-ance** n. f. (1190, Garn.), **-ise** n. f. (1080, *Rol.*). Réparation qui rachète une faute, une injure. ◆ **amendement** n. m. (1243, *Arch.*). 1° Réparation. — 2° Dommages et intérêts.

amener v. (1080, *Rol.*; v. *mener*). 1° Faire venir. — 2° Pousser, diriger : *Ses disciples avoit ameneiz a tristece* (saint Bern.). ◆ **amenée** n. f. (XIIIᵉ s.). 1° Coup assené : *Sur l'espaule ataint Do de si grant amenée* (XIIIᵉ s., *Doon de May.*). — 2° Sommation : *Sans ce qu'ils venissent par amenee* (1350, *Ord.*).

amenistrer v. (XIIᵉ s.; lat. *administrare*, aider). 1° Aider, servir, être utile. — 2° Fournir, procurer. ◆ **amenistrance** n. f. (fin XIIIᵉ s.). Service. ◆ **amenistraison** n. f. (XIᵉ s., *Gloses Raschi*). 1° Service. — 2° Portion de repas. ◆ **amenestreor** n. m. (1283, Beaum.). Administrateur, curateur.

amentevoir (XIIᵉ s., *Trist.*), **-oivre** v. (fin XIIIᵉ s., *Aym. Narb.*; v. *mentevoir*). 1° Rappeler : *Puis que li hom est morz, po est amenteuz* (J. Bod.). — 2° Avertir : (Il) *t'amentut que li anemis te feroit chaoir ou parfont puis, ce est en enfer* (*Saint-Graal*). — 3° Recommander. — 4° *Amentevoir un jugement*, le prononcer (1315, *Ord.*). ◆ **amentevance** n. f. (XIIᵉ s., Evrat). Souvenir. ◆ **amenteument** n. m. (1295, *Test.*). Avertissement, instigation.

amenuiser v. (1120, *Ps. Oxf.*), **-nuir** (1317, *Arch.*; v. *menu*). 1° Diminuer. — 2° Polir. — 3° Affaiblir, amoindrir : *... un truant Qui aloit par le pais preeschant Et nostre loy amenuisant (Pass.*

Palat.). ◆ **amenuisement** n. m. (1209, Guiot), **-ance** n. f. (1190, Garn.). Diminution.

I. amer v. (1080, *Rol.*; lat. *amare*). 1° Aimer, éprouver un sentiment passionné : *Homs qui bien aime est trestoz enragiez (Pr. d'Orange).* — 2° Aimer, chérir. — 3° *Amer mieus*, préférer. ◆ **ameor** n. m. (fin XIIᵉ s., C. de Béth.). 1° Amant, celui qui aime d'amour.— 2° Celui qui aime une chose : *Amierres et faisiere de pais* (1250, *Comte de Poit.*). ◆ **amateur** n. m. (1327, J. de Vignay). Celui qui aime : *Certes, il estoit vray amateur des poures* (J. de Vignay).

II. amer adj. (XIIᵉ s.; lat. *amarum*). 1° Qui a une saveur désagréable. — 2° Impitoyable, en parlant de la mort, de la guerre, de la famine, etc. ◆ **amerir** v. (fin XIIIᵉ s., B. de Condé). Rendre, devenir amer. ◆ **amerté** n. f. (1190, Garn.), **-tor** n. f. (1160, Ben.). Amertume : *De ço est en mun cuer grant amerté assise* (Garn.).

amercier v. (1215, G.; v. *merci*). 1° Rançonner. — 2° Condamner à l'amende : *Frans hom ne seit amerciez pour petit forfet (1215, Arch.).* ◆ **amerciment** n. m. (1215, *Gr. Charte*). 1° Rançon. — 2° Amende pécuniaire, rachat d'une peine. ◆ **amerciable** adj. (1304, *Year Books*). Passible d'amende.

amermer v. (1160, Ben.; v. *mermer*). 1° Diminuer, amoindrir : *Corous ... amerme souvent conoissance d'ome (Ass. Jér.).* — 2° Décroître, affaiblir : *Croissent les jours et amerment les nuis (Sydrac).* ◆ **amermance** n. f. (XIIIᵉ s., *Ass. Jér.*). 1° Affaiblissement, diminution. — 2° Atteinte à l'honneur.

amesnagier v. (1327, *Arch.*; v. *mesnage*). 1° Loger, établir. — 2° Faire des constructions ou des réparations. ◆ **amesnagement** n. m. (1327, J. de Vignay). Construction d'une maison.

amesurer v. (1155, Wace; v. *mesurer*). 1° Mesurer. — 2° Estimer, apprécier. — 3° Restreindre, modérer : *Por sa grant ire saoler Qu'il ne poroit amesurer* (Wace). ◆ **amesurable** adj. (fin XIIIᵉ s., G. de Tyr). Mesuré, modéré.

amet n. m. piège. V. AIM, hameçon.

ameter, ametir v. V. AMATIR, attrister, humilier.

ametre v. (1175, Chr. de Tr.; v. *metre*). 1° Mettre sur, imputer à : *Se li ametent vilain blasme (Chast. dames).* — 2° Accuser, inculper. ◆ **ametement** n. m. (XIIIᵉ s.). *Ametement de foy,* action de prêter foi et hommage.

ami n. m., **amie** n. f. (Xᵉ s., *Saint Léger;* lat. *amicum*). 1° Ami fidèle. — 2° Amant : *Ou est Rolant, qui de moi fit s'amie (Roncev.).* — 3° adj. Apparenté. ◆ **amin** n. m. (fin XIIᵉ s., *Gar. Loh.*). Ami. ◆ **amiet** n. m. (XIIIᵉ s.), **amiete** n. f. (XIIIᵉ s., *Garç. et Av.*). Amant, maîtresse. ◆ **amie** n. f. (av. 1300, Anc. poèt.), **amisté** n. f. (1080, *Rol.*), **-ié** n. f. (1314, *Arch.*), **-age** n. m. (XIIᵉ s., *Chev. cygne*), **-ance** n. f. (XIIᵉ s.). Amitié, amour : *Si la baise et acole par moult grant amistage (Chev. cygne).* ◆ **amistable** adj. (XIIᵉ s.). Plein d'amour, affectueux : *Soiez douces et amistables (J. de Condé).* ◆ **amial** adj. (1190, Garn.), **amiable** adj. (XIIᵉ s.). Amical, aimable. ◆ **amiableté** n. f. (1277, *Rose*). 1° Amitié, liaison étroite. — 2° Manière aimable.

amieldrir v. (XIIᵉ s., *Part.;* v. *mieldrir*). Améliorer. ◆ **amieldrissance** n. f. (1276, *Arch.*). Amélioration.

amingalt, emingaut, aligot, n. m. (1204, *l'Escouffle;* orig. obsc.). 1° Fente, encolure du vêtement. — 2° Brassière couvrant le haut de la poitrine.

amirail n. m. (1080, *Rol.*), **-rant** (fin XIIᵉ s., *Cour. Louis*), **-afle** (fin XIIᵉ s., *Aym. Narb.*), **-agon** (fin XIIᵉ s., *Loher.*); arabe *emir al-bahr,* prince de la mer, avec diverses adaptations suffixales. 1° Commandant chez les Orientaux, émir. — 2° Chef de flotte, amiral en général (Villeh.). ◆ **amiré** adj. (1125, *Gorm. et Is.*). Souverain : *reis amirés (ibid.).* ◆ **amirauté** n. f. (XIVᵉ s., *Chron. Londres*). Fonction d'amiral.

amirer v. (fin XIIᵉ s., *Alisc.;* converg. de *mirer* et du lat. *admirare*). 1° Ajuster (avant de tirer). — 2° Regarder avec étonnement. — 3° Admirer. ◆ **amiracion** n. f. (fin XIIᵉ s., saint Grég.). 1° Étonnement. — 2° Admiration.

amiton n. m. V. AUMITON, sorte d'étoffe.

amlor adv. (XIIᵉ s., *Florim.;* composé de *am-*, les deux, et de *lor*). Ensemble, avec eux (exprime l'idée d'être aux prises).

amoderer v. (1328, *Ord.;* v. *moderer*). Mesurer, modérer : *Avons la dite ordonnance amoderee et atemperee (Ord.).* ◆ **amoderation** n. f. (1330, *Ord.*). Fixation du prix d'une chose.

amoier v. (1220, Coincy; v. *moier,* diviser). 1° Ajuster, arranger. — 2° S'employer : *A toi amer mon cuer amoie* (Coincy).

amoissoner v. (1252, *Arch.;* v. *moisson*). 1° Affermer contre les droits payables en nature. — 2° Affermer, bailler à ferme. ◆ **amoissonement** n. m. (1320, *Arch.*). Bail à ferme, en argent ou en nature. ◆ **amoissoneor** n. m. (1295, *Arch.*). Fermier, métayer.

amolier, -oier v. (1180, *Rom. d'Alex.;* v. *mol,* mou). Adoucir, atténuer : *Et pour ce voloit li bons rois Amoloïer tous leur desrois (Mousk.).*

amoncier v. (XIᵉ s., *Alexis;* v. *mont*). Entasser.

amonester v. (1160, Ben.; lat. pop. *admonestare). 1° Avertir. — 2° Encourager. ◆ **amonestement** n. m. (1160, Ben.). Avis, conseil : *Por l'amonestement dou deable (Queste Saint-Graal).* ◆ **amonesteor** n. m. (1160, Ben.). Conseiller, celui qui donne des avis ou fait des remontrances : *Ne furent amonesteor Ne si fox ne si traitor (Guiot).*

amont adv. (1080, *Rol.;* v. *mont*). Adverbe de lieu, faisant couple avec *aval* : 1° En haut : *Escoutes moi, franc baron, Cil d'aval et cil d'amont* (Couci). ◆ **amont** prép. (XIIᵉ s., *Roncev.*). En haut de : *Amont le Sebre font les voiles tourner (Roncev.).*

amonter v. (fin XIIe s., *Aiol;* v. *amont*). 1° Monter, remonter. — 2° S'élever en dignité, réussir : *Ma grant proece si m'a fait amonter (Ogier).* ◆ **amontant** n. m. (XIIe s., J. Fantosme). Montant, somme.

amor n. f. (842, *Serm.*, lat. *amorem*, avec infl. probable de la litt. provençale pour le *ou* de la syllabe accentuée). 1° Amour de Dieu, amour maternel, filial, etc. — 2° Amour entre les sexes différents. — 3° Sentiment de fidélité : *Serai ses hom par amur et par feid (Rol.).* — 4° Objet de l'amour, personne aimée. — 5° *Jour d'amour* (déb. XIVe s., *F. Fitz Warin*), jour fixé pour soumettre les différends à l'arbitrage. — 6° *Par amors*, formule d'interrogation, équivalente à peu près du fr. mod. *s'il vous plaît*, ou de l'ital. *per favore*. — 7° *Pour amour que*, parce que. ◆ **amorete** n. f. (XIIe s.). 1° Petit amour sans importance, béguin. — 2° Chanson d'amour. ◆ **amorer** v. (1119, Ph. de Thaun). Se prendre d'amour pour. ◆ **amoros** adj. (1220, Coincy). 1° Aimable, doux : *La pucele fui amereuse Et de grant beautés aureuse (Vie des Pères).* — 2° Amoureux.

amoraive n. m. (1150, *Thèbes;* d'orig. arabe). Sarrasin. ◆ **amoravis, -in** n.m. (XIIe s., *Barbast.*). 1° Sarrasin. — 2° Cheval de bataille.

amordre v. (1160, Ben.; v. *mordre*). 1° Commencer à mordre, mordre. — 2° Faire mordre, attirer. — 3° S'acharner à. — 4° S'attacher, s'habituer : *Quant a tel mauvestié s'amort (Rose).* ◆ **amorse** n. f. (fin XIIIe s., B. de Condé). Appât. ◆ **amorseure** n. f. (1220, Coincy). Morsure.

amore n. f. (1080, *Rol.;* v. *more*, même sens). Lame de l'épée, fer de lance. ◆ **amoré** adj. (fin XIIe s., *Ogier*). Aiguisé, pointu : *Li fers fu de bone fer la pointe estoit amouree (G. de Montr.).*

amortir, -er v. (XIIe s., *Asprem;* lat. pop. **admortire*, de *mors*, mort). 1° Tuer, mourir. — 2° Rendre comme mort, mortifier : *Nostre gent i trova dolente et amortie (Chans. d'Ant.).* — 3° Éteindre (la chaux), étouffer. — 4° Concéder à titre de mainmorte, diminuer les revenus d'un héritage (1277, *Arch.*).

ampars adv. (XIIIe s.; v. *part*, précédé d'un *am-* d'orig. lat., les deux). Des deux parts, des deux côtés.

ampas n. m. V. EMPAS, valet.

ample adj. (VIIIe s., *Gl. Reich.*; lat. *amplum*). Grand, large, vaste. ◆ **amplais, ampleis, amples** adj. (1120, *Ps. Oxf.*). Ample, large. ◆ **ample** n. m. (XIIe s.), **-eté** n. f. (1120, *Ps. Oxf.*), **-ece** n. f. (1190, saint Bern.). 1° Largeur, étendue : *Ample le pais*, toute l'étendue du pays. — 2° Grandeur : *En lui habitet tote li ampleteiz de la Divinitet* (1190, saint Bern.). ◆ **amplier** v. (1213, *Fet Rom.*). 1° Augmenter, agrandir. — 2° Exalter : *Merveilleusement preechoient et amplioient la vertu de charité (Chron. Saint-Denis).* ◆ **ampliement** n. m. (1346, *Arch.*). Accroissement. ◆ **amplitude** n. f. (1327, J. de Vignay). Largesse, sens de grandeur.

ampleis, -ois, -es adv. (1160, *Eneas;* formation, sur le radical probable d'*ample*, obscure). Davantage.

ampole n. f. (1190, Garn.), **ampolie** n. f. (1220, *Saint-Graal;* lat. *ampulla*, fiole renflée). 1° Fiole. — 2° La Sainte Ampoule. ◆ **ampolete** n. f. (1260, Mousk.). Petite ampoule, fiole.

amuafle, amurafle, amuable n. m. (1080, *Rol.;* d'orig. arabe). Dignitaire oriental.

amulaine n. m. (XIIe s., *Barbast.;* de l'arabe *moula-na*, notre seigneur). Seigneur, gouverneur sarrasin.

amuser v. (1175, Chr. de Tr.; v. MUSER). 1° Amuser. — 2° Railler, tromper.

amustant n. m. (XIIe s., *Chev. cygne*), **-tal** n. m. (1162, *Fl. et Bl.*), **-ade** (XIIe s., *Barbast.;* probablement de l'arabe). Gouverneur.

I. an n. m. (fin XIe s., *Lois Guill.;* du lat. *annum*). An, année. ◆ **anne** n. f. (XIIe s., *Parise*), **-ee** n. f. (1170, *Percev.*). Année. ◆ **anné** adj. (1272, Joinv.), **-nué** (1293, *Charte*), **-vel** (XIIIe s., *Chans. bach.*), **-uable** (1180, *Enf. Viv.*). Annuel. ◆ **annel** adj. et n. m. (fin XIIe s., *Loher.*). 1° Annuel. — 2° Âgé d'un an. — 3° n. m.

Fête annuelle. ◆ **anneté** n. f. (1229, *Cart.*), **anuel** n. m. (1310), **anuelté** n. f. (1305, *Year Books*). Redevance, rente annuelle. ◆ **aniversaire** adj. (XIIᵉ s.). Annuel. ◆ **aniversaille** n. f. (1249, *Charte*), **-sel** n. m. (1300, G.). Anniversaire.

II. an V. ON, pron. pers.

III. an V. EN, prép. et adv.

IV. an adj. cas sujet. V. AMBES, les deux.

anagier (fin XIIᵉ s., *Loher.*), **anavier** v. (1260, Mousk.; v. *nagier* et *navier*). Conduire par eau.

anc adv. de temps. V. ONC, une fois, jamais.

ancele n. f. (déb. XIIᵉ s., *Ps. Cambr.*; lat. *ancilla*, servante). Servante, esclave.

ancessor n. m. cas rég., **ancestre** cas suj. (XIᵉ s., *Alexis;* lat. *antecessorem*). 1° Ancêtre. — 2° En particulier, employé au plur., les Anciens : *Ba! fist mesires Pierres, Troies fu a nos anchiseurs* (R. de Clari). ◆ **ancesserie, -orie** n. f. (1160, *Athis*). 1° Ascendance, ensemble d'ancêtres. — 2° Origine, origine ancienne, ancienneté. *D'ancessorie,* depuis longtemps. ◆ **accessoriement** adv. (1170, *Fierabr.*). Depuis les ancêtres. ◆ **ancesteté** n. f. (1298, M. Polo). Coutume des ancêtres. ◆ **anceisural** adj. (1190, Garn.). Des ancêtres, héréditaire. ◆ **ancestrel** adj. (XIIIᵉ s.). *Ommage ancestrel,* Hommage répété dans les mêmes formes, sans prescription.

ancestaner v. V. ENCHASTONER, enchâsser.

anchais adj. (fin XIIᵉ s., *Cour. Louis;* orig. obsc.). Louche, qui louche.

ancien adj. (XIᵉ s., *Alexis*), **anciené** adj. (1190, Garn.). Ancien, de jadis. ◆ **ancienor** adj. pl. (XIᵉ s., *Alexis*). 1° En parlant des personnes : Ancien, du temps ancien, antique. — 2° *Au tens ancienor,* aux anciens temps *(Rom. d'Alex.).* ◆ **ancieneté** n. f. (1190, Garn.). 1° Ancienneté. — 2° Aînesse.

aucui, ancoi adv. (1080, *Rol.;* v. *ui*, lat. *hodie,* renforcé par un élément à rapprocher de *hanc*). Adverbe de temps :

1° Aujourd'hui, pris comme temps ponctuel : *Fiers fust ancui l'estors al comencier (Cour. Louis).* — 2° Aujourd'hui, pris comme durée limitée, ce jour même, tout à l'heure : *Je m'en irai ancui, Des puis que il me commande* (J. Bod.).

andain n. m. (1200, *Ren. de Montaub.;* orig. obsc.; cf. ital. *andare,* aller). 1° Enjambée. — 2° Mesure : espace de pré, allant d'un bout à l'autre, qu'un faucheur est capable de faucher en largeur.

andelor adv. (1150, Wace). V. ENDELOR, désormais, bientôt.

andier n. m. (fin XIIᵉ s., *Aym. Narb.;* probablement gaul. *andero,* taureau, d'après le motif d'ornement). Landier.

andos, -dui adj. V. AMBESDOUS, tous les deux.

ane n. f. (1160, *Athis;* lat. *anas, -atis*). Cane. ◆ **anet** n. m. (1250, *Ren.*), **-ete** (XIIᵉ s., *Ogier*). Caneton, canette. ◆ **anille, aneille** n. f. (1175, Chr. de Tr.). Béquille.

anel n. m. (XIᵉ s., *Alexis;* lat. *annellum*). 1° En Normendie sont caitif *Mis en aniaus et en gaioles* (Wace). — 2° Alliance, union conjugale. — 3° Lunettes : *Et se li donne tous mes anniaus de ke on environne les ieus* (1320, *Test.*).

aneler v. (fin XIIᵉ s., *Dial. saint Grég.;* lat. *anhelare;* v. *aleine*). 1° Souffler. — 2° Pousser son haleine. ◆ **anelif** adj. (fin XIIᵉ s., *Ed. le Conf.*). Qui a le souffle puissant.

anemi n. m. (1190, J. Bod.; lat. *inimicum,* emprunt ancien, avec dissimilation). 1° Ennemi. — 2° *Anemi Dieu, anemi de l'ome,* diable. ◆ **anemistié** n. f. (1190, Garn.). Inimitié.

angarde, ans- n. f. (1080, *Rol.;* v. *garde,* avec le préfixe *ante*). 1° Avant-garde, éclaireurs. — 2° Défense avancée sur une hauteur, à la différence de la bretèche qui était construite en rase campagne.

angele, angle n. m. (XIᵉ s.,*Alexis;* forme demi-sav., lat. ecclés. *angelus*). Ange. ◆ **angelor** adj. plur. (XIᵉ s., *Alexis*). Des anges. ◆ **angeliel** adj. (1160, Ben.). Angélique.

I. angle n. m. (fin XIIe s., *Rois;* lat. *angulus*). 1º Angle, coin. — 2º *Angle de mer*, petit golfe. — 3º Coin de l'échiquier. — 4º *Estre en l'angle*, être poussé à bout, *traire en l'angle*, pousser à bout, expressions utilisées souvent comme métaphores sexuelles. ◆ **angleçon** n. m. (1250, *Ren.*). Petit angle. ◆ **anglé** adj. (XIIe s.), **angler** adj. (XIIe s.). Angulaire. ◆ **anglet** n. m. (XIIe s., *Gar. Loh.*), **-el** n. m. (1160, Ben.), **-ot** n. m. (fin XIIe s., *G. de Rouss.*). Petit coin, petit angle. ◆ **anglee** n. f. (1180, *Enf. Viv.*). Coin, passage resserré.

II. angle n. m. V. ANGELE, ange.

angoissier v. (1080, *Rol.;* lat. **angustiare*, de *angustia*, lieu resserré). 1º Serrer de près, hâter. — 2º Tourmenter, être dans l'angoisse. ◆ **angoisse** n. f. (1175, Chr. de Tr.), **-ement** n. m. (1190, Garn.), **-erie** (XIIe s.). 1º Lieu resserré, défilé; étroitesse. — 2º Étreinte, oppression. — 3º Violence, colère : *De grant angoisse*, très âpre, très violent. — 4º Tourment, angoisse. — 5º Impulsion, instigation : *Se part de l'apostolie par vostre anguissement* (Garn.). ◆ **angoissos** adj. (XIe s., *Alexis*), **-able** adj. (1080, *Rol.*). 1º Plein d'angoisse : *mort angoisseuse* (C. de Béth.). — 2º Douloureux, dangereux.

angor n. f. (XIIe s., *Am. et Yol.;* lat. *angorem*). Angoisse, tristesse.

angrotir v. V. EGROTER, être malade.

angustie n. f. (XIIIe s.; lat. *angustia*, empr. savant). Détresse, angoisse. ◆ **angusté** adj. (1190, saint Bern.). Angoisse.

anientir, anoientir v. (1120, *Ps. Oxf.*), **-er** v. (1160, Ben.; v. *nient, noient*, rien). Anéantir.

anier v. (1160, Ben.; v. *ni*, nid). Se nicher.

anille n. f., béquille. V. ANE, cane.

animor n. m., âme, courage. V. ANME, âme.

animosité n. f., ardeur, courage. V. ANME, âme.

anislore adv. V. ENESLORE, tout de suite.

aniversaille n. f., anniversaire. V. AN, année.

anjornee n. f. V. AINSJORNEE, point du jour.

anme, alme, arme, ame n. f. *(anima*, Xe s., *Eulalie; aneme*, XIe s., *Alexis;* lat. *anima).* 1º Ame. — 2º Dans l'emploi du personnel indéfini, Quelqu'un : *Lors regarde tot contreval Le bois, por savoir s'ame orroit* (« entendrait ») [*Ren.*]. — 3º Pers. indéfini, avec négation : *nule ame*, personne. ◆ **almes, anemes** n. f. pl. (1234, *Arch.*). Le jour où l'on prie pour les âmes des morts. ◆ **animor** n. m. (XIIe s., *Adam*). Ame, courage : *Son sanc en fait a moi clamor A ciel me vint ja l'animor* (*Adam*). ◆ **animosité** n. f. (1327, J. de Vignay). Ardeur, courage : *Constantin, homme de mauvaise animosité* (J. de Vignay). ◆ **animadversion** n. f. (fin XIIe s., saint Grég.). Observation.

anmi prép. et adv. V. EMMI, au milieu de, au milieu.

anné, annel adj. V. AN, année.

anoientir v. V. ANIENTIR, anéantir.

anoit adv. V. ANUIT, cette nuit, ce soir.

anombrer v. (1080, *Rol.;* v. *nombrer*). Énumérer, compter.

anoncier v. (1080, *Rol.;* lat. *annuntiare*). 1º Annoncer. — 2º Conter. ◆ **anoncement** n. m. (fin XIIe s., *Loher.*). 1º Annonce, nouvelle. — 2º Annonciation. — 3º Signe, présage. ◆ **anoncion** n. f. (XIe s. *Alexis*). 1º n. f. Annonce, nouvelle. — 2º n. m. Annonciateur.

anone n. f. (1119, Ph. de Thaun; peut-être un augmentatif de *an*, année). Vivres, denrées, provisions pour une année. ◆ **anonee** n. f. (1330, *H. Capet*). Nourriture.

anor n. m. V. ONOR, honneur, fief, richesse.

anquenuit adv. (1180, *Rom. d'Alex.;* v. *nuit*, renforcé par *hanc?*). Adverbe de temps qui désigne : 1º Cette nuit : *Anquenuit luira la lune* (Chr. de Tr.). — 2º Aujourd'hui.

I. **ans, anc** adv. et prép. V. AINC, avant, plutôt, au contraire.

II. **ans** adj. V. AMBES, les deux.

anscone n. f. (déb. XIIIᵉ s., R. de Clari). V. ICOINE, icône.

ansine adv. V. EINSI, ainsi.

ansioine n. f. (1200, *Quatre Fils Aymon;* orig. incert.). Herbe merveilleuse, d'origine exotique, propre à rompre un enchantement.

ansoigne n. f. V. ENSEIGNE, marque, signe, banderole de la lance.

antain n. f. cas rég., **ante** cas suj. (1155, Wace; lat. *amita,* intégré dans la déclinaison germ.). Tante. ◆ **antine** n. f. (1133, *Test.*). Tante.

antan adv. (XIIᵉ s., *Part.;* lat. pop. **antannum,* année d'avant). Adverbe de temps. Il désigne : 1° L'année qui précède celle qui est en cours, l'an passé, l'année précédente. — 2° Le temps passé, écoulé, en général. — 3° Le temps des événements antérieurs, précédemment, antérieurement. ◆ **D'antan,** naguère, autrefois : *Avant antan, des antan,* jadis, autrefois.

antefe, -ie, -eife n. f.; (XIIIᵉ s.), **antievene, -vre** n. f. (1250, *Ren.;* lat. pop. **antephona,* pour le lat. ecclés. *antiphona,* chant alternatif). Antienne. ◆ **antefinier** adj. (1119, Ph. de Thaun). Antiphonaire.

antelop, -lu n. f. (1260, Br. Lat.; lat. médiév. *anthalopus,* du grec byzant.). Animal fabuleux, antilope.

antenois adj. (1320, J. Richard; lat. pop. **annoenum,* pour *annotinus,* âgé d'un an). Vieux, ancien.

antequant adj. (fin XIIᵉ s., *Aym. Narb.;* lat. *quantum,* précédé de *ante?*). Adjectif quantitatif, établissant l'équivalence entre deux termes séparés du point de vue du temps : autant qu'avant; ou de l'espace : autant, en nombre égal.

antif, anti adj. (1150, *Pèler. Charl.;* lat. pop. **anticum,* pour *antiquum*). 1° Antique, ancien. — 2° Âgé, vieux.

antoillier n. m. (mil. XIVᵉ s.; lat. pop. **antoculare?*). Andouiller.

anublir v. (XIIᵉ s.; v. *nuble,* nuage). 1° Se couvrir de nuages. — 2° Obscurcir. ◆ **anuble, -é** adj. (1164, Chr. de Tr.). 1° Nuageux. — 2° Sombre, triste : *Jadis a Romme ot deus avugles Compaignons povres et annubles (Ren.).*

anuelté n. f. Redevance annuelle. V. AN, année.

anui n. m. V. ENOI, peine.

anuit adv. (1080, *Rol.;* v. *nuit;* l'élément préfixé est incertain). Adverbe de temps : 1° Cette nuit (qui vient de s'écouler). — 2° Ce soir, cette nuit (qui approche) : *Priés pour nous. Que ne cose anuit bien nous viegne* (J. Bod.). — 3° La journée dans sa totalité, aujourd'hui : *Anuit vendroie ancore a tens (Eneas).* — 4° *Anuit mais,* pour cette nuit seulement.

anuitier v. (XIᵉ s., *Alexis*), **-ir** v. (fin XIIᵉ s., *Loher.;* v. *nuit*). Se faire nuit. ◆ **anuitant** n. m. (1160, Ben.), **-ement** n. m. (fin XIIᵉ s., Couci). Tombée de la nuit. ◆ **anuitie** n. f. (fin XIIᵉ s., Couci). **-ee** n. f. (XIIᵉ s.). Durée de la nuit.

anuitir v. (1278, *Arch.;* v. *nuit*). Nantir, obtenir, contre gages, un délai de trois fois sept jours et sept nuits pour payer sa dette. ◆ **anuitement** n. m. (1278, *ibid.*), **-issement** n. m. (1278, *ibid.*). Sorte de nantissement.

anwa interj. (1270, A. de la Halle; le second élément représente probablement l'impératif *va!*). Exclamation d'étonnement (?) : *Anwa? Che n'est mie chi feste* (A. de la Halle).

aoan, avuan adv. (1190, J. Bod.; v. *oan,* même sens). Adverbe de temps, désigne l'année en cours, par opposition à *antan,* l'année qui précède.

aochier v. (1190, *Rois;* v. *hochier,* secouer). Étouffer, suffoquer.

aodir v. (1278, *Arch.;* v. *odir,* ouïr?). Devenir hébété : *Cil Felippes aodissoit et assotoit ainsine comme si il retournast en anfance (Ibid.).*

aoeillier, aoil- v. (1204, R. de Moil.; v. *œil*). 1° Éblouir les yeux. — 2° Se rendre attrayant.

aoi interj. (1080, *Rol.*; formation discutée). 1° Cri d'enthousiasme, cri de guerre. — 2° Exclamation de douleur ou de pitié.

aoillier, aeugler v. (1295, *Arch.*; cf. le mot précédent, de *œil*, bonde). Remplir un tonneau, remplacer la perte en vin ou en eau qu'il a pu faire. ◆ **aoillié** adj. (XIIIᵉ s.). Plein, rempli, saoul.

aoine adj. (1190, Garn.; lat. *idoneum*, idoine). 1° Convenable (en parl. des choses). — 2° Agréable (en parl. des personnes).

aoire v. (1169, Wace; lat. pop. * *adāugere*, pour *adaugēre*). Accroître. ◆ **aoisier** v. (fin XIIᵉ s., saint Grég.). Accroître. ◆ **aoisement** n. m. (1119, Ph. de Thaun). Accroissement. ◆ **aoitier** v. (1119, Ph. de Thaun). Augmenter. ◆ **aoite** n. f. (1220, Coincy). 1° Augmentation. — 2° Avantage, profit. — 3° *A poi d'aoite*, facilement.

aoltre n. m. V. AVOLTRE, adultère, bâtard.

aombrer v. (XIIᵉ s., *Barbast.*; lat. *adumbrare*). 1° Couvrir d'ombre. — 2° Couvrir, cacher, protéger. — 3° S'incarner dans le sein de la Vierge. ◆ **aombrement** n. m. (fin XIIᵉ s., *Rois*), -**ance** n. f. (XIIᵉ s.), -**age** n. m. (XIIᵉ s.). 1° Le fait de couvrir d'ombre. — 2° Incarnation. — 3° *Prendre aombrage*, s'incarner. ◆ **aombrail** n. m. (1160, *Eneas*). Abri contre le soleil.

aonques adv. (XIIIᵉ s.; v. *onques*). Alors : *Li baisele dit aonques : Ha! sire, Ne le creëz onques* (le *Bouchier d'Abevile*).

aor adv. (fin XIIᵉ s., *G. de Rouss.*; v. *ore*). Adverbe de temps, Maintenant.

aorber v. (1204, R. de Moil.; v. *orb*, aveugle). Aveugler.

aorer v. (1080, *Rol.*; lat. *adorare*). 1° Prier, adorer Dieu, invoquer. — 2° Adorer : *Chançons va t'ent a celui qui j'auour* (Anc. poèt.). ◆ **aorement** n. m.

(1160, Ben.). Prière, culte, adoration. ◆ **aoreor** n. m. (1298, M. Polo). Adorateur. ◆ **aoreresse** n. f. (1190, saint Bern.). Médiatrice.

aorner v. (1190, saint Bern.; lat. *adornare*). 1° Préparer, munir. — 2° Orner.

aorser v. (1164, Chr. de Tr.; v. *ors*, ours). Se conduire comme un ours : devenir furieux, attaquer.

aoste n. f. (XIIIᵉ s.; orig. incert.; peut-être de *aoster*). Sauterelle. ◆ **aosterele** n. f. (XIIIᵉ s., Bible). Sauterelle.

aoster v. (XIIᵉ s., *Trist.*; lat. pop. *agustare*, de *augustus*). Moissonner. ◆ **aost** n. m. (XIIᵉ s.), -**age** (1232, G.). 1° Action de faire la moisson, moisson. — 2° Sortes de redevances, telles que *demande d'aost, doble d'aost, aostage*. ◆ **aosteor** n. m. (XIIIᵉ s.). Moissonneur.

aovrir v. (déb. XIIᵉ s., *Ps. Cambr.*; v. *ovrir*). 1° Ouvrir, faire ouvrir. — 2° Déflorer *(Saint-Graal)*. — 3° Manifester, révéler : *Li sainz espirs n'aovrit mie sa presance az hommes* (Mor. sur Job). — 4° *Aovrir loy*, ouvrir un procès de réhabilitation (1321, *Arch.*).

apaier v. (1160, Ben.; lat. pop. *adpacare*, de *pax*, paix). Faire la paix, calmer, réconcilier : *Or sui apaied e fait ai ta volunted (Rois)*. ◆ **apaie** n. f. (XIIᵉ s., J. Fantosme). Paix, accord. ◆ **apaiement** n. m. (déb. XIIᵉ s., *Ps. Cambr.*). Apaisement, pacification.

apaint n. m. (1210, *Dolop.*; v. *empeint*). Choc.

apairier v. (1270, A. de la Halle; v. *pair*). Accoupler.

apaisier v. (fin XIIᵉ s., saint Grég.; v. *pais*, paix). 1° Apaiser, calmer. — 2° Réconcilier. — 3° Protéger, défendre. ◆ **apaisement** n. m. (XIIᵉ s.), -**ance** n. f. (XIIᵉ s.). Action d'apaiser, de réconcilier. ◆ **apaiseor** n. m. (1272, Joinv.). Pacificateur : *Benoit soient tuit li apaiseur* (Joinv.). ◆ **apaisanter** v. (1155, Wace; du part. prés. du précédent). 1° Apaiser, calmer. — 2° Faire la paix. ◆ **apaisantement** n. m. (1300, *Cart.*). Règlement d'une querelle, d'une affaire. ◆ **apaisanteor** n. m. (1303, *Arch.*). Pacificateur.

apaistre v. (1220, Coincy; v. *paistre*). Repaître.

apaner v. (1314, *Arch.*; v. *pain*). Apanager, donner un apanage suffisant à un fils, une dot à sa fille. ◆ **apanage, apenaige** n. m. (1297, *Ch. des comptes de Dole*). 1º Partage de biens. — 2º La part qui en résulte. ◆ **apanement** n. m. (1269, *Test. Jeanne de Fougères*). 1º Action d'apanager. — 2º Apanage même.

aparagier v. (XIIᵉ s., *Part.*; v. *parage*). Égaler, se comparer.

I. **aparant** adj. (1120, *Ps. Oxf.*; part. prés. de *aparoir*). 1º Visible, évident : *Trayson aparant, quant l'om lige est contre son seignor en champ as armes* (*Ass. Jér.*). — 2º *Letres aparans*, lettres patentes, qu'on délivre toutes ouvertes. — 3º *L'aparant*, en apparence, à ce qu'il paraît (Mousk.). — 4º *L'aparant*, loc. adv. Visiblement.

II. **aparant** n. m. (1260, Mousk.; v. *aparoir*, être visible). Pays qui dépend d'un autre, banlieue.

aparat n. m. (déb. XIIIᵉ s., *Clef d'Am.*; lat. *apparatus*). 1º Préparatifs. — 2º Ornements. — 3º Pompe.

apardevant prép. (1290, *Arch.*; v. *devant*, renforcé). Devant.

aparecir, -ier v. (XIIIᵉ s., *J. Cés.*; v. *parece*, paresse). Devenir paresseux.

I. **apareillier** v. (1080, *Rol.*; lat. pop. *appariculare*, pour *apparare*, préparer). Préparer, disposer, garnir. ◆ **apareillement** n. m. (1120, *Ps. Oxf.*). Préparation, préparatifs. ◆ **apareil** n. m. (1160, Ben.). 1º Préparatifs. — 2º Équipement, train. ◆ **apareillié** adj. (1249, *Arch.*). 1º Spontané, immédiat : *A se chiere dame Marie ... salus et apareillié service* (1259, *Arch.*). — 2º *Apareillié de*, prêt à, disposé à.

II. **apareillier** v. (1175, Chr. de Tr.; v. *pareil*). Se rendre pareil, être comparable.

aparenter v. (1180, *Eracles;* voir *parent*). 1º Traiter comme parent. — 2º *Estre bien aparenté*, avoir des parents riches : *Vassals ben aparentés* (*Conq. Irl.*).

I. **aparer** v. (1164, Chr. de Tr.; lat. **adparare*). Préparer, se disposer à : *De li aidier s'apaire* (*Doon de May.*).

II. **aparer** v. V. APARIER, unir.

aparissance n. f., apparence, apparition. V. APAROIR, apparaître.

aparler v. (1160, *Troie;* v. *parler*). Adresser la parole, entretenir : *Lors amis son prestre aparole* (*Rose*). ◆ **aparlement** n. m. (1160, Ben.). Discours, pourparlers.

aparmain adv. (fin XIIᵉ s., *Loher.;* renforcement de *parmain*, de bon matin). Adverbe de temps, Dans peu de temps, tout de suite, aussitôt : *Apermain le verrés* (*Anseis*). ◆ **aparmaines** adv. (1190, saint Bern.). A présent, pour le moment.

aparmesmes adv. (1190, saint Bern.; v. *mesme*). Adverbe de temps, indique l'identité du temps de l'événement et de celui de la situation du message, Dans le même temps, à l'instant.

aparmi adv. (1324, *Arch.;* v. *parmi*). Exactement, dans une mesure exacte.

aparoir, aparoistre (1080, *Rol.;* lat. *apparēre* et lat. pop. **apparescere*, forme inchoative). 1º Apparaître, se montrer. — 2º Etre clair. ◆ **aparoi** n. m. (XIIᵉ s., *Pir. et Tisb.*). Apparence. ◆ **aparissement** n. m. (XIIᵉ s.). Apparition, sa signification. ◆ **aparissance** n. f. (1160, Ben.). 1º Apparence, ce qui se voit. — 2º Apparition, ce qu'elle signifie. — 3º Démonstration, mouvement séditieux (1302, *Arch.*). ◆ **aparoison** n. f. (1231, *Cart.*). Le jour de Noël. ◆ **aparance** n. f. (1283, Beaum:). 1º Manifestation, évidence. — 2º Comparution (1304, *Year Books*).

apartenir v. (XIᵉ s., *Alexis;* bas lat. *adpèrtinere*, dépendre de). 1º Etre proche de, être parent de. — 2º Approcher, être comparable : *Riens n'apartient a leur noblesse* (*Dit de l'Arbre*). — 3º Avoir affaire à, traiter avec : *Ja nus ne li apartenra, Ne ne l'aime ne ne le prise* (Chr. de Tr.). ◆ **apartenant** n. m. (xiᵉ s., *Alexis*). Parent (autre que ceux en ligne directe).

apartir v. (xiiˣ s., Herman; v. *partir*). 1° Se séparer, partir. — 2° Partager, associer.

apasser v. (1306, Guiart; v. *passer*). Passer au-delà, franchir.

apeler v. (1080, *Rol.*; lat. *appelare*, aborder). 1° Invoquer, conjurer. — 2° Désirer : *Quant la puchele le vit ... Ens en son cuer li prent a apieler* (Ogier). — 3° Accuser : *Si l'apele de felonie* (Ren.). — 4° Interpeller. — 5° *Rel apeler*, accueillir aimablement. ◆ **apel** n. m. (fin xiᵉ s., *Lois Guill.*). 1° Appel aux armes, coup de cloche pour convoquer. — 2° Plainte, regret. — 3° Accueil. ◆ **apelement** n. m. (1030, *Job*), **-aison** n. f. (1119, Ph. de Thaun), **-acion** n. f. (1190, Garn.). 1° Action d'appeler. — 2° Appellation. ◆ **apeleor** n. m. (fin xiᵉ s., *Lois Guill.*). Appelant, demandeur.

apenaige n. m. partage de biens. V. APANER, apanager.

apendre v. (1080, *Rol.*; v. *pendre*). 1° Pendre, être attaché. — 2° Dépendre, être soumis, appartenir. ◆ **apendance** n. f. (1248, Tailliar). 1° Action d'attacher. — 2° Dépendance (bâtiments, etc.). ◆ **apendeis** n. m. (1280, *Cart.*) Bâtiment dont le toit, en pente, s'appuie sur un autre mur. ◆ **apendisses** n. pl. (1281, *Charte*). Appartenances et dépendances.

I. **apenser** v. (fin xiiᵉ s., *G. de Rouss.*; lat. **adpensare*). 1° Examiner, former un projet : *Ele s'apensa d'une grant traison* (Dolop.). ◆ **apens** n. m. (1175, Chr. de Tr.). Pensée, attention. *Estre de mal apens*, avoir de mauvaises pensées. ◆ **apensement** n. m. (xiiᵉ s., *Florim*). Réflexion. *Par expres apensement*, tout exprès, de dessein formé.

II. **apenser** v. (1325, *Arch.*; lat. **adpensare* de *pendere*, pendre). Suspendre, attacher. ◆ **apension** n. f. (1225, *Cart.*). Action d'appendre le sceau.

apercevoir (1080, *Rol.*), **-çoivre** (1155, Wace; v. lat. **adpercipere*). 1° Apercevoir. — 2° Connaître, entendre. — 3° Se rendre compte. — 4° Percevoir (les impôts). ◆ **apercevement** n. m. (1155, Wace), **-ance** n. f. (1160, Ben.). 1° Fait d'apercevoir ou d'être aperçu. — 2° Apparence, semblant, indice. ◆ **aperceu** adj. (1160, Ben.). Sage, prudent, instruit.

apermesmes adv. V. APARMESMES, à l'instant.

apernement n. m. V. APRENDEMENT, enseignement.

I. **apert** adj. (xiᵉ s., *Alexis;* lat. *apertum*). 1° Ouvert. — 2° Visible, manifeste. *En apert*, ouvertement, clairement. — 3° Franc (en parlant du visage, du regard).

II. **apert** adj. (1155, Wace; pour *espert*, du lat. *expertum*). Habile, doué : *apers en fes et en dis* (Rose). ◆ **aperté** n. f. (1246, G. de Metz). 1° Habileté, finesse. — 2° Exploit, mérite guerrier. ◆ **aperteté** n. f. (1288, J. de Priorat). Intelligence, finesse, mérite.

apeser v. (1170, *Percev.*; v. *peser*). Etre lourd, peser, écraser. ◆ **apesart** n. m. (1277, *Rose*). Fardeau.

apeticier v. (xiiᵉ s., *Trist.*; v. *petit*). Diminuer, rapetisser.

apetit n. m. (1150, *Saint Evroul;* lat. *appetitus*, désir). Désir. ◆ **apetitif** adj. (1260, Br. Lat.). Qui donne l'envie, le désir.

apipoder v. (1220, Coincy; orig. obsc.). Parer avec recherche.

aplaidier v. (1164, Chr. de Tr.; v. *plaidier*). Prier, obtenir par ses prières.

aplaner v. (1175, Chr. de Tr.; v. *plain*). Aplanir, niveler. ◆ **aplanier, -oier** v (1160, *Eneas*). 1° Aplanir. — 2° Lisser, peigner [les cheveux]. — 3° Caresser : *si l'aplanie, acole et baise* (Rose).

aplegier v. (1255, *Arch.*; v. *plegier*). Cautionner, garantir. ◆ **aplege** n. m. (1340, Arch.). 1° Caution. — 2° Garant.

apliquier v. (1225, *Sept Sages;* lat. *applicare*). 1° Aborder, débarquer. — 2° Annexer (1345, G.).

aploier v. (1160, Ben.; v. *ploier*). 1° Ployer, se soumettre, s'humilier : *Et quant on escrie monjoie, N'i ot Flamen qui ne s'apploie* (Mousk.). 2° Appliquer, employer.

aploitier v. (XIIe s.; lat. pop. **adplicitare*). Équiper. ◆ **aploit** n. m. (1167, Wace). 1° Harnais. — 2° Outil, engin.

aplomer v. (1204, R. de Moil.; lat. **adplumbāre*, de *plumbum*, plomb). 1° Etre lourd. — 2° Etre endormi, alourdi, accablé. — 3° Assommer. — 4° Arriver en masse (1306, Guiart).

apoier v. (1080, *Rol.;* lat. pop. **appodiare*, de *podium*, soubassement). 1° S'appuyer. — 2° Frapper : *Les Turs m'apuierent de leur glaives* (Joinv.). ◆ **apoie** n. f. (1355, *Arch.*). Appui. ◆ **apoiel, -al** n. m. (XIIe s.). — 1° Appui (phys. ou mor.). — 2° Balcon. ◆ **apoieor** n. m. (XIIIe s., Bible). Bâton.

apoignier v. (1190, J. Bod.; v. *poing*). Empoigner, prendre.

apoindre v. (fin XIIe s., *Loher.;* v. *poindre,* piquer). 1° Enfoncer, piquer. — 2° Eperonner, foncer sur quelqu'un : *Del chevalier ki apoignoit vers ti (G. de Vienne).* ◆ **apointier** v. (1283, Beaum.). 1° Piquer. — 2° Tailler en pointe. ◆ **apointon** n. m. (XIVe s.). Arme pointue.

I. **apointier** v. (XIe s., *Alexis*); de *point*). 1° Mettre à point, préparer, arranger. — 2° Décider, ordonner : *Le roy avoit appointé que les Templiers feroient l'avant garde* (Joinv.). ◆ **apointement** n. m. (déb. XIVe s.). — 1° Arrangement. — 2° Le fait de fixer, de décider.

II. **apointier** v. Piquer, tailler en pointe. V. APOINDRE, piquer.

apondre v. (1160, Ben.; lat. *aponere*). Placer, disposer, appliquer.

aporter v. (Xe s., *Saint Léger;* lat. *apportare,* porter vers). 1° Apporter. — 2° Rapporter, produire. — 3° *Aporter que,* suggérer, conseiller de. ◆ **aport** n. m.

(1160, Ben.). 1° Action d'apporter, transport. — 2° Provision, ravitaillement. — 3° Offrande faite dans les lieux de dévotion.

aporvender v. V. APROVENDER, approvisionner.

aposer v. (1155, Wace; v. *poser*). 1° Placer, poser. — 2° Apposer (le sceau). — 3° Alléguer, imputer : *Se veulx savoir la substance Du crime qu'ils m'ont apposé* (Boèce). ◆ **aposition** n. f. (1213, *Fet Rom.*). 1° Apposition (du sceau). — 2° Opposition (jurid.).

apostle, apostoile, apostre n. m. (1080, *Rol.;* lat. *apostolum*). 1° Apôtre. *Jour d'apostoile,* jour de la fête d'un apôtre. — 2° Saint considéré comme un grand défenseur de l'Église.

apostoile, -olie, -oire, -orie n. m. (XIe s., *Alexis;* lat. **apostolium*, de *apostolum,* apôtre). Le pape. ◆ **apostolage** n. m. (1260, Br. Lat.), **-eté** n. f. (1155, Wace), **-ité** n. f. (1260, Mousk.). Dignité de pape, papauté.

apotecaire, -cour n. m. (1268, E. Boil.). 1° Boutiquier. — 2° Apothicaire (1290, *Arch. Besançon).* ◆ **apotecarie** n. f. (fin XIIIe s., Guiart). 1° Garde-manger. — 2° Remède fourni ou préparé par l'apothicaire.

apreindre v. (1119, Ph. de Thaun; lat. pop. **appremere*). 1° Serrer, presser. — 2° Opprimer, accabler.

aprendre v. (XIe s., *Alexis;* lat. *apprehendere*). 1° Prendre, saisir, s'emparer. — 2° Apprendre, instruire. — 3° Apprendre, comprendre, s'accoutumer. ◆ **aprendre** n. m. (1306, Guiart). Chronique, histoire. ◆ **aprenement** n. m. (1160, *Athis*), **-dement** n. m. (XIIIe s., *Ass. Jér.*). 1° Enseignement, instruction. — 2° Connaissance. ◆ **aprendeor** n. m. (1260, Mousk.). Celui qui enseigne. ◆ **aprenant** adj. (1160, Ben.). Instruit. ◆ **aprentif, -is** m. (1175, Chr. de Tr.), **-isse** n. f. (1268, E. Boil.). Apprenti, apprentie. ◆ V. APRIS adj., instruit.

apres adv. et prép. (1080, *Rol.;* bas lat. *ad pressum,* auprès). 1° Adv. de temps,

Après : *Apres parla dus Bueves li proz* (J. Bod.). — 2° *Aler apres,* poursuivre : *Faites aler apres, ja s'en sera fuie* (Aden.). — 3° Prép. de temps, Après. — 4° *Apres toi, apres lui,* à ta poursuite, à sa poursuite. — 5° *Apres ce que,* après que.

I. **apresser** v. (XIᵉ s., *Alexis;* v. *presser*). 1° Presser, fouler, bousculer. — 2° Accabler, opprimer. — 3° Presser, exciter à faire quelque chose : *Ke forment s'angousce et apresse De lor chevaliers retenir (Atre pér.).* ◆ **apressement** n. m. (XIIIᵉ s., *Charte*). Action de presser, de contraindre. ◆ **apressance** n. f. (fin XIIIᵉ s.). Oppression.

II. **apresser** v. (1180, *Rom. d'Alex.;* v. *pres,* près). Approcher, s'approcher.

apris adj. (1155, Wace; v. *aprendre*). Instruit, éduqué : *Tant estoit biaus et bien apris* (R. de Beauj.). ◆ **aprise** n. f. (1246, G. de Metz). 1° Connaissance. — 2° Apprentissage d'un métier, expérience : *chevaler de bone aprise (F. Fitz Warin).* — 3° Enquête judiciaire (1283, Beaum.). ◆ **aprison** n. f. (fin XIIᵉ s., *Auberi*). Instruction, science. ◆ **apresure** n. f. (1204, R. de Moil.). Instruction, science : *Ne l'a pas fait par apresure, Mes par nature (Lai Arist.).*

aprisier v. (fin XIIIᵉ s., Guiart; v. *prisier*). 1° Mettre à prix. — 2° Apprécier. ◆ **aprisement** n. m. (fin XIIIᵉ s., Guiart), **-age** n. m. (XIIIᵉ s.). Appréciation. ◆ **apriseor** n. m. (1310, *Chr. Phil. le Bel*). Celui qui fixe le prix. ◆ **aprisagier** v. (1280, *Cart.*). Mettre le prix à quelque chose, évaluer, estimer. ◆ **aprisagement** m. (1313, *Arch.*). Estimation, évaluation.

aprismier v. V. APROISMIER, approcher; s'unir par mariage; appeler en justice.

apriver v. (1250, *Ren.;* v. *privé*). Rendre privé, c'est-à-dire apprivoisé, par opposition à libre, sauvage. ◆ **aprivoier** v. (1250, *Ren.*). Apprivoiser.

aprochier v. (1276, *Enf. Ogier;* lat. pop. *appropriare*). 1° Rapprocher. *Estre aprochié à,* en venir aux mains avec. — 2° *Aprochier fief,* en rapprocher les dépendances, en supprimant les tenan-

ciers intermédiaires (Beaum.). — 3° Faire venir, assigner à comparaître, traduire en justice. — 4° *Aprochier de,* accuser de telle ou telle chose. ◆ **aprochement** n. m. (1190, saint Bern.). 1° Action d'approcher, approche. — 2° Rapports sexuels : *Mais li reis ne la cunut pas par charnel aprecement (Rois).*

aproer v. (XIIIᵉ s.; v. *prod, pro,* profit). Faire profiter, enrichir. ◆ **aproement** n. m. (XIIIᵉ s.). Profit, bénéfice.

aprof, apruef, aproef adv. et prép. (1080, *Rol.;* lat. *prope,* précédé de *ad-*). 1° Adverbe de temps, Ensuite, après : *Tute sa brunie aprof li ad desclose (Rol.).* — 2° Préposition, Après : *Aprof le vendredi Fut faiz li samedi* (Ph. de Thaun). — 3° *Aprof que* conj. Après que (G. de Saint-Pair).

aproismier, aprismier v. (1080, *Rol.;* lat. **approximare,* de *proximus*). 1° Approcher, s'approcher de. — 2° Appeler en justice. — 3° S'unir par mariage. ◆ **aproismement** n. m. (XIIᵉ s., *Asprem.*). Approche, proximité.

aprompter v. (1304, *Year Books;* lat. pop. **appromutare,* de *promutari*). Emprunter. ◆ **aprompt.** n. m. (1292, *Britton*), **-e** n. f. (*id.*). Emprunt. ◆ **aprompt** adj. (1292, *Britton*). Emprunté.

aprovender v. (1160, *Charr. Nîmes;* v. *provende*). Approvisionner, entretenir.

aprover v (fin XIIᵉ s.; lat. *approbare*). 1° Prouver, démontrer. — 2° Éprouver, essayer, vérifier : *un autre miracle incident mes non mie du tout approuvé par l'Eglise (Mir. Saint Louis).* ◆ **aprove** n. f. (1277, *Rose*). Épreuve, essai : *Mes l'en prent feme senz apreuve (Rose).* ◆ **aprovement** n. m. (1327, J. de Vignay). Preuve.

aprovoier v. (1277, *Rose;* v. *prover,* mettre à l'épreuve, convaincre de culpabilité). Maltraiter.

apruef adv. et prép. V. APROF, ensuite, après.

aquaire adj. (1246, G. de Metz; lat. *aquarium*). Du Verseau. ◆ **aquaire** n. m. (1353, *Intr. astron.*). Verseau, signe du zodiaque.

aquastroner, acatoner v.
(XIIᵉ s., M. de Fr.; orig. obsc.). 1º S'affais-
ser. — 2º S'abattre : *Aquastroné sont li
destrier* (M. de Fr.).

aquerre v. (XIIᵉ s.), **aquerir** v.
(1160, Ben.; lat. pop. **acquaerere, -ire*,
pour *acquirere*). 1º Chercher : *Sire, moult
ai chevauchiet en peu d'eure pour vous
aquerre (Cassidorus).* — 2º Atteindre (en
parlant d'un mal) : *Car de faim sont
acquis et trop ont genné (Chans. d'Ant.).*
— 3º Acquérir. ◆ **aquis** adj. (1160, Ben.).
Accablé, rompu de fatigue : *Ileques fustes
si aquis et afamez. (Barbast.).* ◆ **aquerre-
ment** n. m. (1160, Ben.), **aquise** n. f.
(XIIIᵉ s., *Act.*), **-ement** n. m. (1257, *Cart.*).
Action d'acquérir, acquêt.

aquester v. (1283, Beaum.; lat.
*adquisitare, fréq. de *quaerere*). Acquérir.
◆ **aquest** n. m. (fin XIIᵉ s., *Adam*), **aqueste**
n. f. (1280, *Cart.*). Acquisition, profit.
◆ **aquestement** n. m. (1308, Aimé). Action
d'aquérir.

aqui adv. V. ENQUI, EQUI, là.

aquis adj., accablé, rompu de fatigue.
V. AQUERRE, chercher, atteindre.

aquise n. f., action d'acquérir.
V. AQUERRE, acquérir.

aquisier v. V. ACOISIER, calmer, se
tenir tranquille.

aquiter, acui- v. (1080, *Rol.*;
v. *quiter*, libérer d'une obligation).
1º Délivrer, se rendre maître de : *Or ont
François la cité aquitee (Charr. Nîmes).*
— 2º Céder, accorder : *Il lor aquiteront
la terre (Eneas).* — 3º Quitter, abandonner. ◆ **aquitance** n. f. (1160, Ben.).
1º Action de livrer. — 2º Cession, don. —
3º Payement. — 4º Le fait de déclarer
quitte. ◆ **aquit** n. m. (1268, E. Boil.).
Redevance. ◆ **aquitement** n. m. (1260,
Doon de May.). 1º Délivrance. —
2º Cession.

arabi n. m. et adj. (XIIᵉ s., *Gar. Loher.*).
1º Arabe. — 2º Rapide : *... cort un fleuve
moult arrabiz* (1210, *Best. div.*). —
3º Coursier. ◆ **arabiant** adj. (XIIᵉ s.,
Ogier), **-iois** adj. (1160, Ben.). Arabe.

arabler v. (1277, *Rose*; v. *rabler*).
Rafler, rapiner.

arage n. m., terre labourable. V. ARER,
labourer.

aragier v. (1155, Wace; v. *ragier*).
1º Enrager, devenir enragé. — 2º Faire
rage, sévir.

araiage n. m., division d'une terre.
V. AREER, arranger, soigner.

araier v. V. AREER, arranger, équiper.

araigne, -agne n. f. (1160, *Eneas*;
lat. *aranea*). Araignée. ◆ **araignee** n. f.
(1120, *Ps. Oxf.*). Toile d'araignée.

arain n. m. (1180, *Rom. d'Alex.*; bas
lat. *aeramen*, de *aes, aeris*). Trompette
d'airain. ◆ **araine** n. f. (XIIᵉ s., *Barbast.*).
1º Bronze. — 2º Trompette d'airain.

I. araine n. f. (1155, Wace; lat. *arena*,
sable). 1º Sable. — 2º Rivage de la mer.
◆ **araine bis(e)** n. m. ou f. (XIIᵉ s., *Gar.
Loher.*). Fréquent dans les chansons de
geste, semble désigner une sorte de
ciment. ◆ **arenos** adj. (XIIIᵉ s.). Sablonneux.

II. araine n. f., bronze, trompette.
V. ARAIN, trompette.

araisnier, araisoner v. (1080,
Rol.; v. *raisnier*). 1º S'adresser à quelqu'un : *L'arresnent maintes foiz por
savoir s'il poist parler (Queste Saint-
Graal).* — 2º Discourir, raconter. —
3º Chercher à persuader, plaider. —
4º Appeler en justice, accuser. ◆ **araisne**
n. f. (1170, *Percev.*), **-ee** n. f. (XIIᵉ s.,
Barbast.), **-ement** n. m. (1160, Ben.),
-ison n. f. (XIIᵉ s., *Ogier*). 1º Interpella-
tion. — 2º Discours. — 3º Raison, raisonnement. ◆ **araisneor** n. m. (1180, *Rom.
d'Alex.*). Parleur, raisonneur. ◆ **araisnié**
adj. (XIIᵉ s.). 1º Plein de raison. —
2º Accoutumé.

aramer v. (1304, *Year Books*; v. *aramir*, avec chang. de conjugaison).
Tenir, réunir (en parlant d'une cour de
justice). ◆ **arrame, er-** n. f. (1319, *Arch.*).
1º Défaut de comparoir à l'assignation.
— 2º Réclamation, sous serment, d'un
objet comme appartenant à celui qui le
revendique.

aramir v. (1160, *Eneas*; lat. pop.
*arramire, du germ. *hramjan*, planter sur

la croix, fixer). 1º S'engager par serment, jurer. *Aramir un serment,* le prononcer. — 2º Mettre en gage. — 3º Proclamer (le combat), provoquer (au combat). — 4º Combattre avec ardeur. ◆ **aramie** n. f. (XIIᵉ s., *Ogier*). 1º Serment. — 2º *Bataille, guerre par aramie,* à outrance. — 3º Force, violence, fureur. ◆ **aramicion** n. f. (XIIIᵉ s.). Acceptation, élection de juridiction. ◆ **arami** adj. (fin XIIᵉ s., *Loher.*). 1º Fixé, déterminé. — 2º Impétueux, sauvage, violent : *Gent cruel, de combatre arramy (Chev. cygne).*

araser v. (1160, *Athis; v. ras*). 1º Mettre à ras de terre, démolir. — 2º Emplir jusqu'aux bords.

arbaleste, -tre n. f. (1080, *Rol.;* bas lat. *arcuballista,* baliste à arc). Arbalète. *Arbaleste a tor,* arbalète de siège, sur l'affût. ◆ **arbalestee, -tree** n. f. (1160, Ben.). 1º Coup d'arbalète. — 2º Portée d'arbalète. ◆ **arbalesteor** n. m. (1265, *Arch.*), **-trier** n. m. (XIIᵉ s., *Aimeri*). Arbalétier. ◆ **arbalestere, -triere** n. f. (1160, Ben.). Meurtrière, généralement en forme de croix, ou lucarne ressemblant à une meurtrière.

arbre n. m. (1080, *Rol.;* lat. *arborem*). Arbre. ◆ **arbroissel** n. m. (XIIIᵉ s., *Pastor.*). Arbrisseau. ◆ **arbrage** n. m. (fin XIIᵉ s., *Loher.*), **-il** n. m. (fin XIIᵉ s., *Ed. le Conf.*), **-oi** n. m. (XIIIᵉ s., *Gaydon*), **-oie** n. f. (1160, Ben.). Lieu planté d'arbres. ◆ **a(r)bresce** n. f. (XIIᵉ s.). Bouquet d'arbres. ◆ **arbrer** v. (XIIᵉ s., *Part.*). 1º Devenir arbre. — 2º Se cabrer. ◆ **arbrier** v. (1260, *Doon de May.*). 1º Planter les arbres. — 2º Se plier, se tordre. — 3º Se cabrer.

I. **arc** n. m. (1080, *Rol.;* lat. *arcum*). Arc, arme de chasse ou de guerre. ◆ **archet** n. m. (XIIᵉ s.), **arçon** n. m. (1080, *Rol.*). Petit arc. ◆ **archier** v. (XIIᵉ s.). Tirer de l'arc. ◆ **archoier** v. (1160, *Athis*). 1º Tirer de l'arc. — 2º Chasser à coups de flèches. ◆ **archier** n. m. (XIIᵉ s., *Roncev.*). Tireur. ◆ **archic, -ice** n. f. (XIIᵉ s., *Barbast.*). Portée d'arc. ◆ **archerie** n. f. (1298, M. Polo). Tir à l'arc. ◆ **archiere** n. f. (1180, *Rom. d'Alex.*). Meurtrière par où l'on tirait des flèches.

II. **arc** n. m. (XIIIᵉ s., même mot que le précédent). 1º Arcade. — 2º Tout ce qui est arqué, courbé. ◆ **arche** n. f. (XIIᵉ s., *Roncev.*). Arcade. ◆ **arcel** n. m. (XIIᵉ s.), **archet** n. m. (1160, *Eneas*). Arceau. ◆ **arçon** n. m. (fin XIIᵉ s., *Auc. et Nic.*). 1º Archet de viole. — 2º Arçon de selle. ◆ **arcage** n. m. (XIIIᵉ s., *Anseis*). 1º Courbure en arceau. — 2º Courbure. *Destrier d'arcage,* cheval qui se courbe bien. ◆ **archier** (XIIᵉ s.), **-oier** v. (1060, Ben.), **arçoner** v. (1175, Chr. de Tr.). 1º S'arquer, se courber en arc. — 2º Se cabrer. ◆ **archeure** n. f. (XIIᵉ s.). Courbure. ◆ **arçoneor** n. m. (1226, *Arch.*), **-ier** n. m. (1268, E. Boil.). Fabricant d'arçons.

arcgetant n. m. (1119, Ph. de Thaun; mot composé de *arc* et *jeter*). Sagittaire, signe du Zodiaque.

archal n. m. (fin XIIᵉ s., *Rois*; lat. pop. *orichalcum,* du grec). Laiton.

archant n. m. (fin XIIᵉ s., *Alisc.*; orig. incert.). 1º Champ de bataille. — 2º Cimetière.

I. **arche** n. f. (fin XIIᵉ s., *Aiol;* lat. *arca,* coffre). 1º Coffre, caisse. — 2º Vaisseau (arche de Noé, d'alliance, etc.). — 3º Archives. — 4º Trésor (1341, *Arch.*). ◆ **archete** n. f. (1160, Ben.). Petit coffre. ◆ **archiere** n. f. (1326, G.). Coffre.

II. **arche** n. f., arcade. V. ARC, ce qui est courbé.

archegaie n. f. (1306, Guiart; esp. *azagaia,* de l'arabe *azzaghâya,* javelot; cf. fr. *sagaie*). 1º Arbalète. — 2º Javelot lancé par l'arbalète.

I. **archiere** n. f., meurtrière. V. ARC, arme de chasse et de guerre.

II. **archiere** n. f., coffre. V. ARCHE, coffre.

I. **archoier** v., tirer de l'arc, chasser. V. ARC, arme de chasse et de guerre.

II. **archoier** v. Se courber en arc, se cabrer. (V. ARC, ce qui est courbé.)

arcien n. m. V. ARTIEN, savant.

I. **arçon** n. m., Petit arc. (V. ARC, arme de pêche et de guerre.)

II. **arçon** n. m.; Archet de viole, arçon de selle. (V. ARC, ce qui est courbé.)

ardille n. f. V. ARGILLE, argile.

ardoir, ardre v. (xe s., *Saint Léger;* lat. *ardere).* Brûler : *Ardeir en feu ou en aive neier (Cour. Louis).* ◆ **ardeis** n. m. (1160, Ben.), **-ance** n. f. (xiie s.). 1° Incendie. — 2° Ardeur. ◆ **ardeure** n. f. (1125, Marb.). 1° Brûlure, chaleur. — 2° Désir ardent : *J'andure Les malz et l'ardure Por ma dame pure (Estamp.).* ◆ **ardor** n. f. (1130, *Job).* 1° Ardeur. — 2° Désir. ◆ **ardant** n. m. (1220, Coincy). Feu de l'enfer. ◆ **ardeor** n. m. (fin xiie s., *Gar. Loher.).* 1° Celui qui est chargé d'incendier les biens de l'ennemi. — 2° Rôtisseur.

ardu, herdu adj. (1119, Ph. de Thaun; lat. *arduus,* abrupt, difficile). 1° Escarpé. — 2° Rude. ◆ **arduor** n. f. (1190, J. Bod.). Ravine.

are, aire adj. (xiie s., *Ps.;* lat. *aridum).* Aride, sec.

arecier v. (1250, *Ren.;* lat. **adrectiare,* de *rectus,* droit). 1° Dresser, hausser, brandir. — 2° Mettre la lance en arrêt. — 3° Mettre en érection.

areer, -oier v. (1180, *Rom. d'Alex.;* lat. **arredare,* du germ. **red,* moyen, provision). 1° Mettre en ordre, arranger. — 2° Équiper. — 3° Soigner. — 4° Ranger en bataille. — 5° Gouverner : *L'offices de seignor est que il arroie le pueple a lor profit* (Br. Lat.). ◆ **aroi** n. m. (fin xiie s., *G. de Rouss.).* 1° Arrangement. — 2° Équipement, équipage. — 3° Suite. *Avoir en aroi,* avoir dans sa suite, sous sa dépendance. — 4° Ordre de bataille. ◆ **areement** n. m. (fin xiie s., *Loher.),* **areance** n. f. (1285, Aden.). Arrangement, disposition, préparatifs. ◆ **aroiement** n. m. (1323, *Arch.),* **araiage** (1323, *Arch.).* Division d'une terre, partie de ses cultures.

aregnier v. V. ARAISNIER, s'adresser, raisonner.

arel n. m. V. AIRE, emplacement.

arement, aire- n. m. (1080. *Rol.;* lat. *atramentum,* encre). 1° Matière dont on fait l'encre. — 2° Encre.

arenger v. (fin xiie s., *Loher.;* v. *renc).* Mettre en rang, en ordre de bataille : *Le serjent les fist arengier Et balle a chascun un denier (Best. div.).* ◆ **arengement** n. m. (1318, G.). Ordre de bataille.

arenos adj. V. ARAINE, sable.

arenter v. (1213, *Fet Rom.;* v. *rente).* Arrenter, donner à bail, à ferme. ◆ **arentage** n. m. (1311, *Cart.),* **-il** n. m. (1308, *Arch.).* Rente.

areonder v. (1246, G. de Metz; v. *reont,* rond). Arrondir.

arer v. (1119, Ph. de Thaun; lat. *arare).* Labourer. ◆ **araire** n. m. (déb. xiie s., *Voy. Charl.),* **arele** n. f. (1326, *Arch.).* Sorte de charrue. ◆ **areure** n. f. (1270, Ruteb.). Labourage. ◆ **aré** n. m. (1250, *Ren.),* **-ee** n. f. (1155, Wace). Terre labourée, labour. ◆ **arage** n. m. (1260, *Arch.).* Terre labourable. ◆ **areor** n. m. (1230, *Saint Eust.).* Laboureur.

arerain adj. V. ARIERAIN, qui est en arrière, reculé.

aresner v. (1156, *Thèbes;* v. *resne).* Attacher un cheval par les rênes, l'arrêter.

I. **areste** n. f. (xiie s.; lat. pop. **aresta,* de *arista,* barbe d'épi). 1° Arête de poisson. — 2° Barbe d'épi.

II. **areste** n. f. (1282, *Bans Saint-Omer).* Étoffe de soie.

arester v. (1175, Chr. de Tr.; lat. **arrestare,* de *restare,* rester). 1° Arrêter, s'arrêter. — 2° Tarder. ◆ **arest** n. m. (1244, *Arch.).* 1° Traité, convention. — 2° Droit que paie le prisonnier à l'occasion de son arrestation. ◆ **areste** n. f. (xiie s., *Ogier),* **-ee** n. f. (fin xiie s., *Auberi),* **-eue** n. f. (1180, *Rom. d'Alex.),* **-age** n. m. (fin xiie s., *Auberi),* **-al** n. m. (fin xiie s., *Alisc.),* **-ement** n. m. (fin xiie s., *Loher.),* **-ance** n. f. (xiie s., *Chev. cygne),* **-eure** n. f. (1180, *G. de Vienne),* **-ise** n. f. (xiiie s., *Anseis),* **-ison** n. f. (fin xiie s., *R. de Cambr.),* **-aire** n. m. (1247, *Conq. Jér.).* 1° Arrêt, pause. — 2° Délai, retard. ◆ **arrestable** adj. (1294, *Lettre).* Qui peut être arrêté, saisi par la justice.

arestil, -oil, -uel n. m. (XIIe s., *Barbast.;* v. *arester*). Poignée de l'épée ou de la lance, entaille dc l'épieu (pour retenir la main).

argent n. m. (Xe s., *Eulalie; lat. argentum*). 1° Sorte de métal. — 2° Monnaie. *A sec argent,* argent comptant (J. Bod.). — 3° Richesses. ◆ **argental** adj. (XIIIe s.), **-in** adj. (déb. XIe s., *Ps. Cambr.*). Qui brille comme l'argent.

argille, ardille, arzille n. f. (XIIe s.; lat. *argilla,* du grec). Argile. ◆ **argilliere** n. f. (1250, *Ren.*). 1° Argile, boue. — 2° Terrain qui fournit de l'argile.

argot n. m. V. ERGOT, argument.

arguer v. (1080, *Rol.;* convergence du lat. *argutari,* fouler, et *arguere,* prouver, accuser). 1° Presser, hâter : *Amor la point, Amor l'argue (Eneas).* — 2° Blâmer, accuser : *Sire, ne me arguez en la tue ire (Ps. Cambr.).* ◆ **argu** n. m. (déb. XIVe s., *Voy. Charl.*). 1° Emportement, colère. — 2° Opinion, raisonnement. — 3° Artifice : *Tot lor argu et lor sort sont falli (Asprem.).* ◆ **arguement** n. m. (1160, Ben.). 1° Idée, sentiment. — 2° Parole, dispute. — 3° Ruse.

aride interj. (XIIIe s., *Chans. d'Ant.;* arabe *al arir?*). Cri de guerre : *Sarrazins assalirent... : Aride! Aride! hucent, Mahons! quex destorbier (Chans. d'Ant.).*

arierain, arerain adj. (fin XIIIe s., *Mir. Saint Elôi;* v. *ariere*). Qui est en arrière, reculé.

arierer v. (XIIe s., *Ogier;* de *ariere*). 1° Mettre en arrière, retarder, porter préjudice. — 2° Tromper, décevoir. ◆ **arrere** n. m. (1304, *Year Books*). Arriéré, arrérage. ◆ **arierance** n. f. (XIIIe s.). Refus. ◆ **arrierissement** n. m. (1277, *Lettre*). Action de laisser en arrière, de causer le dommage, de blesser. ◆ **arierages** n. pl. (1267, *Cart.*). 1° Retard, empêchement. — 2° Arrérages. ◆ **arrieragier** v. (1283, Beaum.). Déposséder.

aries n. m. (XIIe s.; lat. *aries,* bélier). Bélier, signe du zodiaque : *Quant la lune est en aries, ne fait pas bon marier (Singnes dou Cyel).*

arigoter v. V. HARIGOTER, déchirer, caresser.

arire adv. V. ARRIERE, derrière.

ariver v. (XIe s., *Alexis*); lat. pop. **arripare,* de *ripa,* rive). 1° Mener à la rive : *(Ils) nous arriverent devant une heberge* (Joinv.). — 2° Toucher à la rive. ◆ **arivement** n. m. (1160, Ben.), **-aison** n. f. (1160, Ben.). Arrivée, arrivage (par la voie des eaux). ◆ **arivage** n. f. (1268, E. Boil.). Droit payé pour abord et débarquement des marchandises. ◆ **arivel, -al** n. m. (XIIe s., *Asprem.*). Rive.

armaille n. f. V. ALMAILLE, bêtes à cornes.

armaire n. f. V. ALMOIRE, armoire.

armal n. m. Jeune bœuf. (V. ALMAILLE, gros bétail.)

I. arme n. f. (1080, *Rol.;* lat. *arma,* plur. neutre, devenu sing. fém. en lat. pop.). Arme. ◆ **armer** v. (1080, *Rol.*). 1° Armer. — 2° Équiper. ◆ **armoier** v. (XIIIe s., *Pastor.*). 1° Porter les armes. — 2° Guerroyer. ◆ **armeure** n. f. (1261, Ruteb.). 1° Arme. — 2° Armure. — 3° Homme d'armes. ◆ **armé** n. f. (1125, *Gorm. et Is.*). Homme d'armes. ◆ **armeor** n. m. (XIIIe s.), **-oieor** n. m. (XIIIe s.), **-oier** n. m. (XIIIe s.). 1° Fabricant d'armes. — 2° Fabricant d'armoiries (XIVe s.).

II. arme n. f. V. ANME, âme.

arment n. m. (déb. XIIe s., *Ps. Cambr.;* lat. *armentum*). Troupeau de bétail.

armille n. f. (1160, Ben.: lat. *armilla,* de *armus,* bras). Bracelet.

armonie n. f. (1164, Chr. de Tr.; lat. *harmonia,* du grec). Sorte d'instrument de musique.

arnal, ernal, elnal n. m. (XIIIe s., *Fabl.;* du nom de saint Arnauld, considéré comme le patron des cocus). Mari trompé et, en particulier, celui qui est content de son sort : *Je li voldrai coper les cous Par cui je fui elnal et cous (Fabl.).*

arner v. V. ESRENER, éreinter.

arochier v. (1155, Wace; v. *rochier,* lapider). 1° Lancer des pierres, des projectiles. — 2° Assaillir.

I. **aroer** v. (déb. XIIIᵉ s., R. de Clari; lat. **adrotare*). Tournoyer.

II. **aroer** v. (1340, *Cart. Alex. de Corbie;* francique **rotjan*). Rouir.

aroi n. m. V. AREER, AROIER, ranger.

aromancier v. (XIIᵉ s., *Horn; v. romancier*). 1° Traduire en roman, en langue vulgaire. — 2° Parler en langue vulgaire (et non en latin).

arome n. m. (XIIᵉ s.), **aromat** n. m. (1327, J. de Vignay), **aroment** n. m. (fin XIIIᵉ s., *Fabl. d'Ov.*). Aromate, parfum.

aronciner v. (XIIIᵉ s., *Chans. sat.; v. roncin*, cheval). Adapter à un cheval.

aronde, alondre n. f. (1080, *Rol.;* lat. **hirunda*, pour *hirundo, -inis*). Hirondelle. ◆ **arondel** n. m. (fin XIIᵉ s., *R. de Cambr.*). Petit d'hirondelle.

I. **aroter** v. (1180, *Cour. Louis; v. rote*, route). 1° Rassembler pour mettre en route. — 2° *Aroter son chemin, sa voie*, se mettre en route. ◆ **aroté** adj. (XIIᵉ s., M. de Fr.). *Aroté a*, à la poursuite de. ◆ **aroteement** adv. (1175, Chr. de Tr.). 1° D'une course rapide. — 2° Sans interruption, sans arrêt.

II. **aroter** v. V. AROER, tourner.

arreis prép. (1241, *Arch.; v. arriere*). 1° Derrière : *Une maison arreis l'ostel de Clerieu* (1241, *Arch.*). — 2° Excepté : *Totes les autres choses arreiz celes ke dessouz* (1235, *Arch.*).

arriere, arrere, arire adv. et prép. (1080, *Rol.;* lat. pop. **adretro*, forme renforcée de *retro*, en arrière). 1° Adv. de lieu, En arrière, derrière. *Et avant et arrere (R. de Cambr.)*, partout, locution souvent emphatique. — 2° Adv. de temps, Auparavant, autrefois : *Eissi com arrere vos dis* (Ben.). *En arrere*, autrefois. *Ça en arrere*, auparavant, naguère (saint Bern.). — 3° Indique la répétition dans le temps, De nouveau : *Le dit Raoul revint arriere a ses dras (Mir. Saint Louis)*. *Estre ci arrere*, être de retour. — 4° *Metre a arriere*, négliger (C. de Béth.). — 5° Sert de préfixe. *Arrere coer*, à contre-cœur. —

6° Préposition, Derrière. ◆ **arriere main, arriere poing** adv. (1272, Joinv.). 1° En arrière, par-derrière : *Li dona ariere main d'une espee parmi les bras* (Joinv.). — 2° Après coup, en rétrogradant.

I. **ars** n. m. pl. (1247, *Conq. Jér.;* orig. incert.). Poitrail, naissance des jambes du cheval, du cerf. ◆ **ars** loc. adv. (1190, Garn.). A cru, à poil : *Tut a ars li unt fait dous liwes chevachier* (Garn.).

II. **ars** n. m. cas sujet. V. ARC.

arser v. (1281, *Lettres rois; v. ars*, p. passé de *ardre*, brûler). Incendier, brûler. ◆ **arseis** n. m. (1169, Wace), **arsin** n. m. (XIIᵉ s.), **-son** n. m. (1160, Ben.), **-in** n. f. (1220, Coincy), **-eure** n. f. (1253, *Arch.*). 1° Incendie. — 2° Brûlure, chaleur brûlante. — 3° Cuisson. — 4° Amas de charbon, endroit couvert de cendres.

arsille n. f. V. ARGILLE, argile.

arsoir adv. V. ERSOIR, hier soir.

I. **arson** n. m. (XIIIᵉ s.; v. *ardre*, brûler). 1° Sensation de brûlure, de démangeaison. — 2° Teigne. ◆ **arsoneor** n. m. (XIIIᵉ s.). Teigneux.

II. **arson** n. m., incendie, brûlure, cuisson. V. ARSER, incendier, brûler.

art n. m. et f. (1080, *Rol.;* lat. *ars, artem*). 1° Un des arts libéraux. — 2° Métier, technique. — 3° Art magique : *Je suis Sarrazine et sai d'art (Fille du comte de P.)*. — 4° *Art d'anemy*, art du diable, magie noire (J. Bod.). ◆ **artien** n. m. (1260, Br. Lat.). Savant, celui qui est habile dans les arts. ◆ **artos** adj. (1160, Ben.). 1° Savant, instruit dans les arts libéraux. — 2° Honnête. — 3° *Mal artos*, faux savant, malhonnête. ◆ **arteil, -el** n. m. (1246, G. de Metz), **-uel** n. m. (1320, *Estamp.*). Art, science.

artefice n. m. (1256, Ald. de Sienne; lat. *artificium*). — 1° Art, métier. — 2° Habileté, ruse. ◆ **arteficios** adj. (1260, Br. Lat.). Fait avec art. ◆ **artefieor** n. m. (1160, Ben.), **-ficien** n. m. (XIIᵉ s.). Artisan, ouvrier, architecte.

I. **arteil, -il, -ol** n. m. (1160, *Eneas;* lat. *articulum*, jointure). 1° Griffe. — 2° Orteil.

II. artiel, -el n. m., art. science. V. ART, art, métier.

artigus n. m. (1295, Boèce; orig. incert.). Vent du nord.

artillier v. (1164, Chr. de Tr.; convergence de *art* et de *atillier,* parer, d'orig. germ.). 1° Se parer. — 2° Garnir d'engins de guerre (XIII⁰ s.). ◆ **artillerie** n. f. (1272, Joinv.). Ensemble des engins de guerre. ◆ **artillier** n. m. (1268, E. Boil.). Fabricant d'engins, d'armes de trait. ◆ **artillos** adj. (1160, Ben.). Habile, expérimenté : *Paroles artilleus (Est. Saint-Graal).*

artimage n. m. (1162, *Fl. et Bl.*), **-maire** (1160, Ben.), **-mai** (1220, Coincy), **-mal** (1080, *Rol.*), **-ment** (1250, *Enf. Guill.*; lat. **artem magicam* et *artem malam*). Magie.

artriquer v. V. ATRIQUER, préparer, arranger.

arval adj. (XIII⁰ s., Th. de Kent, orig. incert.). Mécontent, irrité.

arve n. f. (1326, G.; lat. **arva* pour *arvum,* terre en labour, champ). Champ.

arveire, -iere, -ire, -oire n. m. (1160, Ben.; lat. *arbitrium*). 1° Intelligence, savoir-faire. 2° Trouble, doute, perplexité : *Mar serrez ja en arveire (G. de Warwick).* — 3° Mensonge, illusion, vision.

arvolt n. m. (1160, Ben.; lat. *arcum voltum),* 1° Arcade, voûte. — 2° Caveau, niche.

arzille n. f. V. ARGILLE, argile.

I. as n. m. (XII⁰ s., *Saint Thomas;* lat. *as,* unité de monnaie, de poids). 1° Terme de jeu de dés, le côté du dé marqué d'un seul point. (V. AMBESAS.) — 2° Petite quantité, rien du tout (avec négation) : *L'apostolies ert de la guerre tut las, N'eut de tut Engleterre qui valsist un seul as (Saint Thomas).*

II. as Particule présentative. V. ES, voici.

III. as Contraction de la prép. *a* et de l'art. *les.* V. A, prép.

ascendre v. (XIII⁰ s., Bible; lat. *ascendere).* Monter, s'élever. ◆ **ascension** n. f. (fin XII⁰ s., *Alisc.*) Ascension (sens religieux). ◆ **ascenseor** n. m. (fin XII⁰ s.). Cavalier.

asclasser v. V. ACLASSER, se reposer, s'assoupir.

ascolter v. V. ESCOLTER, écouter.

ascondre v. (1080, *Rol.*), **-dir** v. (1265, J. de Meung), **-ser** v. (1308, Aimé; du lat. *abscondere).* Cacher. ◆ **a(b)sconse** n. f. (1330, *G. de Rouss.*). Détour, dissimulation : *Bien savoie en mon cuer senz absconse (G. de Rouss.).*

ascrivre v. (1190, Garn.; lat. *adscribere).* 1° Attribuer à : *Quant il ont Salomun sun fiz a rei ascrit (Garn.).* — 2° Inscrire, enregistrer.

asier v. V. AISIER, mettre à l'aise.

asmer v. V. ESMER, estimer.

asne n. m. (fin XII⁰ s. *Rois;* du lat. *asinum).* Âne. ◆ **asnel** n. m. (1169, Wace), **-ele** n. f. (1160, Ben.). 1° Anon, ânesse. — 2° Bête, peu intelligent : *Asnel sunt e cuart* (Wace). ◆ **asine** n. f. (1298, M. Polo). Anesse. ◆ **asnerie** n. f. (1297, *Arch.*). Étable à ânes. ◆ **asnee, -ie** n. f. (1252, *Arch.*). 1° Charge d'un âne. — 2° Mesure de blé et, plus tard, de vin. ◆ **asnieur** n. m. (1308, *Arch.*). Anier, conducteur d'âne. ◆ **asnin** (1204, R. de Moil.), **asinin** (XIII⁰ s.) adj. et n. 1° Propre aux ânes. — 2° Âne.

ason, azon n. m. (déb. XIII⁰ s., R. de Beauj.; peut-être *azur,* avec substitution de *-ur,* senti comme suffixe, par *-on*). Azur.

aspe, -i n. (1120, *Ps. Oxf.*; lat. *aspis, -idis,* du grec). Aspic, serpent en général.

aspirer v. (1160, Ben.; lat. *aspirare,* souffler). 1° Inspirer. — 2° Aspirer. ◆ **aspirement** n. m. (1160, Ben.). 1° Le fait d'inspirer, respiration : *Se repasme et chiet adenz Si qu'il n'en ist aspirement* (Ben.). — 3° Conjuration d'un sorcier. ◆ **aspiracion** n. f. (1130, *Job*). Souffle divin, inspiration.

aspre adj. (fin XII⁰ s., *Cour. Louis;* lat. *asprum*). 1° Raboteux, rude. — 2°

Aigre. — 3º Cruel, vif, violent. ◆ **asprece** n. f. (1155, Wace). 1º Âpreté, rigueur, violence. — 2º Courage ardent, fougue. ◆ **aspreté, asperité** n. f. (1130, *Job*). 1º Colère, fureur. — 2º Circonstance pénible (1308, Aimé). ◆ **asproier** v. (1160, Ben.). — 1º Tourmenter, poursuivre. — 2º S'efforcer.

asprele n. f. (xiiiᵉ s., du lat. pop. **asperellam*, de *asper*, rude). Prèle, queue-de-cheval (bot.).

assagir v. (xiiᵉ s., *Florim.; v. sage*). 1º Rendre sage. — 2º Dompter. — 3º Instruire de : *De maint mestier fait assagir (Florim.)*.

assaier v. V. ESSAIER, essayer, goûter.

assaillir v. (xᵉ s., *Passion;* lat. pop. **assalire*, pour *assilire*). 1º Sortir. — 2º attaquer. ◆ **assalt** n. m. (1080, *Rol.*), **assaille** n. f. (xiiiᵉ s.). Assaut, attaque. ◆ **assaillement** n. m. (xiiᵉ s.), **-ie** n. f. (1160, Ben.). 1º Assaut. — 2º Sortie. ◆ **assaillant** n. m. (xiiᵉ s.) **-eor** n. m. (xiiiᵉ s.), **assalteor** n. m. (1330, *Ren. le Contref.*). Assaillant.

assaisiner v. (1317, G.; v. *saisine*). Saisir, mettre en saisine, en possession.

assaisoner v. (xiiiᵉ s., v. *saison*). 1º Cultiver dans une saison favorable. — 2º Conduire les cultures selon les saisons.

assalder v. (1129, G. de Montr.; v. *salder, solder,* consolider). 1º Consolider. — 2º Souder.

assanler v. V. ASSEMBLER, mettre ensemble; mettre aux prises; attaquer.

assasier, -er v. (fin xiiᵉ s., *Rois;* du lat. **assatiare*, de *satis*, assez). Rassasier, satisfaire : *E li fameillus sunt asasiez (Rois)*. ◆ **assasié** adj. (fin xiiᵉ s., *Loher.*). *Assasié de,* qui possède une chose en abondance.

assassin n. m. (1288, J. de Journi; arabe *hachchâchi,* buveur de hachisch). Soldat du Scheik appelé aussi Vieux de la Montagne.

assavorer v. (1160, *Charr. Nîmes;* v. *savorer*). 1º Savourer, goûter, essayer : *J'ai asavoreit Les malz ke j'ai andureit (Estamp.)*. — 2º Rendre savoureux, assaisonner. — 3º Aimer, affectionner. ◆ **asavorement** n. m. (1190, saint Bern.). Action de goûter, goût.

I. **asseer** v. (1268, E. Boil.; v. *seer,* scier). Scier, couper, déchirer.

II. **asseer** v. (1169, Wace; v. *asseoir,* avec changement de conjugaison). 1º Asseoir, placer. — 2º Assiéger. — 3º Assigner (1316, *Arch.*).

assegier v. (1080, *Rol.;* lat. pop. **assedicare*, de *sedere*). 1º Asseoir, placer. — 2º Établir, disposer. — 3º Assiéger. ◆ **assiegement** n. m. (1190, saint Bern.). 1º Action d'asseoir, d'établir. — 2º Action d'assiéger, siège.

asseignorir v. (1322, *Arch.;* v. *seignor*). 1º Rendre maître, élever en honneur. — 2º Se rendre maître, prendre possession, dominer. ◆ **asseignori** adj. (1270, A. de la Halle). Souverain.

assembler, assanler v. (1080, *Rol.;* lat. pop. *assimulare*, mettre ensemble). 1º Mettre ensemble, réunir, joindre. — 2º Mettre aux prises. — 3º Attaquer, combattre : *En maint lieu assemblerent li François as Grex (Villehard.)*. ◆ **assemblement** n. m. (xiᵉ s., *Alexis*), **-ee** n. f. (1160, Ben.), **-ance** n. f. (xiiiᵉ s.), **-oison** n. f. (1160, Ben.), **-aille** n. f. (1160, *Athis*). 1º Assemblée, rassemblement. 2º Union, mariage, liaison extraconjugale. — 3º Assemblage. — 4º Choc de deux armées, mêlée.

I. **assener** v. (1170, *Fierabr.;* lat. *assignare,* signaler, distribuer). 1º Indiquer, désigner, fixer : *Et quant li enfes sera nez, La sera ses lius asseznez (Est. Saint-Graal)*. — 2º Attribuer, fixer la part de, partager. — 3º Se diriger vers, viser. — 4º Atteindre, réussir : *Sire Diex vos doinst assener (Chr. de Tr.)*. — 5º Frapper : *assener un colp (Fierabr.)*. ◆ **assen** n. m. (xiiᵉ s.), **assenal** n. m. (1190, J. Bod.), **-ance** n. f. (xiiiᵉ s.). 1º Signe, témoignage. — 2º Évaluation, accord. — 3º Lot, douaire. — 4º Rendez-vous. — 5º Assignation. ◆ **asseneor** n. m. (xiiᵉ s., *Trist.*). 1º Celui qui indique, qui dirige. — 2º Direction.

II. assener v. (XIIᵉ s., *Trist.;* v. *sen,* sens). 1º Rendre sensé, sage. — 2º Recouvrer la raison.

assenser v. (1119, Ph. de Thaun; du lat. **assensare,* de *sensus).* 1º Instruire, donner un avis, renseigner. — 2º Fixer, placer. ◆ **assens** n. m. (1160, Ben.). 1º avis, indication. — 2º Lieu, chemin : *Il lor a moult bien enseignés Del pais trestox les assens (Atre pér.).* — 3º Consentement, accord. ◆ **assensement** n. m. (1190, Garn.). Avis, conseil : *Sovent avient que d'estrange gent Avien grant assensement (G. de Warwick.).* ◆ **assenseor** n. m. (XIIIᵉ s., *Voc. lat.-fr.).* Délateur.

assenter v. (1332, Giry; v. lat. *absens, -entis).* 1º Éloigner, écarter. — 2º S'absenter. ◆ **a(b)sence** n. f. (XIIIᵉ s., *Sept Sages).* 1º Éloignement. — 2º Exil. ◆ **absent, ausent** adj. (XIIᵉ s.). 1º Absent. — 2º *Ausent de,* éloigné de quelqu'un.

I. assentir v. (1220, Coincy), **-er** (1292, *Britton;* lat. *assentire).* 1º Consentir. — 2º S'accoutumer. ◆ **assent** n. m. (XIIᵉ s.), **-e** n. f. (XIIᵉ s., *Trist.),* **-ement** n. m. (1181, G.), **-aison** n. f. (XIIᵉ s., *Chev. cygne).* 1º Consentement, assentiment. — 2º Accord.

II. assentir v. (fin XIIᵉ s., *Alisc.;* v. *sentir).* 1º Flairer, sentir. — 2º Etre sensible. ◆ **assent** n. m. (XIIᵉ s.). Odeur.

asseoir v. (XIᵉ s., *Alexis;* lat. pop. **assedere,* pour *assidere).* 1º Placer sur un siège, placer en général. — 2º Assister, fournir : [Charlemagne] *Quida les povres asseir* (Mousk.). — 3º Assiéger. ◆ **assise** n. f. (fin XIIᵉ s., *Rois).* 1º Base d'une construction. — 2º Ordre dans lequel les convives sont rangés à table. — 3º Réunion des juges qui siègent (XIIIᵉ s.). — 4º Règlement. — 5º Impôt, taxe. ◆ **assis** n. m. (1277, *Cart.).* Imposition de taille, la taille elle-même. ◆ **assis** adj. (fin XIIᵉ s., *Auc. et Nic.).* Bien placé, régulier, pourvu. ◆ **asseor** n. m. (1288, *Charte).* Collecteur de tailles dans un village.

assergentir v. (1190, saint Bern.; v. *sergent,* serviteur). Asservir.

I. asserir v. (1080, *Rol.),* **-er** (XIIIᵉ s., *Gaufrey),* **-ier** (1250, *Ren.),* **-isier** (1190, *H. de Bord.;* du lat. *serum,* soir, intégré dans diverses conjugaisons). Faire soir, faire nuit. ◆ **asseriement** n. m. (XIIᵉ s.), **asserant** n. m. (XIVᵉ s.), **asserement** n. m. (XIVᵉ s., *Gloss. Conches).* Tombée du jour, crépuscule, soir.

II. asserir v. (XIIᵉ s.), **-ier** (1080, *Rol.),* **-isier** (1277, *Rose),* du lat. *serenus,* serein, confondu avec le premier. Calmer, rasséréner. ◆ **asseri** adj. (1160, *Eneas).* Calme, tranquille : *Quant la chambre fu aserie (Eneas).*

asserver v. (1204, R. de Moil.; v. *serf).* Assujettir, rendre serf, esclave.

asservir v. (XIIᵉ s.; v. *servir).* 1º Servir à. — 2º Mériter.

assesmer v. V. ACESMER, équiper.

asseter v. (XIIᵉ s., *Florim.;* du lat. **asseditare,* de *sedēre,* être assis). 1º Placer, disposer. — 2 Assigner.

asseurer v. (1155, Wace; v. *seur,* sûr). 1º Garantir la sûreté de qn, accorder une sauvegarde : *Si unt la dame coroneie Et de la terre assegureie* (Wace). — 2º S'engager par serment avec quelqu'un. — 3º Etre certain, avoir confiance. — 4º Abandonner un héritage aux mains des créanciers. — 5º Fixer, taxer (1350, *Ord.).* ◆ **asseurement** n. m. (1060, Ben.). 1º Sûreté, garantie, sauf-conduit. — 2º Délivrance d'un fonds au créancier du cens (1335). ◆ **asseurance** n. f. (1238, *Arch.).* 1º Arrangement. — 2º Trêve. ◆ **asseur** adj. (1169, Wace). 1º Sûr, rassuré, certain. — 2º adv. En sûreté : *Or poes dormir asseur* (J. Bod.). ◆ **asseurtance** n.f. (1317, *Arch.).* Témoignage.

asservir, assovir v. (fin XIIᵉ s., *Loher.;* lat. **assequire,* pour *assequi),* atteindre). Achever, accomplir : *Lor besoigne bien faite fust Et lor taiche tote esuvie (Vie des Pères).*

assez adv. (1080, *Rol.;* lat. pop. **adsatis,* renforcement de *satis,* assez). Adverbe de quantité qui correspond au français moderne. 1º Beaucoup (déterminant du verbe). — 2º Très (déterminant d'adjectif). — 3º Beaucoup, jusqu'à satiété : *Be! boi assés! Qui te deffent* (J. Bod.). ◆ **assez** n. m. (XIIIe s.). Raison, satisfaction.

assiantre adv. (XIIe s.; lat. *scienter,* renforcé par le préfixe *a*-). Sciemment, volontairement.

assieger v. V. ASSEGIER, asseoir.

assiele n. f. V. AISSIL, planchette.

assiette n. f. (1260, *Cart.;* lat. pop. **assedita,* p. passé de **assedere,* v. *asseoir*). 1º Disposition des convives autour de la table. — 2º Action de mettre les plats sur la table. — 3º Service d'un repas (XIVe s.). — 4º Fondation, assignation de dot. — 5º Imposition de la taille. — 6º Abandon des terres au profit des créanciers.

assire v. (1231, *Arch.;* lat. pop. **assidere,* pour *assidére*). V. ASSEOIR.

assis n. m., imposition, **assise** n. f., base, ordre, règlement. V. ASSEOIR, placer.

assoagier v. (1120, *Ps. Oxf.;* du lat. pop. **assuaviare,* de *suavis*). 1º Adoucir, soulager : *Tu assujas tute la tue ire (Ps. Oxf.).* — 2º Consoler. ◆ **assoagement** n. m. (1190, saint Bern.). Soulagement.

assobiter v. (1220, Coincy; du lat. **adsubitare,* de *subitus*). Enlever par une mort subite.

associer, assoicher v. (1238, *Charte;* lat. *associare,* de *socius,* compagnon). Arranger : *Li forniers doit associer loyaument les fourmees* (Du Cange).

assoignanter v. (1155, Wace), **-ir** (fin XIIIe s., *Son. de Nans.;* v. *soignant*). Faire sa concubine de, traiter en concubine : *Se vous l'aviés asognentee ne mise a vo lit (Auc. et Nic.).*

assoigne n. f. V. ESSOIGNE, excuse, empêchement, peine.

assoir adv. V. ERSOIR, hier soir.

assoldaier v. (1265, *Arch.;* v. *solde*). Prendre à solde.

assoldre v. (Xe s., *Saint Léger;* lat. ecclés. *absolvere*). 1º Absoudre. — 2º Affranchir, délivrer. — 3º Tenir quitte. ◆ **assous, assolu** adj. (1080, *Rol.*). 1º Saint, pur (sanctifié par l'absolution) : *Par la vierge absolue (Chev. cygne).* — 2º Franc, quitte. ◆ **assoler** v. (1248, *Charte*). 1º Absoudre. — 2º Exempter.

I. **assoler** v. (1220, Coincy; du lat. *solum,* sol). 1º Mettre à ras du sol. — 2º Raser.

II. **assoler** v. (fin XIIe s., Couci; v. *sol,* seul). Laisser seul, isoler.

III. **assoler** v. (XIIe s., *Roncev.;* du lat. *sol,* soleil). Exposer au soleil.

IV. **assoler** v. V. ASSOLDRE, absoudre.

assom adv. et prép. V. ASSON, en haut, en haut de.

I. **assomer** v. (fin XIIe s., *Rois;* v. *some,* somme). 1º Compter, additionner. — 2º Achever : *Adonc morut si ot asomet son aage (Est. Rogier).* — 3º Fixer le prix d'une chose. ◆ **assomement** n. m. (XIIe s.). 1º Somme. — 2º Achèvement.

II. **assomer** v. (1229, G. de Montr.; *som.* sommet). 1º Monter au faîte : *Icele gent [...] Que orgueus essauce et assomme* (Ruteb.). — 2º Obtenir, acquérir : *Cil qui le Graal devoit assomer* (G. de Montr.).

III. **assomer** v. (fin XIIe s., *Alisc.;* v. *some,* sommeil). 1º Endormir, assoupir. — 2º Étourdir, étourdir d'un coup à la tête. — 3º Tuer. ◆ **assomement**

IV. **assomer** v. (XIIe s.; v. *some,* bât, fardeau). 1º Charger. — 2º Surcharger.

asson, assom adv. et prép. (1313, *Arch.;* v. *som,* sommet). 1º Adverbe de lieu, En haut : *estre asson de,* venir à bout, obtenir. — 2º Préposition, En haut de, au bout de : *Maison ke siet assom bucherie* (1230, *Cathédr. de Metz*). ◆ **asson** n. m. (déb. XIIIe s., R. de Beauj.). Nom de couleur bleu ciel (sous l'infl. probable de *ason,* azur : [*Lances*] *paintes a or et a ason* (R. de Beauj.).

assoplir, -oier v. (1260, Mousk.; v. *sople,* humble). 1º Humilier, abattre. —

2° Intimider. ◆ **assopli** adj. (fin XII° s., *Loher.*). Humilié, triste : *Quant elle ot la nouvele, mout en fut assouplie* (Aden.).

assorber v. (XII° s., *Part.; v. essorber,* priver de). 1° Priver de la vue, rendre aveugle : *Bien sont asorbé et aveuglé (Saint-Graal).* — 2° Boucher la vue.

assorbir v. (1277, *Rose;* lat. **absorbire,* avaler). 1° Absorber, engloutir. — 2° Détruire, endommager : *D'angoisse est l'enfant assorbi* (Guiart).

assoter v. (1250, *Ren.;* v.. *sot*). 1° Rendre sot. — 2° Devenir sot, dire des sottises. ◆ **assotement** n. m. (1278, *Arch.*). État de sottise.

assotillier v. (1260, Br. Lat.; v. *sotil,* subtil). 1° Rendre fin, subtil : *Raisons est uns movemens de l'ame qui asoutille la veue de l'entendement* (Br. Lat.). — 2° Devenir subtil, user de subtilités. — 3° Affaiblir. ◆ **assotillé** adj. (1308, Aimé). Affaibli, dépourvu.

I. assous, assouz adv. et prép. (1326, *Arch.;.* v. *sos, soz,* sous). 1° Dessous, là-dessous. — 2° Sous.

II. assous adj., saint, pur, franc. V. ASSOLDRE, absoudre, affranchir.

assoviner v. (XII° s., *Barbast.;* v. *soviner,* même sens). Renverser sur le ventre, par terre.

I. assovir v. (fin XII° s., Couci; du lat. *assopire*). 1° Calmer. — 2° Satisfaire. ◆ **assovi** adj. (déb. XIV° s., *Passion*). Rassasié.

II. assovir v. (fin XII° s., *Loher.;* croisement d'*assovir* I et d'*asservir,* achever). Achever, accomplir : *Dedenz si cort terme ne puis vostre couvent assovir* (Villehard.). ◆ **assouvissement** n. m. (1340, *Arch.*). Achèvement.

assuer, -uir v. (1190, J. Bod., v. *essuer,* essuyer). Essuyer. ◆ **assuioison** n. f. (fin XII° s., *Alisc.*). Action d'essuyer.

assus, asus adv. et prép. (XIII° s., *Doon de May.;* v. *sus*). 1° Dessus, là-dessus. — 2° Sus.

aste n. f. V. HASTE, broche.

astele n. f. (1155, Wace; lat. pop. **astella,* pour *astula,* planchette). 1° Morceau, éclat de bois. — 2° Latte, attelle, planchette. — 3° Poteau, jambage d'une porte. ◆ **asteler** v. (1160, Ben.). 1° Briser en éclats, en pièces. — 2° Garnir d'éclisses. — 3° Attacher, fixer. ◆ **astelier** n.m. (1332, *Arch.*). 1° Tas de bois. — 2° Lieu de travail des charpentiers, chantier.

astenir v. (1080, *Rol.;* lat. *abstinere,* tenir éloigné, influencé par *tenir*). 1° Se tenir. — 2° *S'astenir a,* se contenter de. ◆ **astenance** n. f. (XII° s.). 1° Abstention, abstinence. — 2° *Astenance de guerre,* trêve. ◆ **astenant** adj. (1260, A. de la Halle). Continent, abstinent : *Tele est d'amor poissance Qu'ele fait l'ome astenant* (A. de la Halle).

aster v. V. ESTER, se tenir debout, être là.

asterel, atrel, n. m. V. HASTEREL, nuque.

astraindre v. (1190, saint Bern.; lat. *astringere,* serrer). 1° Resserrer, serrer. — 2° S'unir.

astu adj. (1350, *Ars d'am.;* lat. *astutus*). Astucieux, rusé. ◆ **astuce** n. f. (1260, Br. Lat.). Ruse.

asus adv. et prép. V. **assus,** dessus, sus.

atachier v. (1080, *Rol.;* v. *tache,* agrafe, influencé par *estachier,* ficher). 1° Attacher, lier. — 2° Mettre à l'ancre. — 3° Imputer, condamner (1304, *Year Books*). ◆ **atache** n. f. (1169, Wace). Nombreux sens techniques : 1° Agrafe. — 2° Sorte de ruban ornant les chapeaux (E. Boil.). ◆ **atachail** n. m. (1247, *Conq. Jér.*). Attache, lien. ◆ **atachement** n. m. (fin XIII° s., G. de Tyr). 1° Ce qui sert à attacher. — 2° Opposition (sens jurid.). ◆ **atachier** n. m. (1268, E. Boil.). Ouvrier qui fait des clous pour fixer les métaux ou le cuir.

ataindre v. (1080, *Rol.;* lat. pop. **attangere,* pour *attingere*). 1° Toucher, concerner : *A vos qu'ataint, vassax, de mon aler* (Alisc.). — 2° Obtenir : *A la fin a s'amor attainte La damoisele en est enchainte* (Wace). — 3° Accuser, réclamer. — 4° Convaincre, prouver, condamner. ◆ **ataint** n. f. (1265, J. de Meung). 1° Action d'atteindre, de toucher. *Parvenir a ses ataintes*, parvenir à ses fins. — 2° Plainte en justice. ◆ **ataignant** adj. (1160, Ben.). 1° Qui atteint au but. — 2° Hostile, provocant. — 3° Lié par parenté ou obligation légale.

ataïne n. f. (1160, Ben.; formé à partir de la racine germ. *at-; cf. 'atie, atine). 1° Querelle, noise, défi. — 2° Colère. — 3° Agacement, peine : *Formis et petites vermines Lor feroient trop d'ataine* (Rose). ◆ **atainer** v. (1277, Rose). 1° Quereller : *Car fols est qui gens atahyne* (Rose). — 2° Irriter, harceler. ◆ **atainement** n. m. (fin XIII° s., G. de Tyr). Vexation. ◆ **atainos** adj. (1160, Ben.). 1° Querelleur. — 2° Acharné : *de combatre atainos* (Ben.). — 3° Désagréable, néfaste.

atainter v. V. ATINTER, ajuster.

atalenter v. (1080, Rol.; v. talent, disposition du cœur). 1° Plaire, convenir à. — 2° Inspirer le désir. ◆ **atalentement** n. m. (1120, Ps. Oxf.). Goût, amour, affection.

atant adv. (1175, Chr. de Tr.; confusion graphique (?) avec *tans*, temps). 1° A ce moment. — 2° Alors.

atapir v. (1130, Job; v. tapir). 1° Cacher. — 2° Dissimuler : *Lor pechiez ne pueent atapir dedenz els* (Est. Saint-Graal). — 3° Se tapir. ◆ **atapissement** n. m. (XIII° s., Bible). Endroit où l'on se cache. ◆ **atapi** adj. (XII° s.). 1° Caché, blotti. — 2° Caché, secret. ◆ **atapiner** v. (fin XII° s., Loher.; v. tapiner). 1° Cacher, déguiser : *Je les ferai molt bien atapiner, Com pelerins qui Vienent d'outremer* (Loher.). — 2° Se blottir.

atargier v. (1080, Rol.; v. targier). 1° Retarder, différer. — 2° Tarder, s'attarder. ◆ **atarge** n. f. (fin XII° s., Aym. Narb.), **-ance** n. f. (1130, Job), **-ement** n. m. (XIII° s.). Retard, retardement.

atarier v. (fin XII° s., Rois; v. tarier, exciter). Provoquer, irriter : *Il vient pur nus attarier et escharnir* (Rois). ◆ **atariance** n. f. (1130, Job). Colère.

ataster v. (1210, Dolop.; v. taster). Tâter, palper. ◆ **a atastant** (déb. XIII° s.,

R. de Beauj.), **a atastons**, (1220, Coincy), loc. adv., à tâtons.

ataverner v. (XIII° s., Trois Aveugles; v. taverne). 1° S'attabler dans une taverne. — 2° Fixer le prix de vente. — 3° Mettre à prix.

I. ate adj. (XII° s., Part.; lat. aptum). Bien adapté, convenable. ◆ **atement** adv. (XI° s., Alexis). Convenablement : *Et atement le posent a la terre* (Alexis).

II. ate adj. V. AATE, rapide.

atemprer v. (XI° s., Alexis; v. temprer). 1° Tempérer, adoucir. — 2° Tremper, mouiller. — 3° Machiner. — 4° Accorder un instrument de musique. ◆ **atemprement** n. m. (fin XIII° s., G. de Rouss.), **-ance** n. f.; (1260, Br. Lat.). 1° Modération, tempérance : *Atemprance est cele seignorie que l'on a contre luxure* (Br. Lat.). — 2° Tempérament. ◆ **atempreure** n. f. (1167, Gui d'Arras). 1° Température. — 2° Trempe, qualité. — 3° Température. ◆ **atempreor** n. m. (fin XIII° s., Fabl. d'Ov.). Modérateur.

atendre v. (XI° s., Alexis; v. tendre). 1° Tendre vers : *Or cha vostre main atendés* (Sept Sages). — 2° Etre attentif, porter son attention vers : *Rasoir, chi n'atendés nous point?* (Bod.). — 3° Considérer, peser. — 4° Accorder un délai. — 5° *Atendre le cop*, ne pas se dérober. ◆ **atent** n. m. (XII° s., Florim.), **-e** n. f. (XI° s., Alexis), **atendue** n. f. (XII° s., Ogier), **-ement** n. m. (1160, Ben.), **-ison** n. f. (XII° s.). 1° But, point où l'on tend. — 2° Attention ; — 3° Attente. — 4° Espoir, confiance. — 5° *Sanz atendue*, sans délai, tout de suite.

atendrir v. (déb. XIII° s., Comtesse de Ponthieu; v. tendre). S'attendrir, faiblir : *... si li atenri li cueurs* (ibid.). ◆ **atenroier** v. (XII° s., Aspr.). S'attendrir, attendrir.

atenir v. (1130, Job; v. tenir). 1° Tenir, posséder. — 2° Entretenir, réparer. — 3° Appartenir, tenir à : *Esteirs atient solement au creator* (Job). ◆ **atenance** n. f. (XII° s., Trist.). 1° Dépendance, appartenance. — 2° Disposition d'âme, humeur. ◆ **atenement** n. m. (XIIIe s.). Richesse en terres.

atenvir v. (1120, *Ps. Oxf.*), **-ier** v. (1314, Mondev.; lat. *attenuare*, avec chang. de conjugaison). Amincir, affaiblir, atténuer.

atermer v. (1306, Guiart; lat. **adterminare*). 1° Poser une limite (mur, borne). — 2° Fixer un terme, préciser dans le temps. — 3° Assigner à comparaître. ◆ **aterminer** v. (1155, Wace). 1° Fixer un terme, un délai. — 2° Fixer la date : *La bataille est aterminee (Eneas).* — 3° Déterminer, déclarer, prescrire. ◆ **aterminement** n. m. (1314, *Arch.*). Terme, délai fixé pour un payement.

aterrer v. (XIIIe s., R. de Beauj.; v. *terre*). 1° Jeter à terre. — 2° Abattre. ◆ **aterrir** v. (1344, *Arch.*). Remplir de terre. ◆ **aterrissement** n. m. (déb. XIVe s.). Amas de terre, alluvion.

ateser v. (1190, *Sax.*; v. *teser*, tendre). Tendre vers.

aticier v. (fin XIIe s., *R. de Cambr.*; lat. **attitiare*, de *titio*, tison). 1° Attiser. — 2° Exciter, provoquer, défier : *La gentil dame le semont et atise (R. de Cambr.).* ◆ **atision** n. f. (fin XIIe s., Couci). Feu, agitation d'une passion. ◆ **atissement** n. m. (XIIIe s., *G. de Warwick*). Excitation.

atillier v. (1164, Chr. de Tr.; orig. incert., peut-être une altération de *atirier*). 1° Orner avec soin, attifer. — 2° Arranger, disposer. — 2° Armer. ◆ **atil** n. m. (XIIIe s., *G. de Warwick*). 1° Ornement. — 2° Armure, équipement. ◆ **atillement** n. m. (XIIIe s., *Doon de May.*). Attirail.

atie, atine n. f. V. ATAÏNE, querelle, peine.

atirier v. (XIIe s., *Asprem*; v. *tire*, ordre, rang). 1° Disposer, arranger. — 2° Équiper, vêtir. — 3° Régler, décider, fixer. ◆ **atir** n. m. (déb. XIVe s., *F. Fitz Warin*). Attirail, équipement. ◆ **atirement** n. m. (1130, *Job*). 1° Disposition, accord. — 2° Dessein, volonté. ◆ **atirance** n. f. (1247, G.). Arrangement, convention. ◆ **atireor** n. m. (1223, *Arch.*). Celui qui prépare, procure, qui règle.

atision n. f., feu, agitation. V. ATICIER, attiser.

atisoner v. (1130, *Job*; v. *tisoner*). Exciter, attiser : *La forseneric atisone le courage (Job).*

atochier v. (déb. XIIe s., *Ps. Cambr.*; v. *tochier*, toucher). 1° Toucher : *Garde toi de atochier a la fille le roi (Am. et Amile).* — 2° Toucher à, faire mention de. — 3° Atteindre. ◆ **atochement** n. m. (fin XIIIe s., *Sydrac*). Poison. ◆ **atochable** adj. (1311, *Arch.*). Qui touche à, contigu.

atofiner v. (XIIIe s., *Gloss. hébr.-fr.*; orig. incert.). Farder.

I. **atoivre** n. m. (1250, *Ren.*; v. *toivre*, du germ. *tiber*, animal de sacrifice). Bœufs, bétail en général : *Ou il menoient lor atoivre Chascune nuit (Ren.).*

II. **atoivre** n. m. (1180, *Rom. d'Alex.*; orig. obsc.). 1° Engin, appareil. — 2° Gréement.

atorner v. (XIe s., *Alexis*; v. *torner*, toucher). 1° Tourner. — 2° Arranger tout autour, préparer, équiper. — 3° Habiller, parer. — 4° Disposer, établir, attribuer. 5° Régler, statuer : *Jou ordenne et atorne ... de tel maniere (1284, Cart.).* — 6° Assigner. ◆ **ator(n)** n. m. (1160, Ben.). 1° Préparatifs, équipement, provisions. — 2° Atours, ornements. — 3° Entourage, circonstances : *chevaliers de son ator (Percev.).* — 4° Accueil. — 5° Règlement, ordonnance. ◆ **atornement** n. m. (XIIe s.). En plus des sens de *ator* : 1° Arrangement, accord. — 2° Acte par lequel les vassaux transféraient l'obéissance d'un seigneur à l'autre. — 3° Transfert de droit, procuration. ◆ **atorné** n. m. (1217, *Echiq. Falaise*). 1° Magistrat communal. — 2° Procureur chargé de représenter une partie en justice. ◆ **atornee** n. f. (1302, *Arch.*). 1° Fonction de l'*atorné*. — 2° Procuration. — 3° Attribution, assignation, transfert.

atot adv. et prép. (1175, Chr. de Tr., prép. *a*, avec, et *tot*, tout, littér. : avec l'ensemble de). Avec : *S'an issi fors atot la teste* (Phil.).

49

atraire v. (1160, *Eneas;* v. *traire,* tirer). 1° Attirer, amener. — 2° Ajouter (arithm.). — 3° Gagner : *Li maleurex ... Doivent vivre ... De çou que li prodome ataient* (Chr. de Tr.). — 4° Réussir. — 5° Raconter. ◆ **atrait** n. m. (1155, Wace). 1° Amas, matériaux, déblais. — 2° Équipement, provisions. — 3° Moyens d'attirer, manège, intrigue. — 4° Fréquentation, compagnie. ◆ **atraiement** n. m. (fin XIIe s., *Loher.*), **-ance** n. f. (XIIe s.), **atracion** n. f. (1256, Ald. de Sienne). 1° Tout ce qui attire, entraîne. — 2° Préparatifs. ◆ **atraiant** adj. (1283, Beaum.). 1° Attirant, séduisant. — 2° Violent.

atrel n. m. V. HASTEREL, nuque.

atraver v. (fin XIIe s., *Auberi;* v. *tref,* tente). 1° Loger dans une tente, faire camper. — 2° Réunir en corps d'armée : *A moult grant gent K'il atrava En Engletiere s'ariva* (Mousk.).

atremper v. V. ATEMPRER, tempérer.

atrever v. (fin XIIe s., *Rois;* v. *treve*). Faire un traité, s'engager par traité, par alliance.

atribler v. (déb. XIIe s., *Ps. Cambr.;* v. *tribler*). 1° Broyer, briser : *Les denz des pecheors tu as atriblet (Lib. Ps.).* — 2° Anéantir, dissiper. ◆ **atriblement** n. m. (1130, *Job*). Action de briser, de détruire.

atrie n. m. V. AISTRE, parvis de l'église; cimetière.

atriquer, artriquer v. (1306, Guiart; orig. incert.). Préparer, arranger.

atrochier v. (1306, Guiart; v. *troche,* faisceau, assemblage). Se rassembler.

atroigner v. (1277, *Rose;* peut-être de *troigne,* du gaul. **trugna,* nez, attesté plus tardivement). Se moquer de, se jouer de : *Et les povres gens touz (ils) atroignent (Rose).*

atroper v. (XIIIe s., *Doon de May.;* v. *trope,* troupe). Réunir en troupe, lever des troupes. ◆ **atropee** n. f. (XIIIe s., *Doon de May.*). Rassemblement, troupe. ◆ **atropeler** v. (1160, Ben.). 1° Réunir en troupe, grouper. — 2° Commander. — 3° S'attrouper.

atroter v. (XIIe s., *Chev. cygne;* v. *trot*). Accourir : *Deniers fit putains atroter (De dan Denier).*

atruandir v. (1270, A. de la Halle; v. *truant*). Encanailler, réduire à la mendicité.

atruper v. (1220, Coincy; orig. obsc.). Tromper, frauder. ◆ **atrupe** n. f. (1220, Coincy), **-erie** n. f. (1220, Coincy). Tromperie.

aube n. f. V. ALVE, planchette reliant les deux arçons de la selle.

audience n. f. (1160, Ben.; lat. *audientia,* de *audire,* écouter). 1° Action d'entendre : *en audience,* publiquement. — 2° Ce que l'on entend, savoir, connaissance : *a son audience,* à sa connaissance. — 3° Tribunal. ◆ **audice** n. f. (1326, Arch.). Ouïe, action d'entendre, audience : *a l'àudice de chascun (ibid.).* ◆ **audicion** n. f. (1339, *DDN*). Faveur, considération, condition élevée.

aue n. f. V. AIE, aide, effort, vertu, sorte d'impôt.

augalie n. m. Souverain d'Orient. (V. ALGALIFE, calife.)

augmentacion n. f. (1290, G.; bas lat. *augmentatio*). Action de célébrer, louange : *De telz gens doibt on faire bien augmentacion (Ciperis).*

augure n. m. (1160, Ben.), **-ement** n. m. (1160, Ben.; lat. *augurium*). 1° Action de consulter les augures. — 2° Divination, présage. — 3° Art magique : *Anchanter set et bien d'augure (Eneas).* ◆ **augureor** n. m. (1160, Ben.). Augure, devin. ◆ **augurable** adj. (1160, Ben.). Qui inspire la confiance, la sympathie. ◆ V. AGUS et EUR.

aule adj. V. ABLE, habile.

aumiton, amiton n. m. (1160, Ben.; orig. obsc.). Sorte d'étoffe.

I. **aun** adv. (1160, Ben.; lat. pop. *ad-unum*). Ensemble, en commun : *Beaus seignor ... Pensez de tenir vos aun* (Ben.).

II. **aun** n. m. V. AUNER, assembler.

auner v. (Xe s., *Eulalie*), **-ir** v. (1190, Garn.; lat. **adunire, -are,* de *unus,* un).

1° Assembler, réunir. — 2° Entasser : *auner un pré,* en mettre le foin en tas. — 3° Unir, marier. ◆ **aun** n. m. (XII⁰ s.), **-ement** n. m. (1190, saint Bern.), **-ee** n. f. (1155, Wace), **-ance** n. f. (XII⁰ s.). 1° Réunion. — 2° Troupe. — 3° Bataille. ◆ **aunel** n. m. (1247, *Conq. Jér.*). Assemblée. ◆ **auneor** n. m. (1190, saint Bern.). Assembleur.

aupton n. m. V. AUTONNE, automne.

aure, haure n. f. (1160, Ben.; lat. *aura,* souffle léger, brise). Vent doux, souffle de vent, air. ◆ V. ORE, même sens.

I. **aus** contraction de la prép. *a* et de l'art. *les.* V. A, prép.

II. **aus** pron. pers. V. EUS, eux.

ausent adj., absent, éloigné. V. ASSENTER, éloigner, s'absenter.

auser v. (1160, Ben.; v. *user*). 1° Habituer, exercer : *Einsi cum il ert ausez Et de bataille acustumez* (Ben.). — 2° S'accoutumer. ◆ **ausement** n. m. (1288, J. de Priorat). Habitude.

austere adj. (1220, Coincy; lat. *austerus,* âpre). 1° Âpre. — 2° Cruel, violent. — 3° Austère.

austre, -er n. m. (1260, Br. Lat.; lat. *auster,* vent du midi). 1° Sud. — 2° Vent du midi. ◆ **austrin** adj. (XIII⁰ s.). De la nature de l'*austre,* du vent du midi.

auteor, aucteor n. m. (fin XII⁰ s., saint Grég.; lat. *auctor*). Celui qui produit, qui engendre.

autentique adj. (XII⁰ s.; lat. *authenticus,* du grec). Célèbre.

autonne, aupton, autumpnes n. m. et f. (fin XIII⁰ s., G. de Tyr; lat. *autumnus*). Automne.

autoriser, act-, -ier v. (XII⁰ s., *Chev. cygne;* lat. méd. *autorizare*). Donner de l'autorité, élever en fortune, en dignité. ◆ **au(c)torité** n. f. (1121, Ph. de Thaun). 1° Autorisation. — 2° Histoire authentique.

auvant n. m. (fin XII⁰ s., *Aym. Narb.;* lat. pop. **antevannum,* d'orig. obsc.). Galerie de fortification.

avable adj. (1314, Mondev.; du lat. **abhabilem*). 1° Convenable. — 2° Propre à : *Li roy est bien personne avable a donner benefices* (1325, G.).

avainir v. (XIII⁰ s., *Doon de May.;* v. *vain,* vide, faible). Défaillir : *De la paor qu'il ot ... Le cuer li aveinist, arriere s'en tourna* (Doon de May.).

aval adv. et prép. (1080, *Rol.;* v. *val,* renforcé par *a-*). 1° Adverbe de lieu : antonyme de *amont,* En bas, en descendant. — 2° Préposition, En bas de. — 3° Sens extensif : au bout de, le long de, parmi, dans : *Et toute no maisnie veille Pour vo gieu, aval no maison* (J. Bod.). ◆ **Ça aval, ç'aval** (déb. XII⁰ s., *Ps. Cambr.*). Ici-bas.

avaler v. (1080, *Rol.;* v. *aval*). 1° Faire descendre, faire tomber. — 2° Descendre rapidement, dévaler. — 3° Faire descendre dans le gosier, avaler. — 4° Accorder, faire descendre au même ton (mus.). ◆ **avalage** n. m. (XII⁰ s.), **-ee** n. f. (1162, *Fl. et Bl.*). 1° Descente. — 2° Chute d'eau, avalanche. ◆ **avaloir** n. m. (1272, *Cart.*). Gorges que l'on fait dans les rivières pour prendre le poisson. ◆ **avalaison** n. f. (1279, *Cart.*). Droit de pêche. ◆ **avaloire** n. m. (mil. XIII⁰ s.). 1° Harnais. — 2° adj. (1328). Qui est en pente.

avalois adj. et n. m. (fin XII⁰ s., *Gar. Loher.*). Habitant de l'Austrasie. ◆ **Avalterre** n. pr. (1213, *G. de Dole*). L'Austrasie, c'est-à-dire la terre basse : *Si se sont le jor combatu Li Franceis et ceuls d'Avalterre* (G. de Dole).

avaluer v. (1351, *Ord.;* v. *value*). Évaluer, apprécier d'après quelque chose. ◆ **avalue** n. f. (1340, *Ord.*), **-uee** n. f. (1287, *Arch.*), **-uement** n. m. (1323, *Arch.*). Évaluation.

avancer v. (1155, Wace; lat. pop. **abantiare*). 1° Prendre les devants, hâter. — 2° S'avancer, sortir. — 3° Favoriser, avantager. ◆ **avancement** n. m. (fin XII⁰ s., Couci), **-ie** n. f. (XII⁰ s.). Avantage, profit. ◆ **avancier** n. m. (XIII⁰ s., *Ass. Jér.*). 1° Ancêtre. — 2° Celui qui devance un autre, en agissant ou en parlant.

avant adv. et prép. (842, *Serm.;* composé du lat. pop. **ab-ante*). 1° Adv. de lieu, En avant : *Avant se desce, mout par ot fier le vis (Rol.).* — 2° La tête en avant : *il est chaut avant (Rol.).* — 3° Adv. de temps, Dorénavant : *Se il se perdent que feront en avant? (Roncev.).* — 4° A l'avenir : *Je penserai de bien servir avant* (Couci). *De la en avant,* dorénavant. — 5° *Avant et arriere,* partout, de tout : *Assés i ot parlé en avant et arrieres* (Villeh.). — 6° *Passer avant,* s'avancer. *Metre avant,* avancer (un argument). — 7° Prép. de lieu et de temps, Devant, avant. — 8° *Avant que,* loc. conj., peut être discontinue : *En prise si pou les excomeniemens hui et tous les jours, que avant se lessent les gens mourir excommeniés, que il se facent absodre* (Beaum.).

avantagier v. (1225. *Sept Sages;* dérivé de *avantage,* lui-même de *avant*). Avoir l'avantage. ◆ **avantage** n. m. (1190, J. Bod.). 1° Ce qui est placé en avant. — 2° Avance d'argent, arrhes. — 3° Profit, avantage. ◆ **d'avantage,** loc. adv. (1317, *Ord.*). Par-dessus, en outre, en par don. ◆ **avantance** n. f. (XIIIe s.). 1° Avantage, profit. — 2° Bien, fortune.

avant-bras n. m. (1291, *DDN*). Partie de l'armure. ◆ **avant-main,** loc. adv. (av. 1250, *Saint Jean l'Aumonier*). Manifestement. ◆ **avant-parlier** n. m. (XIIIe s., *Ass. Jér.*). Avocat plaidant, procureur. ◆ **avant-piz** n. m. (1220, Coincy). Ce qui protège la poitrine. ◆ **avant-vent** n. m. (1331, *Ord.*). Auvent.

avantier adv. (1220, *Saint-Graal;* mot composé de *avant* et *(h)ier*). Adv. de temps. 1° Le jour qui précède *ier.* — 2° Il y a peu de temps, un jour passé : *Tels le me requist avant ier, N'a pas encore un mois entier* (H. de Cambr.).

I. ave, aive, aire n. m. (1160, *Eneas;* lat. *avum* et **avium*). 1° Aïeul. — 2° Grand-père. ◆ **avelet** n. m. (1227, *Arch.*), **-ele** n. f. (1302, G.). Petit-fils, petite-fille.

II. ave n. m. (XIIe s., Chr. de Tr.; orig. incert.; peut-être simplement l'antiphrase du lat. *ave*). Anc. terme de jeu d'échecs : échec.

avec adv. et prép. V. AVUEC, avec.

aveine n. f. (XIIe s., D.; lat. *avena*). 1° Avoine. — 2° Redevance payée d'abord en avoine. ◆ **avenier** adj. et n. m. (fin XIIe s., *Aym. Narb.*). 1° D'avoine. — 2° Marchand d'avoine. ◆ **avenesne, avesne** n. f. (1312, *Arch.*). Champ d'avoine.

avel, aviel n. m. (1160, Ben.; orig. obsc.). 1° Caprice : *Quant fame a fol, s'a son avel* (Ruteb.). — 2° Désir. — 3° Ce qui fait l'affaire.

avelaine n. f. (1256, Ald. de Sienne; du lat. *[nucem] abellanam,* noix d'Abelia). Aveline, sorte de noisette. ◆ **avelanier** n. m. (XIIIe s.). Espèce de noisetier.

aveliner v. (déb. XIIe s., *Ps. Cambr.;* lat. **aequalinare*). Égaler, rendre égal, comparer.

avelnir v. V. AVILANIR, injurier, déshonorer.

avenc, aven n. m. (1151, Bruel; orig. obsc.). Gouffre.

avene n. m. V. HAVNE, port.

avenimer v. (1240, *Mort Artu;* v. *venim,* venin). Empoisonner. ◆ **avenimement** n. m. (XIIIe s.). Empoisonnement.

I. avenir v. (Xe s., *Fragm. de Valenc.;* v. *venir*). Arriver, venir. ◆ **avenement** n. m. (1190, saint Bern.). 1° Arrivée. — 2° La venue du Christ. — 3° Chose qui arrive, événement. — 4° Produit d'une terre, revenu (1278, *Arch.*). ◆ **avenant** n. m. (XIIIe s., Bible). Celui qui arrive d'un autre pays, étranger. ◆ **avenue** n. f. (déb. XIVe s., *F. Fitz Warin*). Rencontre.

II. avenir v. (1170, *Fierabr.;* même mot que le précédent). Convenir. ◆ **avenance** n. f. (1155, Wace), **-ancie** n. f. (XIIe s.), **-antise** n. f. (1155, Wace), **-ableté** n. f. (1260, Br. Lat.). 1° Chose convenable, convenance : *N'est pas, dist ele, avenantise Que le plus bas de ma chemise Seit reverse* (Wace). — 2° Agrément, gracieuseté. ◆ **avenant** adj. (1080, *Rol.*), **-able** adj. (XIIe s., *Ogier*). Qui convient bien, séant, joli, agréable.

III. **avenir** v. (XIIIᵉ s.; même mot que les précédents). Approcher de, être comparable. ◆ **avenance** n. f. (1315, *Arch.*). Estimation. ◆ **avenant** n. m. (XIIIᵉ s., *Ass. Jér.*). 1º Mérite, valeur, prix. — 2º Part proportionnelle. ◆ **avenanter** v. (1283, *Cart.*). Évaluer le prix de. ◆ **avenantement** n. m. (1274, G.). Estimation, prisée.

I. **aventer** v. (1160, *Athis; v. venter*). Venter.

II. **aventer** v. (XIIIᵉ s., *Mir. N.-D.*; du lat. *adventare*). Arriver par aventure. ◆ **avent** n. m. (XIIᵉ s.). La venue du Christ. ◆ **aventif, -is** adj. (1120, *Ps. Oxf.*). 1º Étranger. — 2º Passager. ◆ **aventu** adj. (1348, *Arch.*). Étranger, homme sans feu ni lieu.

aventure n. f. (fin XIᵉ s., *Lois Guill.*; du lat. *adventura*). 1º Ce qui doit arriver, événement. — 2º Ce qui peut arriver, aventure : *Il puet cair tele aventure Que mieus t'en sera* (J. Bod.). — 3º Hasard, chance : *En aventure,* à tout hasard. — 4º Droit éventuel. — 5º *Par aventure,* peut-être. ◆ **aventurer** v. (déb. XIIIᵉ s., R. de Beauj.). 1º S'exposer aux aventures. — 2º Arriver par aventure. ◆ **aventuros** adj. (1160, Ben.). 1º Qui arrive par hasard. — 2º Qui a de la chance. — 3º Qui cherche les aventures : *chevaliers aventureus (Queste Saint-Graal).*

aver adj. (XIIᵉ s., *Asprem.*; lat. *avarum*). 1º Cupide, avare. — 2º Mesquin, lâche. ◆ **averté** n. f. (XIIᵉ s., *Trist.*). 1º Avarice. — 2º Lâcheté : *Ne ce vos di por averté (Trist.).* ◆ **averais** n. m. plur. (1160, Ben.). Butin.

averer v. (XIIᵉ s., Herman), **-ir** v. (XIIIᵉ s., *Doon de May.*; lat. *verum*). 1º Réaliser, accomplir : *La prophetie est averee* (XIIᵉ s., Bible). — 2º Vérifier. — 3º Approuver (sens jur.). ◆ **averement** n. m. (1304, *Year Books*). 1º Vérification. — 2º Confirmation, preuve établie par la déposition des témoins.

averos adj. (1155, Wace; v. *avoir,* biens, richesses). Qui a de l'avoir, riche.

I. **avers** adj. (1080, *Rol.*; du lat. *adversum*). 1º Contraire, détourné. — 2º Ennemi. — 3º Étrange, extraordinaire. — 4º Courageux. ◆ **aversier** n. m. (1080, *Rol.*; lat. *adversarium*). 1º Ennemi du genre humain, démon, diable. — 2º Terme injurieux appliqué aux ennemis. ◆ **aversserie** n. f. (XIIᵉ s., *Barbast.*). 1º Malheur, désastre. — 2º Méchanceté, diablerie. ◆ **aversité, -eté** n. f. (1145, *Afait. Catun*). 1º Malheur, calamité. — 2º Hostilité. — 3º Parole diabolique. ◆ **aversion** n. f. (XIIIᵉ s., Bible). Malheur : *L'aversion des petits les occira e la prosperité des soz les destruira* (Bible).

II. **avers** prép. (fin XIIᵉ s., *Auc. et Nic.*) lat. *adversus*). Prép., En comparaison de : *Marguerites estoient noires avers ... ses ganbes, tant par estoit blance (Auc. et Nic.).*

avertin n. m. (1256, Ald. de Sienne; lat. *vertigo, -inis,* influencé par *avertir*). 1º Maladie qui rend irascible. — 2º Vertige.

avertir v. (1160, Ben.; du lat. *avertere,* avec chang. de conjugaison). 1º Tourner, changer. — 2º Détourner : *Tout ce puet Dieus avertir (Athis).* — 3º Faire attention, considérer. ◆ **avertison** n. f. (1180, *G. de Vienne*). Avertissement. ◆ **avertissance** n. f. (XIIIᵉ s., *Fah. d'Ov.*). Intelligence, bon sens, raison. ◆ **avertisseor** n. m. (1281, *Arch.*) Celui qui avertit, qui conseille.

avesprer (1155, Wace), **-ir** v. (fin XIIᵉ s., *Gar. Loher.; v. vespre*). Se faire tard, faire nuit. ◆ **avesprant** n. m. (1155, Wace), **-ee** n. f. (XIIᵉ s., *Chev. cygne*), **-ement** n. m. (XIIᵉ s., *Barbast.*). Tombée du jour, soir.

avestir v. (XIIᵉ s., *Florim.*; v. *vestir*). 1º Vêtir. — 2º Investir, mettre en possession légale. — 3º *Avestir un domaine,* investir quelqu'un d'un domaine. ◆ **avesture** n. f. (1245, *Arch.*). 1º Fruits qui revêtent la campagne, récolte sur pied. — 2º Investiture (1293, *Arch.*).

avever (XIIᵉ s., *Mort Garin*), **aveuvir** v. (XIIIᵉ s., *Anseis; v. vever*). 1º Rendre veuf. — 2º Priver de.

aviaire n. m. (1155, Wace; v. *viaire*). Avis, opinion, sentiment : *A mon sanblant et aviaire Vos doit cis respons joie faire* (R. de Beauj.).

aviel n. m. V. AVEL, caprice, désir.

avien n. m. (XIIᵉ s., *Trist.*; orig. obsc.). Plaisir charnel, luxure : *Quar tu penses que j'aim Tristrain Par puterie et par avien* (*Trist.*).

avieutir v. V. AVILTER, avilir.

avilenir v. (fin XIIᵉ s., *G. de Rouss.*), **avelnir, avilener** v. (1277, *Rose*; v. *vilain*). 1º Injurier, dire des vilenies. — 2º Avilir, déshonorer : *Or ne vaut mes Amors noient, Trop est avilanie* (*Chans. sat.*).

aviler v. (1155, Wace), **-ier** v. (1175, Chr. de Tr.; v. *vil*). 1º Avilir, déshonorer. — 2º Mépriser, injurier. ◆ **avilement** n. m. (1160, Ben.), **-ance**, n. f. (1160, Ben.). 1º Lâcheté. — 2º Mépris, honte, injure.

avilter v. (1190, *H. de Bord.*; v. *vilter*). 1º Déshonorer. — 2º Mépriser. ◆ **aviltance** n. f. (1155, Wace). Avilissement, mépris.

avindre v. V. AVEINDRE, atteindre.

aviner v. (XIIᵉ s., *Part.*; v. *vin*). Fournir le vin.

avirer v. (XIIᵉ s., *Chev. cygne*; v. *virer*). 1º Virer vers. — 2º Aller autour de, contourner.

I. avironer v. (XIᵉ s., *Alexis*; v. *viron*, ronde). 1º Environner, placer autour. — 2º Tourner, faire le tour de. — 3º Envelopper. ◆ **avironement** n. m. (1120, *Ps. Oxf.*), **-ee** n. f. (XIIIᵉ s., *Doon de May.*). Action d'entourer, ce qui environne.

II. avironer v. (1155, Wace; sens spécifique du précédent). 1º Tourner. — 2º Ramer. ◆ **aviron** n. m. (fin XIIᵉ s., Couci). Rame. ◆ **avironement** n. m. (XIIIᵉ s.). Action de ramer.

avis n. m. (1175, Chr. de Tr., p. passé de *aviser*, v. le mot suivant). 1º Action de porter son regard : *prendre son avis*, se diriger, se reconnaître d'après certains signes. — 2º Attention : *de certain avis*, attentivement. — 3º Fait de viser : *d'avis*, en visant, en ajustant. — 4º Avis, opinion : *m'est avis*, il me semble. — 5º Raison, sagesse : *Se g'ai bien ma raison prouvee c'est par avis et par assai* (J. de Condé). — 6º Intention : *Fu plain de bon avis* (*Passion*). ◆ **aviser** v. (XIIIᵉ s.). 1º Donner un avis, aviser. — 2º Réfléchir. ◆ **avisement** n. m. (1155, Wace), **-ance** n. f. (1160, Mousk.), **-ee** n. f. (1277, *Rose*). 1º Action d'aviser, réflexion. — 2º Opinion, considération. ◆ **avise** n. f. (1313, Godefr. de Paris). Esprit, jugement. ◆ **aviseté** n. f. (XIIIᵉ s., *Doon de May.*). Expédient ingénieux, moyen.

aviser v. (XIᵉ s., *Alexis*; v. *viser*). 1º Regarder, considérer. — 2º Apercevoir, reconnaître. — 3º Viser. ◆ **avisement** n. m. (XIIᵉ s.), **-ance** n. f. (1260, Mousk.). 1º Action de regarder. — 2º Vue, apparence : *par l'avisance et par sanblant* (Mousk.). ◆ **avision** n. f. (1080, *Rol.*), **-son** n. f. (1180, *Rom. d'Alex.*). 1º Vision. — 2º Songe : *estre en avision*, apparaître en rêve.

avisonc, avisonques adv. (XIᵉ s., *Alexis*; orig. incert.). Adverbe de quantité, A peine : *Avisonques i puet om abiter* (*Alexis*).

aviste, -tre adj. (XIIIᵉ s., v. *viste*, vite, avisé). Alerte, hardi.

avle adj. V. ABLE, habile.

avoc, avoec adv. et prép. V. AVUEC, avec.

avochier v. (XIIIᵉ s., *Ass. Jér.*; v. *vochier*, même sens). 1º Appeler à haute voix, nommer. — 2º Assigner en justice.

avoer v. (1155, Wace; lat. *advocare*, appeler, recourir à). 1º Reconnaître quelqu'un comme son seigneur : *Por seignor avoer* (*Rose*). — 2º Reconnaître comme son protégé, protéger : *Si sires ne m'avot* (*Trist.*). 3º Reconnaître une faute. ◆ **avoement** n. m. (fin XIIᵉ s., Couci). 1º Protection. — 2º Déclaration. — 3º Aveu. ◆ **avoé** n. m. (1080, *Rol.*), **-oeor** n. m. (1213, *Fet Rom.*). Protecteur, seigneur, défenseur (des couvents, des villes). ◆ **avoerie** n. f. (XIIᵉ s., *Chev.*

cygne). 1° Protection, tutelle : *Faire avoerie*, se mettre sous la protection de. — 2° District placé sous la protection d'un avoué. ◆ **avoeson** n. f. (XIIe s.). 1° Seigneurie. — 2° Ressort territorial d'un avoué.

avogle, avoele, avuele adj. et n. (XIe s., *Alexis;* lat. pop. **ab oculis*, privé d'yeux, calque du grec). Aveugle. ◆ **avogler** v. (XIe s., *Alexis*), **-ir** (XIIe s.). Aveugler. ◆ **avoglement** n. m. (1130, *Job*). 1° Cécité, privation de la vue. — 2° Aveuglement.

I. **avoi** interj. (1125, *Gorm. et Is.;* l'exclamatif *a!,* suivi de *voi,* impératif de *voir*). 1° Exclamation de surprise, de terreur : *Avoi, beau frere Hugelin, veus me tu dunc issi guerpir? (Gorm. et Is.).* 2° Affirmation énergique, commandement, exhortation, prière.

II. **avoi** n. m., chemin, route. V. AVOIER, mettre sur la voie.

I. **avoier, avier** v. (1160, *Ben.;* v. *voie*). 1° Mettre sur la voie, conduire. — 2° Se mettre en route. — 3° Se régler sur. ◆ **avoi, -ei** n. m. (1112, *Saint Brand.*). Chemin, route. ◆ **avoiement** n. m. (1190, Garn.). 1° Action de guider. — 2° Renseignement, indication. ◆ **avoieor** n. m. (1285, Aden.). Conducteur, guide.

II. **avoier** v. V. AVUIER, vider.

avoir, aveir v. (Xe s., *Eulalie;* lat. *habere*). 1° Exprime une constatation d'existence : *Illoc avoit un noble pugnaor (Roncev.). I a,* il y a : *N'i ad castel qui devant lui remaigne (Rol.).* — 2° Attribue une qualité à un terme : *Bel avret corps, bellzour anima (Eulalie).* De même avec *i a : Prud'hom i out pour son seignur aidier (Rol.),* c'est-à-dire « il y eut en lui la qualité de prud'homme ». — 3° Exprime la possession d'une qualité ou d'un objet dans son aspect duratif. — 4° Exprime la même notion dans son aspect terminatif : *Averum nous la victoire du champ (Rol.). Feme eue,* par opposition à *pucele.* — 5° Sert à former les temps composés. — 6° *Avoir a,* devoir, avoir l'obligation de : *Dieu qui tout a a garder* (Aden.). —

7° Avec un élément de mesure de temps, *avoir* exprime le passé : *Trois jours a, ne dormi,* je ne dors plus depuis trois jours (Aden.). — 8° Sert à former de nombreuses locutions verbales : *a)* avec un adjectif : *avoir froid, avoir cher,* aimer, chérir; *b)* avec un substantif : *avoir envie, avoir raison, avoir onor,* vaincre, *avoir joie,* jouir, se réjouir de, *avoir merci,* être pardonné, *avoir cuer,* avoir tel sentiment, *avoir aise,* avoir l'occasion, le loisir de, *avoir guerre a,* guerroyer contre, *avoir amour a,* aimer, chérir quelqu'un, *avoir talent,* désirer, etc. ◆ **avoir** n. m. (XIe s., *Alexis*). 1° Fortune, richesse : *Pour tout l'aveir qui soit en cest pais (Rol.).* — 2° Biens meubles : *Tut saisi en sa main et terres et mustiers, Et vif aveir et mort, blé, rentes et deniers (Saint Thomas).* — 3° Bestiaux qui nantissent une ferme. ◆ **avoir de pois** n. m. (1268, E. Boil.). Biens, objets qui sont vendus au poids (médicaments, condiments, matières colorantes, etc.) par les *espiciers.*

avolentir v. (1320, *Cart.;* v. *volenté,* volonté). Consentir, agréer.

avoler v. (1112, *Saint Brand.;* v. *voler*). 1° Voler vers. — 2° Accourir. ◆ **avolé** adj. (fin XIIe s., *Aiol*). 1° Venu du dehors, étranger. — 2° Enfant trouvé. — 3° Étourdi, tête folle : *un sierf avolé, puant* (Mousk.).

avoltrer, -ir v. (1250, *Ren.;* du lat. **abulterare,* pour *adulterare*). 1° Commettre l'adultère. — 2° Traiter de bâtard. — 3° Altérer, falsifier. ◆ **avolterie** n. f. (fin XIe s., *Lois Guill.*), **-ire** n. f. (1155, Wace), **-iege** (1130, *Job*), **-ise** n. f. (XIIe s.). 1° Acte d'adultère. — 2° État d'adultère. ◆ **avoltre, avuiltre** n. m. (fin XIIe s., *Rois*). 1° Dans la langue de l'Écriture : étranger, mécréant, perverti. — 2° Celui qui commet l'adultère. — 3° Bâtard : *Fil a putain, bastart, avoutre* (Ren.).

avorir v. (XIIIe s.; lat. pop. **abhorrire,* pour *abhorrere*). Abhorrer. ◆ **aborissement** n. m. (XIIIe s.). Horreur.

avrill n. m. (1080, *Rol.;* lat. pop. **aprilius,* d'après *Martius,* pour *aprilis*). 1° Avril. — 2° Printemps. ◆ **avrillier** v.

(XIIe s.). Faire un temps d'avril. ◆ **avrillos** adj. (1204, R. de Moil.). Qui a un air de printemps.

avuan adv. V. AOAN, année en cours.

avuec, avec, avoc, avoec adv. et prép. (XIe s., *Alexis;* composé de *apud* et *hoc*). 1° Adverbe, Avec, en même temps : *Biaus ostes, et candaile double*

Nous faites aporter avoec (J. Bod.). — 2° Prép., Avec.

avuele adj. et n. V. AVOGLE, aveugle.

avuier v. (1155, Wace; v. *vuier,* même sens). Vider.

aze n. f. V. AISE, hache.

azon n. m. V. ASON, azur.

ba interj. (fin XIIᵉ s., *Rois;* onom.).
1° Désapprobation, dépit : *Or y eut il aucuns qui ... disoient : Ba! que ferons nous en Constantinoble?* (R. de Clari). — 2° Surprise : comment! ◆ **bau, bauwa** interj. (1270, A. de la Halle; composé probable du précédent avec l'impératif *va*). Exclamation de dépit.

baaillier v. (1180, *R. de Cambr.;* bas lat. *bataculare, de *batare, ouvrir la bouche). Bâiller. ◆ **baail** n. m. (XIIᵉ s., *Trist.*). Bâillement.

baance n. f., désir. V. BAER, être bouche bée; désirer.

baastel n. m. V. BASTEL, petit meuble; escamotage.

baater, beiter v. (XIᵉ s.; *Alexis*, même origine que *baer*). Regarder au loin, guetter. ◆ **baate** n. f. (1160, Ben.). 1° Guérite, tourelle où se plaçait la sentinelle. — 2° Sentinelle, gardien. ◆ **baatel** n. m. (1160, *Athis*). Sentinelle, garde.

babel, bau- n. m. (1204, R. de Moil.; orig. incert.). Petit cadeau, petit joyau, babiole. ◆ **babelet** n. m. (XIIᵉ s.). 1° Petit bijou. — 2° Jouet, bagatelle.

babillier v. (1160, Ben.; racine onomat. *bab-*, indiquant le mouvement des lèvres). 1° Bégayer. — 2° Babiller (XIIIᵉ s.).

bac n. m. (1160, Ben.; lat. pop. *baccum*, récipient). Bac, baquet, cuveau. ◆ **baket** n. m. (1299, Delb.). Petit bateau. ◆ **bachiere** n. f. (1328, *Arch.*). Bac, bachot.

bacele n. f. V. BAISELE, jeune fille, servante.

bache n. f. (XIIIᵉ s., *Gloss. lat.-fr.;* orig. incert.). Culotte pour femme : *Femoralia, proprie bache mulierum* (Gloss.).

I. **bachele** n. f. (XIIᵉ s.), **-elete** n. f. (XIIIᵉ s.), **-iere** n. f. (XIIIᵉ s.), contamination de *baisele*, sous l'action de *bacheler*, jeune homme). Jeune fille.

II. **bachele** n. f., terre féodale de rang secondaire. V. BACHELER, écuyer.

bacheler, -or n. m. et adj. (1080, *Rol.*; lat. pop. *baccalarius). 1° Jeune homme qui aspire à devenir chevalier. —

2° Écuyer. — 3° adj. Jeune et vaillant *(Rol.).* ◆ **bachelerie** n. f. (1155, Wace). 1° Jeunesse guerrière, chevalerie. — 2° Qualités d'un bachelier (valeur, savoir, mérite, etc.) : *Et s'ot boine bacelerie, Et moult iert sages et senes* (Mousk.). ◆ **bachele** n. f. Terre qui, dans le système féodal, n'avait qu'un rang secondaire.

I. **bachiere** n. f., bac., bachot. Voir BAC, bac, baquet.

II. **bachiere** n. f. V. BACHELE, jeune fille.

bacin n. m. V. BASSEIN, récipient, cuvette.

bacler v. (1292, *Taille Paris;* lat. pop. *bacculare, de *baculum*, bâton). Fermer.

baoon n. m. (XIIᵉ s., *Chev. cygne;* francique *bakko, jambon). Porc tué et salé, lard salé, jambon. ◆ **baconer** v. (1268, E. Boil.). 1° Dépecer un porc. — 2° Mettre dans le sel. ◆ **baconier** n. m. (1326, *Arch.*). Celui qui vend du bacon.

bade n. f. (1204, *l'Escouffle;* de la même famille que *baer;* v. *badin*). Futilité, bêtise. *Aler en bades*, être vain, inutile.

badelaire n. m. (1300, *Arch.;* orig. obsc.). Sorte de sabre, coutelas.

baeldre v. V. BAUDRE, donner, remettre, assigner.

baer, baier, beer v. (XIIᵉ s., *Roncev.;* lat. pop. *batare, orig. obsc.). 1° Ouvrir, être ouvert. — 2° Attendre, aspirer ardemment : *Feme ne bee a riens qu'a home decevoir* (Chastie Musart). — 3° Regarder avidement ce qu'on désire, convoiter. — 4° *Beer a mal*, tendre à mal, avoir de mauvaises intentions. — 5° Rêver : *Biax fils, tes enfances devés vos faire, nient baer a folie (Auc. et*

Nic.). ◆ **baee, baiee, bee** n. f. (1119, Ph. de Thaun). 1° Ouverture (dans un mur). — 2° Action de regarder la bouche ouverte, regard avide. — 3° Forte envie. — 4° Vaine attente, faux espoir : *Paier la beee,* attendre vainement. *Enerrer la bee,* litt. payer les arrhes de vaine attente, commencer à attendre vainement. ◆ **baerie** n. f. (XIIᵉ s., *Chev. deux épées*). 1° Profond étonnement. — 2° Convoitise, ambition. ◆ **baance** n. f. (XIIᵉ s., *Chev. deux épées*). 1° Chose après laquelle on aspire. — 2° Désir. ◆ **baif, bai** adj. (1160, *Eneas*). 1° Qui est bouche bée. — 2° Ébahi : *Li tornois est maltalentis, N'i a mestier vasaus bais (Part.).*

baesse n. f. V. BAIASSE, servante.

bafe n. f. (1283, Beaùm.; d'orig. probabl. onomat.). Soufflet du revers de la main, claque.

bagage n. m. (1260, Br. Lat.; peut-être du scand. *baggi,* paquet). Matériel d'une armée.

baherne n. f. V. BERNE, atelier de sel.

bahut n. m. (XIIᵉ s.; orig. inconnue). 1° Grand coffre bombé pour garder les vêtements et les objets précieux. — 2° Ingrédient qui entrait dans la composition de certaines boissons. ◆ **bahuté** adj. (1360, Froiss.). 1° Mis en fût. — 2° Gâté par le cahotement de la voiture. ◆ **bahurier** n. m. (1292, *Taille Paris*), **-uier** n. m. (1313, *ibid.*). Fabricant de bahuts.

I. **bai** (XIIᵉ s.), **baille** adj. (1306, Guiart; lat. *badium,* bai). D'un poil roux tirant sur le blanc (en parlant du cheval). ◆ **baillet** adj. (1318, Gace de la Bigne). Dimin. de bai. ◆ **baiart** adj. et n. m. (1180, *Rom. d'Alex.*). 1° De couleur baie. — 2° Cheval bai.

II. **bai** n. m. (1190, J. Bod.; peut-être du précédent). Vin rouge, en argot : *Quant il trait le bai sans le marc (J. Bod.).*

III. **bai** adj., qui est bouche bée, ébahi. V. BAER, être ouvert; désirer.

I. **baiart, beart, bart** n. m. (déb. XIIIᵉ s.; v. *baer*). Civière (à claire-voie).

II. **baiart** adj. et n. m., de couleur baie, cheval bai. V. BAI, d'un poil roux.

baiasse, baesse n. f. (fin XIIᵉ s., *G. de Rouss.;* orig. obsc.). 1° Servante, femme de chambre : *Qu'avec une beasse s'ira tantost gesir (G. de Rouss.).* — 2° Jeune fille.

baidre v. V. **baudre,** donner, remettre, assigner.

baien, boien, bain adj. (1220, Coincy; part. prés. de *baer*). Crevé, en parlant de pois et de fèves : *Ne les prise un pois boien* (Coincy).

I. **baier** v. (1283, Beaum.; orig. onomat.). Aboyer.

II. **baier** v. V. BAER, être ouvert, désirer.

baif adj., ébahi. V. BAER, être ouvert.

I. **bail** n. m. (1160, Ben.; du lat. *baculum,* bâton). 1° Pieu armé de fer. — 2° Palissade, enceinte. ◆ **baille** n. m. et f. (1160, Ben.). Enceinte retranchée, espace fortifié autour d'un château, renfermant la chapelle, les magasins, etc. ◆ **baillier, bailer** v. (1321, *Cart.*). Fermer.

II. **bail** n. m. (XIIIᵉ s., *Chans. d'Ant.*), **baille** n. m. (1190, J. Bod.; v. *baillier*). 1° Celui qui est au pouvoir de, valet, serviteur : *Jamais tant que soies mes bailles N'ierent huisseuses mes tenailles* (J. Bod.). — 2° Gardien. — 3° *Baille* n. f. (1270, Ruteb.). Accoucheuse, nourrice.

III. **bail** n. m., livraison. V. BAILLIER, porter, recevoir.

IV. **bail** n. m., tutelle, domination. Voir BAILLIER, avoir à sa charge.

I. **baille** n. f. (1325, *Chr. de Morée;* lat. pop. **bajula,* porteur d'eau, par l'interm. de l'ital.). Baquet, tonnelet, écope.

II. **baille** adj. V. BAI, d'un roux foncé.

III. **baille** n. m. et f., enceinte fortifiée. V. BAIL, pieu.

IV. **baille** n. m. V. BAIL, valet, serviteur.

V. **baille** n. f.. accoucheuse, nourrice. V. BAIL, serviteur.

VI. baille n. f., tutelle, domination. V. BAILLIER, avoir à sa charge.

VII. baille n. f., livraison, adjudication. V. BAILLIER, porter, recevoir.

I. baillier v. (1175, Chr. de Tr.), **-ir** v. (1080, *Rol.*; lat. *bajulare,* porter sur le dos ou à bras). 1° Porter, posséder. — 2° Recevoir, accepter. — 3° Atteindre, attraper, empoigner : *Il le va as jambes baillier (De Const. del Hamiel).* 4° Traiter : *mal baillir,* maltraiter *(Rol.).* — 5° Donner, livrer : *Ta chartre ... Que tu baillas par nonsavoir* (Ruteb.). — 6° Donner à bail. ◆ **bail** n. m. (XIIᵉ s., Asprem.), **baille** n. m. (1279), **-ee** n. f. (1277, *Arch.*), **-ance** n. f. (1270, *Arch.*). 1° Action de livrer, de remettre. — 2° Adjudication.

II. baillier v. (XIIᵉ s., *Chev. cygne*), **-ir** v. (XIᵉ s., *Alexis*; de *baile,* lat. *bajulus,* chargé d'affaires). 1° Avoir à sa charge, protéger. — 2° Gérer, gouverner : *Tote aures Engleterre desos moi a baillier (Chev. cygne).* — 3° Baillir guerre, diriger une guerre. ◆ **bail** n. m. (XIIᵉ s., *Asprem.*), **baille** n. f. (1155, Wace), **baillie** n. f. (1080, *Rol.*), 1° Tutelle. — 2° Pouvoir, domination, empire : *Tote sa terre et en baillie* (H. de Cambr.). — 3° Juridiction, administration. ◆ **baile** n. m. (XIIIᵉ s.), **baillif, -i** n. m. (XIIᵉ s., *Roncev.*), **-ier** n. m. (XIIIᵉ s.). 1° Gouverneur, bailli. — 2° Gardien. ◆ **bailliage** n. m. (1216, *Ass. Jér.*), **baierie** n. f. (XIIIᵉ s., *Cout. d'Anj.*) 1° Gouvernement, administration. — 2° Bailliage, ressort administratif du bailli : *Touz gentiz homes qui ont baierie en lour terre pendent larrons de quel larrecin que ce soit (Cout. d'Anjou).*

III. baillier v., fermer. V. BAIL, pieu.

bain adj. V. BAIEN, crevé.

baire n. f. V. BARE, barrière, obstacle, exception.

baisele, bacele n. f. (1260, *Arch.*; orig. obsc.). 1° Jeune fille. — 2° Servante. ◆ **baiselete** n. f. (1270, A. de la Halle). Jeune fille, jeune femme.

baisier v. (Xᵉ s.), **-ir** (*Rose*; lat. *basiare*). 1° Embrasser sur la bouche. —

2° Copuler. ◆ **baisement** n. m. (1162, *Fl. et Blanch.*), **-eis** n. m. (1167, G. d'Arras), **-ier** n. m. (XIIᵉ s.). 1° Action de baiser, baiser. — 2° *Baisier d'avril,* l'acte amoureux *(Loher.).* ◆ **baiserie** n. f. (1265, J. de Meung). Action de baiser souvent. ◆ **baisier** adj. (XIIᵉ s., *Part.*). Qui invite au baiser : *Tos ses viaires est baisiers (Part.).* ◆ **baiset** n. m. (1306, *Arch.*), Pièce de lit ou appartenant au lit.

baissier v. (1080, *Rol.*; lat. pop. *bassiare,* de *bassus,* bas). 1° Abaisser. — 2° Se baisser. ◆ **baissement** n. m. (1160, Ben.). Abaissement, diminution. ◆ **baissece** n. f. (fin XIIIᵉ s., *Sydrac*). Bassesse. ◆ **baisse** n. f. (1250, G. de Rochefort). Lieu bas, vallée, chemin creux.

bajoee n. f. (1268, E. Boil.; à rapprocher peut-être de *bat-joe; v. batre*). Sorte de panier de bois ou d'osier.

I. bal n. m. V. BALC, poutre.

II. bal n. m. V. BALER, danser.

I. balain n. m. (1119, Ph. de Thaun; lat. *balenum,* pour *balaena*). Baleine.

II. balain, balai n. m. (fin XIIᵉ s., *Rois*; breton *balazn, balain, banatlo,* genêt). 1° Verge, fouet. — 2° Balai. ◆ **baloier** v. (1283, Beaum.). Balayer.

balais n. m. (1277, *Rose*; du lat. médiév. *balascium,* d'orig. arabc). Rubis. ◆ **balecel** n. m. (XIVᵉ s.). Rubis.

balancier v. (1165, G. d'Arras; lat. pop. *bilanciare,* de *bilanx,* influencé par *baler*). 1° Jeter, lancer. — 2° Peser. — 3° Osciller, être ébranlé. ◆ **balance** n. f. (XIIᵉ s., *Roncev.*). 1° Balance. — 2° Chance, péril : *Bien fu de morir en balance* (Dolop.). ◆ **balancete** n. f. (1180, *Rom. d'Alex.*). Dimin. de balance.

balbe, baube adj. (1256, *Chart.*; du lat. *balbus*). Bègue. ◆ **balbier, -oier** v. (1160, Ben.). Bégayer, balbutier.

balbel n. m. V. BABEL, bijou.

balc, bau, bal n. m. (déb. XIIIᵉ s., *Conq. Jérus.*; francique *balk,* poutre). 1° Poutre, tronc d'arbre abattu. — 2° Essieu, tavaillon. ◆ **balcane** n. f. (1250, *Ren.*). Poutrelle, jument.

balçant, -cenc, -sain adj. (1160, Ben.; lat. **balteanum*, garni d'une ceinture rayée, de *balteus*, bordure). 1° Blanc et noir, tacheté, pie. — 2° n. m. Cheval pie. ◆ **baucenure** n. f. (1302, *DDN*). Marque blanche.

baldequin, bol-, n. m. (1175, Chr. de Tr.; de *Baldacco*, nom de Bagdad en anc. ital.). Riche drap de soie.

baldir v. (fin XIIᵉ s., *Loher*.; d'orig. germ.). 1° Égayer. — 2° Enhardir. ◆ **balt** adj. (1080, *Rol.*). 1° Gai, plein d'ardeur : *Molt en sereie balz et joianz et liez* (*Cour. Louis*). — 2° Hardi, hautain, vain. ◆ **baldé** n. f. (fin XIIᵉ s., *Rois*), -**or** n. f. (1080, *Rol.*), -**as** n. m. (1180, *Rom. d'Alex.*), -**el** n. m. (fin XIIᵉ s., *Loher.*), -**oire** n. m. (déb. XIIᵉ s., *Voy. Charl.*), -**ece** n. f. (1160, *Athis*), -**ise** n. f. (1190, Robert Bern.), -**erie** n. f. (1204, R. de Moil.). 1° Allégresse, joie, ardeur. — 2° Hardiesse, courage. — 3° Emportement.

baldré (1160, Ben.), -**ei, -oi, -el** n. m. (1200, *Ren. de Montaub.*; d'orig. incert.). 1° Baudrier, ceinture. — 2° Couverture de la selle.

bale n. f. (1268, E. Boil.; francique **balla*). 1° Paquet de marchandises. — 2° Chose de peu de valeur : *de bale*, sans valeur. ◆ **balete** n. f. (1354, *Arch.*). Ballot, paquet de marchandises. ◆ **baloi, -ois** (1310, G.). Criblure d'avoine, de blé.

I. **baler** v. (1160, Ben.; du lat. tardif *ballare*, danser, du grec *ballein*). 1° Danser. — 2° Vanner : *C'est mais tot escos et balé*, c'est tout secoué et vanné, c'est une chose bien décidée (Ben.). — 3° Maltraiter. ◆ **bal** n. m. (XIIᵉ s., *Auc. et Nic.*), -**ement** n. m. (XIIIᵉ s.), -**erie** n. f. (1220, Coincy). 1° Danse, réjouissance. — 2° Mouvement, agitation. ◆ **baleor** n. m., -**erece** n. f. (fin XIIᵉ s., *Loher.*). Danseur, danseuse. ◆ **balier, -oier** v. (1160, Ben.). Ballotter, voltiger, flotter, s'agiter. ◆ **balochier** v. (XIIIᵉ s.). Se balancer. ◆ **balade** n. f. (1260, A. de la Halle; du prov.). Danse, poème à danser.

II. **baler** v. V. BELER, bêler.

balestre, -ste n. f. (XIIᵉ s., *Chev. cygne;* du lat. **balistula*, de *balista*). Machine de guerre pour lancer des traits, arbalète. ◆ **balestree** n. f. (1298, M. Polo). 1° Coup d'arbalète. — 2° Portée d'arbalète. ◆ **balestrier** n. m. (1247, Ph. de Nov.). Arbalétrier.

balet n. m. (1309, *Arch.;* orig. obsc.). Galerie couverte par un toit en saillie pour protéger les marchandises et les passants.

balevre n. f. (XIIᵉ s., *Chev. Vivien;* v. *levre*, la première syllabe pouvant correspondre à *bis*). Les deux lèvres.

I. **balme, barme** n. f. (XIIIᵉ s.; gaul. *balma*, grotte d'ermite). Cavité, grotte.

II. **balme** n. m. V. BASME, baume.

I. **baloier** v. V. BALAIN, balai.

II. **baloier** v. V. BALER, danser.

balsain adj. V. BALÇANT, blanc et noir, tacheté.

balsemer v. (XIIᵉ s., *Chev. cygne;* lat. *balsamare*, du grec). Embaumer. ◆ **balsemu** n. m. (1180, *Rom. d'Alex.*). Baume. ◆ **balsamier** n. m. (1213, *Fet Rom.*). Arbre à baume.

I. **ban** n. m. (1312, *Vœu du paon*), **bane** n. f. (1306, Guiart; germ. **band*, étendard). Bannière. ◆ **baniere** n. f. (XIIᵉ s., *Roncev.*). Bannière. ◆ **banoier** v. (1306, Guiart). Flotter comme une bannière.

II. **ban** v., proclamation publique. V. BANIR, proclamer.

III. **ban** n. m., levée des troupes. Voir BANIR, rassembler.

IV. **ban** n. m., ordre, interdiction. Voir BANIR, rendre public un ordre.

V. **ban** n. m., exil. V. BANIR, exiler.

banc n. m. (1080, *Rol.;* germ. **banki*). Banc fixé autour de la salle. ◆ **banchel** n. m. (XIIᵉ s., *Part.*), -**et** n. m. (XIIᵉ s., *Part.*). Petit banc. ◆ **banchier** n. m. (1313). Couverture de banc. ◆ **banchage** n. m. (1346), *Arch.*). Droit payé par les marchands pour l'étalage.

bandel n. m. (fin XIIe s., *Alisc.;* orig. obsc.). 1° Cicatrice. — 2° Coup violent. — 3° Élan, attaque.

bander v. (1160, *Eneas;* francique **binda,* lien). 1° Lier. — 2° Entourer : *Et sa teste ot d'orfrois bandee (Eneas).* — 3° Galonner. ◆ **bande** n. f. (déb. XIIe s., *Voy. Charl.*), **-ele** n. f. (XIIIe s., Bible). Lien, bandeau. ◆ **bandeure** n. f. (1180, *Rom. d'Alex.*). Bandage. ◆ **bandeler** v. (1247, Ph. de Nov.). Mettre un bandeau, panser, garrotter.

bandir v. (1262, *Lettre;* orig. obsc.) Payer.

bandon n. m. (1080, *Rol.;* germ. **band,* étendard). 1° Pouvoir, autorité, libre disposition : *Trestute Espaigne iert hoi en lur bandun (Rol.).* — 2° Liberté, liberté désordonnée, licence : *grant bandon, grant larron* (proverbe). — 3° *Metre, laissier a bandon,* livrer, laisser aller, sacrifier. — 4° *A bandon,* en toute liberté, avec excès. — 5° Ban. *Metre a bandon,* condamner, proscrire. — 6° District soumis à la juridiction, contrée.

II. **bane** n. f. (1250, *Ren.;* lat. tardif *benna,* d'orig. gaul., panier d'osier servant de véhicule). Tombereau, benne. ◆ **banel** n. m. (XIVe s.). Petit tombereau. ◆ **banastre** n. f. (1250, *Ren.*). 1° Grosse corbeille. — 2° Capote de voiture. ◆ **banestiere** n. f. (1270, *Arch.*) Bâche qui recouvre une charrette.

II. **bane** n. f. V. BAN, bannière.

banenier n. m. V. BASANE, peau de mouton.

I. **banir** v. (1155, Wace; francique **ban*). Annoncer, proclamer à son de trompe, à cri public. ◆ **ban** (fin XIIe s., *Cour. Louis*), **-age** n. m. (XIIe s., *Horn*), **-ie** n. f. (1180, *Rom. d'Alex.*), **-ement** n. m. (1317, *Arch.*), **-issement** n. m. (1220, *Saint-Graal*). Proclamation publique, criée. ◆ **banier** n. m. (XIIe s., *Barbast.*), **-isseor** n. m. (XIIIe s., Bible). Crieur public, héraut, huissier de justice.

II. **banir** v. (1080, *Rol.;* même mot que le précédent). 1° Convoquer par ban,

rassembler. — 2° Lever les troupes : *Ost banie,* armée levée par ban. ◆ **ban** n. m. (1190, J. Bod.). 1° Levée des troupes : *faire le ban,* convoquer les troupes. — 2° Armée. ◆ **banage** n. m. (XIIe s.), **-ie** n. f. (XIIe s., *Florim.*). Armée.

III. **banir** v. (1190, Garn.; même mot que le précédent). Rendre public un ordre. ◆ **ban** n. m. (fin XIIe s., *Aym. Narb.*), **-ie** n. f. (XIIe s., *Part.*). 1° Ordre, commandement : *Estre en ban de,* être dans l'obligation de. — 2° Défense, interdiction. ◆ **banissement** n. m. (déb. XIIe s.). Franchise, affranchissement. ◆ **banage** n. m. (1298, *Ord.*), **-ee** n. f. (1321, *Arch.*), **-ie** n. f. (1269, *Cart. Saint-Denis*), **-erie** n. f. 1° Droit de ban : *Bannee de four et de moulin (Anc. Cout. d'Amiens).* — 2° Territoire soumis à cette juridiction. ◆ **banal** adj. (1286), **-ier** adj. (1263), **-able** adj. (1286). 1° Soumis à la banalité, qui appartient au suzerain. — 2° Commun aux habitants du village. ◆ **baner** v. (1317, *Ord.*). Sommer à comparaître. ◆ **bancloche** n. f. (1187, *Charte de Tournai*). Cloche dans le beffroi de la commune qu'on faisait sonner lors de l'exécution des criminels ou du départ des troupes en campagne (un des privilèges communaux). ◆ **banguart** n. m. (1249, *Arch.*). Le garde du ban, garde forestier. ◆ **banguarde** n. f. (1248, *Arch.*). La garde du ban. ◆ **banlieue** n. f. (déb. XIIIe s.). 1° Espace d'une lieue autour d'une ville où s'exerçait le droit de ban. — 2° *Plaie de banlieue,* plaie ouverte. ◆ **banseing** n. m. (1324, *Guerre de Metz*). 1° La cloche banale. — 2° Son signal. ◆ **banvin** n. m. (1340, *Arch.*). 1° Droit du seigneur de vendre le vin pendant une période fixée. — 2° Autorisation de vendre le vin nouveau.

IV. **banir** v. (1213, *Fet Rom.;* même mot que le précédent). Condamner à l'exil, exiler. ◆ **ban** n. m. (XIIe s.), **-ement** n. m. (1274), **-issure** n. f. (1255), **-issement** n. m. (1283, Beaum.). 1° Bannissement. — 2° Exil.

baptiier, -oier v. (1160, Ben.; lat. **baptiare,* pour *baptizare*). Baptiser. ◆ **baptoiement** n. m. (1160, Ben.), **baptise-**

ment n. m. (XIIᵉ s., *Chev. cygne*), **baptes-tire** n. m. (1155, Wace), **baptesmement** n. m. (1210, *Best. div.*). Baptême. ◆ **baptesterie** n. f. (1080, *Rol.*), **baptisoir** n. m. (XIIIᵉ s., *Gloss.*). Baptistère. ◆ **baptistre, -tle, batiste** n. m. (1190, saint Bern.). Celui qui baptise, baptiseur.

barain, baraigne adj. Voir BREHAING, stérile.

barat n. m. (1160, Ben.), **-e** n. f. (1155, Wace; orig. obsc.; cf. celt. *bar,* bagarre). 1° Ruse, tromperie, fourberie. − 2° Confusion, tapage : *Granz barates et granz meslees* (Wace). − 3° Élégance, ostentation. − 4° Divertissement. ◆ **barater** v. (XIIᵉ s., *Trist.*). 1° Tromper, frauder. − 2° Acheter (en marchandant). ◆ **baraterie** n. f. (1306, Guiart). Tromperie. ◆ **barateor** n. m. (fin XIIᵉ s., *Alisc.*). Fripon, trompeur. ◆ **baratos** adj. (XIIIᵉ s.). 1° Rusé, trompeur. − 2° Frauduleux.

baratron n. m. (1170, *Fierabr.;* grec *barathron,* gouffre). 1° Enfer. − 2° Prétendue divinité musulmane.

barbacane n. f. (1160, *Eneas*; orig. obsc.). Ouvrage de fortification, extérieur au château, percé de meurtrières. ◆ **barbacaner** v. (XIIᵉ s.). Garni de barbacanes.

barbadaie n. f. (1247, Ph. de Nov.; orig. obsc.). Sorte de jeu violent.

barbe n. f. (XIᵉ s., *Alexis;* lat. *barba*). 1° Barbe. − 2° Gerbe. ◆ **barbé** adj. (1080, *Rol.*), **-u** (1080, *Rol.*), **-u** (1213, *Fet Rom.*). 1° Barbu. − 2° Fort, viril. ◆ **barbel** n. m. (XIIᵉ s.), **-eure** n. f. (XIIᵉ s., *Blancandin*). Pointe, barbelure de la flèche. ◆ **barbelier** adj. (fin XIIᵉ s., Végèce). Armé de flèches barbelées. ◆ **barbier** n. m. (fin XIIᵉ s., *Alisc.),* **-iere** n. f. (fin XIIᵉ s., Couci). Mentonnière. ◆ **barbeoire** n. f. (1204, R. de Moil.). Masque pourvu d'une barbe. ◆ **barbustin** n. m. (1260, A. de la Halle). Jeune barbu : *A cui iés tu, di, barbustin?* (A. de la Halle). ◆ **barbeor** n. m. (1242, G.), **-ier** n. m. (1241, G.), **-eteor** n. m. (1255, G.). Barbier. ◆ **barboier** v. (XIIIᵉ s.). Faire la barbe. ◆ **barbeter** v. (XIIIᵉ s., *Doon de*

May.), **-oter** v. (fin XIIᵉ s., *Rois*). Grommeler, marmotter. ◆ **barbelote** n. f. (1164, Chr. de Tr.). Grenouille.

barbeu n. m. (1204, R. de Moil.; formation obscure). Loup-garou.

barde n. f. (XIIIᵉ s., *Ass. Jér.;* arabe *barda'a,* bât d'âne). 1° Selle, bât d'âne. − 2° Armure de cheval faite de lames de fer. ◆ **barder** v. (1327, J. de Vignay). Couvrir un cheval de son armure.

bardir v. (fin XIIᵉ s., *Loher.;* orig. incert.) Grossir.

bare, baire n. f. (fin XIIᵉ s., *Aiol;* lat. pop. **barra*). 1° Barrière, clôture, porte. − 2° Barre du tonneau. − 3° Obstacle, empêchement, délai. − 4° Exception, moyen de retarder le jugement. ◆ **barrer** v. (1160, *Charr. Nîmes*). 1° Barrer, empêcher. − 2° Attacher, clouer. ◆ **bareler** v. (XIIᵉ s., *Cast. d'un père*). Garnir de barres. ◆ **baroier** v. (1283, Beaum.). Proposer ses raisons, répliquer aux raisons de la partie adverse. ◆ **barrage** n. m. (1190, Garn.). Droit de passage prélevé sur les denrées. ◆ **barrier** n. m. (1155, Wace). 1° Garde-barrière. − 2° Péager. ◆ **barreure** n. f. (1266, *Franch.*). Ce qui sert à barrer.

barele n. f. V. BERELE, jeu, jeu amoureux, bataille.

bargaignier v. (fin XIIᵉ s., M. de Fr.; francique **borganjan,* croisé avec **waidanjan,* gagner). 1° Marchander, débattre le prix. − 2° Contrarier, vexer. ◆ **bargain, -gne** n. f. (1180, *Rom. d'Alex.*). 1° Marché, accord. − 2° Contestation, chicane : *Cil ne sunt mie del tut curteis; Ainz est ∙ bargaine de burgeis* (M. de Fr.). − 3° Chance, accident. − 4° Mêlée, choc. ◆ **barguinage** n. m. (XIIIᵉ s.), **-erie** n. f. (XIIIᵉ s., *Doon de May.*). Marchandage.

barge, ber- n. f. (1080, *Rol.;* lat. pop. **barica,* du grec). Barque, embarcation plate. ◆ **bargele** n. f. (1180, *Rom. d'Alex.*), **-ete** n. f. (1306, Guiart). Petite barque. ◆ **barque** n. f. (fin XIVᵉ s., empr. au prov.). Barque. ◆ **barqueresse** n. f. (1292, *Taille Paris*). Batelière, femme d'un batelier.

barhaing adj. V. BREHAING, stérile.

barier, -oier v. (fin XIIIᵉ s., G. de Tyr; orig. obsc.). Piller.

baril n. m. (fin IXᵉ s., *Capit. de Villis*; fin XIIᵉ s., *Rois*) lat. pop. **barriculum*, orig. obsc.). Baril. ◆ **barot** n. m. (1323, *Cart.*), **-isel** n. m. (1229, G. de Montr.), **-illet** n. m. (1250, *Ren.*). Petit baril. ◆ **baral, -el** n. m. (1229, G. de Montr.). 1° Petit baril. — 2° Mesure de vin. ◆ **barilee** n. f. (1357, *Arch.*). Contenance d'un baril. ◆ **barillier** n. m. (1268, E. Boil.). 1° Tonnelier. — 2° Homme qui voiture le vin.

barillier v. (1167, G. d'Arras; cf. lat. *barrire*). Barrir.

barme n. f. V. BALME, caverne.

baron n. m., cas rég., **ber,** cas sujet (xᵉ s., *Saint Léger;* francique **barone* et **baro*). 1° Homme hardi, guerrier. — 2° Homme distingué par ses qualités. — 3° Noble. — 4° Mari : *Une nuit dormoit en son lit Lez son baron par grand delit* (Coincy). — 5° Homme vénéré : *La riche abaie du baron Saint Martin* (Aden.). ◆ **barnier, ber-** n. m. (1080, *Rol.*). Baron. ◆ **baroncel** n. m. (fin XIIᵉ s., *Loher.*). Mari. ◆ **barnece** n. f. (XIIᵉ s.). 1° Femme de qualité. — 2° Matrone. — 3° Mégère. — 4° Femme de mauvaise vie. ◆ **barnil** adj. (1130, *Job*), **-onil** adj. (fin XIIIᵉ s., Boèce). 1° Puissant, fort. — 2° Viril. ◆ **barnage** n. m. (1080, *Rol.*) **-e** n. m. (1080, *Rol.*), **-ee** n. f. (1190, Garn.), **-onie** n. f. (XIIᵉ s., *Ogier*). 1° Assemblée de guerriers. — 2° Suite d'un prince. — 3° Qualité, noblesse de baron, prouesse, exploit. ◆ **baronail** n. m. (XIIᵉ s.), **-aille** n. f. (1164, Chr. de Tr.). Baronnage, réunion de barons, de vassaux.

barruier n. m. V. BERRUIER, berrichon, chevalier vaillant.

bart n. m. V. BAIART, civière.

bas adj. et n. m. (déb. XIIᵉ s., *Ps. Metz*; lat. *bassum*, bas). 1° adj. Bas, faible. — 2° n. m. Bas, marge. *En bas,* à voix basse. *Du haut et du bas,* entièrement. ◆ **basset** adj. (fin XIIᵉ s., *Loher.*). Dim. de bas. ◆ **bassetement** adv. (XIIᵉ s., *Ogier*).

Dans une posture inclinée, basse. ◆ **bassor** n. f. (XIIᵉ s.), **-ece** n. f. (1120, *Ps. Oxf.*). 1° Situation de ce qui est bas. — 2° Bassesse. ◆ **bassiere** n. f. (1155, Wace). 1° Vallée, marécage. — 2° Porte d'écluse.

basane, -ene n. f. (1160, *Charr.* Nîmes; prov. *bazana,* de l'esp.). Peau de mouton. ◆ **banenier** n. m. (1292, *Livre taille*). 1° Marchand ou apprêteur de peaux de mouton. — 2° Marchand de souliers.

baschoe n. f. (1268, E. Boil.; celt. **bascauda,* cuvette). Baquet, hotte d'osier serré servant pour les vendanges. ◆ **baschoier** n. m. (1315, *Orden.*). Celui qui porte ou fait porter les *baschoes*.

basclois n. m. (fin XIIᵉ s., *Alisc.;* orig. incert.) Nom qu'on donnait indifféremment à tous les peuples étrangers : *Cil ne resemble mie Provencel ne Basclois (Alisc.).*

basmer v. (XIIᵉ s.; lat. **balsamare,* v. *balsemer*). 1° Embaumer. — 2° Épicer. ◆ **basme, balme** n. m. ou f. (1160, Ben.). Baume. ◆ **basmier** n. m. (déb. XIIIᵉ s., *Chans. d'Ant.*). Arbre à baume.

bassein, -in n. m. (1175, Chr. de Tr.; lat. pop. **baccinum*). Récipient, cuvette. ◆ **bassinet** n. m. (1190, *Huon de Bord.*). Heaume léger dont la calotte de fer descend sur la nuque. ◆ **bassinure** n. f. (1351, *DDN*). Partie du heaume.

bast n. m. (1268, E. Boil.; lat. pop. **bastum*). 1° Bât. — 2° *Fils de bast,* fils naturel. ◆ **bastier** adj. (XIIᵉ s.). De bât. ◆ **bastre** adj. (1169, Wace), **-art** adj. (1190, saint Bern.). Bâtard. ◆ **bastardon** n. M. (1160, Ben.). Petit bâtard. ◆ **bast** n. m. (XIIIᵉ s.), **bastarderie** n. f. (1180, *Rom. d'Alex.*), **-ie** n. f. (1283, Beaum.). État de bâtard, bâtardise.

bastel, baastel n. m. (1220, Coincy; orig. obsc.). 1° Petit meuble. — 2° Escamotage, jonglerie. ◆ **bateleor** n. m. (XIIIᵉ s.). Bateleur.

baster v. (1298, M. Polo; ital. *bastare*). Suffire, être suffisant.

bastille n. f. (1327, J. de Vignay; du prov. *bastida,* avec chang. de suffixe).

Ouvrage militaire isolé, parfois provisoire. ◆ **bastillier** v. (XIVe s.). Fortifier, garnir de créneaux.

bastir v. (déb. XIIe s., *Voy. Charl.;* francique *bastjan, de *bast,* écorce). 1° Assembler les pièces d'un vêtement, coudre à grands points. — 2° Construire les huttes en clayonnage, construire. — 3° Disposer, préparer, arranger : *Je t'ai basti si bien ton plet* (Ruteb.). ◆ **bastiment** n. m. (1160, Ben), **-issement** n. m. (fin XIIIe s., *Fabl. d'Ov.*). Action de bâtir, construction. ◆ **baste** n. f. (XIe s.). Couture, faufilure.

baston n. m. (1080, *Rol.;* cf. bas lat. *bastum, de* *bastare, porter). 1° Bâton. — 2° Lance. — 3° Commandement : *De ceste premiere ost vous otroy le baston* (*Rest. du Paon*). — 3° Surveillance, garantie. ◆ **bastoncel** n. m. (1080, Ben), **bastonet** n. m. (1260, Br. Lat.). 1° Petit morceau de bois. — 2° Petit bâton. ◆ **bastoner** v. (1190, Garn.). 1° Donner des coups de bâton. — 2° Harceler, importuner : *Tant le dist li bons reis e tant le bastuna, Que...* (Garn.). ◆ **bastonee** n. f. (1298, M. Polo). 1° Longueur de bâton. — 2° Bastonnade. ◆ **bastoniere** n. f. (XIIIe s., *Test. d'Alex.*). 1° Coups de bâton. — 2° Presse d'ennemis armés de bâtons. ◆ **bastonier** n. m. (1332, Delb). 1° Homme muni d'un bâton, d'une arme. — 2° Porteur de la bannière d'une confrérie.

bat n. m. (1112, *Saint Brand.;* se rattache à l'anc. angl. *bât*). Bateau. ◆ **bate** n. f. (XIIe s.). Sorte d'embarcation. ◆ **batel** n. m. (1140, Gaimar). 1° Partie d'un vaisseau. — 2° Bateau. ◆ **bateler** v. (XIIe s., *Chev. cygne*). Transporter en bateau.

bataillier, -eil-, v. (1160, Ben.; dérivé de *battere, battre). 1° Combattre. — 2° Fortifier, garnir de remparts, de bastions. ◆ **bataille** n. f. (1160, Ben.). 1° Bataille. — 2° Corps de troupes. — 3° Meurtrière, créneau. ◆ **bataillement** n. m. (1204, R. de Moil.), **-eis** n. m. (XIIe s.). Action de combattre, bataille. ◆ **bataillerie** n. f. (1314, *Rest. de Paon*). Art des batailles. ◆ **bataillos** adj. (1160,

Ben.), **-ier** adj. (XIIe s., *Asprem.*), **-eros** adj. (1277, *Rose*). 1° Belliqueux, batailleur. — 2° Qui se rapporte à la guerre. ◆ **bateilleis** adj. (1220, *Saint-Graal*), **-ié** adj. (1277, *Rose*). Remparé, crénelé.

batestal n. m. (XIIe s., *Asprem.;* orig. obsc.; pourrait être composé de *batre* et de *estal,* lieu, position). Bruit, tapage (en particulier, en parlant du combat).

batre v. (1080, *Rol.;* lat. *battere, pour *battuere,* d'orig. gaul.). 1° Battre, frapper. — 2° Battre (divers sens techniques). ◆ **baterie** n. f. (1204, R. de Moil.). 1° Action de battre. — 2° Prix qu'on reçoit pour avoir battu le grain. ◆ **bateure** n. f. (XIIe s.). 1° Action de battre. — 2° Battage de grains. — 3° Droit sur le battage de grains. ◆ **batoison** n. f. (1247, *Conq. Jér.*). 1° Action de battre. — 2° Bruit, tumulte : *le jour des Batizons,* le mercredi des Cendres. ◆ **bateor** n. m. (1204, R. de Moil.). 1° Batteur, vanneur de blé. — 2° Moulin à draps, à tan. ◆ **bateis, -eice, -eiche, -iche** adj. (1190; J. Bod.). 1° Destiné à être battu : *Tous jours sont connart bateiç, Ja n'ierent liet s'on ne les bat* (J. Bod.). — 2° Qui n'a pas de charte communale, qui ne jouit pas des droits de commune : *Si est des habitans es viles ou il n'a pas communes c'on apele viles bateices* (Beaum.). ◆ **bat joe** n. m. (1292, *Taille Paris*). 1° Celui qui frappe sur la joue. — 2° Querelleur. ◆ **batant** adv. (XIIe s., *Est. Saint-Graal*). Rapidement.

I. **bau** n. m. V. BALC, poutre, essieu.

II. **bau** interj. V. BA, désapprobation, dépit.

baube adj. V. BALBE, bègue.

baubel n. m. V. BABEL, babiole.

baubir v. (1220, Coincy; v. *bober,* faire la moue). Se moquer, ridiculiser. ◆ **baubi** adj. (XIIIe s., *Doon de May.*). Sot.

bauçan, -issant n. m. (fin XIIIe s., *Règle du Temple;* v. *balçant*). Gonfanon, étendard.

baucet n. m. (1160, *Athis*). V. BOCE, bosse.

baudre, baidre, baeldre v.
(1210, *Best. div.*; v. *baillier*, du lat. *bajulare*). 1° Donner, mettre : *Si te baudré aveir greignor (Best. div.).* − 2° Remettre : *Est tenu nous baedre une lettre* (1306, *Hist. de Bret.*). − 3° Assigner.

baule n. f. (1270, Ruteb.; forme de *bal*). 1° Bal, danse. − 2° Par antiphrase : malheur, affliction : *Li dus touz mors cheit. Vez cy dolante baule? (G. de Rouss.).* ◆ **baulande** n. f. (xie s., *Alexis*). Danseuse.

bauste n. f. (xiiie s., Th. de Kent; v. *bahut*). 1° Tourelle élevée pour placer la sentinelle. − 2° Lieu d'observation.

bautisier v. V. BAPTIIER, baptiser.

bauwa interj. V. BA, exclam. de dépit.

baver v. (xive s., D.; cf. lat. pop. **bafa*). 1° Baver. − 2° Bavarder. ◆ **beve** n. f. (xiiie s.). 1° Bave. − 2° Bavardage. ◆ **bavos** adj. (1125, Marb.). 1° Baveux. − 2° Bavard. ◆ **baviere** n. f. (1330, *Rest. du Paon*). 1° Bavette. − 2° Mentonnière, pièce d'armure.

I. bé n. m. (1220, Coincy; prononciation de la consonne *b*). 1° Seconde lettre de l'alphabet. − 2ⁿ *Faire a du bé a qn, le* tromper, le duper.

II. bé interj. (xiiie s., *Trois Aveugles*; orig. onom.). Exclamation d'étonnement, hé!

III. bé n. m. V. BIEU, déformation du nom de Dieu.

beal n. m. V. BIEF, canal, lit d'un fleuve.

beart n. m. V. BAIART, civière.

beaucop adv. (1272, Joinv.; comp. de *beau* et de *cop, colp*, coup). Beaucoup (entre en concurrence avec *molt, mout,* qu'il éliminera au xvie s.).

bec n. m. (1120, *Ps. Oxf.*; lat. *beccum*, orig. gaul.). Bec. ◆ **becheron** n. m. (1170, *Percev.*). 1° Petit bec. − 2° Bout. ◆ **bechier** v. (1210, *Best. div.*), **bequer** v. (1330, *H. Capet*). Becqueter, frapper du bec : *Il me venoient pooillier Et entre les jambes bechier (Ren.).* ◆ **bechet** n. m. (1316, *Comte d'Anjou*). Brochet. ◆

bedane, besdaine n. m. (1281, *DDN*). Broc à eau. ◆ **bechefust** n. m. (xive s., *DDN*). Pic (zool.).

bedel, bi- n. m. (1169, Wace; germ. **bidil*, crieur public). 1° Officier municipal subalterne. − 2° Soldat de troupes légères, mercenaire adonné au pillage. − 3° Qualification injurieuse : *Fil au roy Sustamant, le sarrasin bediel (Chev. cygne).* ◆ **bidaude** n. f. (1313, *Taille Paris*). Péronnelle.

bedon n. m. (1250, *Ren.*; orig. incert.; se rattache à la racine *bod-*, ventre, nombril, boudin, etc.). Gros tambour à caisse arrondie.

beer v. V. BAER, être ouvert, désirer.

befe n. f. (1121, Ph. de Thaun; orig. obsc.). 1° Moquerie. − 2° Tromperie, mensonge. ◆ **befer, -fler** v. (xiie s.) Bafouer.

befroi n. m. V. BERFROI, ouvrage militaire.

begart, -galt, -cart adj. et n. m. (1220, Coincy; se rattache au néerl. **beggen*, bavarder). 1° Hérétique. − 2° Hypocrite. − 3° Sot, stupide. ◆ **beguin** adj. et n. m. (fin xiie s., *G. de Rouss.*). 1° Hérétique. − 2° Hypocrite. − 3° Niais, sot. ◆ **beguine** n. f. (1229, G. de Montr.). Religieuse.

behanter v. (1228, *Cart.*; v. *hanter*). Séjourner fréquemment.

behort n. m. V. BOHORT, lance, tournoi.

beigne n. f. (1272, Joinv.). V. BUIGNE, bosse sur le front.

beiter v. V. BAATER, guetter.

bel adj. (xie s., *Alexis*; lat. *bellum*). Désigne un degré élevé d'une qualité qu'on attribue : 1° Terme d'affection et de sympathie dans les rapports humains : *Biaus sire, bele dame.* − 2° Qualité que doit posséder un amant, une amante : *Il est biaus et je sui gente; Quant l'uns l'autre atalente, Pour quoi nous as despartis? (Couci).* − 3° Indique les qualités de gentillesse, de bonté. *Ne fu pas de bel,* ce n'était pas par gentillesse. *Bien et bel,* bien. — 4° Important, en parlant du butin : *Ancui aurons un eschec bel et gent (Rol.). Avoir le plus bel*, avoir l'avantage, l'emporter. — 5° *Estre bel* (impers.), plaire, convenir : *Tiebaut, fait il, de vous m'est bel et de li me poise (Fille du comte de P.).* — 6° *Bel*, adv., Bien, avec élégance; beaucoup. *Par bel*, habilement. ◆ **belement** adv. (1080, *Rol.*). 1° Gentiment. — 2° Doucement, sans faire de bruit : *Tout belement et em privé En lor ostel en sont entré (Saint Eust.).* ◆ **belais** adj. comp. (XIIᵉ s.), **belior** adj. comp. (XIIᵉ s., *Barl. et Jos.*), **belesor** adj. comp. (Xᵉ s., *Eulalie*). Plus beau. ◆ **bele** n. f. (1169, Wace). 1° Volonté, désir. — 2° *Estre de la bele*, augurer favorablement. ◆ **belté** (1080, *Rol.*), **-or** n. f. (XIIᵉ s.), **-ece** n. f. (1298, M. Polo). Beauté. ◆ **belir** v. (1180, *Rom. d'Alex.*). Plaire, charmer : *Tant me belist quant je le voi (Rom. d'Alex.).*

I. **bele** n. f. (1155, Wace; v. adj. *bele*). Belette. ◆ **belet** n. m. (1169, Wace). Fourrure, peau de belette. ◆ **belote** n. f. (1260, Br. Lat.). Belette.

II. **bele** n. f., volonté, désir. V. BEL, beau.

belechiere n. f. (1286, *DDN;* nom composé de *bele* et *chiere*, visage, accueil). 1° Accueil. — 2° Prix du service dans l'hôtel.

beler, baler v. (1204, R. de Moil.; du lat. **balare*, d'orig. onom.). Bêler. ◆ **belin, berlin** n. m. (1220, Coincy). Petit bélier, mouton. ◆ **belin** adj. (fin XIIᵉ s., saint Grég.). De mouton.

belif, beli, belin adv. (1160, Ben.; orig. obsc.). 1° Loc. adv. *De belif, a belif*, en biais, en diagonale, de travers. — 2° Loc. prép. *En belif*, au travers de.

I. **belin** n. m., mouton. V. BELER, bêler.

II. **belin** adv. V. BELIF.

beliver v. (1155, Wace; v. *belif*, en biais). Aller en biais.

beloce n. f. (XIIIᵉ s., *Court. d'Arras;* lat. pop. **bullucia*, d'orig. probabl. gaul.). Prune sauvage. *Trover beloces*, faire une bonne trouvaille.

beloi n. f. V. BESLOI, injustice, perfidie.

belonc, bes-, ber- adj. (1175, Chr. de Tr.; v. *lonc*, avec le préf. *bes-*, du lat. *bis-*, deux fois). 1° Oblong. — 2° D'inégale longueur. — 3° *En beslong, de beslonc*, en long (G. de Metz).

I. **belue** n. f. (1155, Wace; cf. lat. *bellua*, même sens). Bête féroce, animal sauvage, monstre.

II. **belue** n. f., menterie. V. BELUER, tromper.

beluer v. (XIIIᵉ s.; cf. prov. *beluga*, étincelle). 1° Éblouir. — 2° Tromper, duper. ◆ **belue** n. f. (1270, Ruteb.). Menterie, conte en l'air.

benastru adj. (XIVᵉ s., *Pass. saint Cristofle;* lat. pop. **bene-astrucum*, pour constituer le contraire de *malotru*). Heureux, qui a un astre favorable.

benedicité n. m. (1204, R. de Moil.; lat. *benedicite*, bénissez). Prière en général.

bénéfice n. m. (fin XIIᵉ s.; lat. *beneficium*, bienfait). 1° Bénéfice féodal. — 2° Faveur. — 3° Bienfait. ◆ **beneficier** v. (déb. XIVᵉ s.). 1° Accorder un bienfait, un avantage. — 2° Pourvoir d'un bénéfice ecclésiastique. ◆ **beneficié** n. m. (fin XIIIᵉ s., *Livr. de Jost.*). Qui a obtenu un bénéfice : *Clerc ordenez de saintes ordenes, s'il sunt beneficiez en sainte yglise, ne puent estre avoquaz en cort laye (Livr. de Jost.).*

beneir v. (Xᵉ s., *Saint Léger*), **beneistre** v. (1119, Ph. de Thaun; lat. *benedicere*). 1° Bénir. — 2° Favoriser. ◆ **benediçon** n. f. (XIᵉ s., *Alexis*), **beneiçon,** n. f. (1080, *Rol.*), **-eissement** n. m. (XIIᵉ s., *Chev. cygne*). Bénédiction : *Dist Acelins : A Dieu beneiçon (Cour. Louis).* ◆ **beneoit** adj. (fin XIIᵉ s., *Cour. Louis*). Béni. ◆ **benesquir, benesquier** v. (XIIᵉ s., M. de Fr.). Bénir.

benestance n. f. (1160, Ben.; nom comp.; v. *estance*, état). 1° Bien-être, bonheur : *Paiz, bienestance, docement Requier a tuz comunaument (Ben.).* — 2° Paix.

beneuré adj. (XIᵉ s., *Trad. Ps.;* v. *eur,* bonheur). Bienheureux : *El ciel seras beneuree* (Wace). ◆ **beneurté** n. f. (1160, Ben.). Félicité, bonheur.

benevole adj. (fin XIIIᵉ s.; lat. *benevolus,* bienveillant). Favorable. ◆ **benevolance** n. f. (1265, J. de Meung). Bienveillance, amitié.

benisme adj. et adv. superl. V. BIEN.

benus n. m. (1162, *Fl. et Bl.;* cf. lat. *ebenus*). Ébène, ébénier. V. EBOINE.

I. **ber** n. m. (XIIIᵉ s., *Gaufrey;* orig. obsc.). La pointe d'un dard.

II. **ber** adj. (XIIᵉ s., *Auc. et Nic.;* v. *baron*). 1º Vaillant : *Aucassins, li prex, li ber ... (Auc. et Nic.).* — 2º Bon : *Renier au cuer ber (Ger. de Blav.).* — 3º Courtois.

III. **ber** n. m. cas sujet. V. BARON.

IV. **ber** n. m. V. BERS, berceau.

berbis, brebis n. f. (fin XIᵉ s., *Lois Guill.;* lat. pop. **berbicem*). Brebis. ◆ **berchier, bergier** n. m. (déb. XIIᵉ s., D.). 1º Berger. — 2º Grossier personnage, homme de rien : *Il ne vient mies comme malvais bregiers, Mais conme prouz et com bons chevaliers (Loher.).* ◆ **berchon** n. m. (fin XIIᵉ s., M. de Fr.). Berger. ◆ **bercherie** n. f. (XIIIᵉ s.). 1º Bergerie. — 2º Action digne d'un berger, sottise. ◆ **bercil** n. m. (déb. XIIᵉ s., *Ps. Cambr.*). Bercail, bergerie. ◆ **bergine** adj. fém. (1272, G.). De brebis.

I. **berele, ba-** n. f. (XIIIᵉ s.; orig. obsc.). 1º Sorte de jeu. — 2º Jeu amoureux, ébats. — 3º Bataille. — 4º Embarras, situation pénible : *Si ai perdu par ma barele Et mon ami et ma querele (Vie des Pères).*

II. **berele** n. f. (1306, Guiart; orig. obsc.) Désigne toute sorte de petits objets.

berfroi n. m. (1155, Wace; moy. haut all. *bergvrid,* ouvrage de défense). 1º Tour sur roues, remplie de guerriers que l'on approchait, pendant l'attaque, des remparts d'une ville ou d'un château. — 2º Échafaud, en forme de tour, avec loges et gradins, à partir duquel les dames et les personnages de haut rang suivaient les combats. — 3º Bruit, tumulte : *Parler en beffroi,* parler avec bruit, inconsidérément.

berge n. f. V. BARGE, barque.

beril, -icle n. m. et f. (XIIᵉ s., Marb.; lat. *beryllus,* avec infl. d'*escarbocle*). 1º Sorte d'émeraude transparente, béryl. — 2º Besicles, lunettes (1327).

berlanc n. m. V. BRELENC, table de jeu.

berlonc adj. V. BELONC, oblong.

berm n. m. (1339, *Ord.;* moy. angl. *berman,* portefaix). Valet, portefaix. ◆ **berman, bresmen, brumen** n. m. (1280, *Arch. Saint-Omer*). Valet, portefaix.

bernage n. m. V. BARON.

bernart adj. (XIIIᵉ s.; du nom de l'âne dans le *Roman de Renart*). Niais, nigaud.

berne, baherne n. f. (1250, *Arch.;* orig. obsc.). Atelier pour la fabrication du sel par évaporation. ◆ **bernerie** n. f. (XIIIᵉ s.). Chaudière à sel.

bernicles n. f. plur. (1272, Joinv.; orig. incert.). Supplice en usage chez les Sarrasins : *Bernicles est le plus grief tourment que l'en puisse soufrir* (Joinv.).

bernier n. m., mari. V. BARON, guerrier, noble.

beroete n. f. (1260, Mousk.; dim. du bas lat. *berota,* vehicule a deux roues). 1º Tombereau à deux roues. — 2º Brouette (dès le XIIIᵉ s.).

berrie n. f. (1220, Coincy; orig. obsc.). 1º Pays plat, grande plaine. Cf. *Brie.* — 2º Désert.

berroil n. m. (XIIᵉ s., *Ps.;* orig. obsc.). Outre.

berruier, bar- n. m. (1190, J. Bod.; du nom du pays). 1º Berrichon. — 2º Chevalier vaillant : *Ne combatroie mie a home berruier* (J. Bod.). — 3º Sorte de casque, souvent avec jugulaire.

bers, ber, biers n. m. (1190, Garn.; lat. pop. **bertium,* d'orig. gaul.). — 1º Berceau : *Des ce qu'il fu petiz en berz (Part.).* — 2º Lit d'un cours d'eau. ◆ **berche** n. m.

(XIIe s., *Rom. des Rom.*). Berceau. ◆
bercuel, –soil n. m. (1160, Ben.). Petit
berceau. ◆ **berser** v. (1155, Wace). Bercer.

I. **berser** v. (1155, Wace; orig. incert.;
se rattache peut-être à *bers*, berceau au
sens conject. de « cible en osier »).
1° Tirer avec l'arc (chasse, guerre ou
exercice). — 2° Frapper, transpercer de
flèches : *Et cers et biches ont bersé*
(Eneas). ◆ **bersoier** v. (XIIe s., *Conq.*
Jér.). Chasser. ◆ **bercerie** n. f. (XIIIe s.).
1° Exercice du tir à l'arc. — 2° Carquois.
◆ **bersail** n. m. (XIIe s., *Mon. Guill.*), **-aire**
n. m. (1204, R. de Moil.), **-age** n. m. (fin
XIIe s., *Loher.*). 1° Cible : *Li gais en fist*
moult laide frume quant il vit soi mis au
bersaire (R. de Moil.). — 2° Tir. ◆ **bersel**
n. m. (XIIIe s., *Fille du comte de P.*).
1° Cible. — 2° Phalange disposée en coin
(Végèce, *Art milit.*). ◆ **berseret** n. m.
(XIIe s., M. de Fr.). 1° Chien de chasse. —
2° Carquois. ◆ **berseret** adj. (XIIe s.,
Trist.). 1° Qui sert au tir à l'arc. —
2° Propre à la chasse.

II. **berser** v., bercer. V. BERS, berceau.

bertoder, bes-, -tondre v.
(1220, Coincy; mot comp. avec le suffixe
péjor. *bes-, ber-*). Tondre mal, inégalement.

bes-, ber-, bre-, be- (lat. *bis-;*
d'abord : double; ensuite : faux, contrefait). 1° Préfixe à valeur duplicative, de
productivité réduite en anc. fr. : *besaive,*
bisaïeul. — 2° A partir du dédoublement
du procès, prend la valeur intensive : *bes-*
cuire, cuire deux fois, cuire tout à fait,
bestort, tordu, *bestencier*, chercher querelle à. — 3° Dès le très ancien français,
bes- se généralise au sens de faux, mal
fait, contrefait : *bertondre*, tondre inégalement, *bestems*, mauvais temps, *besloi*,
injustice, *besjugier*, juger de travers, etc.

besague n. f. (1160, *Eneas;* lat. pop.
*bisacuta). Hache d'armes ayant un
côté tranchant et l'autre pointu.

besaine, bezene n. f. (1260, Br.
Lat.; germ. *bizen*, piquer?). 1° Abeille. —
2° Ruche, essaim.

besaive n. m. (1160, Ben.), **-aire** n.
m. (1160, Ben.), **-aiol** n. m. (1283,

Beaum.; mots comp. avec le suffixe
bes-, bis-). Bisaïeul.

besant n. m. (1080, *Rol.;* lat. *bysan-*
tium). 1° Monnaie d'or de Byzance. —
2° Portée sur les armoiries d'un chevalier,
indiquant qu'il avait été en Terre sainte.
◆ **besantel** n. m. (1285, Aden.). Dimin. du
précédent. ◆ **besanter** v. (1285, Aden.).
Charger le blason de besants.

bescochier v. (XIIe s., *Chev. cygne*;
v. *cochier*, mettre la corde de l'arbalète
dans la coche). 1° Lancer, tirer, décocher.
Apres le bescochant, après avoir tiré leurs
traits. — 2° Aller de travers. — 3° Mal
tirer. — 4° Tricher, escamoter. ◆ **bescoz**
n. m. (1190, Garn.). *En bescoz*, en travers,
obliquement : *Un poi en bescoz l'ad des*
autres colps feru ... (Garn.).

bescuire v. (fin XIIe s., *Gar. Loher.;*
v. *cuire*). Cuire deux fois, cuire tout à fait.

besdaine n. m., broc à eau. V. BEC.

beser v. (XIIe s.; germ. *bizen*, piquer).
1° S'effaroucher, en parlant des vaches
piquées par les taons. — 2° Courir çà et
là. — 3° Mugir. ◆ **besiller** v. (XIIe s., *Ps.*).
1° Tourmenter, maltraiter. — 2° Blesser,
massacrer. — 3° Ravager, détruire. ◆
besil n. m. (1155, Wace), **-illement** n. m.
(XIIe s., *Ps.*). 1° Mauvais traitement. —
2° Blessure. — 3° Massacre. ◆
V. BESAINE, abeille.

I. **besistre** n. m. (*Calendr.*, XIIIe s.;
lat. *bissextilem* de *bissextus*). 1° Jour
bissextile. — 2° Malheur fatal, infortune :
Por ce seur eus chiet li besistres Por ce
touz tens touz bien leur fuit (Coincy).

II. **besistre** n. m. (1306, Guiart; orig.
obsc.). Cordage destiné à hisser, drisse.

besjugier v. (1160, Ben.; v. *jugier*).
Juger injustement.

beslief adv. V. BELIF, (en) biais.

besliver v. V. BELIVER, aller de biais.

besloier v. (1160, Ben.; v. *loi*). Traiter injustement. ◆ **besloi** n. m. (1155,
Wace). Injustice, tort, perfidie. *Mener*
a besloi, tromper, trahir. *Soi mener a*
besloi, commettre une injustice. *Estre en*
besloi, être en désaccord. *A besloi*, injustement, perfidement.

beslonc adj. V. BELONC, oblong.

besoche n. f. (1150, *Thèbes;* du lat. pop. **bisocca,* à deux socs). Pioche, houe.

besoignier, bo-, bu-, ba- v. (1120, *Ps. Oxf.;* francique **biscennia*). 1° Etre dans le besoin, avoir besoin. — 2° Faire besoin, être nécessaire : *Les dames sont bonnes et loiables vers leurs maris, et font moult bien ce qui leur besoigne* (M. Polo). — 3° Faire sa besogne. ◆ **besoing, bosuing** n. m. (XIᵉ s., *Alexis*). 1° Affaire. — 2° Nécessité. — 3° Lutte, combat. — 4° *Avoir veu petit besoing,* avoir peu d'expérience. ◆ **besoigne** n. f. (1175, Chr. de Tr.). 1° Pauvrete. — 2° Nécessité. — 3° Travail. — 4° Souci. ◆ **besoignable** adj. (1130, *Job*), **-os** adj. (XIᵉ s., *Alexis*). 1° Dont on a besoin, utile. — 2° Qui a besoin, nécessiteux. — 3° Qui s'occupe de, utile. — 4° *Estre besoignos de,* avoir besoin de. ◆ **besoignal** adj. (XIIᵉ s., *Trist.*). Utile, dont on a besoin. ◆ **besoigneor** n. m. (XIIᵉ s.). Travailleur, ouvrier.

bessier v. V. BAISIER, baiser.

besson n. m. (XIIIᵉ s., *Livr. de Jostice;* lat. pop. **bissonem,* de *bis,* deux fois). Jumeau.

beste n. f. (1080, *Rol.;* lat. pop. *besta,* pour *bestia*). 1° Bête. — 2° Bétail. ◆ **bestele** n. f. (1160, Ben.), **-ete** n. f. (fin XIIᵉ s., saint Grég.), **-elete** n. f. (1260, Br. Lat.). Petite bête. ◆ **bestail** n. m. (1213, *Fet Rom.*), **-aille** n. f. (XIIIᵉ s., Bible). Bétail. ◆ **bestiage** n. m. (XIIIᵉ s., *Fabl. d'Ov.*), **-iame** n. f. (1307, M. Polo), **-in** n. m. (1335, *Rest. du Paon*). Bétail, toute espèce de troupeau. ◆ **bestiarie** n. f. (fin XIIᵉ s., *Alisc.*). Bête sauvage.

bestencier v. (1250, *Cart.;* v. *tencier,* quereller, disputer). 1° Chercher querelle à. — 2° Disputer, contester. ◆ **bestens** n. m. (1231, *Charte*), **bestance** n. f. (1213, Villeh.). Querelle, contestation.

bestens n. m. (1268, E. Boil.; v. *tens,* temps). Mauvais temps, intempérie.

bestoder v. V. BERTODER, tondre mal.

bestorner v. (1175, Chr. de Tr.; v. *torner*). 1° Tourner, mettre à l'envers. — 2° Corrompre, altérer : *Ensi bestorne tot son estre Ce n'est mais cil qui soleit estre* (Coincy). — 3° Estropier, détruire. ◆ **bestorné** adj. (XIIᵉ s., *Part.*). 1° Mal tourné. — 2° Contrefait. — 3° Bouleversé, ahuri.

bestort, bitort adj. (1288, J. de Priorat; v. *tort,* tordu). 1° Tors, oblique. — 2° Tortueux, détourné.

besuchier v. (XIIᵉ s., *Trist.;* orig. obsc.; probabl. germ.). 1° Épargner, avoir pitié : *Li chaples commence hydeus, Car cil des fronz pas ne besuchent Soudoiers d'armes* (Guiart). — 2° Muser, musarder.

I. **beter** v. (XIIᵉ s., *Barbast.;* germ. *boetan,* exciter). Poursuivre, harceler : *Se me desdites, sachiez bien, je vos ferai com ors beter* (Coincy).

II. **beter** v. (fin XIIᵉ s., *Alisc.;* orig. obsc.). 1° Se figer, se cailler. — 2° Se geler (en parlant de l'eau). ◆ **beté** adj. (fin XIIᵉ s., *Loher.*), **-if** adj. (fin XIIᵉ s., *Loher.*). 1° Figé, coagulé. — 2° Hébété. ◆ **bete** n. m. ou f. (1309, *DDN*). Glaçons. ◆ **betee** n. f. (1340, *Voie d'Enfer*). Glace.

beteus adj. (fin XIIIᵉ s., B. de Condé; v. *beter,* poursuivre, harceler?). Perfide : *Peu souvent nous vient de teus, mais de felons et de beteus* (B. de Condé).

beteus, betum n. m. (fin XIIᵉ s., *Alisc.;* lat. *bitumen, -inis*). 1° Boue, gravois. — 2° Fange, immondice. ◆ **betunee** n. f. (1220, Coincy). Amas d'immondices. ◆ **betumoi** n. m. (1160, *Eneas*). 1° Fondrière. — 2° Bitume. ◆ **betument** n. m. (1112, *Saint Brand.*), **-ee** n. f. (1220, Coincy), **-ier** n. m. (1220, Coincy). Fange, fondrière, terrain marécageux.

beu n. m. V. BIEU, déform. de Dieu.

beubance n. f. V. BOBANCE, orgueil.

beubelet n. m. (1190, Garn.; orig. incert.; peut-être un dédoublement de *bel*). Bibelot, joyau.

beubois n. m. V. BOBOIS, tapage.

beure n. f. V. BURE, feu de joie.

beuse n. f. (XIIIe s.; cf. all. *böse*, méchant). 1°Méchanceté. — 2° *Dire beuse,* narguer quelqu'un. ◆ **beuserie** n. f. (1314, *Vœux du Paon*). Chose mauvaise. ◆ **boser** v. (1175, Chr. de Tr.). Piquer de l'aiguillon ou de tout autre instrument pointu.

beve n. f., bave, bavardage. V. BAVER, baver, bavarder.

bevre v. (Xe s., *Saint Léger; v. boivre*). Boire. ◆ **beverie, bu-, beu-, boi-** n. f. (1210, *Best. div.*). 1° Action de boire. — 2° Partie de boisson. — 3° Ivrognerie. ◆ **bevee** n. f. (1220, Coincy). Coup à boire. ◆ **bevrage** n. m. (1231, *Charte*). 1° Breuvage. — 2° Pourboire : *Vous samblez le houlier qui fet le mariage, Que li ribaut despoillent por avoir le bevrage (Gaut. d'Aup.).* ◆ **bevant** adj. (XIIIe s., *Court. d'Arr.*). *Bien bevant,* qui se boit avec plaisir. ◆ **beveor** n. m. (XIIIe s.), **-able** n. m. (Legoudis). Buveur.

bezar n. m. (1314, Mondev.; pers. *pâdzehr,* par l'interm. d'autres langues rom.). Bézoard, pierre à venin employée comme antidote.

bezene n. f. V. BESAINE, abeille, ruche.

bian, biain, bien n. m. (1265, *Charte; v. bien* n. m.). Sorte de corvée, spéc. pour la récolte. ◆ **bienage** n. m. (1336, *Arch.*). Droit de corvée appelé *bian.*

biberon n. m. (1301, Delb.; cf. lat. *bibere,* boire). 1° Bec, goulot d'un vase. — 2° Bout de sein (1372, *DDN*).

bible n. f. (1274, Joinv.; lat. **biblia,* cornet à dés). Machine de guerre, en forme de cornet, qui servait à lancer les pierres.

bice n. f. V. BISSE, biche.

bichet n. m. (XIIe s.), **-at** n. m. (1294, *Arch.*), **-ot** n. m. (1274, *Arch.*), **-el** n. m. (1336, *Arch.*), **-ete** n. f. (1341, *Arch.;* lat. pop. **bicarium,* du bas lat. *becarius,* du grec). Mesure de grains. ◆ **bichier** n. m. (XIIIe s.). 1° Pot à vin, pichet. — 2° Mesure pour les liquides.

bichetee n. f. (1310, *Arch.*), **bichone** n. f. (1341, *Arch.*). Mesure de terre.

biclarel n. m. (1342, *Ren. le Contref.;* orig. conject.). Loup-garou : *Biclarel la dame espoussa. Molt l'ama et mout la prisoit (Ren. le Contr.).* Cf. *Lai du Bisclaveret,* de Marie de France.

bidaude n. f., péronnelle. V. BEDEL, officier municipal.

bidel n. m. V. BEDEL, officier municipal.

bief, biet, biez n. m. (déb. XIIe s., *Voy. Charl.;* lat. pop. **bedum,* d'orig. gaul.). 1° Lit d'un fleuve. — 2° Canal, fossé.

I. **bien** adv. (Xe s., *Saint Léger;* lat. *bene*). 1° Adv. de qualité et de manière, Bien. — 2° Adv. de quantité, Beaucoup. *Amer bien,* aimer avec passion. — 3° Vraiment : *Dex je croi bien que fustes fils Marie (Roncev.).* — 4° Se construit avec le part. présent : *Et li bien entendant en seront esjoui (Aden.).* ◆ **benisme** adv. et adj. superl. (XII[e]s.). Très bien, très bon. ◆ **bien** n. m. (1080, *Rol.*). 1° Ce qui est bien, ce en quoi consiste le bien : *Par amistié et par bien vous commande (Roncev.).* — 2° Au plur. Qualités d'une personne : *Douce dame ... Ne trahissez vos biens ne vos beautés (Couci).* — 3° *Estre bien de,* jouir de la pleine faveur de. *Avoir bien,* avoir la récompense.

II. **bien** n. m., Ce qui est bien. V. BIEN.

III. **bien** n. m. V. BIAN, sorte de corvée.

bienfaire v. (1260, Br. Lat.; *v. faire*). Faire le bien, faire bien quelque chose. ◆ **bienfait** n. m. (1138, *Saint Gilles*). 1° Bienfait. — 2° Usufruit d'une portion d'héritage accordée par l'aîné aux puînés. ◆ **bienfaitor** n. m. (XIIe s., Herman). 1° Bienfaiteur. — 2° Puîné qui jouit d'un *bienfait.* ◆ **bienfaisant** adj. (1170, *Fierabr.*). Valeureux. ◆ **bienfaitement** adv. (1264, *Charte*). En bonne forme (jurid.).

bienveignier, -vignier v. (1190, J. Bod.; formé à partir de *veigne,* subj. prés. de *venir*). 1° Accueillir favorablement. — 2° Faire en sorte qu'on soit bien accueilli. ◆ **bienveignant** n. m. (xiiᵉ s., Couci). Accueil amical.

biere n. f. (1080, *Rol.;* du francique *bera,* civière pour les morts). 1° Brancard pour porter les malades, les morts. — 2° Civière. — 3° Cercueil. — 4° Châsse : *En Cornouaille n'ot reliques En tresor ne en filateries, En aumaires n'en autres bieres (Trist.).*

biers n. m. V. BERS, berceau.

biet, biez n. m. V. BIEF, lit d'un fleuve, canal.

bieu, beu, be, biu n. m. (1220, Coincy). Déformation du nom de Dieu dans les jurons tels que : *Par les denz bieu, par le cuer beu, par les elz beu, par le cul bieu, par la char bieu,* etc.

bievre n. m. (xiiᵉ s.; lat. pop. *bebrum).* Castor.

biface n. m. (1175, Chr. de Tr.; v. *face).* Étoffe sans envers.

bifaire adj. (fin xiiiᵉ s., *Mir. saint Éloi;* orig. obsc.). A double face, double.

bife n. f. (1239; orig. obsc.). Sorte d'étoffe claire et légère en laine.

bignet n. m. V. BUIGNE, beignet.

bignier v. réfl. (xiiiᵉ s.; orig. obsc.). S'esquiver.

I. **bille** n. f. (xiiᵉ s., D.; d'orig. gaul.). Tronc d'arbre. ◆ **billon** n. m. (1270, A. de la Halle). 1° Billet. — 2° Lingot. — 3° Monnaie altérée par l'alliage (1329). ◆ **billier** v. (xivᵉ s.). Garrotter, attacher au billot de bois.

II. **bille** n. f. (1164, Chr. de Tr.; prob. du franc. **bikkil,* dé). Petite boule. ◆ **billete** n. f. (1160, *Charr. Nîmes).* 1° Petite bille. — 2° Jeu de billes ou de boules. ◆ **billier** v. (1220, Coincy). S'en aller, s'enfuir.

biqueter v. (1220, Coincy; cf. *biquet,* instr. pour peser, 1399, *DDN).* Peser les monnaies au trébuchet.

bis adj. (1080, *Rol.;* orig. obsc.). D'un gris brun. ◆ **biset** adj. (1270, *Reg. aux bans).* Dimin. de *bis.* ◆ **bisor** n. f. (1119, Ph. de Thaun), -**el** n. m. (xiiᵉ s., B.

d'Hanst.). Couleur bise. ◆ **bissarde** n. f. (1180, *Rom. d'Alex.).* Sorte d'étoffe. ◆ **bise** n. f. (1250, *Ren.).* Miche de pain bis. ◆ **bisaille** n. f. (1325, Th. d'Hireçon). Mélange de graines.

biscortois adj. (1260, Br. Lat.: voir *cortois).* Trop courtois, outré dans ses manières : *Cil qui tient le milieu a vivre entre les gens est apelez amis et homs plaisans, et cil qui en ce se desmesure sanz profit est apelez biscourtois* (Br. Lat.).

I. **bisse** n. f. (déb. xiiiᵉ s., R. de Beauj.; lat. pop. **bistia,* pour *bestia).* Bête non domestique : *A bisches, a oisiaus, a flors (Eneas).* ◆ **bissail** n. m. (1298, M. Polo). Bétail.

II. **bisse, bice, bische** n. f. (1160, Ben.; v. le mot précédent, avec restriction de sens). Biche. ◆ **bissaille** n. f. (xiiᵉ s., *Chev. cygne).* Troupeau de biches. ◆ **bissier** n. m. (1160, *Athis).* Chien pour chasser la biche.

bissestre n. m. V. BESISTRE, jour bissextile, malheur fatal.

bissum, -us, -im n. m. (1306, Guiart; lat. tardif *byssum,* lin fin). Lin très fin.

bistarde n. f. (xiiᵉ s., *Fl. et Bl.;* **vistarde,* de *avis tarda,* oiseau lent). Outarde.

bistire n. m. (1180, *Rom. d'Alex.;* orig. incert.) Visage.

bitort adj. V. BESTORT, oblique, tortueux.

biu n. m. V. BIEU, déform. de Dieu.

blaier, bleer v. (1286, *Cart.,* francique **blad,* en gaul. **blato).* Cultiver en blé. ◆ **blaie, blee** n. f. (xiiᵉ s.). 1° Champ de blé. — 2° Blé. — 3° Moisson. ◆ **blaie-rie, blarie** n. f. (xiiiᵉ s.). 1° Terre à blé, champ de blé. — 2° Récolte de blé. — 3° Droit féodal sur le blé. — 4° Redevance pour avoir le droit de faire paître sur la terre moissonnée. ◆ **blaeure** n. f. (1307, *Arch.).* Culture, récolte de blé. ◆ **blaage** n. m. (1275, *Arch.).* 1° Récolte de blé. — 2° Redevance en blé. ◆ **blaier** n. m.

(1326). Celui qui est chargé de veiller sur les terres ensemencées en blé. ◆ **blaeterie** n. f. (1231, *Arch.*). Graineterie.

blaire adj. V. BLER, tacheté de blanc. ◆ **blarel** n. m. (1312, G.). Blaireau (mot qui remplace progressivement *taisson*).

blanc adj. (1080, *Rol.;* francique **blank,* brillant). 1° Blanc : *La chair avoit plus blanche que ne soit blanche laine* (Aden.). — 2° Blanc, symbole de pureté, d'innocence. *Blanc dies,* jeudi saint (1286, *Arch. hosp. d'Abbeville). Blanc bois,* arbre qui ne porte pas de fruits. — 3° *Blanc frere, abé, monie,* chanoine gilbertin; abbé, moine bénédictin. ◆ **blanc** n. m. (XIIIe s., G.). 1° Lait, crème. — 2° Étoffe blanche. — 3° Acte qui comportait des formules générales, dans le blanc desquelles étaient inscrites les dispositions particulières (1351, *Ord.*). ◆ **blanchet** adj. (1260, Br. Lat.). 1° Blanc. — 2° n. m. (1180, *Rom. d'Alex.*). Cheval blanc. — 3° Étoffe blanche (1339, *DDN*). ◆ **blanchart** adj. (XIIIe s., *Fregus*). Qui tire sur le blanc (en parlant surtout du cheval). ◆ **blanchir** v. (1220, Coincy). 1° Rendre blanc. — 2° Excuser et justifier les défauts ou les crimes de quelqu'un (Froiss.). — 3° Échouer. ◆ **blanchoier** v. (1080, *Rol.*). 1° Blanchir, paraître blanc, tirer sur le blanc. — 2° Montrer sa blancheur. ◆ **blancheresse** n. f. (1299, *Cart.*) Blanchisseuse.

blandir v. (1160, *Eneas*), **-er** (1288, *Ren. le Nov.*), **-gier** v. (1260, Mousk.; lat. pop. **blandire, -are, -icare,* pour *blandiri*). 1° Caresser. — 2° Flatter : *(Elle) beisa lo cent foiz et cent Molt lo blandit et losanja (Eneas).* ◆ **blande** n. f. (XIIe s.), **-ie** n. f. (XIIe s., *Part.*), **blange** n. f. (1204, R. de Moil.). Caresse, flatterie. ◆ **bland, -t, -c** adj. (1150, *Thèbes*), **blandif** adj. (XIIe s.), **-able** adj. (1155, Wace). 1° Caressant. — 2° Flatteur : *Ne criens pas les rudes parolles, mais les blanches (Ens. Arist.).* — 3° Pacifique. ◆ **blandeor, -isseor** n. m. (XIIIe s.). Flatteur.

blason n. m. (fin XIIe s., *R. de Cambr.;* orig. obsc.). 1° Bouclier. — 2° Armoiries sur le bouclier. ◆ **blasonois** adj. : (1180, *Rom. d'Alex.*). Qui porte un blason, des

armoiries. ◆ **blasonier** n. m. (1268, E. Boil.). 1° Ouvrier en blasons et en selles. — 2° Peintre en armoiries. ◆ **blasonerie** n. f. (1268, E. Boil.). Métier du blasonnier.

blastemer v. (1190, saint Bern.; lat. pop. **blastemare,* pour *blasphemare).* Blasphémer. ◆ **blasteme** (XIIe s., *Macch.*). Blasphème.

blastengier v. (XIe s., *Alexis;* lat. **blastemiare,* pour *blasphemare*). 1° Blâmer. — 2° Outrager. — 3° Blasphémer. ◆ **blastenge, -fenge** n. f. (1160, Ben.). 1° Blâme : *Plus tost est blastenge par l'omme publié que loenge* (saint Bern.). — 2° Outrage, injure. — 3° Blasphème. ◆ **blastengeor** n. m. (1190, saint Bern.). Blasphémateur. ◆ **blastengier** adj. (XIIIe s., H. de Cambr.). Médisant : *Blastengiers de ses voisins* (H. de Cambr.).

blave adj. (1225, *Sept Sages*). Voir BLOI, bleu, blond.

blaver v. V. BLAIER, cultiver en blé.

blecier, -tier v. (XIe s., *Gloses Raschi;* germ. *blettjan,* meurtrir). 1° Amollir, en battant : *Blecier des olives (Gloses Raschi).* — 2° Mettre en pièces. — 3° Blesser. ◆ **bleçoier** v. (1328, *Ov. moral.*). Blêmir.

bleer v. V. BLAIER, cultiver la terre en blé.

blef adj. V. BLOI, bleu, blond.

bler, blaire adj. (XIIIe s.; francique **blari,* confondu probabl. avec un mot gaulois). 1° Désigne une teinte de cheval. — 2° S'applique à tout animal ayant une tache blanche au front. ◆ **blere** n. f. (1288, *Ren. le Nov.*). Vache de couleur claire.

blesmir (1080, *Rol.*), **-er** v. (fin XIIe s., *Rois;* orig. obsc.). 1° Rendre livide, meurtrir. — 2° Se flétrir. — 3° Blesser. ◆ **blesmissement** n. m. (XIIe s., M. de Fr.). 1° Contusion. — 2° Blessure. — 3° Offense : *Vus ferons mener Sein et sauf sans blemissement* (M. de Fr.). ◆ **blesmure** n. f. (fin XIIe s., *Rois*). 1° Tache, blessure. — 2° Difformité physique. ◆ **blesme** adj. (1327, J. de Vignay). Blême.

bleste n. f. V. BLOSTE, motte de terre.
◆ **blester** v. (1304, *Year Books*). Labourer légèrement.

blialt, bliau n. m. (1080, *Rol.;* orig. obsc.). Longue tunique, en forme de blouse, portée par-dessus l'armure ou le pourpoint. ◆ **bliaudel** n. m. (XIIIᵉ s.). Sorte de robe. ◆ **bliaudot** n. m. (1348, *Ch. des comptes de Dole*). Souquenille.

bloc n. m. (1262, *Arch. Douai;* néerl. *bloc*, tronc abattu). 1° Tronc d'arbre. — 2° Billot sur lequel on mettait les clefs d'une maison. ◆ **blokel** n. m. (XIIIᵉ s., *Chron. Reims*). Bloc, billot.

bloi, blo, blef, blave adj. (1080, *Rol.;* germ. *blaco,* cf. all. *blau*). Anc. formes du mot *bleu* qui ne renvoient pas à une teinte précise d'aujourd'hui. Souvent *blond, pâle, bleu, verdâtre,* etc. *La bloe Bretagne,* qualificatif fréquent de « Grande-Bretagne ». ◆ **bloet** adj. (1306, Guiart). Bleu clair.

blois adj. (XIIIᵉ s.; lat. *blaesum,* bègue). Atteint de blésité, bègue. ◆ **bloisos** adj. (XIIᵉ s.). Même sens. ◆ **bloisier** v. (1265, J. de Meung), -ir v. (XIIIᵉ s.). Bléser.

blond adj. (1080, *Rol.;* germ. **blund*). 1° Blond. — 2° Susceptible. ◆ **blondoier** v. (XIIᵉ s.). Présenter des teintes blondes. ◆ **blondir** v. (1160, *Athis*). 1° Rendre blond. — 2° Se parer.

blos, blois (1160, Ben.; germ. *bloz,* vide). 1° adj. Privé, dénué de. — 2° adv. Seulement, simplement : *Si s'en ala Carles, li fiers, Blous a XL cevaliers* (Mousk.).

bloste, -tre, bleste n. f. (1220, Coincy; **blista,* du germ. *bluyster,* ampoule). 1° Motte de terre. — 2° Bouton, tumeur. ◆ **blostros** adj. (1220, Coincy). Couvert de boutons.

boage n. m. (1237, *Arch.;* v. *buef,* bœuf). Redevance féodale annuelle calculée pour chaque paire de bœufs.

bobancier v. (XIIᵉ s.; orig. onomat.; cf. *bobe*). 1° Vivre fastueusement. — 2° Vivre dans la débauche. ◆ **bobans, boban** n. m. (fin XIIᵉ s., *Gar. Loher.*),

-ance n. f. (1160, Ben.), **bobancerie** n. f. (XIIᵉ s., *Chev. cygne*). 1° Jactance, arrogance. — 2° Faste, pompe, luxe : *Ce est cele qui m'a mis ou grant boban et en la grant hautece ou je suis* (*Queste Saint-Graal*). ◆ **bobanceor** n. m. (XIIIᵉ s., *Durm. le Gall.*), -ier n. m. (1160, Ben.), -if adj. (fin XIIᵉ s., G. de Tyr). 1° Hautain. — 2° Fastueux.

bobee n. f. (1125, Marb.; v. le précédent). Sorte de maladie des yeux.

bober, bau- v. (1220, Coincy; orig. onom.). 1° Faire la moue, grimacer : *Par le singe entent ceulz qui bobent* (J. de Condé). — 2° Railler, tromper. ◆ **bobe** n. f. (1306, Guiart). 1° Moue. — 2° Tromperie. ◆ **bobert** adj. (1220, Coincy), **bobu** adj. (XIVᵉ s.), **bobelin** adj. (1220, Coincy). Niagaud, fat, insolent : *Li fous bouviers, li faus bobers* (Coincy).

bobois, beu-, n. m. (fin XIIᵉ s., *Auberi;* lat. pop. **bombensem,* de *bombus,* bruit sourd). Tapage : *Laissiez Flamens demener leur beubois* (Auberi).

boce, boche n. f. (1160, *Charr. Nîmes;* probabl. du francique **bôtja,* coup, v. *boter*). 1° Bosse. — 2° Bouton de la peste, bubon. — 3° Plaie, ulcère. ◆ **bocete** n. f. (1314, Mondev.). 1° Petite bosse. — 2° Bouton, clou. ◆ **bocer,** -ier v. (XIIᵉ s., *Trist.*). 1° Déformer par les boutons, par les plaies. — 2° Former une bosse. ◆ **boceler** v. (XIIIᵉ s., *Meraugis*), **boçoier** v. (1265, J. de Meung). Faire des bosses, couvrir de bosses, de plaies. ◆ **boceré** adj. (1190, *H. de Bord.*), -eros adj. (1277, *Rose*). 1° Bossu. — 2° Noueux. — 3° Couvert de boutons. ◆ **bocele** adj. (XIIIᵉ s., *Fabl. d'Ov.*). Qui a des tumeurs. ◆ **boçu** adj. (1138, *Saint Gilles*). 1° Bossu. — 2° Monstrueux.

I. bocel n. m. (1120, *Ps. Oxf.;* lat. **buticellum,* de *buttis,* petit vase). 1° Barillet, petit tonneau. — 2° Récipient : vase, panier, etc. — 3° Ventre. ◆ **bocelet** n. m. (fin XIIIᵉ s., G. de Tyr). Petit baril.

II. bocel n. m. V. BOISTE, boîte.

I. boche n. f. (XIᵉ s., *Alexis;* lat. *bucca,* joue, bouche). Bouche. ◆ **bocon** n. m. (1307, M. Polo). Morceau, bouchée.

◆ **bochel** n. m. (1332, *Arch.*). 1° Petite bouche. — 2° Bouchée. — 3° Embouchure. ◆ **bochuel** n. m. (fin XIIe s., *Est. Saint-Graal*). Couvercle, tampon d'une fosse.

II. **boche** n. f. V. BOCE, bosse, bouton, pluie.

I. **bochel** n. m. (fin XIIe s., *Aiol;* grec *baukalion*, vase). Bocal, cruche.

II. **bochel** n. m., petite bouche, bouchée. V. BOCHE, bouche.

bochier n. m. (fin XIIe s., *Aiol;* dér. de *boc*, bouc, lui-même d'un *bucco germ. ou celt.) 1° Boucher (remplace progressivement *maiselier*). — 2° Bourreau en général. ◆ **bochererie** n. f. (1190, *H. de Bord.*). Boucherie.

bocler adj. (1080, *Rol.*), **-al** adj. (fin XIIe s., *Loher.*), **-e** adj. (XIIe s., J. Fantosme; dér. du lat. *buccula*, petite joue). 1° Garni d'une boucle, bombé. — 2° *Escu boclal*, bouclier. ◆ **boclal** n. m. (fin XIIe s., *Loher.*). Boucle. ◆ **bocle** n. f. (XIIe s., M. de Fr.). 1° Bosse de bouclier. — 2° Anneau métallique. ◆ **boclier** n. m. (1268, E. Boil.). Fabricant de boucles.

bode n. f. (1220, *Saint-Graal;* orig. obsc.). Nombril. ◆ **bodie** n. f. (XIIe s., *Ysopet*). Ventre. ◆ **bodine** n. f. (XIIe s., *Chev. cygne*). 1° Nombril : *Por la boudine saint Fiacre* (Coincy). — 2° Ventre, bedaine. ◆ **bodin** n. m. (1268, E. Boil.). Boudin. ◆ **bodinier** n. m. (XIIIe s.). 1° Qui a une grosse bedaine. — 2° Qui fait ou vend des boudins.

bodne n. f. V. BONE, borne.

I. **boe** n. f. (fin XIIe s., *Rois;* gaul. *baua). Boue. ◆ **boete** n. m. (1119, Ph. de Thaun). Boue. ◆ **boier** n. m. (1160, Ben.). 1° Bourbier. — 2° Amas d'ordures. — 3° Ruisseau boueux, égout. ◆ **bouace** n. f. (1314, Mondev.). Boue. ◆ **boant** adj. (1340, *Voy. Infer*). Boueux.

II. **boe** n. f. V. BOVE, caverne, antre.

III. **boe** n. f. V. BUIE, lien, chaîne.

boele n. f. (1080, *Rol.;* lat. *botellum*, boudin, saucisse). Boyau, entrailles : *Tut le champ de Fontenele Fu plein de sanc et de boele* (Ben.). ◆ **boelee** n. f. (fin XIIe s.,

Alisc.). Boyaux, entrailles. ◆ **boeler** v. (XIIe s., *Chev. cygne*). Éventrer, faire sortir les entrailles, la cervelle.

boer adv. V. BUER, bien.

boerie n. f. (1276, *Arch.;* v. *buef*, bœuf). Étable à bœufs, bouverie.

boesline n. f. (1155, Wace; angl. *bowline*). Corde de proue.

bofel n. m. (XIIIe s., *Cart. noir de Corbie;* orig. onomat., v. *bofe*, soufflet). Branche d'arbre dont on fait un bouchon pour servir d'enseigne à un cabaret.

bofer v. (XIIe s., *Trist.*, orig. onomat.). 1° Souffler (en gonflant les joues) : *Li rois l'entent, boufe et sospire (Trist.).* — 2° Souffleter. ◆ **bofe** n. f. (1175, Chr. de Tr.), **-et** n. m. (fin XIIe s., *Rois*). 1° Soufflet, instrument à faire du vent. — 2° Coup sur la joue, coup de poing : *buffe doner*, porter un coup. ◆ **bofee** n. f. (1190, Garn.). 1° Souffle de vent. — 2° Gifle. ◆ **bofeter** v. (XIIe s.), **bofoier** v. (1204, R. de Moil.). Souffleter.

bofoi, bu-, boi- n. m. (XIe s., *Alexis;* orig. onomat.; v. le précédent). 1° Orgueil, arrogance, vanité. — 2° Moquerie dédaigneuse : *As outrages et as buffois Et a orgueil sont si aclin Qu'il metent honneur a declin (Dis de la Cygoine).* — 3° Lutte, tumulte. ◆ **bofoise** adj. fém. (1270, Ruteb.). Qui aime à railler. ◆ **bofeor** n. m. (fin XIIIe s., B. de Condé). Moqueur, insolent.

bofu n. m. (XIIe s., M. de Fr.; orig. obsc.). 1° Étoffe de soie. — 2° Garniture, frange.

I. **boge** n. f. V. BOLGE, sac de cuir.

II. **boge** n. f. V. BOLGE, cavité.

bogerant, boque-, n. m. (1180, *R. de Cambr.;* du nom de la ville de *Boukhara*). Grosse toile, forte et gommée. ◆ **bogerenc, -che** adj. (fin XIIe s., *Aiol*). De *bogerant*.

bogre n. m. (1172, G.), **bougeron** n. m. (XIIIe s.; bas lat. *bulgarus*). 1° Hérétique. — 2° Sodomite : *Et il l'apele mastin ne recaille ni traitre ni larron ni bougeron ou autres paroles semblables*

(Règle de l'Hôpit.). ◆ **bogrie, -erie** n. f. (1295, Boèce). 1º Hérésie des bougres : *l'eresle et la boguerrie d'Albijois (Chr. Saint-Denis).* — 2º Débauche contre nature.

bohorder, -ir v. (1180, *Rom. d'Alex.;* germ. *bühurt,* joute). 1º Combattre à la lance, jouter : *Bohorderons devant la bele (Trist.).* — 2º Jouer, badiner, plaisanter : *En burdant dit hom veir* (proverbe). — 3º Se livrer au plaisir : *Les avoit o soi toute nuit ... Tant paramoit a iaus border* (Ruteb.). ◆ **bohort, boort** n. m. (1190, Garn.). 1º Lance courtoise, grosse et courte, sans fer, pour jouter dans les tournois. — 2º Tournoi. — 3º Réjouissance. ◆ **bohorde, borde** n. f. (XIIᵉ s.), **bohordeis** n. m. (fin XIIᵉ s., *Gar. Loher.*). 1º Choc de lances. — 2º Tournoi, joute. — 3º Plaine où l'on joute. ◆ **bohordeor** n. m. (XIIᵉ s.). Jouteur à la lance.

boidie n. f. V. BOISIER, tromper.

boie n. f. V. BUIE, lien, chaîne.

boien adj. V. BAIEN, crevé.

I. **boier** n. m. (XIIᵉ s., *Ysopet;* lat. *bovarium,* de *bovem,* bœuf). Bouvier.

II. **boier** n. m., bourbier, égout. V. BOE, boue.

boifoi n. m. V. BOFOI, arrogance, moquerie, lutte.

I. **bois** n. m. V. BOS, groupe d'arbres. ◆ **boisete** n. f. (fin XIIᵉ s., *Rois*). Menue branche, brin de bois. ◆ **boiseter** v. (1292, G.). Ramasser du bois. ◆ **boisiere** n. f. (1169, Wace), **-erie** n. f. (XIIᵉ s.). 1º Lieu couvert de bois. — 2º Clairière. ◆ **boisart** n. m. (1273, *Cart.*). Forestier. ◆ **boissier** adj. (1341, *Arch.*). Qui travaille le bois.

II. **bois** n. m. (XIVᵉ s., lat. *buxum*). Buis. ◆ **boisson** n. m. (1160, *Eneas*). Buis.

I. **boisart** n. m., forestier. V. BOIS, bois.

II. **boisart** adj., trompeur. V. BOISIER, tromper.

I. **boisier** v. (1160, *Charr. Nîmes;* francique *bausjan*). 1º Tromper, trahir :

Arneis vuelt son dreit seignor boisier (Cour. Louis). — 2º Faire tort à : *Molt par est fous qui l'enfant veult boisier (Charr. Nîmes).* — 3º Se tromper. ◆ **boise** n. f. (1164, Chr. de Tr.), **-ement** n. m. (XIIᵉ s., Herman), **-eté** n. f. (av. 1300), **-ie** n. f. (1190, saint Bern.), **boidie** n. f. (1160, *Eneas*). 1º Tromperie, ruse, fraude. — 2º Félonie : *Del traitor qui par boisdie Et par angin se toli vie. (Eneas).* ◆ **boiseor** n. m. (1160, Ben.). Trompeur. ◆ **boisier** adj. (fin XIIᵉ s., Loher.), **-if** adj. (XIIᵉ s., *Part.*), **-os** adj. (1120, *Ps. Oxf.*), **-art** adj. (fin XIIᵉ s., *G. de Rouss.*). Trompeur.

II. **boisier** v. V. BUSCHIER, frapper, cogner.

boisine n. f. V. BUISINE, trompette.

I. **boisson** n. m. V. BUISSON, buisson.

II. **boisson** n. m., buis. V. BOIS, buis.

boiste, boite n. f. (XIIᵉ s., *Roncev.;* lat. pop. *buxida* ou **buxita,* du grec). Boîte. ◆ **boistel, boisiel, bocel** n. m. (1250, *Ren.*). 1º Petite boîte. — 2º Boisseau. ◆ **boisse** n. f. (1164, Chr. de Tr.). Bogue (de la châtaigne). ◆ **boistier** n. m. (1268, E. Boil.). Fabricant de boîtes.

boistel adj. (1260, Br. Lat.; orig. incert., de *boiste,* boîte, ou de *bot,* crapaud?) Boiteux. ◆ **boitage** adj. (1330, *Arch.*). Boiteux.

boit n. m. V. BOT, crapaud.

boitoir n. m. (1170, *Cart. Saint-Vaast d'Arras;* orig. incert.; v. *boiste*). Filet, piège.

boivre v. V. BEVRE, boire.

bojon n. m. V. BOLJON, grosse flèche.

bol, bole n. m. (1215, *Arch.;* lat. **betullum,* pour *betulla*). Bouleau. ◆ **boloie** n. f. (1294, G.). Boulaie, lieu planté de bouleaux.

boldequin n. m. V. BALDEQUIN, drap de soie.

I. **bole** n. f. (1250, *Ren.;* orig. obsc.). 1º Boule. — 2º Massue. — 3º Moule du sceau. ◆ **boulon** n. m. (XIIIᵉ s.). 1º Petite boule. — 2º Tige de fer à tête ronde.

◆ **bolaie** n. f. (1336, G.). Boule. ◆ **boler** v. (1220, Coincy). 1° Rouler, précipiter comme une boule. — 2° Gonfler en boule. — 3° Sceller. ◆ **bolete** n. f. (1266, Rigaud), -**erie** n. f. (1280, *Arch. Saint-Omer*). Jeu de boules.

II. **bole**, n. f., tromperie, débauche. V. BOLER, tromper.

III. **bole** n. m. V. BOL, bouleau.

bolenger n. m. (1120, *Cart.;* v. *bole,* boule, par l'interméd. de *bolenc,* qui fabrique du pain en boules). Boulanger, syn. de FORNIER. ◆ **bolenge** n. m. (1285, *DDN*). Blutoir.

I. **boler** v. (1220, Coincy; orig. incert.; v. *boler,* rouler). Tromper : *Un borgois ... se vanta de grand folie que fame nel poroit boler (De la Saineresse).* ◆ **bole** n. f. (1210, *Best. div*), -**erie** n. f. (XIIIe s.), -**ie** n. f. (XIIIe s., *Chr. Reims*), -**engerie** n. f. (1220, Coincy). 1° Tromperie, faute, astuce. — 2° Débauche, lieu de débauche : *Nulz ne doit tenir boule ne escole ne paillole* (1244, *Cart. Metz*). ◆ **bolastre** adj. (1220, Coincy), -**ier** adj. *(id.),* -**engeis** adj. *(id.).* Trompeur. ◆ **boleor** n. m. et adj. (1220, Coincy). Rusé, fin, trompeur.

II. **boler** v., rouler, gonfler. V. BOLE, boule.

I. **bolerie** n. f., jeu de boules. V. BOLE, boule.

II. **bolerie** n. f., tromperie, débauche. V. BOLER, tromper.

I. **bolge** n. f. (XIIe s., *Asprem.;* lat. *bulga,* sac de cuir). 1° Sac de cuir. — 2° Bourse. ◆ **bolgete** n. f. (XIIe s.). Sac, valise.

II. **bolge** n. m. (XIIe s., Huon de Rotelande; orig. incert.). 1° Partie concave d'un objet, cavité. — 2° Caverne. — 3° Local de décharge. — 4° Échoppe.

bolir v. (1080, *Rol.*), **boudre** (1306, Guiart; lat. *bullire* et **bullére,* former des bulles). Bouillir. ◆ **bolie** n. f. (XIIe s., *Chev. cygne*). Bouillie. ◆ **boillon** n. m. (1204, R. de Moil.). 1° Bouillon. — 2° Bouillonnement d'eau, tourbillon : *Car pris fui ou premier boullon* (A. de la Halle). ◆ **boliet** n. m. (déb. XIVe s., J. de Condé), -**iete** n. f. (XIIIe s., Bible). Bouillon. ◆ **boleure** n. f., -**issure** n. f. (XIIIe s.). Décoction. ◆ **boleor** n. m. (1307, *Arch.*). Bouilloire.

boljon, -don, -zon n. m. (XIIe s., *Barbast.;* orig. incert., probabl. germ.). 1° Grosse flèche. — 2° Barre de fer, verrou. — 3° Espèce d'aune de fer servant à mesurer les laines. ◆ **bougeoneur** n. m. (1325, *Arch.*). Membre de la jurande des drapiers (qui mesuraient les étoffes avec le *boljon*).

bombace, -bance n. m. (1298, M. Polo; ital. *bombagia,* coton). Coton, bourre de coton. ◆ **bombasin** adj. et n. m. (1298, M. Polo). 1° adj. De coton. — 2° n. m. Basin.

bombarde n. f. (1327, J. de Vignay; lat. *bombus,* bruit sourd). 1° Machine de guerre. — 2° Instrument de musique (1342).

bon (*buon,* Xe s.; *buen,* XIe s.) adj. (XIIe s.; lat. *bonum*). 1° Bon. — 2° n. m. Ce qui fait plaisir, bon plaisir, volonté : *J'achaterai mon bon et mon plesir* (Loher.). *A vostre bon,* selon votre désir. — 3° En part., le plaisir que procure une femme : *Il ont la nuit le boin eu Con cascuns mestier en avoit* (Chev. deux épées). — 3° Faire son bon a (quelqu'un), se défaire de lui. — 4° adv. Bien, heureusement. ◆ **bone** n. f. (XIIe s.). 1° Bonne disposition : *La reine en bones estoit (Protes.).* — 2° Bienfait, aumône. — 3° Plaisir. ◆ **bonisme** adj. superl. (fin XIIe s., *Rois*). Très bon. ◆ **bontif** adj. (XIIe s.), -**able** adj. (XIIe s., *Ogier*). Plein de bonté. ◆ **bonté** n. f. (XIIe s.). 1° Bonté, bienveillance. — 2° plur. Qualités, vertus, mérites : *Car mout sont grandes ses bontés* (J. Bod.). — 3° Faveur, caresse : *Quant dame fait bonté A son ami, che doit estre en secret* (Anc. Chans. fr.). — 4° Don. *Faire bonté,* faire don. — 5° Service, sorte de redevance. — 6° Produit du capital prêté. — 7° *La flor et la bonté,* la meilleure part de quelque chose. — 8° *De bonté,* comme il est convenable.

bonaventure n. f. (XIIIe s.; v. *aventure,* événement). Événement heureux.

◆ **bonaventuros** adj. (1160, Ben.). Heureux.

I. bonde n. f. (1269, *Cart.*; gaul. **bunda*). 1° Borne. — 2° Trou d'écoulement (1373, *Cresc.*). ◆ **bondon** n. m. (fin XIII⁰ s., Macé). Bouchon. ◆ **bondonos** adj. (1160, *Eneas*). Bouché avec des bondes. ◆ **bondenel** n. m. (1170, *Fierabr.*). Bondon.

II. bonde n. f. (1316, *DDN;* orig. incert. cf. *bondir*, au sens de « sauter »?). 1° Balle, boule : *Juoit de moy comme a la bondé (Mir. N.-D.)* — 2° Jeu de balle.

bondir (1080, *Rol.*), **-er** v. (1220, Coincy; lat. **bombitare*, faire du bruit). 1° Retentir, faire retentir. — 2° Sauter. ◆ **bondie** n. f. (1180, *Rom. d'Alex.*), **-issement** n. m. (XIV⁰ s.), **-ison** n. f. (XIII⁰ s., *Enf. God.*). 1° Retentissement (en parlant d'instr. de musique). — 2° Divers bruits retentissants. ◆ **bondoner** v. (1306, Guiart). Sonner, retentir. ◆ **bondin** n. m. (1200, *Quatre Fils Aym.*). Cor.

bone, borne, bodne n. f. (XII⁰ s., *Barbast;* lat. *bona, butina*, prob. d'orig. celt.). 1° Borne. — 2° Frontière (XIV⁰ s.). ◆ **boner** v. (1160, Ben.), **-eer, -ier** v. (1325, *Arch.*). Borner, placer des bornes. ◆ **bonier** n. m. (1197, Tailliar), **-iere** n. f. (1222, *Arch.*). 1° Champ borné. — 2° Mesure agraire, plus grande que l'hectare. ◆ **bonage** n. m. (1266, *Arch.*). 1° Placement des bornes. — 2° Droit sur ce placement.

bonenc n. m. (XIII⁰ s., *Petit Voc. lat.-fr.;* orig. incert.). Estomac.

bonet n. m. (1160, *Charr. Nîmes;* lat. médiév. *abonnis*, d'orig. germ.). Étoffe servant à faire des ornements de tête : *Un chapel ot de bonet en sa teste (Charr. Nîmes).*

boneuré adj. V. BENEURÉ, heureux.

boni n. m. (1269, *Arch.;* l'expression lat. *boni et remanet*, employée pour signifier le restant d'un compte). *A boni*, loc. adv. Par bonne volonté.

bonissier n. m. (1317, *Ord. Phil. le Long;* orig. incert.). Échanson, celui qui a soin de la cave.

bontif adj., plein de bonté. V. BON, bon.

booit n. m. (1250, *Ren.;* orig. obsc.). Lieu retiré, enfoncement.

boort n. m. V. BOHORT, joute.

boquerant n. m. V. BOGERANT, grosse toile.

boquet n. m. (1121, Ph. de Thaun; v. *boc*, bouc, d'orig. germ. ou celt.). 1° Chevreau. — 2° Petit bouc.

bor adv. V. BUER, bien.

borbe n. f. (XII⁰ s.; gaul. **bŏrva*). Bourbe. ◆ **borber** v. (1220, Coincy), **-eter** v. (1220, Coincy). 1° Barboter. — 2° Se vautrer dans la bourbe. ◆ **borbete** n. f. (1274, Joinv.). Espèce de poisson qui se complaît dans l'eau.

I. borc n. m. (1080, *Rol.;* bas lat. *burgum*, d'orig. germ.). 1° Place fortifiée : *Ne trove borc ne chastel qu'il nen praigne (Roncev.).* — 2° Agglomération autour d'un château dont les habitants jouissent de la protection du seigneur : *Quatre homes ou de burt ou de vile (Lois Guill.).* — 3° Nouvelle ville fortifiée; synonyme de VILLE : *Maintenant se prist le roy a fermer* (fortifier) *un neuf bourc tout autour le viex chastiau* (Joinv.). ◆ **borgel** n. m. (fin XII⁰ s., *Alisc.*). Petit bourg. ◆ **borgeis, -jois** n. m. (1080, *Rol.*). 1° Habitant d'un *borc* dépendant de son seigneur : *Ses borjois fait armer chascun a sa maison* (J. Bod.). — 2° Membre d'une des classes sociales d'hommes libres constituant la société féodale : *Tuz le en fist chacier e humes e mulliers, les clers enpersonés, burgeis e chevaliers (Saint Thomas).* ◆ **borgesie** n. f. (1246, *Ass. Jér.*). 1° Droit de bourgeoisie. — 2° Droit seigneurial sur les bourgeois d'une ville (1271, *Cart. de Foigny*). — 3° Dépendance des habitants d'un bourg à l'égard de leur seigneur (1300, G.). ◆ **borgeoiserie** n. f. (1260, Br. Lat.). 1° Communauté de bourgeois : *Eles ordeinent lor peuple et maintienent lor communes et lor borgeoiseries* (Br. Lat.). — 2° Acte juridique reconnaissant le bourgeois comme tel. ◆ **borgerie** n. f. (1287, *Pr. de l'Hist. de Metz*). 1° Bourgeoisie, droit de bourgeoisie : *Si aucuns vouloit avoir la bourgerie pour la raison de la manande qu'il averoit pris a femme, il doit venir requerir en plaine clostre la bourgerie par la justice* (1317, *Hist. de Metz*). — 2° Droit du seigneur sur les bourgeois d'une ville. ◆ **borgage** n. m. (1269, *Arch.*). 1° Redevance annuelle due au seigneur pour les tenures situées à l'intérieur d'un *borc.* — 2° Bourg, bourgade en général.

II. **borc** n. m. V. BORD, bâtard.

I. **bord, -g, -c, -f** n. m. (1274, Joinv.; lat. *burdum*, mulet). Bâtard. ◆ **bordon** n. m. (fin XIIᵉ s., *Rois*). Mulet engendré d'un cheval.

II. **bord, -t** n. m. (1112, *Saint Brand.*; francique **bord*, bord). Bord. ◆ **border** v. (1170, *Fierabr.*). 1° Avoir un bord. — 2° Etre au bout, à la limite de . ◆ **bordeis** adj. (XIIᵉ s., *Chev. deux épées*). Bordé, brodé.

I. **borde** n. f. (1251, *Arch.*; orig. obsc.). 1° Brandon, bûche, poutre. — 2° *Le jor des bordes*, le dimanche des Brandons. ◆ **bordon** n. m. (1265, J. de Meung). Bâton de pèlerin.

II. **borde** n. f. (XIIᵉ s., *DDN*; orig. obsc.; v. *bohorder* et *bohort*, tournoi). Plaisanterie : *Dunc dist li reis Williame burde merveilluse (Chron.).* ◆ **border** v. (XIIIᵉ s.). Dire des plaisanteries. ◆ **bordeor** n. m. (XIIᵉ s., *Chev. cygne*). Qui dit des bourdes. ◆ **bordor** n. f. (XIIᵉ s., *Chev. cygne*), -ise n. f. (1291, *Arch.*), -erie n. f. (1330, *H. Capet*). Tromperie, mensonge.

III. **borde** n. f. (1210, *Dolop.*; même racine que *bord*, du germ. **borda*, cabane de planches). Maison champêtre, chaumière. ◆ **bordel** n. m. (1160, Ben.), -ele n. f. (1190, saint Bern.), -ete n. f. (1265, J. de Meung). Cabane, petite ferme. ◆ **bordier** n. m. (fin XIᵉ s., *Lois Guill.*), -ais n. m. (1267, *Arch.*). Métayer qui tient une *borde* et est soumis au droit de *bordage*. Il se situe, dans l'échelle sociale, plus bas que le paysan. ◆ **bordage** n. m. (1376, *Arch.*). Obligation de rendre certains services, considérés comme vils,

par le *bordier.* ◆ **bordier** n. m. (1343, *Arch.*), **-age** n. m. (1310, *Chr. Ph. le Bel*), **-asage** (1268, G.). Tenure, terre soumise au droit de bordage. ◆ **bordele** adj. fém. (fin XIIᵉ s., *Auberi*), **-ier** adj. (1277, *Rose*). Débauche, -e. ◆ **bordelerie** n. f. (fin XIIIᵉ s., *Livr. de Jost.*). 1° Lieu de débauche. — 2° Prostitution. ◆ **bordelage** n. m. (1270, Ruteb.). Débauche en maison publique, paillardise.

IV. **borde** n. f. V. BOHORDE, choc des lances.

I. **bordon** n. m., Mulet engendré d'un cheval. V. BORD, bâtard.

II. **bordon** n. m., bâton de pèlerin. V. BORDE, brandon.

III. **bordon** n. m., insecte, instr. de musique. V. BORDONER, murmurer.

bordoner v. (1200, *Ren. de Montaub.*; orig. onomat.). Murmurer. ◆ **bordon** n. m. (XIIIᵉ s.). 1° Insecte. — 2° Instrument de musique.

borg, borf n. m. V. BORD, bâtard.

borgeis n. m., Habitant d'un *borc*, bourgeois. V. BORC, place fortifiée.

borgerastre n. m. (1160, Ben.; orig. obsc.). Liqueur composée avec du miel, de la bétoine et d'autres plantes aromatiques.

borgne adj. (1160, Ben.; probabl. d'une racine prélatine *born*, trou). 1° Borgne. — 2° Qui louche. ◆ **borgnat** adj. (1160, Ben.). Borgne. ◆ **borgnete** n. f. (XIIIᵉ s., *Petit Voc. lat.-fr.*). Chassie. ◆ **borgnier** v. (1265, J. de Meung), -oier v. (1240, G. de Lorris). 1° Loucher. — 2° Etre borgne. — 3° Fermer l'œil.

bornir v. (1250, *Ren.*; peut-être de *borne*, v. *bone*). Tâcher d'atteindre par la ruse : *Si vaut a la chose bornir C'on ne peut par force fornir (Ren.).*

boroaite n. f. V. BEROETE, brouette.

borofler v. (XIIᵉ s.; germ. *biroufan*, tirer les cheveux). Se quereller, se battre. ◆ **boroflement** n. m. (fin XIIᵉ s., *Gar. Loher.*). Querelle, rixe.

borre n. f. (1175, Chr. de Tr.; lat. tardif **burra*, laine grossière). 1° Bourre, laine

grossière. — 2° Tromperie, attrape.
◆ **borrel** n. m. (1170, *Percev.*). 1° Bourrelet que les chevaliers portaient sur leur
casque. — 2° Coiffure de femme. —
3° Collier d'une bête de somme. —
4° Garniture rembourrée pour protéger
les escrimeurs. ◆ **borrelier** n. m. (1268,
E. Boil.). 1° Bourrelier. — 2° Bourreau (?)
(1287, *Cart. noir de Corbie*).

borse n. f. (fin XII⁰ s., Colin Muset; bas
lat. *bursa*, du grec). Petit sac de cuir.
◆ **borser** v. (1270, Ruteb.). 1° Gonfler sa
bourse. — 2° Enfler. ◆ **borsee** n. f. (1265,
J. de Meung). Contenu d'une bourse.

bos, bois n. m. (1080, *Rol.*; d'une
racine **bosc-*, d'orig. germ.). 1° Groupe
d'arbres, bois. — 2° Arbre : *blanc bois*,
arbre qui ne porte pas de fruits.
— 3° Matière ligneuse (v. *leigne*). —
4° Coup de bâton. — 5° Chasse au bois.
◆ **boschage** adj. (1160, Ben.), **-ageos** adj.
(XII⁰ s., *Conq. Irl.*), **-ain** adj. (1155, Wace).
1° Des bois, sauvage. — 2° Boisé. ◆ **bos-
chel** n. m. (fin XII⁰ s., *Alisc.*), **-etel** n. m.
(XII⁰ s., *Chev. cygne*), **-on** n. m. (1270,
Ruteb.). 1° Buisson. — 2° Bocage, petit
bois. ◆ **boschois** n. m. (XIII⁰ s.).
1° Habitant des bois. — 2° Bosquet.
◆ **boschaille** n. f. (1251, *Lettre*). Bois,
taillis. ◆ **boschage** n. m. (1170, *Charte de
Guise*). 1° Bosquet. — 2° Amas de bois,
de bûches. — 3° Droit sur les bois.

bosche n. f. (XIII⁰ s.; lat. pop. **bosca*;
v. *bos*, bois). Touffe d'herbe. ◆ **boschier** v.
(1272, Joinv.). Boucher (avec une touffe
d'herbe).

I. **boscheier, -eer** v. (1345, *Arch.*;
v. *bos*, bois). Couper, en parlant de bois.
◆ **boschillon** n. m. (fin XII⁰ s., *Alisc.*).
Bûcheron.

II. **boscheier** v. (XII⁰ s., *Chron.*;
v. *bos*, bois). Se distraire dans les bois :
*Ço est d'amur e dosnaier De boscheier et
del gaber* (*Chron.*).

bose n. f. (1204, R. de Moil.; orig.
incert.; v. *boe*, boue). Bouse. ◆ **boserer**
v. (XIII⁰ s., *Bast. de Bouillon*). Se salir.

boser v., piquer. V. BEUSE, méchanceté.

bossier v. V. BUSCHIER, frapper,
cogner.

bossin n. m. V. BOCHE, bouche.

bosuing n. m. V. BESOING, affaire,
nécessité, lutte.

bosve n. f. V. BOVE, grotte.

I. **bot, boit** n. m. (1164, Chr. de Tr.),
bote n. f. (s.d.; du germ. **butta*,
émoussé). Crapaud. ◆ **botel** n. m. (1170,
Percev.), **-erel** n. m. (1160, Ben.). Petit
crapaud : *Fis a puitain, mauvais rois
asotis, Fel boteriaus et couars et faillis*
(*Gerb. de Metz*).

II. **bot** n. m. (fin XII⁰ s., *Loher.*; lat.
*buttem, petit vase). 1° Outre. —
2° Grosse bouteille. — 3° Vase pour
servir à table les liquides. ◆ **bote** n. f.
(XIII⁰ s., Fauchet). Outre. ◆ **botage** n. m.
(1227), **-eillage** n. m. (1302). Droit sur le
vin. ◆ **botier** n. m. (1285, *Ord.*), **-iller**
n. m. (1138, *Saint Gilles*). Bouteiller,
échanson.

I. **bote** n. f. (fin XII⁰ s., *Aiol*; orig. obsc.)
Chaussure, botte. ◆ **botoier** v. (1220,
Coincy). 1° Chausser ses bottes. —
2° *Se mettre au botoier*, fuir, se sauver.

II. **bote** n. f. (1316, G.; moy. néerl.
bote, touffe de lin). Botte de paille.
◆ **boter** v. (1364, *Règl. Saint-Jean de
Jér.*). Mettre en botte, en fagot.

III. **bote** n. f. V. BOT, crapaud.

IV. **bote** n. f. V. BOT, outre.

V. **bote** n. f., coup. V. BOTER, frapper,
pousser.

boteculer v. (1250, *Ren.*; comp. de
boter, pousser, et de *cul*). Chercher en
poussant, en retournant ce qui est devant
soi. ◆ **botecul** n. m. (1250, *Ren.*). Celui qui
bouscule tout en avançant.

bote-en-coroie n. (1220, Coincy;
v. *boter*, frapper). 1° n. m. Voleur,
coupeur de bourse. — 2° n. f. (1265, J. de
Meung). Le jeu des filous, escamotage.

I. **boter** v. (1080, *Rol.*; germ. **botun*,
frapper). 1° Frapper, renverser. —
2° Heurter, pousser : *L'un le boute, l'autre
le sache* (J. Bod.). ◆ **bot** n. m. (1160,

Athis), **bote** n. f. (XIIIe s., *Otinel*). 1° Coup : *Prennent assez et cous et boz (Athis).* — 2° *De bot*, de suite. ◆ **botement** n. m. (fin XIIe s., *Alisc.*). Action de frapper. ◆ **boteis** n. m. (XIIIe s., *Sept Sages*). Choc. ◆ **botee** n. f. (XIIIe s., *Doon de May.*). 1° Action de pousser, choc, attaque. — 2° Grande quantité : *Li grant moncel, les granz boutees Qu'amoncelé avons d'avoir* (Coincy). ◆ **boteor** n. m. (XIIIe s., Bible). Celui qui a l'habitude de frapper. ◆ **boteron** n. m. (1250, *Ren.*). Petit bout : *N'iremest que le boteron (Ren.).*

II. **boter** v. (le même mot que le précédent). Pousser, croître. ◆ **boteler** v. (XIIIe s., Bible). Pousser ses feuilles. ◆ **botoner** v. (1155, Wace). 1° Bourgeonner. — 2° Boutonner. ◆ **boton** n. m. (fin XIIe s., *Aiol*). 1° Bourgeon. — 2° Bouton (de fleur). — 3° Bouton (d'habit). ◆ **boteril** n. m. (1220, *Saint-Graal*). 1° Bouton. — 2° Nombril. ◆ **botine** n. f. (1260, A. de la Halle). Nombril. ◆ **boteron** n. m. (XIVe s.). Prépuce. ◆ **boteure** n. f. (XIIIe s., J. de Meung). Entrain, élan : *la bouteure de mon joene aage et l'expereence de tres joieus deliz* (J. de Meung).

III. **boter** v. mettre en botte, en fagot. V. BOTE, botte.

boticle n. f. (1241, Desmaze; du bas grec *apothéké*, par l'intermédiaire prob. du prov. *botica*). 1° Atelier. — 2° Boutique (XIVe s.). ◆ **boticlier** n. m. (XIVe s.). Boutiquier.

bougeron n. m. V. BOGRE, hérétique, sodomite.

boutre n. m., **-resse** n. f. (XIIIe s., *Bans Saint-Omer;* peut-être n. d'agent de *boter*, pousser, au sens obscène?). Adultère.

bove, bosve n. f. (XIIe s., *Pr. d'Orange;* orig. incert.). Grotte, antre, cave. ◆ **bovel** n. m. (1167, G. d'Arras). Cave, caverne. ◆ **bovele** n. f. (1220, Coincy). Cachot, prison. ◆ **bover** v. (XIIIe s., *Voy. Jérus.*). Creuser.

bovet n. m. (1305, *Arch.*), **-el** n. m. (1315, Th. d'Hireçon; dim. de *buef*, bœuf).

Jeune bœuf. ◆ **bovier** n. m. (fin XIe s., *Lois Guill.*). Bouvier. ◆ **bovee** n. f. (XIVe s.). Surface qu'une paire de bœufs peut labourer en un jour.

braail n. m. V. BRAILLIER, crier.

brac, bras n. m. (1080, *Rol.;* lat. *bracchium*, du grec). 1° Bras. — 2° Sorte de mesure. — 3° Brassard. ◆ **brace** n. f. (1080, *Rol.*). 1° Les deux bras, brassée. — 2° *Brace a brace*, à bras le corps. — 3° Force, valeur : *Des champions chascun a brace fiere Bien s'entreferent* (R. de Cambr.). ◆ **braçuel** n. m. (1160, *Athis*), **bracelet** n. m. (1175, Chr. de Tr.). 1° Bras. — 2° Armure qui recouvre le bras. — 3° Bracelet. ◆ **braciere** n. f. (XIIIe s.), **-erole** n. f. (XIIIe s., W. de Bibbesworth). Camisole de nuit pour les femmes.

brache, -que n. m. (1260, Br. Lat.; germ. *brakko, chien de chasse). Chien de chasse. ◆ **brachet, bracet** n. m. (déb. XIIIe s., R. de Beauj.), **-ete** n. f. (1210, *Dolop.*). Petit chien braque. ◆ **braconner** v. (1228, G.). Chasser avec des chiens. ◆ **braconnage** n. m. (1228, *Arch.*), **-erie** n. f. (XIIIe s.). Vénerie, chasse avec les braques. ◆ **braconnier** n. m. (1155, Wace). Valet de chiens.

I. **bracier** v. (XIIe s.; v. *brac*, bras). 1° Remuer les bras. — 2° Lutter. — 3° Labourer. — 4 ° Embrasser. ◆ **braçoier** v. (1160, Ben.). 1° Remuer, agiter les bras. — 2° Mesurer avec les bras. — 3° Serrer dans ses bras. — 4° Tramer : *Que les oevres furent brasees Par quoi saufrons si mortel paine (Pass.).* — 5° Travailler, façonner (XIVe s.). ◆ **braceor** n. m. (1307, G.). 1° Celui qui charge quelque chose avec les bras. — 2° Manœuvre.

II. **bracier** v. (1160, Ben.; lat. *braces*, épeautre, d'orig. gaul.). Fabriquer de la bière. ◆ **brais** n. m. (1247, Delb.). Orge broyée pour faire de la bière. ◆ **brace** n. f. (1268, E. Boil.). 1° Brasserie. — 2° Bière. ◆ **bracine** n. f. (1287, *Charte*). Brasserie. ◆ **braceor** n. m. (1250, Espinas). Fabricant de bière.

bracole n. f. (1290, W. de Bibbesworth; orig. obsc.). Petit pain cuit sous la cendre, sorte de gâteau.

bracon n. m. (1306, Guiart; orig. obsc.). 1° Branche d'arbre, branchage. — 2° Appui, support, potence. ◆ **braquener** v. (1321, *Arch.*). Munir de supports.

brahant n. m. V. BREHANT, tente.

brahon n. m. V. BRAION, morceau de chair.

brai, brau n. m. (fin XIIᵉ s., *R. de Cambr.*), **braie** n. f. (XIIIᵉ s.; gaul. **braeu*). 1° Boue, fange. — 2° Résine (marit.). — 3° Goudron. ◆ **braier** n. m. (XIIIᵉ s.), **-ion** n. m. (1250, *Ren.*). Bourbier. ◆ **braios** adj. (XIIIᵉ s., *Pastour.*). Boueux, fangeux.

II. **brai** n. m. V. BROI, gluau, piège.

braiche n. f. (1264, *Lettre J. de Joinv.*; orig. obsc.). Jachère, terre en friche.

braidir (fin XIIᵉ s., *Loher.*), **-oier** (fin XIIᵉ s., *Loher.*), **-onier** v. (fin XIIᵉ s., *Alisc.*; v. *brait*, cri). 1° Hennir. — 2° Crier, chanter. ◆ **braideis** n. m. (fin XIIᵉ s., *Loher.*), **-ison** n. f. (fin XIIᵉ s., *Alisc.*). Hennissement, cri. ◆ **braidif, brandif** adj. (1155, Wace). 1° Ardent, rapide (surtout en parlant du cheval). — 2° Emporté, impétueux : *Il furent trop volantif Et ferir de avant braidif* (Wace).

I. **braie** n. f. (XIIᵉ s.; lat. pop. **braca*, d'orig. gaul.). Ample culotte serrée aux jambes par des lanières. ◆ **braiel** n. m. (1125, *Gorm. et Is.*), **-ele** n. f. (fin XIIᵉ s., *Loher.*). 1° Ceinture de braies. — 2° Ceinture, taille.

II. **braie** n. f. V. BROIE, pétrin.

braier v. V. BROIER, pétrir.

braillier v. (1265, *J. de Meung*; lat. pop. **bragulare*, dim. de *bragere*, braire). Crier. ◆ **brail, braail** n. m. (XIIIᵉ s.), **braille** n. f. (XIIIᵉ s.). Cri.

I. **braion, brahon** n. m. (1155, Wace; germ. *braton*, morceau de viande, mollet). 1° Partie charnue (en particulier, le mollet ou la fesse). — 2° Morceau de viande pour le rôti.

II. **braion** n. m. V. BROHON, ours.

braire v. (1080, *Rol.*; lat. pop. **bragere*, d'orig. gaul.). 1° Pousser des cris. — 2° Faire du bruit (en parlant des choses). — 3° Chanter. ◆ **brait, brai** n. m. (fin XIIᵉ s., *Loher.*). Cri. ◆ **braiet** n. m. (1160, Ben.), **braiement** n. m. (1160, Ben.), **-erie** n. f. (1220, Coincy), **-ison** n. f. (fin XIIᵉ s., *Loher.*). Cri, tumulte, tapage. ◆ **braieor** n. m. (1290, *Arch.*). Celui qui brait, qui crie fort.

brais, brai, bras n. m., orge. V. BRACIER, fabriquer de la bière.

braise n. f. (1175, Chr. de Tr.; germ. **brassa*). Braise. ◆ V. BRASER, embraser.

I. **bran** n. m. V. BREN, ordure.

II. **bran** n. m. V. BRANT, fer de l'épée, grosse épée.

branche n. f. (1080, *Rol.*; bas lat. *branca*, patte). Branche. ◆ **branchoie** n. f. (1112, *Saint Brand.*). Branchage. ◆ **branchir** v. (fin XIIIᵉ s., *Gloss. gall.-lat.*). Avoir des branches, pousser des branches.

I. **brande** n. f. (1112, *Saint Brand.*; germ. *brand*, tison). Flamme, embrasement : *Lur nef est tut en brande (Saint Brand.).* ◆ **brander** v. (XIIᵉ s., *Trist.*). Embraser. ◆ **brandon** n. m. (1162, *Fl. et Bl.*). Torche. ◆ **brandoner** v. (XIIIᵉ s., *DDN*). Etre en érection : **brandoner** adj. (1260, G.). Des brandons : *Le dimanche brandoner* (G.). ◆ **brandonie** n. f. (fin XIIIᵉ s.). Saisie mise sur l'héritage par le signe de *brandon*.

II. **brande** n. f. (1205, texte breton; lat. *branda*, bruyère). Bruyère. ◆ **brandoi** n. m. (1378, *Arch.*). Champ de bruyères.

III. **brande** n. f., agitation, incertitude. V. BRANT, fer de l'épée.

I. **brander** v., embraser. V. BRANDE, flamme.

II. **brander** v., brandir, branler. Voir BRANT, fer de l'épée.

brandif adj., rapide, emporté. Voir BRAIDIR, hennir, crier.

brant, bran n. m. (1080, *Rol.*; germ. *brand*, tison). 1° Fer de l'épée. — 2° Grosse épée maniée des deux mains.

— 3° Proue. ◆ **brandir** v. (1080, *Rol.*), -**er** v. (XIIᵉ s., J. Fantosme). 1° Brandir, agiter. — 2° Chanceler, branler, trembler. ◆ **brande** n. f. (XIIᵉ s., *Conq. Irl.*). 1° Agitation. — 2° Incertitude. ◆ **brandeler** v. (1306, Guiart), -**oier** v. (1170, *Percev.*). Agiter, secouer. ◆ **brandele** n. f. (1180, *Rom. d'Alex.*). Position branlante, critique.

braquemart n. m. (1327, J. de Vignay; orig. incert., peut-être une déformation de l'ital. *bergamasco*). Épée courte et large à deux tranchants. ◆ **braquet** n. m. (XIVᵉ s.). Épée courte.

braquener v., munir de supports. V. BRACON, branche, support.

bras n. m. V. BRAC, bras.

braser v. (1155, Wace; germ. *brasa*, feu). Embraser, consumer. ◆ **brasoier** v. (XIIIᵉ s., *Doon de May.*). 1° Brûler. — 2° Faire rôtir sur la braise. ◆ **brason** n. m. (1247, *Conq. Jér.*). Flamme, flammèche, étincelle.

brasme, brame, breme n. m. (1160, *Eneas;* orig. obsc.). Sorte de pierre précieuse.

brau n. m. (1190, saint Bern.). V. BRAI, boue.

brebis n. f. V. BERBIS, brebis.

bredeler v. (1220, Coincy; d'orig. onomat.). Bredouiller, marmotter.

bregier n. m. V. BERCHIER, berger.

brehaing (1155, Wace), **baraigne** adj. (1119, Ph. de Thaun; orig. obsc.). 1° Stérile (en parlant des femmes). — 2° Stérile (en parlant de la terre, des plantes, etc.). ◆ **brehaigneté** n. f. (déb. XIIᵉ s., *Ps. Cambr.*). Stérilité.

brehant n. m. (1190, J. Bod.; orig. obsc.). Sorte de tente, de pavillon.

brehier n. m. V. BRUHIER, buse, oiseau de proie.

breil n. m. V. BRIL, piège.

brein adj. V. BREHAING, stérile.

brelenc, berlan n. m. (1180, G. d'Arras; anc. haut allem. *bretling*,

planche, table). 1° Table de jeu. — 2° Sorte de jeu de cartes *(Fabl. d'Ov.)* ◆ **berlenghe** n. f. (1309, *Arch.*). Maison de jeu.

brelle mesle, melle et brelle loc. adv. (fin XIIᵉ s., *G. de Rouss.*; altér. probable de la forme dédoublée *mesle mesle*). Pêle-mêle.

breme n. m. V. BRASME, sorte de pierre précieuse.

bren, bran n. m. (XIIᵉ s., Du Cange; lat. pop. *brennum*, son, d'orig. probabl. gaul.). 1° Son. — 2° Partie grossière du son. — 3° Rebut, ordure, excréments. ◆ **brenier, ber**- n. m. (fin XIIᵉ s., M. de Fr.). Valet de chiens, raboteur. ◆ **brenage** n. m. (1306, G.). Redevance en son pour la fabrication du pain de la meute du seigneur.

bresche n. f. (1190, saint Bern.; orig. incert.). Rayon de miel. ◆ **breschos** n. m. (1220, Coincy). Ruche.

bresil n. m. (1175, Chr. de Tr.; v. *braise*). Brasier. ◆ **bresillier** v. (1346, *Arch.*). 1° Briller. — 2° Embraser, rôtir.

bresmen n. m., valet. V. BERM, valet, portefaix.

bresser v. V. BERSER, bercer.

I. **bret** n. m. V. BRAIT, cri.

II. **bret** n. m. V. BROI, piège à oiseaux.

brete adj. fém. (1175, Chr. de Tr.; v. le précédent ou *brete*, bretonne). 1° Rusée. — 2° Sotte. ◆ **bretete** adj. fém. (1170, *Percev.*). Sotte : *Ne sui pas des foles bretetes Dont cil chevalier se deportent Qui sor lor chevax les enportent Quant il vont en chevallerie (Percev.).*

bretesche n. f. (1155, Wace; peut-être de *brittisca*, de *brittus*, breton). 1° Château en bois couvert d'un toit et faisant saillie sur un mur pour protéger les baies des fenêtres. — 2° Loge appliquée sur la façade d'une maison, balcon, parapet.

breton, brecton n. m. (1260, Br. Lat.; lat. *ructus*, rot, avec une initiale expressive). 1° Rot, flatuosité s'échappant avec bruit de l'estomac. — 2° Espèce de faucon (même mot?).

breu n. m., bouillon, écume, boue. V. BROILLIER, mélanger.

bribe, brimbe n. f. (1335, Deguil.; orig. obsc.). Chose de peu de valeur. ◆ **briber** v. (XIVᵉ s.). Mendier.

I. **briche** n. f. (1150, *Thèbes;* orig. obsc.). 1° Piège, ruse. — 2° Jeu d'attrape. — 3° *A la briche,* avec ruse, en traître. — 4° Engin de guerre pour lancer les pierres. — 5° Situation malencontreuse. — 6° Aide, secours : *Nos messagiers vont la briche querant (Aym. de Narb.).*

II. **briche, -ique** n. f. (XIIᵉ s.; germ. *brecha,* bris). 1° Forme de pain. — 2° Fragment, petit morceau. — 3° En particulier, sert à renforcer la négation : *Nul assaut ne doutent la briche* (Guiart).

bricon n. m. cas rég., **bric, -s** cas suj. (XIᵉ s., *Alexis;* orig. obsc.). 1° Fou. — 2° Fripon, coquin : *Fis a putain, mavais gloutons et bris (G. de Vienne).* — 3° Lâche : *Stre Tristran, ne soiez bris (Trist.).* — 4° *Bricon de,* paresseux à : *De responde ne sont bricon Li oisiel* (J. de Condé). ◆ **bricart** n. m. (1220, Coincy). Fou. ◆ **bricoigne, -onie** n. m. (1170, *Percev.*). 1° Folie. — 2° Filouterie.

brie, brige n. f. (1298, M. Polo; ital. *briga,* lutte, querelle). 1° Bruit, tumulte. — 2° Débat, rixe.

I. **brief** adj. (XIIᵉ s.; lat. *brevem*). 1° Court, bref. — 2° Prochain : *Or aproce le terme brief Que lor amours trairont a chef* (Pir. et Tisb.). ◆ **briété** n. f. (1213, *Fet Rom.*). Brièveté.

II. **brief** n. m. (1080, *Rol.;* même mot que le précédent). 1° Lettre. — 2° Écrit, brevet : *Je sui au roi : Si port son seel et son brief* (J. Bod.). — 3° Registre à inscrire les droits (1275, *Arch.*). 4° Redevances imposées sur les objets de consommation (1226, *Arch.*). ◆ **briecel** n. m. (1180, *Rom. d'Alex.*). Écrit, lettre. ◆ **brievet** n. m. (1220, Coincy). 1° Écrit, lettre. — 2° Acte non scellé.

brifer v. (XIIIᵉ s.; orig. obsc.). Manger voracement. ◆ **brifalt** n. m. (XIIIᵉ s.,

fabliau). Glouton. ◆ **brifalder** v. (XIIIᵉ s., fabliau). 1° Manger goulûment. — 2° Au sens technique : *brifauder du drap (DDN).* ◆ **brifaudure** n. f. (1340, *Statut drap. Reims*). Premier peignage de la laine.

brigand n. m. (1350, G.; ital. *brigante*). Soldat à pied : *Brigand, c'est une maniere de gens d'armes courant et apert, a pié (Gloss. lat.-gall.).* ◆ **brigandin** n. m. (1360, Froiss.). Petit bâtiment léger, armé pour la course.

brigue n. f. (1314, G.). V. BRIE, tumulte, rixe.

bril, breil, brueil n. m. (1190, Garn.; germ. *britl,* lacet). 1° Piège pour prendre les oiseaux. — 2° Piège en général : *Mult sunt faus li prelat que tu as pris al breil* (Garn.). ◆ **briolet** n. m. (XIIIᵉ s., *Rom. et Past.*), **brillet** n. m. (XIVᵉ s., *Modus*). Piège à oiseaux. ◆ **brilleur** n. m. (1317, *Orden.*). Celui qui chasse la nuit au *bril.*

brimbe n. f. V. BRIBE, chose de peu de valeur.

brin, bri n. m. (1190, J. Bod.; orig. obsc.). 1° Bruit, cri. — 2° Force. — 3° Orgueil : *Las! hui perdra Guillaumes tot son brin (Alisc.).* — 3° *A un brin,* d'un même effort, à la fois.

bris, bric n. m. cas suj. V. BRICON, fou.

brisier, bruisier v. (1080, *Rol.;* lat. pop. * *brisare,* d'orig. gaul.). 1° Briser, rompre. — 2° Enfreindre : *S'aucuns hom ou femme brisoit ceste pais (Paix de Metz).* ◆ **brise** n. f. (1314, Mondev.), **-ement** n. m. (1190, saint Bern.), **-eis** n. m. (1155, Wace), **-erie** n. f. (1270, Ruteb.). Action de briser. ◆ **briseor** n. m. (fin XIIᵉ s., *Gar. Loher.*). Celui qui brise, qui endommage.

briver v. (XIIIᵉ s., *Otinel;* gaul. *brivos). courir rapidement. ◆ **brive** n. f. (1250, *Ren.*). Vivacité, rapidité : *Aval l'eve S'en vet a brive (Ren.).*

I. **broc** n. m. (1380, *Inv. Charles V;* lat. *brocchum,* saillant, d'où : cruche à bec). Cruche. ◆ **broche** n. f. (1190, J.

Bod.). Broche, bonde : *Caignet, abaisse un poi le broche Si nous laisse taster au tourble* (J. Bod.). ◆ **brochon** n. m. (1277, *Arch.*), **-eron** n. m. (1297, *Arch.*). 1º Tuyau ou robinet par où l'on verse la liqueur contenue dans un vase. — 2º Goulot. ◆ **brocheor** n. m. (1270, *Arch.*). Celui qui vend du vin au broc.

II. **broc** n. m. (s. d.; orig. incert.; v. le suivant). Bourgeon, nœud d'une tige. ◆ **broçoner** v. (1155, Wace). Bourgeonner, pousser des branches. ◆ **broçonos** adj. (XIIᵉ s., Marb.), **broceros** adj. (1277, *Rose*), **broçonu** adj. (1258, *Arch.*). Couvert de bourgeons, noueux. ◆ **broçoné** adj. (1220, *Saint-Graal*). Couvert de boutons (en parlant du visage, etc.).

III. **broc** n. m. (XIIᵉ s.), **broche** n. f. (XIIᵉ s.; lat. pop. *brocchum* ou *broccha*, saillant pointu). 1º Objet pointu : clou, broche, etc. — 2º Arme pointue. — 3º Aiguillon du hérisson. ◆ **brochete** n. f. (XIIᵉ s., *Trist.*). 1º Petite broche. — 2º Éperon. — 3º Pointe pour séparer les cheveux. ◆ **brochier** v. (1080, *Rol.*). 1º Piquer avec une pointe, éperonner. — 2º Passer l'aiguille : brocher, broder. — 3º Mettre en perce (1270).

broce, broisse n. f. (XIIᵉ s., *Conq. Irl.*; lat. pop. **bruscia*, de *bruscum*, nœud de l'érable). — 1º Broussaille. — 2º Plant touffu. — 3º Bouquet d'arbres. — 4º Brosse (1265, J. de Meung). — 5º Bois d'un cerf. — 6º Troupe compacte en rangs serrés (B. de Condé).

brod n. m. (1298, M. Polo; anc. haut allem. **brod*). Jus, sauce de viandes bouillies.

broe n. m. (s. d.), **broee** n. f. (1314, Mondev.; même rac. que le précédent, infl. par *broillier*). Brouillard blanc. ◆ **broin** n. m., **-ine** n. f. (fin XIIᵉ s., *Cour. Louis*). Brouillard, bruine. ◆ **broas** n. m. (XIIIᵉ s.). 1º Gelée du matin. — 2º Brouillard. ◆ **broillas, bruiloz** n. m. (1220, Coincy). 1º Brume. — 2º Trouble, confusion. — 3º Ravage, dégât.

brohon, broion n. m. (1080, *Rol.*; lat. pop. **brachionem*, d'orig. celt.). 1º Ours. — 2º Épervier. — 3º Arbre trop vieux ou rabougri.

broi, brai n. m. (1180, *Rom. d'Alex.*; germ. *brid*, planchette). 1º Gluau. — 2º Piège. ◆ **braicel** n. m. (XIIIᵉ s., *D'un hermite*). Engin de chasse pour prendre les oiseaux. ◆ **broion** n. m. (1190, J. Bod.). Piège pour prendre les animaux. ◆ **braieteur** n. m. (XIVᵉ s.). Chasseur qui prend les oiseaux au *brai*.

I. **broie** n. f. V. BRAI, boue.

II. **broie** n. f., ce qui est pétri, épreuve, délai. V. BROIER, broyer.

I. **broier** v. (1283, Beaum.; germ. ** brekan*, briser). 1º Broyer, pétrir. — 2º *Broier le cul*, faire l'amour (*Ren. le Contref.*). ◆ **broie** n. f. (XIIᵉ s., *Chev. cygne*). 1º *Pain a broie*, pain de fine farine que les boulangers faisaient pour leur chef-d'œuvre. — 2º Épreuve, situation critique. - 3º Délai.

II. **broier** v. (1190, *H. de Bord.*; v. *brai*, cri). 1º Marchander. — 2º Se faire presser.

broigne, brugne, broine n. f. (1080, *Rol.*; germ. **brunja*, cuirasse). Cuirasse garnie d'écailles de métal, de têtes de clous.

broil n. m. V. BRUEIL, bois taillis, foule.

broillier v. (1219, *Guill. le Maréch.*; orig. incert.; se rattache peut-être à la famille *broe*, brouillard). 1º Mélanger. — 2º Salir. ◆ **brou, breu** n. m. (s. d.). Bouillon. écume, sauce. ◆ **broillas** n. m. (1220, Coincy). 1º Trouble, révolte : *Par bruilaz et par barate* (Coincy). — 2º Brouille.

I. **broin** n. m. V. BRUIN, bruit.

II. **broin** n. m. brouillard. V. BROE, brouillard.

I. **broion** n. m. V. BROHON, ours, épervier, vieil arbre.

II. **broion** n. m., piège pour animaux. V. BROI, gluau, piège.

broissequin, brode- n. m. (1316, G.; néerl. *broseken*, dim. de *brosen*, souliers). Sorte de drap.

I. **broiz** n. m. V. BRUIS, broussin d'érable, nodosité.

II. **broiz** n. f. V. BRU, belle-fille.

bronche n. f. (s. d.; v. *broce*).
1° Tronc, souche. — 2° Branche. —
3° Buisson. ◆ **bronchonos** adj. (fin XIII⁰ s.,
J. de Meung). 1° Raboteux et escarpé (en
parlant des lieux).

bronchier v. (1175, Chr. de Tr.; lat.
pop. *bruncare*, d'orig. obsc.). 1° Pencher,
baisser. — 2° Baisser tristement la tête :
*Li cuens l'entent, si broncha le menton
(Auberi).* ◆ **bronchos** adj. (fin XIII⁰ s.,
DDN). Chagrin.

brosder v. (fin XII⁰ s., M. de Fr.; francique *brozdôn*). Broder. ◆ **brosdeure**
n. f. (1160, *Eneas*). Broderie.

broster v. (1160, Ben.), **-eler** v.
(XIII⁰ s., *Rom. et past.;* germ. *brustjan,*
même sens). 1° Bourgeonner. — 2° Brouter (« mordre le bois »). ◆ **brost, bros**
n. m. (XII⁰ s., *Part.*). 1° Pousse, germe,
bourgeon : *Li sainglers... Le brost desdaigne et la racine (Part.).* — 2° Action de
brouter, pâturage. — 3° Feuilles mortes,
litière.

brotee n. f. (1260, Mousk.). Voir
BEROETE, brouette.

brou n. m., bouillon, écume, boue.
V. BROILLIER, mélanger.

I. **bru, broiz** n. f. (1190, Garn.; got.
bruths). Belle-fille. ◆ **bruman, -men,
-ment** n. m. (fin XIII⁰ s., *DDN*). Fiancé,
jeune époux.

II. **bru** n. m. (1155, Wace; orig. incert.;
cf. all. *Brust*, poitrine). 1° Tronc. —
2° Buste. — 3° Poitrine de femme.

III. **bru, brui** n. m. (XII⁰ s., lat.
brucum, d'orig. gaul.). Bruyère. ◆ **bruiere**
n. f. (1190, Garn.), **-ieroi** n. m. (1169,
Wace), **-seroi** n. m. (XII⁰ s., *Asprem.*).
Champs de bruyères:

bruant n. m. (1190, J. Bod.; v. *bruire,*
répandre un bruit). Torrent.

brubeille n. f. (1260, A. de la Halle;
orig. incert.). 1° Caractère querelleur. —
2° Histoire à dormir debout, sornette :
Preudom, dist il tant de brubeilles...?
(A. de la Halle).

bruchedos (a) loc. adv. (XII⁰ s.,
Ps.; v. *dos;* le premier élément est obscur).
Derrière le dos, sous les pieds : *Et mes
anemis ne donas a bruchedos (Ps.).*

bruec n. m. (fin XII⁰ s., saint Grég.;
orig. obsc.). 1° Ruisseau. — 2° Bourbier.
◆ **bruecos** adj. (1360, Froiss.). Bourbeux.

I. **brueil, -uel, -oil** n. m. (1080,
Rol.; lat. *brogilum*, du gaul. *broga,*
champ). 1° Bois taillis, forêt. — 2° Foule
serrée. ◆ **brueille** n. f. (1180, *Rom.
d'Alex.*). Forêt. ◆ **brueillet** n. m. (1160,
Ben.). Petit bois.

II. **brueil** n. m. V. BRIL, piège.

I. **brueille** n. f. (fin XII⁰ s., *Gar. Loher.;*
du lat. *botula*, pour *botulus,* intestins;
avec épenth. d'un *r*). Entrailles : *Puis fet
le cors ovrir, La brueille a fet richement
enfoir (Gar. Loher.).*

II. **brueille** n. f., forêt. V. BRUEIL,
bois taillis.

brugne, brunie n. f. V. BROIGNE,
cuirasse.

brugnier v. V. BURGNIER, brûler,
piller.

bruhier, buier, brehier n. m.
(1180, *Rom. d'Alex.;* orig. incert.). Buse,
oiseau de proie.

bruie n. f. (1175, Chr. de Tr.; v. *briver,
brive*). Vivacité, Impétuosité. *A une bruie,*
d'un même effort, à la fois.

bruiloz n. m. brume, trouble, dégoût
V. BROE, brouillard.

I. **bruin** n. m. (XII⁰ s., *Chev. cygne*),
-ine n. f. (XII⁰ s., *Chev. cygne;* orig.
obsc.). 1° Effort de la bataille. — 2° Lutte,
querelle. — 3° Trouble, embarras.

II. **bruin** n. m. V. BROIN, brume.
◆ **bruinee** n. f. (XIII⁰ s., *Anseis*), **-al** n. m.
(1220, Coincy). Brume.

bruir, -illir v. (1080, *Rol.;* germ.
brüejan; cf. all. *brühen,* échauffer).
1° Brûler. — 2° Griller, rôtir.

bruire v. (déb. XII⁰ s., *Voy. Charl.;* lat.
pop. *brugere*). 1° Répandre un bruit. —

2° Faire du bruit. ◆ **bruit** n. m. (XIIᵉ s., *Roncev.*). 1° Bruit. — 2° Renommée, réputation, gloire : *Por tot l'or ne por tot l'avoir C'onques ourent li plus riche home Qui furent des le bruit de Rome (Trist.).* — 3° Rut. — 4° *A un bruit,* à la fois : *Anz an antrerent a un bruit (Eneas).* ◆ **bruior** n. f. (1080, *Rol.*), **-ement** n. m. (1164, Chr. de Tr.), **-isson** n. f. (fin XIIᵉ s., *Loher.*). 1° Bruit. — 2° Bruissement. ◆ **bruidif** adj. (1330, *Ov. mor.*). Bruyant.

bruis, broiz n. m. (1160, Ben.; lat. *bruscum, brustum,* nœud de l'érable). 1° Broussin d'érable. – 2° Nodosité.

bruisier v. V. BRISIER, briser.

brulot n. m. (XIIᵉ s., *Floov.;* dimin. de *brueil,* bois, forêt). Bois.

brume n. f. (1260, Br. Lat.; lat. *bruma,* hiver). Hiver.

brumen n. m., valet. V. BERM, valet.

brun adj. (1080, *Rol.;* germ. **brun*). 1° Brillant. — 2° Brun, sombre, obscur. — 3° Malheureux, funeste. ◆ **brunir** v. (1080, *Rol.*), **-oier** v. (fin XIIᵉ s., *Aiol*). 1° Rendre brillant, étinceler. — 2° Rendre brun; paraître, devenir brun, sombre. ◆ **brunor** n. f. (1080, *Rol.*). 1° Couleur brune. — 2° Obscurité de la nuit, crépuscule, la brune. ◆ **brune** n. f. (1190, J. Bod.). Tombée du jour. *Aler a la brune,* aller en maraude (probablement argotique).

brusler v. (1120, *Ps. Oxf.;* lat. pop. **brustulare,* reconstr. incertaine). Brûler, au pr. et au fig. ◆ **brullee** n. f. (1180, *Rom. d'Alex.*), **-ance** n. f. (XIVᵉ s., *Gloss. Conches*). Action de brûler. ◆ **brulleis** n. m. (XIIᵉ s., *Trist.*). Brûlis.

bruster v. V. BROSTER, bourgeonner.

bube n. f. (1265, J. de Meung; cf. grec *boubôn,* tumeur à l'aine). Pustule. ◆ **bubete** n. f. (1265, J. de Meung), **-uis** n. m. (1220, Coincy). Petit bouton, enflure, tumeur.

buc, bu n. m. (1080, *Rol.;* francique *buk,* ventre, tronc). 1° Tronc. — 2° Buste du corps.

buce, buse n. f. (1160, Ben.; scand. *bûza,* moy. néerl. *buse*). Navire très large, à deux mâts, capable de porter de lourds fardeaux.

buebant n. m. V. BOBANS, arrogance, faste.

buef n. m., **bues** cas suj. (1155, Wace; lat. *bos, bovem*). Bœuf : *Bien pert s'alleluie qui a dos de buef la chante* (proverbe du XIIIᵉ s.).

I. **buer** v. (XIIIᵉ s., *Sept Sages;* germ. *bukon;* cf. all. *bauchen,* lessiver). Faire la lessive. ◆ **buee** n. f. (1190, J. Bod.). Lessive, linge lessivé : *Ai espiet une buee Que j'aiderai a rechinchier* (J. Bod.). ◆ **buerece** n. f. (1335, Deguil.). Lavandière, blanchisseuse.

II. **buer, boer, bor, bur** adv. (XIᵉ s., *Alexis;* orig. incert.; peut-être une contraction de *bona hora?*). 1° Bien, heureusement : *Chier filz, buer i alasses (Alexis).* — 2° Avec raison, à propos. ◆ **buerné** interj. (XIIᵉ s.). Exprime l'encouragement, Allez! courage!

bufer v. V. BOFER, souffler.

bufet n. m. (1150, *Thèbes;* orig. obsc.). 1° Table. — 2° Meuble actuel, synonyme d'ÉTAL (1268, E. Boil.). – 3° Bureau, cabinet (1345, *Cart. de Flines*). ◆ **bufeterie** n. f. (1336, *Arch.*). Vinaigrerie. ◆ **bufetier** n. m. (1268, E. Boil.). Marchand de vin, vinaigrier.

bufoi n. m. V. BOFOI, arrogance, moquerie, lutte.

bugle, buegle, buele n. m. (XIIᵉ s.; lat. *buculum,* dimin. de *bos,* bœuf). 1° Bœuf sauvage, buffle, jeune bœuf. — 2° Peau de buffle. ◆ **bugler** v. (déb. XIIᵉ s., *Voy. Charl.*). Rendre un son, en parlant de *bugle.* ◆ **buglerel** adj. (XIIᵉ s., *Roncev.*), **-erenc** adj. (fin XIIᵉ s., *Aiol*), **-eret** adj. (1247, *Conq. Jér.*). Fait de corne de bœuf.

I. **buie, boie, boe** n. f. (fin XIIᵉ s., *Loher.;* cf. lat. *boia,* lien). Lien, chaîne, entrave. ◆ V. BUISE, chaîne.

II. **buie, buhe, bue** n. f. (fin XIIᵉ s., *G. de Rouss.;* cf. francique **buk,* ventre). Cruche. ◆ **buhote** n. f. (av. 1300, Poèt. fr.). Petite cruche. ◆ **buire, bure** n. f. (1175, Chr. de Tr.). Cruche de terre,

aiguière au col allongé. ◆ **buhotas** adj.
(1260, A. de la Halle). Trompeur : *N'a
plus faus ne plus buhotas* (A. de la Halle).

buier n. m. V. BRUHIER, buse, oiseau
de proie.

buigne, buyne n. f. (1378, G.; orig.
obsc.). Bosse à la tête provenant d'un
coup. ◆ **buignet** n. m. (1152, *Fl. et Bl.*),
-**on** n. m. (1220, Coincy). Beignet.

buille n. f, V. BOELE, boyaux, entrailles.

buiot, buhot n. m. (1250, *Ren.;*
peut-être dimin. de *buie*, cruche). Tuyau,
conduit, goulot. ◆ **buire, bure** n. m. (1195,
Cart.de Hainaut). Écluse.

I. **buire** adj. (1175, Chr. de Tr.; lat. pop.
*burium, de *burrus*, roux foncé).
1º D'un brun foncé. — 2º Fait de bure.
◆ **buiron** adj. et n. m. (XIIe s., *Roncev*.
1º Brun foncé. — 2º Bure grossière.

II. **buire** n. m., écluse. V. BUIOT,
tuyau.

III. **buire** n. f. V. BURE, feu de joie.

I. **buiron, buron** n. m. (XIIe s.,
Trist.; cf. germ. *bur*, maison). Cabane,
chaumière.

II. **buiron** adj. et n. m., brun, bure.
V. BUIRE, d'un brun foncé.

buise, buse n. f. (XIIe s., *Chev. cygne;*
v. *buie*, même sens). Lien, chaîne.

buisiner v. (XIIe s., *Ogier;* lat. *bucci-
nare*). Sonner de la trompette. ◆ **buisine**
n. f. (1080, *Rol.*). Trompette, clairon.
◆ **buisineor** n. m. (1080, *Rol.*). Joueur de
trompette.

buisnart adj. (1160, Ben.; orig. obsc.).
Niais, imbécile. ◆ **buisnardie** n. f. (1220,
Coincy). Niaiserie, sottise : *En buisnardie
est bien enpainz* (Coincy).

buison n. m. et adj. (1220, Coincy; lat.
buteonem). 1º Busard, sorte d'oiseau
rapace. — 2º Stupide. ◆ **buisart, busart**
n. m. et adj. (XIIe s., J. Fantosme). Homme
stupide, méchant. ◆ **buissot, bussot** adj.
(1220, Coincy). 1º Busard. — 2º Stupide.

buissier v. V. BUSCHIER, frapper,
cogner.

buisson, boisson n. m. (1080,
Rol.; gaul. * *boso*, bois). Buisson. *Traire
le serpent del boison*, tirer les marrons du
feu. ◆ **buissonet** n. m. (fin XIIe s., M. de
Fr.). Petit bois. ◆ **buissoncel** n. m. (1274,
Aden.). Petit et jeune buisson. ◆ **buissonoi**
n. m. (1155, Wace). Lieu buissonneux,
fourré, ronces.

bule, burle n. f. V. BOLE, boule.
◆ **bulete,** (1299, *Charte*). 1º Petite boule
servant de sceau. — 2º Certificat, bulletin.
◆ **buler** v. (1243, Ph. de Nov.), -**ier** v.
(*Chans. d'Ant.*). Sceller.

buleter v. (fin XIIe s., *Rois*; moy. néerl.
buitelen, bluter). Bluter. ◆ **buletel** n. m.
(XIIe s.), -**erie** n. f. (1325, J. Richard).
Blutoir.

bulle n. f. V. BURE, feu de joie.

buquet n. m. (1322, *Inv. du comte de
Hereford;* v. *buc*, tronc buste). Vase,
coupe, bénitier.

bur adv. V. BUER, bien, avec raison.

I. **bure, buire, beure, bulle** n. f.
(1269, *Arch.;* orig. obsc.). Feu de joie,
brandon. *Le jour des bures*, le premier
dimanche de carême.

II. **bure** n. f. V. BUIRE, cruche.

I. **burel** n. m. (1250, *Ren.;* v. *burle*,
boule). Marotte.

II. **burel** n. m. (1138, *Saint Gilles;*
v. *buire*, d'un brun boncé). 1º Drap grossier de couleur brune. — 2º Tapis de table
(XIIIe s.). ◆ **burelé** adj. (XIIIe s., Huon de
Méry). Rayé comme les tapis de table.

burelure, burebure n. f. et adj.
(1204, R. de Moil.; orig. incert.). 1º Bali-
vernes, tromperie. — 2º Fou : *Mes Deus
n'est pas si burelure, Si enfes ne si pou-
pellons* (Coincy).

burgnier v. (1190, Garn.; orig. germ.;
cf. angl. *to burn*, brûler). 1º Brûler. —
2º Piller, saccager.

burir v. (1130, *Job;* orig. obsc.). Se
précipiter avec fougue, charger. ◆ **burissement** n. m. (1130, *Job*). Impétuosité :
Il li donet ... encontre burissement conseil

(Job). ◆ **burine** n. f. (1197, *Cart.*). 1° Rixe, querelle. — 2° Droit de juger les querelles.

burle n. f. V. BULE, boule.

buron n. m. V. BUIRON, cabane.

I. **burre** n. f. (1288, J. de Priorat; orig. incert.). Machine de guerre.

II. **burre** n. m. (XIIᵉ s., lat. *butyrum*, du grec). Beurre. ◆ **burrer** v. (1220, Coincy). Beurrer.

I. **bus** n. m. (1360, Froiss.), **buse** n. f. (XIIIᵉ s., *Méd. liég.;* moy. néerl. *buse*, conduit). Tuyau, conduit. ◆ **busel** n. m. (XIIᵉ s., *Chev. cygne*). 1° Boyau : *Cil ne pierderont riens qui ont plain les busiaus* (*Chev. cygne*). — 2° Tuyau, petit fossé. ◆ **busete** n. f. (1313, *Arch.*), **-ine** n. f. (1314, *Arch.*). Petit canal, tuyau.

II. **bus** adj. (1220, Coincy; orig. incert.; v. *buisart*). Niais. ◆ **buser** v. (XIVᵉ s.). Tromper.

III. **bus** cas suj. V. BUC, tronc, buste.

busart, bussot n. m. et adj. V. BUISON, busard, niais.

busche n. f. (XIIᵉ s., *Florim.;* germ. **busk*, baguette). Bois de chauffage. ◆ **buscheter** v. (1250, *Ren.*). Couper du bois. ◆ **buschille** n. f. (XIIIᵉ s., *Meraugis*). Copeau, petit morceau de bois. ◆

buchier n. m. (1263). 1° Marchand de bois, de bûches. — 2° Bûcheron.

buschier v. (déb XIIIᵉ s., R. de Clari; germ. *buchsen*, frapper). Frapper, cogner.

I. **buse** n. f. V. BUS, tuyau, conduit.

II. **buse** n. f. V. BUISE, lien, chaîne.

II. **buse** n. f. V. BUCE, navire.

busier v. (XIIᵉ s., *Chev. cygne;* orig. incert.). Penser, réfléchir, rêver : *Quant li roys a vent qu'elle va buisiant, Se ly dist : ... Laissiez vostre muser et n'y allés penssant (Chev. cygne).*

but n. m. (1190, Garn.; probabl. francique **but*, souche). 1° Souche, billot. — 2° Cible, but de flèche. — 3° *Tot de but*, tout droit, sans hésitation (Garn.). — 4° *But a but*, directement, d'un bout à l'autre : *Eschange, cession et transport faiz but a but Senz tournes* (1350, *Chartr. d'Orl.*).

buter v. V. BOTER, pousser.

buvee n. f. (1190, J. Bod.; v. *bevre*, boire). Coup à boire, rasade : *Verse, Pinchedé, fai li boire, Il a bien dit, une buvee (J. Bod.).*

buverie n. f., action de boire, ivrognerie. V. BEVRE, boire.

ca- préf. (d'orig. incert.). Préfixe à valeur expressive, souvent péjorative : *cabosse, camus, chaute,* cabane, *chamaillier (?),* etc.

ça, çai adv. (1080, *Rol.;* lat. pop. *ecce-hac,* renforcement de *hac,* par ici). Par ici. ◆ **çaenz, çaienz** adv. (déb. XIIᵉ s., *Voy. Charl.;* comp. avec *enz,* dedans). Ici dedans, à l'intérieur : *Chaiens fait bon disner, chaiens!* (J. Bod.). ◆ **çafors** adv. Ici dehors. ◆ **çasus** adv. Ici au-dessus. ◆ **ça en arriere** loc. adv. (1155, Wace). 1° Ci-devant, jadis : *Parlei avum en queil maniere Brutus aquist cha en arriere Tote Bretagne et le pais* (Wace). — 2° Jusqu'à présent : *Sachiez par finc verité Que ce que je vous ai amé ça en arriere de fin cuer* (Chast. Vergi). ◆ **ça dont** interj. (1260, A. de la Halle). Ça alors! : *Cha dont, Dieus i ait part* (A. de la Halle).

caal n. m. V. CHADEL, chef, capitaine.

caanche n. f. V. CHEANCE, chute.

cabas, cabar n. m. (1327, J. de Vignay; prov. *cabas*). Panier tressé servant à contenir les fruits.

cabetenc n. m. (1138, *Saint Gilles;* ar.-pers. *qaftān*). Caftan, vêtement garni de fourrure.

caboce n. f. (1160, Ben.; formé de *boce,* bosse, et d'un préfixe ca- expressif). Bosse. ◆ **cabocier** v. (XIIᵉ s., *Mon. Guill.*). 1° Former des bosses. — 2° Etre trop large.

cabordate n. f. (XIIᵉ s., M. de Fr.; orig. incert.). Cabane, hutte.

cacatrigenois n. m. V. COCATRIS, crocodile.

cachier v. (1220, *Saint-Graal;* lat. pop. **coacticare,* serrer, de *coactare*). 1° Fouler. — 2° Cacher. ◆ **cachet** n. m. (1175, Chr. de Tr.), **-ete** n. f. (1313, Godefr. de Paris). Lieu retiré, cachette.

cachiner v. (1220, Coincy; lat. *cachinnare,* même sens). Éclater de rire. ◆ **cachin** n. m., **-e** n. f. (XIIIᵉ s.). Éclat de rire.

cacluter v. (1255, *Charte;* orig. obsc.). Proclamer, publier.

cacoigne n. f. (XIIᵉ s., *Chev. cygne;* orig. obsc.). 1° Querelle. — 2° Méchanceté : *A honte et a cacoigne (Chev. cygne).* — ◆ **cacoigneor** n. m. (1260, A. de la Halle). 1° Querelleur. — 2° Trompeur.

cadel n. m. (fin XIIᵉ s., *G. de Rouss.;* prov. *capdel,* chef, de *caput*). Lettre capitale, avec enjolivures.

caduque n. f. (1314, Mondev.; lat. *caduca,* de *cadere,* tomber). Mal caduc, épilepsie.

çaenz adv., ici dedans, à l'intérieur. V. ÇA, par ici.

cafe n. f. (1160, *Eneas;* du nom de la ville de *Caffa*). Étoffe de soie.

çafors adv., ici dehors. V. ÇA, par ici.

cafre adj. (1220, Coincy; cf. esp. *cafre,* cruel, de l'arabe). 1° Couvert de croûtes, lépreux. — 2° Hideux. ◆ **cafrage** n. m. (XIIIᵉ s., *Livr. de leesse*). Maladie de peau.

ça hei! interj. (1160, Ben.), **çatro!** interj. (1160, Ben.). Cris des bergers pour faire avancer leurs moutons.

cai n. m. (1167, D.), **caie** n. f. (XIIᵉ s.; gaul. *caio*). 1° Banc de sable. — 2° Digue, quai. ◆ **caiage** n. m. (1295, *Arch.*). Droit payé par les marchands pour l'utilisation des quais d'un port.

çai adv. V. ÇA, par ici.

I. **caie** interj. (XIIIᵉ s., *Sainte Thaïs;* v. peut-être *chaele,* interj.). Exprime la désapprobation (?) : *Je m'en lief et si m'en irai. Caie, dit, fole, non feral (Sainte Thaïs).*

II. **caie** n. f. V. CAI, banc de sable, digue.

III. **caie** n. f. V. CAIVE, cage.

caieler v. V. CHADELER, commander, protéger.

çaienz adv., ici dedans, à l'intérieur. V. ÇA, par ici.

caier n. m. (1315, *Orden., G.*; se rattache à *cheoir* ou à *quaternum* qui donne aussi *cahier?*). 1° Lampe à queue, suspendue par un crochet. — 2° Bougie, roche en général.

caillete n. f. (XIII⁰ s., *Fabl. d'Ov.*; v. *chaillo*, caillou). Petite pierre. ◆ **caliel** n. m. (XII⁰ s., *Chev. cygne*). Petit caillou. ◆ **caillouel** n. m. (1335, *Rest. du Paon*). Pavé, bloc. ◆ **caillouiere** n. f. (1331, *Cart.*). Lieu rempli de cailloux.

caillier n. m. (1307, *Arch. Caen;* orig. obsc.). 1° Sorte de faïence de qualité inférieure. — 2° Vase à boire le vin (le *hanap* utilisé le jour et le *caillier*, la nuit).

çaingler v. V. CENGLER, ceindre, investir.

cair v. V. CHEOIR, tomber.

caisne n. m. V. CHESNE, chêne.

caive, caie, cage n. f. (1155, Wace; lat. *cavea*, de *cavus*, creux). Cage.

calabre n. f. (fin XII⁰ s., *Loher.*; orig. obscure). 1° Battant de porte. — 2° Machine de guerre.

calade n. f. (1160, *Eneas;* v. *calandre*, alouette?). Oiseau merveilleux.

calamai n. f. (1303, *Accord, G.*; orig. incert.). Chandeleur, fête de la Purification de la Vierge.

calamar n. m. (fin XIII⁰ s., *D.*; ital. *calamaro*, du lat.). Écritoire portative.

caland n. m. V. CHALANT I, bateau plat.

calandre, chalendre n. f. (XII⁰ s.; prov. *calandra*). Alouette.

caldeu, caldieu n. m. (XIII⁰ s., *ABC;* lat. *chaldaeus*, chaldéen). La langue chaldéenne : *Ensi l'apelent li Judeu Et en ebrieu et en caudeu (ABC).*

caleforchie n. f. (XIII⁰ s.; J. Le March.; comp. de *forchier* et de *caler?*).

Loc. adv. *A caleforchies*, les jambes écartées.

calendier n. m. (1298, M. Polo; lat. *calendarium*, livre d'échéances, calendrier). Rôle, registre, calendaire. ◆ **calendaire** adj. (fin XIII⁰ s., Guiart). Qui est fait en un mois.

caler v. (1160, Ben.; lat. techn. *chalare*, tenir en l'air, du grec). Laisser aller les voiles.

caliel n. m. V. CAILLETE, petite pierre.

camaheu, camahieu n. m. (1235, H. de Méry; peut-être de l'arabe *qamā'd*, bouton de fleur). Camée.

camail n. m. (fin XIII⁰ s.; prov. *capmalh*, comp. de « tête » et « maille »). Coiffure de tête, tête de mailles.

cambe, canbe n. f. (1145, texte lat.; moy. bas all. *camb-*). Brasserie, lieu où l'on fabrique la bière. ◆ **cambier** n. m. (1248, *Arch. Douai*). Brasseur de bière. ◆ **cambage** n. m. (1280, *Cart. noir de Corbie*). Droit sur la bière.

cambrer v. (fin XIII⁰ s., *Mir. saint Éloi*; v. *chambre*, courbe). Se courber, se détourner.

camel n. m. V. CHAMEL, chameau. ◆ **camelot** n. m. (1213, *Fet Rom.*). Étoffe de poil de chameau. ◆ **camelin** adj. (1277, *Rose*). Qualifie une sorte de sauce.

camoscas n. m. (1316, *Arch.;* ital. *camoscio*, chamois). Étoffe de soie se rapprochant du satin.

camosser v. V. CHAMOISIER, meurtrir.

camp n. m. V. CHAMP, pays plat, bataille.

campane n. f. (1170, *Percev.;* bas lat. *campana*, cloche). Cloche : *Et comanda a sonner la campane de la comune* (Phil. de Nov.). ◆ **campanele** n. f. (fin XII⁰ s., Guiot). Petite cloche, sonnette. ◆ **campanete** n. f. (1170, *Fierabr.*), **-enole** n. f. (fin XIII⁰ s., *Son. de Nans.*). Cloche, clochette. ◆ **campanier** n. m. (1270, Ruteb.). Clocher.

camus adj. (1247, Ph. de Nov.; rad. de *museau*, doté d'un préfixe péj. *ca-*). Camus.

◆ **camuset** adj. (1260, Br. Lat.), -ot adj. (1260, Br. Lat.). Un peu camus.

can n. m., **cane** n. f. (s. d.; germ. *khan*, bateau). Bateau. ◆ **canart** n. m. (1138, *Saint Gilles*). Grande embarcation.

canbe n. f. V. CAMBE, brasserie.

cancel n. m. (fin XIIe s., *Loher.*; lat. *cancellus*, barreau). Balustrade. ◆ **cancele** n. f. (1200, *Ren. de Montaub.*). Petit bâton.

canceler v. (1293, G.; lat. *cancellare*). Annuler.

cancre n. m. V. CHANCRE, crabe; sorte de MALADIE.

candor n. f. (fin XIIe s., *G. de Rouss.*; lat. *candor*). 1° Blancheur. — 2° Clarté.

I. cane, chane n. f. (1180, *Rom. d'Alex.*; lat. *canna*). 1° Tuyau, canne, roseau. — 2° Colonne vertébrale. — 3° Dos. *Torner la cane*, tourner le dos (Coincy). — 4° Sorte de pieu. ◆ **canee** n. f. (XIIIe s.). 1° Coup de canne, de pieu. — 2° Longueur d'une canne. ◆ **canestel** n. m. (1180, *Rom. d'Alex.*). Corbeille. ◆ **canon** n. m. (fin XIIIe s., *Sydrac*). 1° Canal, tuyau, conduit. — 2° Bobine.

II. cane, chane n. f. (1155, Wace; lat. *canna*, même mot que le précédent). 1° Cruche : *quatre chanes de eve (Rois)*. — 2° Mesure de liquides. — 3° Urne. ◆ **canee** n. f. (1335, *Arch.*). Contenance d'une cruche. ◆ **canete** n. f. (XIIIe s., *Rom. saint Fanuel*). Petit vase. ◆ **canebustin** n. m. (1260, A. de la Halle). Sorte de flacon ou de vase.

III. cane n. m. (fin XIIe s., saint Grég.; orig. incert.). Tarif, rôle d'imposition.

IV. cane n. f. (XIIe s., *Trist.*; germ. *kenna* cf. angl. *chin*, menton). Dent, mâchoire. ◆ **canee** n. f. (XIIe s.). Coup sur la mâchoire.

V. cane n. f. (XIVe s., forme expressive avec infl. de *ane*), canard. Cane.

VI. cane n. f. V. CAN, bateau.

canepin n. m. (1310, Gay; ital. *canapino*, de *canape*, chanvre). Bourse, sac.

canevas n. m. V. CHANEVAS, toile de chanvre.

canivet, cnivet n. m. (1175, Chr. de Tr.; cf. anc. angl. *knif*). Canif, lancette.

canole n. f. (1229, G. de Montr.; lat. *cannula*, dimin. de *canna*, tuyau). Conduit respiratoire.

I. canon n. m. (XIIIe s., *Livr. de Jost.*; lat. *canon*, du grec). 1° Règle (théol.). — 2° Sorte d'instrument de musique.

II. canon n. m. (1339, Gay; ital. *canone*). Pièce d'artillerie.

III. canon n. m. V. CANE, tuyau.

canton n. m. (1247, Ph. de Nov.; ital. *cantone*, augm. de *canto*, coin). Coin, angle.

caon n. m. V. CHAON, chat-huant.

caorsin n. m. (1274, *Arch. Dole*; du nom des habitants de *Cahors* ou de *Caorsa*, en Italie). Banquier, prêteur d'argent, usurier. ◆ **caorserie** n. f. (1260, Br. Lat.). Usure.

cap n. m. (1260, Mousk.; prov. *cap*, tête). Tête. *Par mon cap!*, exclamation.

capcion, caucion n. f. (XIIe s., *Ps.*; lat. *captio*). 1° Capture, prise, saisie. — 2° Taxation. ◆ **captioner** v. (1266, *Franch.*). Saisir, arrêter, mettre en prison.

I. cape n. f. V. CHAPE, manteau. ◆ **cape keue**, aubaine : *Ains a trouvé cape keue* (J. Bod.).

II. cape n. f., bref de prise de corps. V. CAPER, prendre, saisir.

capejune n. m. (XIIIe s., *Règle Cîteaux*; comp. de *cap*, tête, et de *jeune*). Mercredi des Cendres, le commencement du carême.

capel n. m. V. CHAPEL, coiffure.

capeline n. f. (mil. XIVe s.; ital. *cappellina*). Armure de tête.

caper v. (av. 1300, Poèt. fr.; lat. *capere*). Prendre, saisir. ◆ **cape** n. f. (1292, *Britton*). Nom d'un bref de prise de corps.

capitage n. m. (1308, *Arch.*). V. CHEVAGE, capitation.

capitaine n. m. (1306, Guiart; bas lat. *capitaneus*). Chef militaire. ◆ **capitainerie** n. f. (1339, *DDN*). Fonctions du commandant de la flotte. ◆ **capitaineté** n. f. (1340, *Arch.*). Fonctions de capitaine (non marit.).

caquehan, qua-, ta- n. m. (1244, *Statuts des bouchers d'Évreux;* orig. obsc.). Assemblée illicite, coalition d'ouvriers, émeute populaire.

caquer v. (1340, *DDN;* néerl. *caken*). Ôter les ouïes. *Herens cakés*, harengs en caque. ◆ **caqueharenc** n. f. (1337, *Arch.*). Caque à harengs. ◆ **caquelote** n. f. (xiiie s., *Fabl. d'Ov.*). Écaille.

I. **car, quar** conj. (1080, *Rol.;* lat. *quare*, c'est pourquoi, donc). 1° Conj. de coord., marque l'implication logique, Donc, or : *Par Mahomet, tu es de boinne gent! Car lai ton Dieu et a me loi te prent (H. de Bord.).* — 2° Renforcement de l'impératif ou de l'optatif : *Dist Baliganz : Car chevalchiez, barun! (Rol.).* — 3° Conj. de subord., marque la cause, Parce que, pourquoi : *L'une raison est quar pour ces soudees nous aurons melleurs hommes d'armes et de mer ...* (1295, *Arch.*).

II. **car** n. m. V. CHAR, char.

caracte n. m. (1160, *Eneas*). **caractère** n. m. (xiiie s., *Chr. Saint-Denis;* lat. *character*, du grec). 1° Signe gravé, écriture : *Tuit li provoire de la loi, Lor caractes firent sor moi Et menerent moi a l'altel (Eneas).* — 2° Cataracte (cf. lat. *cataracta*). ◆ **caracterele** n. f. (xiie s., *Ps.*). Cataracte : *Li abysmes l'abysme apele En vois de ta caracterele (Ps.).*

caraque n. f. (1247, Ph. de Nov.; ital. *caracca*, de l'arabe). Bateau sarrasin.

caraude n. f. V. CHARALT, enchantement, sortilège.

caravane n. f. (1247, Ph. de Nov.; pers. *qayrawān*). Escadre. ◆ **caravanier** n. m. (xiiie s., *Rom. Temple*). Serviteur.

carenon, carignon n. m. V. QUAREIGNON, parchemin, lettre.

carer v. (xiiie s., *DDN;* lat. *carere*, se tenir éloigné de). Cacher.

caresme n. f. V. QUARESME, carême.

carne n. m. (xiie s., *Ps.;* lat. *cardinem*, gond). 1° Gond, pivot, ce qui forme charnière. — 2° Angle, coin.

carnel, quernel n. m. (1250, *Ren.;* germ. *karn*, entaille; v. *crener, crenel*). Créneau.

I. **carner** v. (xive s., *Fregus;* lat. *caro, carnis,* chair; v. *charn*). Entamer la chair. ◆ **carnin** adj. (fin xiiie s., B. de Condé). Qui s'attaque à la chair. ◆ **carnier** v. (fin xiiie s., B. de Condé). Engraisser. ◆ **carniece** n. f. (1204, R. de Moil.). Carnage. ◆ **carnacion** n. f. (1298, M. Polo). Incarnation, naissance : *As 1272 anz de la carnasion de Crist* (M. Polo).

II. **carner** v. (fin xiiie s., B. de Condé; lat. **carminare*, de *carmen, -inis;* v. *charmer*). Enchanter. ◆ **carnement** n. m. (fin xiiie s., B. de Condé), **carne** n. f. (fin xiie s., *Loher.*). Enchantement. ◆ **carnin** n. m. (fin xiie s., *Loher.*). Charme, parole magique, enchantement : *Carnins ne carnes ne nule encanteree (Loher.)*

carole, querole n. f. (1155, Wace; probabl. à partir d'un dérivé du lat. *chorus,* chœur, du grec). 1° Danse en rond, ronde, danse en gén. — 2° Divertissements dont la danse fait partie. — 3° Assemblée, cercle, réunion. — 4° Colonnes placées en cercle. ◆ **caroler** v. (1160, Ben.). 1° Danser en rond. — 2° Se divertir. ◆ **caroloier** v. (1298, M. Polo). Danser, s'amuser. ◆ **caroleor** n. m. (1277, *Rose*). Danseur, noceur.

carquier v. V. CHARGIER.

carre, quarre n. f. (1271, *Cart.;* lat. *quadra*). 1° Côté, face. — 2° Coin. ◆ **carrel** n. m. (1160, *Eneas*). 1° Pierre de taille. — 2° Projectile de pierre : *Vollent pilet, carriaus et darz (Eneas).* — 3° Flèche. — 4° Quart. — 5° Morceau carré de quelque chose. — 6° Carré, bâtiment carré. ◆ **carreure** n. f. (1260, Br. lat.). 1° Forme carrée. — 2° Carré, coin. ◆ **carron** n. m. (1277, *Rose*). Carré, place carrée.

carroge n. m. (1306, Guiart; lat. pop. *quadruvium,* pour *quadrivium*). 1° Carrefour. — 2° Place, promenade près d'un village. — 3° Carreau de brique.

cartel n. m. V. QUARTEL, mesure de blé.

carteler v. V. QUARTELER, écarteler, partager en quatre.

I. **cas** n. m. (1155, Wace; lat. *casus,* de *cadere,* tombèr). 1° Chute. — 2° Accident, événement : *Je le sens en moi meime et por ce je demant, se aventure qu'on apelle cas, est aucune chose* (Boèce). — 3° Affaire, œuvre : *Rent la chartre que du clerc as, Quar tu as fet trop vilain cas* (Ruteb.).

II. **cas, quas** adj. Cassé, abîmé, abattu. V. CASSER, secouer, frapper.

casal n. m. Domaine, château. Voir CHESE, maison.

case n. f. (1265, J. de Meung; lat. *casa*). Maison rurale. ◆ **casel, -al** n. m. (1265, J. de Meung). 1° Maisonnette, cabane. — 2° Hameau. ◆ **casier** n. m. (1204, R. de Moil.). Demeure. ◆ **cason** n. m. (1298, M. Polo). Maison de bois, échoppe.

cassain n. m. (XIIᵉ s., *Chev. cygne;* v. *chesne*). Chêne.

casse n. f. (1341, *Arch.;* prov. *cassa,* .poêle). Casserole. ◆ **cassole** n. f. (XIVᵉ s., G.). Pot à chauffer la colle.

casser, quasser v. (1080, *Rol.;* lat. *quassare*). 1° Secouer. — 2° Frapper : *Qui donc veist henap casser! (Trist.).* — 3° Briser. — 4° Endommager. — 5° Casser un arrêt (XIIIᵉ s.). ◆ **cas, quas** adj. (1160, Ben.). 1° Cassé, abîmé (en parlant des choses) : *Mais l'autrier oi la jambe gasse (Ren.).* — 2° Brisé (en parlant des personnes) ; *De dolor est pasmes, a tiere cai quas (Rom. d'Alex.).* — 3° Abattu, découragé : *Mais prenge s'en mult pres, ne s'en face puint quas* (Garn.). ◆ **cassie** adj., (fin XIIᵉ s., *Auc. et Nic.*). Meurtri : *Si bel pié et ses beles mains ... furent :nuaissies et escorcies (Auc. et Nic.).*

casson, caçon n. m. (1245, G.; peut-être de *cas, quas,* cassé, au sens de divisé?). Le quart d'un arpent de terre.

castenge n. f. V. CHASTAIGNE, châtaigne.

castiche n. f. (1278, *Cart. d'Amiens;* lat. médiév. *casticia,* construction, du francique). 1° Chaussée. — 2° Digue, mur bordant la rivière. ◆ **castichier** v. (1265, *Cart.*). Réparer une chaussée, une digue. ◆ **castichement** n. m. (1301, G.). Chaussée, trottoir.

castigation n. f. (fin XIIIᵉ s., Macé; lat. *castigatio,* blâme). Avertissement, recommandation.

casure n. f. V. CHESURE, chasuble.

casus adv., ici au-dessus. V. ÇA, par ici.

cat n. m. (1230, *Eust. le Moine;* prob. une forme dial. de *chat*). Fourberie. ◆ **catier** adj. (1260, Mousk.). Épithète insultante appliquée aux albigeois censés rendre culte au diable sous forme de chat.

catablati n. m. (1160, *Eneas;* orig. incert.). Sorte d'étoffe.

cataigne n. m. V. CHEVETAIGNE, chef, capitaine.

catel n. m. V. CHATEL, biens, patrimoine.

cathedral adj. (1180, *Itin. Jérus.;* lat. médiév. *cathedralis*). Qui relève d'un siège épiscopal : *iglise cathedral, chanoine cathedral,* etc.

catir, quatir v. (1180, *R. de Cambr.;* lat. **coactire;* v. *cachier*). 1° Presser. — 2° Cacher.

catram n. m. (XIIIᵉ s., D.; arabe d'Égypte *qatrān*). Goudron.

çatro! interj., cri de berger. V. ÇA HEI!

caucatri, cho-, qual- n. m. (fin XIIᵉ s., *Loher.;* déform. de *crocodilum*). Crocodile.

I. **cauchier** v. Réparer. V. CHALS, chaux.

II. **cauchier** v. V. CHALCHIER, fouler aux pieds, marcher.

caudance n. f. (1210, *Dolop.*, orig. incert.). 1º Chose à laquelle on peut se rapporter. — 2º Fondement, vérité.

caurre n. f. V. CHALOR, CHALRE, chaleur.

caute n. m. V. CHAUTE, cabane, hutte.

cautele n. f. (1265, J. de Meung; lat. *cautela*, de *cavere*, prendre garde). Défiance prudente. ◆ **cautilité** n. f. (1200, *Ren. de Montaub.*). Ruse, cautèle. ◆ **cauteler** v. (1360, Froiss.). Tramer, machiner.

cave, chave adj. (1155, Wace; lat. *cavus*, creux). Creux. ◆ **cave** n. f. (1150, *Saint Evroul*), **-eure** n. f. (1300, *Mir. Saint Louis*). 1º Fossé, creux. — 2º Caverne. ◆ **cavee** n. f. (fin XIIᵉ s., saint Grég.). Chemin creux, caverne. ◆ **caver** v. (1210, *Dolop*). Creuser.

cavete, caveste adj. (XIIIᵉ s., *Ass. Jér.*; orig. obsc.). Pendard, coquin : *Cele feme est cavete et mauvaise feme (Ass. Jér.)*.

çavetonier n. m. (1268, E. Boil.; orig. obsc., prob. arabe; v. *chavate*). Cordonnier qui travaillait en basane et qu'on appelait aussi basanier. ◆ **çavetonerie** n. f. (1268, E. Boil.). Métier de cordonnier.

caviller v. (1360, Oresme; lat. *cavillari*, plaisanter). Plaisanter, railler. ◆ **cavillement** n. m. (1312, *Cart.*), **-erie** n. f. (1260, Br. Lat.). 1º Moquerie. — 2º Tromperie. ◆ **cavillacion** n. f. (1277, *Rose*). 1º Moquerie. — 2º Mauvaise chicane.

ce démonstr. neutre. V. ço, cela, ce. ◆ **cen** démonst. neutre (XIᵉ s.; form. anal. d'après *ne, nen*). Cela, ce.

cé adj. V. CIU, aveugle.

ceaule n. f. V. CELLE, chambre, ermitage.

cegoine, ceoine, soigne n. f. (1176, R. de Fougères; prov. *cigogna*, du lat. *ciconia*). Cigogne.

cegue, ceue n. f. (fin XIIᵉ s., *Auberi*; lat. *cicuta*). Ciguë.

ceindre v. (1080, *Rol.*; lat. *cingere*). Entourer, ceindre. ◆ **ceint** n. m. (1170, *Percev.*). Tout ce qui sert à ceindre : ceinture, lange, enceinte, mur. ◆ **ceinte** n. f. (1306, Guiart). Enceinte. ◆ **ceinturel** n. m. (1160, *Athis*), **-ele** n. f. (XIIIᵉ s., *Rom. et past.*). Petite ceinture.

ceire, cerre, cese n. m. (fin XIIᵉ s., *Rois;* lat. *cicerem*). Pois chiche.

cel, cele démonstr. m. et f., cas rég. 1, **celui, celi,** cas rég. 2, **cil, cele** cas sujet (xᵉ s., *Eulalie;* lat. pop. **ecceille*, pour *ille*, celui-là). Démonstratif qui indique que le terme qu'on envisage est éloigné, ou plus éloigné, dans l'espace ou dans le temps. Il s'oppose à *cest, ceste*, qui indiquent un terme rapproché, ou plus rapproché, que celui auquel renvoient *cel, cele*. Le démonstratif de l'anc. fr. remplit les fonctions qui sont, en fr. mod., distinguées comme celles de l'adjectif et du pronom démonstratif : 1º adj. : *Ne mies en cestei ou en celei tribulations, mais en totes noz tribulations* (saint Bern.). — 2º pron. : *Ne cil ne cis*, ni celui-là ni celui-ci (Wace). ◆ **celor** dém. plur. De ceux-là (rare). V. TABLEAUX, p. 95.

celebrer v. (1175, Chr. de Tr.; lat. *celebrare*). 1º Célébrer. — 2º Fêter. ◆ **celebrance** n. f. (XIIIᵉ s.), **-ité** n. f. (1230, *Saint Eust.*). 1º Célébration. — 2º Fête solennelle.

celer v. (xᵉ s., *Saint Léger;* lat. *celare*, cacher). Cacher. ◆ **celee** n. f. (1160, Ben.), **-ement** n. m. (1160, Ben.), **-ison** n. f. (XIIᵉ s., *Chev. cygne*). 1º Action de cacher. — 2º Cachette : *A celee*, en cachette. — 3º Secret, mystère. ◆ **celant** adj. (1160, Ben.). Discret, secret : *Un compaignon sage et celant (Rose)*. ◆ **celeor** n. m. (1160, Ben). Celui qui cache.

celle, ceaule, ciele n. f. (1190, Garn.: lat. *cella*). 1º Cellule, chambre. — 2º Petite maison, ermitage. — 3º Colonie ou dépendance d'un monastère : *Perdent lur catels et celles et pais* (Garn.). — 4º Cellier. — 5º Cavité. — 6º Siège, tribunal. ◆ **celier** n. m. (1180, R. de Cambr.). Caveau : *Por vos sui en prison mis En ce celier sousterin (Auc. et*

DÉMONSTRATIF DE RAPPROCHEMENT

nombre	genre / cas	masculin	féminin	neutre
Singulier	Cas sujet	**cist (cis, cit)** *Cis mariages que je voi establis (Gar. Loher.)*	**ceste** *Cest est la custume (Lois Guill.)*	**cest** (disp. XIIᵉ s.)
Singulier	Cas rég. 1	**cest** *La somme de cest avoir (Villeh.)*	**ceste** *En ceste terre a assez osteié (Rol.)*	**cest** (disp. XIIᵉ s.)
Singulier	Cas rég. 2	**cestui (cesti)** *Quar par cestui avrons nos bone ajude (Alexis)*	**cesti (cestei)** *Pour cesti ochoison (1274, Lettre)*	
Pluriel	Cas sujet	**cist** *Chist parlerent ensemble (Henri de Valenciennes)*	**cestes (cez)** *Chestes ont chent diavles ou cors (A. de la Halle)*	
Pluriel	Cas régime	**cez** *Ço sunt... qui... tuerent ces d'Egipte (Rois)*	**cestes (cez)** *Par la baalee de cetes presentes letres (1271, Arch.)*	

DÉMONSTRATIF D'ÉLOIGNEMENT

nombre	genre / cas	masculin	féminin	neutre
Singulier	Cas sujet	**Cil** *Et cil respunt : Oil, sire! (Rol.)*	**cele (cilc)** *Cille qui lo lait a dit (1231, Charte)*	**cel** (disp. XIIᵉ s.)
Singulier	Cas rég. 1	**cel (cil)** *Paistre sil qui est souffreteurs (Ysopet)*	**cele** *La domnizelle celle cose non contredist (Eulalie)*	**cel** (disp. XIIᵉ s.)
Singulier	Cas rég. 2	**celui (celi)** *Quant trouve cheli mort (Doon de May.)*	**celi (celei)** *Fils celi qui l'norri (Part.)*	
Pluriel	Cas sujet	**cil** *Cil dedens issent, cascuns lance levee (Ogier)*	**celes** *Cil et celes qui le veoient (Est. Saint-Graal)*	
Pluriel	Cas régime	**cels (ceux, ceals)** *De çals defors et çals dedenz (Ben.)*	**celes** *Li anciens a demandé a celes que... (H. de Cambr.)*	

Nic.). ◆ **celerier, cenelier** n. m. (1175, Chr. de Tr.). Religieux préposé aux provisions.

celor démonstr. plur. V. CEL, CELE, cet, cette ...-là, celui-là, celle-là.

cembel n. m. (XIIᵉ s., *Asprem.*; lat. *cymbalum?*, du grec). 1º Cloche pour appeler au tournoi. — 2º Petite troupe destinée à attirer l'ennemi dans une embuscade. — 3º Embuscade : *Si te metrai en tel chatel du mauvez agait ne cembel... Ne douteras (Ren.).* — 4º Sens le plus fréquent : combat, tournoi, joute : *Au cenbel va Girbers li fis Garin (Loher.).* — 5º Provocation, insolence. — 6º Train de vie orgueilleux. ◆ **cembeler** v. (fin XIIᵉ s., *Loher.*), **-illier** (1175, Chr. de Tr.). Jouter, combattre. *Cembillier del oel,* jouer de la prunelle. ◆ **cembeleor** n. m. (fin XIIᵉ s., *Loher.*). Combattant.

cen n. m. (XIIᵉ s.; lat. *cinnum,* clin d'œil). Signe de la tête, de la bouche, de l'œil, pour indiquer, pour approuver. ◆ **cener** v. (fin XIIᵉ s., *Aiol*). 1º Faire signe. — 2º Appeler d'un signe : *Vint à l'uis de sa cambre, son fil cena del cief (Aiol).* ◆ **cenement** n. m. (1155, Wace). Signe.

cendal, -ail, cendral n. m. (1160, *Eneas;* peut-être du grec *sindôn,* tissu fin). 1º Étoffe de soie, ou de demisoie, comparable au taffetas. — 2º Enseigne, drapeau *(Aiol).*

cendre n. f. (1175, Chr. de Tr.; lat. *cinerem).* 1º Cendre. — 2º Incendie. ◆ **cendree** n. f. (fin XIIᵉ s., *Ogier).* Cendre. ◆ **cendrier** n. m. (1150, *Saint Evroul).* Linge où l'on met la cendre pour faire la lessive. ◆ **cendros** adj. (1204, R. de Moil.). 1º Couleur de cendre. — 2º Lâche, vil. ◆ **cendrier** n. m. (1292, *Taille Paris).* Marchand de cendre ou de poussier.

cene n. f. (1190, J. Bod.; lat. *cena,* dîner). Repas, souper. ◆ **cener** v. (1112, *Saint Brand.).* Souper : *Dist li abes : Alons cener (Saint Brand.).* ◆ **cenail** n. m. (XIIᵉ s., *Ps.*). 1º Souper. — 2º Garde-manger. ◆ **cenaille** n. f. (fin XIIIᵉ s., Guiart). Salle à manger.

cenele n. f. (1175, Chr. de Tr.; v. *cine,* même sens). Fruit de l'aubépine.

I. **cener** v., faire signe, appeler. V. CEN, signe.

II. **cener** v., souper. V. CENE, repas.

cengle n. f. (1080, *Rol.;* lat. *cingula,* de *cingere,* ceindre). 1º Enceinte, clôture. — 2º Limite d'une propriété. — 3º Arc-en-ciel. — 4º Sangle. ◆ **cengler** v. (1160, Ben.). 1º Ceindre. — 2º Investir. bloquer.

I. **cengler** v. V. CILLIER, frapper, exciter.

II. **cengler** v., ceindre, investir. Voir CENGLE, enceinte.

cenobre n. m. (XIIIᵉ s.; lat. *cinnabari,* du grec). Cinabre.

I. **censer** v. (fin XIIᵉ s., *G. de Rouss.;* lat. *censere,* estimer, juger). Réfléchir, aviser : *Ne t'es peu censer Que Charles ne t'ait tout tolu ton heritey ? (G. de Rouss.).*

II. **censer** v. (1294, G.; lat. *censare,* de *census*). 1º Payer un cens. — 2º Donner à cens, affermer. ◆ **cens** n. m. (1283, Beaum.), **cense** n. f. (1155, Wace), **-ie** n. f. (1293, *Acte*), **-ement** n. m. (1263, *Cart.*). 1º Cens, fermage. — 2º Ferme. ◆ **censif** n. m. (1287, *Charte*), **-ive** n. f. (XIIIᵉ s., *Livr. de Jost.*). Terre assujettie au cens. ◆ **censal** adj. (1229, *Arch.*), **-uel** adj. (1266, *Franch.*), **-able** (1292, *Cart.*), **-ible** adj. (1322, *Arch.*). 1º Assujetti au cens. — 2º Dû pour le cens. ◆ **censier** n. m. (1180, *Rom. d'Alex.*), **censeur** n. m. (1274, *Cart.*). Celui qui tient une terre à cens, fermier.

çeo démonstr. neutre. V. ço, cela, ce.

ceoigne, ceoine n. f. V. CEGOINE, cigogne.

ceoignole n. f. V. CHAAIGNOLE, poulie, sorte de piège.

I. **cep** n. m. (XIIᵉ s.; lat. *cippum,* pieu). 1º Pièce de bois, tronc d'un arbre. — 2º Cep. — 3º Pièce de bois portant le soc de la charrue. ◆ **cepel** n. m. (XIIIᵉ s., *Jurés Saint-Ouen*). 1º Dimin. de cep, rejeton. — 2º Billot pour frapper la monnaie.

II. **cep** n. m. (1268, E. Boil.; même mot que le précédent). 1º Entraves, chaînes. —

2º Prison. ◆ **cepel** n. m. (1260, Mousk.). 1º Entraves, instrument en bois consistant en deux planches échancrées de telle manière qu'elles peuvent recevoir les pieds et les mains du prisonnier. — 2º Piège. ◆ **cepier** n. m. (1309, *Arch.*). Geôlier.

cepee n. f. V. SEPEE, haie.

cepre n. m. (1160, *Eneas;* lat. *sceptrum,* du grec). Sceptre.

cercel n. m. (1164, Chr. de Tr.), **-ele** n. f. (XIIᵉ s.; lat. impér. *circellum,* de *circus,* cercle). 1º Cercle. — 2º Chandelier. — 3º Tout ce qui a la forme du cercle. ◆ **cercelet** n. m. (1164, Chr. de Tr.). Petit cercle, petite couronne. ◆ **cerceler** v. (1204, *l'Escouffle*). 1º Cercler. — 2º Former des petits cercles, friser. ◆ **cercelier** n. m. (XIIIᵉ s., *Arch.*). Cerclier, ouvrier qui fait des cercles ou des cerceaux. ◆ **cercelee** n. f. (XIIIᵉ s., *Doon de May.*). Frisure.

I. **cercele** n. f. (XIIIᵉ s., *Gui de Bourg.;* lat. pop. **cercedula,* du grec). Sarcelle, oiseau aquatique ressemblant au canard.

II. **cercele** n. f. V. CERCEL, cercle.

I. **cerche, cerce** n. m. ou f. (1268, E. Boil.; lat. *circum,* infl. par *cercel,* cercle). 1º Cercle, cintre. — 2º Tout objet qui en entoure un autre, cercle d'un casque, d'un chapeau, d'un écrin, d'une meule, etc. ◆ **cerchier** adj. (XIIIᵉ s.). Circulaire.

II. **cerche** n. f., tournée, patrouille, enquête. V. CERCHIER, aller en rond.

cerchier v. (1080, *Rol.;* bas lat. *circare,* aller autour). 1º Aller en rond, entourer. — 2º Parcourir en tous sens, chercher, fouiller : *Cercet les vals e si cercet les munz (Rol.).* ◆ **cerche** n. f. (1269, *Arch.*). 1º Tournée, patrouille. — 2º Enquête, recherche. ◆ **cercheor** n. m. (1282, *Cart.*). 1º Celui qui cherche. — 2º Contrôleur, inspecteur. — 3º Vicaire du doyen d'un chapitre chargé de veiller au bon ordre.

cercle n. m. (XIIᵉ s., *Ps.;* lat. *circulus,* cercle). Cercle. ◆ **cerclel** n. m. (1160, Ben.). 1º Cercle. — 2º Cerceau. ◆ **cerculier** adj. (1277, *Rose*). Circulaire.

cerebre n. m. (1260, Br. Lat.; lat. *cerebrum*). Cerveau.

cerens, serans n. m. (XIᵉ s., *Gloses Raschi;* orig. incert.; peut-être d'un radical gaulois **ker-* qui donne *cerf*). 1º Peigne. — 2º Carde pour le chanvre.

cerfoir v. (1265, J. de Meung; lat. pop. **circumfodire,* pour *circumfodere,* creuser autour). Labourer légèrement la terre.

I. **cerge** n. f. V. CIERGE, biche.

II. **cerge** adj. et n. m. V. CIERGE, de cire; cierge.

cerin adj. V. ACERIN, acéré, d'acier.

cerne n. m. (1160, *Eneas;* lat. *circinum,* compas, cercle). Rond, cercle. ◆ **cerner** v. (XIIᵉ s.). Entourer d'un cercle. ◆ **cernel** n. m. (XIVᵉ s.). 1º Petite ouverture, judas. — 2º Noix cernée, coupée en deux avec son écorce. ◆ **cerniz** n. m. (1348, *Arch.*). Bois destinés à être cernés, déracinés.

ceroigne n. m. V. CIROISNE, onguent.

cerquemaner, cherque-, cirque- v. (1266, G.; mot savant, du lat. *manere* et du préf. *circum*). Fixer les bornes d'un champ, d'une ville, mesurer. ◆ **cerquemanement** n. m. (1243, *Cart.*), **-age** n. m. (1240, *Charte*), **-erie** n. f. (1291, *Cart.*). 1º Bornage, arpentage d'une terre. — 2º Information faite pour connaître les bornes d'un héritage. ◆ **cerquemanant** n. m. (1227, G.). Agent chargé de fixer les limites et les bornes et de connaître les litiges y relatifs.

cerre n. m. V. CEIRE, pois chiche.

cert adj. (XIIᵉ s., *Am. et Id.;* lat. *certum*). 1º Certain, sûr. — 2º Bien résolu à : *De bien faire a le cuer cert (Am. et Id.).* ◆ **certi, certis** adj. (1080, *Rol.*), **certan, -ain** (1160, *Eneas*). 1º Certain, résolu : *Mais d'une chose soiez vous bien certis (Roncev.).* — 2º Sincère. ◆ **certes** adv. (XIᵉ s., *Alexis*). Assurément, pour de bon. *A certes,* certainement. ◆ **certainer** v. (fin XIIIᵉ s., *Sydrac*). Rendre certain, assurer.

certer v. (XIIᵉ s., *Horn;* lat. *certare*). 1º Etre certain, assuré. — 2º Affirmer avec certitude. ◆ **certee** n. f. (1155, Wace), -ise n. f. (XIVe s.), **-eneté** n. f. (1210, *Dolop.*). Certitude, assurance.

cervat n. m. (fin XIIIe s., Macé), **-ot** n. m. (XIIIe s., *Chr. Saint-Denis;* dimin. de *cerf,* du lat. *cervum*). Faon. ◆ **cervelier** n. m. (XIVe s.). Ramure du cerf.

cerve n. f. V. CIERGE, biche.

cervel n. m. (1080, *Rol.*), **-e** n. f. (1080, *Rol.;* lat. *cerebellum,* dim. de *cerebrum*). Cerveau, cervelle. ◆ **cervelee** n. f. (XIIe s., *B. d'Hanst.*). Contenu de la cervelle, cervelle elle-même. ◆ **cervelier** n. m. (XIIe s., *Ogier*). 1° Cervelle, crâne. — 2° Casque, heaume.

cervis n. m. (1180, *Rom. d'Alex.;* lat. *cervicem,* nuque). 1° Nuque, le haut de la tête. — 2° Chignon.

cervoise n. f. (XIIe s., J. Bod.; lat. *cerevisia,* d'orig. gaul.). 1° Bière à base d'orge, sans houblon. — 2° Taverne où l'on boit de la cervoise. ◆ **cervoisier** n. m. (1268, E. Boil.). Brasseur, celui qui fait ou vend de la bière.

cervole n. f. V. CHERBOLE, chaussure grossière, sabot.

cese n. m. V. CEIRE, pois chiche.

cesser v. (1080, *Rol.;* lat. *cessare,* fréq. de *cedere*). 1° Ne plus faire quelque chose, arrêter. — 2° Ne plus résister, céder, reculer. — 3° Ne plus posséder, céder, faire cession. ◆ **ces** n. m. (1160, Ben.), **cesse** n. f. (fin XIIe s., *Mort Aym.*). 1° Cessation, fin : *Onques ne pristrent ces ne fin* (Ben.). — 2° Interdit, cessation de l'office divin. ◆ **cessement** n. m. (1317, *Arch.*). Cession. ◆ **cession** n. f. (XIIIe s., *Court. d'Arras*). 1° Cessation. — 2° Mort. — 3° Cession.

cest, ceste démonstr. m. et f., cas rég. 1; **cestui, cesti,** cas rég. 2; **cist, ceste** cas sujet (842, *Serm.;* lat. pop. *ecce-iste,* pour *iste,* celui-ci). Démonstratif qui indique que le terme envisagé est situé à un point rapproché dans l'espace ou dans le temps. Il s'oppose à *cel, cele* qui indiquent un terme éloigné, ou plus éloigné que celui auquel renvoient *cest, ceste.* Il remplit en même temps les fonctions qui sont dévolues, dans le fr. mod., aussi bien à l'adjectif qu'au pronom démonstratif : 1° adj. : *Sestui bobant prisierens petit (Loher.).* — 2° pron. : *Ceste est vrayement cele tres ligiere et tres clere nue* (saint Bern.). ◆ **cestor** dém. plur. De ceux-ci (rare). V. TABLEAUX DES DÉMONSTRATIFS, p. 95.

cester v. (XIIe s., *Protes.;* lat. *caespitare,* même sens). Trébucher, broncher.

cestor démonstr. plur. V. CEST, CESTE, ce, cette...-ci, celui-ci, celle-ci.

ceti n. m. (1119, Ph. de Thaun), **ceton** n. m. (XIIe s., *Horn;* lat. *cete,* grec). Grand poisson de mer, baleine. ◆ **cetus** n. m. (1160, *Eneas;* lat. *cetus*). Monstre marin : *Un grant poisson Qui est an mer, cetus a non (Eneas).*

ceu dém. neutre. V. ÇO, cela, ce.

ceue n. f. V. CEGUE, ciguë.

I. **chaable, cheable** n. m. (1080, *Rol.;* lat. pop. *catabela,* du grec). 1° Abattis de bois, bois abattu par la force du vent. — 2° Machine de guerre, en bois, pour lancer les pierres. — 3° Contusion, meurtrissure : *Chables si est cop blet qui part, don cuir n'est pas crevez (Livr. de Jost.).*

II. **chaable** n. m. V. CHABLE, grosse corde.

chaafalt, chafaut n. m. (1160, Ben.; lat. pop. **catafalicum*). Échafaud, estrade.

chaaine, chaeine n. f. (1080, *Rol.;* lat. *catena*). Chaîne. ◆ **chaaignole, cheeignole, ceoignole** n. f. (XIe s., *Alexis*). 1° Espèce de poulie pour puiser l'eau au puits. — 2° Sorte de grue. — 3° Sorte de piège pour prendre les animaux. ◆ **chaaignon** n. m. (1080, *Rol.*). 1° Chaîne, collier. — 2° Anneau d'une chaîne. — 3° Nuque (chaîne de vertèbres). — 4° Chignon, natte. ◆ **chaener** v. (XIIe s.). Enchaîner.

chaalit, chaelit n. m. (1190, Garn.; lat. pop. *catalectum,* de *lectus,* lit). Lit de parade pour un mort.

chaant p. prés. et adj. V. CHEOIR, tomber.

chable n. m. (1190, J. Bod.; bas lat. *capulum*, infl. par *chaable*). Grosse corde.

chachevel, quaquevel n. m. (fin XIIᵉ s., *Rois;* lat. *caccabellum*, du grec). Crâne.

chacie n. f. (XIIᵉ s., D.; peut-être du lat. pop. **caccita*, chiure). Chassie. ◆ **chacier** v. (XIIIᵉ s.). Etre chassieux. ◆ **chaceuol** adj. (déb. XIIᵉ s., D.). Chassieux.

I. **chacier** v. (1150, Wace; lat. pop. ** captiare*, pour *capere*). 1º Chasser. — 2º Poursuivre, rechercher : *Tant voi de gent qui mu mort vont cachant (Ogier).* 3º Pousser. — 4º Arracher : *Lui chasoient l'en .//. oillz et lui tailloient les mains et les piez* (Aimé). — 5º *Chacier en voie*, mettre en déroute. ◆ **chace** n. f. (XIIᵉ s., *Roncev.*). 1º Chasse. — 2º Poursuite. — 3º Poursuite judiciaire. — 4º Bannissement. — 5º Territoire soumis à la juridiction. — 6º *Chace folie (Rom. d'Alex.),* joie. ◆ **chacement** n. m. (XIIIᵉ s.), **-eis** n. m. (fin XIIᵉ s., *Loher.*). 1º Chasse. — 2º Poursuite. ◆ **chassoi** n. m. (1298, M. Polo). Chasse, venaison. ◆ **chacerie** n. f. (1180, *Rom. d'Alex.*). 1º Chasse. — 2º Droit de chasse (1310, *Cart.*). ◆ **chaceor** n. m. (fin XIᵉ s., *Lois Guill.*). Cheval de chasse, de course.

II. **chacier** v., être chassieux. Voir CHACIE, chassie.

chacipol n. m. (1232, *Charte*), **-polier** n. m. (1271, *Arch.;* orig. orient.). Sergent chargé de lever les impôts. ◆ **chacipolerie** n. f. (1274, G.). Droit payé au seigneur pour avoir la permission de se réfugier, en temps de guerre, avec sa famille et ses biens dans le château.

chadeler, chaeler v. (1080, *Rol.;* lat. pop. *capitellare*, de *caput*). 1º Mener une troupe au combat : *Jonan qui les paiens chadele (Barbast.).* — 2º Commander. — 3º Protéger. ◆ **chadel, caal** n. m. (1160, Ben.). Chef, capitaine, v. CHATEL. ◆ **chadelier** n. m. (1170, *Fierabr.*). Chef de guerre.

chaeignole n. f. V. CHAAINE, chaîne.

I. **chael, cheel** n. m. (XIIᵉ s., M. de Fr.; lat. *catellum*). 1º Petit chien. — 2º Petit d'animal en général. ◆ **chaele** n. f. (XIIIᵉ s.). Petite chienne. ◆ **chaon** n. m. (1220, Coincy), petit chien. ◆ **chaeillon** n. m. (1210, *Dolop.*). Petit chien. ◆ **chaeler** v. (XIIᵉ s., *Barbast.*). 1º Mettre bas des petits chiens. — 2º Accoucher, au sens péjor. : *Mal soit... des putains qui tant en chaelerent (Enf. Vivien).*

II. **chael** n. m. V. CHATEL, bien, rapport en argent, profit.

chaele, kieles interj. (déb. XIIIᵉ s., R. de Beauj.; orig. incert.). Exclamation d'encouragement, allons donc! je vous prie! : *Sire, fait il, estés, caele* (R. de Beauj.). *Tenés, kieles! si les gardés (Court. d'Arras).*

I. **chaeler** v. V. CHADELER, mener une troupe au combat.

II. **chaeler** v., mettre bas de petits chiens. V. CHAEL, petit chien.

chaelit n. m. V. CHAALIT, lit mortuaire.

chaer v. V. CHEOIR, tomber. ◆ **chaement** n. m. (1155, Wace). 1º Chute. — 2º Accident.

chaener v., enchaîner. V. CHAAINE, chaîne.

chaere, chaiere n. f. (fin XIIᵉ s., *Rois;* lat. *cathedra*, siège à dossier). 1º Siège à dossier. — 2º Trône, siège de l'empire : *Si gratia Dieu et saint Pierre Que recouvree ot sa kaiere* (Mousk.). — 3º *La chaiere Saint Pierre*, fête du Siège de saint Pierre (1309, *Arch.*). — 4º *Chaiere necessaire, chaiere de retrait*, chaise percée (XIVᵉ s.). — 5º Chaise de charpente. ◆ **chaerel** adj. (1317, *Arch.*). 1º De chaise. — 2º Assis sur une chaise. — 3º Installé, intronisé. ◆ **chaisiere** n. f. (1309, *Arch.*). Banc comportant plusieurs sièges. — ◆ **caierier** n. m. (1337, *Cart.*). Fabricant de chaises.

chafalt n. m. V. CHAAFALT, estrade.

chafresner v. (XIIᵉ s.; v. *chanfrein*, mors). Refréner, dompter.

chahuré n. m. V. CHAON, chat-huant.

chaier, chair v. V. CHEOIR, tomber.

chaiere n. f. V. CHAERE, siège, trône.

chaillo n. m. (1164, Chr. de Tr.; gaul. *caliavo). Caillou.

chaines n. f. pl. V. CHANES, cheveux blancs.

chainse n. m. (XIIe s., *Chev. deux épées;* lat. pop. *camisium,* du celt.). 1° Toile de lin ou de chanvre. — 2° Chemise. — 3° Long vêtement de lin ou de chanvre, ordinairement blanc. ◆ **chainsil n. m.** (1160, *Eneas*). 1° Toile fine, linge, langes. — 2° Diverses choses faites de toile ou de lin : chemise, jupon, voile, nappe, etc. ◆ **chainsin** n. m. (fin XIIe s., saint Grég.). Nappe.

chaise n. f. V. CHESE, maison.

chaisier n. m. (1288, E. Boil.), **-iere** n. f. (1268, E. Boil.; dér. du lat. *capsa,* coffre). Châssis.

chaison n. f. V. CHOISON, cause, accusation.

chaisne n. m. V. CHESNE, chêne.

chaitif adj. (1080, *Rol.;* lat. *captivum*). 1° Captif, prisonnier, esclave. — 2° Pauvre, faible, malheureux : *Dist l'uns a l'altre : Caitif! que devendrum? (Rol.). Bon caitif,* bon diable (A. de la Halle). — 3° Privé de qualités morales, mauvais, méchant : *Avarice la chetive (Rose).* ◆ **chaitiveté** n. f. (1120, *Ps. Oxf.*). 1° Captivité. — 2° Misère, infortune. — 3° Affliction : *Nostre Seigneur ... le vosist delivrer de si grant chetiveté, de si grant tristece et de si grant doleur (Mir. Saint Louis).* ◆ **chaitiver** v. (XIIe s., *Ps.*). 1° Faire prisonnier, rendre esclave, assujettir. — 2° Se désoler. ◆ **chaitivage** n. m. (XIIe s., *Mon. Guill.*), **-aison** n. f. (1155, Wace), **-ier** n. m. (1160, Ben.). 1° Esclavage, captivité. — 2° Infortune, misère, pauvreté. ◆ **chaitivaille** n. f. (fin XIIIe s., G. de Tyr). Troupe de malheureux, hommes méprisables. ◆ **chaitivos** adj. (XIe s., *Alexis*), **-el** adj. (XIIe s., M. de Fr.), **-et** adj. (1220, Coincy). Malheureux.

chalabre n. f. V. CALABRE, battant de porte, machine de guerre.

I. chalant, caland n. m. (1080, *Rol.;* bas grec *khelandion*). Bateau plat utilisé pour le transport. ◆ **chalandre** n. f. (1270, Ruteb.). Grand bateau plat pour le transport des marchandises. ◆ **chalandee** n. f. (1359, *Arch.*). Chargement d'un chaland.

II. chalant n. m. (1190, Garn.: p. prés. de *chaloir,* au sens de « avoir de l'intérêt »). 1° Ami, associé, connaissance. — 2° Protecteur : *Reis... A tun pople deiz estre e chiefs... e lur chalant* (Garn.). ◆ **chalandise** n. f. (1267, Alph. de Poitiers). 1° Association, camaraderie. — 2° Passe-droit : *Quand vous affermerez nos baillies, icelles affermez chacunne si bien et si sagement... que l'on voit bien qui n'i ait point de chalandise* (Alph. de Poitiers). — 3° Relations amoureuses (B. de Condé).

chalchier, cauchier v. (1120, *Ps. Oxf.;* lat. *calcare,* presser, infl. par le pic. *cauque*). 1° Fouler aux pieds, pressurer. — 2° Marcher, piétiner : *Deus dona as diciples poesté... Del chaucier sur serpenz et sur escorpiuns* (Garn.). — 3° Couvrir la femelle. ◆ **chalcheor** n. m. (1223, *Cart.*), **-oir** n. m. (fin XIIe s., saint Grég.). Pressoir. ◆ **chaucherage** n. m. (1294, *Cart.*). Pressurage. ◆ **chauchetrape** n. f. (XIIIe s.). Piège.

chalcie n. f. (fin XIIe s., *Loher.;* lat. pop. *calceata via,* chemin chaussé). 1° Chaussée, route maçonnée à la chaux, appl. surtout aux voies romaines. — 2° Digue. ◆ **chalceis** n. m. (XIIe s., *Ogier*). Chaussée. ◆ **chauciage** n. m. (1256, *Cart. de Guise*). Droit prélevé pour l'entretien des chaussées.

chalcier v. (1080, *Rol.;* lat. *calceare,* de *calceus,* soulier). Mettre les chausses, les chaussures, chausser. ◆ **chalcement** n. m. (1120, *Ps. Oxf.*), **-eure** n. f. (1160, Ben.). Chaussure, soulier. ◆ **chalce, chauce** n. f. (1138, *Saint Gilles*). 1° Chausse, sorte de bas fait en drap, toile ou soie. — 2° Armure de jambe. ◆ **chalceor,** (1268, E. Boil.), **-ier** n. m. (1268, E. Boil.), **chauceteor** n. m. (1280, *Arch.*). 1° Chaussetier, ouvrier qui faisait des chausses. — 2° Marchand de chausses. ◆ **chalchein** n. m. (XIIe s., *Ps.;* lat. *calcaneum,* de *calcem*). Talon.

chalcirer v. (XIIIe s.; lat. *calcitrare,* de *calcem,* talon). Regimber, récalcitrer.

I. **chaldel** n. m. (XIIe s.; lat. pop. **caldellum,* de *calidus,* chaud). Bouillon, potage.

II. **chaldel** n. m. (s. d.; orig. obsc.). 1° Amarre. — 2° Sorte d'anneau (on fixait ces anneaux le long du navire pour y suspendre les écus).

chalderel n. m. (XIIe s.), **-eron** n. m. (XIIe s., *Fabl.;* dér. du lat. *calidus,* chaud). Chaudron. ◆ **chalderee** n. f. (XIIIe s., *G.*). Contenu d'une chaudière, d'un chaudron. ◆ **chaldrelac** n. m. (1260, *Mousk.*). 1° Cuivre. — 2° Tout ustensile de cuisine en cuivre. ◆ **chaldrelier** n. m. (XIIe s., *Chev. cygne*). Chaudronnier.

chaldun n. m. (1268, E. Boil.; orig. obsc.). 1° Abattis, tripes, boyaux. — 2° Tripes cuites.

chalemel n. m. (XIIe s., *Ignaure*), **-ele** n. f. (1155, Wace; lat. impér. *calamellum,* de *calamus,* roseau). 1° Chalumeau, flûte champêtre. — 2° Roseau, poinçon pour écrire (G. de Tyr). ◆ **chalemeler** v. (1160, Ben.). Jouer du chalumeau, du flageolet. ◆ **chalemeleor** n. m. (XIIIe s., *Fabl. d'Ov.*). Joueur de chalumeau.

chalendre n. f. V. CALANDRE, alouette.

chalenge n. f. V. CHALONGIER, poursuivre, disputer.

chalevre adj. (1220, Coincy; orig. obsc.). Stupide, sot : *Puis que mes cuers est si chalevres Que vaut quanque dient mes levres?* (Coincy).

chalf, chalve adj. (XIIe s., *Roncev.;* lat. *calvum*). Chauve. ◆ **chalvece** n. f. (XIIIe s., Bible), **-eté** n. f. (XIIIe s.). Calvitie.

chalfer v. (fin XIIe s., *Alisc.;* lat. pop. ** calefare,* pour *calefacere*). Chauffer. ◆ **chaufement** n. m. (1300, *Vie des Pères*), **-oison** n. f. (fin XIIIe s., *Sydrac*). Échauffement. ◆ **chaufeor** n. m. (1243, G. de

Metz). Chauffoir, endroit d'un monastère, d'un hospice où l'on se réunit pour se chauffer. ◆ **chauferie** n. f. (1334, *Arch.*). Action de chauffer le four, chauffage. ◆ **chaufouroit** n. m. (1290, *Arch.*). Vase pour faire chauffer l'eau. ◆ **chaufoier** v. (1338, *Franch.*). Chauffer.

chalme n. m. (1270, Ruteb.; lat. *calamum,* type de roseau, de blé). Chaume, paille. ◆ **chalmel** n. m. (fin XIIe s., *G. de Rouss.*), **-ois** n. m. (1155, Wace). Terrain couvert de chaume, champ moissonné.

chaloir v. (Xe s., *Eulalie;* lat. *calere,* être chaud). 1° Avoir chaud. — 2° Préoccuper. — 3° impers. Importer, falloir : *Ne li chalt, sire, de quel mort nus murions (Rol.). Que chalt?,* en quoi cela importet-il? Qu'importe! *Cui chalt?,* à qui cela importe-t-il?

chalongier, chalengier v. (1080, *Rol.;* lat. pop. *calumniare*). 1° Poursuivre, réclamer : *Turnus ne vialt que cil la prenge Avoir la velt, se la chalenge (Eneas).* — 2° Calomnier. — 3° Contester, disputer par les armes : *A ses armes tanz barons calunjant (Rol.).* — 4° Attaquer, persécuter. ◆ **chalonge, chalenge** n. f. ou m. (1120, *Ps. Oxf.*), **-ement** n. m. (1080, *Rol.*), **-age** n. m. (XIIe s., *Horn*). 1° Poursuite, débat judiciaire. — 2° Contestation, dispute, défi. — 3° Calomnie, invective : *Rachate mei des chalenges des humes (Ps. Oxf.).* ◆ **chalengeor** n. m. (1120, *Ps. Oxf.*). 1° Demandeur. — 2° Calomniateur : *E humilierat le chalangedur (Ps. Oxf.).*

chalor n. f. cas rég., **chalre** cas sujet, n. f. ou m. (1155, Wace; lat. *calor, calorem*). Chaleur. ◆ **chalin** n. m. (déb. XIIe s., *Ps. Cambr.*), **-ine** n. f. (1160, Ben.). 1° Chaleur. — 2° Brouillard causé par la chaleur, obscurité : *Apparut lur terre truble De neir caline de nuble (Saint Brand.).*

I. **chals, chaus** n. f. (1155, Wace; lat. *calcem*). Chaux. ◆ **chalccis, chauchois** adj. (XIIe s., *Conq. Jér.*). Fait à la chaux, bâti avec de la chaux. ◆ **chaucin** n. m. (1337, *Cart.*), **-ine** n. f. (1259, *Arch.*). Terrain qui renferme de la chaux.

◆ **chaucier, cauchier** v. (1304, *Arch.*). Réparer, raccommoder. ◆ **chauceure** n. f. (1304, *Arch.*). Réparation.

II. **chals, chaus** n. m. (1268, E. Boil.; lat. *calceum;* v. *chalcier,* chausser). Chaussure.

chalt adj. (xᵉ s., *Fragm. Valenc.;* lat. *calidum*). 1° Chaud. — 2° Brûlant : *Unes terres ardans et caudes* (J. Bod.). — 3° Vif. *Chaude mellee* (Beaum.), vive querelle, bagarre. — 4° *Chaut de,* désireux de : *Ne te vi un jor chaus D'aler veoir ton pere ne tes amis charnaus (Gaut. d'Aup.).* ◆ **chaudet** adj. (xIIᵉ s., *Ysopet,* I), **-is** adj. (1180, *Rom. d'Alex.*), **-ain** adj. (xIIIᵉ s.). Chaud, brûlant, échauffé. ◆ **chaude** n. f. (1175, Chr. de Tr.). Chaude attaque. ◆ **chaudier, -oier** v. (fin xIIᵉ s., *Auberi*). Faire sentir la chaleur. ◆ **chaudumer** v. (xIIᵉ s., *Conq. Jér.*). Brûler : *Tant fu li bras le roi et ses poins caudumés (Conq. Jér.).*

chalt pas loc. adv. (fin xIIᵉ s., *Rois;* lat. *calido passu*). Aussitôt, sur-le-champ : *Sa vie chalt pas fina (Rois).*

chamaillier v. (1306, Guiart; renforc. probable de *maillier,* frapper). 1° Frapper. — 2° Batailler, se battre.

I. **chambre** adj. (1204, *G. de Dole;* lat. *camurum*). Courbé, arqué.

II. **chambre** n. f. (xIᵉ s., *Alexis;* lat. *camera,* voûte, du grec). Chambre. ◆ **chambrillon** n. m. (fin xIIᵉ s., *G. de Rouss.),* **-ele** n. f. (1330, *Rest. du paon*). Petite chambre. ◆ **chamberlain, -enc** n. m. (xIᵉ s., *Alexis*), **chamberier, -blier** n. m. (1190, *H. de Bord.*). 1° Valet de chambre, maître d'hôtel, chambellan. — 2° Grand chambellan (E. Boil.). — 3° Officier claustral d'abbaye (xIIIᵉ s.). ◆ **chambelaine** n. f. (1270, Ruteb.), **-erine** n. f. (1205, *G. de Dole*), **-eriere** n. f. (1230, *Saint Eust.*). Chambrière, femme de chambre. ◆ **chambrerie** n. f. (1204, R. de Moil.). Dignité de chambellan.

III. **chambre** n. f. (1338, *Cart. Metz;* v. *chambre* adj. et *chambre,* voûte). Treille. ◆ **chambree** n. m. (1338), **-il** n. m. (1341). Treillage.

chamel, -eil n. m. (1080, *Rol.*), **-ele, -oille** n. f. (1170, *Fierabr.;* lat. *camelus,* du grec). Chameau, chamelle. ◆ **chamelin** adj. et n. m. (1272, Joinv.). 1° En poil de chameau. — 2° Étoffe de poil de chameau ou de chèvre. ◆ **chamelot** n. m. V. CAMELOT, étoffe.

chamoire n. f. (1246, *Ass. Jér.;* *camoria,* d'orig. obsc.). Maladie des chevaux. ◆ **chamorge, -gne, -more** adj. (1220, Coincy). Se dit d'une maladie des chevaux.

chamois n. m. (xIIᵉ s., Chr. de Tr.; lat. *camox,* chamois, malgré l'attestation tardive de *chamois,* chamois). 1° Partie de la lance, recouverte de cuir, qui se tenait à la main. — 2° Meurtrissure. ◆ **chamoisier, -osser** v. (1160, Ben.). Meurtrir, faire des contusions, couvrir de plaies.

I. **champ** n. m. (1080, *Rol.;* lat. *campum,* plaine et terrain cultivé). 1° Terrain, pays plat. — 2° Champ. — 3° Bataille, journée : *Mais hastes vosis... car moult desir que li cans soit fenis* (H. de Bord.). ◆ **champel** adj. (1160, *Eneas*). 1° De champ. — 2° *Champel bataille (Rol.), estor champel* (Ben.), combat en rase campagne, bataille rangée. ◆ **champel** n. m. (1170, *Aym. de Narb.*). 1° Petit champ. — 2° Champ de bataille, combat en plaine : *Mort l'abat et champal (Aym. de Narb.).* ◆ **champelet** n. m. (1301, *Cart.*). Petit champ. ◆ **champois** n. m. (xIIIᵉ s., *Maug. d'Aigr.*), **-on** n. m. (1125, *Gorm. et Is.*). 1° Champ, plaine. — 2° Champ de bataille. ◆ **champaigne** n. f. (xᵉ s.; lat. pop. *campania*). 1° Pays plat. — 2° Champ de bataille. ◆ **champir** v. (1164, Chr. de Tr.). Combattre en champ clos : *A lui ne puet champir nule ame* (Coincy). ◆ **champier, -oier** v. (xIIᵉ s., *Chev. cygne*). 1° Chevaucher à travers champs, parcourir le pays. — 2° Combattre en champ clos. — 3° Pâturer. ◆ **champeler** v. (1220, Coincy). 1° Camper. — 2° Combattre. — 3° Fouler comme un champ. ◆ **champestre** adj. (fin xIᵉ s., *Lois Guill.*). 1° Des champs. — 2° n. m. (1292, *Britton*) Bien champêtre.

II. **champ** n. m. V. CHANT, face étroite d'un objet.

I. **champaine, -aigne** n. f., pays plat, champ de bataille. V. CHAMP, terrain plat, champ.

II. **champaine** n. f. V. CAMPANE, cloche.

champart n. m. (1283, Beaum.; composé de *champ* et *part*). Droit du seigneur de prélever une part sur les récoltes des champs. ◆ **champarter** v. (1250, *Ren.*). 1º Soumettre au champart. — 2º Voler, enlever.

champcheu adj. (1278, *Arch.*; comp. de *champ* et *cheu*, tombé). Vaincu en champ clos.

champegnuel,-ol n. m. (XIIᵉ s., *Auc. et Nic.*; lat. pop. *fungus *campaniolus*, champignon des champs). Champignon.

champion n. m. (1080, *Rol.*; bas lat. *campionem*, de *campus*). Celui qui combat en champ clos.

chanap n. m. V. HANAP, vase, coupe.

chance, chaance, cheance n. f. (fin XIIᵉ s., *Aiol;* lat. pop. *cadentia*, plur. neutre du part. présent de *cadere*, tomber; v. *cheoir*). 1º Chute. — 2º Chute du dé, point marqué par le dé : *Ains ai uit poins en me keanche!* (J. Bod.). — 3º *A cuanche keue*, le coup étant tombé, une fois le résultat acquis. — 4º Hasard, heureux hasard.

chanceler v. (1080, *Rol.*; lat. **cancellare*, de *cancellum*, barreaux). 1º Disposer en forme de grille. — 2º Casser un acte en le biffant, annuler. ◆ **chancel, -ial** n. m. (1160, Ben.). 1º Clôture faite de barreaux. — 2º Balustrade, grille du chœur. — 3º Chœur d'église. — 4º Fenêtre grillée. ◆ **chanceleure** n. f. (1297, *Charte*). Barre tirée sur un acte pour l'annuler, rature.

chancre, cranche n. m. (fin XIIᵉ s., saint Grég.; lat. *cancer*, crabe). 1º Crabe. — 2º Chancre, ulcère : *Le let mal qui est apelé chancre la prist eu braz destre* (*Mir. Saint Louis*). — 3º Signe du zodiaque. ◆ **chancre, cranche** adj. (1270, Ruteb.). *Aler cranche*, marcher avec peine. ◆ **crankeille** n. f. (1262, *Arch.*

Douai; même racine?). Désigne une sorte de tare dans la fabrication des draps.

chandoile n. f. (XIIᵉ s., *Roncev.;* lat. *candela*). Chandelle. *Les Chandoilles,* la Chandeleur. ◆ **chandel** n. f. (1308, *Lettre*), **chandeliere** n. f. (1160, Ben.), **-or** n. f. (1119, Ph. de Thaun), **-ose** n. f. (1296, *Arch.*). Fête de la Chandeleur. ◆ **chandelier** n. m. (1268, E. Boil.), **-elon** n. m. (1352, G.), **-illon** n. m. (1324, *Arch.*). Fabricant et marchand de chandelles.

I. **chane** n. f. V. CANE, cruche.

II. **chane** n. f. V. CANE, tuyau.

chanel n. m. V. CHENEL, tuyau, sorte d'arme.

chanes, chaines n. f. plur. (déb. XIIᵉ s., *Ps. Cambr.*; lat. *canas*, de *canus*, blanc). 1º Cheveux blancs. — 2º Vieillesse. ◆ **chanece** n. f. (XIIIᵉ s., *Fabl. d'Ov.*). Cheveux blancs. ◆ **chanu** adj. (1080, *Rol.*). Qui a les cheveux blancs. ◆ **chanuer** v. (XIIIᵉ s., *Doon de May.*), **-nir** v. (1220, Coincy). Devenir blanc, blanchir. ◆ V. CHENIR.

chanestre, -ste n. m. (XIIᵉ s., lat. *canistrum*, corbeille). 1º Corbeille. — 2º Gâteau rond. ◆ **chanestel** n. m. (1180, *Rom. d'Alex.*). 1º Petite corbeille. — 2º Gâteau en couronne, rond.

chaneve n. m. V. CHENEVE, chanvre. ◆ **chanvre** n. f. ou m. (1268, E. Boil.). Chanvre. ◆ **chanevace** adj. (1220, *Saint-Graal*). De chanvre. ◆ **chanevas** n. m. (1298, M. Polo). 1º Étoffe de chanvre. — 2º Sac où l'on mettait le pain. ◆ **chanevacerie** n. f. (1352, G.). Dénomination générale comprenant le linge de corps, de table et de lit, et aussi le linge d'église. ◆ **chanevier** n. m. (XIIIᵉ s.), **-eril** n. m. (1295, G.). Chenevière, champ de chanvre. ◆ **chanevot** n. m. (1220, Coincy). 1º Toile de chanvre. — 2º Botte de chanvre. ◆ **chanevel** n. m. (1315, *Ord.*). Botte de chanvre. ◆ **chanevacier** n. m. (1268, E. Boil.), **chaneveor** n. m. (1304, *Arch.*). Marchand de chanvre ou fabricant de chanvre.

chanfraindre v. (déb. XIVe s., D.; comp. de *fraindre,* briser, et de *chant*). Tailler en biseau.

chanfrein n. m. (1175, Chr. de Tr.; comp. de *frein* et d'un premier élément qui représente soit le lat. *camus,* muselière, soit une altér. de *caput,* tête). Mors.

changier v. (fin XIIe s., *Cour. Louis;* bas lat. *cambiare,* d'orig. gaul. 1° Changer, varier. — 2° Échanger. ◆ **change** n. m. (XIIe s., *Roncev.*), -**ement** n. m. (1120, *Ps. Oxf.*). 1° L'action, le fait de changer, d'altérer, de varier. — 2° Échange. ◆ **changeor** adj. (1160, *Eneas*), -**able** adj. (1160, Ben.). Changeant, variable, capricieux : *Or le tiens tu* (l'amour) *por changeor (Eneas).* ◆ **changiet** n. m. (1311, G.). Sorte d'étoffe.

I. chanse n. f. V. CHAINSE, chemise.

II. chanse n. f. V. CHANCE, chute.

I. chant, champ n. m. (XIIe s., Delb.; lat. *canthum,* d'orig. incert.). Face étroite d'un objet. ◆ **chantel** n. m. (1160, Ben.). 1° Côté, coin, rebord. *De chantel, en chantel,* de côté, de chant. — 2° Quartier (du bouclier). — 3° Morceau. — 4° Bonde du tonneau. ◆ **chantelage** n. m. (1268, E. Boil.). Droit payé par les Parisiens qui achetaient du vin pour le revendre.

II. chant n. m., chant, mélodie. Voir CHANTER.

chanter v. (Xe s., *Saint Léger;* lat. *cantare*). 1° Chanter. — 2° Célébrer la messe. — 3° Faire des enchantements. ◆ **chantement** n. m. (XIIe s.). 1° Action de chanter, chant. — 2° Enchantement. ◆ **chant** n. m. (XIIe s., *Roncev.*), -**eis** n. m. (XIIIe s., *Pastour.*). 1° Chant. — 2° Mélodie : *Chançon faire et de mos et de chans* (C. de Béth.). ◆ **chantiser** v. (1169, Wace). Fredonner : *Por la sale ala chantisant* (Wace). ◆ **chantor** n. m. cas rég., **chantre,** cas sujet (fin XIIe s., *Rois*). Chanteur. **chanterie** n. f. (1155, Wace), -**trerie** n. f. (1335). 1° Chant, action de fredonner. — 2° Chant d'église, maîtrise de chantres d'église. ◆ **chantuaire** n. m. (1204, R. de Moil.). 1° Chant. — 2° Lutrin. ◆ **chantefable** n. f. (fin XIIe s.; *Auc. et Nic.*).

Petite composition où le récit en prose alterne avec le chant en vers. ◆ **chanteplore** n. m. et f. (XIIIe s., *Rom. et past.*). 1° Poète qui chante la douleur et la tristesse : *Or puis avoir nom Chanteplore Qui de duel chante et de tristor (Rom. et past.).* — 2° Complainte, lamentation Deguil.). ◆ **chanteraine** n. f. (1264, G.). Lieu où chante la grenouille.

chantier n. m. (1270, Ruteb.; lat. *canterium,* mauvais cheval). 1° Chenet. — 2° Support de tonneau.

chaoir v. V. CHEOIR, tomber.

I. chaon, caon, coan n. m. (1180, *Rom. d'Alex.;* lat. pop. *cavannum,* d'orig. gaul.). Chat-huant de la grande espèce. Mot déformé ensuite par rapprochement avec *chat* et *huer.* ◆ **chahuré** n. m. (1277, *Rose*). Chat-huant.

II. chaon n. m. (XIIe s., *Asprem.;* contraction de *chaaignon*). Nuque.

III. chaon n. m. V. CHAEL, petit chien.

chaorsin n. m. V. CAORSIN, banquier, usurier.

chape n. f. (1080, *Rol.;* bas lat. *cappa,* capuchon). Manteau, capote. ◆ **chapé** adj. (XIIIe s.). Couvert d'une chape. *Veue chapee,* regard sous cape. ◆ **chapel** n. m. (déb. XIIe s., *Voy. Charl.*). 1° Capuchon. — 2° Coiffure. — 3° Couronne de fleurs. *Faire un capel d'une corde* (J. Bod.), pendre. — 4° Honte : *Elle a chapel, se me veut faire hure* (Auberi). — 5° Couvercle. ◆ **chapeler** v. (XIIIe s., *Pastor.*). Couronner de fleurs, faire des couronnes. ◆ **chapelier** n. m. (1080, *Rol.*). 1° Coiffe du haubert couvrant la tête sous le casque. — 2° Prêtre portant la chape. ◆ **chapelet** n. m. (fin XIIe s., D.). 1° Petit chapeau. — 2° Couronne de fleurs. — 3° Chapelet (d'après la couronne de roses de la Vierge). ◆ **chaperon** n. m. (fin XIIe s., *Cour. Louis*). 1° Coiffure. — 2° Capuchon. *Bouter trois testes en un chaperon* (Froiss.), murmurer. ◆ **chaperoner** v. (1190, Garn.). Couvrir d'un chaperon. ◆ **chapefol** n. m. (XIe s., *Alexis*). Sorte de jeu comparable au colin-maillard. ◆ **chape-chute** n. f. (1190, J. Bod.). Bonne aubaine (littéralement : le manteau que quelqu'un a laissé tomber).

◆ **chape a choe.** *Faire la chape a choe,* profiter des occasions favorables au détriment d'autrui. ◆ **chapete** n. f. (XIIᵉ s.). Petit manteau. ◆ **chapeteor** n. m. (1220, Coincy). 1º Voleur de chape. — 2º Filou.

chapé adj. (1220, Coincy; dér. de *caput*, tête). A grosse tête (en parlant des clous). ◆ **chape** n. f. (1379, *Arch.*). Tête d'un clou.

chapitle, -tre n. m. (1119, Ph. de Thaun; lat. *capitulum,* de *caput*). 1º Passage de l'Écriture lu au début des assemblées. — 2º Assemblée des religieux. ◆ **chapitoire** n. m. (XIIᵉ s., *Ogier;* lat. **capitolium*). Chapitre, lieu de réunion. ◆ **chapituler** v. (1342, *Cart. Guise*). Tenir chapitre.

chapler v. (1080, *Rol.;* bas lat. *capulare,* battre, couper, d'orig. incert.). 1º Frapper rudement, tailler en pièces, abattre. — 2º Combattre, massacrer. ◆ **chaple** n. m. (1080, *Rol.*), **-eis** n. m. (1162, *Fl. et Bl.*), **-ement** n. m. (fin XIIᵉ s.), **-erie** n. f. (1160, Ben.). 1º Coups violents donnés avec des armes pesantes, heurt. — 2º Fracas de bataille, mêlée, massacre : *Dur ·sunt li colps et li caples est grefs* (*Rol.*). — 3º Abattis de grands arbres. ◆ **chaplier, -oier** v. (1080, *Rol.*), **-oter** v. (XIIᵉ s.). Combattre, massacrer. ◆ **chaploi** n. m. (1180, *Rom. d'Alex.*), **-oison** n. f. (1160, Ben.), **-ot** n. m. (XIIᵉ s.), **-oteis** (1180, *Rom. d'Alex.*). Bataille, combat acharné, massacre. ◆ **chapeillier** v. (XIIᵉ s.). Tailler en pièces. ◆ **chapel** n. m. (XIIᵉ s.). 1º Abattis, hachis. — 2º Miettes.

chapuisier, -uier v. (XIIᵉ s., *Part.;* lat. pop. **capputiare,* de *caput*). 1º Tailler du bois, charpenter. — 2º Fendre, frapper : *Tant fiert, tant caple, tant capuse* (*Part.*). — 3º Dépecer, ronger. ◆ **chapuis** n. m. (1265, J. de Meung). 1º Bois de charpente. — 2º Ossature de bât ou de selle. — 3º Charpentier. ◆ **chapuiseor** n. m. (1268, E. Boil.). Charpentier, surtout charpentier en bois pour la selle.

chapulaire n. m. (fin XIIᵉ s., *Mon. Guill.;* lat. médiév. *scapulare,* de *scapula,* épaule). 1º Froc sans manche. — 2º Scapulaire.

char n. m. (1080, *Rol.;* lat. *carrum,* d'orig. gaul., désigne le char à quatre roues). 1º Char. — 2º Engin de défense qu'on laisse rouler sur l'assaillant. ◆ **charee** n. f. (XIIᵉ s., *Asprem.*). Contenance d'un char, la *charee* étant le double de la *charetee.* ◆ **charier, -oier** v. (1080, *Rol.*). 1º Conduire un char. — 2º Transporter. — 3º Aller en char. ◆ **chariere** n. f. (1160, *Eneas*). 1º Chemin, route carrossable. — 2º Bac. ◆ **charier** n. m. (fin XIIᵉ s., *Loher.*). Chaussée faisant suite au pont-levis d'un château. ◆ **chariage** n. m. (1294, G.). 1º Droit perçu sur le transport des marchandises. — 2º Prix du transport. ◆ **charet** n. m. (fin XIIIᵉ s., Guiart), **-ete** n. f. (1080, *Rol.*). Petit char, charrette. ◆ **chareter** v. (1175, Chr. de Tr.). 1º Traîner dans une charrette. — 2º Voiturer. — 3º Aller en charrette. ◆ **chareterie** n. f. (1268, E. Boil.). Ensemble des harnais d'une bête de somme. ◆ **charetil** n. m. (1250, *Ren.*). Charrette longue pour le transport des gerbes. ◆ **charton** n. m. (1175, Chr. de Tr.), **-etier** n. m. (1175, Chr. de Tr.). Charretier. ◆ **charoi** n. m. (1169, Wace). 1º Chariot. — 2º Réunion des chariots d'une armée. ◆ **charin** n. m. (XIIᵉ s., *Chev. cygne*). 1º Charroi. — 2º Train en général : *Veoient l'ost des Turs et le riche karin* (*Chev. cygne*). *Tout le carrin,* à grand train. ◆ **charon** n. m. (1080, E. Boil.). 1º Sorte de char. — 2º Charron. ◆ **charote** n. f. (1231, *Arch.*). Charrette à deux roues. ◆ **charal** adj. (1062, *Cart.*), **-iable** adj. (1326, *Arch.*). Carrossable.

charai, -oi, -et, -ait n. m. (1160, Ben.; lat. *character,* du grec). 1º Signe, caractère. — 2º Signe magique, sortilège, charme, enchantement. ◆ **charoie** n. f. (1164, Chr. de Tr.). 1º Charme, sortilège. — 2º Talisman, billet écrit en lettres magiques. ◆ **charact** n. m. (1335, Deguil.), **charaude** n. f. (1230, *Eust. le Moine*). 1º Caractères magiques. — 2º Sorcellerie. ◆ **charalderesse, charoieresse** n. f. (1277, *Rosc*). Sorcière.

charbon n. m. (1190, J. Bod.; lat. *carbonem*). Charbon. ◆ **charboner** v. (fin XIIᵉ s., *Alisc.*). Convertir en charbon, en parlant du bois. ◆ **charbonee** n. f.

(*fin* XIIe s., *Auc. et Nic.*). 1° Morceau de viande grillé sur du charbon. — 2° Endroit où l'on vend du charbon (1316, *Livre pelu*). ◆ **charbonade** n. f. (XIIIe s., *Gloss. lat.-fr.*). Viande rôtie sur les charbons. ◆ **charbonel** adj. (av. 1300, Poèt. fr.). Grillé sur le charbon. ◆ **charbonier** n. m. (fin XIIe s., *G. de Rouss.*). Embrasement de charbon. ◆ **charboncle, -oucle** n. m. (1080, *Rol.*). 1° Escarboucle, variété de grenat rouge. — 2° Lumière, lanterne. ◆ **charbouclee** n. f. (XIIe s.). Menu charbon, poussier.

charcloie n. f. (1150, *Thèbes*; comp. de *char* et *cloie*, claie). Chariot portant un mantelet sous lequel s'abritaient les assaillants pour approcher des murs.

charcois, tarchois n. m. (XIIe s., *Florim.*; grec byz. *tarkasion*, du pers., infl. par *carcan*). 1° Corps, chair. — 2° Carcasse. — 3° Écaille d'une huître.

chardenal, chardonal n. m. (1213, Villeh.; lat. *cardinalis*, principal). Cardinal.

chardon n. m. (1086, *Domesday Book*; bas lat. *cardonem*, de *cardus*). Chardon. ◆ **chardenois** n. m. (1251, G.). Lieu couvert de chardons. ◆ **chardonail** n. m. (1220, Coincy), **chardereuil** n. m. (1277, *Rose*), **chardonerel** n. m. (1260, A. de la Halle). Chardonneret.

I. **charet** n. m., petit char. V. CHAR.

II. **charet** n. m. V. CHARAI, caractère, signe magique, charme.

charevoste n. m. (fin XIIe s., *G. de Rouss.*; se rattache à *caro*, chair). Cadavre : *La terre fu [...] coverte par dessus des charevostes des morz (G. de Rouss.).*

chargier v. (1080, *Rol.*; lat. pop. *carricare*, de *carrus*, char). 1° Charger, faire porter. — 2° Charger de, confier. — 3° Expliquer ce qu'on est chargé de dire ou de faire : *Bien leur carce que il diront ... (Gilles de Chin).* — 4° Etre chargé de, porter : *Il n'est nul arbre que fruit charge (Rose).* — 5° Faire supporter, donner des coups : *Il a pris un baston dusqu'a dis cops l'en charge (Gaut. d'Aup.).* ◆ **charge** n. f. (déb. XIIe s., *Voy. Charl.*), **-ement**

n. m. (1250, *Ren.*), **-eure** n. f. (fin XIIIe s., *Passion*). 1° Action de charger, chargement. — 2° Charge, obligation. ◆ **chargeant** adj. (1160, Ben.), **-able** adj. (1260, Br. Lat.), **-os** adj. (fin XIIIe s., Macé). 1° Pesant. — 2° Qui porte les fruits. — 3° Pénible, fâcheux : *Si charjable fait* (Br. Lat.). ◆ **chargeor** n. m. (1169, Wace). Grève, quai, lieu où l'on charge les marchandises.

I. **charme** n. m. (fin XIIe s., *Rois;* lat. *carmen, -inis,* chant sacré, formule magique). Influence magique, sortilège. ◆ **charmer** v. (1150, *Thèbes*). 1° Exercer le charme sur : *Et son pié li firent charmer (Thèbes).* — 2° Maltraiter. ◆ **charmé** adj. (fin XIIIe s., B. de Condé). 1° Ensorcelé. — 2° Protégé par les charmes. ◆ **charmement** n. m. (fin XIIIe s., B. de Condé). Charme, enchantement. ◆ **charmoie** n. f. (1277, *Rose*), **-ogne** n. f. (XIIIe s., *Fabl. d'Ov.*). Charme, sortilège. ◆ **charmegnier** v. (XIIIe s., *Fabl. d'Ov.*). Ensorceler. ◆ **charmeteresce** n. f. (1277, *Rose*). Sorcière, charmeuse.

II. **charme** n. m. (1175, Chr. de Tr.; lat. *carpinum*). Charme, espèce d'arbre. ◆ **charnier** n. m. (1202, *DDN*). Échalas pour soutenir la vigne. ◆ **charmecel** n. m. (1237, *Cart.*), **-eiere** n. f. (1294, G.). Lieu planté de charmes, charmoie.

charn, char n. f. (1080, *Rol.;* lat. *carnem*, chair). 1° Chair. — 2° Viande. — 3° *Se vestir de char*, s'incarner, devenir homme. — 4° *En la charn prendre, ateindre, tochier*, pénétrer dans la chair : *Ne l'at mie en charn tochie (Gorm. et Is.).* ◆ **charnel** adj. (XIe s., *Alexis*). 1° De chair. *Jour charnel*, jour gras. *Pasques charnaus*, Pâques où l'on mange de la chair, par oppos. à *Pasques fleuries*, pendant le carême. — 2° De même sang, parent, intime, ami : *Conseil ad li quens requis De tuz ces charnals amis (Conq. Irl.).* — 3° n. m. Parent. — 4° n. m. Charnier. ◆ **charnail** n. m. (1190, Garn.). 1° Morceau de chair, chair. — 2° Carnage, massacre. ◆ **charnage** n. m. (XIIe s., Horn). 1° Chair, condition de la créature faite de chair. — 2° Nourriture de chair, viande. — 3° Temps durant lequel il est permis de manger de la viande : *En qua-resme n'en charnage* (Coincy). ◆ **charnier** n. m. (1080, *Rol.*), **-iere** n. f. (1204, R. de Moil.). 1º Endroit où l'on conserve la viande. — 2º Cimetière. — 3º Charnier. ◆ **charnalité** n. f. (1130, *Job*). 1º Caractère de ce qui est charnel, vie mortelle. — 2º Amour charnel, sensualité. ◆ **charnin** adj. (fin XIIIe s., B. de Condé). 1º De chair. — 2º Qui ronge la chair. ◆ **charnos** adj. (XIIIe s., *Ysopet*), **-u** adj. (1256, Ald. de Sienne). 1º De chair. — 2º Bien en chair.

I. **charnier** n. m., échalas pour soutenir la vigne. V. CHARME, sorte d'arbre.

II. **charnier** n. m., endroit où l'on conserve la viande, cimetière, charnier. V. CHARN, chair, viande.

charnir v. V. ESCHARNIR, railler.

I. **charoi** n. m., chariot, réunion des chariots d'une armée. V. CHAR.

II. **charoi** n. m. V. CHARAI, caractère, signe magique, charme.

charole n. f. V. CAROLE, danse, assemblée.

charpent n. m. (1119, Ph. de Thaun; lat. *carpentum*, char à deux roues). 1º Charpente. — 2º Charpente du corps, épine dorsale. — 3º Corps. ◆ **charpenter** v. (1175, Chr. de Tr.). Tailler le bois. ◆ **charpentement** n. m. (fin XIIe s., *Loher.*), **-eis** n. m. (XIIe s., *Ogier*), **-oison** n. f. (XIIIe s., *Maug. d'Aigr.*), **-age** n. m. (fin XIIe s., *Loher.*), **-erie** n. f. (fin XIIe s., *Alisc.*). 1º Coups d'épée ou de hache. — 2º Massacre : *Au carpentage k'il font des brans fourbis* (Loher.). — 3º Charpenterie, construction en charpente. ◆ **charpentier** n. m. (XIIe s.). Charron.

charpir v. (XIIIe s., *Ps.;* lat. pop. **carpire*, pour *carpere*, au sens de couper). 1º Déchirer, mettre en pièces, faire de la charpie. — 2º Carder, faire de la charpie. ◆ **charpignier** v. (fin XIIe s., *Alisc.*). 1º Déchirer : *Durement le mort et charpigne (Ren.).* — 2º Carder.

charree n. f. (1306, Guiart; orig. obsc., peut-être du bas lat. *cathera*). Eau employée pour le nettoyage.

chartain adj. (XIIe s., *Chev. cygne;* dér. du nom de la ville). 1º De Chartres. — 2º n. m. (fin XIIe s., M. de Fr.). Monnaie de Chartres.

I. **chartre** n. f. (Xe s., *Saint Léger;* lat. *carcerem*, prison). Prison. ◆ **chartrerie** n. f. (1335, *Cart.*). Prison. ◆ **chartrer** v. (déb. XIVe s.). 1º Mettre en prison. — 2º Garder dans un lieu renfermé (par ex., les chiens). ◆ **chartrier** n. m. (1180, *R. de Cambr.*), **-enier** n. m. (XIIe s., *Barbast.*). 1º Geôlier. — 2º Prisonnier.

II. **chartre** n. f. (1080, *Rol.;* lat. *cartula*, dim. de *charta*, papier). 1º Papier, lettre. — 2º Charte. — 3º *Charte partie* (déb. XIVe s., *Dolop.*), contrat de louage d'un navire (l'acte étant partagé en deux, chaque contractant gardant une partie). ◆ **chartrer** v. (XIIIe s., *Chron. Reims*). 1º Donner une charte. — 2º Etre en possession d'une charte (au passif). ◆ **chartenier** n. m. (fin XIIe s., *Loher.*). Celui qui a soin des chartes.

charue n. f. (XIIe s., *Roncev.;* lat. imp. *carruca*, de *carrus*, char). Charrue. ◆ **charuee** n. f. (1210, *Cart.*), **-age** n. m. (1210, *Dolop.*). 1º Superficie de terre qu'une charrue peut labourer en un jour (environ 12 arpents). — 2º Terre labourable. ◆ **charuer** v. (1339, *Cart.*). Mener la charrue, labourer. ◆ **charuier** n. m. (1277, *Rose*). Laboureur.

chas n. m. (1175, Chr. de Tr., lat. *capsum*, coffre, case de damier). 1º Partie d'une maison, dépendances. — 2º Cuisine.

chascun adj. et pron. indéf. (fin XIe s., *Lois Guill.;* lat. pop. **casqunum*, croisement entre *quisque - unus* de *quisque*, *chaque* à la prép. grecque *kata*, employée comme distributif). Chaque, chacun. ◆ **cheun, cadun** (842, *Serm.;* lat. pop. **cata-unum*). Chaque, chacun. ◆ **chascan** adv. (1218, G.). Chaque an, chaque année. ◆ **chascun journal** adj. (fin XIIe s., saint Grég.). Quotidien, journalier.

chase n. f. V. CHESE, maison.

chaser v. (XIIe s., *Part.;* lat. *casa*, maison; v. *chese*). 1º Caser, établir. — 2º Pourvoir d'un fief, doter d'un domaine.

Estre chasé de, être en possession de : *La fille le roi de Milete qui fu cases de tote Crete (Part.).* — 3° Garnir, fortifier : *De bonnes tours tres bien chasez* (Guiart). ◆ **chasement** n. m. (fin XIIe s., *Cour. Louis*). 1° Fief, domaine : *Je te donrai onor et chasement (Cour. Louis).* — 2° Jouissance viagère d'un domaine. — 3° Bâtisse, maison. ◆ **chasé** adj. (1160, *Charr. Nîmes*). Pourvu d'un fief : *Filz sont a contes et a princes chasez, Chevalier furent de nouvel adoubé (Charr. Nîmes).* ◆ **chasé** n. m. (XIIIe s., *Gui de Warwick*). 1° Vassal, homme lige. — 2° Gentilhomme appartenant à la famille d'un haut baron. — 3° Tenancier.

chasier n. m. (XIIIe s., *Gloss. lat.-fr.*), **-iere** n. f. (1360, G.; cf. lat. *caseum,* fromage). 1° Panier, meuble à claire-voie pour égoutter les fromages. — 2° Garde-manger.

chasne n. m. V. CHESNE, chêne.

I. **chasse** n. f. (fin XIIe s., *Cour. Louis;* lat. *capsa,* coffre; v. *chas*). 1° Coffre. — 2° Écrin contenant des reliques. ◆ **chassel** n. m. (1170, *Percev.*). Caisse, caisson. ◆ **chassin** n. m. (1320, G.). Châssis.

II. **chasse** n. f. V. CHACE, chasse, poursuite, bannissement.

chastaigne n. f. (1190, J. Bod.; lat. *castanea*). Châtaigne. *Parer la chastaigne,* en conter. ◆ **chastaigniere** n. f. (XIIIe s.). Châtaigneraie.

chaste adj. (1138, *Saint Gilles;* lat. eccl. *castus*). Pur, chaste. ◆ **chastee** n. f. (1119, Ph. de Thaun), **-ece** n. f. (1130, *Job*). Chasteté : *Veulz ta chastee violer? (Pir. et Tisb.).*

chastel n. m. (1080, *Rol.;* lat. *castellum,* dimin. de *castrum,* camp). 1° Château fort. — 2° Habitation seigneuriale. ◆ **chastelet** n. m. (1175, *Chr. de Tr.*), **-eillon** n. m. (1169, Wace). 1° Petit château. — 2° Châtelain. ◆ **chastelain** adj. (1190, J. Bod.). 1° Qui dépend d'un château, relatif au château. *Chemin chastelain,* chemin public, moins large que le *chemin vicomtier* et le *chemin roial* ou *grant chemin.* ◆ **chasteler** v. (1160, Ben.). Munir d'un château, fortifier. ◆ **chaste-**

lerie n. f. (XIIIe s., *Gui de Bourg.*), **-ainerie** n. f. (1252, *Cart.*). Seigneurie et juridiction d'un seigneur, d'un châtelain.

chastier, -oier v. (Xe s., *Saint Léger;* lat. *castigare*). 1° Avertir, instruire : *Je vous vueil chastiier a bries mos courtement* (J. Bod.). — 2° *Chastier que,* recommander. — 3° Empêcher : *Qui poroit chastier le chien D'abaier? Nuns, ce savez bien* (R. de Blois). — 4° Corriger, amender : *Quant il l'ot mort; sel prent a chasteier (Cour. Louis).* ◆ **chasti** n. m. (1160, Ben.), **-iement** n. m. (1190, Garn.), **-oi** n. m. (1229, G. de Montr.). Avertissement, réprimande. ◆ **chastieor** n. m. (1283, Beaum.). Celui qui avertit, qui châtie. ◆ **chastillier,** v. (1220, Coincy). Harceler.

chastoire, -oivre n. m. (1250, *Ren.;* peut-être de *castra,* château d'abeilles). Ruche d'abeilles.

chastrer v. (1275, Joinv.; lat. *castrare*). Châtrer. ◆ **chastris** n. m. (fin XIIe s., *Loher.*). 1° Animal châtré. — 2° Mouton : *Ma bergerie de chastris* (Joinv.). ◆ **chastré** n. m. (1290, *Arch.*). Mouton. ◆ **chastron** n. m. (1294, *Péage de Dijon*). Animal châtré, mouton ou veau.

I. **chat** n. m. (XIIe s., *M. de Fr.*; bas lat. *cattum*). Chat. ◆ **chatoner, -ener** v. (1180, *Rom. d'Alex.*). 1° Marcher comme un chat. — 2° Ramper à quatre pattes : *Li home qui premiers va et en apres catone (Rom. d'Alex.).* ◆ **chatemite** n. f. (1295, Joinv.). Affectation de manières humbles et flatteuses. ◆ **chatepelose** n. f. (XIIIe s., *Gloss. lat.-fr.*). Chenille. ◆ **a chatons,** comme un chat, avec précaution.

II. **chat** n. m. (1295, Joinv.; orig. incert., cf. lat. *capsum,* coffre). Machine de guerre roulante ayant la forme de galerie couverte qui, approchée des murailles, protégeait ceux qui devaient les saper. ◆ **chat chastel** n. m. (1295, Joinv.). *Chat* garni de beffrois pour protéger et défendre ceux qui travaillaient dans la galerie.

chataigne, -aine adj. et n. m. (XIIe s., *Asprem.;* lat. pop. **capitaneum,* de *caput*). 1° adj. Principal. — 2° Capitaine, chef de guerre. — 3° Seigneur. V. CHEVE-TAIGNE, chef.

chatel, chael n. m. (fin XIᵉ s., *Lois Guill.*; lat. *capitale*, adj. substantivé au neutre; v. aussi *chadel*, principal, chef). 1° Bien, patrimoine, possessions : *Nos chetex ont pris et mengiez Et en lor terres anvoiez* (Wace). — 2° Rapport en argent d'un champ, d'une vigne. *Damages et chatieus*, dommages et intérêts (1315, *Arch.*). — 3° Gain, profit : [...] *De trop se taire ne seroit nus grant chatel faire.* (*Rom. des Ailes*).

chatonet n. m. (1220, Coincy; dimin. de *Caton*, auteur d'un ouvrage de morale, célèbre au Moyen Age). Livre de morale.

chaudel n. m. V. CHODEL, ruse, machination.

chaule n. f. V. CHOLE, boule, jeu de boules.

chauliere, cau- n. f. (1277, *Cart. de Jouarre*; v. CHOL, chou). Lieu planté de choux.

chaurir v. (XIIᵉ s., *Ps.*; à rapprocher peut-être de *chaure*, chaleur?). Nourrir : *Chouriz avec flour de froument* (*Ps.*).

chaurre n. m. V. CHALRE, chaleur.

chaute, caute n. f. (XIIIᵉ s., E. Coupin; composé de *hutte* et d'un préfixe péjoratif *ca*). Cabane, hutte.

chauvrir, -er v. (XIIIᵉ s.; dér. de *choe*, chouette). Dresser les oreilles, littéralement : faire la chouette.

chavate n. f. (fin XIIᵉ s., *Aiol*; forme picarde de *savate*, d'orig. incert., probabl. arabe; v. *çavetonier*, cordonnier). Sorte de chaussure.

I. **chave** n. f. V. CHOE, chouette.

II. **chave** adj. V. CAVE, creux.

chavene n. f. V. CHENEVE, chanvre.

I. **chaver** v. V. CHEVER, creuser.

II. **chaver** v. (1295, G. de Tyr; v. *chaver*, creuser). Coucher.

chavon n. m. (1288, J. de Priorat; v. CHEVEL, chef, chevet). Bout, fin, extrémité.

I. **cheable** n. V. CHAABLE, abattis, massacre.

II. **cheable** adj. V. CHEOIR, tomber.

cheance n. f. V. CHANCE, chute, hasard.

cheel n. m. V. CHAEL, petit chien, petit d'animal.

cheement n. m. V. CHEOIR, tomber.

cheftain n. m. V. CHEVETAIGNE, chef, seigneur.

cheir v. V. CHEOIR, tomber.

chemin n. m. (1080, *Rol.*; lat. pop. *camminum*, mot gaulois). Chemin. ◆ **cheminer** v. (1175, Chr. de Tr.). 1° Se déplacer à pied. — 2° Voyager. ◆ **cheminee** n. f. (XIIᵉ s., J. Fantosme), **-aison** n. f. (XIIIᵉ s., Th. de Kent). 1° Action de cheminer, voyage. — 2° Chemin. ◆ **chemineor** n. m. (1306, Guiart). Celui qui fait chemin, voyageur.

cheminee n. f. (1138, *Saint Gilles*; bas lat. *caminata*, de *caminus*, âtre). Cheminée. ◆ **cheminel** n. m. (1245, *Arch.*), **-on** n. m. (1356, *Arch.*). Chenet.

cheminse n. f. V. CHAINSE, chemise.

chenin adj. (1277, *Rose*; v. *chien*). 1° De chien. 2° Qui a le caractère d'un chien, lâche, méchant, hargneux : *(Il) sont coars, pervers et chenins* (*Rose*). ◆ **chenaille** n. f. (1260, Mousk.). 1° Troupe de chiens. — 2° Canaille (collectif). ◆ **chenet** n. m. (fin XIIIᵉ s., D.). Chenet, d'après les têtes de chien qui ornaient les chenets.

chenap n. m. V. HANAP, vase, coupe.

chenasse n. f. (1316, G.; dérivé de *chaaine*?). Tresse.

I. **chenel** n. m. (1130, *Job*; lat. *canalem*, de *canna*, roseau). Canal.

II. **chenel** n. m. (1335, *Rest. du Paon*; v. *cane, chane*, tuyau). 1° Tuyau, conduit. — 2° Sorte d'arme. ◆ **chenole** n. f. (1229, G. de Montr.). 1° Tuyau. — 2° Trachée-artère : *Il ot la canole fraite* (G. de Montr.).

cheneve, chenove n. m. (1274, *Franch. Dole; lat.* pop. **canapus,* pour *cannabis*). Chanvre. ◆ V. CHANEVE.

chenir v. V. CHANIR, devenir blanc, blanchir.

cheoine n. f. V. CEGOINE, cigogne.

cheoir, cheir, chair, chaier v. (xe s., *Saint Léger; lat. cadere*). 1º Tomber. — 2º Advenir, échoir. — 3º Etre admissible, arriver (impers.) : *Quant aucun cas avienent qui sunt en doute de costume, la poent queir proeves* (Beaum.). ◆ **cheement, chaement** n. m. (1155, Wace). Chute : *Par Eve ot home commencement De mal, de mort, de chaement* (Wace). ◆ **cheoite, chaete, cheete** n. f. (1160, Ben.). 1º Chute. — 2º Défaite. — 3º Position critique. — 4º Revenus. ◆ **cheant, chaant** adj. (1175, Chr. de Tr.). 1º Qui a de la chance, chanceux : *De ce furent li marcheant Molt eureus et molt chaent* (Coincy). Bien cheant, heureux, qui a réussi. — 2º Qui faiblit : *Li cuers li va caant* (Ogier). ◆ **cheable** adj. (xII^e s.). 1º Caduc. — 2º *Cheable a,* qui tombe dans, qui s'abandonne à : *Est plus cheable hom a avarice que a prodigalité* (Br. Lat.). ◆ V. CHANCE.

I. **cher** adj. (xe s., *Passion; lat. carum*). Aimé, précieux. ◆ **cherisme** adj. (1160, Ben.). Très cher : *cherisme evesque* (Ben.). ◆ **cherir** v. (xI^e s., *Alexis*). 1º Caresser. — 2º Flatter. ◆ **cherté** n. f. (xe s., *Fragm. de Valenc.*). Affection, amitié : *Li rois les aime, en grant chierté les tint* (Gar. Loher.). ◆ **chertel** adj. (xII^e s.), **-os** adj. (xII^e s.). 1º Charitable. — 2º Qui reçoit la charité, mendiant.

II. **cher** adj. (xI^e s., *Alexis;* même mot que le précédent). Coûteux. ◆ **chertie** n. f. (1155, Wace), **cheresce** n. f. (xII^e s.), **cherestie** n. f. (1150, Wace). Cherté, disette : *El tens de la graignor chertie, Quant grande vente fu de blé* (Wace).

cheraine, cherenne n. f. (1324, G.; francique **kerana,* même sens). Batte à beurre.

cherbole, cervole n. f. (1180, *Rom. d'Alex.;* orig. obsc.). Chaussure grossière, sabot.

cherquemaner v. V. CERQUEMANER, fixer les bornes d'un champ.

chese, chiese n. f. (xIII^e s.; lat. *casa*). Maison. *Chesedeu* (1226, *Cart.*), église, maison religieuse. ◆ **chesel, casal** n. m. (1180, *Rom. d'Alex.*). 1º Domaine, manoir entouré de terre cultivable. — 2º Château, bourg : *A quinze lieues entor aus Ne remest villes ne casaus* (Asprem.). ◆ V. CHASER, doter d'un domaine.

chesne n. m. (fin xII^e s., *Rois;* lat. pop. **cassanum,* du gaul., infl. par *fresne*). Chêne. ◆ **chesnin** adj. (xII^e s., *Ogier*). De chêne. ◆ **chesnoi** n. m. (1199, *Cart.*), **-aie** n. f. (1211, G.), **-eel** n. m. (1264, *Lettre*). Chênaie.

chesure, casure n. f. (xIII^e s., *Menestr. Reims;* lat. *casula,* manteau avec capuchon). Chasuble.

chetel, cheté n. m. V. CHATEL, biens, profit.

chetif adj. V. CHAITIF, prisonnier, misérable.

cheun adj. et pron. indéf. V. CHASCUN, chaque, chacun.

cheurme n. f. (1320, *Geste Chypr.;* ital. *ciurma*). Équipe des rameurs d'une galère.

chevage n. m. (1080, *Rol.;* v. *chief,* tête). 1º Tribut imposé sur les personnes. — 2º Cens dû au seigneur tous les ans, par chaque tête de ses hommes de corps. ◆ **chevagier** n. m. (1190, J. Bod.). Celui qui relève du seigneur, lui paie le chevage et ne peut pas quitter le lieu de cette dépendance : *Mes cuvers est et mes sers cavagiés Et cascun an me doit quatre deniers* (Ogier). ◆ **chevaigne** n. f. (1245, *Cart.*). Corvée ou redevance en argent qui la remplace.

cheval n. m. (fin xI^e s., *Lois Guill.;* lat. *caballum,* cheval). 1º Cheval. — 2º *Cheval fust* (Wace). Chevalet, cheval de bois, instrument de torture. ◆ **chevalin** n. m. (fin xII^e s., *Alisc.*). Cheval. ◆ **chevalet** n. m. (xII^e s., *Chev. cygne*). Petit cheval. ◆ **chevaleresse** adj. fém. (1164, Chr. de Tr.). *Biere chevaleresse*, litière ou brancard porté par deux chevaux.

chevalchier v. (1080, *Rol.*; v. *cheval*). 1° Monter à cheval. — 2° Parcourir à cheval. ◆ **chevalchie** n. m. (1190, J. Bod.), **-eure** n. f. (fin XIIᵉ s., *Loher.*). 1° Action de monter à cheval. — 2° Chevauchée, équipée : *Raconté a sa chevaucie A celi qui mot en fu lie (Trist.).* — 3° Service, expédition. — 4° Troupe de gens à cheval. — 5° Monture : *Et furent perdues toutes les chevaucheures* (Ph. de Nov.) ◆ **chevalceor** n. m. (XIIIᵉ s.). Cavalier.

chevaler v. (XIIIᵉ s.; v. *cheval*). 1° Chevaucher. — 2° Poursuivre en général. ◆ **chevaleis** n. m. (1200, *Quatre Fils Aym.*). Chevauchée. ◆ **chevalee** n. f. (XIVᵉ s.). Charge d'un cheval.

chevalier n. m. (1080, *Rol.*; lat. pop. *caballarium*). 1° Cavalier. — 2° Guerrier noble qui combat à cheval. ◆ **chevalerie** n. f. (1080, *Rol.*). 1° Ensemble de guerriers à cheval. — 2° Prouesse, exploit dignes d'un chevalier : *Dunc avrez faite gente chevalerie (Rol.).* — 3° Guerre, expédition militaire : *Vie d'omme sur terre ce n'est mais que une chevalerie (Mir. N.-D.).* ◆ **chevalerel** n. m. (1220, Coincy). Chevalier de peu de valeur (péjor.). ◆ **chevalerot** n. m. (1297, G.). Homme à cheval. ◆ **chevaleros** adj. (fin XIIᵉ s., *Cour. Louis*). 1° Vaillant comme un chevalier. — 2° Chevaleresque : *Li cuens Guillelmes fut molt chevaleros (Cour. Louis).*

chevece n. f. (1160, Ben.; lat. pop. *capitia*, pl. neutre pour fém.). 1° Tête. — 2° Capuchon, partie du casque couvrant la tête. — 3° Licol, harnais de tête du cheval. ◆ **chevecel, -uel** n. m. (1160, Eneas). 1° Têtière, bride. — 2° Chevet, oreiller. ◆ **cheveciere** n. f. (XIIᵉ s., *Blancandin*,) **-ine** n. f. (1170, *Percev.*). Têtière. ◆ **chevecier** n. m. (1316, *Arch.*). 1° Oreiller, traversin. — 2° Tenture ornant le chevet d'un lit. ◆ **chevecoeure** n. f. (1160, *Athis*). 1° Têtière. — 2° Collet. ◆ **chevecaille** n. f. (1164, Chr. de Tr.). 1° Collet, encolure. — 2° Bride, caveçon.

I. **chevel** n. m. (fin XIIᵉ s., *Rois*; lat.

capitalem; v. *chatel*, bien). 1° Chef. — 2° Chevet. ◆ **cheveier** v. (1160, Ben.). 1° Lever la tête. — 2° *Cheveier a*, relever d'un suzerain pour quelque chose. ◆ **chevelage** n. m. (1342, *Franch.*). Sorte de capitation. ◆ **chevelice** n. f. (1317, *Arch.*). 1° Capitation. — 2° Territoire où l'on peut exiger le cens capital. ◆ **chevaument** n. m. (1190, Garn.). *Tenir a chevaument,* tenir en chef, c'est-à-dire tenir un fief en qualité de vassal immédiat.

II. **chevel** n. m. (1080, *Rol.*; lat. *capillum*, cheveu). Cheveu. *Estre par caveus,* se battre : *Sire, cist resont par caveus! Oés comme il fierent grans cous! (J. Bod.).* ◆ **chevele** n. f. (1150, Wace), **chevelet** n. m. (1204, *l'Escoufle*). Cheveu, chevelure. ◆ **cheveler** v. (1245, *Charte*). Arracher les cheveux : *Si les bati et chevela (Ren.).* ◆ **chevelos** adj. (1250, *Ren.*). Chevelu.

I. **chever, chevir** v. (1260, Mousk.; lat. pop. **capire*, pour capere). 1° Venir à bout, en finir, achever : *T'en cuideroies tu miex chevir que je n'ai fait (Dit de ménage). Chevir a* quelque chose, finir par se le procurer. *Chevir a* quelqu'un, le satisfaire. — 2° Nourrir, soutenir, fournir à ses besoins : *Puis vous chevira Dieu qui en a poosté (Doon de May.). Chevir a* quelqu'un *que*, se porter garant envers quelqu'un que. — 3° *Se chevir de*, être maître de, jouer de : *De ses ieux se chevir bien chevir (Passion).* ◆ **chevance** n. f. (av. 1250, G. de Lorris). 1° Accomplissement. — 2° Profit. — 3° Provisions, moyen de vivre. — 4° Bien-fonds. ◆ **chevissement** n. m. (1276, Aden.), **-issance** n. f. (1277, *Rose*). 1° Nourriture, ce dont on a besoin, biens, richesses. — 2° Moyen de parvenir à bout de.

II. **chever** v. (fin XIIᵉ s., *Aym. Narb.*; lat. *cavare*, creuser; v. *cave*, creux). 1° Creuser, miner. — 2° Évider. ◆ **cheveor** n. m. (1260, Br. Lat.). 1° Celui qui creuse. — 2° Mineur. ◆ **chevillier** v. (1260, Br. Lat.). Creuser, extraire en creusant : *Taupe est une diverse beste qui ... cheville ... et manjue les racines (Br. Lat.).* ◆ **chevilleor** n. m. (1260, Br. Lat.), **-ier** n. m. (1260, Br. Lat.). Celui qui creuse.

chevestre n. m. (fin XIᵉ s., *Lois Guill.;* lat. *capistrum*). Licol d'une bête de somme.

chevetaigne adj. et n. m. (1080, *Rol.*), **-tain** (XIIᵉ s., *Chev. cygne;* lat. *capitaneum*, de *caput*, tête). 1° adj. Principal, souverain : *As seignors chevetegnes* (1291, *Arch.*). — 2° Dû au seigneur (en parlant du droit). — 3° *Chevetain de*, qui surpasse : *Vertu chevetaine des autres (De vita Chr.).* — 4° n. m. Chef, capitaine : *Rollant le cataigne* (*Rol.*). — 5° Administrateur civil : *Chevetaines ou gouverneurs* (1341, *Arch.*). — 6° Seigneur, propriétaire. — 7° Celui qui est à la tête d'une affaire.

chevez, chevais n. m. (1256, Ald. de Sienne; lat. *capitium*, de *caput*, tête). 1° Chevet d'un lit. — 2° Chevet d'une église, d'un toit (XIIIᵉ s.). ◆ **chevecier** n. m. (1292, G.). Celui qui surveillait le trésor de l'église, trésorier.

cheville n. f. (fin XIIᵉ s., M. de Fr.; lat. pop. **cavicula*, dissimil. de *clavicula*, petite clef). Cheville. ◆ **chevillier** v. (1155, Wace). Garnir de chevilles. ◆ **chevillon** n. m. (1250, *Ren.*). 1° Petite cheville, échelon : *Une eschiele a chevillons (Pass. Palat.).* — 2° Sorte de bâton.

chevre n. f. V. CHIEVRE, chèvre. ◆ **chevrel** n. m. (XIIᵉ s., *Trist.*), **-elet** n. m. (XIIIᵉ s., *Fabl. d'Ov.*), **-otin** n. m. (1277, G.). Chevreau. ◆ **chevroel** n. m. (déb. XIIᵉ s., *Voy. Charl.*). Chevreuil. ◆ **chevrerie** n. f. (1291, *Arch.*). Bercail de chèvres. ◆ **chevrin** adj. (1190, Garn.). De chèvre, de peau de chèvre. ◆ **chevrotin** n. m. (XIIIᵉ s., *Fabl. d'Ov.*). Peau de chèvre. ◆ **chevreler** v. (XIIIᵉ s., *Ysopet*). Bêler comme une chèvre, chevroter.

chevrete n. f. (1260, A. de la Halle; v. *chievre*, chèvre). Instrument de musique en peau de chèvre, musette. ◆ **chevreter** v. (1277, *Rose*). Jouer de la *chevrete*. ◆ **chevreteor** n. m. (XIIIᵉ s., *Fabl. d'Ov.*), **-ier** n. m. (1277, *Rose*). Joueur de *chevrete*, de musette.

chiche adj. (1175, Chr. de Tr.; bas grec *kikkon*, au fig. reste, un rien). Chiche, avare. ◆ **chicheté, chincheté** n. f. (XIIIᵉ s.).

Le fait d'être chiche. ◆ **chinchevent** n. m. (déb. XIVᵉ s., J. de Condé). Bergeronnette.

chief n. m. (Xᵉ s., *Eulalie;* lat. pop. *capum*, pour *caput*). 1° Tête. *Par mon chief*, formule de serment ou d'affirmation solennelle. — 2° Capitale d'un pays (Wace). — 3° Chef. *Chief d'ommes*, chef de famille (1312, *Arch.*). *Ne savoir chief ne roi*, ignorer tout à fait. — 4° Extrémité, commencement, bord : *Une molt bele fontaine qui estoit au cief de la forest* (*Auc. et Nic.*). *En chief, en prime chief*, en tête de. — 5° Extrémité, bout, fin. *Mener a chief*, mener à bout. *Venir a chief*, venir à bout, achever. *Traire a chief*, approcher de sa fin : *Que lor amours trairont a chief!* (*Pir. et Tisb.*). *A chief, a chief de tor*, à la fin, après tout. — 6° Extrémité en général. *De chief en chief, de chief en autre*, d'un bout à l'autre. — 7° Unité de comptage, pièce : *Quarante chiefs d'estain, que flacons, que grans poz, que pintes, que chopines* (1344, *Arch.*). *A chief de foiz* (H. de Cambr.) parfois. *A chief de piece*, parfois. — 8° *Tenir le chief*, soutenir, aider : *Tant com servi vos ai tenu le chief N'i ai conquis vaillissant un denier (Charr. Nîmes).* ◆ **chief** adj. (1265, *Arch.*). Principal, premier. ◆ **chief lieu** n. m. (1257, G.). Manoir principal du suzerain. ◆ **chief d'oevre** (1268, E. Boil.). Ouvrage principal d'un artisan.

chien n. m. (1080, *Rol.;* lat. *canem*). Chien. ◆ **chienet** n. m. (XIIᵉ s., M. de Fr.), **chinon** n. m. (1260, Mousk.). Petit chien. ◆ **chienin** adj., **chienaille** n. f. V. CHENIN, CHENAILLE. — ◆ **chienerie** n. f. (1289, *Arch.*). Droit seigneurial de faire nourrir les chiens, acquitté d'abord en nature, transformé ensuite en redevance.

I. chier v. (1250, *Ren.;* lat. *cacare*). Faire ses besoins. ◆ **chiouere** n. f. (XIIIᵉ s., *Gloss. gall.-lat.*). Latrine.

II. chier adj. V. CHER, aimé, coûteux.

chiere n. f. (1080, *Rol.;* bas lat. *cara*, visage, tête, du grec). 1° Visage. — 2° Expression du visage, mine. — 3° *Faire chiere*, avoir l'air : *Ne faites chiere ne samblant Que vous sachies ce convenant* (Couci). *Sans faire chiere*, sans se trahir.

— 4° Accueil, manière de traiter les convives. — 5° *A grant chiere*, loc. adv. De bonne humeur.

chies prép. (1190, J. Bod.; forme atone de *chiese*, de *casa*, hutte). Prép. de lieu, Chez. *En chies, a chies*, à la maison.

chiese n. m. V. CHESE, maison.

chievre n. f. (XIIᵉ s., lat. *capra*; v. *chevre* et ses dérivés). Chèvre.

chifler, ci-, chu- v. (XIIᵉ s., *Macch.*; lat. pop. **sifilare*, pour *sibilare*, avec div. infl. onomat.). 1° Siffler. — 2° Persifler, railler. ◆ **chifle** n. m. (XIᵉ s., *Alexis*), -**ois** n. m. (XIᵉ s., *Alexis*), -**ement** n. m. (XIIᵉ s., *Ps.*). 1° Sifflement, sifflet. — 2° Raillerie. ◆ **chiflerie** n. f. (déb. XIVᵉ s., J. de Condé). Risée. ◆ **chifleor** n. m. (XIIᵉ s.). 1° Siffleur. — 2° Moqueur.

chifonie n. f. V. SIFONIE, sorte de vielle; tambour.

chimere adj. (1220, Coincy). lat. *chimaera*, du grec). Insensé, chimérique : *Por fol le tiens et por chimere* (Coincy).

chincheté n. f. V. CHICHE, avare.

chine n. f. (1314, *Arch.*; orig. obsc.). Citerne.

chiouere n. f., latrine. V. CHIER, faire ses besoins.

chipe n. f. (fin XIIIᵉ s., Guiart; empr. au bas allem.; cf. moy. angl. *chip*, petit morceau). Chiffon, guenille.

chipoe n. f. (fin XIIᵉ s., *Loher.*; orig. obsc.). 1° Moue, grimace : *Sage fu et cortoise, sans boban, sans chipoe* (Aden.). — 2° Façons qui manquent de sincérité.

choan n. m. V. CHAON, chat-huant.

chocatri n. m. V. CAUCATRI, crocodile.

chodel, chaudel, chotel n. m. (XIIᵉ s., *Asprem.*), -**e** n. f. (XIIᵉ s.; lat. *cautela*). Ruse, machination. ◆ **chodeler** v. (XIIᵉ s.) Ruser, tromper.

choe, chave n. f. (1164, Chr. de Tr.; francique **kawa*). Chat-huant, chouette. ◆ **choer, chuer** v. (av. 1250, G. de Lorris). 1° Cajoler, choyer. — 2° Tromper.

◆ **choerie** n. f. (1277, *Rose*). Flatterie.
◆ **choete** n. f. (1175, Chr. de Tr.). Chouette. ◆ **choeter** v. (1220, Coincy). Faire la chouette, minauder.

choine, choisne, chone adj. (1342, G.; orig. obsc.). 1° adj. Blanc, en parlant du pain. — 2° n. m. *Pain de choine*, pain blanc. ◆ **chonerie** n. f. (1342, *ibid.*). Époque où l'on mange du *pain de choine* : *A chacun des trois nataux de chacun an, tels que Noel, Pasque et Pentecote, a chacun desdits termes de chonerie* (Hesdin).

choisel n. m. V. COISEL, tas, botte, fagot.

choisir v. (déb. XIIᵉ s., *Voy. Charl.*; germ. *kausjan*, goûter). 1° Apercevoir, remarquer, distinguer : *Plus tost s'en va ... que ne fait lievres quant li chiens le choisi* (Gar. Loher.). — 2° Choisir. ◆ **chois** n. m. (1155, Wace), **choison** n. m. (fin XIIᵉ s., G. de Rouss.), -**ie** n. f. (1281, *Test.*). Choix, élection. *A choison*, au choix, en abondance. ◆ **choisisseor** n. m. (1160, Ben.). Qui aperçoit, qui voit, spectateur.

choison n. f. (XIIᵉ s., *Trist.*; v. *ochoison, achoison*). 1° Cause, motif : *Por ceste chaison le grand kaan fist faire ceste cité* (M. Polo). — 2° Accusation, inculpation. ◆ **choisoner** v. (1213, Villeh.). 1° Accuser. — 2° Faire des reproches à.

chol, chou n. m. (XIIᵉ s., lat. *caulis*). Chou. ◆ **choliere** n. f. (XIIIᵉ s.). Champ de choux.

chole, chaule n. f. (déb. XIVᵉ s., D.; lat. pop. **ciulla*, d'orig. germ.). 1° Boule. — 2° Jeu de boules, attesté au Languedoc dès le XIIᵉ s. ◆ **cholet** n. m. (1260, A. de la Halle). Petite boule (pour jouer à la *chaule*?) : *Ke devenus sui uns cholés* (A. de la Halle).

choper v. (1175, Chr. de Tr.; orig. obsc.). Heurter, buter. ◆ **chopin** n. m. (1335, *Rest. du Paon*). Coup violent. ◆ **chopiner** v. (XIVᵉ s.). Cogner.

chopine n. f. (fin XIIᵉ s., *Stat. des léproseries*; orig. germ.; cf. allem. *Schoppen*). Récipient et mesure de liquides.

choplote n. m. (XIIIe s., G.; orig. incert.; altération de **cloporte*, de *cloper*, boiter?). Cloporte.

choque n. f. V. ÇOCHE, souche.

choquer v. (1230, G.; moy. néerl. *schocken*, heurter). Heurter.

choron, coron n. m. (1155, Wace; lat. *chorum*, chœur). Sorte de cithare sans table d'harmonie. ◆ **chorial** n. m. (1335, G.). Choriste, chantre.

chose, cose n. f. (842, *Serm.;* lat. *causa*). 1° Chose. — 2° Affaire : *Priés pour vous, Que no cose anuit bien nous viegne* (J. Bod.). — 3° Créature, personne : *Je sui cose de par Dé (Atre pér.).* — 4° *Avint cose que*, il arriva que. — 5° *Chose que*, à cause que. ◆ **chosete** n. f. (fin XIIe s., G.). Petite chose : *Feves et poiz et tex chosetes (Rose).*

choser v. (1155, Wace; lat. pop. **causare* pour *causari*). 1° Disputer avec quelqu'un : *Biaus dous amis, car ne me chose! (Garç. et Av.).* — 2° Blâmer, injurier : *L'arceveske forment le chose De ce ke tel honeur refuse* (Coincy). — 3° Accuser, contester : *Tant ai a lui chosé et tencié La merci Deu que sui venu a chief (Enf. Viv.).* — 4° Faire la *chosette*, faire l'amour. ◆ **chosement** n. m. (1130, *Job*). Remontrance, blâme.

chotel n. m. V. CHODEL, ruse, machination.

chrestien adj. et n. m. V. CRESTIEN, chrétien.

chuer v. V. CHOER, cajoler, tromper.

chufler v. V. CHIFLER, siffler, persifler.

chuque n. f. V. ÇOCHE, souche.

churel n. m. (XIe s., *Alexis;* orig. obsc.). 1° Ordure. — 2° Draps en loques (Deguil.)

churelerer, -lurer v. (1220, Coincy; orig. incert.). Goûter le vin en s'en rinçant la bouche.

I. **ci** adv. (1080, *Rol.;* forme ordinaire; v. *ici*, adv. renforcé). Ici.

II. **ci** n. f. V. CIT, cité.

ciaule, ciele n. f. V. CELLE, chambre, hermitage.

cibole n. f. (XIIIe s., *D'Estormi;* prov. *cebola*). 1° Ciboule. — 2° Tête de massue. ◆ **cibolee** n. f. (XIIIe s., *Bat. de Quaresme*). Ragoût de ciboules.

ciclaton, sigladon, -oine n. m. (1080, *Rol.;* orig. obsc.). 1° Long manteau de soie ou d'étoffe riche, pour hommes et femmes. — 2° Étoffe dont le manteau était fait.

ciel n. m. (Xe s., *Eulalie;* lat. *caelum*). 1° Ciel. — 2° Voûte.

ciele n. f. V. CELLE, cellule, chambre, maisonnette, cellier.

cieme adj. (fin XIIe s., saint Grég.; contraction de *cinquisme*). Cinquième : *Li ciemes pechiez ce fut spiritueiz fornications* (saint Grég.).

I. **cierge, cerve** n. f. (1155, Wace; lat. pop. **cervia*, pour *cerva*). Biche, femelle de cerf.

II. **cierge, cirge, cerge** adj. et n. m. (XIIe s., *Roncev.;* lat. *cereum*, de *cera*, cire). 1° adj. De cire. — 2° n. m. Cierge, chandelle de cire. ◆ **cierjot** n. m. (1220, Coincy), **ciergeton** n. m. (1220, Coincy), **cierjoncel** n. m. (1220, Coincy). Petit cierge, bout de cierge.

cieu adj. V. CIU, aveugle.

cifler v. V. CHIFLER, siffler, persifler.

cifonie n. f. V. SIFONIE, sorte de vielle; tambour.

cifre n. m. ou f. (1220, Coincy; lat. médiév. *cifra*, de l'arabe *sifr*, zéro). Zéro.

I. **cil** n. m. (XIIe s.; lat. *cilium*). Cil. ◆ **cillier** v. (1160, Ben.). 1° Ciller, clignoter. — 2° Coudre les paupières d'un faucon. ◆ **cillance** n. f. (XIIIe s., *Rés. Sauv.*). 1° Action de ciller les yeux. — 2° Action de coudre les paupières du faucon que l'on dresse. ◆ **cilleter** v. (1180, *Rom. d'Alex.*). Sourciller.

II. **cil** démonstr. m. cas sujet. V. CEL, celui-là, cet ... - là.

cilande, cillance, cillante n. m. ou f. (1170, *Percev.;* v. *cillier*, frapper, fouetter). Cravache.

cilec adv. (fin XIIe s., *Est. Saint-Graal;* contraction de *ci ilec,* ici tout près). Adv. de lieu, Ici, en cet endroit-ci : *Li autre dient : Nous avuns Cilec un de nos compeigneuns (Est. Saint-Graal).*

I. cillance n. m. ou f. V. CILANDE, cravache.

II. cillance n. f., action de ciller les yeux. V. CIL, cil.

I. cillier, cengler v. (XIIIe s., *Doon de May.;* lat. *cingulum,* lanière à fouetter). 1° Frapper, fouetter. — 2° Exciter : *Si con le courage d'eus cille* (Guiart).

II. cillier v. (XIIe s.; v. scand. *sigla,* voile). Cingler, faire voile dans une direction. V. SIGLER.

III. cillier v., clignoter, coudre les paupières d'un faucon. V. CIL, cil.

cimble, cimbe n. m. (XIIe s.; lat. *cymbelum;* v. *cembel*). Cymbale.

cimetire, cimentiere n. f. (1155, Wace; lat. chrét. *cœmenterium,* du grec). Cimetière.

cinc n. de nombre (1080, *Rol.;* lat. pop. *cinque* pour *quinque*). Cinq. ◆ **cinquain, -in** n. de nombre et n. m. (1229, *Charte*). 1° Synonyme de cinq : *Cincain sols* (1259, G.). — 2° Au nombre de cinq : *Fagot de buche cincquaine (Cart. de Saint-Ladre).* — 3° Fût dont la contenance était du cinquième de celle du tonneau. ◆ **cinquisme** adj. (1164, Chr. de Tr.). Cinquième. V. CIEME.

cince n. f. (XIe s., *Alexis;* orig. obsc.). 1° Torchon, chiffon. — 2° Haillon. ◆ **cinços** adj. (1220, Coincy). Loqueteux, dégoûtant : *Deables, com es cinceus, Com grant envie as de touz ceux Qui vivre veulent chastement* (Coincy). ◆ **cincier** n. m. (1404, *Charte*). Fripier.

cincele, -iele n. f. (fin XIIIe s., Guiart; cf. germ. *zenzala,* d'orig. onom.). Moustique, cousin. ◆ **cincelier, cincenier** n. m. (1112, *Saint Brand.*). Moustiquaire.

I. cine n. f. V. CENE, repas, souper.

II. cine n. m. V. CISNE, cygne.

cinele, cenele n. f. (1175, Chr. de Tr.; orig. incert.). Cenelle, baie rouge de l'aubépine.

I. cingler v. V. CILLIER, fouetter, exciter.

II. cingler v. (av. 1307, M. Polo; v. *cillier,* faire voile). Faire voile.

cion n. m. (XIIe s., *Meraugis;* francique **kith,* rejeton, avec suffixe diminutif). Scion, rejeton, pousse de l'année.

ciparis, cyperis n. m. (1160, Ben.; bas lat. *cypressus,* gr. *kuparissos*). Cyprès.

circoncire v. (1190, saint Bern.; lat. chrét. *circumcidere,* couper autour). Circoncire. ◆ **circoncision** n. f. (1190, saint Bern.). 1° Action de circoncire. — 2° Prépuce. ◆ **circoncisier** v. (1260, Br. Lat.). Circoncire.

circonstance n. f. (XIIe s., *Ps.;* lat. *circumstantia*). 1° Barrière, frein. — 2° Situation d'ensemble (astrologie). — 3° Ce qui entoure, dépendances, banlieue (1312, *Arch.*). ◆ **circonstant** adj. (1271, *Arch.*). Qui est à l'entour, qui se trouve autour.

circuite n. f. (1220, *Saint-Graal*), **cirquité** n. f. (1280, G.; lat. *circuita,* de *circumire*). 1° Voyage circulaire : *Je ai ... avironné le monde ... ne en tote cele circuite ne poi trover une bone fame (Queste Saint-Graal).* — 2° Enceinte. — 3° Contour. ◆ **circulier** adj. (1277, *Rose*). Circulaire.

cirge adj. et n. m. Cierge (v. *cierge,* de cire). ◆ **ciroisne** n. m. (1265, J. de Meung; lat. médiév. *ceroneum*). Onguent à base de cire.

cirografe n. m. (1190, Garn.; lat. *chirographum,* autographe, du grec). Pièce revêtue d'une signature : *Le cyrografe al rei li arcevesques prent* (Garn.). ◆ **cirografer** v. (1262, *Cart.*). 1° Écrire un chirographe. — 2° Revêtir un diplôme de sa signature.

cirquemaner v. V. CERQUEMANER, fixer les bornes d'un champ, d'une ville.

cirurgie n. f. (1175, Chr. de Tr.; lat. méd. *chirurgia*, du grec). Chirurgie. ◆ **cirurgier** v. (XIIᵉ s.). Mettre un pansement, panser.

cis n. f. V. CIT, cité.

cisamus, cisemus n. m. (1170, *Percev.*; cf. all. *Zieselmaus*). 1º Souslic, sorte de rongeur. — 2º Fourrure de souslic.

cisel n. m. (1190, J. Bod.; lat. pop. **cisellum*). 1º Ciseau de mineur, de sculpteur. — 2º Ciseaux. ◆ **ciseure** n. f. (1325, *Arch.*). Action d'entailler et de couper avec les ciseaux. ◆ **cisoires** n. f. plur. (1180, *Rom. d'Alex.*). Gros ciseaux, forces.

cisme n. m. (1190, Garn.; lat. eccl. *schisma*, du grec). Schisme. ◆ **cimatique** n. m. (fin XIIᵉ s., D.). Schismatique.

cisne, cine n. m. (XIIᵉ s., *Barbast.*; lat. pop. *cicinum*, pour *cycnus*, du grec). Cygne.

cist démontr. m. cas sujet. V. CEST, celui-ci, cet ...-ci.

ciste n. f. (XIVᵉ s., *Chron. Londres;* lat. *cista*, du grec). Corbeille, coffre.

cit, ci, cis n. f. d'abord cas sujet, **citet** n. f. cas rég. (XIᵉ s., *Alexis;* lat. *civitas, -atem*). 1º Cité, ville ancienne : *Il fut normant, de la cit de Costance (Roncev.).* — 2º Partie ancienne de la ville. ◆ **citeain, citein, citien, citoian** adj. et n. m. (1160, Ben.), **citezein** n. m. (XIIᵉ s., *Conq. Irl.*). 1º Adj. De ville, urbain : *la grant gent citaaine* (Ben.). — 2º Civil, en parlant du droit (par opposition au droit *canon*). — 3º Citoyen. ◆ **citainance** n. f. (1265, Br. Lat.). Citoyenneté : *Citainnance commune est diverse de la particulere* (Br. Lat.).

citoal n. m. (1180, *Rom. d'Alex.;* ar. *zedwar*, même sens). Sorte d'épice aromatique, zédoaire. ◆ **citoalet** n. m. (1220, Coincy). Boisson aromatisée.

citole, citoile n. f. (1164, Chr. de Tr.; cf. lat. *cithara*, du grec). Cithare, instrument de musique à cordes. ◆ **citoler** v. (1250, *Ren.*). Jouer de la *citole.* ◆

citoleor n. m. (1260, Br. Lat.). Joueur de citole.

citre n. m. (1314, Mondev.; lat. *citrus*). Espèce de citrouille. ◆ **citrin** n. m. (XIIᵉ s., Marb.; v. *cestrin*). Citron. ◆ **citrole** n. f. (1265, Ald. de Sienne). Citrouille.

ciu, ci, cieu adj. et n. m. (1112, *Saint Brand.;* lat. *caecum*). 1º Aveugle : *Li ⸰ns est cler veianz, et li autres cius* (Garn.). — 2º Obscur.

ciue n. f. V. CEGUE, ciguë.

cive n. f. (1268, E. Boil.; cf. lat. *caepa*, oignon). Ciboulette. ◆ **civet** n. m. (1268, E. Boil.). Ciboulette.

civele n. f. (XIIᵉ s.; orig. incert.). Sangle, bande de cuir. ◆ **civeler** v. (XIIIᵉ s., Th. de Kent). Sangler.

civiere n. f. (XIIIᵉ s.; lat. pop. **ciburia*, pour *cibus*). Brancard servant au transport des fardeaux, du fumier, etc.

claciele n. f. (1260, Mousk.; lat. *clavicella*, de *clavis*, clef). Petite clef. ◆ **clacelier** (fin XIIᵉ s., *Gar. Loher.*), **claçonier** n. m. (XIIᵉ s., *Chev. cygne*). 1º Porteclefs, majordome. — 2º Sommelier. — 3º Geôlier.

clais, cleiz n. f. (XIIᵉ s., *Part.*), **claie** n. f. (fin XIIᵉ s., M. de Fr.; lat. pop. **cleta*, mot gaul.). Claie. ◆ **claiel** n. m. (1351, *Arch.*). Clôture. ◆ **claier** v. (XIIᵉ s., *Conq. Jér.*). Former des claies.

I. claire n. f. (XIIIᵉ s.; lat. *clara*, sonore). Clochette qu'on attache au cou des bestiaux. ◆ **clarain, -in** n. m. (XIIIᵉ s., Du Cange). 1º Clochette pour bestiaux. — 2º Clairon, instrument de musique au son aigu (Guiart). ◆ **claron** n. m. (1327, J. de Vignay). Clairon.

II. claire n. f. (XIIᵉ s., Marb.; lat. pop. **clarea*, de *clarus*). Glaire, blanc d'œufs.

clamer v. (1080, *Rol.;* lat. *clamare*). 1º Crier, appeler. — 2º Proclamer, nommer : *Cil qui mix torble les gués Est li plus sire clamés (Auc. et Nic.).* — 3º Déclarer, reconnaître : *Claimet sa culpe (Rol.). Clamer quite* quelque chose, déclarer libre une chose, la céder, l'abandonner.

Clamer quite quelqu'un, le déclarer libre, quitte. — 4° Porter plainte, poursuivre en justice, réclamer son droit. ◆ **claim, clain** n. m. (1160, Ben.). 1° Cri, clameur. — 2° Plainte en justice. ◆ **clame** n. f. (1350, G.). Réclamation en justice. ◆ **clamor** n. f. (1155, Wace), **-oison** n. f. (XIIIᵉ s., *Maug. d'Aigr.*). 1° Cri, plainte. — 2° Réclamation en justice. ◆ **clamance** n. f. (1250, G.). Déclaration. *Quite clamance*, déclaration de cession. ◆ **clamation** n. f. (XIIᵉ s., *Bible*). Acclamation. ◆ **clameor** n. m. (fin XIᵉ s., *Lois Guill.*), **-ant** n. m. (1238, *Charte*). Plaignant, demandeur. ◆ **clamif** adj. et n. m. (1190, Garn.). 1° Plaintif, qui fait entendre des cris. — 2° n. m. Plaignant en justice *(Rois)*.

I. **clanche** adj. (1313, Godefr. de Paris; v. *esclenc*). Gauche. *Avoir main clanche vers quelqu'un*, n'être pas généreux avec lui.

II. **clanche** n. f. V. CLENCHE, loquet.

claon n. m., clayon. V. CLOIE, claie.

claper v. (1160, Ben.; orig. onomat. ou germ.). Frapper avec bruit : *Tant i clape de s'espee* (Ben.). ◆ **clapoison** n. f. (XIIIᵉ s., *Chans. d'Ant.*). Mêlée.

clapier n. m. (1210, *Charte*; prov. *clapier*). Amas de pierres. ◆ **clapoire** n. f. (av. 1300, Poèt. fr.). Clapier, lieu de débauche.

claque n. f. (1306, Guiart; orig. onomat.). Coup, gifle.

claré, claret n. m. (1150, *Pèl. Charl.*; lat. *claratum*, de *clarare*). Vin mélangé de miel et d'épices aromatiques. ◆ **clarere** n. f. (1308, Aimé). Vin clairet. ◆ **clarier** n. m. (XIIIᵉ s., *Bans d'Hénin*). Celui qui vend du claret.

clarir v. (XIIᵉ s., *Part.*; lat. pop. **clarire*, pour *clarere*). Rendre, devenir clair. ◆ **clarier, -oier** v. (fin XIIᵉ s., *Gar. Loher.*). 1° Briller : *La boucle u l'ors clarie* (R. de Beauj.). — 2° S'éclaircir, montrer des vides : *Tot entor le Breton fet le ranc claroier* (Barbast.). ◆ **clarel** n. m. (XIIᵉ s.). Clairière. ◆ **clarece** n. f. (XIIᵉ s., Marb.). Clarté. ◆ **clarté** n. f. (1260, Br. Lat.). Renommée. ◆ **claret** adj. (XIIᵉ s., *Part.*),

-ion adj. (XIIIᵉ s., *Gaydon*). 1° Clair. — 2° Brillant. ◆ **clarifier** v. (1190, saint Bern.). 1° Éclairer, rendre brillant. — 2° Chasser la tristesse. — 3° Glorifier.

clas, glas n. m. (XIIᵉ s., *Trist.*; lat. *classicum*, sonnerie de trompettes). 1° Bruit, tumulte. — 2° Orage : *Leve li chlaz e fait le vent (Trist.).* — 3° Sonnerie de trompette. ◆ **clasique** n. f. (1288, J. de Priorat). Trompette guerrière. ◆ **clasique** n. m. (1288, J. de Priorat). Celui qui sonne le *clasique*.

clause n. f. (1190, Garn.; lat. médiév. *clausa*, de *claudere*, clore, confondu avec *clausula*). 1° Fin de vers, rime, puis groupe de rimes : *Li vers est d'une rime en cinc clauses cuplez Mis langages est bons, car en France fui nez (Thomas le Mart.).* — 2° Sentence : *Tant chief, tantes sentences : Chascun en dit sa clause (G. de Rouss.).* — 3° Clause (XIIIᵉ s.). ◆ **clausele** n. f. (1323, *Charte*). Réserve, exception.

claustreer v. (XIIᵉ s., *Alisc.*; v. lat. *claustrum*, enceinte). Enfermer dans un lieu clos.

clavain n. m. (XIIᵉ s., *Chev. cygne*), **-iere** n. f. (XIIᵉ s., *Barbast.*; lat. *clavus*, clou). Grand gorgerin fait de pièces de fer imbriquées, rivées avec des clous. ◆ **clavain** adj. (1180, *Rom. d'Alex.*). Garni d'un *clavain*.

I. **clavel** n. m. (1180, *Rom. d'Alex.*; lat. *clavellum*, dimin. de *clavus*, clou). 1° Clou. — 2° Verrou. — 3° Clavette. — 4° Anneau du haubert. ◆ **clavele** n. f. (1170, *Fierabr.*). Anneau du haubert. ◆ **claveler** v. (XIIIᵉ s.). Clouer. ◆ **clavelé** adj. (1180, *Rom. d'Alex.*). 1° Tacheté. — 2° *Cendre clavelée*, potasse d'une qualité supérieure tirée de la lie de vin séchée et calcinée à l'usage des teinturiers. ◆ **claveleure** n. f. (XIVᵉ s.). Potasse. ◆ **claveterie** n. f. (1202, *Péage de Bap.*). Clouterie. ◆ **claveteor** n. m. (1323, G.). Cloutier, marchand ou fabricant de clous.

II. **clavel** n. m. (XIIIᵉ s., *Lapid. Cambr.*; v. *clavel*, clou, à cause des pustules). Maladie des moutons. ◆ **clavereleus** adj. (1265, *Charte du Hainaut*). Atteint de la clavelée.

clef n. f. (1080, *Rol.;* lat. *clavem*). Clef.
◆ **clavete** n. f. (1160, Ben.), **-ele** n. f.
(1220, *Saint-Graal*). Petite clef. ◆ **clavail**
n. m. (1268, E. Boil.). Petite cheville, plate
et pointue, qui sert à fixer un morceau de
métal dans un autre. ◆ **claveure** n. f.
(1358, *Arch.*). Serrure, fermeture au
moyen d'une clef. ◆ **claveurier** n. m.
(1313, *Arch.*). Serrurier. ◆ **clavier** n. m.
(1160, Ben.), **-elier** n. m. (fin XIIᵉ s., *G. de
Rouss.*). Porte-clefs, portier, gardien.

cleie n. f. V. CLOIE, claie.

clenche n. f. (1270, Ruteb.; francique *klinke*). Loquet.

cler adj. (1080, *Rol.;* lat. *clarum*).
1º Brillant. — 2º Limpide : *Cler con larme
de pecheour* (J. Bod.). — 3º Assuré, certain : *D'iço seiez bien clers* (Ph. de
Thaun). — 4º Illustre, célèbre. — 5º *Avoir
plus claire veue,* voir plus clair. — 6º *Estre
cler de,* être en bons termes avec. ◆ **cler**
n. m. (1112, *Saint Brand.*). Clarté. ◆
clerveant adj. (1285, Aden.). 1º Brillant. —
2º Clairvoyant. ◆ **clerement** adv. (1210,
Best. div.). En petit nombre. ◆ **clerir** v.
(déb. XIVᵉ s., J. de Condé). Devenir clair.

clerc, clerge n. m. (Xᵉ s., *Saint
Léger;* lat. chrét. *clericus,* de *clerus,*
clergé). 1º Clerc, écolier. — 2º Clerc,
opposé à laïc. — 3º Lettré. ◆ **clergeon** n.
m. (1169, Wace), **clerçonel** n. m. (1220,
Coincy), **clerçonet** n. m. (1220, Coincy).
Petit clerc. ◆ **clergece** n. f. (1302, *Charte*).
Femme lettrée, habile. ◆ **clergeresse** n. f.
(1345, *Cart.*). Religieuse. ◆ **clergil** adj.
(1190, Garn.). Clérical, ecclésiastique.
◆ **clergeastre** adj. (XIIᵉ s., *Part.*). 1º Faux
clerc, clerc de mauvaise vie. — 2º Ignorant. ◆ **clergie** n. f. (Xᵉ s., *Saint Léger*).
1º État ecclésiastique. — 2º Corporation
des clercs. — 3º Instruction, savoir : *Qui
estoit de sainte vie et de haute clergie*
(*Queste Saint-Graal*). — 4º Greffe (1319,
Ord.). ◆ **clergeois** n. m. (1314, Fauvel).
Latin, la langue des clercs.

clice n. f. (1160, Ben.; croisement prob.
de *claie* et de *esclice*). 1º Clisse, éclat de
bois. — 2º Osier tressé. ◆ **clicet** n. m.
(fin XIIIᵉ s., B. de Condé). *Tout de clicet,*
immédiatement, d'emblée.

clichoire n. f. (1308, *Arch.;* orig.
obsc.). Évier.

clier n. m. V. CLOIER, claie, clôture.

clignier, cluignier v. (1155,
Wace; orig. incert., peut-être **cliniare,*
baisser les paupières, de *clinare,* incliner,
ou *cludiniare,* de *cludere,* fermer, ou les
deux à la fois). 1º Baisser les paupières. —
2º Clignoter. — 3º Faire des signes (avec
les yeux). — 4º Se reposer (en fermant les
yeux?). ◆ **clignier** n. m. (1160, *Eneas*),
-ement n. m. (XIIIᵉ s., G.). Clignement
d'yeux. ◆ **clinet** n. m. (1325, G.). Clin
d'œil. V. CLUIGNIER.

climat n. m. (XIIᵉ s.; lat. *clima, -atis,*
du grec). 1º Climat. — 2º Région (Aimé).

clincorgne, clicorgne adj.
(1220, Coincy; orig. obsc.). De côté, en
travers : *Bien a les yeus du cuer clincor-
gnes* (Coincy).

cliner v. (1080, *Rol.;* lat. *clinare*).
1º Incliner, pencher, courber : *Tot le feseit
envers terre cliner* (Cour. Louis). —
2º *Cliner a* quelqu'un, s'incliner, saluer en
s'inclinant. — 3º *Cliner a* quelque chose,
se soumettre. ◆ **clin** n. m. (fin XIIᵉ s., *G. de
Vienne*). 1º Inclinaison, pente. — 2º *Faire
clin,* s'incliner, saluer. ◆ **clinee** n. f.
(1298, M. Polo). Pente, descente. ◆
clineis n. m. (1169, Wace). Inclinaison,
salut. ◆ **clinention** n. f. (1235, *Cart.*).
Dépendance (d'un domaine).

cliquier v. (1306, Guiart; orig. onomat.). 1º Retentir, résonner. — 2º Faire
du bruit. ◆ **clique** n. f. (1294, *Arch.*).
1º Battant de cloche. — 2º Loquet. ◆
cliquet n. m. (1230, *Eust. le Moine*).
1º Cliquetis. — 2º Sens techniques : cla-
quet de moulin, loquet, etc. ◆ **cliquart**
n. m. (1220, Coincy). Fouet. ◆ **cliquant,
clinquant** adj. (1306, Guiart). Retentissant, qui fait du bruit.

clivier n. m. (fin XIIᵉ s., *Loher.;* lat.
clivarium, de *clivus,* pente). Pente.

cloant, cloiant adj. (XIIIᵉ s., *Doon
de May.;* v. *clore*). Fermant.

cloche n. f. (déb. XIIᵉ s., *Voy. Charl.;*
bas lat. *clocca,* mot celtique). 1º Cloche. —

2° Masse d'armes (*Blancandin*). — 3° Robe de femme, habillement qu'on portait pour monter à cheval (Aden.). ◆ **clochete** n. f. (fin XIIᵉ s., Couci). Robe d'enfant. ◆ **clocheter** v. (1270, Ruteb.). Sonner (en parlant des cloches). ◆ **clocheteis** n. m. (1335, Deguil.), **-erie** n. f. (1335, Deguil.). Sonnerie des cloches.

clochier v. (1120, *Ps. Oxf.;* lat. pop. *cloppicare*, boiteux). Boiter. ◆ **cloche** adj. (1257, G.). Qui cloche, qui boite. ◆ **clocherie** n. f. (1335, Deguil.). Le fait de boiter. ◆ **clochier** n. m. (1162, *Fl. et Bl.*). Radeau.

clocir, clocier v. (XIIᵉ s.; adaptation du lat. *glacire*, d'orig. onomat.). Glousser.

cloe n. m. (1080, *Rol.;* lat. *clavus*). Clou. ◆ **cloer** v. (1138, *Saint Gilles*). Clouer. ◆ **cloet** n. m. (1250, *Ren.*). Petit clou. ◆ **closier** v. (1220, *Saint-Graal*), **clotier** v. (fin XIIIᵉ s., G.). Clouer, clouter.

clofermer v. (XIIIᵉ s., *Doon de May.*; comp. de *clo*, clou, et de *fermer*, rendre solide). Clouer.

clofichier v. (XIIᵉ s., M. de Fr.), **-ir** v. (XIIᵉ s., *Conq. Jér.;* comp. de *clou* et *fichier*). 1° Clouer, crucifier. — 2° Pénétrer par force. ◆ **clofichié** n. m. (XIᵉ s., *Alexis*). Le crucifié, Jésus-Christ.

clofire v. (1260, Mousk.; lat. *figere*, en composition avec *clou*). Fixer par des clous.

cloie, cleie n. f. (fin XIIᵉ s., M. de Fr.; lat. pop. *cleta*, d'orig. gaul.). Claie. ◆ **cloiel** n. m. (1250, *Ren.*), **cloier** n. m. (fin XIIᵉ s., *Loher.*). 1° Claie. — 2° Clôture. ◆ **claon** n. m. (1328, *DDN*). Clayon. ◆ **cloiere** n. f. (1248, *Cart.*). Héritage clos, environné de murs.

cloison n. f. (1160, Ben.; lat. pop. *clausionem*, de *clausus*, clos). 1° Clôture, fermeture. — 2° Enclos, enceinte. — 3° Retranchement. — 4° Pourtour.

cloistre, olostre n. m. et f. (1190, Garn.; lat. imp. *claustrum*, enceinte). 1° Enceinte. — 2° Cloître, monastère. — 3° Audience qui se tenait dans le cloître de la cathédrale.

clop adj. (fin XIIᵉ s., Rois; lat. pop. *cloppum*, boiteux). Boiteux. ◆ **clopin** n. m. (1260, Br. Lat.). Boiteux, éclopé. ◆ **cloper** v. (XIIIᵉ s., *Chron. Reims*). Boiter.

clore v. (1190, J. Bod.; lat. *claudere*). 1° Clore, enfermer. — 2° Fermer. — 3° Clore un pié, poser un pied : *L'un pié sorlieve et l'autre clot (Trist.).* ◆ **clos** n. m. (XIIᵉ s., *Florim.*). 1° Enclos. — 2° Traces, pas (vénerie). ◆ **closage** n. m. (1293, *Charte*), **-ement** n. m. (1330, G.), **-iere** n. f. (1335, *Rest. du Paon*). 1° Clos, jardin. — 2° Enclos, closerie. ◆ **closis** n. m. (1329, *Arch.*), **-ien** n. m. (XIIIᵉ s., G.), **-in** n. m. (1245, *Charte*). Enclos. ◆ **closure** n. f. (1169, Wace), **closture** n. f. (XIIᵉ s., Herman). 1° Ce qui clôt : cloison, séparation, barrière. — 2° Enceinte, clôture. — 3° Blocus. ◆ **closet** n. m. (1309, *Arch.*), **closel** n. m. (1309, *Arch.*). Petit enclos. ◆ **closier** n. m. (1265, J. de Meung). 1° Gardien, portier. — 2° Jardinier. — 3° Paysan attaché à une closerie. ◆ **closeis** adj. (1180, *Rom. d'Alex.*). 1° Qui sert à fermer. — 2° Clos, fermé. ◆ **clotet** n. m. (1175, Chr. de Tr.). 1° Endroit enfoncé et écarté, enfoncement, niche. — 2° Sorte de pavillon que l'on tendait dans la grande salle du château où l'on pouvait se retirer. Ces cabinets particuliers étaient sans plafond et les murs ne dépassaient pas quelque deux mètres. ◆ **clotis** n. m. (XIIᵉ s., *Part.*). Enceinte. ◆ **clotee** n. f. (1320, *Arch.*). Enclos.

closier, clotier v., clouer, clouter. V. CLOE, clou.

cluignier v. V. CLIGNIER, baisser les paupières, cligner. ◆ **cluneter, clineter** v. (XIIIᵉ s., *Doon de May.*). 1° Clignoter. — 2° Remuer les fesses. ◆ **cluignete** n. f. (1360, Froiss.). Sorte de jeu.

cluster, clustrer v. (XIIIᵉ s., *Maug. d'Aigr.;* orig. obsc.). 1° Mettre en pièces. — 2° Couvrir de loques. ◆ **clut** n. m. (XIVᵉ s., *Gloss. lat.-gall.*). Morceau, pièce. ◆ **clustel** n. m. (1335, Deguil.). Haillon, guenille. ◆ **clutet** n. m. (XIVᵉ s.). Lange.

cnivet n. m. V. CANIVET, canif, lancette.

ço, ceo, çou, ceu, ce démonst. neutre (Xᵉ s., *Eulalie;* lat. pop. *ecce-hoc,*

119

renforcement de *hoc,* ceci ; v. *iço,* forme tonique). Cela, ce : *Sulunc ceo que il est (Lois Guill.). A ço,* alors. *Ne ço ne quoi,* rien du tout. *Venir a ço,* être réalisé. ◆ Participe à la construction de locutions conjonctives : *A ço que,* pendant que. *Por ço que,* pour que. *Avuec ço que,* outre que. *Sanz ço que,* sans que, etc.

coadrise n. m. (1160, *Athis*). Voir COCATRIS, crocodile.

coan n. m. V. CHAON, chat-huant.

coart adj. (1180, *Rol.;* v. *coe,* queue). Peureux, lâche, traître. ◆ **coarder** v. (1080, *Rol.*). Etre lâche, se montrer couard. ◆ **coardir** v. (fin XIIᵉ s., *Loher.*). 1º Devenir lâche. — 2º Lâcher pied, s'enfuir. ◆ **coardie** n. f. (1080, *Rol.*), **-ance** n. f. (XIIIᵉ s., *Gaydon*). Couardise, lâcheté.

coc n. m. (1138, *Saint Gilles;* orig. onomat.). Coq. *Faire le coc en pelu* (Coincy), faire l'avantageux, le plaisant. ◆ **cochet** n. m. (1210, *Dolop.*). 1º Jeune coq. — 2º Girouette : *Fame samble couchet a vant Qui se chainge et mue sovant (Dolop.).* — 3º Jeune élégant. ◆ **cocart** adj. (XIIᵉ s.). 1º Coquet. — 2º Prétentieux, fanfaron. ◆ **coquelier** v. (XIVᵉ s., *Gloss. Douai*). Mener joyeuse vie, courir après les filles. ◆ **coquelerie** n. f. (XIVᵉ s., *Gloss. Douai*). Dissipation, libertinage.

cocaigne n. f. (fin XIIᵉ s., *Aym. Narb.;* orig. incert., probabl. méridionale). Profit, avantage.

cocatris, cocadrile n. m. ou f. (fin XIIᵉ s., *Loher.*), **cocodrille** n. f. (XIIᵉ s., *Best.;* lat. *crocodilum*). 1º Ichneumon. — 2º Crocodile. — 3º Bête fabuleuse en général. ◆ **cocatrigenois** n. m. (1180, *Rom. d'Alex.*). Crocodile.

I. coche n. f. (1160, *Eneas;* lat. pop. **cocca,* d'orig. et de sens obsc.). Entaille, encoche : *Une saiete [...] Mist an la coche (Eneas).*

II. coche, coque n. f. (1265, J. de Meung ; mot enfantin, d'après le cri de la poule qui pond). Coque, coquille d'œuf, conque. ◆ **coquatier** n. m. (1350, *Ord.*). Marchand d'œufs et de volailles.

III. coche, coque n. f. (1260, Mousk. ; anc. néerl. *cogge,* du latin). 1º Bateau pour voyageurs. — 2º Navire de guerre. ◆ **cochet** n. m. (1268, E. Boil.). 1º Petit bateau en forme de barque servant au transport des marchandises. — 2º Petit tonneau (1295, G.).

IV. coche n. f. (XIIIᵉ s., D. ; probabl. d'orig. expressive, onomat.). Truie. ◆ **cochon** n. m. (1091, *Cart. de Redon*). 1º Jeune cochon. — 2º Porc (d'abord grossier).

çoche, chuque, suche n. f. (1175, Chr. de Tr. ; gaul. **tsukka;* cf. allem. *Stock*). 1º Souche, tronc d'arbre. — 2º Pièce de bois de la mâture.

I. cochet n. m., jeune coq. V. COC, coq.

II. cochet n. m., petit bateau. Voir COCHE, bateau.

cochevis, -vieus n. m. (1327, *Tourn. dames;* orig. obsc., peut-être composé de *coq* et *vis,* visage?). Alouette huppée.

coçon, cosson n. m. (fin XIIᵉ s., Guiot ; lat. *cocionem,* courtier). 1º Marchand, maquignon. — 2º Revendeur. ◆ **cocerel** n. m. (1266, *Arch.*), **-ele** n. f. (1266, *Arch.*). Revendeur, -euse.

cocou, cocu n. m. (1175, Chr. de Tr. ; lat. *cuculum,* et onomat. ; v. *cucu,* même sens.). Coucou.

cocrisce n. f. (fin XIIIᵉ s., *Sydrac;* orig. incert.). Nom d'une pierre précieuse.

cocu adj. (1190, J. Bod. ; v. *cocou, cucu?*). Oblong : *De chele cocue grimuche* (J. Bod.).

code n. m. V. COTE, coude, coudée.

coe, cue n. f. (1080, *Rol.;* lat. pop. *coda,* pour *cauda*). Queue. ◆ **coete** n. f. (1160, *Eneas*). Petite queue. ◆ **coer** (1160, *Eneas.*). 1º Avoir une queue. — 2º Pourvoir d'une queue. ◆ **coé** adj. (1220, *Saint-Graal*). 1º Qui a une queue. — 2º Épithète appliquée aux Anglais que l'on croyait, à tort, pourvus d'une queue : *Li fel englois, li fel coez* (Coincy).

◆ **coeter** v. (1220, *Saint-Graal*). 1º Remuer la queue. — 2º Mettre une queue à. ◆ V. COART.

coene n. f. (1265, J. de Meung; lat. pop. **cutina*, de *cutis*, avec chang. de suffixe). Peau.

coer n. m. V. CUER, cœur, et COR, pour les dérivés.

coeu n. m. V. COUS, cuisinier.

cofin n. m. (1220, *Saint-Graal*; bas lat. *cophinum*, du grec). 1º Corbeille, panier à fruits. — 2º Guérite placée au haut du mât (*Ren. le Nouv.*). — 3º Cercueil (Deguil.). ◆ **cofinel** n. m. (XIIIᵉ s., *Chans. d'Ant.*), **-ct** n. m. (1220, *Saint Graal*). Petit panier, hotte, coffret.

coflet adj. (1220, Coincy; orig. incert.). Sot : *Au siecle qui Pain d'orge vent por pain moflet, Pour buisnars tien et pour coflet Celui qui rien a lui achate* (Coincy).

cofre n. m. (1175, Chr. de Tr.; bas lat. *cophinum*, avec accent sur la 1ʳᵉ syll.; v. *cofin*). 1º Bahut. — 2º Caisse. ◆ **cofrier** n. m. (1268, E. Boil.). Fabricant de coffres.

cogent adj. (1295, Boèce; lat. *cogere*, contraindre). Nécessaire, urgent.

cognacion n. f. (1160, Ben.; lat. *cognatio*). Parenté : *Is de la terre, lais ta cognation* (Bible).

cogole n. f. (XIIIᵉ s., J. Gastineau). V. COLE, capuchon, cagoule.

cohue n. f. (1235, *Cart.*; d'un verbe non attesté **cohuer*, faire du bruit, de *huer*). 1º Marché public, halle, hangar. — 2º Sorte de tribunal de commerce. ◆ **cohuage** n. m. (1281, G.). Droit sur une *cohue* ou halle qui se payait pour les marchandises portées au marché.

coi, coite adj. (1080, *Rol.*; lat. pop. *quetum*, pour *quietus*). 1º Calme, silencieux, en repos : *Li venz fu buens e l'ore queie* (Ben.). *Chambre coie*, lieux d'aisances. — 2º *Seoir coi*, rester tranquille, cesser. — 3º Tranquille, paisible : *Coite folie est plus saine Que langue de fol conseil plaine* (Ruteb.). — 4º *Coi de*,

paresseux, lent. — 5º *A son coi*, à son aise, librement. ◆ **coiement** adv. (1080, *Rol.*). 1º Sans faire de bruit, doucement. — 2º En cachette, à part : *Coiement a mi parlerés* (A. de la Halle). ◆ **coieté** n. f. (XIIᵉ s.). Tranquillité, repos. ◆ **coisier** v. réfl. (XIIᵉ s., C. de Béth.). Rester tranquille.

çoiche n. f. V. ÇOCHE, souche, tronc d'arbre. ◆ **çoiches** n. f. plur. (1250, *Ren.*). Broussailles.

coier n. m. V. QUAER, cahier, feuille pliée.

coife n. f. (1080, *Rol.*; bas lat. *cofea*, d'orig. germ.). Coiffe. ◆ **coifete** n. f. (1200, *Ren. de Montaub.*). 1º Petite coiffe. — 2º Calotte de fer sous le heaume. ◆ **coifier** n. m. (1296, G.), **-art** n. m. (fin XIIIᵉ s., G.). Faiseur ou marchand de coiffes. ◆ **coifiere** n. f. (1328, *Arch.*). Modiste.

coil n. m., **cous** plur. (XIIᵉ s.), **coille** n. f. (1265, Ald. de Sienne; lat. pop. **colea* ou lat. *coleum*, sac de cuir). 1º Testicule. — 2º Terme d'injure. ◆ **coillon** n. m. (XIIIᵉ s., *Fabl.*), **-art** adj. et n. m. (1230, *Eust. le Moine*). Couillon, terme d'injure. ◆ **coillonet** n. m. (1291, G.). Dimin. de *coillon*. ◆ **coillu** adj. (1265, *Charte*). Non châtré.

coillir v. V. CUEILLIR, cueillir, accueillir, réunir.

coilvert n. m. V. CULVERT, serf, homme de basse condition.

I. **coing, coig** n. m. (1160, *Eneas*; lat. *cuneum*, coin). 1º Coin. — 2º Angle. — 3º Coin de monnaie. ◆ **coignet** n. m. (1250, *Ren.*), **-ete** n. f. (1306, *Cart.*), **-on** n. m. (XIIIᵉ s.). Petit coin. ◆ **coigne** n. f. (XIIᵉ s.), **-ee** n. f. (1080, *Rol.*). Cognée. ◆ **coignier** v. (fin XIIᵉ s., *Cour. Louis*). 1º Mettre dans un coin. — 2º Cogner, fendre. — 3º Battre monnaie. — 4º *Se coignier en mer*, s'embarquer (Guiart). ◆ **coigoier** v. (1346, *Cart.*). Fendre avec la cognée.

II. **coing, cooin** n. m. (1138, *Saint Gilles*; lat. *cotoneum* ou *cydoneum*, du grec). Coing. ◆ **coignier** n. m. (1255, *Acte*). Cognassier.

coinquiner v. (fin XIIIe s., Guiart; lat. *coinquinare*, souiller). Souiller : *Tu es coinquinez avec ceux qui descendent en enfer* (Guiart).

cointe adj. (XIe s., *Alexis;* lat. *cognitum,* connu). 1° Prudent, habile, sage : *Por ce sont li marinier cointe De la droite voie tenir* (Guiot). — 2° Élégant, gracieux, aimable : *Nicolete est cointe et gaie (Auc. et Nic.).* — 3° Vaillant, brave : *N'i a si cointe ... Que il ne fust mes mortex anemis (Mort Garin).* ◆ **cointe** n. m. (XIIe s.). 1° Malicieux. — 2° Fat. ◆ **cointelet** adj. (fin XIIe s., Colin Muset). Gracieux, agréable. ◆ **cointerel** adj. et n. m. (XIIIe s., *Aveu*). 1° Galant, vaniteux; coquette. — 2° Rusé (nom du singe dans *Renart le Nouvel*). ◆ **cointise** n. f. (1120, *Ps. Oxf.*). 1° Sagesse, prudence : *Nostre Sires dunad a Salomun grant sen e grant cuintise* (Rois). — 2° Soin de se parer, grâce, coquetterie. — 3° Parure, ornement. — 4° Ornements chevaleresques, banderoles (Guiart). ◆ **cointement** n. m. (XIIIe s.), **-erie** n. f. (1277, *Rose*), **-issement** n. m. (1170, *Percev.*), **-oi** n. m. (XIIIe s.), **-or** n. f. (1313, *Vœux du Paon*). 1° Manière gracieuse, façon courtoise. — 2° Élégance, gentillesse, courtoisie. — 3° Ornement, parure. ◆ **cointier** v. (XIIIe s., *Artur*). Faire la connaissance de, fréquenter. ◆ **cointir** v. (1277, *Rose*). Parer, orner, rendre gracieux. ◆ **cointoier** v. (1180, *Rom. d'Alex.*). 1° Se parer, s'embellir. — 2° S'enorgueillir, faire vanité : *Et li .XXX. bastard, plain de bachelerie, Deffendent le chastel : chascun s'i cointie* (B. de Seb.).

coisel, choisel n. m. (XIIIe s., *Pastor.;* orig. incert.). 1° Tas, meule. — 2° Botte, fagot.

coispel, cospel n. m. (1160, Ben.; orig. incert., peut-être du lat. pop. **cuspellus,* de *cuspis,* pointe). 1° Pointe, épine, ardillon. — 2° Garniture du manche d'un couteau, de la poignée de l'épée. — 3° Copeau *(Fet Rom.).*

coissin n. m. (1190, saint Bern.; lat. pop. **coxinum,* de *coxa,* cuisse)? Coussin.

coistron, quistron n. m. cas rég., **coistre, quistre** cas sujet (1247, Ph. de Nov.; bas lat. *coquistro, -onem,* esclave chargé de goûter les mets). 1° Marmiton. — 2° Bâtard, vil : *Car ceo tenoient li Breton En lur language quistron (Lai d'Haveloc).* ◆ **coitrart** adj. (XIIIe s., *Enf. Aumon*). Bâtard, enfant illégitime.

I. **coite** adj. fém. V. COI, calme.

II. **coite** n. f., pointe, piqûre, hâte, combat. V. COITIER, piquer.

coitier, -ir v. (1160, *Eneas;* orig. incert., peut-être de **coctitare,* fréq. de *coquere,* cuire). 1° Piquer, éperonner, pousser. — 2° Serrer de près, harceler, coincer : *Ogier assallent, forment le vont cointant (Ogier).* ◆ **coite, cuite** n. f. (1180, *R. de Cambr.*). 1° Pointe, piqûre. *A coite d'esperon,* en piquant de l'éperon, en toute hâte. — 2° Hâte. *A coite, en coite,* en hâte. — 3° Vigilance. — 4° Combat. ◆ **coitos** adjectif (1138, *Saint Gilles*). 1° Pressant, ardent. — 2° *Coitos, de, coitos que,* empressé de. — 3° Rapide (en parlant d'un bateau). ◆ **coitiser** v. (1306, Guiart). Piquer, aiguillonner : *Tant que la mort le coitise* (Guiart).

I. **coivre** n. f. V. CUIVRE, souci, souffrance.

II. **coivre** n. m. V. CUEVRE, carquois.

col n. m. (1080, *Rol.;* lat. *collum*). 1° Cou. — 2° Nuque, épaules : *De grant plates d'argent et d'or Avra chascuns son col carchiet* (J. Bod.). — 3° Col. — 4° *A col estendu,* ventre à terre, à toute allure. ◆ **colet** n. m. (XIIIe s., *Clef d'Am.*). 1° Cou. — 2° Collet. ◆ **coler** n. m. (XIIe s., M. de Fr.). Collier. ◆ **coliere** n. f. (1170, *Percev.*). Harnais du cou du cheval. ◆ **colee** *n. f. (1170, Percev.).* 1° Coup donné sur le cou, coup en général. — 2° Coup d'épée donné sur le col du chevalier qu'on adoubait : *Le jour c'Ogiers ot la noble colee Que li bons rois Charles li ot dounee Enf. Ogier).* — 3° Accolade. — 4° Charge portée sur le cou. — 5° Châtiment, peine : *Portent la colee de ço qu'altre a mesfait* (Garn.). ◆ **coler** v. (av. 1300, *Poés. ms.*). Accoler, embrasser. ◆ **colier,**

-oier v. (1160, Ben.). 1º Faire des mouvements de cou, tourner la tête. *Coloier les ieuls,* tourner les yeux de tous côtés. — 2º Tendre le cou, guetter, épier. — 3º S'agiter, être dans l'embarras. *Coloier de,* être agité, tourmenté de quelque chose. — 4º *Coloier a, en,* s'appliquer attentivement, réfléchir, envisager. — 5º Frapper sur le cou, frapper en général. ◆ **colier** n. m. (fin XIIᵉ s., *Loher.*). 1º Portefaix : *Droit escolier Ont plus de peine que colier* (Ruteb.). — 2º Homme qui traîne une brouette.

colafisier, -phiser v. (fin XIIIᵉ s., *Mir. saint Éloi;* comp. de *afitier,* provoquer, insulter, et de *col*). Souffleter, donner des coups de poing.

colation n. f. (XIIIᵉ s., *Règle du Temple;* lat. *collatio,* ce qu'on rapporte ensemble). 1º Cumul de bénéfices. — 2º Repas des moines après la conférence du soir. — 3º Texte lu pendant le repas des religieux. — 4º Comparaison (sens repris au latin). ◆ **colacier** v. (1340, *Arch.*), **colationer** v. (1345, *DDN*). 1º Conférer. — 2º Vérifier en comparant, comparer.

colchier v. (1080, *Rol.;* lat. *collocare,* placer). 1º Étendre, coucher. — 2º Se coucher, en parlant des astres. — 3º Etre couché. — 4º Rédiger (XIIIᵉ s.). ◆ **colchement** n. m. (1190, saint Bern.). 1º Action de coucher, de se coucher. — 2º Accouchement. ◆ **couche** n. f. (1175, Chr. de Tr) 1º Endroit où l'on se couche, lit. — 2º Ce qui est couché. *Morte couche,* bois mort couché à terre. ◆ **couchelete** n. f. (XIIᵉ s., *Chev. deux épées*). Petite couche. ◆ **couchant** adj. (1283, Beaum.). 1º Qui se couche. — 2º *Couchant et levant,* mainmortable.

coldre, colre n. m. ou f. (XIIᵉ s., *Roncev.;* lat. pop. **colurum,* pour *corulum*). Coudrier, noisetier. ◆ **coldroi** n. m. (1155, Wace), **-iere** n. f. (1271, *Charte*). Lieu planté de coudriers.

I. colé, colre n. f. ou m. (1268, G.; lat. *cholera,* bile, du grec). 1º Bile. — 2º Humeur, caractère, disposition.

II. cole n. f. (1268, E. Boil.; lat. pop. **colla,* du grec). Colle.

III. cole n. f. (1190, Garn.; lat. eccl. *cucula*). Capuchon de moine, cagoule.

IV. cole n. f. V. COLER, filtrer, se répandre.

colege n. m. (1308, Aimé; lat. *collegium*). 1º Ordre, confrérie religieuse. — 2º Compagnie, association. ◆ **colegion** n. f. (1313, Godefr. de Paris). L'ensemble de ceux qui font partie d'une communauté, d'un ordre religieux.

coler v. (1170, Percev.; lat. *colare,* filtrer). 1º Filtrer. — 2º Se répandre (en parlant des liquides). — 3º Plonger dans : *Li fers navre de l'esgarder, La fleche coule el penser* (Gorm. et Is.). — 4º Glisser. — 5º Fermer (en faisant glisser la porte). — 6º Faire tomber, enlever. ◆ **cole** n. f. (XIIᵉ s.). *Estre a la cole,* être prompt, habile. ◆ **coleis** adj. (1170, *Fierabr.*). 1º Coulant, qui glisse, à coulisses. — 2º Qui coule, qui fond, fondu. — 3º n. m. (1313, *Arch.*). Inondation, débordement d'eau. ◆ **colin** n. m. (1277, *Rose*). Rigole. ◆ **coloire** n. f. (1293, G.). Passoire.

coletier n. m. V. CORATIER, courtier, intermédiaire.

colibert adj. V. CULVERT, vil, lâche.

coloigne n. f. V. CONOILLE, quenouille.

colombe n. f. (1160, *Eneas*), **colone** n. f. (fin XIIᵉ s., *Rois;* lat. *columna*), Colonne, pilier. ◆ **colombel** n. m. (1314, *Arch.*), **-ele** n. f. (1170, *Percev.*). Colonnette. ◆ **colombage** n. m. (1340, *Actes*). Rangée de colonnes.

I. colon, colomb n. m. (xᵉ s., *Eulalie;* lat. *columbum*). Pigeon. *Le Saint Colon,* le Saint-Esprit. ◆ **colombel** n. m. (1277, *Rose*), **-ele** n. f. (XIIIᵉ s.). 1º Petite colombe. — 2º Barque.

II. colon n. m. (1308, Aimé; lat. *colonus,* fermier). Paysan établi en pays étranger. ◆ **colonge** n. f. (1300, *Cart.*). Fonds possédé par le colon. ◆ **colongeor** n. m. (1343, *Arch.*). Paysan qui tient une *colonge,* colon.

colorer v. (1160, Ben.), **-ir** v. (1180, *R. de Cambr.;* lat. *colorare* ou **colorire*).

1º Colorer, se colorer. — 2º Travestir, mentir. ◆ **colorable** adj. (xiiiᵉ s., *Fabl. d'Ov.*). Qui a de brillantes couleurs.

colp, cop n. m. (1080, *Rol.*; lat. impér. *colaphum*, coup de poing, du grec). 1º Coup. — 2º *Atendre a cop*, tenir tête. — 3º *De cop en paume*, de fil en aiguille. — 4º Fois. *Grant cop*, beaucoup (Joinv.). *Au cop*, à la fois. *A cop*, immédiatement, promptement. ◆ **colper, -ir** v. (fin xiᵉ s., *Lois Guill.*). 1º Frapper. — 2º Couper. ◆ **colpe** n. f. (1283, Beaum.). 1º Coup. — 2º Abattage. ◆ **copon** n. m. (1180, *Rom. d'Alex.*). Morceau, bout, éclat. ◆ **copeure** n. f. (1279, *Cast. d'un père*). 1º Action de couper. — 2º Action de couper les arbres. ◆ **copeis** n. m. (1274, *Cart.*). Bois taillis. ◆ **cope borse** n. m. (1204, R. de Moil.). Voleur. ◆ **cope gorge** n. m. (1277, *Rose*). Sorte d'arme. ◆ **colpier, -oier** v. (1220, Coincy). 1º Frapper, corriger, redresser. — 2º Persifler, railler : *Quant il lou voit a meschief, s'an copoie* (*Chans. sat.*).

I. **colpe, corpe, cope** n. f. (1190, J. Bod.; lat. *culpa*). 1º Péché. — 2º Faute : *Li papes ki en chou ot coupes* (A. de la Halle). *Rendre sa coupe*, avouer sa faute. ◆ **colper, corper, coper** v. (1279, *Hist. de Metz*). Inculper, accuser, charger.

II. **colpe** n. f., coup, abattage. Voir COLP, coup.

I. **colre** n. m. V. COLDRE, coudrier.

II. **colre** n. f. V. COLE, bile, humeur.

cols adj. et n. m. V. COS, cocu.

I. **colte, cuilte, coute**, n. f. (1160, Ben.; lat. *culcita*, matelas, lit de plume). Lit de plume, matelas, couette, oreiller. *Coulte a cort*, droit du seigneur d'exiger une contribution de lits et de couvertures pour coucher les chevaliers invités au château (1240). ◆ **cueute pointe, couste pointe** n. f. (1180, *Rom. d'Alex.*). 1º Coussin, matelas piqué. — 2º Sorte de torture (1381, *Arch.*). ◆ **coutisele** n. f. (fin xiiᵉ s., *Auc. et Nic.*). Mauvais matelas. ◆ **coustier** n. m. (1292, *Taille Paris*). Faiseur de *coutes*.

II. **colte** n. f. V. CUELTE, cueillette.

coltiver v. V. COTIVER, parer, adorer, labourer.

I. **coltre** n. m. (1160, Ben.; lat. *culter, cultri*, grand couteau). 1º Grand couteau. — 2º Grand couteau fixé à la charrue et qui en précède le soc. ◆ **coltel** n. m. (xiiᵉ s., *Roncev.*). Couteau, poignard. — 2º Tranchant d'une lame. ◆ **coltelet** n. m. (fin xiiᵉ s., *Auc. et Nic.*). Petit couteau pour la toilette. ◆ **coutelace** n. f. (1348, *Arch. Doubs*). Coutelas, grand poignard. ◆ **colteler** v. (1288, *Tourn. Chauvenci*). Frapper à coups de couteau.

II. **coltre** n. m. V. COSTOR, gardien.

com adv. et conj. (842, *Serm.*, jusqu'au xivᵉ s.), **comme** (xiiᵉ s.; lat. *quomodo*, de la façon que). 1º Interrogatif et relatif, Comment. — 2º Interrogatif et exclamatif, Combien, quel : *Con dolorous domage ci ot … de tel homme perdre* (Villeh.). — 3º Conj. de temps, Quand. — 4º Conj. de concession, Quoique, puisque. *Tant com*, tant que : *Quar tant com ge verrai m'amie … (Fl. et Bl.)*. — 5º Conj. coordonnante : *Com plus … tant plus*, plus … plus … — 6º Comparatif, Comme, pareil à. ◆ **comment** adv. et conj. (1080, *Rol.*). 1º Comment : *Deus sait assez cument la fins en ert (Rol.)*. — 2º Comme, à peu près : *A la fenestre est apoie, Ensement comment esmarrie (Percev.)*. — 3º Comment que, bien que, quoique : *Coument que je me desespoir, Bien m'a Amours guerredoné* (Couci). — 4º *Comment que*, de quelque manière que : *Por droit ou quomant que ce fust* (1289, *Hist. de Bourg.*). ◆ **combien** adv. et conj. (déb. xiiᵉ s., *Voy. Charl.*). 1º Combien. — 2º *Combien que*, quelque prix que.

com- préf. V. CON-, préf. conjonctif ou intensif.

comancier v. V. COMENCIER, commencer.

comander v. (xᵉ s., *Saint Léger*; lat. pop. **commandare*, pour *commendare*. 1º Donner, confier : *Mon tresor commander li voeil* (J. Bod.). — 2º Recommander (à la protection de). — 3º Saluer, dire adieu. *Adieu comant, a Dieu te comant*, adieu. — 4º Ordonner : *Li roys commande* *c'on le fache Morir de mort laide et despite* (J. Bod.). — 5° Remettre. ◆ **comant** n. m. (xiᵉ s., *Alexis*), **comandie** n. f. (1170, *Fierabr.*), **-ise** n. f. (fin xiiᵉ s., Guiot). 1° Commandement, domination : *Ja prist il Naples seinz vostre cumant (Rol.).* — 2° Volonté, plaisir : *Vez ci mon cors, fai an ta commandie (Alisc.). A vostre comandie,* à vos ordres. — 3° Droit payé au seigneur pour sa protection. — 4° Dépôt, action de confier. — 5° Recommandation. — 6° Prières pour les morts. ◆ **comande** n. f. (1240, G. de Lorris). 1° Commandement, protection : *Il est assez sire dou cors Qui a le cuer en sa comande (Rose).* — 2° Dépôt, action de déposer. ◆ **commandation** n. f. (1160, Ben.). Recommandation, prière pour les morts. ◆ **comandeor** n. m. (1167, G. d'Arras), **-ier** n. m. (1301, *Arch.*). Commandant, commandeur. ◆ **comant** n. m. (1214, *Paix de Metz*). 1° Mandataire, délégué, commis. — 2° Représentant, lieutenant.

combatre v. (1080, *Rol.*; v. *batre*). 1° Lutter. — 2° v. réfl. Se battre avec quelqu'un : *Sire, Raoulés se combat, Il est connars* (J. Bod.). ◆ **combateis** n. m. (xiiiᵉ s., Th. de Kent), **-ement** n. m. (1180, *Rom. d'Alex.*). 1° Combat. — 2° Assaut (avec un régime). ◆ **combatant** adj. (1080, *Rol.*), **-able** adj. (xiiᵉ s., *Chev. cygne*). Qui aime, qui sait combattre, guerrier vaillant. ◆ **combateor** n. m. (1169, Wace). Combattant, guerrier.

I. **combe, combre** n. f. (1180, *R. de Cambr.*; gaul. **cumbra*, vallée). Vallon, gorge. ◆ **combele, gombele** n. f. (fin xiiᵉ s., *Ogier*). Petit vallon.

II. **combe** n. m. V. COMBLE, tertre, faîte.

III. **combe** adj. V. COMBRE, recourbé, voûté.

IV. **combe** n. m., barrage de rivière. V. COMBRER, saisir, empêcher.

I. **comble, combre, combe** n. m. (1175, Chr. de Tr.; lat. *cumulum*, monceau; sommet d'un édifice). 1° Tertre, sommet. — 2° Faîte, comble d'un édifice. ◆ **comblel** n. m. (1313, *Arch.*). Petit tertre,

petit tas. ◆ **comblement** n. m. (1180, *Rom. d'Alex.*). Sommet.

II. **comble** n. m. (1293, *Charte*; v. le précédent?). 1° Mesure de capacité pour les grains (Aimé). — 2° Sorte de droit.

I. **combre, combe** adj. (xiiᵉ s., *Am. et Id.*; orig. incert.). 1° Recourbé : *Faucille combre et torte (Ren. le Nouv.).* — 2° Voûté, bossu.

II. **combre** n. f. V. COMBE, vallon.

III. **combre** n. m. V. COMBLE, tertre, faîte.

IV. **combre** n. m., barrage de rivière. V. COMBRER, saisir, empêcher.

combrer v. (1170, *Fierabr.*; d'orig. gaul.). 1° Prendre, saisir, empoigner avec force : *Lucifer s'abaissa pour ./. tison combrer (Fierabr.).* — 2° S'emparer de, se rendre maître de : *Tous les enfans fist saisir et combrer (H. de Bord.).* — 3° Briser : *Cil prist le letre, s'a le seel combré (H. de Bord.).* — 4° Empêcher. ◆ **combre, combe** n. m. (xivᵉ s.). Barrage de rivière.

combrisier v. (xiiᵉ s., *Ps.*; v. *brisier, bruisier*). Briser, détruire : *Tant l'ont batu, tant le vont combrisant (B. d'Hanst.).*

comburir v. (xᵉ s., *Fragm. de Valenc.*; lat. pop. **comburire*, pour *comburere*). Brûler.

come n. f. (1210, *Dolop.*; lat. *coma*). 1° Chevelure : *Tant avoit blonde la cosme (Rose).* — 2° Crinière. ◆ **comé** adj. (1175, Chr. de Tr.). Qui a une belle crinière.

comencier v. (xᵉ s., *Fragm. de Valenc.*; lat. pop. **cuminitiare*, de *initium*, commencement). Commencer. ◆ **comens** n. m. (xiiᵉ s., Herman), **començail** n. m. (xiiᵉ s., Bible), **-aille** n. f. (1160, *Athis*), **-ement** n. m. (1119, Ph. de Thaun), **-ance** n. f. (av. 1300, Poèt. fr.). Commencement. ◆ **comenceor** n. m. (xiiᵉ s., *Asprem.*). Guerrier chargé d'engager le combat, la bataille.

comestion n. f. (1220, Coincy; lat. *comestio*, action de manger). Nourriture, repas.

cometre v. (XIIIᵉ s., *Livr. de Jost.;* lat. *committere*). 1° Exécuter, faire quelque chose. — 2° Confier à quelqu'un, confier la garde à quelqu'un. — 3° Confisquer, saisir. — 4° Mander. ◆ **comis** n. m. (1315, *Arch.*). 1° Charge, garde, soin. — 2° Préposé, mandataire, délégué. ◆ **comise** n. f. (1315, G.). 1° Pouvoir, protection. — 2° Saisie, confiscation. ◆ **comission** n. f. (XIIIᵉ s., *Cout. d'Artois*). 1° Mandement. — 2° Exécution, accomplissement.

comin n. m. (1260, Br. Lat.; lat. *cuminum*, mot oriental). Cumin.

commain adj. (1180, *Rom. d'Alex.;* à rapprocher de *maindre*, rester, demeurer). *Rote commaine*, troupe placée en avant, avant-garde.

comovoir v. (XIᵉ s., *Alexis;* lat. *commovere*). 1° Ébranler, remuer fortement. — 2° Émouvoir, exciter : *Et tute Normendie cumeue et trublee* (Wace). — 3° Soulever, se soulever : *Le duc se commet contre Balalarde* (Aimé). ◆ **comovement** n. m. (déb. XIIᵉ s., *Ps. Cambr.*), **comocion** n. f. (1155, Wace). 1° Ébranlement. — 2° Môuvement populaire.

compacient adj. (fin XIIIᵉ s., *Mir. saint Éloi*; p. présent de *compati*, souffrir avec). Qui sympathise, qui a de la compassion. ◆ **compacience** n. f. (XIIIᵉ s., *Fabl. d'Ov.*). Compassion.

compaignon n. m. cas rég., **compaing**, cas sujet (1080, *Rol.;* lat. pop. **companio, -ionem*, de *panem*, pain : celui qui partage le pain avec un autre). 1° Compagnon, camarade. — 2° Associé, complice. ◆ **compaignier** n. m. (fin XIIᵉ s., *G. de Rouss.*). Compagnon. ◆ **compaignet** n. m. (XIIᵉ s., *Auc. et Nic.*). Gentil compagnon, petit ami. ◆ **compaignesse** n. f. (fin XIIᵉ s., saint Grég.). Compagne. ◆ **compaigne** n. f. (1080, *Rol.*). 1° Compagnie, compagnonnage, suite : *En sa compaigne et de chevaliers dis (Loher.)*. — 2° Multitude, troupes. — 3° Troupeau : *Des autres cers la grant compaigne (Saint Eust.)*. ◆ **compaignie** n. f. (1080, Rol.). 1° Association, communauté. — 2° Suite (d'un seigneur). —

3° Vie commune : *Sis ans entr'aus compaignie orent., Que nul enfant avoir ne porent* (Chr. de Tr.). — 4° *La compaignie Tassel*, association frauduleuse, compagnie de traîtres (Ben.). ◆ **compagnier** v. (fin XIIᵉ s., *Loher.*). 1° Tenir compagnie, accompagner. — 2° Vivre dans la compagnie de. — 3° Avoir commerce avec une femme : *David conforta donc Bersabee, si compaigna a li charnelement* (Bible). ◆ **compaignement** n. m. (1220, *Saint-Graal*). 1° Action de tenir compagnie. — 2° Rapports sexuels : *De femme ne peut enfes neistre sanz cômpaignement d'ome (Queste Saint-Graal)*. ◆ **companage** n. m. (fin XIIᵉ s., *Loher.*). Tout ce qu'on mange avec du pain.

comparagier v. (XIIIᵉ s., *Fabl. d'Ov.;* v. *paragier*). Comparer : *Bien nos puet l'om a porc comparager (Rom. des Rom.)*.

comparer v. (1175, Chr. de Tr.; lat. *comparare*). 1° Comparer. — 2° Etre comparable. ◆ **comparement** n. m. (fin XIIᵉ s., saint Grég.), **-oison** n. f. (1204, R. de Moil.). Comparaison.

compasser v. (1155, Wace; lat. pop. **compassare*, mesurer avec le pas). 1° Mesurer. — 2° Ordonner, construire : *Onques plus fort ne vit on* (ville) *compasser (Aym. Narb.)*. ◆ **compas** n. m. (déb. XIIᵉ s., *Voy. Charl.*). 1° Mesure de distance. — 2° Cercle et segment de cercle. — 3° Direction. — 4° Allure, marche régulière. — 5° *A compas, par compas*, d'une manière régulière. — 6° *A compas*, avec art, à point, exactement : *Un trou y out, fet a compas (Passion)*. — 7° *Sans compas*, à tort et à travers. ◆ **compassee** n. f. (1180, *Rom. d'Alex.*), **-eure** n. f. (1277, *Rose*). 1° Mesure. — 2° Circonférence, enceinte. ◆ **compassement** n. m. (1180, *Rom. d'Alex.*), 1° Action de mesurer, agencement : *Et ciel et terre fait par compassement (Otinel)*. — 2° Machination, trame. ◆ **compassion** n. f. (XIIIᵉ s., *Gaufrey*). Mesure.

compendre v. (XIIIᵉ s., *Fabl. d'Ov.;* v. *pendre*). Contrebalancer, supplanter : *Quant la dame expiot Les nymphes qui la compendoient Et a son mari se couchoient (Fabl. d'Ov.)*.

compenser v. (1272, *Lettre Éd. Ier*; lat. *compensare*). 1° Fixer entre soi, faire un accord. — 2° Solder une dette.

comperer, comprer v. (1080, *Rol.*; lat. *comparare*). 1° Gagner, acquérir, acheter : *Nus n'a bien s'il ne le compere (Rose).* — 2° Payer. — 3° Expier. ◆ **comperement** n. m. (déb. XIVe s., J. de Condé). 1° Achat, paiement. — 2° Châtiment, dette que l'on paie. ◆ **comperage** n. m. (XIIIe s., *Male Honte*). Promesse : *Si volt garder son comparage (Male Honte).*

competent adj. (1240, *Stat. des léproseries;* lat. jur. *competens*). Approprié, adéquat : *Que chascuns viengne a heure competent a tauble (Stat. des léproseries).* ◆ **competer** v. (1360, Oresme). Appartenir, être du ressort de.

compieng n. m. (XIIe s., *Asprem.*; orig. obsc.). Bourbier, ordure.

compiler v. (1190, saint Bern.; lat. *compilare*). 1° Former de plusieurs pièces. — 2° Rassembler. — 3° Conjurer, machiner. ◆ **compilation** n. f. (1246, G. de Metz). 1° Rassemblement. — 2° Cabale (1319, *Arch.*).

compisser v. (1260, A. de la Halle; v. *pisser*). Souiller d'urine : *Par le mort Dieu, on me compisse Par de desseure, che me sanle (A. de la Halle).*

complaindre v. (1155, Wace; v. *plaindre*). Se plaindre, gémir. ◆ **complaint** n. m. (1160, *Eneas*), -e n. f. (1175, Chr. de Tr.), **complaignement** n. m. 1° Plainte, gémissement. — 2° Plainte en justice.

complant n. m. (XIIIe s.; v. *plant*). 1° Plant d'arbres et, plus particulièrement, plant de vignes. — 2° Portion prélevée par le seigneur sur les fruits.

complexion n. f. (XIIe s., D.; lat. *complexio,* assemblage d'éléments). 1° Constitution, composition : *Ele estoit de plus foible complexion (Queste Saint-Graal).* — 2° Élément constitutif. ◆ **complexioner** v. (1260, Br. Lat.). Constituer, composer : *La nature des choses du* monde laquelle est establie par 4 complexions, c'est de chaut, de froit, de sech, de moiste, dont toutes choses sont complexionees (Br. Lat.).

complir v. (XIIe s., *Conq. Irl.*), **-er** v. (1308, Aimé; lat. pop. *complire,* pour *complere*). Accomplir, achever. ◆ **compliement** n. m. (XIIe s., *Macch.*), **-ison** n. f. (1246, G. de Metz). 1° Accomplissement, achèvement. — 2° Perfection. ◆ **complie** n. f. (sing. 1170, *Percev.*; plur. 1270, Ruteb.). 1° Complies. — 2° L'heure de l'office des complies, le soir.

complot n. m. (1150, *Thèbes*), **-e** n. f. (1180, *Rom. d'Alex.*; orig. obsc.). 1° Foule serrée, rassemblement. — 2° Bataille où les combattants sont pressés les uns contre les autres. — 3° Lutte amoureuse. — 4° Complot, intrigue. ◆ **comploteis** n. m. (1160, Ben.). Bataille.

compoindre v. (XIVe s., trad. de Dante; v. *poindre*). Piquer, mordre. ◆ **compoint** adj. (1120, *Ps. Oxf.*). Blessé, affligé.

comporter v. (XIIe s., *Asprem.*; lat. *comportare,* transporter). 1° Porter. — 2° Transporter, colporter. — 3° Soutenir. — 4° v. réfl. Etre disposé pour, se comporter. ◆ **comport** n. m. (fin XIIe s., *G. de Rouss.*). Convenance, proposition. ◆ **comporteor** n. m. (1268, E. Boil.). Petit marchand ambulant.

composer v. (XIIe s., *Ps.*; lat. *componere,* infl. par *poser*). 1° Arranger. — 2° Capituler (Froiss.). ◆ **compositeor** n. m. (1274, *Cart.*). Qui arrange une querelle.

I. compost n. m. (1121, Ph. de Thaun, *li Cumpoz*; lat. *computum,* compte, confondu en partie avec *compost,* mélange). Recueil, comput, comportant les notions d'astrologie et de mathématiques. ◆ **compostiste** n. m. (1335, Deguil.). Celui qui est savant dans la science du comput, mathématicien, astrologue.

II. compost n. m. (1275, *Arch.*; lat. *compositus,* p. passé de *componere,* mettre ensemble). 1° Mélange et, en parti-

culier, engrais, fumier. − 2° Composition.
◆ **composture** n. f. (1314, *Arch.*). 1° Terre
aménagée. − 2° Alliage (Deguil.). ◆
compost adj. (1260, Br. Lat.). Composé,
mélangé.

comprendre v. (déb. XIIe s., *Ps.
Cambr.;* lat. *comprehendere,* saisir).
1° Saisir, s'emparer de : *Je parsiwerai mes
enemis e cumprendrai les (Ps. Oxf.).* −
2° Envahir. − 3° Contenir. −
4° Comprendre, saisir le sens de. ◆
comprenable adj. (1190, saint Bern.).
1° Compréhensible. − 2° Qui peut contenir. − 3° Qui peut être compris. ◆
comprehender v. (1266, *Franch.*).
Appréhender, saisir. ◆ **comprehense** n. f.
(1335, Deguil.). Action de comprendre,
intelligence. ◆ **comprehensable** adj. (1344,
Arch.). 1° Qui est compris. − 2° *Comprehensable de,* qui est compris en. −
3° *Comprehensable a, en,* soumis à.

comprer v. V. COMPERER, acheter.

compresser v. (fin XIIe s., *Aym. de
Narb.;* lat. pop. *compressare,* pour
comprimere). 1° Presser sur. − 2° Accabler : *Povreté qui si vous compresse* (J. de
Meung). ◆ **compresse** n. f. (1271, *Rose*).
1° Action de comprimer. − 2° Accablement.

compromettre v. (1285, *Accord;* lat.
jurid. *compromittere*). Accepter un arbitrage, conclure un compromis. ◆ **compro-
mission** n. f. (1262, *Cart.*). Compromis.
◆ **compromisseur** adj. (1322, *Arch.*).
Choisi en vertu d'un compromis, aimable.

comte n. m. V. CONTE, comte.

comun, quemun adj. (842,
Serm.; lat. *communem*). 1° Commun. −
2° Public. *Letre comune,* lettre publique.
− 3° Communal. − 4° *De quemun, de
comun,* tous ensemble. ◆ **comun** n. m.
(XIIe s., *Chev. deux épées*). 1° Assemblée
communale. − 2° Habitants d'une ville. −
3° Bourgeois. ◆ **comune, comugne** n. f.
(1155, Wace). 1° Ligue, conjuration,
assemblée : *Assez tost oi Ricars dire Ke
vilain commuigne faisoient Et ses droitures tanroient* (Wace). − 2° Union.
Avoir comune, vivre en communauté. −
3° Relations sexuelles. − 4° Ville affran-

chie. − 5° Charte de commune. −
6° Corps des bourgeois d'une ville. −
7° Menu peuple. ◆ **comunal** adj. (1080,
Rol.). 1° Commun à un groupe. −
2° Public : *Car on m'avoit et dit et raconté
Qu'elle estoit fole de cors et comunal
(Loher.).* − 3° *Comunal de,* qui a coutume de : *De bel parler est comunals
(Part.).* ◆ **comunal** n. m. (1274, *Franch.*).
1° Citoyens formant l'assemblée communale. − 2° Propriété communale. ◆
comuner v. (1167, Wace). 1° Mettre en
commun. − 2° Avoir des relations avec.
◆ **comuneté, -ité** n. f. (1150, Wace).
1° Participation en commun, copropriété,
communauté. − 2° Commune. − 3° Commerce, relations. ◆ **comunement** n. m.
(1190, Garn.). Communication, rapports
intimes : *N'od les pervers n'aies mes nul
comunement* (Garn.). ◆ **comunaille** n. f.
(XIIIe s., Th. de Kent). 1° Réunion. −
2° Communauté. − 3° Pâturage commun.
◆ **comunable** adj. (1167, Wace). Commun, qui est en commun : *Li ducs ama
gieus quemunables* (Wace). ◆ **comunement** adv. (1080, *Rol.*). Tous ensemble,
d'un commun accord.

comungier, comengier v.
(xe s., *Saint Léger;* lat. chrét. *communi-
care,* s'associer à, participer). 1° Communier. − 2° Donner la communion. ◆
comunjement n. m. (1112, *Saint Brand.*).
Communion. ◆ **comeniant** adj. (XIIe s.),
-ial adj. (XIIe s.). *Pasques comenians* ou
comeniens, le jour de Pâques où l'on com-
munie.

con n. m. (XIIIe s., lat. *cunnum,* de
cunneus, coin). Parties naturelles de la
femme. ◆ **conet** n. m. (XIIIe s., *Garç. et
Av.*). Diminutif de *con.* ◆ **conart** n. m.
(1190, J. Bod.). Sot : *Tous jours sont
connart bateiç* (J. Bod.).

con-, com- préf. (lat. *cum-*). A côté
des mots venus du lat. avec le préfixe
intégré à la racine (*confire,* préparer, fabriquer) ou empruntés au lat. (*concurrent,*
intercalaire), la dérivation préfixale avec
con- est productive en anc. fr. 1° Le préfixe indique la conjonction, la participation de deux ou plusieurs actants au
procès : *combatre, concreer, engendrer,*

compendre, contrebalancer. — 2° Il devient intensif, combiné avec les mots qui expriment, par eux-mêmes, cette double participation : *comparagier*, comparer, *confraindre*, briser. — 3° Il fonctionne comme intensif : *complaindre*, gémir, *confermer*, rendre solide.

conaue n. f. (1288, J. de Priorat; p. passé de *conoistre*, reconnaître, connaître). Connaissance.

conceder v. (1308, Aimé; lat. *concedere*). 1° Céder, — 2° Accorder. ◆ **concession** n. f. (1260, Br. Lat.). Le fait de céder (devant un obstacle). ◆ **concesser** v. (1308, *Arch.*). Concéder, accorder.

conceler v. (XIIᵉ s., Herman; v. *celer*). 1° Cacher, dissimuler, retenir frauduleusement. — 2° Dissimuler sa pensée : *Que por honte, que por dolour Se conchel devant sa seror (Part.)*. ◆ **concelement** n. m. (XIIᵉ s., Herman). Action de cacher.

conceper v. (XIIIᵉ s., *Fabl. d'Ov.*; lat. pop. **concipare*, pour *concipere*). Attraper, prendre, saisir.

concevoir v. (1130, *Job*; lat. *concipere,* recevoir). 1° Recevoir. — 2° Devenir enceinte. — 3° Former une conception. — 4° Honorer, vénérer. ◆ **concevement** n. m. (1160, Ben.), **conception** n. f. (1190, saint Bern.). 1° Le fait de devenir enceinte. — 2° Idée, projet.

conche n. f. (1298, M. Polo; ital. *concia*). Ajustement, disposition.

conchier v. (1150, Wace; v. *chier*). 1° Souiller, salir, remplir d'ordures : *Ben parler ne counchie bouche (Prov.)*. — 2° Railler, outrager, déshonorer : *Que ma fois ne soit conchiee Ne la moie arme empiree* (Wace). — 3° Tromper. ◆ **conchiement** n. m. (XIIᵉ s., *Macch.*). 1° Action de souiller, ordure, saleté. — 2° Altération, mélange d'une chose bonne avec la mauvaise. — 3° Moquerie, tromperie : *Aucuns aussi de cunchiemens entrelaçons (Ars d'am.)*. ◆ **conchierie** n. f. (XIIIᵉ s., *Fabl. d'Ov.*), **-eure** n. f. (1209, G.). 1° Souillure. — 2° Tache morale : *Filz sans conchieure* (J. de Vignay). ◆ **conchieor** n. m. (XIIIᵉ s., *Livr. de Jost.*). 1° Qui souille. — 2° Imposteur, trompeur.

concier v. (1297, M. Polo; lat. pop. **comtiare*, pour *comere*, arranger la chevelure). 1° Arranger. — 2° Se préparer, s'appareiller.

concerge n. m. (1195, *Cart.*; probabl. du lat. pop. **conservium*). 1° Gardien, défenseur. — 2° Conservateur.

concile n. m. (déb. XIIᵉ s., *Ps. Cambr.*; lat. *concilium*). 1° Assemblée (dans toutes les acceptions de ce mot). *Faire concile de quelque chose*, la publier (J. de Condé).

conclure v. (déb. XIIᵉ s., *Ps. Cambr.*; lat. *concludere*). 1° Enfermer, enlacer : *E ne conclusis mei es mains del enemi (Ps. Cambr.)*. — 2° Convaincre, soumettre par raisonnement. ◆ **conclus** adj. (1180, *Rom. d'Alex.*). 1° Confus, embarrassé. — 2° Vaincu, fatigué. — 3° Convaincu.

concorder v. (1160, Ben.; lat. *concordare*, mettre d'accord). 1° Accorder, réconcilier. — 2° Tomber d'accord, faire la paix. — 3° Régler par un accord. ◆ **concort** n. m. (1239, *Arch.*). 1° Le fait d'accorder. — 2° Accord. ◆ **concorde** n. f. (1155, Wace). Avis conforme. ◆ **concordement** n. m. (1167, Wace), **-ance** n. f. (1160, Ben.), **-acion** n. f. (1308, *Arch.*). 1° Accord. — 2° Convention, transaction. — 3° Réconciliation, paix. ◆ **concordable** adj. (1300, *Cart.*). 1° Qui est d'accord. — 2° *Concordable a*, conforme a.

concors n. m. (déb. XIVᵉ s., D.; lat. *concursus*, affluence). Recours, secours.

concreer v. (1160, Ben.; v. *creer*). 1° Créer, engendrer. — 2° Créer, produire, former. ◆ **concreance** n. f. (1160, Ben.). Engendrement, naissance : *per Adan E toz ceus ... Qui de lui orent nation, Descendement ne concreance* (Ben.).

concroire v. (1112, *Saint Brand.*; v. *croire*). 1° Croire. — 2° Confier, se fier.

concueillir v. (1130, *Job*; v. *cucillir*). 1° Cueillir çà et là. — 2° Ramasser, réunir, rassembler. ◆ **concueillement** n. m. (XIIIᵉ s., Bible). 1° Action de ramasser, d'assembler. — 2° Assemblée. ◆ **concueilli** adj. (fin XIIᵉ s., *Gar. Loher.*). 1° Ramassé de partout. — 2° Concentré : *La maladie qui iluecques s'estoit concueillie et aunée (Mir. Saint Louis).* — 3° Vil : *Feble gent sunt, mauvais et concueillis (Gar. Loher.).*

concurent adj. (1119, Ph. de Thaun; lat. jurid. *concurrens,* qui vient en concurrence). Intercalaire (en parlant du jour).

condicion n. f. (fin XIIe s., saint Grég.; bas lat. *conditio).* 1° Condition. — 2° Rang social. ◆ **condicioner** v. (1277, *Rose).* 1° Soumettre à des conditions : *Loi les a condicionnees* (les femmes) *Qui les oste de lor franchises, Ou nature les avoit mises (Rose).* — 2° Traiter. ◆ **condicioné** adj. (1324, *Arch.).* Donné sous certaines conditions. ◆ **condise** n. f. (1273, *Arch.).* Condition.

condir v. (XIIIe s., *Destr. Rome;* lat. *condire).* Assaisonner, confire. ◆ **condiment** n. m. (1260, Br. Lat.). Assaisonnement : *Li condimens as viandes* (Br. Lat.).

condissance n. f. (1220, *Saint-Graal;* cf. lat. *condere,* fonder, établir). Généalogie, origine, descendance.

condoner v. (fin XIIe s., *Rois;* lat. *condonare).* 1° Accorder. — 2° Permettre. — 3° Pardonner. ◆ **condonaison** n. f. (XIIe s.), -**ation** n. f. (1160, Ben.). Pardon : *Ta condonation Esteigne te grant feu de la vie* (Ben.). ◆ **condone** adj. (1280, *Lettre).* Se dit d'un homme qui s'est donné tout entier, avec ses biens, au service d'un couvent.

conduire v. (Xe s., *Passion;* lat. *conducere,* mener, conduire). 1° Conduire, guider. — 2° Conduire, commander. — 3° Servir de sauf-conduit. — 4° Protéger, garantir. *Soi conduire, son cors conduire,* s'éloigner, s'enfuir : *Son cors trestort, si s'en conduie (Trist.).* ◆ **conduit** n. m. (1112, *Saint Brand.)* 1° Action de conduire, conduite. — 2° Escorte. — 3° Sauf-conduit : *Conduit demande a l'amirant Galafre (Cour. Louis). Par conduit,* avec le sauf-conduit de quelqu'un. — 4° Direction, route. — 5° Provisions de route, nourriture, repas. — 6° Charge, responsabilités, frais. — 7° Ménage. — 8° Location. — 9° Sorte de motet qui se chantait

pendant que le prêtre se rendait à l'autel. ◆ **conduisance** n. f. (1150, Wace), -**ement** n. m. (1330, *H. Capet).* Action de conduire, conduite. ◆ **conduction** n. f. (1273, *Arch.).* Louage, location. ◆ **conduiseor** n. m. (1170, *Fierabr.),* -**ier** n. m. (XIIe s., *Asprem.),* -**itor** n. m. (1306, Guiart). 1° Celui qui conduit, guide. — 2° Chef.

conestable n. m. (1155, Wace; bas lat. *comes stabuli,* comte de l'étable). Grand écuyer. *Se faire conestable de,* s'en porter garant (B. de Condé). ◆ **conestablesse** n. f. (av. 1250, G.). Femme de connétable. ◆ **conestablerie** n. f. (XIIe s., *Conq. Irl.).* Rang, dignité de connétable.

confait adj. var. en genre et nombre (XIIe s., *Ogier;* comp. de *fait* et de *com, come).* 1° Adj. indéfini, positif, Ainsi fait. — 2° Adj. indéf., au sens interrogatif, Fait de quelle manière, fait comment? : *De quel tere estes et de confait pais ? (H. de Bord.).* ◆ **confaitement** adv. (1080, *Rol.).* Adv. interrogatif. Comment, de quelle manière? *Cumfaitement li manderum nuveles ? (Rol.).*

confanon n. m. V. GONFANON, bannière de guerre. ◆ **confané** adj. (1170, *Percev.).* En forme de gonfanon, surmonté d'un gonfanon. ◆ **confanoier** n. m. (1220, *Saint-Graal),* **confenor** n. m. (1275, G.). Gonfalonier, porte-étendard. ◆ **confanonie** n. f. (1266, *Charte).* Dignité de gonfalonier.

confection, confession n. f. (1155, Wace; lat. *confectio,* achèvement). 1° Action de faire, d'achever. — 2° Préparation pharmaceutique (XIIIe s.). — 3° Confiture (XIVe s.).

confermer, confremer v. (1213, *Fet Rom.;* lat. *confirmare,* de *firmus).* 1° Rendre solide, durable. — 2° Rendre plus solide, confirmer. — 3° Prendre la résolution de. — 4° Unir, joindre. ◆ **confermeté** n. f. (1295, Boèce), -**aison** n. f. (1190, Garn.), -**acion** n. f. (XIIIe s., *Livr. de Jost.).* Confirmation, approbation. ◆ **confermement** n. m. (1212, G.) 1° Confirmation. — 2° Traité solennel. — 3° Sacrement de confirmation. — 4° Confirmation, terme de rhétorique.

◆ **confermance** n. f. (1256, *Lettre*). 1º Confirmation, assurance. — 2º *Confermance de* quelqu'un, plus grande sûreté. — 3º Traité solennellement juré. ◆ **confermable** adj. (fin XIIIᵉ s., Macé). Ferme, solide. ◆ **confermant** n. m. (1298, *Lettre*). Droit pour la confirmation de privilège.

confesser v. (1175, Chr. de Tr.; lat. pop. **confessare*, de *confessus*, p. passé de *confiteri*, avouer). 1º Avouer, se confesser. — 2º Confesser. ◆ **confessement** n. m. (XIIᵉ s., *Chétifs*). Confession. ◆ **confes** adj. et n. m. (1080, *Rol.*). 1º adj. Qui s'est confessé. — 2º n. m. Confesseur de la foi : *Saint Nicolai le confes* (J. Bod.). ◆ **confesseor** n. m. (1155, Wace). 1º Confesseur de la foi. — 2º Prêtre qui confesse (J. de Meung).

confin n. m. (1308, Aimé), **-e** n. f. (1308, Aimé; lat. *confine* et lat. médiév. *confinia*). Position limitrophe, voisinage, proximité. ◆ **confinage** n. m. (1309, *Charte*). Confinité, lieux qui se touchent. ◆ **confination** n. f. (fin XIIIᵉ s., Macé). 1º Action de fixer les bornes. — 2º Bornes, limites. ◆ **confiner** v. (1225, D.). Enfermer.

I. **confire** v. (1175, Chr. de Tr.; lat. *conficere*, achever). 1º Préparer, façonner. — 2º Composer, fabriquer, achever. — 3º Divers sens techniques : confire, embaumer, etc. ◆ **confit** n. m. (1268, E. Boil.). 1º Préparation. — 2º Confiture. — 3º Cuve où l'on plonge les peaux en préparation. ◆ **confiture** n. f. (XIIIᵉ s., *Chans. Vierge*). 1º Préparation. — 2º État, situation. ◆ **confit** adj. (fin XIIIᵉ s., B. de Condé). 1º Souillé. — 2º Teint.

II. **confire** v. (XIIᵉ s.; lat. *configere*). Clouer, ficher.

confisquer v. (1331, *DDN;* lat. *confiscare*, de *fiscus*, fisc). Perdre par forfaiture.

conflit n. m. (fin XIIᵉ s., *Rois;* lat. *conflictus*, choc). Combat.

confoler v. (1220, Coincy; v. *foler*, fouler). Fouler aux pieds.

confondre v. (1080, *Rol.;* lat. *confundere*, mêler). 1º Renverser, détruire,

tuer. — 2º Bouleverser. ◆ **confondement** n. m. (XIIᵉ s., *Ps.*), **-oison** n. f. (XIIᵉ s., Herman). 1º Action de confondre, confusion. — 2º Trouble. — 3º Destruction.

conformer v. (1190, saint Bern.; lat. *conformare*). 1º Parler conformément à, se conformer à. — 2º Appuyer. ◆ **conformement** n. m. (1190, saint Bern.). 1º Action de se conformer. — 2º État de ce qui est conforme.

conforter v. (XIᵉ s., *Alexis;* lat. *confortare*, soutenir le courage). 1º Soutenir, affermir. — 2º Réconforter, consoler. — 3º réfl. Prendre courage. ◆ **confort** n. m. (1080, *Rol.*). 1º Encouragement. — 2º Courage. — 3º *Mauvais confort*, appréhension. — 4º Réconfort, consolation : *Tu es de bon confort (Auc. et Nic.).* ◆ **confortance** n. f. (1313, Godefr. de Paris). Encouragement. ◆ **conforteor** n. m. (1130, *Job*). Soutien, consolateur. ◆ **confortable** adj. (déb. XIIᵉ s., *Ps. Cambr.*). Secourable, fortifiant.

confraindre v. (déb. XIIᵉ s., *Ps. Cambr.;* v. *fraindre*). 1º Briser, rompre : *L'orgueilleus ... Moult tost confraint Dieu* (Coincy). — 2º Enfreindre. — 3º Etre brisé, vaincu. ◆ **confraignement** n. m. (XIIIᵉ s., *Doon de May.*). Action de briser.

confremer v. V. CONFERMER, rendre solide, unir.

confroissier v. (1190, saint Bern., v. *froissier*). Briser, blesser : *La levre li fendi et confroissa le nez (Parise).*

confronter v. (XIIIᵉ s.; lat. jur. médiév. *confrontare*, de *frons*, front). Etre attenant à. ◆ **confrontation** n. f. (1341, *Arch.*). Propriété attenante à une autre.

confus n. m. (déb. XIIᵉ s., *Ps.;* p. passé de *confondre*). 1º Destruction, ruine. — 2º Confusion. ◆ **confusement** n. m. (1213, *Fet Rom.*). Confusion, trouble. ◆ **confusion** n. f. (1080, *Rol.*). 1º Action de confondre, destruction. — 2º Déluge d'eau, averse.

congenuir v. (1270, Ruteb.; v. *genoir*, engendrer). Engendrer.

congeter v. (1247, Ph. de Nov.; v. *geter*). 1° Rejeter, chasser. — 2° réfl. S'étendre, avoir telle étendue.

congié n. m. (xᵉ s., *Saint Léger;* lat. *commeatum*, action de s'en aller). 1° Permission, autorisation. — 2° Permission de s'en aller. *Prendre congié*, faire ses adieux. *Octroier le congié*, permettre de s'en aller. *Doner congié*, congédier. ◆ **congier, -eer** v. (1160, Ben.). 1° Congédier. — 2° Bannir, chasser, exiler : *De sa terre le cungea* (M. de Fr.). ◆ **congier** n. m. (1329, Watriquet). Permission.

congregation n. f. (1120, *Ps. Oxf.;* lat. *congregatio*). Réunion, assemblée en général.

conil n. m. (1265, Ald. de Sienne), **conin** n. m. (1229, G. de Montr.; lat. *cuniculum*). Lapin. ◆ **coniliere** n. f. (1315, G.), **coniniere** n. f. (1297, *Arch.*). Lapinière, garenne.

conjoindre v. (1130, *Job;* lat. *conjungere*, unir). 1° Joindre, unir. — 2° Coexister. ◆ **conjoignement** n. m. (1160, Ben.). 1° Union. — 2° Mélange. — 3° Conjonction. ◆ **conjonction** n. f. (1160, Ben.). 1° Action de joindre. — 2° Union, rapprochement sexuel : *Par conjonction de mariage (Queste Saint-Graal).* ◆ **conjointure** n. f. (1164, Chr. de Tr.). 1° Conjoncture. — 2° Liaison. — 3° Conjonction des astres. — 4° Conclusion, conséquence. ◆ **conjoint** n. m. (1160, Ben.). Époux.

conjoir v. (1160, Ben.; v. *joir*). 1° Se réjouir avec quelqu'un. — 2° Jouir de. — 3° Faire un bon accueil, traiter avec courtoisie : *Asses le conjot et embrace* (Ben.). ◆ **conjoissable** adj. (1360, Froiss.). 1° Qui fait bon accueil. — 2° Affable.

conjurer v. (fin xiiᵉ s., *Rois;* lat. *conjurare*, jurer ensemble). 1° Adjurer, adresser à ses vassaux l'invitation dite *semonce* et *conjure* pour qu'ils viennent juger d'une affaire de leur ressort. — 2° Évoquer : *Or vient li deables qui est conjuré et dist ...* (Ruteb.). — 3° Exorciser. — 4° Conspirer. — 5° Bannir. ◆ **conjur** n. m. (1160, Ben.), **-e** n. f. (1160, Ben.), **-ement** n. m. (1162, *Fl. et Bl.*), **-aison**

n. f. (1160, Ben.). 1° Serment collectif, conjuration. — 2° Prière instante. — 3° Pratique magique, invocation, exorcisme : *Par art et par conjurison Ost cist en garde la toison* (Ben.). ◆ **conjuré** n. m. (1213, *Fet Rom.*). Celui qui a prêté serment.

conoille n. f. (1265, J. de Meung; bas lat. *conucula*, de *colus*, quenouille). Quenouille.

conoistre v. (fin xiᵉ s., *Lois Guill.;* lat. *cognoscere*). 1° Reconnaître : *Cliquet, li mairesse est mout sage, Si te connistra au passer* (J. Bod.). — 2° Avouer, confesser : *Li chevaliers en tele angoisse Ne set se le voir li connoisse, Ou il mente et lest le pais (Chast. Vergi).* — 3° Déclarer. ◆ **connoissance** n. f. (1080, *Rol.*). 1° Acte de connaître. — 2° Ordonnance, édit. — 3° Ce qui sert à reconnaître, marque, et, en particulier, figures peintes sur l'écu qui devinrent ensuite les armoiries. ◆ **connoissement** n. m. 1° Connaissance. — 2° Promulgation. — 3° Flair du chien. ◆ **connoisseor** n. m. (1160, Ben.). 1° Celui qui connaît. — 2° Juge, rapporteur d'une affaire. ◆ **connoissable** adj. (1130, *Job*). 1° Facile à connaître. — 2° Qui porte un signe de reconnaissance. — 3° Bien connu. — 4° *Se faire connoissable*, se faire reconnaître. ◆ **connoissant** n. m. (xiiᵉ s., *Chev. cygne*). 1° Connaisseur. — 2° Connaissance, ami. ◆ **conneu** n. m. (fin xiiiᵉ s., *Mir. Saint Louis*). Connaissance, ami : *Agnes alait encontre ceux qui estoient ses conneus et les embraçoit (Mir. Saint Louis).*

conope n. m. (1180, *Rom. d'Alex.;* lat. *conopeum*, du grec). 1° Lit à un dossier à chaque bout. — 2° Rideau de lit, moustiquaire.

conorter v. (1260, Bɪ. Lat.; lat. pop. **hortare*, pour *hortari*, doté du préfixe *cum-*). Encourager, animer : *Je voloie conorter les chevaliers a la bataille* (Br. Lat.). ◆ **conort** n. m. (1260, Br. Lat.). Encouragement, suggestion.

conque adj. (1286, *Arch.;* aphérèse de *quelconque*). Adj. indéf. Quelconque.

conqueltis, -if adj. (1155, Wace; v. *cueillir*). 1º Ramassé de divers côtés. — 2º Méprisable, vil : *Une gent conqueutice Que ne tiennent lei ne justice* (Ben.).

conquerre v. (1080, *Rol.;* lat. pop. *conquarere, chercher à prendre, de *conquirere*). 1º Rechercher avidement la possession de. — 2º Gagner, conquérir. ◆ **conquerement** n. m. (1160, Ben.). Conquête. ◆ **conquise** n. f. (1160, Ben.). 1º Conquête : *Les granz gaainz e les conquises* (Ben.). — 2º Profit, acquisition (XIIIᵉ s.). ◆ **conquereor** n. m. (1180, *Rom. d'Alex.*). Conquérant, qui s'est emparé d'un riche butin. ◆ **conquerant** n. m. (1160, Ben.). Plaignant. ◆ **conquis** adj. (1277, *Rose*). 1º Harcelé, fatigué. — 2º Affligé.

conquest n. m. (1175, Chr. de Tr.), **-e** n. f. (1160, Ben.; lat. *conquisitum, -am,* p. passé de *conquirere*). 1º Conquête. — 2º Butin de guerre. — 3º Bénéfice, profit. — 4º Conquêt. ◆ **conquester** v. (1160, *Charr. Nîmes*). 1º Conquérir. — 2º Acquérir : *Has mout de joies conquestees* (Est. Saint-Graal). — 3º Acheter : *Vient de Saint Gile [...] A quatre bues que il ot conquesté* (Charr. Nîmes). ◆ **conquestement** n. m. (XIIᵉ s., *Florim.*). Conquête. ◆ **conquestis** adj. (1125, *Gorm. et Is.*). Méprisable : *Feluns paiens e Sarrazins, malveisse gent e cunquestisz* (Gorm. et Is.).

conreer, -oier v. (1080, *Rol.;* lat. pop. *conredare, d'orig. germ.). 1º Arranger, préparer, mettre en ordre : *Par malin les fist toz armer Et a bataille conreer* (Wace). — 2º Arranger, mettre en bon état, récréer : *Comme il conroie bien un home!* (J. Bod.). — 3º Armer : *Tot un a un les menez en cel pré Sor les chevaus garniz et conraez* (Charr. Nîmes). — 4º Vêtir, parer. — 5º Fournir, approvisionner. ◆ **conroi** n. m. (1155, Wace). 1º Ordre, disposition. *Se metre en conroi,* se mettre en ordre. — 2º Traitement, soins, prévision. *Prendre conroi de,* prendre soin de, se préoccuper de : *Kar cunrei de mon pople ai pris (Rois). Faire doloraus conroi de,* faire subir un traitement cruel à. *Ne prendre nul conroi,*

n'obtenir aucune satisfaction. — 3º Condition, statut social : *Quons Jonas, ço dist le rei, Mult par estes de povre conrei (Gui de Warwick).* — 4º Troupes à cheval, corps de troupes. — 5º Train, équipage militaire. — 6º Équipement, habillement. — 7º Préparation technique, spécialement du cuir. — 8º Subsistance, repas. ◆ **conreure** n. f. (1268, E. Boil.). Préparation de peaux. ◆ **conreor** n. m. (1268, E. Boil.). Corroyeur.

cons n. m. cas sujet. V. CONTE, comte.

consachable adj. (fin XIIᵉ s., saint Grég.; v. *savoir*). 1º Confident : *Icil consachables de sa felonie* (saint Grég.). — 2º Conscient.

conscience n. f. (1138, *Saint Gilles;* lat. *conscientia*). 1º Connaissance. — 2º Intention secrète, désir : *Je say bien votre conscience, Car elle m'a esté contee* (Passion). — 3º Désir, volonté.

consecussion n. f. (1277, *Rose;* lat. *consecutio*). 1º Action de venir après. — 2º Enchaînement de faits, d'idées, suite : *Qui de tel confession Entent la consecusion* (Rose). ◆ **consequent** adj. (1308, Aimé). Qui suit, qui découle normalement de ce qui précède.

conseil, consel n. m. (Xᵉ s. *Saint Léger;* lat. *consilium,* délibération, avis). 1º Délibération intérieure, réflexion : *Aucassins ... prendés consel que vous ferés (Auc. et Nic.).* — 2º Décision : *A tort avés, dame, cest consell pris* (C. de Béth.). *Prendre conseil certain,* prendre une décision définitive. *Perdre son conseil,* ne pas savoir quel parti prendre. — 3º Sagesse. *Ne savoir nul conseil de soi, ne metre nul conseil en soi,* ne pas savoir comment s'aider. — 4º Conseil, avis, sentiment. — 5º Aide, secours, appui : *Ker jes voil faire o moi disner s'em puis en vos conseil trouver (Saint Eust.).* — 6º Secret : *Si avient que cil joie en pert Qui le conseil a descouvert* (Chast. Vergi). *A conseil, en conseil,* en secret, à part. ◆ **conseillier** v. (1080, *Rol.*). 1º Conseiller quelqu'un ou quelque chose. — 2º Secourir, aider : *Il consilla les trois pucheles* (J. Bod.). — 3º Diriger, gouverner. — 4º Tenir conseil, délibérer : *Il et li abes*

prenent a conseillier (Cour. *Louis*). —
5° Décider, arrêter après délibération. —
6° Parler à voix basse, à part, en secret :
*A soi lo tret, se li consoille, Soef li a dit
an l'oreille* (Eneas). — 7° réfl. Réfléchir.
— 8° *Soi conseillier a,* demander conseil
à : *A son capelain se conselle* (Chr. de
Tr.). ◆ **conseillement** n. m. (1170,
Fierabr.). 1° Action de conseiller, conseil.
— 2° Avis. — 3° Conférence, pourparlers
secrets. — 4° Délibération, résolution.
◆ **conseillier** n. m. (xᵉ s., *Eulalie*), **-eor**
n. m. (xIIᵉ s., *Asprem.*). Conseiller, conseil-
leur. ◆ **conseillable** adj. (1160, *Athis*).
De bon conseil. ◆ **consillons (a)** loc. adv.
(1180, *Rom. d'Alex.*). En secret.

consemblant adj. (1269, *Arch.*;
v. *sembler*). Semblable. ◆ **consemblable**
adj. (1295, *Cart.*). De même nature.

consentir v. (xᵉ s., *Saint Léger;* lat.
consentire, être d'accord). 1° Accorder,
approuver. — 2° Suggérer. — 3° Etre
d'accord. ◆ **consens** n. m. (1255, *Charte*),
consent n. m. (1180, *Rom. d'Alex.*), **-e**
n. f. (1160, Ben.), **-aison** n. f. (xIIᵉ s.,
Horn). Consentement, accord. ◆ **consense**
n. f. (1160, Ben.). 1° Consentement,
assentiment. — 2° Complicité, complot :
*La chitet a force prisent; Mais ce fu aukes
par consense* (Mousk.). — 3° Volonté :
*Pense que digne penitence Fera solum la
Dieu consence* (M. de Fr.). ◆ **consen-
sion** n. f. (1247, G. de Metz). Volonté,
désir. ◆ **consenteor** n. m. (1160, Ben.).
1° Celui qui consent. — 2° Complice.

conser v. (1180, *R. de Cambr.*;
v. *esconser*). Cacher.

conserrer v. V. CONSIRER, jeûner,
se priver.

consievre, consivre, consuir
v. (xIIᵉ s., *Ogier;* lat. pop. **consequere,
-ire,* pour *consequi*). 1° Poursuivre, donner
la chasse à. — 2° Suivre, imiter. —
3° Atteindre en frappant, atteindre à la
course. — 4° Arriver à posséder, gagner,
obtenir. — 5° Suivre, venir après, succéder. — 6° Échoir par succession.
◆ **consivence, consigance** n. f. (xIIIᵉ s.,
Livr. de Jost.). 1° Conséquence, suite. —
2° Succession.

consigner v. (1345, *Arch.*; lat.
consignare, sceller). 1° Délimiter par une
marque, une borne. — 2° Revêtir d'un
sceau, marquer d'un signe.

consire n. m. (xIᵉ s., *Alexis;* lat.
consilium et *concilium*). 1° Assemblée,
concile : *Tint li rois son concire* (Wace).
— 2° Dessein, projet, complot. — 3°
Conseil, avis.

I. **consirer** v. (1160, *Eneas;* lat.
considerare). 1° Considérer, observer. —
2° Avoir des égards. — 3° *Consirer de,*
penser à, se souvenir de. ◆ **consir** n. m.
(xIIᵉ s., *Part.*). Pensée, réflexion. ◆ **consi-
ros** adj. (av. 1300, *Poés.*). Pensif, soucieux.

II. **consirer, conserrer,
consiuvrer** v. (xIᵉ s., *Alexis;* v. *sevrer*).
1° réfl. Se priver, s'abstenir : *Coment se
consire De veoir ce que tant li plest?
(Lai Arist.).* — 2° Se séparer, s'éloigner :
*La roine ne se puet de moi consirer
(Artur).* — 3° Jeûner. — 4° Se consoler,
se résigner. — 5° *Se consirer de,* se contenter de. ◆ **consiree** n. f. (1164, G. d'Arras).
Privation, abstinence. *Faire consiree,*
désirer, rechercher. ◆ **consievrance** n. f.
(fin xIIIᵉ s., J. de Meung). Privation,
abstinence.

consister v. (fin xIIIᵉ s., J. de Meung;
lat. *consistere,* se tenir ensemble). 1° Avoir
de la consistance, se maintenir ferme,
subsister. — 2° Rendre consistant. —
3° Se tenir ensemble, être réunis. ◆
consistant adj. (xIVᵉ s.). Qui assiste avec
les autres. ◆ **consistoire** n. m. (1190,
Garn.). L'endroit où l'on se tient, assemblée.

consobrin n. m. (1308, Aimé; lat.
consobrinus, cousin germain du côté
maternel). Cousin germain.

consomer v. (1155, Wace; lat.
consummare, faire la somme). Achever,
accomplir. ◆ **consomement** n. m.
(xIIᵉ s., *Ps.*), **-acion** n. f. (xIIᵉ s., *Ps.*).
1° Achèvement, fin. — 2° Exécution d'une
décision de justice. ◆ **consomeor** n. m.
(xIIIᵉ s., Bible). Celui qui accomplit,
qui achève.

consonant adj. (1175, Chr. de Tr.; lat. *consonans, tis*). Qui s'accorde par consonance : *De conter un conte par rime ou consonant* (Chr. de Tr.). ◆ **consonant** n. m. (XIIIᵉ s., *ABC*). Consonne : *I si vient pour G quant lui siet, En liu de consonant s'assiet (ABC)*. ◆ **consonancie** n. f. (1150, Wace). Rimes consonantes. ◆ **consonance** n. f. (XIIᵉ s., *Chev. cygne*). Bruit, tumulte.

consorce n. f. (1220, Coincy; lat. *consortium*, même sens). 1° Participation. — 2° Communauté, société.

consot n. m. (1150, Wace; lat. *consultum*). Conseil, avis : *Chiez l'avesque sont assemblé Qui ce consot avoit doné* (Wace).

constelacion n. f. (1265, J. de Meung; lat. *constellatio*, de *stella*, étoile). Situation des étoiles les unes par rapport aux autres déterminant un horoscope.

conster v. impers. (XIIIᵉ s., *Traité d'alchimie;* lat. *constare*). Etre bien établi. ◆ **constant** adj. (1260, Br. Lat.). Stable, bien établi. ◆ **constantioner** v. (1335, Deguil.). Rendre constant.

constituer v. (1260, Br. Lat.; lat. *constituere*). ◆ **constitution** n. f. (1160, Ben.). Institution, établissement de quelque chose.

constraindre v. (1308, Aimé; lat. *constringere*, serrer). Resserrer, tenir serré. ◆ **constraignement** n. m. (1160, Ben.), -**ance** n. f. (XIIᵉ s., *Ysopet*, I). Contrainte. ◆ **constraint** adj. (1160, Ben.). Serré par l'émotion, ému. ◆ **constraint** n. m. (1271, *Cart.*). Contrainte.

consuir v. V. CONSIEVRE, poursuivre, atteindre.

consulter v. (1327, J. de Vignay; lat. *consultare*). Délibérer.

contaminer v. (1213, *Fet Rom.;* lat. *contaminare*). Souiller.

I. **conte, comte** n. m. cas rég., **cuens** cas sujet (1080, *Rol.;* lat. *comes, comitem*). Comte. ◆ **conton** n. m. (XIIIᵉ s., *Ciperis*). Comte. ◆ **contor** n. m.

plur. (1080, *Rol.*). Comtes : *Les amirafles et les filz as cunturz (Rol.). Princes, marcis, dus et contors* (Mousk.). ◆ **comtece** n. f. (1080, *Rol.*). Comtesse. ◆ **conté, contee** n. f. (fin XIIᵉ s., *Lois Guill.*). Comté.

II. **conte** n. m., calcul, récit, plainte. V. CONTER, compter, raconter.

contec n. m., **contece** n. f. Voir CONTENCIER, disputer, combattre.

contechier v. (1190, J. Bod.; v. *techier*, pourvoir d'une bonne ou mauvaise qualité). 1° Plaire : *Car li noise ne me conteke* (J. Bod.). ◆ **contechable** adj. (XIIIᵉ s.). Qui plaît, agréable. ◆ **contechié** adj. (1235, H. de Méry). Mêlé de : *une bende de faintié Contechié de anemistié* (H. de Mery).

contemplacion n. f. (1190, Garn.; lat. *contemplatio*). 1° Contemplation. — 2° Considération, égard. ◆ **contempler** v. (1265, J. de Meung). 1° Contempler. — 2° Agir au gré de.

contemple, -pre n. m. (XIIᵉ s., *Conq. Irl.;* l'express. eccl. *cum tempore*). 1° Concomitance, circonstance : *En cel cuntemple se assemblerent li Philistien (Rois)*. — 2° Loc. conj., *Au contemple que*, dans le même temps que.

contemps n. m. (1346, G.; lat. *contemptus*). Mépris. ◆ **contemptif** adj. (1361, Oresme). Méprisant.

contencier v. (1260, Br. Lat.; v. *tencier*). 1° Disputer : *Dyalectique, laquele enseigne a contencier* (Br. Lat.). — 2° Combattre, faire la guerre. — 3° Rivaliser. ◆ **contens** n. m. (1160, Ben.), **contec** n. m. (1160, Ben.), **contence** n. f. (1155, Wace). 1° Dispute, querelle : *Et s'il i a contenz, il doit estre ostez par arbitre (Livr. de Jost.)*. — 2° Lutte, résistance. — 3° Coup violent. — 4° Rivalité (non péjor.). — 5° *A contens*, en querelle, ennemis. ◆ **contençon** n. f. (1080, *Rol.*; lat. *contentionem*, lutte). 1° Querelle, lutte. — 2° Rivalité. *A contençon*, en rivalisant d'ardeur, à l'envi. — 3° Effort. *A une contençon*, d'un effort unanime. ◆ **contençons** adj. (XIIᵉ s.). 1° Querelleur. — 2° Qui donne lieu à une querelle.

contendre v. (1160, Ben.; lat. *contendere*, tendre vers, lutter). 1º Tendre à, s'efforcer : *Je ne sui si forz ne si hardiz Qu'envers Amor me peusse contendre* (Couci). — 2º Combattre, rivaliser. — 3º Contester. ◆ **contendement** n. m. (1250, *Ren.*), **-erie** n. f. (XIIIᵉ s., *Doon de May*). Débat, contestation.

contenir v. (1080, *Rol.;* lat. *continere*). 1º Contenir. — 2º réfl. Se tenir, se conduire. ◆ **contenement** n. m. (1080, *Rol.*), **-ance** n. f. (1080, *Rol.*). Maintien, manière de se conduire. ◆ **content** n. m. (XIIIᵉ s.), **contien** n. m. (1220, Coincy). 1º Maintien, conduite : *Li biaus contien moult me pleust* (Coincy). — 2º Retenue. — 3º Contenu, teneur. ◆ **contenant** n. m. (1080, *Rol.*). Mine, maintien : *Gent ad le cors e le cuntenant fier (Rol.).*

conter v. (1080, *Rol.;* lat. *computare*, calculer). 1º Calculer, compter. *Conter son escot*, faire l'addition : *Quant il orent mengié a mout tres grant plentez, Li ostes les fist tere, s'a son escot conté (Gaut. d'Aup.). Conter chascune piece.* énumérer chaque détail, détailler le compte. *Conter quelqu'un*, le mettre au nombre de. *Conter la date*, inscrire en compte. — 2º Calculer, supputer : *il a pis conté*, il a fait un mauvais calcul (J. Bod.). — 3º Conter, raconter, réciter. ◆ **conte** n. m. (1080, *Rol.*). 1º Calcul, compte. *Sanz conte*, sans compter. *Rendre conte*, faire réparation. — 2º Récit (1190, J. Bod.). — 3º Plainte. — 4º *De quel conte?*, comment, pourquoi? ◆ **contement** n. m. (XIIIᵉ s.), **-oison** n. f. (XIIIᵉ s.). 1º Récit. — 2º Plaidoyer. ◆ **conteor** n. m. (1155, Wace). 1º Celui qui compte. — 2º Conteur. — 3º Receveur des contributions, trésorier (1322, *Arch.*). ◆ **comptable** adj. (XIIIᵉ s.). 1º Qui peut être compté. — 2º n. m. (XIVᵉ s.). Comptable. ◆ **comptanment** adv. (1238, G.), **comptant** adv.(mil. XIIIᵉ s.). En payant le compte entier.

continuer v. (1160, Ben.; lat. *continuare*). 1º Durer. — 2º Suivre sans délai. ◆ **continuation** n. f. (1283, Beaum.), **-ance** n. f. (1346, G.). 1º Continuité. — 2º Suite. ◆ **continuel, -al** adj. (1169, Wace). 1º Qui dure, qui persiste. — 2º Qui suit sans retard : *A l'evesque de Lundres unes lettres itaus Enveia saint Thomas, tutes continuaus* (Garn.). ◆ **continué** adj. (1190, saint Bern.). 1º Continu, éternel. — 2º Suivant. ◆ **continu** adj. (1272, Joinv.), **-uable** (1311, *Arch.*), **-ueus** (1248, *Arch.*). Continu. ◆ **continue** n. f. (1272, Joinv.). Fièvre continue.

contorber, -bler v. (déb. XIIᵉ s.; lat. *conturbare*). Troubler, bouleverser : *Merlins mult se contorba, Dol ot au coer* (Wace).

contort adj. (déb. XIVᵉ s., J. de Condé; lat. *contortus*). 1º Tordu, contourné. — 2º Contrefait.

contraction n. f. (1256, Ald. de Sienne; lat. *contractio*, infl. par *action*). 1º Action utile permettant de contraindre l'adversaire à. — 2º Exaction.

I. **contraire** v. (déb. XIIᵉ s., *Ps. Cambr.;* v. *traire*, tirer). 1º Resserrer, contracter : *Tute felunie cuntrerrad sa buche (Ps. Cambr.).* — 2º *Contraire mariage*, contracter le mariage. ◆ **contraiement** n. m. (1280, *Cart.*). Engagement, contrat.

II. **contraire** n. m. ou f. (1080, *Rol.;* lat. *contrarium*). 1º Chose qu'on fait en retour ou en représailles : *Jo t'en muvrai un si tres grant cuntraire Qui durerat a trestut ton edage (Rol.).* — 2º Contrariété : *Mi cuers est si plains de contrere Que ge ne sai que devenir (Percev.).* — 3º Difficulté, refus : *Ancor ne s'an puet partir Mes cuers par nul contraire (Estampies).* — 4º Contradiction, taquinerie : *Tristran s'en rit, point ne s'esmaie, Par contraire lor dit a toz : ... (Trist.).*

contrait adj. (XIᵉ s., *Alexis;* p. passé de *contraire*). 1º Perclus, paralytique. — 2º Contrefait. — 3º Retiré, resserré. ◆ **contraiture** n. f. (fin XIIIᵉ s., *Mir. saint Éloi*). Contraction des nerfs, perclusion.

contralier, -rier v. (1080, *Rol.;* lat. *contrarius*, opposé). 1º Contredire : *Ainz ne fina de lui contralier (J. de Blaivies).* — 2º Résister, se disputer. — 3º Provoquer : *Set mil ansoignes i ventellent A tornoier fors les apellent Et molt forment les contralient (Eneas).* — 4º Combattre.

◆ **contraloier** v. (1180, *R. de Cambr.*).
Contredire, résister. ◆ **contralie** n. f.
(XIIIe s., *Chans.*), -**ieté** n. f. (1160, Ben.),
-**ioison** n. f. (1180, *G. de Vienne*).
1° Contradiction. — 2° Résistance, opposition. — 3° Inimitié. ◆ **contraille** n. f.
(XIIe s., *Blancandin*). 1° Contrariété. —
2° Injure inspirée par la haine. ◆ **contra-
rios** adj. (1080, *Rol.*). 1° Contraire,
opposé. — 2° Hostile, querelleur. —
3° Méchant. ◆ **contrariable** adj. (XIIe s.,
Meraugis). Contraire, contradictoire.
◆ **contraloieor** n. m. (XIIe s., *Ps.*). Contradicteur, ennemi.

contratendre v. (1175, Chr. de Tr.;
v. *atendre*). 1° Attendre. — 2° S'attendre
mutuellement.

contravant n. m. (1260, Mousk.;
v. *avant*). 1° Gageure. — 2° Défi.

contre prép. (842, *Serm.;* lat. *contra*).
Prép., indique la relation entre deux
termes : 1° Relation d'évaluation de qualité ou de quantité : *Tout biauté estoit
obscure Contre si belle creature (Florim.).*
— 2° Relation de distribution : *Partist a
moitiet contre lui* (Mousk.). — 3° Relation
orientée, à partir d'un point implicite :
*Contre orient turna son vis (Gorm. et
Is.). Tout son cors va contre terre esten-
dant (Roncev.).* — 4° Même relation,
avec l'idée de rapprochement : *Contre le
pis lui froisse l'escu blanc (Roncev.).* —
5° Relation orientée vers un actant personnel ou personnifié, en face de : *Quar
yl devynt tut pesant contre la mort
(F. Fitz Warin).* — 6° Même relation, en
fonction adverbiale : *Hue s'est tant
avancié que il vait avant, cuntre* (à la
rencontre), *plein pié (Gorm. et Is.).* —
7° Même relation, avec l'idée d'opposition : *S'aidoient li un l'autre contre les
Arabis* (Aden.). — 8° Relation orientée
vers un terme, avec appréciation quantitative, Vers, environ : *Li rois d'Engleterre, contre le mois de mai, retourna en
la marce de Londres* (Froiss.). — 9° Avec
appréciation qualitative, à l'occasion de,
en l'honneur de : *contre sa venue (Dolop.).*
◆ **contremont** adv. et prép. (1080, *Rol.*).
Vers le haut, en haut : *El palais monte
contremont les degrés (Ogier).* ◆ **contre-**

val adv. et prép. (1080, *Rol.*). 1° adv.
Vers le bas, en descendant, le long de :
*De sa barbe li pendent contrevel li flacon
(Gui de Bourg.).* — 2° prép. En bas de,
le long de : *L'eve des eilz li cort contre-
val la poitrine (J. Bod.).*

contre- préf. (lat. *contra-*). Le préfixe
contre- exprime, de façon générale, l'idée
d'équivalence entre le procès en cours et
le procès antérieur sous-entendu. 1° Équivalence : *contrevaloir,* égaler en valeur. —
2° Équivalence qui consiste à reproduire
le procès comparable, mais supporté par
d'autres actants : *contreloer,* sous-louer,
contregaitier, guetter de son côté. —
3° Équivalence avec l'idée d'opposition
au premier procès : *contretenir,* résister,
s'opposer à. — 4° Équivalence entre
deux procès, dont le second est cependant
supérieur en intensité : *contrepasser,*
dépasser, *contrepenser,* retourner dans
son esprit, réfléchir sérieusement.

contrebatre v. (1220, Coincy; voir
batre). 1° S'opposer à, contester. —
2° Combattre. ◆ **contrebat** n. m. (1277,
Cart.). Difficulté.

contrechevalchier v. (1160,
Athis; v. *chevalchier*). Faire courir son
cheval du même côté que quelqu'un
d'autre.

contredaignier v. (1155, Wace; de
daigner, avec le préfixe à deux valeurs
différentes). 1° Dédaigner. — 2° Faire cas
de, témoigner de la considération *(Rose).*

contredire v. (Xe s., *Eulalie;* lat.
contradicere). 1° Maudire. — 2° Défendre,
interdire, disputer. — 3° Résister. ◆
contredit n. m. (déb. XIIe s., *Ps. Cambr.*),
-**iement** n. m. (XIIe s., *Ps.*), -**isement** n. m.
(XIIe s., *Ps.*), -**isance** n. f. (XIIIe s., Bible).
1° Contradiction : *Son bon ferai sans
contredit* (J. Bod.). — 2° Opposition :
Del contredit n'i ot il mie (Eneas). ◆
contraditeor n. m. (XIIe s., *Asprem.*),
-**diseor** n. m. (XIIIe s., *Livr. de Jost.*).
Contradicteur : *Li rois commanda que
li contradiseor jurent que ... (Livr. de
Jost.).*

contreester v. V. CONTRESTER,
tenir bon, contester.

contrefaire v. (1155, Wace; bas lat. *contrafacere*). 1º Agir d'une manière contraire à. — 2º Imiter, reproduire, dessiner, peindre. — 3º Affecter, faire paraître (*Tourn. dames*). ◆ **contrefait** adj. (XIIIᵉ s., infl. par *contrait,* perclus). Difforme. ◆ **contrefaiture** n. f. (fin XIIᵉ s., *Ed. le Conf.*). 1º État de celui qui est contrefait. — 2º Contrefaçon, imitation.

contrefoi n. f. (1260, Mousk.; v. *foi*). Incrédulité.

contregagier v. (1314, *Arch.;* v. *gagier*). 1º Prendre un contre-gage. — 2º User de représailles, rendre la pareille. ◆ **contregagement** n. m. (1283, Beaum.). Représailles.

contregaitier v. (XIIᵉ s., M. de Fr.; v. *gaitier*). 1º Épier, guetter de son côté. — 2º Se défendre : *Par essample li moustra Com il se doit contregaitier* (M. de Fr.).

contreloer v. (1283, Beaum.; v. *loer*). Sous-louer.

contremander v. (1250, *Ren.;* voir *mander*). 1º Refuser de comparaître, faire attester par des témoins qu'on n'est pas en état de se présenter. — 2º S'excuser. ◆ **contremant** n. m. (1277, *Rose*). 1º Excuse proposée en justice pour faire remettre à plus tard une assignation. — 2º Excuse, retard en général.

contremoier v. (1250, *Ren.;* v. *moier,* diviser par moitié). Mettre en équilibre, équilibrer. *N'estre pas contremoié,* ne pas être de nature comparable. *Au bien contremoier,* à parler proprement.

contremont adv. et prép. Voir CONTRE, préposition.

contrepan n. m. (1160, *Eneas;* v. *pan,* partie). 1º Contrepartie, équivalent : *Bien t'en rendrai lo contrepan* (*Eneas*). — 2º Caution, assurance (1276, G.). ◆ **contrepanir** v. (1304, *Cart.*). Arrêter, saisir.

contrepasser v. (fin XIIᵉ s., *Aym. de Narb.;* v. *passer*). 1º Dépasser. — 2º Atteindre, frapper.

contrepenser v. (fin XIIᵉ s., *Rois;* v. *penser*). Retourner dans son esprit, réfléchir sérieusement.

contrepeser v. (1180, *Rom. d'Alex.;* v. *peser*). 1º Équilibrer par un contrepoids; on pesait les enfants malades devant les tombeaux ou les reliques des saints : les objets qui équilibraient la balance (pain, fromage, etc.) étaient offerts au saint. — 2º Mettre en balance, comparer : *S'il contrepesast vo richece Encontre vostre grant proece* (H. de Cambr.). — 3º Déplaire, répugner. ◆ **contrepesement** n. m. (fin XIIᵉ s., saint Bern.). Représailles.

contreplege, -oige n. m. (1309, *Arch.;* v. *plege*). Caution fournie par le n. f. (1272, Joinv.). Fièvre continue.

contreroler v. (1210, Barbier; voir *role,* du lat. *rotulum,* rouleau). Vérifier, contrôler. ◆ **contreroleur** n. m. (1292, *Britton*). 1º Commis chargé de vérifier les rôles, les registres. — 2º Méticuleux : *Homme moult arrogant, malicieux et contreroleur* (XIVᵉ s., Du Cange). ◆ **contrerole** n. m. (XIVᵉ s.). Registre tenu en double pour vérification.

contrester v. (1080, *Rol.;* lat. pop. **contrastare*). 1º Tenir bon contre quelqu'un, s'opposer : *Ne voloit pas que ele i fust Qu'ele ne li contresteust* (Eneas). — 2º Contester. — 3º *Contrester contre,* s'opposer à. *Contrester que,* empêcher que. — 4º *Non contrestant que,* loc. conj., quoique. ◆ **contrest** n. m. (XIIIᵉ s., *Ass. Jér.*), **-ee** n. f. (1180, *Rom. d'Alex.*), **-ement** n. m. (1220, *Saint Graal*), **-ance** n. f. (1180, *Rom. d'Alex.*). 1º Résistance, opposition. — 2º Contestation, procès. — 3º Combat. ◆ **contrestable** adj. (1260, Br. Lat.). Qui oppose de la résistance.

contretenir v. (1112, *Saint Brand.;* v. *tenir*). 1º Résister, s'opposer à : *Qui est cil qui se contretint Encontre lui si fierement?* (Chr. de Tr.). — 2º Repousser, arrêter. — 3º Disputer, contester : *Ainz li contretint longuement et spploioit deboneremnt* (Saint Eust.). ◆ **contretenement** n. m. (XIIᵉ s., Herman). Opposition, fermeté.

contreval adv. et prép. V. CONTRE, préposition.

contrevaloir v. (1080, *Rol.*; v. *valoir*). Égaler en valeur. ◆ **contrevalor** n. f. (1319, *Assiette*). Compensation.

contribler v. (déb. XIIᵉ s., *Ps. Cambr.*; v. *tribler,* briser). Briser en mille morceaux, écraser : *Il contriblad les portes de arein (Ps. Cambr.).*

contrire v. (1335, Deguil.; lat. pop. **conterire,* pour *conterere).* 1° Briser, broyer. — 2° réfl. Se repentir. ◆ **contrit** adj. (1190, Garn.). 1° Broyé. — 2° Brisé de douleur. ◆ **contricion** n. f. (1120, *Ps. Oxf.*). 1° Action de broyer, de briser. — 2° État de ce qui est brisé, détruit. — 3° Contrition.

controbler v. V. CONTORBER, troubler.

controver v. (xᵉ s., *Saint Léger;* lat. pop. *contropare,* comparer). 1° Imaginer, inventer : *Si nuls voelt contruver u traitier u escrire... (Garn.).* — 2° Inventer mensongèrement. ◆ **contrueve** n. f. (1250, *Ren.*), **controvaille** n. f. (1155, Wace), **-erie** n. f. (xIIᵉ s., *Horn*), **-eure** n. f. (xIIIᵉ s., Th. de Kent), **-ance** n. f. (xIIIᵉ s., *Doon de May.*). 1° Invention, imagination. — 2° Mensonge. — 3° Ce que l'imagination invente, fantaisie. ◆ **controveor** n. m. (1200, *Ren. de Montaub.*). Celui qui trouve, qui imagine (au sens positif et péjor.).

controversie n. f. (1236, *Charte*), **-ion** n. f. (1295, G.; lat. *controversia).* 1° Choc des idées, controverse. — 2° Dispute.

contumace n. f. (1260, Br. Lat.; cf. lat. *contumax, -acis,* obstiné, orgueilleux). Obstination, révolte. ◆ **contumal** adj. (xIIIᵉ s., Bible). Opiniâtre, dur, inflexible. ◆ **contumacer** v. (1266, *Franch.*). Condamner par contumace. ◆ **contumacion** n. f. (1372, *Ord.*). Non-comparution de l'accusé devant la justice.

contusion n. f. (1314, Mondev.; lat. méd. *contusio*). Meurtrissure. ◆ **contuser** v. (1314, Mondev.). Frapper, meurtrir.

convaincre v. (1190, Garn.; lat. *convincere*). 1° Vaincre entièrement. — 2° Prouver, démontrer.

convenir v. V. COVENIR, s'assembler; falloir.

I. **convers** n. m., séjour, fréquentation, commerce amoureux. V. CONVERSER, vivre avec.

II. **convers** n. m., action de tourner, changement. V. CONVERTIR, tourner.

converser v. (xIᵉ s., *Alexis;* lat. *conversare,* fréquenter). 1° Vivre avec, demeurer : *Pois converserent ensemble longement (Alexis).* — 2° Fréquenter. ◆ **convers** n. m. (1160, Ben.), **-ement** n. m. (1160, Ben.). 1° Séjour, retraite. — 2° Fréquentation. — 3° Commerce amoureux. — 4° Manière de vivre. ◆ **conversion** n. f. (xIIᵉ s., *Asprem.*). 1° Vie, manière de vivre. — 2° Habitation, fréquentation. — 3° Commerce charnel : *Et se ma mere fist par sa polison Que mes peres ot a lui conversion, Issus en sui, si esterai preudom (Anseis).* ◆ **conversation** n. f. (1160, Ben.). 1° Fréquentation. — 2° Société. — 3° Genre de vie : *Com il apert en sa deposicion de la vie et de la conversacion du benoiet saint Loys (Mir. Saint Louis).* — 4° Règle monastique. ◆ **conversable** adj. (1121, Ph. de Thaun). Qui vit ordinairement à tel endroit.

convertir v. (xᵉ s., *Fragm. Valenc.;* lat. *convertere,* tourner vers). 1° Tourner. — *Se convertir de,* se détourner de. — 2° Changer. — 3° Convertir (relig.). — 4° Dépenser (xIIIᵉ s.). ◆ **convers** n. m. (xIᵉ s., *Alexis*), **-ion** n. f. (1180, *Rom. d'Alex.*), **-tissement** n. m. (xIIIᵉ s., *Ps.*). 1° Action de se tourner, tour. — 2° Changement, conversion. ◆ **converse** n. f. (fin xIIIᵉ s., J. de Meung). Contraire. ◆ **convers** adj. (1190, Garn.). 1° Tourné. — 2° Qui s'est tourné vers le service de Dieu : *Mieldre convers ne puet de pain mangier (Cour. Louis).* — 3° Converti (s'appl. aux juifs et aux musulmans convertis).

convicier v. (1160, Ben.; lat. pop. **conviciare,* de *convicium*). Injurier :

Son frere despit e convice (Ben.). ◆
convice n. m. (1280, *Cart.*). Injure.

convier, -oier v. (1125, Marb.; lat.
pop. **convitare*). Inviter. ◆ **convi, convoi**
n. m. (1210, *Best. div.*). 1° Invitation, le
fait d'être convié. — 2° Banquet, festin.
◆ **convive** n. m. (fin XIIᵉ s., *Rois*). Festin.
◆ **convieur** n. m. (XIIIᵉ s.). Convive : *De
mauvais hoste bon convier* (proverbe).

convine n. f. V. COVINE, attitude;
accord, assemblée.

I. **convoi** n. m., invitation, banquet.
V. CONVIER, inviter.

II. **convoi**, n. m., cortège, escorte.
V. CONVOIER, accompagner.

convoier v. (XIIᵉ s., *Trist.*; lat. pop.
conviare, faire route ensemble, de *via*).
1° Accompagner : *Yseut o les euz le
convoie* (*Trist.*). — 2° Diriger. ◆ **convoi**
n. m. (1160, Ben.). 1° Cortège. — 2°
Escorte. ◆ **convoior** n. m. (XIIᵉ s., *G.*).
Cheval de train.

convoitier v. V. COVEITIER, désirer,
convoiter.

cooin n. m. V. COING, coing.

cop n. m. V. COLP, coup, fois.

I. **cope** n. f. (fin XIIᵉ s., *Rois; lat.
cuppa*, coupe). 1° Coupe, vase précieux. —
2° Cuve, tonneau. — 3° Cime, monticule.
— 4° Mesure de grain, de sel. ◆ **copel**
n. m. (1190, Garn.). 1° Cime, monticule. — 2° Cimier. — 3° Sommet de la
tête. ◆ **copin** n. m. (déb. XIVᵉ s., J. de
Condé). Coupe. ◆ **copier** n. m. (1162,
Fl. et Bl.). 1° Coupe. — 2° Étui à coupe.
◆ **coponage** n. m. (1305, *Franch.*). Droit
de prélever une coupe de vin sur la vente.
◆ **copillon** n. m. (1256, *Hist. de Metz*).
Droit du quartage, c'est-à-dire, du prélèvement du quarantième des grains vendus.
◆ **copele** n. f. (1341, *Arch.*). Mesure de
terre.

II. **cope** n. f. V. COLPE, péché, faute.

çoper v. V. CHOPER, heurter, buter.

copie n. f. (XIIᵉ s., *Chev. cygne;* lat.
copia, abondance). 1° Abondance,
ressources. — 2° Répétition. — 3° Repro-

duction d'un ouvrage. — 4° Faculté de
reproduire, facilité en général. — 5° Détail
exact.

copler v. (XIIᵉ s., *Part.*; lat. *copulare*).
1° Attacher, lier. — 2° Joindre par
couple, accoupler. — 3° Unir en général :
*Lors coploient quatre chars ensemble ou
cinq* (G. de Tyr). — 4° Se mêler, combattre. ◆ **cople** n. f. (1190, Garn.). 1° Paire.
— 2° Mari et femme. — 3° Accouplement :
*La deffense de cople de mariage ne passe
pas le quart degré* (*Livr. de Jost.*). ◆
coplement n. m. (XIIIᵉ s.). Accouplement.
◆ **coplel** n. m. (1205, *G. de Palerne*).
Lien. ◆ **coupliere** n. f. (1335, *Arch.*).
Charnière.

copoier v. V. COLPOIER, frapper;
railler.

coquart adj. V. COCART, coquet.

I. **coque** n. f. V. COCHE, coquille
d'œuf, coque.

II. **coque** n. f. V. COCHE, bateau pour
voyageurs.

coquebert adj. (1220, Coincy; orig.
obsc.). Nigaud, impertinent : *Li fous
vilains, li coquebers* (Coincy).

coquefabue n. f. (1278, Sarrazin;
orig. obsc.). 1° Animal fabuleux et grotesque. — 2° Invention mensongère, fourberie.

coquenil n. m. (1288, *Ren. le Nouv.;*
probabl. du lat. *coquus;* v. *cou*).
Cuisinier.

coquille n. f. (1260, Br. Lat.; lat.
conchylia, du grec). 1° Coquillage. —
2° Sorte de coiffure féminine en forme de
coquille. — 3° Parties naturelles de la
femme. ◆ **coquillete** n. f. (fin XIIᵉ s.,
Couci). Petite coquille. ◆ **coquillier** n. m.
(1292, *Taille Paris*). Fabricant de coiffes
nommées *coquilles*.

coquin n. m. (fin XIIᵉ s., *Loher.;* orig.
incert.; v. *coque*, coquille, d'où un sens
figuré : faux pèlerin serait possible).
Gueux, mendiant. ◆ **coquinerie** n. f.
(1335, Deguil.). Mendicité.

I. **cor** n. m. V. CUER, cœur. ◆ **coral,
-el** adj. (XIIᵉ s., *Part.*). 1° Du cœur,

intime : *Fu son coural amy toute sa vie*
(Ph. de Nov.). — 2º Cordial, sympathique.
◆ **coros** adj. (fin XIIᵉ s., Guiot). Écœurant,
nauséabond. ◆ **corage** n. m. (1080, *Rol.*).
1º Siège de la vie intérieure : *je doi avoir
grant joie en mon corage* (Couci). —
2º Dispositions de l'âme ou de l'esprit :
sentiments, pensées, volonté : *Chascuns
prit Deu de molt riche corage* (Cour.
Louis). — 3º En particulier, intention,
envie, volonté : *Sa fame, qui out faux
courage, Forja les clous par son outraje
(Passion)*. ◆ **coragié** adj. (1164, Chr. de
Tr.). Animé, qui a le désir, l'intention.
◆ **coraille** n. f. (1160, *Eneas)*, **coree**
n. f. (1180, *Rom. d'Alex.*). Viscères,
entrailles, intestins.

II. **cor** n. m. V. CORN, cor; corne.

III. **cor** conj. et adv. V. QUOR, quand,
alors.

corail n. m. V. COROIL, barre, barrière.

coral n. m. (1125, Marb.; lat. *corallum,
-ium*, du grec). Corail.

corant adj., **coral** adj., rapide, vif.
V. CORE, courir.

coratier n. m. (1268, E. Boil.; prov.
corratier, coureur, intermédiaire dans les
opérations commerciales). Courtier.
◆ **coreter** v. (XIVᵉ s., *Arch.*). Faire le
métier de courtier. ◆ **coratage** n. m.
(1248, G.), **-erie** n. f. (1247, *Acte*). Cour-
tage.

corb, corp, corf n. m. (XIIᵉ s.,
M. de Fr.; lat. *corvum*). Corbeau. ◆ **corbel**
n. m. (1175, Chr. de Tr.), **-in** n. m. (1160,
Ben.). Corbeau. ◆ **corbe** n. f. (1225,
Sept Sages). Femelle du corbeau. ◆
corbat n. m. (1220, Coincy). Corbeau.

I. **corbe** adj. (1265, J. de Meung; lat.
curvum; le masc. a été refait sur le fém.
et les autres formes de la famille). Courbe,
courbé. ◆ **corber** v. (fin XIIᵉ s., *Rois*).
1º Courber, recourber. — 2º Jouir d'une
femme *(Ren.)*. ◆ **corbe** n. f. (1314,
Arch.). Pièce de bois recourbée. ◆ **corbece**
n. f. (1204, R. de Moil.). État de ce qui
est recourbé, courbure.

II. **corbe** n. f., femelle du corbeau.
V. CORB, corbeau.

corbeil n. m. (XIIIᵉ s., *Gloss. Glasg.*),
-eille n. f. (fin XIIᵉ s., *Alisc.*; lat. *corbis*,
panier, et ses diminutifs). Corbeille. ◆
corbellon n. m. (XIIᵉ s., G.), **-ison** n. m.
(1112, *Saint Brand.*). Petite corbeille, cor-
billon. ◆ **corbelinier** n. m. (1292, *Taille*),
corbisier n. m. (1265, *Arch.*). Vannier.

corcel n. m. V. CORTISEL, jardinet.

I. **corcier** v. (XIIIᵉ s.; lat. pop. **cur-
tiare*, de *curtus*, court). Raccourcir,
abréger. ◆ **corcier** adj. (1180, *Rom.
d'Alex.*). Qui raccourcit, diminue : *voie
corsiere (Rom. d'Alex.)*.

II. **corcier** v. V. COROCIER, affliger,
fâcher, vexer.

corcoril n. m. V. COCATRIS, crocodile.

corde n. f. (1175, Chr. de Tr.; lat.
chorda, du grec). Corde. ◆ **cordel** n. m.
(XIIᵉ s., *Trist.*), **-ele** n. f. (1180, *Rom.
d'Alex.*). Petite corde, ficelle. ◆ **cordail**
n. m. (1294, *Arch.*). Corde, ficelle. ◆
cordeis adj. et n. m. (XIIᵉ s., *Barbast.*).
1º adj. Fait de cordes (épith. ordinaire
de lit). — 2º n. m. Sangle de lit. ◆ **corder**
v. (1268, E. Boil.). 1º Mesurer. — 2º Corder. ◆ **cordage** n. m. (1344, *DDN*). Droit
de mesure à la corde. ◆ **cordé** n. m.
(1175, Chr. de Tr.). Étoffe de laine à
trame grossière. ◆ **cordeure** n. f. (1268,
E. Boil.). 1º Action de corder. —
2º Trame. ◆ **cordelois** n. m. (1288, *Ren.
le Nouv.*). Cordelier (moine).

corder v. (XIIIᵉ s., *Artur*; lat. *cor*,
cœur). Accorder.

cordoan adj. (1160, *Charr. Nîmes*;
du nom de la ville de Cordoue). 1º De
cuir de Cordoue. — 2º De cuir. ◆ **cordoan**
n. m. (1175, Chr. de Tr.). 1º Cuir. —
2º Chaussure de cuir.

cordueil, -oil n. m. (XIIIᵉ s.; lat.
cordolium, peine de cœur). Chagrin,
désespoir : *A orgueil Ne manque de
corredueil* (proverbe).

I. **core, corre, curre** v. (XIᵉ s.,
Alexis; lat. *currere*). 1º Courir. — 2º *Corre
seure, sus*, s'élancer pour attaquer,
assaillir. — 3º Circuler (en parlant du
vin) : *Laissiés courre che vin entour*
(J. Bod.). ◆ **corement** n. m. (1293, *Cart.*).
1º Action de courir. — 2º Incursion.

◆ **corance** n. f. (fin XIIIe s., *Sydrac*). 1° Courant d'eau. — 2° Avalanche de pierres. ◆ **corre** n. m. (fin XIIe s., *Rois*). Char. ◆ **corant** n. m. (1213, Villeh.). 1° Cours d'eau. — 2° Diarrhée. ◆ **corante** n. f. (1325, *Chron. Morée*). Diarrhée. ◆ **coreor** n. m. (1160, *Eneas*). 1° Qui court vite. — 2° Éclaireur. ◆ **corlieu, -liu, -lain** n. m. (1160, Ben.; comp. de *core* et de *lieu*, léger, du lat. *levem*). 1° Coureur. — 2° Messager : *Seés vous dont, sire courlieu* (A. de la Halle). — 3° *La gent corliue*, les pions du jeu d'échecs (Ben.). ◆ **corant** adj. (XIIe s., *Auc. et Nic.*). Vif, rapide. ◆ **coral** adj. (XIIe s., *Asprem.*). Courant, rapide, en parlant du cheval, du courant d'eau, etc. ◆ V. CORS, course, galop.

II. **core** n. f. V. CUERE, confrérie.

corecier v. V. COROCIER, affliger, vexer.

coreer v. V. CONREER, mettre en ordre, préparer.

corf n. m. V. CORB, corbeau.

corgie, corgiee n. f. (XIIe s., *Barbast.;* lat. pop. *corrigiata* ou lat. *corrigea*, courroie). 1° Lanière, courroie. — 2° Fouet fait de plusieurs courroies. ◆ **corgier, -oier** v. (XIIIe s.). Fouetter, battre à coups de lanières. ◆ **corion** n. m. (XIIe s., *Chev. deux épées*). Cuir, lanière de cuir. ◆ **corioner** v. (1220, Coincy). 1° Fouetter. — 2° Poursuivre, harceler. ◆ **coroie** n. f. (1080, *Rol.*). Ceinture. *Corroies ointes*, bourse pleine. ◆ **coroiete** n. f. (1160, *Eneas*). 1° Petite courroie. — 2° Bande de parchemin.

coriandre n. m. (1318, *DDN;* lat. *coriandrum*, du grec). Plante utilisée comme condiment.

corine n. f. (1155, Wace; lat. pop. *cholerina*, dimin. de *cholera*, bile; avec infl. prob. de *cor*, cœur). 1° Entrailles. — 2° Colère, haine. — 3° Obstination : *Mais de vostre corine ne vus puet nuls geter* (Garn.). ◆ **corin** n. m. (fin XIIe s., *Auberi*). Colère. ◆ **coriner** v. (XIIIe s., *Anseis*). 1° Etre en colère. — 2° Haïr. — 3° Etre affligé.

I. **corlieu** n. m. (XIIIe s., Bible; orig. onomat.). Courlis.

II. **corlieu, corliu** n. m., coureur, messager. V. CORE, courir.

cormareng, -reg n. m. (XIIe s.). comp. de *corp*, corbeau, et de l'adj. *marenc*, marin). Cormoran.

corme n. f. (1265, J. de Meung; lat. pop. *corma*, d'orig. gaul.). Fruit du sorbier domestique. *La corme verte*, le poison.

cormort n. m. (1309, *Cart. de Ponthieu;* mot comp.). Héritage.

corn, cor n. m. (1080, *Rol.;* lat. *cornum*, corne). 1° Corne. — 2° Force, puissance. — 3° Cor, trompette. *Cor a doits* (fin XIIIe s.). *Cor sarrazinois* (1275, *Jeh. et Blonde*). — 4° Coin, bout : *Asis furent as quatre cors (Eneas)*. ◆ **corne** n. f. (1120, *Ps. Oxf.*). 1° Corne d'animal. — 2° Force, puissance. — 3° Coin. ◆ **cornet** n. m. (XIIe s., *Auc. et Nic.*). 1° Petit cor, instr. de musique. — 2° Petite corne. — 3° Coin, recoin. ◆ **coron** n. m. (XIIe s., *Chev. cygne*). 1° Coin, angle. — 2° Bout, extrémité. *Venir a coron*, venir à bout de. *A un coron*, tout d'une file. *Le coron*, tout le long, jusqu'au bout. — 3° Proue d'un navire. — 4° But, fin. ◆ **cornon** n. m. (fin XIIIe s., *Sydrac*). 1° Corne. — 2° Coin. — 3° Aile, en parlant d'une armée (J. de Priorat). ◆ **cornee** n. f. (fin XIIe s., *Loher.*). 1° Coup de corne. — 2° Son du cor, son de ce son. — 3° Coin, angle. ◆ **corneis** n. m. (1160, Ben.), **-ement** n. m. (1335, Deguil.), **-eure** n. f. (fin XIIIe s., J. de Meung). 1° Son du cor. — 2° Sonnerie. — 3° Tapage. ◆ **corniere** n. f. (1155, Wace). 1° Corne. — 2° Coin, angle. ◆ **corniart** n. m. (XIIe s., *Part.*). Espèce de trompette. ◆ **cornison** n. f. (XIIIe s., *Anseis*). Retentissement de la trompette. ◆ **corneor** n. m. (déb. XIIIe s., R. de Beauj.), **-ier** n. m. (fin XIIe s., *Rois*). Sonneur de cor. ◆ **cornetier** n. m. (1348, *Arch.*). Fabricant de cors de chasse. ◆ **cornage** n. m. (1249, *Arch.*). Droit sur les bêtes à cornes. ◆ **cornal** n. m. (1328, G.). 1° Quartier de ville. — 2° Coin, angle. ◆ **cornete** n. f. (XIIIe s.). Coiffe de femme. ◆ **cornart** n. m. (1265, J. de Meung). Mari trompé. ◆ **cornardie**

n. f. (1277, *Rose*). 1° Sottise, bêtise. — 2° Injure. ◆ **cornier** adj. (XIIᵉ s.). 1° En forme de corne. — 2° Qui fait le coin. ◆ **cornin** adj. (1160, *Eneas*). Qui est fait en corne. ◆ **cornu** adj. (fin XIIᵉ s., *Alisc.*). 1° Pointu. — 2° Désagréable, sot.

I. **corne** n. f. (1175, Chr. de Tr.; lat. *corna*, pl. n. de *cornum*, cornouille). Fruit du cornouiller. ◆ **corneille, -elle, -olle** n. f. (1175, Chr. de Tr.). Cornouille.

II. **corne** n. f., corne, puissance, coin. V. CORN, corne, cor.

corocier v. (XIᵉ s., *Alexis;* lat. pop. *corruptiare*, de *corruptus*, corrompu, aigri). 1° Fâcher, courroucer. — 2° Vexer, outrager. — 3° Affliger. — 4° n. m. Chagrin violent. ◆ **corot, coroz** n. m. (Xᵉ s., *Saint Léger*). **coroce** n. f. (XIIᵉ s., *Conq. Irl.*), **-ement** n. m. (XIIᵉ s., *Ps.*). 1° Chagrin. — 2° Courroux, indignation. — 3° Vexation. ◆ **coroços, corços** adj. (Xᵉ s., *Saint Léger*). 1° Courroucé, indigné. — 2° Affligé. ◆ **coroçable** adj. (1260, Br. Lat.). Emporté, colère.

coroie n. f. V. CORGIE, lanière.

coroil, -ail, n. m. (XIIᵉ s., *Pr. d'Orange*), **-oille** n. f. (1313, Godefr. de Paris; peut-être du lat. pop. *curruculum*). Barre, barrière, verrou. ◆ **coroillier** v. (1170, *Fierabr.*). Verrouiller.

corompre v. (1190, Garn.; lat. *corrumpere*). 1° Rompre, briser, détruire. — 2° Induire en péché. — 3° Manquer à la parole. ◆ **corompement** n. m. (XIIIᵉ s.). 1° Corruption, en parlant des choses. — 2° Corruption, en parlant des personnes. — 3° Infraction. ◆ **corruption** n. f. (1119, Ph. de Thaun). 1° Corruption morale : *corruption de pechié, corruption de char.* — 2° Action de blâmer, blâme. ◆ **corompable** adj. (1190, saint Bern.). 1° Qui peut être altéré, violé. — 2° Qu'on peut corrompre. — 3° Corruptible, en mauvais état.

coron n. m. V. CHORON, sorte de cithare.

corone n. f. (fin XIᵉ s., *Lois Guill.;* lat. *corona,* du grec). 1° Couronne. —

2° Tonsure. ◆ **coroner** v. (Xᵉ s., *Saint Léger*). 1° Couronner, mettre en couronne. — 2° Tonsurer. ◆ **coroneor** n. m. (XIIIᵉ s., *Fabl. d'Ov.*). Celui qui couronne.

corp n. m. V. CORB, corbeau.

corpe n. f. V. COLPE, péché, faute.

corre v. V. CORE, courir, circuler.

I. **cors** n. m. (Xᵉ s., *Eulalie;* lat. *corpus*). 1° Corps, par opposition à l'âme : *On a veu souvent grant cuer en cors petit!* (J. Bod.). — 2° Vie : *Si chier que vous avés vos cors* (J. Bod.). — 3° Personne humaine, avec insistance : *Au rei Gormund mist espie, joster i vait sun cors meimes* (Gorm. et Is.). *Son cors, mon cors,* substituts étoffés du pron. pers., l'adj. possess. indiquant la personne à laquelle on se réfère. — 4° Vêtement couvrant le corps, manteau. ◆ **corsage, -age** n. m. (1175, Chr. de Tr.). 1° Corps, personne. — 2° Volume, grosseur du corps : *Moult est petite [la pierre] en corsage* (Lapid. Cambr.). — 3° En particulier, le buste, le tronc. ◆ **corset** n. m. (fin XIIᵉ s., *Auc. et Nic.*). 1° Petit corps. — 2° Vêtement de dessus. — 3° Partie ajustée du *bliaut*, corsage. ◆ **corselet** n. m. (fin XIIᵉ s., saint Grég.). 1° Petit corps. — 2° Partie de cuirasse. ◆ **corsu** adj. (XIIᵉ s., *Chev. cygne*), **corporu** adj. (1155, Wace), **corporos** adj. (XIIᵉ s., *Trist.*). 1° Bien bâti, membré. 2° Corpulent, gros. ◆ **corporien** adj. (1190, saint Bern.), **ol** adj. (1190, Garn.). Corporel. ◆ **corser** v. (1220, *Saint-Graal*). Saisir à bras le corps. ◆ **corporer** v. (XIIIᵉ s., *Gloss. gall.-lat.*). Donner un corps à. ◆ **corsaint** n. m. (1180, *R. de Cambr.;* comp. de *cors*, corps, et *saint*). 1° Eucharistie. — 2° Reliques. ◆ **corpus domini** n. m. (fin XIIᵉ s., *Loher.*). Eucharistie.

II. **cors** n. m. (1080, *Rol.;* lat. *cursum;* v. *core*, courir). 1° Course, galop. *Le cors, plein cors, a grant cors,* rapidement. *A droit cors,* en ligne directe. — 2° Élan : *Le dragonn prent son cours de lyons pur durement fervr* (F. Fitz Warin). — 3° Conférence (XIIIᵉ s.). **corsee** n. f. (1312, *Arch.*). Course, chevauchée. ◆ **corsal** adj. (XIIᵉ s., *Asprem.*). 1° Qui court bien, rapide. — 2° Courant, répandu.

— 3° En parlant de femme, coureuse, libertine. ◆ **corsier** adj. (1160, *Athis*). 1° Rapide, en parlant de chevaux, de bateaux, de flèches. — 2° Coureuse, en parlant d'une femme. — 3° Qui abrège. *Porte corsiere,* porte dérobée dans les murs d'une ville permettant d'effectuer des sorties. ◆ **corsier** n. m. (1160, *Eneas*). 1° Cheval. — 2° Course. — 3° Courrier. ◆ **corsiere** n. f. (1288, J. de Priorat). Chemin raccourci. ◆ **corsif** adj. (fin XIIᵉ s., *Loher.*), **-il** adj. (fin XIIᵉ s., *Loher.*). Rapide, prompt à la course. ◆ **corsin** n. m. (fin XIIᵉ s., *Auberi*). Cheval de course, coursier.

corsin n. m. V. CAORSIN, banquier, usurier.

I. **cort** n. f. (1080, *Rol.;* d'après le lat. *curia,* par fausse étym., du lat. pop. *cortis,* du lat. *cohors, -ortis,* cour de ferme). 1° Ferme, domaine rural. — 2° Fêtes des noces. — 3° Domaine seigneurial et royal. — 4° Entourage du roi, assemblée de vassaux. *Tenir cort,* tenir conseil. — 5° Cour de justice. ◆ **cortoier** v. (fin XIIᵉ s., *Cour. Louis*). Vivre à la cour, séjourner à la cour. ◆ **cortil** n. m. (1150, Wace). 1° Petite cour. — 2° Jardin. — 3° Toute sorte d'enclos. ◆ **cortillet** n. m. (1309, *Arch.*), **-illiere** n. f. (1347, *Arch.*), **-isel** n. m. (1224, *Arch.*). Petit jardin, jardinet. ◆ **cortilleor** n. m. (XIIᵉ s.), **-ier** n. m. (fin XIIᵉ s., saint Grég.). Jardinier. ◆ **cortin** n. m. (XIIᵉ s.). Nom de l'épée de Charlemagne et, plus tard, d'Ogier. ◆ V. CORTOIS, courtois.

II. **cort** adj. (1080, *Rol.*/ lat. *curtum*). 1° Court, bref. — 2° Corsé, en parlant du vin. — 3° *Tenir cort,* serrer de près, imposer des règles trop strictes. ◆ **cortet** adj. (XIIIᵉ s., Bible). Dimin. de court. ◆ **cortece** n. f. (1260, Br. Lat.). 1° Brièveté : *La cortesce des paroles* (Br. Lat.). — 2° Insuffisance, manque de. ◆ **cortibaut** n. m. (1345, G.). Espèce de tunique ou d'habit court. ◆ **cort baston** n. m. (1288, J. de Journi). Sorte de jeu. ◆ V. CORCIER, raccourcir.

corte n. f. V. COLTE, matelas, lit de plume.

cortel n. m. V. COLTEL, couteau.

cortine n. f. (1160, *Eneas;* bas lat. *cortina,* tenture). Rideau de lit, tenture. ◆ **cortiner** v. (XIIᵉ s., *Horn*). 1° Tapisser. — 2° Parer.

cortois, corteis adj. (1080, *Rol.;* v. *cort,* cour). 1° Courtois, qui agit conformément à l'idéal de la vie noble (épithète souvent accouplée avec *preus*). — 2° Courtois, de bon ton, de bonnes manières : *Beaus et cortois, pleins de chevalerie* (Roncev.). — 3° Opposé à vilain, au sens social : *Je n'i lesse mie atouchier Chascun vilain, chascun porchier; Ains doit estre cortois et frans Cil de qui tel servise prens* (Rose). — 4° De bonne compagnie. ◆ **cortoisie** n. f. (XIIᵉ s., C. de Béth.). 1° Courtoisie, comportement noble, bonnes manières. — 2° Cadeau. — 3° Service gracieux. — 4° Intérêts : *Il havoit en corteisie de cinc souls* (1287, *Arch.*).

coruil n. m. V. COROIL, barre, verrou.

coruption n. f., corruption, blâme. V. COROMPRE, rompre.

corvee n. f. (1160, Ben.; lat. pop. *corrogata opera,* travail en participation). 1° Travail imposé, dû au seigneur par les corvéables. — 2° Champ cultivé par les paysans corvéables. — 3° Terre cultivée en général. — 4° Tâche pénible. ◆ **corvage** n. m. (1288, G.). Corvée.

corvisier n. m. (1213, *Charte;* lat. pop. **cordovesarium,* de **cordovesem,* de Cordoue). Cordonnier, savetier. ◆ **corviserie** n. f. (1325, *Arch.*). Métier de cordonnier.

cos, cous, cols, coup adj. et n. m. (1209, G.; lat. pop. **cucum,* du grec *kokkax,* dont *cuculus,* coucou, serait le dérivé). Cocu : *Je li voldrai coper les cous Par coi je sui elnol et cous* (De Connebert, fabl.). ◆ **coupe** n. f. du précédent (1277, *Rose*). Femme trompée.

cosdre, coutre v. (1138, *Saint Gilles;* lat. pop. **cosere,* pour *consuere*). 1° Coudre. — 2° Appliquer. — 3° Se jeter dans la mêlée (Guiart). ◆ **costure** n. f. (1157, G. d'Arras). Action de coudre, couture : *Onc d'ovre a feme ne cure Ne de filer ne de costure* (Eneas).

cose n. f. V. CHOSE, chose, affaire, créature.

coser v. V. CHOSER, disputer, blâmer.

cosinage n. m. (1292, *Britton;* orig. obsc.). Excommunication.

cospel n. m. V. COISPEL, pointe, garniture du manche d'une arme, copeau.

I. cosson n. m. (fin XIII⁰ s., *Tourn. Enfer;* lat. *cossus,* vers de bois, par ext., larve, insecte). Charançon.

II. cosson n. m. V. COÇON, marchand, revendeur.

I. cost, coste n. m. (déb. XII⁰ s., *Voy. Charl.;* lat. *costus*). Sorte d'épice, le *costus hortensis.*

II. cost, n. m., **coste** n. f., coût, dépense. V. COSTER, coûter.

I. coste n. f. (1268, E. Boil.; orig. obsc.). 1⁰ Panier. — 2⁰ Mesure de capacité pour liquides. ◆ **costerel** n. m. (XII⁰ s., *Trist.*). 1⁰ Flacon, vase. — 2⁰ Mesure de liquides. ◆ **costeret** n. m. (1282, *Arch.*). 1⁰ Petit panier. — 2⁰ Mesure de liquide.

II. coste n. f. (XII⁰ s., *Roncev;* lat. *costa,* côte, côté.). 1⁰ Côté, rivage. — 2⁰ Côté, flanc. — 3⁰ Côté. ◆ **costel** n. m. (XII⁰ s., *Asprem.*). 1⁰ Côté, flanc. — 2⁰ Côte, pente. ◆ **costé** n. m. (1080, *Rol.;* élimine progress. *lez*). 1⁰ Côte, flanc. — 2⁰ Situation : *Namur qui gist en mauvais costei (Chron Reims).* — 3⁰ *Par de costé,* indirectement. ◆ **costiere** n. f. (1160, Ben.). 1⁰ Côté en général. — 2⁰ Côté gauche : *A destre et a costiere,* à droite et à gauche. — 3⁰ Côte de la mer. *Vent de costiere,* brise de côte. — 4⁰ Voiles pour naviguer le long des côtes. — 5⁰ Coteau. — 6⁰ Côté, flanc. — 7⁰ Ligne collatérale de parenté. ◆ **costil** n. m. (1112, *Saint Brand.*). Côte, coteau. ◆ **costis** n. m. (1160, Ben.). Coteau. ◆ **costure** n. f. (1250, *Ren.*). Côté. ◆ **costu** adj. (1175, Chr. de Tr.), -é adj. (XIII⁰ s., *Doon de May.*). Qui n'est pas rond, qui a des côtés, dont les côtés ont des aspérités (en parl. de lance, de bois en général).

III. coste prép. (XII⁰ s., *Asprem.;* v. *coste,* côte). A côté de : *Coste la fontuine* (1344, *Arch.*). *En coste,* à côté de : *En coste lui a colcié son espié (Asprem.).*

IV. coste n. f. V. COLTE, couverture, matelas, coussin.

V. coste n. f., coût, dépense. V. COSTER, coûter.

VI. coste n. m. V. COST, sorte d'épice.

costeir v. V. CUSTOIR, fournir, soigner, gouverner.

costel n. m. V. COLTEL, couteau.

coster v. (*Gorm. et Is.;* lat. *constare,* spéc. en lat. pop. pour indiquer le prix), 1⁰ Coûter. — 2⁰ Coûter de la peine. ◆ **cost** n. m. (1155, Wace), **-e** n. f. (1112, *Saint Brand.*), **-ement** n. m. (1169, Wace), **-age** n. m. (1219, *Arch.*). Coût, dépense. ◆ **costange, -ainge,** n. f. (1155, Wace). 1⁰ Coût, dépense, frais. — 2⁰ Prix, valeur d'une chose. ◆ **costangier** v. (1229, *Cart.*). 1⁰ Payer les frais ou les services. — 2⁰ Induire en dépense (XIV⁰ s.). ◆ **costengeus** adj. (1337, *Ord.*). Coûteux.

costever v. (XIII⁰ s., *Gloss. lat.-fr.;* lat. *constipare*). Constiper.

costiver v. V. COTIVER, orner, adorer, cultiver.

costor n. m. cas rég., **costre** cas suj. (XII⁰ s., *Alexis;* bas lat. *custor, custorem,* pour *custodem*). 1⁰ Gardien. — 2⁰ Sacristain. ◆ **costrerie, costerie** n. f. (1096, *Charte lat.*). Office du *costor.* ◆ **costeir, -oir** v. (1080, *Rol.*). 1⁰ Garder. — 2⁰ Fournir ce qui est nécessaire, soigner : *Li emperere fait Rollant costeir (Rol.).* — 3⁰ Prendre soin de soi, se parer : *Car vous alés baignier et costeir (Loher.).* — 4⁰ Cultiver la terre. — 5⁰ Gouverner.

costume n. f. (1080, *Rol.;* lat. *consuetudinem*). 1⁰ Habitude : *Sa custume est qu'il parolet a leisir (Rol.). Avoir a costume,* user habituellement de. 2⁰ Impôt, droit, montant du droit à payer. — 3⁰ Manières, affabilité (XIII⁰ s.). ◆ **costumer** v. (1316, *Arch.*). 1⁰ Accoutumer. — 2⁰ Avoir l'habitude. ◆ **costu-**

mage n. m. (XIIᵉ s., *Horn*), **-ance** n. f. (1288, J. de Priorat). 1º Habitude. — 2º Impôt, redevance. ◆ **costumel** adj. (1190, J. Bod.). 1º Habituel. *Costumel de*, coutumier de. — 2º Soumis à la coutume, c'est-à-dire à tel service ou telle redevance. — 3º n. m. (1338, *Arch.*). Sorte de redevance. ◆ **costumable** adj. (1304, *Year Books*). Soumis au service ou à la redevance.

I. **cote** n. f. (1138, *Saint Gilles;* francique **kotta*). 1º Partie supérieure du vêtement. — 2º Tunique d'homme. — 3º Habillement du chevalier. ◆ **cotel** n. m. (1190, Garn.). 1º Cotte de mailles. — 2º Sorte d'étoffe. ◆ **cotele** n. f. (1190, Garn.). 1º Vêtement de femme, robe. — 2º Habillement d'homme, petit manteau court. ◆ **coterel** n. m. (XIIᵉ s., *Blancandin*). 1º Cotte, en particulier cotte d'armes. — 2º Mercenaire habillé d'une cotte courte. — 3º Pillard, bandit.

II. **cote, code** n. m. (XIIᵉ s., *Roncev.;* lat. *cubitum*). 1º Coude. — 2º Coudée.

III. **cote** n. f. V. COLTE, couverture.

cotin n. m. (1169, Wace; dimin. de **cote* non attesté, du germ. *kote*, cabane). Cabane. ◆ **coterie** n. f. (1376, *Arch.*). Bien roturier soumis à une redevance. ◆ **cotage, quotage** adj. (1296, *Cart. de Pontoise*). *Cens cotage*, cens payé pour un tènement en roture. ◆ V. CAUSEL, tenure en coterie.

cotir v. (1277, *Rose;* orig. incert.). Heurter de front : *Li flots la hurtent* [la roche]... *Et maintes fois tant i cotissent que...* (*Rose*).

cotiser v. V. QUOTISER, taxer.

cotiver, coltiver, costiver v. (1121, Ph. de Thaun; lat. méd. *cultivare*, de *cultus*). 1º Adorer, en parlant d'une divinité : *Un tenple fist auprés Dido, Ou costivee estoit Juno (Eneas).* — 2º Servir, vivre religieusement. — 3º Parer, orner. — 4º Cultiver, labourer. ◆ **cotivement** n. m. (XIIᵉ s., *Ps.*). 1º Action d'honorer, culte. — 2º Terre cultivée. ◆ **cotivage** n. m. (XIIᵉ s.). 1º Pièce de terre cultivée. — 2º Culture des terres, labourage. ◆ **cotiveure** n. f. (1270, Ruteb.), **-oison** n. f.

(1304, *Arch.*). Culture. ◆ **coutiveor** n. m. (1120, *Ps. Oxf.*), **-ier** n. m. (1155, Wace). 1º Cultivateur, laboureur. — 2º Habitant. — 3º Qui cultive quelque chose, une vertu, par exemple. — 4º Adorateur. ◆ **coture, costure** n. f. (1170, *Percev.*). 1º Culte. — 2º Champ labouré, terre cultivée et ensemencée. — 3º Redevance à laquelle ces terres étaient soumises. ◆ **couturer** v. (1323, *Arch.*). Cultiver. ◆ **couturier** n. m. (1309, *Arch.*). Cultivateur. ◆ **cultif** adj. (1207, *Cart.*), **-ible** adj. (1200, G.). Labourable, cultivable.

cotre n. f. V. COLTE, matelas, lit de plume.

cou, cous, coeu n. m. (1080, *Rol.;* lat. *coquus*, de *coquere*, cuire). Cuisinier, queux.

çou dém. neutre. V. ço, cela, ce.

I. **cous** n. m. (XIIIᵉ s., *Gloss. gall.-lat.*). Sorte de bateau, carrache.

II. **cous, coup** adj. et n. m. V. COS, cocu.

III. **cous** n. m. plur. V. COIL, testicule.

IV. **cous** n. m. V. COU, cuisinier.

coutre v. V. COSDRE, coudre, appliquer, se jeter dans la mêlée.

coveitier, convoitier, -ir v. (1155, Wace; lat. pop. **cupidietare*, alt. de *cupiditas*, de *cupidus*, avide). 1º Désirer ardemment. — 2º Convoiter. ◆ **covoitié** n. f. (XIIᵉ s., C. de Béth.), **-ise** n. f. (1180, G. d'Arras), **-aille** n. f. (1180, *Rom. d'Alex*), **-ance** n. f. (XIIIᵉ s.). Désir, convoitise : *Plus en croisa covoitiés ke creance* (C. de Béth.). ◆ **coveitos** adj. (1138, *Saint Gilles*). 1º Désirable, de grand prix. — 2º Égoïste : *Dehaiz ait cuers coveitos, Fausse, plus vaire ke pie, ki m'envoia en Surie!* (C. de Béth.).

covenir, convenir v. (1080, *Rol.;* lat. *convenire*, venir ensemble). 1º S'assembler, se réunir. — 2º Faire selon sa volonté : *Rois, or m'en laisse convenir Et a ma volenté sortir (Trist.). Metre el covenir*, laisser à la décision de.

— 3° Falloir : *Or m'i convenra morir Por vos, amie (Auc. et Nic.)* ◆ **covent, convent** n. m. (1155, Wace). 1° Convention, accord, marché. — 2° Engagement, promesse : *Par le couvent que li feistes (Atre pér.). Metre en covent*, s'engager, garantir. *Avoir en covent*, promettre. — 3° *Par un convent*, formule de promesse : je m'y engage, je vous assure. — 4° *Par covent que*, loc. conj., à condition que. ◆ **coventer** v. (XIII° s., trad. d'une charte de 1254). 1° Faire une convention. — 2° Promettre. ◆ **covenant** n. m. (1155, Wace). 1° Accord, stipulation. — 2° Promesse, parole. *Avoir en covenant*, promettre par engagement solennel. *Faillir de covenant*, manquer à ses engagements. — 3° Intention, désir : *Por miex couvrir son convenant, Si dist : Mengiés, je vous em pri (Couci)*. ◆ **covenant** adj. (XIII° s., *Chans. d'Ant.*). Convenable. *Comme vous est covenant?*, comment allez-vous? ◆ **covenancier** n. m. (1330, *Ren. le Contref.*). Celui qui fait un accord. ◆ **covence** n. f. (XII° s., *Parise*), **covenance** n. f. (1160, *Eneas*). 1° Ce qui est convenu, accord, traité. — 2° Promesse. — 3° Union. — 4° Convenance. *De convenance*, comme il convient. — ◆ **covencier** v. (1320, *Cart.*), **covenancier** v. (1190, Garn.). 1° Faire un accord. — 2° Promettre. ◆ **coveniancie** n. f. (1190, J. Bod.). Ce qui est conclu, accord. *Par tel coveniancie*, à condition que. ◆ **covenue** n. f. (1120, *Ps. Oxf.*). 1° Rencontre, réception, accueil. — 2° Rapports sexuels. — 3° Grande réunion. — 4° Situation, disposition. ◆ **covenable** adj. (1160, Ben.). Ce qui convient, ce qui est aisé. ◆ **covenableté** n. f. (1120, *Ps. Oxf.*). 1° Ce qui est convenable, opportunité. — 2° Facilité, aptitude.

cover v. (XII° s., *Ps.*; lat. *cubare*, être couché, spéc. pour les volatiles en lat. pop.). 1° Couver. — 2° Choyer (XIII° s.). ◆ **covenent** n. m. (XIII° s.). Action de couver. ◆ **coveis, -ice** adj. f. (1260, Br. Lat.), **-aire** adj. f. (1260, Br. Lat.). Couveuse. ◆ **coveté** n. f. (1175, Chr. de Tr.). Affaiblissement. ◆ **coveter** v. (fin XII° s., *Loher*). Recouvrir. ◆ **coveillier** v. (1190, J. Bod.). Receler : *Mar i emblastes le tresor, Et l'estes mal l'a couveillé!* (J. Bod.).

covercle n. m. (XII° s.; lat. *coperculum*, ce qui recouvre, couvercle). ◆ **covercler** v. (fin XII° s., *Alisc.*). 1° Munir d'un couvercle. — 2° Couvrir. ◆ **coverclé** adj. (1180, *Rom d'Alex.*). 1° Qui a un couvercle. — 2° Recouvert. ◆ **covercel** n. m. (XII° s., *Ps.*). 1° Couvercle, couverture. — 2° Ciel de lit. — 3° Étoffe servant à couvrir les meubles.

covert n. m. (XII° s., *Part.*; p. passé de *covrir*). 1° Ce qui sert à couvrir. — 2° Lieu couvert. ◆ **coverte** n. f. (XII° s., *Florim.*). 1° Tout ce qui sert à couvrir. — 2° Feinte, ruse. *Armé a la coverte*, qui porte ses armes sous l'habit. *A la coverte*, à l'abri, de façon dissimulée. *Faire la coverte de* quelque chose, la couvrir, la dissimuler. ◆ **coverter** v. (1170, *Fierabr.*). Couvrir. ◆ **covertis, covretis** n. m. (fin XII° s., *Loher*). 1° Couverture. — 2° Rempart. — 3° Droit d'étalage sous un marché couvert. ◆ **covertoir** n. m. (XI° s., *Alexis*), **-or** n. m. (1160, Ben.). Couverture. ◆ **coverture** n. f. (1155, Wace). 1° Ce qui sert à couvrir, à protéger, à défendre. — 2° Toiture. — 3° Feinte, dissimulation. — 4° Pensée secrète. ◆ **coverturier** n. m. (1319, *Comptes*). 1° Couverture. — 2° Fabricant de couvertures de lit.

covir v. (X° s., *Saint Léger;* lat. pop. *cupire*, pour *cupere*). 1° Désirer. — 2° Convoiter. ◆ **covise** n. f. (XII° s., *Florim.*), **oit** n. m. (1278, Sarrazin). 1° Vif désir, envie. — 2° Convoitise. ◆ **covin** n. m. (XII° s., *Horn*). 1° Pensée. — 2° Intention, projet. ◆ **covine** n. f. (XI° s., *Alexis*). 1° Attitude, état, manière d'agir : *Cil ki cellent lor faulse covine* (C. de Béth.). — 2° Assemblée, réunion. — 3° Accord secret : *Ele estoit son pere cremanz, Quar, s'il lor couvine seust, Plus tost mariee l'eust* (H. de Cambr.). — 4° Rapports sexuels.

covrer v. (XII° s., *Gorm. et Is.*; lat. pop. **cuperare*, pour *recuperare*). 1° Saisir, empoigner : *Par les dous resnes le cobra (Gorm. et Is.).* — 2° Recouvrer. — 3° Se rétablir.

covrir v. (1080, *Rol.*; lat. *cooperire*, couvrir entièrement). 1° Couvrir, recouvrir. — 2° Mettre l'armure : *tuit sont covert que mens que pié* (et les mains et les pieds) *(Trist.).* — 3° Protéger. — 4° *Covrir soi de,* se mettre à l'abri au moyen de, se garantir par. — 5° Cacher, dissimuler : *Voix ma dolour covrant (Estamp.).* ◆ **covrement** n. m. (1120, *Ps. Oxf.*), **covrance** n. f. (1138, *Saint Gilles*). 1° Action de couvrir, de cacher. — 2° Dissimulation, feinte. — 3° Acquisition. — 4° Couverture. ◆ **covrage** n. m. (1313, *Arch.*), **-ison** n. f. (1180, *Rom. d'Alex.*). Ce qui sert à couvrir. ◆ **couvraine** n. f. (1301, G.). Temps des semailles d'automne. ◆ **covreor** n. m. (1268, E. Boil.). Celui qui défend, qui protège. ◆ V. **covert** n. m., ce qui sert à couvrir.

craant n. m. V. CREANT. promesse, agrément.

crabacier v. (XIe s., *Alexis;* dér. de *crepare,* crever). 1° Crever, écraser. — 2° Renverser, détruire.

crabosse n. f. (déb. XIVe s., *Pass. Palat.;* v. *caboce,* bosse et les dérivés de *caput,* d'orig. méridionale). Tête, caboche : *Compains, com tu as autre prise Qui te dourroit sus la crabosse! (Pass. Palat.).*

crafe n. f. (1220, Coincy; germ. *crape,* écaille). Ecaille. ◆ **crafer** v. (1220, Coincy). Ecailler : *Com a poissons quant on les craffe* (Coincy).

craier n. m. (1334, *Arch.;* orig. obsc.). Petit bâtiment de guerre, à trois mâts, en usage dans les mers du Nord.

crais adj. V. CRAS, gras. ◆ **craisset** n. m. (1286, G.). 1° Sorte de lampe. — 2° Torche imprégnée de poix, de suif et d'huile utilisée par les hommes du guet.

cramas n. m. (1332, *Arch.*), **-is** n. m. (1348, *Gloss. lat.-fr.*), **-aille** n. f. (XIVe s., *Arch.;* orig. incert.). Crémaillère.

cramp adj. (XIe s.; francique *kramp,* recourbé). 1° Engourdi, contracté. — 2° Perclus. — 3° *Goute crampe,* sorte de goutte. ◆ **crampe** n. f. (XIIIe s., *ABC*). Engourdissement, crampe. ◆ **crampeli, -elier** adj. (1335, Deguil.). Qui a la *goutte crampe.* ◆ **crampir** v. (1250, *Ren.*) 1° Etre perclus, torau. — 2° S'accroupir.

I. cran n. m. (1314, Mondev.; lat. médiév. *cranium,* du grec). Crâne.

II. cran n. m. V. CREANT, promesse, consentement.

cranche n. f. V. CHANCRE, crabe, chancre.

cranme, crame n. f. (1190, saint Bern.; lat. chrét. *chrisma,* du grec). Onction.

craon n. m., craie, **craios** adj., crayeux. V. CROIE, craie.

crape n. f. V. GRAPE, crochet, grappe.

crapot n. m. (XIIe s., *Mon. Guill.;* d'orig. germ.; v. *escrafe,* saleté, ordure). Crapaud. ◆ **crapaudel** n. m. (1220, Coincy). Petit crapaud. ◆ **crapaudine** n. f. (1235, H. de Méry). Espèce de pierre que l'on trouvait dans la tête des crapauds et qui est la dent pétrifiée du poisson appelé loup marin. La crapaudine changeait de couleur et se mettait à suer lorsqu'on la rapprochait du gobelet contenant du poison.

craquelin n. m. (1265, Espinas; moy. néerl. *crakeline*). Sorte de gâteau.

cras, crais adj. (1130, *Job;* lat. *crassum,* gros, épais). 1° Gras : *Mot par out bel cheval et cras (Trist.).* — 2° Crasseux. — 3° Grossier. ◆ **cras** n. m. (XIIe s., *Ps.*). 1° Graisse. — 2° Crasse. ◆ **crasset, grasset** adj. (XIIe s., *Part.*). Grasset, grassouillet. ◆ **crasset** n. m. (XIIIe s.). 1° Chandelle. — 2° Lampe à l'huile. ◆ **crassement** adv. (1321, *Cart.*). Amplement.

craspois, crapois n. m. (1210, *Best. div.;* orig. incert.; peut-être de *crassum* et *piscem,* poisson?). 1° Baleine. — 2° Graisse de baleine.

crastine n. f. (1230, *Charte;* lat. *crastina,* plur. neutre pris pour fém.). Lendemain et, plus particulièrement, lendemain de fête. ◆ **crastin** n. m. (1286, *Charte*). Lendemain.

cravanter, graventer v. (1080, *Rol.;* lat. pop. *crepantare,* de *crepare,* crever). 1° Briser, écraser. — 2° Abattre.

détruire : *Il cravente ambure devant sei (Rol.).* − 3° Éclater.

creanter, granter v. (1155, Wace; **credentare,* de *credens,* p. prés. de *credere*). 1° Promettre, garantir, cautionner : *Par itel chose a sa paiz creantee (Cour. Louis).* − 2° Approuver, ratifier. − 3° Accorder : *Li rois a le consel loé Et tuit li autre creanté* (R. de Beauj.). ◆ **creant, craant, cran, grant** n. m. (1118, *Charte de Renaud*). 1° Promesse, garantie. − 2° Agrément. − 3° *Faire son creant,* payer ce qu'on doit, ce qui revient à. − 4° Volonté, bon plaisir : *Cil qui veintra, qu'il ait tot son creant (Cour. Louis).* ◆ **creante** n. f. (XIIᵉ s., *Chev. cygne*). 1° Consentement. *Venir a creante,* consentir à. − 2° Engagement, promesse jurée. − 3° Le bon vouloir. ◆ **creantement** n. m. (XIIᵉ s., *Chev. cygne*). 1° Promesse, engagement. − 2° Consentement, autorisation. ◆ **creantor** n. m. (1350, *Ars d'am.*). 1° Celui qui se porte garant, protecteur. − 2° Bienfaiteur. ◆ **creantable** adj. (XIIIᵉ s., *Menestr. Reims*). Qui peut être accordé, croyable.

crebe n. f. V. GREBE, crèche.

crecele, cercele n. f. (1175, Chr. de Tr.; d'orig. onom. ou du lat. pop. **crepicella;* cf. *crepitare,* craquer). Crécerelle, oiseau de proie.

creele n. f. (XIIIᵉ s., *Guerre de Metz;* orig. incert., cf. germ. *kriechc,* prunelle sauvage). Prune, prunelle.

creer v. (XIIᵉ s., *Ps.;* lat. *creare*). Créer. ◆ **creement** n. m. (fin XIIIᵉ s., Macé), -**oison** n. f. (fin XIIIᵉ s., J. de Meung). 1° Création. − 2° Ce qui est créé : *Pouvoirs et voloirs et bontez [...] creerent toute creoison* (J. de Meung). ◆ **creeor** n. m., cas. rég., **criere** cas sujet (XIIᵉ s., *Macch.*). Créateur.

creimbre v. V. CREMER, craindre.

creire, croire v. (Xᵉ s., *Saint Léger;* lat. *credere*). 1° Croire. − 2° Avoir confiance. − Faire crédit, donner à crédit : *Çaiens croit l'en a tote gent, cheiens boivent et fol et sage (Court. d'Arras). A croire,* à crédit. − 4° Se fier, se confier. ◆ **creance, crance** n. f. (XIᵉ s., *Alexis*).

1° Croyance, conviction : *Leur creance est tele que nul ne peut morir que a son jour* (Joinv.). − 2° Foi et confiance : *Mais li creanche est en Mahom* (J. Bod.). − 3° Confiance, crédit. − 4° Épreuve, essai. ◆ **creant** adj. (1190, J. Bod.). Qui croit et qui a confiance. ◆ **creable** adj. (1155, Wace). 1° Qui croit. − 2° Crédule. − 3° *Se faire creable,* prouver. ◆ **creableté** n. f. (1268, E. Boil.). 1° Crédibilité. − 2° Attestation. ◆ **creanceor** n. m. (1304, *Year Books*). Celui qui se porte garant.

creistre, croistre v. (1080, *Rol.;* lat. *crescere*). 1° Croître, pousser. − 2° Faire pousser. − 3° Augmenter, accroître le volume de. ◆ **creis, croist** n. m. (XIIᵉ s., *Part.*). Accroissement, croissance. ◆ **creissement** n. m. (1190, Garn.). 1° Action de croître : *Sainte iglise esteit... en creissement* (Garn.). − 2° Bois taillis. ◆ **creissant** n. m. (XIIᵉ s., *Part.*). 1° Action de croître, moment de la croissance. − 2° Croissant, phase de la lune. − 3° Période pendant laquelle la lune croît. ◆ **creue** n. f. (1272, Joinv.). 1° Croissance. − 2° Augmentation d'une somme, d'une redevance à payer. − 3° Crue. − 4° Enchère. ◆ **cresteure** n. f. (1265, *Charte*). 1° Accroissement. − 2° Crue. ◆ **crestine** n. f. (fin XIIᵉ s., *Rois*). Crue, inondation. ◆ **croisseor** n. m. (1309, *Arch.*). 1° Celui qui accroît. − 2° Enchérisseur.

I. cremer v. (1112, *Saint Brand.*), -**ir** (1112, *Saint Brand.*), -**oir** (1130, Job), **criembe** (1080, *Rol.;* lat. pop. **tremere, -ire, -ēre,* et class. *cremere;* altération due à l'infl. gaul., v. *criembre*). 1° Craindre. − 2° Vénérer : *La riche gent mout l'ennoroient E l'amoient et le cremoient (Saint Eust.).* ◆ **creme, crieme, creime, crime** n. f. (1120, *Ps. Oxf.*). Crainte, effroi, terreur. ◆ **cremor** n. f. (1175, Chr. de Tr.), -**ence** n. f. (fin XIIᵉ s., *Loher.*). Crainte : *Ne l'on covient avoir paor Ne nule dote ne cremor* (R. de Beauj.). ◆ **cremos** adj. (1270, Ruteb.). 1° Peureux, timide. − 2° *Cremos de,* qui craint à cause de. ◆ **cremu** adj. (XIIᵉ s., Ogier). Redouté : *Deus en aida Guillelme le cremu (Cour. Louis).* ◆ **cremeter** v. (XIIIᵉ s.). Craindre. ◆ **cremetos** adj.

(XIII° s., *Mir. N.-D.*). Craintif, timide.
◆ **cremetillos** adj. (1306, Guiart). Peureux, timide.

II. **cremer, -ir, -oir** v. (XIII° s.; lat. *cremare*, brûler, intégré dans diverses conjugaisons). Brûler.

crener v. (s. d.; bas lat. *crena*, entaille). Entailler. ◆ **cren** n. m. (1360, Froiss.), **creneure** n. f. (1180, *Rom. d'Alex.*). Entaille, fente, ouverture. ◆ **crenel** n. m. (1190, J. Bod.). Créneau. ◆ **crenee** n. f. (XII° s., *Ps.*). Crénelure, créneau. ◆ **creneler** v. (XII° s., *Roncev.*). Garnir de créneaux, faire des entailles.

crenu adj., à longs crins, chevelu. V. CRIN, cheveu, crin.

crequeler v. (fin XII° s., *Loher.*; orig. onomat.). Crier, en parlant de la pie.

cresme n. m. (XII° s.; lat. eccl. *chrisma*, du grec). Chrême. ◆ **cresmel** n. m. (XII° s.). 1° Chrême. — 2° Petit bonnet blanc dont on coiffe l'enfant après l'onction du baptême. ◆ **cresmeler** v. (1169, Wace). Oindre du saint chrême. ◆ **cresmier** n. m. (1162, *Fl. et Bl.*). Arbre dont découlait le chrême.

cresp, crespe adj. (XII° s.; lat. *crespum*, frisé). 1° Crêpé, crépu, frisé. — 2° Hérissé. — 3° n. m. et f. Crêpe, sorte d'étoffe, sorte de pâtisserie, etc. ◆ **crespir** v. (1160, *Eneas*). 1° Crêper, friser. — 2° Craqueler. — 3° Crépir un mur. ◆ **crespet** n. m. (1260, A. de la Halle). Beignet. ◆ **crespine** n. f. (1248, *DDN*). 1° Petite bourse. — 2° Parure de crêpe. ◆ **crespinete** n. f. (1265, J. de Meung). Parure de crêpe. ◆ **crespinier** n. m. (1268, E. Boil.). Ouvrier en crêpes, en gazes.

crespon, crepon n. m. (XII° s., *Florim.*; orig. obsc.). Croupion, échine, derrière.

cresson n. m. (1138, *Saint Gilles*; francique **kresso*, confondu avec la racine *creis*, croissance). 1° Croissance, accroissement. — 2° Excroissance. — 3° Cresson. ◆ **cressonee** n. f. (1335, Deguil.). Salade de cresson.

creste n. f. (XII° s.; lat. *crista*). 1° Sommet d'une montagne. — 2° Terrain élevé.

— 3° Crête. ◆ **crestel, -iel** n. m. (1169, Wace). 1° Petite crête. — 2° Créneau. ◆ **crester** v. 1° Dresser la tête, c'est-à-dire sa crête. — 2° S'enorgueillir. ◆ **cresté** adj. (1170, *Percev.*). 1° Qui a une crête. — 2° Dentelé, crénelé. — 3° Qui a la crête dressée, orgueilleux. ◆ **crestu** adj. (1170, *Percev.*). Qui a une crête. ◆ **crestelé** adj. (1180, *R. de Cambr.*). 1° Qui a une crête. — 2° Entaillé en forme de dents.

crestien adj. et n. m. (842, *Serm.;* lat. chrét. *Christus*, du grec *Khristos,* oint). Chrétien. ◆ **crestienor** n. m. plur (1190, J. Bod.). Des chrétiens. ◆ **crestiener** v. (1220, *Saint-Graal*). 1° Convertir au christianisme. — 2° Devenir chrétien. ◆ **crestieneté** n. f. (1080, *Rol.*). 1° Christianisme, foi du chrétien, caractère de chrétien. — 2° Église. — 3° Juridiction ecclésiastique. ◆ **crestiane** n. f. (1266, *Charte*). Tribunal ecclésiastique.

I. **crete** n. f. (1260, Br. Lat.; v. *croie*, craie). Craie.

II. **crete** n. f. (1321, *Arch.;* à rapprocher de *crepte*, de *crypium*). Masure, ferme.

creus adj. (1265, J. de Meung; lat. pop. **crossum*, d'orig. probabl. gaul.) Creux. ◆ **creuset, crueset** n. m. (1210, *Dolop.*). Petit creux. ◆ **creuseté** n. f. (XIII° s.), **-iere** n. f. (XIII° s., *Doon de May.*). Cavité. ◆ V. CROSER, creuser.

crevanter v. V. CRAVANTER, briser, abattre.

crever v. (X° s., *Saint Léger;* lat. *crepare*, craquer). 1° Faire éclater, éclater. — 2° Paraître, poindre (en parlant de l'aube). — 3° Écraser, tuer sous le poids. — 4° Percer (les yeux). — 5° Faire périr, mourir. ◆ **creveure** n. f. (1130, *Job*), **-eison** n. f. (1290, W. de Bibbesworth). 1° Crevasse, fente. — 2° Gerçure. ◆ **crevasse** n. f. (déb. XII° s., *Ps. Cambr.*); lat. pop. **crepatia*). 1° Cataracte. — 2° Crevasse, fente. — 3° Parties naturelles de la femme *(Ren.)*.

crevice n. f. (1213, *Fet Rom.;* anc. haut all. *krebiz*). 1° Écrevisse. — 2° Armure faite de bandes d'acier articulées à la manière des anneaux d'une écrevisse. ◆ **creveiceron** n. m. (XIIIe s., *Fable*). Petite écrevisse.

criembre, creimbre v. Voir CREMER, craindre.

I. **crier** v. (1080, *Rol.;* lat. pop. *critare,* contraction de *quiritare,* appeler les citoyens). 1° Parler à très haute voix, pousser des cris. — 2° Faire connaître par proclamation publique. *Crier le ban,* proclamer officiellement le ban. *Crier l'ost,* convoquer les vassaux en armes. *Crier le vin,* faire la publicité du vin. — 3° Accuser. — 4° *Crier notorne,* annoncer la retraite, se retirer : *Oiiés quel lecherie a dite Qui me roeve crier notorne!* (J. Bod.). ◆ **cri** n. m. (Xe s., *Pass.*). 1° Renommée, célébrité. — 2° Mauvaise réputation. — 3° Blâme. — 4° Annonce d'une nouvelle : *Li cris et le noise ala par tote le terre ... que Nicolete estoit perdue (Auc. et Nic.).* ◆ **criement** n. m. (1160, Ben.), **-ee** n. f. (1138, *Saint Gilles*), **-or** n. f. (1130, *Job*). Cri, clameur. ◆ **crieté** n. f. (fin XIIe s., *Loher.*), **-oison** n. f. (XIIe s., Herman), **crieresce** n. f. (1160, Ben.). Cris répétés. ◆ **crie** n. f. (1275, *Cart.*). Droit sur les proclamations publiques. ◆ **criage** n. m. (XIIIe s., *Ass. Jér.*). 1° Cri, clameur. — 2° Criée, proclamation. ◆ **crieor** n. m. (1190, J. Bod.). Crieur public. ◆ **crios** adj. (XIIIe s., *Comm. Ps.*), **-ais** adj. (XIIIe s., *Durm. le Gall.*), **-art** adj. (1327, J. de Vignay). Qui crie, criard.

II. **crier** v. V. CREER, créer.

crimaire n. m. (fin XIIIe s., *Mir. saint Éloi;* v. *cresme,* chrême). Vase qui contient du chrême.

crin n. m. (1150, *Pèl. Charl.;* lat. *crinem,* cheveu). 1° Cheveu. — 2° Crin. ◆ **crine, crigne** n. f. (1155, Wace, **crinie** n. f. (1180, *R. de Cambr.*). 1° Cheveu : *Yseut a la crine bloie (Trist.).* — 2° Crinière. ◆ **crignel** n. m. (1080, *Rol.*). Cheveu. ◆ **crinete, crignete** n. f. 1° Chevelure. — 2° Crinière. — 3° Toupet. ◆ **crenu** adj. (1121, Ph. de Thaun). A longs crins (épith. fréquente de cheval). — 2° Chevelu.

crincier v. (XIIe s., Bible; orig. incert.). Tamiser. ◆ **crinçon** n. m. (1311, *Arch.*). Saleté mêlée au blé avant qu'il soit vanné. ◆ **crien** n. m. (1330, *Cart.*). Droit au grain tombé des gerbes pour le charroi de la dîme.

criquer v. (1288, *Ren. le Nouv.;* orig. onomat.). Grincer, craquer. ◆ **criquet** n. m. (XIIe s., M. de Fr.). Nom donné à divers insectes. ◆ **criquillon** n. m. (1288, *Ren. le Nouv.*). Grillon.

crisner v. (XIIIe s.; francique **krîsan,* craquer; cf. fr. *crisser*). 1° Grincer. — 2° Faire le cri du grillon, de la cigale. ◆ **crisnon, crinçon, cruchon** n. m. (1204, R. de Moil.). Grillon, cricri.

croc n. m. (fin XIIe s., *Rois;* scand. *krôkr*). 1° Croc. — 2° Crochet. — 3° Instrument pour bander une arbalète. ◆ **croche** n. f. (fin XIIe s., saint Grég.). 1° Crochet. — 2° Arête des rochers. — 3° Marteau. ◆ **croceron** n. m. (1180, G. de Saint-Pair). Petit crochet. ◆ **crochier** v. (fin XIIe s., M. de Fr.). 1° Saisir avec un croc : *Deables [...] croker le voloient* (M. de Fr.). — 2° Accrocher, décrocher. — 3° Courber en croc, tordre. — 4° Frapper. ◆ **crochir** v. (XIIIe s., *Doon de May.*). Devenir crochu. ◆ **crochois** n. m. (XIIIe s., *Doon de May.*). Chemin détourné. ◆ **crochant** adj. (1335, Deguil.). Qui accroche.

croce n. f. (1080, *Rol.;* croisement entre le francique **krukkja* et *croc*). 1° Béquille. — 2° Crochet, extrémité recourbée. — 3° Crosse. — 4° Puissance, gloire. ◆ **croçon** n. m. (1327, G.). Partie supérieure de la crosse. ◆ **croçu** adj. (1220, Coincy), **crocenier** adj. (1204, R. de Moil.). Qui porte la crosse, revêtu de la crosse. ◆ **crokepois** n. m. (1260, A. de la Halle). Bâton ferré, coup de bâton. ◆ **crossier** n. m. (XIVe s.). Abbé portant la crosse.

crocefis n. m. V. CRUCEFIS, crucifix, à CRUCIFIER.

crocier v. (1160, *Eneas;* contraction de *corocier,* partiellement confondu avec *crucefier*). 1° Tourmenter, torturer :

Molt les tormente et crucie (Eneas). —
2° Crucifier. ◆ **crociement** n. m. (1160,
Eneas). Supplice, tourment.

croete n. f. V. COROIETE, courroie;
bande de parchemin.

croie, crete n. f. (1260, Br. Lat.; lat.
creta, craie). Craie. ◆ **croion, craon** n. m.
(1309, G.). Craie, morceau de craie.
◆ **craios** adj. (XIII° s., D. G.). Crayeux.

croire v. V. CREIRE, croire, faire crédit.

crois n. f. (X° s., *Saint Léger; lat.
crucem*). 1° Croix. *Crois mis a travers,*
croix de saint André. *Le tens que les crois
vont,* le temps des Rogations. — 2° Pièce
de monnaie frappée d'une croix. *Hochier
as crois,* jouer à pile ou face. — 3° *Crois
de chief,* sommet de la tête. ◆ **croisete**
n. f. (1175, Chr. de Tr.). Petite croix.
◆ **croisille** n. f. (1164, Chr. de Tr.). Petite
croix. ◆ **croisier** v. (1080, *Rol.*). 1° Croiser
deux objets. — 2° Se croiser, s'engager
pour la croisade. ◆ **crois** n. f. (1360,
Froiss.), **croie** n. f. (XIII° s., *Otinel*),
croisement n. m. (1272, Joinv.), **-erie**
n. f. (1272, Joinv.). Croisade : *La croi-
serie sera de petit esploit* (Joinv.). ◆
croisel n. m. (1220, Coincy). 1° Lampe à
quatre lobes rappelant la forme de la
croix. — 2° Balance. ◆ **croissu** adj.
(XIII° s.). Orné de croix.

croissir v. (1155, Wace), **croistre,
croestre, cruistre** (fin XII° s.,
Alisc.; germ. **krostjan*). 1° Grincer,
craquer. — 2° Faire du bruit : *Es anclumes
li martel croissent (Eneas).* — 3° Briser,
casser, détruire. — 4° Jouir d'une femme,
la violer. *Croissir les nois,* dépuceler.
◆ **crois** n. m. (1243, G. de Metz).
1° Grincement, craquement. — 2° Pet.
◆ **croisseis** n. m. (1169, Wace). 1° Grincement. — 2° Fracas. — 3° Action de
briser, brisure. ◆ **croisserece** n. f. (1160,
Ben.), **croisseure** n. f. (XIII° s., *Anseis*).
Grincement, craquement.

croler, croller v. (980, *Passion;* lat.
pop. **corrotulare,* faire rouler, ou **cro-
talare,* agiter les crotales). 1° Agiter,
brandir, secouer. — 2° Branler, trembler.
— 3° Faire écrouler. ◆ **crole, croille** n. m.

(1295, G. de Tyr). 1° Ébranlement,
tremblement. — 2° Tremblement de terre.
— 3° Éboulement. ◆ **crolement** n. m.
(1120, *Ps. Oxf.*), **-eis** n. m. (1277, *Rose*).
1° Écroulement, ébranlement. — 2° Fondrière, tourbière, mare. — 3° Tremblement
de terre. — 4° Roulis. ◆ **crolee** n. f.
(1284, *Cart.*), **-iere** n. f. (XII° s., *Chev.
cygne*). Fondrière, terrain mouvant. ◆
crolant adj. (1175, Chr. de Tr.). Branlant,
tremblant. ◆ **crolebois** n. f. (1341, G.).
Sorte de fête.

cromb, crombe adj. V. COMBRE,
recourbé. ◆ **crombir, crombier** v. (1112,
Saint Brand.). 1° Courber. — 2° Renverser.

croper v. (1190, J. Bod.), **-ir** (1250,
Ren.; francique **kruppa,* croupe). 1° Etre
accroupi, s'accroupir. — 2° Se cacher. —
3° Se maintenir, s'attarder à un endroit.
◆ **crope** n. f. (1080, *Rol.*). Croupe.
◆ **cropie** n. f. (1328, *Arch.*). Accroupisse-
ment. *A la croupie,* à l'affût.

croser v. (1190, J. Bod.; lat. pop.
*crossus, d'orig. gaul.; v. *creus*). Creuser,
percer : *J'ai espiié une paroit Que j'arai
ja mout tost crossée* (J. Bod.).

I. **crossier** v. V. CROCHIER, saisir
avec un croc.

II. **crossier** v. V. CROISSIER, croiser.

croste n. f. (1180, *R. de Cambr.;* lat.
crusta). Croûte. ◆ **crostele** n. f. (1160,
Eneas). 1° Croûton de pain. — 2° Croûte,
cicatrice. ◆ **crostelete** n. f. (fin XIII° s.,
Mir. Saint Louis). Plaie cicatrisée. ◆
croster v. (1160, Ben.). 1° Couvrir de
croûtes. — 2° Manger une croûte de pain.
◆ **crostelevé** adj. (1235, H. de Méry).
Couvert de plaies, de croûtes.

crot n. m. (fin XIII° s., Macé), **crote**
n. f. (XII° s., *Barbast.;* lat. *crypta,* du
grec). 1° Grotte, caverne. — 2° Crypte. —
3° Souterrain : *Et vint a une croute dont
overt fu li hus (Barbast.).* — 4° Trou,
creux. ◆ **croton** n. m. (fin XII° s., *G. de
Rouss.*). Grotte, cachot. ◆ **croture** n. f.
(1180, *Rom. d'Alex.*). Grotte, caveau.
◆ **croté** adj. (fin XIII° s., *Fabl. d'Ov.*).
Creusé, cave, enfoncé.

I. crote n. f. (fin XIIe s.; francique
*krotta, boue). 1° Boue qui reste sur les
vêtements. — 2° Crotte. ◆ **croter** v.
(1250, *Ren.*). Couvrir de boue, de crotte.
◆ **crotos** adj. (1260, A. de la Halle).
Crotté.

II. crote n. f., grotte, crypte, trou.
V. CROT, même sens.

crouth n. m. (XIIe s., Bible; cf. gallois
crwth). Instrument de musique à cordes,
prototype de violon.

I. cru adj. (fin XIIIe s., Aden.; lat. *cru-
dum*). 1° Saignant. — 2° Cru. ◆ **cruesse**
n. f. (XIIIe s., J. de Garlande). Crudité.

II. cru n. m. (1307, *DDN*; v. *croistre*).
Ce qui croît dans un terrain : *(Vin) de
quelque creu ou solage que il soit* (cité
par Levillain, *Moyen Age*). ◆ **cruture**
n. f. (1265, *Arch.*). Accroissement.

crucefier v. (1119, Ph. de Thaun; lat.
chrét. *crucificare*). 1° Crucifier. —
2° Se signer, faire le signe de la croix.
◆ **crucefiement** n. m. (1175, Chr. de
Tr.). Crucifixion. ◆ **crucefis** n. m. (1180,
R. de Cambr.). 1° Crucifix. — 2° Le crucifié. ◆ **cruceficor** n. m. (XIIIe s.). Celui
qui crucifie.

cruel adj. cas rég., **crues, cruos,
crieus** cas suj. (Xe s., *Saint Léger*; lat.
crudelem, de *crudus*, saignant). Cruel.
◆ **cruelté** n. f. (fin XIIe s., *Cour. Louis*),
crueuseté n. f. (1350, *Ars d'am*). Cruauté.

crues adj. V. CREUS, creux.

cruie, cruise n. f. (1155, Wace),
cruche n. f. (XIIIe s.; anc. haut all.
*kruka). 1° Coquille. — 2° Cruche, pot
de terre ou de grès. — 3° Buvette. ◆
cruisille n. f. (fin XIIIe s., Macé). Conque.
◆ **cruchon, crugeon** n. m. (XIIIe s., G.).
Grande cruche.

cruor n. f. (XIIIe s., *Pastor.;* lat. *cruor*).
Sang qui sort d'une blessure.

cruture n. f., accroissement. V. CRU,
ce qui croît.

cubebe n. m. (1256, Ald. de Sienne;
lat. médiév. *cubaba*). Poivrier.

cucu n. m. (XIIIe s.; lat. *cuculus* et
onomat.). Coucou. ◆ **cucucil** n. m.
(XIIIe s., *Chans. sat.*). Petit du coucou.

cue n. f. V. COE, queue.

cueillir v. (1080, *Rol.*), **cueldre**
(XIIIe s., *Ménag. Reims;* lat. *colligere*,
de *legere*, cueillir). 1° Cueillir, récolter. —
2° Accueillir, recueillir. — 3° Réunir,
rassembler : *Pierre volaige ne queust
mousse (D'un hermite qui se convertit).*
— 4° *Cueillir son escot*, toucher ce qui
est dû. — 5° Percevoir une taxe. —
6° Prendre. *Cueillir en hé, en haine*,
prendre en haine. ◆ **cuelte, colte** n. f.
(XIIIe s., *Charte*). 1° Cueillette de grains
ou de fruits, récolte. — 3° Perception des
impôts. ◆ **cueilloite** n. f. (déb. XIIIe s.,
R. de Clari). 1° Cueillette. — 2° Collecte.
◆ **cueillage** n. m. (1343, G.). 1° Cueillette.
— 2° Levée d'impôts. — 3° Redevance due
au seigneur par le jeune marié lui permettant de coucher avec sa femme. ◆
cueillerie n. f. (déb. XIIIe s., R. de Clari).
1° Récolte. — 2° Levée des fruits dus
comme redevance. — 3° Levée d'hommes.
◆ **cueilleor** n. m. (1272, *Arch.*). 1° Celui
qui récolte. — 2° Collecteur d'impôts.

cuens, cons n. m. cas sujet.
V. CONTE, cas rég., comte.

I. cuer, coer, cor n. m. (1080, *Rol.;*
lat. *cor, cordis*). 1° Cœur, organe. —
2° Cœur, siège de la vie intérieure, âme.
De main et de cuer, de corps et d'âme :
Si te ren de mains et de cuer A Dieu
(J. Bod.). — 3° Les pensées. *Dire son
cuer*, dire ce que l'on pense. — 4° Courage.
— 5° Inquiétude. *N'avoir cuer*, ne pas
s'inquiéter. — 6° Sincérité. *De cuer, de
cuer vrai*, sincèrement. ◆ **cueru** adj.
(fin XIIe s., *Aym. de Narb.*). Qui a du
cœur, du courage. ◆ **cuer paus** n. m.
(XIIe s., Herman). Asthme ou pneumonie.

II. cuer n. m. (déb. XIIe s., *Ps. Cambr.;*
lat. eccl. *chorum*, du grec). Chœur de
l'église.

cuere, core n. f. (1252, *Confirm.
du prévôt de Calais;* mot wallon synonyme du français *loy*). 1° Collège des
échevins. — 2° Tribunal de juridiction
des échevins. — 3° Statuts, règlements.

◆ **cuereur** n. m. (1282, *Arch. Saint-Omer*), **cuerier** n. m. (1332, *Cart.*). Expert juré.

cuert n. m. V. CULVERT, serf, homme de basse condition.

cueute n. f. V. COLTE, matelas, couverture.

I. **cuevre, cuivre, coivre** n. m. (1120, *Ps. Oxf.*; germ. *kokur*). Carquois.

II. **cuevre** n. m. (déb. XII⁰ s., *Voy. Charl.*; lat. pop. *cupreum*, pour *aes cyprium*, bronze de Chypre). Cuivre.

cufart adj. (XIII⁰ s., *D'un Prieus*; probabl. comp. de *cul* et de **fart*, adj. non attesté de la famille *farder*, charger). Paresseux, lâche. ◆ **cufarde** n. f. (av. 1300, poés. ms.), -ie n. f. (XIII⁰ s.). Lâcheté, paresse.

cui pron. rel. et interr., cas rég. V. QUE, pron. rel. et interr.

cuidier v. (1080, *Rol.*; lat. *cogitare*, penser). 1⁰ Penser. — 2⁰ Croire, s'imaginer : *Que cuideriés vous avoir gaegnié, se vous l'aviés asognentee ne mise a vo lit?* — 3⁰ Prétendre, avoir de la présomption. — 4⁰ Etre sur le point, manquer de : *Li vilains per grant vigor Son arson toise et entire, D'un kairel me cuide occire (G. et Joc.).* ◆ **cuidier** n. m. (1169, Wace). 1⁰ Pensée, sentiment. — 2⁰ Crainte. — 3⁰ Ambition, présomption : *Maix trop per mix haut mon cuidier (G. et Joc.).* ◆ **cuidement** n. m. (1330, Watriquet), -ié n. m. (XII⁰ s., *les Chétifs*), -ance n. f. (1160, Ben.). 1⁰ Pensée. — 2⁰ Opinion, imagination. ◆ **cuideor** n. m. (XII⁰ s., *Chast. d'un pere*). Outrecuidant, vaniteux. ◆ **cuidart** adj. (XIII⁰ s., *Menestr. Reims*). Crédule. ◆ **cuides** n. m. pl. (1350, J. Lefevre). Bourses dépouillées de testicules.

cuilte n. f. V. COLTE, matelas.

cuir n. m. (1080, *Rol.*; lat. *corium*). 1⁰ Peau en général. — 2⁰ Peau humaine. — 3⁰ Cuir. ◆ **cuirier** v. (1190, Garn.). Garnir, doubler de cuir. ◆ **cuiriee, -ee** n. f. (1160, Ben.). 1⁰ Peau en général. — 2⁰ Morceau de cuir qu'on portait par-dessus l'armure, cuirasse. — 3⁰ Curée. —

4⁰ Carquois en cuir. ◆ **cuirien** n. m. (1125, *Gorm. et Is.*). 1⁰ Cuir, morceau de cuir, peau. — 2⁰ Courroie, spécialement courroie de heaume. — 3⁰ Droit sur le cuir. ◆ **cuiret** n. m. (1268, *Arch.*). 1⁰ Morceau de cuir. — 2⁰ Bourse en cuir. ◆ **cuireor** n. m. (1268, E. Boil.). Ouvrier en cuirs. ◆ **cuirasse** n. f. (mil. XIII⁰ s.). Cuirasse. ◆ **cuirecier** n. m. (1331, *Arch.*). Fabricant de cuirasses.

cuire v. (x⁰ s., *Eulalie;* lat. pop. **cocere*, pour *coquere*). Cuire. ◆ **cuite** n. f. (1268, E. Boil.), **cuisage** n. m. (1350, *Arch.*), **cuisson** n. m. (1256, Ald. de Sienne). Cuisson. ◆ **cuitee** n. f. (1248, *Arch.*). Fournée cuite. ◆ **cuiture** n. f. (XII⁰ s., Herman). Brûlure d'une plaie, cautère. ◆ **cuisine** n. f. (fin XII⁰ s., *Rois*). 1⁰ Ce qui est cuit. — 2⁰ En particulier, chair cuite. ◆ **cuisiner** v. (XIII⁰ s., *Chans. d'Ant.*). Cuire. ◆ **cuisance** n. f. (1170, *Percev.*). ◆ **cuisançon** n. f. (1175, Chr. de Tr.). 1⁰ Douleur cuisante, souci. — 2⁰ Désir ardent.

cuisse n. f. (1080, *Rol.*; lat. *coxa*, hanche). Hanche, cuisse. ◆ **cuissel** n. m. (1316, *Inv.*), **-on** n. m. (1309, *Lettre*), **-ot** n. m. (fin XII⁰ s.), **-iere** n. f. (mil. XII⁰ s.). Cuissard, armure qui couvre la cuisse.

I. **cuite** n. f., pointe, piqûre, hâte, combat. V. COITIER, piquer.

II. **cuite**, etc. V. QUITE, libre.

I. **cuivre** n. m. V. CUEVRE, carquois.

II. **cuivre** n. f., souci, souffrance. V. CUIVRIER, chagriner.

cuivrier, -oier, cuirier v. (XII⁰ s., *Chev. cygne;* orig. incert.). 1⁰ Chagriner, fâcher. — 2⁰ Tourmenter. ◆ **cuivre, coivre** n. f. (1190, J. Bod.). 1⁰ Souci, tourment. — 2⁰ Souffrances : *Asses en ont sofert le cuivre* (J. Bod.). — 3⁰ Attaque. ◆ **cuivrios** adj. (1220, *Saint-Graal*). 1⁰ Tourmenté. — 2⁰ Très désireux de quelque chose.

cul n. m. (XIII⁰ s., *Fabliau;* lat. *culum*). 1⁰ Cul, anus. — 2⁰ Cul, partie inférieure de l'individu. *Prendre son cul parmi l'oreille,* prendre ses jambes à son cou. — 3⁰ *Par le cul bieu,* juron, avec défor-

mation voulue du nom de Dieu : *Par le
cul bieu, ne huis ne porte ne vi encore
anuit ouvrir (Garç. et Av.).* ◆ **culet** n. m.
(1291, *Arch.*). Dimin. de *cul*. ◆ **culot**
n. m. (1319, *Compte de G. de Fleury*).
1° Base, partie inférieure d'un objet. –
2° Dernier-né d'une couvée. ◆ **culain**
adj. (XIIIᵉ s., *Mir. N.-D.*), -**ier** (1268,
E. Boil.). Du cul, relatif à l'anus. ◆ **culer**
v. (XIVᵉ s.). Pousser avec le cul. ◆ **culeter**
v. (1230, *Eust. le Moine*). Jouer du cul.

cultiver v. V. COTIVER, adorer, cultiver, parer.

**culvert, cuvert, coilvert,
collivert, cuert** n. m. (1155, Wace;
lat. pop. *collibertum*, affranchi). 1° Serf.
– 2° Homme de basse condition. ◆
culvert adj. (1080, *Rol.*). 1° Lâche,
traître. – 2° Vil, pervers, abject (termes
d'injure). – 3° Malfaisant (en parlant des
animaux). ◆ **culvertage** n. m. (1160,
Ben.). 1° Servage, asservissement. –
2° Lâcheté. – 3° Affront, outrage, honte.
◆ **culverté** n. f. (1190, *H. de Bord.*).
Méchanceté, malice. ◆ **culvertise** n. f.
(XIIᵉ s., *Trist.*). 1° Condition servile. –
2° Bassesse, vilenie : *Li rois ... sovent
regrete A lui tot sol la culvertise que Tris-
trans fist (Trist.).*

cune n. f. (XIIᵉ s., *Part.;* bas lat. *cuna,*
pour *cunae,* plur., berceau). Berceau,
origine.

I. **cure** n. m. V. CORE, char.

II. **cure** n. f., soin, souci. V. CURER,
soigner, nettoyer.

curer v. (1160, Ben.; lat. *curare,*
prendre soin). 1° Soigner, guérir. –
2° Nettoyer. – 3° Se soucier de. ◆ **cure**
n. f. (1080, *Rol.*). 1° Soin, souci. *Avoir
cure,* se soucier de. *Ma cure,* (appellatif),
objet de mes soucis, de mon amour. –
3° Désir : *ele n'avoit cure de marier
(Auc. et Nic.).* – 4° Charge, office : *Avoit
reçue la cure que Josephes devoit avoir
sus crestiens (Queste Saint-Graal).* –
5° Fonction de curé. ◆ **curé** n. m. (1260,
Mousk.). Celui qui prend soin, gouverneur. ◆ **curement** n. m. (XIVᵉ s.), -**eison**
n. f. (1243, G. de Metz), -**acion** n. f.

(XIIᵉ s., *Ysopet*). 1° Action de soigner,
cure, souci. – 2° Guérison. ◆ **curie** n. f.
(1270, Ruteb.). Maladie repoussante.
◆ **curaille** n. f. (XIIᵉ s.). 1° Ce qui provient
du curage. – 2° Ordures. ◆ **cureure** n. f.
(1350, *Ord.*). Ordure, saleté. ◆ **cureor**
n. m. (XIIIᵉ s.). 1° Celui qui soigne, qui
nettoie. – 2° Curateur. ◆ **curateree** n. f.
(1312, *Traité*). Tutelle, curatelle.

curial adj. (XIIIᵉ s.; lat. *curialem,* avec
spécialisation de sens). 1° Homme de
cour, courtois. – 2° n. m. Officier de
justice. ◆ **curialté, -ité** n. f. (1266,
Franch.). Gracieuseté, courtoisie : *En
considerant sa curialité et le boin serviche qu'il ont fait a madame royne
d'Engleterre (1309, Cart. de Ponthieu).*

curios adj. (1155, Wace; lat. *curiosus,*
cf. *curer*). 1° Soucieux, en souci. –
2° Qui a soin de, désireux : *Envieux Sunt
de moi nuire curieus (Rose).* ◆ **curiosité**
n. f. (fin XIIᵉ s., M. de Fr.). 1° Soin, souci.
– 2° Avidité, passion.

curre v. V. CORE, CORRE, courir.

cusançon n. f. (1130, *Job;* v. *cuisance,* de *cuire*). 1° Soin, sollicitude. –
2° Souci cuisant, peine. – 3° Désir ardent.
◆ **cusancenos** adj. (déb. XIIᵉ s., *Ps.
Cambr.*), -**able** adj. (1190, saint Bern.).
1° Attentif, soucieux. – 2° Prévoyant.

custode n. m. (1160, Ben.; lat.
custos, -odem). Garde, gardien. ◆ **custo-
derie** n. f. (1281, *Test. de G. de Lusignan*).
Custodie, subdivision d'une province de
moines mendiants.

cuter v. (1160, Ben.; orig. obsc.).
Cacher, dissimuler : *Flamens fuient.
Flamens se cutent (Guiart).*

cuve n. f. (XIIᵉ s., *Guill. d'Orange;* lat.
cupa, coupe). 1° Récipient concave. –
2° Cuve. ◆ **cuvele** n. f. (XIIᵉ s., A. de
Neckam). Petite cuve. ◆ **cuvage** n. m.
(XIIᵉ s., *Cart.*). Endroit où l'on met les
cuves, cellier. ◆ **cuveler** v. (1268,
E. Boil.). Mettre en cuve.

cuvert n. m. V. CULVERT, serf.

cyperis n. m. V. CIPARIS, cyprès.

d

daarain adj. V. DERIERAIN, dernier.

daaz et interj. V. DESHAIT AIT, maudit soit!

dablee n. f. V. DESBLEE, récolte de blé.

dade n. f. (1180, *Rom. d'Alex.; date,* XIII⁰ s.; prov. *datil,* datte). Datte.

dague n. f. (déb. XIII⁰ s.; prov. *daga*). 1⁰ Poignard. — 2⁰ Corne de cerf. ◆ **dagon** n. m. (XIII⁰ s.). Grosse dague. ◆ **dagoner** v. (XIII⁰ s., *Doon de May.*). Daguer, frapper d'une dague.

daie n. m. et f. (fin XII⁰ s., saint Grég.; moy. angl. *deye*). 1⁰ Servante. — 2⁰ Gardien. — 3⁰ Garde, conservation : *Mais cil qui Deu plus redoutoient Onc par son defens ne cessoient De proecher la foi veroie Plus qu'is feissent por sa daie* (saint Grég.). ◆ **daierie** n. f. (XIII⁰ s., *Traité d'écon. rur.*). 1⁰ Laiterie. — 2⁰ Charge de garde.

daignier v. (X⁰ s., *Eulalie;* lat. *dignari*). 1⁰ Juger digne : *Car ne deignastes a seignor Home de tote ceste enor (Eneas).* — 2⁰ Daigner.

daintié n. m. ou f. (1080, *Rol.*), **-daintee** n. f. (1175, Chr. de Tr.), **-ier** n. m. (fin XII⁰ s., *Loher.;* lat. *dignitatem,* honneur). 1⁰ Possession, biens : *Que nus perduns l'onur ne la deintet (Rol.).* — 2⁰ Friandise, bon plat, morceau de choix. — 3⁰ Testicules de cerf. — 4⁰ Plaisir, joie. — 5⁰ Prix, valeur.

dairien adj. V. DERIERAIN, dernier.

dais n. m. V. DOIS, table, estrade, dais.

dale n. f. (déb. XIV⁰ s.; néerl. *dal,* planche). Pierre plate légèrement creusée pour l'écoulement des eaux. ◆ **daler** v. (1319, G.). Poser les dalles.

dales, dalles, dalé prép. et adv. (fin XII⁰ s., Couci; comp. renforcé de *de ad latus,* v. *delez*). A côté de. *De dales, par dales,* à côté de, le long de : *Sire, donques maint par dalés Hue qui de Hontevingnies a le surnom : vers Ruengnies Siet li vile dont je parole (Garç. et Av.).*

dalmage, -maie, -maire, -mike n. f. (fin XII⁰ s., saint Grég.; lat. chrét. *dalmatica,* blouse faite en laine de Dalmatie). Ample tunique à manches courtes, réservée progressivement à l'usage ecclésiastique.

I. dam, dan, dant, dame, damne n. m. (XI⁰ s., *Alexis;* lat. *dominum*). 1⁰ Titre et rang de noblesse. Dans la hiérarchie, le *dam* ou *dan* venait immédiatement après le comte et avant le baron. — 2⁰ Titre honorifique qu'on plaçait devant le nom d'une personne qu'on voulait distinguer. ◆ **damel** n. m. (1285, Aden.), **damelot** n. m. (XIII⁰ s., *Chans.*). Damoiseau, jeune homme.

II. dam n. m. (842, *Serm.;* lat. *damnum,* dommage). Dommage : *Damz i fud granz (Saint Léger).* ◆ **damage** n. m. (1080, *Rol.*). Dommage, préjudice : *Li maires i ara damage* (J. Bod.). ◆ **damagier** v. (1160, *Eneas*). 1⁰ Endommager, causer du tort. — 2⁰ Ruiner. ◆ **damageis** n. m. (1180, G. de Saint-Pair), **-ement** n. m. (XII⁰ s., *Horn*). Dommage. ◆ **damageor** n. m. (1350, *Arch.*). Celui qui cause du dommage. ◆ **damageus, -gios** adj. (1160, Ben.). 1⁰ Dommageable. — 2⁰ Endommagé : *Poacre, damagos e laiz* (Ben.).

I. dame n. f. (1080, *Rol.;* lat. *domina*). 1⁰ Femme noble, mariée ou veuve. — 2⁰ Dame, titre de noblesse, V. DAM. I.

II. dame n. m. V. DAM, titre et rang de noblesse.

III. dame interj. (déb. XIV⁰ s.; *Pass. Palat.;* v. *dame, dam,* seigneur). Par Dieu!

damedeu, -dé n. m. (X⁰ s., *Saint Léger;* lat. *domine deus*). 1⁰ Le seigneur Dieu, Dieu : *Ne placet Damendieu (Rol.).* — 2⁰ Au plur., Les dieux de la mythologie.

damesche adj. V. DOMESCHE, domestique.

156

damoisel n. m. (XIIᵉ s., *Roncev.;* lat. pop. **dominicellum,* de *dominus*). 1º Jeune homme noble qui n'est pas encore reçu chevalier. — 2º En général, seigneur d'un pays. ◆ **damoiseler** v. (1220, Coincy). Faire le damoiseau, courtiser les femmes : *Donoier et damoiseler* (Coincy). ◆ **damoisele** n. f. (xᵉ s., *Eulalie*). 1º Titre donné aux filles nobles, étendu ensuite aux femmes mariées de petite noblesse. — 2º Servante (1300, G.). — 3º Sorte de table de toilette. ◆ **damiselage** n. m. (1200, *Ren. de Montaub.*). 1º Condition, qualité de fils ou de fille noble : *Jamais damisellages vers moi ne vos voudra (Ren. de Montaub.)* — 2º Réjouissance. — 3º Célibat.

damner, dampner v. (xᵉ s., *Saint Étienne;* lat. ecclés. *damnare*, condamner). 1º Endommager. — 2º Condamner. ◆ **dampnement** n. m. (1170, *Percev.*). 1º Dommage. — 2º Condamnation. — 3º Damnation. ◆ **dampnation** n. f. (1190, saint Bern.), **damnaison** n. f. (fin XIIᵉ s., *Ogier*). Condamnation : *Ne me soit atorné a peine ne a Dampnation se je vois aidier a cel preudome qui mestier en a (Queste Saint-Graal).* ◆ **damnice** n. f. (1150, Wace). Chose condamnable, vice. ◆ **damnable** adj. (fin XIIᵉ s., saint Grég.). Qui cause du dommage. ◆ **damnos** adj. (1313, *Arch.*). Dommageable.

dan n. m. V. DAM, titre et rang de noblesse.

dancier v. (fin XIIᵉ s., *Loher.;* francique **dintjan,* se mouvoir de-ci de-là). Danser. ◆ **dance** n. f. (XIIᵉ s.). Danse.

dangier n. m. (1160, *Eneas;* lat. pop. **dominiarium,* de *dominium,* propriété, souveraineté). 1º Puissance, pouvoir, empire. — 2º Domination, jouissance : *Moi et ma terre auroit a son dangier (Chans. d'Ant.).* En autrui dangier, sous la domination, sous la coupe d'autrui. — 3º Libre arbitre, volonté, caprice. *Demener dangier,* imposer sa volonté, ses caprices. *A dangier,* à volonté : *Ouvrans et cloans a dangier* (A. de la Halle). — 4º Droit d'aller à, de passer, passage, droit de se servir de. (1314, *Arch.*). — 5º Puissance maritale et, plus particuliè-

rement, mari (ou, à l'inverse, personne qui fait obstacle à l'amour). *Avoir dangier de,* être maître de. — 6º Captivité, prison. — 7º Attaque, insulte, tort, difficulté. *Faire dangier de* (avec inf.), faire difficulté de. *Faire dangier de* quelqu'un, le rebuter. *A grant dangier, por grant dangier,* avec difficulté, avec beaucoup de peine. *Sanz dangier,* sans faute. — 8º Refus, résistance. ◆ **dangerer** v. (1160, *Eneas*). 1º Exercer la domination. — 2º Craindre comme un maître, supplier. — 3º Traiter comme un maître, prendre soin de : *Convient c'on te baigne et dangiere (Lais de Courtois).* ◆ **dangeros** adj. (1277, *Rose*). Difficile, sévère : *J'ai une fille donjereuse Qui vers home est trop honteuse (De la demoselle qui...)*

dangon, -jon n. m. V. DONJON, tour du seigneur.

dant n. m. V. DAM, seigneur.

danter v. V. DONTER, dresser.

dantre adv. V. DENTRE QUE, tandis que.

danzel n. m. (1125, *Gorm. et Is.*), **-ele** n. f. (1160, *Ben.;* anc. prov. *donscla*). Jeune homme, jeune fille, jeune gentilhomme, demoiselle. ◆ **danzel** adj. (XIIIᵉ s., *Otinel*). Viril. ◆ **danselete** n. f. (1180, *G. de Vienne*). Jeune fille. ◆ **danselon** n. m. (fin XIIᵉ s., *Auc. et Nic.*). Jeune homme, jeune seigneur. ◆ **danseler** v. (XIIIᵉ s., *Petit Plet*). Caresser, choyer.

dap n. m. (1190, J. Bod.; orig. obsc.). Coup (?) : *Laissiés courre che vin entour, Je li paierai ja un dap* (J. Bod.).

dar, dart n. m. (XIIᵉ s., J. Fantosme; francique **darn*). En dar, en vain. *Aller en dar,* être en mauvais état, valoir moins (A. de la Halle). *Estre en dar,* ne servir à rien *(Sept Sages).*

darain, darrien adj. V. DERIERAIN, dernier.

darraul n. m. (1229, *Arch.;* orig. incert.). Denrée.

I. dart, dar n. m. (1080, *Rol.;* lat. *dardum,* du francique **darod*). 1º Aiguillon. — 2º Arme de trait, sorte de javelot, syn. de *guivre, tambre*. ◆ **dardel** n. m. (1160, Ben.). Petit javelot. ◆ **dardeler** v. (fin XIII⁰ s., *Mir. saint Éloi*). Lancer les dards.

II. **dart** n. m. (1200, Hélinand; bas lat. *darsus*). Vandoise.

III. **dart** n. m. V. DAR, dans l'expression *en dar*, en vain.

daser v. (XIII⁰ s., *Chans.*; orig. obsc.). Rêver, divaguer : *Quant mieus prisiés le dormir et daser que vif deduit (Chans.)*. ◆ **daserie** n. f. (1260, A. de la Halle). 1⁰ Rêverie, illusion, erreur. — 2⁰ Vertige. ◆ **dasion** n. f. (1263, G.). Vertige.

dation n. f. (1272, *Arch.*; lat. *datio*, action de donner). Donation, action d'accorder (jurid.). ◆ **dator** n. m. cas rég., **datre**, cas suj. (XII⁰ s.). 1⁰ Celui qui donne. — 2⁰ Créancier.

dauber v. (1220, Coincy; lat. *dealbare*, crépir, blanchir). 1⁰ Enduire. — 2⁰ Garnir. — 3⁰ Frapper.

daufin n. m. (XIII⁰ s.; lat. *delphinus*). 1⁰ Nom de dignitaire, en Dauphiné et en Auvergne. — 2⁰ Fils aîné du roi de France, à l'acquisition du Dauphiné (déb. XIV⁰ s.).

davant prép. et adv. (XI⁰ s., *Alexis*; comp. renforcé de *de ab ante*; v. *devant*). Prép. et adv. spatial et temporel : 1⁰ Devant. — 2⁰ Avant, auparavant.

I. **de** prép. (842, *Serm.*; lat. *de* marquant la provenance, la séparation, etc.).

I. 1⁰ Introduit le complément d'objet (mais la distribution, par rapport au verbe, entre *de*, *a* et zéro est souvent différente du fr. mod.). — 2⁰ Introduit le complément de nom (concurremment avec zéro et *a*, mais en extension). — 3⁰ Introduit le complément d'adjectif : *diseteus de la viande*, qui manque de nourriture.

II. Introduit le circonstanciel. 1⁰ Marque le point de départ dans l'espace et le temps. — 2⁰ Introduit le destinateur : *L'apostole salue de Deu et de son nom* (J. Bod.). — 3⁰ La cause : *Il fu mors de celle bleceure* (Joinv.). — 4⁰ Le moyen, l'instrument : *Jo i ferrai de Durendal*

m'espee (Rol.). — 5⁰ La manière : *De fiertei resemble un lion* (Rob. de Blois). — 6⁰ Participe à la construction de locutions adverbiales : *a)* avec l'infinitif : *de savoir*, sagement; *b)* avec le substantif : *de fi*, certainement; *c)* avec l'adjectif : *de neuf*, *de novel*, récemment, *de legier*, légèrement; *d)* avec un autre adverbe : *de jadis*, jadis, *de mielz*, mieux, etc.

III. Introduit des éléments d'appréciation quantitative. 1⁰ La quantité, le prix, le degré de différence : *N'ai pas de la moitié tes piés ne tes talens Comme ot Berte* (Aden.). — 2⁰ La durée : *Il n'en out de treis iurz ne de treis nuiz de pain mangied, ne beud* (Rois). — 3⁰ Indique une partie d'un tout non nombrable (v. exemple précédent). — 4⁰ Introduit le terme de la comparaison : *Meilleurs vassals de vus unques ne vi (Rol.).*

II. **dé** n. m. (1190, Garn.; lat. *datum*, de *dare*, donner). Dé à jouer. ◆ **deicier** n. m. (1268, E. Boil.). 1⁰ Artisan qui fait des dés à jouer et des tables de jeu. — 2⁰ Fabricant des dés à coudre (par confusion).

III. **dé** n. m. V. DEU, Dieu, dieu.

de- préf. V. DES-, préf. disjonctif et intensif.

deable, diavle n. m. (X⁰ s., *Eulalie*; lat. ecclés. *diabolus*, du grec). Diable : *Chestes ont chent diavles ou cors, Se je fui onques fieus men pere* (A. de la Halle). ◆ **deablor** n. m. et adj. (1160, Ben.). 1⁰ Des diables. — 2⁰ Diabolique. ◆ **deablet** n. m. (1235, H. de Méry). Diablotin. ◆ **deablie** n. f. (1150, Wace), **-ee** n. f. (XIII⁰ s., *Gaufrey*), **-age** n. m. (fin XIII⁰ s., Macé). 1⁰ Diablerie. — 2⁰ Sortilège, enchantement. ◆ **deablois** n. m. (1260, Mousk.). Combat diabolique. ◆ **deableus** adj. (fin XIII⁰ s., *Fabl. d'Ov.*) Du diable.

dealté, diauté n. f. (1277, *Rose*; orig. incert., peut-être **diabolitatem*) 1⁰ Breuvage magique. — 2⁰ Remède. ◆ **dealtique** n. f. (XIII⁰ s.). Magie.

deans adv. et prép. V. DEENZ, dedans, dans.

debaillier v. (1277, *Rose*; v. *bail*, palissade, enceinte). 1⁰ Jeter hors de l'enceinte. — 2° Enlever l'enceinte, ouvrir. — 3° Découvrir, mettre à nu.

debanir v. (1255, *Cart.*; v. *banir*). Révoquer la proclamation d'un ban. ◆ **debanement** n. m. (1255, *Cart.*). Révocation de la proclamation d'un ban.

debarder v. (1112, *Saint Brandan*; v. *barde*, selle, armure). Voler, dérober.

debatre v. (XIᵉ s., *Alexis*; v. *batre*). 1° Battre fortement, lutter. *Debatre son chief*, se casser la tête. — 2° Se débattre. — 3° Sonner les cloches. — 4° Discuter (XIIIᵉ s.). — 5° Récuser (jurid.). ◆ **debat** n. m. (1247, Ph. de Nov.). 1° Action de battre, de se battre : *Y mistrent le debat qu'il porent trayant avec les arbalestres* (Ph. de Nov.). — 2° Résistance, lutte. — 3° Coup. — 4° Discussion, querelle. ◆ **debateis** n. m. (1265, J. de Meung). 1° Débat. — 2° Action de sonner les cloches.

debaucher v. (1306, Guiart; orig. incert., de *bau*, poutre?). Provoquer la défection.

debaut n. m. (XIIIᵉ s., *Clef d'Am.*; v. *balt*, joyeux). Joie, plaisir : *Avis li est qu'elle l'embrace Et que tous ses debiaus li face* (Clef d'Am.).

debaver v. (1220, Coincy; v. *baver*). 1° Souiller, salir. — 2° Couvrir de bave : *Et a vos denz la debavez (l'andoille)* [*Ren.*].

debechier v. (1220, Coincy; v. *bec*). Becqueter.

debit n. m. (1338, *Arch.*; lat. *debitum*, dette). Dette. ◆ **debite** n. f. (1249, G.). Dette, redevance. ◆ **debetance** n. f. (1133, *Test. de Renaud*). Dette. ◆ **debitor** n. m. (déb. XIIIᵉ s.; remplace progressivement *deteor*). Celui qui doit. ◆ **debturier** n. m. (1336, *Franch.*). Débiteur.

deble, doible adj. (XIIIᵉ s., Th. de Kent; lat. *debilis*, faible). 1° Faible. — 2° Atteint de folie.

deboiser v. (1250, *Ren.*; v. *boisier*, tromper, se tromper ou *busier*, penser, rêver). 1° Imaginer. — 2° Réfléchir.

deboissier v. (1160, Ben.; v. *boissier*). 1° Dégrossir, ébaucher. — 2° Travailler artistement, sculpter : *Li pecal sont bien entaillié Et moult sotilment debossié* (Ben.).

debonaire adj. (1080, *Rol.*; amalgame de *de bon aire*, dont le contraire est *de put aire*). 1° De bonne race, noble. — 2° Bon, doux : *Car il estoit preudom ... et cortois et larges et debounaires et ne mie orgeilleus* (Fille du comte de P.). ◆ **debonerie** n. f. (XIIIᵉ s.). Caractère doux, agréable. ◆ **debonairier** v. (XIIIᵉ s.). 1° Dresser un faucon. — 2° Rendre bon, pacifier.

deboter v. (Xᵉ s., *Symb. saint Athanase*; v. *boter*, bouter). 1° Repousser, rebuter. — 2° Pousser à l'écart. — 3° Faire sortir. ◆ **debot, deboult** n. m. (1190, Garn.). 1° Bout à bout. — 2° Bout, extrémité : *Le debout de la lance en le tierre ficqua* (Chev. cygne). — 3° *Metre en debout*, repousser. ◆ **debotement** n. m. (1246, G. de Metz), **-ance** n. f. (XIIIᵉ s.). 1° Expulsion. — 2° Action de débouter.

debrisier v. (1120, *Ps. Oxf.*; v. *brisier*). 1° Briser, mettre en pièces. — 2° Rompre, violer. — 3° Prendre fin, décliner. — 4° Vexer, tourmenter. — 5° réfl. Se ployer gracieusement en marchant ou en dansant *(Rose)*. ◆ **debriseis** n. m. (1160, Ben.), **-eure** n. f. (1292, *Britton*). Action de briser, viol.

debrochier v. (déb. XIIIᵉ s., R. de Clari; v. *brochier*, piquer, mettre en perce). Transpercer.

debt n. m. V. DET, dette.

decasser v. (1120, *Ps. Oxf.*; v. *casser*). 1° Briser, démolir. — 2° Accabler, abattre.

deceit n. m. V. DEÇOIT, déception.

deceplie n. f. V. DISCIPLINE, châtiment.

deception n. f. (XIIᵉ s.; lat. impér. *deceptio*, déception). Tromperie.

decerner v. (1318, *Arch.*; lat. *decernare*, décider). Décréter, décider, déclarer.

decerveler v. (XIIIe s., *Chr. Saint-Denis;* v. *cervel).* 1º Faire sauter la cervelle, tuer. — 2º Rendre écervelé.

decevoir v. (1175, Chr. de Tr.; lat. pop. *decipere,* v. *deçoivre).* Tromper, trahir. ◆ **decevement** n. m. (1160, Ben.). **-aille** n. f. (1246, G. de Metz), **-ance** n. f. (XIIIe s., H. de Cambr.). 1º Tromperie : *Par ses fauses paroles et par ses decevemens (Queste Saint-Graal).* — 2º Trahison. — 3º Erreur. ◆ **deceveor** n. m. (1160, Ben.). Trompeur, imposteur. ◆ **decevable** adj. (1120, *Ps. Oxf.).* Menteur, faux (en parlant des personnes et des choses). ◆ **decevableté** n. f. (1190, Garn.). Qualité de ce qui trompe.

dechacier v. (1180, *Rom. d'Alex.;* v. *chacier,* poursuivre, chasser). Chasser loin, hors; exiler. ◆ **dechas** n. m. (fin XIIe s., *Trist.).* 1º Poursuite, chasse. — 2º Exil : *Longuement fu en tel dechaz (Trist.).*

dechaener v. (fin XIIe s., *Alisc.;* v. *chaene).* Libérer des chaînes.

dechalcier v. (1120, *Ps. Oxf.;* voir *chalcier).* 1º Fouler aux pieds, écraser. — 2º Dédaigner, mépriser. — 3º réfl. Se mettre en mouvement (Guiart). ◆ **dechals** adj. (1160, *Athis).* 1º Déchaussé, nupieds : *Ki si par est nus et descaus? (A. de la Halle).* — 2º Déchaux.

dechanter v. (XIVe s., *Mer des hyst.;* v. *chanter).* Chanter, célébrer. ◆ **dechanteor** n. m. (déb. XIIe s., *Ps. Cambr.).* Détracteur.

decheoir v. (1080, *Rol.;* v. *cheoir,* tomber). 1º Tomber, baisser (en parlant du jour), sortir. — 2º S'affaiblir : *Comment par crestiens ma loys dechiet et pert* (J. Bod.). — 3º Tomber en décadence. — 4º Retrancher. — 5º Etre débouté *(Charte de 1325).* ◆ **dechaement** n. m. (1112, *Saint Brand.),* **decheance** n. f. (1190, Garn.). 1º Action de tomber, chute. — 2º Ruine, déchéance. — 3º Coucher du soleil. ◆ **dechiet** n. m. (fin XIIIe s., J. de Meung). 1º Chute. — 2º Diminution. — 3º Déchet. ◆ **decheable** adj. (1260, Br. Lat.). Sujet à tomber, caduc.

deci, desi, doici, dici adv. (XIIe s., *Ogier;* comp. de la prép. *de* et l'adverbe *ci,* ici). Adv. de lieu et de temps, D'ici, depuis maintenant : *K'il n'a saint desi en Irlande* (A. de la Halle). ◆ **decique** adv. (1160, Ben.). Jusques : *La nuit sejorna descique al matin (Loher.).* ◆ **deci a, deci en, deci vers,** jusqu'à : *Dessi a Rains ne se sont atargié* (Ogier). ◆ **deci mais, deci en avant,** désormais. ◆ **deci tant que,** jusqu'à ce que (1287, G.).

decimacion n. f. (1209, *Cart.;* cf. lat. *decima,* impôt du dixième). Dîme, produit de la dîme. ◆ **decimal** adj. (fin XIIIe s., G.). Sujet à la dîme.

deciper v. (XIIIe s., Bible; lat. *dissipare,* disperser). 1º Disperser. — 2º Anéantir en dispersant. — 3º Saisir, enlever. ◆ **decipaille** n. f. (XIIe s., *Conq. Jérus.).* Massacre.

declarier, declairer v. (1160, Ben.; adapt. du lat. *declarare,* avec infl. de *cler,* clair). Éclaircir, expliquer. ◆ **declarement** n. m. (1350, *Ars d'am.),* **-ation** n. f. (déb. XIIIe s., D.). Éclaircissement, explication. ◆ **declarcier** v. (1289, *Charte),* **-cir** v. (1302, G.). Éclaircir, expliquer, déclarer.

decliner v. (1080, *Rol.;* lat. *declinare,* descendre). 1º Pencher, incliner. — 2º Baisser, diminuer, tirer à sa fin. — 3º Détourner, repousser. — 4º Achever, raconter, écrire ou chanter tout au long. ◆ **declinant** n. m. (1112, *Saint Brand.),* **-ement** n. m. (1190, saint Bern.). Déclin. ◆ **declin** n. m. (1080, *Rol.).* 1º Ruine, désastre, déroute. — 2º Mort. — 3º Couchant (M. Polo). ◆ **declinaison** n. f. (1220, H. d'Andeli), **-ation** n. f. (XIIIe s.). 1º Déclin. — 2º Action de répéter : *La declynassion de tes paroles enlumine nos tenebres (Arch.).* ◆ **declinable** adj. (1349, J. Le Fevre). Qui décline.

deçoivre v. (1130, *Job;* lat. *decipere).* 1º Tromper : *Mot se penout de ceu deçoivre Qui de l'ame le feroit soivre (Trist.).* — 2º Décevoir, prendre par surprise. ◆ **deçoit** n. m. (XIIe s.), **deçoite** n. f. (XIIIe s., *Traité d'écon. rur.* 1º Déception. — 2º Tromperie, trahison, fraude : *Par ma*

*deceyte avez conquis le chastiel de Dynan
e le pays (F. Fitz Warin).* — 3° Erreur.
◆ **deception** n. f. (XII° s.). Action de tromper.

decoler v. (X° s., *Saint Léger;*
v. *col*). Décapiter. ◆ **decolace** n. f. (1249,
Acte). 1° Décollation. — 2° adj. Décollé,
décapité. ◆ **decoleor** n. m. (1150, Wace).
Bourreau. ◆ **decoleter** v. (1265, J. de
Meung). Découvrir en laissant voir le cou.

decompisser v. (XII° s., *B. d'Hanst.;*
v. *pisser*). Pisser sur.

deconoistre v. (1160, *Eneas;*
v. *conoistre,* connaître). Connaître, reconnaître : *Ainz seriums tost viel chenu Que
l'aussons dequeneu (Eneas).*

decoper v. (déb. XIII° s., Rob. de
Clari; v. *colper*). Massacrer : *Occirre et
decopper (Pass. Palat.).* ◆ **decoponer** v.
(1205, *G. de Palerne*). Trancher.

decorre v. (1150, *Thèbes;* v. *corre,*
courir). 1° Courir, parcourir. — 2° Couler : *Le cler sanc qui decouroit De ses
plaies (Est. Saint-Graal).* — 3° Faire
écouler, cesser. ◆ **decors** n. m. (1190,
Garn.). 1° Cours, écoulement : *Ensi cesset
li decors de la grace* (saint Bern.). —
2° Déclin : *Li munz est en decurs* (Garn.).
◆ **decorement** n. m. (déb. XII° s., *Ps.
Cambr.*). Écoulement, flux. ◆ **décorable**
adj. (déb. XII° s., *Ps. Cambr.*). Qui court,
qui coule.

decoste prép. et adv. (1175, Chr. de
Tr.; v. *coste*). A côté de, du côté de.

decrachier v. (fin XII° s., *Est. Saint-
Graal;* v. *crachier*). 1° Couvrir de crachats. — 2° Rejeter, dépouiller une chose
laide et hideuse : *Fi! escopez et decrachiez
Doit estre orgueil de touz prodommes*
(1220, Coincy).

decret n. m. (1190, Garn.; lat. *decretum,* décision, sentence). 1° Décision
d'une autorité, jugement. — 2° Droit
canon. ◆ **decret** adj. (1230, *Saint Eustache*). Décidé, décrété. ◆ **decretiste**
n. m. (1220, H. d'Andeli). Docteur en
droit canon.

decrever v. (XII° s., Herman; v. *crever*). Crever, périr, mourir. ◆ **decrevé** adj.

(XII° s., *Mon. Guill.*). 1° Crevé, fendu. —
2° Laid, vilain, malade.

decuire v. (fin XII° s., saint Grég.;
v. *cuire*). 1° Cuire. — 2° Abîmer de douleur. ◆ **decuiteure** n. f. (1350, *Ars d'am.*).
Digestion.

dedavant adv. et prép. (1080, *Rol.;*
v. *davant,* devant, avant). 1° Par-devant :
*Dedavant sei fait porter sun dragun
(Rol.).* — 2° Auparavant.

dedentrien adj. (1190, saint Bern.;
comp. pléonastique de *dedenz* et de *inter,*
à dérivation adjectivale). Intérieur, qui est
dedans. ◆ **dedentrain** adj. (XIV° s., *Vie
saint Fr. d'Ass.*). Intérieur. ◆ **dedentrains**
adv. (1360, Froiss.), **-ement** adv. (1360,
Froiss.). En dedans de soi. ◆ **dedenzein**
adj. (déb. XII° s., *Ps. Cambr.;* dérivé de
dedenz, dedans). 1° Du dedans. —
2° Citoyen. ◆ **dedenzeneté** n. f. (1120,
Ps. Oxf.). Intérieur.

dedenz prép. et adv. (XI° s., *Alexis;*
v. *enz,* à double renforcement). Prép. et
adv. de lieu et de temps. Dans, dedans.

dedesoz prép. et adv. (1080, *Rol.;*
v. *desos,* sous, dessous). 1° Prép. de lieu.
Sous. — 2° Adv. de lieu, Dessous.

dedevers prép. (1160, Ben.; v. *vers,*
avec renforc.). Adv. de lieu, Vers, du
côté de.

dedier v. (fin XII° s., *Cour. Louis;* lat.
dedicare, consacrer, dédier). Dédier,
consacrer à. ◆ **dediement** n. m. (1160,
Ben.). 1° Dédicace. — 2° Don. ◆ **dediace,**
-icaze n. f. (fin XII° s., saint Grég.), **-acion**
n. f. (1260, Mousk.). 1° Action de dédier,
dédicace. — 2° Donation.

deduire v. (XI° s., *Alexis;* lat. *deducere*). 1° Mener, conduire. — 2° réfl.
Passer, flâner : *Or se cuida Guillelmes
reposer, Deduire en bos et en riviere aler
(Cour. Louis).* — 3° Réjouir, divertir. ◆
deduit n. m. (1160, *Eneas*). 1° Divertissement, plaisir : *Et a un grant deduit vesquirent bien cinc ans ensamble (Fille du
comte de P.).* Faire deduit, se réjouir,
s'amuser. — 2° Divertissement amoureux. — 3° plur. Objets de luxe, de jeu :
*Et aussi done la roine Son vair, son gris et
son ermine, Et ses aniaus et des deduis*

(Chr. de Tr.). ◆ **deduitement** n. m. (xiᵉ s., *Alexis*), **deduiement** n. m. (xiiᵉ s., *Horn*), **-isement** n. m. (1335, Deguil.). Amusement, plaisir, distraction. ◆ **deduitor** n. m. (xiiᵉ s., *Asprem.*). Divertisseur, jongleur. ◆ **deduiant** adj. (fin xiiᵉ s., *Ogier*), **-isant** adj. (1210, *Dolop.*). Agréable, charmant. *Il i fait deduisant*, on s'y amuse.

deee n. f., déesse, fée. V. DEU, dieu.

deel n. m. (1348, Du Cange; lat. pop. **ditale*, lat. class. *digitale*). Dé à coudre. ◆ **deelier** n. m. (1268, E. Boil.). Fabricant de dés à coudre.

deenz, deans, deinz adv. et prép. (xiiᵉ s., lat. *intus* renforcé par *de*; v. *enz*). Adv. et prép. de lieu, Dedans, dans. *Par deens, en deenz*, d'ici à, c'est-à-dire à l'intérieur du laps de temps prévu.

deestre v. V. DESESTRE, manquer de.

defaillir v. (1080, *Rol.*; v. *faillir*). 1º Manquer, faire défaut : *Oi nus defalt la leial cumpaignie* (Rol.). 2º Manquer à la parole : *Que ... il defailloit et eiroit avecques un autre (Mir. Saint Louis).* — 3º Prendre fin. ◆ **defalte** n. f. (1112, *Saint Brand.*), **defaut** n. m. (xiiiᵉ s.). 1º Manque, perte. — 2º Défaut, défectuosité : *Ker le cief fu un poi navré Par la defaute d'une maille (Saint Eust.). Avoir defaute de veue*, être aveugle. ◆ **defalté** n. f. (fin XIIe s., *Rois*). Déloyauté. ◆ **defaillance** n. f. (1190, saint Bern.). 1º Manque, perte : *Si plaint on mout sa defaillance (ABC).* — 2º Défaut.

defaindre v. (xiiiᵉ s., Bible; v. *faindre*, feindre). Feindre. ◆ **defaignement** n. m. (xiiiᵉ s., Bible). Feinte.

defait n. m. (fin xiiᵉ s., *G. de Rouss.*; v. *fait*). Mal, malheur. *Le fait et le defait*, le pour et le contre.

defamé adj. (1160, *Eneas*; v. *fame*, renommée). Diffamé.

defect n. m. (fin xiiiᵉ s., J. de Meung; lat. *defectus*). Défaut. ◆ **defection** n. f. (xiiiᵉ s.). 1º Défaut, erreur. — 2º Éclipse (du soleil ou de la lune). ◆ **defectif** adj. (1341, *Arch.*), **-ueus** adj. (1336, R. de Louens). 1º Défectueux. — 2º Qui manque.

defendre v. (fin xiᵉ s., *Lois Guill.*; lat. *defendere*, protéger, écarter). 1º Défendre, interdire. — 2º Défendre, résister. — 3º Défendre, protéger. ◆ **defeis, defois** n. m. (xiiᵉ s., C. de Béth.). 1º Interdiction. *Sor le defois*, malgré l'interdiction. *Metre en defois*, mettre en interdit. 2º Interdiction qu'on fait à soi-même, renoncement : *Por çou s'ai mis mon chanter en defois* (C. de Béth.). — 2º Défense, résistance. *Estre en defois*, être dans son tort. — 3º Obstacle. — 4º Palissade : *Une planche d'une defoiz* (H. de Cambr.). — 5º Protection. *N'i avoir pas de defois*, n'avoir pas moyen de garantir quelque chose. ◆ **defoise** n. f. (1251, *Arch.*). Défense. ◆ **defens** n. m. (1119, Ph. de Thaun), **-e** n. f. (fin xiᵉ s., *Lois Guill.*). 1º Interdiction. — 2º Résistance. — 3º Protection. ◆ **defendement** n. m. (1160, Ben.), **-sion** n. f. (1080, *Rol.*), **defendance** n. f. (av. 1300, Poèt. fr.). Défense, résistance, protection. *Faire defendance*, servir de défense. ◆ **defensal** n. m. (xiiᵉ s., *Ps.*). Défense. ◆ **defenser** v. (xiiᵉ s.). Défendre. ◆ **defenserie** n. f. (1170, *Ps. Oxf.*), **-seor** n. m. (1213, *Fet Rom.*), **-sier** n. m. (1200, *Ren. de Montaub.*). Défenseur. ◆ **defensable** adj. (1160, *Eneas*), **-dable** adj. (1277, *Rose*). 1º Qui peut être défendu. — 2º Qui peut se défendre. — 3º Propre à la défense. — 4º Défendu, prohibé.

defenir v. (1080, *Rol.*; lat. *definire* et anc. fr. *fenir*). 1º Terminer, achever. — 2º Finir, mourir. — 3º Définir. ◆ **defenissement** n. m. (1277, *Rose*). 1º Fin. — 2º Mort. — 3º Définition (*Rose*).

deferer v. (1170, *Aym. de Narb.*; v. *fereis*, combat). 1º Se précipiter. — 2º Se démener (Mousk.).

deferir v. (1246, G. de Metz; v. *ferir*). Frapper.

defermer v. V. DESFERMER, ouvrir.

defiler v. (1268, E. Boil.; v. *fil*). 1º Enlever fil à fil. — 2º Couler.

definer v. (xiiᵉ s., *Ogier*; v. *fin*). 1º Finir, achever : *Quant li servises fu diz et definez (Cour. Louis).* — 2º Conclure une affaire (en payant). — 3º Décliner,

mourir. ◆ **definement** n. m. (1080, *Rol.*).
1° Fin. − 2° Conclusion. − 3° Mort. ◆
definail n. m. (déb. XIIe s., *Ps. Cambr.*).
Fin. ◆ **definaille** n. f. (1155, Wace).
1° Fin. − 2° Mort. − 3° Défaite (*Vœux du
Paon*). ◆ **definance** n. f. (XIIIe s., *Doon de
May.*). Fin. ◆ **definee** n. f. (fin XIIe s., *Gir.
de Rouss.*). 1° Fin. − 2° Solution. −
3° Destinée.

defire v. (XIe s., *Alexis*; lat. *deficere*).
1° Disparaître. − 2° Périr, s'évanouir,
mourir : *Esvanoir comme vent Et defire
comme fumee (Alexis)*. ◆ **defisement** n. m.
(1120, *Ps. Oxf.*). Disparition, anéantissement.

deflire v. (1180, *Rom. d'Alex.*; lat.
deflere, empr. savant). Pleurer.

defois n. m. V. DEFEIS, interdiction,
défense, protection.

defoler v. (1080, *Rol.*; v. *foler*).
1° Fouler aux pieds, renverser à terre. −
2° Outrager, opprimer. − 3° Jouir d'une
femme. ◆ **defol** n. m. (XIIe s., *Chast. d'un
pere*), **-ance** n. f. (XIIIe s.). Oppression.
◆ **defoleis** n. m. (1175, Chr. de Tr.).
1° Action de fouler. − 2° Mêlée, presse.
◆ **defoleison** n. f. (XIIe s., *Chétifs*), **-isson**
n. f. (XIIe s., *Asprem.*). Presse, mêlée.

deforain adj. (1160, Ben.; v. *forain*).
1° Extérieur, du dehors. − 2° Qui n'appartient pas à la ville, étranger (1235,
Tailliar). ◆ **deforaine** n. f. (fin XIIIe s.,
Anseis). Lieu écarté. ◆ **deforaineté** n. f.
(1120, *Ps. Oxf.*). 1° Mondanité. − 2° Qualité de ce qui est extérieur, de ce qui est
étranger.

deforcier v. (fin XIe s., *Lois Guill.*;
v. *forcier*, faire violence). 1° Forcer, faire
violence : *Si nul parent n'ami ceste justice deforcent (Lois Guill.)*. − 2° Retenir
par force, détenir contre justice. −
3° Contraindre. − 4° S'approprier par la
violence. ◆ **defors** n. m. (1282, *Franch.*),
deforcement n. m. (1304, *Year Books*).
Violence. ◆ **deforceor** n. m. (1304, *Year
Books*). Détenteur à titre précaire.

defors, defuer, desfuer adv.
et prép. (Xe s., *Saint Léger*; v. *fors*). Adv.
et prép. de lieu, Dehors, hors de. ◆ **dehors**
adv. et prép. (XIIe s.; v. *hors*). Dehors,
hors de.

defraindre v. (1120, *Ps. Oxf.*;
v. *fraindre*). Briser, casser, frapper. ◆
defrait adj. (1155, Wace). Brisé, épuisé :
Il fu vielz hom et defraiz (Wace).

defrauder v. (1319, G.; v. *fraude,
tromperie*). Tromper, frauder, frustrer par
fraude. ◆ **defraudation** n. f. (fin XIIIe s.,
Macé). Fraude, action de frauder.

defriper v. (1169, Wace; v. *friper,
s'agiter*). 1° Agiter. − 2° Se démener. −
3° Se dissiper.

defrire v. (1150, Wace; v. *frire*).
1° Frire, brûler. − 2° S'agiter, être en
colère.

defroer v. (XIIe s., *Mon. Guill.*;
v. *froier*, frotter, briser). Briser, rompre.

defroissier v. (1155, Wace;
v. *froissier*, briser, rompre). 1° Briser, fracasser : *Fouke le refery en my le healme
qe sa lance tote defruscha* (F. Fitz Warin).
− 2° Craquer : *Et donc l'en ooit ses os
hurter l'un a l'autre et defroissier* (Mir.
Saint Louis). − 3° Meurtrir. − 4° Froisser. ◆ **defroissement** n. m. (1284, Aden.).
Action de briser, bruit qu'on entend à
cette occasion. ◆ **defroisseis** n. m. (1175,
Chr. de Troyes). Entrechoquement. ◆
defroit adj. (1220, Coincy). Meurtri.

defroter v. (XIIe s., *Chétifs*; v. *froter*,
frotter). 1° Se frotter, se gratter. − 2° Fouler. − 3° S'activer, s'appliquer.

defuer adv. et prép. V. DEFORS,
dehors, hors de.

defuir v. (1240, *Charte*; v. *fuir*).
1° Fuir. − 2° Éviter. ◆ **defuit** n. m.
(1246, G. de Metz). 1° Fuite. − 2° Course.

degaber v. (fin XIIe s., saint Grég.;
v. *gaber*). 1° Rire de quelqu'un, railler. −
2° Mépriser. ◆ **degabeus** adj. (XIIIe s.,
Règle saint Ben.). Moqueur.

degaster v. (1080, *Rol.*; v. *gaster*).
1° Gâter, ravager, abîmer, consumer :
*Une grief maladie ... qui l'avoit tormenté
... et aussi comme degasté et sechié* (Mir.
Saint Louis). − 2° Dissiper : *Se porpensa
la dite Aelis que... saint Loys degasterait
ces yaues* (Mir. Saint Louis). ◆ **degast**
n. m. (1360, Froiss.). Dégât. ◆ **degaste-**

ment n. m. (XIIIe s., *Cart.*). Ravage. ◆ **degasteor** n. m. (1120, *Ps. Oxf.*). Ravageur, dissipateur.

degeter v. (1080, *Rol.; v. geter*). 1° Jeter, faire sortir, chasser. — 2° réfl. Agiter : *D'amor estuet suer ... Et degiter et tressaillir (Eneas).* — 3° Repousser, répudier. — 4° Abaisser, renverser, destituer. ◆ **degetement** n. m. (1120, *Ps. Oxf.*). Ce qu'on jette, ce qu'on repousse, rebut. ◆ **degetance** n. f. (XIIIe s.). Action de rejeter, de chasser. ◆ **degection** n. f. (fin XIIe s., saint Grég.). Abaissement, abjection. ◆ **deget, degiet** adj. (1120, *Ps. Oxf.*). 1° Malade, faible. — 2° Lépreux : *Deus s'en esteit iriez, de liepre le covri : Mesaus fu e degez* (Garn.). — 3° Inutile, méprisable.

degignier v. (1330, *Ren. le Contref.; v. engignier*, imaginer, fabriquer avec art).

deglaiver, -ier v. (XIIe s., *Ps.; v. glaive*). Percer de coups de glaive, faire périr par le glaive. ◆ **deglaveis** n. m. (1155, Wace). Massacre par le glaive.

deglateis n. m. (1155, Wace; v. *glatir*). Cri, hurlement.

deglotir v. (1120, *Ps. Oxf.;* lat. *deglutire,* avaler). Engloutir, avaler, dévorer. ◆ **deglotant** adj. (fin XIIe s., *Ogier*). Dévorant.

degoiser v. réfl. (XIIIe s.; v. *gosier*). 1° Chanter. — 2° S'ébattre. ◆ **degois** n. m. (1335, *Rest. du Paon*). Plaisir, réjouissance, divertissement. ◆ **degoisie** adj. fém. (XIIIe s., *Tourn. Chauvenci*). Remplie de plaisirs.

degoler, desgoler v. (XIIe s., *Roncev.; v. gole*, gueule, tête). 1° Égorger, décapiter, tuer. — 2° Se couler, se glisser (Ruteb.).

degoter v. (déb. XIIe s., *Ps. Cambr.; v. goter*, goutter). Tomber goutte à goutte, dégoutter. ◆ **degotance** n. f. (XIIIe s., *Pastor.*). Action de dégoutter, écoulement. ◆ **degot** n. m. (1160, Ben.). 1° Égout, gouttière, eau de gouttière. — 2° Pluie, rosée, sang. ◆ **degotail** n. m. (1260, Mousk.), **-aille** n. f. (1311, G.). Gouttière.

degras n. m. (1190, J. Bod.; v. *gras?*). 1° Joie, plaisir. — 2° Bombance : *S'or avez vos degraz Et vostre pance est or plaine (Ren.).*

degrocier v. (XIIe s., Evrat; v. *grocier,* même sens). Grommeler, grogner.

deguaster v. V. DEGASTER, ravager.

deguenchir v. (1170, *Percev.;* voir *guenchir*). Tourner à gauche.

deguerpir v. (déb. XIIe s., *Ps. Cambr.; v. guerpir,* abandonner). 1° Abandonner, quitter. — 2° Abandonner une propriété, un héritage. ◆ **deguerpie** n. f. (1284, *Cart.*). 1° Femme abandonnée. — 2° Veuve.

deguier v. (1339, *Arch.; v. guier,* guider). Délimiter, poser des bornes. ◆ **deguiement** n. m. (1343, *Arch.*). Action de délimiter.

deguiler v. (XIIe s., Bible; v. *guiler,* tromper). Tromper, surprendre. ◆ **deguileor** n. m. (XIIe s., Bible). Trompeur.

dehachier v. (1175, Chr. de Tr.; v. *hachier,* couper). Couper en morceaux, hacher, découper. ◆ **dehachie** n. f. (XIIe s.). Déconfiture, extermination.

dehaignier v. (1260, A. de la Halle; form. obsc.; à rapprocher de *haine*). Haïr.

dehaitier v. V. DESHAITIER, rendre malade.

dehaler v. (1330, *Ren. le Contref.; v. haler,* être desséché). Exténuer, harasser, accabler de coups.

dehé, dehet n. m. et interj. (1080, *Rol.;* peut-être de *dé,* dieu, et *hé,* haine). Formule d'imprécation, de damnation : *Dehet ait ki s'en fuit! (Rol.).*

dehuier v. (1288, *Ren. le Nouv.; v. huier,* huer). Huer, crier après quelqu'un par mépris. ◆ **dehuement** n. m. (1335, Deguil.). Action de huer, cris de mépris.

dei n. m. V. DOI, doigt.

deie n. f. V. DOIE, largeur du doigt.

deien, doien n. m. (fin XIIe s., L.; lat. chrét. *decanus*). Chanoine ayant au moins dix moines sous ses ordres. ◆ **deiene,**

doiene n. f. (XIIIe s., *ABC*). Dame, maîtresse. ◆ **doiené** n. m. (1331, *Arch.*). Office du vérificateur des laines et des mesures.

deile n. f. V. DOILLE, douve, douille, ais.

deintre n. m. (1119, Ph. de Thaun; orig. obsc.). Précurseur.

deinz adv. et prép. V. DEENZ, dedans, dans.

deinzein adj. (XIIe s., Bible; dér. de *deenz*, dedans). 1o Du dedans, intérieur. — 2o n. m. Citoyen.

deisdere n. m., désir. V. DESIER, désirer.

deité n. f. (1119, Ph. de Thaun; lat. *deitas, -atis*). 1o Personne divine, nature divine : *Vo cors a esté en croys mis, La deité le puet bien faire (Pass. Palat.).* — 2o Choses divines.

I. **deitier** v. V. DITIER, écrire, enseigner.

II. **deitier** v. V. DOITIER, indiquer.

dejection n. f. V. DEGECTION, abaissement.

dejoer v. (1119, Ph. de Thaun; v. *joer*). Jouer, se réjouir.

dejoste prép. et adv. (1080, *Rol.*; v. *joste*). 1o Prép. de lieu, A côté de, auprès : *Dejoste le roi s'est assis (Ren.)* — 2o Adv. de lieu (1273, *Saint Barthomé*). De côté.

dejus adv. (1180, *Rom. d'Alex.*; v. *jus*, en bas). Adv. de lieu, Dessous.

dejusque adv. (1180, *Rom. d'Alex.*; v. *jusque*). Jusque : *De jusqu'as puins li bat li gonfanon frisés (Rom. d'Alex.).*

del contraction de la prép. *de* et de l'art. *le*. V. DE, prép.

I. **delaier** v. (1175, Chr. de Tr.; v. *laier*, laisser). 1o Tarder, différer. — 2o Etre en retard. — 3o Faire attendre. ◆ **delai** n. m. (1172, *Chans.*), **-ement** n. m. (XIIe s., *Chev. cygne*), **-ance** n. f. (fin XIIIe s., G. de Tyr). Action de différer, délai, retard.

II. **delaier** v. (XIIIe s., *Lapid. fr.*; lat. *deliquare*, transvaser). Délayer, transvaser, décanter. ◆ **déliié** adj. (1175, Chr. de Tr.). Délié.

delair, deloir, delay, delors n. m. (1224, *Ch. des barons de Champ.*; lat. *delerus*, sot, fou, d'un **mensis delerus*, mois fou, à cause des Saturnales de décembre). Décembre.

delaissier v. (déb. XIIe s., *Ps. Cambr.*; v. *laissier*). 1o Abandonner. — 2o Se désister, cesser. ◆ **delaissement** n. m. (1274, G.), **-ance** n. f. (1297, *Charte*). 1o Action de délaisser. — 2o Cession d'un bien.

delegation n. f. (XIIIe s., Delb.; lat. *delegatio*). 1o Procuration. — 2o Relégation. ◆ **delegat** n. m. (1260, Br. Lat.). Délégué.

deles, delé, deleiz prép. et adv. (fin XIIe s., *Rois*; lat. *latus*, renf. par *de*). 1o Prép. de lieu, A côté de. — 2o Adv. de lieu (XIIIe s., *Chans. d'Ant.*). A côté, auprès : *E delees si est un chastelet (F. Fitz Warin). Par deles*, à côté.

delgié, dogié adj. (1080, *Rol.*; lat. *delicatum*). 1o Délicat, fin. — 2o Mince, svelte : *Rians, amoureuse et deugie* (A. de la Halle). — 3o Faible, infirme.

deli adj. m., **delie, delise** fém. (1170, *Percev.*; adapt. du lat. *delicatus*, infl. par *deslier*). Fin, délicat, faible. ◆ **deliete** adj. fém. (XIIIe s., *Pastor.*). Délicate, fine. ◆ **delieté** n. f. (XIIe s., *De péchés*). Chose de peu d'importance. ◆ **deliesce** n. f. (XIVe s., *Lég. dorée*). 1o Finesse, délicatesse. — 2o Transparence.

deliberation n. f. (1306, G.; lat. *deliberatio*, consultation, infl., en partie, par *delivrer*). 1o Délai pour délibérer obtenu par le demandeur. — 2o Délivrance (1327, *Arch.*).

delict n. m. (déb. XIVe s.; lat. *delictum*, de *delinquere*, manquer). Délit, infraction.

deliper v. réfl. (1250, *Ren.*; v. *lipe*, lèvre). Se mordre les lèvres.

delire v. (1306, Guiart; v. *elire*). 1o Élire, choisir. — 2o Compter.

deliros adj. (xiie s., *Ps.;* cf. lat. *delirus,* qui délire). 1° Furieux. — 2° Terrifiant : *Mort delireuse et fiere* (Ruteb.).

delitier, delicier v. (1120, *Ps. Oxf.;* lat. pop. **delictare,* de *diligere*). 1° Réjouir, charmer. — 2° Délecter, faire jouir. ◆ **delit** n. m. (1175, Chr. de Tr.), -e n. f. (1180, *Rom. d'Alex.*). Plaisir, jouissance : *La plaie saigne, ne la sent, Quar trop a son delit entent (Trist.).* ◆ **delitement** n. m. (1130, *Job*), -ance n. f. (xiie s., *Ps.*), -oison n. f. (xiiie s., *Fabl. d'Ov.*), -ableté n. f. (1277, *Rose*). Plaisir, délice. ◆ **delice, delices** n. m. s. ou pl. (1120, *Ps. Oxf.*). 1° Plaisir, délice. — 2° Petits soins, attentions : *Vos meismes, de quel delisces Seriés vos peue et servie?* (Chr. de Tr.). ◆ **delicios** adj. (1190, saint Bern.). 1° Délicat. — 2° n. m. Qui vit dans les délices (J. de Meung). ◆ **delicion** n. f. (1180, *Rom. d'Alex.*), **delitacion** n. f. (1277, *Rose*). Affection, marque d'affection. ◆ **deliteor** n. m. (xiie s., Bible). Jouisseur, celui qui se délecte. ◆ **delitos** adj. (1155, Wace). Délicieux, agréable : *Mout fust la voie et boine et deliteuse* (C. de Béth.). ◆ **delitable** adj. (1160, Ben.), **delitel** adj. (1204, R. de Moil.). Délicieux, charmant.

delivrer v. (fin xie s., *Lois Guill.;* bas lat. *deliberare,* d'après *livrer*). 1° Libérer, délivrer, sauver : *Garis hui mon cors et delivre!* (J. Bod.). — 2° Débarrasser. — 3° Expliquer. — 4° Remettre quelque chose, livrer (xiiie s.). ◆ **delivrance** n. f. (xiie s., Marb.). 1° Délivrance, libération. *Avoir bonne delivrance de son mestre,* recevoir un bon certificat. — 2° Accouchement. — 3° Livraison, mise en possession. ◆ **delivrement** n. m. (1170, *Percev.*), -eure n. f. (1160, Ben.), -oison n. f. (1169, Wace). 1° Délivrance. — 2° Accouchement. — 3° Livraison. — 4° *A delivrement,* pleinement, librement. ◆ **delivre** n. m. (1160, *Eneas*). Delivrance. *A delivre,* librement, entièrement, avec empressement, à discrétion : *Tel pooir a tout a delivre Qu'ele fait home mort revivre (Pass. Palat.). A son delivre,* à son aise. ◆ **delivreor** n. m. (1120, *Ps. Oxf.*). 1° Libérateur. — 2° Celui qui prend la défense de quelqu'un. ◆ **delivre** adj. (1150,

Thèbes). 1° Libre : *Tout delivre te rendrai (Pass. Palat.).* — 2° Libre de tout mal, guéri. — 3° *Delivre a,* délivré de : *S'il de delivres a la gent criminel (Asprem.).* — 4° *Delivre de,* exempt de. *Estre delivre de,* accoucher de. — 5° Dispos, svelte.

deljanre adj. (1190, saint Bern.; orig. obsc.). Attentif. ◆ **deljantrement** adv. (1190, saint Bern.). Avec soin.

deloir n. m. V. DELAIR, décembre.

deloive n. m. (xiie s., *Asprem.*), **deluve** (xiie s.), **deluge** (1175, Chr. de Tr.; lat. *diluvium*). 1° Déluge. — 2° Destruction, calamité, dégâts. — 3° Massacre, carnage. — 4° *Mestre du deluge,* surveillant les levées et digues le long d'un fleuve (1263, G.).

delors n. m. V. DELAIR, décembre.

delun n. m. V. DILUN, lundi.

deluve n. m. V. DELOIVE, déluge, destruction, massacre.

demain adv. (1080, *Rol.;* lat. pop. *demane,* renforcement de *mane,* matin). Adv. de lieu, Demain. ◆ n. m. Le lendemain.

demaine, demeine adj. (1080, *Rol.;* lat. pop. **domanium,* de *dominus*). 1° Qui appartient au maître, seigneurial. *Messe demaine,* messe solennelle. *Home demaine,* homme du domaine, homme lige. — 2° Principal : *cinc cenz torz avoit anviron Estre lo demoine donjon (Eneas).* — 3° Personnel, propre : *Il ama son umbre demaine (Rose).* — 4° *Demaine a,* propre à, qui excelle à. — 5° *En demaine,* en propre, en personne; à part. ◆ **demaine** n. m. (fin xie s., *Lois Guill.*). 1° Pouvoir : *vos avez en vo garde et en vostre demoine* (J. de Meung). — 2° Trésor. — 3° Propriété, domaine. — 4° Seigneur, quelquefois souverain. ◆ **demainement** n. m. (1169, Wace). 1° Autorité, pouvoir. — 2° Domaine, seigneurie. ◆ **demeneure** n. f. (1234, G.). 1° Propriété, domaine. — 2° Droit de possession. ◆ **demainier** adj. (1269, *Charte*). Qui appartient en propre.

demaintenant adv. (xiie s., *Ps.;* comp. de *main* et *tenir*). 1° Adv. de temps, Tout de suite, aussitôt. — 2° n. m.

(déb. XIIIᵉ s., R. de Beauj.). Le moment présent.

demalaire adj. (XIIIᵉ s., *Petit Plet;* mot composé sur le moule *debonaire*). De basse naissance, de mauvaise nature.

demaler v. (fin XIIIᵉ s., *Mir. saint Éloi;* v. *mal*). Se lamenter.

demander v. (1080, *Rol.;* lat. *demandare*, remettre, confier). 1° Attendre quelque chose de quelqu'un, solliciter. — 2° Enquêter, s'informer. — 3° Reprocher. ◆ **demant** n. m. (1155, Wace), **demande** n. f. (1190, saint Bern.). 1° Demande, requête : *Li baron oient la demande, Que por la fille au roi d'Irlande Offre Tristran vers eus batalle* (Trist.). — 2° Quête, recherche. — 3° Demande en justice. ◆ **demandement** n. m. (1160, Ben.). 1° Demande. — 2° Requête, demande en justice. ◆ **demandise** n. f. (1130, *Job*). 1° Demande, question. — 2° Enquête, information judiciaire.

demangier v. (1220, Coincy; v. *mangier*). Dévorer, ronger. ◆ **demangeure** n. f. (XIVᵉ s., *Gloss. Douai*). Démangeaison, prurit.

I. demanois, -eis, -es adv. (1080, *Rol.;* comp. de *manu ipsa*, renforcé par *de*). Adv. de temps, Sur-le-champ : *Et trestuit cil qui voudront demanois* (Aym. de Narb.). ◆ **demanois que**, aussitôt que.

II. demanois adj. (1169, Wace; v. *demanois*, adv., tout de suite). 1° Alerte, ardent, acharné. — 2° Fort, vigoureux.

demarchier v. (déb. XIIᵉ s., *Ps. Cambr.;* v. *marchier*). Marcher sur, fouler aux pieds.

demars n. m. V. DIMARS, mardi.

demeine adj. V. DEMAINE, qui appartient au maître, principal, personnel, propre à.

demel, dimel, dumel n. m. (1308, *Acte;* lat. *dimidius*, demi, avec chang. de suff.). Demi-boisseau.

demener v. (1080, *Rol.;* v. *mener*). 1° Mener avec force, exercer, gouverner : *Amors par force vos demeine* (Trist.). — 2° Remuer, agiter. — 3° Manifester un

sentiment : *Si comença a plorer Et grant dol a demener* (Auc. et Nic.). — 4° Traiter, conduire. *Comant vos demanez?*, comment vous portez-vous? — 5° Secouer, frapper, maltraiter. ◆ **demenement** n. m. (XIIᵉ s., *Chev. cygne*). 1° Manière d'agir, conduite : *Com il apparut a son demenement* (Gir. de Rouss.). — 2° Mouvement, agitation, tumulte. — 3° Manière de mener une affaire, poursuite en justice. — 4° Saisie faite au nom du seigneur. ◆ **demenee** n. f. (XIIIᵉ s.). 1° Menée, procédé, façon d'agir. — 2° Manège, procédure.

I. dementer v. (1080, *Rol.;* lat. *dementare*, être dément). 1° Se désoler, gémir, se tourmenter : *La damoisele qui suer Perceval estoit les oi si dementer* (Queste Saint-Graal). — 2° Devenir fou de douleur. — 3° S'ingénier (*Rose*) ◆ **dement** n. m. (fin XIIᵉ s., saint Grég.), **-e** n. f. (XIIᵉ s.). 1° Lamentation, gémissement. — 2° Agitation, souci. ◆ **dementement** n. m. (1200, *Ren. de Montaub.*), **-oison** n. f. (1155, Wace). 1° Plaintes, sanglots, cris de désolation. — 2° Chagrin.

II. dementer v. (1277, *Rose;* formé à partir de *mentem;* v. *mentevoir, comenter*). Réfléchir, chercher à s'expliquer : *Me pris a dementer Par quel art ... Je porroie entrer au jardin* (Rose).

dementres adv. (1155, Wace), **dementrues** (XIIᵉ s., Herman), **dementiers** (M. de Fr.), **dement** (XIIᵉ s., *Prise de Pamp.;* comp. du lat. pop. *dum-intra* ou *dum-interea*, avec un *s* adverbial). Suivi de *que*, constitue la locution conjonct. de temps, Pendant, tandis, durant. ◆ **dementiers, -iereus** adv. (XIIIᵉ s., *Chron. angl.*). Pendant ce temps.

demerir v. (av. 1300, Poèt. fr.; v. *merir*, mériter). Démériter.

demerque n. m. V. DIMERCE, mercredi.

demesler v. (fin XIIᵉ s., *Aiol;* v. *mesler*, brouiller, se quereller). 1° Dégager : *Li rois i vint corant por desmeler* (Aiol). — 2° Séparer une chose d'une autre.

demetre, desmetre v. (1080, *Rol.;* lat. *dimittere*). 1° Envoyer, dépla-

cer, faire sortir. — 2º Enlever, emporter. —
3º Jeter en bas, laisser tomber. —
4º Excepter, omettre. — 5º Mettre en gage.
— 6º Dépouiller. ◆ **demis** adj. (1080,
Rol.). 1º Exclu, banni. — 2º Tombé, ruiné.
— 3º Humble.

demi n. et adj. (fin XIᵉ s., *Lois Guill.;*
lat. pop. *dimedium, pour *dimidius*).
1º adj. Qui forme la moitié d'un tout :
Demie Espagne vos velt ... doner (Rol.). —
2º n. m. Demi : *Cinq piés ot et demi de
long* (Aden). — 3º Préfixe, ex. : *demilige*
adj. (1272, *Charte*). Vassal prêtant serment pour un arrière-fief. ◆ **demie** n. f.
(XIIᵉ s., *Saint Thomas*). 1º La moitié : *De
tut n'en pout aveir li sainz une demie
(Saint Thomas).* 2º Pain d'obole équivalant à la moitié de la *denrée.* — 3º Redevance de pain exigible en nature chaque
semaine.

I. **demie** n. f., moitié, pain d'obole.
V. DEMI, qui forme la moitié.

II. **demie** n. f., petite quantité. V. DE-
MIER, s'émietter.

demier v. (XIIIᵉ s.; v. *mie,* miette, parcelle). 1º S'émietter. — 2º Se dissoudre.
◆ **demie** n. f. (1277, *Rose*). Petite quantité.

demincier v. (1175, Chr. de Tr.;
v. *mince*). 1º Rendre mince. — 2º Couper
en petits morceaux.

demiselage n. m. V. DAMISELAGE,
qualité de jeune homme ou jeune fille
noble.

demoigne n. m. (XIIIᵉ s., *Ps.;* lat.
daemonium). Démon, diable. ◆ **demonir**
v. (fin XIIIᵉ s., Guiart). 1º Faire périr :
*A lui vergonder et honnir Pour sa lignie
demounir* (Guiart). — 2º Périr.

demoine adj. V. DEMAINE, seigneurial, principal.

demonter v. (1204, R. de Moil.;
v. *monter*). 1º Faire descendre. —
2º Abaisser : *Mais Fortune ore le des-
monte Et tourne chou dessous desseure*
(A. de la Halle). ◆ **demonte** n. f. (av.
1204, *l'Escoufle*). 1º Chute. — 2º Trouble, confusion.

demorer v. (1080, *Rol.;* lat. *demo-
rari*). 1º Tarder, s'attarder. — 2º Rester :
Je m'en vois, a Dieu demourés (J. Bod.). —
3º Rester en gage : *Rasoirs, nous avommes tant bu Que no drapel en demouront*
(J. Bod.). ◆ **demor** n. m. (1190, Garn.),
demuere, -eure n. f. (1190, J. Bod.).
1º Attente : *Quar molt ly sembla long la
demuere (F. Fitz Warin).* — 2º Retard,
délai. — 3º Séjour. ◆ **demorement** n. m.
(1190, J. Bod.), **-oison** n. f. (XIIᵉ s.,
Asprem.), **-ier** n. m. (1155, Wace), **-aigne**
n. f. (1180, *Rom. d'Alex.*), **-aille** n. f.
(XIIᵉ s., *Chev. cygne*), **-ee** n. f. (1210,
Dolop.). 1º Attente, retard, délai. —
2º Séjour, demeure. ◆ **demorance** n. f.
(1160, Ben.). 1º Attente, retard. —
2º Séjour. — 3º Reste, excédent. —
4º Biens vacants en l'absence d'héritier
(1311, *Arch.*). ◆ **demorable** adj. (1160,
Charr. Nîmes). Durable, stationnaire.

demostrer v. (Xᵉ s., *Saint Léger;*
lat. *demonstrare*). 1º Montrer, indiquer. —
2º Apprendre, expliquer : *Che sort me
demoustre et espiel!* (J. Bod.). — 3º Se
montrer. ◆ **demostrance** n. f. (1155,
Wace), **-oison** n. f. (1155, Wace).
1º Action de montrer, ce qu'on montre. —
2º Indication, indice, preuve. — 3º *Par sa
demostrance,* en se montrant. ◆ **demos-
tree** n. f. (XIIIᵉ s., *Rom. de Mahom.*).
Démonstration. ◆ **demostreur** n. m.
(1290, *Charte*). 1º Celui qui montre. —
2º Celui qui présente des lettres officielles.
— 3º Index, doigt qui sert à montrer.

dempuis, -iz, -ix adv. (1302, *Test.
du D. Jean;* v. *empuis,* ensuite).
1º Adv. de temps, Depuis lors. —
2º Prép. de temps (fin XIVᵉ s.), Depuis.

demucier v. (1169, Wace; v. *mucier,*
cacher). Cacher. *A demuchons,* en se
cachant (1282, *Reg. aux bans*). ◆ **demus-
saille** n. f. (1335, Deguil.). Cachette.

dendroit prép. (1162, *Fl. et Bl.;*
v. *endroit*). A l'égard de, au sujet de.

I. **denier** v. (fin XIIᵉ s., saint Grég.; lat.
denegare). 1º Rejeter, repousser, dénier. —
2º Défendre, empêcher. ◆ **deni, denoi**
n. m. (XIIᵉ s., *Auberi*), **denié** n. m. (1155,
Wace). 1º Action de nier. — 2º Refus. ◆

denoiance n. f. (fin XIIe s., saint Grég.). Dénégation.

II. denier n. m. (fin XIe s., *Lois Guill.;* lat. *denarium*). Monnaie dont la valeur a beaucoup varié. ◆ **deneret** n. m. (fin XIIe s., *Auc. et Nic.*). Diminutif du précédent, petite pièce de monnaie. ◆ **deneree, denree, darree** n. f. (1160, *Charr. Nîmes*). 1° Denier. — 2° Prix. — 3° Marchandise (d'abord : de la valeur d'un denier). — 4° Petite quantité : *S'il n'en trouverent denree (Asprem.).* — 5° Objet en général. *Faire grant denree* d'une chose, la subir à l'excès. ◆ **denerer** v. (1384, *Arch.*). Exercer un commerce.

denomer v. (1160, Ben.; v. *nomer*). 1° Décrire, détailler. — 2° Destiner : *Cestui ki la fu a la mort denumee (Horn).* ◆ **denomeement** adv. (XIIe s., Herman). En dénommant, en détail, explicitement.

denoncier v. (1190, Garn.; adapt. du lat. *denuntiare,* faire savoir). 1° Annoncer, déclarer. — 2° Dénoncer. ◆ **denoncement** n. m. (XIIe s., *Part.*), **-iation** n. f. (1283, Beaum.). 1° Action de déclarer, déclaration. — 2° Dénonciation. ◆ **denonceor** n. m. (1266, *Franch.*), **denonciateur** n. m. (déb. XIVe s.). 1° Messager. — 2° Courtier. — 3° Dénonciateur.

denoter v. (1160, Ben.; v. *noter*). Noter, remarquer.

I. dent n. f. ou m. (1080, *Rol.;* lat. *dantem*). Dent ◆ **dentele** n. f. (XIVe s.), **-elete** n. f. (XIIIe s., *Ysopet, I*). Petite dent. ◆ **dentu** adj. (XIIe s., *Horn*). Qui a de grosses dents. ◆ **dentart** adj. (1220, Coincy). Qui a de longues dents. ◆ **dentee** n. f. (XIIe s., G.). Coup sur les dents.

II. dent, den adv. (Xe s., *Saint Léger;* lat. *deinde*). Ensuite, après (rare).

dentre, dantre, dontre adv. (Xe s., *Saint Léger;* lat. *intra,* précédé de *de*). Suivi de la conj. *que,* forme une locution conjonctive temporelle : tandis que, pendant que, tant que.

denzein adj. (1215, *Gr. Charte;* dér. de *dedenz,* avec aphérèse). 1° Intérieur, du dedans. — 2° Citoyen.

deparler v. (1160, Ben.; v. *parler*). 1° Parler, causer. — 2° Médire, railler.

◆ **deparlance** n. f. (1160, Ben.). Action de parler de quelque chose.

I. departement n. m., partage, groupe. V. DEPARTIR, diviser.

II. departement n. m., départ. V. DEPARTIR, partir.

I. departir v. (XIe s., *Alexis;* v. *partir,* partager). 1° Partager, diviser, séparer : *Quant son aveir lour a tot departit (Alexis).* Se departir de, se séparer de. — 2° Disperser, distribuer. — 3° Échanger. — 4° n. m. Séparation : *Al departir se cururent baisier (Cour. Louis).* ◆ **departement** n. m. (1120, *Ps. Oxf.*). 1° Action de partager, partage, distribution. — 2° Gens en groupe détaché. — 3° Assiette de la taille (XIIIe s.). ◆ **departie** n. f. (XIe s., *Alexis*). 1° Partage. — 2° Séparation : *Ah! Amors, com dure departie Me convenra faire de la millor ki onques fust amee ne servie! (C. de Béth.).* — 3° Cassation de mariage. ◆ **departage** n. m. (1335, *Rest. du Paon*). Partage. ◆ **departeor** n. m. (XIIe s.). Distributeur, celui qui partage. ◆ **departable** adj. (1304, *Year Books*). Qu'on peut séparer, partager.

II. departir v. (1080, *Rol.;* v. *partir,* partir). 1° Partir, s'en aller : *Colp en aoras einz que nos departum (Rol.).* ◆ **departement** n. m. (1190, saint Bern.). Départ. ◆ **departeure** n. f. (XIIIe s., *Arthur*). 1° Départ. — 2° Mort.

dependre v. (1160, *Eneas;* v. *pendre*). 1° Pendre, être suspendu. — 2° Se rattacher à. ◆ **dependant** n. m. (XIIe s., *B. d'Hanst.*), **-ance** n. f. (XIIIe s., *Gloss. lat.-fr.*). Pente.

deperdre v. (1120, *Ps. Oxf.;* v. *perdre*). 1° Perdre. — 2° Endommager, détruire. — 3° Subir des pertes. — 4° Oublier. ◆ **depert** n. m. (1220, Coincy), **deperte** n. f. (1290, *Arch.*). Perte, dommage. ◆ **deperdeor** n. m. (XIe s., *Alexis*). Destructeur, dévastateur.

depesteni adj. V. DEPUSTENI, empêché, arrêté.

depeuplier v. V. DEPUBLIER, rendre public, faire confidence.

deplaidier v. (XIIIe s., *Sept Sages;* v. *plaidier*). Se plaindre. ◆ **deplaidement** n. m. (XIIe s., Herman). Plainte.

deplaier v. (1220, *Saint-Graal;* v. *plaier,* couvrir de plaies). Couvrir de plaies, faire des plaies, blesser.

deplaindre v. (1164, Chr. de Tr.; v. *plaindre*). 1° Plaindre, s'apitoyer sur. — 2° Se plaindre, porter plainte (XIIIe s.). ◆ **deplaint** n. m. (XIe s., *Alexis*). 1° Plainte. — 2° Plainte en justice. ◆ **deplainte** n. f. (1190, saint Bern.). Plainte, gémissement, lamentation.

deplorer v. (fin XIIe s., saint Grég.; v. *plorer,* pleurer). Pleurer sur quelqu'un. ◆ **depleur** n. m. (1335, Deguil.). Pleur, lamentation.

depopler v. (XIIe s., *Conq. d'Irl.;* v. *popler*). 1° Publier. — 2° Dépopulariser.

deporter v. (1160, *Eneas;* lat. *deportare*). 1° Amuser, divertir, réjouir, jouer : *Et Franceis se deportent par grant nobilitet (Pèler. Charl.). Se deporter a,* borner son plaisir à. — 2° Plaire à : *E ne vodra rien deporter le prince (F. Fitz Warin).* — 3° Adoucir, ménager. — 4° Dispenser : *Encore vous proie jou ke vous me deportés de noumer le chevalier (Fille du comte de P.).* — 5° Attendre, s'attarder : *Sans point de deporter (J. Bod.).* — 6° réfl. Se contenir, s'abstenir, se dispenser. ◆ **deport** n. m. (1160, *Eneas*). 1° Divertissement, fête, jeu. — 2° Attitude, manière d'être du corps, taille. — 3° Ménagement, délai, dispense. ◆ **deportement** n. m. (XIIIe s., *Vie de saint Magloire*). 1° Manière d'être, de se comporter. — 2° Plaisir, joie. ◆ **deporté** adj. (XIIIe s., *Garç. et Av.*). Dispensé, privé. ◆ **deportable** adj. (1155, Wace). Divertissant : *As tables Et as autres gius deportables (Wace).* ◆ **deporteur** n. m. (1327, J. de Vignay). 1° Celui qui enseigne. — 2° Celui qui porte des lettres.

deposer v. (XIIe s., D.; v. *poser*). 1° Destituer. — 2° Faire une déposition. — 3° Avoir en dépôt. ◆ **depost** n. m. (1330, *Ren. le Contref.*). Déposition. ◆ **deposeur** n. m. (1322, *Arch.*). Celui qui fait une déposition. ◆ **depost** adj. (1330, *Gir. de Rouss.*). Déposé, proscrit.

deprecacion n. f. (1120, *Ps. Oxf.;* lat. *deprecatio*). Prière.

depreer, -eder v. (XIe s., *Alexis;* v. *preer,* piller). 1° Piller, voler. — 2° Arracher à.

depreindre v. (1120, *Ps. Oxf.;* voir *preindre,* presser, opprimer). Abaisser, opprimer.

depres prép. (déb. XIVe s., *F. Fitz Warin;* v. *pres*). Prép. de lieu, Près de : *En la mer deprés Espaigne est une ysle (F. Fitz Warin).*

depresser v. (fin XIIe s., saint Grég.; v. *presser*). 1° Abaisser. — 2° Accabler. ◆ **depression** n. f. (déb. XIVe s., D.). Enfoncement.

deprier v. (XIe s., *Alexis;* v. *prier*). Prier avec insistance, supplier. ◆ **depriere** n. f. (1120, *Ps. Oxf.*). Prière. ◆ **depriement** n. m. (déb. XIIe s., *Ps. Cambr.*), **-ance** n. f. (1306, Guiart). Prière. ◆ **depriable** adj. (déb. XIIe s., *Ps. Cambr.*). Qui se laisse toucher par les prières, exorable.

depublier, depeuplier, et depueploier v. (1175, Chr. de Tr.; v. *puble,* public, et *pueple,* peuple). 1° Rendre public, divulguer, annoncer. — 2° *Depublier a,* faire confidence à. *Se depublier de,* faire confidence de. ◆ V. DEPOPLER.

depuis prép. (1162, *Fl. et Bl.;* v. *puis*). 1° Prép. de temps, Depuis. — 2° *Depuis que,* depuis que. — 3° *Depuis que,* puisque : *E, depus qe vous me avez desçu vous ne me poez a reson blamer (F. Fitz Warin).*

depusteni, depuisteni, depesteni adj. (1319, *Hist. de Metz;* orig. incert.). Empêché, arrêté.

deputaire adj. (1170, *Percev.;* amalgame de *de put aire,* par opposition à *de bon aire*). 1° De mauvaise race. — 2° Méprisable, vil : *L: roïs Marc est trop deputaire (Trist.).*

deputer v. (1327, J. de Vignay; lat. *deputare*). Alléguer, raconter.

deques prép. V. DESQUE, jusqu'à.

deraisnier v. (1160, *Eneas;* v. *raisnier,* raisonner, discourir). 1° Réciter, énumérer, raconter : *Li rois et li baron o lui Desraisnoient lo sairement Cil qui jurat premierement (Eneas).* — 2° Discourir, enseigner. — 3° Soutenir une cause (par les armes ou devant la justice) : *Que maint o soi un chevalier Por desrainnier qu'ele plus biele que nule dame ne pucele* (R. de Beauj.). — 4° Disputer : *Qui desraisnier velt ceste onor (Eneas).* — 5° Gagner en luttant, se disculper. — 6° *Au desresnier,* à la fin. ◆ **deraisne** n. f. (1164, Chr. de Tr.), **-ie** n. f. (1229, G. de Montr.), **-ement** n. m. (xiie s., J. Fantosme). 1° Récit, discours. — 2° Action de prouver, de soutenir son droit par les armes. *Faire le desrainement de quelqu'un,* soutenir la querelle de quelqu'un. — 3° Plaidoirie, justification. ◆ **deraisneor** n. m. (fin xiie s., saint Grég.). Orateur, celui qui soutient, qui affirme.

deree n. f. V. DENEREE, marchandise, prix.

I. **derere** v. (déb. xiie s., *Ps. Cambr.;* v. *rere*). 1° Ôter les poils d'un cuir. — 2° Racler. ◆ **deres** adj. (xiie s.). Râpé, usé.

II. **derere** adv. et prép. V. DERIERE, derrière, en arrière de.

deriere, derere, derier adv. et prép. (1080, *Rol.;* lat. pop. *de-retro,* renforc. de *retro,* en arrière). 1° Adv. de lieu, Derrière. *E derere ot devant (Rol.).* — 2° Prép. de lieu, Derrière, en arrière de.

deriver v. (1130, *Job;* v. *rive*). Détourner l'eau. ◆ **derivoison** n. f. (xiie s., Evrat). Dérivation.

derle n. f. (1328, *Charte du comte de Namur; *derva,* d'orig. controversée). Terre glaise, argile très blanche. ◆ **derliere** n. f. (1328, *Charte*). Lieu où l'on extrait de la terre glaise.

derompre v. (1080, *Rol.;* v. *rompre*). 1° Rompre, mettre en pièces. — 2° Déchirer : *Ains li desronpent ses dras (Auc. et Nic.).* — 3° Fendre. — 4° Gâter. ◆ **derompement** n. m. (1170, *Percev.*). Action de rompre, briser. ◆ **desrot** adj. (fin xiie s., *Cour. Louis*). 1° Brisé, rompu. — 2° En déroute.

derrain adj. (xe s., *Saint Athanase*), **derrien** (1260, Br. Lat.), **derrier** (1160, Ben.), **derrierain** (xiie s., *Turpin*), **derrenier** (fin xiie s., Couci, formations à partir de *retro* avec renforcement préfixal et diverses substitutions suffixales, infl. par *premier*). Dernier. *A derrain, au darrien, au derrenier,* en dernier lieu, à la fin, en fin de compte. ◆ **derraineté** n. f. (1120, *Ps. Oxf.*). 1° Extrémité, limite, fin. — 2° Derniers jours, derniers temps. ◆ **derrieneté** n. f. (xiie s., *Ps.*), **derriereté** n. f. (xiiie s., Bible). Extrémité, limite, partie arrière.

dertre n. m. (1314, Mondev.; bas lat. *derbita,* d'orig. gaul.). Dartre. ◆ **dertruie** n. f. (xiiie s., *Gloss. lat.-fr.*). La maladie des dartres, gratelle.

derver v. V. DESVER, rendre, devenir, être fou.

des prép. (1080, *Rol.;* comp. lat. *de* et *ex*). Prép. de temps, Dès, depuis : *li plus riche homme Qui furent des bruit de Rome (Trist.).* ◆ **desadonc** adv. (xiiie s., Serm.). Depuis lors. *Des adonc que,* jusqu'à ce que. ◆ **desja** adv. (1265, J. de Meung). Déjà. ◆ **desquant** conj. (1175, Chr. de Tr.). 1° Interr., Depuis quand? — 2° Conj. de temps, Dès que. ◆ **desanz** adv. Devant, auparavant.

des-, de- préf. (lat. *dis-* qui absorbe également *de-*).

I. Valeur disjonctive. Le préfixe opere comme un disjoncteur, il transforme le procès décrit par la base verbale en son contraire ou contradictoire : 1° Il dénie le procès : *desdire,* renier, *desestre,* cesser d'exister. — 2° Il produit un nouveau procès opposé à celui exprimé par la base : *desdire,* contredire, *desclore,* ouvrir. — 3° Il opère le même changement, mais sur l'axe moral adjoint : *desdire,* médire, *desconseillier,* mal conseiller. — De ce fait, *des-* s'oppose souvent à *a-* et *en-* (sans utiliser la base verbale) : *afubler,* vêtir : *desfubler,* dévêtir; *enfoir,* enfouir; *desfoir,* déterrer.

II. Valeur intensive. En tant que disjoncteur pur (sans transformation négative du procès), le préfixe *des-* introduit la discontinuité dans le procès et provoque de ce fait l'effet de sens itératif, distributif, intensif : *desachier,* tirer par saccades, *debaisier,* embrasser à plusieurs reprises.

III. Formation de substantifs. Le préfixe sert également à produire des substantifs ou des adjectifs : *desaage,* minorité, bas âge, *desaise,* malaise, maladie.

desaage n. m. (XIIIe s.; v. *eage,* âge). Minorité, bas âge. ◆ **desaagié** adj. (1290, *Acte*). Mineur, qui n'a pas l'âge.

desabelir v. (1175, Chr. de Tr.; v. *abelir*). 1° Cesser d'être beau. — 2° Déplaire : *Ce me desabelist moult Qu'eles sont meigres et pales* (Chr. de Tr.).

desabité adj. (1160, Ben.; v. *abiter,* habiter). Qui n'est plus habité.

desabler v. (1304, *Year Books;* v. *able,* propre à). Dessaisir de.

desachier v. (1180, *Rom. d'Alex.;* v. *sachier,* tirer). Tirer, tirer par secousses.

desacointier v. (1220, Coincy; v. *acointier,* faire connaître). 1° Séparer. — 2° Repousser, rompre avec.

desaesmer v. (XIIIe s., *Chans. sat.;* v. *aesmer,* estimer). Faire une folie : [*Il*] *fait trop a desaamer (Chans. sat.).*

desafaitement n. m. (1160, Ben.; v. *afaitier,* façonner, éduquer). Inconvenance, relâchement, mauvais goût. ◆ **desafaitié** adj. (1160, Ben.). Inconvenant.

desafrer v. (1080, *Rol.;* v. *safre,* broderie de laiton garnissant le haubert). Perdre son orfroi.

desafubler v. (fin XIIe s., *Rois;* v. *afubler,* vêtir). 1° Dévêtir. — 2° Se disculper.

desagreer v. (1284, Aden.; v. *agreer,* satisfaire). Ne pas agréer, causer du déplaisir. ◆ **desagreableté** n. f. (1325, G.). 1° Non-agrément. — 2° Réprobation. — 3° Ingratitude.

desairier v. (XIIIe s., Th. de Kent; v. *aire*). 1° Dénicher, déloger. — 2° Maltraiter, détruire. — 3° réfl. Se débaucher, s'enfuir.

desaise n. f. (déb. XIVe s., *F. Fitz Warin;* v. *aise*). 1° Malaise, maladie. — 2° Chagrin.

desaloser v. (1229, G. de Montr.; v. *aloser,* louer, vanter). Discréditer, déshonorer.

desamer v. (1260, Br. Lat.; v. *amer,* aimer). Cesser d'aimer : *Desamer Dame si jolie* (A. de la Halle). ◆ **desamour** n. m. (fin XIIIe s., *Sydrac*). Manque d'amour, refroidissement. ◆ **desamoré** adj. (av. 1300, poés. ms.). Qui a cessé d'aimer.

desamordre v. (1220, Coincy; v. *amordre,* faire mordre, attirer). Séparer, arracher : *Fai que me desamorde De vilanie et de pechié* (Coincy).

desarré adj. V. DESERRÉ, qui court, qui est lâché.

desarrester v. (1283, Beaum; v. *arrester,* arrêter). Lever les arrêts, la saisie, donner la mainlevée.

desartir v. (XIIe s., *Asprem.;* v. *sartir,* coudre). 1° Défaire, enlever les morceaux. — 2° Briser, mettre en pièces. ◆ **desart** n. m. (XIVe s., *Prise de Pamp.*). Ravage, destruction.

desaseler v. (1160, Ben.; v. *sele,* selle, avec dédoublement de préfixe). Désarçonner.

desassoter v. (1277, *Rose;* v. *asoter,* rendre sot). Empêcher de perdre le bon sens : *Ne vous pot desasoter (Rose).*

desatirier v. (XIIe s., *Chev. deux épées;* v. *atirier,* arranger, équiper, infl. par *tirer*). 1° Culbuter. — 2° Se tirer en arrière, se dégager. ◆ **desatiré** adj. (1170, *Percev.*). 1° Dénué. — 2° Mal en point. — 3° Grossier. ◆ **desatireement** adv. (fin XIIIe s., G. de Tyr). Grossièrement.

desatorner v. (XIIe s., *Am. et Id.;* v. *atorner,* parer, disposer, régler). 1° Déshabiller, enlever les atours. — 2° Récuser, désavouer. ◆ **desatorné** adj. (XIIe s., *Trist.*). Dépourvu, démuni.

desatremper v. (XIVe s.; v. *atemprer,* modérer). 1° Satisfaire à l'excès. — 2° Incommoder, faire sortir de l'état normal. ◆ **desatrempement** n. m. (1260, Br.

Lat.). 1º Manque de mesure, de proportion, d'harmonie. — 2º Désagrément, incommodité. ◆ **desatrempance** n. f. (1260, Br. Lat.). Intempérance. ◆ **desatrempeement** adv. (1327, J. de Vignay). Immodérément, sans mesure.

desauner v. (1167, G. d'Arras; v. *auner*, unir). Séparer, désunir.

desauser v. (fin XIIIe s., G. de Tyr; v. *auser*, habituer). Faire perdre l'habitude, déshabituer. ◆ **desausance** n. f. (1288, J. de Priorat). Désuétude.

desauvage adj. (1160, Ben.; v. *sauvage*). Antipathique, odieux.

desavancir v. (1160, Ben.; v. *avancir, -er*, prendre les devants). 1º Prendre de l'avance, devancer : *Le mes desavanci ou parissir des tres (Barbast.).* — 2º Repousser, empêcher. ◆ **desavancier** v. (1162, *Fl. et Bl.*). 1º Devancer. — 2º Reculer, repousser, réfuter, détruire. — 3º Perdre ses avantages, déchoir. ◆ **desavance** n. f. (XIIIe s., *Gloss. gall.-lat.*). Défaillance, recul. ◆ **desavancement** n. m. (XIIIe s., *Anseis*). Ruine, perte. ◆ **desavanceor** n. m. (XIIIe s.). Celui qui met en arrière, qui fait reculer.

desavenir v. (1160, Ben.; v. *avenir*, convenir). Déplaire, être inconvenant. ◆ **desavenant** n. m. (fin XIIe s., *Est. Saint-Graal*). 1º Inconvenance, mésaventure. — 2º Tort : *Grant desavenant li fist on (Est. Saint-Graal).* ◆ **desavenance** n. f. (XIIIe s., *Gloss. gall.-lat.*). Inconvenance. ◆ **desavenant** adj. (1160, Ben.). 1º Qui ne convient pas. — 2º Déplaisant, désagréable.

desavoer v. (1281, *Cart. noir de Corbie;* v. *avoer*). 1º Dénier. — 2º Se déclarer indépendant. ◆ **desavouerie** n. f. (1292, *Britton*). Abandon. ◆ **desavouance** n. f. (1301, *Ord.*). Action de désavouer.

desavoier v. (1160, *Athis;* v. *avoier*, mettre dans le chemin). 1º Égarer, faire sortir du chemin. — 2º Détourner, renverser. ◆ **desavoiement** n. m. (XIIIe s.). Égarement.

desbarater v. (1160, Ben.; v. *barat;* tapage, bruit de la bataille). 1º Mettre hors de combat, en déroute; tailler en pièces. — 2º Ravager, piller. — 3º Décourager, mettre en désarroi. ◆ **desbaratement** n. m. (1155, Wace), **-eis** n. m. (1160, Ben.), **-oison** n. f. (1160, Ben.). Déroute, déconfiture, défaite.

desbarrer v. (XIIe s., *Part.;* v. *barre*). 1º Dégager, faire sauter la barre d'une porte : *Les uis ad ... overt e desbarez* (Garn.). — 2º Faire sauter la barre d'un heaume. — 3º Déchiqueter. — 4º Payer (1246, *Lettre*).

desblasmer v. (XIIe s., *Florim.;* v. *blasmer*, avec deux préfixes différents). 1º Blâmer. — 2º Disculper, excuser, justifier. ◆ **desblasme** n. m. (1312, *Arch.*). Excuse, justification.

desbleer v. (XIIIe s., *Livr. de Jost.*), **desblaver** v. (1311, *Arch.;* v. *blé*). 1º Moissonner, vendanger. — 2º Enlever, déblayer, débarrasser. ◆ **desblee, dablee** n. f. (XIIIe s., *Livr. de Jost.*). 1º Blé pendant par racine, récolte de blé. ◆ **desblavement** n. m. (1301, *Arch.*). Déblaiement, déblai.

desblouquer v. V. DESBOCLER, déboucler, piller.

desbocler, desbougler, desblouquer v. (1160, Ben.; v. *bocler*). 1º Déboucler, c'est-à-dire enlever la boucle du bouclier. — 2º Piller.

desborner v. (1292, *Cart.;* v. *borner*, mettre les bornes). 1º Délimiter. — 2º Quitter. ◆ **desbornement** n. m. (1290, *Arch.*). Délimitation.

desbrasser v. (1260, Mousk.; v. *bras*). Laisser tomber les bras. ◆ **desbrassement** n. m. (XIVe s.). Découragement.

desbuier v. (1204, R. de Moil.; v. *buie*, entrave). Dégager des entraves, libérer.

descendre v. (1080, *Rol.;* lat. *descendere*). 1º Descendre. — 2º Succéder. — 3º Dépendre : — 4º Condescendre, être favorable : *Mais se mercis i dexant Et volenteit s'i estant (Estamp.).* ◆ **descens** n. m. (1265, J. de Meung), **-e** n. f. (1162, *Fl. et Bl.*), **descendue** n. f. (1298, M. Polo), **-ement** n. m. (1160, Ben.).

1° Descente. − 2° Pente. − 3° Descendance, extraction. − 4° Succession, héritage. ◆ **descension** n. f. (1308, Aimé). 1° Action de descendre, de tomber. 2° Descente. ◆ **descent** n. m. (1304, *Year Books*), -e n. f. (1304, G.). Succession, héritage. ◆ **descensoire** n. m. (fin XIIIe s., J. de Meung). Instrument servant aux opérations des alchimistes. ◆ **descendant** adj. (XIIIe s., *Livr. de Jost.*). Qui condescend à, favorable.

descepline n. f. V. DISCIPLINE, châtiment.

descercler v. (1271, *Rose;* voir *cercle*). Briser le cercle qui entoure le heaume.

deschaitiver v. (1175, Chr. de Tr.; v. *chaitif*, prisonnier). Délivrer, affranchir.

deschalcier v. V. DECHALCIER, fouler aux pieds.

deschangier v. (1285, *Cart.;* v. *changier*). Échanger, conclure un échange.

deschant n. m. (1250, *Ren.;* lat. pop. **discantum*). 1° Sorte de contrepoint mesuré, à deux parties, plain-chant. − 2° Chant, cri. ◆ **deschanter** v. (XIIIe s.). Exécuter le deschant.

I. **deschanter** v. (1270, Ruteb.; v. *chanter*). 1° Désenchanter, rompre un enchantement. − 2° Déprécier.

II. **deschanter** v., exécuter le deschant. V. DESCHANT, sorte de contrepoint.

deschargier v. (XIIe s., *Chev. deux épées;* v. *chargier*). 1° Se défaire de. − 2° Se précipiter sur. ◆ **decharge** n. f. (1306, Guiart). 1° Devoir, charge. − 2° Charge, office. ◆ **deschargement** n. m. (1272, G.). Décharge.

descharmer v. (v. 1200, *Ren. de Montaub.;* v. *charmer*). Délivrer de l'enchantement.

descharner v. (XIIIe s., *Chans. d'Ant.;* v. *charn*, chair). 1° Dégarnir de chair (fauconn.). − 2° Maigrir, être maigre. ◆ **descharneure** n. f. (fin XIIIe s., B. de Condé). 1° Action de dépouiller de la chair. − 2° État de ce qui est décharné. ◆ **descharnu** adj. (XIIe s., *Am. et Id.*). Décharné.

descharper v. (1335, Deguil.; voir *escharpe*). Enlever l'écharpe.

descharpir v. (1335, Deguil.; v. *charpir*, déchirer, mettre en pièces). 1° Déchirer. − 2° Séparer, diviser.

deschevalchier v. (1080, *Rol.;* v. *chevalchier*). 1° Descendre de cheval. − 2° Désarçonner : .*VII. Arrabiz i ad deschevalcet (Rol.).*

desciente adj. V. DESSIENTÉ, qui a perdu le sens.

desclarier v. V. DECLARIER, éclaircir, expliquer.

descliquier v. (XIIIe s., D.; v. *cliquier,* retentir). Faire retentir un instrument de musique; faire entendre le claquement de porte, la décharge d'une arme, etc.

descloer v. (1170, *Percev.;* v. *cloer*). Déclouer.

desclore v. (1080, *Rol.;* v. *clore*). 1° Ouvrir : *Des avogles les oilz desclot (Ed. le Conf.).* − 2° Faire éclore. − 3° Dégager, délivrer. − 4° Se séparer, se débander. − 5° S'ouvrir d'une chose, la communiquer, l'expliquer : *Ja parole ne soit desclose Nient plus que de confession* (Chr. de Tr.). ◆ **desclosture** n. f. (1204, R. de Moil.). Ouverture. ◆ **desclos** adj. (fin XIIe s., *Rois*). 1° Éclos. − 2° Qui ne sait rien. − 3° *A desclos,* ouvertement. ◆ **desclos** n. m. (1204, R. de Moil.). Lieu ouvert.

descocher v. (XIIe s.; v. *coche,* entaille, coche d'une flèche). Se lancer, se précipiter.

descolorir v. (1160, Ben.; v. *color*). Se décolorer. ◆ **descolori** adj. (1160, Ben.), -able adj. (XIIIe s., *Voc. lat.-fr.*). Qui a perdu sa couleur, sans couleur, pâle. ◆ **descoloré** adj. (fin XIIIe s., Macé). Coloré.

descolper v. (fin XIIe s., saint Grég.; v. *colper,* accuser). Disculper, justifier. ◆ **descolpe** n. m. (1231, *Charte*). Justification, excuse. ◆ **descolpable** adj. (1293, *Charte*). Innocent, intègre, pur.

descoltrer v. (1306, Guiart; orig. incert.). 1° Rompre, déranger. — 2° Défaire, disperser.

descombrer v. (1160, *Charr. Nîmes;* v. *combrer,* saisir, s'emparer de). 1° Débarrasser, décharger, délivrer. — 2° S'exempter, s'exclure : *Lors i mourut Jehan Tristan Duquel nommer ge me descombre* (Guiart). ◆ **descombrement** n. m. (XIᵉ s., *Alexis*). Décharge, action de débarrasser.

descompaignier v. (1160, Ben.; v. *compaignier,* aller ensemble). 1° Séparer, désunir. — 2° Etre en désaccord. — 3° Quitter.

desconcendre v. (1125, *Gorm. et Is.;* v. *esconcendre,* déchirer). Déchirer, en particulier un vêtement.

desconfes adj. (XIIᵉ s.; v. *confes,* qui s'est confessé). Sans confession : *Vostre lignage morra hui desconfes* (Du Cange).

desconfire v. (1080, *Rol.;* *confire,* préparer, achever). 1° Briser, abattre : *Si n'est pas drois ke on me desconfise* (C. de Béth.). — 2° Mettre en déroute. — 3° Défaire un ennemi, vaincre, détruire. — 4° Décourager, rebuter : *Je ne sai que faire, pres sui de desconfire* (Aden.). ◆ **desconfisement** n. m. (XIIIᵉ s., *Chans.*), **-ison** n. f. (1080, *Rol.*), **-iture** n. f. (1180, *R. de Cambr.*). Déconfiture, anéantissement. ◆ **desconfiteor** n. m. (1175, Chr. de Tr.). Celui qui met en déroute.

desconforté adj. (1230, *Saint Eust.;* v. *conforter*). Désolé : *Or sui come chaitis, desconfortez e despris* (*Saint Eust.*).

desconoistre v. (XIIᵉ s., *Horn;* v. *conoistre*). 1° Ne pas connaître, méconnaître, ignorer, oublier. — 2° Rendre méconnaissable, déguiser. ◆ **desconoissance** n. f. (1160, *Athis*). 1° Signe distinctif. — 2° Action de ne pas connaître, ignorance, méconnaissance. — 3° Ingratitude. ◆ **desconeue** n. f. (1180,. *Rom.*

d'Alex.). 1° Action de méconnaître, ingratitude. — 2° Chose inouïe, déplorable.

desconseillier v. (1138, *Saint Gilles;* v. *conseiller*). 1° Mal conseiller. — 2° Priver de protection, décourager. — 3° Priver des lumières de la foi. ◆ **desconseillié** adj. (1175, Chr. de Tr.). 1° Qui est sans conseil, désemparé, découragé. — 2° Sans direction, égaré : *Sire, chou set sains Nicolais Qui les desconsilliés secourt* (J. Bod.).

desconter v. (1306, Guiart; orig. obsc.). Partir, s'éloigner : *De la valee se descontent* (Guiart).

descoragier v. réfl. (1175, Chr. de Tr.; v. *corage,* sentiment, pensée). Ôter sa pensée, son cœur de.

I. **descorder** v. (1112, *Saint Brand.;* lat. *discordare*). 1° Mettre en désaccord, désunir. — 2° Contester, refuser. — 3° Résonner en désaccord (en musique). ◆ **descort** n. m. (XIIᵉ s., *Trist.*). 1° Désaccord, discorde. — 2° Discord (terme mus.). — 3° Sorte d'ariette où le poète exprime des sentiments variés et contraires. ◆ **descordement** n. m. (1160, Ben.), **-ance** n. f. (1160, Ben.), **-ee** n. f. (XIIIᵉ s., Th. de Kent), **-ie** n. f. (1298, M. Polo). Dispute, querelle. ◆ **descordeor** n. m. (1260, Br. Lat.). Querelleur. ◆ **descort** adj. (1304, G.), **descordant** adj. (1130, *Job*). Qui est en désaccord, en discorde. ◆ **descordable** adj. (1155, Wace). 1° Qui est en dispute. — 2° Querelleur. — 3° Qui fait l'objet d'une querelle.

II. **descorder** v. (1204, R. de Moil.; v. *corde*). 1° Lâcher la corde de l'arc. — 2° Enlever la corde.

descostangier v. (1299, *Charte;* v. *costangier,* payer les frais). Défrayer, entretenir, payer les frais.

descovenance n. f. (XIIIᵉ s., *Gaydon;* v. *covenir*). Déconvenue, malheur. ◆ **descovenue** n. f. (XIIᵉ s., J. Fantosme). 1° Aventure, accident, malheur. — 2° Inconvenance. — 3° Chose inouïe. — 4° Mécontentement. ◆ **descovenant** adj. (1190, saint Bern.). Qui ne convient pas.

◆ **descovenable** adj. (1260, Mousk.). Inconvenant. ◆ **desconvenableté** n. f. (1338, G.). Inconvenance, chose inconvenante.

descovrir v. (XIIᵉ s., *Ps.; v. covrir*). 1° Ouvrir, mettre à découvert, mettre à vue : *Tous mes tresors canques j'en ai Voeil que il soient des̄couvert Et huches et escrin ouvert* (J. Bod.). − 2° Desceller. − 3° *Soi descovrir a*, confier ses secrets à : *Et quant vient qu'aucuns s'i descuevre (Chast. Vergi).* ◆ **descovrement** n. m. (1120, *Ps. Oxf.*). Action de découvrir. ◆ **descovraison** n. f. (XIIᵉ s., *Rom. des Rom.*). 1° Action de découvrir. − 2° Déclaration de ses défauts. ◆ **descovrance** n. f. (XIIᵉ s., *Ysopet*). Imprudence. ◆ **descoverture** n. f. 1° Révélation, enseignement. − 2° Voie, moyen. ◆ **descovert** n. m. (fin XIIᵉ s., M. de Fr.). *Estre en descouvert,* être découvert. ◆ **descuevre** n. f. (1319, G.). Découverte. ◆ **descovreor** n. m. (XIIIᵉ s., Ernoul). Éclaireur.

descrire v. (1160, *Eneas; v. escrire*). 1° Écrire. − 2° Assigner en justice. − 3° Faire une levée (XIVᵉ s.). ◆ **description** n. f. (1160, Ben.). 1° Dénombrement, inspection. − 2° Délimitation. − 3° Levée des troupes (XIVᵉ s.). ◆ **descrivement** n. m. (1119, Ph. de Thaun). Description : *C'est li descrivement ki est el firmament* (Ph. de Thaun).

descroer v. (fin XIIIᵉ s., *Mir. saint Éloi;* orig. incert.). 1° Décrocher, enlever. − 2° Priver. − 3° Se lancer sur.

descroistre v. (1160, *Eneas; v. croistre*). Diminuer, déduire. ◆ **descrois** n. M. (1190, Garn.). 1° Décroissance, diminution. − 2° Déclin, décadence : *Esteit turnee saint'iglise en decreis* (Garn.). ◆ **descroissant** n. m.- (XIIIᵉ s., *Chans.*). Déclin de la lune.

descuevre n. f., découverte. Voir DESCOVRIR, mettre à découvert.

desdaignier v. (déb. XIIᵉ s., *Ps. Cambr.; v. daignier*). 1° Mépriser, dédaigner. − 2° S'indigner, s'irriter. ◆ **desdain** n. m. (1219, Wace), **desdaigne** n. f. (XIIᵉ s., *De Richaut*), -**ement** n. m. (XIIᵉ s., *Ps.*), -**ance** n. f. (1160, Ben.). 1° Dédain,

mépris : *Oez queu desdeignance E quel orguil osent mander* (Ben.). − 2° Indignation, colère. ◆ **desdaignable** adj. (1150, *Thèbes*), **desdaignant** adj. (déb. XIIᵉ s., *Ps. Cambr.*). Qui témoigne du mépris, hautain, arrogant.

desdeter v. (1204, R. de Moil.; *v. dete,* dette). Payer ses dettes, s'acquitter.

desdire v. (1169, Wace; *v. dire*). 1° Renier, refuser, s'opposer à. − 2° Contredire. − 3° Médire de. ◆ **desdit** n. m. (fin XIIᵉ s., A. de Coutances). Révocation de défi.

desdoloir v. (1277, *Rose; v. doloir*). Sortir de la peine, consoler, réjouir.

desempeschier v. (1288, J. de Priorat; *v. empeschier*). Ôter ce qui gêne ou empêche, dégager.

deserdre v. (1180, *Rom. d'Alex.; v. erdre,* adhérer, coller). 1° Détacher : *Quar mon cuer ne puis desherdre* (Chr. de Tr.). − 2° Dépendre.

deserrer v. (XIIᵉ s., *Barbast.; v. serrer*). 1° Ouvrir. − ʿ2° Lâcher, lancer, laisser partir. − 3° Etre lâché, s'élancer, courir : *Le destrier broche, qui li desserre tost (Cour. Louis).* ◆ **deserré** n. m. (1250, Ren.). Course, fuite. *Se metre as desarrez,* prendre la fuite. ◆ **deserré, desarré** adj. (1250, Ren.). Qui court, qui est lâché.

I. **deserter** v. (XIᵉ s., *Alexis*), -**ir** (1190, *H. de Bord.;* lat. pop. **desertare,* pour *deserere*). 1° Rendre désert, gâter, abîmer. − 2° Abandonner une personne. − 3° Éloigner, expulser : *Charles les fit de France deserter et chacier (Ren. de Montaub.).* ◆ **desert** n. m. (déb. XIIᵉ s., *Voy. Charl.*). 1° Destruction. − 2° Lieu défriché. ◆ **desertie** n. f. (XIIᵉ s., *Conq. Jér.*), -**ine** n. f. (1160, Ben.). 1° Désert, lieu désert. − 2° Solitude. ◆ **desert** adj. (1080, *Rol.*). 1° Ravagé, en friche. − 2° Dépouillé, ruiné (en parlant des personnes).

II. **deserter** v. V. DESSARTER, défricher.

desester v. (déb. XIIᵉ s., *Ps. Cambr.; v. ester,* se tenir debout). 1° Se tenir éloigné. — 2º Reculer. ◆ **desestance** n. f. (1160, Ben.). 1º Absence, éloignement. — 2º Désaccord, contradiction, querelle. — 3º Différend, contrariété : *Que entre eus eust varietez, Desestances, diversités* (Ben.).

desestre v. (1120, *Ps. Oxf.;* voir *estre*). 1º Etre éloigné, distant. — 2º Manquer de. — 3º Cesser d'exister.

desestriver v. (1180, *R. de Cambr.;* v. *estrif,* étrier). Désarçonner, renverser des étriers.

deseur prép. et adv. V. DESOR, sur, dessus; malgré.

desfacier v. (XIIᵉ s., *Chev. deux épées;* v. *face*). 1º Effacer les empreintes de figures : *Ses escus Est si desfaiciés et destains (Chev. deux épées).* — 2º Défigurer, mutiler. — 3º Abolir, annuler. ◆ **desfacion, desfacon** n. f. (fin XIᵉ s., *Lois Guill.*). Mutilation, supplice, mort.

desfae adj. (1170, *Fierabr.;* v. *faé,* enchanté, magique). 1º Sans foi, infidèle. — 2º Hideux, maudit. — 3º Furieux, terrible. — 4º Misérable, infortuné. — 5º Troublé, égaré.

desfaire v. (1080, *Rol.;* v. *faire*). 1º Abattre, consterner. — 2º Mettre fin à, tuer : *Ja Mohom ne t'eust tensé Que ne te feisse deffaire* (J. Bod.). — 3º Réparer, compenser. ◆ **desfaite** n. f. (1273, G.). 1º Faute de faire. — 2º Action, moyen de se défaire de (jur.). ◆ **desfaiture** n. f. (XIVᵉ s.). Destruction, meurtre. ◆ **desfait** adj. (XIIᵉ s., *Trist.*). Malade, impotent : *Sire Artus rois, je sui malades, Bociez, meseaus, desfaiz et fades (Trist.).*

desfergier v. (XIIᵉ s., Evrat; v. *fierges,* fers). 1º Enlever les fers. — 2º Délivrer.

desfermer v. (1155, Wace; v. *fermer*). 1º Ouvrir : *Renart l'uis defferme … Et puis le referme (Ren.).* — 2º Faire sortir d'un lieu, dégager : *A l'autre Jor fu desfermee La virge et al provost menee* (Wace). — 3º Réfuter, combattre. ◆ **desfermement** n. m. (1260, Br. Lat.). Terme de rhét. : Réfutation. ◆ **desfermeure** n. f. (XIIIᵉ s., *Gauvain*). Habileté à ouvrir.

desferrer v. (fin XIIᵉ s., *Cour. Louis;* v. *fer, ferret*). Ôter le fer, la serrure qui ferme, ouvrir. ◆ **desfer** n. m. (1155, Wace), **desferre** n. f. (1285, G.). 1º Vieille ferraille. — 2º Vieux vêtements. — 3º Butin. ◆ **desferreté** adj. (1213, *G. de Dole*). 1º Dont le fer ou le ferret est enlevé. — 2º Troué, déchiré, usé.

desfessier v. (1170, *Percev.;* voir *faisse,* bande, lien). 1º Délier. — 2º Ôter les langes.

desfichier v. (XIIᵉ s., *Conq. Jér.;* v. *fichier*). Enlever ce qui était fiché, détacher. — 2º *Desfichier ses pechies,* en décharger sa conscience, se confesser.

desfier v. (1080, *Rol.;* v. *fier*). 1º Retirer sa confiance à. — 2º Se défier de, désavouer, répudier. — 3º Renoncer à la foi jurée : *(Les Turcs) ont parole mandee … Que il deviegne turc, s'ait sa loi defiee (Chans. d'Ant.).* — 4º Défier, provoquer. ◆ **desfiance** n. f. (1160, *Eneas*). Défi : *Juis … Pourchaciez mort sans defiance Celui en cui vostre esperance Estre devoit (Pass. Palat.).* ◆ **defiement** n. m. (1190, Garn.), **-aille** n. f. (1190, J. Bod.), **-ançon** n. f. (fin XIIᵉ s., *Gir. de Rouss.*). Défi, déclaration de guerre. ◆ **desfiancier** v. (1160, Ben.). Sortir de l'obéissance, cesser d'être vassal de quelqu'un. ◆ **desfiancé** adj. (1204, R. de Moil.). Qui a perdu la confiance.

destievé adj. (fin XIIIᵉ s., *Anseis;* v. *fief*). Dessaisi, dépossédé.

desfigurer v. (1119, Ph. de Thaun; v. *figure,* forme, personnage). 1º Se déguiser. — 2º Changer de forme, de figure. ◆ **desfigureement** adv. (XIIIᵉ s., *Sept Sages*). Affreusement.

desflechier v. (fin XIIᵉ s., saint Grég.). **desflichier** v. (1272, Joinv.; v. *fleche*). 1º Retirer les flèches plantées dans l'armure. — 2º Détourner. — 3º S'écarter.

destolr v. (1180, *Rom. d'Alex.;* voir *foir*). 1º Déterrer. — 2º Creuser. ◆ **desfoer** v. (XIIIᵉ s., *Chans. d'Ant.*). Déterrer, arracher.

desfois n. m. V. DEFEIS, défense.

desfolchier v. (1190, Garn.; v. *folc*, foule). Disperser, mettre en déroute : *La pour del rei les out fait desfuchier* (Garn.).

desforer v. (XIIᵉ s., *B. d'Hanst.*; v. *fuerre*, fourreau). Sortir du fourreau.

desfremer v. V. DESFERMER, ouvrir.

desfroier, -eer v. (XIIIᵉ s., *Voc. lat.-fr.*; v. *esfroier*, effrayer). Effrayer. ◆ **desfroi** n. m. (XIIIᵉ s., *Lai del Desiré*). Trouble, effroi.

desfubler v. (XIIᵉ s., *Part.*; v. *afubler*). Ôter un vêtement, dépouiller de : *Puis se defuble par grant ire (Ren.).*

desfuer adv. et prép. V. DEFORS, dehors, hors de.

desgagier v. (XIIᵉ s., C. de Béth.; v. *gagier*). 1º Dégager, laisser aller, donner congé : *M'i desgaige, Je li renc son homaige* (C. de Béth.). — 2º Prendre le gage d'une dette, faire une saisie. (1265, *Arch.*).

desgarrochier v. (fin XIIᵉ s., *Loher.*; orig. incert.). Ravager, ruiner : *Et trova le leu mout desgarochié et mout en ot grant pitié* (Ph. de Nov.).

desgiet adj. V. DEGIET, malade.

desglavier v. V. DEGLAVIER, périr par le glaive.

desgoler v. V. DEGOLER, égorger; se couler.

desgordir v. (XIIᵉ s., Ambroise; v. *gort*, lourd, engourdi). Faire sortir de l'engourdissement. ◆ **desgordeli** adj. (fin XIIIᵉ s., J. de Meung). Dégourdi, actif, prompt : *Soions a li servir preuz et desgordeli* (J. de Meung).

desgorger v. (1299, G.; v. *gorge*). Sortir de la gorge, déboucher : *Li cours de ces yaves se desgorgoit parmi ces lius (Arch.).*

desgrener v. (1308, *Arch.*; v. *grain*). Faire moudre son grain avant les autres. ◆ **desgrain** n. m. (1324, *Arch.*). Droit de moudre son grain avant les autres.

desguisier v. (fin XIIᵉ s., *Rois;* v. *guise*, manière d'être). 1º Sortir de sa guise, de sa manière d'être. — 2º Différer. — 3º Se travestir, changer d'ornements, d'apparence. ◆ **desguisement** n. m. (fin XIIᵉ s., *Ysopet Lyon*), -**ance** n. f. (déb. XIVᵉ s., J. de Condé), -**eure** n. f. (déb. XIIIᵉ s., *Clef d'Am.*). Action de déguiser, déguisement. ◆ **desguisé** adj. (XIIIᵉ s.). 1º Chargé d'ornements, bigarré. — 2º Extraordinaire.

deshaitier v. (1160, Ben.; v. *hait*, bonne humeur, santé). 1º Rendre malade. — 2º Décourager, accabler : *Forment est deshoitiez, Quar vilainement est traitiez* (H. de Cambr.). ◆ **deshait** n. m. (1080, *Rol.*), -e n. f. (1112, *Saint Brand.*), -**ement** n. m. (1160, Ben.). 1º Maladie. — 2º Affliction, chagrin : *Grant fu sis dols et si dehez* (Ben.). — 3º Malheur, malédiction. *Dehait ait, mal dehait ait!, maudit soit! Dehait li bers qui est de tel sanblance Con li oicel qui conchiet son nit!* (C. de Béth.). *Avoir dehait,* être maudit.

desherbergier v. (1080, *Rol.;* v. *herbergier*, loger, camper). 1º Lever le camp. — 2º Déloger, priver d'un logis.

desherdre v. V. DESERDRE, détacher.

deshonester v. (1190, saint Bern.; v. *onester*, honorer). Déshonorer : *Cil ki fornication fait deshonestet lui mismes* (saint Bern.). ◆ **deshonestation** n. f. (1361, *Lettres de rois*). Action de déshonorer.

deshorder v. (fin XIIIᵉ s., G. de Tyr; v. *horder*, garnir de hourds, fortifier). 1º Enlever le hourd. — 2º Démanteler.

deshoser v. (1164, Chr. de Tr.; v. *huese*, chausse). Ôter les houseaux, débotter, déchausser.

desi adv. V. DECI, d'ici, depuis maintenant.

desier, -oier v. (1160, Ben.;*desidiare*, de *desidium*, désir). Désirer. ◆ **desier** n. m. (1155, Wace). Désir. ◆ **deisdere** n. m. (1120, *Ps. Oxf.*). Désir. ◆ **desiderable** adj. (XIIIᵉ s., *Fabl. d'Ov.*). Qui désire.

desigal adj. (1160, Ben.; v. *igal*). inégal. ◆ **desigaler** v. réfl. (1288, J. de Priorat). 1º Marcher inégalement. —

2° Troubler l'ordre de la bataille. ◆ **desigalance** n. f. (1260, Br. Lat.), **desigauté** n. f. (XIIᵉ s., Herman). Inégalité.

desinné adj. (XIIᵉ s., *Chev. Cygne;* orig. incert., cf. *dessiner,* 1559, Amyot). Qui a bonne figure, bonne mine. *Mal desinné,* mal en point.

desirer v. (XIᵉ s., *Alexis;* lat. *desiderare,* chercher, désirer). Désirer. ◆ **desir** n. m. (1175, Chr. de Tr.), **-ee** n. f. (1170, *Fierabr.*), **-ement** n. m. (1155, Wace), **-ance** n. f. (1160, Ben.), **-ier** n. m. (1160, Ben.). 1° Désir. — 2° Objet du désir. ◆ **desirable** adj. (XIᵉ s., *Alexis*), **-ant** adj. (XIIᵉ s., *Gar. Loher.*). Désireux.

desjeuner v. (1150, Wace; v. *jeuner*). 1° Rompre le jeûne, se nourrir. — 2° Régaler, se régaler. — ◆ **desjeunee** n. f. (1164, G. d'Arras), **-ement** n. m. (fin XIIᵉ s., saint Grég.). Déjeuner, repas du matin.

desjogler v. (1167, G. d'Arras; v. *jogler*). 1° Jouer. — 2° Se moquer de, duper. — 3° Abuser.

desjoindre v. (XIIᵉ s.; v. *joindre*). 1° Disjoindre. — 2° Désunir, séparer. ◆ **desjointe** n. f. (1260, Mousk.). Séparation, division, rupture. ◆ **desjointure** n. f. (1180, *Rom. d'Alex.*). Séparation. ◆ **desjointier** v. (XIIIᵉ s., *Atre pér.*). 1° Disjoindre. — 2° Déboîter : *il li desjointa le brac destre (Atre pér.).*

desjugier v. (1120, *Ps. Oxf.;* v. *jugier,* juger, condamner). 1° Juger avec discernement, condamner. — 2° Refuser de reconnaître le jugement, rejeter : *Un lecheor Qui vostre cort a desjugiée (Fl. et Bl.).*

deslachier v. (1160, Ben.; v. *lachier*). 1° Rendre lâche, desserrer, ouvrir. — 2° Lâcher avec force, lancer. — 3° Exprimer, raconter.

I. **deslicier** v. (1160, *Athis;* orig. incert.; v. *lice,* palissade, champ clos, et *lice,* trame). 1° Mettre en déroute, vaincre. — 2° Briser, disloquer : *Elmes esfondrent et deslicent (R. de Beauj.).*

II. **deslicier** v. V. DESLACHIER, rendre lâche, lâcher, raconter.

I. **deslier, -oier** v. (1162, *Fl. et Bl.;* v. *lier*). 1° Délier, se délier, se dégager : *Ce poise moy de son tourment, Ainssi me delit de sa mort (Pass. Palat.).* — 2° Délier de sa foi, de sa religion. — 3° Déballer. — 4° Partager. — 5° Découvrir, dévoiler. — 6° Voler, piller. ◆ **desliement** n. m. (XIIᵉ s., Herman). 1° Action de délier, de dégager. — 2° *Delliement de continuance,* solution de continuité.

II. **deslier** v. (1160, *Eneas;* v. *lié,* joyeux). Se réjouir.

III. **deslier** v. V. DESLOIER, être déloyal.

deslignier v. (1204, R. de' Moil.; v. *lignee,* parenté, lignage). 1° Forligner : *Tu as toute ta lignie Deslignié de droite ligne (R. de Moil.).* — 2° Déroger à. ◆ **deslignagnier** v. (1313, Godefr. de Paris). Dégénérer, déroger.

I. **desloer** v. (1160, Ben.; v. *loer,* louer, vanter). 1° Désapprouver, blâmer. — 2° Déconseiller, dissuader : *Vos lo m'avez molt desloe, Vos m'an avez molt chastiee (Eneas).* — 3° Etre mécontent. ◆ **desloement** n. m. (XIIIᵉ s., *Chr. Saint-Denis*). Dissuasion.

II. **desloer** v. (fin XIIᵉ s., *Altsc.;* lat. *dislocare*). Disloquer, décrocher, luxer : *Le pié ... sembloit desloué (Mir. Saint Louis).* ◆ **desloeure** n. f. (XIIIᵉ s.). Dislocation.

I. **desloler** v. (XIIᵉ s., *Trist.;* v. *loi*). Etre déloyal, se conduire déloyalement. ◆ **desloi** n. m. (1160, Ben.). 1° Acte déloyal : *Ce n'est pas lois, ainz est deslois (Guiart).* — 2° Excès, crime. — 3° Déloyauté, infidélité. ◆ **desloié** n. m. (1160, Ben.). Sans foi ni loi. ◆ **desloial, desleal** adj. et n. (1175, Chr. de Tr.). Déloyal, traître. ◆ **desloiauter** v. (1190, Garn.). 1° Manquer à sa foi, trahir la loyauté. — 2° *Desloiauter quelque chose,* soutenir déloyalement quelque chose. ◆ **deloiautement** n. m. (XIIᵉ s., *Ps.*), **-té** n. f. (fin XIᵉ s., *Lois Guill.*). Déloyauté.

II. **desloier** v. V. DESLIER, délier, se dégager, dévoiler.

desmaillier v. (1160, Ben.; v. *maille*). Rompre les mailles, déchirer.

desmander v. (1317, *Arch.;* v. *mander*). Contremander, donner contrordre.

desmaner v. (1190, J. Bod.; v. *main*). Perdre, égarer : *Vit que son tresor a desmané* (J. Bod.).

desmantir v. (1125, *Gorm. et Is.;* lat. pop. *mantum*, manteau; cf. fr. *démanteler*). 1° Briser, rompre, mettre en pièces : *Le hauberc desmaele e dement (Gorm. et Is.).* — 2° Détacher. — 3° Destituer. — 4° Fléchir (en parlant d'un cheval).

desmesurer v. (1180, *Rom. d'Alex.;* v. *mesure*). 1° Sortir des bornes de la raison, de la vertu, se livrer à des excès. — 2° Dépasser les bornes ordinaires (non péjoratif). ◆ **desmesure** n. f. (1170, *Percev.*), **-ance** n. f. (XIIᵉ s., *Roncev.*). 1° Manque de mesure, excès. — 2° Arrogance, orgueil : *Ne desmesure lever ne essalcier · (Cour. Louis).* ◆ **desmesuree** n. f. (fin XIIIᵉ s., *Anseïs*). Action folle, extravagante.

desmetre v. V. DEMETRE, envoyer, déplacer, enlever, omettre, dépouiller.

desmovoir v. (XIIᵉ s., *Barbast.;* v. *movoir*). 1° Mettre en déroute. — 2° Faire renoncer à une prétention. — 3° Détourner.

desnaturer v. (1190, saint Bern.; v. *nature*). 1° Changer, faire changer de nature. — 2° Agir contre nature. ◆ **desnaturel** adj. (1281, *Lettre*). 1° Dénaturé (en parlant des personnes). — 2° Ce qui est contre nature (en parlant des choses).

desnoer v. (1175, *Chev. au lyon;* v. *noer*, nouer). 1° Dénouer. — 2° Découvrir, déclarer : *Sire, le voir vos en desno (Trist.).*

desnuer v. (déb. XIIᵉ s., *Ps. Cambr.;* v. *nu*). 1° Mettre à nu. — 2° Dépouiller. ◆ **denuement** n. m. (mil. XIVᵉ s.). Action de se découvrir.

desoan adv. (XIIIᵉ s.; v. *oan*, comp. avec *des*). Adv. de temps : 1° Dès cette année. — 2° Dès maintenant.

desobliger v. (déb. XIVᵉ s., D.; v. *obliger*, donner en caution). Dégager d'une obligation.

desoier v. V. DESIER, désirer.

desoler v. (déb. XIVᵉ s., *F. Fitz Warin;* lat. *desolare*, laisser seul). 1° Dépeupler, ravager. — 2° Malmener, maltraiter : *e si ount desolé nos corps (F. Fitz Warin).* ◆ **desolé** adj. (XIIᵉ s.). Laissé seul, abandonné. *Desolee de son seigneur,* qui a perdu son mari, veuve.

I. desor, desore, desores adv. (XIIᵉ s., M. de Fr.; comp. de *des*, dès, et de *ore*, heure). Désormais, depuis ce jour, cette heure, dès maintenant. ◆ **desorenavant** adv. (1281, G.). Désormais. ◆ **desorendroit** adv. (1288, *Arch. Calvados*). Désormais.

II. desor, deseur prép. et adv. (1080, *Rol.;* v. *sor*, sur, dessus). 1° Prép. de lieu, Sur, au-dessus de : *Alez sedeir desur cel palie blanc (Rol.).* — 2° Prép., En passant par-dessus, contre, malgré : *Que vous n'entreprenez pas chose Deseur le suen commandement (Est. Saint-Graal).* *Par desor,* malgré. — 3° Adv. de lieu, Dessus, ci-dessus. *Venir au desor,* triompher *(Gar. Loher.).*

desorain adj. (1190, saint Bern.; lat. pop. **de-supranum*). Supérieur, de dessus : *Leur deseurain vestement* (Froiss.).

desordener v. (1080, *Rol.;* v. *ordener*). 1° Mettre en désordre, renverser l'ordre. — 2° Défaire. — 3° Déposer (un roi). — 4° Priver des ordres, ôter de la prêtrise. ◆ **desordenement** n. m. (1190, Garn.). 1° Désordre. — 2° Action d'ôter les ordres, dégradation des clercs : *Le fel ne dute pas le desordenement* (Garn.). ◆ **desordenance** n. f. (1277, *Rose*). Désordre, dans tous les sens de ce mot. ◆ **desordenement** adv. (XIIIᵉ s., *Garç. et Av.*). D'une façon inconvenante : *Truans, Dius vous doint mole estrine, quant si desordenement parlés! (Garç. et Av.).*

desorder v. (1247, Ph. de Nov.; v. *order*, salir). Nettoyer.

desore, deseure, desoire prép. et adv. (1162, *Fl. et Bl.;* v. *sore*, sur, dessus). 1° Prép. de lieu, Sur, au-dessus de. — 2° Adv. de lieu, Dessus. *Par desore,*

la *desore*, ci-dessus. *Venir au desore,
estre au desore*, avoir le dessus, triompher
de : *De che dont iés desous seras deseure*
(J. Bod.).

desos, desous prép. et adv. (1190,
J. Bod.; v. *sos*, sous, dessous). 1º Prép.
de lieu, Sous. — 2º Adv. de lieu, Dessous.
Estre desous, avoir le dessous, être
accablé.

desostrain, dessous– adj. et
n. m. (fin XIIᵉ s., saint Grég.; dér. de *desos*,
sous). Inférieur.

desote, dessoude, desoubte
adv. (1306, Guiart, lat. *subita*). En *desote*,
subitement, à l'improviste.

desoter v. (1160, *Eneas;* v. *en desote*,
subitement). 1º Surprendre, prendre par
surprise : *Dessoté l'a et agaitié (Eneas).* —
2º *Desoter de*, empêcher, dissuader de.
◆ **desoteement** adv. (1288, J. de Priorat).
Soudainement.

desotroier v. (1080, *Rol.;* v. *otroier*,
accorder). Refuser, reprendre ce qu'on a
donné.

despaisié adj. (1276, Aden.; v. *pais*,
paix). 1º Qui a perdu la paix, qui est dans
le trouble et la douleur. — 2º Ému, agité.

despaisier v. (1253, *Arch.;* v. *pais*,
pays). Aller hors de son pays.

despaner v. (XIᵉ s., *Alexis;* v. *pan*).
1º Déchirer ses vêtements. — 2º Déchirer,
mettre en pièces. — 3º Dépouiller. ◆
despaneure n. f. (XIIᵉ s.). Déchirure.

desparagier v. (XIIᵉ s., *Asprem.;*
v. *parage*, parenté). Mésallier, faire
épouser à un mineur ou à une mineure une
personne de condition inférieure. ◆ **des-
paragement** n. m. (1215, *Gr. Charte*), **des-
parage** n. m. (1215, *Gr. Charte*). Mésal-
liance.

despareil adj. (1175, Chr. de Tr.;
v. *pareil*). Distinct, différent. ◆ **despareil**
n. m. (XIIᵉ s.), **-eille** n. f. (XIIᵉ s.). Marque
distinctive.

despareillier v. (1204, *l'Escouffle;*
v. *pareillier*, arranger, mettre ensemble).
Dépouiller, priver, éloigner.

desparer v. (XIᵉ s., *Alexis;* v. *parer*).
1º Enlever ce qui pare : *Faites vus desparer, Et faites vostre cruiz ... porter*
(Garn.). — 2º Dépouiller. — 3º Se séparer.

despechier v. (1225, G.; v. *empe-
chier*). 1º Débarrasser, délivrer, mettre en
liberté. — 2º Se débarrasser. — 3º Précipiter. *Se despechier de*, expédier à toute
hâte quelque chose. ◆ **despechement**
n. m. (1232, *Charte*). 1º Action de débarrasser de ce qui empêche, retarde. —
2º Action d'envoyer. — 3º Expédition
rapide d'une affaire. ◆ **despecheor** n. m.
(XIIIᵉ s.). 1º Celui qui expédie, débarrasse
rapidement. — 2º Exterminateur. *Despecheor de commuigne*, transgresseur des
lois de la commune.

despecier v. (1080, *Rol.;* v. *piece*).
1º Mettre en pièces, détruire. — 2º Se briser : *une nef qui depeça (Mir. Saint
Louis).* — 3º Casser, annuler, rompre :
Tost est ses orguels despeciés (ABC). —
4º Séparer. ◆ **despecement** n. m. (1160,
Ben.). 1º Action de mettre en pièces, bris.
— 2º Démembrement, dilapidation. —
3º Mauvais état. ◆ **despeceure** n. f.
(fin XIIIᵉ s., G. de Tyr). 1º Action de
mettre en pièces. — 2º Brisement, fracture. ◆ **despeceis** n. m. (fin XIIIᵉ s., G. de
Tyr). Partie détruite, pièce, morceau. ◆
despeceor n. m. (XIIIᵉ s., Bible). Celui qui
met en morceaux, qui fend.

despection n. f. (XIIᵉ s., Herman;
lat. *despectio*, même sens). Mépris.

I. **despendeor** n. m., dépensier, prodigue. V. DESPENDRE, dépenser.

II. **despendeor** n. m., celui qui
dépend un pendu. V. DESPENDRE,
dépendre.

I. **despendre** v. (déb. XIIᵉ s., *Ps.
Cambr.;* lat. *dispendere*). 1º Dépenser,
faire des dépenses : *Pour jouer et pour
despendre* (J. Bod.). — 2º Distribuer,
répandre. — 3º Employer. ◆ **despens** n. m.
(1112, *Saint Brand.*), **-ement** n. m. (fin
XIIIᵉ s., B. de Condé), **-lon** n. f. (XIIᵉ s.,
Florim.). 1º Dépense. — 2º Provision. ◆
despense n. f. (1160, Ben.). 1º Provision :
Povres sui, despense me faut (Rés. Sauv.).
— 2º Endroit où l'on garde les provisions.

◆ **despensier** n. m. (fin xıı⁰ s., *Cour. Louis*), **-eor** n. m. (1306, Guiart). 1° Celui qui garde la *dépense*. — 2° Administrateur. ◆ **despendeor** n. m. (1180, *Rom. d'Alex.*). Qui dépense, prodigue. ◆ **despendant** adj. (xıı⁰ s., *Conq. Irl.*). — 2° Prodigue. — 2° Dépensé. — 3° n. m. (1180, *Rom. d'Alex.*). Économe, intendant. ◆ **despendable** adj. (xıı⁰ s.). 1° Coûpiter. *Se despechier de,* expédier à la (1260, *Br. Lat.*). Prodigue : *Que tu ne soies trop eschars ne trop despensables* (Br. Lat.).

II. **despendre** v. (xı⁰ s., *Alexis;* lat. *dispendere,* étendre). Dispenser. ◆ **despensacion** n. f. (1277, *Rose*). Dispense.

III. **despendre** v. (xııı⁰ s., v. *pendre*). Dépendre. ◆ **despendement** n. m. (fin xııı⁰ s., B. de Condé). Action de dépendre. ◆ **despendeor** n. m. (1295, Boèce). Celui qui dépend un pendu.

desperer v. (1175, Chr. de Tr.; v. *esperer*). Se désespérer : *Si sui fou quant je m'en despoir* (Chr. de Tr.). ◆ **despoir** n. m. (fin xıı⁰ s., *G. de Rouss.*). Désespoir. ◆ **desperance** n. f. (1175, Chr. de Tr.), **-ement** n. m. (1270, Ruteb.), **-acion** n. f. (xıı⁰ s., Herman). Désespoir.

I. **despers, despert** adj. (1160, Ben.; v. *espert,* habile, adroit). 1° Rude, grossier, cruel, sauvage (personnes). — 2° Effrayant, terrible (choses). ◆ **despersité** n. f. (déb. xıv⁰ s., J. de Condé). Cruauté, chose terrible.

II. **despers** adj. (xıı⁰ s.; lat. *dispersum,* de *dispergere,* répandre çà et là). 1° Dispersé. — 2° Égaré.

despersoner v. (1080, *Rol.;* v. *persone*). 1° Défigurer. — 2° Maltraiter, injurier, outrager : *Tencent a lui, laidement le despersunent* (Rol.). — 3° S'abandonner à l'excès de la désolation.

despies n. m. (1293, *Charte;* v. *despecier,* mettre en pièces). Démembrement : *Quant au depies de membre, esmutiler, espectier, essoreiller, segner, estortpacier,* etc. (1293, *Charte*).

despire v. (1120, *Ps. Oxf.;* lat. *despicere*). Mépriser, outrager : *Si ne veill pas*

por ce dire Que l'en doie hunble habit despire (Rose). ◆ **despirement** n. m. (xııı⁰ s., Du Cange). Mépris, dédain.

despisier v. (1283, Beaum.; lat. pop. **despectiare,* v. le précédent). Mépriser, traiter avec mépris. ◆ **despisement** n. m. (déb. xıı⁰ s., *Ps. Cambr.*), **-ance** n. f. (1327, J. de Vignay), **-ion** n. f. (xıı⁰ s., *Conq. Jér.*). Mépris, dédain. ◆ **despiceor** n. m. (1220, *Saint-Graal*). Celui qui méprise, méprisant. ◆ **despisable** adj. (déb. xıı⁰ s., *Ps. Cambr.*). Méprisable : *Petiz je sui e despisables (Ps. Cambr.).*

despiter v. (1272, Joinv.; lat. *despectare,* regarder de haut). 1° Mépriser. — 2° Défier. — 3° Outrager. ◆ **despit** n. m. (xıı⁰ s., *Florim.*). 1° Mépris, humiliation : *En despit aiiés le mont* (Chr. de Tr.). *Avoir en despit,* mépriser. *Estre en despit,* être l'objet du mépris. — 2° Colère, insolence. — 3° Propos méprisant. — 4° Prévention défavorable (jurid.). ◆ **despitement** n. m. (1190, saint Bern.). Mépris, parole méprisante. ◆ **despit** adj. (xı⁰ s., *Alexis*). 1° Qui a du dépit, irrité. — 2° D'un aspect méprisable, misérable : *Garce sui vix et sui despite* (Chr. de Tr.). — 3° Outrageant, odieux : *Morir de mort laide et despite* (J. Bod.). ◆ **despitos** adj. (fin xıı⁰ s., saint Grég.). 1° Orgueilleux, insolent. — 2° Digne d'être méprisé, hideux. ◆ **despitable** adj. (1190, saint Bern.). Méprisable.

desplaire v. (1160, Ben.; v. *plaire*). 1° Ne pas plaire, être déplaisant. — 2° Etre mécontent. ◆ **desplaisant** adj. (1190, saint Bern.). 1° Mécontent. — 2° Déplaisant.

desplier, -oier v. (1155, Wace; v. *plier, ploier*). 1° Dégager. — 2° Développer, exposer, expliquer : *Ce ne sot il pas bien desploier ou recorder devant les inquisiteurs (Mir. Saint Louis).* — 3° Employer. — 4° Plier bagage. ◆ **desploi** n. m. (1180, *Rom. d'Alex.*). Déploiement.

despoestir v. (xııı⁰ s., *Sept Sages;* v. *poesté,* pouvoir, possession). 1° Déposséder. — 2° Enlever, arracher.

despoillier v. (1180, *R. de Cambr.;* lat. *despoliare*). 1° Déshabiller : *Il ̇os* *convint primerains despoillier* : *En la fontaine entrerez tos premiers* (R. de Cambr.). — 2° Dépouiller : *L'en ne doit rien priser moillier Qui homme bee a despoillier* (Rose). — 3° Piller. ◆ **despoille** n. f. (1190, saint Bern.). 1° Action de dépouiller. — 2° Dépouilles. — 3° Butin : *E aporterent despoilles a grant faison e granz proies* (Saint Eust.). — 4° Récolte. ◆ **despueil, despoil** n. m. (1200, *Ren. de Montaub.*). 1° Dépouillement. — 2° Pillage. ◆ **despoillement** n. m. (1190, saint Bern.). État de ce qui est dépouillé.

despointier v. (XIII⁰ s., *Lai Arist.*; v. *pointier*, mettre au point, arranger). 1° Déranger. — 2° Destituer. — 3° Grever, léser, causer un dommage.

despoir n. m., désespoir. V. DESPERER, se désespérer.

despois n. m. (XIII⁰ s.; v. *despire*, mépriser). Déplaisir, dépit. *Seur mon despois*, malgré moi *(Atre pér.).*

despoise n. f. (1190, J. Bod.; orig. incert.). 1° Matière, aloi. *De bone despoise*, de bon aloi. *De male despoise*, de mauvais aloi. — 2° Nature, caractère : *Ele est de si male despoise K'ele croit chou ke point n'avient* (A. de la Halle).

despondre v. (1160, Ben.; lat. *disponere*). Exposer, expliquer, interpréter : *Ja seront despondu li sort* (J. Bod.). ◆ **desponde** n. f. (XIII⁰ s., Th. de Kent). Règle : *sans compus et desponde* (Th. de Kent).

desport n. m. V. DEPORT, attitude, divertissement.

desporveu adj. (XII⁰ s., *Conq. Jér.*; v. *porvoir*). 1° Imprévu, soudain (avec un nom de chose) : *mort desporveue (Conq. Jér.).* — 2° Qui ne s'attend pas à (avec un nom de personne) : *Endormis les troverent et desporveuz* (G. de Tyr). ◆ **desporveuement** adv. (1155, Wace). Inopinément, à l'improviste.

desposeer v. (XII⁰ s., *Ps.*; v. *posseer*, posséder). Déposséder.

desprendre v. (1314, *Ord.*; voir *prendre*). 1° Saisir. — 2° Dégager, dépouiller. ◆ **despris** adj. (1160, Ben.).

1° Dessaisi, dépouillé : *Plus nuz es plus despris que figuiers (Queste Saint-Graal).* — 2° Misérable, déguenillé : *Or sui seus e despris e sanz confort e sanz compaignie (Saint Eust.).*

desprisier v. (XII⁰ s., C. de Béth.; v. *prisier*, estimer). 1° Déprécier. — 2° Mépriser : *Plus les servent, plus les desprisent (Rose).* ◆ **desprisable** adj. (1260, Br. Lat.). Méprisable.

despueil n. m. V. DESPOILLIER, dépouiller.

despuer adv. (XIII⁰ s., J. Le March.; v. *puer*, dehors). Dehors.

desputor v. (1190, Garn.; lat. *disputare*, discuter). Discuter. ◆ **desputement** n. m. (1250, *Ren.*), **-aison** n. f. (1160, Ben.). Dispute, débat.

desque, deques prép. et adv. (1150, Wace; comp. de *des* et *que*). 1° Jusqu'à. *Desque a, desque en*, loc. prép., jusqu'à. — 2° Dès que. — 3° Puisque.

desraïer v. V. DESREER.

desraison n. f. (1190, J. Bod.; v. *raison*). Chose contraire à la raison : *Segneur, je n'en trai nient a mi, Se vous avés fait desraison* (J. Bod.). *En desraison, a desraison*, sans raison, à tort. — 2° Injustice. — 3° Insulte. ◆ **desraisnable** adj. (1256, *Ord.*). 1° Déraisonnable. — 2° Qui n'est pas de bonne qualité.

desramer v. (XI⁰ s., *Alexis*; v. *rame*, branche). 1° Ébrancher. — 2° Déchirer, démembrer. — 3° Détruire, opprimer. ◆ **desramé** adj. (XIII⁰ s., *G. de Warwick*). 1° Déchiré, usé. — 2° Mal en point, en guenilles.

I. **desreer, -oier** v. (fin XII⁰ s., *Cour. Louis*; v. *arrer*, mettre en ordre, ranger en bataille). 1° Mettre en désordre. — 2° S'emporter, se cabrer : *Si se desreie qu'a peines l'a tenu* (Cour. Louis). — 3° Se séparer, se débander. — 4° Se quereller, se battre. 5° Etre en désarroi. — 6° *Se desreer de*, cesser de. ◆ V. DESROI.

II. **desreer, -oier** v. (1155, Wace; v. *rai*, raie, sentier, se confond souvent avec le précédent). 1º Sortir de la voie, des rangs. — 2º Sortir du bon sens et de l'honneur : *A cel tens estoient si desruz genz et si sanz mesure ... (Queste Saint-Graal).* ◆ V. DESROI.

desrengier v. (1080, *Rol.;* v. *reng, renc,* rang). 1º Sortir, se détacher des rangs. — 2º Faire avancer, presser. — 3º Parcourir. — 4º Etre mis en déroute. — 5º Borner, placer des bornes. ◆ **desrenc, -g, -ch, -d** n. m. (1292, *Arch.*). 1º Séparation de terre faite par un sillon ou une raie. — 2º Borne, bornage.

desrenter v. (1306, Guiart; v. *rente*). 1º Dépouiller d'une rente. — 2º Libérer une propriété des rentes dont elle est chargée.

desrieuler v. (fin XIIIᵉ s., J. de Meung; v. *rieule, riule,* règle). 1º Faire sortir de la règle, de la norme. — 2º Troubler. — 3º Se débander. ◆ **desrieule, desriule** n. f. (XIVᵉ s.). Dérèglement, excès, désordre. ◆ **desrieus** adj. (XIIIᵉ s., *Chans.*). Sans règle, sans ordre.

I. **desriver** v. (1130, *Job;* v. *rive*). 1º Détourner l'eau. — 2º Détourner en général. — 3º Déborder. ◆ **desrivé** adj. (XIIᵉ s.). 1º Débordé. — 2º Qui s'écarte de. — 3º Déchaîné, emporté.

II. **desriver** v. (XIIIᵉ s., *Rés. Sauv.;* v. *river,* attacher). Enlever la rivure : *Dunt li clou serunt derivez (Rés. Sauv.).*

desrober v. (fin XIIᵉ s., *Aiol;* v. *robe* et *rober,* piller). 1º Ôter la robe : *Si se desnue et desrobe, Qu'ele est orfenine de robe! (Rose).* — 2º Dépouiller quelqu'un. ◆ **desrobement** n. m. (fin XIIᵉ s., saint Grég.), **-erie** n. f. (1328, G.). Action de dérober, vol, pillage.

desrochier v. (1125, *Gorm. et Is.;* v. *rochier,* rocher). 1º Dégringoler du haut d'un rocher, tomber. — 2º Renverser, précipiter quelqu'un : *De sun cheval le derocha (Gorm. et Is.).* — 3º Démolir, détruire. — 4º Lancer des projectiles sur : *E garçons e putains unt saint Thomas hué E derochié de torges (Garn.).*

desroi n. m. (1160, *Eneas;* v. *desreer,* mettre en désordre, et *desreer,* sortir de la voie). 1º Désordre : *Que, se Turnus vient el chastel, Que il ne facent nul desroi (Eneas).* — 2º Action coupable, manquement grave : *Ha! fine amor! et qui penssast Que cist feist vers moi desroi (Chast. Vergi).* — 3º Dommage, ravage : *Moult hai guerres et desrois (Mousk.). Metre a desroi,* causer du mal. — 4º Désarroi, trouble, folie : *Dont li mien cor el ventre pleure, Si grant desroi, tel felonie! (Trist.).* — 5º Parole contre la raison : *A! roys, nel deussiés pas dire Tel outrage ne tel desroi! (J. Bod.).* — 6º Précipitation, emportement. — 7º Impétuosité, force, vigueur. ◆ **desroiment** n. m. (fin XIIᵉ s., *Loher.*). 1º Désordre, dérangement. — 2º Ardeur, emportement.

desroter v. (1175, Chr. de Tr.; v. *rote,* route, du lat. *rupta,* chose rompue). 1º Mettre en déroute, disperser. — 2º Mettre les chiens hors de la route (vénerie). — 3º Briser, rompre. — 4º disperser, se précipiter.

desruber, desruper v. (XIIᵉ s.; lat. *rupem,* rocher). 1º Tomber du haut d'un rocher. — 2º Se précipiter. ◆ **desrube** n. m. (déb. XIIᵉ s., *Ps. Cambr.*), **-ant** n. m. (1170, *Fierabr.*), **-ier** n. m. (1160, B. de Méung), **-ement** n. m. (XIIᵉ s., *Maug. d'Aigr.*), **-ison** n. f. (*Chans. d'Ant.*). 1º Précipice. — 2º Pente abrupte, ravin. — 3º Escarpement. ◆ **desrubé** adj. (XIIᵉ s., *Pr. d'Orange*). Bordé de précipices, abrupt, escarpé. ◆ **desrubain** adj. (XIIᵉ s., *Amis*). 1º De précipice, de ravin. — 2º Abrupt, torrentiel : *une eve desrubainne (Amis).*

dessacrer v. (1190, Garn.; v. *sacrer*). 1º Ôter le sacrement : *E qui puet dessacrer ce que Deus ad sacré (Garn.).* — 2º Rendre profane, profaner.

dessaisir v. (fin XIIᵉ s., *Auc. et Nic.;* v. *saisir*). Enlever : *Si le dessaisisent de l'escu et de la lance (Auc. et Nic.).* ◆ **dessaisine** n. f. (1169, Wace). Formalité à l'aide de laquelle on opérait l'aliénation d'un héritage.

dessarter, desserter v. (1336, *Arch.;* v. *essarter,* défricher). Défricher.

I. **dessembler** v. (1204, R. de Moil.; v. *sembler*). Etre dissemblable. ◆ **dessem-**

blance n. f. (1160, Ben.). Inégalité. ◆ **dessemblant** adj. (1190, saint Bern.). Dissemblable.

II. dessembler v. (1170, *Percev.;* le contraire de *assembler*). 1º Séparer, briser, rompre. — 2º Etre séparé, se séparer. ◆ **dessemblee** n. f. (fin XIIIe s., *Fabl. d'Ov.*). Séparation, dissolution de l'assemblée.

dessener v. (1204, R. de Moil.), **-ir** v. (1210, *Dolop.;* v. *sen,* sens). Perdre le sens, la raison, devenir fou : *Ha! laz, que porrai devenir? Bien me doit li cors dessenir Quant il m'estuet a ce venir* (Ruteb.). — 2º Dépérir.

dessentir v. (1160, *Eneas;* lat. *dissentire*). 1º Désapprouver, refuser le consentement : *La raine l'a dessentu (Eneas).* — 2º Changer d'avis, se déjuger.

desseoir v. (1175, Chr. de Tr.; v. *seoir,* être convenable). 1º Ne pas convenir, déplaire. — 2º Affliger.

desserte n. f. V. DESERTE, service.

desservir v. (XIe s., *Alexis;* lat. *desservire,* servir avec zèle). 1º Servir la messe. — 2º Mériter, gagner : *Che fait Fortune ki l'avale. Il ne l'avoit point desservi.* (A. de la Halle). — 3º Payer de retour, récompenser. ◆ **desservement** n. m. (XIIe s., Herman). Mérite, service. ◆ **desserte** n. f. (1155, Wace), **dessert** n. m. (déb. XIVe s., *F. Fitz Warin*). 1º Mérite, récompense, salaire. — 2º Reconnaissance : *Por louer ne por desserte* (Chr. de Tr.). *Sanz desserte,* sans l'avoir mérité. ◆ **desserveor** n. m. (1314, *Arch.*). Régisseur d'un héritage, d'une propriété.

dessevrer v. (Xe s., *Saint Athanase;* v. *sevrer,* séparer). 1º Séparer, détacher, diviser. — 2º Se séparer, s'en aller, partir. — 3º Distinguer, discerner, choisir entre plusieurs. — 4º Partager. ◆ **dessevrement** n. m. (1119, Ph. de Thaun). 1º Séparation. — 2º Rupture de mariage, divorce. — 3º Distinction, différence. — 4º Acception. ◆ **dessevraille** n. f. (1180, *Rom. d'Alex.*), **-ee** n. f. (XIIe s., *Trist.*), **-ance** n. f. (1213, *G. de Dole*). 1º Séparation, désunion, départ. — 2º Rupture, divorce. — 3º Privation, éloignement. — 4º Mar-

que, signe distinctif. — 5º Destination. ◆ **dessevrage** n. m. (XIIe s., *Chev. cygne*). Séparation, division. ◆ **dessevreor** n. m. (fin XIIe s., *Ogier*). Celui qui partage, divise. ◆ **dessoivre** n. m. ou f. (1243, *Cart. Saint-Vinc.*). 1º Séparation. — 2º Bornage, mesurage, limitation. — 3º Privation d'une faculté. ◆ **dessoivre** adj. (1160). Séparé.

dessienté, desciénté adj. (XIIIe s.; v. *escient,* intelligence, raison). Qui a perdu le sens.

dessoçoner v. réfl. (XIIIe s.; voir *socine,* association). 1º Quitter la société de. — 2º Se séparer.

dessoivre v. V. DEÇOIVRE, décevoir.

dessolder, dessoder v. (fin XIIe s., *Loher.;* v. *solder,* souder). 1º Disjoindre, briser. — 2º Etre brisé, rompu. ◆ **dessodement** n. m. (XIIIe s.). Destruction, renversement.

destachier v. (fin XIIe s., *Loher.;* v. *estache,* pieu). 1º Planter, ficher. — 2º Palissader, fortifier. — 3º Lancer des traits.

destaier, -oier v. (1204, R. de Moil.; v. *tai,* fange). 1º Sortir de la boue. — 2º Nettoyer.

destal n. m. (1260, Mousk.; v. *estal,* position, combat). Carnage.

destalenter v. (1170, *Rom. d'Alex.,* v. *talent,* disposition, intention). 1º Ôter à quelqu'un l'envie, la volonté. — 2º Déconseiller, décourager. — 3º Dégoûter.

I. desteindre v. (XIe s., *Alexis;* v. *esteindre,* avec renforcement). Éteindre, apaiser.

II. desteindre v. (1265, J. de Meung; lat. pop. **distingere*). 1º Déteindre, ternir. — 2º Détruire.

destemprer, destremper v. (1180, *Rom. d'Alex.; v. temprer*). 1º Mélanger. — 2º Modérer. — 3º Délayer. — 4º Tremper. ◆ **destrempé** adj. (1160, Ben.). 1º Intempestif. — 2º Excessif. — 3º Dérangé : *Trop avez le sens destrempé*

(*Lai Arist.*). ◆ **destrempement** n. m. (1270, Ruteb.). Mélange de liquides, délayage. ◆ **destrempance** n. f. (1277, *Rose*). 1° Mélange de liquides. — 2° Intempérie.

destendre v. (1150, *Thèbes;* voir *tendre*). 1° Étendre. — 2° Étendre, lâcher les rênes. — 3° Asséner en étendant le bras. — 4° Tirer, porter. — 5° S'élancer, se précipiter. — 6° Voguer (en parlant d'un bateau) : *Que plus soef li enble que ne destant galie (Barbast.).* — 7° Enlever les tentes. ◆ **destendue** n. f. (fin XII⁰ s., *Gir. de Rouss.*). Étendue d'un pays.

dester v. (1120, *Ps. Oxf.;* lat. *distare*). Etre distant, éloigné. ◆ **destance** n. f. (1160, Ben.; lat. *distantia*). 1° Désaccord, querelle. — 2° Offense : *Ore en pernez la venjance, Car trop est grande la destance (G. de Warwick).*

destergir v. (1304, *Charte;* v. *tergier,* purifier, polir). Diviser, partager.

destesee n. f. (fin XII⁰ s., *Cour. Louis;* v. *tesee,* longueur d'une toise). *A destesee,* à distance, d'un geste large : *Tot en poignant sa mace a destesee (Cour. Louis).*

destiner v. (1160, Ben.; lat. *destinare*). 1° Décider d'avance, fixer : *Et si come Deus l'ot destiné* (Ben.). — 2° Augurer, projeter, souhaiter : *Ensi des deus enfans devinent Li auquant, qui bien lor destinent, Et dient...* (Chr. de Tr.). — 3° Enseigner. — 4° Annoncer, assurer. — 5° Diriger, gouverner. ◆ **destinement** m. (1160, Ben.). Destin. ◆ **destin** n. m. (1160, Ben.). 1° Ce qui est décidé, destin. — 2° Projet. — 3° Destination. ◆ **destine** n. f. (1160, Ben.). 1° Destinée. — 2° Fin. — 3° Dessein. ◆ **destinee** n. f. (1175, Chr. de Tr.). 1° Résolution. — 2° Force, vigueur. — 3° au plur. Destin. *A bonne destinee,* heureusement, Dieu merci. ◆ **destination** n. f. (fin XII⁰ s., saint Grég.). 1° Ce qui est destiné. — 2° *Devant destinacion,* prédestination.

destinter v. (XII⁰ s., *Barbast.;* lat. pop. **distinctare,* pour *distinguere*). 1° Distinguer, différencier : *Nul ne set si bien distinter (Rose).* — 2° Exposer dis-

tinctement. — 3° Séparer. ◆ **destintement** n. m. (XII⁰ s., *Digeste*). Distinction, séparation. ◆ **destinction** n. f. (XIII⁰ s., *Rom. Lumere*). Marque distinctive. ◆ **destincier** v. (1332, Watriquet). Détailler.

destituer v. (1322, *Ord.;* lat. *destituere,* priver de). 1° Écarter. — 2° Déprécier. — 3° Priver de soutien, de ressources. ◆ **destitution** n. f. (1316, G.). Privation.

I. **destoier** v. V. DESTUIER, ôter d'un étui, découvrir.

II. **destoier** v. V. DESTAIER, sortir de la boue, nettoyer.

destoldre, destolir v. (1160, Ben.; lat. *distollere* ou **distollire*). 1° Enlever, prendre. — 2° Détourner, empêcher : *Nis pur poi qu'il ne l'orent ocis e abatu Del bastun de la cruiz. Mais Deus l'ad destolu* (Garn.). ◆ **destolte** n. f. (XII⁰ s.), **destolete** n. f. (XII⁰ s., *Trist.*). 1° Enlèvement. — 2° Empêchement. — 3° Chemin détourné.

destomir v. (1204, R. de Moil.; v. *tomir,* tomber). 1° Relever : *Destomis toi de ta dolor* (R. de Moil.). 2° Ranimer, réveiller.

destoper v. (1210, *Dolop.;* v. *estoper,* boucher). Déboucher, ouvrir. ◆ **destopement** n. m. (1324, *Arch.*). Action de déboucher, d'ouvrir.

destorber v. (1155, Wace; lat. *disturbare*). 1° Troubler, gêner, contrarier : *Et ne fust par li destorbé (Eneas).* — 2° Empêcher : *Mais en la porte ne porent il entrer, Car l'Alemans les a molt destorbez (Cour. Louis).* — 3° Prévenir, épargner. — 4° Endommager, détruire. ◆ **destorbier** n. m. (1080, *Rol.*), **-ement** n. m. (1160, Ben.), **-ance** n. f. (1160, Ben.), **-e** n. f. (fin XIII⁰ s., *Fabl. d'Ov.*). — 1° Trouble. — 2° Empêchement, ennui. — 3° Attaque. — 4° Trouble d'esprit, agitation. ◆ **destorbeor** n. m. (XIII⁰ s., *Livr. de Jost.*). Perturbateur.

destordre v. (1170, *Percev.;* voir *tordre*). 1° Tordre. — 2° Tourmenter. — 3° Détourner. — 4° réfl. Se tordre, s'épuiser. — 5° Dérouler, déployer : *Brandist la hanste, le gonfanon destort (Cour. Louis).*

◆ **destort** n. m. (1360, Froiss.). Détournement, frustration. ◆ **detorter** v. (1277, *Rose*). Faire des contorsions. ◆ **detorteis** n. m. (XIIIe s., *Pastour.*). Contorsions causées par la douleur.

destorellier v. (XIIIe s., *Atre pér.*; v. *toreillier*, de *toreil*, verrou). Déverrouiller : *N'est li guicés destorelliés* (*Atre pér.*).

destorner v. (1080, *Rol.*; v. *torner*). 1° Faire suivre un chemin détourné. — 2° Empêcher. — 3° Éviter, se garer de. — 4° Préserver. ◆ **destor** n. m. (1190, J. Bod.). 1° Lieu écarté. — 2° Détournement. — 3° Combat (v. ESTOR). ◆ **destornement** n. m. (XIIe s., *Chev. cygne*). Endroit écarté. ◆ **destornee** n. f. (1160, Ben.). 1° Chemin détourné. — 2° Moyen détourné. ◆ **destornail** n. m. (1335, Deguil.). Chemin détourné, détour.

destraindre v. (1155, Wace; lat. *distringere*). 1° Resserrer. — 2° Serrer de près, poursuivre. — 3° Contraindre par justice. — 4° Opprimer, torturer. — 5° Retenir prisonnier. ◆ **destrainte** n. f. (1180, *Rom. d'Alex.*). 1° Détresse. — 2° Contrainte, rigueur. ◆ **destraignement** n. m. (XIIe s., *Trist.*). **destraînçon** n. f. (XIIe s., Herman). 1° Contrainte, oppression. — 2° Angoisse, souffrance. ◆ **destraignable** adj. (1324, *Arch.*). Qui peut être contraint.

destraper v. (XIIIe s., *Fabl. d'Ov.*; v. *trape*). 1° Débarrasser, dégager. — 2° Lâcher.

destraver v. (1190, J. Bod.; v. *traver*, mettre une poutre). 1° Enlever une poutre, une entrave. — 2° Arracher, démolir. — 3° Séparer. *Destraver le sege*, lever le siège. — 4° Délivrer. — 5° Réprimander.

destre adj. (1080, *Rol.*; lat. *dexterum*). 1° Droit (opposé à gauche). — 2° Du côté droit. *En destre*, sur un cheval conduit à la main : *Vo dreit seignor en menrons en destre* (*Cour. Louis*). — 3° Adroit. ◆ **destre** n. m. (fin XIIe s., *Loher.*). 1° Côté droit. — 2° Main droite. — 3° *En destre*, en ligne droite. ◆ **destror** adj. pl. invar. (XIIIe s., *Gaut. d'Aup.*).

Droit. ◆ **destrer, -oier** v. (XIIe s., *Trist.*). Tenir la droite de quelqu'un, accompagner : *Artus la roine destroie* (*Trist.*). ◆ **destrier** n. m. (1080, *Rol.*). Gros cheval de bataille, mené de la main droite par l'écuyer et que le chevalier ne montait que lorsqu'un danger se présentait. ◆ **destral** n. m. (1354, G.). Hache, cognée.

I. destrecier v. (1175, Chr. de Tr.; lat. pop. *districtiare*, pour *distringere*). 1° Serrer, mettre à l'étroit. — 2° Serrer le cœur, mettre en détresse. — 3° Resserrer, contenir, empêcher. ◆ **destrece** n. f. (1160, Ben.). 1° Étroitesse, passage étroit. — 2° Prison. — 3° Contrainte, puissance, force. — 4° Angoisse. — 5° Désir pressant : *Se raige et derverie Et destrece d'amer M'a fait dire folie Et d'amors mesparler* (C. de Béth.). — 6° Saisie (jurid.). — 7° Dépendance. ◆ **destreçable** adj. (1160, Ben.). 1° Malheureux, angoissé. — 2° Cruel, rigoureux.

II. destrecier v. (1277, *Rose*; v. *trecier*, tresser). Délier. ◆ **destrecié** adj. (1277, *Rose*). Épars, qui n'est pas tressé.

destremper v. DESTEMPRER, mélanger, modérer, tremper.

destrocier v. (1175, Chr. de Tr.; v. *trocier*, trousser). 1° Défaire les paquets, déballer, décharger. — 2° Séparer, arracher. — 3° Se séparer, débander. — 4° Se décharger, se reposer.

I. destroier v. V. DESTRECIER, serrer, tenir à l'étroit.

II. destroier v., tenir la droite de quelqu'un, accompagner. V. DESTRE, droit.

destroit adj. (1080, *Rol.*; lat. *districtum*). 1° Serré, pressé, étroit. — 2° Angoissé, affligé : *Au pais remestrent, tuit destroit* (*Trist.*). *Metre a destroit*, accabler. — 3° Sévère, rigoureux. — 4° Difficile. — 5° Malheureux : *Ha! ha! Dieux, con je sui destrois* (*Garç. et Av.*). ◆ **destroit** n. m. (1080, *Rol.*). 1° Lieu resserré, détroit, défilé. — 2° Prison. — 3° Difficulté, embarras. — 4° Gêne, tourment : *Quant vint au destroit de la mort, Jhesucrist prinst a crier fort* (*Livr. Pass.*). — 5° Contrainte. *Avoir en des-*

troit, dominer, opprimer. — 6° Juridiction, son étendue.

destruire v. (1080, *Rol.;* lat. pop. *destrugere,* pour *destruere*). 1° Ruiner, ravager. — 2° Maltraiter, massacrer. ◆ **destruit** n. m. (1165, Wace), **-e** n. f. (1321, *Ord.*), **-ement** n. m. (XIe s., *Alexis*), **destruiement** n. m. (1120, *Ps. Oxf.*), **-ance** n. f. (fin XIIe s., *Gir. de Rouss.*), **destrucion** n. f. (1119, Ph. de Thaun). 1° Destruction : *Lo grand domage Et lo destruit des Troiens (Eneas).* — 2° Résultat de la destruction, ruine, état misérable : *A destruction de cors et a perdicion d'ame (Queste Saint-Graal).* ◆ **destruieor** n. m. (XIIe s., *Macch.*), **-iseor** n. m. (1220, *Saint-Graal*). 1° Destructeur, massacreur : *destruisiere de Sarrasins* (Mousk.). — 2° Gaspilleur. ◆ **destruiable** adj. (XIIIe s., *Fabl. d'Ov.*), **-isable** adj. (fin XIIIe s., Macé). Qui cause la perte, pernicieux.

destuier v. (1220, Coincy ; v. *estuier*). 1° Sortir d'un étui, d'un fourreau. — 2° Découvrir, reconnaître. — 3° Exposer, raconter.

desveloper v. (fin XIIe s., *Aiol;* v. *enveloper*). 1° Se dévoiler. — 2° Se débarrasser.

desver, derver, desvier, desvoier v. (1080, *Rol.;* orig. incert.). 1° Devenir fou, perdre la raison : *Si grant doel ad por poi qu'il n'est desvet (Rol.).* — 2° Rendre fou. — 3° Etre, devenir furieux, enrager. — 4° *Desver de,* avoir un désir furieux de. ◆ **desverie, derverie** n. f. (1160, Ben.). 1° Folie, fureur. — 2° Douleur, remords violent : *desesperanche et derverie* (A. de la Halle). ◆ **desvoison** n. f. (XIIe s., *Mon. Guill.*). Folie, rage, fureur. ◆ **dervelee** n. f. (1352, *Gloss.*). Folie.

desvest n. m. (1293, *Arch.;* terme lat. féodal). Terme du droit féodal, dévêtissement, renonciation à ses droits : *Pour acquerir droit de propriété en aucun heritage tenu en roture, est requis devest et vest : C'est a dire dessaisine et saisine... (Cout. Reims).* ◆ **desvestement** n. m. (XIIIe s., *Charte de Phil. le Bel*), **-eure** n. f. (1337, *Arch.*), **-ison** n. f. (1311, *Arch.*). Dévêtissement.

desvoer v. V. DEVEER, interdire, refuser, retenir.

I. **desvoier** v. (1155, Wace ; lat. pop. **disviare* pour *deviare*). 1° Égarer, dévoyer : *Le pueple par ly se desvoie Et entre en une fause voie (Livr. Pass.).* — 2° Altérer, détourner : *Vous me dites que ... il vostre devant loy desvoie (Pass. Palat.).* ◆ **desvoi** n. m. (1175, Chr. de Tr.). 1° Action de s'égarer, égarement. — 2° Lieu écarté du chemin. — 3° Fausse route. — 4° Détour, ruse, fraude. 5° Écart, digression. *Sans desvei,* sans s'écarter du sujet. ◆ **desvoiement** n. m. (déb. XIIe s., *Ps. Cambr.*). 1° Chemin impraticable. — 2° Égarement (au phys. et au mor.). — 3° Égarement d'esprit, folie. ◆ **desvoiance** n. f. (1160, Ben.). 1° Égarement. — 2° Détour, perfidie. ◆ **desvoiable** adj. (déb. XIIe s., *Ps. Cambr.*). 1° Impraticable, inaccessible. — 2° Qui égare. — 3° Égaré. ◆ **desvoiableté** n. f. (1180, *Rom. d'Alex.*). 1° Lieu écarté du chemin, impasse. — 2° Mauvais chemin (phys. et mor.).

II. **desvoier** v. V. DESVER, devenir, rendre, être fou.

desvuidier v. (1175, Chr. de Tr.; v. *vuidier,* vider). 1° Vider. — 2° Développer. — 3° Lancer.

det, debt n. m. (fin XIIe s., Guiart), **dete** n. f. (1160, Ben.; lat. *debitum* ou *debita*). Dette. ◆ **deterie** n. f. (1258, G.). Dette. ◆ **deté** n. m. et adj. (XIIIe s., *Livr. de Jost.*). 1° Débiteur. — 2° Endetté. ◆ **detor** n. m. cas rég., **detre** cas sujet (1130, *Job*), **deteor** n. m. (1248, *Cart.*). 1° Débiteur. — 2° Créancier : *Et les promhec a rendre as deteeurs* (1248, *Cart.*). ◆ **deteresse** n. f. (1302, G.). Débitrice.

detaillier v. (XIIe s.; v. *taillier*). 1° Couper en morceaux, découper, entamer. — 2° Vendre par portions, par petites quantités. — 3° Raboter, polir. ◆ **detail** n. m. (1262, *Fl. et Bl.*). 1° Action de tailler en pièces. — 2° Ruine, perte. — 3° Vente par petites quantités. ◆ **detailleor** n. m. (1283, Beaum.). 1° Tailleur. — 2° Marchand au détail (1307, G.).

detaire n. m. (XIIIe s., J. Le March.; lat. ecclés. **datarium,* de *datum,* donné). 1° Date, temps. — 2° Circonstance.

detargier v. (1160, *Athis;* v. *targier,* tarder). 1º Retarder, différer. − 2º Etre en retard. ◆ **detargement** n. m. (1309, *Charte*). Retard.

detencier v. (1220, Coincy; v. *tencier,* défendre, blâmer, quereller). 1º Tancer, sermonner. − 2º Forcer, contraindre. ◆ **detencement** n. m. (1350, *Ord.*). Contrainte.

detenir v. (1138, *Saint Gilles;* v. *tenir*). 1º Tenir. − 2º Retenir, empêcher. − 3º S'abstenir. ◆ **detenement** n. m. (XIIIᵉ s.). Retard. *Par grant detenement, pendant un long espace de temps.* ◆ **detenue** n. f. (1313, *Arch.*). 1º Action de détenir, détention. − 2º Retard, délai. ◆ **deteneor** n. m. (XIIᵉ s., *Ps.*). Celui qui tient, qui détient.

determiner v. (1119, Ph. de Thaun; lat. *determinare,* de *terminus,* borne). 1º Terminer. − 2º Fixer, régler : *... A combien fu determinez Li lovendrines (Trist.).* − 3º Décider. ◆ **determinement** n. m. (1321, *Arch.*). 1º Détermination, fixation. − 2º Paroxysme d'une maladie (Mondev.). ◆ **determineor** n. m. (1324, G.). Celui qui fixe. ◆ **determinable** adj. (fin XIIᵉ s., D.). Déterminé, fixe, précis.

detes n. m. plur. (1306, Guiart; sens dérivé de *dete,* dette; v. *endeter,* exposer au danger). Désastres. *Metre en detes,* défaire

detier v. V. DITIER, écrire.

detirer v. (1180, *Rom. d'Alex.;* v. *tirer*). 1º Tirer, étirer. − 2º Retirer, ôter. − 3º Détourner, disperser. − 4º Tirailler, vexer.

detraction n. f. (1270, Ruteb.; lat. *detractio*). Action de dénigrer, calomnie. ◆ **detracteus** adj. (1170, *Percev.*), -**oire** adj. (1335, Deguil.). Médisant.

detraire v. (1080, *Rol.;* v. *traire,* tirer). 1º Tirer. − 2º Torturer. *Detraire a cheval,* écarteler. − 3º Rabaisser, diffamer. − 4º Aliéner, enlever, soustraire. − 5º Dissiper. ◆ **detraier** v. (XIIᵉ s., M. de Fr.). Tirer. ◆ **detrait** n. m. (1260, A. de la Halle). Médisance, calomnie. ◆ **detraieor** n. m. (XIIIᵉ s., Bible). Celui qui rabaisse,

calomniateur. ◆ **detrait** adj. (1277, *Rose*). Exténué, affaibli : *Mes la dite Jaqueline avoit trop son cors grevé et detrait de veiller, de jeunes et de porter la haire (Mir. Saint Louis).* ◆ **detraieus** adj. (XIIIᵉ s., *Règle saint Ben.*). Médisant.

detre n. m. cas sujet de *detor,* débiteur. V. DET, dette.

detrenchier v. (1080, *Rol.;* v. *tranchier*). 1º Couper en morceaux : *Por Dieu serés tout detrenchié (J. Bod.).* − 2º Couper, trancher : *Le mien seigneur delivrerai Et vos chars en detrencherai (Pass. Palat.). Soliers detranchiés* (1332, G.), souliers d'une longueur extraordinaire à la mode au XIVᵉ s. ◆ **detranchement** n. m. (1180, *Rom. d'Alex.*). Action de couper, trancher, déchirer. ◆ **detrancheure** n. f. (XIIIᵉ s.). Incision.

detres, detries, detreis, detriers prép. et adv. (1080, *Rol.;* form. à partir du préf. latin *trans,* au-delà, avec renfor.). 1º Prép. de lieu, Derrière : *Detries ton dos* (Chr. de Tr.). *Au detres de,* derrière. − 2º Adv. de lieu, Derrière, en arrière. *Par detres,* par-derrière. − 3º n. m. (1119, Ph. de Thaun). Derrière.

I. detrier v. (XIIᵉ s.; v. lat. *tricare*). 1º Détourner, écarter, se parer. − 2º Retarder, différer : *Ne voisent detriant D'entreprendre (J. César).* − 3º Tarder. ◆ **detri** n. m. (fin XIIᵉ s., *Loher.*), -**ement** n. m. (fin XIIᵉ s., saint Grég.), -**ance** n. f. (XIIᵉ s., *Chev. cygne*). Délai, retard.

II. detrier v. (1292, *Britton;* v. *trier*). 1º Trier. − 2º Décider, déterminer.

detroer v. (XIIᵉ s., *Ps.;* v. *troer,* trouer). 1º Percer. − 2º Nuire, faire du tort à.

I. deu, dieu, dé n. m. (842, *Serm.;* lat. *deum*). 1º Dieu des chrétiens. − 2º Dieu païen. − 3º Autel (1314, *Arch.*). − 4º *Si m'ait Dieu,* que Dieu m'aide. ◆ **deesse** n. f. (1160, *Eneas*), **dieusse** n. f. (fin XIIᵉ s., M. de Fr.). Déesse : *Venus dieusse d'amur* (M. de Fr.). ◆ **deee** n. f. (1170, *Percev.*). Déesse, fée. ◆ **deumenti, diementi** adj. et n. m. (Xᵉ s., *Saint Léger*). Qui ment à Dieu, parjure à Dieu. ◆ **dieunardie** n. f. (XIIIᵉ s.). Hypocrisie.

189

II. **deu** contraction de la prép. *de* et de l'art. *le*. V. DE, prép.

deus, dois, dous n. de nombre, **doi** cas sujet (1080, *Rol.;* lat. *duos,* acc. de *duo*). Deux. *Doi à doi (Fl. et Bl.), doi et doi* (Wace), deux à deux. *Aler entre deus,* s'entremettre.

devaler v. (1155, Wace; v. *val*). 1° Descendre. — 2° Tomber. — 3° Faire erreur. ◆ **devaler** n. m. (fin XII⁰ s., *Loher.*). Descente, penchant. ◆ **devalee** n. f. (1220, Coincy). Descente. ◆ **deval** n. m. (1306, Guiart). *Monz et devaus,* par en haut et par en bas.

devancier v. (1169, Wace; form. sur *devant*). Aller en avant, aller le premier. ◆ **devancir** v. (déb. XII⁰ s., *Ps. Cambr.* 1° Précéder, prévenir. — 2° Primer, l'emporter sur : *Ne laie leis ne deit la clergil devancir* (Garn.). — 3° Gâcher : *Bien pot l'um par pechié sa vie devancir* (Garn.). ◆ **devancement** n. m. (XIII⁰ s., *Fabl. d'Ov.*). 1° Action de devancer. — 2° État de celui qui est devancé. ◆ **devancie** n. f. (1260, Mousk.). 1° Avancement, avance. — 2° *A la devancie,* au-devant de, à la rencontre. ◆ **devancier** adj. (1283, Beaum.). 1° Qui arrive avant les autres. — 2° Précoce. ◆ **devancierement** adv. (1314, *Vœux du Paon*). Premièrement, d'abord.

devant prép. et adv. (XII⁰ s., *Horn;* comp. de *de ab ante*). 1° Prép. de lieu et de temps, Avant, devant. *Par devant,* avant (Mousk.). — 2° Adv. de lieu et de temps, Auparavant, devant. *En devant, ça devant,* auparavant. — 3° *Ce devant desriere* (1283, Beaum.), sens devant derrière : *Ce devant desriere li mistrent Son chaperon (Livr. Pass.).* — 4° Conj. de temps. *Devant ce que, devant la que,* avant que. ◆ V. DAVANT.

devantel n. m. (1335, Deguil.; v. *devant*). Tablier de femme.

devantier n. m. (1242, *Arch.*), **devantrien** n. m. (1190, saint Bern.), **-rier** n. m. (1288, *Charte;* dérivés de *devant*). Prédécesseur, ancêtre. ◆ **devantier** adj. (XIII⁰ s.), **-rien** adj. (1277, G.), **-rier** (XIII⁰ s.). 1° Antérieur, précédent. —

2° Ancien. ◆ **devanture** n. f. (1250, *Ren.*). Le *devant. A la devanture,* par-devant.

deveer, devier, desvoer v. (1120, *Ps. Oxf.;* lat. *vetare*). 1° Interdire, prohiber. *Deveer que,* défendre de. — 2° Empêcher, refuser : *Vous qui lasus seez, M'ame leur devez que nus d'aus ne la voie* (Ruteb.). *Deveer de,* retenir de. ◆ **deveement** n. m. (1190, J. Bod.), **-ance** n. f. (fin XIII⁰ s., Macé). 1° Défense, prohibition. — 2° Empêchement. ◆ **devié** n. m. (1160, Ben.). 1° Interdiction, prohibition. — 2° Interdiction, excommunication : *Nuls qui tenist del rei sa terre chevaument ... Ne fust mis en devié n'en escumengement* (Garn.). ◆ **devee, devié** adj. (XIII⁰ s.). Interdit : *Ja n'eussions painne se Eve N'eust de fruit devee mors (ABC).*

devenir v. (1080, *Rol.;* lat. *devenire,* arriver). 1° Arriver, devenir. — 2° Etre possible : *Ne sai que s'est a devenir Se deusse m'amor partir (Eneas).* — 3° Impers. S'agir de. — 4° *Se devient* loc. adv., peut-être : *Se devient vous en doutez lui (Florim.).* — 5° *Devient* loc. adv., par hasard.

devenres n. m. V. DIVENRES, vendredi.

devens, devenz prép. et adv. (1170, *Percev.;* form. comp. de *de ab intus*). 1° Prép. de lieu, Dans. *Par devens,* dans. — 2° Adv. de lieu, Dedans, intérieurement. *La endevens,* dans l'intervalle.

deventrien adj. (1130, *Job;* v. *devens* et *dedentrien,* intérieur). Du dedans, de la vie intérieure. ◆ **deventraineté** n. f. (1130, *Job*). 1° Ordre intérieur, disposition intime. — 2° Facultés de l'âme.

dever v. V. DESVER, perdre la raison, devenir furieux.

device n. f. (1220, Coincy; lat. *divitia*). Richesse. ◆ **devicios** adj. (1298, M. Polo). Riche.

I. **devier** v. (1155, Wace; v. *vie*). 1° Mourir : *Est-il encore en vie ou il est deviez? (J. César).* — 2° Tuer : *Se tant et plus ne vos ai deviez, Ja mar avrai riens de tes heritez (Charr. Nîmes).* ◆ **devie-**

ment n. m. (XII⁰ s., Herman), **-age** n. m. (XII⁰ s., *Barbast.*), **-ance** n. f. (XII⁰ s., *Barbast.*). Mort, trépas.

II. **devier** v. V. DESVOIER, égarer.

III. **devier** v. V. DEVEER, interdire, refuser, retenir.

deviler v. (1155, Wace; v. *vil*). Traiter comme vil, mépriser, insulter.

devin n. m. V. DIVIN, devin, théologien.

deviner v. (1160, *Eneas;* lat. *divinare*, prédire, présager). 1⁰ Enseigner, raconter. — 2⁰ Signifier. — 3⁰ Souhaiter. — 4⁰ Induire en erreur. ◆ **devinement** n. m. (déb. XII⁰ s., *Ps. Cumbr.*). 1⁰ Action de deviner. — 2⁰ Divination, prédiction du devin. ◆ **devinance** n. f. (XII⁰ s., *Part.*). Science de la divination. ◆ **devinail** n. m. (1260, Mousk.). Chose qu'on devine, conjecture. ◆ **devinaille** n. f. (1160, Ben.). 1⁰ Prédiction, divination. — 2⁰ Supposition : *Lor devinailles en disoient Mais la verité n'an savoient (Eneas)*. — 3⁰ Sorcellerie. — 4⁰ Monstre. ◆ **devin** n. m. (fin (XIII⁰ s., Guiart). 1⁰ Théologien. — 2⁰ Devin. ◆ **devin** adj. (1229, G. de Montr.). Divin. ◆ **devineté** n. f. (XII⁰ s., *Part.*). 1⁰ Divinité. — 2⁰ Théologie. — 3⁰ Divination : *Puis apris de devineté (Part.)*. ◆ **devineor** n. (1162, *Fl. et Bl.*), **-erece** n. f. (1160, *Eneas*). 1⁰ Devin. — 2⁰ Celui qui devine, qui prévoit, qui saisit la signification.

deviron prép. (XIII⁰ s., *Am. et Amile;* v. *viron*, environ, autour). Vers, environ.

deviser v. (1155, Wace; lat. pop. **devisare*, pour *dividere*). 1⁰ Diviser, distinguer, énumérer. — 2⁰ Choisir, tracer un plan : *Judas ad Juis devisoit Comment Jhesucrist seroit pris (Livr. Pass.)*. En *devisant*, en conférence privée, en cachette. *Se deviser*, s'entretenir. — 3⁰ Mettre en ordre, ranger, ordonner. — 4⁰ Méditer : *Encor devis comment je le dirai La grant dolor que j'en trais senz anui (C. de Béth.)*. — 5⁰ Désirer, souhaiter : *Ainsi comme il le deviserent fu fait* (Villeh.). — 6⁰ Décrire, raconter, dicter. ◆ **devis** n. m. (fin XII⁰ s., *Cour. Louis*). 1⁰ Division, partage, différence : *Vous*

savés bien ke grant devis a d'Emme a Enne (ABC)*. — 2⁰ Propos. — 3⁰ Blason. — 4⁰ Devis, plan : *Vielt amors vive par devis? (C. de Béth.)*. — 6⁰ *Faire devis*, faire mention. — 7⁰ *Par devis*, merveilleusement. *A devis*, à plaisir, à foison. *A vostre devis*, à votre gré. ◆ **devise** n. f. (fin XI⁰ s., *Lois Guill.*). 1⁰ Séparation, partage, intervalle, distance : *Une grant roche qui ert mise Por chanp borner et por devise (Eneas)*. *Metre en devise*, mettre en pièces. — 2⁰ Ce qui distingue, différence, signe distinctif : *N'i a celui qui n'ait devise, conoissance de mainte guise (Eneas)*. — 3⁰ Testament, dernière volonté. — 4⁰ Plan, dessein, convention. — 5⁰ Désir, volonté, opinion. — 6⁰ Entretien, conversation. *Faire devise*, faire mention, en parler. — 7⁰ Plaidoirie, audience (jurid.). — 8⁰ Manière, genre, qualité : *Ne parole n'en puet on trere En nul sens n'en nule devise (Rose)*. — 9⁰ *Par devise*, de compte fait, exactement, certainement. ◆ **devisement** n. m. (1119, Ph. de Thaun). 1⁰ Division, partage. — 2⁰ Volonté. — 3⁰ Stipulation, condition. — 4⁰ Manière. — 5⁰ Parole, conte, entretien. ◆ **devision** n. f. (fin XII⁰ s., *Cour. Louis*). 1⁰ Partage. — 2⁰ Différence, distance. — 3⁰ Description. — 4⁰ Traité, condition, stipulation : *Al rei Triamor nus alames rendre, En sa merci par tel divisiun, Que venir nus larrait a rançun (G. de Warwick)*. — 5⁰ Manière, sorte : *Et fiert Guillelme par tel devision Que le nasel et l'elme li desrout (Cour. Louis)*. — 6⁰ Volonté, souhait, plaisir. — 7⁰ Délai, temps. ◆ **devisance** n. f. (1260, Mousk.). Action de deviser, récit. *Par devisance*, avec réflexion, sagement. ◆ **devisee** n. f. (XIII⁰ s., *Doon de May.*), **-aille** n. f. (XII⁰ s., *Conq. Jér.*). Manière, sorte. ◆ **deviseor** n. m. (XIII⁰ s., *Ass. Jérus.*). 1⁰ Celui qui partage, arbitre. — 2⁰ Testateur. — 3⁰ Narrateur, causeur. ◆ **devis** adj. (1160, Ben.). 1⁰ Divisé. — 2⁰ Expliqué. — 3⁰ Fixé : *Al jor devis del parlement (Ben.)*. ◆ **deviseement** adv. (1150, Wace). A part, distinctement. ◆ **devisable** adj. (1304, *Year Books*). Qu'on peut diviser, partager.

devoer v. (1250, *Ren.;* v. *voer*). 1⁰ Faire le vœu, vouer. — 2⁰ Révoquer un vœu. ◆ **devoement** n. m. (déb. XIV⁰ s.). Vœu.

devoir v. (842, *Serm.;* lat. *debere*).
1º Devoir. — 2º Tenir à : *Anprés li enquist del cheval, Por coi ert fait, que ce devoit Que de si grant faiture estoit (Eneas).* — 3º Faillir, manquer de, être sur le point de. — 4º *En devoir,* être inférieur, être en reste : *Se li rois ama Dieu et crut, La roine plus ne l'en dut* (Chr. de Tr.). — 5º *Que doit que,* loc. interr., à quoi tient, pourquoi (Wace) : *Dieus! que doit or qu'il ne me baise? Com je le truis viers moi eskiu! (Court. d'Arras).* ◆ **devoir** n. m. (fin XIIᵉ s., *Ysopet Lyon*). 1º Devoir. — 2º Dette. — 3º Tribut, impôt. — 4º *Metre a son devoir,* régler.

devorer v. (1120, *Ps. Oxf.;* lat. *devorare*). 1º Dévorer, engloutir. — 2º Anéantir par le feu. — 3º Anéantir : *chi devorent le mien pople sicume viande de pain (Ps. Oxf.).* — 4º *Soi devorer,* être tiraillé, souffrir : *Hé! las, com ma char se desveure qui soloit mengier devant prime (Court. d'Arras).* — 5º Maudire : *Et Tybert s'en vait devorant Les vilains et la pute au prestre (Ren.).* — 6º Tailler en morceaux. ◆ **devorement** n. m. (XIIIᵉ s., *Voc. lat.-fr.*). 1º Action de dévorer. — 2º Voracité. ◆ **devorable** adj. (XIIIᵉ s., *Enf. Godefr.*). Vorace, glouton, pillard.

devot adj. (1190, saint Bern.; lat. *devotus,* dévoué, en lat. ecclés., dévoué à Dieu). 1º Pieux. — 2º Dévoué (J. de Meung). ◆ **devotement** adv. (déb. XIIIᵉ s., *Clef d'Am.*). Avec dévouement. ◆ **devotion** n. f. (1160, Ben.). 1º Dévouement à Dieu. — 2º Piété.

di n. m. ou f. (842, *Serm.;* lat. *diem*). Jour. *Tozdis,* toujours. *Puis ce di,* depuis ce jour. ◆ **diain** n. m. (1160, Ben.). Ouvrier travaillant à la journée. ◆ **dial** n. m. (XIVᵉ s., Froiss.). Pièce d'horlogerie, le rouage à 24 brochetes qui fait son tour en un jour.

diable, -avle n. m. V. DEABLE.

diame n. m. (XIIIᵉ s.; lat. *diadema,* du grec). Diadème.

diaspre, diape, diaspré n. m. (1160, Ben.; lat. méd. *diasprum,* altér. de *jaspidem,* jade). Drap de soie à fleurs ou arabesques (pour vêtements d'apparat).

dicace, du- n. f. (fin XIIᵉ s., saint Grég.; lat. **dicatia*). 1º Dédicace d'une église. — 2º Fête patronale d'une église, foire. ◆ **dication** n. f. (1305, *Arch.*). 1º Offrande, sacrifice. — 2º Fête annuelle.

dicendre n. m. V. DISSANDRE, samedi.

dici adv. V. DECI, d'ici, depuis maintenant.

diction n. f. (fin XIIᵉ s., G. d'Arras; v. *dictio*). Mot, expression.

diemaine, diomeine, diemenche n. m. et f. (1119, Ph. de Thaun; lat. **diadimania* ou **diadomenica*). Dimanche.

dieosdi n. m. (fin XIIᵉ s., *Est. Saint-Graal;* dédoublement de *di,* v. *dioes*). Jeudi.

dier v. (fin XIIᵉ s., saint Grég.; lat. *dicare*). Dédier, consacrer.

dieter v. (XIIIᵉ s., *Arthur;* cf. lat. méd. *diaeta,* du grec où le mot signifie « genre de vie »). 1º Nourrir. — 2º Se gouverner. — 3º Suivre un régime. ◆ **diete** n. f. (1256, Ald. de Sienne). — 1º Manière de vivre. — 2º Régime.

dieu n. m. V. DEU, Dieu, dieu.

difamer v. (1268, E. Boil.; lat. *diffamare,* Déshonorer. ◆ **difame** n. m. (1243, *Ass. Jér.*), **-ee** n. f. (XIIᵉ s., *Barbast.*), **-ement** n. m. (1277, *Rose*). Déshonneur, infamie.

diferer v. (1314, Mondev.; lat. *differre,* même sens). 1º Etre dissemblable. — 2º Éloigner dans l'accomplissement. ◆ **diference** n. f. (1160, Ben.). 1º Action de différer, retard, délai. — 2º Démêlé, querelle.

digne adj. (XIᵉ s., *Alexis;* lat. *dignus*). Digne. ◆ **digner** v. (1220, Coincy). 1º Se comporter dignement. — 2º Supporter. ◆ **dignaison, -acion** n. f. (1190, saint Bern.). 1º Action de daigner faire quelque chose. — 2º Bienveillance, bonté. V. DAIGNIER, juger digne.

dilation n. f. (1294; lat. *dilatio,* dér. de *differre*). Action de différer. ◆ **dilatoire** n. m. (1283, Beaum.). Délai.

dilun, delun n. m. (déb. XIIIᵉ s., Rob. de Clari; lat. *die lunae*). Lundi.

dimars, do-, de- n. m. (XIIIᵉ s., *Règle Cîteaux;* lat. *die Martis*). Mardi.

dimel n. m. V. DEMEL, demi-boisseau.

dimerce, -ques, -ierques n. m. (XIIIᵉ s., *Mort de Garin;* prov. *dimercre,* lat. **die Mercuri*). Mercredi.

dioes, diues, dios, dieus n. m. (1247, *Arch.;* prov. *dijous,* lat. *die Jovis*). Jeudi.

dire v. (Xᵉ s., *Fragm. Valenc.;* lat. *dicere*). 1º Dire. *Dire voir,* dire la vérité : *Moi sanle que dist voir Li preudom* (J. Bod.). *Li voir disant,* ceux qui disent la vérité. *Dire raison,* dire quelque chose de juste. *Dire lait,* insulter. — 2º Parler, donner son avis. *Bien dire,* bien parler. — 3º *Dire devant,* prédire. — 4º *Dire feves, dire pois,* auj. : dire flûtes. — 5º *Estre a dire, se trover a dire,* manquer. ◆ **disance** n. f. (1220, Coincy). Ce que l'on dit. ◆ **disor** n. m. (1233). Juge, arbitre, héraut : *... Jugement se prist entre tous les grantz seignours e herrautz e disours (F. Fitz Warin).* ◆ V. DIT.

dis nom de nombre (1080, *Rol.;* lat. *decem*). Dix. ◆ **disain** (XIIᵉ s.), **diseme** (1190, J. Bod.). Dixième. ◆ **dis et set, dis e uit, dis e nuef** (fin XIIᵉ s., *Rois*). ◆ **dis e setime** (fin XIIᵉ s., *Rois*), **disuitime** (XIIIᵉ s., Alart de Chambrai), **dis e noime** (fin XIIᵉ s., *Rois*), **disenovain** (1160, Ben.). ◆ **diseincordé** adj. et n. m. (déb. XIIᵉ s., *Ps. Cambr.*). 1º A dix cordes. — 2º Instrument à dix cordes.

disable adj. (XIIIᵉ s.; lat. *habilem,* avec le préfixe privatif *dis-*). Inhabile, impropre à. ◆ **disabileté** n. f. (XIIIᵉ s.). Impuissance.

discerner v. (XIIIᵉ s., *Court. d'Arras;* lat. *discernere,* séparer). 1º Séparer. — 2º Distinguer (XIVᵉ s.).

disciple n. m. (1175, Chr. de Tr.; lat. *discipulus,* disciple du Christ). Novice. ◆ **discipulage** n. m. (fin XIIᵉ s., saint Grég.). Noviciat.

discipline (1080, *Rol.*), **des-, deceplie** n. f. (fin XIIᵉ s., *Alisc.;* lat. *disciplina*). 1º Punition corporelle, châtiment : *faire descepline,* faire justice. — 2º Calamité, tourment : *Trop douloureuse dissipline Te font au jour d'ui endurer (Livr. Pass.).* — Ravage, massacre. ◆ **discipliner** v. (1190, saint Bern.). 1º Châtier, battre. — 2º *Se faire descepliner,* se faire donner la discipline.

discrepance n. f. (fin XIIIᵉ s., J. de Meung; lat *discrepantia*). Désaccord, différence.

discret adj. (1160, Ben.; lat. *discretus,* séparé). 1º Capable de discerner. — 2º Différent. — 3º Prudent, sage. ◆ **discretion** n. f. (1130, *Job*). 1º Distinction, différence. — 2º Qualité qui distingue un homme d'un autre. — 3º Bon sens, sagesse.

disiete n. f. (XIIIᵉ s., *Chans. d'Ant.;* peut-être du grec *disekhtos,* année bissextile, année malheureuse). Disette. ◆ **disetos** adj. (1313, Villeh.). 1º Qui manque de nourriture : *Povres et disetous estoient de la viande* (Villeh.). — 2º Misérable : *E! las, con je sui disiteus! (Garç. et Av.).* ◆ **diseteur, desiteur** adj. (1326, *Arch.*). Qui est dans la disette.

disme adj. et n. f. (1080, *Rol.;* lat. *decimum*). 1º Dixième. — 2º Dîme. ◆ **dismer** v. (1169, Wace). 1º Lever la dîme. — 2º Dépouiller. — 3º Décimer. ◆ **dismage, dies-, dam-** (1241, G.), ·e n. m. (1266, G.), **-erie** n. f. (1281, G.). 1º Droit de dîme, assujettissement à la dîme. — 2º Terre soumise à la dîme.

disner v. (déb. XIIᵉ s., *Voy. Charl.;* lat. pop. *disjunare,* rompre le jeûne). 1º Dîner, c'est-à-dire prendre le repas principal de la journée. — 2º Repaître, régaler. ◆ **disnee** n. f. (XIIᵉ s., *Asprem.*). 1º Dîner, temps du dîner. — 2º Durée du dîner. ◆ **disnal** n. m. (1180, *Rom. d'Alex.*). Dîner.

dispenser v. (1283, Beaum.; lat. *dispensare,* distribuer). 1º Accorder une dispense. — 2º Autoriser. ◆ **dispansion** n. f. (1210, *Dolop.*). Dispensation. ◆ **dispensacion** n. f. (1190, saint Bern.).

1º Exemption, permission. — 2º Disposition. — 3º Économie. ◆ **dispenseor** n. m. (XIIIᵉ s.). Économe, régisseur.

dissandre, dicendre n. m. (XIIᵉ s., orig. incert.). Samedi.

dissiper v. (1180, G. de Saint-Pair; lat. *dissipare*, disperser). Anéantir en dispersant. ◆ **dissipation** n. f. (1327, J. de Vignay). Dispersion. ◆ **dissipable** adj. (XIIIᵉ s., Bible). Qui est dispersé, disséminé.

distraher, distraire v. (1324, *Arch.*; lat. *distrahere*). 1º Distraire, aliéner. — 2º Tirer en sens divers. ◆ **distraction** n. f. (1335, G.). 1º Action d'écarter, de retirer. — 2º Aliénation (jurid.).

distribution n. f. (fin XIIIᵉ s., Guiart; lat. *distributio*). Contribution, tribut.

distriction n. f. (1160, Ben.; lat. *districtio*, empêchement. 1º Rigueur. — 2º Retenue, mesure.

dit n. m. (1160, Ben.; v. *dire*). 1º Propos, maxime : *Bien devroie croire nos diz* (Ben.). — 2º Ce qui est dit, récité, par opposition à *chant* (*Auc. et Nic.*). — 3º Récit en vers. — 4º Conseil : *Il se voua par le dit d'un chevalier au benoiet saint Loys (Mir. Saint Louis)*. ◆ **ditelet** n. m. (XIIIᵉ s.). Petite pièce en vers, opuscule.

ditain, dictam n. m. (1160, *Eneas*; lat. *dictamnum*, du grec). Dictame, plante aromatique utilisée comme remède contre les blessures.

I. **ditier** v. (1190, Garn.; lat. *dictare*). 1º Écrire, rédiger. — 2º Enseigner. ◆ **ditement** n. m. (1246). 1º Dictée. — 2º Rédaction. — 3º Dit. — 4º Style. ◆ **ditié** n. m. (XIIIᵉ s., *Clef d'Am.*). 1º Pièce en vers. — 2º Traité de morale. ◆ **diteor** n. m. (XIIᵉ s., *Athis*). 1º Auteur, poète. — 2º Arbitre. — 3º Dictateur (Br. Lat.).

II. **ditier** v. V. DOITIER, indiquer.

dition n. f. (1160, Ben.; lat. *dictio*). Juridiction, domination, territoire soumis.

diues n. m. V. DIOES, jeudi.

diva interj. (XIIᵉ s., *Rom. d'Alex.*; juxtaposition de deux impératifs *di*, de *dire*, et *va*, de *aller*). Interjection d'encouragement, d'étonnement, allons! dis donc! : *Diva! ies tu espie? (Chev. cygne)*.

divenres, -andres n. m. (1180, *Rom. d'Alex.*; lat. *die Veneris*). 1º Vendredi. — 2º *Bon, grant, lonc divenres*, vendredi saint.

diverser v. (1160, Ben.; lat. **diversare*). 1º Varier, diversifier, changer. — 2º Diviser, se diviser. ◆ **divers** adj. (1119, Ph. de Thaun). 1º Varié. — 2º Singulier, bizarre : *Cele espee ert de diverse façon (Queste Saint-Graal)*. — 3º Inconstant : *(femme) diverse et muable (Rose)*. — 4º Méchant, fourbe. ◆ **diversant** adj. (1160, Ben.). Repoussant. ◆ **diverserie** n. f. (1270, Mousk.), **-ification** n. f. (fin XIIIᵉ s., J. de Priorat). Diversité, changement, inconstance. ◆ **diversité** n. f. (1160, Ben.). 1º Singularité. — 2º Méchanceté : *Pour ses maulvaises meurs et pour la diversité qui en luy estoit (Chr. Saint-Denis)*. ◆ **diversifier** v. (XIIIᵉ s., *Chans.*). Tourmenter.

diversoire n. m. (1190, saint Bern.; lat. *diversorium*, même sens). Auberge, lieu pour loger.

divertir v. (1327, J. de Vignay; lat. *divertere*, de *vertere*, se tourner). 1º Convertir, tourner. — 2º Détourner.

divin, devin n. m. (1119, Ph. de Thaun; lat. *divinum*). 1º Devin. — 2º Théologien. ◆ **divinité** n. f. (1119, Ph. de Thaun). 1º Théologie. — 2º Divinité païenne. — 3º Art du devin : *Et en lui pot len puisier toz les poinz et toute la force de divinité (Queste Saint-Graal)*. ◆ V. DEVINER.

doage n. m. V. DOER, doter.

doble, droble adj. et n. m. (fin XIᵉ s., *Lois Guill.*; lat. *duplum*). 1º Double, doublé. — 2º Nom d'une pièce de monnaie (XIVᵉ s.). — 3º Sorte d'impôt. *Doble d'aost*, taille ordinaire due au seigneur au mois d'août. — 4º Fois : *Car sa joie li iert a cent doubles doublee* (Aden.). *A cent double*, au centuple. ◆ **dobler** v. (1175, Chr. de Tr.). 1º Doubler. — 2º Plier, se plier. — 3º Faire la copie de (1349 G.). ◆ **doblet** n. m. (1160, *Athis*). 1º Sorte de vêtement fourré. — 2º Sorte

de courtepointe qui se met sous les draps.
◆ **doblier** adj. (1125, *Gorm. et Is.*), **-entin** adj. (XIIᵉ s., *Ogier*). 1º Double. — 2º A mailles doubles (épith. de *haubert* et de *broigne*). ◆ **doblier** n. m. (1180, *Rom. d'Alex.*). 1º Nappe, serviette, essuie-mains dont les deux bouts sont cousus ensemble. — 2º Bourse, petit sac. — 3º Sorte de plat. — 4º Chandelle. — 5º Solive. ◆ **doblee** n. f. (XIIIᵉ s., *Chans.*). 1º Chant à double partie. — 2º Sorte de filet (1328, *Ord.*). ◆ **dobleis** n. m. (1299, *Hist. de Metz*). Nom d'une pièce de monnaie. ◆ **doblel** adj. et n. m. (1268, E. Boil.). 1º Double. — 2º Contenance double de la pinte de Paris (1306, G.). ◆ **doblement** n. m. (1298, G.). 1º Action de doubler. — 2º Duplicité (XIVᵉ s.). ◆ **doblerie** n. f. (1130, *Job*), **-eté** n. f. (1291, G.), **-enesse** n. f. (1304, *Year Books*). Duplicité, mauvaise foi.

doctor n. m. (1160, Ben.; lat. *doctor*). 1º Docteur de la loi. — 2º Grade universitaire qui remplace celui de *maistre* (à partir de 1140, à Bologne). — 3º Chef : *Seneschal fu l'empereor, Des chevaliers mestre et doutor* (*Saint Eust.*). ◆ **doctor, dou-,** adj. (1180, *Rom. d'Alex.*). Savant, capable.

doctriner v. (1160, Ben.; lat. *doctrina*). 1º Enseigner, instruire. — 2º Prêcher. ◆ **doctrine** n. f. (1160, Ben.), **-ement** n. m. (1204, R. de Moil.). 1º Science, savoir. — 2º Enseignement, précepte. — 3º Avertissement, endoctrinement : *Si a oublié la doctrine Et le deffense la roine ... que la riviere ne passast* (Chr. de Tr.). ◆ **doctrinal** n. m. (1204, R. de Moil.). Ouvrage destiné à l'enseignement. ◆ **doctrineor** n. m. (XIIᵉ s., *Ps.*). Celui qui enseigne. — 2º Érudit, docteur.

document n. m. (déb. XIIIᵉ s., Fr. Anger; lat. *documentum*). 1º Ce qui sert à instruire. — 2º Enseignement, leçon.

dodln adj. (1220, Coincy; orig. incert.). Trompeur.

dodine n. f. (1318, Gace de la Bigne; orig. incert.). Sorte de sauce avec des amandes, de l'ail et des œufs.

doele n. f. V. DOILLE, douve.

doer v. (fin XIIᵉ s., *R. de Cambr.*; lat. *dotare*). 1º Doter. — 2º Pourvoir, faire don. ◆ **doement** n. m. (1260, *Arch.*). 1º Action de donner une dot, un douaire. — 2º Douaire, dot. — 3º Dotation en général, fondation en faveur d'une église. ◆ **doaire** n. m. (1160, *Eneas*), **-aille** n. f. (1268). Douaire. *Doaire vivre* n. m. (1296, *Cart.*), revenu nécessaire pour assurer la subsistance. ◆ **doairier** v. (1170, *Aym. de Narb.*). 1º Donner un douaire à, doter. — 2º Doter, gratifier (J. de Vignay). ◆ **doee** n. f. (XIIᵉ s., *Chev. cygne*). Fiancée, épousée.

dogié adj. V. DELGIÉ, délicat, svelte, faible.

dognon n. m. V. DONJON.

I. **doi,** cas sujet. V. DEUS, deux.

II. **doi, dei** n. m. (fin XIᵉ s., *Lois Guill.*; lat. *digitum*). Doigt. ◆ **doie** n. f. collectif (1080, *Rol.*). 1º Largeur du doigt. — 2º Doigt, mesure de longueur. — 3º *A deus doie*, tout près : *Ne je n'en sui mie a deus doie D'amer dame si souveraine... (Chast. Vergi).*

doible adj. V. DEBLE, débile.

doici adv. V. DECI, d'ici, depuis maintenant.

I. **doie, doe** n. f. V. DUIE, courant d'eau.

II. **doie** n. f., largeur du doigt. V. DOI, doigt.

doien n. m. V. DEIEN, chanoine.

I. **doille, doele, deile** n. f. (XIIIᵉ s., *Atre pér.*; dim. de *dove*). 1º Douve. — 2º Douille. — 3º Ais dont sont faits les tonneaux. — 4º Cage.

II. **doille** adj. (1220, Coincy; lat. *ductilem*). 1º Mou, doux. — 2º Faible, douillet. — 3º *Doille de vin*, ému par le vin.

doincie n. f. V. DAINTIÉ, possession.

doine, doisne adj. (XIIᵉ s., *Aiol*; orig. incert., se rattache peut-être à la racine de *donare*). 1º Avare : *Makaires de Lossane en fu irous, Fel fu et fiers et doines et traitors (Aiol).*

I. **doire** v. V. DUIRE, conduire.

II. **doire** n. f. V. DORE, fossé.

I. **dois** n. m. (1160, Ben.; lat. *discum*). 1° Table ronde. — 2° Table à manger : *Plusurs feiz sur le deis l'unt (chalice d'or) brisié e quassé* (Garn.). — 3° Estrade. — 4° Dais, tenture.

II. **dois, doiz** n. m. et f. (1175, Chr. de Tr.; lat. **ductium*, pour *ductio*, conduite d'eau). Source, cours d'eau. ◆ **doisil** n. m. (XIIIᵉ s.). Trou fait à une barrique pour la mettre en perce.

III. **dois** n. de nombre. V. DEUS, deux.

I. **doit, duit**, n. m. (1112, *Saint Brand.;* lat. *ductum*). 1° Conduit, gouttière. — 2° Canal, ruisseau. ◆ **doitil** n. m. (XIIᵉ s., *Trist.*) -**el** n. m. (XIIIᵉ s., Th. de Kent). Petit fossé, petit conduit. ◆ V. DUIRE.

II. **doit, duit** adj. (XIIᵉ s., *Part.;* lat. *doctum*). Savant.

doitie n. f. (XIIᵉ s., *Trist.;* orig. obsc.). Flèche, trait.

doitier v. (XIIᵉ s.; lat. **digitare,* de *digitus,* doigt). 1° Montrer du doigt, indiquer. — 2° Conduire, guider.— 3° Enseigner.

I. **doler** v. (fin XIIᵉ s., *Rois;* lat. *dolare,* même sens). Amincir, aplanir (avec la doloire). ◆ **doleure** n. f. (1169, Wace). 1° Doloire, coup de doloire. — 2° Copeau.

dolgié adj. V. DELGIÉ, délicat.

doloir (Xᵉ s., *Fragm. Valenc.*), -**ir**, -**er** (XIIIᵉ s.; lat. *dolere,* avec chang. de suffixe pour les autres formes). 1° Faire souffrir, faire mal. — 2° Souffrir, se plaindre. — 3° Regretter. ◆ **dol, duel** n. m. (Xᵉ s., *Saint Léger*), -**or** n. f. (fin XIᵉ s., *Lois Guill.*), -**eure** n. f. (XIIᵉ s.). 1° Souffrance, chagrin. *Faire duel,* manifester son chagrin. — 2° Deuil, expression de la douleur. ◆ **doliance** n. f. (fin XIIᵉ s., saint Grég.). Tristesse, affliction. ◆ **doloros** adj. (1080, *Rol.*). 1° Qui souffre. — 2° Malheureux, misérable. ◆ **dolent** adj. (XIᵉ s., *Alexis*). 1° Qui souffre. — 2° Qui se lamente. ◆ **dolenté** n. f. (1160, Ben.). 1° Tristesse. — 2° Misère, pauvreté. ◆

doloser v. (XIᵉ s., *Alexis*). 1° Plaindre, déplorer. — 2° Ressentir de la douleur, se désoler, gémir. ◆ **dolosement** n. m. (XIIᵉ s., *Chev. cygne*), -**ee** n. f. (fin XIIᵉ s., *Aiol*). Désolation, gémissement.

dolse n. f. V. DOSSE, écorce, gousse (d'ail).

dolz, dous adj. (1080, *Rol.;* lat. *dulcem*). 1° Doux, par opposition à aigre et à amer. — 2° Doux, par opposition à rude : *Terre de France, mout estes dulz pais (Rol.).* — 3° Tendre, cher : *Biaus dous amis* (J. Bod.), épithète d'adresse fréquente. ◆ **dolceor** n. f. (1119, Ph. de Thaun). 1° Douceur. — 2° Le temps doux : *La doulçor d'esté* (Couci). — 3° Témoignage d'amitié, tendresse : *Chascuns lui porte honor, douçor et compaignie* (Aden.). ◆ **dolceté, douseté** n. f. (1180, *Rom. d'Alex.).* Douceur. ◆ **dolceze** n. f. (1308, Aimé). Douceur. ◆ **doucement** adv. (1175, Chr. de Tr.). Avec douceur, avec tendresse : *Car Dieus mout douchement rechoit Chiaus qui o lui voelent venir* (J. Bod.).

dom n. m. V. DAM, seigneur.

domaine, -aigne adj. et n. m. V. DEMAINE, seigneurial, principal.

domars n. m. V. DIMARS, mardi.

domee n. f. (XIIIᵉ s., *Règle de Cîteaux;* dér. de *dom, dam,* seigneur). 1° Dimanche. — 2° Messe du dimanche.

domer v. (1308, Aimé; lat. *domare,* dompter, dresser). Dompter, être dompté.

domeschier, -esgier v. (s. d.; lat. **domesticare*). 1° Rendre domestique, apprivoiser. — 2° Cultiver. ◆ **domesche** adj. (1241, *Cart. Saint-Vinc.*). 1° Domestique, privé. — 2° Civilisé, sociable. — 3° Opposé à sauvage (en parlant des bêtes, des plantes, etc.). — 4° Familier, fréquenté (en parlant des lieux).

I. **donc** adv. (Xᵉ s., *Jonas;* croisement entre lat. *dumque,* allons et *tunc,* alors). Alors : *Veus me tu dunc issi guerpir? (Gorm. et Is.).* ◆ **donques** adv. (1340, G.). Alors.

II. **donc** adv. et conj. V. DONT, où, d'où, donc, tantôt.

done n. f. (XIIe s., *(Blancandin).* Voir DAME. ◆ **donoier** v. (1160, Ben.). 1° Courtiser, parler d'amour : *Mialz sai abatre un chevalier Que acoler ne dosnoier (Eneas).* — 2° Avoir des rapports sexuels. ◆ **donoi** n. m. (1160, Ben.), **-ement** n. m. (1160, Ben.). 1° Divertissement, plaisir. — 2° Galanterie : *Quant il avoit la teste armee, Quant il ert au tournoiement, N'avoit soing de dosnoiement* (H. de Cambr.). — 3° Plaisir amoureux : *Si fol donoiement ne fist onques nus home (Barbast.).* — 4° Bavardage. ◆ **donoieor** n. m. (XIIe s., *Trist.).* Galant, amant.

doner v. (842, *Serm.;* lat. *donare).* 1° Donner. — 2° *Ne doner de,* ne pas faire cas de. ◆ **don** n. m. (1080, *Rol.),* **-e** n. f. (fin XIIe s., Grég.), **-oison** n. f. (1264), **-ement** n. m. (G. de Saint-Pair). 1° Action de donner, don. — 2° Donation. — 3° Droit de présentation à un bénéfice ecclésiastique : *Par cele lei poüst... tutes les iglises a sun dun aturner* (Garn.). ◆ **donee** n. f. (XIIIe s., Couci). 1° Distribution aux pauvres. — 2° Gratification. ◆ **donaille** n. f. (1160, Ben.). Fiançailles. ◆ **doné** n. m. (1270, Mousk.). Homme qui se donne, avec ses biens, à un monastère.

donet, -at n. m. (XIIIe s., Ruteb.). Donat, auteur de l'*Ars grammatica).* Le donat, rudiments de la grammaire latine.

dongier n. m. V. DANGIER, puissance.

donjon n. m. (1160, *Eneas;* lat. *dominionem).* Tour du seigneur.

dont, dons, donc adv. et conj. (1169, Wace; form. lat. tard. *de unde).* I. 1° Adverbe, Où, d'où : *Et li demande : Donc es tu, biaus amis? (Loher.).* — 2° Conj., Donc : *Ke devenra dont li pagousse, me commere dame Maroie?* (A. de la Halle). — 3° Conj. avec le sens temporel, Par suite, alors : *Dunc dist li reis (Rois).* — 4° Tantôt : *Qui maintes fois canga le jor, Et dont a lui et puis a vos (Parten).*

II. Dans les locutions adv. et conjonct., *dont* entre avec le sens approximatif de *lors* et désigne le temps ponctuel sans relation avec le message. ◆ **desdont,** dès lors, depuis lors *(Parten.). Desdont en*

avant, désormais (1263, *Cart.). Desdont que,* depuis que. ◆ *Tres dont en avant,* dès lors. *Tres dont que, devant dont que, avant que. Dessi a dont que,* jusqu'à ce que. ◆ *tant donc,* tant que.

donter v. (1155, Wace; lat. *domitare).* Dresser, élever. ◆ **donteure** n. f. (XIIe s., *Trist.).* Action de dompter, de dresser. ◆ **dontant** adj. (1260, Mousk.). Redoutable, qui sait dompter, qui sait vaincre.

dontre adv. V. DENTRE, tandis, pendant.

dor, dur, dos, dorce n. m. (1155, Wace; celt. *dorn,* main). 1° Largeur de la main, du poing fermé. — 2° Petite mesure, petite quantité. — 3° *Nul dor,* rien. *Ne ... d'un dur,* pas du tout.

dore, doire n. f. (1242, *Arch.;* de *Duria,* nom de fleuve). Fossé. ◆ **dourel** n. m. (1238, *Arch.).* Vivier.

doreloter v. (1327, J. de Vignay; orig. incert., onomat. ou celtique). 1° Frisotter. — 2° Parer. ◆ **dorelot, dorenlot** n. m. (XIIIe s.). 1° Boucle de cheveux portée sur le front, frisure. — 2° Ruban. — 3° Refrain de chanson. — 4° Enfant gâté, mignon. ◆ **doreloteor** n. m. (1270, G.), **-ier** n. m. (1292, G.). Passementier.

dorenavant adv. (XIIe s., *Trist.;* mot composé *d'or en avant).* Adv. de temps, Désormais.

dormir v. (1080, *Rol.;* lat. *dormire).* 1° Dormir. — 2° Laisser, rester en suspens. — 3° *Dormir son vin,* le cuver. ◆ **dormement** n. m. (XIIe s., *Ps.),* **dormant** n. m. (1160, Ben.), **dormison** n. f. (1270, Mousk.). Sommeil. ◆ **dormeor** n. m. (1160, Ben.), **dortoir** n. m. (fin XIIe s., *R. de Cambr.),* **dormitoire** n. m. (fin XIIIe s., *Mir. saint Éloi).* 1° Dortoir de couvent. — 2° Lieu où l'on se couche. ◆ **dormillier** v. (1162, *Fl. et Bl.).* Sommeiller. ◆ **dormillos** adj. (1260, Br. Lat.). 1° Endormi, mou. — 2° Lent, paresseux. ◆ **dorveille** n. f. (fin XIIIe s., Aden.), **dormeveille** n. f. (1250, *Ren.).* 1° État d'assoupissement, demi-sommeil. — 2° *Faire la dormeveille,* faire semblant de dormir.

dornoier v. Courtiser. V. DONE.

DOS

I. dos n. m. (1080, *Rol.;* lat. class. *dorsum*). Dos. ◆ **dossee** n. f. (1250, *Ren.*). 1º Coup sur le dos. — 2º Dans le sens obscène *(Ren.).* ◆ **dossel** n. m. (1170, *Percev.*). 1º Coups donnés sur le dos. — 2º Partie de la selle du cheval limonier.

II. dos n. m. V. DOR, largeur du poing fermé.

dose n. de nombre (1080, *Rol.;* lat. pop. *dodecim*, pour *duodecim*). Douze. ◆ **dosime** adj. (fin XIᵉ s., *Lois Guill.*). Douzième. ◆ **dosain, dosin** adj. (fin XIIIᵉ s., Macé). 1º Douzième. — 2º Au nombre de douze. ◆ **dozaine** n. f. (1228, G.). 1º Nom d'une mesure de terre. — 2º Rente que l'on paie par douzièmes. ◆ **dosel** n. m. (1341, G.), **-eur** n. f. (1341, G.). Mesure de capacité pour les liquides.

dosse, dolse n. f. (1138, *Saint Gilles;* lat. **dossa* ou **dolsa*, pour *dorsa*, pl. neutre pris le fém.). 1º Écorce, peau. — 2º Gousse (d'ail).

dossel n. m. (fin XIIᵉ s., *Gir. de Rouss.;* dim. de *dois*, dais). 1º Rideau. — 2º Ciel de lit.

doter v. (1080, *Rol.;* lat. *dubitare*). 1º Craindre : *Or pués veoir que je te dout!* (J. Bod.). — 2º Hésiter. *Estre doutant*, hésiter, douter de. *Sanz douter*, en toute certitude. ◆ **dote** n. f. (XIᵉ s., *Alexis*), **-ee** n. f. (1298, M. Polo), **-ement** n. m. (XIIᵉ s., *Ps.*), **-ance** n. f. (1080, *Rol.*). 1º Crainte, peur : *N'en unt poür ne de murir dutance* (Rol.). — 2º Hésitation, doute, soupçon. ◆ **dotif** adj. (1160, Ben.), **-os** (1120, *Ps. Oxf.*). 1º Craintif, peureux. — 2º Redoutable : *... letres escrites en caldieu, qui disoient une mout espoantable parole et douteuse a toz cels... (Queste Saint-Graal).* — 3º Incertain, variable (XIVᵉ s.).

dous n. de nombre. V. DEUS, deux.

doutor adj. V. DOCTOR, savant, capable.

dove n. f. (1160, Ben.; lat. impér. *doga*, récipient). 1º Fossé. — 2º Planche d'un tonneau.

dragee, dravie n. f. (1268, E. Boil.; lat. **dravocata*, d'orig. gaul.). Mélange de graines qu'on laisse croître pour le fourrage.

dragon n. m. (1080, *Rol.;* lat. *draconem*, même sens). 1º Serpent fabuleux. — 2º Étendard. ◆ **dragonier** n. m. (1190, J. Bod.). Porte-étendard.

drague n. f. (1220, Coincy; orig. obsc.). 1º Pie. — 2º Sorcière.

draire n. f. V. DRAGEE, graines.

draoncle, drancle, raoncle n. m. (1180, *Rom. d'Alex.;* lat. *dracunculum*, petit dragon). Furoncle, chancre. ◆ **draoncler** v. (1175, Chr. de Tr.). Suppurer.

drap n. m. (1175, Chr. de Tr.; bas lat. *drappum*, mot gaulois). 1º Vêtement, habit. *Vestir les dras*, revêtir l'habit. — 2º Drap de lit. — 3º Étoffe, toile pour la peinture). — 4º *Estre du drap de*, être au service de quelqu'un de puissant. ◆ **drapel** n. m. (fin XIIᵉ s., *Rois*). 1º Morceau de drap ou de linge. — 2º Langes ; 3º Vêtement. ◆ **draper** v. (1268, E. Boil.). Fabriquer le drap et, en général, les étoffes de laine. ◆ **drapee** n. f. (1268, E. Boil.). Fabrication du drap. ◆ **draperie** n. f. (fin XIIᵉ s., *Trist.*). Étoffe de drap.

drasche n. f. (XIIIᵉ s., Bible; orig. obsc., gaul. ou prélat.). 1º Carouge. — 2º Drêche, résidu de l'orge, de la fermentation des raisins, graines, etc. ◆ **draschier** n. m. (1169, Wace). Mangeur de drêche.

drave n. f. V. DROE, sorte d'ivraie.

drecier v. (XIᵉ s., *Alexis*; **directiare*, de *directus*, droit). 1º Diriger, ajuster : *Quant il vers mei drecent la lance (Gorm. et Is.).* — 2º Étendre : *Ele ne pouoit ses jambes drecier ne les piez metre a terre (Mir. Saint Louis).* — 3º Hisser la voile : *Il drecierent lor voile (Auc. et Nic.).* — 4º Habiller. — 5º Se dresser, se diriger. — 6º Servir à table, remplir (les plats). ◆ **drecement** n. m. (1120, *Ps. Oxf.*). 1º Action de dresser. — 2º Ordre, direction. ◆ **drece, dresse** n. f. (XIIIᵉ s.). Sentier, raccourci. ◆ **drecie** n. f. (déb. XIVᵉ s., J. de Condé). 1º Rangée de plats sur le dressoir, service de table. — 2° Repas, festin. ◆ **dreçor** n. m. (1285, *Arch.*). Dressoir, étagère où l'on dressait, dans la salle des festins, les grandes pièces d'orfèvrerie.

drinkerie n. f. (1160, Ben.; germ. *drinkan*, boire). Partie de boisson.

droble adj. et n. m. V. DOBLE, double; sorte d'impôt; fois.

droe, drave n. f. (XIII⁰ s., *Court. d'Arras;* lat. *dravoca*, ivraie, mot gaulois). Sorte d'ivraie qui gâte les blés. ◆ V. DRAGEE, herbes pour le fourrage.

droit adj. (1080, *Rol.;* lat. pop. **d(i)rectum*). 1° Qui suit la ligne droite. — 2° Qui est du côté droit. — 3° Convenable, prévu, fixe. *A la droite eure,* à l'heure voulue. *A droite,* comme il convient. — 4° Vrai, digne de foi, véridique : *Qui weult oir sarmon novel, Drois et verai en bon et bel (Saint Eust.).* — 5° Entier, qui atteint la norme : *droites noires,* tout à fait noires *(Auc. et Nic.). Droit ci,* ici même, immédiatement. ◆ **droit** n. m. (1080, *Rol.*). 1° Ce qui est juste, justice : *Qu'il n'est pas droiz que tu me failles, Ne que tu encontre moi ailles Quant je l'apel* (Ruteb.). — 2° Dire droit, rendre un jugement. — 3° *En faire droit,* se justifier : *La bele Yseut respondu l'a Qu'ele en fera droit devant vus (Trist.).* — 4° Ce qui est convenable : *Et jeunent plus qu'a lor droit Et que lor ane queroit (Pir. et Tisb.).* — 5° *Par droit que,* avec cette conséquence légitime que : *Par droit que s'amor perdue ait, Et por ce toute nuit veilla (Chast. Vergi).* ◆ **droitfait** n. m. (1260, Br. Lat.). Action droite, justice. ◆ **droitier** n. m. (1320). Savant en droit. ◆ **droitoier** v. (1231, *Arch.*). Rendre compte de ses actions en justice. ◆ **droiture** n. f. (1175, Chr. de Tr.). 1° Direction en ligne droite : *a droiture, par droiture,* en ligne droite, directement. — 2° Direction, règle. — 3° Droit, justice, droits. — 4° *Recevoir ses droitures,* recevoir les sacrements de l'Église. *Faire la droiture,* donner les sacrements. ◆ **droiturer** v. (1240, *Arch.*). 1° Redresser, faire droit, rendre justice. — 2° Relever son fief de son seigneur et lui en payer les droits. ◆ **droituré** adj.

(XII⁰ s., *Parise*). Juste, naturel. ◆ **droiturel** adj. (XII⁰ s., *Conq. Irl.*). 1° Honnête. — 2° Légal, légitime. ◆ **droiturier** adj. (1125, *Gorm. et Is.*). 1° Droit, direct. — 2° Qui agit selon le droit et la justice : *Sire Gormund, rei dreiturer (Gorm. et Is.).* — 3° Légitime, naturel. — 4° Bon, favorable. ◆ **droiturier** n. m. (fin XII⁰ s., *Cour. Louis*). Justicier : *De Deu le dreiturier (Cour. Louis).*

dromon, -ont n. m. (1080, *Rol.;* lat. **dromonem,* du grec). Navire à ou plusieurs rangs de rames superposés.

dru, drut, drue, dreu adj. et n. (1080, *Rol.;* gaulois **druto,* fort). 1° Ami, amie. — 2° Ami de confiance, féal. — 3° Amant, amante : *Si an fera autre sa drue (Eneas).* — 4° Fidèle. — 5° Fort, bien nourri. — 6° Florissant, riche : *Dist li bien fust ele venue Qu'il la feroit et pleinne et drue (Est. Saint-Graal).* — 7° Adv., en quantité. ◆ **drument** adv. (1167, Gaut. d'Arras). 1° En grand nombre, fort largement. — 2° D'une manière épaisse, serrée. ◆ **druerie** n. f. (1170, *Percev.*). 1° Amitié, affection. — 2° Galanterie, intrigue amoureuse. — 3° Plaisir amoureux : *faire, mener sa druerie,* jouir du plaisir de l'amour. — 4° Cadeau galant. ◆ V. DRUGIER.

drubert n. m. (1349, J. Lefèvre; le premier élément représente *dru,* amant). Terme injurieux adressé par une femme à un mari impuissant.

drugement n. m. (XII⁰ s., *Pr. d'Orange;* arabe *turdjuman*). Interprète, traducteur.

drugier v. (fin XII⁰ s., saint Grég.; v. *dru*). 1° Pousser abondamment, devenir vigoureux. — 2° Se jouer, tromper, prévariquer. ◆ **druge** n. f. (fin XII⁰ s., saint Grég.). 1° Abondance, multitude. — 2° Provisions. — 3° Jeu, plaisanterie, bagatelle. ◆ **drujon** n. m. (1190, Garn.). Ami.

dubiter v. (1308, Aimé; lat. *dubitare*). Doublet savant de *doter,* craindre, hésiter. ◆ **dubie** n. f. (1308, Aimé). Doute, incertitude. ◆ **dubitos** adj. (XIV⁰ s., *Prise de Pampel.*). Douteux, hésitant.

I. **duc** n. m. (1080, *Rol.;* lat. *dux, ducem*). 1º Chef de guerre : *Bien savons qu'estes Placidus Qui solloit estre mestre et dus De touz les rommains chevaliers* (*Saint Eust.*), — 2º Duc. ◆ **duchee** n. f. (1180, *Rom. d'Alex.*), **-eise** n. f. (déb. XIVᵉ s., *F. Fitz Warin*), **-oisement** n. m. (XIIIᵉ s., *Anseis*), **-ealme** n. m. (1155, Wace). Duché. ◆ **duchaine** n. f. (XIIᵉ s., *Chev. cygne*), **-esse** (XIIᵉ s., *Roncev.*). Duchesse.

II. **duc** n. m. (1175, Chr. de Tr.; v. le mot précéd.). Oiseau de proie.

III. **duc** prép. V. DUSQUE, jusque.

ducace n. f. V. DICACE, dédicace, fête patronale.

I. **duire** v. (Xᵉ s., *Jonas;* lat. *dŏcere,* pour *docēre*). 1º Instruire : *A conquerre ne sont legier, Car molt sont duit de mal sofrir (Eneas).* — 2º Élever. — 3º Dresser. ◆ **duis** n. m. (1313, Godefr. de Paris), **duison** n. f. (XIVᵉ s.). Instruction, manière d'élever. ◆ **duit** adj. (1121, Ph. de Thaun). 1º Instruit, savant. — 2º Habile à. ◆ V. DOIT.

II. **duire, doire** v. (Xᵉ s., *Saint Léger;* lat. *ducere*). 1º Conduire, mener : *Et il enn estoit si bien duit Ku'estre ne pooit desconfit (Saint Eust.).* — 2º Gouverner, façonner, apprivoiser. — 3º Convenir, servir, profiter, plaire. ◆ **duor, duior** n. m. (fin XIIᵉ s., saint Grég.), **duitor,** cas rég., **duitre,** cas suj. (1120, *Ps. Oxf.*). 1º Guide, conducteur. — 2º Chef.

I. **duit** n. m. V. DOIT, conduit, canal.

II. **duit** adj. V. DOIT, savant.

dum, dun n. m. (XIIᵉ s., *Part.;* germ. *dun*). Duvet.

dumel n. m. V. DEMEL, demi-boisseau.

dunne, dumne, particule interrog. (déb. XIIᵉ s., *Ps. Cambr.;* soit un emprunt au lat. *dumne,* soit un amalgame de *donc* et *ne?*). Est-ce que? : *Dunn'as tu m'amur? Dunn'as tu mun quer? (Rois).*

I. **dur** adj. (Xᵉ s., *Saint Léger;* lat. *durum*). Dur, épithète de *dueil, cop* (coup), *maus* (maux), *bataille,* destinee, departie (séparation), etc. ◆ **durement** adv. (1080, *Rol.*). 1º Durement, péniblement. — 2º Très. ◆ **durté** n. f. (1220, *Saint-Graal*). Souffrance. ◆ **dureuros** adj. (XIIIᵉ s.). Malheureux. ◆ **durfeu** adj. (XIIᵉ s., *Chev. cygne;* comp. de *dur* et de *feu* du lat. **fatutum,* pour *fatum,* sort). Misérable, malheureux.

II. **dur** n. m. V. DOR, largeur du poing fermé.

durer v. (1175, Chr. de Tr.; lat. *durare*). 1º Durer. — 2º Vivre, subsister : *Le mont ou tant avés duré!* (J. Bod.). — 3º Résister : *Car je ne paroie Del mal ki m'approie Dureir (Estamp.).* — 4º S'étendre : *Li forés ... qui bien duroit trente liues de lonc et de lé (Auc. et Nic.).*

dusque, duesque, duc prép. (1180, *Rom. d'Alex.;* lat. *usque,* renf. par *de?*). 1º Prép. de temps, Jusque. — 2º Loc. conjonct. : *Dusque que* (XIIᵉ s., *Ps.*), *dusqu'adont que, dusqu'e tant que,* jusqu'à ce que. — 3º *Dus qu'a ne gaires* (1175, Chr. de Tr.), conj., presque, peu s'en faut; bientôt.

I. **e, ef, ep** n. m. (1155, Wace; lat. *apem*). Abeille.

II. **e** conj., **et** (avec le *t* latinisant), **ed** (devant voyelle, dans les anc. textes; 842, *Serm.*, lat. *et*). 1° Conjonction de coordination. − 2° Particule coordinative d'énoncés, Aussi, en outre, de plus (placé en tête d'énoncé). − 3° Interjection : *Fix à putain et Deus malie ti* (*Loher.*). − 4° *Petit et petit*, peu à peu. *Mot et mot*, mot à mot.

III. **e** présentatif V. ES, voici.

IV. **e-** préf. V. ES-, préfixe privatif ou intensif.

eage, aage n. m. (1080, *Rol.*; lat. pop. **aetaticum*, de *aetas*, âge). 1° Age mûr, majorité. *Estre en eage*, être majeur. *Estre dedens eage*, être mineur. − 2° *Le tems d'eaage*, l'ancien temps. ◆ **eagier** v. (1331, *Lettre*). Déclarer majeur. ◆ **eagié** adj. (1283, Beaum.). Majeur.

eave n. f. V. EVE, eau.

ebaine n. m. ou f. (1180, *Rom. d'Alex.*; lat. *ebenus*, du grec). Ébène. ◆ **ebenit** n. m. (1160, Ben.). Couleur noire, comme l'ébène.

ebe n. f. (XIIIe s., *Arch.*; germ. **ebbe*). Reflux de la mer; le jusant; s'oppose au *flot* et au *montant*.

eborin adj. (1160, *Encas*; lat. **oborinum*, pour *eboreum*). Ivoirin.

ebriu, ebrieu n. m. (XIIIe s., *ABC*; lat. *hebraeus*, hébreu). Langue hébraïque : *Si metoient en lor ebriu Letres de caldeu et de griu* (*ABC*).

ech mot invar. V. EK, voici.

eclesial adj. (1190, Garn.), **-astre** adj. (1160, Ben.; lat. *ecclesia*, du grec). Ecclésiastique.

ed conj. V. E, et.

edefier v. (déb. XIIe s., *Ps. Cambr.*; lat. *aedificare*, construire). 1° Planter, greffer. − 2° Installer : *De ceste terre s'en ala En la nostre s'edefia* (*Eneas*). − 3° Enseigner, instruire. ◆ **edefiement** n. m. (XIIe s., *Part.*), **-ance** n. f. (1160,

Athis). 1° Construction, action de bâtir. − 2° Édification morale. ◆ **edefice** n. m. (1120, *Ps. Oxf.*). 1° Action d'édifier. − 2° Réparation.

edicion n. f. (1306, Guiart; lat. *editio*). Diction.

I. **edre** n. m. (fin XIIe s.; germ. *eider*, canard du Nord). 1° Plumes d'eider. − 2° Duvet de cygne. − 3° Édredon.

II. **edre** n. f. V. ERRE, voyage.

III. **edre** n. m. V. IERE, lierre.

I. **ee, ei** n. f. (XIIe s., lat. **apam*, pour *apem*). Abeille.

II. **ee, ae, aey** n. m. et f. (1080, *Rol.*; lat. *aetatem*). 1° Age. − 2° Vie, durée de la vie : *Ne serai povres jamais en ton aey* (*Loher.*). − 3° *Par aé*, longtemps.

I. **ef** n. m. V. E, abeille.

II. **ef** n. m. V. UEF, œuf.

eface n. f. (XIIe s., *Part.*; déverb. de *esfacier*). Vestiges d'une bête fauve.

eferé adj. (1190, J. Bod.; v. *fer*, *fier*, sauvage). Féroce, cruel, fier.

eferir v. (1261, *Arch.*; v. *aferir*). Appartenir.

efestuer, -uquer v. (XIIIe s., v. *festu*, paille). 1° Quitter, abandonner. − 2° Céder en toute propriété : l'acte juridique de cession se faisait en jetant un *festu* qu'on tenait à la main.

efienter v. (XIIIe s., *Fabl. d'Ov.*; v. *fiente*, excréments de certains animaux). Faire sortir les boyaux à quelqu'un.

efiner v. (1220, Coincy; v. *fin*). 1° Affiner, rendre pur. − 2° Apurer un compte, compter.

efreer v. V. ESFREER, s'agiter, effrayer, faire du bruit.

efresler v. (1220, Coincy; v. *fresle*). Mettre en morceaux.

egal (XIIᵉ s., Chr. de Tr.; compromis entre anc. fr. *igal* et lat. *aequalis*). 1° adj. Égal. — 2° n. m. Terrain uni. ◆ **egalable** adj. (fin XIIIᵉ s., Macé). Égal. ◆ **egalir** v. (XIVᵉ s., *Mon. Rainoart*). Rendre uni, aplatir.

egent adj. (1318, Gace de la Bigne; lat. *egens*). Dénué, indigent.

egle n. m. et f. (XIIᵉ s., *Roncev.;* lat. *aquila*). Aigle. V. aussi AILLE.

egroter, en-, v. (1169, Wace; lat. *aegrotare*). 1° Etre ou tomber malade. — 2° Encroûter *(sic)*. ◆ **egrot** n. m. (1155, Wace), **-e** n. f. (XIIIᵉ s., *Fabl. d'Ov.*), **-ement** n. m. (XIIᵉ s., Marb.). Maladie. ◆ **egrot** adj. (XIIIᵉ s., Bible), **-é** (1155, Wace), **-i** (1120, *Ps. Oxf.*). Malade.

egrun n. m. V. AGRUM, âcreté.

egue n. f. V. IEQUE, jument.

eguer v. (1267, G.; lat. *aequare*). 1° Égaliser. — 2° Devenir égal. ◆ **egance** n. f. (av. 1300, *Chans.*). 1° Division égale, égalisation. — 2° Égalité de sentiment, juste retour des choses. ◆ **eguiee** n. f. (XIIIᵉ s., *Livr. de Jost.*). Équité.

ei n. f. V. EE, abeille.

eil adj. et pron. V. EL, autre, autre chose.

eindegré, -deré n. m. (XIIᵉ s., *Conq. Irl.;* orig. incert.). Propre mouvement, geste spontané : *Li quens par sun eindegré Al rei rendi la cité (Conq. Irl.).*

einsi, ensi, issi adv. (1080, *Rol.;* comp. de *si* affirmatif et d'un premier élément qui pourrait être *ainz*). Ainsi.

eire n. m. V. IERE, lierre.

I. **eis** adj. V. ES, même.

II. **eis,** présentatif. V. ES, voici.

eissement adv. V. ENSEMENT, ainsi.

eissil n. m. V. ESSIL, exil, ravage, tourment.

eissir, us-, ois-, is- v. (Xᵉ s., *Fragm. Valenc.;* lat. *exire*, sortir). 1° Sortir. — 2° *Eissir fuers*, bourgeonner (en parl. des plantes). — 3° *Eissir des sens*, devenir fou. — 4° Finir : *aost issant*, à la fin d'août. — 5° Provenir, être produit. — 6° *Estre issu de*, descendre de. — 7° Dépendre. ◆ **eissement** n. m. (déb. XIIᵉ s., *Ps. Cambr.*), **-ie** n. f. (1160, Ben.). **-ue** n. f. (1160, Ben.). 1° Action de sortir. — 2° Lieu par où l'on sort. ◆ **eissiere** n. f. (fin XIIᵉ s., saint Bern.). Voie, chemin. ◆ **eissage** n. m. (1310). Droit de sortie. ◆ **eissu** n. m. (1315). Descendant.

I. **eistre** v. V. ESTRE, être.

II. **eistre** n. m. V. ESTRE, emplacement.

eit n. m. V. HAIT, joie.

ejection n. f. (XIIIᵉ s., Bible; lat. *eiectio*). 1° Action de chasser. — 2° Ordre de vider les lieux.

ek, eke, ech mot invar. (XIIᵉ s., lat. *ecce;* v. *es*), voici). Particule présentative, voici, voilà. ◆ **ekevos,** voici, vous voilà!

I. **el, eil, al** adj. et pron. (XIᵉ s., *Alexis;* lat. *aliud;* v. *al*). 1° Adj., autre. — 2° Pron., Autre chose : *N'i atendum eil que la mort* (Wace). *Un et el*, une chose et une autre, tout. *Ne un ne el*, ni une chose ni une autre, rien. — 3° Adv., Autrement, dans un autre lieu : *Puis el demain el sui galiz (Saint Brand.).* *Par el*, autrement.

II. **el** pron. V. IL, pron. masc., 3ᵉ pers.

III. **el** pron. V. ELE, pron. fém., 3ᵉ pers.

IV. **el** art. Contraction de la préposition *en* et de l'article *le, lo*.

elacion n. f. (fin XIIᵉ s., saint Grég.; lat. *elatio*, élévation, orgueil). Gonflement de vanité, orgueil.

elami interj. (1329, Watriquet; comp. de *hélas* et de *mi*, moi). Exclamation de douleur, malheureux que je suis!

I. **ele** n. f. (XIIᵉ s., *Saint Thomas;* lat. *ala*). 1° Aile. — 2° Aile d'une armée. — 3° Flanc d'un navire. — 4° Limite d'un pays.

II. **ele** pron. pers. fém. V. IL, il.

elec adv. V. ILUEC, ILEC, en ce lieu-là, alors.

eleitre, eleu- n. m. (1160, *Eneas;* lat. *electrum,* du grec). Composition de plusieurs métaux, surtout d'or et d'argent. ◆ **eleitrin** adj. (1160, Ben.). D'*eleitre.*

element n. m. (xe s.; *Eulalie;* lat. *elementum*). Force, énergie. ◆ **elementé** adj. (fin XIIIe s.; J. de Meung). Qui appartient à l'élément; qui constitue l'élément. (alchimie).

elenche n. m. (1277, *Rose;* lat. **elenca,* du grec). Argument, preuve.

elevin n. m. V. ALEVIN, nourrisson.

elgal adj. V. IGAL, IVEL, égal.

ellue n. f. V. ERLUE, futilité, rêverie.

elnal n. m. V. ARNAL, mari trompé.

elnol n. m. V. ARNAL, cocu, mari trompé.

eloquence n. f. (1155, Wace; lat. *eloquentia*). 1° Éloquence. — 2° Voix, parole. ◆ **eloquiné** adj. (XIIe s., *Éd. le Conf.*). Qui parle facilement, éloquemment.

els, eus pron. pers. 3e pers. V. IL.

eluser v. (XIIIe s., *Pastour.;* lat. **elusare,* de *eludere*). Jouer, s'amuser. ◆ **elusion** n. f. (1332, G.). Tromperie, dérision.

em pron. pers. indéf. V. ON, on.

em- préf. V. EN-, préf.

embacler v. (1277, *Rose;* v. *bacler,* fermer?). 1° Embarrasser. — 2° Tromper.

embair v. (1160, *Athis;* v. *esbair*). 1° Rendre ébahi, stupide. — 2° S'ébahir.

embaissier v. (1190, saint Bern.; v. *baissier*). 1° Abaisser. — 2° Décliner, dégénérer.

embanir v. (1255, *Arch.;* v. *ban*). 1° Mettre sous le ban. — 2° *Embanir une terre,* y interdire pour un temps la vaine pâture ou la mettre en saisie. ◆ **embanis** n. m. plur. (1295). Lieux dans lesquels la vaine pâture est interdite.

embarer v. (1170, *Percev.;* v. *barre*). 1° Enfoncer, planter comme une barre. — 2° Défoncer, fendre.

embarnir v. (1180, *R. de Cambr.;* v. *barnie,* vaillance de baron). 1° Rendre vaillant. — 2° Grossir, prendre de l'embonpoint.

embastardir v. (XIIe s., *Éd. le Conf.*). v. *bastard*). Déshonorer, violer. ◆ **embastarder** v. (1304, *Year Books*). Déclarer bâtard.

embatre v. (1080, *Rol.;* v. *batre*). 1° Enfoncer, planter. — 2° Foncer contre, se précipiter, fondre sur : *Et li rois ... les salua quant il se fu sor aus embatuz (Saint-Graal).* — 3° Pousser, chasser. — 4° Insinuer. — 5° En parlant du jour, se lever. ◆ **embatement** n. m. (XIIIe s.). Action de pousser, d'enfoncer, d'entrer. ◆ **embateor** n. m. (1313, *Vœux du paon*). Assaillant. ◆ **embatant** adj. (av. 1300, Poët. fr.). 1° Qui fonce sur. — 2° Vif, ardent.

embechoner v. (1247, *Conq. Jér.;* orig. incert.). 1° Embarrasser. — 2° Faire un faux pas. — 3° Cacher.

embelir v. (1160, *Eneas,* v. *bel*). 1° Plaire, être agréable : *Se tu t'en plainz et tu t'en dials, totes voies t'anbelira (Eneas).* — 2° Se mettre au beau (en parlant du temps). ◆ **embeleter** v. (1155, Wace). Embellir, farder.

embesoignier v. (XIIe s., *Barbast.;* v. *besoignier*). Charger d'une besogne, occuper à une besogne.

embevrer v. (XIIe s., Herman : voir *bevre,* boire). 1° Abreuver. — 2° Enivrer. — 3° Imbiber. ◆ **embeu** adj. (1162, *Fl. et Bl.*). 1° Ivre. — 2° Enivré.

embirelicoquier v. réfl. (1314, Fauvel; orig. obsc.). S'entêter sans raison.

emblaer (1180, *Rom. d'Alex.*) **-aver** v. (1242, G.; v. *blaer,* blaier). 1° Ensemencer : *Damo, t'es grosse, s'as le cors enblae (B. d'Hanst.).* — 2° Embarrasser, empêcher. ◆ **emblaeure** n. f. (XIIIe s., *Établ. Saint Louis*). 1° Récolte de blé. — 2° Terre à blé.

I. **embler** v. (xe s., *Passion;* lat. *involare,* voler vers). 1° Voler, dérober, enlever. — 2° v. réfl. S'esquiver, s'enfuir : *Il s'enble de la sale, s'avale les degrés (Auc. et Nic.).* — 3° *Regart emblé,* coup d'œil à la dérobée. ◆ **emble** n. m. (1112, *Saint Brand.*). -é n. m. *(Rose).* Cachette. *En emble, en amblé,* furtivement. ◆ **emblee** n. f. (1175, Chr. de Tr.), **-ement** n. m. (xIII^e s., *Anseis*). Vol, rapt. *En emblee, a l'emblee,* à la dérobée. ◆ **emble denier** n. m. (1277, *Rose*). Voleur.

II. **embler** v. V. AMBLER, marcher.

embloquier v. (xIII^e s., v. *bloc*). 1° Couvrir d'un bloc. — 2° Recouvrir de pierres le cadavre d'un excommunié. — 3° Cacher.

embobir v. (1160, *Athis;* v. *abaubir*). S'étonner, s'effrayer.

I. **embochier** v. (1274, Joinv.; v. *boche*). Boucher. ◆ **embochement** n. m. (1170, *Percev.*). Embouchure, entrée.

II. **embochier** v. (1273, *Cart.;* v. *bosche,* touffe d'herbe, de paille?). 1° Parer à l'extérieur. — 2° Farder une marchandise.

emboer v. (fin xII^e s., saint Grég.; v. *boe,* boue). 1° Couvrir de boue. — 2° Souiller, déshonorer : *Mes se plusor m'atouchent, j'en serai emboee (De la Fole et de la Sage).*

embofissement n. m. (1277, *Rose;* v. *bofer*). 1° Gonflement. — 2° Orgueil.

I. **emboisier** v. (1220, Coincy; v. *bois,* matière ligneuse). Mettre dans une entrave : *Moines qui a piez emboisiez* (Coincy).

II. **emboisier** v. (xIII^e s., v. *boisier,* tromper). 1° Tromper. — 2° Séduire par des promesses.

emborder v. (xII^e s., *Part.; v. bort*). 1° Border, parer. — 2° S'embarrasser : *Ne d'alesne pas ne s'enborde (Part.).*

emborer v. (1204, R. de Moil.; v. *bor, buer,* bien?). S'appliquer à : *Cil qui de mentir ne s'enbore Car de verité est fontaine* (R. de Moil.).

emboser v. (1204, R. de Moil.; v. *bose,* bouse). 1° Couvrir de bouse, salir, souiller. — 2° Enduire, crépir. ◆ **embosement** n. m. (1268, E. Boil.). Enduit, vernis.

embosmer v. (xIII^e s., *Doon de May.;* v. *abosmer,* abominer, accabler). S'abîmer dans la douleur.

embot n. m. V. EMBUT, entonnoir.

embracier v. (1080, *Rol.;* v. *bras*). 1° Mettre à son bras. — 2° Prendre dans ses bras. ◆ **embraceure** n. f. (av. 1300, Poët. fr.). Buste : *Grelle est parmi la ceinture, Biaus bras, belle embraceure (Br. de Tours).*

embraeler v. (1309, *Arch.;* v. *braiel, brael,* ceinture). Fixer un chargement avec des cordes.

embraidir v. (1223, *Cart. Guise;* v. *brai,* goudron?). Revêtir, paver.

embraignier v. (1205, *G. de Palerne;* v. *embramir,* du germ. *brammôn,* mugir). Désirer avidement : *Li uns devant l'autre s'avance, Tant veut chascun sa delivrance, Tant le goulousent, tant l'embraignent (G. de Palerne).*

embramir v. (1220, Coincy; germ. *brammôn,* bramer, mugir). Enflammer, au propre et au fig. : *Li larron, li Dieu anemi, Qui d'ire sont tuit embrami* (Coincy).

embraser v. (1160, *Eneas;* v. *braise*). Enflammer. ◆ **embraseor** n. m. (1220, Coincy). 1° Incendiaire. — 2° Celui qui enflamme (par ses paroles, son exemple).

embriconer v. (xII^e s.; v. *bricon,* fou). 1° Rendre fou : *(l'amour) enyvre et le plus sage embricone (Chans. sat.).* — 2° Corrompre, séduire. — 3° Rendre lâche.

embriever, -evier v. (1121, Ph. de Thaun; v. *brief,* lettre). 1° Mettre par écrit, rédiger. — 2° Inscrire, enregistrer. ◆ **embrievement** n. m. (1160, Ben.). Écrit, lettre, affiche, ouvrage.

embrisier v. (xIII^e s.; v. *brisier*). 1° Rompre. — 2° Enfreindre, violer.

embriver v. (1120, *Ps. Oxf.;* v. *briver,* courir rapidement). S'élancer, se

précipiter. ◆ **embrive** n. f. (1160, Ben.),
-**ement** n. m. (1120, *Ps. Oxf.*). Fougue,
impétuosité.

I. **embroier** v. (1170, *Percev.*;
v. *broier*, pétrir). 1° Enfoncer, percer. —
2° Copuler. ◆ **embroie** n. m. (XIIIᵉ s.).
1° Arme d'estoc. — 2° Attaque.

II. **embroier** v. (1250, *Ren.*; v. *broi*,
boue). Couvrir de boue, plonger dans la
fange.

III. **embroier** v. (1220, Coincy; orig.
incert.). Brûler.

I. **embronchier** v. (1080, *Rol.*;
v. *bronchier*, pencher, baisser). 1° Baisser
la tête. — 2° Faire pencher en avant,
renverser. — 3° Saluer en s'inclinant. —
4° S'assombrir. — 5° Couvrir, cacher.
◆ **embron(c)** adj. (1080, *Rol.*). 1° Baissé,
penché (en parlant de la tête). — 2° Soucieux, sombre : *Sire, merci de noz barons
Que ge voi penssis et enbrons (Fl. et Bl.).*

II. **embronchier** v. (1080, *Rol.*;
v. *bronche*, souche). Broncher, se heurter
contre une souche.

embruire v. (XIIᵉ s.; v. *bruie*, impétuosité). Attaquer. ◆ **embruit** n. m. (1155,
Wace). Attaque impétueuse. ◆ **embruis-
sement** n. m. (XIIᵉ s., M. de Fr.). 1° Bruit.
— 2° Impétuosité.

embuignier, -buisnier v. (1175,
Chr. de Tr.; v. *buigne*, bosse). 1° Bosseler
à force de coups. — 2° Se bosseler.

embuschier, -quier v. (1160,
Ben.; v. *busche*). 1° Entrer dans le bois. —
2° Embusquer. — 3° Entraver. ◆ **embus-
chement** n. m. (1155, Wace). -**al** n. m.
(1313, *Vœux du paon*). Embûche, embuscade.

eme, esme particule présentative.
V. ES, voici.

emi interj. V. AI, exclam. de douleur.

emine, mine n. f. (s. d.: lat. *hemina*). Hémine, capacité d'un demi-
hectolitre environ. ◆ **eminage** n. m.
(1245). Redevance en nature prélevée sur
chaque hémine de blé vendue.

emingaut n. m. V. AMINGALT,
encolure du vêtement, brassière.

emit n. m. (1180, G. de Saint-Pair;
v. *amiet*). Sorte de manteau.

I. **emmaier** v. (1220, Coincy; v. *mai*).
Joncher de fleurs, orner de guirlandes.

II. **emmaier** v. V. ESMAIER, se troubler.

emmaler v. (1160, Ben.; v. *male*,
coffre). Mettre dans un coffre, emballer.

emmali adj. (1306, Guiart; v. *mal*).
Rendu méchant, perverti.

emmanantir v. (1160, Ben.; v. *amanantir*). Enrichir, s'enrichir.

emmanevi adj. V. AMANEVI, dispos.

emmanteler v. (1335, Deguil.;
v. *mantel*). Voiler, déguiser.

I. **emmargier** v. (1204, R. de Moil.;
v. *marge*, bordure). Entourer.

II. **emmargier** v. (1268, F. Boil.;
même mot que le précédent, avec le sens
« mettre de son côté »). Prendre à son service, embaucher.

emmender v. V. AMENDER, réparer.

emmenrir v. (XIIIᵉ s.; v. *meinre*,
moindre). Amoindrir.

emmetre v. (1210, *Dolop.*; lat. *immit-
tere*). 1° Imputer, accuser. — 2° S'entremettre, s'engager.

emmi, enmi prép. et adv. (Xᵉ s.,
Passion; v. *mi*, milieu). 1° Prép., Au milieu
de : *Enmei la malvaise et perverse genz
(Job).* — 2° Adv., Au milieu.

emmieldrer v. (fin XIIᵉ s., saint
Grég.; v. *mieldre* meilleur). 1° Améliorer.
— 2° Réparer. ◆ **emmieldrance** n. f.
(fin XIIᵉ s., saint Grég.). 1° Perfectionne-
ment. — 2° Réparation, avantage.

emmoier v. (XIIᵉ s., *Chev. cygne*;
v. *moie*, meule). Amonceler.

emmoistir v. (1243, G. de Metz;
v. *moist*, moite). Rendre moite, humide.

emmonder v. (1282, *Ren. le Nouv.*;
v. *mond*, monde). Avoir ou inspirer de
l'attachement pour les biens de ce monde.

emmugelier v. (1220, Coincy; v. *musgue*, muguet). Parfumer au muguet.

emmuler v. (1277, *Rose*, v. *mule*, meule). Mettre en meule, amonceler.

empaistrier, -pasturer v. (1160, Ben.; lat. **impastoriare*, de **pastoria*, entraves). Mettre les entraves, attacher. ◆ **empaistrement** n. m. (1242, *Arch.*), -**ail**, n. m. (XIIIe s., *Fabl. d'Ov.*). 1º Entrave. — 2º Empêchement. ◆ **empaistros** adj. (1160, Ben.). 1º Marécageux. — 2º Gluant.

empalegier v. réfl. (1247, Ph. de Nov.; lat. *pelagus*, mer). Prendre la haute mer.

empaler v. (1180, *Rom. d'Alex.*; v. *pal*). 1º Percer avec un pal ou toute autre arme. — 2º Palissader. ◆ **empaleure** n. f. (1270, Ruteb.). Palissade.

empalir v. (1170, *Fierabr.*; v. *pale*). Rendre, devenir pâle. ◆ **empaleis** adj. (1180, *Rom. d'Alex.*). Pâle.

empaluer v. (1160, Ben.; v. *palu* adj., souillé, ou *palu* n., marais). 1º Souiller, détremper. — 2º Se salir, s'embourber.

empanre v. V. EMPRENDRE, entreprendre.

emparagier v. (XIIe s., *Ogier*; v. *paragier*, bien s'allier par mariage). 1º Marier une jeune fille à son égal par la naissance ou la fortune. — 2º Ennoblir : *Denier emparage vilaine (Du dan Denier).*

emparchier v. (1220, Coincy; v. *parc*). 1º Parquer. — 2º Emprisonner. ◆ **emparchement** n. m. (1305, *Year Books*) -**eure** n. f. (1247, *Arch.*). Action de parquer les bêtes prises en contravention.

emparenter v. (XIIe s., *Barbast.*; v. *parenté*). Apparenter. ◆ **emparenté** adj. (1169, Wace). 1º Qui a une parenté : *De .II. pars bien enparentee* (Wace). — 2º Reconnu comme parent.

emparer v. (XIIe s., *Trist.*; lat. **anteparare*, se préparer à la défense, avec chang. graphique de préfixe). 1º Etre entouré de. — 2º Fortifier, munir. ◆ **emparance** n. f. (1323, *Arch.*). Fortification.

emparler v. (1150, *Thèbes*; v. *parler*). 1º Raisonner, plaider : *N'anparlez vos ja mes an vain (Eneas).* — 2º Adresser la parole. ◆ **emparlé** adj. (XIIe s., Herman). Disert, bavard. ◆ **emparleor** n. m. (XIIIe s., *Anseis*), -**ier** n. m. (1160, Ben.). 1º Discoureur. — 2º Intermédiaire, avocat : *Le jur unt tuz lur plaiz par amparliers tenuz* (Garn.). ◆ **emparlerie** n. f. (1300, *Arch.*). Fonction d'orateur, d'avocat.

I. **empartir** v. (XIIIe s., Couci; v. *partir*). Partir, s'éloigner de : *Et l'ame del cors s'emparty* (Couci).

II. **empartir** v. (fin XIIIe s., B. de Condé; v. *partir*, partager). Accorder quelque chose, départager.

empaster v. (1268, E. Boil.; v. *paste*). Mouler. ◆ **empasteure** n. f. (1204, R. de Moil.). Pâte faite pour farder le visage.

empasturer v. (XIIe s., *Aiol*; influencé par *pasture*). V. **empaistrier**, mettre les entraves.

empeechier v. (1120, *Ps. Oxf.*; lat. *impedicare*, prendre au piège). 1º Entraver, mettre aux fers, prendre au piège. — 2º Embarrasser. — 3º Arrêter, retenir. — 4º Obstruer : *Ele empeechoit la voie (Mir. Saint Louis).* ◆ **empeechement** n. m. (Xe s., *Eulalie*). 1º Empêchement. — 2º Torture. ◆ **empeechié** adj. (fin XIIIe s., *Mir. Saint Louis*). Perclus.

I. **empeindre** v. (1298, M. Polo; v. *peindre*). Peindre sur, dans. — 2º Dépeindre, caractériser : *Droiz est que sa bonté empaingne Et la valeur dont fu espris* (H. de Cambr.).

II. **empeindre** v. (1080, *Rol.*; lat. *impingere*). 1º Pousser, jeter avec violence. — 2º Se précipiter, battre. — 3º S'engager dans. — 4º *Empeindre en mer,* faire prendre la mer. — 5º *Empeindre les ieux,* fixer les yeux. ◆ **empeint** n. m. (1306, Guiart). Combat, bataille. ◆ **empeinte** n.- f. (1112, *Saint Brand.*). 1º Choc, poussée. — 2º Charge, impulsion violente : *D'une empeinte, d'un coup.* — 3º Circonstance, fois. — 4º Tempête, ouragan.

empener v. (1160, Ben.; v. *pene*, plume). Garnir de plumes. ◆ **empené** adj. (XIIe s.). 1° Qui a des plumes, ailé. — 2° Garni de plumes, en parlant d'une flèche. ◆ **empenon** n. m. (XIIe s.). Talon de la flèche garni de plumes. ◆ **empeneure** n. f. (1277, *Rose*). Endroit de la flèche où sont fichées les plumes.

empenser v. (1175, Chr. de Tr.; v. *penser*). 1° Penser. — 2° Décider. ◆ **empensif** adj. (XIIIe s., Bible). Plongé dans ses pensées.

empereor n. m. cas rég., **-ere** cas sujet (1080, *Rol.*; lat. *imperatorem*). Empereur. ◆ **empereis** n. f. (1204, R. de Moil.) **-reris** (XIIIe s., Villeh.). Impératrice. ◆ **emperie, -pirie** n. m. (1080, *Rol.*; lat. *imperium*). Gouvernement, empire. ◆ **empire** n. m. (1190, J. Bod.). Force militaire, armée, réunion des vassaux.

empersoné adj. (1190, Garn.; v. *persone*). Revêtu d'une dignité ecclésiastique.

empetrer v. (1160, Wace; lat. *impetrare*, chercher à obtenir). 1° Obtenir. — 2° Réclamer. — 3° Requérir, supplier. ◆ **empetrement** n. m. (1312, *Arch.*). 1° Action d'obtenir. — 2° Réclamation. — 3° Demande. ◆ **empetreor** n. m. (XIIIe s., *Livr. de Jost.*). 1° Requérant. — 2° Impétrant.

empieter v. (déb. XIVe s.; v. *piè*). Prendre dans ses serres (chasse).

empimenter v. (1220, Coincy; v. *piment*, parfum). Parfumer, embaumer.

empipoder v. réfl. (1220, Coincy; v. *apipoder*, d'orig. obsc.). Se parer avec affectation.

empirier v. (XIe s., *Alexis;* lat. pop. *impejorare*). 1° Faire aller plus mal, rendre plus malade. — 2° Gâter, détériorer. — 3° Blâmer. ◆ **emperement** n. m. (1160, Ben.), **-ance** (1268). 1° Détérioration. — 2° Dommage. ◆ **emplrié** adj. (XIIe s., Con. de Béth.). Méchant.

emplaidier v. (1190, Garn.; v. *plaidier*). 1° Traduire en justice, poursuivre. — 2° Interpeller.

emplain n. m. (1080, *Rol.*; v. *plain*). Pays plat, plaine.

emplastre n. m. ou f. (fin XIIe s., *Rois;* lat. *emplastrum*, du grec). Emplacement, endroit pour bâtir.

empleier v. (1080, *Rol.*; lat. *implicare*, enlacer). 1° Plier dans, mettre dans. — 2° Placer. — 3° Appliquer, assener : *un colp empleier (Cour. Louis).* — 4° *Employer une faveur*, l'adresser, l'accorder. ◆ **emploite** n. f. (1204, R. de Moil.; lat. **implicita*). 1° Emploi. — 2° Acquisition, emplette.

emplir (déb. XIIe s., *Voy. Charl.;* lat. **implire*), **-er** v. (1120, *Ps. Oxf.;* lat. **implare*, pour *implère*). 1° Remplir, combler. — 2° Accomplir. ◆ **emplissement** n. m. (fin XIIe s., *Est. Saint-Graal*). 1° Action de remplir, de compléter. — 2° Accomplissement, plénitude : *De cuer arunt emplissement Et joie pardurablement (Est. Saint-Graal).* — 3° Paiement complet. ◆ **emplage** n. m. (1310, *Arch.*). 1° Action de remplir, de compléter. — 2° *Au feur l'emplage*, à proportion.

emplovoir v. (XIIe s.; v. *plovoir*). 1° Arroser de pluie. — 2° Pleuvoir dedans. ◆ **empleu** adj. (XIIe s.). 1° Trempé de pluie. — 2° Plein de vin. — 3° *Faire le coc empleu, estre comme le coc empleu*, faire la poule mouillée.

emplumier v. (1190, J. Bod.; v. *plume*). 1° Déguiser. — 2° Flatter, amadouer. ◆ **emplumaille** n. f. (1311, G.). Ruse de chasse pour prendre les oiseaux de rivière. ◆ **emplumeor** n. m. (XIIIe s.). Enchanteur, magicien.

empoindre v. (XIe s., *Alexis;* lat. *impungere*). 1° Frapper. — 2° Appliquer. — 3° S'élancer, attaquer. ◆ **empoint** n. m. (1229, G. de Montr.), **-e** n. f. (1250, *Ren.*). 1° Choc, charge, attaque. — 2° Entreprise ou situation difficile.

I. empoint adj. (XIIe s.; v. *point*). En bon point, en bon état. ◆ **empointer** v. (1167, G. d'Arras). 1° Mettre en état, preparer. — 2° Garnir de ce qui est nécessaire.

II. empoint n. m., choc, charge. V. EMPOINDRE, frapper.

empoldrer, -ourrer v. (XIIIe s.; v. *poldre*, poudre, poussière). Couvrir de poussière : *Une borgoise bien vestue Qui empoudroit toute la rue De la queue de son bliaut (Vie des Pères).*

empolu adj. (XIIe s., *Chev. cygne;* v. *polu*, souillé). Souillé.

empor, empour prép. (XIe s., *Alexis;* v. *por*, pour). Pour, en considération de : *Empor tei, fitz, m'en esteie penez (Alexis).*

emporter v. (Xe s., *Passion;* v. *porter*). 1° Enlever. — 2° Transporter. ◆ **emportement** n. m. (1304, *Year Books*). 1° Action d'emporter. — 2° Le fait d'être emporté, entraîné. ◆ **emport** n. m. (1274, Joinv.). 1° Influence, faveur. — 2° Importance.

emporveu adj. (1304, *Year Books;* v. *porvoir*). Prévu, déterminé.

emposer v. V. IMPOSER, placer, imputer.

empost adj. (1160, Ben.; lat. pop. **impositum*, de *positum*, placé, avec le suffixe négatif). 1° Mal disposé. — 2° Impotent : *Japhet eut un fiz mult enpoz* (Ben.). — 3° Trompeur.

empreignier v. (1125, *Ps.;* bas lat. *impraegnari*, de *praegnans*, enceinte). 1° Féconder : *De .//. maris fu ma mere empreignee (Fouque de Candie).* — 2° Concevoir, devenir enceinte. ◆ **empreignement** n. m. (XIIIe s.). Grossesse.

empreindre v. (1190, saint Bern.; lat. **impremere*). 1° Marquer en pressant, graver. — 2° Féconder (confusion avec le mot précédent). ◆ **empreinter** v. (1268, E. Boil.). Tracer l'empreinte, graver. ◆ **empreinture** n. f. (XIIIe s., *Rose*). Travail d'ornementation par le procédé de moulure.

emprendre, empranre v. (1160, Ben.; v. *prendre*). 1° Entreprendre, commencer. *Emprendre le voiage, la voie,* se mettre en chemin. — 2° S'enflammer : *Mais quant je l'esgart Trestoz li cors m'enprent et art* (Rob. de Blois). — 3° *Enprendre folie,* agir follement. ◆

emprise n. f. (1160, Ben.), **-ion** n. f. (1160, Ben.). 1° Entreprise, projet. — 2° Entreprise hostile, attaque. ◆ **emprenant, -prendant** adj. (1160, Ben.). Entreprenant, hardi. ◆ **empris** n. m. (fin XIIIe s., G. de Tyr). Associé.

empres prép. et adv. (1080, *Rol.;* v. *pres*). 1° Prép. Après : *Enpres la messe (Loher.). D'empres,* après. — 2° Prép. Auprès de. — 3° Adv. Après, ensuite. — 4° Loc. conj. *Empres ce que,* après que.

empresser v. (1160, *Charr. Nîmes;* v. *presser*). 1° Presser. — 2° Fouler, harceler. — 3° Graver, imprimer. — 4° Exprimer.

emprest n. m. (XIIIe s., *Ass. Jér.;* v. *prest*). Emprunt.

empreu, -preuf, -pru, -prun adv. (1260, A. de la Halle; form. obscure, semble comporter un élément *primus*, premier). 1° Adv. D'abord, en premier lieu : *Je commencherai volentiers Empreu* (A. de la Halle). — 2° N. de nombre, Un (on commençait à compter par *empreu, deus, trois*, etc.).

emprof, empruef prép. et adv. (1180, G. de Saint-Pair; v. lat. *prope*). 1° Prép. Après, près de. — 2° Adv. Ensuite.

emprunter v. (déb. XIIe s., *Voy. Charl.;* lat. **imprumuntare*, du lat. jur. *promutari*). 1° Emprunter. — 2° Prêter. — 3° Se masquer.

empuer adv. (XIIIe s.; v. *puer*, dehors). Adv. de lieu. Dehors.

empues, empuis adv. et conj. (XIIe s., *Parise;* v. *puis*). 1° Adv. Ensuite, après — 2° Conj. Après que. — 3° Conj. Cependant, pourtant, néanmoins : *Ampues veul je, dist Zarile, oir votre latin (Prise de Pampel.).*

empulenter v. (1155, Wace; v. *pulenter*, puer). Empuanter, infecter.

I. en, ent, ens, an adv. pronominal (842, *Serm.;* lat. *inde*, de là) 1° Adverbe de lieu. De ce lieu, de ces lieux : *Issons nos ent armé et fervesti*

(Loher.). D'ent, de ce lieu. — 2º Pronom substitut personnel : *Vengiez m'en sui, mai n'i ad traisun (Rol.).* — 3º Substitut, personnel ou non, renvoie, en parlant d'une partie, à une totalité nombrable : *Dis mil end i a faiz morir* (Wace). — 4º Pronom, substitut non personnel : *De mangier en mult l'en pria (Rom. Lumere).* — 4º Substitut non personnel, renvoie à une cause : *Si end avoit li rois grant ire* (Wace). — 5º Substitut au sens général : *Ent est?,* qu'en penses-tu?, qu'en est-il? — 6º Emploi emphatique ou explétif : *Morz en fud sis pere et sa mere, Ne lui remist sorur ni frere (Saint Gilles).*

II. **en** prép. (842, *Serm.;* lat. *in*). Préposition établissant les rapports dans l'espace et le temps, ou bien des rapports symboliques organisant un espace abstrait.

I. L'espace. 1º Marque un lieu englobé, dans : *Cil conçut Anseïs en la fille au vachier* (J. Bod.). — 2º Marque le point, le lieu d'appui, sur : *Gugemer s'est en piez levez* (M. de Fr.). — 3º Marque la tension, le mouvement vers un lieu : *d'ici qu'en orient (Rol.).*

II. Le temps. 1º Situe un procès dans le temps : *En esté, I aveit li reis sejurné* (M. de Fr.). — 2º Indique la tension, le mouvement dans le temps : *de jor en autre (Rom. d'Alex.).*

III. Espace symbolique. 1º Situe dans un état : *En lermes et en plors souvent le baiserai* (Aden.). — 2º Indique l'état vers lequel on tend : *En l'honur de vos, nobles reis* (M. de Fr.). — 3º Indique le statut de quelqu'un : *Qui as paiens en vait en messagier (Fierabr.).* — 4º Indique le statut, la fonction de quelque chose : *Entre ses poinz un bastonet en haste* (en guise de lance) [*Cour. Louis*]. — 5º Indique la matière dont est fait quelque chose : *en pargamin (Alexis).* — 6º Indique un changement de nature ou d'état : *Si qu'en pieces vola ma lance* (Chr. de Tr.). ◆ **el, ou,** contraction de *en le,* **es,** contraction de *en les.*

en-, em- préf. (lat. *in-*). Le préfixe *en-* exprime, de façon générale, l'aspect inchoatif.

I. Valeur spatiale. Lorsque le terme à partir duquel le verbe est formé se situe dans l'espace, le préfixe *en-* articule son aspect inchoatif avec les valeurs spatiales de ce terme : 1º Si le terme peut être un englobant, le verbe construit indique le mouvement vers l'intérieur : *enchasteler,* enfermer dans un château, *enfangier,* embourber. — 2º Si le terme désigne un moyen d'englobement, le verbe indique un mouvement entourant un certain espace : *emmanteler,* voiler, déguiser, *enchasteler,* garnir de châteaux, *enchevestrer,* mettre un licou à un cheval.

II. Valeur inchoative générale. Lorque le terme à partir duquel le verbe est formé désigne un état ou une qualité, l'effet de sens produit correspond à l'entrée dans cet état ou à l'acquisition de cette qualité : *enamorer,* tomber amoureux, *endoler,* affliger, *empalir,* rendre pâle, *enermir,* rendre désert. ◆ REMARQUE : La consonne nasale qui suit la voyelle incomplètement nasalisée est notée en ancien français tout aussi bien par *n* que par *m,* avec la prédominance de *n;* nous en avons uniformisé l'orthographe en nous conformant à l'usage du français moderne.

enaise, enesses adv. (1119, Ph. de Thaun; comp. de *en* et *aise*). Facilement, presque : *Kar suvent par les mains Des malvais escrivains Sunt livre corrumput Et aneise perdut* (Ph. de Thaun).

enalcier v. V. ENSALCIER, exhausser.

enamer v. (xᵉ s., *Saint Léger;* v. *amer,* aimer). 1º S'éprendre de : *Li reis Salomun enamad femmes estranges (Rois).* — 2º Concevoir de l'amitié pour. ◆ **enamorer** v. (1320, *Estampies*). Rendre amoureux.

enangler v. (1155, Wace; v. *angle*). 1º Serrer dans un coin, acculer. — 2º Posséder une femme. — 3º Se cacher dans un coin. — 4º Mater (au jeu d'échecs)

enans, enainz adv. (1273, *Lettre;* comp. de *en* et *ainz*). Désormais, à partir de ce moment.

enap n. m. V. HANAP, vase à boire.

enaprof adv. et prép. (1119, Ph. de Thaun; comp. de *en* et *aprof*). 1° Adv. Ensuite. — 2° Prép. Après, près de.

enarchié adj. (1270, A. de la Halle; v. *archier,* arquer). Arqué, courbé (épithète fréquente de *sourcils*).

enarchier v. (1204, R. de Moil.; v. *arche,* coffre). — 1° Mettre dans un coffre. — 2° Thésauriser.

enardre v. (déb. xıı^e s., *Ps. Cambr.;* v. *ardre*). — 1° Brûler. — 2° Etre enflammé d'ardeur.

enarmer v. (1190, J. Bod.; lat. pop. *inarmare,* de *armus,* bras). 1° Garnir l'écu de courroies appelées *enarmes.*— 2° Saisir son bouclier, se préparer au combat. ◆ **enarme** n. f. (1160, Ben.). Courroies fixées à la partie concave du bouclier et permettant de le tenir pendant le combat. ◆ **enarmeure** n. f. (1220, *Saint-Graal*). Synonyme de ENARME.

enarter v. (xıı^e s.; v. *art*). — 1° Tramer, machiner. — 2° Etre ingénieux. ◆ **enarté** adj. (1112, *Saint Brand.*), **-ant** (1160, Ben.), **-os** (1160, Ben.). Ingénieux, rusé : *Fiers et hardis et de mal enartox (Asprem.).*

enasprir v. (1120, *Ps. Oxf.;* v. *aspre*). 1° Aigrir, irriter. — 2° Enflammer, exciter.

enasteler v. (1160, Ben.; v. *astele,* éclat de bois). Briser en mille morceaux.

enavant adv. (842, *Serm.;* comp. de *en* et *avant*). Dorénavant, à l'avenir : *De cele hore enavant* (1279, *Arch.*).

enc adv. de temps. V. ONC, une fois, jamais.

ença, ança, enssay adv. (xıı^e s., *Parise;* comp. de *en* et *ça*). 1° Adv. de lieu, En arrière. — 2° Adv. de temps, Alors. — 3° *Ença de,* depuis. — 4° *En ença,* en arrière.

encarreler v. V. ENQUARELER, garnir de carreaux.

enceinte adj. fém. (fin xıı^e s., saint Grég.; lat. pop. *incincta,* entourée d'une ceinture, remplaçant, par étymologie pop., *inciens*). Enceinte. ◆ **enceinter** v.

(1155, Wace).. 1° Rendre enceinte. — 2° Devenir enceinte : *L'une des dames enceinta* (M. de Fr.). ◆ **enceintee** n. f. (xıı^e s., Evrat), **-oise** n. f. (1220, *Saint-Graal*). Grossesse.

encembeler v. (fin xıı^e s., *Aiol;* v. *cembel,* sifflet pour piper). 1° Enchaîner, lier. — 2° Bander les yeux. — 3° Séduire, tromper : *Velt deable ... La bone dame encembeler* (Coincy).

encendi 'n. m. (mil. xıı^e s., D.; lat. *incendium*). Incendie. ◆ **encendir** v. (xıı^e s., *Ps.*). 1° Faire brûler, incendier. — 2° Enflammer d'indignation. ◆ **encendement** n. m. (1120, *Ps. Oxf.*). Action de brûler, de faire brûler.

encendrer v. (1277, *Rose;* v. *cendre*). Réduire en cendres.

I. **encenser** v. (xıı^e s., *Chans.;* v. *cens*). Donner à cens. ◆ **encensement** n. m. (1326, *Arch.*). Bail à cens. ◆ **encensive** n. f. (xıı^e s., *Ass. Jér.*). Fermage.

II. **encenser** v. (1080, *Rol.*). Brûler de l'encens. ◆ **encens** n. m. (1175, Chr. de Tr.; lat. chrét. *incensum,* ce qui est brûlé). Encens.

enceper v. (fin xıı^e s., *Aiol;* v. *cep,* entrave). Emprisonner, mettre dans les ceps.

encerchier v. (déb. xıı^e s., *Ps. Cambr.;* v. *cerchier*). 1° Parcourir en cherchant, fouiller, poursuivre. — 2° Scruter, examiner, s'enquérir. ◆ **encerchement** n. m. (1190, saint Bern.). Recherche. ◆ **encercheor** n. m. (xıı^e s., Evrat). 1° Celui qui cherche. — 2° Espion. ◆ **encerchable** adj. (1190, saint Bern.). Qu'on peut scruter, pénétrer.

enchacier v. (1080, *Rol.;* v. *chacier,* chasser). 1° Chasser, expulser. — 2° Se porter avec empressement vers : *Car l'anemi de l'ome encache* (A. de la Halle).

enchaitiver v. (1190, saint Bern.; v. *chaitif,* prisonnier). Emprisonner.

enchalcier v. (1080, *Rol.;* lat. pop. **incalceare,* de *calcem,* talon). 1° Poursuivre, pourchasser : *François encaucent Normant et Poitevin* (Loher.). — 2° Poursuivre de ses prières, rechercher ardemment : *L'homme doit le premier prier Et encauchier et supplier (Clef d'Am.).* — 3° Poursuivre de ses reproches. ◆ **enchals** n. m. (1080, *Rol.*). 1° Poursuite, chasse. — 2° Insistance. — 3° Cour assidue. — 4° Fatigue, souffrance. ◆ **enchalceis** n. m. (fin XII° s., *Loher.*), **-ement** n. m. (XII° s.), **-ison** n. f. (XIII° s., *Anseis*). Poursuite, chasse.

enchalfer v. (1155, Wace), **-ir** (fin XII° s., saint Grég.; v. *chalfer*). S'échauffer.

enchambrer v. (fin XII° s., *Loher.*; v. *chambre*). Emprisonner : *Lors le fist prendre, si le fist enchambrer (Loher.).*

enchanteler v. (1170, *Percev.*; v. *chantel*). 1° Mettre de chant et, en particulier, mettre l'écu sur le côté pour parer les coups. — 2° Mettre sur le chantier, en parlant de pièces de vin.

enchantement n. m. (XIII° s., *Ass. Jér.*; v. *chanter*, au sens de crier). 1° Action de mettre à l'encan. — 2° Encan. ◆ **enchanteor** n. m. (1340, *Arch.*). Celui qui vend aux enchères, sorte d'officier de justice.

enchanter v. (1175, Chr. de Tr.; lat. *incantare*, prononcer des formules magiques, avec infl. de *chanter*). 1° Faire une incantation. — 2° Ensorceler. ◆ **enchant** n. m. (XII° s., *Chev. cygne*). Enchantement, sortilège. ◆ **enchanterie** n. f. (1190, *H. de Bord.*), **-ison** n. f. (XII° s., *Asprem.*). Charme, sortilège : *Par nigromance et par encantisson (Asprem.).* ◆ **enchantement** n. m. (1160, *Eneas*). 1° Sortilège. — 2° Chant, concert. ◆ **enchanteor** n. m. (1080, *Rol.*). 1° Qui fait des sortilèges. — 2° Chanteur, faiseur de tours.

encharaier, encharalder v. (XII° s.; v. *charaie, charalde*). Ensorceler. ◆ **encharaiement** n. m. (1160, Ben.). Ensorcellement.

enchargier v. (1190, J. Bod.; v. *chargier*). 1° Porter un fardeau. — 2° Se charger d'un fardeau, d'une commission. — 3° Entreprendre. — 4° Commencer à porter (en parlant des femmes enceintes).

— 5° *Enchargier un ordre,* entrer dans un ordre. — 6° Charger, imposer, prescrire. — 7° Charger, confier. ◆ **encharge** n. f. (1283, Beaum.). 1° Charge. — 2° Obligation.

encharner v. (1190, saint Bern.; v. *charn*, chair). — 1° Incarner. — 2° Mettre en curée. ◆ **encharné** adj. (XII° s.). — 1° Nourri. — 2° Charnu. — 3° Acharné.

encharter v. (XIII° s.; v. *charte*). Enregistrer. ◆ **enchartement** n. m. (1236, G.). Charte, titre.

enchartrer v. (1150, Wace), **-trener** (XII° s., Herman; v. *chartre*, prison). Mettre dans une chartre, emprisonner. ◆ **enchartré** n. m. (1180, G. de Saint-Pair). Prisonnier.

enchasteler v. (1160, Ben.; v. *chastel*). 1° Garnir d'un château. — 2° Enfermer dans un château.

enchastoner v. (1160, *Eneas*; v. *chaston*, chaton [de bague], du francique **kasto*, caisse). Enchâsser.

enche n. f. V. ENQUE, encre.

encheoir v. (1160, Ben.; v. *cheoir*, tomber). 1° Tomber, succomber. — 2° Tomber dans, se laisser aller, échouer : *Ne me laisse encheoir en pechié de luxure.* — 3° Encourir la perte de. ◆ **encheoite** n. f. (1160, Ben.). 1° Peine encourue. — 2° Échéance. ◆ **encheue** n. f. (1279, G.). Ce qui échoit par succession. ◆ **encheement** n. m. (XII° s.). 1° Instigation. — 2° Cause.

encherer v. (1259, *Arch.*; v. *cher*). 1° Enchérir, augmenter le prix. — 2° Adjuger aux enchères. ◆ **encherement** n. m. (1259, *Arch.*). Enchère, surenchère.

encherir v. (1190, Garn.; v. *cher*). 1° Chérir, tenir cher, devenir cher : *Car la pucele avoit tant encherie Pour la biauté dont ele ert remplie Qu'il l'avoit si d'amors tres enragie (Adcn.).* — 2° Élever en dignité.

enchevaler v. (1170, *Fièrabr.*; v. *cheval*). Mettre sur un cheval. ◆ **enche-**

valcier (1205, *G. de Palerne*). Monter à cheval.

enchevestrer v. (1190, Garn.; v. *chevestre*, licou). 1º Mettre un licou à un cheval. — 2º Mettre sous le joug.

enchies, enchief prép. (1270, Ruteb.; comp. de, *en* et *chiez*). Chez, auprès.

enchifrener v. (1265, J. de Meung; dérivé de *chanfrein*, au sens de « pris dans un chanfrein »). 1º Embarrasser. — 2º Asservir.

enchoison n. f. (1277, *Rose;* v. *choison*, même sens). 1º Raison, cause. — 2º Motif, prétexte. — 3º Occasion. ◆ **enchoisoner** v. (1264, *Arch.*). Accuser, blâmer, gronder. ◆ **enchoisonos** adj. (1190, Garn.). Qui a peur, qui prend des précautions.

enchoisir v. (XIIᵉ s., *Asprem.;* v. *choisir*). Apercevoir, entrevoir.

enchoistre adj. (fin XIIᵉ s., *Aiol;* probablement de *quistre, cuistre,* marmiton). Grossier, mauvais : *Tantes lourdes vilain, tant enchoistre* (Coincy).

enchoser v. (1220, Coincy; v. *choser,* disputer, blâmer). Blâmer.

encire v. (XIIᵉ s.; lat. *incidere*). Couper, inciser. ◆ **encis** n. m. (XIIᵉ s., *Part.*). Meurtre. ◆ **enciser** v. (1250, *Ren.*). 1º Inciser, tailler : *Bien ont encisee la pel* (*Ren.*). — 2º Découper. ◆ **encisement** n. m. (1160, Ben.), **-eure** n. f. (XIIIᵉ s., Th. de Kent). Incision, entaille.

encliner v. (1080, *Rol.;* lat. *inclinare*). 1º Saluer en s'inclinant. — 2º Se baisser, s'agenouiller. — 3º Se soumettre. — 4º Condescendre. — 5º Vieillir. ◆ **enclin** n. m. (XIIᵉ s., *Asprem.*), **-ee** n. f. (XIIᵉ s., *Chev. cygne*), **-ement** n. m. (1265, J. de Meung). 1º Salutation. — 2º Inclination, disposition naturelle. ◆ **enclin** adj. (1080, *Rol.*). 1º Incliné, baissé : *Chiere encline* (*Trist.*). — 2º Soumis, assujetti : *Que li mouz ert vers lui anclin* (*Eneas*). — 3º Disposé. — 4º n. m. (fin XIIᵉ s., *Loher.*). Vassal, sujet. ◆ **enclinos** adj. (1220, *Saint-Graal*). Enclin, disposé.

encloer v. (XIIᵉ s.; v. *cloer,* clouer). Attacher avec des clous. ◆ **encloeure** n. f. (1190, Garn.). Empêchement, difficulté.

encloistre n. m. (1160, Ben.; v. *cloistre*). 1º Enclos, lieu fermé. — 2º Monastère. — 3º *Sanz nul encloistre,* sans que rien n'arrête. ◆ **encloistrer** v. (1204, R. de Moil.). Mettre dans un cloître.

enclore v. (XIᵉ s., *Alexis;* lat. pop. **inclaudere,* pour *includere*). 1º Entourer : *Si les encloent et devant et derrier* (*Cour. Louis*). — 2º Enfermer. — 3º S'engager dans. — 4º Inclure, comprendre, contenir. ◆ **enclos** n. m. (1283, Beaum.), **-e** n. f. (XIIᵉ s.), **-eure** n. f. (1270, *Arch.*). 1º Enceinte, clôture. — 2º Par *enclose* on entend, en plus, dans l'art militaire, le cercle dans lequel on enveloppe les ennemis au milieu de la bataille. ◆ **encloement** n. m. (XIIIᵉ s., *Fabl. d'Ov.*). Contenu, ens caché. ◆ **enclos** adj. (XIIIᵉ s.). 1º Inclus. — 2º Reclus. ◆ **encluse** n. f. (1328, *Arch.*). Couvent de reclus ou de recluses.

encoan, oncoan adv. (1220, Coincy; renforcement de *oan*). 1º Cette année. — 2º Aujourd'hui, maintenant.

encoe adj. (XIIᵉ s., *Barbast.;* v. *coe,* queue). Qui a la queue formée d'une certaine manière : *Si fu (le cheval) haut encoez* (*Barbast.*).

encoi adv. V. ENCUI, aujourd'hui, dès aujourd'hui.

encoignier v. (1276, Aden.; v. *coin*). 1º Placer dans un coin. — 2º Se précipiter sur : *En mi les Turs s'encoigne* (*Enf. Ogier*).

encoillir v. (1112, *Saint Brand.;* v. *coillir*). 1º Prendre, recevoir : *Li pucele oi parler de lui et de sa proeche Si l'enquoilli en grant amor* (*Sept Sages*). — 2º Cueillir avant le temps.

ençois, adv. V. AINÇOIS, avant, plutôt.

encolchier v. (1120, *Ps. Oxf.;* v. *colchier*). 1º Se coucher. — 2º S'appesantir. — 3º Coucher avec quelqu'un.

encoler v. (1164, Chr. de Tr.; v. *col*, cou). 1º Mettre à son cou. — 2º Entourer. — 3º Accoler : *De joïe l'encole et enbrace* (Chr. de Tr.).

encolper, encoper, encorper v. (1155, Wace; lat. *inculpare*). Accuser. ◆ **encolpement** n. m. (XIIᵉ s., *Florim.*). 1º Accusation. — 2º Faute, crime. ◆ **encolpoier** v. (1335, *Rest. du Paon*). Accuser.

encombrer v. (XIᵉ s., *Alexis*; v. *combre*, barrage de rivière, d'orig. gaul.). 1º Charger, embarrasser, gêner. — 2º Souiller, entacher. — 3º Se charger. — 4º Passer avant, être prélevé sur. ◆ **encombre** n. (1160, Ben.), **-ement** n. m. (1190, Garn.). 1º Embarras, empêchement. — 2º Inconvénient, mal, dommage. — 3º Danger : *E prient Dieu qu'il salve lur seignour e ces gentz de anuy e de emcombrementz* (F. Fitz Warin). — 4º Emprisonnement. ◆ **encombrier** n. m. (1121, Ph. de Thaun.). 1º Lieu obstrué, passage difficile. — 2º Ennui, peine. — 3º Prison : *Barrabam trairent d'encombrier Qui estoit larron et meurdrier* (Livr. Pass.). ◆ **encombros** adj. (1160, *Eneas*). 1º Encombrant. — 2º Malaisé : *Molt est ancombrose la voie.* — 3º Fâcheux.

enconchier v. (XIIᵉ s., *Macchab.*; v. *conchier*). Souiller : *Moult des bons juis ochioient Et les sains lieus encunchioient* (*Macchab.*).

encontraire adj. et n. m. (XIIᵉ s., *Conq. Irl.*; v. *contraire*, contrariété, obstacle). Adverse, adversaire.

I. **encontre** adv. et prép. (Xᵉ s., *Saint Léger*; comp. ancien de *in* et *contra*). 1º Prép. Contre, envers : *Ja n'en iré encontre vos* (Ren.). — 2º Adv. En face, à l'encontre : *Encontre va li rois mout tres joieusement* (Aden.). — 5º *Dire encontre*, parler contre.

II. **encontre** n. m. ou f., rencontre, combat. V. ENCONTRER, rencontrer.

encontrer v. (XIᵉ s., *Alexis*; v. *encontre*, adv.). Rencontrer. ◆ **encontre** n. m. ou f. (XIIᵉ s., *Chev. cygne*). 1º Rencontre. — 2º Combat. — 3º Chance, évé-nement. *Bon encontre*, chance favorable, succès. *Mal encontre*, mauvaise chance, malheur. *Put encontre*, souhait de malheur. ◆ **encontrement** n. m. (1180, *Rom. d'Alex.*), **-eis** n. m. (1155, Wace), **-ee** n. f. (fin XIIᵉ s., *Cour. Louis*). Rencontre. ◆ **encontral** n. m. (1220, *Saint-Graal*), **-eure** n. f. (1180, *Rom. d'Alex.*). Obstacle. ◆ **encontrier** n. m. (XIIᵉ s., *Asprem.*). 1º Rencontre. — 2º Choc. ◆ **encontriere** n. f. (1170, *Fierabr.*). *A l'encontriere*, à l'encontre, à la rencontre de.

enconvoier v. (1160, Ben.; voir *convoi*). 1º Accompagner, suivre. — 2º Poursuivre.

I. **encoper** v. (1220, *Saint-Graal*; v. *colper*). Couper.

II. **encoper** v. V. ENCOLPER, accuser.

encoragier v. (1190, saint Bern.; v. *corage*). 1º Avoir à cœur. — 2º Rendre vaillant. — 3º Rendre maître, en parlant du cœur : *Mon cuer dont je vous ai encouragié* (A. de la Halle).

encorder v. (1160, Ben.; v. *corde*). 1º Lier. — 2º Attacher, entraver. — 3º Empaqueter. — 4º Encocher une flèche.

encore, encor, uncore adv. et conj. (1080, *Rol.*; comp. de *ore*, du lat. *hac hora*, et d'un premier élément incertain, peut-être *hanc*). 1º Adv. Encore : *Encor ne savoit Karles du domage neant* (J. Bod.). — 2º Conj. Quoique : *Encoir ne soit ma parole franchoise Si la puet on bien entendre en franchois* (C. de Béth.).

encorre v. (1190, Garn.; lat. *incurrere*, courir sur). 1º Courir, s'enfuir. — 2º Poursuivre une œuvre, exécuter. — 3º Couler (en parlant de fleuve). — 4º Commettre un péché, encourir : *E prie Jesu Crist ... Qu'il me face tel plait dunt envers Deu encure* (Garn.). — 5º Etre puni. — 6º Contracter (en parlant d'une maladie). ◆ **encorsement** n. m. (1288, J. de Priorat). 1º Course. — 2º Attaque. ◆ **encorement** n. m. (1283, *Ord.*). 1º Action d'encourir une peine. — 2º Attaque. ◆ **encors** adj. (1220, Coincy). Nombreux, fréquent.

encorser v. (fin XIIᵉ s., *Loher.;* v. *cors,* corps). 1° Mettre sur le corps, revêtir. — 2° Prendre du corps, grossir, augmenter : *Partout voi le mal encorser* (B. de Condé). — 3° Prendre chair, s'incarner.

encortiner v. (XIIᵉ s., *Barbast.;* v. *cortine,* tenture). 1° Garnir de tentures. — 2° Couvrir de voiles : *Se tu as belle poitrine E biau col ne l'encourtine (Clef d'Am.).* — 3° Parer. — 4° *N'estre pas en chambre encortinée,* être dans une situation désagréable. ◆ **encortinement** n. m. (XIIᵉ s., *Barbast.*). Tapisseries, draperies.

I. encoste n. f. (XIIᵉ s., v. *coste,* côte). Côte, côté. ◆ **encosté** adj. (XIIIᵉ s., *Doon de May.*). Dont les côtés offrent des aspérités.

II. encoste adv. et prép. (1190, *H. de Bord.;* comp. de *en* et *coste*). 1° prép. A côté de, près de. — 2° adv. A côté, auprès.

encovir v. (1155, Wace; v. *covir*). 1° Regarder avec envie, convoiter. — 2° Désirer : *Se il bien vuet, el laira son mari, O lui ira, tant fort l'a encouvi (Aub. le Bourg.).* — 3° Chercher à s'emparer, attaquer. — 4° Choisir, élire. ◆ **encovier** v. (XIIIᵉ s.). Concevoir un grand désir.

encreis adj. V. ENGRES, difficile, obstiné, avide.

encreper v. (1120, *Ps. Oxf.;* lat. *increpare,* même sens). Réprimander, invectiver : *Tu encrepas les genz (Ps./ Oxf.).* ◆ **encrepement** n. m. (1120, *Ps. Oxf.*). Reproche menaçant.

encrieme adj. et n. m. (XIIᵉ s., Herman; cf. lat. *crimen,* accusation, grief). Scélérat, épithète fréquente de *felon.* ◆ **encriesmé, encrismé** adj. et n. m. (1080, *Rol.*). Criminel, scélérat. ◆ **encriemeté** n. f. (XIIᵉ s.). Conduite criminelle.

encrochier v. (1270, A. de la Halle; v. *croche,* crochu, et *croche,* crochet). 1° Etre crochu. — 2° Accrocher, suspendre. — 3° Accrocher, saisir.

encroer v. (1169, Wace; lat. pop. **incrocare,* même racine que *croc*). 1° Accrocher, pendre : *Que l'on les face*

con larons encruer (Asprem.). — 2° Attacher. — 3° S'attacher à. — 4° Embrasser.

encroisier v. (1160, *Athis;* v. *croisier*). 1° Croiser : *Ses mains encrozees sor son piz* (Garn.). — 2° Se croiser, prendre la croix. ◆ **encrois** n. m. (XIIIᵉ s., *Aye d'Avign.*). Croisement, carrefour.

encroistre v. (1080, *Rol.;* v. *croistre*). 1° S'accroître. — 2° Faire croître, augmenter.

I. encroter v. (1277, *Rose;* v. *crote,* grotte). Cacher, enterrer.

II. encroter v. V. EGROTER, être malade.

encrueler v. (XIIIᵉ s., *Fabl.*), **-delir** v. (XIIᵉ s., *Ps.;* v. *cruel*). Rendre, devenir, être cruel.

encruenter v. (XIIIᵉ s., *Pastor.;* lat. pop. *incruentare,* de *cruor,* sang). Ensanglanter.

I. encui, encoi adv. (XIᵉ s., *Alexis;* comp. anc. de *hanc* et *hodie*). Adv. de temps : 1° Aujourd'hui. — 2° Dès aujourd'hui.

II. encui adv. V. ENQUI, là.

encuser v. (Xᵉ s., *Saint Léger;* lat. *incusare*). 1° Blâmer, accuser, dénoncer. — 2° Faire connaître, révéler, avouer. — 3° *Encuser le vin,* le déguster. ◆ **encusement** n. m. (XIIᵉ s., M. de Fr.). 1° Accusation. — 2° Dénonciation. — 3° Trahison. ◆ **encuseor** n. m. (1160, Ben.). 1° Calomniateur, dénonciateur. — 2° Enquêteur.

encuvable adj. (1190, saint Bern.; v. *covir,* désirer, convoiter). 1° Convoiteux, désireux. — 2° Désirable.

endar, endart adv. (1260, Mousk.; comp. de *en* et *dar;* v. *dar*). En vain, inutilement.

endeble, endoible adj. (XIIᵉ s., M. de Fr.; v. *deible, doible,* faible). 1° Faible, affaibli. — 2° Infirme, paralytique. — 3° Caduc, exposé à périr. ◆ **endebleté** n. f. (fin XIIᵉ s., saint Bern.). 1° Faiblesse. — 2° Infirmité.

endelor adv. (1150, Wace; comp. anc. de *inde, illa,* et *hora*). Adv. de temps : 1° Désormais. — 2° Bientôt.

endemain adv. et n. m. (1160, *Eneas;* v. *demain*). 1° Demain. − 2° Le lendemain.

endementiers, -ieres, -res adv. (1155, Wace; renforcement de *dementiers*). 1° Adv. de temps, Pendant ce temps, alors : *Mais il advint andemantiers que ... (Ren.).* − 2° *Endementiers que,* loc. conj., pendant que.

endens adv. (1170, *Percev.;* v. *adens*). Sur les dents, à plat ventre. ◆ **endenté** adj. (fin XII⁰ s., Couci). Renversé. ◆ **endentee** n. f. (1335, *Rest. du Paon*). Action de tomber.

endenter v. (1306, Guiart; v. *dent*). Accrocher. ◆ **endenteure** n. f. (1160, *Eneas*). Denture, dentelure.

endestrer v. (XIII⁰ s.; v. *destre*, droite). 1° Marcher à droite. − 2° Guider, conduire.

endesver v. (fin XII⁰ s., *Loher.;* v. *desver, derver*). 1° Sortir hors du bon sens, enrager : *La roine ki enresge et andesve (Loher.).* − 2° Etre contrarié, s'emporter. ◆ **endesvé** adj. (XII⁰ s.). Qui est hors de soi.

endeter v. (1288, *Tourn. Chauvenci;* v. *detes*, désastres). Exposer au danger, compromettre.

endeviner v. (XIII⁰ s.; v. *deviner*). Deviner, prédire. ◆ **endevin, endevi** n. m. (1298, M. Polo). Devin.

endit n. m. (déb. XII⁰ s., *Ps. Cambr.;* lat. *indictum*, ce qui est fixé). 1° Champ situé entre Saint-Denis et La Chapelle où se tenait la foire annuelle commençant le mercredi avant la Saint-Barnabé. − 2° Foire elle-même.

I. enditier v. (XI⁰ s., *Alexis;* lat. pop. **indictare*, de *indicere*). 1° Indiquer, faire connaître. − 2° Dicter, écrire, rédiger. − 3° Informer, instruire, prescrire : *Dire Ce que mes cuers m'a enditié* (Ruteb.). − 4° Pousser, exciter. ◆ **enditement** n. m. (1169, Wace). Suggestion. − 2° Indication.

II. enditier v. (XI⁰ s., *Alexis;* lat. pop. **indigitare*, de *digitus*, doigt, souvent confondu avec le précédent). Montrer du doigt, indiquer.

endobler v. (1160, *Eneas;* v. *doble*, double, c'est-à-dire composé de deux moitiés). Briser par le milieu.

endoer, endover v. (1220, Coincy; v. *doer*, doter, pourvoir). Prendre une femme de force.

endoible adj. V. ENDEBLE, faible.

endoler v. (1162, *Fl. et Bl.;* v. *dol*, *duel*, douleur). Affliger, remplir de douleur. ◆ **endoloir** v. (1220, Coincy). Faire mal.

endosser v. (déb. XII⁰ s., *Voy. Charl.;* v. *dos*). 1° Appuyer. − 2° Charger sur son dos. − 3° S'engager. ◆ **endosseure** n. f. (1270, Ruteb.). Ce que l'on a sur le dos, vêtement.

endotriner v. (fin XII⁰ s., *Auberi;* v. *doctrine*). Instruire, enseigner. ◆ **endotrineor** n. m. (fin XIII⁰ s., Macé). Docteur.

endrecier v. (1169, Wace; v. *drecier*, dresser). 1° Mettre dans le droit chemin. − 2° Diriger, conseiller. − 3° Redresser, corriger. ◆ **endrecement** n. m. (1327, J. de Vignay). Droiture.

I. endroit, endreit n. m. (1160, *Eneas;* v. *droit*). 1° Manière : *E il se vengad en tel endroit Qu'il l'ocist entre sa gent (G. de Warwick).* − 2° Sorte, point de vue : *des ofres qu'els li font Se porpansa an maint androit (Eneas).* − 3° Situation, posture : *Virent [...] Yseut la gente Ovoc Tristran en tel endroit que nus hon consentir ne doit (Trist.).* − 4° Caractère, valeur. − 5° *En son endroit,* à son égard.

II. endroit adv. et prép. (XI⁰ s., *Alexis;* comp. de *en* et *droit*). Prép.: 1° Auprès de. − 2° Au moment de : *endroit midi.* − 3° En ce qui regarde, quant à : *endreit de,* à l'égard de, envers. ◆ Adv., accompagne d'autres adverbes pour préciser le lieu ou le temps. *Ore endreit,* tout de suite. *Ci endroit,* ici même. *Lendreit,* à cet endroit-là. ◆ **endroit** n. m. (XIII⁰ s., *ABC*). Le bon côté d'un objet : *Et de l'envers nous fist endroit (ABC).*

endruir v. (1220, Coincy; v. *dru*). Rendre fort, engraisser. ◆ **endrui** adj. (xiiie s.). Fort.

endui adj. num. V. AMBESDOUS, tous les deux.

enduire v. (1180, *Rom. d'Alex.;* lat. *inducere*, mettre dans, sur). 1° Conduire. — 2° Amener, inciter. — 3° Enduire. ◆ **enduiseure** n. f. (1270, Ruteb.). 1° Badigeonnage. — 2° Enduit.

endurer v. (xie s., *Alexis;* lat. *indurare*, endurcir). 1° Rendre dur, endurcir. — 2° S'endurcir, supporter. ◆ **endurement** n. m. (1190, saint Bern.). Action d'endurer, de souffrir. ◆ **endureor** n. m. (xiiie s.). Celui qui supporte courageusement. ◆ **enduré** adj. (fin xiie s., *Loher.*). 1° Endurci aux fatigues. — 2° Courageux, vaillant.

eneille, enille n. f. V. ANILLE, béquille.

enel adj. V. ISNEL, agile, rapide.

enemi n. m. (xie s.; v. *anemi*). 1° Adversaire. — 2° Diable. ◆ **enemistié** n. f. (1145, G.). Inimitié. ◆ **enemiable** adj. (1130, *Job*). 1° Ennemi, hostile. — 2° Fâcheux, funeste.

enerber v. (xiie s., *Parise;* v. *erbe*, herbe). Empoisonner : *Laissiez aler la garce ... Bien vous peust ocire ou enherber (Aden.).* ◆ **enerbement** n. m. (1205, *G. de Palerne*), **-eure** n. f. (1180, *Rom. d'Alex.*). 1° Empoisonnement. — 2° Poison végétal.

enermir v. (xiie s.; v. *ermin*, désert). 1° Rendre désert, ravager. — 2° Désoler. ◆ **enermi** adj. (1160, Ben.). — 1° Désert, sauvage, ravagé. — 2° Solitaire, sombre, triste : *Ne li caloit de soi, tous estoit enhermis (Rom. d'Alex.).*

enerrer v. (1175, Chr. de Tr.; v. *erres*, arrhes). 1° Donner des arrhes. — 2° Mettre en train, commencer. — 3° Faire des avances : *D'un doz regart l'a enerree* (Chr. de Tr.).

enerver v. (déb. xiiie s., D.; lat. *enervare*, couper les nerfs). Priver d'énergie, affaiblir.

eneschier v. (xiiie s.; v. *esche*, amorce, appât). Amorcer.

eneslopas, eneslepas adv. (1160, Ben.; mot composé de *es*, même, et *le pas*, littéralement : de ce même pas). Adverbe de temps, Immédiatement, sur-le-champ : *Alons donc eneslepas e si demandons le saint baptesme as crestiens (Saint Eust.).*

eneslore, anislore adv. (1160, *Eneas;* mot composé de *es*, même, et *l'ore*, l'heure). Adverbe de temps, Tout de suite.

enesses adv. V. ENAISE, facilement, presque.

enesvois, enevois, enevoies adv. (xiie s., *Trist.;* orig. incert.). A l'instant, sans tarder, aussitôt : *Si l'en fai faire jugement Et enevoies l'en requier, Priveement, a ton couchier (Trist.).*

enfaissier v. (xiie s., Herman; v. *faisse*, lien, bande). Lier avec les bandelettes.

enfait adj. (fin xiie s., saint Grég.; lat. pop. ** infactum*, pour *infectus*). Infecté.

enfaitier v. (xiiie s.; v. *afaitier*, façonner, éduquer). 1° Instruire, dresser. — 2° Préparer. ◆ **enfaitié** adj. (xiiie s., *Lai de l'Ombre*). Habile, instruit, prudent.

enfangier v. (1220, Coincy; v. *fange*). 1° Embourber, crotter. — 2° S'attacher d'une manière honteuse : *A la pucele ou enfangié Avoit son courage et son cuer S'en repaira* (Coincy).

enfant n. m. cas rég., **enfes** cas suj. (xie s., *Alexis;* lat. pop. *infans, infantem*, qui remplace *puer*.) 1° Enfant, par rapport aux parents. — 2° Jeune enfant ou adolescent, par rapport aux adultes. — 3° Jeune homme noble non encore adoubé chevalier. — 4° *Enfant de pié*, fantassin. ◆ **enfançon** n. m. (xiie s., *Ysopet* I), **-çonet** (1170, *Percev.*). Petit enfant. ◆ **enfance** n. f. (1160, *Eneas*). 1° Jeunesse. — 2° Enfantillage, légèreté, folie : *Si cel enquides, ceo est enfance (Rés. Sauv.).* — 3° plur. Début glorieux, coups d'essai : *Biax fix ... tes enfances devés vos faire, nient baer a folie (Auc. et Nic.).* ◆ **enfan-**

tif adj. (XIIᵉ s., M. de Fr.), **-cible** adj. (fin XIIᵉ s., saint Grég.). 1° Enfantin, puéril. — 2° Puéril, sot, niais. ◆ **enfanteure** n. f. (1220, *Saint-Graal*). 1° Enfantement. — 2° Fruit de l'enfantement.

enfantosmer v. (1169, Wace; v. *fantosme*). Ensorceler, c'est-à-dire troubler les sens, faire perdre la mémoire, l'esprit. ◆ **enfantosmement** n. m. (XIIIᵉ s., *Vers de la mort*), **-erie** n. f. (1220, Coincy). Sortilège, enchantement. ◆ **enfantosme** n. m. (XIIᵉ s., *Conq. Irl.*). — 1° Fantôme, illusion produite par un songe. — 2° Esprit lutin, revenant. ◆ **enfantement** n. m. (1160, Ben.). Ensorcellement.

enfardeler v. (1332, G.; v. *fardel*). Envelopper, entortiller.

enfaumenter v. V. ENFOMENTER, ensorceler.

enfefer v. (1160, Ben.; v. *fieu,* fief). 1° Investir d'une terre. — 2° Enterrer. ◆ **enfefé** adj. et n. m. (XIIᵉ s.). Vassal.

enfelonir v. (1160, Ben.; v. *felon*). 1° Se montrer ennemi furieux, se déclarer violemment contre quelqu'un. — 2° S'emporter avec fureur.

enfeltrer v. (XIIᵉ s.; v. *feltre*, pièce de feutre, couverture). 1° Appuyer la lance sur le *feltre*. — 2° Garnir de feutre, rembourrer. — 3° Couvrir d'une couverture de feutre. ◆ **enfeltreure** n. f. (1220, *Saint-Graal*). 1° Pièce de feutre. — 2° Coussin rembourré.

enferer v. (fin XIIᵉ s., *Aiol;* v. *fer*). Garnir de fers, mettre dans les fers.

enfergier v. (1277, *Rose;* v. *ferges, fierges,* entraves). Charger d'entraves, de fers, mettre aux fers.

enferm adj. cas rég., **enfers** cas suj. (XIᵉ s., *Alexis;* lat. *infirmum*). 1° Infirme, malade, valétudinaire : *Je suis uns vieus hom... Enfers et plains de rume et fades* (A. de la Halle). — 2° Mauvais, malsain : *Les aigues en devinrent enfermes et ameres (Est. Rogier).* — 3° Pervers, corrompu. ◆ **enfermer** v. (1155, Wace). 1° Tomber malade. — 2° Devenir infirme. ◆ **enferté** n. f. (1119, Ph. de Thaun),

enfermeté n. f. (XIᵉ s., *Alexis*), **enfermerie** n. f. (XIIᵉ s., *Chétifs*), **enfertume** n. f. (1220, Coincy). Faiblesse physique ou morale. maladie, infirmité.

I. enfermer v. (XIIᵉ s., *Roncev.;* v. *fermer*). 1° Affermir, fortifier. — 2° Affirmer. — 3° Enfermer, clore. ◆ **enfermerie** n. f. (XIIIᵉ s.). 1° Forteresse. — 2° Prison. ◆ **enfermeure** n. f. (XIIIᵉ s., Th. de Kent). 1° Lieu fermé et fortifié. — 2° Porte fortifiée. — 3° Contenance, ce qui est renfermé dans un contenant.

II. enfermer v., tomber malade, devenir infirme. V. ENFERM, malade.

enfern n. m. (1080, *Rol.;* lat. chrét. *infernum,* lieu d'en bas). Enfer. ◆ **enferne** adj. (1270, Ruteb.), **-nin** adj. (XIIᵉ s., *Horn*). Infernal.

enfes n. m. cas sujet. V. ENFANT, cas régime.

enfichier v. (déb. XIIᵉ s., *Ps. Cambr.;* v. *fichier*). 1° Enfoncer, plonger. — 2° Attacher. — 3° Percer.

enfierir, enferir v. (fin XIIᵉ s., saint Grég.; v. *fier,* sauvage). 1° Devenir farouche. — 2° Avoir de la hauteur. — 3° S'obstiner au combat avec une ardeur pleine d'orgueil.

enfin adv. (1160, *Eneas;* v. *fin*). Adv. aspectuel, A la fin, finalement.

enflamber v. (1160, Ben.; v. *flambe,* flamme). Enflammer : *Amors l'avoit tote anflanbee (Eneas).*

enflechir v. réfl. (1277, *Rose;* v. *flechir*). Se détourner : *Et s'enfleci de la matière (Rose).*

enfler v. (1130, *Job;* lat. *inflare,* souffler dans). Gonfler. ◆ **enfle** n. f. (déb. XIIIᵉ s., R. de Clari), **-aison** n. f. (XIIIᵉ s.). Gonflement, enflure. ◆ **enflé** adj. (1180, *Rom. d'Alex.*). 1° Enflé. — 2° Enflé de colère.

enfoer v. (fin XIIᵉ s., saint Grég.; v. *foer,* mettre le feu). Enflammer.

enfoir v. (XIᵉ s., *Alexis*), **-er** v. (1175, Chr. de Tr.; lat. pop. **infodire*). Enfouir.

enfoler v. (XIIᵉ s., *Ps.;* v. *fol,* fou). S'écarter : *Et de tes cumandemenz nient enfolai* (Ps.). ◆ **enfoletir** v. (1160, Ben.). Affoler, étourdir, ensorceler.

enfomenter, enfaumenter v. (déb. XIIIᵉ s., R. de Beauj.; probablement une déformation phonétique, par attraction d'autres radicaux, de *enfantosmer*). Ensorceler : *Bien sot qu'il enfaumentés fu* (R. de Beauj.).

enfonder, -drer v. (1119, Ph. de Thaun; v. *fonder, fondrer*). 1º Enfoncer. — 2º Engloutir. — 3º Répandre, renverser, briser.

enfondre v. (XIIIᵉ s., v. *fondre,* verser, fondre). Etre gelé, mouillé. ◆ **enfondu** adj. (1125, Marb.). 1º Mouillé, trempé, glacé. — 2º Attaqué par l'*enfonture.* ◆ **enfonture** n. f. (1125, Marb.). Sorte de maladie produite par l'excès de nourriture.

enforchement n. m. (XIIIᵉ s., *Anseis;* v. *forche*). 1º Enfourchure. — 2º Partie de la poitrine nommée fourchette ou bréchet. ◆ **enforcheure** n. f. (1160, Ben.). 1º Bréchet. — 2º Bifurcation des jambes. — 3º Distance entre deux parties extrêmes d'un objet recourbé.

enforcier v. (1160, *Eneas*), **-ir** (fin XIIᵉ s., *Loher.;* lat. pop. **infortiare,* de *fortis*). 1º Rendre plus fort, fortifier, renforcer, confirmer. — 2º Devenir plus fort, augmenter, aggraver. — 3º Donner la force à, soutenir. — 4º Prendre de force, contraindre. — 5º Violer : *Il enforçoit les damoiseles (Percev.).* ◆ **enfors** n. m. (fin XIIᵉ s., *Cour. Louis*), **enfort** n. m. (1169, Wace). Force. ◆ **enforcement** n. m. (1180, *Rom. d'Alex.*). 1º Action de rendre plus fort. — 2º Fortification, rempart. — 3º Forces, en parlant des troupes. — 4º Force, pouvoir, autorité. — 5º Violation.

enforer v. V. ENFUERER, rengainer.

enformer v. (1190, Garn.; lat. *informare,* instruire, considéré en même temps comme un dérivé de *forme*). 1º Donner une forme. — 2º Prendre forme : *Deus doucement te renforma Quant en ta forme s'enforma* (R. de Moil.). — 3º

Déformer. — 4º S'habiller, se vêtir. — 5º Instruire, apprendre : *Qui vous ha en ce enfourmé? (Est. Saint-Graal).* — 6º Instruire, interroger. ◆ **enformement** n. m. (1290, *Arch.*). 1º Formation. — 2º Information, enquête. — 3º Réclamation. ◆ **enformeor** n. m. (1288, J. de Priorat). Celui qui informe, qui recherche.

enforrer v. (1164, Chr. de Tr.; v. *forrer,* fourrer). 1º Garnir de fourrures. — 2º Cacher, déguiser.

enfosser v. (1220, Coincy; v. *fosse*). Jeter dans une fosse, enfouir. ◆ **enfossé** adj. (1170, *Percev.*). Creux, enfoncé. ◆ **enfosseur** n. m. (1289, G.). Destructeur.

enfraeler v. (1204, R. de Moil.; orig. incert.). Se parer.

enfraindre v. (fin XIᵉ s., *Lois Guill.;* lat. pop. **infrangere,* pour *infringere*). 1º Briser, rompre. — 2º Renverser, détruire, mettre au pillage. — 3º Se retirer (de la bataille). ◆ **enfrainte** n. f. (1307, G.), **enfraignement** n. m. (1209, *Arch.*), **-ance** n. f. (1259, *Arch.*). 1º Action de rompre, de briser. — 2º Infraction. ◆ **enfraigneor** n. m. (XIIᵉ s., J. Fantosme). Qui rompt, qui viole.

enfranchir v. (XIIᵉ s., Herman; v. *franc*). Affranchir, rendre libre : *Je l'acata a serf, mais or l'enfranquison* (Bible).

enfremer v. V. ENFERMER, affermir, et ENFERMER, tomber malade).

enfrener v. (1160, Ben.; v. *frener*). 1º Mettre un frein à, brider. — 2º Assujettir, mettre sous le joug. — 3º Refréner, arrêter, empêcher.

enfresi, enfreci adv. (1170, *Fierabr.;* orig. incert.). 1º Adv. Jusque : *Enfresi au castel n'i ot regne tiré* (G. de Cambr.). — 2º *Enfresi que,* loc. conj., jusqu'à ce que.

enfreté n. f. V. ENFERMETÉ, maladie.

enfrum, enfrun adj. (XIIᵉ s., *Part.;* v. *frume,* mine). 1º Renfrogné, morose : *Qui aime tel pucele et de si grant parage Ne doit le cuer avoir ne enfrun ne ombrage*

(Aden.). — 2° Avide, glouton. — 3° Avare, chiche. ◆ **enfrume** n. f. (XIIIe s., *Lai Arist.*). Moue, grimace.

enfuerer v. (XIIIe s., *Doon de May.*; v. *fuere,* fourreau). Rengainer.

enfusci adj. (fin XIIe s., *Gar. Loher.*; lat. pop. **infuscitum,* pour *infuscatum*). Noirci.

enfuster v. (1265, Ruteb.; v. *fust*). 1° Mettre en fût. — 2° S'ingénier.

engan n. m. (1150, *Thèbes;* cf. germ. *gaman,* en convergence avec *engin,* de *ingenium*). 1° Ruse, tromperie, fourberie. 2° Peine, travail. ◆ **enganer** v. (XIe s., *Alexis*). 1° Tromper : *Bien somes engané (Ren. de Montaub.).* — 2° Irriter. ◆ **engaigne** n. f. (1155, Wace). 1° Ruse, tromperie : *Dient que ce lor semble engaine Que feme regne en Bretaine* (Wace). — 2° Habileté, adresse. — 3° Invention, engin, machine. — 4° Mécontentement, dépit : *Par foi! or ai je grant engaigne De vo grande melancolie* (A. de la Halle). — 5° Incertitude, embarras. ◆ **enganai** n. m. (XIVe s.). Adresse, ruse : *tu es un ribaut plain de mal enganay (G. de Blav.).* ◆ **enganement** n. m. (1169, Wace). Ruse, fourberie.

engarder v. (1160, *Athis,* v. *garder*). 1° Préserver, empêcher, faire obstacle à. — 2° Regarder, considérer.

engehir v. (1190, Garn.; v. *gehir,* faire avouer par la torture). Confesser, faire avouer.

engeindre v. (1162, *Fl. et Bl.*), **engendrer** v. (XIIe s., *Roncev.;* lat. *inginere* et *ingenerare*). 1° Engendrer. — 2° Mettre au monde. ◆ **engendrement** n. m. (1150, Wace). 1° Action d'engendrer : *Nos sommes vostre de vostre engenrement* (Ami). — 2° Naissance. — 3° Race, extraction : *De grant engendrement (Chev. cygne).* ◆ **engendreure** n. f. (XIIe s., Herman). 1° Action d'engendrer. — 2° Progéniture, race, petits. ◆ **engendree** n. f. (XIIe s., *Chev. cygne*). Progéniture, race, génération. ◆ **engendreis, engendrerece** n. f. (XIIe s.). Mère. ◆ **engendré** n. m. (XIIe s., J. Fantosme). Fils.

engeoler v. V. ENJAOLER, emprisonner.

engeter v. (fin XIIe s., *Rois;* v. *geter*). 1° Jeter, chasser. — 2° Déposséder. ◆ **engetement** n. m. (1304, *Year Books*). Expulsion.

I. **engier** v. (1175, Chr. de Tr.; orig. obsc.). 1° Pourvoir, produire, augmenter. — 2° Élever, exalter. — 3° Presser, activer. — 4° *Engier une feme,* l'étreindre, avoir commerce avec elle. — 5° Fréquenter, habiter. — 6° Faire du commerce. ◆ **engeance, henganche, ingence,** n. f. (1130, *Job*). Soin, préoccupation. ◆ **enge** n. f. (1260, Mousk.). Race, famille. ◆ **engee** n. f. (1180, *Rom. d'Alex.;* confondu avec *engin*). Engin.

II. **engier** v. (XIIe s.; orig. obsc.). 1° Tourmenter, sévir. — 2° Infecter.

engin, engien n. m. (1155, Wace; lat. *ingenium,* caractère, talent). 1° Habileté, adresse : *La vaut engins ou force fait* (Wace). — 2° Habileté, artifice : *tant ke par engien ke par force (Fille du comte de P.)* — 3° Moyen : *Ele se porpensa par quel engien ele porroit Aucassin querre (Auc. et Nic.).* — 4° Mal engien, tricherie. — 5° Engin, machine : *Fist drechier ses engiens a asalir a la vile* (R. de Clari). ◆ **enginier, engeignier** v. (1080, *Rol.*; lat. pop. **ingeniare,* de *ingenium*). 1° Imaginer, inventer : *feme est molt sage D'enginier mal an son corage (Eneas).* — 2° Fabriquer avec art. — 3° Tromper. — 4° Séduire (une femme). ◆ **engigne** n. f. (1160, Ben.), -**ance** n. f. (fin XIIe s., *G. de Rouss.*). Tromperie, ruse. ◆ **engeignement** n. m. (1169, Wace). 1° Invention, engin. — 2° Tromperie, ruse. ◆ **enginié** adj. (1125, *Gorm. et Is.*). 1° Trompé, joué. — 2° Coupable d'une erreur : *Tant par me tenc enginné ke n'i jostai oi premier tot cors a cors a l'aversier (Gorm. et Is.).* ◆ **enginos** adj. (1155, Wace). Habile, adroit, avisé. ◆ **engignant** adj. (1210, *Best. div.*) Tromper. ◆ **engignart** adj. (fin XIIe s., *G. de Rouss.*). 1° Trompeur. — 2° n. m. Diable. ◆ **engigneor** n. m. (1160, Ben.). 1° Constructeur d'engins, architecte, chef des travaux. — 2° Habile. — 3° Trompeur. — 4° Diable.

◆ **engignier** n. m. (1260, Mousk.). Ingénieur, architecte.

engistement n. m. (1304, *Year Books;* v. *giste,* p. passé de *gesir*). 1° Action de se mettre au lit. — 2° Droit de gîte.

englotir v. (xɪᵉ s., *Alexis*), **-er** v. (1270, Ruteb.; bas lat. *ingluttire,* avaler). 1° Avaler. — 2° Engloutir.

engluive adj. (1175, Chr. de Tr.; lat. *ingluviem,* gloutonnerie). Avide, glouton. ◆ **engluiver** v. (xɪɪᵉ s., Evrat). Englouter, dévorer.

engoler v. (1175, Chr. de Tr.; v. *gole,* bouche, gosier). 1° Mettre précipitamment ou avidement dans sa bouche, avaler, engloutir. — 2° Garnir d'ornements appelés *goles.* ◆ **engolé** adj. (1125, *Gorm. et Is.*). 1° Garni d'une collerette appelée *gole : As uns hermines engolés* (R. de Beauj.). — 2° Paré, orné. ◆ **engole aost** n. m. (1268, E. Boil.). Qui commence le mois d'août et, plus particulièrement, la fête de Saint-Pierre-aux-Liens, appelée aussi *entrant aost.*

engorgier v. (1204, R. de Moil.; v. *gorge*). 1° Avaler, engloutir, dévorer. — 2° Se couvrir la gorge. ◆ **engorgeure** n. f. (xɪɪᵉ s.). Gorge, poitrine : *Quel dos et quele engorgeure (Ren.).* ◆ **engorgeor** n. m. (1220, Coincy). Qui avale, qui dévore.

engorsé adj. (1277, *Rose;* orig. incert.). 1° Gros, gras. — 2° Bien pourvu, bien muni.

I. **engraignier, engrangier** v. (1160, *Charr. Nîmes;* lat. pop. **ingrandiare,* de *grandis*). Agrandir, augmenter, étendre : *Par ce commence li mals a engreignier (Charr. Nîmes).*

II. **engraignier, -enier** v. (fin xɪɪᵉ s., *Auberi;* v. *graignier,* irriter). 1° Mécontenter, irriter. — 2° S'irriter. — 3° Devenir plus cruel. ◆ **engraigne** n. f. (1180, *Rom. d'Alex.*). 1° Ressentiment. — 2° Acharnement. ◆ **engraignement** n. m. (fin xɪɪɪᵉ s., Guiart). 1° Ressentiment, courroux. — 2° Grognement, lamentation, plainte. ◆ **engrain** adj. (xɪɪᵉ s.). Triste, sombre.

engraisser v. V. ENGRESSER, s'empresser.

engramir v. (1170, *Percev.;* v. *graim,* triste). S'attrister, s'exaspérer. ◆ **engrami** adj. (xɪɪɪᵉ s., *Court. d'Arr.*). Chagrin, affligé. ◆ **engramoi** adj. (1200, *Ren. de Montaub.*). Irrité, fâché.

engrant adj. (1160, Ben.; orig. obsc.). Empressé, désireux : *De l'espouser fut moult engrant* (Coincy).

I. **engre** n. f. V. ENGE, race.

II. **engre** n. m. V. ANGELE, ange.

engregier v. (1160, Ben.; lat. **ingraviare,* de *gravis,* lourd). 1° Empirer, aggraver. — 2° Peiner, léser. ◆ **engregement** n. m. (xɪɪᵉ s.). 1° Peine, tort. — 2° Dommage.

engres, engrais, encreis adj. (1080, *Rol.;* orig. incert.). 1° Difficile, contraire, rude. — 2° Gênant, obstiné. — 3° Acharné, avide, empressé. *Egres de,* avide, zélé pour. — 4° Ardent, désireux : *Son cuer en ert engrés* (H. de Cambr.). — 5° Méchant, cruel : *Grant presse de genz felenesse et engresse* (Chr. de Tr.). ◆ **engresté** n. f. (1155, Wace). 1° Méchanceté, importunité. — 2° Acharnement, violence : *E de gré vus vendreit mielz suffrir povreté Que tenir granz honurs de lui par engresté* (Garn.). — 3° Avidité, ardeur.

engresser v. (1164, Chr. de Tr.; se rattache à *engres*). 1° Presser, exciter, animer : *De vistement courre s'engressent* (Guiart). — 2° Poursuivre, attaquer. — 3° Irriter, importuner. ◆ **engressement** n. m. (1260, Br. Lat.). Désir immodéré, emportement passionnel, criminel.

engrever v. (1164, Chr. de Tr.; v. *grief,* grave). 1° Faire du tort à. — 2° Aggraver. ◆ **engrevance** n. f. (1350; *Ars d'am.*). — 1° Dommage. — 2° Charge, ennui pesant.

engroignier v. (1190, Garn.; v. *groignier*). Manifester sa mauvaise humeur. ◆ **engroing** n. m. (fin xɪɪᵉ s., *Aym. Narb.*). 1° Groin. — 2° *Mal engroing,* mauvaise humeur. ◆ **engroigne** n. f. (xɪɪɪᵉ s.). Taloche sur le groin, sur la bouche. ◆ **engroignié** adj. (1277, *Rose*). Grognon.

engroissier v. (1160, Ben.; v. *gros*). 1° Grossir, agrandir, amplifier : *Sa face comença d'engrosser (F. Fitz Warin).* — 2° Rendre enceinte. — 3° Rendre vif, emporté. — 4° Devenir gros (en parlant du cœur), s'attrister : *Bele Aiglentine q'avez a empirier Que si vos voi palir et engroissier? (Rom. et past.).*

engronder v. (1260, Br. Lat.; v. *gronder*). 1° Etre mécontent. — 2° *Engronder les sorcils,* les froncer en signe de mécontentement.

engrot adj. V. EGROT, malade.

engruner v. (1204, R. de Moil.; v. *grumel,* grumeau). Mettre en miettes, écraser, briser

enguerpir v. (1300, G.; v. *guerpir*). Mettre en possession, le contraire de *deguerpir.*

enguichier v. (1313, *Arch.;* voir *guiche*). Garnir d'une *guiche,* d'une courroie servant à suspendre le bouclier au cou.

enguier v. (1160, Ben.; v. *guier,* conduire). 1° Guider, conduire. — 2° Acheminer.

enhair v. (XIᵉ s., *Alexis;* v, *hair*). Prendre en haine.

enhaitier v. (1080, *Rol.;* v. *haitier*). 1° Réjouir, donner de l'ardeur, exciter : *C'est folie qui vous enhete* (Ruteb.). — 2° Plaire. ◆ **enhait** n. m. (1160, *Athis*). 1° Bonne humeur, plaisir. — 2° Courage. — 3° Souhait.

enhalcier v. V. ENSALCIER, hausser.

enhaner v. (fin XIIᵉ s., saint Grég.; v. *ahaner*). 1° Essouffler, tourmenter. — 2° Haleter, gémir. — 3° Labourer, cultiver. ◆ **enhan** n. m (1169, Wace). — 1° Souffrance, angoisse. — 2° Labour, semailles.

enhanster. enhaster v. (1160, Ben.; v. *hanste*). Munir d'une *hanste,* d'un manche.

enhastir v. (1160, Ben.; v. *haste,* hâte). 1° Presser, pousser vivement. — 2° *Enhastir* quelque chose, poursuivre, tâcher d'atteindre. — 3° *S'enhastir de,* s'adonner avec ardeur à quelque chose. ◆ **enhastison** n. f. (XIIᵉ s., *Mon. Guill.*). — Hâte, ardeur.

enhelder v. (1080, *Rol.;* v. *helde,* poignée). — 1° Emmancher, garnir d'une poignée. — 2° Porter la main à la garde de l'épée. — 3° *Enheudir voiage,* l'entreprendre. — 4° Exciter, animer. ◆ **enheldeure** n. f. (1180, *Rom. d'Alex.*). — 1° Garde de l'épée, poignée. — 2° Tout ce qui sert à attacher. ◆ **enheudissement** n. m. (1294, *Cart. de Guise*). Connivence, tromperie, trahison.

enherdir v. (déb. XIIᵉ s., *Ps. Cambr.;* orig. incert.). 1° Se hérisser d'horreur : *Si enherdirent li poil de ma char* (saint Grég.). — 2° Éprouver de la terreur.

enheuc, enhem interj. (1260, A. de la Halle; orig. onomat.). Exclamation ironique : *Eh heuc! biau seigneur, je sui rois* (A. de la Halle).

enhicier v. (XIIᵉ s., *Chev. deux épées;* v. *hicier,* exciter). Exciter. ◆ **enhiter** v, (1335, *Rest. du Paon*). Exciter.

enhuchier v. (fin XIIᵉ s., saint Grég.; v. *huche*). Mettre dans un coffre, enfermer. ◆ **enhucheler** v. (1204, R. de Moil.). Enfermer.

enille n. f. V. ANILLE, béquille.

enios adj. V. ENOIOS, ennuyeux.

enjangler v. (XIIᵉ s.; v. *jangler,* criailler). 1° Babiller, caqueter. — 2° Railler, insulter. ◆ **enjanglé** adj. (1170, *Percev.*). Babillard, railleur.

enjaoler, engeoler v. (1220, Coincy; v. *jeole,* cave, cage). Mettre en geôle, emprisonner.

enjeun n. m. (1260, A. de la Halle; v. *jeun*). Le fait de jeûner : *Fesis tu orine a enjun?* (A. de la Halle).

enjoliver v. (déb. XIVᵉ s., *F. Fitz Warin;* v. *jolif,* gai). 1° S'égayer. — 2° Etre plein d'entrain.

enjorner v. (xiiᵉ s.; v. *jorn*). 1° Commencer à faire jour. − 2° Éclairer. ◆ **enjornant** n. m. (1160, Ben.), -**ee** n. f. (1175, Chr. de Tr.). Matin, point du jour.

enjosque prép. V. ENJUSQUE, jusque.

enjoste prép. (1170, *Fierabr.;* comp. de *en* et *joste*). Prép. de lieu, Près de.

enjoter v. (1220, Coincy; v. *joter*). 1° Placer, déplacer : *Par la sue seinte pité Nus enjuta de mort en vie (Sept Dorm.).* − 2° Renverser, enlever.

enjurier v. (xiiᵉ s., *Asprem.;* lat. *injuriari*). 1° Faire du tort, endommager. − 2° Offenser. ◆ **enjurie** n. f. (1119, Ph. de Thaun), **enjure** n. f. (fin xiiᵉ s.). Injure, affront.

enjusque, enjosque prép. (1190, saint Bern.; v. *jusque*). 1° Jusque. − 2° *Enjosqu'a tant que*, loc. conj., jusqu'à ce que.

enla, enlai adv. (1302, *Lettre;* comp. de *en* et *la*). Au-delà, d'ici là : *Des la saint Luc qui vient enlai (Lettre* de J. de Joinv.).

enlagané adj. (fin xiiiᵉ s., *Son. de Nans.;* v. *lagan*, épave). Exposé à une perte certaine.

enlaissier v. (1160, *Athis;* v. *laissier*). 1° Laisser courir. − 2° Abandonner, délaisser.

enlandoner v. (1220, Coincy; v. *landon*). 1° Mettre au cou du chien une sorte de billot, appelé *landon* pour l'empêcher de chasser. − 2° Lier, engager, asservir.

enlangagié adj. (1265, J. de Meung; v. *langage*). Beau parleur, bavard.

enlangoré adj. (1277, *Rose;* voir *langor*). Langoureux, languissant : *Lors sont amours enlangourees (Clef d'Am.).*

enlatiner v. (xiiiᵉ s.; v. *latin*). Instruire dans le latin, instruire en général. ◆ **enlatiné, -imé** adj. (1169, Wace). 1° Lettré. − 2° Disert.

enleçoné, enloçoné adj. (1169, Wace; v. *leçon*). 1° Endoctriné, sage. − 2° Bien embouché, beau parleur.

enlieger v. (fin xiiᵉ s., *Gar. Loher.;* v. *lige, liege*, vassal, obligé). Défier, appeler en duel.

enlignier v. (1204, R. de Moil.; v. *ligne*, lignage). Faire entrer dans un lignage, dans une famille. ◆ **enlignié** adj. (1080, *Rol.*). Qui est de tel lignage.

enlire v. (1210, *Dolop.;* v. *lire*). Élire, choisir.

enloçoné adj. V. ENLEÇONÉ, sage, beau parleur.

enlovir v. (1220, Coincy; v. *lovis*, adj., affamé comme un loup). Désirer avec ardeur.

enluer v. (1112, *Saint Brand.;* orig. incert.). 1° Enduire, oindre. − 2° Glisser, s'échapper.

enluide n. f. (xiiᵉ s.; cf. lat. *lucidum*). Éclair. ◆ **enluider** v. (xiiᵉ s.). Lancer des éclairs.

enluminer v. (déb. xiiᵉ s., *Ps. Cambr.;* lat. *illuminare*, avec changement de préfixe). 1° Éclairer, illuminer. − 2° Etre éclairé, briller. − 3° Rendre la vue à : *Les aveugles enluminoit Et lez tors fesoit aler droit (Livr. Passion).* − 4° Faire des enluminures (xiiiᵉ s.). ◆ **enluminement** n. m. (1120, *Ps. Oxf.*). Lumière, clarté. ◆ **enluminé** adj. (xiiᵉ s.). 1° Éclairé. − 2° Éclatant. − 3° Illustré par. ◆ **enlumineor** n. m. (1220, *Saint-Graal.*). 1° Celui qui éclaire, qui donne la lumière. − 2° Enlumineur.

enmi prép. et adv. V. EMMI, au milieu de, au milieu.

I. **enne** adv. (1175, Chr. de Tr.; lat. *etiamne*). 1° Particule affirmative de renforcement, n'est-ce pas! par ma foi! certes! *Enne voire* (J. Bod.), Certes. 2° Particule interrogative dans les énoncés négatifs : *Douce dame [...] Enne vois tu comment mes cors Est confondus...? (D'un Clerc).*

II. **enne** n. m. V. AINE, mode de propriété féodale.

enneece n. f. V. AINSNEECE, aînesse. ◆ **enneance** n. f. (xiiiᵉ s., *Livr. de Jost.*),

enneté n. f. (XIIIe s., *Livr. de Jost.*). Aînesse, droit d'aînesse.

ennuble, ennuile adj. (1175, Chr. de Tr.; v. *nuble*, nuageux). 1° Couvert de nuages, obscurci. — 2° Aveugle. — 3° Sombre, triste. — 4° Dont l'esprit est obscur. ◆ **ennubler** v. (1130, *Job*), **-ir** v. (fin XIIIe s., *Fabl. d'Ov.*). Couvrir de nuages, obscurcir.

enoier, enuier v. (1080, *Rol.*; bas lat. *inodiare*, de *odium*, haine). 1° Nuire, contrarier, fâcher. — 2° Fatiguer, épuiser : *Nos chevals sunt e bas e ennuiez (Rol.).* — 3° Etre importun, chagriner : *Pinchedé, or ne vous anuit!* (J. Bod.). ◆ **enui, enoi** n. m. (1120, *Ps. Oxf.*). 1° Peine, tourment. — 2° *Faire ennui,* faire mal : *Se gel pooie as poins tenir, Ge li feroie asez ennui (Trist.).* ◆ **enoiement** n. m. (1120, *Ps. Oxf.*), **-ance** n. f. (fin XIIIe s., *Fabl. d'Ov.*). 1° Peine. — 2° Chagrin, contrariété. — 3° *Par enoiement,* par insistance, en pressant jusqu'à ennuyer. ◆ **enoios** adj. (1160, Ben.). 1° Qui cause de la peine, désagréable. — 2° Triste : *Ki chi ne velt avoir vie anuieuse* (C. de Béth.). ◆ **enoiable** adj. (fin XIIe s., *Aym. Narb.*). 1° Nuisible, malfaisant. — 2° Fâché, ennuyé.

enoilier v. (1170, *Percev.*; v. *oile, uile*). 1° Huiler, oindre. — 2° Administrer l'extrême-onction. — 3° Charmer, ensorceler : *Cist siecles st les enolie Que petit pensent a la mort* (Coincy). — 4° Allumer.

enoindre v. (1160, Ben.; v. *oindre*). Oindre, sacrer. ◆ **enointure** n. f. (XIIe s., *Éd. le Conf.*). Onction.

enoiseler v. (1260, Mousk.; voir *oisel*). 1° Dresser un oiseau. — 2° Instruire, exciter : *D'un dous baisier m'enoselai (Chans.).*

enoit adv. V. ANUIT, cette nuit, ce soir.

I. **enoitier** v. (1180, G. de Saint-Pair; lat. pop. **innoctare*, de *noctem*). Se faire nuit, être nuit.

II. **onoitier** v (XIIIe s., Bible; voir *oitier*, même sens). Augmenter, accroître.

enombrer v. (1160, Ben.; v. *ombre*). 1° Couvrir d'ombre, obscurcir. — 2° S'incarner (en langage biblique).

◆ **enombrement** n. m. (1200, *Quatre Fils Aym.*). Incarnation.

enonder v. (1120, *Ps. Oxf.;* lat. *inundare,* de *unda,* onde). 1° Inonder. — 2° Déborder. — 3° Rassasier, satisfaire. ◆ **enondant** adj. (1130, *Job*). Débordant.

enondu interj. (XIIIe s.; mot composé, avec amalgame). Au nom de Dieu!

enor n. m. V. ONOR, honneur.

enorbeté adj. (1220, *Saint-Graal;* v. *orb.* aveugle). 1° Aveuglé. — 2° Aveugle.

enorder v. (fin XIIe s., Guiot), **-ir** v. (1204, R. de Moil.; v. *ort,* sale). Souiller, salir.

enorter v. (Xe s., *Eulalie;* lat. pop. **inhortare,* de *hortari*). 1° Exhorter, conseiller : *Felonie criem qu'il anorte (Trist.).* — 2° Séduire, tromper. ◆ **enort** n. m. (fin XIIe s., *G. de Rouss.*), **-ement** n. m. (XIIe s., M. de Fr.), **-ance** n. f. (1260, A. de la Halle). Conseil, suggestion, excitation. ◆ **enorteor** n. m. (XIIIe s., Bible). Conseiller, instigateur.

enoschier v. (1125, *Gorm. et Is.;* v. *oschier,* entailler). Faire une entaille, ébrécher.

enosser v. (1210, *Dolop.;* v. *os*). 1° Étrangler avec un os, étouffer. — 2° Étouffer, tuer. — 3° Rendre décharné : *Et se la male mort l'enosse* (J. de Meung).

enquareler v. (1277, *Rose; v. quarel,* flèche à quatre pans). Garnir de carreaux : *Car el (les flèches) furent encarrelees De sajetes d'or barbelees* (Rose).

enque, enche n. f. (XIe s., *Alexis;* bas lat. ** encautum,* pour *incaustum,* du grec). Encre : *Quier mei... ed enque et parchemin (Alexis).*

enquerre v. (XIe s., *Alexis;* lat. *inquirere,* s'inquérir). 1° Chercher à savoir, s'informer. — 2° Demander. ◆ **enquerement** n. m. (1160, Ben.). 1° Recherche, enquête. — 2° Demande. ◆ **enquereor** n. m. (fin XIIe s., Couci). Enquêteur.

enquetume n. f. (XIIe s.; lat. *inquietudinem*). Inquiétude.

I. **enqui, equi, iqui** adv. (1080, *Rol.*; comp. ancien comportant les particules *ecce et hic,* confondu, dans les emplois temporels, avec *encui*). 1° Adv. de lieu, Là : *Ceval li baillent si l'enmaint d'enqui (Ogier).* — 2° Adv. de temps, Maintenant.

II. **enqui** adv. V. ENCUI, aujourd'hui.

enraisnier v. (déb. XIVe s., *F. Fitz Warin;* v. *raisnier,* même sens). 1° Adresser la parole à. — 2° Raisonner. — 3° Prêcher, instruire. ◆ **enraisnie** adj. (1155, Wace). Beau parleur, éloquent : *Qatre clerc saive et enraisnie* (Wace).

enramer v. (XIIIe s., *Vers de la mort;* v. *rame*). 1° Conduire à la rame. — 2° Engager : *Et de pis en pis enramer en amertume de pechié (Vers de la mort).*

enraschier v. (1230, *Eust. le Moine;* lat. pop. **rasica,* de *rasis,* poix brute). S'embourber, s'enfoncer dans la vase.

enraser v. (XIIe s., Herman; v. *ras*). Remplir à ras bord.

enrede, enresde adj. V. ENROIT, obstiné, violent.

enrengié adj. (1169, Wace; v. *renge,* sorte d'écharpe). Orné d'une écharpe. ◆ **enrengeure** n. f. (XIIe s., *Chev. deux épées*). Dragonne.

enreser v. (1204, *l'Escouffle*; orig. incert.; probabl. germ.; cf. all. *reden,* parler). Conter, raconter.

I. **enresnier, enreignier** v. (XIIe s., *Trist.*; v. *resne*). 1° Mettre les rênes. — 2° *Enresner a,* venir aux prises avec.

enrievre adj. (1160, Ben.; orig. obsc.). 1° Méchant, malin : *Li Gepidien sunt empres, Felun, enrievre e engres* (Ben.). — 2° Obstiné. — 3° Extravagant, insensé. ◆ **enrevreté** n. f. (1150, Wace). Obstination.

enrober v. (1220, Coincy; v. *robe*). 1° Fournir des vêtements. — 2° Revêtir.

I. **enroer** v. (1190, J. Bod.). Faire subir le supplice de la roue : *Tu seras ars ou enroués* (J. Bod.).

II. **enroer** v. (1125, Marb.; v. *ro,* enroué). Enrouer.

enroier v. (XIIe s., *Part.;* v. *roie, raie,* ligne, sillon). 1° Mettre dans le chemin, enfoncer. — 2° Mettre en train, entreprendre : *Orguel veut achever quanqu'il ,... enroie* (J. de Meung). — 3° S'arrêter dans le chemin, s'arrêter pour résister, s'opposer. ◆ **enroi** n. m. (1270, Ruteb.). 1° Voyage. — 2° Entreprise.

enroidir v. (fin XIIe s., saint Grég.; v. *roidir*). Devenir raide, se raidir. ◆ **enroidissement** n. m. (1314, Mondev.). État de ce qui est raidi, contracté. ◆ **enroit, enroide, enrede, enresde** adj. (1160, Ben.). 1° Obstiné. — 2° Violent, furieux. — 3° Extravagant, insensé : *Enreides fust lonc tens et fous* (Coincy). ◆ **enroidie, enresdie** n. f. (1175, Chr. de Tr.). 1° Opiniâtreté, violence : *Et force n'i voust mestre mie, Ainz voust soufrir leur enreidie (Est. Saint-Graal).* — 2° Rage, extravagance. ◆ **enrederie** n. f. (fin XIIe s., *G. de Rouss.*). Opiniâtreté, fureur.

enromancier v. (1210, *Dolop.;* v. *romancier*). 1° Mettre par écrit en langue vulgaire. — 2° Expliquer, commenter : *Il avoit gens que l'en appelle drugemens, qui enromançoient le sarrazinois au comte* (Joinv.). ◆ **enromancié** adj. (XIIe s., *Ogier*). Beau parleur, éloquent.

enrudi adj. (fin XIIe s., saint Grég.; v. *rude*). Rude, grossier.

enrungier v. (fin XIIe s., *Aiol;* voir *rungier,* entamer). Rouiller.

I. **ens, enz** adv. et prép. (XIe s., *Alexis;* lat. *intus*). 1° Adv., Dedans, à l'intérieur : *Ge serai ens et vos defors* (Chr. de Tr.). *Hors et ens,* dehors et dedans. — 2° Renforce la préposition *en* : *Ens en sa chambre toute plorant en vint (Gar. Loher.).* — 3° Prép., Dans, en : *Ens cele canbre, biaus dous nies, enterés* (H. de Bord.).

II. **ens** adv. pron. V. EN, de ce lieu, de cela, de lui.

I. **ensachier** v. (1270, Ruteb.; v. *sac, sache,* sac). Mettre dans le sac.

II. ensachier v. (XII⁰ s., *Part.*; v. *sachier*, tirer). Tirer, attirer.

ensaier v. (XII⁰ s., *Chev. cygne*; v. *essaier*, avec chang. de préfixe). 1° Essayer, éprouver. — 2° Mettre à l'épreuve. ◆ **ensaie** n. f. (1337, Watriquet). Essai, épreuve.

ensaignier v. (1190, Garn.; voir *saignier*). Ensanglanter. ◆ **ensaignable** adj. (fin XIII⁰ s., *Fabl. d'Ov.*). Taché de sang.

ensaimer v. (1120, *Ps. Oxf.*; v. *saim*, graisse). Graisser, engraisser.

ensalcier, enhalcier v. (1160, *Eneas*; v. *alcier*, hausser, avec le préfixe dédoublé *en-* et *es-*). 1° Élever, hausser. — 2° Élever la voix : *Et puis vait anhauçant son conte (Eneas).* — 3° Honorer, protéger. ◆ **ensalcement** n. m. (XIII⁰ s., *Pastor.*). Action d'exhausser.

ensalvegir v. (XII⁰ s., *Chev. cygne*; v. *salvage*). Devenir sauvage.

ensanle, ensamble adv. et prép. (XI⁰ s., *Alexis*; lat. pop. *insimul*). 1° Adv. Ensemble : *Segneur, a tous ensanle vous di de par le roy (J. Bod.).* — 2° Prép. Avec : *ensemble la roine (Trist.).*

enscient, ensiant n. m. (1180, *Rom. d'Alex.*; v. *escient*, avec changement de préfixe). 1° Entendement, idée. — 2ª Connaissance, avis. — 3° *A enscient,* sciemment. — 4° *Mien enscient, mon enscient,* d'après ce que je sais, par ma foi : *Mien ensiant, tres bien savés Quels biens chou est de paradys (J. Bod.).* ◆ **ensciente** n. f. (fin XII⁰ s., *Auberi*). 1° Idée, pensée, sentiment. — 2° *Mon ensciente,* à escient. — 3° *Ensciente,* à escient. ◆ **enscience** n. f. (1277, *Rose*). Science. ◆ **ensientage** n. m. (fin XII⁰ s., *Ogier*). Science, instruction. ◆ **enscientos** adj. (1160, Ben.). Savant, habile, avisé : *En lui voit cuer merveiloz Et de set ars enscientos (Ben.).*

enseans adv. (1170, *Fierabr.*; renforc. de *ceans*). Adv. de lieu, Céans, là : *Paiens et Sarrazins ont enseans trovés (Fierabr.).*

enseeler v. (XII⁰ s., Herman; v. *seel*, sceau). Sceller. ◆ **enseelé** adj. (1274, Aden.). Gravé dans la mémoire.

enseignier v. (XI⁰ s., *Alexis;* lat. pop. *insignare,* de *signare,* indiquer). 1° Marquer. — 2° Montrer. — 3° Faire signe. — 4° Faire la preuve. — 5° Instruire. *Ou il n'a qu'enseigner* loc., qui a toutes les qualités, parfait. ◆ **enseignement** n. m. (1180, *Rom. d'Alex.*). 1° Renseignement qu'on a sur une chose. — 2° Avis, conseil. — 3° Charte, acte, titre authentique. — 4° Sagesse. ◆ **enseigne** n. f. (X⁰ s., *Passion*). 1° Marque, tache. — 2° Banderole de la lance, lance. — 3° Signe, signal, indication. — 4° Preuve : *les ansoignes l'en puet mostrer (Eneas).* — 5° Cri de ralliement : *Carles (crie) Munjoie, l'enseigne renumee (Rol.).* ◆ **enseing** n. m. (XIII⁰ s.). 1° Signe. — 2° Enseignement. ◆ **enseignable** adj. (1260, Br. Lat.). Docile.

enseignorir v. (1160, Ben.), **-ier** v. (XIII⁰ s.). 1° Devenir seigneur. — 2° Régner, dominer, commander.

enseler v. (1160, *Eneas*; v. *seler*). Seller.

ensembler v. (1230, *Eust. le Moine*; v. *ensemble*). 1° Rassembler. — 2° Unir par mariage. ◆ **ensembler** n. m. (1230, *Eust. le Moine*). — 1° Rencontre : *Grant joie font a l'ensembler (Eust. le Moine).* — 2° Choc, combat. ◆ **ensemblement** n. m. (XIII⁰ s., Th. de Kent), **oison** n. f. (fin XII⁰ s., *Loher.*). Assemblée, assemblage, union.

ensement adv. (1080, *Rol.*; comp. ancien de *ipsa* et *mente,* le premier élément ayant été ensuite assimilé à *en-*). 1° Ainsi, de telle manière. — 2° *Ensement come, ensement que,* exactement comme, tout comme : *Blanche ad la barbe ensement cume flur (Rol.).* — 3° *Ensement,* conj. de coord., en tête de la phrase, De même, en outre.

ensems adv. (X⁰ s., *Passion;* lat. *in* et *sem,* avec un *s* adverbial). Ensemble : *Crident Pilat tres tuit ensems (Passion).*

ensenser v. (XIII⁰ s., v. *sens*). 1° Éclairer. — 2° Rendre plus sage.

enserer v. (fin XIIe s., *Loher.*), **-ir** v. (1180, *Rom. d'Alex.;* v. *soir*). Aller vers le soir. ◆ **enseree** n. f. (XIIIe s., *Court. d'Arr.*). Le soir. ◆ **enseri** adj. (XIIe s.). 1° Du soir : *Tout est enseri,* c'est tout à fait le soir. — 2° Serein, calme, doux. — 3° *Estre enseri,* dormir profondément.

ensermenter v. (XIIe s., *Asprem.;* v. *serment*). Prêter serment.

enserrer v. (1190, J. Bod.; v. *serrer*). 1° Enfermer, renfermer, serrer. — 2° Enfoncer. ◆ **enserrement** n. m. (XIIIe s., *Maug. d'Aigr.*). Emprisonnement, prison. ◆ **enserré** adj. (XIIe s.). 1° Enfermé. — 2° Peu muni. — 3° Avare.

enseur adj. (déb. XIVe s., *F. Fitz Warin;* v. *seur*). Sûr, certain. ◆ **enseurer** v. (1304, *Year Books*). Assurer.

ensevre v. V. ENSUIVRE, suivre, imiter.

ensi adv. V. EINSI, ainsi.

ensiant n. m. V. ENSCIENT, entendement, connaissance, avis.

ensir v. V. EISSIR, sortir.

ensoagier v. (1220, Coincy; voir *soagier*). Adoucir, soulager.

ensocir v. (1220, Coincy; peut-être de *salce,* sauce?). Parfumer : *Dame enmielee et ensocie* (Coincy).

ensofismer v. (1190, Garn.; voir *sofisme,* ruse). Tromper par des sophismes, duper.

ensoignanter v. (fin XIIe s., *Alisc.;* v. *soignant,* concubine). 1° Prendre pour concubine. — 2° User d'une femme comme d'une concubine : *Tiebauz d'Arrabe vos a ensoinantee Et meinte fois comme putain folee (Alisc.).*

ensoignier, ensonier v. (XIIe s., *Chev. cygne;* v. *soignier*). 1° Occuper activement. — 2° S'occuper, s'inquiéter. — 3° Tourmenter, causer de la peine. — 4° Empêcher. — 5° S'excuser. ◆ **ensoigne, ensoinè** n. f. (1169, Wace). 1° Empêchement, retard : *Cil vindrent [...] senz ensoigne* (Wace). — 2° Excuse. ◆ **ensoing** n. m. (déb. XIVe s., J. de Condé). Excuse. ◆ **ensoignement** n. m. (1190, saint Bern.).

1° Empêchement juridique, excuse. — 2° Empêchement, embarras, souci, soin.

ensolder v. (1285, Aden.), **-eer** v. (1160, *Charr. Nîmes,* v. *solde*). Prendre à la solde, enrôler.

ensom adv. et prép. (XIIe s.; comp. de *en* et *som,* sommet). 1° Adv., En haut. — 2° Prép., En haut de. ◆ **ensomet** adv. (1180, G. de Saint-Pair). 1° Tout en haut : *Savaris est montés ensomet en la tour (Destr. Rome).* — 2° Par ensomet, en plus, en outre.

ensonier v. V. ENSOIGNIER, s'occuper, tourmenter.

ensor prép. et adv. V. ENSUR, sur, sur le point de, en plus.

ensorcerer v. (XIIe s., *Asprem.;* v. *sorcerie*). Ensorceler.

ensorquetot adv. (XIIe s., *Auc. et Nic.;* mot composé). 1° Par-dessus tout. — 2° Au surplus. ◆ **ensovretot, ensobretot** adv. (Xe s., *Passion;* comp. ancien avec *supra* et *totum*). Par-dessus tout.

ensotir v. (1220, *Saint-Graal;* v. *sot*). Rendre, devenir sot.

ensprendre v. (fin XIIe s., saint Grég.; v. *esprendre,* allumer). 1° Allumer, enflammer. — 2° S'enflammer.

enssay adv. V. ENÇA, en arrière, alors.

ensuivre, ensevre, ensegre, ensievir v. (déb. XIIe s., *Ps. Cambr.;* v. *sievir, sevre*). 1° Suivre, aller à la suite de. — 2° Poursuivre. — 3° Suivre, imiter : *Ce est bestial chose a ensuivre trop le deled de touchier* (Br. Lat.). ◆ **ensuivable** adj. (1190, saint Bern.). 1° Exemplaire, digne de servir de modèle. — 2° *Ensivable a,* qui doit être suivi de. — 3° Suivant, consécutif. ◆ **ensuivance** n. f. (1130, Job). Ce qui suit, conséquence. ◆ **ensuivant** (1238, *Arch.*). 1° adj. Suivant, consécutif. — 2° n. m. Successeur, descendant. — 3° adv. Ensuite. ◆ **ensivor** n. m. (1190, saint Bern.). Celui qui suit, qui imite.

ensulenter v. (1160, *Athis;* voir *sulenter, soillanter*). Souiller.

ensur, ensor, ensore prép. et adv. (XIe s., *Alexis;* v. *sur, sor, sore*). 1° Prép. Sur. — 2° Prép. Sur le point de, au moment de : *Ensur nuit (Alexis)*. — 3° Adv. Par-dessus, en plus.

ensus adv. (xe s., *Passion;* renforc. de *sus*). 1° Au-dessus, en haut. — 2° Au loin, à l'écart : *Ansus se trait por la joste esgarder (G. de Vienne)*. — 3° En arrière : *En sus les a faiz toz retraire (Eneas)*. — 4° Loc. prép. : *Ensus de*, au-dessus de, loin de. *A l'ensus de*, loin de. — 5° *Estre ensus de*, être délivré, être arraché à.

ent, end adv. pronom. V. EN, de cela, de lui.

entabler v. (fin XIIe s., *Rois;* v. *table*). 1° Faire un entablement, un plancher, paver. — 2° Écrire sur des tablettes, relater : *Si l'a bien entavelé Jamais ne l'ara oublié (Son. Nans.)*. ◆ **entablement** n. m. (1160, *Eneas*), -**eure** n. f. (fin XIIe s., *Rois*). Plancher.

I. **entachier** v. V. ENTECHIER, attribuer une qualité.

II. **entachier** v. V. ENTASCHIER, entreprendre.

entaier v. (XIIe s., *Trist.;* v. *tai*, boue). 1° Couvrir de boue, souiller. — 2° Etre souillé.

entaillier v. (déb. XIIe s., *Voy. Charl.;* v. *taillier*). 1° Tailler, ciseler, sculpter. — 2° Commencer, se mettre en train. ◆ **entaille** n. f. (1160, Ben.). 1° Ciselure, sculpture. — 2° Morceau coupé. — 3° Embrasure de fenêtre. — 4° Ouverture de casque. ◆ **entailleis** adj. (1180, *Rom. d'Alex.*). Taillé, ciselé, sculpté.

entaisnier v. (1250, *Ren.;* v. *taisniere*). Entrer dans une tanière.

entait adj. (1155, Wace; lat. *intactum*). Tout entier à, appliqué, attentif : *Bone amour tient son homme entait En bien* (B. de Condé). ◆ **entaitier** v. (1306, Guiart). 1° S'attacher entièrement à. — 2° Pousser. ◆ **entaitif** v. (XIIe s.). Appliqué, ardent à.

entalamaschier v. (fin XIIe s., *Rois;* v. *talemasche*). 1° Travestir, farder. — 2° Changer. ◆ **entalemachié** adj. (XIIIe s.). Souillé, déshonoré.

entalenter v. (1160, Ben.; v. *talent*). 1° Inspirer le désir, donner l'envie de,

exciter. — 2° Etre empressé. — 3° Convenir, plaire. ◆ **entalentee** n. f. (XIIe s., *Ps.*). 1° Désir. — 2° Goût, plaisir. ◆ **entalentement** n. m. (1160, Ben.). Désir : *Ont grant entalentement D'oir cele sentence lire (Rose)*. ◆ **entalenté** adj. (1160, Ben.), -**if** (fin XIIe s., *Loher.*), -**os** (1180, *Rom. d'Alex.*). 1° Désireux, plein d'ardeur : *Auberon, au bien courre soies entalentieus! (J. Bod.)*. — 2° Décidé.

entapiner v. (fin XIIe s., *Loher.;* v. *tapiner*, cacher). Déguiser.

entarier v. (déb. XIIe s., *Ps. Cambr.;* v. *tarier*, exciter). Irriter, courroucer.

entaschier v. (1190, saint Bern.; v. *taschier*). 1° Prendre sur soi, entreprendre. — 2° Faire effort contre, presser. — 3° *Entaschier de*, cribler, accabler de. — 4° *A l'entaschier*, dans l'attaque, dans la mêlée.

I. **entasselé** adj. (XIIe s.; v. *tassel*, agrafe). 1° Agrafé. — 2° Garni d'un ruban. ◆ **entasseleure** n. f. (XIIe s.). Agrafe, fermoir.

II. **entasselé** adj., disposé par tas. V. ENTASSER, mettre en tas.

entasser v. (XIIe s.; v. *tas*). 1° Mettre en tas. — 2° Jeter sur le tas. ◆ **entasseis** n. m. (1160, Ben.). Tas, entassement, monceau. ◆ **entasselé** adj. (XIIe s., *Part.*). Disposé par tas, en marqueterie. ◆ **entasseleure** n. f. (XIIIe s., Th. de Kent). Tas, amas.

I. **ente** adj. (1260, Mousk.; orig. incert.). Triste : *Li maus le tenait moult ente* (Mousk.). ◆ **ente** n. f. (1190, J. Bod.). — 1° Tristesse, peine. — 2° Colère. — 3° *A ente*, péniblement. — 4° *Estre a ente*, être pénible : *Moult m'en est a ente* (J. Bod.).

II. **ente** n. f., greffe, rejeton. V. ENTER, greffer.

entechier v. (fin XIe s., *Lois Guill.;* v. *teche, tache*). 1° Doter d'une qualité morale : *Et si estoit enteciés de bones teces (Auc. et Nic.)*. — 2° Acquérir telle qualité, telle passion. — 3° Tacher, gâter, vicier. ◆ **entechié** adj. (XIIIe s., *Atre pér.*). 1° Qui possède telle qualité, bonne ou mauvaise. *Bien entechié,* qui a de bonnes qualités. *Mal entechié,* qui a des défauts. — 2° Entiché, passionné pour. — 3° Infecté, attaqué : *De la fain dont sui entechiés (Ren.).* ◆ **entechement** n. m. (XII° s., Herman). 1° Marque, tâche, qualité, bonne ou mauvaise. — 2° Signe d'un mal, le mal lui-même, contagion.

enteimes, entemes adv. (1138, *Saint Gilles;* orig. incert., peut-être *ante* et *ipsimum,* doté d'un *s* adverbial). 1° Même. — 2° Surtout : *Entemes cil qui a amor Ne doit avoir nule paor* (R. de Beauj.).

entemprer v. (XIII° s., v. *temprer*). Modérer, tempérer. ◆ **entempreure** n. f. (XIII° s., Th. de Kent). 1° Tempérance. — 2° Règle. — 3° Température.

entencion n. f. (1190, saint Bern.; lat. *intentio*). 1° Effort de l'esprit : *Puis que fame veut metre s'entencion et son cuer en engin (Saint-Graal).* — 2° Pensée. — 3° Opinion, assertion.

entendre v. (XI° s., *Alexis;* lat. *intendere,* tendre vers). 1° Tendre, s'efforcer de : *En tel maniere qu'il n'i avoit celui qui n'entendist a son creator servir de son cuer (Saint-Graal).* — 2° Attendre. — 3° Faire attention, être attentif : *Onques n'i sorent tant entendre (Saint Eust.).* — 4° S'enquérir, étudier : *Apres lez apostres enprirent Et ad parollez entendirent Le quel d'ieu estoit le grenieur (Livr. Pass.).* — 5° Espérer, avoir l'intention de. — 6° *Faire entendre,* donner le signal. ◆ **entendement** n. m. (1120, *Ps. Oxf.*). 1° Sens, jugement. — 2° Interprétation, signification, mobile, intention. — 3° Avis, opinion. ◆ **entendance** n. f. (déb. XII° s., *Ps. Cambr.*). 1° Attention. — 2° Signification. — 3° Attente, ce qu'on espère. — 4° Attente, délai. ◆ **entent** n. m. (XI° s., *Alexis*), **entente** n. f. (1190, J. Bod.). 1° Intention, application. — 2° Action de viser. — 3° Pensée, désir, effort. — 4° But. — 5° Attaque. — 6° *A entent,* à dessein. ◆ **entendant** adj. (1160, Ben.). 1° Qui tend, qui vise, désireux. — 2° Intelligent, instruit. — 3° Soumis, docile. — 4° *Faire entendant,* faire savoir. ◆ **ententif** adj. (1180, *Rom. d'Alex.*).

1° Attentif, appliqué. — 2° Attentif, charitable : *As pouvres iert ententis (Saint Eust.).* ◆ **entendable** adj. (fin XI° s., *Lois Guill.*). 1° Facile à comprendre. — 2° Intelligent : *tuit home entendable (Rose).* — 3° Digne de foi.

enter v. (1155, Wace; lat. pop. **imputare,* de *putare,* émonder, greffer). 1° Greffer. — 2° Placer, faire entrer : *Qui oot enté En Dieu son cuer et son courage* (Coincy). ◆ **ente** n. f. (déb. XII° s., *Voy. Charl.*). Greffe, rejeton, arbre nouvellement greffé. ◆ **enté** adj. (XII° s.). 1° Fixé. — 2° Couvert. — 3° *Enté de,* greffé sur. — 4° *Balade entee, motet enté,* chanson terminée par un envoi qui reproduit ses rimes et son dernier vers (A. de la Halle).

entercier v. (1080, *Rol.;* lat. pop. **intertiare,* de *tertium,* tiers). 1° Mettre en main tierce, séquestrer, saisir. — 2° Revendiquer, réclamer. — 3° Rechercher. — 4° Mettre à part, reconnaître. ◆ **entercement** n. m. (fin XI° s., *Lois Guill.*). Mise sous séquestre (en possession d'un tiers). ◆ **enterz** n. m. (XII° s., *Part.*). 1° Objet mis sous séquestre. — 2° Objet réclamé comme étant de provenance suspecte. — 3° Reconnaissance. *Par enters,* en étant reconnu.

enterer v. (fin XII° s., *Gar. Loher.;* v. *terre*). 1° Protéger avec de la terre, bloquer par des terres. — 2° Tomber par terre. ◆ **enterir** v. (1180, *Rom. d'Alex.*). Souiller de boue, de terre.

enterin adj. (1160, Ben.; lat. pop. **integrinum,* de *integrum,* entier). 1° Complet, achevé. — 2° Intègre, parfait, sincère, pur : *L'empereris qui cuer ot anterrin (Loher.).* ◆ **enterineté** n. f. (1160, Ben.). Intégrité. ◆ **enteriner** v. (1268, E. Boil.). 1° Accomplir entièrement. — 2° Parfaire un acte en le ratifiant. ◆ **enterinement** n. m. (1316, *Arch.*), **-ance** n. f. (1298, *Arch.*). 1° Parfait accomplissement. — 2° Caution.

enterligneure n. f. (1220, Coincy; v. *ligne*). Ce qui est écrit dans les lignes, texte.

enterrompre v. (1120, *Ps. Oxf.;* lat. *interrumpere,* rompre par le milieu). 1° Séparer, fendre. — 2° Interrompre. ◆ **enterompement** n. m. (déb. XIIᵉ s., *Ps. Cambr.*). Interruption.

enterver v. (1180, G. de Saint-Pair; lat. *interrogare,* de *rogare,* demander). 1° Interroger. — 2° Chercher, rechercher. — 3° Aspirer vers : *M'ame qui vous enterve* (Ruteb.). — 4° Comprendre, concevoir : *Li enfanchon ne l'ont entervé* (*Doon de May.*). ◆ **enterve** n. f. (XIIᵉ s.). 1° Imagination. — 2° Malice, ruse.

enteser v. (1160, Ben.; v. *teser,* tendre, bander un arc). 1° Tendre, en parlant d'un arc. — 2° Tendre, ajuster, lever pour frapper. — 3° Viser, ajuster un coup. — 4° S'efforcer à atteindre. — 5° Atteindre. ◆ **entoise** n. f. (1155, Wace). 1° Action de tendre. — 2° Embûche : *Il lui tend entoise* (Wace). ◆ **entesé** adj. (fin XIIᵉ s., *Loher.*). 1° Brandi, prêt à frapper. — 2° Appliqué. ◆ **entesee** n. f. (XIIIᵉ s., *Otinel*). *A entesee,* d'un coup bien asséné.

entester v. (XIIᵉ s., *Trist.;* v. *teste*). 1° Frapper à la tête, frapper en général. — 2° Affermir dans une idée, dans un projet.

enticier, entichier v. (1160, Ben.; lat. pop. *intitiare,* de *titio,* tison confondu en partie avec *entechier*). 1° Piquer, aiguillonner. — 2° Inciter, pousser, provoquer : *C'est li maufé ki les entice De mettre chascun en divers vice* (Sept Dorm.). ◆ **enticement** n. m. (1169, Wace). Excitation, suggestion. ◆ **enticeor** n. m. (XIIᵉ s.). Flatteur, séducteur.

entient n. m. V. ENTENT, intention, dessein.

entier, entir adj. (1160, Ben.; lat. *integrum,* non touché, de *tangere,* toucher, avec un préfixe négatif). 1° Sincère, loyal : *En lui est me cuers si entirs Que jamais ne querrai autrui* (J. Bod.). — 2° Pur, parfait dans son genre. ◆ **entierté** n. f. (1190, Garn.).

1° Totalité, le tout. — 2° Intégrité, pureté.

entievene n. f. V. ANTEFE, antienne.

entistre v. (XIIᵉ s., *Chev. cygne;* v. *tistre,* tisser). 1° Tisser. — 2° Tramer.

entiteler v. (1265, J. de Meung; lat. *intitulare*). 1° Intituler. — 2° Mentionner, rapporter. ◆ **entitlement** n. m. (XIIIᵉ s., *Rom. Lumere*), **-eure** n. f. (1190, saint Bern.). 1° Titre, objet : *De cest livre est l'entitlement* (*Rom. Lumere*). 2° Inscription.

entoeillié adj. (fin XIIᵉ s., *Loher.;* v. *toeillier,* mêler, brouiller). Embrouillé, enchevêtré, confus.

I. **entoier** v. (XIIᵉ s., *Part.;* v. *toie,* taie). Recouvrir d'une taie, d'une étoffe quelconque.

II. **entoier** v. V. ENTAIER, salir.

entoiser v. V. ENTESER, mesurer.

entoitier v. (1220, Coincy; v. *toit*). 1° Héberger. — 2° Se fixer sous un toit, s'installer.

entoivre n. m. V. ATOIVRE, appareil, train.

entomber v. (1160, Ben.), **-eler** v. (fin XIIIᵉ s., *Mir. saint Éloi;* v. *tombe*). Ensevelir.

entomir v. (XIIIᵉ s., *Doon de May.;* v. *tomir,* tournoyer). 1° Engourdir, étourdir. — 2° Etre engourdi.

I. **entoner** v. (XIIᵉ s., *Ps.;* v. *toner*). 1° Tonner. — 2° Résonner.

II. **entoner** v. (1210, *Dolop.;* voir *tone,* mesure de capacité). 1° Verser dans un récipient, un tonneau. — 2° Engouffrer, absorber.

entor prép. et adv. (Xᵉ s., *Passion;* v. *entorner*).

I. Préposition : 1° Autour de : *Li Espagnol virent le grant siege entor la cité* (Chron. Saint-Denis). — 2° Environ. — 3° Chez : *Et se il avenoit que li aprentiz s'en fouist d'entour son mestre* (E. Boil.).

II. Adverbe : 1° *La entor,* à peu près. — 2° *Entor,* à ce sujet. — 3° *Metre entor,* garnir, réparer. *Estre entor de,* s'occuper à.

III. Loc. conj. *Entor que,* au moment où. ◆ **entorne** adv. (fin XIII° s., Aimé). A l'entour.

entordre v. (1204, R. de Moil.; v. *tordre*). 1° Lier, entortiller. — 2° Brandir, lancer. ◆ **entors, entort** adj. (1160, Ben.). 1° Tordu. — 2° Entouré. — 3° Tortueux, dépravé, méchant.

entorser v. (1160, Ben.; v. *torser*). 1° Tordre. — 2° Empaqueter.

entoschier v. (XII° s., *Trist.;* lat. pop. *intoxicare,* de *toxicum,* poison). Empoisonner. ◆ **entoche** n. f. (1160, Ben.), **-ement** n. m. (XII° s., *Proth.*). Poison, venin.

entoveir v. V. ESTOVOIR, falloir, être nécessaire.

entradosser v. réfl. (1175, Chr. de Tr.; v. *adosser.* renverser sur le dos). 1° S'unir. — 2° S'unir par l'amour : *Toute nuit dansent et envoisent; Et saciés que ne s'entradoisent Le nuit, la dame ne li sire* (Chr. de Tr.).

entraerdre v. (1229, G. de Montr.; v. *aerdre,* adhérer). 1° S'enlacer. — 2° S'empoigner : *Si sont au luitier entraers* (G. de Montr.).

entraesmer v. réfl. (1170, *Percev.;* v. *aesmer,* viser). Se viser l'un l'autre.

entrafier v. réfl. (XII° s., *Trist.;* v. *afier*). 1° Se faire une promesse mutuelle. — 2° Se lier, se liguer.

entrafoler v. réfl. (1175, Chr. de Tr.; v. *afoler,* fouler, meurtrir). Se blesser mutuellement.

entraigne, entragne n. f. (1180, *Rom. d'Alex.;* lat. pop. **intrania,* pl. neut. pris pour fém., de *interanea*). 1° Aine, jointure du ventre et de la cuisse. — 2° Entrailles, ventre.

entraire v. (1160, *Eneas;* voir *traire*). 1° Tirer. — 2° Attirer, entraîner. — 3° Enfermer, couvrir. —

4° Désigne, en particulier, une certaine partie du processus de tissage. ◆ **entrait** n. m. (1164, Chr. de Tr.). 1° Bande de toile enduite de baume pour être mise sur la plaie. — 2° Cataplasme, baume, emplâtre. ◆ **entraite** n. f. (1155, Wace). 1° Cataplasme. — 2° Mauvais tour, mauvais traitement. — 3° Tromperie, bourde : *Amors li a fait une entraite Dont la colors sovent li mue* (Ben.).

entraisier v. réfl. (déb. XIII° s., R. de Beauj.; v. *aisier*). S'amuser : *Qui forment s'entraisent De biaus dis* (R. de Beauj.).

entraiture n. f. (XII° s., *Part.;* v. *traiture,* action de tirer). Poignée de l'épée.

entraler v. réfl. (1160, Ben.; voir *aler*). 1° Aller l'un contre l'autre. — 2° S'interposer : *Chevalers s'entrealerent qe plus damage ne fut fet* (F. Fitz Warin).

entramaisnier v. réfl. (1160, Ben.; v. *amaisnier*). Se réconcilier.

entrant adv. (XIII° s.; v. *entrer*). 1° Adv. Pendant ce temps. — 2° Conj. Pendant que : *Entrant ces gens chascuin essemble* (Guerre de Metz).

entraper v. (1204, R. de Moil.; v. *trape*). 1° Faire tomber dans un piège. — 2° Entraver, embarrasser. ◆ **entrepos** adj. (1270, Ruteb.). Qui est semé de pièges.

entrarmé adj. (XIII° s.; *Bat. de Quaresme;* v. *armé*). Armé à l'intérieur : *Sa baniere fu d'un obar Bien entrarmé de verous* (Bat. de Quaresme).

entrarote n. f. (XI° s., *Alexis;* v. *aroter,* se mettre en route). Invasion.

entraveillier v. (fin XIII° s., G. de Tyr; v. *traveil,* dim. de *tref,* poutre, en partie confondu avec *travaillier,* peiner). 1° Retenir par des entraves. — 2° Réfl. Se donner de la peine, s'efforcer.

entravers prép. (XIIe s., *Blancandin;* renforc. de *travers*). 1° A travers. — 2° *D'entravers,* de travers.

entre prép. (X[e]s., *Passion;* lat. *inter*). Préposition topologique qui désigne soit un lieu situé entre deux termes, soit la relation entre ces deux termes : 1° Prép. de lieu, Espace qui sépare deux objets : *La duchoise sa suer entre ses bras la prent (Berte).* — 2° Prép. de lieu, Au milieu de, parmi : *Et qu'il m'avient souvent Que je m'oubli pensant entre la gent (Chans.). Par entre,* au milieu de. *Entre ces afaires, ces choses,* entre cela, sur ces entrefaites. — 3° Prép. de temps, Le temps situé entre deux moments : *entre quien et leu* (Beaum.). — 4° Loc. conj. *Entre que,* pendant que. — 5° Prép. de relation, Rapport entre deux personnes ou choses : *La guerre entre Saisnes et Francs* (J. Bod.). — 6° Prép. de relation, Ensemble, à la fois : *Tant vos donrai entr'argent et or fin Nel porteroient dui destrier arrabi (Loher.).* — 7° Prép. de relation, Idée de demi (entre deux adjectifs) : *Ele le trouva encore someillant et entre veillant et dormant (Arthur).*

entre- préf. (1080, *Rol.;* lat. *inter-*). Le préfixe *entre-* exprime, de façon générale, une idée de médiation : 1° La réciprocité d'un même procès comportant deux actants : *entreaerdre,* s'enlacer, s'empoigner, *entralor,* aller l'un contre l'autre. — 2° Le procès atténué, accompli à moitié entre son sens positif et négatif : *entreclore,* entrouvrir, *entregeter,* intercaler, parler à bâtons rompus. — 3° Avec des précisions spatiales, le procès situé à mi-chemin, entre deux termes implicites : *entrecorre,* courir à travers, *entraler,* s'interposer.

entreboter v. (1155, Wace; v. *boter,* pousser). 1° Heurter l'un contre l'autre. — 2° Placer entre, intercaler. ◆ **entreboté** adj. (XIIIe s., *Doon de May.*). Pressé, serré. ◆ **entrebot** n. m. (1112, *Saint Brand.*). Interruption, repos.

entrechangier v. (XIIe s., Herman; v. *changier*). 1° Changer. —

2° Déguiser. ◆ **entrechangement** n. m. (XIIIe s.). 1° Altération. — 2° Échange. ◆ **entrechangeable** adj. (1190, saint Bern.). 1° Changeant, alternatif. — 2° Mutuel, commun : *Par entrechangable bienvoellance (Ars d'am.).*

entrechenu adj. (XIIe s., *Part.;* v. *chenu*). A moitié chenu.

entreclore v. (1277, *Rose;* voir *clore*). 1° Boucher, fermer. — 2° Entourer, enfermer. — 3° Entrouvrir.

entrecompaignier v. réfl. (1175, Chr. de Tr.; v. *compaignier*). Former compagnie, se lier.

entreçor n. m. (1155, Wace; voir *trecier,* tresser). 1° Tresse, frange. — 2° Fusée de l'épée (?).

entrecorre v. (1160, Ben.; v. *corre,* courir). 1° Réfl. Courir l'un sur l'autre. — 2° Courir, courir à travers. ◆ **entrecorrement** n. m. (1190, saint Bern.). Entrechoc.

entrecors n. m. (1231, *Arch.;* v. *cors,* cours). 1° Échange, communication. — 2° Convention entre deux seigneurs permettant l'établissement et le passage des roturiers de la terre de l'un sur la terre de l'autre.

I. **entredos, entredois** adv. et prép. (1190, saint Bern.; v. *dos,* deux). 1° Prép. Au milieu de, entre. — 2° Adv. Cependant, en attendant, dans l'intervalle. — 3° *Sans entredos,* sans rien cacher.

II. **entredos** n. m. (1160, *Eneas;* v. *dos*). Coup donné par le milieu de la tête : *Un antredos porta Turnus (Eneas).*

entredoter v. réfl. (1155, Wace; v. *doter,* craindre). Se craindre les uns les autres.

entrefaites n. f. plur. (XIIIe s., *Merlin;* v. *faire*). 1° Entreprises. — 2° Toutes sortes d'actions.

entrefier v. (1169, Wace; v. *fier,* assurer par serment, sur sa foi). Assembler, unir par un traité.

entregeter v. (fin XIIe s., saint Grég.; v. *geter*). 1° Lancer une arme de jet. — 2° Intercaler. — 3° Parler à bâtons rompus. ◆ **entregiet** n. m. (déb. XIIIe s., R. de Beauj.), **entregetement** n. m. (XIIIe s.). 1° Coup d'une arme de jet. — 2° Intervalle. — 3° Tour de passe-passe, prestidigitation. ◆ **entregeterie** n. f. (1335, Deguil.). 1° Prestidigitation. — 2° Métier de bateleur. ◆ **entregeteor** n. m. (1220, Coincy). Bateleur, escamoteur.

entrelaissier v. (1160, Ben.; voir *laissier*). Laisser de côté, omettre. ◆ **entrelais** n. m. (1170, Percev.). Délai, relâche : *Sans entreles si les acole (Percev.).* ◆ **entrelaissement** n. m. (fin XIIe s., saint Grég.), **-ance** n. f. (XIIIe s.). Discontinuité, interruption.

entremain n. f. (1296, G.; v. *main*). Partie d'une armure.

entrement adv. (1160, Ben.; lat *intra* et *mente*). 1° Adv. de temps Pendant ce temps. — 2° Loc. conj *Entrement que*, pendant que.

entrementiers, entrementres adv. (fin XIIe s., *Loher.*; v. *mentre*, pendant ce temps). 1° Adv. Pendant ce temps. — 2° Loc. conj. *Entrementres que*, pendant que.

entremetre v. (1160, *Eneas*; lat. *intermittere*). 1° Placer au milieu. — 2° S'occuper de : *Bien doit garder qu'il soit net Qui de mal dire s'entremet* (prov.). — 3° Mêler. — 4° Composer. — 5° Remettre. ◆ **entremes** n. m. (1250, *Ren.*). 1° Entremets. — 2° Divertissement donné pendant le repas. — 3° Diversion. — 4° Démêlé, altercation : *J'ai eu un entremes Du vilain qui gardoit l'aumaille (Ren.).* ◆ **entremie** n. f. (1276, G.). Entremise. ◆ **entremetant** adj. (1180, *Rom. d'Alex.*). Entreprenant, hardi, habile. ◆ **entremetier** n. m. (fin XIIe s., saint Grég.). Traducteur.

entremi prép. (1160, Ben.; v. *mi*, milieu). 1° Au milieu de, parmi, entre. — 2° *Entremi de, par entremi*, au milieu de, parmi.

entrepaier v. (1170, *Fierabr.*; voir *paier*). Rendre la pareille.

entrepaignon n. m. (1170, *Percev.*, cf. *compaignon*, avec substitution de préfixe). Celui qui prend part à une entreprise.

entrepelé adj. (1204, R. de Moil.; v. *peler*). Dégarni de poils ou de cheveux par endroits.

entrepié n. m. (1335, *Rest. du Paon*; v. *pié*, pied). Piédestal, support.

entrepiez adv. (1160, *Athis*; mot composé). Foulé aux pieds, renversé à terre : *De novel, tot est bel, Et de viez, entrepiez (Prov. du vilain).*

entreplaier v. réfl. (1160, Ben.; v. *plaie*). Se blesser l'un l'autre.

entreplevir v. réfl. (XIIe s., M. de Fr.; v. *plevir*, garantir). 1° S'engager mutuellement. — 2° Se promettre le mariage l'un à l'autre.

entreporter v. réfl. (1112, *Saint Brand.*; v. *porter*). 1° Porter l'un à l'autre : *Entre rous poil et felonie S'entreportent grant compaignie (Rom. de Cristal).* — 2° Favoriser. ◆ **entreport** n. m. (1336, *Arch.*). Faveur.

entreposer v. (fin XIIe s., saint Grég.; décalque du lat. *interponere*). 1° Entremêler. — 2° Interrompre.

entreprendre v. (déb. XIIe s., *Voy. Charl.*; v. *prendre*). 1° Prendre en main, saisir. — 2° Surprendre, envelopper. — 3° Prendre. — 4° Changer. — 5° Manquer à, faire tort : *Ne voeil pas vers vous entreprendre* (J. Bod.). ◆ **entreprendement** n. m. (XIIe s., Herman). 1° Entreprise. — 2° Présomption. ◆ **entrepresure** n. f. (XIIe s., *Chev. deux épées*). 1° Entreprise. — 2° Attaque par surprise, vexation. — 3° Embarras, difficulté. — 4° Contravention, acte commis contre les coutumes. — 5° Ce qu'un édifice comprend. ◆ **entrepris** adj. (1160, *Eneas*). 1° Attaqué, embarrassé. — 2° Mal en point, malade. — 3° Entouré. — 4° Épris. — 5° Gêné, interdit : *De riens* *ne fu pas entreprise La nature qui la fist tant bele (G. de Dole).*

entrer v. (xe s., *Saint Léger;* lat. *intrare*). Entrer, s'introduire. ◆ **entrement** n. m. (déb. xiie s., *Ps. Cambr.*), **entre** n. f. (1292, *Britton*). Entrée, action d'entrer. ◆ **entrage** n. m. (xiiie s.). 1° Entrée. — 2° Droit qu'on payait en entrant dans la possession d'un fief. ◆ **entrant** adj. (xiiie s., *Chans.*). Commençant. *Entrant aost,* qui ouvre, qui commence le mois d'août. ◆ **entré** adj. (1214, Villeh.). 1° Commencé. — 2° Enregistré.

entrerote n. f. (xie s., *Alexis;* v. *rote,* route). 1° Action de cheminer à travers. — 2° *Faire entrerote,* se frayer le passage. ◆ V. ENTRAROTE, invasion.

entres, entreus adv. V. ENTRUES, en ce moment, pendant ce temps.

entresait adv. (1155, Wace; lat. pop. **intransactum,* de suite). 1° Tout de suite, sur-le-champ : *jou voel savoir entresait ki li chevaliers fu (Fille du comte de P.).* — 2° Dans le même temps, cependant. — 3° Immanquablement, sans faute, sans conditions : *Ensi avenra entresait* (J. Bod.).

entresaler v. réfl. (xiie s., *Parten.;* v. *saler* du lat. **salere* pour *salire,* sortir). S'échapper.

entreseignier v. (xiie s., *Trist.;* v. *seignier*). 1° Orner, distinguer. — 2° Distinguer par une marque. — 3° Montrer par signes. ◆ **entreseing** n. m. (1169, Wace). 1° Signe, marque, trace, indice. — 2° Signe, signal. ◆ **entreseigne** n. f. (1175, Chr. de Tr.). 1° Signe, marque, enseigne. — 2° Signe, signal : *Elle li fist une entresaingne Si com fine amor li ensaingne (Florim.).* — 3° Étendard, bannière. ◆ **entreseignié** adj. (1160, Ben.). 1° Orné, distingué. — 2° Armorié, blasonné.

entresi, entreci adv. (1180, *Rom. d'Alex.;* comp. comportant *trans* et *sic*). 1° Jusque. — 2° *Entresi que,* loc. conj., jusqu'à ce que.

entresque adv. (1080, *Rol.;* voir *tresque*). Jusque.

entrestant adv. (xiie s., *Chev. deux épées;* v. *estant,* de *ester*). 1° A l'instant. — 2° En même temps.

entretandis adv. (1160, Ben.; comp. de *entre* et *tandis*). 1° Pendant ce temps-là. — 2° *Entretandis que,* loc. conj., pendant que.

entretant adj. (1160, *Eneas;* comp. de *entre* et *tant*). Pendant ce temps, en attendant, cependant.

entretenir v. réfl. (xiie s., *Part.;* voir *tenir*). Se tenir ensemble. ◆ **entretenant** adj. (1160, Ben.). Qui se touche, contigu.

entreval n. m. (xiiie s., *Menestr. Reims;* lat. *intervallum,* entre deux palissades). Intervalle.

entrevenir v. réfl. (1155, Wace; lat. *intervenire*). Aller l'un contre l'autre, se rencontrer : *Lors s'entrevienent anbedoi li vasal (Asprem.).*

entreveschier v. (1220, Coincy; formation non assurée, comportant un élément *trever,* de *tref,* poutre). Mettre les écheveaux, enchevêtrer, embrouiller.

entriboler v. (xiie s., M. de Fr.; v. *triboler,* tourmenter). Affliger, désoler, harceler.

entro adv. (xe s., *Passion;* le second élément peut représenter le lat. *hoc*). 1° Jusque. — 2° *Entro que, entrosque,* loc. conj., jusqu'à, jusqu'à ce que.

entroblier v. (1155, Wace; voir *oblier*). Oublier pendant quelque temps.

entroduire v. (1180, *Rom. d'Alex.;* lat. **introducire,* de *ducere,* adapté d'après *conduire*). 1° Instruire, rendre capable, sage : *Issi com Aristotes l'entroduist et aprist (Rom. d'Alex.).* 2° Conseiller.

entroeil n. m. (xiie s., *Am. et Id.*), **entroilleure** n. f. (1247, *Conq. Jér.;* v. *oil,* œil). Intervalle entre les deux yeux (trait de beauté).

entroignier v. (XIIIe s.; probablement de *troigne*, trogne). Se moquer, se jouer de. ◆ **entroigne** n. f. (1284, Aden.). 1° Moquerie. — 2° Fable, fadaise : *Si c'om puet faire en une fable Ou en antroignes ou en songes* (Aden.). ◆ **entroigneor** n. m. (1265, J. de Meung). Trompeur.

entrosser v. V. ENTORSER, empaqueter.

entrues, entroes, entres, entreus adv. (XIIe s., *Florim.*; le second élément pourrait être *opus*). 1° En ce moment. 2° Pendant ce temps. — 3° *Entrues que,* pendant que, tandis que : *Voire entrues que nus ne nos chace, Cortois, ne soiés pas honteus* (Court. d'Arras).

entule adj. (1210, *Dolop.*), **-é** adj. (1295, Boèce; orig. incert.). 1° Fou, extravagant. — 2° Étourdi, sot : *Qui ne me tient pas por entule* (Rose).

enuier v. V. ENOIER, nuire, fatiguer, chagriner.

enuit, enoit adv. V. ANUIT, aujourd'hui.

enure n. f. V. EURE, bonheur.

envair v. (1080, *Rol.;* lat. pop. *invadire**, pour *invadere*, pénétrer dans). 1° Attaquer, marcher sur. — 2° Presser. — 3° Entreprendre. — 4° Combattre. ◆ **envaie** n. f. (1160, *Eneas*), **-ement** n. m. (1160, Ben.), **-ison** n. f. (1200, *Quatre Fils Aymon*). — 1° Attaque. — 2° Invasion, course sur : *Tirus lor fait une anvaie* (Eneas).

envanir v. (1190, Garn.; v. *esvanir*, avec chang. de préfixe). 1° S'évanouir, disparaître. — 2° Faire évanouir.

envaus adj. V. ENVOLDRE, envelopper, entourer.

envenimer v. (1199, Ph. de Thaun; v. *venim*, venin). 1° Empoisonner. — 2° Imprégner de venin. ◆ **envenimement** n. m. (1160, Ben.), **-eure** n. f. (1210, *Best. div.*). 1° Empoisonnement. — 2° Poison.

enventis adj. V. AVENTIS, étranger.

enventrer v. (1204, R. de Moil.; voir *ventre*). Avaler, engloutir, dévorer.

envermer v. (1313, *Vœux du Paon;* v. *verme,* ver). Remplir de vers.

enverrer v. (1313, Godefr. de Paris; v. *ver*, verrat, sanglier). Rendre furieux. ◆ **enverré** adj. (déb. XIIIe s., *Clef. d'Am.*). Acharné.

I. envers adj. (Xe s., *Passion;* lat. pop. *inversum* de *invertere*, retourner). 1° Renversé, à la renverse : *Devant le roi choi enverse* (Trist.). — 2° A l'envers. — 3° Opposé. — 4° n. m. *A deus envers,* à deux faces, sans envers. ◆ **enversier** adj. (1170, *Fierabr.*). A la renverse. ◆ **enverser** v. (1160, *Eneas*). 1° Renverser. — 2° Détruire.

II. envers prép. (Xe s., *Passion;* lat. pop. *inversum,* de *invertere*). 1° Vers, du côté de. — 2° Au moment de : *Envers lo vespre* (Passion). — 3° En comparaison de, au prix de. — 4° Envers, à l'égard de.

envestir v. (fin XIIIe s., lat. médiév. *investire,* revêtir). 1° Revêtir. — 2° Entourer. — 3° Investir d'un bénéfice. ◆ **envesture** n. f. (1249, *Arch.*). Investiture.

envever v. (1160, Ben.; v. *vever*). Rendre veuf, veuve.

I. envier v. (XIe s., *Alexis;* lat. *invitare*). 1° Inviter, engager : *(Dieu) Qui ses fedeilz i a toz envidez* (Alexis). — 2° Enchérir, provoquer au jeu. — 3° Appeler devant un tribunal. — 4° v. réfl. Se laisser engager dans. — 5° n. m. Enchère. ◆ **enviement** n. m. (XIIIe s.). Invitation. ◆ **envial** n. m. (1210, *Dolop.*), **enviail** n. m. (1190, J. Bod.). 1° Action d'enchérir sur le jeu des autres. — 2° Le gain du jeu, plaisir, joie. — 3° Invitation au jeu. — 4° Invitation à boire. — 5° Tour, ruse : *Il en set toz les enviaux* (Ren.). — 6° Coup : *Ha! biaus dous fieus, seés vous cois, Ou vou arés des enviaux* (A. de la Halle). ◆ **enviaille** n. f. (XIIe s., *Part.*). Défi, provocation. ◆ **envi, envis** n. m. (1160, Ben.). 1° Défi, gageure. — 2° Mauvaise grâce, déplaisir. ◆ **envi,**

envis, enviz adv. (XIIe s., *Trist.*). 1º Difficilement. — 2º A contrecœur.

II. **envier** v. (XIIe s., Bible, lat. *invidiare*, de *invidia*, jalousie). 1º Etre envieux. — 2º Haïr. ◆ **enviement** n. m. (1121, Ph. de Thaun). Envie, haine. ◆ **enveie, envie** n. f. (Xe s., *Saint Léger*). 1º Cupidité : *Quant (Judas) te vendi par envie (Rés. Sauv.).* — 2º Haine. ◆ **envios** adj. (1119, Ph. de Thaun). 1º Cupide. — 2º Qui excite l'envie, le désir. — 3º Excessif, terrible : *Li coz (coup) fu envieus et grans (Rich. li Biaus).*

III. **envier, enveier** v. (1080, *Rol.*; lat. *inviare*, parcourir, de *via*, route). 1º Se mettre en route. — 2º Plonger. — 3º Envoyer. ◆ **envei** n. m. (1138, *Saint Gilles*), **enviement** n. m. (1120, *Ps. Oxf.*). Envoi, transmission.

enviesir, -vecir v. (1120, *Ps. Oxf.;* v. *vies, viez*, vieux). Rendre vieux, vieillir. ◆ **enviesure** n. f. (1283, Beaum.). 1º Vieillesse. — 2º Dépérissement par vétusté.

enviler, -ir v. (XIIe s. v. *vil*). Avilir, outrager. *Faire a envillir*, faire une chose avilissante. ◆ **envilanir** v. (1160, Ben.). Traiter comme un vilain, injurier, déshonorer.

envirer v. (1190, *H. de Bord.*; v. *virer*). Retourner, virer.

environ prép. et adv. (1080, *Rol.*; v. *environer*, faire le tour de). 1º Prép. Autour de, près de. — 2º Adv. Alentour. — 3º D'*environ*, autour, alentour.

environer v. (1138, Saint Gilles; voir *viron*, ronde, pays d'alentour). 1º Faire le tour de. — 2º Examiner les alentours. ◆ **environement** n. m. (1300, *Arch.*). 1º Circuit, tour, contour. — 2º Action d'entourer, ce qui entoure.

envis, enviz, envi adv. (Xe s., *Saint Léger;* v. *envi*, défi, gageure). 1º Malgré soi, de mauvaise grâce : *Et cil le font volentiers, non envis (Loher.).* — 2º A envis, a l'envis*, malgré soi, à contrecœur.

envochier v. (1120, *Ps. Oxf.;* lat. pop. **invoccare*, pour *invocare*). Invoquer.

envoisier v. (1080, *Rol.;* lat. pop. **invitiare, de vitium*, vice). Se réjouir, s'amuser, s'adonner au plaisir : *Sur le lit al Seignur cucherent E deduistrent, e enveiserent (M. de Fr.).* ◆ **envoisié** adj. (XIIe s., M. de Fr.). 1º Joyeux. — 2º Animé, enjoué : *uns tornoiemens si envoisiez que apres nos mors en facent remembrance (Saint-Graal).* — 3º Joli, de couleur gaie : *Robe envoisie* (H. de Cambr.). ◆ **envoiseure** n. f. (1170, *Percev.*). 1º Gaieté : *Ne teus biens n'avient mie a toz, Que ce est joie sanz corouz, Et solaz et envoiseure (Chast. Vergi).* — 2º Ravissement. — 3º Plaisanterie. — 4º Fête. — 5º Poésie gaie, chanson d'amour.

envoldre v. (1160, Ben.; lat. *involvere*). Envelopper, entourer. ◆ **envols, envaus** adj. (1160, Ben.). Enveloppé, recouvert. ◆ **envolser** v. (XIIe s., *Part.*). 1º Voûter, bomber. — 2º Envelopper.

I. **envolter** v. (XIIIe s.; v. *volt*, visage, image). Opérer avec les images de cire en vue d'envoûtement, envoûter.

II. **envolter** v. (XIIIe s.; lat. pop. *involutare*, de *involvere*). Replier, envelopper.

envolumé adj. (1160, Ben.; voir *volume*). 1º Grossi, plein. — 2º Souillé.

eorer v. V. AORER, prier.

ep n. m. V. E, abeille.

eps adj. V. ES, même.

equalité n. f. (1277, *Rose*), **équation** n. f. (XIIIe s., Th. de Kent; lat. *aequalitas, aequatio*). Egalité.

eque n. f. V. IVE, jument.

equi adv. V. ENQUI, là, maintenant.

er adv. V. IER, hier.

eraige, erage, n. m. V. OIR, héritier.

I. **erbe** n. f. (1080, *Rol.*; lat. *herba*). Herbe, plante servant de nourriture à certains animaux. ◆ **erbail** n. m. (XIIe s.), **-aille** n. f. (XIIe s., *Chev. cygne*), **-el** n. m. (XIIIe s.), **-elois** n. m. (XIIe s., *Part.*), **-ier** n. m. (fin XIIe s., *Loher.*), **-iere** n. f. (1285, Aden.), **-is** n. m. (1277, *Rose*), **-oi** n. m. (1160, Ben), **-oie** n. f. (1160, Ben.), **-oil** n. m. (1315, *Vœux du Paon*), **-or** n. f.

(XIIIᵉ s.), **-u** n. m. (1204, *l'Escouffle*), **-os** n. m. (1160, Ben.). 1° Herbe. — 2° Lieu couvert d'herbe, pré, prairie. — 3° Herbage, pâturage. ◆ **erber** v. (1290, *Arch.*). 1° Couper de l'herbe. — 2° Mener au pâturage. ◆ **erbillier** v. (1279, *Cart.*). 1° Cueillir de l'herbe. — 2° Faire paître. ◆ **erbilleor** n. m. (1295, *Cart.*). Celui qui cueille, qui coupe des herbes pour la nourriture des bêtes.

II. **erbe** n. f. (XIIᵉ s., v. le mot précédent). Herbe, plante ayant des qualités médicinales. ◆ **erbé** n. m. (1160, *Eneas*), **erbelee** n. f. (XIIIᵉ s., *Mir. N.-D.*), **erbolee** n. f. (1220, Coincy). 1° Médecine préparée avec des herbes : *Bon pain, bon vin et le bon air Aim assez mieus... que toutes leurs herbolees* (Coincy). — 2° Vin parfumé : *E a nomer vins et herbez (Eneas).* — 3° Philtre : *Il ne m'aime pas, ne je lui Fors por un herbé dont je bui Et il en but (Trist.).* — 4° Poison fait avec des herbes. ◆ **erber** v. (XIIᵉ s., *Trist.*). 1° Préparer des infusions. — 2° Aromatiser le vin. — 3° Préparer des poisons. — 4° Empoisonner. ◆ **erberie** n. f. (1270, Ruteb.). 1° Collection d'herbes : *Veez m'erberie* (Ruteb.). — 2° Science de la nature et des propriétés des herbes. ◆ **erbier** n. m. (1270, Ruteb.). Herboriste. ◆ **erbiere** n. f. (1260, Mousk.). Empoisonneuse.

erdre v. (XIIᵉ s., *Trist.*; lat. pop. **herere*, avec accent sur la syllabe initiale, pour *haerère*). 1° S'attacher. — 2° v. réfl. S'accoupler.

I. **ere** n. f. (1288, J. de Priorat; lat. *aes, aeris,* même sens). Airain, bronze.

II. **ere** n. m. V. IERE, lierre.

erediter, herediter v. (XIIᵉ s., *Ps.;* lat. *hereditare*). Hériter, obtenir, posséder en héritage. ◆ **eredité** n. f. (XIᵉ s., *Alexis*). 1° Héritage. — 2° Héritiers, postérité. ◆ **eredițage** n. m. (fin XIIIᵉ s., Aimé). Héritage.

erege, irese adj. (XIIᵉ s.; lat. *haereticus,* du grec). Hérétique : *ou ereges ou barbarins (Vie des Pères). Maistre des hereges,* inquisiteur. ◆ **erite, eriste, erete** adj. (1080, *Rol.*; le même mot, intégré dans une des classes suffixales). 1° Héré-

tique : *Filz a putain, puanz heirites (Ren.).* — 2° Qui a commerce avec des bêtes. ◆ **erisie** n. f. (1119, Ph. de Thaun), **heregie** n. f. (1337, G.). 1° Hérésie. — 2° Action criminelle. — 3° Rapports sexuels contraires aux lois de l'Église (homosexualité, inceste, etc.).

erel n. m. V. AREL, aire, emplacement.

erer v. V. ARER, labourer.

ergne n. f. V. IERNE, buisson épineux.

ergot n. m. (1220, Coincy; lat. *ergo,* donc, vulgarisé par la scolastique). Argument sophistique. ◆ V. ARGOTER v. (1220, Coincy). Ergoter.

eriter v. (déb. XIIᵉ s., *Ps. Cambr.;* lat. *hereditare*). 1° Mettre en possession d'un héritage, assurer un héritage à. — 2° Habiter : *Nus hom de car n'i heritoit (Gilles de Chin).* ◆ **erité** n. f. (fin XIᵉ s., *Lois Guill.*). Héritage, domaine, propriété : *Jusc'a mont Nuble conquist les eretés (Alisc.).* ◆ **eritier** n. m. (XIIᵉ s., Ogier). Héritage, domaine, royaume : *Seigneurs, dont estes vous et de quel eretier? (Enf. Haymon).* ◆ **eritaige** n. m. (fin XIIᵉ s., *Cour. Louis*). 1° Succession héréditaire. — 2° Succession directe (par opposition à la collatérale). — 3° Immeuble. ◆ **eritablement** n. m. (1169, Wace), **herital** n. m. (XIIᵉ s., *Blancandin*), **-ance** n. f. (1320, G.). Héritage. ◆ **eritable, iretable** adj. (1206, *Arch.*). Héréditaire.

erlue, ellue, herlue n. f. (1315, *Vœux du Paon;* orig. obsc.). 1° Chose frivole, futilité. — 2° Rêverie, hallucination. ◆ **erluise** n. f. (1285, Aden.). 1° Futilité. — 2° Tromperie : *En lui a tant truffe et erluise* (Aden.). ◆ **erluisier** v. (1349, G. li Muisis). Séduire, tromper.

ermi, hermi adj. (XIIIᵉ s.; lat. *eremum,* du grec). Desert, inculte. ◆ **ermine** n. f. (XIIᵉ, *Proth.*). Terre inculte.

ermin adj. (1180, *Rom. d'Alex.;* lat. *armenius,* arménien et *armenius mus,* rat d'Arménie). 1° Arménien. — 2° D'Arménie. ◆ **ermin** n. m. (XIIᵉ s., Ogier). 1° Peau d'hermine. — 2° Manteau d'homme. ◆ **ermine** n. f. ou m. (déb. XIIᵉ s., *Voy. Charl.*). Hermine, martre d'Arménie.

I. **ermine** n. f., terre inculte. V. ERMI, désert.

II. **ermine** n. f., hermine. V. ERMIN, arménien.

III. **ermine** n. m. V. ERMITE, ermite.

ermite n. m. (1138, *Saint Gilles*; lat. chrét. *eremita*, du grec). Ermite. ◆ **ermine** n. m. (XIIᵉ s.), **ermitier** n. m. (XIIIᵉ s., *Fabl.*), **ermitage** n. m. (1260, Mousk). Ermite. ◆ **ermitain** adj. (1204, R. de Moil.). 1° D'ermite. — 2° Vigoureux, rude. ◆ **ermiterie** n. f. (XIIIᵉ s., *Gaufrey*), **-oire** n. f. (1190, Garn.). Ermitage.

ermofle, hermofle adj. (1220, Coincy; orig. obsc.). Hypocrite.

I. **erre** n. f. V. AIRE, emplacement, origine, caractère.

II. **erre** n. m. et f., voyage, chemin. V. ERRER, se mettre en route.

I. **errer** v. (1155, Wace; bas lat. *iterare*, de *iter*, voyage). 1° Se mettre en route, marcher, aller : *Il m'estuet errer et chevalcier (Cour. Louis).* — 2° Se comporter : *Car vers Ogier a si tres mal erré (Ogier).* — 3° *Errer que*, faire en sorte que. ◆ **errement** n. m. (1180, *Rom. d'Alex.*). 1° Manière, situation, comportement. — 2° Aventure, exploit : *Or entendes de moi tot l'errement (H. de Bord.).* — 3° Disposition, ordre : *Ne puis pas comptor l'errement De la fieste ne des barons (J. de Condé).* — 4° Moyen de droit, procédure, procès. ◆ **erre** n. m. et f. (déb. XIIᵉ s., *Ps. Cambr.*). 1° Voyage, chemin, route. — 2° Allure, course d'une voiture. *Faire bone erre,* aller vite. *De grant erre,* prompt à la course, rapide. — 3° Espace, distance : *l'oire de demey lue (Saint-Graal).* — 4° Tout ce qui sert pour le voyage : *Sun eire apareille, si mist en la mer* (Garn.). — 5° Manière d'agir, façon de traiter : *Veez d'Amor con me demeine Males erres et male estreine Reçui (Pir. et Tisb.).* ◆ **errance** n. f. (fin XIIᵉ s., *Loher.*). 1° Action de voyager, d'errer. — 2° Voyage. — 3° Chemin, voie. ◆ **erray, erroi** n. m. (1160, Ben.), **erreure** n. f. (1160, *Eneas*). 1° Action de marcher. —

2° Marche, étape. — 3° Voyage, chemin. ◆ **erreor** n. m. (1306, Guiart). 1° Voyageur. — 2° Vagabond. ◆ **errant** adv. (1170, *Percev.*). Très vite, tout de suite : *Issiez errant de ma terre! (Chast. Vergi).* ◆ **erralment** adv. (1160, Ben.), **erranment** adv. (fin XIIᵉ s., *Cour. Louis*). 1° Aussitôt, promptement. — 2° Avec impétuosité. — 3° *Erremment que,* loc. conj., tout aussitôt que.

II. **errer** v. (1283, Beaum.; lat. *errare*). 1° Errer, s'égarer. — 2° Se tromper. ◆ **errance** n. f. (fin XIIᵉ s., *Loher.*). 1° Action d'errer. — 2° Égarement, erreur : *Je en desir moult l'amendance de Ceste toie fole esranche (Vie sainte Cath.).* — 3° Situation critique, détresse : *La fille au roi est por vos en errance (Loher.).* — 4° *Metre en errance,* mettre en déroute. ◆ **error** n. f. (1160, *Eneas*). 1° Désir ardent, fureur. — 2° Perplexité : *Qui moult estoit en grant erreur Por savoir que il fait avoit (Ben.).* — 3° Trouble, peine : *Amis Tristran, en grant error Nos mist qui le boivre d'amor Nos aporta ensemble a boivre (Trist.).* ◆ **erroier** v. (1160, Ben.). 1° Errer. — 2° Se tromper, être dans l'erreur.

erres n. f. pl. (fin XIᵉ s., *Lois Guill.*; lat. *arrha*, gage, du grec). Arrhes.

erroi n. m. V. AROI, arrangement, équipement, ordre de bataille.

ersoir, hersoir, arsoir adv. (déb. XIIIᵉ s., R. de Beauj.; mot comp. de *ier* et *soir*). Hier soir : *Et tu, venis tu ici ersoir?* (R. de Beauj.).

I. **es, ez, e** mot invar. (XIᵉ s., *Alexis*; lat. *ecce*). Particule présentative, Voici, voilà : *Es par le bois.I. bon serjant a pié (Loher.).* ◆ Les graphies en sont très variées : a) *eis, ey, et, eht, est, ech, eke, eyke;* b) *ais, as, az, a, ast, aste, aates;* c) *hé, hes, hai,* etc. ◆ Il est souvent renforcé et suivi, immédiatement ou à distance, de pronoms personnels *toi* et *vous* : *Kar aste vus li rei sunt assemblet (Ps. Oxf.).* ◆ La construction est parfois renforcée par un deuxième pronom *(me, te, le)* intercalaire : *E me vos dame Ierme, Feme Renars qu'a court vint (Cour. Ren.).*

II. **es, eis, eps, is** adj. (xe s., *Passion;* lat. *ipsum*). Adjectif marquant l'identité, Même : *En es l'ore li chevaliers Se rest armes de l'autre part (Percev.). En es ça,* jusqu'à ce moment même. ◆ V. ENESLEPAS, aussitôt.

III. **es** n. m. cas sujet. V. E, abeille.

IV. **es** n. m. V. UES, usage.

V. **es** n. m. V. AIS, planchette.

VI. **es** contraction de *en les.* V. EN, prép.

es-, e- préf. (lat. *ex*). Le préfixe *es-* comporte l'indication de l'aspect inchoatif qui se combine avec les valeurs sémantiques différentes contenues dans les racines.
I. Valeur privative ou dénégative. L'aspect inchoatif peut être combiné avec une transformation plus ou moins forte, allant jusqu'à la dénégation, de l'état ou du procès exprimés par la base : 1° Avec les termes concrets : *esfronter,* briser le front, assommer, *esjareter,* couper les jarrets. — 2° Avec les termes exprimant les procès positifs : *esfruitier,* rendre stérile, *esduire,* écarter, sortir, *eslacier,* délacer.
II. Valeur inchoative et intensive. L'aspect inchoatif du préfixe, appliqué à un procès duratif, a pour effet de sens : 1° D'indiquer le déclenchement du procès : *esmovoir la parole,* se mettre à parler; *esmovoir la guerre,* déclencher la guerre. — 2° D'ajouter une emphase, une intensité au procès déjà indiqué : *esgarder,* examiner, inspecter, *esforcier,* violer, contraindre. — 3° Dans les formations dénominales, l'intensité peut avoir pour effet de sens la densité, la fréquence, etc. : *esmier,* émietter, *esgauder,* mettre du gibier dans la forêt.
III. Le préfixe *es-* sert à former, de la même manière, des substantifs ou des adjectifs : 1° Au sens privatif : *esfrain* adj., sans frein; *esfronté,* effronté. — 2° Au sens intensif : *esfoldre* n. m., foudre, ouragan.

esbaer v. (1190, Garn.; v. *baer*). 1° Ouvrir tout grand. — 2° Entrebâiller.

esbair v. (déb. xiie s., *Ps. Cambr.;* v. *baer,* avec chang. de conjugaison). Étonner, effrayer : *Esbairent e tremblerent sicume ivres (Ps. Cambr.).* — ◆ **esbaissement** n. m. (fin xiie s., saint Grég.), **-ance** n. f. (fin xiiie s., Macé). Ebahissement, stupeur. ◆ **esbai** adj. (fin xiie s., *G. de Rouss.*). 1° Effrayé. — 2° Transporté : *De fine joie esbahie* (Coincy). — 3° Affligé, troublé.

esbalbi adj. (fin xiie s., *Est. Saint-Graal;* v. *balbe,* bègue). Etonné.

esbalbir v. V. ABALBIR, étonner, étourdir.

esbalcheis n. m. (fin xiie s., *Loher.;* v. *balc,* poutre). 1° Action de dégrossir du bois. — 2° Bois dégrossi.

esbaldir v. (1080, *Rol.;* v. *balt,* joyeux). 1° Donner du courage, de l'ardeur, de la joie, animer : *Sonnez un cors por mes gens esbaudir (Gar. Loher.).* — 2° Etre hardi, s'enhardir : *A icest mot si s'enbaldissent Franc Cel n'en i ad Munjoie ne demant (Rol.).* — 3° Briller, en parlant du jour. ◆ **esbaldie** n. f. (xiie s., *Trist.*). 1° Joie vive et bruyante. — 2° Bataille, tournoi : *Et por l'amor Yseut m'amie I ferai tost.I. esbaudie (Trist.).* ◆ **esbaldissement** n. m. (xiiie s., *Anseis*). 1° Hardiesse, ardeur. — 2° Joie, réjouissance, fête. ◆ **esbaudise** n. f. (xiiie s., *Chans.*). Hardiesse.

esbaldrei, -dré n. m. (xiiie s.; v. *baldrei,* même sens). Baudrier, ceinture.

esbalevré adj. (1277, *Rose;* orig. incert.; v. *balevre*). Insolent, dévergondé : *... une parole Si esbalevree et si fole (Rose).*

esbanir v. (fin xiie s., *Aiol;* cf. *banoier,* flotter comme une bannière). Se livrer à la joie : *Cele nuit voirement a joie s'esbanissent (Aiol).* ◆ **esbanier, -oier** v. (1080, *Rol.*). Se divertir : *Et s'esbenolent ensemble de divers geus (Artur).* ◆ **esbanoi** n. m. (1160, Ben.), **-oiement** n. m. (1180, *Rom. d'Alex.*). 1° Divertissement, amusement. — 2° Réjouissance.

esbarni adj. (fin xiiie s., *Fabl. d'Ov.;* v. *baron,* guerrier). Devenu fort, grand :

Puis quant se vit esbarnie Et de biauté se vit garnie... si cornes prist (Fabl. d'Ov.).

esbatre v. (1160, *Eneas; v. batre*). 1° Battre. — 2° Agiter. — 3° Tomber sur. — 4° Divertir : *Or soiez liez, Embatez vous (Athis).* ◆ **esbat** n. m. (déb. XIIIᵉ s.; *Clef d'Am.*). 1° Coup. — 2° Divertissement. ◆ **esbatement** n. m. (1270, Ruteb.). 1° Divertissement : *Or les laissons un poi en cest esbaitement (Vœux du Paon).* — 2° Lieu de promenade. ◆ **esbateis** n. m. (1220, *Saint-Graal*). Abattis : *Si ot si grant esbateis d'ommes et de chivalz (Saint-Graal).*

esberucier, esbrucier v. réfl. (déb. XIIᵉ s., *Ps. Cambr.*; orig. obsc.). 1° Se soulever, s'agiter : *Esbruce tei, la meie glorie (Ps. Cambr.).* — 2° S'animer, prendre vigueur.

esbloer, -ir v. (1180, *Rom. d'Alex.*; lat. pop. *exblaudire, du francique *blaudi, faible, avec infl. de bleu). Éblouir, troubler, obscurcir : *La resplendors l'a esbloué (Fergus).* ◆ **esbloissement** n. m. (1327, J. de Vignay). Engourdissement (de la plaie).

esboeler v. (1155, Wace; v. *bueille*, ventraille, du lat. *botulum*, boyau). 1° Éventrer, faire sortir les boyaux du ventre : *Enfanz em bers esboeler (Wace).* — 2° Faire tomber. ◆ **esboelee** n. f. (XIIIᵉ s., *Doon de May.*). Action d'arracher les entrailles.

esbofir v. réfl. (XIIᵉ s., *Mort Garin;* v. *bofir*). Pouffer : *Ot le la dame, de rire s'esbofi (Mort Garin).*

esboillir v. (déb. XIIᵉ s., *Ps. Cambr.*; v. *boillir*). 1° Faire bouillir. — 2° Bouillonner. ◆ **esboilli** adj. (1175, Chr. de Tr.). 1° Qui a bouilli. — 2° Troublé, bouleversé : *Il dist qu'il a veue L'empeeris tres-tote nue, La vile en est tote esboulie (Chr. de Tr.).* ◆ **esboudre** v. (1306, Guiart). Bouillir.

esboml adj. V. ABOSMI, plongé dans la douleur.

esboner v. (1256, *Arch.*; v. *bone*, borne). 1° Borner. — 2° Déplacer, en parlant d'une borne. — 3° Séparer, distinguer : *O glorieuse Deité [...] qui les .///. elemens esbonnes... (J. de Meung).* — 4° Affranchir sous certaines conditions. ◆ **esbonage** n. m. (1270, *Cart.*), **-ement** n. m. (1284, *Cart.*). 1° Fixation des bornes. — 2° Droit de planter les bornes. — 3° Affranchissement des redevances.

esbraier v. (1269, G.; v. *brai*, boue). Nettoyer, décrotter.

esbranchier v. (1283, Beaum.; v. *branche*). Détacher, aliéner une partie d'un fief.

esbraoner v. (1170, *Percev.*; voir *braon*, morceau de viande). 1° Mettre en pièces, éventrer. — 2° Couper par morceaux.

esbraser v. (1112, *Saint Brand.*; v. *braise*). 1° Embraser, enflammer. — 2° Embraser de passion : *Hardiz e si d'ire esbrasez (Ben.).*

esbrener v. (XIIIᵉ s., v. *bran*, excrément). Nettoyer quelqu'un de ses excréments. ◆ **esbrené** adj. (déb. XIIIᵉ s., *Clef d'Am.*). Embrené.

esbroeillier v. (XIIᵉ s., Bible; *broaille, brueille*, intestins). 1° Enlever les intestins, vider : *Esbrueille cest poisson (Bible).* — 2° Faire sortir les entrailles, éventrer.

esbrotoer v. (XIIᵉ s., *Asprem.*; peut-être de *broier*, marchander?). Tromper, esbrouffer : *Que fait grant noisse por nos esbrotoer (Asprem.).*

esbrucier v. V. ESBERUCIER, s'agiter.

esburré adj. (1220, Coincy; v. *burre*, beurre). Écrémé, au propre et au figuré : *Prelat sont mes tout esburré, Leur don ne sunt cras n'enburré (Coincy).*

I. **escachier** v. (1277, *Rose;* orig. incert.; v. *casser*, briser). Casser, écraser : *Doivent [...] lor grant orguel escachier (Rose).*

II. **escachier** v. V. ESCHACIER, chasser, bannir.

I. **escafe** n. f. (1288, J. de Priorat; lat. *scapha*, du grec). Chaloupe, navire d'une seule pièce de bois.

II. **escafe** n. f. (XIIᵉ s.; orig. incert.; v. le mot précédent). 1° Coquille, coquillage. — 2° Cosse, gousse. ◆ **escafer** v. (XIIᵉ s., *Chev. cygne*). 1° Écosser. — 2° Déchirer, meurtrir. ◆ **escafote** n. f. (XIIIᵉ s., *Lapid. Cambr.*). 1° Cosse. — 2° Coquille, écaille. ◆ **escafelote** n. f. (1330, Watriquet). 1° Coquille. — 2° Pelure.

I. **escale, escaille** n. f. (1112, *Saint Brand.*; francique *skala ou *skalja). 1° Ardoise, tuile. — 2° Écaille, coquille : *De saint Jame l'escale* (Garn.). — 3° Gousse, écale. — 4° Coupe, tasse. — 5° Paiement qu'on exigeait d'un prisonnier (1345, *Ord.*). ◆ **escaloi** n. m. (XIIIᵉ s.,). 1° Ardoise. — 2° Coquille de noix. ◆ **escalope** n. f. (1220, Coincy). 1° Cosse. — 2° Coquille, écaille : *La limace gete son cors De l'escalophe d'une nois* (Ruteb.). ◆ **escailliere** n. f. (1298, G.). Ardoisière.

II. **escale** n. f. (XIIIᵉ s., texte italianisant; cf. ital. *scala* ou prov. *escalo*, échelle). Échelle, escalier. ◆ V. ESCHELE, ESCHIELE. ◆ **escaillon** n. m. (1190, J. Bod.). Échelon. *Mesconter les escaillons*, dégringoler : *Les escaillons me mescontés!* (J. Bod.).

escalin, escarlin n. m. (XIIIᵉ s, *Chron. Reims;* néerl. *schelling*, anc. monnaie des Pays-Bas). Monnaie d'argent de valeur variable suivant les pays.

escalufré adj. (1220, Coincy; orig. obsc.). Emporté, fougueux : *Escalifrez ert et musarz* (Coincy). ◆ **escalufrement** n. m. (XIIIᵉ s.). Fougue.

escandir v. (1260, Mousk.; lat. *scandire, pour scandere). Monter, grimper, gravir.

I. **escandre, escandele, escanle** n. m. (XIᵉ s., *Alexis;* lat. ecclés. *scandalum*, piège, d'où, au fig., occasion de péché). 1° Scandale : *Wai celui par qui vient escanles* (Garn.). — 2° Calomnie. — 3° Haine, inimitié : *Escandle mist et grant errur Entre lui et son seignur Par boisdie* (Vie saint Thomas). ◆ **escandalisier** v. (1190, saint Bern.). 1° Divulguer, ébruiter, en

parlant des choses défavorables. — 2° Accuser d'actes déshonorants.

II. **escandre** v. (1150, *Pèl. Charl.;* peut-être du précédent). Frapper, abattre.

escans n. m. (1243, *Charte;* v. *eschancier*, verser à boire). Echanson.

escarbellier v. (1170, *Percev.;* croisement de *escraser* et de *bueille*, entrailles). Mettre en pièces, écrabouiller.

escarboncle n. m. (1080, *Rol.;* v. *carbocle*, du lat. *carbunculum*, petit charbon; la syllabe initiale paraît être due à l'agglutination de l'article employé au pluriel). Pierre précieuse d'un rouge très vif : *Dunat sun helme e s'escarbuncle* (Rol.).

escariment adj. et n. m. (1160, Ben.; orig. obsc.). Sorte d'étoffe : *Un paile escariment* (R. de Cambr.).

escarlate n. f. (1160, Ben.), **escarlet** n. m. (déb. XIVᵉ s., *F. Fitz Warin;* lat. médiév. *scarlatum*, altér. du persan *saqirlat*). Sorte de drap de qualité supérieure dont la couleur variait beaucoup.

escarlin n. m. V. ESCALIN, sorte de monnaie.

escarne, escargne n. f. (1260, Mousk.; orig. incert.). Coquille, carapace.

escarrant, escaran n. m. (XIIᵉ s., *Chétifs;* peut-être de *escarrer*). Brigand, larron : *E sunt les greingor escaran* [...] *dou monde* (M. Polo).

escarrer, -ir v. (XIIIᵉ s.; lat. pop. *exquadrare*, rendre carré). Tailler en carré. ◆ **escarre** n. m. (fin XIIᵉ s., *Rois*). ◆ **escarrie** n. f. (fin XIIᵉ s., *Rois*). 1° Forme carrée. — 2° Bataillon carré : *Il se mettent en escarrie soudainement* (J. de Meung) ◆ **escarreure** n. f. (1298, M. Polo). Carrure, forme carrée.

escarteler v. (fin XIIᵉ s., *Alisc.;* v. *escarter*, du lat. pop. *exquartare*). 1° Fendre par quartiers, partager en quatre : *Potage escartelé*, potage composé de quatre ingrédients. — 2° Mettre en morceaux, briser : *Toute la teste li a esquartelee* (Otinel).

escarter v. (XIIIe s., Sarrazin; lat. pop. *exquartare, partager en quatre). 1° Séparer. − 2° Éloigner.

escasser v. (1080, *Rol.*; v. *casser*). Briser, rompre : *Se le fiert contre tiere, mors est et escacies (Rom. d'Alex.).*

escavi adj. V. ESCHEVI, svelte, élégant.

esce n. f. V. ESSE, application, disposition.

esceper v. (1268, *Arch.*; v. *cep*). 1° Arracher les ceps d'une vigne. − 2° Arracher.

escerchier v. (déb. XIIe s., *Ps. Cambr.*; v. *cerchier*, aller en rond). 1° Parcourir, fouiller. − 2° Scruter, sonder : *Sire, tu escerchas mei e coneus (Ps. Cambr.).* − 3° S'informer de. ◆ **escerchement** n. m. (1120, *Ps. Oxf.*). Action de fouiller, de scruter.

escerveler v. (fin XIIe s., *Loher.*; v. *cervele*). 1° Faire jaillir la cervelle hors du crâne, briser la tête, tuer : *Fiert, escierviele, ocit et tue* (Mousk.). − 2° Rendre écervelé. ◆ **escervier** v. (1160, Ben.). Faire sortir la cervelle, briser la tête.

escesmer v. V. ACESMER, orner.

eschac n. m. V. ESCHEC, jeu.

eschacier v. (1260, Mousk.; voir *chacier*). 1° Chasser, mettre en fuite. 2° Bannir. ◆ **eschacement** n. m. (1287 G.). Action d'expulser.

eschafalt n. m. (1160, Ben.; v. *chafalt*, échafaudage). 1° Charpente soutenant une plate-forme. − 2° Toute espèce d'échafaudage, estrade. ◆ **eschafalder** v. (déb. XIIIe s.). Servir d'échafaudage à.

eschai n. m. V. ESCHEC, butin.

eschaitiver v. (1155, Wace; v. *chaitif*, prisonnier). 1° Faire prisonnier, emmener en captivité, réduire en esclavage. − 2° Dépouiller : *De maint preudome l'avez eschaitivee (F. de Candie).* − 3° *Eschaitiver de*, s'exiler de, sortir de. ◆ **eschaitivé** adj. (1160, Ben.). 1° Captif. − 2° Misérable, pitoyable : *Povrez, eschetivés, tout seul, sans escuier (Doon de*

eschaitiement adv. (XIIIe s., *Atre pér.*). En pauvre équipage, en société peu nombreuse.

eschalaçon n. m. V. ESCHAREÇON, échalas.

eschalcirer, -citer v. (XIIe s.; v. *chalcirer*). 1° Ruer, s'obstiner. − 2° Se débattre, se démener : *Ki oist le felun crier E le veist eschalcirrer (Rose).*

eschalder v. (1160, Ben.; lat. pop. *excaldare). 1° Chauffer, faire bouillir. − 2° Brûler, incendier : *Li pais estoit gaster et la terre escaudee (Conq. Jér.).* ◆ **eschaldeure** n. f. (1125, Marbode). Brûlure. ◆ **eschaldeis** n. m. (XIVe s.). Echaudé. ◆ **eschaudeor** n. m. (1292, *Taille*). Marchand d'échaudés.

eschale n. f. V. ESCHIELE, échelle.

eschalfer v. (déb. XIIe s., *Ps. Cambr.*; v. *chalfer*, chauffer). Échauffer, émouvoir. ◆ **eschaufee** n. f. (XIIe s., *Doon de May.*). Ardeur, colère enflammée : *Vees comme il caploie et fiert d'une escaufee (Doon de May.).* ◆ **eschaufeure** n. f. (1260, Br. Lat.). Échauffement, inflammation. ◆ **eschaufoir** n. m. (XIIIe s., G.). Réchaud.

eschaloigne, -luigne n. f. (déb. XIIe s., *Voy. Charl.*; altér. du lat. *ascalonia caepa*, oignon d'Ascalon). Échalote.

eschame n. m. ou f. (1164, Chr. de Tr.; lat. *scamnum*, escabeau). Banc, escabeau. ◆ **eschamel** n. m. (déb. XIIe s., *Ps. Cambr.*). 1° Banc, tabouret, marchepied. − 2° Béquilles : *A uns eschameus feitiz [...] Se trait li povre frarin (Éd. le Conf.).*

eschamper v. (1155, Wace), **-ir** v. (XIIIe s., *Ass. Jér.*; v. *champ*). Fuir du champ de bataille, se sauver : *Dus Eneas a quelque peine De la grant occise escampa* (Wace). − 2° Faire échapper. − 3° Éviter. ◆ **eschamp** n. m. (1229, G. de Montr.), **-e** n. f. (XIIIe s., *Ass. Jér.*). 1° Fuite : *Prendre l'eschampe*, s'enfuir. − 2° Échappatoire, faux-fuyant : *Chevaliers au plain et au champ Se doit combatre sanz eschamp (G. de Montr.).*

eschamperche n. f. (XIIIᵉ s.; mot comp. de *champ* et *perche*). Cloison, palissade.

eschancier v. (XIIᵉ s.; francique **skankjan*). Verser à boire. ◆ **eschançon** n. m. (XIIᵉ s., *Asprem.*). Officier chargé de servir à boire au seigneur.

eschandillier v. (1282, *Ord.*; cf. lat. *scandere,* monter). Vérifier les mesures des marchands sur l'étalon de la ville. ◆ **eschandil, eschantil** n. m. (XIIᵉ s.). Étalon, mesure. ◆ **eschandillon** n. m. (XIIIᵉ s.), **eschantillon** n. m. (1268, E. Boil.). 1° Étalon de mesures et de poids. — 2° *Doner l'eschantillon,* accorder des faveurs.

eschandir v. (1220, Coincy; lat. pop. *excandire,* pour *excandere,* brûler). 1° Allumer, incendier. — 2° Brûler. — 3° Se chauffer. — 4° Exciter, irriter.

eschaner v. (1220, Coincy; voir *chanes*). Blanchir, rendre pâle. ◆ **eschané** adj. (1220, Coincy). Blanchi, défait, pâle.

eschange n. m. (1080, *Roland*; v. *changier*). 1° Ce qui est donné en échange, ce qui remplace : *Deus! se jel'pert, ja n'en avrai escange (Rol.).* — 2° Action d'échan̄ger. — 3° Représailles.

eschanteler v. (1080, *Rol.*; voir *chantel,* morceau). 1° Mettre en pièces, briser. — 2° Ébrécher, écorner.

eschapeler v. (fin XIIᵉ s., *Alisc.*; voir *chapler,* frapper). 1° Tailler, dégrossir. — 2° Au sens grivois : *Li premiers n'a fait fors eskapeler (Chans.).* ◆ **eschaplement** n. m. (XIIᵉ s.), **-eis** n. m. (XIIᵉ s., *Proth.*). Bataille.

eschapin n. m. (fin XIIᵉ s., *Loher.*; orig. incert., v. *escafe,* coquille). Soulier léger.

eschapir v. (XIIᵉ s., M. de Fr.; orig. obsc.). 1° Faire éclore. — 2° Éclore.

eschar adj. V. ESCHARNIR, railler.

escharaz n. m. (XIIᵉ s.; v. *charas*). Échalas. ◆ **eschareçon** n. m. (1204, R. de Moil.). Échalas. ◆ **eschareçoner** v. (XIIIᵉ s.). Garnir d'échalas.

escharboner v. (1080, *Rol.*; voir *charbon*). Faire jaillir les étincelles.

escharbote n. f. (1260, A. de la Halle; cf. lat. *scarabeus*). Escarbot, scarabée.

I. escharde, escherde n. f. (1121, Ph. de Thaun; francique *skarda,* entaille). 1° Écaille. — 2° Morceau de bois. ◆ **escharder** v. (1229, G. de Montr.). 1° Ôter l'écaille. — 2° Rompre, briser en éclats. — 3° Diviser. — 4° Dépouiller, écorcher, piller. ◆ **eschardos** adj. (1180, G. de Saint-Pair). Écailleux, rugueux. ◆ **escardé** adj. (XIIIᵉ s., Th. de Kent). Couvert d'écailles.

II. escharde n. f. (XIIIᵉ s., prov. *carda,* du lat. pop. **cardare,* en croisement avec *escharde,* écaille). Carde, cardon. ◆ **escharder** v. (XIIIᵉ s., *Fabl. d'Ov.*). Carder.

eschargaite n. f. (1080, *Rol.*; francique **skarwahta*). 1° Action de veiller. — 2° Troupe qui fait le guet : *Les escargaites chi guardent la citez (Cant. des cant.).* — 3° Guetteur isolé, sentinelle, patrouille, garde, etc. — 4° Petite tour d'observation, échauguette. ◆ **eschargaitier** v. (1155, Wace). 1° Faire le guet. — 2° Se garder, se tenir sur ses gardes. — 3° Garder, veillée à la sûreté de. — 4° *Eschargaitier que,* veiller à ce que.

escharir v. (1169, Wace; lat. pop. **scarire,* d'orig. germ.; cf. angl. *to share,* partager). 1° Partager. — 2° Désigner. — 3° Assurer, déclarer : *Si com uns hoem li eschari* (Wace). ◆ **escharie** n. f. (XIIᵉ s.). Partage, lot. ◆ **eschari, escheri** adj. (1160, Ben.). 1° Petit, peu nombreux : *quatre jors escheriz,* quatre petits jours, quatre jours au plus. — 2° Accompagné de peu de gens : *A lui od maisnie escharie* (Ben.). — 3° Affaibli, pauvre, mesquin. ◆ **eschariement** adv. (XIIᵉ s., *Asprem.*). En petite compagnie, mesquinement.

escharnir v. (Xᵉ s., *Passion*; francique **shirnjan,* railler). 1° Railler, tourner en dérision. — 2° Outrager, injurier : *Por quoi si griement m'escharnis? (Fl. et Bl.).* ◆ **eschar, escharn** n. m. (Xᵉ s.,

Passion). Moquerie, dérision : *Qui tient mariaige a eschar* [...] *Dieu escharnist et sainte Yglise (De l'Emper.). Faire eschar de,* avoir *eschar de,* se moquer de. ◆ **escharnissement** n. m. (fin XIIᵉ s., saint Grég.). Mépris, outrage.

escharpe n. f. (déb. XIIᵉ s., *Voy. Charl.;* francique **skerpa,* même sens). Sacoche, bourse suspendue au cou. ◆ **escharper** v. (1306, Guiart). 1º Mettre une sacoche. — 2º Suspendre en écharpe. — 3º Enlever la bourse, voler. ◆ **escharpelerie** n. f. (XIIIᵉ s., *Établ. Saint Louis).* Brigandage, friponnerie.

eschars adj. (1160, Ben.; lat. pop. **excarpsum,* pour *excerptum,* extrait). 1º Avare, chiche : *Molt ert de donner escars* (R. de Beauj.). — 2º Mesquin, faible, insuffisant : *Car ce fu Jehan ... Qui d'onnour ne fu mie escars* (Couci). — 3º Étroit, resserré. — 4º *N'estre pas eschars de,* faire telle chose sans se priver. — 5º *A eschars,* avec épargne. — 6º *Tot a eschars,* seulement, en tout. ◆ **escharseté** n. f. (déb. XIIᵉ s., *Ps. Cambr.).* 1º Avarice, mesquincrie, vilenie : *Escharsetez est une vice Qui forment aime avarice (Ren.).* — 2º Manque, disette : *De la vitaille ourent chierté E de aigue grant escharseté* (G. de Saint-Pair). ◆ **escharsier** v. (XIIᵉ s.). 1º Faire des économies. — 2º Traiter mesquinement.

eschas n. m. (XIIᵉ s., *Barbast.),* **eschace** n. f. (fin XIIᵉ s., *Alisc.;* francique **skakkja).* 1º Long bâton. — 2º Jambe de bois. — 3º Béquille. — 4º *Faire eschace,* s'enfuir. ◆ **eschacier** n. m. (1150, *Thèbes).* 1º Celui qui marche avec une béquille. — 2º Boiteux, estropié. ◆ **eschacier** v. (XIIᵉ s., *Trist.).* 1º Marcher avec des béquilles. — 2º Boiter.

esche, asche, aische n. f. (fin XIIᵉ s., *Loher.;* lat. *esca,* nourriture). 1º Appât, amorce. — 2º Brindilles pour alimenter le feu, mèche, amadou, etc. ◆ **eschier** v. (1317, *Ord.).* 1º Amorcer, appâter. — 2º Pêcher.

I. eschec n. m. (1080, *Rol.;* germ. *schâch,* butin). 1º Butin, prise : *Gardez ceste pucelle, car grant eschec ai ci (Chans. d'Ant.).* — 2º Bataille.

II. eschec n. m. (1080, *Rol.;* du persan *chãh,* roi, par l'interm. de l'arabe). Au plur. Jeu des échecs : *Si sui con cil qui as eschas voit cler* (C. de Béth.). ◆ **eschequier** n. m. (1160, Ben.). 1º Échiquier. — 2º Trésor royal *(Rois).* — 3º Cour de justice, parlement de diverses provinces (la cour des ducs de Normandie se réunissait autour d'une table recouverte d'un tapis orné de carreaux). — 4º Le temps de sa session. ◆ **eschequier** v. (1175, Chr. de Tr.). 1º Jouer aux échecs. — 2º Mettre à mal, pêcher : *Male leeche en aiés vous D'ensi nos deniers esciekier* (J. Bod.). — 3º *Echequier a* (quelqu'un), le faire mat, le renverser. — 4º Échiqueter. ◆ **eschequeré** adj. (1170, *Fierabr.).* 1º Divisé en carrés de diverses couleurs. — 2º Écartelé.

eschefler v. (XIIᵉ s., M. de Fr.; probablement du bas all. *skafen,* racler). Déchirer, meurtrir.

eschenal n. m. (1287, *Arch.;* voir *chenal).* Rigole, gouttière, canal.

eschené adj. V. ESCHANER, blanchir.

escheoir v. (1169, Wace; lat. pop. **excadere,* pour *excidere).* 1º Tomber. — 2º Arriver : *Vilonie et honte sereit Mais mult vos est bien eschaeit* (Wace). — 3º *Escheoir de l'ame,* s'échapper du souvenir. ◆ **escheoit** n. m. (1155, Wace), **escheoite** n. f. (XIIᵉ s., *Éd. le Conf.).* 1º Succession, héritage collatéral. — 2º En particulier, héritage non noble. — 3º Tout ce qui revient à quelqu'un. ◆ **escheance** n. f. (1220, Coincy). 1º Succession, héritage collatéral. — 2º Ce qui échoit.

escherde n. f. V. ESCHARDE, écaille, morceau de bois.

eschermer v. V. ESCREMER, s'escrimer, combattre.

eschevi, escavi adj. (1080, *Rol.*; cf. germ. **skalfjan,* arranger). Mince, svelte, élégant : *Espaules ot et braz forniz Et les flans grelles escheviz (Percev.).*

I. **eschevir** v. (1292, *Arch.*; voir *chevir,* même sens). Achever, exécuter complètement. ◆ **eschief** n. m. (1162, *Fl. et Bl.*). Fin, résultat.

II. **eschevir** v. V. ESCHIVER, esquiver.

I. **eschiele, eschale** n. f. (XIIᵉ s., *Pir. et Tisb.*). 1º Échelle, escalier. — 2º Escalade. — 3º Sorte de pilori où l'on exposait les criminels. ◆ **escheler** v. (1200, *Quatre Fils Aym.*). 1º Escalader en se servant d'une échelle. — 2º Exposer un criminel sur une échelle : *Saint Louis fit eschaller ung orfevre en braies et en chemise* (Joinv.). ◆ **eschelon** n. m. (fin XIIᵉ s., *Aiol.*), -**eschillon** n. m. (1277, *Rose*). Échelon.

II. **eschiele, eschele, eschiere** n. f. (1112, *Saint Brand.*; germ. *skilla,* grelot). 1º Petite cloche, sonnette, grelot. — 2º Son de la cloche. ◆ **eschelete** n. f. (1160, Ben.). Petite clochette, crécelle.

III. **eschiele, eschiere** n. f. (1080, *Rol.*; germ. *skara,* troupe). 1º Troupe, escadron. — 2º Corps de troupes rangé en bataille : *Granz sunt les oz e les escheles beles (Rol.).* ◆ **escheler** v. (XIIIᵉ s.). Ranger en bataille.

eschierde n. f. V. ESCHARDE, écaille.

eschiet n. m. V. ESCHOI, esquif, bateau.

eschif, eschiu, eschi adj. (1155, Wace; germ. *skiuh,* farouche). 1º Rétif, farouche, de mauvaise volonté : *Sucurez sun seignur, ne li seiez eschis* (Wace). — 2º *Eschif a* ou *de,* qui refuse de faire, dédaigneux de : *Ja ne me troverés esquieu De joster a vos (Durm. le Gall.).* — 3º Exempt : *Baisier loial Eschieu de folie et de mal* (Aden.). — 4º Dépourvu, privé :

Je reserai de votre amor eschis (Aym. Narb.). — 5º Banni.

eschife, eschive, eschifre n. m. (1150, *Thèbes;* déverbal de *eschiver,* éviter). Échauguette; sorte de fortification flanquante, en bois; guérite pour les sentinelles.

eschignier v. (1190, *H. de Bord.*; francique **kînan,* tordre, doté du préfixe *es-*). 1º Grincer : *Denz eschignies,* en grinçant des dents. — 2º Faire la grimace, montrer les dents en riant. — 3º Railler, se moquer : *Molt durement rit et esquigne* (Coincy). ◆ **eschignement** n. m. (XIIIᵉ s.). Risée, moquerie.

eschine n. f. (1080, *Rol.;* francique **skina,* os de la jambe). Échine. ◆ **eschinee** n. f. (XIIᵉ s., *Ogier*). Échine, reins, dos. ◆ **eschinel** n. m. (1190, *H. de Bord.*). Échine, rein. ◆ **eschiner** v. (XIIᵉ s.). Rompre l'échine, tuer.

eschiper, esquiper v. (1160, Ben.; germ. *skip-,* bateau). 1º S'embarquer, prendre la mer. — 2º Naviguer. — 3º Pourvoir un bateau du nécessaire : *Cent nes fist eschiper li rois. Viande i mist a treze mois (Eneas).* ◆ **eschipé** adj. (1112, *Saint Brand.*). Qui prend la mer. ◆ **eschipre** n. m. (1080, *Rol.;* germ. *skiper*). Marin, matelot. ◆ **eschipeson** n. f. (1371, G.). Équipage.

eschirer v. (XIIᵉ s.; francique **skerjan,* gratter). 1º Égratigner. — 2º Déchirer.

eschirpe n. f. V. ESCHARPE, sacoche.

eschiter v. (XIIᵉ s.; germ. *skitan*). Salir.

eschiver v. (1080, *Rol.*), **eschuir** v. (1190, saint Bern.; germ. **skiüh,* farouche, qui a donné *eschif*). 1º Éviter : *Li mors n'est pas tel cose que on doit esciver (Rom. d'Alex.).* — 2º *Eschiver* quelqu'un, le préserver, garder. — 3º S'écarter. *Eschiver sa voie,* s'écarter de son chemin. *S'eschiver de* quelqu'un, s'écarter de lui, le fuir. — 4° Fuir, échapper. ◆ **eschivance** n. f. (fin XIIe s., *G. de Rouss.*), **-ee** n. f. (1200, *Ren. de Montaub.*), **-ement** n. m. (fin XIIIe s., Macé). Action d'éviter. — 2° Éloignement. — 3° *Faire eschivee*, s'échapper.

eschoi n. m. (1169, Wace; germ. *skif*, même sens). Esquif; bateau.

eschoiete n. f. V. ESCHEOITE, succession, héritage.

eschoison n. f. (XIIIe s., *Règle saint Ben.*; v. *ochoison, achoison*). 1° Occasion, motif : *Et einsin seroit donee eschoison au deable (Règle saint Ben.).* — 2° Faute, accusation.

eschope, escope n. f. (XIIe s., Ernoul; anc. néerl. *schoppe*). Boutique. ◆ **eschopier** n. m. (1301, *Charte*). Petit marchand, détaillant.

escient n. m. (1175, Chr. de Tr.; lat. *sciente*, à partir des locutions *me, te sciente*, moi, toi sachant). 1° Intelligence, raison. — 2° Connaissance, sagesse : *Alixandres fu preus et de grant escient (Rom. d'Alex.).* — 3° *Mon escient, par le mien escient*, par ma foi, ma parole : *Ne sont que .IIII. par le mien escient; Bien i poons joster seurement (Otinel).* — 4° *A escient*, avec certitude. — 5° *A escient, d'escient*, le sachant et le voulant : *Car dure et mauvaise seroie S'a escient je vous moquole (Couci).* — 6° *Choisir escient*, prendre conscience de ses actes. ◆ **escientre** n. m. (1080, *Rol.*; lat. *scienter*, adv.). Bonne foi, sagesse. ◆ **escientos** adj. (1155, Wace). Savant, habile, sage. ◆ **escience** n. f. (1119, Ph. de Thaun). Savoir, intelligence.

escirper v. V. ESCHARPER, mettre une sacoche, voler.

esciter v. (1180, G. de Saint-Pair; lat. *excitare*, mettre en mouvement). Relever, faire sortir : *Les povres de terre susciteit Le besoignous de merde esciteit (Ps.).* ◆ **escitement** n. m. (1220, Coincy). Excitation. ◆ **escitable** adj. (1265, J. de Meung). Qui a le pouvoir de ressusciter les morts.

esclaboter v. (XIIIe s., *Fabl.*; formation expressive utilisant *esclater* et *boter*). Éclabousser : *La merde sent esclaboter Qui mult li put au nez et flaire* (De Jouglet).

esclacier v. (XIIe s., Evrat; germ. **klakkjan*, craquer, soutenu par l'onom. *clac*). 1° Briser, écraser. — 2° Jaillir (en parlant de la lumière). — 3° Faire jaillir en écrasant. ◆ **esclace** n. f. (1180, *Rol.*). Jaillissement d'un liquide : *Encuntre terre en cheent les esclaces* [de sang] *(Rol.).*

esclame adj. (XIIe s., Evrat; orig. incert.; v. *esclenc*, gauche, défectueux). Défectueux, mauvais (au phys. et au moral) : *Cele citez* [...] *Est fermee de quatre portes Qui ne sont esclames ne tortes (Voie Parad.).*

esclandre n. m. (1265, J. de Meung; adapt. du lat. *scandalum*, scandale). V. ESCANDRE. ◆ **esclander** v. (XIVe s., *Rol.*). 1° Outrager, déshonorer. — 2° Scandaliser.

esclarcir v. (déb. XIIe s., *Ps. Cambr.*; lat. pop. **exclaricire*). 1° Éclairer, faire briller. — 2° S'éclaircir. — 3° Éclaircir, expliquer, déclarer. ◆ **esclaricissement** n. m. (XIIe s., *Roncev.*). 1° Lumière, clarté. — 2° Déclaration, explication. — 3° Bruit éclatant.

esclargier v. (1080, *Rol.*), **-ir** (déb. XIIe s., *Ps. Cambr.*; lat. pop. **exclaricare*, pour *exclarare*). 1° Éclairer, faire jour. — 2° Rendre clair, démontrer, déclarer. — 3° Soulager.

esclarier, -ir v. (Xe s., *Passion;* lat. pop. **exclariare*, pour *exclarare*). 1° Allumer, faire briller, manifester : *Vindrent ... esclairier ta foi (Vie Charl.).* — 2° Etre éclairé, faire jour. — 3° Expliquer, déclarer : *La mervelle que vous m'avez dite et esclarie (Artur).* — 4° Lancer des éclairs. — 5° Sonner clair et haut : *E l'olifan ki trestuz les esclairet (Rol.).* — 6° *Son cuer esclarier*, se soulager le cœur. ◆ **esclairement** n. m. (1170, *Percev.*). 1° Clarté, lumière, point du jour. —

2° Déclaration, éclaircissement. ◆
esclarissement n. m. (XIIᵉ s., *Ps.*).
Clarté, point du jour. ◆ **esclair** n. m.
(1112, *Saint Brand.*). Clarté. ◆
esclaire n. f. (XIIᵉ s., *Ps.*). 1° Éclair. −
2° Soupirail, lucarne (1325, *Arch.*).

esclasser v. V. ACLASSER, se
reposer, s'assoupir.

esclat n. m. V. ESCLOI, urine, eau
sale.

I. **esclate** n. f. (1155, Wace; germ.
slatha, même sens). 1° Race, tribu,
génération, famille. − 2° Rejetons,
petits-enfants. ◆ **esclatier** adj. (XIIᵉ s.,
Evrat). 1° De bonne race. − 2° Généreux, franc : *Oevre* [...] *Et bone et
bele esclatiere* (Evrat).

II. **esclate** n. f., action d'éclater,
éclat. V. ESCLATER, briser.

esclater v. (XIIᵉ s., Marb.; form.
expressive, peut-être à partir d'un bas lat.
exclappitare). Briser, faire voler en
éclats. ◆ **esclate** n. f. (XIIIᵉ s.). 1° Action
d'éclater, de se briser. − 2° Éclat, lambeau. ◆ **esclateis** n. m. (XIIIᵉ s., *Chron.
Saint-Denis*). 1° Éclatement. − 2°
Vacarme, tumulte. ◆ **esclateler** v. (XIIᵉ s.,
Parten.). Voler en éclats.

esclave n. m. (XIIᵉ s., *Macchab.*; lat.
médiév. *sclavus*, var. de *slavus*, de nombreux Slaves du Sud ayant été vendus
comme esclaves). Esclave. ◆ **esclavine**
n. f. (XIIᵉ s., *Trist.*). 1° Sorte d'étoffe velue,
bure. − 2° Robe, vêtement commun doté
d'un capuchon et porté par les voyageurs,
les pèlerins, les marins.

esclemir v. réfl. (XIIᵉ s., *Part.*; orig.
obsc.). S'assouplir : *Un molt petit s'est li
rois esclemis (Anseis).*

esclenc adj. (1170, *Percev.*; germ.
slink, all. *link*, même sens). 1° Gauche. −
2° Défectueux (v. ESCLAME). ◆ **esclen-
chier** adj. (1180, *Rom. d'Alex.*). Gaucher,
maladroit. *N'estre pas esclanchièr*, ne
pas y aller de main morte.

escler, ascler, esclier n. m.
(1190, Garn.; orig. incert.). Esclavon,
infidèle. Souvent couplé en une expression
figée : *Sarrasin et Escler.*

esclic n. m., **esclice** n. f. (1080,
Rol.; francique *slîti*, entaille, fragment).
1° Éclat de bois, fragment, tronçon. −
2° Attelle, éclisse. − 3° Jaillissement de
liquide. *Esclice de venim,* celui qui dégage
le venin. − 4° Partage d'héritage, démembrement. ◆ **esclicier** v. (1080, *Rol.*),
esclier v. (1160, Ben.). 1° Fendre,
mettre en morceaux, briser. − 2° Voler en
éclats. − 3° Faire jaillir, éclabousser. −
4° Faire des éclairs. − 5° Dévier, glisser :
Li cos esclice, rien a mie touchié (Loher.).
− 6° Partager un héritage. ◆ **escliceure**
n. f. (1180, *Rom. d'Alex.*). Éclat. ◆ **escli-
cement** n. m. (1329, *Arch.*). Démembrement, partage d'un bien. ◆ **esclicete** n. f.
(1277, *Rose*). Petit morceau de bois
dont on faisait des paniers, des corbeilles,
etc.

esclignier v. (XIIᵉ s., Evrat; v. *clin*).
1° Fermer l'œil à demi : *Puis l'esclugne*
(l'œil) *et reclot aussi con s'il soumele
(De Vesp.).* − 2° Épier. ◆ **esclignement**
n. m. (1262, *Cart.*). Perquisition.

esclistrer v. (1180, *Rom. d'Alex.*;
cf. germ. *glisten*, briller). Faire des
éclairs. ◆ **esclistre** n. m. (fin XIIᵉ s., *Ogier*).
Éclair.

escloi, esclo, esclat n. m.
(1246, *Conq. Jér.*; orig. incert.). 1° Urine :
*Nous beverons l'escloi et le sang des
roncis (Conq. Jér.).* − 2° Eau sale.

esclore v. (1155, Wace; lat. pop.
exclaudere, pour *excludere*, faire sortir).
1° Mettre dehors, chasser, exclure : *De
totes partz les unt esclos* (Wace). −
2° *Esclore un moulin,* le faire cesser de
moudre. − 3° Développer, expliquer.
◆ **escloteure** n. f. (1190, Garn.); -**oire**
n. f. (XIIIᵉ s., *Fabl. d'Ov.*). Écluse.

esclot, esclo n. m. (1180, *R. de
Cambr.*; orig. incert.). 1° Corne d'un
animal, sabot du cheval − 2° Trace des
sabots, des pas, piste : *Le roy (et ses
barons) les pursiwerent par le esclot des
chivals (F. Fitz Warin). A esclos,* à la
piste. *Changier esclos,* se déranger de sa
route. − 3° *Porsuivre ses esclos,* continuer
son sujet, poursuivre sa matière.

esclunié adj. (XIIᵉ s., *Part.;* lat. *clunem,* fesse, croupe). 1º Déhanché, qui a les fesses déjetées. — 2º Contrefait, infirme.

escluse n. f. (XIIIᵉ s., *Chron. Reims;* bas lat. *exclusa,* part. passé de *excludere*). Écluse. *Escluse de Pasques,* le dimanche de Quasimodo (1350). ◆ **escluser** v. (1204, R. de Moil.). 1º Fermer par une écluse. — 2º Fermer en général : *Por chou me bouke n'esclusai* (R. de Moil.).

escobe n. f. V. ESCOVE, balai.

escobichier v. (1250, *Ren.;* form. obsc.). Escamoter, cacher. ◆ **escobert** n. m. (1330, J. Lefevre). *En escobert,* clandestinement, en cachette.

escodre v. V. ESCORRE, secouer, battre.

escoer v. (fin XIIᵉ s., *Aiol;* v. *coe,* queue). Mutiler en coupant la queue.

escoerie n. f. (1265, *Arch.;* cf. lat. *corium,* cuir). 1º Métier de fourreur, tannerie. — 2º Cuir apprêté. ◆ **escoier** n. m. (1229, *Acte*). Ouvrier en cuirs, tanneur, pelletier.

escofle, escofre, escofe n. m. ou f. (déb. XIIᵉ s., *Ps. Cambr.;* bas breton **skouvl*). 1º Espèce de milan, écoufle. — 2º Sorte de vêtement de cuir ou de peau.

escoil n. m. V. ESCUEIL, élan, accueil.

escoillior v. (XIIᵉ s , *Trist.;* v. *coille,* testicule). Châtrer : *Grans pechies est d'omme escoillier (Rose).* ◆ **escoillié** adj. et n. m. (1298, M. Polo). Eunuque, châtré. ◆ **escoilli** adj. (1316, *Livr. pelu*). Châtré. ◆ **escoilleor** n. m. (1277, *Rose*). Celui qui châtre.

escoisendir, escoissendre v. (fin XIIᵉ s., *G. de Rouss.;* orig. incert.). 1º Déchirer. — 2º Déchirer ostensiblement ses vêtements.

escole n. f. (XIᵉ s., *Alexis;* lat. *schola*). 1º Façon, manière : *Mentre que la langue parole Et li cuers pense d'autre escole (Florim.).* — 2º État : *Quant mes dox amis m'acole Et il me sent grasse et mole Dont sui jou a tele escole (Auc. et Nic.).* — 3º Remontrance, conseil. — 4º École. — 5º Cabaret : *Nuls ne doit tenir boulle ne escolle ne paillole* (1249, *Arch.*). — 6º *Par escole,* habilement, ingénieusement. ◆ **escoler** v. (1180, *Rom. d'Alex.*). 1º Enseigner, rendre savant. — 2º Endoctriner, séduire. ◆ **escolé** adj. (1250, *Ren.*). Habile, savant : *Sages en fu et escolés (Ren.).* ◆ **escoler** n. m. (XIIᵉ s., *Roncev.;* bas lat. *scholarem*). Écolier, étudiant. ◆ **escolastre** n. m. (XIIIᵉ s., lat. *scholasticus*). 1º Celui qui appartient à l'école, chanoine chargé de l'enseignement gratuit. — 2º adj. Destiné aux écoles. ◆ **escolastree** n. f. (XIIIᵉ s.). Charge d'écolâtre.

I. escoler v. réfl. (1160, *Eneas;* voir *coler*). Glisser : *Mais la lance s'en escola (Eneas).*

II. escoler v. (fin XIIᵉ s., *Loher.;* voir *col*). Serrer dans ses bras : *Il trait vers lui l'anfent, san prant a escoler* (Bible). ◆ **escolé** adj. (XIIIᵉ s.). 1º Mis au cou. — 2º Décolleté.

III. escoler v., enseigner, endoctriner, séduire. V. ESCOLE, école.

escoleter v. (déb. XIIIᵉ s., *Clef d'Am.;* v. *colet,* dim. de cou). 1º Décapiter. — 2º Décolleter : *Mez soit ta robe escolletee (Clef d'Am.).*

escoloré adj. (1080, *Rol.;* v. *color*). Pâle.

escolorgier v. (déb. XIIᵉ s., *Ps. Cambr.;* orig. obsc.). 1º Glisser, couler. — 2º S'échapper, s'enfuir : *Conme beauté qui s'escoulourge (Trist.).* ◆ **escolorgement** n. m. (1120, *Ps. Oxf.*). 1º Action de glisser. — 2º Occasion de pécher. ◆ **escolorjable** adj. (1160, Ben.). 1º Glissant. — 2º Fugitif, changeant : *Tost fu l'amor de ceux muable, Fausse e vaine e esculorjable* (Ben.).

I. escolper v. (XIIᵉ s., Herman; voir *colper,* inculper). Disculper.

II. escolper v. (XIIᵉ s., *Ps.;* voir *encolper,* inculper). 1º Accuser. — 2º Tourmenter, épuiser : *E en mon cuer par nuit pensai; Par travail m'espir escoupai (Ps.).*

III. escolper, escoper v. (XIIᵉ s., *Mon. Guill.;* v. *colp,* coup, partiellement confondu avec *cou, coup,* cocu). 1º

Couper. — 2° Battre, frapper de verges. — 3° Abuser d'une femme. — 4° Rendre cocu. ◆ **escopé** adj. (XIIIe s.). 1° Poltron, lâche. — 2° Mauvais plaisant, insolent.

escolter v. (Xe s., *Eulalie;* bas lat. *ascultare,* pour *auscultare,* avec chang. de préfixe). 1° Écouter. — 2° Etre attentif à, prendre part à. — 3° Épier. — 4° Attendre. ◆ **escolt** n. m. (1170, Chr. de Tr.). 1° Action d'écouter, d'épier. *Prendre escolt,* écouter. — 2° Attention. *Faire escout,* prêter attention : *Et or me faites tout escout* (A. de la Halle). — 3° *Avoir escout,* être écouté. *N'avoir nul escout,* n'être point écouté. — 4° *Se prendre escout de,* veiller sur. — 5° *En escout,* aux écoutes. ◆ **escolte** n. f. (déb. XIIe s., *Voy. Charl.*). 1° Celui qui écoute. — 2° Celui qui fait le guet : sentinelle, espion. — 2° Guet, surveillance. — 3° Cachette d'où l'on peut écouter.

escombatre v. (1080, *Rol.;* voir *combatre*). 1° Combattre. — 2° Conquérir en combattant. — 3° *S'escombatre de,* se défendre de. ◆ **escombatu** adj. (1180, *Rom. d'Alex.*). Vaincu.

I. **escomengier** v. (1180, G. de Saint-Pair), **escomenier** (XIIe s., *Pir. et Tisb.*); lat. ecclés. *excommunicare*). 1° Excommunier. — 2° Détester, abhorrer. ◆ **escomenge** n. f. (XIIe s., *Cast. d'un père*), **-eniement** n. m. (1169, Wace). Excommunication. ◆ **escomengeable** adj. (XIIe s., Bible). 1° Qui mérite d'être excommunié. — 2° Abominable, exécrable.

II. **escomengier** v. (XIIIe s., *Sainte Thaïs;* v. *comengier*). 1° Donner la communion. — 2° Recevoir la communion.

esconcendre v. V. ESCOISENDIR, déchirer.

escondire v. (XIe s., *Alexis;* bas lat. *excondicere,* convenir de). 1° Refuser, dénier : *Et ce que tu ne li voloies otroier senefie que tu l'en escondiras (Queste Saint-Graal).* — 2° Refuser, éconduire : *Robin [...] Qui d'un baisier par ta folour As escondit t'amie (Chans.).* — 3° Contredire, s'opposer à, combattre. — 4° Excuser, justifier : *Cil me voudroient*

escondire Qui avront veu ma deraisne (Trist.). — 5° *Escondire* quelqu'un *de,* l'excuser de, alléguer comme excuse. ◆ **escondit** n. m. (1160, Ben.). 1° Refus : *Tant fet de honteuses requestes Et a tant de durs escondis (Rose).* — 2° Excuse. ◆ **escondite** n. f. (XIIIe s., *Ass. Jér.*). 1° Refus, défaut de comparaître. — 2° Amende, réparation.

escondre v. (XIIe s.; lat. pop. *excondere,* cacher). Cacher, se cacher. ◆ **escondail** n. m. (1335, Deguil.), **-aille** n. f. (XIIe s.), **-it** n. m. (XIIIe s.), **-u** n. m. (XIIe s.). Lieu caché, cachette. *En escondit,* en cachette. ◆ **escons** n. m. (fin XIIe s., *Loher.*), **-e** n. f. (XIIe s., *Lancelot*), **-ement** n. m. (XIIe s., *Ps.*). 1° Lieu caché, retraite. — 2° Le coucher du soleil. ◆ **esconser** v. (1180, *Rom. d'Alex.*). 1° Cacher. — 2° Se coucher, en parlant du soleil. — 3° Se cacher, se dissimuler : *Iluec s'esconsse au mieus qu'il puet (Chast. Vergi).* ◆ **esconserie** n. f. (1246, *Arch.*). Détournement des preuves.

esconter v. (1155, Wace; v. *conter*). Raconter.

escope n. f. V. ESCHOPE, boutique.

escopel n. m. (XIIe s., v. *copel*). Copeau. ◆ **escopeler** v. (XIIe s., *Chev. deux épées*). 1° Faire des copeaux. — 2° Réduire en morceaux. ◆ **escopeleis** n. m. (XIIe s., *Chev. deux épées*). 1° Tas de copeaux. — 2° Amas d'armes brisées.

I. **escoper, -ir** v. (1155, Wace; orig. incert.). 1° Cracher, saliver. — 2° Cracher sur, couvrir de crachats : *Escopi e batuz en fu, e mort suffri* (Garn.). ◆ **escope** n. f. (XIIe s.), **-eure** n. f. (XIIe s.). Crachat, salive.

II. **escoper** v. V. ESCOLPER, disculper, accuser.

I. **escorcier** v. (1150, *Thèbes*), **-ir** (XIIe s., *Ps.;* lat. pop. *excurtiare,* de *curtus,* court). 1° Raccourcir. — 2° Replier le bras avant de lancer quelque chose. — 3° Abréger, en parlant du temps. ◆ **escorz** n. m. (1130, *Job*). 1° L'espace depuis la ceinture jusqu'aux genoux, giron. — 2° Tablier. ◆ **escorcie** n. f. (XIIe s., *Chev. cygne*). Ce que contient un tablier relevé pour faire poche : *Avait de kailliaus une grande escourcie* (Chev. cygne). ◆ **escorcié** adj. (1150, *Thèbes*). 1º Qui a retroussé son vêtement : *Escorcies e rebracies De bier ferir apareillies* (Wace). — 2º Préparé, prêt.

II. **escorcier** v. (1160, Ben.; bas lat. *excorticare*, de *cortex*, écorce). 1º Écorcher. — 2º Arracher. — 3º Faire payer trop cher : *Hons qui le gent escorche et poile* (J. Bod.). ◆ **escorce** n. f. (1175, Chr. de Tr.). 1º Écorce. — 2º Peau. ◆ **escorcheor** n. m. (xIIᵉ s., *Part.*). Couteau à écorcher. ◆ **escorchart** adj. (1287, *Arch.*). Écorcheur. ◆ **escorche raine** n. m. (1292, *Taille Paris*). Écorcheur de grenouilles.

III. **escorcier** v. (1210, *Dolop.*; voir *cors, corse*, le fait de courir). 1º Courir. — 2º Faire des courses, se répandre : *Apres le roi s'escorcie Toute dolante et esmarrie* (*Dolop.*). ◆ **escorcié** adj. (1330, J. Lefevre). Fatigué, harassé de courir.

I. **escorder** v. (1290, *Arch.*; lat. pop. **excordare*). S'accorder, faire un accord. ◆ **escordement** n. m. (1180, *G. de Vienne*). Accord. ◆ **escordement** adv. (1112, *Saint Brand.*), -**osement** adv. (1080, *Rol.*). De tout son cœur.

escordos adj. (1160, Ben.; lat. *cor, cordis*, cœur, avec le suffixe indiquant l'éloignement). Oublieux.

escorfroie n. f. (1270, Ruteb.; mot comp. de *escors* et de *froie*, coup, bris). Attaque violente.

escorge, escorgie n. f. (xIIIᵉ s., *Gloss. Glasgow*; lat. pop. **excoria*, pour *excorium*, cuir). 1º Courroie de fouet, fouet. — 2º Étrivière. — 3º Coups donnés avec le fouet. ◆ **escorgiee, -ee** n. f. (1175, Chr. de Tr.). 1º Fouet à lanières. ◆ **escorgeon** n. m. (xIVᵉ s., *B. de Seb.*). 1º Fouet. — 2º Membre viril.

escorner v. (fin xIIᵉ s., *Alisc.*; voir *corne*, corne, arc). 1º Dégarnir de ses cornes. — 2º Dépouiller : *Ta court est escornee Du meilleur chevalier du mond* (*Meraugis*). — 3º Lancer un trait d'arbalète.

I. **escorre** v. (1190, J. Bod.; v. *corre*, courir). 1º Courir. — 2º Faire des incur-

sions, piller. — 3º Décroître, se vider (en parlant des liquides). ◆ **escoru** adj. (1160, *Eneas*). 1º Écoulé. *Estang escoru*, étang vidé. *Riviere escourue*, rivière dont l'eau a décru. — 2º Dissipé, passé.

II. **escorre, escodre** v. (déb. xIIᵉ s., *Ps. Cambr.*; lat. *excutere*). 1º Secouer, agiter, battre. — 2º Faire tomber en secouant. — 3º Se jeter de côté pour éviter le coup. — 4º Empêcher, protéger, secourir : *Car il doit sa meson escorre* (*Livr. de Jost.*). — 5º S'activer, s'élancer, attaquer. ◆ **escos** adj. (1120, *Ps. Oxf.*). Secoué, malmené, bouleversé. *Avoir l'haleine escosse*, perdre la respiration. *C'est mais tot escos e balé*, l'urne a été bien secouée, c'est-à-dire : c'est une chose bien décidée. *A escos*, d'un mouvement violent. ◆ **escosse** n. f. (1160, Ben.). 1º Rescousse, délivrance. — 2º *Sans escosse*, sans retour, irrévocablement. — 3º Choc, rencontre. — 4º Élan. ◆ **escosser** v. (1230, *Eust. le Moine*). 1º Secouer. — 2º Prendre son élan. ◆ **escoeor** n. m. (1289, *Arch.*). Celui qui secoue. *Escoeur de bourses*, coupeur de bourses.

III. **escorre, esquedre** v. (1160, Ben.; lat. pop. **excolgere*, pour **excolligere*). Cueillir, recueillir.

IV. **escorre** v. (xIIᵉ s., v. *corre, codre*, coudre). 1º Découdre, déchirer. — 2º Arracher.

escostangier v. (1224, G.; voir *costangier*). Supporter la dépense de, payer.

I. **escot** n. m. (1190, J. Bod.; francique **skot*, au sens fig., contribution). 1º Écot, quote-part. — 2º Somme à payer, prix, addition : *Va ten escot cueillir* (J. Bod.). — 3º Trésor découvert, butin. — 4º Provision : *Deus! tant escot de sols et maille! Quant avrai jou tout ce gasté* (*Court. d'Arras*). — 4º *A escot*, à frais communs. *Parler par escot*, parler chacun à son tour. — 5º *Conter escot*, faire payer un autre à sa place. *Metre a grant escot*, traiter durement. — 6º *Aler a perilleus escot*, être en danger. *Passer au dangier d'un escot*, courir quelque risque. ◆ **esco-**

ter v. (1250, *Ren.*). Payer son écot, partager les dépenses : *Qui o les Franceis mengera, A quei que seit, escotera (Rom. des François).*

II. **escot** n. m. (XIIIe s., *Auberée;* germ. *skot;* cf. angl. *skot*). Pousse, rejeton, rameau.

III. **escot** n. m. (XIIe s., *Conq. Irl.;* dénomination d'un peuple). 1° Ecossais. — 2° Employé comme synonyme de gueux.

escove, escobe n. f. (XIIIe s.; lat. *scopa,* balai). Balai. ◆ **escover** v. (XIIIe s., *Ass. Jér.*). Balayer, nettoyer. ◆ **escovoir** n. m. (1270, Ruteb.). Balai. ◆ **escoveillon** n. m. (XIIe s., *Audigier*). Écouvillon.

I. **escover** v. (1250, *Ren.;* v. *cover,* être couché, avec le préfixe intensif). Etre couché : *Les gelines [...] Trestotes escouees sont (Ren.).*

II. **escover** v. (1204, R. de Moil.; v. *cover,* être couché, avec le préfixe privatif). 1° Chasser du nid. — 2° Déposséder, dépouiller. ◆ **escové** adj. (1170, *Percev.*). 1° Dépouillé, nu : *La tiere gaste et escouvee (Percev.).* — 2° Pauvre.

escraper v. V. ESCREFER, racler, nettoyer.

escravanter v. (XIIe s., *Ps.;* v. *cravanter*). 1° Écraser, accabler. — 2° Crever, détruire : *Un arbre aveit escraventé Li venz (Vie saint Martin).*

escrefer, escraper v. (1220, Coincy; v. francique **krappan*). 1° Racler, ratisser. — 2° Nettoyer en raclant. ◆ **escrefe, escrafe** n. f. (1220, Coincy). 1° Écaille de poisson. — 2° Croûte sur la peau. — 3° Saleté, ordure.

escreigne, escriene n. f. (1175, Chr. de Tr.; lat. *scrinium,* boîte). 1° Hutte, chaumière. — 2° Atelier.

escremir v. (1080, *Rol.*), **-er** v. (XIIIe s., Th. de Kent; v. germ. *skirmjan,* protéger, de *skirm,* bouclier). 1° Faire des armes, s'escrimer : *S'or n'iestes mestres d'escremir Et bien ne vos savez covrir (Eneas).* — 2° Escarmoucher, batailler. — 3° Défendre, garantir : *Souvent depria*

Nostre Dame Qu'ele la gart et escremisse (Coincy). ◆ **escremie** n. f. (1180, *Rom. d'Alex.*). 1° Exercice de joute. — 2° Lutte, combat. ◆ **escremisseor** n. m. (fin XIIIe s., *Son. de Nans.*). Escrimeur, maître d'escrime.

escrepe n. f. V. ESCHARPE, sacoche.

escrever v. (1164, Chr. de Tr.; v. *crever*). 1° Crever, se fendre : *Ses plaies li escrevent* (Chr. de Tr.). — 2° *Escrever de plorer,* éclater en sanglots. — 3° Poindre, en parlant du jour. ◆ **escreveure** n. f. (1170, *Percev.*). 1° Fente. — 2° Plaie.

escrier v. (1080, *Rol.;* v. *crier*). 1° Appeler par un cri, provoquer : *Il escrie les Troiiens Mais il ne l'end avint nus biens* (Wace). — 2° Prononcer en criant. — 3° Crier. — 4° Décrier, accuser : *S'une femme est jone et jolie Qui mete son cors a folie Et soit de mal faire escriee...* (J. de Condé). ◆ **escri** n. m. (1160, Ben.), **escriee** n. f. (XIIe s., *Asprem.*), **-ement** n. m. (1170, *Fierabr.*). Action de crier, cri. ◆ **escrieison** n. f. (1180, *Rom. d'Alex.*). Grand cri.

escriller v. (1169, Wace; orig. incert.). 1° Glisser, trébucher. — 2° Réfl. Échapper : *Cil d'eus qui puet de la s'escrille* (Guiart).

escrin n. m. (1160, *Charr. Nîmes;* lat. *scrinium,* boîte). 1° Coffre. — 2° Reliquaire. — 3° Écritures, livres, archives. — 4° Marque, signe. ◆ **escrinet** n. m. (1220, Coincy). Petit écrin, cassette.

escrivre, escrire v. (1080, *Rol.;* lat. *scribere*). 1° Écrire. — 2° Dénombrer, recenser. ◆ **escrit** n. m. (XIIe s., *Trist.*). 1° Écrit, inscription. — 2° Écriture sainte : *Les profecies de l'escrit (Trist.).* — 3° Lettre de débiteur. — 4° Testament. ◆ **escricion** n. f. (XIIe s., Herman). 1° Écrit, écriture. — 2° Signature. — 3° Inscription, enrôlement : *Quar vouloit des lignaiges avoir l'escricion* (Bible). ◆ **escriture** n. f. ((1130, *Job*). 1° Le fait d'écrire. — 2° L'Écriture sainte. — 3° Caractère. — 4° Cabinet d'étude, cellule dans les monastères où l'on copiait les manuscrits. ◆ **escritoire** n. m. (1190, Garn.). 1° Cabinet d'étude. — 2° Petit meuble pour écrire.

◆ **escrivain** n. m. (XIIᵉ s., *Ps.*), **escrivant** n. m. (XIIᵉ s., Ernoul), **escriseor** n. m. (XIIIᵉ s., Bible). 1° Celui qui écrit. — 2° Écrivain public. ◆ **escriptel** n. m. (1335, Deguil.). Petit écrit.

escroe n. f. (XIIᵉ s., Evrat; francique *skrôda*, morceau coupé). 1° Morceau de diverses choses, provision. *Por un petit d'escroe,* pour peu de chose, facilement. — 2° Morceau d'étoffe, lambeau, déchirure. — 3° Morceau de parchemin, écrit, titre. — 4° *Sans escroe,* sans difficulté, sans retard. ◆ **escroete** n. f. (1322, *Cart.*). Rôle, rouleau. ◆ **escroerie** n. f. (1317, 1340, *Ord.*). Enregistrement.

I. **escroistre, escroissir** v. (1190, J. Bod.; v. *croistre, croissir*). 1° Pousser des cris. — 2° Craquer, faire un bruit retentissant : *Et grans dragons volans qui font l'air escroissir* (*Rom. d'Alex.*). — 3° Éclater, briser. ◆ **escrois** n. m. (1155, Wace), **escroisseis** n. m. (1180, *Rom. d'Alex.*), **-ement** n. m. (1210, *Best. div.*). 1° Bruit strident, grincement. — 2° Tracas, vacarme.

II. **escroistre** v. (1160, Ben.; v. *croistre,* croître). 1° Accroître, augmenter. 2° Enrichir, élever en dignité : *Je les ai escreuz et alevez de tout mon pooir (Saint-Graal).* — 3° n. m. *Le bien escroistre,* le bon succès. ◆ **escrois** n. m. (1287, *Arch.*). 1° Accroissement. — 2° *Escrois de mariage,* augmentation de biens par suite de mariage. ◆ **escreue** n. f. (1291, *Arch.*). 1° Accroissement. — 2° plur. Broussailles récemment poussées.

escroler v. (fin XIIᵉ s.; v. *croler*). 1° Secouer. — 2° Ébranler : *Quant ce vit li tiranz qu'il ne les porrait escroller ... de lor creance (Saint Eust.).*

escu n. m. (1080, *Rol.;* lat. *scutum,* bouclier). 1° Bouclier. — 2° Monnaie d'or ornée à l'écu de France (XIIIᵉ s.). — ◆ **escucel** n. m. (XIIᵉ s., *Am. et Id.*). 1° Petit écu. — 2° Quartier d'un écu. ◆ **escuier** n. m. (1080, *Rol.;* bas lat. *scutarium*). Écuyer, celui qui porte l'écu du chevalier. ◆ **escuerie** n. f. (XIIIᵉ s., *Enf. Godefr.*). 1° État, fonction d'écuyer. — 2° Réunion d'écuyers. — 3° Local pour les écuyers et leurs chevaux, écurie. ◆ **escuage** n. m. (1215, G.). 1° Service qu'un écuyer devait à son seigneur. — 2° Droit payé pour l'exempter de ce service.

escuele n. f. (déb. XIIᵉ s., *Voy. Charl.;* lat. pop. *scutella*). Écuelle, assiette. ◆ **esculer** v. (XIIIᵉ s.). 1° Verser dans une écuelle. — 2° Servir à table. ◆ **escuelier** n. m. (XIIᵉ s., *Trist.*). 1° Lieu où l'on garde la vaisselle. — 2° Officier de bouche. — 3° Marchand ou fabricant de vaisselle.

escueillir, -ier v. (XIIᵉ s., *Ogier;* v. *cueillir, coillir*). 1° Cueillir. — 2° Rassembler toute la force de : *Escuelt le bras, et laist l'espiel aler (Ogier).* — 3° Animer, exciter. — 4° Précipiter, avancer : *S'ai ma vie en duel escueillie (Court. d'Arras).* — 5° Lancer. ◆ **escueil** n. m. (1160, Ben.). 1° Élan, course. *Prendre escueil,* prendre son élan, son essor. — 2° Envie, désir. — 3° Accueil. — 4° Situation. ◆ **escueillie** n. f. (fin du XIIᵉ s., *Loher.*), **escueilloite** n. f. (1190, J. Bod.). Élan, course rapide. *Aus escueillies, a escueilloites,* avec élan, d'une course rapide. ◆ **escueilli** adj. (fin XIIᵉ s., *Loher.*). 1° Rapide, empressé. — 2° Emporté.

escume n. f. (1160, *Eneas;* francique *skum-*). Écume, mousse : *Vois con il mengue s'escume* (du vin) (J. Bod.). ◆ **escumee** n. f. (fin XIIᵉ s., *Alisc.*). Écume. ◆ **escumé** adj. (fin XIIᵉ s., Guiot). Couvert d'écume.

escurer v. (1150, *Thèbes;* v. *curer,* soucier de). Perdre toute prévoyance, n'avoir aucun soin. ◆ **escuré** adj. (1277, *Rose*). Dégagé de soucis.

escuser v. (1190, saint Bern.; lat. *excusare,* mettre hors de cause). 1° Mettre hors de son cours, employer mal. — 2° Annuler. — 3° Réfl. Se tirer d'affaire : *Par iceste maniere bien nous escuserons (Berte).* ◆ **escusement** n. f. (1188, G. de Saint-Pair), **-ance** n. f. (1270, A. de la Halle). 1° Exemption. — 2° Annulation. — 3° Excuse.

esdemetre v. (1080, *Rol.; v. demetre,* précipiter en avant). Lancer au galop. ◆ **esdemesse** n. f. (1160, *Eneas*). *A esdemesse,* à grande allure.

esdevenir v. (xe s., *Passion;* v. *devenir).* Arriver.

esdirer v. (fin xiiie s., Macé; v. *adirer,* même sens). Égarer, perdre : *E lors a sa dragme esdiree* (Macé). ◆ **esdiré** adj. (xiiie s., *Livr. de Jost.).* Égaré, perdu.

esdit adj. (1160, Ben.; v. *dit,* avec le préfixe privatif). Qui a perdu la parole, muet, interdit : *Tuit sunt esdit e esbahi* (Ben.).

esdrecier v. (1120, *Ps. Oxf.;* v. *drecier).* 1° Se dresser contre : *Il esdresça contre sainte Eglise* (Br. Lat.). — 2° Redresser : *Esdrece tei, sire! (Ps. Cambr.).* ◆ **esdrecement** n. m. (fin xiiie s., Macé). Action de se dresser, de redresser, de diriger.

esduire v. (1160, Ben.; v. *duire,* conduire). 1° Écarter, mener hors. — 2° Tirer, arracher : *Li ferai les oilz esduire* (Coincy). — 3° Sortir. ◆ **esduit** n. m. (xiiie s.). Réduit, refuge.

esfaillir v. (1160, *Eneas;* v. *faillir).* Faire tort; manquer à.

esfarer v. (déb. xive s., *G. de Rouss.;* lat. *efferare,* rendre sauvage). 1° Rendre farouche. — 2° Irriter. ◆ **esferé** adj. (xiiie s.). Terrible, fier.

esfestuer v. (xiiie s.; v. *festuer).* Déguerpir, se dessaisir de.

esfoldre n. m. (1170, *Percev.;* v. *foldre, foildre,* foudre). 1° Foudre, tonnerre, ouragan. — 2° Mugissement de la mer. ◆ **esfoldrer** v. (xiie s., Herman). 1° Foudroyer. — 2° Tonner. — 3° Se livrer à un violent emportement : *Qui si s'aire et s'effoudre Plus le redoute que la foudre* (Coincy).

esfondre, esfondrer v. (fin xiie s., *Rois;* v. *fondre, fonder).* 1° Répandre, fondre. — 2° Effondrer, renverser.

esforcier v. (xie s., *Alexis;* v. *forcier).* 1° Saisir, s'emparer. — 2° Violer : *Femme efforcier si est quant aucuns prent a force carnele compaignie a feme contre le volonté de le feme* (Beaum.). — 3° Contraindre, forcer : *Deus n'esforce nullui de fere bien u mal* (Garn.). — 4° Animer,

presser. — 5° Augmenter, renforcer : *A l'asambler font la noise efforcier (Loher.).* ◆ **esfort** n. m. (1080, *Rol.).* 1° Troupes, forces. — 2° Force, impétuosité. *A esfort,* avec élan, rapidement. *Par esfort,* de force, avec puissance. *De nul esfort,* quelque résistance qu'on oppose. ◆ **esforcement** n. m. (1160, Ben.). 1° Effort, violence. — 2° Force, puissance : *Li rois m'en cace par son esforcement (H. de Bord.).* — 3° Forces armées. — 4° Violence sur une femme, viol. — 5° Bravoure. ◆ **esforceis** n. m. (1169, Wace). Contrainte. ◆ **esforcif** adj. (1160, Ben.), **esforcié** (1080, *Rol.),* **-ible** (fin xiie s., *Rois).* Fort, puissant, redoutable.

esforier v. (1180, *Rom. d'Alex.;* voir *for, fuer,* prix). Apprécier.

esformier v. (1214, Villeh.; v. *formi).* 1° Fourmiller, grouiller. — 2° Trembler.

esfrain adj. (1170, *Percev.;* v. *frein).* Sans frein, à bride abattue.

esfranchier v. (1283, Beaum.), **-ir** (1253, *Arch.;* v. *franc).* Affranchir.

esfreer v. (1080, *Rol.),* **-ir** (1160, Ben.; lat. pop. *exfridare, -ire,* faire sortir de la paix, du francique *frida,* paix). 1° S'agiter, se mettre en mouvement. — 2° S'alarmer, s'effrayer. — 3° Effrayer. — 4° Faire du bruit. ◆ **esfroi** n. m. (1160, *Eneas).* 1° Agitation. — 2° Trouble. *Estre en esfrei,* se tourmenter. — 3° Difficulté. — 4° Frayeur. — 5° Bruit, vacarme : *sans demener noise n'esfroi* (H. de Cambr.). ◆ **esfreement** n. m. (fin xiie s., *Loher.).* Action d'effrayer. ◆ **esfreor** n. m. (1155, Wace), **-ance** n. f. (xie s., *Alexis),* **-oison** n. f. (1160, Ben.). Effroi, frayer.

esfroissier v. (fin xiie s., *G. de Rouss.;* v. *froissier,* même sens). Froisser, briser, fracasser. ◆ **esfrois** n. m. (xiie s., *Barbast.).* 1° Froissement. — 2° Brisure. — 3° Fracas, cliquetis d'armes.

esfronté adj. (1265, J. de Meung; v. *front,* avec le préfixe privatif). Littéralement : sans front pour rougir, effronté.

esfronter v. (1164, Chr. de Tr.; v. *front).* 1° Briser le front, la tête : *Tot l'escervele et esfronte* (Chr. de Tr.). — 2° Assommer.

esfruitier, efritier v. (XIIᵉ s., *Ps.;* v. *fruitier*, fructifier). 1° Rendre stérile épuiser (en parlant d'une terre). – 2° Détruire, ravager. — 3° Consommer inutilement : *Mes jours y ai touz effritez* (Coincy).

esgaigne n. f. V. ENGAIGNE, irritation, colère.

esgaillier v. (XIIᵉ s., *Pir. et Tisb.;* lat. pop. **aequaliare*, de *aequalis*, égal). 1° Égaliser. — 2° Répandre également, répartir. — 3° Disperser.

esganchir v. (XIIᵉ s., *Chev. cygne;* v. *guenchir*). 1° Gauchir, obliquer. — 2° Faiblir, trébucher.

esgarder v. (XIᵉ s., *Alexis;* v. *garder*). 1° Regarder. — 2° Voir : *Roys, pour merveilles esgarder Le t'avons fait tout vif garder* (J. Bod.). — 3° Examiner, envisager : *Il fu iriez outre mesure, N'esgarda reson ne droiture (Dolop.).* — 4° Inspecter les marchandises — 5° Décider, résoudre, ordonner. ◆ **esgart** n. m. (XIIᵉ s., *Trist.*). 1° Vue, regard. *Tenir ses ieus a l'esgart,* regarder. *En l'esgart,* en face, vis-à-vis. — 2° Ouverture, en parlant du heaume. — 4° Attention, réflexion. — 5° Délibération, arbitrage. *Tenir l'esgart,* tenir conseil. *Prendre esgart,* délibérer, aviser. *Metre soi en l'esgart,* se soumettre au jugement, à l'arbitrage de. — 6° Jugement. *Faire esgart, décider, faire droit. Par esgart,* avec justice. — 7° Calcul, manière d'agir. — 8° Parti (en parlant du mariage). ◆ **esgardement** n. m. (déb. XIIᵉ s., *Ps. Cambr.*), **-eure** n. f. (1125, Marb.), **-ance** n. f. (1288, J. de Priorat). 1° Regard. — 2° Garde, guet. — 3° Avis, sentiment. — 4° Manière d'agir, égard. ◆ **esgardeor** n. m. (1180, *Rom. d'Alex.*). 1° Spectateur. — 2° Surveillant. — 3° Expert.

esgarer v. (XIᵉ s., *Alexis;* v. *garer*). 1° Éloigner une chose (hors de l'endroit où elle était à l'abri). — 2° Avoir perdu. ◆ **esgaré** adj. (1190, J. Bod.). 1° Isolé. — 2° Abandonné, dépourvu.

esgargueter v. (1220, Coincy; voir *gargate,* gosier). 1° Égorger. — 2° S'égosiller.

esgauder v. (fin XIIᵉ s., *Gar. Loher.;* v. *galt,* forêt). Mettre du gibier dans une forêt.

esgener, esgeener v. (déb. XIIᵉ s., *Ps. Cambr.;* v. *gener*). 1° Torturer, blesser, offenser : *Kar tu eslevas mei e esgenas mei (Ps. Cambr.).* — 2° Endommager, déranger. ◆ **esgené** adj. (1120, *Ps. Oxf.*). 1° Blessé. — 2° Offensé. *Majesté esgenee,* lèse-majesté. ◆ **esgenement** n. m. (fin XIIᵉ s., saint Grég.). 1° Tourment, souffrance. — 2° Blessure, dommage.

esgoler v. (XIIIᵉ s.; v. *gole,* gueule). 1° Égorger. — 2° S'égosiller.

esgrami adj. (1190, J. Bod.; v. *gramir*). Triste, désolé.

esgrun n. m. V. AGRUM, âcreté.

esgruner, -uignier, -ener, -aigner v. (1080, *Rol.;* orig. incert., v. *grumel*). 1° Réduire en morceaux, broyer, écraser. — 2° Ronger, ébrécher : *De lor espees font esgrener l'acier (R. de Cambr.).* — 3° Ronger, attaquer, détruire : *Car rancune. Fain et guerre qui tout esgrune Sont d'orient en occident* (J. de Meung).

esgue n. f. V. IVE, jument.

eshaitier v. (1210, *Guill. le Muréch.;* v. *haitier,* même sens). 1° Exciter, animer, réjouir. — 2° Bien accueillir. — 3° Soigner, guérir.

eshors interj. et n. m. (1344, *Arch.;* comp. de *es,* voici, et *hors*). Cri d'appel au secours.

esjareter v. (XIIᵉ s., *Éd. le Conf.;* v. *jaret*). Couper les jarrets à.

esjeuné adj. (1175, Ch. de Tr.; v. *jeuner*). Tourmenté par la faim.

esjoir v. (1120, *Ps. Oxf.;* v. *joir,* jouir). 1° Réjouir. — 2° Avoir de la joie. ◆ **esjoiement** n. m. (déb. XIIᵉ s., *Ps. Cambr.*), **-ance** n. f. (1160, Ben.). Réjouissance, joie. ◆ **esjoier** v. (1160, Ben.), **esjoieler** v. (1190, J. Bod.). Se réjouir : *Tous li cuers en son ventre li saut et esjoiele (Aiol).*

eske n. m. V. ESQUE, lâche.

I. eslacier, eslaisier v. (déb.
XIIᵉ s., *Ps. Cambr.*; lat. pop. **exlatiare,*
de *latus,* large). 1º Élargir, étendre :
*Eslaise et oevre ta boche en confession
(Comm. sur les Ps.).* — 2º Faire développer. — 3º Retarder, différer. — ◆ **eslai-
sement** n. m. (1243, *Arch.*). Élargissement,
dilatation.

II. eslacier v. (XIIᵉ s., *Chev. deux
épées;* v. *lacier*). Délacer.

eslaissier v. (1160, *Eneas;* v. *laissier*). 1º Laisser courir, lancer à la course.
— 2º S'élancer, fondre : *A tant s'eslessa,
se feri Un Troien, mort l'abati (Eneas).*
◆ **eslais, eslas,** n. m. (1080, *Rol.*). 1º Élan,
en particulier, celui du cheval qui charge.
— 2º Jaillissement. *A eslais, d'eslais, de
plain eslais,* à toute bride, de toutes ses
forces.

eslandir v. (1190, J. Bod.; v. *lande*).
Exiler.

eslaver v. (1120, *Ps. Oxf.;* v. *laver*).
1º Laver, tremper : *De mainte lerme
chaude et clere Esleve et arouse sa face
(Coincy).* — 2º Effacer par lavage. ◆
eslavace n. f. (1220, Coincy). 1º Grande
pluie. — 2º Crue.

esleecier v. (déb. XIIᵉ s., *Voy. Charl.;*
v. *leecier,* même sens). 1º Réjouir : *Et il
vint as apostles pur els esleecier (Voy.
Charl.).* — 2º Se réjouir, manifester sa
joie. — ◆ **esleecement** n. m. (1120, *Ps.
Oxf.*), **esleeçance** n. f. (XIIIᵉ s.). Liesse,
réjouissance.

I. eslegier v. (1220, *Saint-Graal;*
v. *legier,* léger). Alléger, soulager. ◆ **esli-
gement** n. m. (av. 1300, Poët. fr.). Soulagement, allègement.

II. eslegier v. V. ESLIGIER, payer.

eslever v. (fin XIᵉ s., *Lois Guill.;* voir
lever). 1º Faire lever. — 2º Élever en rang,
en dignité. ◆ **eslevement** n. m. (1120, *Ps.
Oxf.*), -**ance** n. f. (XIIᵉ s., *Ps.*). 1º Action
d'élever, élévation : *mervillus ieslevement
de la mer (Ps. Cambr.).* — 2º Glorification.

I. eslider v. (XIIᵉ s.; germ. *slitan*).
Glisser.

II. eslider v. V. ESLUIDER, faire des
éclairs.

esligier v. (1080, *Rol.;* v. *lige,* libre).
1º Rendre quitte, libérer. *Esligier une
terre,* l'affranchir de toute redevance. —
2º Acquérir, payer : *Qu'on te porreit
d'un besant esligier (Cour. Louis).*
3º Comparer, apprécier, regarder comme
ayant beaucoup de valeur. *N'i a qu'esligier,* ceci est inappréciable, incomparable.
— 4º Justifier la possession, la disputer en
combattant : *Que es espees ne seit einz
eslegiet (Rol.).*

eslinge n. f. (fin XIIIᵉ s., Guiart;
germ. *slinga;* cf. angl. *sling*). 1º Cordage,
filin. — 2º Fronde. — 3º Machine servant
à élever les fardeaux. ◆ **eslinguer** v. (1306,
Guiart). Lancer des pierres avec la fronde.
◆ **eslingueor** n. m. (fin XIIᵉ s., *Rois*). Celui
qui se sert de la fronde. ◆ **eslingoire** n. f.
(1309, *Lettre*). Attache, courroie.

eslire v. (1080, *Rol.;* lat. pop. *exlegere,*
pour *eligere,* choisir). Choisir. ◆ **eslit** adj.
(1160, Ben.). De choix excellent, distingué, parfait : *Le meillor hume e le plus
sage E le plus eslit chevalier* (Ben.). ◆
esleu adj. (XIIᵉ s., *Ogier*). Excellent, distingué : *Entrebeisié se sunt de bon cuer
esleu (Gaufrey).* ◆ **eslite** n. f. (1180, *Rom.
d'Alex.*). Choix, élite : *je sui fins amans
Si aim la millor eslite Dont onques can-
çons fust dite* (C. de Béth.). *A eslite,* à
choix, à discrétion. *A l'eslite,* en bon état.
Metre a eslite de, donner le choix de. ◆
esliture n. f. (fin XIIᵉ s., *Rois*). Choix, élite.
◆ **esliçon** n. f. (XIIᵉ s., Herman). 1º Choix,
option. — 2º Élection. *A esliçon, a eslec-
tion,* en grand nombre, à discrétion.

eslisèr v. (XIIᵉ s.; lat. pop. **exlectiare,*
de *electus,* choisi). Choisir, élire. ◆
eslisement n. m. (fin XIIᵉ s., *Loher.*).
Choix, élection. ◆ **esliseor** n. m. (déb.
XIIIᵉ s., R. de Clari). Celui qui choisit,
électeur.

eslissir n. m. (1265, J. de Meung;
arabe *al iksir,* la pierre philosophale et le
médicament, du grec). Elixir.

eslochier, esloissier v. (1150, *Thèbes*; v. *lochier*, ébranler). 1° Disloquer, ébranler. — 2° Se déboîter, branler : *Mes eslochier ne remouvoir Nel puet de son proposement* (Coincy).

esloignier v. (xɪᵉ s., *Alexis*), **eslongier** v. (xɪɪᵉ s., *Ogier*; v. *lonc*, long). 1° Écarter, reculer. — 2° S'éloigner de. — 3° Etre éloigné. — 4° Allonger, prolonger : *Qui s'enfuioit por sa vie esloingnier* (*Auberi*). — 5° Retarder. ◆ **esloing** n. m. (1277, *Arch.*). Délai, retard. ◆ **esloignement** n. m. (xɪɪᵉ s.). Allongement.

esluer v. (1220, Coincy; lat. pop. *exludare*, pour *eludere*). 1° S'échapper, s'écouler. — 2° Glisser : *Bien set que femme est tost muee Et tost glacie et esluee* (Coincy).

esluider, esloider v. (fin xɪɪᵉ s., *G. de Rouss.*; lat. pop. *exlucidare*, de *lucidus*, brillant). Faire des éclairs. ◆ **esluide, eslide, eslude** n. f. (xɪɪᵉ s., *Ps.*). Éclair, clarté.

eslumer v. (1142, *Fl. et Bl.*; cf. lat. *lumen, -inis*). 1° Allumer. — 2° Éclairer, guider. ◆ **eslumement** n. m. (1315, G.). Illumination.

eslusier v. (1313, Godefr. de Paris; lat. pop. *exludiare*, pour *eludere*, se jouer de). 1° Séduire, tromper. — 2° Dépenser futilement : *Ce seroit le temps esluser* (Godefr. de Paris).

esmaier v. (xɪɪᵉ s., *Auc. et Nic.*; germ. *magan*, pouvoir, avec un préfixe privatif). 1° Effrayer : *Onc mais por ome ne vos vi esmaier* (Cour. Louis). — 2° Troubler, inquiéter : *Ne vos esmaiés mie de moi* (*Auc. et Nic.*). — 3° Etre en émoi, défaillir : *Ne vous chaut esmaier* (Aden.). — 4° S'esmaier de, craindre de. ◆ **esmai** n. m. (1160, *Eneas*). Souci, trouble. ◆ **esmaiement** n. m. (1119, Ph. de Thaun), **-ance** n. f. (1160, Ben.). 1° Émotion, émoi : *En est un poi en esmaiance* (G. de Dole), — 2° Frayeur. ◆ **esmaiable** adj. (1160, Ben.). 1° Qui se laisse effrayer. — 2° Effrayant.

esmal n. m. (déb. xɪɪᵉ s., *Voy. Churl.*; francique *smalt*). Émail.

esmanchier v. (1260, Mousk.; lat. pop. *exmanicare*). Rendre manchot.

esmaner v. (1169, Wace; v. *manant*, riche). Dépouiller.

esmanveillier v. (1160, Ben.; mot composé de *main*, demain, et *veillier*). 1° Réveiller. — 2° Agiter, exciter : *Li rois [...] La nuit fu moult esmanvelliés Et de pensers divers grevés* (*D'un roi d'Égypte*).

esmarbre adj. (xɪɪɪᵉ s., *Durm. le Gall.*; v. *marbre*). 1° Froid comme le marbre. — 2° Glacé par la terreur : *Renart a cuer esmarbre* (*Ren. le Nouv.*).

esmarir v. (xɪɪᵉ s., *Trist.*; v. *marir*, égarer, affliger). 1° Faire perdre la raison. — 2° Égarer, troubler, déconcerter. ◆ **esmari** adj. (xɪᵉ s., *Alexis*). 1° Troublé, chagrin. — 2° Déconcerté, surpris : *Se la virent si belle qu'il en furent tot esmari* (*Auc. et Nic.*).

esmeltir v. (xɪɪɪᵉ s., *Fabl.*; francique *smeltjan*, fondre). Fienter. ◆ **esmeut** n. m. (1360, *Modus*). Excrément.

esmender v. (xɪɪᵉ s., *Parise*; lat. *exmendare*, pour *emendare*). 1° Corriger, réformer. — 2° Croître, grandir. ◆ **esmende** n. f. (1263, *Arch.*). Amende, compensation.

esmer v. (xɪɪᵉ s., *Trist.*; lat. *aestimare*). 1° Apprécier, estimer, compter : *Si sont esmé a .III.c.mille (Florim.).* — 2° Viser, ajuster. — 3° Comprendre : *Dur est qui ceo ne puet esmer* (Joies N.-D.). — 4° Penser, juger. — 5° Diriger, incliner. ◆ **esme** n. m. (1170, Chr. de Tr.). 1° Action de viser, d'ajuster. *Faire esme, prendre son esme*, viser, ajuster. — 2° Estimation, calcul. *Par esme*, approximativement. *Perdre son esme, faillir a son esme*, se tromper dans son calcul. — 3° Avis, opinion, pensée. *Dire son esme*, dire sa pensée. *Perdre son esme*, perdre la raison. *Faire son esme*, faire ce qui plaît. — 4° Intention. *Estre a esme*, être sur le point de. — 5° Point de vue. *En tous esmes*, à tout point de vue. ◆ **esmement** n. m. (fin xɪɪᵉ s., *Loher.*), **-ee** n. f. (1160, Ben.). 1° Appréciation, jugement, avis. — 2° Compte, calcul. ◆ **esmal** n. m. (1138, *Saint Gilles*), **-ance** n. f. (1130, *Job*). 1° Estimation, opinion, calcul. — 2° Intention, visée.

esmeragde n. f. (1125, Marb.), **-alde** n. f. (1160, *Eneas;* lat. *smaragdus,* du grec). Émeraude. ◆ **esmeraldin** adj. (XIIᵉ s., *Trist.*). D'émeraude.

esmerer v. (1120, *Ps. Oxf.;* lat. pop. **exmerare,* de *merus,* pur). 1° Purifier, affiner. — 2° Se distingüer, s'illustrer. ◆ **esmeré** adj. (1080, *Rol.*). 1° Pur, épuré. — 2° Gracieux, distingué : *Sa grant biauté fine et fresche et esmeree (Chans.).*

esmeril n. m. (1180, *Rom. d'Alex.;* francique **smeril*). Émerillon, petit faucon.

esmeue n. f. (déb. XIIIᵉ s., R. de Beauj.; v. *esmovoir*). Émotion. ◆ **esmeute, esmote** n. f. (1155, Wace). Mouvement, émotion.

esmieldrer, -ir v. (1260, Mousk.; v. *mieldre*). Améliorer. ◆ **esmieudrement** (1258, *Arch.*). Amélioration, réparation.

esmier v. (fin XIIᵉ s., *Rois;* v. *mie*). 1° Émietter. — 2° Briser en morceaux, broyer. ◆ **esmieure** n. f. (XIIIᵉ s.). Miette. ◆ **esmieler** v. (XIIᵉ s., *Chev. cygne*). Mettre en miettes, en pièces : *Le cuer li touche et esmiele (Fergus).*

esmoignier v. (XIIIᵉ s., *Anseis*), **esmoignoner** v. (fin XIIIᵉ s., *Mir. saint Éloi;* v. *moignon*). Mutiler, estropier.

esmoldre v. (1125, Marb.; lat. pop. **exmolere,* réfection de *emolere,* moudre entièrement). 1° Aiguiser sur la meule, rémouler. — 2° Broyer en moulant.

esmoré adj. (XIIIᵉ s.; orig. obsc.). Affilé, pointu.

I. esmochier v. (XIIᵉ s., *Chev. deux épées;* v. *moche,* mouche, proprement, débarrasser des mouches). 1° Battre, maltraiter. — 2° Réfl. S'escrimer : *Au baston se set esmoucher (Ren.).* ◆ **esmochoir** n. m. (1250, *Ren.*). Chasse-mouches.

II. esmochier v. (1160, *Athis;* voir *mochier,* moucher). Moucher : *Lor compaignons leur nes esmochent (Athis).*

esmote n. f., mouvement, émotion. V. ESMEUE, émotion.

esmovoir v. (1080, *Rol.;* lat. pop. *exmovere,* pour *emovere*). 1° Mettre en mouvement. *Esmovoir la parole,* se mettre à parler de. *Soi esmovoir,* partir. — 2° Exciter, chauffer. *Esmovoir la guerre,* déclencher la guerre. ◆ **esmovance** n. f. (1160, Ben.). 1° Émoi, crainte. — 2° Instigation. ◆ **esmovement** n. m. (XIIᵉ s., *Ps.*). 1° Soulèvement, émeute. — 2° Aliénation (d'un fief). ◆ **esmover** v. (1271, *Lettre*). Soulever, exciter. ◆ **esmuevre** v. (XIIᵉ s., Evrat). 1° Mettre en mouvement. — 2° Émouvoir, exciter.

esmuir v. (fin XIIIᵉ s., Joinv.; v. *muir,* même sens). Rendre, devenir muet.

esnaser v. (1160, Ben.; v. *nes,* nez). Couper le nez à : *Fist [...] crever les oils Et les autres fist esnaser (Ben.).*

esne n. f. (1277, *Rose;* orig. obsc.). Récipient pour mettre la vendange, tonneau à vin.

esneche, esneque n. f. (1160, Ben.; v. scand. **snekja,* même sens). Sorte de bateau léger, utilisé surtout par les pirates.

esneier v. (1120, *Ps. Oxf.;* v. *neier,* nettoyer). Nettoyer, purger : *De eus e de tote lor lignee Sera la terre esneiee (Ben.).* ◆ **esneement** n. m. (XIIᵉ s., *Ps.*). Nettoiement, purification. ◆ **esnetier** v. (XIIᵉ s., Ernoul). 1° Nettoyer, purger. — 2° Abandonner, quitter : *Fai ent li siecle esnetiier (Vers de la mort).*

esnel adj. V. ISNEL, rapide.

esnuer v. (XIIIᵉ s., v. *nu*). 1° Mettre à nu : *Qui les plus fors fait tressuer Et les plus cointes esnuer (Vers de la mort).* — 2° Dépouiller.

I. espaeler v. (1262, *Cart.;* bas lat. *pagella,* mesure de liquides). Marquer les mesures sur l'étalon, échantillonner.

II. espaeler v. (1205, *G. de Palerne;* lat. pop. **expatellare*). Ébruiter, publier : *Tost fu la chose espaelee (G. de Palerne).*

espafut, pafut n. m. (XIIᵉ s., *Chev. cygne;* comp. de *spata,* épée, et de *fust*). Espadon, grande et large épée à deux mains.

espaier v. (1256, *Arch.;* lat. pop. **expacare,* de *pax, pacis*). 1° Pacifier, réconcilier. — 2° Libérer, acquitter.

espaindre v. réfl. (1155, Wace; lat. pop. *expangere*). S'élancer, se précipiter : *Eskipé sont, en mer s'espaignent (G. de Palerne).*

espalle, espalde n. f. (1080, *Rol.*; bas lat. *spathula*, dim. de *spatha*, spatule). Épaule. ◆ **espallier** n. m. (1248, *Charte*), **-iere** n. f. (1170, *Percev.*). Partie de l'armure qui recouvre l'épaule. ◆ **espallu** adj. (1160, Ben.). Aux larges épaules : *Ert biaus et espaulus (Ben.).* ◆ **espalloier** v. (1204, R. de Moil.). Remuer les épaules.

espaltrer v. (fin XIIᵉ s., *Ogier;* orig. obsc.). 1º Briser, écraser. — 2º Éventrer : *Maintes tiestes fendues, mainte panche espalee (Geste de Liège).*

I. **espan** n. m., **espane** n. f. (1150, *Thèbes;* francique **spanna*, de *spannjan*, étendre, tirer). Mesure de longueur correspondant à la distance entre l'extrémité du pouce et le petit doigt dans leur plus grand écart. ◆ **espaner** v. (XIIIᵉ s., *Anseis*). 1º Mesurer. — 2º Tenir entre les deux mains.

II. **espan** adj. (1080, *Rol.*; lat. **spanus* pour *hispanus*). D'Espagne. ◆ **espanois** adj. (1160, Ben.). 1º D'Espagne. — 2º n. m. Cheval d'Espagne.

espanchier v. (1312, G.; lat. pop. **expandicare* pour *expandere*, répandre). 1º Verser, répandre. — 2º Disperser.

espancier v. (1220, Coincy; voir *pance*, ventre). Éventrer.

espandre v. (1080, *Rol.*; lat. *expandere*). 1º Répandre : *Belin, espan li la cervele! (Pèl. Ren.).* ◆ **espandement** n. m. (1247, *Conq. Jér.*). Débordement, épanchement. ◆ **espandant** p. prés. (déb. XIIᵉ s., *Voy. Charl.*). *A espandant,* à profusion.

espaneir n. V. ESPENEIR, expier.

I. **espanir** v. (XIIᵉ s., *Part.*; francique **spannjan*, étendre). S'ouvrir, s'épanouir, se dilater.

II. **espanir** v. (XIIᵉ s., *Chev. cygne;* francique **spannjan*, au sens d'écarter). 1º Priver. — 2º Serrer. ◆ **espanissement** n. m. (fin XIIIᵉ s., Guiart). Sevrage.

espaorir v. (Xᵉ s., *Passion*), **-er** v. (XIIIᵉ s., *Durm. le Gall.*; v. *paor*). 1º Effrayer. — 2º Prendre peur, s'effrayer.

espardre v. (1160, Ben.; lat. *spargere*, répandre). Disperser, répandre : *Devis e parti e espars Se sunt pur le pais destruire (Ben.).* ◆ **espars** adj. (fin XIIᵉ s., *Aiol*). 1º Répandu, dispersé. — 2º En désordre, ébouriffé. *Apres espars marchié,* le marché fini. ◆ **espargier** v. (XIIᵉ s., Marb.). 1º Répandre. — 2º Asperger, arroser. ◆ **esparge** n. f. (1256, Ald. de Sienne). Goupillon.

espargnier v. (1080, *Rol.*; germ. **sparanjan*). Épargner. ◆ **espargne,** **espairne** v. (1160, Ben.). Action d'épargner : *E si tres mortal enemi Qu'espargne n'i a ne merci (Ben.).* ◆ **espargnance** n. f. (1160, Ben.), **-ison** n. f. (fin XIIᵉ s., *Alisc.*). Action d'épargner, économie. ◆ **espargnable** adj. (1160, Ben.). 1º Économe. — 2º Qui épargne, miséricordieux : *mort espargnable (Ben.).* — 3º Mesuré, modéré : *despens espargnables* (J. de Meung).

esparpaillier v. (1120, *Ps. Oxf.;* lat. pop. **sparpiliare,* croisement entre *spargere,* répandre, et *papilio,* papillon). 1º Se répandre, se disperser. — 2º Avoir un regard vague, errant. ◆ **esparpal** n. m. (1200, *Ren. de Montaub.*). Eparpillement.

esparre n. f. (1175, Chr. de Tr.; germ. *sparra,* poutre). Pièce de charpente. ◆ **esparree** n. f. (1175, Chr. de Tr.). Coup d'*esparre.*

espartir v. (1169, Wace; v. *partir*). 1º Partager, diviser. — 2º Séparer, disperser. — 3º Lancer les éclairs. — 4º n. m. Action de fendre la mêlée : *Au feris et a l'espartir Font la grant presse departir* (Guiart). ◆ **espart** n. m. (1175, Chr. de Tr.). 1º Division, séparation. — 2º Dispersion, déroute. — 3º Éclair. — 4º Étincelle, regard enflammé : *Et de ses douls yex les espars Sur toy mignottement espars* (G. de Mach., *Rem. de fort.).*

esparvin n. m. (fin XIIᵉ s., *Ass. Jér.*; orig. obsc.). Tumeur au jarret d'un cheval. ◆ **esparvaigné** adj. (XIIIᵉ s., *Mir. saint*

Éloi), **-vignos** adj. (av. 1300, Poèt. fr.). Éclopé, en parlant du cheval.

espave adj. (1283, Beaum.; lat. *expavidum*, épouvanté). 1º Égaré, dispersé çà et là. — 2º Étranger, aubain.

espaventer v. V. ESPOENTER, épouvanter.

espec, espeis n. m. V. ESPOIT, pivert.

I. espece, espesse n. f. (1277, *Rose;* lat. *species*, aspect, apparence). 1º Forme de l'esprit, catégorie : *La vertu ymaginative laquele reçoit du sens commun les especes des choses sensibles* (Mondev.). — 2º Espèce, classe d'êtres : *Force de generation, Por l'espece avoir tous jours vive (Rose).* — 3º Sorte : *Les diverses espoisses du spasme* (Mondev.). — 4º Pièce de monnaie. ◆ **especial** adj. (1320, J. de La Mote). 1º Puissant. — 2º Intime. *Par especial*, surtout. ◆ **especialité** n. f. (XIIIᵉ s., G.). 1º Distinction. — 2º Affection particulière, intimité.

II. espece n. f. V. ESPICE, épice.

especier v. (1169, Wace; v. *piece*). Mettre en pièces, dépecer.

espee n. f. (Xᵉ s., *Eulalie;* lat. impér. *spatha*, d'orig. germ.). Large épée à deux tranchants qui remplaça l'épée romaine, *ensis*. ◆ **espeer** v. (1112, *Saint Brand.*). Percer d'un coup d'épée, passer au fil de l'épée.

espeldre, espeler v. (XIᵉ s., *Alexis;* francique *spellôn*, raconter, intégré dans diverses conjugaisons). 1º Expliquer : *Cil espelout le sunge* (Wace). — 2º Expliquer, appliqué à la lecture des lettres : *Et baille lur les briefs, et les moz lur espele* (Wace). — 3º Signifier : *Qu'est ceo qu'espeaut, que segnefie?* (Ben.).

espeldrir v. (1190, Garn.; se rattache à *pellis*, peau). 1º Expier, racheter : *Par quaranteines sunt li pechié espeldri* (Garn.). — 2º Sevrer : *Quant elle (la biche) ot eu chaels E espeldri* (Coincy). — 3º Libérer, rendre libre.

espelens n. m. (XIIIᵉ s.; moy. néerl. *spierlinc*). Éperlan.

espelonche n. f. (1260, Br. Lat.; lat. *spelunca*, du grec). Caverne.

I. espendre v. (1298, M. Polo; lat. *expendere*). 1º Dépenser. — 2º Employer : *ils espendent porcelaine blanche* (M. Polo). ◆ **espense** n. f. (XIIIᵉ s., *Règle de l'Hosp.*). Dépense. ◆ **espensier** n. m. (XIIIᵉ s., Th. de Kent). Intendant.

II. espendre v. (fin XIIᵉ s., *G. de Rouss.;* v. *pendre, apendre*). Dépendre, appartenir. ◆ **espendice** n. f. (1282, *Arch.*). Dépendance.

espeneir, -ir v. (XIᵉ s., *Alexis;* voir *peneir*, même sens). 1º Payer une amende, racheter. — 2º Expier : *Bien doit espeneir forfet Cil qui a escient le fet (Vie des Pères).* — 3º Faire pénitence. ◆ **espeneissement** n. m. (XIIIᵉ s., Bible). Expiation.

espenser v. (XIIᵉ s.; v. *penser*). Imaginer, concevoir. ◆ **espens** n. m. (1164, Chr. de Tr.). Souci, préoccupation : *Fu de lui servir en espens* (Chr. de Tr.).

esperdre v. (1160, Ben.; v. *perdre*). 1º Perdre complètement. — 2º Etre éperdu, se troubler, se désespérer : *Quant Yvain ceste novele et Si s'esbaist et espert toz* (Chr. de Tr.). — 3º Etre frappé d'admiration.

espere n. f. (1160, Ben.; lat. *sphaera*, du grec). Sphère.

esperer v. (XIᵉ s., *Alexis;* lat. *sperare*). 1º Esperer de, être dans l'attente, attendre. — 2º Menacer, être sur le point de. — 3º Réfl. Mettre en confiance : *Qui en Jhesu Crist s'espera (Du fils au senesch.).* ◆ **espoir** n. m. (1160, *Eneas*), **-ement** n. m. (XIIᵉ s.). 1º Espoir, attente. — 2º Appréciation, jugement. *A espoir*, avec l'espoir de la victoire. ◆ **esperart** adj. (XIIIᵉ s., *Ménag. Reims*). Qui espère facilement.

esperiment n. m. (1119, Ph. de Thaun; lat. *experimentum*, influencé parfois par *esperit*). 1º Savoir acquis par l'expérience : *Esperimens m'en ont fet sage (Rose).* — 2º Preuve. — 3º Expérience magique, sort, enchantement : *Il aprist mil conjuremens, Mil caraudes, mil espiremens (Eust. le Moine).* — 4º Exemple. — 5º *Doner espirement*, éveiller l'amour :

Et li entrevoirs souvent Lor donnerent espirement (Pir. et Tisb.). ◆ **espermenter** v. (1160, Ben.). 1° Expérimenter, essayer : *Se mes cuers a droit esprimente Vos i avez aucune entente (Part.).* — 2° Éprouver, mettre à l'épreuve.

I. **esperir** v. (1260, Mousk.; v. *perir*). Mourir, périr.

II. **esperir** v. (1260, Mousk.; convergence de *esperer* et de *esperiment,* senti comme déverbal). 1° S'efforcer. — 2° Essayer, expérimenter.

esperit, esperite n. m. (xᵉ s., *Ép. saint Étienne;* lat. *spiritus,* souffle). 1° Esprit. — 2° Vie. — 3° Âme. — 4° Souffle : *Deus l'ocirra par l'esperite de sa boche (Dou disciple et dou mestre).* ◆ **esperital** adj. (1160, Ben.), **-able** (xIIᵉ s., *Ps.*). 1° Spirituel. — 2° Céleste, d'une beauté céleste, idéale : *Cist jardins ert esperitals (Expl. des Cant.).* — 3° *La bele Esperital,* la Vierge (Thibaut IV). ◆ **esperitalité** n. f. (xIIIᵉ s., J. de Meung). Choses spirituelles.

espernier v. V. ESPARGNIER, épargner.

esperon n. m. (1080, *Rol.;* francique *sporo*). Éperon. *A esperon,* de toute la vitesse du cheval. ◆ **esperonal** n. m. (1180, *Rom. d'Alex.*). 1° Éperon. — 2° Lieu frappé de l'éperon. ◆ **esperonee** n. f. (xIIᵉ s., *Asprem.*). Coup d'éperon.

I. **espert** adj. (xIIIᵉ s., J. Le March.; lat. *expertum*). 1° Habile, adroit. — 2° Sain : *Ainsint ot recouvree sa perte Com devant fu saine et esperte (Mir. N.-D.).* ◆ **espertise** n. f. (1340, J. Lefèvre). Adresse, habileté.

II. **espert** adj. (1220, Coincy; v. *apert,* ouvert, avec substitution de préfixe). Évident, manifeste. *En espert,* ouvertement.

espes, espeis, espois adj. (1080, *Rol.;* lat. *spissum*). 1° Épais, dense. — 2° Dur. — 3° Fréquent. ◆ **espes** n. m. (fin xIIᵉ s., *Cour. Louis*). 1° Épaisseur. — 2° Densité : *le plus espeis de la vile* (Villeh.). ◆ **espesset** adj. (1119, Ph. de Thaun). Un peu épais. ◆ **espesse-**

ment adv. (1150, Wace). 1° D'une manière épaisse. — 2° En grande quantité, en foule. — 3° Durement : *As verges fu ... Sa char navree espessement* (Wace). ◆ **espesse** n. f. (1138, Gaimar). 1° Épaisseur. — 2° Épaisseur d'une forêt, taillis, fourré. — 3° Foule : *L'espoisse i est granz* (Ben.). ◆ **espessesse** n. f. (1120, *Ps. Oxf.*), **espoissete** n. f. (1220, *Saint-Graal*). Épaisseur. ◆ **espoissier** v. (1160, Ben.), **-ir** v. (1155, Wace). 1° Épaissir. — 2° Rendre épais. — 3° S'accroître, devenir plus fréquent, plus fort : *Li criz ert molt espoissiez (Eneas).* — 4° Devenir sombre, trouble. ◆ **espessement** n. m. (xIIIᵉ s., *Durm. le Gall.*). Masse épaisse.

espesse n. f. V. ESPECE, espèce, et ESPICE, épice.

I. **espi** n. m. (1160, Ben.; lat. *spicum*). 1° Épi. — 2° Quantité ou qualité minimale, avec la dénégation : *Ne pris mais vaillant un espi* (J. Bod.). ◆ **espier** v. (1250, Ren.). Monter en épi.

II. **espi** n. m. V. ESPIET, lance, broche, épieu.

espiaudre v. V. ESPELDRE, expliquer.

espic, spic n. m. (déb. xIIIᵉ s., R. de Beauj.). Sorte d'épice.

espice, espece, espesse n. f. (déb. xIIᵉ s., *Voy. Charl.;* adapt. anc. du lat. *species,* espèce). Épice, aromate : *Et mainte espice delitable Que bon mangier fait apres table (Rose).* ◆ **espicier** v. (xIIIᵉ s., D. G.). Vendre des épices. ◆ **espicerie, espesserie** n. f. (1270, Ruteb.). 1° Les épices. — 2° Lieu où l'on vend des épices : *Devant l'espicerie vendent de lor espices* (Ruteb.). ◆ **espicier** n. m. (1235, H. de Méry). Vendeur d'épices et d'herbes aromatiques.

I. **espier** v. (1080, *Rol.;* francique *spehôn,* observer secrètement). 1° Observer, repérer : *J'ai espiïé une paroit* (J. Bod.). — 2° Apercevoir. — 3° Épier. — Trahir. ◆ **espie, apie** n. f. (1138, *Saint Gilles,* **espieor** n. m. (xIIIᵉ s.). 1° Espion. — 2° Éclaireur. *Metre espie,* envoyer un éclaireur. — 3° *Espieor de chemins,* voleur de grand chemin. — 4° Petite barque de pirate. ◆ **espiere** n. f. (1190, J. Bod.).

Bruit, rumeur. *Oir espiere,* apprendre quelque chose au sujet de. ◆ **espiguer** v. (XIIIe s., *Rés. Sauv.*). Épier.

II. **espier** v., monter en épi. V. ESPI, épi.

espiet n. m. ou f. (Xe s., *Saint Léger*), **espie** (1175, Chr. de Tr.), **espier** (1276, Aden.; francique *speut). Lance, broche, épieu.

espinach n. m. (1256, Ald. de Sienne), **-oche** n. f. (1314, Mondev.; adaptation de l'esp. *espinaca,* de l'arabe). Épinard.

espincier v. (1210, *Dolop.*; v. *pincier*). 1° Pincer. — 2° Bien arranger, bien habiller : (La pucelle) *estoit plaisanz et bele* [...] *et espincee* (Coincy).

espine n. f. (XIIe s., *Roncev.*; lat. *spina*). Épine. ◆ **espin** n. m. (fin XIIe s., *Loher.*), **-e** n. f. (1335, *Rest. du Paon*). Épinier. ◆ **espinon** n. m. (1170, *Fierabr.*), **espinçon** n. m. (1335, Watriquet). Épine. ◆ **espiné** adj. (XIIe s., *Mon. Guill.*). 1° Garni d'épines. — 2° Entouré d'une haie d'épines. ◆ **espinoi** n. m. (1150, *Thèbes*), **-oie** n. f. (XIIIe s., *Sept Sages*), **-ace** n. f. (1274, *Arch.*). Épinaie, lieu couvert d'épines, de ronces. ◆ **espinat** n. m. (1250, *Ren.*). Buisson d'épines. ◆ **espinar** n. m. (1250, *Ren.*). Hérisson. ◆ **espingle** n. f. (1268, E. Boil.; lat. *spinula*). 1° Petite épine. — 2° Épingle servant à attacher.

espingale n. f. V. ESPRINGALE, danse.

I. **espirer** v. (1175, Chr. de Tr.; lat. *expirare,* expirer l'air). 1° Expirer, exhaler. — 2° Rendre le dernier soupir.

II. **espirer** v. (déb. XIIe s., *Ps. Cambr.*; lat. *spirare,* souvent confondu avec le premier). 1° Souffler, respirer. — 2° Inspirer, animer, suggérer. ◆ **espir** n. m. (1112, *Saint Brand.*). 1° Souffle. — 2° Principe de la vie, esprit. *Sainz Espirs* (Ph. de Thaun). ◆ **espirement** n. m. (fin XIIe s., *Rois*). Souffle. ◆ **espire** n. f. (1260, A. de la Halle). 1° Souffle. — 2° Bruit. ◆ **espiracion** n. f. (1285, *Cart.*). 1° Souffle. — 2° Inspiration.

espirit n. m. V. ESPERIT, esprit, âme.

esplen n. m. (XIIIe s., Th. de Kent; bas lat. *splen,* du grec). Rate.

esplendir, -ier v. (1130, *Job;* lat. pop. **splendire,* pour *splendere*). Resplendir, briller. ◆ **esplendor** n. f. (déb. XIIe s., *Ps. Cambr.*), **-issor** n. f. (1170, *Percev.*). Splendeur.

esplente n. f. (XIIIe s., *G. de Warwick*; orig. incert.). 1° Planchette qui soutient le membre cassé d'un oiseau de chasse. — 2° Lame de fer.

esploitier v. (1080, *Rol.;* lat. pop. **explicitare,* pour *explicare*). 1° Agir : *Que m'i promis, mais ne poi espleitier* (*Cour. Louis*). — 2° Accomplir, exécuter : *Exploitier a se volenté* (J. Bod.). — 3° Agir avec ardeur, avec énergie. — 4° Se hâter, s'empresser : *Espleitez vos; alum nus en* (M. de Fr.). — 5° Employer, user de, jouir de : *Se il esplete molement de sa terre* (1264, *Charte*). — 6° Réussir, agir avec habileté. — 7° Saisir. ◆ **esploit** n. m. (1080, *Rol.*). 1° Action, exécution. — 2° Action menée à bien, réussite. *Faire esploit,* faire une chose qui serve, qui réussisse. — 3° Empressement, ardeur. *A esploit, a grant esploit,* promptement, avec ardeur. — 4° Action d'éclat à la guerre. — 5° Avantage, profit : *Li duc pensa, s'il le teneit, qu'il en fereit bien son espleit* (Wace). — 6° Rente, revenu. ◆ **esploite** n. f. (1285, Aden.). 1° Exécution. — 2° Empressement. *A esploite,* avec ardeur. — 3° Profit, avantage. — 4° Situation : *A, sire Dieu, fait ele, com sui en male esploite* (Aden.). ◆ **esploitement** n. m. (1259, *Arch.*). 1° Exécution : *l'esploitement de mon testament* (*Arch.*); — 2° Saisie. ◆ **esploitable** adj. (XIIIe s., *Établ. Saint Louis*). 1° Profitable. — 2° Qui peut être saisi, dont les biens peuvent être saisis.

espoenter v. (1080, *Rol.;* lat. pop. **expaventare,* de *expavere*). Faire peur, effrayer : *De voz menaces ne sui espoentez* (Garn.). ◆ **espoentement** n. m. (déb. XIIe s., *Ps. Cambr.*), **-ance** n. f. (1288, J. de Priorat), **-eison** n. f. (1160, Ben.). Épouvante, effroi. ◆ **espoentos** adj. (1160, Ben.). Épouvantable.

espoi, espois, espoit n. m
V. ESPIET, épieu, broche.

espoier v. (XIIIe s., G. de Cambr.;
v. *apoier*). Appuyer. ◆ **espuer** n. m. (déb.
XIIIe s., *Chast. Vergi*). 1° Pieu, poteau. —
2° Support.

espoillier v. (XIIIe s., *Serm.;* lat.
spoliare). Dépouiller. ◆ **espoille** n. f.
(1120, *Ps. Oxf.*). Dépouille.

espoindre v. (1220, Coincy; voir
poindre). 1° Piquer, aiguillonner : *A bien
faire les espoignoit* (Coincy). — 2° Animer, exciter. *Il t'est espoint de*, tu as le
désir de.

espoine, espoigne adj. (1190,
saint Bern.; orig. obsc.). Libre, spontané.
Espoigne gré, plein gré. ◆ **espoigne** n. m.
(1180, *Rom. d'Alex.*). Libre volonté,
libre arbitre.

espointe n. f. (1277, *Rose*; v. *pointe*).
1° Pointe, épingle, clou. — 2° Piqûre,
morsure, élancement. ◆ **espointon** n. m.
(1294, G.). Arme pointue. ·

espoir n. m. V. ESPERER. ◆ **espoir** adv.
(XIIe s., *la Charrette*). Peut-être : *Cuident
espoir que Dex ne voie* (Guiot).

espois adj. V. ESPES, épais, dense.

espoit n. m. (1155, Wace; germ. *speh*,
même sens). Becquebois, pivert.

espoitroné adj. (1250, *Ren.;* v. *poi-
tron*, croupe). Qui a des fesses décharnées.

espole n. f. (XIIIe s.; J. de Garl.; francique *spôlo*). Bobine, navette, fuseau.
◆ **espoleman** n. m. (1282, *Arch. Saint-
Omer*). Fileur.

esponde n. f. (déb. XIIe s., *Voy.
Charl.;* lat. *sponda*, bord, rive). 1° Bord
d'une table, d'un lit, d'un vase. — 2° Bord
en général. — 3° Rempart, appui, base :
*Quar la mort qui les bons esmonde De
France a osté une esponde* (Ruteb.). —
4° Règle. — 5° Vertèbre. — 6° Chacune
des branches du fer à cheval ou l'un des
côtés du pied des bêtes à pied fourchu.
◆ **esponder** v. (1288, *Ren. le Nouv.*).
1° Garnir de bords, de digues, de quais,
etc. — 2° Poser des fondements.

espondre, esponde v. (1160,
Ben.; lat. pop. *exponere*). 1° Exposer,
expliquer. — 2° Offrir, céder : *Ont quicté
et espondu au prior une meson* (1277,
Arch.). ◆ **esponement** n. m. (fin XIIIe s.,
Guiart). Explication, interprétation. ◆
esponeor n. m. (XIIIe s., *Fabl. d'Ov.*).
Celui qui expose, interprète.

esponge n. m. V. ESPOIGNE, libre
arbitre.

esposer v. (fin XIe s.; lat. pop. *spo-
sare*). 1° Épouser. — 2° Marier. ◆ **espo-
sement** n. m. (fin XIIe s., *Loher.*), -**age**
n. m. (XIIIe s.), -**erie** n. f. (1270, Ruteb.).
Mariage. ◆ **espos** n. m., -**e** n. f. (fin XIe s.,
Lois Guill.), Époux, épouse. ◆ **espo-
saille** n. f. (1260, G.). Anneau nuptial,
alliance.

esposser v. (1175, Chr. de Tr.; voir
posser). Perdre le souffle, s'époumonner.
◆ **esposse** n. f. (XIIIe s.). Maladie du cheval
qui le rend poussif.

espoter v. (fin XIIIe s., B. de Condé;
orig. obsc.). Se moquer de. ◆ **espot** n. m.
(1349, G. li Muisis). Raillerie, moquerie.

espreschier v. (1288, *Ren. le Nouv.;*
germ. *sprikken*). 1° Piquer. — 2° Crier.

espreindre v. (fin XIIe s.; lat. *exprimere*). 1° Presser, faire couler. — 2° Exprimer, signifier.

esprendre v. (1080, *Rol.;* v. *prendre*,
en parlant du feu). 1° Allumer, incendier.
2° Saisir l'âme . *Amors et Jalosté la
reschaufe et esprent* (J. Bod.). — 3° Irriter.
◆ **esprendement** n. m. (1160, *Athis*).
1° Feu. — 2° Colère. ◆ **esprise** n. f. (1180,
Rom. d'Alex.). Matière inflammable.

espres, expres adj. (1265, J. de
Meung; lat. *expressus*). Sûr, certain,
assuré : *Se part a .III. milhe Ogier
d'hommes expres* (Geste de Liège). ◆
espres adv. (1330, *G. de Rouss.*). Juste,
tout juste : *François s'arrestent espres
dessous la tor* (F. de Candie).

espresser v. (1130, *Job*; v. *presser*,
infl. par le lat. *exprimere*). 1° Presser,
serrer. — 2° Exprimer, faire sortir. —
3° Exprimer, déclarer : *Selon chou ke il
est par devant dit et expressé* (1290,
Arch.).

esprevier n. m. (1080, *Rol.;* francique **sparwari*). 1° Épervier. — 2° Baldaquin, ciel de lit (dont la forme rappelle celle du filet appelé *épervier*).

espringuier v. (XIIIe s., *Rom. et past.;* francique *springen,* bondir). 1° Trépigner, sautiller. — 2° Sauter. — 3° Danser. ◆ **espringuerie** n. f. (1220, Coincy). Sorte de danse haute. ◆ **espringale, -garde** n. f. (1258, texte de Reims). 1° Machine de guerre qui lançait des carreaux ou des *plommées* (boulets de plomb). — 2° Danse comportant des sauts. ◆ **espringaler** v. (1335, Deguil.). Sauter. ◆ **espringot** n. m. (1162, *Fl. et Bl.*). Loriot.

esprisier v. (1180, *Rom. d'Alex.;* voir *prisier*). Apprécier, juger à sa valeur.

esproer, esproher v. (1125, Marb.; francique *sprowan*). 1° Faire jaillir, éclabousser. — 2° Asperger : *Puis l'esproha d'eve benoite (Barbast.).* — 3° Hennir. — 4° Miauler.

esprohon n. m. (1260, Mousk.; cf. germ. *spra,* même sens). Étourneau.

esprover v. (1080, *Rol.;* v. *prover*). 1° Mettre à l'épreuve, vérifier. — 2° Distinguer, reconnaître. — 3° Approuver. — 4° Faire ses preuves. ◆ **esprove, esproeve** n. f. (1160, Ben.). 1° Preuve : *Mais les mos ne sont pas esproeves (Pastor.).* — 2° Épreuve. ◆ **esprovee** n. f. (1298, M. Polo), **-ance** n. f. (1130, *Job*). Épreuve, expérience. ◆ **esprovement** n. m. (1180, *Rom. d'Alex.*). Approbation.

espuer, espur adv. (fin XIIe s., *Rois;* v. *puer,* dehors). Adv. de lieu, Dehors.

espurgier v. (déb. XIIe s., *Ps. Cambr.;* v. *purgier*). 1° Purger, nettoyer. — 2° Purifier. — 3° Devenir clair. ◆ **espurge** n. f. (1283, Beaum.). 1° Justification, alibi. — 2° Euphorbe (plante purgative). ◆ **espurgement** n. m. (1220, *Saint-Graal*). 1° Action d'aller à la selle. — 2° Nettoyage. — 3° Justification. ◆ **espurgacion** n. f. (XIIe s., M. de Fr.). Purification. ◆ **espurgatoire** n. m. (XIIe s., M. de Fr.). Purgatoire.

esquarrer v. V. ESCARRER, tailler en carré.

esquartèler v. V. ESCARTELER, fendre par quartiers, mettre en morceaux.

esquasser v. V. ESCASSER, briser, rompre.

esque, eske n. m. (XIe s., texte picard, D.; germ. **liska*). Laîche, espèce de fougère.

esquedre v. V. ESCORRE, cueillir.

I. **esquerre** v. (1120, *Ps. Oxf.;* voir *querre,* chercher). 1° Rechercher, faire une enquête sur. — 2° Examiner, fouiller, parcourir : *La cité ont esquise et la Judeurie (Prise de Jérus.).* — 3° Désirer. — 4° Prouver, établir par une enquête. ◆ **esquis** adj. (1167, G. d'Arras). Recherché, exploré.

II. **esquerre, esquiere** n. f. ou m. (fin XIIe s., *Rois;* lat. pop. **exquadra,* de *exquadrare,* tailler en forme de carré). Carré, équerre.

esquiller v. V. ESCHELER, sonner.

esquiper v. V. ESCHIPER, s'embarquer, naviguer.

esquiter v. (1190, J. Bod.; v. *quiter*). 1° Acquitter, tenir quitte, affranchir. — 2° Foirer : *La ou li chien esquitent l'or* (J. Bod.). ◆ **esquitance** n. f. (1294, *Arch.*). Acquit.

esquiver v. V. ESCHIPER, s'embarquer, naviguer.

esrabier v. V. ESRAGIER, devenir enragé.

I. **esrachier** v. (1160, *Eneas;* lat. *exradicare*). 1° Arracher : *Le cuer du ventre esraciet li ont il (Loher.).* — 2° Etre arraché.

II. **esrachier** v. (XIIe s., Herman; voir *rachier*). Cracher, couvrir de crachats.

esragier v. (1080, *Rol.;* v. *ragier*). 1° Enrager, être enragé, furieux : *Et en fu si couroucies qu'a poi qu'il n'enragoit (Chron. Reims).* — 2° Esragier de, avoir grande envie de : *Car toz jors esrage*

Coveitise de l'autrui prendre (Rose). — 3° S'esragier sor, se jeter avec fureur sur. ◆ **esragié** adj. (XIIᵉ s., *Ogier*), **-eis** adj. (1160, Ben.). Furieux, emporté.

esraisnier v. (XIIIᵉ s.; v. *raisnier, araisnier*). Adresser la parole, interpeller, plaider.

esramir v. V. ARAMIR, jurer, proclamer.

esreer v. (XIIᵉ s., *Barbast.;* antonyme de *areer*, régler). Mettre en déroute. ◆ **esréé** adj. (XIIᵉ s.). Emporté, furieux : *Jou m'en irai comme beste esraee (B. d'Hanst.).*

esreigner v. (XIIIᵉ s., *Pastor.;* voir *regne*). Détrôner, priver de la royauté.

esrere v. (XIIᵉ s., *Auc. et Nic.;* voir *rere*, raser). 1° Raser, tondre. — 2° Râper, user. — 3° *Esrere de*, dépouiller, dénuder. ◆ **esres** adj. (1160, Ben.). Usé, râpé.

esresberucier v. réfl. (1220, Coincy; mot comp. de *esberucier* et d'un premier élément qui pourrait être *errer*). Se soulever, s'agiter : *L'ame toute s'esresberuce Quant ele sent tel letuaire* (Coincy).

esrifler v. (1306, Guiart; v. *rifler*, même sens). Égratigner, écorcher.

esroer v. (1204, *l'Escoufle;* v. *roe*). Mettre sur la roue, torturer : *Ne Guillaume ne puet parler Por la dolor qui si l'esroe (l'Escoufle).*

esroeillier v. (XIIᵉ s., Herman; voir *roeillier*, même sens). Rouler les yeux.

essaboir v. (1277, *Rose;* orig. obsc.). Etre interdit, stupéfait : *E ge remes essabouis, Quant ge ne vi lez moi nuliu (Rose).*

essaier v. (1080, *Rol.;* lat. pop. *exagiare*, peser). 1° Tâter, goûter. — 2° Éprouver. ◆ **essai** n. m. (déb. XIIᵉ s., *Voy. Charl.*). 1° Danger : *E por ceu que ci vois en essai de perir (Rom. d'Alex.).* — 2° Épreuve, expérience. *Baron d'essai, vaillant chevalier.* ◆ **essaiement** n. m. (1160, Ben.). 1° Assaut, bataille. — 2° Assaut, tentation. — 3° Essai. ◆ **essaie** n. f. (1288, *Ren. le Nouv.*). 1° Danger. — 2° Épreuve. — 3° Morceau, reste.

essaimer v. (1277, *Rose;* v. *saim*, graisse). 1° Dégraisser. — 2° Faire maigrir, épuiser.

essalcier v. (1119, Ph. de Thaun; lat. pop. *exaltiare*, de *altus*, haut). 1° Élever en dignité, en richesse, en puissance : *Qui s'umlie, si s'essauce (Chr. de Tr.).* — 2° Exalter, glorifier : *Por ce que toute chevalerie en soit essauciee (Queste Saint-Graal).* — 3° Traiter avec égard. — 4° Célébrer (une fête). — 5° Accomplir : *Tres par matin fu ivres, si ot mangié Et le fort vin beu qui monte el cief, qui les grandes folies fait essauchier (Aiol).* ◆ **essalssement** n. m. (fin XIIᵉ s., *Loher.*). 1° Action d'élever. — 2° Exaltation. — 3° Glorification.

essample n. m. et f. (1080, *Rol.;* lat. *exemplum*). 1° Modèle que l'on tente d'imiter. — 2° Signe, présage : *Sire, par sort et par essample Me demoustre comment s'en wident (J. Bod.).* ◆ **essemplarie, -aire** n. m. (1119, Ph. de Thaun). 1° Exemple, modèle, type : *Car miroiers et examplaires Fu de toz biens* (Coincy). — 2° Exemple, épisode, récit. — 3° Preuve.

essampler, -ir v. (déb. XIIᵉ s., *Ps. Cambr.;* v. *ample*). 1° Agrandir, dilater : *Tu essamplas mun quer (Ps. Cambr.).* — 2° Ouvrir toute grande, en parlant de la bouche. — 3° Défricher.

essardre v. (xᵉ s., *Saint Léger;* lat. pop. *exardere*). 1° Allumer. — 2° Prendre feu (au moral). — 3° Etre desséché.

essart n. m. (1112, *Saint Brand.;* lat. pop. *exsartum*, de *sarire*, sarcler). 1° Lieu défriché où l'on a abattu les arbres, détruit les ronces, etc. — 2° Abattis, destruction : *Des Flamens maleurez en fist l'um granz essarz* (J. Fantosme). *Metre en un essart*, détruire complètement. — 3° Cendre. ◆ **essarter** v. (1138, *Saint Gilles*). 1° Défricher. — 2° Détruire, dévaster, massacrer. — 3° Distinguer, discerner : *d'essarter les malves hons des bons* (Beaum.). — 4° Précipiter : *De paradis sunt en emfer assarté (G. de Rouss.).*

essaule, essole n. f. (1268, E. Boil.; v. *aissil*, planchette). Ais, latte.

◆ **essaune, essene, essorne** n. f. (1296, *Arch.*). Latte, bardeau.

essaver v. V. ESSEVER, écouler.

essavier, essevier v. (1160, Ben.; v. *avier,* diriger, mettre en route). 1° Se déplacer. — 2° Arriver.

I. **esse, esce** n. f. (1204, *l'Escoufle;* orig. incert.). Application, disposition. *Estre en esse de,* être sur le point de : *La chambriere estoit en esse Del point atendre ne esgarder* (Couci). *En esce,* promptement, rapidement.

II. **esse** n. f. V. AISE, situation agréable.

essement adv. V. ENSEMENT, ainsi.

essence n. f. (1130, *Job;* lat. philos. *essentia*). 1° Nature intime, âme : *Tu iez saluz de nostre essence* (Ruteb.). — 2° Ce qui est essentiel : *Saint Johan qui par divine essenche De saint Apocalipse nous recorde l'essenche (Geste de Liège).* — 3° Extrait (au sens alchimique). — 4° Importance : *Le pais c'on dist des clers, qui est de grant essenche (Geste de Liège).* — 5° Manière (voir l'exemple du 2°).

essever, essaver, essiauver v. (1244, *Arch.;* v. *ever,* faire couler de l'eau). 1° Écouler, faire écouler, donner cours. — 2° *Essever une nef de terre,* la lancer à la mer. — 3° Sortir de l'eau. ◆ **esseu, essiau** n. m. (1175, Chr. de Tr.). 1° Écoulement, cours. — 2° Canal, conduit, évier, rigole. — 3° Bouilli : *Bien set apareillier et tost Char en essau, oiseaus en rost* (Chr. de Tr.). ◆ **esseuvement** n. m. (1247, *Acte*). 1° Écoulement, issue. — 2° Tout ce qui sert à l'écoulement de l'eau. ◆ **essavié** adj. (1190, Garn.). Sorti de l'eau, débarqué.

essevier v. V. ESSAVIER, se déplacer, arriver.

essieuter, esseuter v. (1279, G.; adapt. du lat. *exceptare*). Excepter. ◆ **essieuté** prép. (1283, Beaum.). Excepté, hormis.

essil, eissil, issil n. m. (1080, *Rol.;* croisement prob. du lat. *exilium,* exil, et *excidium,* destruction). 1° Exil, lieu d'exil. — 2° Ravage, dégât, dévastation : *Le jor metent terre a essil* (Wace). — 3° Tourment : *Cil sunt livré a grant esil* (*Eneas*). ◆ **essillier** v. (fin XIᵉ s., *Lois Guill.*). 1° Exiler, chasser de son pays : *Je sui um hom c'on a fait escillier De douce France* (Ogier). — 2° Séparer. — 3° Dévaster : *Tote sa terre guaster et esseillier (Cour. Louis).* — 4° Détruire, faire mourir. — 5° Écorcher (la langue) : *Lors commença a fastroillier Et le bon françoiz essillier* (Tourn. Chauvenci).

essofler v. (fin XIIᵉ s., *Alisc.;* voir *sofler*). Donner de l'air à. ◆ **essoflé** adj. (XIIIᵉ s., *Anseis*). Qui a repris haleine : *L'elme li ostent tant qu'il fu essoflez (Anseis).*

essoigne, essoine n. f. (1080, *Rol.;* lat. pop. **exonia,* du germ.). 1° Excuse en justice, délai légal. *Prendre essoine,* admettre une excuse. — 2° Empêchement, obstacle. *Par essoigne,* par force, contre son gré. *Pour essoigne,* pour aucune raison que ce soit. — 3° Peine, fatigue, difficulté : *Mais il an ot molt grant essoigne (Eneas).* — 4° Souci, besoin urgent, danger. ◆ **essoignier** v. (1160, Ben.). 1° Excuser, exempter. — 2° Absoudre, soustraire au jugement mérité. *Essonier une esoine,* admettre une excuse. — 3° Donner une excuse en justice, demander un délai : *Feint sei malade et s'essonie* (Ben.). — 4° S'excuser. — 5° *Essonier le jor,* comparaître tel jour. ◆ **essoing** n. m. (1247, Ph. de Nov.). Empêchement juridique. ◆ **essoniement** n. m. (1155, Wace). Excuse, cause ou prétexte qui empêche.

essole n. f. V. ESSAULE, ais, latte.

essoler v. (XIIᵉ s.; v. *sol,* seul). 1° Laisser seul, abandonner. — 2° Réfl. Aller dans la solitude : *Toute seule ilec t'esseulas* (J. de Meung).

essombre n. f. (mil. XIIIᵉ s.; voir *ombre*). Lieu obscur.

essorber v. (1155, Wace; v. *orb,* privé de). 1° Priver de. — 2° Détruire, anéantir. — 3° Priver de la vue : *Ardoir en feu ou essorber* (Ren.). — 4° Éteindre. — 5° Boucher, empêcher. ◆ **essorbement**

n. m. (XIIIe s., *Comment. sur les Ps.*).
Aveuglement.

essordre v. (1120, *Ps. Oxf.;* lat. *exsurgere*). 1° Sortir, sourdre, émaner. — 2° Naitre.

essorer v. (1175, *Chr. de Tr.;* lat. *exaurare*, de *aura*, air). 1° Exposer à l'air, au soleil. — 2° Lâcher dans les airs (un oiseau), lâcher. — 3° Prendre son essor : *Si essora en l'air, n'ot soing de repairier (Helias).* ◆ **essor** n. m. (1175, Chr. de Tr.). 1° Grand air, air pur : *Une fenestre [...] dont il lor venoit un peu d'essor (Auc. et Nic.).* — 2° Action d'exposer à l'air. — 3° Impétuosité. — 4° Origine : *l'evesque Adulphe qui fut de grant essor (Geste de Liège).* — 5° *Estre a l'essor*, être soulagé, se sentir libre.

essuer, essuier v. (1150, *Thèbes;* bas lat. *exsucare*, exprimer le suc). 1° Sécher. — 2° Etre sec, desséché. — 3° Essuyer. ◆ **essuioison** n. f. (1243, *Conq. Jér.).* Action d'essuyer.

est dém. V. IST, cet, celui-ci.

esta, estai interj. (XIIe s., *Floov.;* v. *ester*, se tenir debout). Exclamation commandant l'arrêt ou le silence : *Esta, fet il, Renart, voi ça (Ren.).*

I. estable n. f. (fin XIIe s., *Auc. et Nic.;* lat. *stabula*, pl. neutre pris pour fém. de *stare*, se tenir debout). Étable, écurie. ◆ **establer** v. (1162, *Fl. et Bl.*). Mettre à l'écurie : *Puis establerent lor chevaus (Fl. et Bl.).* ◆ **establier** n. m. (XIIe s., *Mon. Guill.*). Celui qui a soin de l'étable, de l'écurie. ◆ **establerie** n. f. (1246, *G.).* Étable.

II. estable, estavle adj. (déb. XIIe s., *Ps. Cambr.;* lat. *stabilis*, de *stare*, se tenir debout). 1° Stable, ferme. — 2° Établi : *Car ch'est droite coustume estavle (A. de la Halle).* — 3° Lié d'hommage. — 4° Immeuble : *Il avoit ... grant mueble et estable (Ph. de Nov.).* ◆ **estabilité** n. f. (1119, Ph. de Thaun), **-icie** n. f. (1218, *Arch.*), **estableté** n. f. (1162, *Fl. et Bl.*). Stabilité, solidité, fermeté.

establir v. (1080, *Rol.*), **-er** v. (1219, G.), **-ier** v. (XIIIe s.; lat. *stabilire*,

de *stabilis*, stable). 1° Établir. — 2° Décider. — 3° Prescrire, commander. ◆ **establiment** n. m. (1250, *Ord.*), **-issement** n. m. (1160, Ben.). 1° Règlement, ordonnance. — 2° Loi, coutume : *Leis, dreitures Ne jugemens, Ne autres establissemenz Ne tendront mais (Ben.).* ◆ **establison** n. f. (XIIe s., *Chev. cygne*). 1° Établissement. — 2° État, manière d'être, situation : *Quant la puciele vit en tel establison, Et bielle et sy plaisans ... (Chev. cygne).* — 3° Usage établi. ◆ **establissance** n. f. (1160, Ben.). Établissement, coutume établie. ◆ **establee** n. f. (1160, Ben.). 1° Troupe, compagnie : *Dunt chevalchent par establees (Ben.).* — 2° Étable, échafaudage. — 3° Établissement, règle. ◆ **establie** n. f. (XIIe s., *Barbast.*). 1° Établissement, état. — 2° Box d'écurie. — 3° Poste de guetteurs. — 4° Troupe rangée. — 5° Table de travail. — 6° Règlement. — 7° Résolution : *Tex en est l'establie (R. de Cambr.).*

estache n. m. et f. (1080, *Rol.;* germ. **staka*, pieu). 1° Pieu, poteau, pièce de bois : *A ce fustel l'unt atachiet cil serf (Rol.).* — 2° Appui, soutien : *La fu Ogiers de Danemarce De tos les autres li estache (Mousk.).* — 3° Attache, lien (1295, *Arch.*). ◆ **estachier** v. (XIIe s., *Trist.*). 1° Attacher : *Or est Si com la nacele Qui au port est estachie (Chans.).* — 2° Ficher, enfoncer, planter : *La ou la crois fu estachie (Passion Dieu).* — 3° Appuyer sur les piliers, planter sur pilotis. — 4° Percer, transpercer quelqu'un : *Ja alast son neveu ens el cuer estechier (Helias).* — 5° Assener, frapper avec force. — 6° Attaquer en justice. ◆ **estachement** n. m. (XIIIe s., *Doon de May.*). Origine, extraction : *Chevalier de grant estachement (Gar. de Mongl.).* ◆ **estaçon** n. m. (1216, *Cart.*). Pieu, pilier qui sert à soutenir.

I. estage n. m. (1080, *Rol.;* bas lat. *staticum*, de *stare*, se tenir). 1° Habitation, demeure : *Ad Ais, a mun estage (Rol.). Tenir en son estage*, tenir sous sa domination — 2° Bâtiment destiné à divers usages, logement. — 3° Estrade, plateforme. — 4° Séjour, le fait de demeurer : *Trop i avoit fet lonc estage (Eneas).* — 5° Stature, taille, manière d'être :

Sis piez avoit d'estage (Brut). En estage, en son estage, debout. − 6° État, position, place. *Chacun en son estage,* chacun de son côté. *Remuer son estage,* quitter la place. − 7° Opposition, résistance, lutte. ◆ **estagier** v. (1160, Ben.). 1° Établir, fixer sa demeure, résider. − 2° S'arrêter, s'immobiliser. ◆ **estagier** n. m. (fin XIIᵉ s., *Gar. Loher).* 1° Vassal résidant, en temps de guerre ou en période de danger, auprès de son seigneur. − 2° Habitant, résident.

II. estage, estade n. m. (1260, Br. Lat.; lat. *stadium,* du grec). Stade, mesure de longueur.

estaie n. f. (1304, *Arch.;* moy. néerl. *staeye).* Pièce de bois de soutien.

estaif adj. (1150, *Thèbes;* lat. pop. **stativum,* de *stare,* rester). Lent, paresseux : *Estais A Dieu servir et a bien faire* (Coincy).

estain adj. (1250, G.; orig. obsc.). Entier, complet : *Leur devons trover .I. grange seine et esteine por mettre leur escorche sekkement* (1308, *Cart.).*

estal n. m. (1080, *Rol.;* francique *stall,* position, en partie infl. par *stare,* se tenir debout). 1° Position, lieu où l'on est. *En estal, a dreit estal,* debout sur place, de pied ferme. *Prendre estal, faire estal,* prendre position et, plus particulièrement, se mettre en position de combat. *Movoir estal, muer estal, changier estal,* changer de place, de position, déguerpir. *Soi metre a estal,* s'arrêter. − 2° Position de combat, combat lui-même. *Livrer estal,* défier au combat, livrer bataille. *Rendre estal, ester a estal, doner estal, remaindre en estal,* résister de pied ferme, tenir tête. *Partir l'estal,* lâcher pied. − 3° *En petit estal,* en mauvais état, en danger. − 4° *A estal,* sans cesse, en persévérant. − 5° Lieu de séjour, demeure : *Ou vaille ou non, li font l'estal guerpir* (Ogier). − 6° Tréteau, plate-forme, gradin : *Et cil a qui fu commandé As estaus del bourc sont alé (Fl. et Bl.).* − 7° Comptoir, place où les objets sont exposés en vente. − 8° Stalle, siège à l'église ou dans un palais. − 9° Vente à l'enchère. − 10° Pieu, poteau. ◆ **estalon** n. m. (1180, *Rom. d'Alex.).* 1° Poteau,

pieu, pièce de bois. − 2° Cheval reproducteur (XIIIᵉ s.). ◆ **estalonee** n. f. (1336, G.). Appentis de bois. ◆ **estaler** v. (fin XIIᵉ s., *Alisc.).* 1° Se tenir en un endroit, se reposer. − 2° S'arrêter. − 3° S'arrêter pour combattre, combattre, résister : *A l'estaler et au poursuivre* (Guiart). − 4° Etre posé. − 5° Étendre, étaler. − 6° Uriner *(Court. d'Arras,* emploi probabl. stylistique*).* ◆ **estalage** n. m. (1268, E. Boil.). Droit sur les marchandises étalées. ◆ **estalier** n. m. (1268, E. Boil.). Marchand qui vend sur l'*estal.*

estamine n. f. (1155, Wace; lat. *staminea,* adj. substantivé, de *stamen,* fil de la quenouille). 1° Tissu léger de laine ou de coton. − 2° Tamis.

estamper v. (fin XIIᵉ s., *Loher).*, **-ir** v. (1220, Coincy; francique **stampôn,* broyer). 1° Écraser, broyer. − 2° Marquer le pas, piétiner. − 3° Renverser, écraser. − 4° Marquer, empreindre : *La viulté de la hautece Dont les vices voi estampis (ABC).* ◆ **estampe** n. f. (1298, M. Polo). Marque, impression en relief : *Mes ne ont mie monoie cungne cun estanpe* (M. Polo). ◆ **estampie** n. f. (XIIIᵉ s., *Rom. et past.).* 1° Trépignement, danse. − 2° Chanson avec accompagnement. − 3° Vacarme, tapage. − 4° Bataille, joute tumultueuse.

estance n. f. (1160, Ben.; lat. pop. **stantia,* pl. neutre devenu féminin, du part. passé de *stare,* se tenir debout). 1° Action de se tenir debout, position. *En estance,* qui se tient debout. − 2° Arrêt. − 3° Séjour, demeure, maison. − 4° État, situation : *Et toutes les choses doit ele tenir en bone estance (Etabl. Saint Louis).*

estanchier v. (1150, *Thèbes;* orig. obsc.). 1° Boucher, fermer et, en particulier, arrêter l'écoulement du sang. − 2° Arrêter, faire cesser : *Mes li fel qui les [...] trenche L'engendrement d'enfans estanche* (1330, ms.). − 3° Épuiser, dessécher : *sans estanchier la fontaine* (Br. Lat.). − 4° Fatiguer. ◆ **estanc, estain** adj. m., **estanche** fém. (1150, *Thèbes).* 1° Épuisé, las : *Lors respondi la dame franche qui del plorer esteit estanche* (saint Grég.). — 2° Vaincu. — 3° Desséché, sec. ◆ **estanc** n. m. (1180, *Rom. d'Alex.;* lat. *stagnum,* en convergence avec *estanchier*). Étang.

estanfort n. m. (1202, G.; du nom de la ville de *Stanford*). Drap riche, interdit par plusieurs conciles aux moines et aux chanoines réguliers.

estant adj. (1080, *Rol.;* p. passé de *stare,* se tenir debout). 1° Résidant, demeurant : *prendre ... les coustumes du pays ou on est estans et demorans* (Beaum.). — 2° Qui reste sur place, stagnant. — 3° Debout : *Devant li s'est estant tenus (Ren. le Contref.). En estant, en son estant,* debout, sur les pieds. — 4° *En estant,* immobile : *Car li soleilz est remes en estant (Rol.).* — 5° *En estant, tout en estant,* sur-le-champ, immédiatement. — 6° n. m. La place où l'on se tient, la position.

I. **estape, estrape** n. f. V. ESTERPE, souche, pieu.

II. **estape** n. f. V. ESTAPLE, comptoir, dépôt de marchandises.

estaple, estape n. f. (1280, D.; moy. néerl. *stapel,* entrepôt). 1° Comptoir de marchandises. — 2° Dépôt des provisions pour l'armée. — 3° Droit sur les marchandises entreposées, particulièrement le vin.

estarpeis n. m. V. ESTERPEIS, abattis.

estasse n. f. (1180, *Rom. d'Alex.;* dér. de *ester,* se tenir debout, ou adapt. du lat. *statio,* position). Taille, stature : *Quar sa figure avoit contrefaite et s'estasse (Rom. d'Alex.).*

estat n. m. (1175, Chr. de Tr.; lat. *status,* de *stare,* se tenir debout). 1° Position, état. — 2° Arrêt, station. *A estat,* sans bouger, immobile. — 3° Stature : *E si petitz fu de estat Serroi apelé naym et mat (Du Roy et du Jongleur).*

estature n. f. (1162, *Fl. et Bl.;* lat. *statura*). Taille : *De quel estature est il? (F. Fitz Warin).*

estatut n. m. (mil. XIIIᵉ s., D.; bas lat. *statutum*). État, métier : *Esau soit homme de chasse. L'autre laboureur et pasteur : C'est estatu que je leur baille (Viel Test.).*

estaucier v. (1175, Chr. de Tr.; cf. lat. pop. **talicare,* fréq. de **taliare,* tailler). Tondre, tailler. ◆ **estauceure** n. f. (1270, Ruteb.). 1° Action de tondre. — 2° Tonsure.

estaveir v. V. ESTOVOIR, falloir, convenir.

estavel, esteval n. m. (1180, *Rom. d'Alex.;* dimin. de *estape,* pieu, perche). Torche, cierge, bougie.

este présentatif. V. ES, voici.

esté n. m. (XIIᵉ s., *Chev. cygne;* lat. *statum,* p. passé de *stare*). 1° Stature. — 2° Hauteur. ◆ **estee** n. f. (1160, Ben.). 1° Action de s'arrêter, de tarder. — 2° Demeure, séjour.

estecheis n. m. V. ESTOQUEIS, lutte à l'estoc.

I. **estechier** v. V. ESTACHIER, fixer.

II. **estechier, -quier** v. V. ESTIQUIER, piquer.

esteindre v. (1160, Ben.; lat. pop. **extingere,* pour *extinguere*). 1° Éclipser. — 2° Boucher l'ouverture. — 3° Anéantir. — 4° Tuer, mourir : *A poy le cuer de li estaint El ventre, tant est couroucee (Couci).*

estele n. f. V. ASTELE, éclat de bois.

esteler v. V. ASTELER, attacher.

estelon n. m. (1180, *Rom. d'Alex.;* d'orig. incert. probabl. germ.; se rattache en partie à *estal* et à son dérivé *estalon*). 1° Pieu, poutre, poteau. — 2° Bâton garni de marques pour jauger (XIVᵉ s.).

estement n. m. (1160, Ben.; v. *estre,* être). 1° État, situation : *Et il lor a conté trestout son estement (Chans. d'Ant.).* — 2° Séjour tranquille, repos. — 3° Stature, prestance, manière d'être.

estenc adj. V. ESTANC, épuisé, desséché, vaincu.

estencele n. f. (1160, Ben.; lat. *scintilla* devenu, par métathèse, **stin-*

cilla). Étincelle. ◆ **estenceler** v. (1175, Chr. de Tr.). 1º Surpasser par son éclat. — 2º Jaillir. — 3º S'agiter, remuer : *Irrur ad en son cuer, li sanc li estencele* (J. Fantosme). — 4º Parer de couleurs étincelantes, brillantes. ◆ **estencelement** n. m. (1119, Ph. de Thaun). 1º Lumière étincelante. — 2º Éclat de lumière qui jaillit du choc des armes.

estendre v. (déb. xiiiᵉ s., *Ps.;* lat. *extendere*). Étendre, étirer. ◆ **estente, estende** n. f. (xiiᵉ s.). 1º Étendue, longueur, extension. — 2º Mesurage de l'étendue, arpentage. ◆ **estendement** n. m. (xiiiᵉ s., *Doon de May.*). Action d'étendre. ◆ **estendillier** v. (1169, Wace); 1º Étendre, étirer. — 2º S'étendre, s'allonger. ◆ **estendart** n. m. (1080, *Rol.*). 1º Enceinte retranchée qui servait de point de réunion pour les combattants de chaque armée. — 2º Étendard.

ester v. (xᵉ s., *Passion;* lat. *stare,* se tenir debout). 1º Se tenir debout. — 2º S'arrêter. — 3º Demeurer, séjourner : *En paradis les en menas ester* (*Cour. Louis*). — 4º *Laissier ester,* rester tranquille. — 5º Couper court, faire cesser : *A tant laissent ester la parole* (*Artur*).

esterchir v. réfl. (1155, Wace; orig. incert.; cf. germ. *sterken,* être fort). S'affermir, se redresser : *Le chaperon mit a l'oreille, Esterkist soi sor le cheval* (*Cant. des cant.*).

esterlin, estrelin n. m. (1190, Garn.), francisation de *sterling,* monnaie d'Écosse). Denier, généralement anglais.

esterman n. m. V. ESTURMAN, timonier.

esterminal n. m. (1080, *Rol.;* orig. obsc.). Sorte de pierre précieuse.

esterner v. (fin xiiᵉ s., saint Grég.), **-ir** v. (xiiiᵉ s., Bible; lat. pop. *sternare, -ire,* pour *sternere*). 1º Étendre par terre, joncher. — 2º Se prosterner. — 3º Fouler aux pieds. ◆ **esternissement** n. m. (xiiᵉ s., *Ps.*). Action d'étendre, de s'étendre par terre.

esterper v. (déb. xiiᵉ s., *Ps. Cambr.;* lat. *extirpare*). 1º Arracher, extirper. —

2º Détruire, annuler. ◆ **estrepeis** n. m. (xiiᵉ s., *Mort Garin*). Abattis. ◆ **esterpe, estrape** n. f. (xiiiᵉ s., *Livr. de Jost.*). 1º Souche, pieu, perche. — 2º Souche de la famille.

esteser v. (xiiᵉ s., Evrat; v. *teser,* tendre). 1º Tendre, étendre. — 2º Tirer. — 3º *S'esteser a,* s'attacher à. ◆ **estesillon** n. m. (1333, G.). Bâton qu'on enfonce dans la gueule pour la maintenir ouverte.

esteuf, estui n. m. (1180, *Rom. d'Alex.;* orig. obsc., probablement germ.). Balle à jouer.

esteuille, esteule n. f. V. ESTOBLE, paille, chaume.

esteure n. f. (1160, *Athis;* lat. *statura*). Attitude, maintien : *Et estoient outre mesure Felon et de grant estaure* (Bible).

esteval n. m. V. ESTAVEL, torche, bougie.

estevenant n. m. (1278, G.), **-ois** (xiiiᵉ s.; du nom de saint Étienne). Monnaie portant l'image du bras de saint Étienne.

I. **estiere** n. f. (1160, Mousk.; dér. de *ester,* se tenir debout?). 1º Position, situation. — 2º *Tenir estiere,* opposer la résistance. — 3º *Tenir estiere,* soutenir le combat amoureux : *Des que vieillards prent la pucele Et il ne puet tenir estiere Si n'ait Dieus, il m'est viere Qu'il ont perdu tout leur soulas* (chans. av. 1300). — 4º *Tenir estiere de,* savoir bien s'acquitter d'une chose : *Car il set bien tenir estiere De mentir* (Poèt. fr. av. 1300).

II. **estiere** n. f. (xiiᵉ s., M. de Fr.; cf. germ. **steuer*). Gouvernail.

estiers, esters, estriers prép. (1269, *Arch.;* lat. *esterius,* confondu partiellement avec *estre,* de *extra*). En dehors de, outre : *E si plusors filhes nessent onquors de moi estriers l'enfant que j'ai en vantre* (Test. Jeanne de Fougères).

estiquier v. V. ESTACHIER, attacher, ficher, transpercer.

estival, -el n. m. (1119, Ph. de Thaun; bas lat. *aestivalém,* relatif à l'été).

Bas-de-chausses, courte bottine ou soulier léger porté en été.

estive n. f. (1120, *Ps. Oxf.;* lat. *stipa*, paille, chalumeau). 1° Flageolet, trompette. — 2° Tibia, jambe. ◆ **estiver** v. (1165, G. d'Arras). Jouer de la flûte.

estoble, esteuille n. f. (déb. XIIᵉ s., *Ps. Cambr.;* bas lat. *stupula*, tige des céréales, pour *stipula*). Paille, chaume qui reste sur le champ après la moisson.

estoc n. m. (1190, Garn.; francique **stokk*). 1° Souche, tronc, bûche. — 2° Bâton, pieu. — 3° Épée longue et droite, pointe de l'épée. ◆ **estocage** n. m. (1290, *Chartc*). Droit payé au seigneur permettant de prendre les souches d'arbre. ◆ **estoque** n. f. (1346, Arch.). Bâton.

estocheis n. m. V. ESTOQUEIS, lutte à l'estoc.

I. estofer v. (fin XIIᵉ s., *Loher.*), **-ier** v. (1239, *Arch.;* anc. haut all. *stopfen*, rembourrer, calfater). 1° Rembourrer, remplir. — 2° Garnir, approvisionner. — 3° Fortifier. ◆ **estofe** n. F. (XIIIᵉ s.). 1° Matériau. — 2° Ce qui sert à garnir, étoffe.

II. estofer v. (XIIIᵉ s.; lat. pop. **stuffare*, orig. obsc., peut-être onomat.). Étouffer. ◆ **estofor** n. f. (1180, *Rom. d'Alex.*). Étouffement, ce qui est étouffant.

I. estoire n. f. (1155, Wace; lat. *historia*, du grec). 1° Histoire, récit. — 2° Tableau, représentation. — 3° Race, extraction : *Dez li venerez fu molt de bone estoire (Fet Rom.).*

II. estoire n. m. ou f. (1160, Ben.; grec *stolon*, même sens). 1° Flotte, armée navale. — 2° Armée en général *(Aiol).*

III. estoire n. f. V. ESTOR, création.

I. estolt adj. (1112, *Saint Brand.;* d'orig. germ.; cf. allem. *stolz*, orgueilleux). 1° Audacieux, téméraire. — 2° Dur, violent : *Or soiez ... Fel et estous contre vos amenis (Gar. Loher.).* — 3° Orgueilleux : *Humble de cuer, non pas estous (Best. div.).* — 4° Opiniâtre : *La bataille fut estulte (Saint Brand.).* — 5° Insensé : *Il est un vrai folz et estouz (Mir. N.-D.).* ◆ **estolter** v. (XIIᵉ s.). Etre fier, violent. —

2° Traiter de haut, malmener. ◆ **estoltie** n. f. (1080, *Rol.*). 1° Force, bravoure : *Proeece le soumont de faire une estoutie (Rom. d'Alex.).* — 2° Attaque furieuse. — 3° Massacre. ◆ **estoltoier** v. (1160, Ben.). 1° Traiter de haut, malmener. — 2° S'attaquer avec acharnement. — 3° Agir comme un insensé.

II. estolt adj. (fin XIIᵉ s., *G. de Rouss.;* lat. *stultum*, souvent confondu avec le premier). Sot, hébété, insensé. ◆ **estoltise** n. f. (XIIIᵉ s., J. Le March.). Sottise, outrecuidance. ◆ **estout** n. m. (1250, *Ren.*). Folie.

estomper v. (1199, Wace; anc. haut allem. *stumben*). Fendre, percer : *La presse ont tote estompee* (Wace).

estoner v. (1080, *Rol.;* lat. pop. **extonare*, dc *tonus*, tonnerre). 1° Ébranler : *Tel coup les l'oreille li donne, Tote la teste l'estone (Ren.).* — 2° Etre ébranlé, étourdi, paralysé.

estopace n. f. (1270, Ruteb.; lat. *topazus*, du grec, avec le premier élément incertain). Topaze.

estoper v. (déb. XIIᵉ s., *Ps. Cambr.;* lat. pop. **stuparc*). 1° Boucher avec de l'étoupe, panser, calfater. — 2° Arrêter, faire cesser. — 3° Clore, fermer la bouche à quelqu'un. — 4° Plier le corps en deux. — 5° Jouir d'une femme. ◆ **estope** n. f. (XIIIᵉ s.). 1° Étoupe. — 2° Attrape, bourde, mensonge. ◆ **estopement** n. m. (XIIIᵉ s.). Action de boucher.

estoquier v. (1306, Guiart; v. *estoc*). 1° Frapper d'estoc. — 2° Batailler, frapper. ◆ **estoqueis** n. m. (XIVᵉ s.). 1° Lutte à l'estoc. — 2° Mêlée, bataille.

I. estor, estorm n. m. (1080, *Rol.;* germ. *sturm*, tempête). 1° Grand bruit, tumulte. — 2° Fracas de la bataille. — 3° Charge, mêlée : *Seignour, jou ai mon frere pierdu en cest estour (Fille du comte de P.).* — 4° Lutte, émeute : *Adont fu il estors sus el palais leves (Chans. d'Ant.).* ◆ **estormir** v. (1160, Ben.). 1° Faire un grand fracas. — 2° Réveiller, donner l'alarme : *L'ost 3° Estormir la guerre*, la soulever. — 4° Se soulever, s'agiter. — 5° Combattre.

◆ **estorme** n. f. (1180, *Rom. d'Alex.*), -**ie** n. f. (1169, Wace), -**ison** n. f. (1180, *Rom. d'Alex.*). 1° Grand bruit, tumulte. — 2° Choc, lutte.

II. **estor** n. m., construction, équipement. V. ESTORER, construire.

estorbel n. m. (XIIᵉ s., Marb.), -**eillon** n. m. (déb. XIIᵉ s., *Ps. Cambr.;* v. *torber*). Tourbillon.

estordir v. (1086, G.; lat. pop. **exturdire*). Étourdir. ◆ **estordie** n. f. (1175, Chr. de Tr.). 1° Action inconsidérée, folle. — 2° Étourdissement. — 3° Boisson qui étourdit, qui endort. ◆ **estordison, -oison** n. f. (XIIᵉ s., *Part.*). 1° Évanouissement : *Li rois revient d'estordoisons (Part.).* — 2° Étourdissement, trouble.

estordre v. (1080, *Rol.;* lat. pop. **extorquere*, pour *extorquere*). 1° Tordre. — 2° Exprimer, faire sortir. — 3° Opprimer, accabler. — 4° Se tourner, s'échapper, fuir : *Mais gardés que nus n'en estorge* (J. Bod.). *En estordre,* en rechapper. 4° *Estordre son colp,* assener un coup (par un tour de bras). — 5° Détourner. 6° Arracher, extorquer : *Par vos sui de prison estors* (Chr. de Tr.). ◆ **estorse** n. f. (1112, *Saint Brand.*). 1° Action d'assener un coup. — 2° Échappatoire. — 3° *Ce n'est l'estorse,* tout n'est pas parfait, rien n'est décidé.

estorer v. (1155, Wace; lat. *instaurare*). 1° Construire, bâtir. — 2° Composer (un poème). — 3° Faire naître, créer : *Puis que Deus forma Le secle e le mond estroa (Proth.).* 4° Réparer, restaurer. — 5° Établir, instituer. — 6° Ordonner, gouverner. — 7° Munir, garnir, fournir. ◆ **estorement** n. m. (XIIᵉ s., *Asprem.*). 1° Création. — 2° Lignée, race. ◆ **estor** n. m. (XIIᵉ s., *Fl. et Bl.*). 1° Construction, création. — 2° Diverses choses dont on a besoin pour se couvrir, se nourrir, équipage, approvisionnement. — 3° Ornement, garniture. — 4° Le matériel et le bétail d'une ferme.

estorner v. (1175, Chr. de Tr.; voir *torner*). 1° Faire tourner, secouer. — 2° Renverser : *Tels quinze çols li paiera Que del primer l'esturnera (Rés. Sauv.).*

— 3° Etre renversé. ◆ **estor** n. m. (1160, Ben.). Tour, contour.

estorser v. V. ESTROSSER, détrousser.

estovoir, estaveir, entoveir v. impers. (XIᵉ s., *Alexis;* orig. incert.). Falloir, être nécessaire, convenir : *Quant vit que morir l'estovoit* (Wace). ◆ **estovoir** n. m. (1155, Wace). 1° Besoin, nécessité, devoir. *Par estovoir,* par nécessité, obligatoirement. — 2° Le nécessaire, provisions, profit : *Il ont bien lor estovoir (Fl. et Bl.).* Par son estovoir,* selon ses besoins.

estrabot n. m. (1160, Ben.; orig. incert.). Chanson satirique et injurieuse qui utilise des mots à double sens : *Vers en firent et estraboz U out assez de vilains moz* (Ben.).

I. **estrace** n. f. (déb. XIIᵉ s., *Ps. Cambr.;* v. *trace*). Trace, pas, route : *Tienent la droite estrace (Rois).*

II. **estrace** n. f., extraction, origine. V. ESTRACIER, arracher.

estracier v. (1283, Beaum.; lat. pop. **extractiare*, de *extractus*). Arracher. ◆ **estrace** n. f. (1160, Ben.). Extraction, origine, race : *Felon de pute estrace (Percev.).* ◆ **estraçon** n. f. (XIIᵉ s., *Barbast.*). Origine, race : *de male estraçon (Barbast.).*

estrage n. m. (XIIIᵉ s., Th. de Kent; lat. pop. *straticum,* de *stratum*). 1° Aire, grange. — 2° Appentis, maisonnette.

I. **estraier** v. (1160, Ben.; v. *estree,* route). 1° Errer çà et là, sans maître, solitaire *Ge m'en irai en Espaigne estraier (Charr. Nîmes).* — 2° S'égarer, être abandonné. ◆ **estraier** n. m. (XIIᵉ s., *Gorm. et Is.*). 1° Voyageur. — 2° Vagabond. — 3° Abandonné.

II. **estraier** v. (XIIᵉ s.; germ. *straujan,* jeter par terre). S'étendre par terre.

III. **estraier** adj. (1170, *Percev.;* v. *estre,* conj., hors de, confondu avec *estraier,* voyageur). 1° Étranger, sans maître. — 2° Abandonné, isolé, solitaire : *Si me lairés en tel maniere Trestote sole et estraiere (Percev).* ◆ **estraier** v. (XIIIᵉ s.).

1° Laisser en la garde d'un étranger. — 2° Etre sans possesseur légitime, en parlant d'un bien. — 3° *Etraier de*, priver de, éloigner de (1237, *Arch.*), **-iere** n. f. (1260, *Reg. parl.*). Bien des étrangers ou des bâtards morts sans héritier et appartenant au seigneur.

estraigne adj. V. ESTRANGE, étranger.

estraim, estrain n. m. (1170, *Percev.*; lat. *stramen*). Paille servant de litière, litière. ◆ **estramer** v. (XIIIe s.). Joncher de paille ou de feuillage. ◆ **estrameure** n. f. (1160, Ben.), **-ier** n. m. (1169, Wace). 1° Litière, paillasse. — 2° Chaume. — 3° Jonchée.

estraindre v. (1160, Ben.; lat. *stringere*). 1° Serrer, presser, tenir rudement : *Ses homes chastie et estreint* (Ben.). — 2° Obliger, forcer. — 3° *Estreindre les denz*, grincer des dents. — 4° *Estreindre le conseil*, délibérer ardemment. — 5° Causer de l'angoisse : *Car ses maus au cuer li estraint* (Couci). — 6° *Sor l'estraindre*, sur le point de mourir. ◆ **estrainte** n. f. (XIIe s., Audefroi le Bast.). Contrainte : *Sire, por Dieu mercis, ci n'a mestier d'estrainte* (Audefroi le Bast.). ◆ **estrainture** n. f. (1314, Mondev.). Action de serrer, de presser.

estraine, estregne, estrine n. f. (1190, J. Bod.; lat. *strena*, bon présage, cadeau). 1° Chance, fortune, hasard : *Male erre et male estreine Reçui* (Pir. et Tisb.). — 2° Cadeau. *A bone estrine*, en cadeau. — 3° Rencontre, combat, choc : *Fut mors et abatus alle premier estraine* (Geste de Liège). *Faire estrene de*, donner un coup au moyen de. ◆ **estrin** n. m. (fin XIIIe s., B. de Condé). Étrenne, récompense.

estraire v. (1080, *Rol.*; lat. pop. **extragere*, pour *extrahere*). 1° Tirer, faire sortir : *Dou limon nos fit et estrait* (Best.). — 2° Traduire : *De latin en romans (ad) estreit* (Wace). ◆ **estrait** adj. (1080, *Rol.*). 1° Issu, né, descendant de. — 2° Fatigué, épuisé : *De la cuisinne ist lassez en estrais* (Gaydon). ◆ **estraite** n. f. (XIIIe s., *Ass. Jér.*), **-ure** n. f. (fin XIIe s., saint Grég.). Extraction : *de vile estraiture* (saint Grég.).

estrange, estraigne adj. (XIe s., *Alexis;* lat. *extraneum*, étranger). 1° Étranger. — 2° Qui appartient à un autre : *Il li couvenoit [...] acheter vin en estrange celier (Mir. Saint Louis)*. — 3° Inhospitalier : *Une forest grant et estrange, ou il ne troverent home ne fame (Queste Saint-Graal)*. — 4° Bizarre. ◆ **estrangier** v. (1120, *Ps. Oxf.*). 1° Repousser, éloigner, expulser : *Chascun la dechace et estrange, Chascun la fuit, chascun l'eschive (Mir. N.-D.)*. — 2° Aliéner, vendre. — 3° Changer, travestir. ◆ **estrangement** n. m. (fin XIIe s., *Alisc.*). 1° Éloignement. — 2° Aliénation.

estrape n. f. V. ESTERPE, souche, pieu.

estraver v. (fin XIIe s., *Mort Garin;* v. *tref*, tente). Camper : *Or faites tous vos homes estraver par deça (Gui de Bourg.)*.

I. estre, iestre, aistre v. (1080, *Rol.;* lat. pop. **essere*, pour *esse*, plusieurs formes empr. au lat. *stare*, anc. fr. *ester*, se tenir debout). 1° Exister : *S'il est qui vous le die* (= s'il y a quelqu'un qui) [Aden]. — 2° Se porter, se trouver : *Comment vous a esté entre la gent foraine?* (J. Bod.). *Comment vos est? comment vos est-il?*, comment allez-vous? — 3° Se trouver, séjourner : *Li reis Marsil esteit en Saragoce* (Rol.). — 4° *Estre a*, appartenir, dépendre de : *D'une grant terre qui fu au roi Orsaire* (Roncev.). — 5° *Estre ensemble*, vivre, cohabiter : *Et tant furent ensamble qu'il en ot un filz et une fille* (Chron. Reims). — 6° *Estre de* (impersonnel), importer : *Plus li est de la honte qu'il ne soit du domage* (Gaut. d'Aup.). — 7° *Estre bien de*, être en bon accord avec, être dans les bonnes grâces de. — 8° *Estre a* exprime l'obligation : *Qui mout sont a prisier* (Roncev.). — 9° *I estre*, avoir compris, deviner. — 10° *Laissier estre*, laisser subsister, laisser en repos. — 11° *S'en estre*, s'en aller : *De la s'en furent pour la chrestienetet* (Rol.).

II. estre n. m. (1160, *Eneas;* lat. **essere*, être). 1° Existence : *Il a son estre avec les pierres* (Rose). — 2° Situation, condition : *Et li demande de son estre que il l'en die*

aucune chose (Queste Saint-Graal). —
3º Manière d'être, genre de vie : *(Li pre-voz) mua son estre et son corage* (Wace).
— 4º Entourage, suite.

III. **estre** n. m., **estres** n. plur. (xᵉ s.,
Passion; lat. *extera,* pl. neutre de *exterus,*
ce qui est à l'extérieur). 1º Emplacement
dans un lieu ouvert : jardin, fossé, lieu,
place en général : *Li juenes rois se siet
as estres de la tor* (J. Bod.). — 2º Maison,
appartement, chambre, embrasure d'une
fenêtre : *Un jour ert li rois a un estre
Apoïes a une fenestre (Rich. li Biaus).*

IV. **estre** prép. (xᵉ s., *Saint Léger;* lat.
extra). 1º Outre, en sus de : *.VII. mil
estoient bacheleir ki pooient armes por-teir, Estre femes et estre enfanz* (Wace). —
2º Excepté. — 3º Sans : *Estre garant
remeist sun ost* (Wace). — 4º En dehors de.
— 5º Contre : *S'en issirent de la cité
Estre lor gré et sor lur voil* (Ben.).

estrecier v. (1180, *R. de Cambr.;* lat.
pop. **strictiare,* de *strictus*). 1º Resserrer.
— 2º Rétrécir, diminuer. ◆ **estreit, estroit**
adj. (1080, *Rol.;* lat. *strictum*). 1º Étroit
resserré. — 2º adv. Étroitement. — 3º adv.
Sérieusement : *E se purpensa mult estreit
(Un chival et sa dame).* ◆ **estreit** n. m.
(xiiᵉ s., M. de Fr.). 1º Lieu serré, détroit.
— 2º Situation critique. ◆ **estrece** n. f.
(1190, saint Bern.), **estroiture** n. f. (xiiᵉ s.,
Evrat), **estroitece** n. f. (xiiᵉ s., *Ps.*). 1º Lieu
étroit, défilé. — 2º Étroitesse, rigueur. —
3º Oppression, tyrannie. — 4º Détresse.

estree n. f. (1080, *Rol.;* lat. *strata [via]*
route pavée). 1º Route, chemin. —
2º Voyage : *Traire l'estree,* aller, se
rendre.

estreer v. (xiiiᵉ s.; lat. pop. *extradare,*
mot composé). 1º Livrer, délivrer. —
2º Céder, abandonner.

estregne n. f. V. ESTRAINE, chance,
cadeau, combat.

estrelin n. m. V. ESTERLIN, denier
anglais.

estreloi n. f. (1160, Ben.; v. *loi,* avec le
préfixe *estre,* hors de). 1º Injustice, excès :
*C'est grant estrelois C'on fausse les drois
Vrais escris (Chans. d'Arras).* —
2º Outrage, injure.

estreper v. V. ESTERPER, arracher,
détruire.

estresillon n. m. V. ESTESILLON,
bâton.

estret adj. V. ESTRECIER, resserrer.

I. **estreu** n. m. V. ESTRIEF, étrier.

II. **estreu** n. m., trou, ouverture. Voir
ESTROER, trouer.

estribot n. m. V. ESTRABOT, chanson
satirique.

estricher, estriquer v. (1275,
texte de Saint-Omer; moy. néerl. *striken,*
frotter, lisser). 1º Frotter, racler, nettoyer.
— 2º Amincir, diminuer.

estrie n. f. (1210, *Dolop.;* lat. pop.
striga, pour *strix,* du grec). 1º Oiseau de
nuit qui déchirait les petits enfants : *Lai
vinrent malvais esperit Que ces gens
apelent estries (Dolop.).* — 2º Sorcière.

estrief, estrieu, estreu n. m.
(1080, *Rol.;* francique **streup,* courroie,
qui formait l'étrier des Germains). Étrier.

estriers prép. V. ESTIERS, en dehors de,
outre.

estrif, estrit n. m. (xᵉ s., *Saint Léger;*
germ. *strit;* cf. all. *Streit,* lutte, querelle).
1º Querelle, combat, guerre. — 2º Force,
violence, impétuosité : *li venz mena grant
estrif* (Ben.). *A estrif, par estrif,* à l'envi, à
qui mieux mieux. — 3º Tourment : *Por vous
sui je en paine et en estri (Gar. Loher).*
◆ **estriver** v. (xiᵉ s., *Alexis*). 1º Disputer,
contester, débattre. — 2º Lutter. —
3º S'évertuer, faire des efforts. — 4º Faire
difficulté, résister. ◆ **estrivement** n. m.
(1160, Ben.), **-e** n. f. (xiiiᵉ s.), **-eis** n. m.
(xiiiᵉ s., *Doon de May.*), **-ance** n. f. (1260,
Mousk.). 1º Querelle. — 2º Lutte. —
3º *A lor estriveis,* de toutes leurs forces.
◆ **estrivos** adj. (xiiiᵉ s., Bible). Querelleur,
batailleur.

I. **estrin** adj. (fin xiiiᵉ s., B. de Condé;
forme régressive de *estraigne,* étranger).
Estrin de, étranger à. ◆ **estrinité** n. f.
(fin xiiiᵉ s., B. de Condé). Le fait d'être
étranger à quelque chose, de s'en abste-nir : *Car moult vaut tel estrinités* (B. de
Condé).

II. estrin n. m. V. ESTRAINE, chance, cadeau.

estroble n. f. V. ESTOBLE, chaume.

estroer v. (1080, *Rol.;* v. *troer,* trouer). 1° Trouer, percer : *Lor escuff furent percié et estroé (Loher.).* — 2° Assommer, tuer. ◆ **estreu** n. m. (1220, Coincy). Trou, ouverture.

estroit adj. V. ESTRECIER, resserrer.

estron n. m. (XIII° s., Jubinal; francique **strunt*). Étron. ◆ **estronter** v. (1352, *Gloss. lat.-gall.*). Sens équivalant à celui du fr. mod. emm..., ennuyer.

estronchier v. (fin XIII° s., D.; v. *tronchier*). Retrancher.

I. estrosser v. (1164, Chr. de Tr.; v. *trosser*). 1° Briser : *Erec [...] sa lance estrousse* (Chr. de Tr.). — 2° Trancher résolument, affirmer énergiquement. ◆ **estros** adj. (XIII° s., *Atre pér.*). Décidé, résolu : *Gouvain li dist : Ce est l'estrous, Je n'irai pas ensanble vous (Atre pér.). A estros* (1160, *Eneas*), sur-le-champ, aussitôt. *Par estros,* décidément.

II. estrosser v. (XII° s., *Part.;* voir *troser,* torser). 1° Détrousser, déballer. — 2° Livrer, vendre. — 3° Tordre, trousser.

estruer v. (déb. XII° s., *Voy. Charl.;* lat. pop. **extrudare* pour *extrudere*). 1° Lever en l'air, lancer. — 2° Dépenser.

estruire v. (déb. XII° s., *Ps. Cambr.;* lat. pop. ** exstruere,* pour *instruere*). 1° Élever, construire, préparer : *Les chars ont fait estruire (Gui. de Bourg.).* — 2° Instruire, enseigner. — 3° Poursuivre en justice, instruire. ◆ **estruiement** n. m. (1204, R. de Moil.), **estruction** n. f. (fin XII° s., *Loher.*). Instruction, enseignement. ◆ **estruit** n. m. (1160, Ben.). 1° Construction. — 2° Établissement. — 3° Instrument. — 4° Bijou, joujou : *estruit d'or et d'argent* (Ben.). — 5° Choses nécessaires à la vie.

estrume n. f. (1160, *Eneas;* lat. *struma*). 1° Tumeur, bosse. — 2° Goitre, écrouelles. ◆ **estrumé** adj. (fin XIII° s., B. de Condé), -os *(id.)*. Scrofuleux.

estrumelé adj. (fin XII° s., *Alisc.;* v. *trumel,* chausses). 1° Sans chausses, nu-jambes. — 2° En haillons, déguenillé.

estrument n. m. (1180, *Rom. d'Alex.;* lat. **extrumentum,* pour *instrumentum*). 1° Instrument : *Sou siel n'a a estroment dont ne fust afaities (Rom. d'Alex.).* — 2° Instrument de musique. — 3° Titre par écrit établissant les droits.

estude, estudie n. m. et f. (1175, Chr. de Tr.; adapt. du lat. *studium,* soin, application, étude). 1° Soin, application : (Les rois qui) *Fierement metent lor estuide A faire entor eus armer gens (Rose).* — 2° Étude, méditation : *Ainz voliez [...] En oretsun ulés e en estudie ester (Saint Thomas).* — 3° École, collège. ◆ **estudier** v. (1160, Ben.). Étudier. ◆ **estudiement** n. m. (1260, Br. Lat.). Étude : *La met je ma pensée et mon estudiement (Doon de May.).* ◆ **estudios** adj. (déb. XII° s., *Ps. Cambr.*). Appliqué, studieux.

estueil, estuel n. m. (1200, *Ren. de Montaub.;* germ. *stuol,* siège). Fauteuil, trône.

estuier, -oior v. (1160, Ben.; peut-être du lat. pop. **studiare,* de *studium,* soin). 1° Mettre, remettre dans l'étui, dans la gaine : *dedens le fuere a le branc estoié (R. de Cambr.).* — 2° Serrer, renfermer, tenir renfermé. — 3° Tenir en réserve, épargner, ménager : *Disner le fait d'une crasse oie que il li avoit estoié (Ren.).* ◆ **estui** n. m. (1190, Garn.). 1° Cachot, prison. — 2° Réserve. — 3° Boîte où l'on enferme quelque chose. ◆ **estuiel, -al** n. m. (1250, *Ren.*). 1° Étui. — 2° Boîte, vase à renfermer quelque chose.

esturman, -men n. m. (1138, Gaimar; néerl. *stuurman,* même sens). 1° Timonier, pilote. — 2° Matelot.

estuver v. (1170, *Percev.;* lat. pop. **extufare,* du grec). 1° Plonger dans un bain chaud. — 2° Prendre un bain chaud. ◆ **estuve** n. f. (1175, Chr. de Tr.). 1° Bain chaud. — 2° Établissement de bains. ◆ **estuee** n. f. (1180, *Rom. d'Alex.*). Chaleur. ◆ **estuveor** n. m. (1302, G.), **estuvier**

n. m. (1277, *Rose*), **-eresse** n. f. (1268, E. Boil.). 1° Tenancier d'un établissement de bains. — 2° Baigneur.

esvaissement n. m. (fin XII⁰ s., *Aym. de Narb.; v. envair,* avec substitution de préfixe). Attaque : *Et si gardez que n'i ait nul esvaissement (Aym. de Narb.).*

esvanir v. (1160, Ben.), **-uir** v. (1180, *Rom. d'Alex.;* lat. pop. **exvanire,* pour *evanescere*). 1° Disparaître. — 2° S'affaiblir. — 3° Se trouver mal, s'évanouir. ◆ **esvainer** v. (1250, *Ren.; v. vain*). Tomber en défaillance. ◆ **esvainé** adj. (XII⁰ s., *Am. et Id.*). Pris de défaillance : *Esvaines est, li cuers li faut (Am. et Id.).*

esve n. f. V. EVE, eau.

esveiller v. (1080, *Rol.;* lat. pop. **exvigilare,* de *vigilium,* veille). 1° Réveiller. — 2° Mettre en mouvement. ◆ **esveillé** adj. (XII⁰ s., *Trist.*). 1° Vif, alerte. — 2° Vigilant.

esvertir v. (1169, Wace; lat. pop. *exvertire,* pour *evertere*). Se tourner, retourner, renverser. ◆ **esvertin** n. m. (fin XII⁰ s., *Aym. de Narb.*). Maladie mentale qui rend irascible : *Nes estoit de Limosin Maladés de l'esvertin (Auc. et Nic.).* — 2° Folie.

esvertuer v. (1080, *Rol.; v. vertu,* courage). Fortifier, ranimer : *Corbadas ot son fil : de joie s'esvertue (Conq. Jér.).*

esvigorer v. (x⁰ s., *Passion; v. vigor*). 1° Rendre vigoureux : *Mes esperance l'esvigore (Couci).* — 2° Déployer la force, prendre des forces, s'efforcer : *Porquant de parler s'esvigeure (Am. et Id.).*

esvoier, esvier v. (1298, M. Polo; v. *voie,* avec deux préfixes différents). 1° Détourner de la voie, égarer. — 2° Mettre dans le chemin.

esvos présentatif. V. ES, voici.

esvuidier v. (1160, *Athis; v. vuide*). 1° Vider, épuiser. — 2° Quitter : *La court de France vous a fet esvuidier (Aym. de Narb.).* — 3° Chasser, bannir.

ethimologe n. f. (1330, *G. de Rouss.;* lat. *etymologia,* du grec). Etymologie, science qui fait connaître le vrai sens des mots : *Cil noms pres s'entr'accordent : rossignoz rossillons; De telx ethymologes pas ne nous mervoillons (G. de Rouss.).* ◆ **ethymologie** n. f. (XIII⁰ s., *Best.*). Symbole : *Es cantiques tesmoigne li vrais espous, qui dist. : Je dor, mes cuers voille. C'est estimelogie (Best.).*

ethre, ethere n. m. (déb. XII⁰ s., *Ps.Cambr.;* lat. *aether,* du grec). Espace céleste.

etnique n. m. (XIII⁰ s., Bible; lat. *ethnicus,* du grec.; le sens de l'anc. fr. vient du lat. ecclés.). Païen.

eu interj. (déb. XIV⁰ s., *Passion;* orig. onomat.). Hélas.

euc pron. dém. neutre. V. O, ce, cela.

I. **eur, our** n. m. (1112, *Saint Brand.;* lat. pop. **agurium,* pour *augurium*). 1° Chance, hasard, aventure : *Amors, eurs et talens Me poroient bien valoir (Chans.).* — 2° Présage, bon augure, bonheur. ◆ **eure** n. f. (XII⁰ s.). Fortune, sort. *Tele eure est,* souvent. ◆ **euré** adj. (fin XII⁰ s., *Cour. Louis*). Heureux.

II. **eur** n. m. V. OR, bord.

eure n. f. V. ORE, heure.

euriel n. m. V. ORIOL, loriot.

eus, ex n. m. plur. V. IEUS, yeux.

evangile n. f. (XII⁰ s., E. de Fougères, lat. chrét. *evangelium,* du grec). 1° La réunion des livres qui contiennent la doctrine et la vie de Jésus-Christ. — 2° Parole d'évangile : *Sire, tout n'est pas evangile, quanque l'an dit aval la vile (Rose).*

eve, ieve, iave n. f. (1080, *Rol.;* lat. *aqua*). Eau. ◆ **evage** adj. (1160, *Eneas;* lat. *aquaticum*). 1° Aquatique. — 2° Pluvieux. — 3° Riverain. ◆ **eveis, evis** adj. (XII⁰ s.). Marécageux. ◆ **ever** v. (XIII⁰ s.). Arroser, mouiller. ◆ **evier** n. m. (XIII⁰ s.). 1° Égout. — 2° Aiguière. — 3° Évier.

ever v. (1120, *Ps. Oxf.*). V. IVER, égaler, comparer.

evesque n. m. (x⁰ s., *Saint Léger;* lat. chrét. *episcopus,* du grec). Évêque. ◆ **eveschiee** n. f. (XIII⁰ s., *Mén. Reims*). Évêché. ◆ **evescal** adj. (1155, Wace). Épiscopal.

evos p. présent. V. ES, voici.

ewal adj. V. IVEL, égal.

examiner v. (XIIIe s., *Règl. saint Ben.;* lat. *examinare*). 1° Questionner, faire subir la torture. — 2° Torturer. ◆ **examinacion** n. f. (1283, Beaum.). Examen.

excepter v. (XIIe s., M. de Fr.; lat. *exceptare*). 1° Recevoir. — 2° Mettre à part, hors ligne. ◆ **escepté** prép. (1360, Froiss.). Excepté.

exent adj. (XIIIe s., *Livr. de Jost.;* lat. *exemptus*). Privé, dépouillé. ◆ **exenter** v. (1320, J. de La Mote). 1° Priver, éloigner. — 2° Ôter, retirer, déraciner.

exeques, -ies n. f. plur. (fin XIIe s., saint Grég.; lat. *exsequiae* n. f. plur., obsèques). Obsèques, funérailles.

expedicion n. f. (XIIIe s., Fr. Angier; lat. *expeditio*, expédition militaire). 1° Préparatifs. — 2° Hâte. ◆ **expediance** n. f. (1265, J. de Meung). Délivrance.

expres adj. V. ESPRES, sûr, assuré.

exterminer v. (1120, *Ps. Oxf.;* lat. *exterminare*, exiler, et, sens du lat. chrét., massacrer). 1° Chasser, expulser. — 2° Exterminer.

ez mot invar. V. ES, voici.

ezo pron. dém. V. IÇO, démonstr. neutre ou masc.

fabler v. (1169, Wace; lat. *fabulare* pour *fabulari*). 1° Parler, raconter : *Or dient et content et fablent (Auc. et Nic.).* — 2° Bavarder, hâbler, mentir. ◆ **fable** n. f. (1175, Chr. de Tr.). 1° Parole, discours : *Vos faubles si ne valent riens* (J. Bod.). — 2° Conte, fable. — 3° Bavardage. ◆ **fablel** (1190, J. Bod.). 1° Petit conte. — 2° Fabliau, conte plaisant en vers. ◆ **fableor** n. m. (XIIe s., *Chast. d'un pere*). 1° Conteur. — 2° Auteur de fables. — 3° Menteur. ◆ **fabloier** v. (1170, *Fierabr.*). 1° Bavarder. — 2° Raconter des histoires.

fabre n. m. V. FEVRE, forgeron. ◆ **fabrique** n. f. (XIIIe s., *Traité Salom.*). 1° Construction religieuse. — 2° Fabrication.

façon, faceon n. f. (1160, Ben.; lat. *factionem,* action de faire, confondu souvent avec *face* dont il peut être un dérivé). 1° Visage : *Li faceons devient pale* (saint Bern.). — 2° Vue : *Davant la fazon de l'onction de Crist* (saint Bern.). — 3° Travail, chose faite. ◆ **façoner** v. (1175, Chr. de Tr.). 1° Reproduire (un visage). — 2° Travailler, modeler. — ◆ **facier, facer** v. (1285, *Ord.;* lat. pop. *factiare*?). Faire.

fade adj. (XIIe s., J. Fantosme; lat. pop. *fapidum,* croisement de *vapidus,* éventé, et de *fatuus,* fade). 1° Privé de qualités sensibles : sans saveur, sans couleur. — 2° Sans vigueur, languissant : *encor en a le cuer tot fade (Am. et Id.).* — 3° *Fade de,* dépouillé de. ◆ **fadet** adj. (av. 1300, poèt. fr.). Faible. ◆ **fader** v. (fin XIIIe s., *Sydrac*). Devenir fade, faiblir.

faeler v. (fin XIIe s., *Auc. et Nic.;* peut-être du lat. *flagellare,* frapper, avec dissimilation). Fendre, lézarder : *Li tors estoit faelee de lius en lius (Auc. et Nic.).* ◆ **faielure** n. f. (XIIIe s., *Lapid.*). Lézarde, fêlure.

faer, feer v. (1160, *Eneas;* lat. *fatare,* de *Fata,* déesse du destin; voir *fee).* 1° Enchanter, ensorceler. — 2° Enlever par des enchantements. ◆ **faement** n. m. (XIIIe s., *Doon de May.*). Enchantement. ◆ **faerie** n. f. (XIIe s., *Part.*). 1° Parole enchanteresse. — 2° Puissance magique. ◆ **faee** n. f. (1160, *Eneas*). Sorcière. ◆ **faé, feé** adj. (XIIe s., *Trist.*). 1° Magique : *Saciez que cil dui sont faé (Trist.).* — 2° Enchanté : *Un halberc out qui ert faé (G. de Warwick).*

fage, fai n. m. V. FAU, hêtre.

faide n. f. (fin XIIe s., *Loher.;* germ. *fehda*). 1° Droit de vengeance appartenant aux parents d'une victime : *Puis le faites ardoir, ou ocirre ou noier. Por itant se porra de la faide apaier (Quatre Fils Aymon).* — 2° Inimitié, haine entre familles. — 3° Guerre mortelle : *Jamais par moi n'averes faide (Blancandin).* ◆ **faider** v. (XIIe s.). -ir (XIIIe s., *Chans.*). 1° Haïr, persécuter. — 2° Bannir. ◆ **faidif, -iu** adj. (1190, Garn.). 1° Ennemi juré. — 2° Celui qui n'est pas sous la protection de son seigneur. — 3° Banni.

faiel adj. V. FEEL, fidèle.

faignement n. m. V. FEINDRE, imaginer, hésiter.

I. **faille** n. f. (1250, *Ren.;* orig. incert.). Morceau d'étoffe carré qu'on pose sur la tête en manière de voile.

II. **faille** n. f. (1160, Ben.; lat. *facula*). Torche, flambeau.

III. **faille** n. f., faute, manque. V. FAILLIR, manquer, décevoir.

faillir v. (XIe s., *Alexis;* lat. *fallere,* avec chang. de conjugaison, tromper, manquer à). 1° Manquer : *Se ma vertu ne faut, vous le comparrez* (payerez) *cher (Roncev.).* — 2° Manquer à, décevoir : *Car je ne doi faillir mon creator* (C. de Béth.). — 3° Finir : *Ci faut li capitres de l'office as baillis* (Beaum.). — 4° Faillir de compa-

gnie, fausser compagnie. ◆ **faille** n. f. (1155, Wace). 1° Faute, manque. *Faire faille a,* manquer à, perdre. *A faille, a failles,* en pure perte. — 2° Mensonge, tromperie. ◆ **faillance** n. f. (xiᵉ s., *Gloses Raschi*). 1° Manque, privation. *Ne faire faillance, point de faillance,* ne point manquer. *Sans faillance,* incontestablement. — 2° Manquement, faute : *En grant fiance, grant faillance* (dicton). *Metre* quelqu'un *en faillance,* déclarer qu'il a failli. ◆ **faillement** n. m. (1229, G. de Montr.), **faleur** n. f. (fin xiiᵉ s., *Est. Saint-Graal*). Manque, faute. ◆ **failli** adj. (1190, J. Bod.). 1° Terminé, fini. — 2° Faible, lâche, perfide.

faim n. f. ou m. (xiᵉ s.; lat. *famem*). 1° Faim. — 2° Désir, envie : *Car mes fains en est apaiés* (A. de la Halle). ◆ **fain** adj. (déb. xiiiᵉ s., R. de Beauj.). Affamé.

faimidroit n. m. (1273, *Arch.;* mot comp.). Droit de justice.

fainoient adj. V. FEIGNANT, paresseux.

faire v. (842, *Serm.;* lat. *facere*). 1° Sens général, indiquant le procès, le comportement. — 2° Emploi factitif étendu : *Ne te façon amanantir,* ne t'enrichissons pas. — 2° Emploi anaphorique dans la construction restrictive : *Li premiers n'a fait fors eskapeler* (Chans.). — 3° Emploi substitutif pour « dire », « parler » : *Par foi, dame, fet soi li dus, je ne sai por qoi vous le dites* (Chast. Vergi). — 4° Emploi substitutif pour « se porter », « se comporter » : *Comment le fet Hernant, qui est fourrer alé? - Sire, il le fet moult bien, la merchi Damedé* (Gaufrey). — 5° Emploi modal *faire a,* avec le sens de causer, mériter, être digne : *O tels nouvieles ki feront a morir* (Loher.). — 6° Nombreuses constructions figées de *faire* suivi de substantif, ainsi : — 7° *Faire fausseté,* tromper. — 8° *Faire mal fin,* faire du bruit. — 9° *Faire blasme,* blâmer. — 10° *Faire d'armes,* se montrer vaillant. — 11° *Faire amie,* se procurer une amie. ◆ **faisance** n. f. (xiiᵉ s., *Trist.*). 1° Action de faire, de fabriquer. — 2° Action d'agir, conduite : *Mult suffre dure penitence Par s'amur en mainte fesance* (Trist.). —

3° Redevance en nature, corvée. ◆ **faiture** n. f. (déb. xiiᵉ s., *Ps. Cambr.*). 1° Action de faire, de produire, de créer. — 2° Résultat de cette activité, production, créature, personne : *Idoine, la bele faiture, qu'il tient sour toute creature* (Am. et Id.). — 3° Façon, forme, conformation : *Et biaus de cors et de faiture* (Percev.). — 4° Façon, culture : *Por la feture des vignes* (1277, *Cart. Jouarre*). — 5° Façon d'agir, manière. ◆ **fait** p. passé et n. m. (xiiᵉ s., *Roncev.*). Nombreuses locutions : — 1° *A fait,* entièrement, aussitôt. — 2° *A fait que,* aussitôt que, à mesure que. — 3° *De fait,* de force. — 4° *Si fait,* réponse affirmative. ◆ **faitement** adv. (fin xiiᵉ s., *Loher.*), **faitierement** adv. (1120, *Ps. Oxf.*). De telle manière. *Com faitierement,* comment, de quelle manière. ◆ **faitor** n. m. cas rég., **faitre,** cas suj. (déb. xiiᵉ s., *Ps. Cambr.*). Créateur, auteur : *Reis des angeles, faitres del mund* (Ben.). ◆ **faiseor** n. m. (1155, Wace). Créateur, auteur : *Bons faiseres de canchons* (A. de la Halle). ◆ **faitier** v. (xiiᵉ s., *Conq. Irl.*). Arranger, disposer. ◆ **faitis** adj. (xᵉ s., *Passion*). 1° Bien fait, joli : *Mes un cuevrechief faitic᷎ ay* (Couci). — 2° Agréable, élégant. ◆ **faitart** adj. (1277, *Rose;* composé de *fait* et de *tart*). Mou, paresseux, négligent : *Car par vie oiseuse et fetarde Peut l'en a povreté venir* (Rose).

fais n. m. (1080, *Rol.;* lat. *fascem,* fagot, fardeau). 1° Fardeau, poids. — 2° Peine, entreprise difficile. *Prendre a fais,* supporter avec peine. *Metre a fais,* entreprendre. — 3° Faisceau. — 4° Foule, masse, tas. *A fais, a un fais,* ensemble, en grande quantité, d'un seul coup. *Tot a un fais,* tous ensemble, tout d'un coup. *Li plus granz feis,* la plupart. ◆ **faissel** n. m. (fin xiiᵉ s., saint Grég.). 1° Charge, poids : *pesant fessel* (saint Grég.). — 2° Charge, obligation. ◆ **faissine** n. f. (1204, R. de Moil.). Faix, fardeau. ◆ **faisselin** n. m. (1260, Mousk.). Botte. ◆ **faissel** n. m. (1250, *Ren.*). Portefaix. ◆ **faisselier** n. m. (1205, *G. de Palerne*). Celui qui fait des fagots.

faisil n. m. (1268, E. Boil.; lat. pop. *facilem,* de *fax,* tison). 1° Fraisil, résidu de charbon brûlé. — 2° Cendre.

faisse n. f. (déb. XIIe s., *Ps. Cambr.;* lat. *fascia,* bande). 1° Bande, lien. — 2° Faisceau. ◆ **faissier** v. (1160, Ben.). 1° Envelopper de bandes, bander sa plaie. — 2° Marquer de bandes de couleur, rayer (un tissu). ◆ **faissete** n. f. (1328, *Arch.*). Bande de terre.

faissele n. f. V. FOISSELE, petit panier, corbeille.

faitart n. m. V. FETART, paresseux, lâche.

faivre n. m. V. FEVRE, ouvrier qui travaille les métaux, ouvrier.

falchier, fauchier v. (1190, J. Bod.; lat. pop. **falcare,* de *falx, -cis,* faux). Faucher. ◆ **fals, faus** n. f. (XIIe s., *la Charr.*). Faux. ◆ **fauchet** n. m. (1268, E. Boil.). 1° Petite faux, faucille. — 2° Râteau. ◆ **fauchon** n. m. (1285, Aden.). Arme de guerre dont la lame allait s'élargissant vers l'extrémité. ◆ **fauchart** n. m. (fin XIIe s., *Aym. de Narb.*). 1° Faux, faucille. — 2° Arme à large lame, portée par les gens à pied. ◆ **fauchie** n. f. (1252, *Arch.*), **-oison** n. f. (XIIe s.). Fauche, fauchaison.

falcon n. m. cas régime, **falc, faus** cas sujet (1080, *Rol.;* bas lat. *falconem*). Faucon. ◆ **falconcel** n. m. (1180, *Rom. d'Alex.*). Petit faucon. ◆ **fauconage** n. m. (1268, E. Boil.). Sorte de redevance, payée d'abord en faucons dénichés, ensuite en blé ou en argent.

I. **falde** n. f. (1160, Ben.; germ. **fald,* même sens). Bercail, parc à brebis. ◆ **faudaille** n. f. (1304, *Year Books*). Troupeau.

II. **falde, faude** n. f. (fin XIIe s., *Loher.;* v. le précédent?). Guérite.

falder v. (XIIIe s., *Fabl.;* anc. haut all. *faldan,* plier). Plier, plisser : *Mameletes li poignent, qui li ont souz levé [...] le bliaut faudé (Gaut. d'Aup.).* ◆ **faudir** v. réfl. (1130, *Job*). Se couvrir d'un objet plié.

faldestuel, -stuef, -stoed n. m. (1080, *Rol.;* francique **faldistôl,* siège pliant). Siège pliant pour les grands personnages, facile à transporter, recouvert souvent d'un coussin.

faloir v. (1160, *Eneas;* lat. pop. **fallère,* pour *fallere,* qui a donné aussi *faillir,* v. ce mot). 1° Manquer à. — 2° Manquer. ◆ **falue** n. f. (1180, *Rom. d'Alex.*). Tromperie, erreur : *Ne tenra pas li rois ma parole a falue (Rom. d'Alex.).* ◆ **faloise** n. f. (XIIIe s., *Court. d'Arras*), **-oine** n. f. (XIIIe s., *De Richaut*). Tromperie, bourde : *Mault set chascune de faloine Et de boidie (De Richaut).*

faloise, -ise n. f. (1155, Wace; francique **falisa*). 1° Lieu sablonneux, sable. — 2° Falaise.

falorde n. f. (1250, *Ren.;* orig. obsc., v. pourtant *faloir*). 1° Fagot de bûches. — 2° Tromperie, bourde, parole vaine : *Il n'a cure de ma falorde* (Ruteb.). ◆ **falordie** n. f. (fin XIIIe s., *Mir. saint Éloi*). Mensonge, bourde. ◆ **falorder** v. (XIIIe s., *Trois Aveugles*). Tromper, duper.

I. **fals, faus** adj. (1080, *Rol.;* lat. *falsum*). 1° Faux, par opposition à vrai : *Il pert ... la connoissance entre voir et faus* (Br. Lat.). *False lei,* islam. — 2° Infidèle, perfide : *La douce rien qui fausse amie a nom* (Couci). — 3° Déloyal, traître. — 4° En parlant des choses, De mauvaise qualité. ◆ **faussart** adj. (XIIe s., *Chev. cygne*). Traître : *Je l'apieleray un traitre faussart (Chev. cygne).* ◆ **falset, faussé** n. m. (1250, *Ren.*). 1° Fausseté. — 2° Faute, manquement. *Senz falset,* sans faute. — 3° Voix de tête. — 4° Fausset d'un tonneau (1322, *Arch.*). ◆ **fausseté** n. f. (1138, *Saint Gilles*). 1° Hypocrisie, perfidie : *Je me rent chi En te garde et en te merchi, Sans fausseté et sans engan* (J. Bod.). — 2° Raillerie. ◆ **falser** v. (1080, *Rol.*). 1° Agir faussement, tromper : *S'en tel lieu n'est c'on ne saice trair Ne dechevoir ne fausser* (C. de Béth.). — 2° Falsifier. — 3° Accuser de fausseté. ◆ **faussement** n. m. (déb. XIIIe s., R. de Beaujeu). Action de fausser, de tromper. ◆ **falserie** n. f. (1080, *Rol.*). 1° Mensonge : *Fine amor veut sans fausserie De douz parler estre nourie (Clef d'Am.).* — 2° Fraude. — 3° Sorcellerie. ◆ **faussine** n. f. (XIIIe s., *Rom. Lumere*). 1° Chose fausse, fausseté. — 2° Acte·trompeur : *Mun seal ai mis de faucine (Rom. Lumere).* ◆ **fausseure** n. f. (fin XIIIe s., *Anseis*). 1° Fausseté, mensonge. — 2° Endroit où un objet est faussé : *Haubers ont fors, ains n'i ot fauseure (Anseis)*. ◆ **faussoner** v. (1204, R. de Moil.). Tromper. ◆ **faussonier** n. m. (XIIIᵉ s., *Livre de Jost.*). 1° Faussaire, qui vend à fausse mesure. — 2° Menteur, faux témoin. ◆ **fausnier, -oier** v. (1170, *Percev.*). 1° Égarer, tromper, repousser : *Se a tort me faunie Amours que j'ai servie Ne me sai u fier* (C. de Béth.). — 2° S'égarer, perdre la raison : *Theophilus desve et fausnoie* (Coincy).

II. **fals, faus** n. f. V. FALCHIÉR, faucher.

III. **fals, faus** n. m. cas sujet. V. FALCON, faucon.

faltre, feltre n. m. (déb. XIIᵉ s., *Voy. Charl.*; francique *filtir*, feutre). 1° Couverture, tapis. — 2° Couverture de cheval que l'on met sous la selle. — 3° Pièce feutrée fixée à la selle où s'appuie la lance lorsqu'elle est en arrêt, ou bien fixée au plastron, pour la charge. 4° *Sur fautre*, rapidement. ◆ **faltrer** v. (1190, J. Bod.). 1° Fouler. — 2° Battre, frapper.

falve adj. (1080, *Rol.*; francique *falw*). 1° Fauve : *Les dos james devant ot falves* (en parlant du cheval) [*Eneas*]. — 2° Hypocrite, déloyal : *Fuiés, mauvais chevalier sauve!* (J. Bod.). — 3° *Fauve anesse*, hypocrisie, fausseté (*Ren.*). — 4° n. m. Mensonge, fable, bourde. ◆ **fauvel** adj. (XIIIᵉ s., *Guerre de Metz*). 1° De couleur fauve. — 2° n. m. Animal de couleur fauve, cheval, mulet, bœuf. 3° n. m. Hypocrisie, fausseté : *Aussi par ethimologie Pues savoir ce qu'il senefie : Fauvel est de faus et de vel compost* (Fauvel). — 4° *Monter en fauvel*, être ambitieux, outrecuidant : *Mes Nostre Sires li mostra lores qu'il ne montast en fauvel e qu'il n'encharchast chose ne n'enpreist dont il ne poist chevir* (Saint Eust.). ◆ **fauvelet** adj. (1180, *R. de Cambr.*). De couleur fauve. ◆ **fauvelin** adj. (1314, *Fauvel*). Hypocrite, trompeur. ◆ **fauvain** n. m. (1288, *Ren. le Nouv.*). Tromperie, ruse : *Partout es cuers fauvain et ghille A mis Renart* (Ren. le Nouv.). *Chevauchier Fauvain,*

estrillier Fauvain, user de tromperie. ◆ **fauvine** n. f. (1330, *H. Capet*). Tromperie, ruse. ◆ **fauvoier** v. (1180, *R. de Cambr.*). Se conduire d'une manière hypocrite. ◆ **fauveler** v. (1314, *Fauvel*). Agir en hypocrite.

falz, faus, four, foie n. m. (1314, Mondev.; déverbal *faut*, manque, endroit où le corps manque?). Partie du corps au-dessus des hanches, taille : *Soit faite lisure estroite [...] entre la lesion et le four du cors, c'est l'estomac* (Mondev.).

famble n. f. V. FLAMBE, flamme.

I. **fame** n. f. (1160, *Eneas;* lat. *fama*). Réputation, renommée.

II. **fame** n. f. V. FEME, femme.

fameillier, -illier v. (1120, *Ps. Oxf.;* lat. pop. *famelicare*, de *famelicus*, affamé). Avoir faim, être affamé. ◆ **fameillos** adj. (1155, Wace). Affamé, avide de : *D'avarice le fameileus desir* (Rom. Lumere*). ◆ **fameillant** adj. (1204, R. de Moil.), **fameis** adj. (XIIIᵉ s., *Chans.*), **famelart** adj. (1250, *Ren.*), **faminos** adj. (XIIIᵉ s., *Fabl. d'Ov.*). Affamé.

famille n. f. (fin. XIIᵉ s., *Loher.;* lat. *familia*). Famille au sens large, maison, maisonnée. ◆ **famelier** adj. (1169, Wace). 1° Qui est regardé comme étant de la famille (sans liens de sang). — 2° Sorte de frère lai (1263, *Arch.*).

famle, fanle n. m. (XIIᵉ s., *Mon. Guill.;* lat. *famulum*, serviteur). 1° Serviteur, écuyer. — 2° Sorte de frère lai (XIIIᵉ s.).

fanc n. m. (1160, *Charr. Nîmes*), **fange** n. f. (XIIᵉ s., *Trist.;* germ. *fani*, boue). Fange, boue : *Teus est issus et nez de fanc* (Coincy). ◆ **fangie** n. f. (fin XIIᵉ s., *Loher.*), **-oi** n. m. (XIIᵉ s., *Trist.*), **-is** n. m. (1300, *Arch.*), **-art** n. m. (fin XIIᵉ s., *Loher.*), **-as** n. m. (1335, Deguil.). Bourbier, marécage.

fançon n. m. (XIIIᵉ s.; v. *enfançon*, avec aphérèse). Petit enfant.

fanfelue n. f. (XIIᵉ s., *Part.;* bas lat. *famfaluca*, du grec). Bagatelle, futilité, niaiserie : *Antendez ma parole qui n'est pas favelue (Sim. de Pouille).*

fanloser v. (1204, R. de Moil.; orig. incert.). Duper, tromper : *Mais plus fait femme a aloser Cui li mons ne puet fanloser* (R. de Moil.). ◆ **fanlose** n. f. (1220, Coincy). 1° Bagatelle, futilité. — 2° Duperie.

fanon, -al n. m. (1204, R. de Moil.; francique **fano*, morceau d'étoffe). 1° Manipule de prêtre. — 2° Fanion. ◆ **fanonier** n. m. (1204, R. de Moil.). Celui qui porte le *fanon.*

fans n. m., cas sujet de *fanc,* fange.

fantasie n. f. (XIIᵉ s.; lat. *phantasia,* du grec). 1° Vision. — 2° Imagination. ◆ **fantasieus** adj. (1327, J. de Vignay). 1° Fantasque, insensé : *Mais est œuvre de dyable et fantasieus (J. de Vignay).* — 2° Imaginaire. ◆ **fantasial** adj. (fin XIIᵉ s., saint Grég.). Fantastique, imaginaire.

fantosme n. m. (1155, Wace; lat. **phantagma,* pour *phantasma,* du grec). 1° Apparition de l'autre monde : *Redout Que d'aucun fanfosme ne vegne* (Chr. de Tr.). — 2° Illusion, enchantement : *Fantosme est, nel creez mie (Rés. Sauv.).* — 3° Rêverie, fantaisie, racontars : *C'est fantosmes que vous dites (Auc. et Nic.).* ◆ **fantosmer** v. (XIIIᵉ s.). Ensorceler. ◆ **fantosmerie** n. f. (déb. XIIIᵉ s., R. de Beauj.). 1° Fantôme. — 2° Réunion de fantômes, fantasmagorie. — 3° Sorcellerie, magie. — 4° Mensonge : *Fauseté et fantomerie* (Coincy).

faoison n. f. (1260, Ruteb.; v. *faer*). Enchantement.

faon n. m. (fin XIIᵉ s., *Cour. Louis;* lat. pop. **fetonem,* pour *fetus,* enfant). Petit d'animal. ◆ **faoner** v. (XIIᵉ s.). Mettre bas. ◆ **faonement** n. m. (1121, Ph. de Thaun). 1° Action de mettre bas. — 2° Naissance. — 3° Vie, en parlant des petits : *el cumencement De lor founement* (Ph. de Thaun). ◆ **faoncel** n. m. (XIIᵉ s., *Asprem.*). Petit d'animal. ◆ **faonante** adj. fém. (1120, *Ps. Oxf.*). Portante, enceinte. ◆ **faonee** adj. fém. (1120, *Ps. Oxf.*). 1° Qui a mis bas. — 2° Féconde. ◆ **faonable** adj. (1121, Ph. de Thaun). Fécond, prolifique.

far n. m. (1170, *Fierabr.;* orig. germ.). Baie, détroit. ◆ **faron** n. m. (1313, *Vœux du Paon*). Baie, golfe.

farain adj. V. FERAGE, sauvage.

farcir v. (XIIᵉ s.; lat. *farcire*). Remplir de farce. ◆ **fars** adj. (fin XIIᵉ s., *Alisc.*). Farci. ◆ **farce** n. f. (XIIIᵉ s.). 1° Hachis. — 2° Plaisanterie. — 3° Petite pièce de théâtre bouffonne. ◆ **farcer** v. (XIIᵉ s., *Chev. deux épées*), **farcillier** v. (XIIᵉ s., M. de Fr.). Plaisanter, railler. ◆ **farcerie** n. f. (1335, Deguil.). Farce, risée. ◆ **farceor** n. m. (XIIIᵉ s., J. de Garl.), -etier n. m. (1332, G.). Pâtissier.

I. **farde** n. f. (1169, Wace; arabe *farda,* charge d'un chameau). 1° Paquet, ballot. — 2° Fardeau. — 3° Habillement, hardes. ◆ **fardel** (1204, R. de Moil.). 1° Paquet. — 2° Ballot, quantité déterminée de marchandises, variable suivant les péages. ◆ **farder** v. (1350, G. li Muisis). Charger.

II. **farde** n. f., fard. V. FARDER, teindre.

farder v. (1175, Chr. de Tr.; francique **farwidhon*). Teindre, colorer. ◆ **fart** n. m (1213, *Fet Rom.*), **farde** n. f. (1285, Aden.). Fard. ◆ **farderie** n. f. (1335, Deguil.). Action de se farder, de se déguiser : *Ce n'estoit que une farderie* (Deguil.). ◆ **fardaillier, fartillier** v. (1204, R. de Moil.). 1° Farder, barbouiller. — 2° Raconter des histoires, des mensonges. ◆ **fardaille** n. f. (1306, Guiart). Conte fait à plaisir : *Sanz conter truffes ne fardoilles* (Guiart).

farissien n. m. V. FISICIEN, médecin.

farmacie n. f. (1314, Mondev.; lat. méd. *pharmacia,* du grec). Remède purgatif, purgation.

faroche adj. V. FORAGE, sauvage.

fasce n. f. V. FAISSE, bande, lien.

fastroillier v. (XIIIᵉ s., J. Bretel; orig. obsc.; v. *farcir, farce*). Bavarder à tort et à travers, baragouiner : *Lors commança a fastroillier Et le bon fransoiz essillier (Tourn. Chauvenci).* ◆ **fastras** n. m. (1327, Watriquet). ◆ **fastrasie** n. f. (XIIIᵉ s.). Pièce de vers extravagante.

fatre n. m. V. FALTRE, couverture feutrée.

I. **fau** n. m. V. FOU, hêtre.

II. **fau** adj. V. FEU, soumis au destin.

faucel, fauchiel, focel n. m. (1204, R. de Moil.; orig. incert.). 1º Enveloppe. — 2º Paupière (A. de la Halle).

favele n. f. (1170, *Fierabr.*; lat. *fabella*, dimin. de *fabula*). 1º Discours, récit. — 2º Conte, mensonge : *Et respont Oliviers : Laesse ester ta favele! (Fierabr.).* ◆ **faveler** v. (1169, Wace). 1º Parler, bavarder. — 2º Flatter. ◆ **favole** n. f. (1306, Guiart). Fable, mensonge.

favete n. f. (1333, *Arch.*; v. *feve*). Petite fève. ◆ **faviere** n. f. (fin XIIᵉ s., *Alisc.*). Champ de fèves.

favorable adj. (mil. XIIᵉ s.; lat. *favorabilis*). 1º Qui trouve faveur. — 2º Placé sous la protection. — 3º n. m. Partisan.

favrechier v. (1120, *Ps. Oxf.*), **favargier** (1180, *Rom. d'Alex.;* lat. *fabricare;* v. *fevre*, ouvrier, forgeron). Forger, travailler les métaux au marteau. ◆ **favarge** n. f. (1175, Chr. de Tr.). 1º Forge. — 2º Fabrication. ◆ **favrerie** n. f. (1280, *Arch.*). 1º Art du forgeron. — 2º Forge, atelier du forgeron.

fe, fed n. m. (1112, *Saint Brand.;* lat. **fatum;* v. *faer*, enchanter). 1º Démon, diable. — 2º Homme de basse condition : *Vus qui apremez les povres Deu, e force faites as humbles fez* (Garn.). ◆ **fee** n. f. (déb. XIIᵉ s., *Voy. Charl.*). 1º Fée. — 2º Sorcière.

feble, foible, feule, flebe adj. (1080, *Rol.*; lat. *flebilem*, déplorable). Faible, qui manque de force : *Trop feule fu la joustice (Est. Saint-Graal).* ◆ **feblece** n. f. (XIᵉ s., *Alexis*), **-or** n. f. (1160, Bcn.). Faiblesse. ◆ **foblir, foiblir, flebir** v. (XIIᵉ s., *Florim.*). Faiblir. ◆ **foiblage** n. m. (1324, *Arch.*). 1º Poids insuffisant, autorisé par le roi, de certaines monnaies. — 2º La monnaie faible elle-même.

fegier, figier v. (XIIᵉ s., *Tyolet;* lat. pop. *fidicare, de *fidicus*, foie). Cailler, coaguler.

fei, foi n. f. (XIᵉ s., *Alexis;* lat. *fidem*). 1º Foi, croyance. — 2º Fidélité envers son suzerain : *Tu es mis huem : si me deis porter fei (Thomas le Mart.).* — 3º Parole, engagement de fidélité : *Serai ses hom par amor et par feid (Rol.).* — 4º Confiance : *De foy et de creance enterine et meure* (Aden.). ◆ **feel, feal, fiel, feol** adj. (XIIᵉ s., *Trist.*). Fidèle, loyal, sincère : *Mes amours me dist que loiaus Me seres et amis foiaus* (Couci). ◆ **feel** n. m. (1160, Ben.). Sujet fidèle et ami : *Un sien ami, un sien faoill* (Beu.). ◆ **feelté, fealté** n. f. (1155, Wace). 1º Foi et hommage d'un vassal envers son suzerain, reconnaissance de cette suzeraineté. — 2º Serment : *Cil doi serjant doivent faire feauté de conter loiaument* (1280, G.). — 3º Fidélité, attachement loyal. ◆ **feable** adj. (1190, saint Bern.). A qui on peut se fier, sûr.

feie n. m. V. FOIE, organe.

feignant, foinoient adj. (XIIIᵉ s.; composé de *fait* et *noient*, néant, influencé par le p. prés. de *feindre*). Paresseux.

feim n. m. (XIIIᵉ s.; lat. *fimum;* v. *femer*, fumer). Fumier.

fein n. m. (XIIᵉ s.; lat. *fenum;* v. *fener*). Foin.

feindre v. réfl. (1080, *Rol.;* lat. *fingere*). 1º Imaginer, simuler : *Marion ... se feynist malade (F. Fitz Warin).* — 2º Hésiter, manquer de courage : *De bien ferir pas ne se feinent* (Wace). — 3º Montrer de la mollesse, être paresseux. ◆ **feintie** n. f. (1155, Wace), **-ee** n. f. (1277, *Rose*), **-ié** n. f. (1160, Ben.), **-ise** n. f. (1175, Chr. de Tr.), **-isement** n. m. (1180, *Rom. d'Alex.*), **feignement** n. m. (déb. XIIᵉ s., *Ps. Cambr.*). Action de feindre, dissimulation, tromperie. ◆ **feinture** n. f. (1260, Br. Lat.). 1º Feinte, fiction. — 2º Fantaisie. ◆ **feint** adj. (fin XIIIᵉ s., G. de Tyr). Mou, sans ardeur, paresseux. ◆ **feintis** adj. (fin XIIᵉ s., *Alisc.*). 1º Dissimulé, trompeur. — 2º Lâche, mou. ◆ **faigneor** n. m. (XIIIᵉ s.), **faindeor** n. m. (fin XIIᵉ s., saint Grég.). Celui qui feint, hypocrite.

feiz, veiz n. f. (XIᵉ s., *Alexis;* lat. *vices,* vicissitudes, avec difficulté d'explication pour la *f).* Fois. ◆ **feie** n. f. V. FIEE, fois.

felice, felix adj. (XIᵉ s., *Alexis;* lat. *felix, -icis).* Heureux. ◆ **feliser** v. (1204, R. de Moil.). 1º Aspirer au bonheur : *Fierement la convoite et trop fort la felise (Geste d'Alex.).* — 2º Réfl., S'estimer heureux.

felimbre n. f. V. FIEMBRE, frange, bordure.

felon adj. et n. m. cas rég., **fel,** cas sujet (Xᵉ s., *Saint Léger;* bas lat. *fello, -onem,* du francique **fillo).* 1º Rebelle, traître. — 2º Cruel, impitoyable, pervers : *Mult li esteit crueus et feus* (Ben.). — 3º Impie. — 4º Furieux, terrible : *un estor mout felon (Roncev.).* ◆ **felenesse** adj. fém. (1119, Ph. de Thaun). Féminin de *félon.* ◆ **felonie** n. f. (XIᵉ s., *Alexis),* **felor** n. f. (1220, *Saint-Graal).* 1º Trahison, perfidie. — 2º Méchanceté, péché : *Salve moi, Deu, et si m'aie Et me socor de felenie* (Wace). — 3º Fureur, colère, violence. ◆ **felenos** adj. (XIIIᵉ s.). 1º Perfide. — 2º Cruel, méchant. — 3º Violent.

felpe, frepe n. f. (XIIIᵉ s., orig. incert., peut-être du lat. *falappa,* copeau). 1º Frange. — 2º Chiffon, haillon.

feltre n. m. V. FALTRE, couverture.

feme, fame, femme n. f. (1080, *Rol.;* lat. *femina).* 1º Femme. Feme de vie, femme de mauvaise vie : *Ke nus ne lowe maison a feme de vie ne feme ki tiegne bordel* (1280, *Reg. aux bans).* — 2º Épouse. — 3º Femelle. ◆ **femele** n. f. (XIIIᵉ s., *Livr. de Jost.).* Celle qui est du sexe féminin; *Entre femeles n'a point de ennece (Livr. de Jost.).* ◆ **femenin** adj. (XIIᵉ s., *Macchab.).* Empreint de féminité : *Vostre cuers est trop dols et femenin (Asprem.).* ◆ **femelin** adj. (1220, Coincy). 1º Féminin. — 2º Efféminé : *Hons qui par est si vilenaz, Si femelin, si gelinaz* (Coincy). ◆ **femerie** n. f. (1160, Ben.), **femeleté** n. f. (1260, Br. Lat.), **feminage** n. m. (1260, Br. Lat.). 1º Sexe féminin. — 2º Féminité : *La femele qui est froide por la femeleté qui en li est, si est tozjors*

covoiteuse et desirrans de prendre (Br. Lat.). ◆ **femenie** n. f. (1160, Ben.). 1º Sexe féminin. — 2º Royaume de femmes : *Ne sçay se suis en femenie Ou femmes ont la seigneurie* (Deguil.).

femer v. (1204, *l'Escouffle;* lat. pop. **femare).* Fumer, répandre du fumier. ◆ **femier** n. m. (1175, Chr. de Tr.), **femeis** n. m. (1204, *l'Escouffle).* Fumier. ◆ **fembrier** n. m. (1130, *Job;* lat. **femarium).* Fumier. ◆ **fembrer** v. (1332, *Arch.).* Répandre du fumier, couvrir d'engrais. ◆ **fembroi** n. m. (1287, *Arch.).* Fumier. ◆ V. FEIM et FIEM, fumier.

fendre v. (Xᵉ s., *Valenc.;* lat. *findere).* 1º Fendre. — 2º Se fendre, se fendiller : *Por poi li levre ne me fent* (J. Bod.). ◆ **fendeure** n. f. (fin XIIᵉ s., *Auberi),* **fenture** n. f. (fin XIII ᵉ s., *Fabl. d'Ov.).* Fente, fissure, ouverture. ◆ **fendace** n. f. (1250, *Ren.).* 1º Fente, lézarde, ouverture. — 2º Parties naturelles de la femme. ◆ **fentis** adj. (1160, Ben.). Fendu. ◆ **fendeor** n. m. (XIIᵉ s., *Ps.).* Défenseur.

fener v. (XIIᵉ s.; lat. pop. **fenare,* de *fenum;* v. *fein).* 1º Couper les foins. — 2º Retourner l'herbe coupée pour la faire sécher. ◆ **fenage** n. m. (1312, *Charte).* 1º Fenaison. — 2º Rentrée des foins du seigneur. ◆ **fenal** n. m. (1228, *Arch.).* Le mois où l'on fauche les foins, juillet. ◆ **fenal** adj. (1265, *Arch.).* Qui a rapport au foin, à la fenaison. ◆ **feneor** n. m. (1275, G.). Faucheur. ◆ **fenoille** n. f. (1277, *Rose).* Fenouil.

fenestre n. f. ou m. (1175, Chr. de Tr.; lat. *fenestra).* 1º Fenêtre, ouverture. — 2º Carcan. ◆ **fenestrer** v. (XIIᵉ s., *Part.).* 1º Percer les fenêtres. — 2º Ouvrir largement. ◆ **fenestris** n. m. (1160, *Eneas),* **-é** n. m. (fin XIIᵉ s., *Loher.),* **-al** n. m. (1160, Ben.). Fenêtre, ouverture. ◆ **fenestrier** n. m. (1296, *Arch.).* 1º Fenêtre. — 2º Boutiquier. ◆ **fenestrage** n. m. (1230, *Arch.).* 1º Fenêtre, ouverture. — 2º Droit d'ouverture de fenêtre ou de boutique.

fenir v. V. FINIR, achever, mourir.

feon n. m. V. FAON, petit d'animal.

I. **fer** n. m. (Xᵉ s., lat. *ferrum).* Fer, métal. ◆ **ferrer** v. (déb. XIIᵉ s., *Voy.*

Charl.). 1º Garnir de fer, de clous. —
2º Différents sens spécialisés : ferrer le
cheval, cercler le tonneau, etc. ◆ **ferrin**
adj. (déb. xiiᵉ s., *Ps. Cambr.*); **ferron**
(1204, R. de Moil.) De fer. ◆ **feroneus**
adj. (1220, *Saint-Graal*). Ferrugineux.
◆ **ferreor** n. m. (1155, Wace), **ferron**
(1268, E. Boil.). 1º Ouvrier en fer. —
2º Forgeron, maréchal-ferrant. — 3º Marchand de fer. ◆ **ferreter** v. (xiiiᵉ s., *Doon
de May.*). Faire sonner les fers. ◆ **ferreté**
adj. (fin xiiᵉ s., *Loher.*). Garni de ferrets,
de clous formant dessin.

II. **fer** n. m. (1190, J. Bod.; v. le précédent). Fer, arme : *Gardés a l'assanler
qu'ils encontrent no fers!* (J. Bod.). ◆
ferrement n. m. (1160, *Eneas*). Arme de
fer. ◆ **fereis** n. m. (1160, Ben.). Choc,
cliquetis d'armes, combat : *De lances et
de brans fu grans li fereis (Rom. d'Alex.)*.
◆ **fereure** n. f. (fin xiiᵉ s., saint Grég.).
Coup asséné. ◆ **ferreor** n. m. 1º Celui qui
frappe, combattant. — 2º Cheval de
bataille. ◆ **fereis** adj. (fin xiiᵉ s., *Gar.
Loher.*). Armé, garni de fer. ◆ **ferarmer**
v. réfl. (fin xiiᵉ s., *Loher.*). Revêtir une
armure, se barder de fer.

III. **fer** adj. V. FIER, sauvage. ◆ **fere** n. f.
(1260, Br. Lat.). Bête sauvage. ◆ **ferain**
n. m. (fin xiiᵉ s., *Loher.*). Bête sauvage,
gibier. ◆ **ferage, ferasche, farosche** adj.
(1277, *Rose*), **ferain, ferin** (xiiᵉ s., *Conq.
Irl.*). 1º Sauvage, farouche. — 2º Dur,
insensible. ◆ **ferté** n. f. V. FIERTÉ.

fer n. m. V. FUER, prix, mesure, manière,
état.

ferant adj. (1138, *Saint Gilles;* v. *fer*,
avec infl. possible de *alferant*, coursier).
Couleur gris de fer, grisonnant, épithète
fréquente du cheval et de la barbe : *Deus
roncis ferrans* (Chr. de Tr.). *A haute
voiz s'escrie : Ou es tu, vielz ferrant?*
(J. Bod.). ◆ **ferant** n. m. (1170, *Fierabr.*).
Coursier, cheval de bataille. ◆ **ferrandin**
adj. (1180, *Rom. d'Alex.*). Gris de fer,
épithète de cheval. ◆ **ferrandel** n. m.
(1313, *Vœux du Paon*). Cheval gris.

ferdin n. m. V. FERLIN, petite monnaie.

feret n. m. (1250, *Ren.;* orig. incert.).
Affaire : *Je te feré bien ton feret (Ren.).*

ferfeil n. m. V. FREFEIL, tumulte.

fergler v. (xiiiᵉ s., Th. de Kent; déno-
minal de *ferges*, du lat. *ferreae*). Enchaîner. ◆ **ferges, fierges** n. f. plur. (1190,
saint Grég.). Fers, chaînes, entraves.

ferier v. (1220, Coincy; lat. *feriari*, de
feria, fête). 1º Fêter. — 2º Chômer. ◆
ferie n. f. (1119, Ph. de Thaun; doublet
savant de *foire*). Jour de fête, jour chômé.
◆ **feriable** adj. (xiiiᵉ s.). Qui doit être
fêté.

ferir v. (1080, *Rol.*; lat. *ferire*, frapper).
1º Frapper : *E set ke c'est amur ke la
tuche e frie (Horn).* — 2º Ferir un tournoi, soutenir un tournoi. — 3º En particulier, piquer de l'éperon, charger :
*Dusqu'a Montjoie si ferrant les mena
(Ogier).* — 4º Se précipiter avec ardeur.
— 5º Aboutir, toucher, atteindre : *Les
terres qui ferent au chemin dessus dit*
(1275, *Charte*). ◆ **ferue** n. f. (1268,
E. Boil.). Coup, blessure. ◆ **feru** adj.
(1080, *Rol.*). Blessé. ◆ Les autres dérivés
sont communs à *ferir et à fer*, arme.

ferlier v. (1112, *Saint Brand.;* mot
comp. de *fer* et *lier*). Enchaîner, attacher
fortement.

ferlin, -ling, -line n. m. (fin xiiᵉ s.,
Loher.; d'orig. germ.). 1º Petite monnaie
qui valait le quart d'un denier. — 2º Objet
sans valeur. (V. FERDIN, FERTON.)

I. **ferm, fers** au cas sujet (1169,
Wace; lat. *firmum*). 1º Fort, fortifié. —
2º Ferme, fidèle, loyal. — 3º *Ferme de*,
habile à, excellent pour : *Et li provos
estoit boins clerc Et de pluisors langages
fers (Blancandin).* ◆ **fermeté** n. f. (1160,
Eneas). 1º Fermeture, clôture. — 2º
Enceinte fortifiée, fortification, château
fort. — 3º Confirmation, serment, autorité : *En tesmoing et en fermeté des choses
desus dites* (1292, *Arch.*). — 4º Force, violence. — 5º *A fermeté*, assurément, sans
doute.

II. **ferm** adj. (1270, Ruteb., aphérèse
pour *enferm*). Infirme, malade.

ferme n. f. (1213, *G. de Dole;* déverbal de *fermer*, fixer, établir). 1º Ce qui est

fixé, convenu. *Rente a ferme,* rente fixant un arrérage ferme. — 2° Fermage. — 3° Sorte de pourboire : *Ke il ne prengent autre chose, ne deniers, ne firme* (1270, *Reg. aux bans*). — 4° Domaine rural. ◆ **fermier** n. m. (déb. xiiie s.). Locataire.

fermer v. (1080, *Rol.;* lat. *firmare,* de *firmus,* ferme). 1° Rendre ferme, fixer, attacher solidement : *Et ot l'escu au col et le heaume fremé (Doon de May.).* — 2° Fortifier, construire : *Ci ferai une tor bone et haute fermer (Rom. d'Alex.).* — 3° Établir, fixer : *La pierre dure et ferme sor quoi Jhesucrist dist qu'il fermeroit Sainte Eglyse (Queste Saint-Graal).* — 4° Conclure : *La trieve donnent et si font pais fremer (Loher.).* — 5° Fermer champ,* soutenir un combat judiciaire. — 6° *Fermer une leçon,* l'apprendre bien, par cœur. — 7° *Fermer son conte,* faire l'addition. — 8° *Fermer une fille,* la fiancer. ◆ **fermement** n. m. (1120, *Ps.Oxf.*). 1° Appui, fondement, soutien. — 2° Fortification. ◆ **fermeure** n. f. (1180, *Rom. d'Alex.*). 1° Place fortifiée, forteresse. — 2° Lieu clos, prison. — 3° Ce qui sert à fermer : serrure, porte, etc. ◆ **fermine** n. f. (1190, *Garn.*). Lieu fortifié, château fort. ◆ **fermail** n. m. (1170, *Percev.*), **-erie** n. f. (1170, *Fierabr.*). 1° Ce qui sert à fixer : agrafe, boucle, broche. — 2° Ce qui sert à fermer : verrou, serrure. — 3° Ce qui sert à enfermer : coffre, prison, etc. ◆ **fermaille** n. f. (xiie s., *Part.*). Convention, accord, bail : *Quant faites furent ces fermailles Puis parolent des esposailles (Part.).* ◆ **fermant** n. m. (1304, *Arch.*). Ce qui sert à fermer : portes, volets, etc. ◆ **fermaillet** n. m. (1164, Chr. de Tr.). Fermail. ◆ **fermailliere** n. f. (1319, *Arch.*). Petite agrafe, petit crochet.

fernel n. m. (1247, Phil. de Nov.; lat. pop. **frenellum,* bride). Étrope, corde qui lie l'aviron au tolet.

ferner v. (1260, A. de la Halle; lat. pop. **frenare,* de *frenus,* frein). 1° Réprimer, blâmer : *Pechié fait qui me ferme Car je sui mout lasses* (A. de la Halle). — 2° Frapper. ◆ **fernicle** adj. (xiie s., *Proth.*). Terrible.

feroncle, froncle n. m. (xiiie s.; lat. *furunculum,* petit voleur, avec évolution complexe de sens). Furoncle.

ferpe n. f. V. FELPE, frange.

fers adj. cas sujet. V. FERM, ferme.

ferser v. V. FRAISER, écosser, peler.

ferté n. f. V. FRETÉ, forteresse.

ferton, freton, ferreton n. m. (1234, *Charte,* v. *fer?*). Petite monnaie d'argent, le quart d'un marc.

ferue n. f. V. FERIR, frapper.

fervestir v. (xiie s., *Asprem.;* composé de *fer* et *vestir*). Vêtir de fer, armer : *sor les destriers armés et fervestis (Asprem.).* ◆ **fervesti** adj. (xiie s.). Guerrier.

fesandier adj. (xiiie s., *Comment. sur les Ps.;* dérivé de *faisant,* p. prés. de faire). Actif (la *vie fesandiere* s'opposant à la *vie contemplative*).

fesant n. m. (fin xiie s.; lat. *phasianus,* du grec). Faisan.

fesil n. m. V. FAISIL, cendre.

fesnier v. (1277, *Rose;* lat. *fascinare*). Enchanter : *Se tu as esté fesnie Par mal regart ou par parole (Fabl. d'Ov.).*

fesse n. f. (1360, *Modus;* lat. pop. *fissa,* fente, de *findere,* fendre). Fesse. ◆ **fessart** adj. (1283, *Cart.*). Fessu. ◆ **fessié** adj. (1220, Coincy). Couvert de honte, honteux.

fest n. m. (1160, Ben.), **feste** n. m. ou f. (xiie s., *Barbast.;* germ. *first*). Sommet, faîte. ◆ **festre, freste** n. m. (fin xiie s., *Alisc.*). Sommet en général. ◆ **festissure** n. f. (1294, *Arch.*). Arête d'un toit. ◆ **festage** n. m. (1213, *Fet. Rom.*). Droit perçu par le seigneur sur chaque maison au moment où était posé le faîte.

I. feste n. f. (1080, *Rol.;* lat. pop. *festa,* abrév. de *dies festa,* jour de fête). 1° Jour de fête, fête. — 2° Amusement, plaisanterie : *Jus soit et fieste necaudent* (J. Bod.). ◆ **fester** v. (1220, Coincy). 1° Etre de fête. — 2° Chômer. ◆ **festage** n. m. (1291, *Arch.*). Chômage. ◆ **festif** adj. (xiie s.), **-os** (xiie s.), **-el** (xiie s.), **-ivel**

(xiie s.). 1° De fête. — 2° Joyeux. ◆ **fes-teer** v. (fin xiie s., *Rois*), **-iver** (1160, Ben.), **-iner** (1205, *G. de Palerne*), **-isser** (1220, Coincy). Faire fête, être en fête, fêter. ◆ **festivité** n. f. (xiie s., *Ps.*). 1° Fête. — 2° Air de fête, allégresse. ◆ **festelete** n. f. (1260, A. de la Halle). Jeu.

II. **feste** n. f. ou m. V. FEST, sommet, faîte.

I. **festre, fistle** n. f. (1160, Ben.; lat. *fistula*). Fistule, ulcère. *Boute festre,* fistule. ◆ **festrir** v. (1190, Garn.). 1° Couvrir de plaies : *L'une de ses faces adunc li a festri Si que dedenz la bouche tresqu'as denz li purri* (Garn.). — 2° Se gangrener. ◆ **festros** adj. (xiie s., Herman). Atteint de la *festre*.

II. **festre** n. m., sommet. V. FEST, faîte.

festu n. m. (déb. xiie s., *Voy. Charl.*; lat. pop. **festucum*, pour *festuca*, brin d'herbe). 1° Paille, brin. — 2° Brin, pour exprimer une quantité minimale après négation : *Car je ne te pris un festu* (J. Bod.). — 2° *Li festus en est tous,* la paille est rompue, l'accord est conclu. ◆ **festuet** n. m. (xiiie s., *Doon de May*). Un petit brin. ◆ **festuer** v. (xiiie s.). Rompre la paille, c'est-à-dire, d'après la coutume établie, marquer l'accord conclu en rompant la paille.

fetart, faitart n. m. (1265, J. de Meung; convergence du composé de *fultre* et *tard* et du dérivé de *fêter*). 1° Paresseux, négligent. — 2° Lâche.

I. **feu, fou** n. m. (xe s., *Eulalie;* lat. *focum,* foyer). 1° Feu. — 2° Famille. — 3° *Feu dieu,* malade attaqué du feu sacré, du feu ardent : *Après Prime chantee, messe a note pour les feus Dieu* (1317, *Arch.*). ◆ V. FOER, allumer, chauffer.

II. **feu, fou** adj. (xie s., *Alexis;* lat. pop. **fatudum*, de *fatum*, destin). 1° Qui a accepté son destin. — 2° Qui a une bonne ou mauvaise destinée : *Bien sai, se lerre u fel i venist, u fauz, Mustiers et cimitiries deust estre escuz* (Garn.). — 3° Défunt (Ruteb.).

III. **feu** n. m. V. FAU, hêtre.

feutable adj. (1231, *Charte;* voir *fieu*, fief). 1° Qui tient un fief de son suzerain, feudataire. — 2° Digne de foi : *Et il ait son compaignon a tesmoing ou autre borjois fautavle* (1231, *Charte*).

feve n. f. (1265, J. de Meung; lat. *faba*). 1° Fève. — 2° *Ramentevoir feves,* badiner, plaisanter.

fevre, faivre, fievre, favre n. m. (xiie s., M. de Fr.; lat. *fabrum*). 1° Ouvrier qui travaille les métaux, forgeron, orfèvre, etc. — 2° Ouvrier en général. ◆ **favrece** n. f. (xiie s.). Ouvrière. ◆ V. FAVRECHIER.

I. **fi, fit** adj. (1080, *Rol.*; lat. *fîdum*). 1° Sûr, assuré, confiant : *Il sunt mi homme et de mon fief saisi; S'il ont mes nièces je en serai plus fis* (Gar. Loher.). — 2° *De fi,* loc. adv. Assurément, avec certitude.

II. **fi** n. m. (xiiie s., La Curne; lat. *ficum,* figue). Fic, maladie contagieuse pour les bovins. ◆ **fieus** adj. (fin xiie s., Guiot). Qui est atteint du *fi*.

III. **fi** interj. (xiiie s., onomat.). Exclamation de désapprobation.

fiance n. f. (1080, *Rol.,* v. *fier,* conficr). 1° Confiance, foi, certitude. — 2° Foi et hommage, fidélité. — 3° Engagement. — 4° Fiançailles : *Et apres la fiance te ferai nocier* (*Destr. Rome*). ◆ **fiancier** v. (1175, Chr. de Tr.). Prendre un engagement, promettre, jurer. ◆ **fiancement** n. m. (xiie s., *Mir. N.-D.*). Engagement. ◆ **fiancier** adj. (xiie s., *Trist.*), **fiançps** (1160, Ben.). 1° Plein de confiance : *De ce sui tote fianciere* (*Trist.*). — 2° Assuré.

fichier v. (1120, *Ps. Oxf.;* lat. pop. **figicare*, fréq. de *figere*, fixer). 1° Ficher, planter. — 2° Transpercer. — 3° Fixer, immobiliser. *Ne fait pas richesse riche Celi qui en tresor la fiche* (*Rose*). ◆ **fiche-ment** n. m. (1306, Guiart). Action de ficher, de planter. ◆ **fichié** adj. (fin xiiie s., *Mir. Saint Louis*). Fixe, immobile : *Ses membres fichiez et pesibles* (*Mlr. Saint Louis*).

fiction n. f. (xiiie s., *Queue Ren.;* lat. *fictio*). Feinte, ruse.

I. **fie** n. f. (1160, Ben.; lat. pop. **fica*, pour *ficus*). 1° Figue. — 2° *Peler la fie a* quelqu'un, l'attraper, le duper. ◆ **fier** n. m. (XIIᵉ s., lat. *ficarium*). Figuier.

II. **fie, fies** n. f. (1169, Wace; lat. pop. **vices*, vicissitudes; v. *feiz*). 1° Fois : *il sera tout enssy que j'ay dit aultre fie (Chev. cygne).* — 2° *A la fie*, à la fin, enfin. — 3° *A la fie*, la plupart du temps. — 4° *A la fie ... a la fie*, tantôt ... tantôt. ◆ **fiee, fiede, feide, foie** n. f. (déb. XIIᵉ s., *Ps. Cambr.*; lat. **vicata*, de *vices*). 1° Fois : *Par .///. fiees l'apelai (Percev.).* — 2° *A la fiee*, souvent, ordinairement. — 3° *Par fiees*, parfois. — 4° *De fiee en altre*, de temps en temps. — 5° *A chief de fiee*, au bout du compte, à la fin.

fié n. m. V. FIEU, fief.

fiel n. m. (1160, Ben.; lat. *fel*). Fiel. ◆ **fielee** n. f. (1160, *Athis*). Fiel, amertume.

fiem, fien n. m. (lat. *fimum*, fumier). Fumier. ◆ **fiente** n. f. (fin XIIᵉ s., *Rois;* lat. pop. **femita*, de *fimus*). 1° Excréments, mous ou liquides, de certains animaux. — 2° Fumier. ◆ **fienter** v. (1327, J. de Vignay). Fumer la terre. ◆ **fiensor** n. m. (1292, *Taille de Paris*). Marchand de fumier.

fiembre, fimbre, felimbre n. f. (1112, *Saint Brand.*; lat. *fimbria*, même sens). Frange, bordure au bas d'un vêtement.

I. **fier** v. (1080, *Rol.*; lat. pop. *fidare*, de *fidus*, fidèle). 1° Confier. — 2° Avoir confiance : *Trop se puet en son dieu fier!* (J. Bod.). — 3° Assurer sur sa foi. ◆ **fiement** n. m. (XIIᵉ s.). 1° Confiance. — 2° Engagement. ◆ **fié** adj. (1336, *Franch.*). Juré : *Paix fiee entre les parties (ibid.).* ◆ **fiable** adj. (1190, saint Bern.). 1° A qui on peut se fier, qui tient sa foi : *Fel est et non feavles* (saint Bern.). — 2° Loyal, fidèle. — 3° n. m. Vassal, homme de confiance : *Et vous iestes tout mi home et mi feiable, si ai moult grant fiance en vous (Chron. Reims).*

II. **fier** adj. (1080, *Rol.*; lat. *ferum*, sauvage; v. *fer*). 1° Farouche, sauvage (au sens favorable aussi bien que péjoratif) : *Et s'avoit bielle chiere et fire com sengler*

(Chev. cygne). — 2° Cruel, redoutable. — 3° Excellent, très grand : *Sa biauté fu entre autres fiere (Fl. et Bl.).* — 4° Orgueilleux, fier, sûr de soi. ◆ **fierté** n. f. (1080, *Rol.*), **fieror** n. f. (fin XIIᵉ s., *Loher.*), -**age** n. m. (XIIᵉ s., *Barbast.*). 1° Sauvagerie, fureur. — 2° Vaillance. — 3° Orgueil, fierté, assurance. ◆ **fieresse** n. f. (1260, Br. Lat.). Férocité, humeur sauvage. ◆ **fiercir** v. (1306, Guiart). Devenir violent.

fierges n. f. plur., fers, chaînes. V. FERGIER, enchaîner.

fiertre, fierte n. m. ou f. (déb. XIIᵉ s., *Voy. Charl.*; lat. *feretrum*, brancard). 1° Châsse, reliquaire. — 2° Chaire à prêcher.

I. **fieu, fief, fié** n. m. (1080, *Rol.*; bas lat. *feudum*, du francique). Fief : *Ne orfelin son fié ne li toldrez (Cour. Louis).* ◆ **fiefer, fiever** v. (1155, Wace). 1° Donner un fief à quelqu'un : *Li rois les damisiax fieva* (Wace). — 2° Doter, accorder en général. — 3° Prendre à titre de fief. ◆ **fiefement** n. m. (XIIᵉ s., *Conq. Irl.*). Terre constituée en fief. ◆ **fiefage** n. m. (fin XIIᵉ s., *Aym. Narb.*). Fief, possession à titre de fief. ◆ **fiefance** n. f. (1290, *Charte*). Action de donner en fief. ◆ **fiefeor** n. m. (1304, *Year Books*). Celui qui donne en fief. ◆ **fiefé** n. m. (fin XIIᵉ s., *Ogier*). Vassal. ◆ **fiefferme** n. m. (1215, *Gr. Charte*). Concession d'un héritage à perpétuité moyennant une rente fixe.

II. **fieu** n. m. (XIIᵉ s.; forme picarde de fils; v. *fil*). Fils.

fievre n. m. V. FEVRE, ouvrier.

figier v. V. FEGIER, cailler.

figure n. f. (Xᵉ s., *Eulalie;* lat. *figura*, forme). 1° Forme : *In figure de colomb volat a ciel (Eulalie).* — 2° Personnage, personne : *Ensi parloit cele figure* (J. de La Mote). — 3° *Par figure*, figurément. ◆ **figurer** v. (fin XIIᵉ s., *Alisc.*). 1° Créer, façonner : *Ave, qui des mains Dieu fu faite et figuree* (Coincy). — 2° Représenter, symboliser. ◆ **figuré** adj. (XIᵉ s., *Alexis*). 1° Bien dessiné. — 2° Bien fait : *Diex! quel hom est, com est bien figurez! (Alisc.).*

I. **fil** n. m. cas rég., **fils, fiz,** cas suj. (xᵉ s.; lat. *filium*). 1° Fils, enfant mâle, du point de vue des parents. — 2° Enfant mâle ou adolescent, appartenant à une même famille : *Tuit li enfant jusqu'en tiers nevoz sont apelez fiz, et li autre sont apelé deçadant (Livr. de jost.).* — 3° Nom donné en s'adressant à un jeune homme : *Biaus tres dous fils, fait ele, comment osas penser... (Berte).* ◆ **fille** n. f. (xIᵉ s., *Alexis;* lat. *filia*). Fille. ◆ **filuel** n. m. (xIIᵉ s., *Chev. cygne*). 1° Dim. de *fils.* — 2° Filleul. ◆ **fillolage** n. m. (fin xIIᵉ s., *Loher.*). Cadeau d'un parrain à son filleul. ◆ **filastre** n. m. (1080, *Rol.*). 1° Beau-fils. — 2° Gendre.

II. **fil** n. m. (1160, *Eneas;* lat. *filum*). 1° Fil. *De fil en lice,* d'un bout à l'autre. — 2° Le courant de l'eau. *Fil a fil,* en formant un courant continu. — 3° *Fil du jor, fil de l'aube,* point du jour : *Des que le puet apercevoir, El fil de l'aube, s'est levee (Eneas).* ◆ **filer** v. (1175, Chr. de Tr.). 1° Filer. — 2° Couler : *Un vin qui point ne file* (J. Bod.). ◆ **filage** n. m. (xIIIᵉ s., *Gaut. d'Aup.*). Fil. ◆ **filiere** n. f. (xIIIᵉ s., *Doon de May.*). Lacet. *A filiere,* à la file, en formant un filet continu. ◆ **filandrier** n. m. (1340, *Arch.*). Fileur. ◆ **fileresse** n. f. (1268, E. Boil.). Fileuse.

filatiere, -ire, n. m. ou f. (1160, Ben.; grec *phulaktêrion*, aujourd'hui phylactère). 1° Reliquaire en forme de croix. — 2° Amulette suspendue au cou : *Cruls, filateres ont contre lui porté (H. de Bord.).*

fim n. m. (xIIᵉ s., *Blancandin;* lat. *fimum*, fumier; v. *fum*, fumier, odeur). Respiration, haleine.

fimbre n. f. V. FIEMBRE, frange, brodure.

I. **fin** adj. (1080, *Rol.;* emploi adj. du lat *finis*, terme). 1° Accompli, achevé. — 2° Délicat, tendre : *Ki l'avoit amé de cuer fin* (Mousk.). — 3° Désigne, en général, l'idée superlative de toute qualité : extrême, parfait, excellent, complet : *Ki bien commence bien define, c'est verités et sainne est et fine (Best. div.).* — 4° Possède la même valeur superlative dans l'emploi adverbial quand, précédant l'adjectif, il s'accorde avec lui : *Et elle estoit si fine*

belle (Couci). ◆ **finesse** n. f. (déb. xIVᵉ s.). Finesse, délicatesse.

II. **fin** n. f. (xᵉ s.; lat. *finem*, terme). 1° Terme, fin. *Prendre fin,* s'arrêter. *Fin a,* loc. prép., jusqu'à. *Fin a tant que,* loc. conj., jusqu'à ce que. — 2° Accommodement, composition, arrangement : *Ja ne fust faite acordance et fin (Loher.).* — 3° Finance, argent : *Et moult se fut lie de grant fin (Part.).* *Faire fin,* payer. — 4° *De fin,* sûrement, sans aucun doute : *De fin cuidoit estre ocis (Florim.).* — 5° *En fin, a fin,* pour toujours, à perpétuité. — 6° *A fin de,* loc. prép., à titre de, comme : *Il a pris affin d'eritage* (1324, *Arch.*). ◆ **fincmont, feniment** n. m. (xᵉ s., *Passion;* lat. *finis mundi*). Fin du monde : *Quar finimenz non es mult lon (Passion).*

finer v. (1160, *Athis;* v. *fin*). 1° Finir, se terminer : *Quant li mangiers fut finez (Athis).* — 2° Cesser de parler : *Fineroit il ore jamais?* (J. Bod.). — 3° Mourir : *Con mar vos vi finer (Aym. de Narb.).* — 4° Terminer une affaire en payant, payer. *Finer de,* payer, s'acquitter. *Finer a,* payer rançon à. ◆ **finement** n. m. (fin xIIᵉ s., M. de Fr.), **-e** n. f. (xIIᵉ s., *Chev. cygne*), **-ee** n. f. (xIIᵉ s., *Horn*), **-ail** n. m. (fin xIIᵉ s., *Éd. le Conf.*), **-aille** n. f. (1130, *Job*). 1° Fin, terme. — 2° Mort. ◆ **finance** n. f. (1268, E. Boil.). 1° Fin. — 2° Ressources, argent. ◆ **finage** n. m. (1231, *Charte*). Étendue d'une juridiction ou d'une paroisse. ◆ **finable** adj. (1314, *Arch.*). 1° Qui peut finir, mortel. — 2° Final, définitif.

finir, fenir v. (1080, *Rol.;* lat. *finire*). 1° Finir, achever. — 2° Mourir. ◆ **finison** n. f. (xIIIᵉ s., *Maug. d'Aigr.*). 1° Fin. — 2° Mort. — 3° Convention, accord. — 3° *Prendre finison,* prendre congé. ◆ V. FINER.

firie n. m. (1080, *Rol.;* lat. pop. **fidicum*, pour *ficatum*, foie d'oie engraissée avec des figues). Foie : *Trenchet li le coer, le firie e le pulmun (Rol.).*

fisique, fusique n. f. (1160, *Eneas;* lat. *physica*, du grec). 1° Médecine. — 2° Connaissance des choses de la nature. ◆ **fisicien, fuisicien, farissien** n. m. (1155, Wace). Médecin.

fistle n. f. V. FESTRE, fistule, ulcère.

fistre, fistle n. f. V. FESTRE, fistule.

fiu n. m. V. FIEU, fief.

flac adj. m., **flache** f. (XIIᵉ s., *Horn*; lat. *flaccum*, flasque). 1° Mou, flasque. — 2° Affaissé, creux. — 3° Affaibli. ◆ **flache** n. f. (XIIIᵉ s.). 1° Partie affaissée de quelque chose. — 2° Fente. ◆ **flachier** v. (1325, *Chron. Morée*). Affaiblir.

I. **flache, flasque** n. f. (XIIIᵉ s., *Mir. N.-D.*; moy. néerl. *vlacke*, étang maritime). Mare dans les endroits argileux.

II. **flache** n. m. et f. (fin XIIᵉ s., *Ogier*; germ. *flaska*). 1° Bouteille. — 2° Petit tonneau à mettre du vin. ◆ **flachet** n. m. (fin XIIᵉ s., saint Grég.). — Petit flacon.

III. **flache** n. f., partie affaissée, fente. V. FLAC, mou.

flael, flaiel n. m. (xᵉ s., *Saint Léger*; lat. *flagellum*, fouet). 1° Fouet. — 2° Fléau. — 3° Arme de combat composée d'une masse de fer retenue par un bout de chaîne à l'extrémité d'un bâton. — 4° Châtiment envoyé par Dieu. ◆ **flaeler** v. (déb. XIIᵉ s., *Ps. Cambr.*). 1° Flageller, fouetter : *Cil qui ad fieble chef, souvent est flaelez* (Garn.). — 2° Châtier, tourmenter : *Çaus qu'il plus aime, çaus flaielle* (Coincy). — 3° Etre tourmenté. ◆ **flaelement** n. m. (1160, Ben.). 1° Coup de fouet. — 2° Flagellation.

flage n. m. (1190, J. Bod.; orig. germ.; cf. all. *Fläche*, plaine). 1° Pays plat, champ. — 2° Place en général. — 3° Champ de bataille.

flagrance n. f. (XIIIᵉ s., *Mir. saint Éloi*; lat. *flagrantia*, de *fragrare*, sentir bon; v. *flerer*). Bonne odeur, parfum.

flaiche adj. V. FLAC, mou.

flaimme n. m. V. FLEUME, flegme.

flaire adj. V. FRAILE, frêle.

flaistre, flestre adj. (1155, Wace; cf. lat. *flaccidus*, flasque). Flétri : *Tu nouris un cors flaistre et pers* (R. de Moil.). ◆ **flaistrir** v. (déb. XIIᵉ s., *Ps. Cambr.*). Se faner.

flajol, -jel n. m. (XIIᵉ s.; lat. pop. **flabeolum*, de *flabrum*, souffle). Flageolet, petite flûte. ◆ **flajoler** v. (1220, Coincy). 1° Jouer du flageolet. — 2° Babiller, plaisanter : *Mais riens n'y vaut le flajoler : Ne te fie point en promesses (Dit rimé)*. ◆ **flageot** n. m. (1180, *Rom. d'Alex.*). Flageolet, petite flûte.

flamble, -bre, -be, famble n. f. (1080, *Rol.*; lat. *flammula*, de *flamma*). Flamme. ◆ **flambeter** v. (XIIIᵉ s., *Doon de May.*). S'allumer, flamber. ◆ **flambios** adj. (1080, *Rol.*). Flamboyant.

I. **flamer** v. (1160, Ben.; lat. *flammare*). 1° Flamber, brûler, être allumé. — 2° Enflammer. ◆ **flamant** adj. (déb. XIIᵉ s., *Ps. Cambr.*). 1° Enflammé, flamboyant. — 2° Ardent, brûlant : *Com estoient lor cuer flamant* (R. de Moil.). ◆ **flamoier** v. (XIIIᵉ s., *Pastor.*). flamboyer.

II. **flamer** v. V. FLIEMER, saigner.

flami adj. (1204, R. de Moil.; orig. incert.). Enflammé : *Or est sa pance flamie*. ◆ **flamisseure** n. f. (1288, *Ren. le Nouv.*). Le feu de la concupiscence : *Por le peur de la flamesure C'on nomme le fu de luxure (Ren. le Nouv.)*.

flamiche n. f. (1250, *Ren.*). Tarte, espèce de galette flamande.

flanc n. m. (1080, *Rol.*), **flanche** n. f. (déb. XIVᵉ s., *F. Fitz Warin*; francique **hlanka*, hanche). Flanc. ◆ **flancor** n. f. (XIIᵉ s., *Roncev.*). Flanc, côté.

flanchir v. V. FLECHIR, détourner.

flaor n. f. (XIIᵉ s.; lat. pop. **flatorem*, de *flare*, souffler). Odeur.

flassart n. m. (XIIIᵉ s., *Servent.*; orig. obsc.). Couverture de lit ou de cheval. ◆ **flassaie, flas-, fles-, flassaire** n. f. (déb. XIVᵉ s., J. de Condé). 1° Sorte d'étoffe grossière. — 2° Couverture de lit.

flater v. (1169, Wace; francique *flat*, plat). 1° Caresser. — 2° Flatter. — 3° Jeter, précipiter. — 4° Etre renversé : *Qu'a la terre flater le fist* (Wace). ◆ **flate** n. f. (1250, *Ren.*). 1° Flatterie. — 2° *Metre en flate*, tromper. ◆ **flatement** n. m. (1306,

Guiart). 1° Flatterie. — 2° Action de déguiser la vérité, mensonge.

flatir v. (1175, *Chr. de Tr.;* francique **flatjan,* lancer; devient *flestir, flestrir* sous l'influence de *flaistre* et se sépare de *flater*). 1° Lancer, frapper : *flatir au vis Une vessie de mouton (Rose).* — 2° Marquer d'un fer rouge, flétrir. — 3° Jeter à terre, abattre. — 4° Tomber, s'écrouler. ◆ **flat** n. m. (XII⁰ s.). 1° Coup du plat de la main. — 2° Coup en général. — 3° Chute.

flavel n. m. (XII⁰ s., *Trist.;* lat. pop. *flabellum* pour *flabeolum*). 1° Cliquette de lépreux. — 2° Flageolet. ◆ **flaveler** v. (XII⁰ s., *Trist.*). 1° Agiter la cliquette. — 2° Jouer du flageolet.

flavele n. f. V. FAVELE, fable.

flebe adj. V. FEBLE, faible.

fleche n. f. (1160, *Eneas;* francique **fliugika,* celle qui vole). Flèche. ◆ **fle-chiere** n. f. (1175, Chr. de Tr.). Fougère, sagittaire (plante).

flechier v. (1160, Ben.; lat. pop. **flecticare,* fréq. de *flectare,* ployer). 1° Fléchir, ployer. — 2° Commettre une faute.

flechir, flanchir, flangir v. (1277, *Rose;* francique **hlankjan,* ployer). 1° Détourner. — 2° Se détourner.

flehute n. f. V. FLAUTE, flûte.

flepe n. f. V. FELPE, frange.

flerer v. (1265, J. de Meung; lat. *fragrare,* sentir bon). 1° Exhaler une odeur : *Molt flairoit l'erbe soné* (R. de Beauj.). — 2° Sentir une odeur. ◆ **fler,** n. m. (1175, Chr. de Tr.). 1° Action de sentir. — 2° Faculté de discerner les odeurs. — 3° Odeur. ◆ **flerement,** n. m. (fin XII⁰ s., saint Grég.). 1° Action de flairer. — 2° Flair. ◆ **fleror,** n. f. (XII⁰ s., M. de Fr.), **-eis,** n. m. (1180, *Rom. d'Alex.*). Odeur, parfum. ◆ **flairant,** adj. (XII⁰ s., *Chev. cygne*), **-able,** adj. (1277, *Rose*). Odorant, parfumé. ◆ **flerir,** v. (XII⁰ s., Th. de Kent), **-eier,** v. (fin XII⁰ s., saint Grég.). 1° Exhaler une odeur. — 2° Puer : *La flor ki put et flaire* (Rob. de Blois).

flestel n. m. V. FRESTEL, bruit.

flestir v. V. FLATIR, lancer, renverser.

flestre adj. V. FLAISTRE, flétri.

I. **flet, fles** n. m. (XIII⁰ s., *Doon May.;* germ. *flitz*). Flèche.

II. **flet** n. m. (XIII⁰ s., *Bat. de Quaresme;* moy. néerl. *vlete,* espèce de raie). Poisson de mer de forme plate.

flete n. f. (1311, *Arch.;* anc. angl. *flete,* bateau). Bateau plat de rivière.

fleume, flaime n. m. (1260, Br. Lat.; lat. *phlegma,* du grec). Flegme, pituite, flegmon.

fliche, flique n. f. (fin XII⁰ s.; scand. *flikki* ou angl. *flitch*). Tranche de lard coupée en long.

flieme n. m. ou f. (fin XII⁰ s., saint Grég.; lat. pop. **fletomum,* de *phlebetomus,* empr. au grec). Lancette de médecin. ◆ **fliemer** v. (XIII⁰ s.). Saigner, ouvrir avec la lancette dite flamme.

I. **flo** adj. (1180, *Rom. d'Alex.;* orig. incert., probablement le francique **hlâo,* tiède). 1° Fluet, mince. — 2° Faible, languissant : *Vostre vertu esteit fere, ore est moult tres sloie* (Th. de Kent).

II. **flo** n. m. V. FRO, terre inculte.

I. **floc** n. m. (1160, *Eneas;* lat. *floccum,* flocon de laine), **floche** n. f. (1300, G.). 1° Flocon, chose velue, mèche. — 2° Houppe, panache. ◆ **flocel** n. m. (XII⁰ s., *Cheulss*), **-on** n. m. (1250, *Ren.*). Flocon, touffe. ◆ **flocelé** adj. (1160, Ben.). Frisé. ◆ **flocu** adj. (XIII⁰ s., Th. de Kent). Qui porte une houppe, une crête.

II. **floc** n. m. V. FOLC, troupe, troupeau.

floibe adj. V. FEBLE, faible.

flondre, fronde n. f. V. FONDE, fronde.

flor n. f. (1080, *Rol.;* lat. *florem*). 1° Fleur. — 2° Au figuré : choix, élite, d'où : fleur de farine : *Li cheval est blans comme flor (Trist.).* ◆ **florete** n, f. (1119, Ph. de Thaun). 1° Petite fleur. — 2° Tissu de soie de qualité inférieure. ◆ **floreter** v. (XIII⁰ s., *Doon de May.*). 1° Fleurir. — 2° Garnir de fleurs. — 3° S'épanouir comme une fleur. ◆ **floré** adj. (fin XII⁰ s.,

Gar. Loher.). 1° Garni de fleurs, terminé en fleur : *escu floré (Gar. Loher.).* − 2° Qui a la barbe blanche : *Nos somes viel, chenu et flori (Loher.).* − 2° Blanc : *Li traitor ... Del fill Richart de Roem le flori Vuelent rei faire de France a mäintenir (Cour. Louis).*

flot n. m. V. FRO, terre inculte, chemin public.

flote n. f. (fin XIIᵉ s., *Loher.*; orig. incert., à rapprocher de l'anglo-saxon *flôta*, flotte). 1° Groupe d'objets, troupe, foule : *Une flote du poil (Doon de May.).* − 3° *A flote*, en masse. − 4° *A une flote*, ensemble : *Tuit troi chient a une flote (Trist.).*

floter v. (1080, *Rol.*; convergence du lat. *fluctuare*, flotter, et du francique **flod*, flot). 1° Mettre à flot : *Traient lor ancres, flotent nes (Eneas).* − 2° Flotter. ◆ **flote** n. f. (1268, E. Boil.). *A flote*, en radeau. ◆ **flotoier** v. (fin XIIIᵉ s., *Fabl. d'Ov.*). Agiter ses flots, être agité.

fluc n. m. V. FOLC, troupeau, foule.

fluir v. (XIIᵉ s., saint Grég.), **fluer** (1288, *Ren. le Nouv.*; lat. **fluire* et *fluere*). Couler. ◆ **fluement** n. m. (XIVᵉ s.), **flueur** n. f. (1314, Mondev.). 1° Écoulement. − 2° *Fleurs blanches*, pertes blanches.

flum, flun n. m. (déb. XIIᵉ s., *Ps. Cambr.*; lat. *flumen*). 1° Fleuve. − 2° *Flun de ventre*, flux de ventre. ◆ **flumaire** n. f. (1247, Ph. de Nov.). Fleuve, torrent.

flux n. m. (1272, Joinv.; lat. *fluxus*, écoulement). 1° Écoulement. − 2° Roulement : *Flux des pierres* (Ruteb.).

foace n. f. (fin XIIᵉ s., *Alisc.*; lat. pop. **focacia*, de *focacius panis*, VIIᵉ s.). Fouace.

foare n. m. V. FUERE, paille, fourrage.

fobert adj. (XIIIᵉ s., *Court. d'Arras*; orig. obsc.). 1° Sot, nigaud, dupe : *Fol conseil et foubert* (Aden.). − 2° Galant. ◆ **foberter** v. (1270, A. de la Halle). Tricher : *Chascuns fuberte en ceste vile* (A. de la Halle).

focel n. m. V. FAUCEL, enveloppe, paupière.

I. **foer** v. (XIIᵉ s.; lat. pop. **focare*, de *focus*, foyer, feu). 1° Mettre le feu, allumer. − 2° Faire du feu, chauffer. ◆ **foee** n. f. (fin XIIᵉ s., *Loher.*). 1° Feu, bûcher. − 2° Bourrée, charge de fagots pour faire une flambée. ◆ **foier** n. m. (XIIᵉ s., *Barbast.*). Fourneau, réchaud : *Ou fu prise la char que voi sor cel fouier? (Chans. d'Ant.).* ◆ **foage** n. m. (1262, *Arch.*). 1° Bois de chauffage. 2° Redevance perçue par le seigneur, pour chaque feu, sur les habitants roturiers. ◆ **foail** n. m. (XIIIᵉ s., J. de Garl.). 1° Bois de chauffage. 2° Part des entrailles du sanglier donnée, après cuisson, aux chiens; s'oppose à la *curée* du cerf. ◆ **foaille** n. f. (fin XIIᵉ s., saint Grég.). Sorte de pèlerine en laine pour tenir chaud.

II. **foer, foir** v. (déb. XIIᵉ s., *Ps. Cambr.*; lat. pop. **fodare* ou **fodire*, pour *fodere*, fouir). 1° Fouir. − 2° Bêcher. ◆ **foee** n. f. (1322, *Arch.*). 1° Action de fouir. − 2° Tranchée. − 3° Droit du seigneur de faire travailler ses vignes. ◆ **foant** n. m. (1288, *Ren. le Nouv.*). Taupe. ◆ **foeor** n. m. (XIIIᵉ s., *Chron. Reims*). Celui qui creuse la terre, d'où : vigneron, mineur. ◆ **foillier** v. (1283, Beaum.; lat. pop. **fodiculare*, de *fodere*). Fouiller.

foers adv. et prép. V. FORS, hors, dehors.

foi n. f. V. FEI, croyance, confiance. ◆ **foimentie** n. f. (1160, Ben.; composé de *foi* et de *mentir*). Foi parjurée. ◆ **foimenti** adj. (1160, Ben.), **-menteor** n. m. (1265, J. de Meung). Parjure, traître.

foiblir v. V. FEBLIR, faiblir.

foide n. f. V. FAIDE, vengeance.

foidre n. f. V. FUILDRE, foudre.

I. **foie, foiee** n. f. V. FIEE, fois.

II. **foie** n. m. V. FALZ, taille.

III. **foie, feie, fedie** n. m. (1080, *Rol.*; lat. pop. *ficatum*, adaptation du grec). Foie.

foil, fueil n. m. (1160, *Eneas*), **foille, fueille** n. f. (1160, *Eneas*; lat. *folium* ou *folia*, plur. neutre devenu collectif). 1° Feuille. − 2° Branche d'arbre, feuillage. − 3° Feuille de papier : *Amors, car*

retorne ton foil (*Eneas*). — 4° For intérieur : *Cheste sentense ot bien entee Li
sains el fuel di sa pensee* (*Mir. saint
Éloi*). — 5° *Foille*, n. f. bourre, fagot. ◆
foillet n. m. (1160, *Eneas*). 1° Petite
feuille, feuillet. — 2° Doublure. — 3° Brin
d'herbe. — 4° *Lire son fueillet*, débiter son
histoire. ◆ **foillier** v. (1164, Chr. de Tr.).
Pousser des feuilles, verdir. ◆ **foillir** v.
(1160, Ben.). Se couvrir de feuilles. ◆
foilli adj. (1170, *Percev.*), **foillu** (XII⁰ s.,
Roncev.), **foillé** (fin XII⁰ s., *Loher.*).
Feuillu. ◆ **foillie** n. f. (1169, Wace).
1° Feuillée. — 2° Loge décorée de
feuillage. — 3° Gâteau feuilleté.

I. **foine** n. f. (1160, Ben.; lat. pop.
*fagina, de *fagina meles*, martre du hêtre,
infl. par le vocalisme de *fou*, hêtre).
1° Fouine. — 2° Peau de fouine.

II. **foine** n. f. V. FOISNE, fourche.

I. **foir** v. V. FUIR, mettre en fuite, fuir.

II. **foir** v. V. FOER, fouir, bêcher.

I. **foire** n. f. (1160, *Eneas*; lat. pop.
feria, jour de fête). 1° Jour de fête. —
2° Marché. — 3° Foire. — 4° Réunion. —
5° Champ de bataille. ◆ **foirer** v. (XIII⁰ s.).
1° Fêter. — 2° Chômer, v. FERIER ◆ **foi-
rance** n. f. (1310, G.). Chômage. ◆
foirable adj. (1268, E. Boil.). Qu'on doit
fêter, chômer.

II. **foire** n. f. (XII⁰ s., Audigier, in DDN;
lat. *foria*). Diarrhée. ◆ **foirier** v. (XII⁰ s.,
DDN). Avoir la diarrhée. ◆ **foiros** adj.
(déb. XIII⁰ s., Rob. de Clari). Qui a la
diarrhée.

foirre n. m. V. FUERE, paille.

fois n. f. V. FEIZ, fois.

foisil, fuisil n. m. (XII⁰ s., *Part.*; lat.
pop. **focilem*, de *focus*, feu). 1° Pierre à
feu. — 2° Baguette à aiguiser.

foisne n. f. (1145, *Tabul. Corbie*; lat.
fuscina, trident). Fouine, fourche en fer
pour soulever les gerbes, pour prendre le
poisson dans la rivière.

foison n. f. (XI⁰ s., *Gloses Raschi*; lat.
fusionem, action de répandre). 1° Extrême
abondance, grande quantité, richesse :

Et de tos biens larges fuisons (*Part.*). A
foison, a grant foison, abondamment. —
2° Ressource, résistance : *As cops qu'il
done n'a nule arme fuison* (*Ogier*). —
3° *Avoir foison vers* quelqu'un, se comparer avec lui. ◆ **foisoner** v. (1155, Wace).
1° Etre abondamment, pulluler. —
2° Prospérer : *Ne puet fusuner parjure*
(*Éd. le Conf.*). ◆ **foisonable** adj. (fin
XII⁰ s., *Alisc.*). Abondant.

foissele, faissele n. f. (1180,
R. de Cambr.; lat. *fiscella*, de *fiscus*,
panier). Petit panier d'osier, corbeille.

I. **fol** n. m. (1112, *Saint Brand.*; lat.
follem, sac, ballon). 1° Soufflet (du forgeron). — 2° Sorte d'instrument de
musique.

II. **fol** adj. et n. m. (1080, *Rol.*; lat. *follem*,
sac, ballon, au fig.). 1° Fou, qui a perdu la
raison. — 2° Fou, qui se conduit comme
un fou. — 3° Sot, dont le comportement
est léger, futile, frivole. — 4° *Fol visage*,
masque. — 5° *Fol i bee,* loc. qui désigne
un sot déçu dans ses projets. ◆ **foleté**
n. f. (1119, Ph. de Thaun.). 1° Folie. —
2° Parole ou action folle. — 3° Caprice,
frivolité. ◆ **folie** n. f. (1080, *Rol.*). 1° Folie
— 2° Ardeur désordonnée au combat :
*Ore comence le bruit en la folie De nos
Franceis e de la paienie* (*Ottinel*). ◆ **foler**
v. (XII⁰ s., *Part.*). 1° Etre ou devenir fou.
— 2° Se conduire en fou. — 3° Tromper.
◆ **folance** n. f. (XII⁰ s., *Barbast.*) -**iance** n.
f. (fin XII⁰ s., saint Grég.), -**ement** n. m.
(XII⁰ s., *Cour. Louis*), **folor** n. f. (1156,
Wace), -**oison** n. f. (1160, Ben.). Folie,
conduite folle. ◆ **folage** n. m. (1080, *Rol.*).
1° Folie : *Sire [...] ne pensez tel folage!*
(*Aiol*). — 2° Conduite déréglée : *Chier
achaterons son folage* (*Florim.*). ◆ **foloier
folier** v. (1120, *Ps. Oxf.*). 1° Faire des
folies. — 2° Se démener comme un fou. —
3° Folâtrer, s'amuser. — 4° Faire folie de
son corps : *Mais ainz que foliasse a lui,
Revint mes sens, si le deguerpi* (*Part.*).
— 5° Traiter de fou, tourner en ridicule. —
6° *Folier de,* s'écarter follement de. —
◆ **foleter** v. (fin XIII⁰ s., *Fabl. d'Ov.*). Faire
le fou. ◆ **folet** adj. (1160, Ben.). Un peu
fou. ◆ **folet** n. m. (1277, *Rose*). Lutin. ◆
foletiere n. f. (1309, *Arch.*). Lieu hanté
par les follets. ◆ **folage** adj. (1277, *Rose*).

1º Fou. — 2º Capricieux : *poil folage,* poil follet. ◆ **folain** adj. (1250, *Ren.*), **folin** adj. (XIIIe s., *Sept Sages*). 1º Fou. — 2º Qui se conduit follement. ◆ **foliable** adj. (1277, *Rose*). Livré à la folie.

folc, fluc, fuc, frou n. m. (Xe s., *Saint Léger;* germ. *folk*). 1º Troupeau : *un fouc de pors (Court. d'Arras).* — 2º Foule, troupe, assemblée. — 3º *A rotes et a flos,* avec un grand nombre d'hommes d'armes.

foler v. (1190, Garn.; lat. pop. **fullare,* fouler une étoffe, d'après *fullo,* foulon). 1º Fouler. — 2º Blesser, estropier. — 3º Maltraiter : *Lais ne deit clerc fuler* (Garn.). — 4º Ravager. ◆ **fole** n. f. (XIIe s.). 1º Piétinement. — 2º Presse, foule. — 3º Moulin à fouler les draps. ◆ **foleis** n. m. (1160, Ben.). Presse, cohue, foule, mêlée. ◆ **folage** n. m. (1289, G.). Droit de mouture dû au seigneur du moulin. ◆ **foleure** n. f. (XIIe s., Alex. de Bern.). Droit sur le battage du blé. ◆ **foloire** n. f. (1279, G.). Cuve où l'on foule le raisin. ◆ **folier** n. m. (1265, *Arch.*). Pressoir.

fomenter, -ir v. (1220, Coincy; lat. méd. *fomentare*). 1º Appliquer une compresse chaude. — 2º Exciter : *Toutesfois tousjours le foment Sensualité enclinant A pecher et a mal penser* (Deguil.).

fomeroi n. m. (XIIe s., M. de Fr.). V. FEMBROI, fumier. ◆ **fomerer** v. (1245, *Cart.*). Fumer.

I. **fonde** n. f. (fin XIIe s., *Rois;* lat. *funda*). Fronde. ◆ **fondel** n. m. (fin XIIe s., *Loher.*). Fronde. ◆ **fonder** v. (XIIIe s.). Jeter, lancer les pierres avec une fronde. ◆ **fondeor** n. m. (1288, J. de Priorat). Frondeur, soldat armé d'une fronde. ◆ **fondoier** v. (1160, Ben.). Lancer des pierres. ◆ **fondefle** n. m. (XIIe s., *Chev. cygne;* lat. *fundibalum,* fronde). 1º Machine de guerre pour lancer des pierres. — 2º La corde de la fronde, courroie en général. ◆ **fondefler** v. (fin XIIe s., *Loher.*). 1º Lancer des pierres avec le *fondefle.* — 2º Lancer. ◆ **fondefleor** n. m. (1306, Guiart). Soldat armé d'une fronde.

II. **fonde** n. f., base, marché, entrepôt. V. FONDER, établir.

fonder v. (XIIe s.; lat. *fundare,* de *fundus,* fond). Établir. ◆ **font, fons** n. m. (1080, *Rol.;* lat. *fundum*). 1º Fond d'un objet. — 2º Fonds de terre. — 3º *Metre au font,* faire périr. — 4º *Del font,* complètement. ◆ **fonde** n. f. (1260, Mousk.). 1º Fondement, base : *Musike... Ki de canter est cles et fonde* (Mousk.). — 2º Marché. — 3º Entrepôt. ◆ **fondement** n. m. (fin XIIe s., *Rois*). 1º Action de fonder, fondation. — 2º Base. — 3º Fonds de terre. — 4º Anus (XIIIe s.). ◆ **fondance** n. f. (1278, *Arch.*). Fondation. ◆ **fondé** adj. (1160, Ben.). Bien instruit, savant : *Des arts ert bien fondés (Rom. d'Alex.).* ◆ **fondé** n. m. (1297, *Arch.*). Fondé de pouvoir. ◆ **fondeor** n. m. (1279, *Rose*). Fondateur. ◆ **fondrer** v. (XIIIe s., *Doon de May.;* lat. pop. **funderare*). 1º Mettre au fond, enfoncer. — 2º S'effondrer. ◆ **fondril** n. m. (1316, *Livre pelu*). Fond, creux.

fondre v. (XIe s., *Alexis;* lat. *fundere,* verser, influencé ensuite par *fondrer,* enfoncer). 1º Répandre, verser : *Al departir fonderent lermes (Saint Brand.).* — 2º Combler. — 3º Faire écrouler, renverser, détruire. — 4º Tomber, s'effondrer. — 5º Fondre, amener à l'état liquide : *Je vous ferai ardoir et fondre* (J. Bod.). ◆ **fondeure** n. f. (fin XIIIe s., Guiart). Action de fondre, fonte. ◆ **font** n. m. (1268, E. Boil.). Fer fondu non encore forgé. ◆ **fontaille** n. f. (1227, *Acte*). Fonte. ◆ **fondeis** adj. (déb. XIIe s., *Ps. Cambr.*), **fontis** adj. (XIIe s., *Ps.*). De métal fondu, de fonte. ◆ **fontis** n. m. (1287, *Cart.*), **fonture** n. f. (XIIIe s., *Livr. de Jost.*). Éboulement, creux, trou. ◆ **fondeis** n. m. (1318, G. de La Bigne). 1º Action de se précipiter, combat, mêlée. — 2º Maison en ruine. ◆ **fondu** adj. (1160, Ben.). 1º Fondu. — 2º Détruit, renversé, délabré.

font n. m. ou f. (1080, *Rol.;* lat. *fontem*). 1º Fontaine. — 2º Cf., au plur., *fonts baptismaux.* ◆ **fontaine** n. f. (XIIe s., *Part.*). 1º Fontaine, source. — 2º Eau. ◆ **fontenele** n. f. (1180, *Rom. d'Alex.*). 1º Petite source. — 2º Ulcère (Mondev.).

for n. m. V. FUER, prix. ◆ **forage,** n. m. (1260, Mousk.). 1º Action de fixer le prix d'une marchandise. — 2° Droit sur la vente des boissons. — 3° *Par forage,* en détail (en parlant de la vente du vin).

for- préf. (lat. *foris,* adv., dehors). 1° Lorsqu'il entre en combinaison avec les bases verbales exprimant le procès spatial, le préfixe *for-* garde sa valeur d'adverbe marquant l'exclusion, le rejet d'un lieu : *forbanir, forpaisier,* bannir; *forjeter, forclore,* chasser. — 2° *For-* indique aussi l'éloignement, l'écartement non plus par rapport à une limite, mais à une ligne droite, une direction : *forcorre,* faire fausse route; *formener,* égarer. — 3° Dans l'espace symbolique, *for-* marque l'écart par rapport à une norme : *forconter,* tromper en comptant; *forfaire,* agir en dehors du devoir. — 4° Lorsque la base verbale indique un procès qui peut être considéré comme négatif, le préfixe intensifie cet aspect comme un dépassement de mesure : *forceler,* frauder; *forchalcier,* écraser.

forain adj. (1190, Garn.; lat. pop. **foranum,* de *foris,* dehors). 1° Étranger, extérieur, du dehors : *Et en semblant forains, Chastes ert de sun cors, et en esperis sains* (Garn.). — 2° Écarté : *maison foraine,* latrines. ◆ **foraineté** n. f. (XIIᵉ s.). Caractère de ce qui est étranger, extérieur.

forambler v. réfl. (1288, J. de Priorat; v. *ambler*) Se retirer en arrière, se soustraire à l'ennemi.

forbanir v. (XIIIᵉ s., *Livr. de Jost.;* v. *banir*). Bannir. ◆ **forban** n. m. (1306, Arch.). Bannissement.

forbatre v. (fin XIIᵉ s., Couci; v. *batre*). 1° Battre. — 2° Clore, barrer, barricader.

forbeter v. (fin XIIᵉ s., *Est. Saint-Graal;* v. *beter,* harceler?). Tromper, duper : *Por Dieu nostre pere enginnier Et forbeter et conchier* (*Est. Saint-Graal*).

forbir v. (1080, *Rol.;* germ. **furbjan,* nettoyer). Raccommoder, nettoyer, panser. ◆ **forbissant** adj. (1306, Arch.). Infirme, impotent. ◆ **forbeor** n. m. (XIIIᵉ s., J. de Garl.). Fourbisseur.

forborc, fors borc n. m. (fin XIIᵉ s.; *Loher.;* v. *borc*). Faubourg.

forc n. m. (1160, *Eneas;* lat. pop. **furcum,* pour *furca*). 1° Fourche, fourchure. — 2° Bifurcation d'un chemin, d'un arbre : branche fourchue, confluent de deux ruisseaux. — 3° adj. (XIIIᵉ s.). Fourchu : *Un forc cemin (Atre pér.).* ◆ **forche** n. f. (XIIᵉ s., *Roncev.*). 1° Fourche. — 2° Bifurcation. — 3° au plur. Gibet : *Ne crient hunte ne mort, ne furkes ne turment* (Garn.). — 4° *Forche fire,* fourche fière, bâton armé d'un fer pointu à une extrémité et d'une fourche à l'autre. ◆ **forchon** n. m. (fin XIIᵉ s., *Loher.*). 1° Bâton fourchu. — 2° Barbe séparée par le milieu. ◆ **forchié** n. m. (1160, *Eneas*). Fourche à laquelle on attachait le foie et les poumons du cerf tué et dépecé. ◆ **forchele, forcele** n. f. (1080, *Rol.*). 1° Sternum, clavicule. — 2° Poitrine, estomac, gorge : *J'avoue une grosse teste et une froide fourcelle* (Joinv.). ◆ **forchier** v. (XIIᵉ s., *Aye d'Avign.*). Se croiser, se diviser. ◆ **forcheure** n. f. (1080, *Rol.*). 1° Endroit où une chose commence à bifurquer. — 2° Endroit où les jambes se séparent. — 3° La partie de la poitrine nommée bréchet. ◆ **forcheis** n. m. (1335, Deguil.). Carrefour. ◆ **forchelast** n. m. (1249, G.). Forçat.

I. force n. f. (1080, *Rol.;* lat. pop. **fortia,* de *fortis*). 1° Force, puissance. — 2° Autorité. — 3° Difficulté : *Il portoit le henap plein a sa bouche sanz nule force et sanz point trembler (Mir. Saint Louis).* — 4° *Ne pas faire force* d'une chose, ne pas en être effrayé. — 5° *A force, par force,* malgré soi. — 6° Troupe d'hommes d'armes. — 7° Pays fortifié et garni de forteresses. ◆ **forçor** n. f. (1155, Wace). Force, énergie : *Cesar a forçor le conquist* (Wace). ◆ **forcier** v. (XIIIᵉ s., *Chans. d'Ant.*). Vaincre par la violence. ◆ **forcement** n. m. (1341, G.), **-age** n. f. (XIIᵉ s., E. de Fougères), **-erie** n. f. (1283, Beaum.). Violence. ◆ **forceor** n. m. (1190, J. Bod.). 1° Celui qui force, qui viole. — 2° Brigand. ◆ **forcier** adj. (XIIᵉ s., *Barbast.*). Qui use de la violence, épithète fréquente de *larron.* ◆ **forcible** adj. (XIIᵉ s., *Éd. le Conf.*). Fort, puissant ◆ **forçable** adj.

(XIIIe s., *Livr. de Jost.*). Qui peut être contraint. ◆ **forçoier** v. (1160, Ben.). 1º Vaincre par la violence. — 2º Attaquer, lutter. — 3º Forcer, contraindre.

II. **force** n. f. (fin XIIe s., *Cour. Louis;* lat. pop. **forfices*, cisailles). 1º Grand ciseau, cisailles. — 2º Grande cuillère. — 3º *Force pest le pré,* les ciseaux (ou les fourches) tondent le pré, expr. proverbiale : nécessité fait loi. ◆ **forcillier** v. (1335, Deguil.). Couper, tondre avec les forces.

forceler v. (1249, *Cart.;* v. *celer*). Cacher en fraude, frauder, détourner.

forchalcier v. (1190, saint Bern.; v. *chalcier*). Fouler aux pieds, écraser : *Li plus forz forchauchet lo fleve* (le faible) [saint Bern.].

forclore v. (1120, *Ps. Oxf.;* v. *clore*). 1º Éloigner, chasser : *Li portier... Vos forclora, n'en dotez mie* (*Best. div.*). — 2º Empêcher : *Par quoy amours li sunt forsclosses* (*Clef d'Am.*). ◆ **forclose** n. f. (1170, *Percev.*). 1º Clôture extérieure. — 2º *A forclose,* finalement.

forconter v. (XIIIe s., *Vair Palefr.;* v. *conter*). 1º Mal compter, frauder en comptant. — 2º Compter pour rien, excepter : *C'est sa suer, si l'a fourconté* (Mousk.).

forçor adj. V. FORT.

forcorre v. (1275, J. de Meung; v. *corre,* couvrir). S'égarer, faire fausse route.

fore n. m. V. FUERE, paille.

forelore adj. (XIIe s.; germ. *forloran*). Perdu, désolé. ◆ **forelore, freloire** n. f. (1250, *Ren.*). 1º Parole inutile. — 2º Peine perdue : *Tot est forelores, Que tu es certes trop musart* (*Ren.*).

forer v. (XIIe s., *Asprem.;* v. *fuere,* paille). 1º Fourrer. — 2º Tapisser, doubler (un vêtement). — 3º Fourrager. — 4º Piller, ravager : *De fourer le pays cascuns d'yaus se pensa* (*Chev. cygne*). ◆ **forage** n. m. (fin XIIe s., *Loher.*), **-ement** n. m. (XIIIe s., Bible). 1º Action de fourrager. — 2º Maraude, pillage. ◆ **foreure** n. f. (1160, *Eneas*). 1º Doublure. — 2º Provision. ◆ **foriere** n. f. (1202, *Cart.*). 1º Paille. — 2º Pâturage. — 3º Lisière d'un bois où

l'on peut faire paître les bestiaux. — 4º Endroit où l'on met le fourrage. ◆ **foragier** v. (fin XIIe s., saint Grég.). 1º Fourrager. — 2º Renverser, arracher. — 3º Ravager.

forest n. f. (déb. XIIe s., *Voy. Charl.;* lat. pop. **forestis*). Forêt. ◆ **forestier** adj. (XIIe s., *Melior*). 1º Qui habite les forêts. — 2º Sauvage, grossier : *Cil qui i faut est forestiers et champestres.* (1260, Br. Lat.). ◆ **foree** n. f. (1155, Wace), **forel** n. f. (1246, G. de Metz), **foreste** n. f. (1138, *Saint Gilles*), **forestier** n. m., *Trist.*). Forêt. ◆ **foresterie** n. f. (1294, *Arch.*). Forêt où il était défendu de chasser.

forfaire v. (1080, *Rol.;* v. *faire*). 1º Agir en dehors du devoir, transgresser. — 2º Etre faux, inexact. — 3º Faire du mal, du tort : *Forfaire vient de sor ses anemies* (*Gar. Loh.*). — 4º *Forfaire mort,* mériter la mort pour un crime. ◆ **forfait** n. m. (fin XIe s., *Lois Guill.*), **-ure** n. f. (fin XIe s., *Lois Guill.*). 1º Chose condamnable. — 2º Amende qui punit le délit. — 3º Infraction aux lois. ◆ **forfaisance** n. f. (1246, G. de Metz). Action contraire au droit. ◆ **forfait** adj. (1080, *Rol.*). 1º Qui a forfait à ses engagements. — 2º Malfaisant.

forgeter v. (déb. XIIe s., *Ps. Cambr.;* v. *geter*). Chasser, rejeter.

forgier v. (XIIe s., *Ps.* lat. *fabricare*). 1º Forger. — 2º Façonner. — 3º Fabriquer. ◆ **forgeure** n. f. (1160, *Eneas*), **-ison** n. f. (XIIe s., *Roncev.*). Action de forger. ◆ **forge** n. f. (XIIe s.; lat. *fabrica*). 1º Action de forger. — 2º Action de ferrer les chevaux. — 3º Fabrication en général. — 4º Idée, invention : *Elles ont trouvé ceste nouvelle forge D'eulx lier pour monstrer leur goitron et leur gorge* (J. de Meung.). ◆ **forgier** n. m. (1268, E. Boil.). Coffre, écrin, coffre-fort, reliquaire. ◆ **forgeret** n. m. (1302, G.). Coffre, cassette.

forgon n. m. (1265, J. de Meung; lat. pop. **furiconem,* de *fur,* voleur). Tisonnier, fourgon. ◆ **forgoner** v. (XIIIe s.). Remuer avec le fourgon. V. FURGIER.

forjugier v. (fin XIIe s., *Est. Saint-Graal;* v. *jugier*). 1º Condamner. — 2º Condamner à tort : *Ne pourrunt estre* *forjugié En court, ne de leur droit trichié (Est. Saint-Graal).* — 3° Dépouiller.

forjurer v. (1160, Ben.; v. *jurer*). 1° Renoncer par serment, jurer d'abandonner un pays, un métier, etc. — 2° Renoncer, abandonner, quitter : *Fait m'a li dus mes sire ma terre forjurer que jamais a ma vie n'i porrai eriter (Parise).* — 3° Jurer d'abandonner un homme, de lui refuser tout secours. — 4° Abjurer.

forlignier v. (1220, *Saint-Graal;* v. *ligne,* lignage). 1° Trahir les vertus de ses ancêtres. — 2° Faire honte à : *Moult par est courtois l'emperere Ki ne fourligne pas son pere (Court. d'Arras).*

forloignier v. (1160, Ben.; v. *loing*). 1° S'éloigner. — 2° Laisser en arrière.

formarier v. (1283, Beaum.; v. *marier*). Contracter un formariage. ◆ **formariage** n. m. (1342, *Arch.*). Mariage entre personnes appartenant à deux seigneuries différentes.

I. **forme** n. f. (fin XIIᵉ s., *Rois;* lat. *forma*). 1° Apparence sensible d'un objet : *E de quele furme est cil? (Rois).* — 2° Représentation d'un objet : *Et entre les autres (images) en avoit une qui estoit en forme d'empereour* (Villeh.). — 3° Modèle : *Por faire les enseignemens plus chers et plus apers, voudra li maistres escrire une petite forme de la letre a celul qui est esleuz a governeor et a soignor* (Br. Lat.). — 4° Portrait. ◆ **formele** n. f. (1204, R. de Moil.). Forme, modèle : *O cles du ciel, d'amor formele!* (R. de Moil.). ◆ **former** v. (déb. XIIᵉ s., *Voy. Charl.*). 1° Créer, modeler : *Dame dex pere, qui formastes Adam (Roncev.).* — 2° Formuler : *Autrement convient fourmer se demande, qui veut pledier sor propriété d'eritage* (Beaum.). — 3° Métamorphoser (Mousk.). ◆ **formé** adj. (1160, Ben.). Bien bâti : *Mais si beaus huem ne fu veus, si genz, si formez ne si faiz* (Ben.). ◆ **formement** n. m. (XIIᵉ s.), **-oison** n. f. (1180, *Rom. d'Alex.*). 1° Action de créer, de former. — 2° Forme. — 3° Taille, stature. — 4° Apparence, statue, portrait. ◆ **formeor** n. m. (XIIᵉ s., Herman). Créateur, formateur. ◆ **formier** n. m. (1220, Coincy). 1° Celui qui forme. — 2° Celui

qui fait une forme (une statue, un portrait). ◆ **formedon** n. m. (XIIIᵉ s., lat. *forma donationis*). Bref.

II. **forme** n. f. (1272, Joinv.; v. le précédent). 1° Siège, chaire, chaise. — 2° Banc divisé en stalles, stalle d'église. — 3° Grande fenêtre. — 4° Sorte de cage. ◆ **formel** n. m. (fin XIIᵉ s., *Loher.*). Siège. ◆ **formelier** n. m. (1294, G.). Fabricant de sièges.

III. **forme** n. f. (XIIᵉ s., v. les précédents). Fromage. ◆ **formage, fromage** n. m. (XIIIᵉ s., *Chron. Reims*). Fromage. ◆ **formagie** n. f. (fin XIIᵉ s., *Alisc.*). Fromage.

formener v. (déb. XIIᵉ s., *Ps. Cambr.*; v. *mener*). 1° Enlever. — 2° Détourner, égarer. — 3° Tourmenter, fatiguer : *Desirs d'amors la gent fourmainne (Son. de Nans.).* — 4° Produire : *Forsmanat signes et merveilles (Ps.).*

I. **forment** n. m. V. FROMENT, blé.

II. **forment** adv. (XIᵉ s., *Alexis;* v. *fort*). Fortement, beaucoup.

formis, fromis n. m. (XIIᵉ s., M. de Fr.), **formie** n. f. (XIIIᵉ s., *Gloss. Glasgow;* lat. pop. **formicem* ou class. *formica*). Fourmi. ◆ **formier** v. (1170, *Percev.*). 1° S'agiter, être agité : *De la paor comence a formier (Ogier).* — 2° Se disperser en s'agitant : *La grant chevalerie Dont tote la terre fromie (Part.).*

formorture n. f. (1247, *Arch.;* v. *morir*). 1° Droit sur les biens des bâtards ou des non-bourgeois morts dans les limites de la seigneurie. — 2° Bien qu'une veuve, en se remariant, laisse aux enfants du premier lit. ◆ **formoru** adj. (1281, *Reg. aux bans*). Orphelin.

forn n. m. (1080, *Rol.;* lat. *furnum*). Four. ◆ **fornel** n. m. (1160, Ben.). 1° Four. — 2° Voûte, arcade. ◆ **fornais, -az** n. m. (1155, Wace). 1° Fournaise. — 2° Le feu de l'amour. ◆ **fornier, -oier** v (XIIᵉ s.). Enfourner. ◆ **fornage** n. m. (1175, Chr. de Tr.). 1° Four. — 2° Fournaise. — 3° Droit seigneurial sur la cuisson du pain. ◆ **fornier** n. m. (1153, *Cart.*). 1° Boulanger, pâtissier. — 2° Four.

I. **fornier** v. (XIIe s., *Chev. cygne;* v. *nier*). Dénier, contester, refuser.

II. **fornier** v., enfourner. V. FORN, four.

forniquer v. (XIVe s.; lat. chrét. *fornicari*). Forniquer. ◆ **forniement** n. m. (1190, saint Bern.), **-icacion** n. f. (déb. XIIe s., *Ps. Cambr.*). 1° Fornication, impureté. — 2° Dans un sens favorable, Acte conjugal. ◆ **fornicaire** adj. (1265, J. de Meung). Fornicateur. ◆ **fornicaste** adj. fém. (1246, G. de Metz). Fornicatrice : *Chascune fame est fornicaste; Se celer s'en puet, n'est pas chaste (Image du monde).*

fornir v. (1160, *Eneas;* francique **frumjan*, exécuter). Exécuter, accomplir : *Sa guerre avoit a furnir (Auc. et Nic.).* ◆ **fornement** n. m. (1268, E. Boil.). 1° Provision. — 2° Nourriture. — 3° Garniture, doublure. ◆ **forneture** n. f. (1250, *Ren.*). 1° Fourniture. — 2° Largeur. — 3° Bonne mesure. — 4° Forme, apparence : *Son cors eut laide forneture (Ren.).* ◆ **forni** adj. (1160, *Eneas*). Bien bâti, robuste : *chevaliers forniz et granz (Eneas).*

forostagier v. (XIIe s., *Ogier;* voir *ostage*). 1° Laisser un otage à la discrétion de l'ennemi en ne remplissant pas les conditions établies. — 2° Rester comme otage, dans les mêmes conditions. ◆ **forosté** adj. (XIIe s., *Ogier*). Livré à discrétion.

forpaisier v. (XIIIe s., *Livr. de Jost.;* v. *pais*). 1° Bannir. — 2° S'expatrier, quitter son pays.

fors, fuers, foers adv. et prép. (Xe s., *Passion;* lat. *foris,* dehors). 1° Adv. Hors, dehors : *Par la fenestre avoit mis fors son chief (Loher.).* — *Ne fors ne ens,* ni le dehors ni le dedans. — 2° Prép. Hors, au-dehors de : *Des homes des viles et fhors vile (Charte).* — 3° Particule d'exclusion dans les constructions restrictives : *Je ne ferai fors courre (A. de la Halle).* — 4° Marque l'exception. *Fors que,* si ce n'est que, excepté. *Fors de,* à l'exception de : [...] et *l'en mena en son pais a ausi grant joie* [...] *fors del jesir en son lit (Fille du comte de P.).* *Fors que non,* si ce n'est *Fors qu'en ceste maniere non (Dit de la Rose). Fors tant com,* excepté.

forsener v. (XIe s., *Alexis;* v. *sen,* sens). 1° Etre hors de bon sens. — 2° Devenir fou, enrager. — 3° Manifester sa furie : *De duel et d'ire forsona (Wace).* ◆ **forsen** n. m. (1155, Wace), **-age** n. m. (1164, Chr. de Tr.), **-erie** n. f. (déb. XIIe s., *Ps. Cambr.*). 1° Folie, fureur, délire : *Une forsenerie prist a la dite Jaqueline si que ele fu hors de son memoire et de son sens (Mir. Saint Louis).* — 2° Acte de forcené. ◆ **forsené** adj. (XIe s., *Alexis*), **-able** (1277, *Rose*). Fou, furieux, emporté.

forser v. (1288, *Ren. le Nouv.;* orig. obsc.). 1° Frayer, en parlant des poissons. — 2° Naître. ◆ **forsiere** n. f. (1326, G.). Étang pour l'élevage des poissons.

fort adj. et adv. (1080, *Rol.;* lat. *fortem*). 1° Fort, robuste. *A fort,* avec force, rapidement. — 2° Difficile, pénible : *Ciertes, forte chose est de çou croire (Emp. Const.). En fort,* dans l'anxiété. — 3° Fortifié : *En totes nos maisons fors et floibes (1265, Arch.).* — 4° *Au fort,* au surplus, enfin, en fait. ◆ **forçor** adj. comp. (1155, Wace). Plus fort, plus grand, plus puissant, plus riche : *Mais li Breton forçor force orent (Wace).* ◆ **fortisme, -ime** adj. superl. (déb. XIIe s., *Ps. Cambr.*). Très fort. ◆ **fortin** adj. (1160, Ben.). Le fort, épithète de Samson. ◆ **fortif** adj. (1335, *Rest. du Paon*). Vigoureux. ◆ **fortece** n. f. (déb. XIIe s., *Ps. Cambr.*). 1° Force. — 2° Courage : *Fortece est le milieu entre paor et hardiment (Br. Lat.).* — 3° Forteresse. ◆ **fortelece, -rece** n. f. (1160, *Eneas*). 1° Force, puissance. — 2° Forteresse. ◆ **fortiz** n. m. (1125, *Gorm. et Is.*). Forteresse.

fortraire v. (déb. XIIe s., *Ps. Cambr.;* v. *traire*). 1° Emmener, enlever : *Nus ne puet ne ne doit fortraire autrui aprantis (E. Boil.).* — 2° Soustraire, détourner. ◆ **fortraiement** n. m. (1337, *Charte*). Confiscation. ◆ **fortrait** n. m. (1288, *Ren. le Nouv.*). Ruse, finesse, tromperie : *Par renardie et par fourtrait Se sont a*

grant hautece trait (Ren. le Nouv.).
◆ **fortraieor** n. m. (1295, Boèce). Celui qui enlève, voleur.

fortune n. f. (1160, *Eneas; lat. fortuna*). 1° Sort. — 2° Heureux sort. — 3° Malheur, accident : *Au tens d'iver, quant les tempestes et les orribles fortunes suelent sordre parmi la mer* (Br. Lat.). ◆ **fortuné** adj. (XIII° s.). Heureux ou malheureux, selon le contexte. ◆ **fortunement** adv. (1308, Aimé). Peut-être.

forvoier v. (1155, Wace; v. *voie*). 1° S'écarter du bon chemin, de la raison : *Qui moult ont bonnes esperances De Flamens faire forvoier* (Guiart). — 2° Dissimuler, taire. ◆ **forvoi** n. m. (1295, Boèce). Fourvoiement.

fosser v. (XIV° s., lat. *fossare*). Creuser, bêcher. ◆ **fosse** n. f. (1080, *Rol.*). 1° Fossé. — 2° Basse-fosse : *Entrés, vilains, en cele fosse!* (J. Bod.). ◆ **fossete** n. f. (1119, Ph. de Thaun), **-ele** n. f. (1204, R. de Moil.). 1° Petite fosse. — 2° Fossette des joues. ◆ **fosselé** adj. (1180, *Fierabr.*). 1° Entouré de fossés. — 2° A fossette : *focelé menton* (A. de la Halle). — 3° Percé de trous. ◆ **fossier** n. m. (fin XII° s., *Loher.*). 1° Celui qui bêche ou creuse. — 2° Fossoyeur. — 3° adj. (XII° s., *Cour. Louis*). Épithète fréquente de larron. ◆ **fosseor** n. m. (1260, Br. Lat.), **fosserier** n. m. (1269, *Arch.*). 1° Laboureur. — 2° Fossoyeur.

fotre v. (XIII° s., *Fabl.;* lat. *futuere*). Avoir des rapports avec une femme. ◆ **foteor** n. m. (1277, *Rose*), **-ier** n. m. (1258, *Arch.*). Débauché : *Je suis fouteres a loier (Du Foteor).* ◆ **fot en cul** n. m. (1230, *Eust. le Moine*). Sodomite.

I. **fou** n. m. V. FEU I, feu.

II. **fou, fo, frau** n. m. V. FAU, hêtre. ◆ **fouet** n. m. (XIII° s., *Fabl.*). Fouet.

III. **fou** adj. V. FEU II, qui a accepté son destin.

four n. m. V. FALZ, taille.

frabalt n. m. V. FRAMBALT, coffre.

fraction n. f. (1187, Delb.; bas lat. *fractio*). 1° Action de briser. — 2° Bruit d'une chose qui se casse.

frados adj. (1155, Wace; germ. **freidi*, déserteur). Pauvre, mendiant : *Desatornés fu et fradous, Bien sambloit home mendios* (Wace).

frael n. m. V. FREEL, panier.

fragon n. m. V. FREGON, petit houx, fragon.

fragrance n. f. (XIII° s., G.; lat. *fragrantia*). Odeur, parfum.

I. **fraier** v. V. FROIER, frotter, briser.

II. **fraier** v., dépenser, payer. V. FRAIT, dépense.

fraile adj. (XI° s., *Alexis;* lat. *fragilem*, qui peut être brisé). 1° Frêle. — 2° Débile : *Li quens Garins de Biaucaire estoit vix et frales (Auc. et Nic.).* ◆ **fraileté** n. f. (1190, saint Bern.). Faiblesse, fragilité.

fraindre v. (1080, *Rol.;* lat. *frangere*). 1° Briser, fracasser. — 2° Renverser, détruire. — 3° Briser la résistance, dompter : *Fraindre les covint e sopleier E crier merci doleros* (Ben.). — 4° Faiblir, céder, être vaincu. ◆ **fraigner** v. (1277, *Rose*). Briser. ◆ **fraignement** n. m. (1120, *Ps. Oxf.*), **-eis** n. m. (1160, Ben.). 1° Brisure. — 2° Bruit, fracas. ◆ **frait** n. m. (XII° s.). Fracas, vacarme. ◆ **fraite** n. f. (1160, Ben.). 1° Bris, cassure, fente. — 2° Brèche, défilé, passage difficile. — 3° Difficulté, hésitation. ◆ **fraiture** n. f. (XII° s., *Part.*). 1° Fracture. — 2° Brèche. — 3° Infraction. — 4° Saisie, confiscation. ◆ **fretin** n. m. (1287, G.). 1° Menu débris. — 2° Bris, fracture. ◆ **frainte** n. f. (XII° s., *Ogier*). 1° Action de briser. — 2° Bruit causé par une chose brisée : *Oi un chevalier venir a cheval, qui fesoit molt grant frainte parmi le bois (Saint-Graal).* — 3° Bruit retentissant, tumulte. — 4° *Faire frainte de*, faire bruit de. ◆ **frainter** v. (fin XII° s., saint Grég.). Résonner, faire du bruit. ◆ **frain** adj. (XIII° s., *Atre pér.*). Brisé, faible.

fraion n. m. V. FROION, coup.

frairie n. f. V. FRARIE, confrérie.

fraische adj. V. FRES, m., frais, vif, ardent.

fraiser, fraser, ferser v. (fin XIIᵉ s., *Alisc.*; lat. pop. **fresare*, de *faba fresa*, fève moulue). Écosser, peler. ◆ **fraise** n. f. (1160, *Eneas*). Tripes : *Moult aime fraise de vallet; An ce sont Troien norri (Eneas).*

fraisne n. m. (1080, *Rol.*; lat. *fraxinum*). Frêne. ◆ **fraisnin** adj. (1080, *Rol.*). De frêne, épithète fréquente de lance. ◆ **fraisnon, fraignon** n. m. (XIIᵉ s.). Le bois de la lance.

frait, fret n. m. (1270, A. de la Halle; convergence entre le francique **fridu*, paix, amende pour rupture de paix, et le lat. *fractum*, bris, infraction, amende). Dépense, frais. ◆ **fraier** v. (1260, *Arch.*). Faire les frais, dépenser, payer.

frambalt n. m. (fin XIIᵉ s., *Aiol*), **-bail** n. m. (1213, *G. de Dole*, orig. incert.). Coffre, malle, sacoche (adaptés au transport à l'aide des bêtes de somme).

franc adj. m., **franche** fém. (XIᵉ s., *Alexis*; du nom de peuple *Franc*). 1º Noble : *Franche gent honoree (Pass. Palat.).* — 2º Libre : *Jo l'en fereie franc (Alexis).* — 3º Désigne, aux XIᵉ et XIIᵉ s., les habitants de la *Francia.* ◆ **francor** adj. plur. (1080, *Rol.*). Des Francs, des Français : *la geste Francor (Rol.), le lignage francor (Cov. Vivien), la langue francor* (J. Bod.), *Monjoie! escrie, c'est l'enseigne francor (Cov. Vivien).* ◆ **françal** adj. (XIIᵉ s., *Roncev.*). Français : *Bien i ferez a la guise françal (Roncev.).* ◆ **franceis** adj. (1080, *Rol.*). 1º Franc, noble. — 2º Français, nom qui désigne les sujets du roi de France. ◆ **francheté** n. f. (1190, Garn.). 1º Franchise, liberté. — 2º Action noble, généreuse. — 3º Bon plaisir, puissance : *Sire, funt il, vostre plaisir ferez Touz nous metons en vostre franchetez (Mon. Ren.).* ◆ **franchise** n. f. (fin XIᵉ s., *Lois Guill.*). 1º Liberté. — 2º Condition libre. — 3º Droits d'une commune. — 4º Noblesse de caractère, générosité. ◆ **franchor** (XIIᵉ s.). Noblesse, générosité. ◆ **franchir** v. (XIIᵉ s., *Trist.*). 1º Affranchir, libérer, délivrer. — 2º Se libérer de, s'acquitter de. ◆ **franchisse-**

ment n. m. (XIIIᵉ s., G.). 1º Libération. — 2º. Dépassement (XIVᵉ s.). ◆ **franctaupin** n. m. (XIIᵉ s.). Soldat des milices villageoises, qu'on utilisait surtout à creuser des fossés et des mines.

I. **frape** n. f. V. FELPE, chiffon.

II. **frape** n. f., coup, bagarre, ruse. V. FRAPER, donner des coups.

fraper v. (fin XIIᵉ s., *Alisc.*; francique **hrappan*). 1º Frapper, donner des coups, battre. — 2º Se jeter, se lancer, se précipiter. ◆ **frap** n. m. (fin XIᵉ s., *Lois Guill.*). 1º Coup. — 2º. Grande multitude : *Frap de gens (Lois Guill.).* ◆ **frape** n. f. (1155, Wace). 1º Coup. — 2º Bagarre. — 3º Ruse, finesse, adresse. *Savoir de frape*, être rusé. — 4º Piège. *Estre en male frape*, être pris au piège. — 5º Situation fâcheuse, difficile. — 6º *Se metre à la frape*, fuir, se mettre en route. ◆ **frapin** n. m. (fin XIIᵉ s., *Rois*). 1º Bruit, tumulte. — 2º Multitude, populace. ◆ **frapier** n. m. (XIIᵉ s.). 1º Agitation, bruit. — 2º Course, fuite. *Metre au frapier*, mettre en fuite. ◆ **frapaille** n. f. (1155, Wace). 1º Foule, bande de canailles. — 2º Bouches inutiles, valets d'armée qui ne se battent pas, gens de rien. ◆ **frapon** n. m. (XIIIᵉ s., *Doon de May.*). Coup.

frarin adj. (1169, Wace; v. *frere*). 1º Pauvre, réduit à la misère : *Tute l'arceveschié remest einsi frarine* (Garn.). — 2º Vil, lâche, faible : *Venge ton pere, filz a putain, frarin (Mort Garin).* — 3º Mauvais, pénible : *en la prison frarine (B. de Seb.).* ◆ **frarin** n. m. (XIIᵉ s.). Petit moine, moinillon.

frasé adj. V. FRESÉ, galonné, plissé.

I. **frau** n. m. V. FAU, hêtre.

II. **frau** n. m. V. FRO, terre inculte, chemin, place publique.

frecenge n. m. V. FRESSANGE, jeune porc.

freel n. m. (fin XIIᵉ s., *Rois;* orig. obsc.). Panier : *Dous cenz freels de figues (Rois).*

frefeil, -fel, -vel n. m. (déb. XIIIᵉ s., R. de Beauj.; orig. incert.; cf. *freu*). Agitation, tumulte, rixe.

fregon, fragon n. m. (xiie s.; bas lat. *frisconem*, houx). Petit houx, fragon.

fregonder v. (xie s.; adaptation misavante du lat. *frequentare*, rassembler). 1° Etre en grand nombre. — 2° Fréquenter. ◆ **fregonde** adj. f. (fin xiie s., *Aiol*). Fréquente, bien remplie : *Entre li rois en la cambre fregonde (B. d'Hanst.).*

fremer v. V. FERMER, attacher, établir.

fremir v. (déb. xiie s., *Voy. Charl.*; lat. pop. **fremire*, pour *fremere*). 1° Faire du bruit. — 2° Retentir. ◆ **fremor** n. f. (1080, *Rol.*). 1° Rumeur, vacarme. — 2° Frémissement (B. de Condé). ◆ **fremillier** v. (xiie s.; en convergence de sens avec *formier*). S'agiter : *de joie fremilla (B. d'Hanst.).* ◆ **fremillon** adj. (1180, R. de Cambr.). 1° Bruissant. — 2° Brillant, étincelant. — 3° Souple : *Ne porent percier son hauberc fremillon (Barbast.).* ◆ **fremillos** adj. (1335, *Rest. du Paon*). Ardent, impétueux.

frener v. (1180, *Rom. d'Alex.*; lat. *frenare*, de *frenum*, frein). 1° Mettre un frein, empêcher. — 2° Réprimer, dompter : *Li reis fu vaillanz Qui frenat tuz les tiranz* (Garn.). ◆ **frein, frain** n. m. (1080, *Rol.*). 1° Frein (en parlant du cheval). — 2° Bride. — 3° Direction, autorité. ◆ **frenure** n. f. (fin xiiie s., B. de Condé). Frein.

freor n. f. (xiie s., *Roncev.*; lat. *fragorem*, fracas, infl. par *esfreer*, effrayer). 1° Bruit, fracas. — 2° Trouble, émoi : *Qar mist estoit a grant freor Qant il ne voiet son seignor (Trist.).* — 3° Hésitation : *metre en freor*, douter. — 4° Peur, frayeur. ◆ **freir** v. (1160, Ben.). Avoir peur. ◆ **freer** v. V. FROIER.

frepe n. f. (1250, *Ren.*; v. *felpe*). 1° Frange, effilé. — 2° Chiffon, vieux habits. ◆ **frepeus** n. m. (1294, G.), **-ier** n. m. (1268, E. Boil.). Fripier. ◆ **freper** v. (xiiie s.). Chiffonner. ◆ **frepillier** v. (xiiie s., *Chans.*). Fureter, chercher.

frequenter v. (1190, saint Bern.; lat. *frequentare*, rassembler). 1° Rassembler. — 2° Célébrer : *Frequentet om ancor la memore de sa conversion* (saint Bern.).

frequence n. f. (1190, saint Bern.). 1° Assemblée, affluence. — 2° Cour, société, compagnie. ◆ **frequentise** n. f. (xive s., *Geste de Liège*). Affluence.

frere n. m. (842, *Serm.*; lat. *fratrem*). Frère. ◆ **freror, fraror** adj. plur. invar. (1190, Garn.). 1° Des frères : *frere fraror, cousin fraror*, cousin germain. — 2° Fraternel. ◆ **frerie, frarie** n. f. (1160, Ben.). 1° Amitié, fraternité. — 2° L'ensemble d'un ordre religieux : *Par vous, par vostre lecherie Suy je mis en la fraierie Saint Arnoul, le seigneur des cous (Rose).* — 3° Confrérie, corporation. ◆ **fraresche** n. f. (xiiie s., *Établ. Saint Louis*). 1° L'ensemble des frères, des parents. — 2° *Parent de freresche*, parent du côté du frère. — 3° Fraternité : *Je ne le doi Amer que par droit de fraresche (Fabl. d'Ov.).* — 4° Succession indivise ou partagée entre frères. ◆ **frerage** n. m. (1267, *Arch.*). Succession indivise ou partagée entre frères, indivision.

fres, freis adj. m., **fraische** f. (1080, *Rol.*; francique **frisk*). 1° Frais, fraîche. — 2° Qui n'est pas flétri. — 3° Vif, ardent : *Les Bretuns tint od sei, ki de juster sunt freis* (Wace). ◆ **freschet** adj. (1271, *Rose*). Dimin. de *frais*. ◆ **freschir** v. (1120, *Ps. Oxf.*). Rafraîchir.

fresé, frasé adj. (1170, *Percev.*; francique **frisi*, bord, frisure). Galonné, plissé : *Brandist l'espee au confenon fresé (Loher.).* ◆ **fresel** n. m. (1160, *Eneas*), **-ele** n. f. (xiie s., *Part.*). 1° Frange, garniture, ruban. — 2° Peigne, ornement de tête. ◆ **freseler** v. (1160, Ben.). 1° Etre orné de rubans, de franges. — 2° Onduler, flotter. — 3° Briller. ◆ **fresillant** adj. (1235, H. de Méry). Qui brille.

fressange, fressage n. m. ou f. (1184, *Arch.*; germ. *frisking*, jeune porc; de *frisk*, frais). 1° Jeune porc. — 2° Redevance pour les cochons de lait nourris dans la forêt du seigneur.

freste n. m., sommet. V. FEST, faîte.

I. **frestel** n. m. (1155, Wace; lat. pop. **fistellum*, pour *fistula*, flûte). Flûte à sept tuyaux attachés ensemble. ◆ **fresteler** v. (xiiie s., H. de Cambr.). 1° Jouer de la flûte. − 2° Jouer d'un instrument à vent. − 3° Faire du bruit : *La guete* [...] *Devant le jor corne et fretele* (H. de Cambr.).

II. **frestel** n. m. (1250, *Ren.;* orig. incert.; v. le précédent). 1° Bruit, tapage. − 2° Caquet, parole. *Represter le frestel,* laisser l'interlocuteur parler à son tour. ◆ **fresteler** v. (fin xiie s., *Alisc.*). 1° Résonner, retentir. − 2° Parcourir en galopant à grand bruit. − 3° Courir au galop.

fret n. m. V. FRAIT, dépense, frais.

freter v. (fin xiie s., *Auc. et Nic.;* lat. pop. *firmitare,* de *firmus,* ferme). 1° Maintenir par des cordes entrelacées, par un grillage. − 2° Consolider. − 3° Garnir d'un cercle de fer. ◆ **frete** n. f. (xiiie s., *Fabl.*). 1° Frette, virole de fer. − 2° Grillage. − 3° Losange. ◆ **freté** adj. (1170, *Fierabr.*). 1° Losangé. − 2° Orné, paré. ◆ **freté, ferté** n. f. Forteresse.

freton n. m. V. FERTON, petite monnaie d'argent.

freu n. m. (1180, *Rom. d'Alex.;* orig. incert.). Tumulte, trouble, rixe : *Ne faites ne noise ne freu (Florim.).*

frevel n. m. V. FREFEIL, agitation, rixe.

friant adj. (1250, *Ren.;* p. présent de *frire*). 1° Gourmand, voluptueux : *Molt a en vos pute friant (Ren.).* − 2° Qui grille d'impatience, vif, ardent. − 3° Appétissant. ◆ **friandel** adj. (xiiie s., Muset). Appétissant : *Et j'ai le vin au tonel Froit et fort et friandel* (Muset).

friçon n. f. (1162, *Fl. et Bl.;* bas lat. *frictionem*). 1° Frisson : *Tantes foiz m'ont mis en frichon (Trist.).* − 2° Peur, frayeur.

friente n. f. (xiie s., *Barbast.;* lat. *fremita,* pour *fremitum*). 1° Vacarme. − 2° Bruit de pas de chevaux : *Si escoute et ot venir une friente de chevax (Queste Saint-Graal).* − 3° Hennissement. ◆ V. FRAINTE, bris, tumulte. ◆ **frienter** v. (fin xiie s., saint Grég.). 1° Hennir. − 2° Hurler, crier.

frier v. V. FROIER, frotter.

friez n. m. (1265, J. de Meung), **frie** n. f. (1283, Beaum.; orig. incert., peut-être de *fractitium,* de *fractum*). Terre en friche. ◆ **frienche** n. f. (1310, *Arch.*). Terre en friche.

frime n. f. (xiie s., *Trist.;* scand. *hrim*). Frimas. ◆ **frimer** v. (xiie s., *Part.*). 1° Etre couvert de frimas, de neige. − 2° Trembler.

fringue n. f. (1180, *G. de Vienne;* orig. obsc.). 1° Sautillement, danse. − 2° Divertissement.

frioler v. (1265, J. de Meung; fréq. de *frire*). 1° Frire. − 2° Consumer, dévorer. − 3° Etre avide, friand. ◆ **friolet** adj. (xive s.). Friand. ◆ **frioleté** n. f. (xiiie s., *Bat. de Quaresme*). Pâtisserie légère.

frion n. m. (déb. xive s., J. de Condé; orig. obsc.). Linotte, verdier.

friper v. (1265, J. de Meung; orig. incert.; v. *freper,* chiffonner). S'agiter : (Ma beauté) *Qui ces vallés faisoit friper* (J. de Meung).

frique adj. V. FRISCHE, vif, galant, fort, bon.

frire v. (1190, J. Bod.; lat. *frigere*). 1° Frire. − 2° Frissonner, trembler, tressaillir. − 3° Pétiller (en parlant du vin). − 4° Brûler de désir, frémir : *S'amie qui tout le fet frire Quant il se tient de li plus pres (Rose).* ◆ **friture** n. f. (déb. xiie s., *Ps. Cambr.;* lat. pop. *frictura*). 1° Friture. − 2° Terme d'injure : *Tais mais, gars et friture (Rom. d'Alex.).* ◆ **fritel** n. m. (1204, R. de Moil.). Pâte frite contenant du hachis.

frische, frique adj. (xiie s., *Chev. cygne;* orig. incert.; cf. germ. *friks,* avide, entreprenant). 1° Gaillard, vif, gai, galant. − 2° Fort, violent : *Un chastel bel et fort et frique* (Guiart). − 3° Bon, valable : *Qui ont trouvees raisons friques* (A. de la Halle).

fro, frau, frot, froc, flot n. m. (1283, Beaum.; orig. obsc.). 1° Terre inculte et abandonnée. − 2° Chemin public près de la ville. − 3° Place communale.

I. **froc** n. m. (1155, Wace), **froche** n. f. (XIIᵉ s., francique **hrokk,* habit). Froc, sorte de surplis que portaient les ecclésiastiques.

II. **froc** n. m. V. FRO, terre inculte.

frocine n. f. (1160, *Athis;* orig. incert.). Fille ou femme de basse condition, servante : *Alemandine Qui n'estoit garce ne frosine, mais fille au duc de noble affaire (Athis).*

frogier v. V. FRUCHIER, fructifier, profiter.

I. **froi, froit** n. m. (1150, *Thèbes;* germ. **frog).* Crapaud.

II. **froi** adj. (1160, Ben.; probabl. de *orfroi,* senti comme mot composé). Paré, orné : *D'or et de pierres estoit frois* (Ben.).

froier v. (1155, Wace; lat. *fricare,* frotter). 1º Frotter. — 2º Frapper. — 3º Rompre, briser : *Vostre lance est froee (Durm. le Gall.).* ◆ **froi** n. m. (XIVᵉ s.), **froiement** n. m. (XIVᵉ s., *Gloss. Conches).* Frottement, froissement, bris. ◆ **froion** n. m. (XIIᵉ s., *Ogier).* Coup.

froigne n. f. (XIVᵉ s., gaul. **frogna,* narine). Mine renfrognée : *Me reboute arrier Et fait la frongne* (Froiss.).

froissier v. (1080, *Rol.;* lat. pop. **frustiare,* de *frustum,* fragment). 1º Briser, rompre : *Les os li fait froissier (Ogier).* — 2º Fracasser, forcer. — 3º Meurtrir. — 4º Se briser. ◆ **frois** n. m. (1160, Ben.), **froissement** n. m. (1285, Aden.), **-eis** n. m. (1155, Wace). 1º Froissement, bris. — 2º Bruit que font les objets qui s'entrechoquent, fracas, cliquetis d'armes : *le frois des lances* (Chr. de Tr.). — 3º Mêlée, tumulte. — 4º *A un frois,* d'un seul coup. ◆ **froissure** n. f. (fin XIIᵉ s., *Loher).* 1º Froissement. — 2º Fracture, brisure. ◆ **froit, fruit, freit, freu** adj. (XIIᵉ s., *Éd. le Conf.).* Violent, emporté : *Quant vous assaut li fel, li froiz, Du signe de la vraie croiz Se doit couvrir* (Coincy). ◆ **froiterie** n. f. (XIIᵉ s., *Éd. le Conf.).* 1º Violence, mauvais traitements. — 2º Félonie.

froissure n. f. (1220, Coincy; lat. pop. **frixura,* du bas lat. *frixare,* frire). Ensemble des viscères.

I. **froit, freit** adj. (1080, *Rol.;* lat. *frigidum*). 1º Froid. — 2º Triste : *Dont ont oui froides nouvelles (Thèbes).* ◆ **froidor** n. f. (déb. XIIᵉ s., *Ps. Cambr.).* ◆ **frieuleus, frilos, froleus** adj. (1180, *Rom. d'Alex.;* bas lat. *frigorosum).* 1º Qui a froid. — 2º Froid (en parlant des choses). ◆ **froidier** v. (1160, *Athis),* **-ir** v. (1160, *Athis),* **-oier** v. (1170, *Fierabr.).* Se refroidir : *Amors [...] Froidier lui fait et eschaufer (Athis).* ◆ **froidure** n. f. (déb. XIIᵉ s., *Ps. Cambr.).* 1º Froid. — 2º Refroidissement.

II. **froit** n. m. V. FROI, crapaud.

froment n. m. (XIIᵉ s.; lat. pop. **frumentum*). 1º Froment, la meilleure espèce de blé : *Tout fromment, tout blé, tout orge* (E. Boil.). — 2º Vivres. ◆ **fromentee** n. f. (1290, W. de Bibbesw.). Bouillie de farine de froment. ◆ **fromentas** n. m. (1291, *Arch.).* Paille de froment, litière d'hiver.

fromis n. m. V. FORMIS, fourmi.

fronchier v. (XIIᵉ s., *Ogier),* **-ir** v. (XIIᵉ s., G. de Cambr.; orig. obsc.). 1º Ronfler, renâcler : *Li paien dort et fronque durement (Ogier).* — 2º Grogner. — 3º Hennir. — 4º Etre revêche.

froncir v. (1160, *Eneas;* francique **hrunkjan).* 1º Rider, plisser. — 2º Se rider, vieillir, dépérir. ◆ **fronce** n. f. (déb. XIIᵉ s., *Ignaure).* Ride, pli, froncement. ◆ **froncine** n. f. (1205, *G. de Palerne).* Sorte de parchemin français.

froncle n. m. V. FERONCLE, furoncle.

fronde n. f. V. FONDE, fronde.

front n. m. (1080, *Rol.;* lat. *frontem*). 1º Front. — 2º La tête, les premières lignes d'une armée. — 3º Façade (d'une maison). — 4º *Front a front,* face à face. ◆ **frontel** n. m. (1150, *Thèbes).* 1º Front. — 2º Partie avancée d'une armée. ◆ **frontier** n. m. (fin XIIᵉ s., *Ogier).* Front. ◆ **frontiere** n. f. (XIIIᵉ s., G.). 1º Front d'une armée. *Faire frontiere,* se mettre en bataille. — 2º Frontière. — 3º Façade. — 4º Place fortifiée. ◆ **fronter** v. (XIVᵉ s.). 1º Faire front, attaquer de front. — 2º Etre en façade.

frou n. m. V. FOLC, troupeau, foule.

fruit n. m. (xe s.; lat. pop. *fructum*, revenu, fruit). 1° Fruit. — 2° Enfant, petit. ◆ **fruiterie** n. f. (1261, *Arch.*). Collectif de fruit, fruits bons à manger. ◆ **fruchier, frogier, fruitier** v. (1190, Garn.). 1° Porter des fruits, fructifier. — 2° Atteindre le résultat, profiter, servir : *Il ne fait pas bon luitier A coze qui ne peut fruitier* (B. de Condé).

frumail n. m. V. FERMAIL, ce qui sert à fermer.

I. **frume** n. f. (xiie s., *Richaut;* orig. obsc.). 1° Mine, mauvaise mine, mauvaise humeur : *C'est uns servans de male frume* (*Fabl.*). — 2° Faux-semblant, tromperie : *Renart, qui sait de toutes frumes (Ren.).* ◆ **frun** adj. (1270, Ruteb.). Qui a mauvaise mine.

frumer v. V. FERMER, fixer, attacher, fortifier.

fubler v. (xiie s., *Conq. Irl.;* lat. *fibulare*, de *fibula*, agrafe). 1° Habiller. — 2° Se vêtir, se parer.

fuc n. m. V. FOLC, troupeau, foule.

fueil n. m. V. FOIL, feuille.

fuer, fuor, for, fer n. m. (1160, Ben.; lat. *forum*, marché). 1° Prix, tarif, taux. *A cruel fuer,* en payant cher. *A nul fuer,* à aucun prix. *Tel fuer, tele vente,* au cours du marché. — 2° Mesure, proportion. *Au fuer,* en proportion. *Au fuer de,* à raison de, à la manière de. *Au fuer que,* selon que. — 3° État, considération. *Ne fuer ne pris,* rien du tout. — 4° Manière, façon : *Ha! Diés, se mes peres savoit que ie vesquisse a si vil fuer* (*Court. d'Arras*).

I. **fuere, foare, foirre** n. m. (1180, *R. de Cambr.;* germ. *fôdre,* nourriture). 1° Paille, chaume, foin. — 2° Fourrage. *Aler en fuere, courir en fuere,* fourrager. — 3° Pillage. *Metre un pais a fuerre,* le livrer au pillage. ◆ **fuerer** v. V. FORER, fourrer.

II. **fuere** n. m. (fin xiie s., *Loher.;* germ. *fôdre,* homonyme du précédent). 1° Fourreau, gaine de l'épée. — 2° Gaine, étui en général.

fuers adv. et prép. V. FORS, hors, dehors.

fuildre, foidre n. f. (1080, *Rol.;* bas lat. **fulgerem*). Foudre. ◆ **fuildrant** adj. (xiie s., *Ps.*). Fulgurant, foudroyant.

fuir v. (xe s., *Eulalie*), **fuier** v. (xiiie s.; lat. pop. **fugire* et **fugare*). 1° Mettre en fuite : *Tot ariere les vont menant, Pasevent les, sis vont fuiant (Eneas).* — 2° Fuir, s'enfuir. ◆ **fuie** n. f. (fin xiie s., *Cour. Louis*). **fuite** n. f. (1190, J. Bod.). Fuite. *Estre tous jours a la fuite,* avoir le pied léger à disparaître. ◆ **fuios** adj. (xiie s.), **fuiable** adj. (fin xiie s., saint Grég.). Qui fuit, fugitif. ◆ **fuitis** adj. (1155, Wace). 1° Absent. — 2° Errant, vagabond (terme de mépris).

fuire n. f. (déb. xiie s., *Ps. Cambr.;* lat. *furia*). 1° Furie (nom propre de divinité). — 2° Fureur.

fuisel, fuissiel n. m. (1138, Gaimar; lat. *fusticellum,* dim. de *fustis,* bâton, confondu avec *fusel,* du lat. *fusellum,* de *fusus,* fuseau). 1° Morceau de bois, cheville. — 2° Baguette, fuseau.

fuisil n. m. V. FOISIL, pierre à feu, baguette à aiguiser.

fulgor n. f. (1130, *Job;* lat. *fulgus, -oris*). Éclat, splendeur. ◆ **fulgure** n. f. (1308, Aimé). Foudre, éclair.

fum n. m. (déb. xiie s., *Ps. Cambr.;* lat. *fumun*). 1° Fumée, vapeur. — 2° Parfum. ◆ **fumee** n. f. (1175, Chr. de Tr.), **-ier** n. m. (xiie s.). Fumée, vapeur. ◆ **fumiere** n. f. (1160, Ben.). 1° Fumée, vapeur : *Del cors li saut une fumiere* (R. de Beauj.). — 2° Transport de cerveau, folie. ◆ **fumer** v. (xiie s., *Ps.*). Dégager de la fumée. ◆ **fumage** n. m. (1321, *Arch.*). Droit payé par ceux qui faisaient feu et fumée.

I. **fumage** n. m., sorte de redevance. V. FUM, fumée.

II. **fumage** n. m., action de fumer la terre. V. FUMER, amender avec du fumier.

fumer v. (xive s.). V. FEMER, amender avec du fumier. ◆ **fumage** n. m. (1254,

Charte). Action de mettre du fumier dans une terre. ◆ **fumeras** n. m. (XIIIe s.). Fumier.

fun n. m. (fin XIIe s., saint Grég.; lat. *funem*). Corde, amarre. ◆ **funel** n. m. (1120, *Ps. Oxf.*). Corde, lacs, rets, filet. ◆ **funain, funin** n. m. (1160, Ben.; lat. pop. **funamen*, de *funis*). Cordage, ensemble de cordages.

fungier v. (déb. XIIe s., *Ps. Cambr.;* lat. *fumigare*). 1° Exhaler de la fumée, fumer. — 2° Enfumer. ◆ **fungiere** n. f. (XIIe s.). Fumée, vapeur.

fuor n. m. V. FUER, prix, mesure, manière.

I. **fur** n. m. (1169, Wace, lat. *furem*). Voleur : *N'ose issir de la vile par cler ne par oscur* [...] *si vivra cume fur* (Wace). ◆ **furt, fur** n. m. (1160, Ben.; lat. *furtum*), **furte** n. f. (1308, Aimé). Vol, larcin. ◆ **furer** v. (1308, Aimé). Voler, dérober. ◆ **furgier** v. (1250, *Ren.;* lat. pop. *furicare*, de *fur*). 1° Chercher. — 2° Fouiller.

II. **fur** n. m. V. FUER, prix.

furfre n. m. (1290, W. de Bibbesworth; lat. *furfurem*, son). 1° Son, partie la plus grossière du blé moulu. — 2° Maladie de la peau qui se manifeste par les écailles qui se détachent, particulièrement à la tête.

fusicien n. m. V. FISICIEN, médecin.

fust n. m. (1080, *Rol.;* lat. *fustem*, bâton, pièce). 1° Bois. — 2° Pièce de bois, poutre. — 3° *Saint fust*, la sainte croix. — 4° Fétiche en bois : *En chel fust as i tu creanche?* (J. Bod.). — 5° Manche d'une épée, d'une lance, bois d'un bouclier, arme de bois en général. — 6° Porte. — 7° Fût, tonneau. — 8° Souche, origine. *Un cuer de fust*, un cœur de roche. ◆ **fustaille** n. f. (XIIe s., *Rom. des Rom.*). 1° Pièce de bois. — 2° Assiette de bois. ◆ **fusteis** n. m. (1270, Ruteb.). 1° Bois. — 2° Tonneau. ◆ **fustage** n. m. (1288, J. de Priorat). 1° Bois. — 2° Futaie. — 3° Futaille. ◆ **fuster** v. (1210, *Dolop.*). 1° Travailler le bois. — 2° Bâtonner. — 3° Fouiller, battre le bois. — 4° Piller, ravager. ◆ **fusteor** n. m. (fin XIIIe s., B. de Condé). Charpentier, tonnelier.

futaine n. f. (1234, G.; lat. médiév. *fustaneum*). Coton.

g

gaaignier, gaegnier, gaignier
v. (1155, Wace; germ. *waidanjan*, chercher de la nourriture). 1° Faire paître. —
2° Labourer, cultiver, ensemencer. —
3° Engendrer : *Chieus vieus leres le
waaigna* (A. de la Halle). — 4° Faire du
butin, du profit. — 5° Faire du commerce :
*qui s'en aloit en tere de Sarrasins pour
gaagnier (Fille du comte de P.).* —
6° Gagner, au sens général. ◆ **gaaing,
gain** n. m. (1189, *Arch.*). 1° Pâturage. —
2° Terre labourable. — 3° Produits de la
terre, récolte. — 4° Temps de la récolte,
automne. — 5° Butin. — 6° Gain. *Estre
a un gain,* faire partie d'une même association de marchands. ◆ **gaaigne** n. f.
(1180, *Rom. d'Alex.*). 1° Gain, profit en
général. — 2° Travail, occupation : *Alees
sont en lor gaaigne, et je sui remés en
ostage (Court. d'Arras).* — 3° Profit de la
victoire, butin. — 4° Terre labourable;
récolte. — 5° Lettre qui atteste authenti-
quement quelque chose (jurid.). ◆ **gaai-
gnee** n. f. (1220, Coincy). Gain, produit
de la récolte. *Gaignee bien,* pourboire.
◆ **gaaignement** n. m. (1155, Wace). Gain.
◆ **gaaignage** n. m. (1160, Ben.). 1° Gain,
profit, butin. — 2° Culture de la terre,
terre de labour, récolte, grain. ◆ **gaagnerie**
n. f. (1150, Wace). 1° Labourage, terre
labourable. — 2° Métairie, ferme. —
3° Travail, métier, revenus du travail :
*Qui ma vie en cuer lira ... Ou qui de sa
gaaignerie volra avoir la moie aie* (Wace).
◆ **gaaigneor** n. m. (1160, Ben.). 1° Laboureur. — 2° Celui qui gagne, qui fait des
profits. ◆ **gaaignable** adj. (1155, Wace),
-**age** adj. (1200, *Quatre Fils Aymon*).
Cultivable : *En la terre cultive, ki est dit
en vulgat wanable* (1200, *Lois de la cour
de Hainaut*). ◆ **gaagnant** adj. (XIIIᵉ s.,
Court. d'Arras). *Bien gaagnant.* 1° Indus-
trieux, travailleur : *... biele dame mignote*

*et cointe, bien gaagnant et bien repointe
(Court. d'Arras).* — 2° Qui fait des profits
honnêtes. ◆ **gaaigne-pain** n. m. (XIIIᵉ s.,
Tourn. Chauvenci). Gantelet de tournoi.
◆ **gaaigne-obole** n. m. (1326, *Cart.*).
Gagne-petit.

gaber v. (1080, *Rol.*; scand. *gabba,*
railler). 1° Plaisanter, jouer des farces. —
2° Se moquer de : *Ne me gabés mie (Auc.
et Nic.).* — 3° Tourner en dérision : *Et
einsi seront gabé et escharni par lor
pechié (Queste Saint-Graal).* ◆ **gab** n. m.,
gas cas sujet (1080, *Rol.*), **gabe** n. f.
(fin XIIᵉ s., *Loher.*). 1° Plaisanterie,
moquerie : *Quant vint al traire des espees
Ne fu mie puis l'oevre de gas* (Ben.). —
2° Ruse, tromperie. ◆ **gabement** n. m.
(déb. XIIᵉ s., *Voy. Charl.*), -**erie** n. f.
(1169, Wace), -**ois** n. m. (1190, J. Bod.),
-**oie** n. f. (1250, Ren.), -**ance** n. f. (XIIIᵉ s.,
Maug. d'Aigr.). Plaisanterie, raillerie.
◆ **gabel** n. m. (1180, *Rom. d'Alex.*),
-**il** n. m. (1169, Wace), -**et** n. m. (1250,
Ren.). Moquerie, raillerie. ◆ **gabeor** n. m.
(XIIᵉ s., *Trist.*). Railleur, plaisantin.

I. gable n. m. (déb. XIIᵉ s.; *Ps. Cambr.;*
orig. obsc., arabe ou germ.). 1° Intérêt,
usure : *Le besant Deu metrai a gable Por
desconfere le deable (Best. div.).* —
2° Profit. ◆ **gabler** v. (XIIᵉ s., *Dit du
Besant*). Exercer l'usure. ◆ **gableor** n. m.
(1120, *Ps. Oxf.*), -**ier** n. m. (XIIᵉ s., *Rom.
des Rom.*). Usurier.

II. gable n. m. et f. (1338, *Actes norm.;*
norrois *gafle,* pignon). Pignon monumen-
tal, fronton de maison.

gabuser v. V. CABUSER, tromper.

gacel n. m. V. GASCHEL, marais,
bourbier.

gade n. f. (XIIIᵉ s.; orig. obsc.). Chèvre.
◆ **gadel** n. m. (1220, Coincy). Chevreau.

gaegnier v. V. GAAIGNIER, faire
paître, labourer, engendrer, faire du profit.

gaer, gaier v. (1150, *Pèler. Charl.;*
v. *guet,* gué). 1° Marcher dans l'eau,
passer à gué. — 2° Plonger dans l'eau,
baigner, laver. — 2° Abreuver.

gage n. m. (fin XIᵉ s., *Lois Guill.;* lat.
pop. **wadium,* francique **waddi*).

1° Gage, caution. *Veer son gage,* refuser de donner une caution. — 2° Gage, bien engagé. — 3° Engagement. — 4° *Gage plege,* garantie ou cautionnement pour lequel on était soumis devant la loi. ◆ **gagier** v. (fin XIIe s., *Aiol*). 1° Donner, mettre en gage, garantir. — 2° Prendre comme gage, arrêter. — 3° S'engager à payer, s'engager à. — 4° *Gagier son seignor de son service,* refuser à son seigneur de faire le service du fief. — 5° Délibérer en justice. ◆ **gagement** n. m. (1268, E. Boil.), **-erie** n. f. (1247, Ph. de Nov.), **-iere** n. f. (1220, Lettre). 1° Engagement, obligation. — 2° Objet engagé. — 3° Saisie. ◆ **gageure** n. f. (XIIIe s., *Fabl*.). Hypothèque, engagement. ◆ **gageaille** n. f. (XIIIe s., *Fabl*.). Gageure, enjeu. ◆ **gagier** n. m. (1265, *Arch*.). 1° Exécuteur testamentaire. — 2° Dépositaire des gages.

I. gai n. m. (1180, *R. de Cambr.;* bas lat. *gaius,* n. propre servant de sobriquet). 1° Geai. — 2° Oiseau de bois servant de cible pour le tir à l'arc.

II. gai adj. (1175, Chr. de Tr.; francique **wahi,* bouillant, impétueux?). 1° Gai, joyeux. — 2° Gentil. ◆ **gaiet** adj. (1287, Aden.). Dimin. de *gai*.

gaiant n. m. V. JAIANT, géant. ◆ **gaianderie** n. f. (XIIe s., *Chev. cygne*). Pays des géants.

I. gaiet n. m. V. GEST, jais.

II. gaiet adj. V. GAI, gai.

gaif, guef n. m. (1292, *Britton;* d'orig. germ.). Chose perdue et que personne ne réclame. ◆ **gaif** adj. (1315, *Ord.*). Abandonné, égaré. ◆ **gaiver, guesvér** v. (1304, *Year Books*). 1° Égarer, abandonner. — 2° Céder au seigneur la jouissance d'une maison mouvante de la censive pour une année. ◆ **gaivage** n. m. (1336, *Arch.*). Droit de s'emparer des objets et des animaux non réclamés.

gaignart adj. (XIIe s., *Asprem.*); orig. incert.; v. GAAING, butin, au mot GAAIGNIER), 1° Cruel, violent (couplé souvent, comme épithète, avec *felon*) : *Fel fu et fiers, orgellos et gagnart (Asprem.).* — 2° Pillard, voleur.

gaignier v. V. GAAIGNIER, paître, profiter.

gaignon n. m. (1169, Wace; orig. incert., v. *gaignart,* cruel, pillard). 1° Mâtin, dogue, chien de basse-cour. — 2° Bête cruelle. — 3° Homme vil et méchant. — 4° Hargneux comme un chien.

gaillart adj. (1080, *Rol.,* prob. du gallo-roman **galia,* force). Vigoureux. ◆ **gaillofre** n. m. (1306, Guiart). Rosse, mauvais cheval.

gaimanter, gar-, guer-, gue- v. (XIIe s., *Pir. et Tisb.;* formation sur le modèle de *lamenter,* à partir de l'interj. *guai!* hélas). 1° Se lamenter, gémir : *Joie ai changiee por plorer … Et leesce por gamenter (Pir. et Tisb.).* — 2° Regretter, déplorer, plaindre : *Chascuns la plaint et la gaimante* (Ruteb.). ◆ **gaimant** n. f. (fin XIIe s., saint Grég.), **-eis** n. m. (fin XIIe s., *Rois*), **-ement** n. m. (XIIe s., *Éd. le Conf.*). Lamentation, gémissement. ◆ **garmenterie** n. f. (1119, Ph. de Thaun). Divination. ◆ **gaimentos** adj. (XIe s., *Alexis*). 1° Qui se lamente. — 2° Lamentable.

gaine n. f. (XIIe s.; lat. pop. **wagina,* du lat. *vagina,* avec infl. germ.). Fourreau. ◆ **gainier** n. m. (1250, *Ren.*). Fabricant de fourreaux.

gaiole n. f. V. JAIOLE, geôle. ◆ **gaiole** adj. f. (1175, Chr. de Tr.). Soumise, entichée : *Ele est de vos toute gaiole La dame* (Chr. de Tr.).

gaire, gaires adv. (1080, *Rol.;* francique *waigaro,* beaucoup). 1° Beaucoup, longtemps : *S'en la cage sui gaires* (Ph. de Nov.). — 2° Dans l'énoncé négatif, pas beaucoup, pas longtemps : *Vo feme, Adam, ne l'en doit waires* (A. de la Halle). ◆ *Dusqu'a ne gaires,* presque, bientôt (Chr. de Tr.).

gaitier, guaitier v. (1080, *Rol.;* francique *wahtôn,* all. *wachten*). 1° Faire le guet. — 2° Etre sur ses gardes, prendre garde : *Un jour fist li paiens requerre Les crestiens en itel point Que il ne se gaitoient point* (J. Bod.). — 3° Surveiller, veiller à. ◆ **gait** n. m. (XIIIe s.). Guet;

◆ **gaite** n. f. et m. (1160, *Eneas*). 1°
Action de guetter. − 2° Guetteur, sentinelle. − 3° Espion, voleur de grand chemin. ◆ **gaitement** n. m. (1170, *Fierabr.*).
1° Guet. − 2° Garde. − 3° Embuscade.
◆ **gaitage** n. m. (1265, *G.*). Impôt pour
la garde d'une ville.

I. **gal** n. m. (XIIᵉ s., *Conq. Jér.*; variante
de *cal-, pierre, d'origine pré-indo-
européenne). Caillou. ◆ **galet** n. m.
(XIIᵉ s., *Part.*). Petit caillou, galet.

II. **gal** n. m. V. JAL, coq.

III. **gal** n. m. V. GALT, bois, forêt.

galafre n. m. V. GALIFRE, oiseau de
proie.

galande n. f. V. GARLANDE, peigne,
guirlande, enceinte.

galcrer, vaucrer v. (1160,
Eneas; germ. *walk*, marche). Voguer :
Les nes comancent a vaucrer (Eneas).

I. **gale, jale** n. f. (1176, E. de Fougères; orig. obsc.). Mesure de capacité
pour les liquides. ◆ **galon** n. m. (XIIᵉ s.,
Asprem.). Mesure pour les liquides, les
grains, etc. ◆ **galonee, gelonee** n. f.
(1265, *G.*). Mesure de capacité pour les
choses sèches : grains, sel, etc. (*G.*).

II. **gale, galle** n. f. (déb. XIIIᵉ s.,
Clef d'Am.; lat. *galla*). Excroissance.

III. **gale** n. f., réjouissance, fête,
parure. V. GALER, s'amuser.

galee, galie n. f. (1080, *Rol.*; anc.
ital. *galea*, mot byzantin d'orig. arabe).
Galère, petit navire de guerre long et
étroit. ◆ **galion** n. m. (1272, Joinv.; esp.
galeon, de galie). Petite galère à un seul
rang de rames. ◆ **galiot** n. m. (XIIᵉ s.,
Part.). 1° Petit navire. − 2° Rameur dans
une galie, matelot, galérien. − 3° Pirate,
corsaire. ◆ **galiote** n. f. (XIVᵉ s.). Petite
galère.

galentir v. V. GARANTIR, protéger,
défendre.

galer v. (1220, Coincy; haut allem.
wallan, bouillonner). 1° S'amuser. −
2° Faire la noce, danser, se régaler. −
3° Dépenser en faisant la noce. ◆ **gale**

n. f. (1270, Ruteb.). 1° Réjouissance, plaisirs, amusement. − 2° Joyeuse vie, banquet, fête. − 3° Parure, habits somptueux.
◆ **galerie** n. f. (1349, G. li Muisis).
Réjouissance. ◆ **gaalise** n. f. (XIIᵉ s.,
Blancandin). Lieu de prostitution : *Et la
pucelle seroit mise A ses garçons en gaalise (Blancandin).* ◆ **galant** adj. (1318,
Gace de la Bigne). 1° Réjouissant. −
2° Vif, hardi. ◆ **galet** n. m. (1337, *Cart.*).
Joyeux compagnon. ◆ **galete** n. f. (1337,
Cart.). Femme qui aime le plaisir. ◆
galois, -ais adj. (1250, *Ren.*). 1° Vif,
plaisant. − 2° Beau, galant. − 3° n. m.
(1314, *Fauvel*). Homme de plaisir, bon
vivant. − ◆ **galoise** n. f. (1337, *Cart.*).
Femme qui aime le plaisir, femme
galante. ◆ **galier, -oier** v. (1169, Wace).
Plaisanter, se moquer de.

galerne n. f. (déb. XIIᵉ s., *Voy. Charl.*;
orig. obsc.; représente le lat. pop.
*galerna, d'origine probabl. celtique).
Vent du nord-ouest.

galesche adj. fém. (déb. XIIIᵉ s.,
R. de Beauj.; lat. pop. *gallisca, de
Gallus). Gauloise, surtout pour désigner
la *lieue galesche.* ◆ **galge** adj. (fin XIIᵉ s.,
Auc. et Nic.; lat. *gallica*). Se dit d'une
espèce de grosse noix. ◆ **galgier** n. m.
(XIIIᵉ s.). Noyer. ◆ **galot, galou** adj.
(XIIIᵉ s., *Chron. Saint-Denis*). Qui se
sert de la langue française : *Tant de
Bretagne galot comme bretonnant (Gr.
Chron. de Fr.).*

galifre, galafre n. m. (1180, *Rom.
d'Alex.*; orig. obsc.). Nom d'un oiseau
de proie.

galilee n. f. (1220, *Saint-Graal*; orig.
obsc.). Porche d'église.

galine n. f. V. GELINE, poule.

galingal, garingal n. m. (1138,
Saint Gilles; ar. *khalangan*, du persan).
Racine d'une plante aromatique des Indes,
épice très estimée au Moyen Age.

galir v. V. JALIR, jaillir.

galne, gane, gaune adj. V. JALNE,
jaune.

galoberie n. f. (XIIᵉ s., *Rom. des
Rom.*; orig. obsc.). Débauche. ◆ **galobier**
adj. (1330, *G. de Rouss.*). Gaillard.

galoie n. f. V. JALOIE, mesure de capacité.

galoner v. (1160, *Eneas*; orig. obsc.). 1° Orner la chevelure avec des fils d'or, des rubans. — 2° Tresser les cheveux avec les rubans.

galoper v. (1180, *R. de Cambr.*; francique *walahlaupan*, bien courir). Aller au galop, galoper. ◆ **galop** n. m. (1080, *Rol.*). Galop (employé souvent au pluriel). ◆ **galopel** n. m. (XII⁰ s., *Chétifs*), **-et** n. m. (XIII⁰ s., *Fabl.*). **-on** n. m. (1200, *Ren. de Montaub.*). Petit galop, galop. *Les galopiaus*, au galop.

galt, gal n. m. (1080, *Rol.*; germ. *wald*, bois). 1° Bois, forêt. — 2° Bocage, broussailles. — 2° Le bois d'une arme. — 3° Déduit amoureux : *Quant a mené o als son galt, De nule feme ne li chalt* (*Eneas*). ◆ **galdee** n. f. (fin XII⁰ s., *Loher.*). Forêt. ◆ **galdine** n. f. (1160, *Eneas*). 1° Forêt. — 2° Bocage, feuillée : *Esgarda par le gaudine Et vit la rose espanie Et le oisax qui se crient* (*Auc. et Nic.*). ◆ **gaudin** adj. (XIII⁰ s., Th. de Kent). Des bois.

gamanter v. V. GAIMANTER, se lamenter.

gambais, -el n. m. (1169, Wace; germ. *wambeis*). Pourpoint rembourré qui se plaçait sous le haubert. ◆ **gambaisié** adj. (1170, *Percev.*). Rembourré, matelassé. ◆ **gambaison, -oison** n. f. (1213, Villeh.). Justaucorps rembourré qu'on portait sous la cotte de mailles et qui servait à amortir les coups.

gambe n. f. V. JAMBE. ◆ **gambete** n. f. (1260, A. de la Halle). Petite jambe. ◆ **gambet** n. m. (1260, A. de la Halle). Croc-en-jambe.

game n. f. (1150, *Thèbes*; nom de la lettre grecque *gamma*). Gamme. ◆ **gamal** n. m. (1220, Coincy). Note de musique.

gamol n. m. (1306, *Invent.*; orig. obsc.). Gamelle. ◆ **gamele** n. f. (1270, Ruteb.). Sorte de navire.

ganache n. f. V. GARNACHE, sorte de long sarrau.

ganche n. f. V. GUENCHE, détour, tromperie.

gandir v. (1150, *Thèbes*; germ. *wantjan*, s'en aller). S'enfuir, s'échapper. ◆ **gandie** n. f. (XII⁰ s., *Part.*). Échappatoire. ◆ **gandillier, gandrillier** v. (1169, Wace). 1° Échapper, s'esquiver. — 2° Faire fuir : *Villes destruient et eissillent, Burgeis e paisans gandillent* (Wace). ◆ **gandeillor** n. m. (1250, *Auberi le Bourg.*). Coureur, sauteur.

gane adj. V. JALNE, jaune.

ganivet n. m. V. CANIVET, canif, lancette.

gant n. m. (1080, *Rol.*; francique *want*). 1° Gant, signe, avec le bâton, que leur porteur est chargé de message. — 2° Gant, pour protéger les mains. — 3° Droit du seigneur dans les mutations de fiefs (les gants étant d'abord utilisés lors de la cérémonie de saisine). — 4° Homme d'armes : *sens perdre un seul gant*, un seul homme (XIV⁰ s.). — 5° Au fig. Chose sans valeur (*G. de Warwick*).

gante n. f. V. JANTE, oie sauvage.

gap n. m. V. GAB, raillerie.

gape adj. (1204, R. de Moil.; orig. incert.; cf. *vapidus*, éventé, gâté). Insipide : *Moult aime ham qui est sains Al enferm est wapes et vaine* (R. de Moil.).

garance n. f. (1180, *Rom. d'Alex.*; bas lat. *warantia*, du francique *wratja*). 1° Protection, garantie. — 2° Défense.

garant, garent n. m. (1080, *Rol.*; part. prés. germ. *wĕrenta*, de *wĕren*, fournir une garantie, infl. par *gare*). 1° Garantie. — 2° Protection : *Que Dieus vous soit garans as ames* (J. Bod.). — 3° Défense. *A garant*, en sûreté. ◆ **garantir** v. (1160, Ben.). 1° Fournir une garantie, une caution. — 2° Protéger. — 3° Défendre. ◆ **garantissement** n. m. (XIII⁰ s., *Anseïs*), **-age** n. m. (XII⁰ s., *Ogier*), **-ison** n. f. (1080, *Rol.*), **-ise** n. f. (déb. XII⁰ s., *Ps. Cambr.*). 1° Préservation, exemption. — 2° Garantie. — 3° Guérison. ◆ **garanter** v. (1265, *Arch.*), **-ier** v. (1317, *Charte*). Garantir.

garberie n. f. V. JARGERIE, ivraie.

garbin n. m. (1260, Br. Lat.; ar. *garbi,* occidental). Petit vent du sud-ouest sur les côtes de la Méditerranée.

garçon n. m. cas rég. (1080, *Rol.*), **gars** cas sujet (XIIᵉ s.; francique **wrakjo*). 1° Soldat, mercenaire. — 2° Enfant mâle. — 3° Valet : *A la cort le manda l'hostes par un garçon* (J. Bod.). — 4° Valet de bas étage, terme d'injure, goujat, misérable : *E garçuns et putains unt saint Thomas hué (Saint Thomas). Li cuvert gars, li desfaé (Trist.).* ◆ **garçoncel** n. m. (fin XIIᵉ s., *Loher.*). Jeune garçon. ◆ **garçoner** v. (1250, *Ren.*). 1° Courtiser. — 2° Violer. — 3° Outrager. ◆ **garçonerie** n. f. (1170, *Percev.*). Action basse, vile. ◆, **garçonaille** n. f. (1180, *Rom. d'Alex.*). Valetaille. ◆ **garçonier** adj. (1180, Chr. de Tr.). 1° Libertin. — 2° n. m. Valet, homme de basse condition. ◆ **garçoniere** adj. (1180, *R. de Cambr.*). 1° Qui aime à jouer avec les garçons. — 2° n. f. Fille publique. ◆ **garce** n. f. (1175, Chr. de Tr.). 1° Jeune fille. — 2° Concubine (XIVᵉ s.). ◆ **garcete** n. f. (1220, Coincy), **-elete** n. f. (XIIIᵉ s., *Rom. et past.*). Jeune fille.

garder v. (XIᵉ s., *Alexis;* francique **wardon,* veiller). 1° Prendre garde, se garder : *Ce fist Brengain, qu'i deit garder : Lasse! si male garde en fist! (Trist.).* — 2° Regarder. — 3° Etre chargé de garde. — 3° Soigner. ◆ **garde** n. f. (XIᵉ s., *Alexis*). 1° Sujet de crainte, peur : *Il n'a mais garde de ton cors?* (J. Bod.). — 2° Souci. — 3° Poste. ◆ **gardement** n. m. (XIIᵉ s., *Ps.*), **-ance** n. f. (1265, J. de Meung), **-age** n. m. (1252, G.). Action de garder, garde. ◆ **gardeor** n. m. (1160, Ben.). 1° Gardien. — 2° Celui qui conserve. ◆ **gardaigne** n. m. (XIIᵉ s., *Part.*). Gardien. ◆ **garde cors** n. m. (1185, Alex. Neckam). Habit de dessus pour le voyage. ◆ **garde mangier** n. m. (1285, *Arch.*), **garde huche** n. m. et f. (1316, *Arch.*). Officier de bouche. ◆ **garde-robe** n. f. (déb. XIIIᵉ s., *Chast. Vergi*). 1° Alcôve, chambre à coucher. — 2° Armoire. — 3° Chaise percée. ◆ **garde bien** n. m. (1270, *Cart.*). Guet, garde.

gardon n. m. V. GUERREDON, récompense.

gardoner v. (1220, Coincy; orig. obsc., peut-être germ.). Médire.

gare n. f. (1250, *Ren.;* gaulois **garra,* jambe). Jambe, cuisse. ◆ **gare, gare** n. m. ou f. (1220, Coincy). 1° Embûche. — 2° Celui qui tend une embûche. ◆ **garet** n. m. (fin XIIᵉ s., *Rois*). Jarret. ◆ **garot** n. m. (XIIIᵉ s., G.). Garrot.

garegnon n. m. (XIIᵉ s., *Horn;* francique *wrainjo*). 1° Cheval : *Quant hom le vit venir, descent del gareignum (Horn).* — 2° Verge du cheval *(Anseis).*

garene n. f. (1250, *Ren.;* bas lat. *warenna,* altér. d'un prélatin **vara,* eau, en croisement avec le germ. *wardôn,* garder). Endroit où l'on garde le gibier ou le poisson, lieu où il est interdit de chasser ou de pêcher. ◆ **garenier** adj. (fin XIIᵉ s., G.). 1° De garenne, sauvage. — 2° n. m. Garde d'une garenne. ◆ **garenage** n. m. (1300, G.). 1° Garenne. — 2° Droit de garenne.

I. **garet** n. m. (1080, *Rol.;* lat. *vervactum,* jachère, avec infl. germ.). Terre labour. ◆ **gareter** v. (XIIIᵉ s., *Traité d'économie rurale*). Labourer. ◆ **garete** n. f. (XIIIᵉ s.). Temps du labour. ◆ **garetor** n. m. (1264, *Arch.*). Laboureur.

II. **garet** n. m., jarret. V. GARE, jambe.

garfoler v. V. GORFOLER, meurtrir.

gargote, gargaite n. f. (1155, Wace; repose sur une racine *garg-,* peut-être d'orig. onomat.). Gosier, gorge. ◆ **gargueton** n. m. (XIIᵉ s., *Chev. cygne*). Gorge, gosier. ◆ **gargole** n. f. (1295, Du Cange; croisement avec *gole,* gueule). Gorge.

garingal n. m. V. GALINGAL, sorte d'épice.

garir, -er v. (1080, *Rol.;* francique **warjan,* protéger). 1° Garantir, préserver, protéger, défendre. *Garir que,* préserver : *Deus le guarit que mort ne l'acra-*

ventat (Rol.). — 2° Approvisionner, fournir. — 3° *Se gurir de*, s'occuper, prendre soin de. — 4° Etre préservé, échapper au danger, vivre content : *Hons desloiaus ne peut longes garer (Gar. Loher.)*. — 5° Résister. — 6° Guérir : *Garis fu li pelerins Et tos sains (Auc. et Nic.)*. ◆ **gariment** n. m. (116, Ben.). 1° Garantie. — 2° Action de défendre. — 3° Exemption. ◆ **garissement** n. m. (xiie s., *Chev. cygne*). Guérison, action de guérir. ◆ **garison** n. f. (1080, *Rol.*). 1° Défense, protection, soutien, ressource : *As cops qu'il done n'a arme garisson (Loher.)*. — 2° Garnison. — 3° Provision, bénéfice, bien. ◆ **garite** n. f. (1220, Coincy). 1° Guérite, abri mobile, souvent en bois. — 2° Lieu fortifié, fortin. — 3° Refuge. ◆ **gariter** v. (fin xiie s., saint Grég.). Garnir de guérites, de donjons.

garlande, galande n. f. (xiie s.; peut-être du moy. haut al. *wieren*, garnir). 1° Sorte de peigne. — 2° Guirlande. — 3° Enceinte. ◆ **garlander** v. (1271, *Rose*). 1° Orner de guirlandes. — 2° Revêtir de briques, créneler (xive s.). ◆ **garlandesche** n. f. (1175, Chr. de Tr.). Guirlande. ◆ **garlandeschier** v. (1235, *Tourn. Antéchr.*). Orner de guirlandes.

garmenter v. V. GAIMANTER, se lamenter.

garmos n. m. (1175, Chr. de Tr.), **garmosement** n. m. (xiie s., Bible), **-osie** n. f. (xiiie s.; orig. obsc.). 1° Feinte, hypocrisie. — 2° Mensonge.

garnir v. (xie s., *Alexis*; francique *warnjan*, se refuser à, prendre garde). 1° Se tenir sur ses gardes. — 2° Avertir : *Lewys fust garny par ces amys (F. Fitz Warin)*. — 3° Munir, pourvoir, fortifier. — 4° Préparer : *Alés ent en vos terres por vos armes guarnir (Loher.)*. ◆ **garnement** n. m. (1080, *Rol.*). 1° Défense, protection. *Prendre son garnement*, engager le combat. — 2° Forteresse, sa garnison. — 3° Ce qui garnit, ornements, vêtements, mobilier. — 4° Équipement, armure. — 5° Garantie. — 6° Protecteur, protecteur de femmes, souteneur (xive s.). ◆ **garnison** n. f. (1213, *Fet Rom.*). 1° Action de

garnir. — 2° Défense. — 3° Garantie. — 4° Provision, approvisionnement. — 5° Forteresse. ◆ **garnestiere** n. f. (1219, *Guill. le Maréch.*). 1° Provision, ressource. — 2° Garnison, forteresse. — 3° Authentification. ◆ **garnache, canache** n. f. (1288, *Tourn. Chauvenci*). Sorte de long sarrau qui se mettait par-dessus le surcot.

garol, garolf, garwolf n. m. (fin xiie s., M. de Fr.; francique *wariwulf*). Loup-garou, mauvais esprit qui errait la nuit transformé en loup. ◆ **gare lou** n. m. (xiie s., *Part.*). Loup-garou : *Filz a putain, lous gare-lous (Part.)*. ◆ **leu-garoul** n. m. (1205, *G. de Palerne*). Loup-garou.

garrot n. m. (fin xiiie s., Guiart; orig. incert.). Bois d'une flèche, trait d'arbalète. ◆ **garrotin** n. m. (1347, *Arch.*). Trait d'arbalète.

gars n. m. cas sujet. V. GARÇON, valet.

garser v. V. JARSER, scarifier, tourmenter.

gart n. m. V. JART, jardin, verger.

gaschel, gacel n. m. (fin xiie s., M. de Fr.; orig. incert.). Marais, marécage, bourbier. ◆ **gachueil** n. m. (fin xiie s., M. de Fr.). Marais. ◆ **gaschié** n. f. (1247, *Cart. noir de Corbie*). 1° Pâturage entouré de fossés. — 2° Jachère.

gaschier v. (1160, Ben.; francique *waskan*, laver, détremper). 1° Laver, détremper, (1326, *Ord.*). — 2° Souiller, gâter, gâcher (xiie s.). ◆ **gaschié** n. m. (xiie s.). Ordure, souillure. ◆ **gascheor** n. m. (1292, *Taille de Paris*). Celui qui souille, qui gâche.

gascort adj. (xiie s., *Chev. deux épées*; composé dont le premier élément pourrait être *quasi*). Un peu court. ◆ **gas cru, was cru** adj. (xiie s., *Conq. Jér.*). Presque cru : *Leur tierz mes fu de chous gascrus (Vie des Pères)*.

gaspail n. m. (1204, *l'Escouffle*; probabl. du gaul. *waspa*). Gaspillage.

gastel, wastel n. m. (fin xiie s.; francique *wastil*, nourriture). Gâteau.

Estre torné aus gastiaus, être en déconfiture. ◆ **gasté** n. m. (1180, *R. de Cambr.*). Gâteau. ◆ **gastelet** n. m. (1190, *H. de Bord.*). Petit gâteau. ◆ **gastelier** n. m. (1241, *Ban*). Pâtissier ou marchand de gâteaux.

gaster v. (1080, *Rol.;* lat. *vastare,* devenu **wastare* sous l'infl. du germ. *wast-,* ravager). 1° Ravager, dévaster. — 2° Détruire, abîmer. — 3° Violer (une femme). — 4° Perdre. ◆ **gast** adj. (1080, *Rol.*). 1° Dévasté, ravagé. — 2° Violé : *pucele gaste (R. de Cambr.).* — 3° Ruiné, abandonné, désert : *la gaste chapele* (H. de Cambr.). — 4° En mauvais état. *Gaste roncin,* mauvais cheval. — 5° Vide : *Lo sele en remeint guaste (Rol.).* — 6° Inculte, aride, sec. — 7° Chétif, misérable : *Apres ce digner povre et gaste* (Ruteb.). — 8° Vaste, grand : *Cologne la gaste* (J. Bod.). — 9° *Peine gaste,* peine perdue. ◆ **gast** n. m. (1155, Wace). 1° Ravage, pillage. — 2° Dilapidation. — 3° Terre, pays dévasté, inculte. — 4° *Metre a gast,* ne tenir aucun compte de. ◆ **gastement** n. m. (1320, *Charte*). 1° Ravage. — 2° Pays dévasté, inculte. ◆ **gastine** n. f. (1160, Ben.). 1° Pillage. — 2° Lieu en friche. ◆ **gastin** adj. (1190, J. Bod.). Dévasté. ◆ **gastinoie** n. f. (1200, *Ren. de Montaub.*). Pays plein de terres incultes. ◆ **gasteor** n. m. (XIIᵉ s., *Cast. d'un pere*). Gaspilleur, prodigue : *Li gasterres ne set riens garder (Cast. d'un pere).* ◆ **gaste-blé** n. m. (1151, *Arch.*). Celui qui ravage les champs de blé.

gaudir v. (fin XIIᵉ s., *Loher.*), **-er** v. (fin XIIIᵉ s., Aimé; lat. pop. **gaudire* pour *gaudere*). Se réjouir. ◆ **gaudie** n. f. (fin XIIᵉ s., saint Grég.). Joie, folâtrerie. ◆ **gaudin** n. m. (1277, *Rose*). Chanson commençant par un *gaudeamus.*

gave n. f. (1288, *Ren. le Nouv.*), **-ai** n. m. (1220, Coincy), **-ion** n. m. (XIIIᵉ s.; empr. aux dialectes du Midi). Gosier, gorge.

gavene, gavle, gavre n. m. (1217, *Arch.;* orig. obsc.). Droit de prélèvement d'une certaine quantité de grain pour la protection en toutes circonstances (principalement dans l'Artois et le Cambrésis).

gehir, jeir v. (1120, *Ps. Oxf.;* anc. haut allem. *jehän,* avouer). 1° Faire avouer par contrainte, confesser. — 2° Avouer : *La fu confes et ses pechiés gehi (Gar. Loher.).* — 3°·Dévoiler : *Ele se herbega la, si parla a li tant qu'ele li gehi son afaire (Auc. et Nic.).* — 4° Déclarer, rapporter. ◆ **gehine** n. f. (1287, Beaum.), **gehie** n. f. (fin XIIᵉ s., *Auberi*). 1° Torture. — 2° Confession, aveu. *Metre a gehine,* faire avouer. ◆ **gehisseor** n. m. (XIIIᵉ s., *Rom. et past.*). Celui qui avoue.

gehui adv. V. JEHUI, aujourd'hui, maintenant.

gelde, gilde, jode, jaude n. f. (1169, Wace; néerl. *gilde,* corporation). 1° Troupe, bande de soldats. — 2° Corps de métier, confrérie. — 3° Association, université (XIVᵉ s.). ◆ **gelde** n. m. (1160, Ben.). Fantassin : *Ne chevalier ne geude a pié* (Ben.). ◆ **geldier** adj. (1169, Wace). De fantassin, à l'usage de l'armée. **geldon** n. m. (1160, Ben.). Fantassin. ◆ **geldaille** n. f. (1160, *Athis*). Bande de soldats.

geline, galine, gline, genille n. f. (1190, Garn.; lat. *gallina*). Poule. ◆ **gelinier** n. m. (1250, *Ren.*), **-erie** n. f. (1294, *Arch.*). Poulailler. ◆ **gelinage** n. m. (1289, *Traité*). Cens payé en poules. ◆ **gelinas** adj. (1220, Coincy). Efféminé : *Si feminins, si gelinas* (Coincy).

gelos adj. (1160, *Eneas;* lat. pop. *zelosum,* adaptation de *Deus zelotes,* le Dieu jaloux). Jaloux. ◆ **gelosel** adj. (XIIIᵉ s., *Rom. et past.*). Jaloux.

gembre v. V. GIEMBRE, gémir.

geme, jame n. f. (XIᵉ s., *Alexis;* lat. *gemma,* bourgeon, au fig.). Pierre précieuse. ◆ **gemele** n. f. (déb. XIIᵉ s., *Ps. Cambr.*). Dimin. de *geme.* ◆ **gemé** adj. (1080, *Rol.*). Orné de pierreries.

gemir v. (mil. XIIᵉ s.; lat. *gemere,* avec chang. de conjugaison; formation savante; v. *giembre,* geindre). Gémir. ◆ **gemement** n. m. (1180, G. de Saint-Pair), **-issement** n. m. (déb. XIIᵉ s., *Ps. Cambr.*), **-ite** n. f. (1120, *Ps. Oxf.*). Gémissement.

gençor adj. compar. V. GENT, noble, gentil.

I. gendre n. m. (fin XIᵉ s., *Lois Guill.;* lat. *generem*). Gendre.

II. gendre n. m., rejeton. V. GENDRER, engendrer.

gendrer v. (fin XIIᵉ s., M. de Fr.), **generer** v. (1170, *Fierabr.;* lat. *generare*, engendrer). 1º Engendrer, accomplir l'acte de la génération : [...] *qui genererent et dormirent avec leurs ancelles (G. de Rouss.).* — 2º Régénérer : *Tant que je fusse en sainz fonz generé (Alisc.).* — 3º Établir : *Et .XIII. moines i ferai generer (B. d'Hanst.).* ◆ **gendrement** n. m. (XIIᵉ s., *Ps.*), **-eure** n. f. (1165, G. d'Arras). Engendrement, naissance. ◆ **generance** n. f. (XIIᵉ s., *Ps.*). Génération, race. ◆ **gendre** n. m. (XIIIᵉ s.). Rejeton.

gene n. f. (1210, *Dolop.;* fém. de *genius?*). Nom de fée malfaisante appelée aussi *estrie.*

generace, -atie n. f. (1155, Wace; lat. *generatio*). 1º Race, engeance : *Maudite soit ta generasse (Blancandin).* — 2º Foule : *Entour lui tel generace Qui li rendent et gré et grasce (G. d'Arras).* ◆ **generation** n. f. (1190, saint Bern.). 1º Race, espèce, tribu. — 2º Réunion de ceux qui vivent sous une même règle.

general adj. (1190, saint Bern.; lat. *generalis*). 1º De grande naissance. — 2º Généreux : *Aies cuer general (B. de Condé).* — 3º Savant, habile : *En .VII. ars estoit generaus (H. d'Andeli).* ◆ **general, -aul, -art, -ace** n. m. (1169, Wace). 1º Repas où chaque religieux était servi séparément. — 2º Repas en général. — 3º Portion. ◆ **generauté, generalité** n. f. (1265, J. de Meung). 1º Généralité, caractère de ce qui est général. — 2º Propriété, domaine. ◆ **general** adv. (XIIᵉ s., *Asprem.*). En général, d'une façon générale.

geneste n.m. ou f. (1175, Chr. de Tr.; lat. *genesta*). Genêt. ◆ **genestoi** n. m. (1243, *Charte*). 1º Genêt. — 2º Lieu où poussent les genêts. ◆ **genestoie** n. f. (1258, *Arch.*). Lieu où poussent les genêts.

gengler v. V. JANGLER, criailler, bavarder.

genille n. f. V. GELINE, poule.

genitailles n. f. pl. (XIIᵉ s., M. de Fr.; lat. pl. n. *genitalia*). Parties de la génération, testicules. ◆ **genitaires** n. f. (1119, Ph. de Thaun; avec chang. de suffixe), Testicules. ◆ **genitif** n. m. plur. (XIIIᵉ s., *Sept Sages*). Parties génitales. ◆ **genitif** adj. (1265, J. de Meung). De la génération, propre à la génération. ◆ **genetris** n. f. (1190, *H. de Bord.;* lat. *genitrix*, celle qui a enfanté). Mère, mot d'Église, épithète de la Vierge Marie.

genler v. V. JANGLER, criailler, bavarder.

I. genoil n. m. (1080, *Rol.;* lat. pop. **genuculum*, dim. de *genu*, genou). Genou. ◆ **genoillon** n. m. (1160, *Eneas*). Genou. *A genoillons*, à genoux, les deux genoux pliés. ◆ **genoillier** v. (fin XIIᵉ s., *Alisc.*). S'agenouiller, fléchir le genou.

II. genoil n. m., génération. V. GENOIR, engendrer.

genoir, -uir v. (XIIIᵉ s., *Maug. d'Aigr.;* formé sur *genui*, parf. de *genere*, engendrer). Engendrer. ◆ **genol, -oil, -ou** n. m. (XIIIᵉ s., *Livr. de Jost.*). Génération.

gens, giens adv. (XIᵉ s., *Alexis;* lat. *genus;* v. gent). Particule renforçant la négation, tout comme *pas, point* ou *mie* : *Vers mon seignor lo rei n'i ad gens de hontage (Voy. Charl.).*

I. gent n. f. ou m. (980, *Passion;* lat. *gentem*, race, gens). 1º Race, extraction. — 2º Peuple, nation : *Gent françoise sont de grant beubancie (Aden.).* — 3º Troupe, armée : *S'il unt grant gent, d'iço, seignurs, Qui calt? (Rol.).* — 4º Individu en tant qu'il fait partie d'une collectivité : *Molt est fous qui croit tote gent (Trist.).*

II. gent adj. (1080, *Rol.;* lat. *genitum*, né, bien né, en bas lat.). 1º Noble. — 2º Gentil, courtois : *Ne cuidez pas que ce soit gens (R. de Beauj.).* — 3º Joli, beau : *Son cors bel et gent (Coincy).* ◆ **gençor, gençior** adj. compar. (1155, Wace).

1º Comparatif : *Ne veïstes genzors pulceles* (Wace). — 2º Superlatif : *De toutes autres la gençor* (Ben.). — 3º Positif : *Ele se drece, molt ot le cors gensor (Anseis).* ◆ **gentil, gentis** adj. (XIᵉ s., *Alexis;* lat. *gentilem,* de famille, de bonne famille). 1º De bonne race, noble : *Por marier les puceles gentis (Loher.). Gentil feme,* femme noble. — 2º Vaillant, généreux. ◆ **gentelis** adj. (1160, *Athis;* lat. *gentilicium*). Bien né, noble. ◆ **gentelise** n. f. (XIIᵉ s., *Part.*). Femme noble. ◆ **gentelise** n. f. (XIIᵉ s., *Part.*), **gentillece** n. f. (1175, Chr. de Tr.). 1º Noblesse, action, sentiments nobles : *Noblece vient de bon courage, Car gentillece de lignage N'est pas gentillece qui vaille (Rose).* — 2º Courtoisie, gentillesse. — 3º Noblesse, ensemble de gentilshommes.

genvre adj. cas sujet. V. JOVENOR, puîné, jeune.

gerbe, jerbe n. f. (XIIᵉ s.; francique **garba*). Gerbe. ◆ **gerbel** n. m. (1204, R. de Moil.). Gerbe. ◆ **gerber** v. (XIIIᵉ s., G.). Mettre en gerbe. ◆ **gerbage** n. f. (1212, G.). Droit sur les gerbes. ◆ **gerberie** n. f. (1325, *Arch.*). Prestation en gerbe.

gerdon n. m. V. GUERREDON, récompense.

gerfalc n. m. (1138, *Saint Gilles*), **gerfalcon** n. m. (1260, Br. Lat.; composé germ. **gerfalko,* de *gêr,* vautour, et *falko,* faucon). Gerfaut.

germain adj. (1175, Chr. de Tr.; lat. *germanus,* le frère, fraternel). Né de mêmes père et mère. ◆ **germanité** n. f. (XIVᵉ s., *Gloss. Conches*). Parenté entre frères.

germe n. m. et f. (XIIᵉ s., *Ps.;* lat. *germen, -inem*). 1º Germe. — 2º Jeune brebis qui n'a pas encore porté. ◆ **germin** n. m. (XIIIᵉ s., *Lapid. Cambr.*), **-on** n. m. (XIIᵉ s., *Ps.*). Germe. ◆ **germiner** v. (déb. XIIᵉ s., *Ps. Cambr.*), **gernier** v. (1180, *R. de Cambr.*). 1º Germer. — 2º Produire.

gernon n. m. V. GRENON, moustache.

geron n. m. V. GIRON, pan d'étoffe, tunique, giron.

gesir v. (1080, *Rol.;* lat. *jacere,* être étendu). 1º Etre couché, se coucher : *Quant ore fu d'aler gisir* (Chr. de Tr.). — 2º Etre en couches, accoucher : *Je vos ocirai, se vos ne m'afiés que ja mais hom en vo tere d'enfant ne gerra* (Auc. et Nic.). — 3º Coucher (avec une personne d'un autre sexe) : *Avec mon amin geirai Nuette* (*Rom. et past.*). — 4º Persévérer : *Fous est ki en peché volte lungement gisir* (Garn.). — 5º Etre situé : *Ou qu'il soit ne giece* (1276, *Arch.*). ◆ **gesine** n. f. (1160, Ben.; lat. *jacina*). 1º Couches d'une femme. — 2º Embarras. ◆ V. GISEMENT, GISTE, etc.

gest, jaiet n. m. (XIIᵉ s., Marb.; lat. *gagates,* pierre de Gages en Lycie; empr. au gr.). Jais.

geste n. f. (1080, *Rol.;* lat. *gesta,* p. passé plur. n. de *gerere,* faire). 1º Action, exploit, haut fait : *Grant fu la jeste, bien en doit on parler (Loher.).* — 2º Chanter de geste, chanter une chanson de geste. — 3º Chronique, récit, histoire : *Doit on les livres et les gestes Et les estoires lire as festes* (Wace). — 4º Race, famille : *Li desconfit se plaignent de la geste francor* (J. Bod.).

get n. m. V. GIET, ce qu'on jette, ordure, lien, filet.

geter, giter v. (Xᵉ s., *Eulalie;* lat. pop. **jectare,* pour *jactare*). 1º Lancer. — 2º Faire sortir, tirer, délivrer : *cui il jeta de la prison* (C. de Béth.). — 3º Abandonner : *Quer la mere qui le porta, Tantost qu'i fu né, le geta (Livr. Pass.).* — 4º Détourner. *Geter faute,* commettre une faute. — 5º Ruer : *Des piés a gieter (Rom. d'Alex.).* — 6º Écrire. — 7º Fondre. — 8º Répartir, compter, calculer. — 9º Imposer. ◆ **getee** n. f. (déb. XIIIᵉ s., R. de Clari). 1º Action de jeter, jet. — 2º Abattis, coupe. ◆ **get** n. m. V. GIET. ◆ **geteis** n. m. (1155, Wace). 1º Action de jeter. — 2º Assaut à coups de pierres, avec frondes et autres machines de guerre. ◆ **geteis** adj. (1138, *Saint Gilles*). 1º Qui sert à jeter. — 2º Qui peut être lancé. — 3º Fondu et coulé dans un moule. ◆ **geteor** n. m. (1288, J. de Priorat). 1º Celui qui jette, frondeur. — 2º Aspersoir.

◆ **getoir** n. m. (1220, *Queste Saint-Graal*). 1° Aspersoir. — 2° Jeton. ◆ **geton** n. m. (déb. xɪvᵉ s.). 1° Rejeton. — 2° Essaim. — 3° Jeton.

geu n. m. V. GIEU, jeu, plaisanterie.

geuse n. f. (1190, saint Bern.; bas lat. *geusiae*, joues). Gorge.

I. **gibe** n. f. (1268, E. Boil.; orig. incert. grecque ou arabe). 1° Charge. — 2° Paquet, ballot.

II. **gibe** n. f. (xɪɪᵉ s.; sans doute du francique **gibb*, branche fourchue). 1° Bâton ferré et recourbé en forme de crosse. — 2° Sorte de hallebarde. — 3° Gibet. ◆ **gibet** n. m. (1169, Wace). 1° Bâton court avec une crosse. — 2° Espèce de casse-tête. — 3° Bâton muni d'une fronde. — 4° Potence.

giber v. (xɪɪᵉ s.; orig. incert.; v. *gibe*, bâton). 1° Gigoter, s'agiter. — 2° Ruer.

gibier n. m. (1175, Chr. de Tr.; sans doute du francique **gabaiti*, chasse au faucon). 1° Chasse aux oiseaux. — 2° Chasse en général. *Aler en gibier*, aller à la chasse. ◆ **gibier, -oier** v. (xɪɪᵉ s., *Amis*). Aller à la chasse aux oiseaux, aller à la chasse. ◆ **gibois** n. m. (1204, R. de Moil.). Chasse. ◆ **gibelet** n. m. (1162, *Fl. et Bl.*). 1° Gibier, terme de cuisine. — 2° Abattis de volaille. ◆ **gibelin** adj. (xɪɪᵉ s., *Horn*). Sauvage, farouche. ◆ **giberesse** adj. fém. (1335, Deguil.). Qui aime à courir, à folâtrer. ◆ **gibecier** v. (1230, *Saint Eust.*). Chasser, aller à la chasse.

gié pron. pers. 1ʳᵉ pers. V. JO, je, moi.

giembre, gembre v. (fin xɪɪᵉ s.; lat. *gemere*, gémir). Gémir, geindre.

I. **giens, gens** n. f. plur. V. GENT, race, peuple, gens.

II. **giens** adv. V. GENS, renforcement de négation.

gieres, giers conj. (déb. xɪɪᵉ s., *Ps. Cambr.*; orig. incert.). 1° Conj. de coord., renforce l'articulation logique, Donc, par conséquent : *Ore gieres, vus rei, entendez! (Ps. Cambr.).* — 2° Conj.

qui articule la condition et la conséquence, Si ... alors : *Se il peut la neif trover, Il le metreit giers en la mer* (M. de Fr.).

gieskerech, ghis- n. m. (1247, *Arch. Nord;* d'orig. germ.). Juin.

giet, get n. m. (1180, *Rom. d'Alex.;* v. *geter*, lancer). 1° Jet. — 2° Ce que l'on jette. — 3° Mousse, ordure, ce que la mer jette sur le rivage. — 4° Lien, attache et, spécialement, courroie pour les serres du faucon. — 5° Filet. — 6° Redevance annuelle. — 7° Époque du paiement des redevances, tailles, etc. ◆ V. GETER.

gieu, giu, geu n. m. (1080, *Rol.;* lat. *jocum*, jeu). 1° Jeu. — 2° Plaisanterie. — 3° Acte amoureux : *Desour l'erbois Le ju li ai fait trois fois (Rom. et past.).* — *Le ju françois,* l'acte sexuel. — 4° *A gieus,* en jouant, pour rire. ◆ **gieuer** v. (1080, *Rol.*). 1° Jouer. — 2° Badiner.

gife, gifle (1220, Coincy; empr. au moy. haut all. ou francique *kifel,* mâchoire). Joue : *Qui borse a dure et giffes moles* (Coincy). ◆ **gifart** adj. (1292, *Arch.*). 1° Joufflu. — 2° n. f. (1220, Coincy). Servante de cuisine joufflue.

gigantal adj. (xɪɪᵉ s.), **-in** adj. (1180, *Rom. d'Alex.;* v. *jaiant, gaiant* géant). ◆ **gigane** n. f. (1292, *Taille de Paris*). Géante. ◆ **gigantee** n. f. (xɪɪɪᵉ s., *Fabl. d'Ov.*). Terre des géants.

gigue n. f. (1155, Wace; germ. *gîgua*). 1° Sorte de violon dont la forme rappelle la mandoline. — 2° Air joué sur cet instrument. — 3° Danse sur cet air. ◆ **gigle** n. f. (déb. xɪɪɪᵉ s., R. de Beauj.). Petite viole. ◆ **gigler** v. (déb. xɪɪɪᵉ s., R. de Beauj.). Jouer de la *gigle.*

gilde n. f. V. GELDE, bande de soldats, confrérie.

gille n. f. (1190, J. Bod.; du nom propre *Gilles*). Tromperie, supercherie : *Fui, ribaus, lai ester te gille* (J. Bod.). ◆ **gilain** n. propre (1250, *Ren.*). Personnification du trompeur ou de la tromperie : *Qui fille est au conte Gilein (Ren.).*

gin n. m. (xɪɪɪᵉ s., *G. de Warwick,* aphérèse de *engin*). Machine de guerre. ◆

gigneor n. m. (XIIIe s., *Destr. Rome*). Ingénieur, ouvrier.

gingibre n. m. (fin XIIe s., Guiot; lat. *zingiberi*, du grec). Gingembre, plante servant de condiment. ◆ **gingembras** n. m. (déb. XIIIe s., *Couci*). Confiture de gingembre, très appréciée, appelée aussi *paste du roi*.

gip, gif, gist n. m. (1256, *Hist. de Metz;* lat. *gypsus*, du grec). Gypse, plâtre.

girer v. (1260, Br. Lat.; ital. *girare*). 1° Tourner. — 2° Avoir tant de lieues de tour.

giron, geron, gron, gueron n. m. (déb. XIIe s., *Voy. Charl.;* francique **gêro*, pièce d'étoffe en pointe). 1° Pan coupé en pointe, à droite et à gauche, de la robe ou de la tunique. — 2° La tunique ou la robe elle-même. — 3° Partie du vêtement allant de la taille au genou. — 4° L'espace qui s'étend de la ceinture jusqu'aux genoux d'une personne assise : *L'iave qui ist des ious li cort sor le gieron (Rom. d'Alex.)*. — 5° Triangle dans l'écu. ◆ **gironer** v. (XIIe s., *Asprem.*). Orner de pans coupés en biais. ◆ **gironee** n. f. (XIIe s., *Chev. deux épées*). 1° Tablier, jupe. — 2° Partie du haubert. *A gironee*, à plein giron, abondamment.

gisarme n. f. (1155, Wace; germ. *getisarn*, fauchard, infl. par *arme*). Arme d'hast composée d'un tranchant long, recourbé, et d'une pointe droite, d'estoc.

giser n. m. (fin XIIe s., *Gloss.;* bas lat. *gigerium*, le *s* étant dû à la dissimilation).

gisier v. (fin XIIIe s., *Son. de Nans.;* autre forme de *gesir*, être étendu). Etre couché, coucher. ◆ **gisement** n. m. (1200, *Ren. de Montaub.*). 1° Action de se coucher. — 2° Fait de coucher avec une femme.

giter v. V. GETER, lancer, tirer.

giu n. m. V. GIEU, jeu, plaisanterie.

glace n. f. (1160, *Eneas;* lat. pop. **glacia*, pour *glacies*). 1° Glace. — 2° Miroir (XIIe s.). ◆ **glacier** v. (1155, Wace). 1° Glacer, figer : *Tot entor l'anste*

en est li sans glaciez (Cour. Louis). — 2° Glisser : *Parmi la cuisse li fist le branc glacier (R. de Cambr.)*. — 3° Faire dévier le coup. — 4° Échapper. ◆ **glacement** n. m. (fin XIIe s., saint Grég.). Glissement. ◆ **glaçoier** v. (1160, Ben.). 1° Glisser. — 2° Dévier. ◆ **glaceis** adj. (1160, Ben.). 1° Glacial. — 2° Glissant. ◆ **glaçant** adj. (1220, Coincy). 1° Glissant. — 2° Fugitif : *Li memore des hommes est glachans (Cart. XIIIe s.)*. — 3° Rusé, trompeur : *Siecle glaçans est comme anguile* (Coincy).

I. glai, gla, glé, gloi n. m. (1160, Ben.; lat. *gladium*, glaive). 1° Glaïeul. — 2° Sorte de jonc ou de roseau. — 3° Herbe, verdure. ◆ **glaie, gloie** n. f. (fin XIIe s., G. de Vienne). 1° Glaïeul. — 2° Lieu où croissent les glaïeuls. ◆ **glaioloi** n. m. (1214, *G. de Dole*). Lieu planté de glaïeuls. ◆ **glaion** n. m. (1277, *Rose*). 1° Osier, jonc. — 2° Panier d'osier. ◆ **glaiolé** adj. (XIIe s., *B. d'Hanst.*). 1° Jonché de glaïeuls, de fleurs d'iris. — 2° Qui a la couleur de l'iris. ◆ **glagier** v. (XIIe s., *Trist.*). Joncher de fleurs ou d'herbes odoriférantes. ◆ **glageure** n. f. (1270, Ruteb.). Jonchée.

II. glai n. m. V. GLAS, tumulte, aboiement, ramage.

I. glaire n. f. (1360, Froiss.; lat. *glarea*, gravier). Gravier. ◆ **glairir** v. (1310, G.). Couvrir de gravier.

II. glaire n. f. (XIIe s., Marb.; lat. pop. **clarea*, de *clarus*, clair, avec un *g* qui fait difficulté). Blanc d'œuf cru. ◆ **glaireus** adj. (1256, Ald. de Sienne). Visqueux.

glaive, glage n. m. (Xe s., *Saint Léger :* lat. *gladium*). 1° Lance, javelot. — 2° Glaive. — 3° Massacre : *Ferons grans glaives de cuivers mescreus (Chans. d'Ant.)*. — 4° Calamité, épidémie. *Morir a glaive*, mourir de mort douloureuse. — 5° Épouvante. ◆ **glavier** v. (XIIIe s., *Aye d'Avignon*). Percer du glaive, massacrer.

glande n. f. (XIe s.; lat. *glandem*). 1° Gland. — 2° Chêne. ◆ **glandus** n. m. (XIIe s., *Florim.*). Gland. ◆ **glandre** n. f. (fin XIIe s., *Éd. le Conf.;* adapt. du lat. *glandula*). Glande.

I. **glas, glai, gloi, clai** n. m. (déb.
XIIe s., *Voy. Charl.;* lat. *classicum,*
sonnerie de trompettes; le *g* initial reste
inexpliqué). 1° Tumulte et, en part.,
bruit confus de joie. — 2° Glapissement,
aboiement des chiens. — 3° Ramage,
gazouillement des oiseaux. — 4° Sorte
de trompette

II. **glas** n. m. V. CLAS, bruit, orage,
sonnerie de trompette.

glatir v. (1080, *Rol.;* orig. onom.).
1° Glapir, aboyer. — 2° Hurler, crier. —
3° Faire du tapage. ◆ **glat** n. m. (1160,
Ben.), **-eis** n. m. (XIIe s., *Conq. Jér.*),
-ison n. f. (XIIe s., *Conq. Jér.*), **-issement**
n. m. (1285, Aden.). 1° Glapissement. —
2° Cri, hurlement. — 3° Tumulte. ◆ **glapir**
v. (1170, *Percev.*). Altér. de *glatir,* par
infl. de *japper.*

I. **gleise, glise** n. f. (1130, *Job;*
v. *iglise,* de *ecclesia*). Église, maison de
culte.

II. **gleise** n. f. V. GLISE, glaise, boue.

glener v. (XIIIe s., Tailliar; bas lat.
glenare, d'orig. gaul.). Glaner.

glete n. f. (XIIe s., *Proth.;* lat. *glitem,*
glaise). 1° Argile, glaise. — 2° Boue. —
3° Écoulement, flux. — 4° Bave, mucosité,
pus. ◆ **gletos** adj. (1220, Coincy). Puru-
lent, visqueux.

glier v. (fin XIIIe s., *Mir. saint Éloi;*
francique *glidan). Glisser, couler.
◆ **glicier** v. (1265, J. de Meung; altér. du
précéd. d'après *glacer*). Glisser. ◆ **gli-
çant** adj. (1260, Br. Lat.). Glissant.
◆ **glissoire** n. f. (1308, *Arch.*). Tuyau
d'écoulement.

gline n. f. V. GELINE, poule.

I. **glise, gleise, gloise** n. f.
(1160, Ben.; gaul. *glisa). Glaise, boue.

II. **glise** n. f. V. GLEISE, église.

globe adj. V. GOBE, gonflé, vaniteux.

I. **gloe** n. f. (1295, *Arch.;* orig. incert.,
probabl. germ.). Bois à brûler, bûche.

II. **gloe** n. f. (1220, Coincy; orig.
obsc.). Mare, boue : *Et li deable l'ame*

plungent En lor putiaus et en lor gloes
(Coincy). *A gloe,* visqueusement. ◆ **gloete**
n. f. (fin XIIe s., *Auberi*). Petite mare.

glofe n. m. V. GOFRE, golfe.

I. **gloi** n. m. V. GLAI, glaïeul, verdure.

II. **gloi** n. m. V. GLAS, tumulte, aboiement, ramage.

gloise n. f. V. GLISE, glaise, boue.

glorier v. (déb. XIIe s., *Ps. Cambr.;*
lat. *gloriari*). Glorifier. ◆ **glorie** n. f.
(XIe s., *Alexis*), **gloire** n. f. (XIIe s.).
Gloire.

gloriete n. f. (XIIe s., *Part.;* le ratta-
chement sémantique à *gloire* fait difficulté)
1° Palais. — 2° Chambre sur un navire.
— 3° Prison, cage (1304, *Arch.*).

glose n. f. (XIIe s., Bible; bas lat.
glosa, mot qui a besoin d'être expliqué).
1° Mot à expliquer. — 2° Explication. ◆
gloser v. (1175, Chr. de Tr.). 1° Donner
à entendre, expliquer : *L'arbre par le
gibet vous glose; Je n'i puis entendre autre
chose* (Rose). — 2° Bavarder : *Bien poez
atendre et gloser* (Chr. de Tr.). ◆ **gloseure**
n. f. (1314, *Fauvel*). Glose. ◆ **gloseor**
n. m. (XIIe s., Évrat). Glossateur.

I. **glot** n. m. (1180, *Rom. d'Alex.;*
déverb. de *glotir,* avaler). Goutte, gorgée :
*Le cief avoit plus blanc que ne soit glous
de lait* (Rom. d'Alex.).

II. **glot** adj., glouton, avide. V. GLOTON,
glouton.

gloton n. m. cas rég., **glot** cas sujet
(1080, *Rol.;* lat. *glutto, -onem*). 1° Glouton. — 2° Insolent. — 3° Brigand,
canaille, terme d'injure. ◆ **glot** adj.
(1080, *Rol.*). Glouton, avide : *Si glot de
beivre et de mengier* (Best. div.). ◆ **glo-
tonie** n. f. (1119, Ph. de Thaun), **-erie**
n. f. (1265, J. de Meung). Gloutonnerie.
◆ **glotir** v. (XIIIe s., Bible). Avaler,
engloutir.

glu n. f. (1190, saint Bern.; bas lat.
glutem). Glu, colle. ◆ **gluer** v. (1190,
saint Bern.). 1° Enduire de glu. —
2° Coller. — 3° Joindre. ◆ **glueus** adj.
(1220, Coincy). Gluant, visqueux.

glui n. m. (1175, Chr. de Tr.), **gluie** n. f. (XII[e] s.; lat. pop. *glodium* ou *clodium*, d'orig. gaul.). 1° Paille de seigle. — 2° Chaume dont on couvre les toits. — 3° Botte de paille. ◆ **gluier** v. (1304, *Arch.*). Mettre en bottes, lier les gerbes.

gnif interj. (XIIIe s., motet; onomat.). Exclamation dans le contexte suivant : *Ti vilain œuvrage T'on mis en servage : Por ce en dirai gnif! (Motet, Trouvères artésiens).*

gobe, globe adj. (1220, Coincy; orig. onomat. ou bien du même rad. que le suivant). 1° Gonflé. — 2° Vaniteux. — 3° Orgueilleux, fier : *Vers povres genz molt estoit gobes* (Coincy). — 4° Somptueux. ◆ **gobet** adj. (1292, *Taille de Paris*). Hâbleur, vain. ◆ **gobert** n. m. (XIIIe s., *Pastor.*). Plaisanterie, facétie.

I. gobet n. m. (1220, Coincy; d'un rad. *gobbo*, bouche, présumé gaulois). 1° Bouchée, morceau, pièce. — 2° Petite coupe, gobelet. ◆ **gobeter** v. (1220, Coincy). 1° Manger de bons morceaux. — 2° Crépir en faisant rentrer l'enduit par morceaux dans les joints. ◆ **gobelet** n. m. (XIIIe s., ms. de Saint-Jean). Petite coupe.

II. gobet adj., hâbleur, vain. V. GOBE, enflé.

gocet, gosset n. m. (1278, Sarrazin; dimin. de *gosse*, gousse, orig. obsc.). 1° Creux de l'aisselle. — 2° Aisselle, avec certains sens techniques dérivés. — 3° Pièce d'armure destinée à protéger l'aisselle.

godale n. m. (1260, A. de la Halle; angl. *good ale*, bonne bière). 1° Sorte de bière sans houblon. — 2° Taverne. ◆ **godalier** n. m. (1327, *Cart.*). 1° Brasseur. — 2° Buveur de bière. — 3° Grand buveur.

gode adj. (XIIe s.; orig. incert., peut-être celtique). 1° Joyeux drille. — 2° Débauché. ◆ **godel** adj. (1160, *Eneas*). 1° Mignon : *Se il avoit alcun godel, Ce li seroit et bon et bel Que laississes a ses druz ʹfaire (Eneas).* ◆ **godemine** n. f. (1220, Coincy). 1° Bonne chère, plaisir. — 2° Débauche. ◆ **goder** v. (1220, Coincy). Plaisanter, railler : *Li chevalier godoient de ce que ele avoit dit (Artur).*

◆ **goderie** n. f. (1220, Coincy). Plaisanterie, raillerie.

godehelpe interj. (1250, *Ren.*; expr. angl.). Dieu vous aide : *Godehelpe, fait il, bel sire (Ren.).* ◆ **godeherre** interj. (1205, *G. de Dole*). Seigneur Dieu : *Vos oissiez dire tant Wilecome et godehere (G. de Dole).* ◆ **godistoet** interj. (1230, *Eust. le Moine*). Dieu le sait, vraiment (dans la bouche d'un Anglais).

godendat, -dart n. m. (1306, Guiart; flam. *godendac*, littéral. bonjour). Arme d'hast, utilisée par les fantassins, surtout en Flandre, munie d'une massue et d'un fer de dague.

godet, godot n. m. (XIIIe s., *Choses qui faillent en ménage*; probabl. du néerl. *kodde*, cylindre en bois). 1° Godet, gobelet. — 2° Jupe formant des plis ronds.

gofre, glofe (fin XIIe s., *Loher.*; ital. *golfo*). Golfe : (Une cité) *qui siet seur un goufre de mer* (Villeh.).

gogue n. f. (XIIIe s., *Ysopet*; orig. incert.; peut-être de *gogue*, boudin, mot dial.). 1° Réjouissance, liesse. — 2° Plaisanterie, raillerie. ◆ **gogue** adj. (1306, Guiart). Gai, joyeux. ◆ **gogoier** v. (déb. XIIIe s., *Clef d'Am.*). Rire, se moquer : *Et tres durement s'en gogoient (Clef d'Am.).*

goherel n. m. V. JOHEREL, JOUG, licou.

goir v. V. JOIR, jouir.

goitron, gotron n. m. (1120, *Ps. Oxf.*; lat. pop. *gutturionem*, de *guttur*, gorge). Gorge, gosier.

gole n. f. (Xe s.; lat. *gula*). 1° Gosier, gorge : *Je penderoie ces par les gueles (Fille du comte de P.).* — 2° Bouche. — 3° Bouche des animaux. — 4° Gueules du blason, d'abord morceaux découpés dans la peau du gosier de la martre. — 5° Collet, collet de fourrure. *Prendre par les gules*, saisir par les fourrures du collet. — 6° Couleur rouge. — 7° *Gole d'aost*, le début d'août. — 8° Parole : *En disant laides golles Discouvignavles* (1311, *Lettre*). ◆ **golee** n. f. (1175, Chr. de Tr.). 1° Grosse bouche. — 2° Cri, paroles grossières, injures. — 3° Nourriture. ◆ **goler** v. (fin XIIe s., saint Grég.). 1° Crier, guculer. — 2° Border de fourrures, établir le blason. ◆ **golos** adj. (XIIe s.). Goulu, gourmand. ◆ **goloseté** n. f. (1220, Coincy). Gourmandise, gloutonnerie. ◆ **goloser** v. (XIIe s., *Chev. cygne*). 1° Désirer ardemment. — 2° Désirer : *Tu n'as pas qanque tu golouses? (Court. d'Arras).* ◆ **goliart** adj. et n. m. (XIIIe s.). 1° Glouton. — 2° Débauché. — 3° Grossier personnage, mauvais plaisant. ◆ **goliardois** adj. et n. m. (1220, Coincy). 1° Glouton, lécheur. — 2° Libertin dans ses paroles et sa conduite. ◆ **golier** n. m. (XIIIe s., *Maug. d'Aigr.*). Sorte de serpent. ◆ **goloie** n. f. (XIVe s., *Geste de Liège*). Collerette, gorgerin.

golpil, gorpil, gropil n. m. (déb. XIIe s., *Voy. Charl.;* lat. pop. **vulpiculum,* dim. de *vulpes,* renard, avec infl. germ. à l'initiale). Renard. ◆ **golpille** n. f. (1119, Ph. de Thaun). Femelle du renard. ◆ **golpillier** v. (1180, *R. de Cambr.*). 1° Faire le poltron, se montrer lâche, se cacher : *Et les roiax fremir se goupillier (R. de Cambr.).* — 2° Ruser comme un renard. — 3° S'efforcer en rusant. ◆ **golpillage** n. m. (1250, *Ren.*). 1° Habileté de renard, ruse. — 2° Tromperie, fourberie. ◆ **golpilleor** n. m. (1319, *Arch.*). Chasseur de renards.

gombele n. f., petit vallon. V. COMBE, vallon, gorge.

gomer n. m. (XIIIe s., *Bat. des Sept Arts;* orig. obsc.). 1° Vase de bois. — 2° Objet de peu de valeur.

gone n. f. (1230, *Eust. le Moine;* bas lat. *gunna,* mot gaul.). Robe assez longue, portée par les deux sexes. ◆ **gonele** n. f. (1180, *R. de Cambr.*). Longue cotte portée par-dessus l'armure qui descendait jusqu'au mollet. ◆ **gonaille** n. f. (XIIIe s., *Aye d'Avign.*). Vêtement.

gonfanon n. m. (XIe s., *Alexis*), **gonfalon** (XIIIe s.; francique **gundfano,* étendard de combat). Bannière de guerre suspendue à une lance. ◆ **gonfanoncel** n. m. (1160, *Athis*). Gonfanon, enseigne. ◆ **gonfanonier** n. m. (1080, *Rol.*), **-anoier** n. m. (XIIIe s., *Durm. le Gall.*). Gonfalonier. ◆ V. CONFALON.

gore n. f. (XIIIe s.; d'orig. onomat.). Truie. ◆ **goret** n. m. (1297, G.). Jeune porc.

gorel n. m. V. JOHEREL, joug, licou.

gorfoler, garfoler v. (1277, *Rose;* v. *foler,* fouler, précédé d'un premier élément obscur). Meurtrir, fouler.

gorge n. f. (1160, *Eneas;* lat. pop. **gorga;* du lat. *gurges,* tourbillon). 1° Gorge (d'après les bruits de déglutition). — 2° Raillerie, insulte : *A Ruem passa a son serorge qui ne li fist ire ne gorge* (Mousk.). ◆ **gorgier** n. m. (XIIIe s., J. de Garl.), **-eron** n. m. (XIIIe s., *Chans.*). Gorge, gosier. ◆ **gorjon** n. m. (XIVe s.). Sein : *La gorge et li gorjons sont dehors la gonnelle* (v. GONE) [*Reg. de pais*]. ◆ **gorgiee, -ee** n. f. (1175, Chr. de Tr.). 1° Gorge. — 2° Tête, vie. — 3° Contenu de la tête, pensée, sentiment : *Se vos avez dit voz gorgie (Ren.).* — 4° Injure. ◆ **gorgiere** n. f. (1278, Sarrazin). 1° Partie de l'armure, hausse-col de mailles destiné à protéger le cou. — 2 Collerette de femme recouvrant la gorge. ◆ **gorgier** v. (1220, Coincy). Avaler. ◆ **gorgoier** v. (1160, Ben.). 1° Avaler. — 2° Parler du gosier. — 3° Se rengorger, faire le fanfaron. — 4° Railler. ◆ **gorgiement** n. m. (XIIIe s.), **-erie** n. f. (XIIe s., *Horn*). 1° Jactance. — 2° Vantardise. ◆ **gorgeret** n. m. (1339, acte). Fraise. ◆ **gorgerete** n. f. (1268, E. Boil.). 1° Collerette de femme — 2° Petit gorgerin. ◆ **gorgocier** v. (1250, *Ren.*). Coasser.

gorle, guerle, guesle n. m. ou f. (1160, *Charr. Nîmes;* orig. incert.). 1° Bourse, gibecière. — 2° Valise.

gormet n. m. V. GROME, valet de marchand de vin.

gorpil n. m. V. GOLPIL, renard.

I. gort, gorc n. m. (1120, *Ps. Oxf.;* lat. *gurgitem,* gouffre). 1° Golfe, baie. — 2° Gouffre, tourbillon marin. — 3° Cascade, torrent. — 4° Gorgée : *Tant a grant gors en entonnent* (du vin) [*Rose*].

II. gort adj. (1112, *Saint Brand.;* lat. *gurdum,* grossier). 1° Lourd, grossier. —

2º Engourdi, paralysé : *Les mains gourdes por le mal d'Acre (Trist.).* — 3º Qui engourdit. ◆ **gordin** adj. (XIIᵉ s.). 1º Stupide. — 2º Débauché. ◆ **gordine** n. f. (1180, *Rom. d'Alex.).* Femme galante, femme de mauvaise vie. ◆ **gordoier** v. (1277, *Rose).* Maltraiter, rudoyer.

gos n. m. (1175, Chr. de Tr.; lat. pop. **gossum,* d'orig. incert.). 1º Chien, mâtin. — 2º Terme de mépris, injure : *Fui, gous, de ci! (Meraugis).*

gosier n. m. (XIIIᵉ s.; rad. gaul. *gos-).* Gosier. ◆ **gosillier** v. (XIIᵉ s., *Fabl.).* 1º Vomir. — 2º Jacasser, s'égosiller : *Il n'est pie ... Qui ne seust pas gosillier (Dit de la Dent).* — 3º Chanter. — 4º Parler, raconter. ◆ **gosillier** n. m. (1314, Mondev.). Gosier.

goster v. (1190, J. Bod.; lat. *gustare).* Goûter. ◆ **gost** n. m. (XIIᵉ s., **-ement** n. m. (fin XIIᵉ s., saint Grég.), **-ance** n. f. (XIVᵉ s., *Gloss. Conches).* 1º Action de goûter. — 2º Ce que l'on mange. — 3º Goûter. — 4º Goût.

gote n. f. (Xᵉ s.; lat. *gutta).* 1º Goutte. — 2º Rhumatisme articulaire. — 3º Petite quantité, renforcement de négation dans les énoncés négatifs. ◆ **goter** v. (XIIᵉ s.). Tomber goutte à goutte, dégoutter. ◆ **goté** adj. (1160, *Eneas).* 1º Tacheté, moucheté. — 2º Qui a la goutte. ◆ **gotement** n. m. (XIIᵉ s., Alex. Neckam), **-eis** n. m. (XIVᵉ s., Froiss.), **-eure** n. f. (XIIIᵉ s.). 1º Action de dégoutter. — 2º Goutte. — 3º Rosée. ◆ **gotier** n. m. (1325, *Arch.).* Gouttière.

gotron n. m. V. GOITRON, gorge, gosier.

gove n. f. (1205, *G. de Palerne;* germ. **gaupa-,* creux). Grotte, cave, antre.

governer v. (XIᵉ s., *Alexis;* lat. *gubernare).* 1º Se diriger (en parlant des marins). — 2º Prendre soin de. — 3º Tirer ses moyens d'existence. — 4º Gouverner. ◆ **governe** n. f. (1323, *Arch.).* 1º Gouvernement, direction. — 2º Conduite. — 3º Auberge. ◆ **governement** n. m. (1190, saint Bern.). Action de gouverner, de prendre soin. ◆ **governance** n. f. (1330, *Arch.).* Gouvernement, juridiction, puissance. ◆ **governeor** n. m. (1190,

Garn.). 1º Celui qui est chargé de la conduite d'un bateau. — 2º Magistrat (1342, *Ord.).* — 3º Administrateur ecclésiastique (Garn.). — 4º Curé.

I. graal, greal, gresal n. m. (1170, *Percev.;* lat. pop. **cratalem,* du grec). 1º Vase, coupe. — 2º *Saint-Graal,* vase dans lequel Jésus but pendant la Cène et où Joseph d'Arimathie recueillit le sang de ses blessures.

II. graal n. m. V. GRAEL, échelle, graduel.

grabaton n. m. (XIᵉ s., *Alexis;* lat. *grabatum,* du grec). Petit lit sans rideau.

grace, grasse n. f. (1160, *Eneas;* adapt. du lat. *gratia).* 1º Grâce divine, aide de Dieu. — 2º Grâce, vertu, qualité exceptionnelle. — 3º Faveur, pardon. — 4º Remerciement. — 5º Charme, élégance (XIIIᵉ s.). ◆ **gracios** adj. (1160, Ben.), **-ioset** adj. (XIIIᵉ s., *Chans.).* Aimable, gracieux. ◆ **gracier** v. (XIᵉ s., *Alexis).* 1º Remercier : *Dius en soit grassiés! (Fille du comte de P.).* — 2º *Gracier* quelque chose *a* quelqu'un, l'en remercier : *Vous m'avez respondu passaument, Si le vous grasie* (A. de la Halle).

grael, greal, graal n. m. (fin XIIᵉ s., saint Grég.). 1º Degré, échelle. — 2º Graduel (versets qu'on chantait à l'office). — 3º Livre d'église contenant ce qui se chante pendant la messe.

graelir v. V. GRAILLIER, griller, cuire.

graer v. V. GREER, accorder.

I. grafe, grefe, greve n. f. ou m. (1160, *Eneas;* adapt. du lat. *graphium,* poinçon, du grec). 1º Poinçon, stylet dont on se servait pour écrire. — 2º Petit couteau pour greffer, burin : *A cisel e a grafe I ont escrit en l'epitafe (Rose).* — 3º Pousse. — 4º Petit poignard. — 5º Poinçon pour faire la raie au milieu des cheveux. — 6º La raie elle-même tracée avec ce poinçon. — 7º Greffe de justice (1320, D.). ◆ **grafier** n. m. (1162, *Fl. et Bl.).* Gaine du poignard. ◆ **grafiere** n. f. (1352, *Gloss. lat.-fr.).* Burin, stylet.

II. grafe n. f. V. GRAPE, crochet, grappe.

grafignier v. (mil. XIIIᵉ s., D.); anć. scand. *krafla,* poinçon). Égratigner.

grahuse n. f. V. GREUSE, querelle.

graignor, graindre adj. compar.
V. GRANT, grand.

grail, greil, gril n. m. (fin XIIᵉ s.,
M. de Fr.; lat. *craticulum*). 1° Grille, gril.
— 2° Grille, grillage. ◆ **graille, greille** n, f.
(1265, J. de Meung). Gril, grille. ◆
graillier v. (1180, *R. de Cambr.*), **graelir**
v. (1180, *Rom. d'Alex.*). Faire cuire sur
un gril.

graile, graisle, grele adj. (1080,
*Rol.; peut-être repris au prov. *graile*, grêle
et trompette, du lat. *gracilem*). Grêle,
mince, menu : *Graisles les flancs et larges
les costez (Rol.).* ◆ **grelet** adj. (1160,
Eneas). Un peu grêle, mince. ◆ **grailir,
greslir** v. (XIIᵉ s., *Trist.*). Rendre grêle,
maigre. ◆ **graille** n. m. ou f. (1080, *Rol.*).
Trompette (au son grêlé). ◆ **grailoier**
v. (XIIᵉ s., *Chev. cygne*). 1° Faire retentir la
trompette. — 2° Sonner du cor, jouer d'un
instrument quelconque. — 3° Rappeler les
chiens, en sonnant du cor. ◆ **grelier** n. m.
(XIIᵉ s., *Chétifs*). Grêle.

graillier v. (XIIIᵉ s., D.; déverb. de
graille, corneille, attesté plus tard; du lat.
gracula). Crier, en parlant de la poule. ◆
graillement n. m. (1360, Froiss.). Croasse-
ment.

graim, grain, grant, grainde
adj. (XIᵉ s., *Alexis;* germ. *gram*, hostile).
1° Chagrin, soucieux. 2° Triste, désolé.
— 3° Fâché, furieux, colère : *Et l'emperere fu molt grains et iriez (Cour. Louis).*
◆ **graignier** v. (1160, Ben.). 1° Attrister,
irriter. — 2° Devenir sombre, s'irriter. —
3° Froncer, contracter, grincer : *Il grigne
les grenons (Fierabr.),* confondu avec *grignier,* plisser les lèvres. ◆ **graigne** n. f.
(1112, *Saint Brand.*). 1° Tristesse. —
2° Ressentiment, colère, haine : *Issi
munta entr'els grant grigne* (Wace). ◆ **gramir** v. (fin XIIᵉ s., *Aym. de Narb.*). Se désoler, se faire du souci. ◆ **gramier, -oier**
v. (1170, *Fierabr.*). 1° S'attrister, se désoler : *Volegerie me gramole (Comte de
Poit.).* — 2° S'inquiéter.

grain n. m. (fin XIIᵉ s., *Rois;* lat. *granum*).
1° Grain. — 2° Tache. ◆ **graine** n. f.
(1170, *Percev.*). 1° Graine. — 2° Couleur

écarlate. *Teinture de graine,* teinture
rouge de cochenille.

gramenter v. V. GAIMANTER, se
lamenter.

gramir v. V. GRAIM, chagrin, triste,
furieux.

gramoire, gramaire n. f. (1119,
Ph. de Thaun; lat. *grammatica*, du grec;
grimoire, à partir du XIIIᵉ s.). 1° Grammaire. — 2° Latin. — 3° Grimoire. ◆ **gramaire** n. m. (1160, *Eneas*). 1° Grammai-
rien, savant. — 2° Magicien : *Tuit li devin
et li gramaire Et li mestre de nostre loi
(Eneas).* ◆ **gramatique** n. f. (1260, Br.
Lat.). Grammaire : *Gramatique qui est
fondemenz des autres sciences (Br. Lat.).*
◆ **gramatique** adj. (1260, Br. Lat.).
Versé dans la grammaire, dans l'étude des
belles-lettres.

gran, grant adj. V. GRAIM, triste. ◆
grant n. m. (1190, J. Bod.). Souci, désir.
Tenir en grant, presser vivement de : *Li
queus [...] tint mout en grant d'aucune
aventure conter [...] (Fille du comte de P.).*
◆ **grande** n. f. (XIIᵉ s., *Part.*). Souci, préoccupation, désir : *Mult avez hui esté en
grande n. f. (XIIᵉ s., *Part.*). Souci, préoccupation, désir : *Mult avez hui esté en
grande De reconter hui vostre vie (Trist.).*

granche n. f. (1160, Ben.; lat. pop. *gra-
nica*, de *granum*, grain). Grange. ◆
grange n. f. (1190, J. Bod.; lat. *granea*).
1° Grange. — 2° *Les granges Dieu,*
réceptacle de richesses. — 3° Métairie. ◆
grangier n. m. (1195, *Cart.*). Métayer.

I. grant adj. (Xᵉ s., *Eulalie;* lat. *grandem*,
qui a éliminé *magnus*). Grand. ◆ **grandin**
adj. (1112, *Saint Brand.*). Grand. ◆
graignor adj. comp. cas rég., **graindre,**
cas sujet (déb. XIIᵉ s., *Voy. Charl.*).
1° Plus grand : *Greugneur mal puet il
ailleurs fere (M. de Fr.).* — 2° Avec le
sens du positif : *Pur un tel honme vencre
ai joie assez grandur (Th. de Kent).* —
3° *Graignor d'eage,* l'aîné. — 4° *L'avoir
graignor,* être plus à l'aise. — 5° *A graignor,* davantage. *En graignors,* pour
donner plus d'autorité. — 6° n. m. Maire
du palais : *Pepin le premier graindre dou
palais (Chron. Saint-Denis).* ◆ **gran-**

disme, -eisme adj. superl. (1160, Ben.). Très grand. ◆ **grant** n. m. (1155, Wace), **grande** n. f. (1298, M. Polo), **-ece** n. f. (1120, *Ps. Oxf.*), **-ité** n. f. (1160, Ben.), **-ise** n. f. (1288, J. de Priorat). 1° Grande taille. — 2° Grandeur.

II. grant adj. V. GRAIM, soucieux, triste, fâché.

granter v. V. CREANTER, promettre, garantir. 1° Accorder. — 2° Consentir. — 3° Garantir : *Tant vus requer, grantez le mei, Si en frai ceo que faire dei (Rés. Sauv.).* ◆ **granteison** n. f. (1190, Garn.). Promesse, octroi. ◆ **grante** n. m. (1229, *Charte*). Paiement d'une chose achetée à crédit.

grape, grafe n. f. (1119, Ph. de Thaun; francique **krappo,* crochet). 1° Grappin, crochet, griffe. — 2° Grappe. ◆ **graper** v. (1204, R. de Moil.). 1° Accrocher, saisir avec un crochet. — 2° Cueillir des grappes de raisin. ◆ **grapeler** v. (1335, Deguil.). Travailler. ◆ **grapiner** v. (1138, Gaimar). Se livrer au pillage.

gras adj. (XIIᵉ s.; lat. *crassum,* épais, avec infl. de *grossus,* gros; v. *cras*). 1° Gras. — 2° n. m. *Gras humé,* bouillon. ◆ **grassece** n. f. (XIIᵉ s., Evrat). 1° Qualité de ce qui est gras. — 2° Embonpoint. ◆ **graspois** n. m. V. CRASPOIS, graisse de baleine.

grater v. (1155, Wace; francique **kratton*). 1° Gratter. — 2° Renverser, détruire : *murs (fist) grater* (Wace). ◆ **grateure** n. f. (1283, Beaum.). Action de gratter. ◆ **gratiner** v. (1180, *Rom. d'Alex.*). 1° Gratter. — 2° Égratigner.

gratulation n. f. (XIIIᵉ s., *Serm.;* lat. *gratulatio*). 1° Action de grâces. — 2° Félicitation, signe de joie.

grau n. m. (XIIᵉ s., *Asprem.*), **graue** n. f. (1285, Aden.; sans doute de même origine que *grape,* crochet). 1° Croc. sorte de fourche à dents recourbées. — 2° Griffe. ◆ **grauet, gravet** n. m. (1297, *Arch.*). Croche, crampon.

gravanter v. V. CRAVANTER, crever.

grave, greve n. f. (XIIᵉ s., M. de Fr.; lat. pop. **grava,* d'orig. gaul.). 1° Sable, gravier. — 2° Plage de sable, d'où, à Paris,

la place de la Grève où se réunissaient les ouvriers sans travail. ◆ **gravel** n. m. (XIIᵉ s., *Auberi*), **-ele** n. f. (1120, *Ps. Oxf.*), **-oi** n. m. (1160, *Eneas*). 1° Sable, gravier. — 2° Plage, lande. ◆ **gravage** n. m. (1336, *Arch.*). 1° Grève, bord de la mer. — 2° Droit sur les varechs rejetés par la mer.

graventer v. V. CRAVANTER, briser, abattre.

I. graver, grever v. (XIIᵉ s., *B. d'Hanst.;* francique **graban;* cf. all. *graben,* creuser). 1° Faire la raie au milieu des cheveux (avec un bâtonnet pointu appelé *grafe* ou *gravoire*). — 2° Faire une entaille, greffer. — 3° Graver (XIVᵉ s.). ◆ **graveure** n. f. (1246, G. de Metz). 1° Entaille, fente, ouverture. — 2° Rainure d'arbalète. ◆ **gravoire** n. f. (1316, G.). Sorte de peigne servant à séparer les cheveux.

II. graver, -ir v. (1213, *Fet Rom.;* orig. incert., probabl. du lat. pop. **gradire,* du lat. *gradi,* infl. par *gradus,* degré). Avancer avec effort sur une pente montante.

graverenc n. m. (1169, Wace; orig. obsc.). Officier chargé de percevoir les impôts : *Tos les provos et ses baillis, Ses graverens et ses viscontes* (Wace). ◆ **graverie** n. f. (1169, Wace). 1° Charge, fardeau. — 2° Service, corvée.

I. gré, grei, gret n. m. (Xᵉ s., *Saint Léger;* lat. *gratum,* neutre de *gratus,* agréable). 1° Volonté : *Puis que il est ses grez* (Thib. IV). *A gré,* selon sa volonté. *Maleoit gré soen,* contre sa volonté. — 2° Plaisir. *De gré,* exprès, à dessein. — 3° Amitié : *M'amisted e mun gret en avez tut perdut (Voy. Charl.).* — 4° Puissance, droit seigneurial. — 5° Remerciements, actions de grâces. *Savoir gré,* être reconnaissant. ◆ **greer** v. (1160, Ben.). 1° Accorder volontiers. — 2° Approuver, consentir : *Sire, dist ele, puisque vous le voles, Moi le convient, u vuele u non, greer (H. de Bord.).* — 3° réfl. Se mettre d'accord. — 4° Flatter. ◆ **greement** n. m. (1160, Ben.). Consentement, accord. ◆ **greance** n. f. (1264, *Cart.*). Assentiment. ◆ **greor** n. m. (1243, *Arch.*). 1° Celui qui consent. — 2° Garant. — 3° Flatteur. ◆

greable adj. (1160, Ben.). Qui peut être agréé, convenable. ◆ **greanter** v. (1190, Garn.). 1º Accorder. — 2º Consentir (se confond avec *creanter*, v. GRANTER).

II. gré, grieu, griu, gri adj. et n. m. (1213, Villeh.; lat. *graecus*). Grec : *Une mellee comença des Grieus et des Latins* (Villeh.). ◆ **grec** n. m. (1298, M. Polo). Nord-est. ◆ **gresois, grejois, greois** adj. et n. m. (1160, Ben.). 1º Grec, en parlant des personnes et des choses. — 2º Grégeois : *La dedens la cité lanceront fu griais* (Rom. d'Alex.). — 3º Langue grecque : *En grezois l'a traité et dit* (Ben.). ◆ **gresain, grisain, grechain** adj. (déb. XIIe s., *Voy. Charl.*). 1º Grec. — 2º Étoffe de provenance grecque *(G. de Dole).* ◆ **gresesche, griesche** adj. fém. (1160, *Athis*). 1º Grecque. *A la gresesche,* à la mode grecque. — 2º n. f. Sorte de jeu (1257, *Arch.*). — 3º Malheur au jeu, malheur en général.

III. gré n. m. (1270, *Cart.;* lat. *gradum*). Degré, marche d'escalier.

I. greal n. m. V. GRAAL, vase, coupe.

II. greal n. m. V. GRAEL, échelle, graduel.

greche n. f. (1270, Ruteb.; francique **krippia,* qui donne aussi *creche,* 1150, *Ps.*). Crèche. ◆ **grebion** n. m. (XIIe s.). Crèche.

gref adj. V. GRIEF, pénible, triste, rude, grave.

grefaigne adj. f. V. GRIFAIGNE, farouche.

grefe n. m. et f. V. GRAFE, poinçon, stylet, poignard, pousse.

gregier v. (1160, Ben.; lat. pop. **graviare,* de *gravis,* lourd; v. *grever*). 1º Grever, faire du tort. — 2º Opprimer, léser : *Cum nos ne vossissions greger nos homes* (1262, *Charte de Gui de Lusignan*). — 3º Etre préjudiciable. ◆ **grejance** n. f. (1160, Ben.). 1º Mal, peine. — 2º Poids, accablement. ◆ **grejeuse** n. f. (1242, *Arch.*). Charge. ◆ **grejos** adj. (1160, Ben.). Dur, pénible. ◆ **gregié** adj. (1160, Ben.). 1º Opprimé, accablé. — 2º Abattu, fatigué. ◆ **grege** adj. (1306, Guiart). Hostile : *Une gent [...] a la crestienté greges* (Guiart).

greil n. m. V. GRAIL, grille, gril.

grelet adj. V. GRAILE, grêle.

gremir, gramir v. V. GRAIM, chagrin, triste, furieux.

grenage n. m. (1314, *Arch.*), **-aille** n. f. (1354, Arch.; v. *grain*). Toute sorte de grains. ◆ **grenier** n. m. (XIIIe s., E.Boil.). **-eterie** n. f. (1345, *Charte*). Endroit où l'on met le grain, grenier. ◆ **grenetier** n. m. (1297, *Cart.*). Officier du grenier à sel qui jugeait les différends relatifs aux gabelles.

grenat n. m. (1160, *Eneas;* lat. *granatum, de granum*). 1º Pierre précieuse. — 2º *Pome grenate,* grenade (Chr. de Tr.). *Pomier grenat,* grenadier.

grenon, gernon n. m. (1080, *Rol.;* lat. pop. **granone,* d'orig. germ.; cf. *grani,* cheveux). 1º Moustache, favoris. — 2º Visage. — 3º *Fronci grenon,* visage ridé. *Movoir le grenon,* manger. — 3º *Estre as grenons a* quelqu'un, contredire quelqu'un avec acharnement. ◆ **grenoner** v. (1190, Garn.). Marmonner dans sa moustache, grogner. ◆ **grenu** adj. (XIIe s., *Asprem.*). Qui a une crinière (en parlant du cheval).

grepir v. V. GUERPIR, abandonner, quitter.

gresal n. m. V. GRAAL, vase, coupe.

greseli adj. (1220, Coincy; orig. incert.). Plissé, ridé : *Le col ridé et greseli* (Coincy).

gresil n. m. (1080, *Rol.*), **gresille** n. f. (1120, *Ps. Oxf.;* francique **grisilôn*). 1º Grésil. — 2º Grêle. ◆ **gresillier** v. (XIIe s., *Trist.*). Grésiller.

I. gresillon n. m. (1162, *Fl. et Bl.;* croisement probable de *grillet,* grillon, et *gresillier,* crépiter au feu). Grillon.

II. gresillon n. m. (1235, H. de Méry; même rad. que *graille,* grille). 1º Petite grille. — 2º plur. Fers formant menottes, instrument de torture.

gresle n. f. (1119, Ph. de Thaun; francique **grisilôn*). Grêle.

gresois adj. V. GRÉ, grec.

greuse, grehuse, gruse n. f. (1279, *Arch.;* orig. obsc.). 1° Querelle, rixe. — 2° Contestation. ◆ **greusier** v. (XIII⁰ s., *Mir. N.-D.*). 1° Contester, former une réclamation. — 2° Se plaindre : *De cest servis se greusa Et dit : c'est contre la cotume (Mir. N.-D.).*

I. greve n. f. (1306, Guiart; orig. incert.). Partie de l'armure qui protège la jambe, d'abord demi-cylindre, ensuite jambière entourant toute la jambe.

II. greve n. f. V. GRAFE, poinçon, poignard.

III. greve n. f. V. GRAVE, sable, plage.

I. grever v. (1160, *Eneas*), **-ir** v. (1190, Garn.; lat. *gravare,* charger, de *gravis*). 1° Accabler, tourmenter, nuire à : *Ne deivent pas al rei ses enemis grevir* (Garn.). — 2° Blâmer sévèrement. — 3° Se donner de la peine, s'épuiser de fatigue : *Souventes foiz nous en grevons Por nostre afere* (Ruteb.). ◆ **grevance** n. f. (1189, *Arch.*), **-aison** n. f. (1190, Garn.). 1° Peine, tourment. — 2° Peine, dommage, tort, préjudice : *Il ne li pot faire nul'autre greveisun* (Garn.). ◆ **greveure** n. f. (XIII⁰ s., *Voc. lat.-fr.*). Blessure. ◆ **grevain** adj. (1170, *Percev.*). Lourd, pénible, dangereux : *Sire vos avez Emprise voie molt greveine* (Chr. de Tr.). — 2° Affligé. ◆ **grevaineté** n. f. (1230, *Saint Eust.*). Qualité de ce qui est pénible, dangereux. ◆ **greval** adj. (1170, *Percev.*). Terrible, grave, nuisible. ◆ **grevos** adj. (1160, Ben.). 1° Lourd. — 2° Pénible. — 3° Difficile. ◆ **grevable** adj. (1265, J. de Meung). 1° Pesant. — 2° Pénible, douloureux. ◆ V. GRIEF, GREGIER.

II. grever v. V. GRAVER, entailler, graver, faire une raie.

gri adj. et n. m. V. GRÉ, grec.

I. grief, gref adj. m., **grie, grive** f. (1080, *Rol.;* lat. pop. **grevem* ou lat. *gravem*). 1° Pénible, douloureux : *Dur sunt li colps e li caples est grefs (Rol.).* — 2° Chagrin, triste. — 3° Rude, fort, terrible. — 4° Grave, sérieux. ◆ **grieté** n. f. (XII⁰ s., *Chev. cygne*). 1° Peine,

souffrance. — 2° Mal d'enfant. — 3° Endroit périlleux. — 4° Grief, faute, crime.

II. grief n. m. (1175, Chr. de Tr.; déverb. de *grever*). 1° Peine, souci. — 2° Dommage. — 3° Difficulté.

grieu adj. et n. m. V. GRÉ, grec. ◆ **griesche** adj. et n. f. V. GRESESCHE, grecque, malheur au jeu (au mot GRÉ II).

grif n. m. (1250, *Ren.;* anc. haut allem. *gripôn* ou croisement entre *griper* et la famille de *grefe*). 1° Griffe. — 2° Action de saisir, vol. ◆ **grifain, grifaigne** adj. (1160, Ben.). 1° Orgueilleux, redoutable. — 2° Sauvage, cruel : *La pute gent grifagne (Asprem.).* — 3° Résolu, fier. ◆ **grifier** adj. (fin XII⁰ s., *Auberi*). Qui a de bonnes griffes.

grifon n. m. (1080, *Rol.;* v. *grip,* griffon; v. *grif*). 1° Animal fabuleux. — 2° Nom donné aux Grecs byzantins et, par extension, aux peuples d'Orient en général (Villeh.) [confusion prob. avec le mot *griu,* grec]. ◆ **grifon** adj. (1190, J. Bod.). Grec. ◆ **grifonel** n. m. (XIII⁰ s., *Gaufrey*). Petit griffon. ◆ **grifonaille** n. f. (XIII⁰ s.). 1° Canaille. — 2° Bande de voleurs. ◆ **grifain** n. m. (1260, Br. Lat.; v. *grif*). Espèce d'épervier.

grignier, grinier v. (1170, *Fierabr.;* francique **grînan,* parfois confondu avec *graignier*). 1° Plisser les lèvres en montrant les dents, grincer des dents. — 2° Faire des plis, froncer, hérisser : *Il gringne les grenons (Fierabr.).* ◆ **grigne, grine** n. f. (XII⁰ s.), **grignement** n. m. (fin XII⁰ s.). 1° Action de montrer les dents, grincement, mauvaise humeur. — 2° Fente dans la croûte du pain. ◆ **grigne** adj. (1265, J. de Meung), **-os** adj. (1160, Ben.). 1° Rechignant, grimaçant. — 2° Grognon, en colère. — 3° Rude, violent. ◆ **grignart** adj. (XII⁰ s., *Chev. cygne*). 1° Qui montre les dents, rechigné. — 2° Affreux, laid.

grignon n. m. (XII⁰ s.; lat. *crinionem,* de *crinis*). Moustache.

grillet, grislet n. m. (XII⁰ s., M. de Fr.; dimin. de *gryllum,* grillon; v. *grelet*). Grillon.

grimuche n. f. (1190, J. Bod.; francique *grima,* masque, spectre). Figure grotesque : *De chele cocue grimuche* (J. Bod.). ◆ **grimouart** n. m. (XIIIᵉ s., *Du Pescheor,* fabl.). Moue dédaigneuse. ◆ **grimache** n. f. (XIVᵉ s., *Geste de Liège;* infl. esp. possible pour la substitution du suffixe). Situation critique.

gringalet, guingalet n. m. (1175, Chr. de Tr.; du nom du cheval de Gauvain, chevalier de la Table ronde, ou du suisse *gränggeli,* homme chétif). Cheval efflanqué.

griois adj. V. GRÉ, grec.

grip n. m. (1112, *Saint Brand.;* lat. *gryphum, grypum,* grypum). Griffon. ◆ **gripon** n. m. (XIIᵉ s., *Asprem.*). Griffon.

gripe n. f. (1306, Guiart; cf. francique *grîpan,* saisir; v. *grif*). 1° Griffe. — 2° Action de saisir, rapine. — 3° Querelle, hostilités. — 4° Lieux d'aisances. ◆ **gripaille** n. f. (XIIIᵉ s.). Vol, rapine.

gris adj. (1160, Ben.; francique *gris*). 1° Gris. — 2° n. m. (XIIᵉ s., *Trist.*). Fourrure grise, petit-gris. ◆ **griset** adj. (1170, *Percev.*). Un peu gris, qui tire sur le gris. ◆ **grisain** adj. et n. m. (XIIᵉ s., *Trist.*). 1° Gris. — 2° Drap de couleur grise. ◆ **grisle, grille, grile** adj. (1160, Ben.). Gris. ◆ **grisart** adj. (1351, *Charte*). Grisâtre.

griu n. m. V. GRÉ, grec.

grive adj. f. V. GRIEF, lourd, pénible, rude.

grocier, groncier v. (1160, *Charr. de Nîmes;* cf. all. *grunzen,* grogner). 1° Gronder, grogner : *Damoissele, je ne grouc mie, par foi! (Gauvain).* — 2° Gronder, en parlant de la mer.

groe n. f. (XIIᵉ s., *Mon. Guill.;* d'orig. celt.). Caillou, gravier. ◆ **groele** n. f. (1306, *Charte*). Terre mêlée de pierres.

groge n. f. (1250, *Ren.;* germ. *krukja,* béquille). 1° Bâton recourbé, crosse. — 2° Béquille.

grognir, gronir v. (1190, Garn.), **groindre, groignier** v. (XIIIᵉ s.; lat. *grunnire,* la dernière forme infl. par *groin*). 1° Grogner, gronder. — 2° Etre

grognon. — 3° Murmurer. ◆ **grognissement** n. m. (1295, *Arch.*). Grognement, murmure. ◆ **groin** n. m. (1112, *Saint Brand.*). 1° Groin. — 2° Extrémité, cap, promontoire. — 3° Gronderie, grognerie. ◆ **grognee** n. f. (1170, *Percev.*). Coup de poing sur le groin, sur la figure. ◆ **groinart** adj. (XIIIᵉ s.). 1° Qui a l'habitude de grogner. — 2° Grondant, répugnant.

grome, gromet, gormet n. m. (1352, Du Cange; orig. obsc.; cf. angl. *groom*). Valet de marchand de vin.

gromer v. (XIIᵉ s., *Ysopet,* I; form. expressive d'orig. germ.; cf. allem. *grummeln*). 1° Grommeler. — 2° Sommeiller. ◆ **gromeler** v. (XIIIᵉ s.). Grommeler, grogner. ◆ **gromelement** n. m. (XIIᵉ s., *Ysopet* I). Grognement.

gron n. m. V. GIRON, pan d'étoffe, tunique, giron.

grondir v. (fin XIIᵉ s., *Loher.*), **grondre** v. (1180, *Rom. d'Alex.;* lat. *grundire, -ere,* var. de *grunnire,* grogner). 1° Grogner, murmurer : *Li chiens escrie, sovent gront (Trist.).* — 2° Gronder. ◆ **grondillier** v. (1120, *Ps. Oxf.*). 1° Ronchonner, murmurer. — 2° Grogner, en parlant du cochon. — 3° Mugir. ◆ **grondillement** n. m. (déb. XIIᵉ s., *Ps. Cambr.*), **-issement** n. m. (1277, *Rose*). 1° Murmure, chuchotement. — 2° Mugissement. ◆ **gronsoner** v. (1270, Ruteb.). Murmurer, grogner. ◆ **groner** v. (1190, J. Bod.). Chanter.

gropil n. m. V. GOLPIL, renard.

gros adj. (1080, *Rol.;* lat. impér. *grossum,* mot pop.). 1° Gros. — 2° Grand. — 3° *Avoir cuer gros,* être arrogant. — 4° n. m. (1080, *Rol.*). Grosseur. ◆ **grosset** adj. (XIIᵉ s., *Part.*). Un peu gros. ◆ **grossisme** adj. (1298, M. Polo). Très gros. ◆ **grossement** adv. (XIIᵉ s., *Florim.*). 1° Grandement. — 2° Grossièrement. — 3° En gros. ◆ **groisse** n. f. (1160, Ben.). 1° Grosseur, largeur. — 2° Grossesse. ◆ **grossece** n. f. (1155, Wace). 1° État d'une femme enceinte. — 2° Grosseur, embonpoint. ◆ **groisseur** n. f. (1283, Beaum.). Grossesse. ◆ **grossier** n. m. (1268, E. Boil.), **-eor** n. m. (1311, G.). Marchand

en gros. ◆ **grossoier** v. (1272, Joinv.).
1° Devenir gros, grossir. − 2° Faire la
grosse d'un acte. ◆ **grossement** n. m.
(1344, *Ord.*). 1° Rédaction. − 2° Frais
d'écriture. ◆ **grossaire** n. m. (1336,
Arch.). Secrétaire qui fait la grosse d'un
acte.

I. **gru, gruis** n. m. (1220, Coincy;
anc. haut allem. *gruzzi*). 1° Gruau. −
2° Grain d'orge, d'avoine moulu sans être
réduit en poussière, et qui est séparé du
son. − 3° Bouillie de gruau. ◆ **gruel** n. m.
(fin XIIᵉ s., *Rois*). Gruau. ◆ **gruer** v. (1274,
Franch.). Fabriquer du gruau.

II. **gru** adj. V. GRÉ, grec.

I. **gruier** n. m. (XIIIᵉ s., Baude Fastoul;
mot féodal d'orig. incert., probabl. germanique; cf. francique *gruoli*, qui qui est vert).
1° Seigneur ayant droit d'usage dans les
bois et ses vassaux. − 2° Garde-forêt.
◆ **gruage** n. m. (1281, *Lettre*). Droit sur
les forêts.

II. **gruier** adj. (XIIIᵉ s., *Chans. sat.*;
dér. de *grue*, du lat. pop. *grua* pour *grus*).
1° Dressé à voler la grue : *faucons gruiers
(Du Fils du Seneschal).* − 2° Rusé,
habile.

gruse n. f. V. GREUSE, querelle, rixe,
contestation.

guaaignier v. V. GAAIGNIER, faire
paître, profiter.

guai interj. (1120, *Ps. Oxf.*; germ. *wai*).
Exclamation de douleur ou d'effroi : *Wai a
vos, riche gent, qui aveiz vostre solais!*
(saint Bern.). − 2° n. m. (XIIᵉ s., *Adam*).
Malheur, infortune. ◆ V. GAIMANTER, se
lamenter.

guaire adv. V. GAIRE, beaucoup.

guaitier v. V. GAITIER, faire le guet,
être sur ses gardes.

guampe n. f. (XIIIᵉ s., J. de Garlande;
anc. haut allem. *wampa*, sein). Poitrine de
cerf.

guede n. f. (1175, Chr. de Tr.; francique *waizd*). 1° Plante tinctoriale. −
2° Teinture bleue.

guef n. m. V. GAIF, chose perdue.

gueille n. f. V. GORLE, bourser, gibecière.

guemanter v. V. GAIMANTER, se
lamenter.

guenchir, -ier v. (1160, *Eneas;* francique *wankjan*). 1° Aller au hasard, obliquer : *Cil vet tant guenchissant ça et la
qu'il chiet a terre (Queste Saint-Graal).* −
2° Tourner : *Cil guenci vers lui le ceval
(Atre pér.).* − 3° Guenchir de, a, se
détourner de, manquer à. − 4° Échapper à.
Guenchir la mort, guenchir a la mort,
éviter, fuir la mort. ◆ **guenche** n. f. (1160,
Ben.). 1° Action d'obliquer, de s'esquiver.
Faire guenche, fuir, se dérober, abandonner. − 2° Détour, échappatoire. −
3° Tromperie : *Ja set moult de tors et de
ganches (Percev.).* ◆ **guenchie** n. f. (1180,
Rom. d'Alex.). Coup de revers.

guermenter v. V. GAIMENTER, se
lamenter.

guerle n. f. ou m. V. GORLE, bourse,
valise.

gueron n. m. V. GIRON, pan d'étoffe,
tunique, giron.

guerpir, -er v. (XIᵉ s., *Alexis;* francique *werpan*, jeter). 1° Abandonner, quitter, rejeter : *S'il voloit sa loy guerpir et la
nostre prendre, jou li donroie grant tiere
(Fille du comte de P.).* − 2° Céder,
renoncer à : *Mais de s'espee ne volt mie
guerpir (Rol.).* ◆ **guerpiment** n. m.
(1297, G.). Abandon.

guerre n. f. (1080, *Rol.;* francique
werra). 1° Guerre. − 2° Difficulté, malheur : *Lor sordra une si grant guerre Dont
cascuns d'euz sera dolent (Saint Eust.).*
◆ **guerrer** v. (XIIᵉ s.). 1° Faire la guerre,
batailler. − 2° Mettre en désordre, nuire.
◆ **guerreor** n. m. (XIIᵉ s., J. Fantosme).
1° Homme de guerre, guerrier. −
2° Ennemi, hostile. − 3° Querelleur. ◆
guerriere n. f. (1112, *Saint Brand.*).
Ennemie : *Car ainc ens nule maniere Ne
forfis Par coi fuissiés ma guerriere (C. de
Béth.).*

guerredon, gardon n. m. (1080,
Rol.; francique *widarlôn,* croisé avec le
lat. *donum*). 1° Objet d'un échange,

récompense, prix d'un service, d'une bonne action. *En guerredon,* comme faveur. *De guerredon,* en échange. — 2° Salaire : *Avoir porrons et recovrer Le guerredon et le loyer* (Coincy). — 3° Cadeau. ◆ **guerredoner** v. (xiᵉ s., *Alexis*). Récompenser : *Bien savoit gueredonner selon lor oevres (Chron. Reims).* ◆ **guerredonance** n. f. (1120, *Ps. Oxf.*). Récompense. ◆ **guerredoneor** n. m. (xiiᵉ s., *Argentine*). Celui qui récompense. ◆ **guerredonable** adj. (xiiiᵉ s., Bible). Qui mérite récompense.

guersoi, -ai n. m. (1235, H. de Méry; orig. obsc.). 1° Défi à boire. — 2° Beuverie. *A guersoi, a grant guersoi,* avec excès : *Trop avez beu a grant guersoi (Fauvel).* ◆ **guersoillier** v. (1235, H. de Méry). Inviter, provoquer à boire.

guesle n. m. ou f. V. GORLE, bourse, valise.

guet n. m. (déb. xiiᵉ s., *Voy. Charl.;* lat. *vadum,* croisé avec le germ. *wad*). Gué. ◆ **gueer** v. V. GAER, marcher dans l'eau, baigner, abreuver.

guever, guesver v. V. GAIVER, égarer, céder.

guiart n. m. (1220, Coincy; orig. obsc.). Habit, vêtement.

guibet n. m. (1120, *Ps. Oxf;* orig. incert.). Moucheron, moustique : *Ne grosse mouske ne wibet* (M. de Fr.).

I. **guiche, guige** n. f. (1160, *Thèbes;* croisement entre le lat. *vitica,* vrille de la vigne, et le germ. *windan,* tourner). 1° Courroie qui servait à suspendre le bouclier au cou pendant la marche. — 2° Ceinturon. — 3° Écharpe.

II. **guiche** n. f. V. GUISCHE, tromperie, ruse.

guichet n. m. (1160. *Eneas;* peut-être anc. scand. *vík,* cachette). 1° Petite porte pratiquée dans une grande. — 2° Sens équivoque, grivois.

guier v. (1080, *Rol.;* francique *witan,* montrer une direction). 1° Guider, conduire. — 2° Commander. — 3° Gou-

verner. ◆ **guiage** n. m. (1309, *Charte*). Conduite. ◆ **guie** n. f. (xiiᵉ s., *Macch.*). Conducteur, guide. ◆ **guial** n. m. (1260, Mousk.). Guide, chef. ◆ **guieor** n. m. (1160, Ben.). 1° Conducteur, guide. — 2° Chef. ◆ V. GUION, guide.

guignier v. (1160, *Eneas;* francique **winkan*). 1° Faire des signes : *Li barbarins guignoit e feisoit signes a ses notoniers qu'il le gitast en la mer (Saint Eust.).* — 2° Faire signe de l'œil. — 3° n. m. Œillade : *Que tu doiz bien savoir d'amors ... Et les angins et les guinniers (Chr.).* — 4° Parer, farder (Chr. de Tr.). ◆ **guignement** n. m. (xiiiᵉ s., *Fabl. d'Ov.*). Action de guigner. ◆ **guinart** n. m. (xiiiᵉ s.). Signe du coin de l'œil. ◆ **guignon** n. m. (xiiᵉ s., *Trist.*). Le mauvais œil, la mauvaise chance : *Tex a esté set anz mignon, Ne sert si bien traire guignon (Trist.).*

guiler v. (xiiᵉ s., Con. de Béth.; francique *wigila,* astuce, avec inff. probable de *Guillaume,* nom propre à connotations diverses). 1° Tromper, duper. — 2° Attraper, prendre par surprise. — 3° Dépenser follement. ◆ **guile** n. f. (1190, J. Bod.). 1° Tromperie, fraude. — 2° Ruse. — 3° *Aler en guile,* se divertir. ◆ **guilant** adj. (1220, Coincy). Qui trompe, trompeur. ◆ **guileor** n. m. (1220, Coincy). 1° Trompeur, fourbe : *Puant vilein [...] Estez devenuz guileres? (Ren.).* — 2° Charlatan.

guimple n. f. (1155, Wace; francique **wimpel*). 1° Banderole fixée à la lance de joute. — 2° Ornement de tête : pièce de tissu couvrant la tête et entourant les tempes et le cou. ◆ **guimpler** v. (fin xiiᵉ s., *Rois*). 1° Vêtir d'une guimpe. — 2° Faire entrer au couvent, littéralement faire porter la *guimpe* des religieuses.

guindas, vindas n. m. (1155, Wace; norrois *vind-âss,* treuil). Treuil, grue. ◆ **guinder** v. (xiiiᵉ s., *Franch.*). Hisser à l'aide d'un treuil.

guingalet n. m. V. GRINGALET, cheval efflanqué.

guinlechier n. m. (fin xiiᵉ s., *Aiol;* cf. flam. *winleker,* même sens). 1° Garçon de marchand de vin. — 2° Terme d'injure, goujat.

guion n. m. cas rég., **guis,** cas suj. (1160, Ben.; v. *guier,* guider). Guide, conducteur. ◆ **guionage** n. m. (1160, Ben.). 1° Guide : *Sainz Gabriels vos sera guionages (Cour. Louis).* — 2° Conduite, escorte. — 3° Sauf-conduit. — 4° Droit de péage.

guipellon, guipillon n. m. (XIIᵉ s., Delb.; moy. néerl. *wisp,* bouchon de paille, ou néerl. *wipen,* se remuer en tous sens; v. mot suivant). Goupillon.

guiper v. (1350, G.; gotique *weipan,* entourer de soie). Recouvrir de soie, garnir de broderies une étoffe. ◆ **guipon** n. m. (1342, *Arch.*). Goupillon.

guische n. f. (1170, *Percev.;* orig. obsc.). 1° Tromperie, mauvais tour : *Car nos vengiés de cel laron Qui tantes guiches nos a faites (Ren.).* — 2° Mauvais traitement. ◆ **guischos** adj. (XIIᵉ s., *Part.*). 1° Rusé. — 2° Méchant, mauvais. ◆ **guischart** adj. (1220, Coincy). Rusé, astu-

cieux. ◆ **guischois** adj. (1250, *Ren.*). *Faire le guichois,* se sauver.

guise n. f. (XIᵉ s., *Alexis;* francique *wisa). Manière, façon : *Si s'atorna a guise de jogleor (Auc. et Nic.). A gyse de marchaunt (F. Fitz Warin). En nule guise,* de quelque façon que ce soit. ◆ **guiser** v. réfl. (fin XIIIᵉ s., *Sydrac*). Se déguiser.

guiserme n. f. V. GISARME, sorte de hallebarde.

guiterne n. f. (1277, *Rose;* altér. du lat. *cithara,* du grec). Instrument à cordes pincées dérivé de la cithare et de la rote. ◆ **guiterneor** n. m. (XIVᵉ s.). Joueur de guiterne.

guiton n. m. (XIIᵉ s., *Asprem.;* orig. obsc.). Page, valet : *Norri i ai en vos coart guiton (Asprem.).*

guitron n. m. V. GOITRON, gorge.

guivre, wivre n. f. (1080, *Rol.;* lat. pop. **wipera,* pour *vipera,* par infl. germ.). 1° Serpent. — 2° Javelot en forme de serpent, flèche.

ha n. m. (XIIIe s., *ABC;* dénomination onomat.). Nom de la lettre *h : Li uns dist* ache, *l'autre* ha *(ABC)*.

haberge n. f. V. HERBERGE, logis, hôtel, hospitalité.

hache n. f. (1175, Chr. de Tr.; francique **hapja*). 1° Arme de combat : *Ainsi fierent de haches com vilain de flael* (J. Bod.). — 2° Hache. ◆ **hachete** n. f. (1300, *Dit du mercier*). 1° Petite hache de combat. — 2° *Hachete a seigner*, lancette.

hachie n. f. V. HASCHIE, douleur.

hadot n. m. (XIIIe s.; *Bat. de Quaresme;* cf. angl. *haddock*, chair fumée de l'églefin). Églefin.

haer, heer v. (1080, *Rol.;* francique **hatjan*). Haïr. ◆ **hé, het** n. m. (1160, Ben.). Haine : *Coillir en hé*, prendre en haine. ◆ **hee** n. f. (XIIe s., Mar. de Fr.), **haenge** n. f. (fin XIe s.; *Lois Guill.*), **haement** n. m. (1155, Wace), **haor** n. f. (1080, *Rol.*), **haine** n. f. (1150, *Thèbes*). Haine. ◆ **haeor** n. m. (1260, Mousk.). Celui qui hait. ◆ **haif** n. m. (déb. XIIe s., *Ps. Cambr.*). Ennemi. ◆ **haineus** adj. (1311, *Arch.*). Ennemi.

hahai n. m. (1220, Coincy; onomat.). 1° Cri d'alarme, cri de guerre. — 2° Cri, tumulte, guerre.

haie n. f. (fin XIIe s.; *Aiol;* francique **hagja*). 1° Haie, clôture. — 2° Garenne, partie de la forêt réservée à la chasse aux bêtes fauves. *Forest haiee*, garenne. ◆ **haier** v. (fin XIIe s., *Loher.*). 1° Garnir d'une haie. — 2° Barrer au moyen d'une haie. — 3° Chasser dans les haies. ◆ **haie** n. f. (XIIIe s., *Arch.*), -**iere** n. f. (XIIIe s., *Doon de May.*). Haie. ◆ **haion** n. m. (1280, *Arch.*). Étalage mobile qu'on dressait sur le marché.

haigne, higne, hisne n. f. (fin XIIe s., *Ogier;* orig. incert.). Figure grimaçante. ◆ **haignier** v. (XIVe s.; *Geste de Liège*). 1° Faire une mine renfrognée. — 2° Grogner. ◆ **halgneur** n. m. (1230, *Charte*). Celui qui grogne, mécontent.

haim n. m. V. AIM, hameçon.

haimi interj. (fin XIIIe s., *Mir. Saint Louis;* composé d'un premier élément

onomat. ou d'une forme de *guai*, malheur, et du pron. pers. *me, moi*). Exclamation de découragement, de douleur, hélas!

haingre adj. V. HEINGRE, décharné.

haior, haor n. f. V. HAER, haïr.

I. **haire** n. f. (Xe s., *Fragm. de Valenc.;* francique **harja*, vêtement de poil). Chemise de crin.

II. **haire** n. f. (XIIe s., *Chev. cygne;* cf. le mot précédent). 1° Misère, douleur. — 2° Peine, ennui : *Avant! faisons lui assez haire!* (*Mir. N.-D.*). ◆ **haire** adj. (XIIIe s., *Doon de May.*). Malheureux, pauvre.

hairon n. m. (1150, *Thèbes;* francique **haigiro*). Héron.

haise, hase n. f. (1250, *Ren.;* cf. germ. *hasa*). 1° Clôture faite de branches entrelacées fermant les jardins, les cours de métairies, etc. — 2° Barrière, porte. ◆ **haisin** n. m. (1346, G.). Barrière, pieux formant une barrière.

haitier v. (1190, Garnier; cf. germ. *hait*). 1° Réjouir, faire plaisir : *Le chaiens a riens ki vous haite* (Court. d'Arras). — 2° Souhaiter du bonheur, encourager. — 3° Etre en bonne santé. — 4° Guérir. ◆ **hait** n. m. (1112, *Saint Brand.*). 1° Joie : *Dures noveles li sunt porté Dunt cel heit est trublé* (Cout. de Bret.). — 2° Souhait, désir, espoir : *A hait, a son hait, de hait*, de bon cœur. — 3° Courage, ardeur : *De hait*, avec ardeur, vivement. ◆ **haitement** n. m. (1160, Ben.). 1° Plaisir, satisfaction. — 2° Courage. ◆ **haitié** adj. (1160, Ben.). 1° Joyeux. — 2° Bien portant : *Ne fu puis jor sains ne haitiez* (Ben.).

I. **halberc** n. m. (déb. XIIe s., *Voy. Charl.;* francique *halsberg*, ce qui pro-

327

tège le cou). 1° Haubert, longue cotte de mailles descendant jusqu'à mi-jambes. Le port du haubert était une marque de noblesse. — 2° Homme revêtu d'un haubert (Mousk.). ◆ **halbergier** v. (1170, *Fierabr.*). Revêtir d'un haubert. ◆ **halbergeon** (1155, Wace), **-jol** (1160, Ben.), **-cot** (1250, *Ren.*) n. m. Petit haubert sans coiffe porté par les écuyers, les archers.

II. **halberc** n. m. V. HERBERC, logis, hôtel.

I. **hale** n. f. (1213, *Fet Rom.*; francique **halla*). 1° Marché. — 2° Foule, assemblée : *Tele ale avoit en ma maison* (*Rose*). — 3° Salle, salle de conseil. ◆ **halage** n. m. (1268, E. Boil.). Droit sur les marchandises vendues à la halle. ◆ **halier** n. m. (1268, E. Boil.). Garde des halles qui percevait le hallage.

II. **hale** interj. V. HARE. ◆ **haloer, asloer** v. (1138, *Saint Gilles;* convergence probable de l'interj. et de l'anc. néerl. *halen,* tirer). 1° Poursuivre en criant. — 2° Tirer comme sur un chemin de halage. ◆ **haleiz** n. m. (1306, Guiart). Cri retentissant.

III. **hale** n. m., lumière et chaleur du soleil. V. HALER, brûler.

IV. **hale** adj., desséché. V. HALER, brûler, dessécher.

halequin n. m. V. HELEQUIN, feu follet, diablotin, Satan.

haler, harler, hasler v. (1170, *Fierabr.*; probablement le francique **hallôn,* dessécher). 1° Brûler. — 2° Etre desséché. ◆ **hale** n. m. (Chr. de Tr.). La lumière et la chaleur venant du soleil. Cf. aujourd'hui le *soleil* par opposition à l'*ombre* : *Toz jorz la fit garder en chambre Plus por peor que por le hasle* (Chr. de Tr.). ◆ **hale** adj. (1260, Ruteb.). Desséché : *Pain noir, dur et hasle* (Ruteb.).

haleter v. (1175, Chr. de Tr.; dér. de *aile,* avec un *h* expressif). 1° Battre les ailes : *Et j'oi l'aloete A la matinee Qui saut et halete* (XIIIᵉ s., L.). — 2° Battre, en parlant du cœur : *Dex doint bon jor m'amiete; Li cuer por li me halete* (*Poésie fr. av. 1300*).

haliegre adj. V. ALIEGRE, vif, leste.

haligot n. m. V. HARIGOT, lambeau, déchirure.

halot n. m. (1292, *Cart.;* d'orig. germ.). 1° Branche, bûche. — 2° Buisson, hallier. ◆ **haloter** v. (1371, G.). Couper des branches, émonder.

halt n. m. (1180, *Part.;* cf. allem. *Halt,* arrêt). Séjour.

ham n. m. (XIIIᵉ s.; francique *haim,* même sens). 1° Village. — 2° Chaumière. ◆ **hamel** n. m. (1265, J. de Meung), **-elet** n. m. (XIIIᵉ s., *Doon de May.*). Hameau, petit hameau.

hamede, -eide, -aide n. f. (1293, *Arch.;* orig. incert.). Barre, barrière.

hami interj. V. AI, exclam. de douleur.

hampe n. f. (fin XIIIᵉ s.; altér. de *wampe,* de l'anc. haut allemand *wampa,* sein). Poitrine de cerf.

I. **han, hen** n. m. (1112, *Saint Brand.;* v. *ahan*). Souffrance. ◆ **hanable** adj. (1311, *Arch.*). Labourable.

II. **han** interj. (1306, Guiart; orig. onomat.). Expression d'assentiment, oui.

hanap n. m. (1100, G.; francique *hanapp,* latinisé en *hanappus,* même sens). 1° Vase à boire, souvent garni d'un couvercle. — 2° Ciboire, calice. ◆ **hanapee** n. f. (1180, *G. de Vienne*). Contenance d'un hanap, le hanap rempli. ◆ **hanepel** n. m. (XIIIᵉ s., Cortebarbe). 1° Petit hanap. — 2° Sébile de bois. — 3° Crâne. ◆ **hanepier** n. m. (XIIᵉ s., *Asprem.*). 1° Étui servant à renfermer les hanaps. — 2° Crâne. — 3° Couvre-chef en fer, casque.

haner, hiner v. (1080, *Rol.;* lat. **hinnare,* avec un *h* d'origine expressive). Hennir.

hange, haenge n. f. V. HAER, haïr.

hansac n. m. (fin XIIᵉ s., *Rois*), **-art** (XIIᵉ s., *Part.*), **-sat** (XIIIᵉ s., *G. de Warwick;* cf. germ. *hand-seax,* couteau de main). Coutelas, poignard.

hanse n. f. (1320, *Chr. de Ph. V*; l'anc. haut all. *Hanse*, corporation). 1° Corporation de marchands. — 2° Droit payé pour être admis dans une hanse. — 3° Tribut (au fig.). ◆ **hansage** n. m. (1220, Coincy). 1° Redevance perçue par la hanse. — 2° Toute sorte de droit.

hante, hanste n. f. (1080, *Rol.*), **hanst** n. m. (XIIᵉ s., *Conq. Irl.*; cf. germ. *hasta*, lance, en convergence probable avec *hand*, main). 1° Bois d'une arme ou d'un outil. — 2° Manche. — 3° Lance. ◆ **hanstee** n. f. (XIIᵉ s., *Chétifs*). Longueur d'une lance. ◆ **hanster** v. (XIIIᵉ s., *Fabl.*). Publier selon l'usage (en plantant une lance pour marquer le lieu de rassemblement).

hanter v. (1138, *Saint Gilles*; cf. anc. scand. *heimta*, retrouver). 1° Habiter. — 2° Fréquenter. ◆ **hant** n. m. (fin XIIᵉ s., *Rois*). Fréquentation, accointance : *hant de femme (Rois)*. ◆ **hantement** n. m. (XIIIᵉ s., *Livr. de Jost.*), **-ance** n. f. (1265, J. de Meung), **-eis** n. m. (1265, J. de Meung). 1° Fréquentation. — 2° Exercice, usage. — 3° Habitude acquise par l'usage fréquent. — 4° Lieu fréquenté. ◆ **hantise** n. f. (XIIIᵉ s.), **-ie** n. f. (XIVᵉ s., *Geste de Liège*). Compagnie. ◆ **hantable** adj. (1112, *Saint Brand.*). Fréquenté.

haon interj. (1220, Coincy; d'orig. onomat.). Expression de mécontentement : *Toz les groignoient son gadiaus Qui dit dades : Haon, haon* (Coincy).

haor, haior n. f. V. HÁER, haïr.

hape n. f. (1268, E. Boil.; orig. incert. v. le mot suivant). 1° Crochet. — 2° Sorte de serpe. ◆ **hapart** n. m. (1204, R. de Moil.). Crochet pour suspendre.

haper v. (fin XIIᵉ s., *Aiol*), **-ir** v. (XIIIᵉ s., *Menestr. Reims*; onomat. d'orig. germ.). Happer, attraper. ◆ **hapel** n. m. (1169, Wace). Voleur : *Quant li haspel ourent hapé Ses dras (Guill. le Maréch.)*.

I. harace n. f. (fin XIIIᵉ s., *Ass. Jér.*; var. de *charasse*, du lat. pop. *caracium*, influencé peut-être par *hart*, lien d'osier). 1° Cage en osier. — 2° Grand panier formé de cordes, à claire-voie. — 3° Grand

bouclier, de la taille d'un homme, *en laquel* (est) *deux pertuis en tel endreit que il puisse veoir son adversaire par ciaus pertuis* (J. d'Ibelin).

II. harace adj., qualifie une sorte de cheval. V. HARAS, troupeau d'étalons.

haras n. m. (1160, Ben.; orig. incert.; cf. anc. norm. *hârr*, qui a le poil gris). Troupeau d'étalons et de juments destinés à la reproduction. ◆ **harace** adj. (XIIIᵉ s., *Gloss. Glasgow*). Qualifie une sorte de cheval.

harban n. m. V. HERBAN, proclamation.

harde n. f. V. HERDE, troupe.

harder v. (s. d.; dérivé de *hart*), Attacher à la corde. ◆ **hart** n. m. (1169, Wace; francique *hard*, filasse). 1° Branche. — 2° Osier. — 3° Corde (surtout pour étrangler les condamnés à mort). — 4° *Ne part ne hart*, rien du tout. ◆ **hardee** n. f. (XIIᵉ s.). Botte liée par une corde. ◆ **hardel** n. m. (1170, *Fierabr.*). 1° Corde. — 2° Paquet lié avec une corde. ◆ **hardier** v. (1160, Ben.). Chasser avec des chiens attachés à la harde : *Curre, berser u herdeier* (Ben.). ◆ **hardiere** n. f. (1250, Ren.). Corde pour pendre le gibier, à la chasse. ◆ **hardillier** v. (XIIIᵉ s., *Doon de May.*). Étrangler avec une corde. ◆ **hardeillon** n. m. (1230, *Eust. le Moine*). Petite corde.

hardir v. (s. d.; francique **hardjan*, devenir osé, hardi). 1° Devenir hardi, osé. — 2° Encourager. ◆ **hardi** p. passé (1080, *Rol.*), **hardoin** adj. (1244, *la Paix aux Anglais*). Courageux, audacieux. ◆ **hardier, -oier** v. (1212, Villeh.). 1° Attaquer, pourchasser : *Pour hardier l'ost le roy* (Joinv.). ◆ **hardement** n. m. (1080, *Rol.*), **-iance** n. f. (XIIIᵉ s., *Chans.*). 1° Audace. — 2° Force : *Ele n'ot pas hardement de muer ses piez ne de movoir soi autrement (Mir. Saint Louis)*. ◆ **hardeor** n. m. (fin XIIIᵉ s., *G. de Tyr*). 1° Celui qui fonce. — 2° Éclaireur.

hare interj. (1204, *Cart.*; v. haro). Le cri *hare! hare!*, répété par les sergents, marquait la fin de la foire. ◆ **haree** n. m. (1321, *Ord.*), **-ele** n. f. (fin XIIᵉ s., *Trist.*).

1º Cri, tumulte. — 2º Cri d'appel : *Souef l'apele N'avoit son de crier harele (Trist.).* — 3º Émeute, sédition. ◆ **harevale** n. f. (XIIIᵉ s., *Gaydon*). Tapage, vacarme.

harenc n. m. (XIIᵉ s., germ. *hâring,* latinisé très tôt en *aringus*). Hareng. ◆ **harengier** n. m. (1200, *Ren. de Montaub.*). Pêcheur ou marchand de harengs. ◆ **harengerie** n. f. (1268, E. Boil.). Marché au hareng.

hargalt n. m. V. HERIGALT, surcot.

hargnier v. (1426, francique **harmjan,* tourmenter). 1º Etre de mauvaise humeur. — 2º Gronder. ◆ **hargne** n. f. (1277, *Rose*). 1º Défaut. — 2º Désagrément : *Male bouche qui riens n'esperne Trueve a chascune quelque herne (Rose).* ◆ **harnoie** n. f. (XIIᵉ s., *Blancandin*), **-oise** n. f. (fin XIIIᵉ s., *Mir. saint Éloi*). Bruit, cri, dispute. ◆ **hargnos** adj. (1160, Ben.). Hargneux.

hari interj. (1230, *Eust. le Moine;* orig. incert.). Exclamation d'encouragement, Allons! Allons!

harigot, hali-, hergot n. m. (Chr. de Tr.), **harigote** n. f. (1180, *Rom. d'Alex.;* germ. **harion,* viande). 1º Lambeau. — 2º Déchirure, pièce rapportée. — 3º Aiguillette. ◆ **harigoter, harligoter** v. (fin XIIᵉ s., saint Grég.). 1º Couper en morceaux. — 2º Déchirer, déchiqueter. — 3º Caresser amoureusement une femme. ◆ **harigoté** adj. (XIIᵉ s.). Mal habillé.

harler v. V. HALER, dessécher.

harnois, herneis, hernos n. m. (1169, Wace; anc. scand. **hernest,* provisions de bouche d'une armée). 1º Équipement d'un homme d'armes : *Estre bien a harnois,* être bien équipé. — 2º Arme, armure. — 3º Harnais de cheval (E. Boil.). — 4º Bagage, charge, poids. — 5º Parties naturelles de l'homme : *Chascune qui les va apelant Les apele, ne sai coment, Borses, harnais, riens, piches, pines (Rose).* — 6º Savoir le harnois, être habile, rusé. ◆ **harnage** n. m. (fin XIIIᵉ s., G. de Tyr). Équipement. ◆ **harnaschier** v. (XIIᵉ s., *Barbast.*).

1º Équiper, armer (en parlant des soldats, d'un navire). — 2º Se couvrir de ses armes. ◆ **harnascherie** n. f. (1326, *Arch.*), **-eure** n. f. (XIIᵉ s., *Chev. deux épées*). Harnachement.

haro, harou interj. et n. m. (XIIᵉ s., Marie de Fr.; francique **hara;* cf. angl. *here,* ici). 1º Appel au secours, cri de détresse : *Harou, harou, hé aidiez moi!* (M. de Fr.). — 2º n. m. (XIIIᵉ s.). Cri d'appel, cri en général. (V. HARE.)

harpe n. f. (déb. XIIᵉ s., *Ps. Cambr.*; germ. **harpa*). Harpe. ◆ **harper** v. (1119, Ph. de Thaun). 1º Jouer de la harpe. — 2º Se courber en forme de harpe. ◆ **harpier** n. m. (XIIᵉ s., *Asprem.*), **-eor** n. m. (XIIᵉ s., *Asprem.*). Joueur de harpe.

hart n. m. V. HARDER, attacher à la corde.

has n. m. (1190, Garn.; orig. incert.; cf. *has,* enjambée, XIVᵉ s.). Exhortation : *Nuls d'els ne la volt dire par comant ne pur has* (Garn.).

hasart n. m. (1145, E. de Kerkham; arabe *al-zahr,* par l'intermédiaire de l'esp.). 1º Jeu de dés. — 2º Un certain coup au jeu de dés (six points). ◆ **hasardeor** m. m. (XIIIᵉ s., *Digeste*), **-del** n. m. (1209, R. de Moil.). Joueur, celui qui joue aux jeux de hasard : *Li hasardeeur et li buveur de taverne (Digeste).*

haschee, -iee n. f. (1160, Ben.), **-iere** n. f. (fin XIIᵉ s., saint Grég.; cf. germ. *harmskara,* tourment). 1º Tourment, angoisse, supplice : *Il soffri mort e haschee* (Ben.). — 2º La Passion du Christ (au plur.) : *les Saintes Hachies (Rom. et past.).* — 3º *A haschiee,* d'une manière malheureuse, cruellement. — 4º Poids, charge.

hase n. f. V. HAISE, clôture.

hasler v. V. HALER, brûler, dessécher.

haspel n. m. V. HAPEL, voleur.

I. **haste** n. f. (fin XIIᵉ s., *Cour. Louis;* francique **haist,* vivacité). 1º Vivacité. — 2º Hâte. ◆ **haster** v. (1080, *Rol.*). 1º Presser, poursuivre. — 2º Susciter : *E les autrui proesce haste* (Guiot). ◆

hasteier v. réfl. (1080, *Rol.*). Se hâter.
◆ **hastece** n. f. (XIIᵉ s., *Ysopet*). **-ance** n. f. (XIIIᵉ s.). 1º Hâte. — 2º Ardeur. ◆ **haste** adj. (1277, *Rose*). Alerte. ◆ **hastif** adj. (1080, *Rol.*). 1º Ardent, impétueux. — 2º Pressé, urgent. — 3º *Hastif de*, empressé à. ◆ **hastivel** n. m. (XIIIᵉ s., *Crierie de Paris*). 1º Saison des primeurs. — 2º Droit de rentrer un certain nombre de gerbes avant le prélèvement de la dîme. ◆ **hastiveté** n. f. (1283, Beaum.). Vivacité, emportement.

II. **haste** n. f. ou m. (1175, Chr. de Tr.; croisement entre le lat. *hasta*, lance, et le germ. *harsta*, gril). 1º Broche à rôtir. — 2º Pièce de viande rôtie : *A grant planté haste rostis (Atre pér.).* ◆ **hastier** n. m. (fin XIIᵉ s., *Loher.*). 1º Broche à rôtir, grand chenet de cuisine. — 2º Rôti. ◆ **hasté** n. m. (1215, *Livre rouge*). Rôti. ◆ **hasteor** n. m. (1285, *Arch.*). Cuisinier qui a soin des broches.

hasterel n. m. (1160, Ben.; germ. *halsadara*, nuque). 1º Nuque. — 2º Tête. ◆ **hastrelee** n. f. (XIVᵉ s., *Ger. de Blav.*). Coup sur le cou.

hatiplat n. m. (fin XIIᵉ s., *Alisc.*), **-plel** n. m. (1230, *Eust. le Moine*; orig. obsc.). Gifle, coup : *Li rendoient grans hatiplas Des trenchans* (G. de Montr.).

I. **hauban** n. m. (1138, *Saint Gilles*; scand. *höfud-benda*, lien du sommet). Gros cordage en échelle qui maintient le mât vertical.

II. **hauban** n. m. (1268, E. Boil.; d'orig. germ.). Impôt payé par les artisans pour l'exercice de leur métier, d'abord en vin, ensuite en argent. ◆ **haubanier** n. m. (1268, E. Boil.). Celui qui est sujet au hauban.

I. **haut, halt** adj. V. ALT, AUT, haut. ◆ **hautal** adj. (1138, *Saint Gilles*), **-age** adj. (fin XIIᵉ s., *Ogier*). Haut, élevé. ◆ **hautor** adj. (XIIᵉ s., *Trist.*; adaptation de *alçor* au radical *halt*). Haut, élevé, épithète de palais : *Li rois, li prince et li contor L'en meinent el palais hautor* (*Trist.*). ◆ **hautement** adv. (fin XIIᵉ s., C. de Béth.). En haut lieu : *Me requiert*

et alume et esprant Et me semont d'amer si hatement (C. de Béth.). ◆ **hauté** n. f. (XIIᵉ s., *Florim.*). 1º Hauteur. — 2º Dignité, rang. ◆ **hautece** n. f. (déb. XIIᵉ s., *Ps. Cambr.*). 1º Hauteur, élévation (au sens physique). — 2º Grandeur, dignité, gloire : *Grant hautesse e enor li firent (Guill. le Maréch.).* — 3º Au plur. Honneurs, dignités. — 4º *En grant hautesse,* à pleine voix. ◆ **haussage** n. m. (1220, Coincy). Fierté, orgueil, arrogance : *Ensi voloit tot lor avoir Par force et par haussage avoir* (Coincy). *Clamer haussage,* se plaindre d'un acte d'arrogance, d'excès. ◆ **hautoire** n. f. (1264, *Cart.*). Prétention orgueilleuse. ◆ **haussepié** n. m. (1296, *Gay*). Marchepied, gradin, échelon.

have adj. (1175, Chr. de Tr.; francique **haswa*). 1º Maladif : *Selon que la matiere est saine Ou have* (J. de Meung). — 2º Sombre. ◆ **havir** v. (fin XIIIᵉ s., Guiart). 1º Dessécher, brûler à la surface. — 2º Désirer ardemment.

haver v. (s. d.; v. *hef*, crochet). Accrocher, empoigner. ◆ **havee** n. f. (XIIᵉ s.). 1º Mesure de grains, poignée. — 2º Morceau de quelque chose. ◆ **havage** n. m. (1275, *Cart.*). Droit de prélever une *havée* de grains, fruits ou légumes apportés au marché. ◆ **havet** n. m. (1213, *Fet Rom.*). 1º Crochet. — 2º Crochet emmanché, utilisé comme arme d'hast. ◆ **havot** n. m. (1204, R. de Moil.). 1º Mesure de grain. — 2º Pillage : *Faire havot,* s'emparer de. ◆ **havilon** n. m. (XIIIᵉ s., *Gui de Warwick*). Crochet, détour : *Metre son havilon,* faire un détour.

havne, havle, havene n. m. (XIIᵉ s.; moy. néerl. *havene*, port). Havre, port.

I. **hé** interj. (XIᵉ s., *Alexis*; d'orig. onomat.). Exclamation polysémique. ◆ **helas** interj. (XIIᵉ s.; composé de *hé* et *las*, malheureux). Exclamation de douleur, de regret.

II. **hé** n. m., haine. V. HAER, haïr.

hebert n. m. (fin XIIIᵉ s., J. de Meung; orig. incert.). Sorte de dard, arme de jet.

hec n. m. (1260, Mousk.; germ. **hakko,* crochet). Crochet.

hee n. f., haine. V. HAER, haïr.

heer v. V. HAER, haïr.

hef n. m. (1180, *Rom. d'Alex.;* francique **haf,* crochet). Crochet. ◆ V. HAVER, accrocher.

heingre adj. (1080, *Rol.;* orig. incert.; cf. all. *Hunger,* faim). Décharné, maigre : *Heingre ont le cors (Rol.).*

heire n. f. V. ERRE, voyage.

hel, helme n. m. (1155, Wace; germ. **helm*). Barre du gouvernail, timon.

helas interj. V. HÉ, exclamation.

helequin, her-, hale-, n. m. (XIIᵉ s., *Chev. cygne;* cf. all. *Hölle,* angl. *hell,* enfer). 1° Feu follet, diablotin. *La maisnie Helequin* (1175, Chr. de Tr.) était une bande de mauvais génies ou d'âmes en peine qui, sous la conduite de Hellequin, faisaient un vacarme nocturne effroyable : *J'oi le maisnie Hielekin ... mainte clokete sonnant* (A. de la Halle). — 2° Satan : *Par le consel de Herlekin Eissirent fors de l'abeie (Mir. saint Éloi).*

heler v. (1374, *Arch.;* cf. angl. *to hail,* saluer). Boire ensemble, souhaiter réciproquement la santé. ◆ **heloire** n. f. (1350, *Arch.*). Cadeaux, étrennes.

heller v. V. HERLER, crier.

I. helme, heaume, ialme n. m. (XIᵉ s., *Alexis;* francique **helm,* casque). Grand casque de forme conique, garni de matelassure intérieure, souvent attaché au haubert. ◆ **helmier** n. m. (1213, *G. de Dole*), **-iere** n. f. (fin XIIᵉ s., *Loher.*). Étui à heaume. ◆ **helmerie** n. f. (XIIIᵉ s.). 1° Fabrique de heaumes. — 2° Les armes défensives en général. ◆ **helmier** n. m. (1268, E. Boil.). Celui qui fabrique ou vend des heaumes.

II. helme n. m. V. HEL, barre du gouvernail, timon.

helt, heut n. m. (1080, *Rol.*), **-te, -de** n. f. (1112, *Saint Brand.;* cf. anc. haut. all. *helza*). 1° Quillon, garde de l'épée. — 2° Manche de poignard ou de couteau. ◆ **heldeure** n. f. (1160, Ben.). Réunion de deux *heuts* d'une épée, poignée de l'épée. ◆ **helder, holder** v. (fin XIIᵉ s., *Loher.*). 1° Fixer une garde, un manche. — 2° Attacher, fixer, en général.

helue, heluise n. f. V. ERLUE, futilité, rêverie.

hen n. m. V. HAN, souffrance.

henguier v. (av. 1300, Poèt. fr.; all. *henken*). Pencher vers : *Mes a celui ou son cuer va henguant N'ose escondire (Anc. poés. fr.).*

her n. m. (XIIIᵉ s., *Ass. Jérus.;* cf. all. *Herr*). 1° Maître, seigneur. — 2° Sergent.

heraige n. m. V. OIR, héritier.

heraldie n. f. (XIIIᵉ s., *De Richaut;* orig. incert.). 1° Casaque, souquenille. — 2° Vêtement en loques. — 3° Embarras, sujet d'inquiétude (Boèce).

heralt n. m. (1175, Chr. de Tr.; francique **hariwald*). Héraut, officier chargé de porter le message ou de faire une criée.

herban, harban n. m. (1101, G.; germ. *heriban*). 1° Cri public, appelant au service armé du roi. — 2° Proclamation. — 3° Service féodal, corvée en général.

herbe n. f. V. ERBE, herbe.

herberc, hal- n. m. (XIᵉ s., *Alexis*), **-berge** n. f. (XIᵉ s., *Alexis;* francique **heriberga,* mot composé de *heri,* armée, et *berga,* protection). 1° Logement, logis. — 2° Auberge, hôtel. — 3° Hospitalité. ◆ **herbergier** v. (XIᵉ s., *Alexis*). 1° Loger, camper : *Desur la rive sunt Franceis herbergiez (Rol.).* — 2° Héberger, donner l'hospitalité. — 3° Mettre quelque part, renfermer (en parlant des choses). — 4° Caser, établir. — 5° Louer une habitation. — 6° Construire une maison. ◆ **herbergement** n. m. (1160, Ben.), **-age** n. m. (1155, Wace), **-erie** n. f. (fin XIIᵉ s., *Loher.*), **-ison** n. f. (XIIᵉ s., *Chétifs*). 1° Logement, campement, tente : *En paradis avras ton heberjage (Cour. Louis).* — 2° Auberge. — 3° Action d'héberger. — 4° Hospitalité : *La dame le reçut et fist grant hebergage (Rom.*

d'Alex.). ◆ **herbergeor** n. m. (1169, Wace). 1° Celui qui héberge. — 2° Aubergiste. — 3° Hospitalier.

herbot adj. (fin XIIᵉ s., *Trist.; orig. incert.).* Pauvre, misérable : *Ainsi fait li mondes herbot Dou plus rike et serf dou plus franc* (R. de Moil.). ◆ **herbot** n. m. (XIIIᵉ s., *Livr. de Jost.).* Famine, disette.

herce n. f. (fin XIIᵉ s., *Rois;* lat. pop. **herpicem,* du class. *hirpex,* doté d'un *h* expressif). Herse. ◆ **hercier** v. (fin XIIᵉ s., *Alisc.).* 1° Herser. — 2° Tirer, traîner : *Ele ne pooit fors en herchant et en trainant soi (Mir. Saint Louis).* — 3° Frapper : *De loing li lancent, si l'ont point et horsé (Alisc.).* — 4° Blesser, déchirer. ◆ **herceure** n. f. (1326, *Arch.).* Action de faire passer la herse sur les terres ensemencées. ◆ **herceor** n. m. (1170, *Percev.).* Garçon qui conduit la herse.

herde, harde n. f. (1112, *Saint Brand.;* francique **herda).* 1° Troupe de bêtes ou d'oiseaux. — 2° Troupes' en général. ◆ **herdier** n. m. (1248, *Arch.).* Vacher, pâtre.

herdre v. V. ERDRE, adhérer.

herdu adj. V. ARDU, escarpé, rude.

here n. f. (XIIᵉ s., *Blancandin;* orig. incert., v. *haire,* misère?). Figure, mine : *Donc, dist Grégoire od bele here, Va donques... (Vie saint Grég.).*

herediter v. V. EREDITER, hériter.

herege, -ese, -ite adj. et n. m. V. EREGE, hérétique.

hergot n. m. V. HARIGOT, lambeau, déchirure.

hericier v. (1175, Chr. de Tr.; lat. pop. **ericiare,* de *ericius,* hérisson, doté d'un *h* expressif). Hérisser, couvrir d'aiguillons. ◆ **heriçon** n. m. (déb. XIIᵉ s., *Ps. Cambr.).* 1° Hérisson. — 2° Poutre armée d'une pointe de fer qui tourne sur un pivot et défend une porte de ville. — 3° Épine. ◆ **heriçoner** v. (1160, Ben.). 1° Couvrir d'aiguillons. — 2° Garnir de hérissons. ◆ **hereceus** adj. (XIIIᵉ s.), **-ceneus** adj. (XIIIᵉ s.). Hérissé.

herigalt, hargalt n. m. (1272; Joinv.; cf. lat. méd. *herigaldum,* d'orig. germ.). Vêtement masculin de dessus, surcot.

herlequin n. m. V. HELEQUIN, feu follet.

herler v. (XIIᵉ s., *Chev. cygne),* **-ir** v. (1204, R. de Moil.; orig. incert.). 1° Crier, faire du tapage. — 2° Crier à l'émeute. ◆ **herle, helle** n. f. (XIIIᵉ s.). 1° Cris, bruit, tumulte. — 2° Assemblée séditieuse.

hermofle adj. V. ERMOFLE, hypocrite.

herneis, hernos n. m. V. HARNOIS, équipement d'un homme d'armes, harnais de cheval.

hernu n. m. (1246, Gaut. de Metz; orig. incert.). Le mois de juillet.

heruper v. V. HUREPER, hérisser.

het n. m., haine. V. HAER, haïr.

I. **heude** n. f. (1239, *Arch. Douai;* moy. néerl. *hoede).* Maison, hangar.

II. **heude** n. f., garde de l'épée, manche du poignard. V. HELT, même sens.

heurt n. m. V. HURTER, frapper contre.

heuse n. f. V. HOSE, botte, chausse, jambière.

hez avant interj. (XIIIᵉ s., *Court. d'Arras;* orig. incert.). Exclamation d'encouragement, allons! : *Hez avant! que Dieus part i ait, me chose me vient a souait (Court. d'Arras).*

hicier v. (1138, *Saint Gilles;* néerl. *hitsen).* Exciter : *Que il hice son chien la u il n'ose aler (Saint Gilles).*

I. **hier** v. (XIIIᵉ s., *Doon de May.;* moy. néerl. *heien,* enfoncer). 1° Enfoncer avec une hie. — 2° Battre. ◆ **hie, huie** n. f. (XIIᵉ s., *Barbast.).* 1° Masse, maillet : *A une hie,* d'une fois, ensemble, en masse. — 2° Force, effort : *A hie,* avec force, à coups redoublés. — 3° Coup, attaque. — 4° *A hie,* en grande quantité (en parlant des choses). ◆ **hiee** n. f. (fin XIIᵉ s., *Auberi).* 1° Foule, troupe, quantité. — 2° Force : *Grant hiee,* avec une grande force.

II. **hier** v. (déb. XIVe s., J. de Condé; lat. *hiare*, ouvrir la bouche). S'égosiller.

higne, hisne n. f. V. HAIGNE, grimace.

hiner v. V. HANER, hennir.

hireçon n. m. V. HERIÇON, hérisson, poutre armée d'une pointe de fer.

hisde, hide n. f. (1150, *Thèbes;* orig. germ. inconnue). 1° Peur, frayeur : *De hides conmence a tranber (Ren.).* — 2° Chose horrible. ◆ **hisdor** n. f. (déb. XIIe s., *Ps. Cambr.*). Effroi, horreur : *Hidor ot de ce qu'ele vit (Chast. Vergi).* ◆ **hisdos** adj. (déb. XIIe s., *Voy. Charl.*). 1° Saisi d'épouvante : *Elle estoit si hideuse que ne savoit que faire (Dit des Aneles).* — 2° Effrayant. ◆ **hisder** v. (XIVe s., *Geste de Liège*). Etre effrayé.

ho interj. (XIIIe s., *Fabl.;* d'orig. onomat.). Exclamation commandant l'arrêt, halte! : *Ainz areste sanz dire ho (Fabl.).* Ne *pooir ne ho ne jo,* n'en pouvoir plus, être à bout de forces.

hobe n. m. (1360, *Modus;* v. *hober,* remuer). Petit oiseau de proie. ◆ **hobel** n. m. (XIIe s., *Trist.*), **-et** n. m. (1260, Mousk.), **-ert** n. m. (déb. XIVe s.). Petit oiseau de proie, hobereau.

hober v. (XIIe s., germ. *hobben,* remuer). 1° Bouger, se remuer. — 2° Sauter. ◆ **hobier** v. (XIIe s., *Ogier*), **-iner** v. (XIIe s., *Ogier*). Secouer. ◆ **hobeler** v. (XIIe s., *Asprem.*). 1° Secouer. — 2° Maltraiter. — 3° Piller. — 4° Etre secoué, se dérober. ◆ **hobeleis** n. m. (1160, Ben.). 1° Bavardage. — 2° Pillage. — 3° Fuite. ◆ **hobeleor** n. m. (XIIe s., *Asprem.*). 1° Fuyard. — 2° Pillard.

hoc n. m. (XIIIe s., *Past.;* germ. **hok*). 1° Crochet. — 2° Houe. — 3° Houlette. ◆ **hochete** n. f. (av. 1300, Poèt. fr.). Hochet.

hoce, hoche n. f. (1204, R. de Moil.; peut-être du francique **hulftja*). Robe longue ou manteau assez ample à manches ouvertes et pendantes. ◆ **hocete** n. f. (fin XIIe s., Couci). Sorte de robe longue. ◆ **hocier** v. (1268, E. Boil.). 1° Garnir d'une housse, couvrir (en parlant d'un cheval, d'un meuble, d'une salle). — 2° Faire un revêtement. ◆ **hoceure** n. f. (1268, E. Boil.). Housse, couverture, parement. ◆ **hocepaignier** v. (1250, *Ren.*). Peigner une *hoce,* c'est-à-dire battre : *(Nul) ne fu si bien houcepingniez Con Renart fu et desachiez (Ren.).*

I. **hochier** v. (1190, J. Bod.; francique **hottisôn,* secouer). 1° Secouer. — 2° Agiter (en parlant des dés) : *Tout enmi le paume Les hocherés* (J. Bod.). — 3° Jouer aux dés. — 4° Hochier as crois, jouer à pile ou face. — 5° Trembler. ◆ **hochet** n. m. (1331, G.). Osselet. ◆ **hochos** adj. (XIIIe s.), **-u** adj. (XIIIe s.). Secoué. ◆ **hocheor** n. m. (1297, *Arch.*). 1° Celui qui secoue. — 2° Foulon.

II. **hochier** v. V. OSCHIER, entailler.

hoe n. f. (fin XIIe s., *Rois;* francique **hauwa*). Houe, pioche. ◆ **hoer** v. (fin XIIe s., *Loher.*). 1° Bêcher la terre. — 2° Gratter et frapper la terre (en parlant du cheval). ◆ **hoeor** n. m. (1294, *Arch.*). Celui qui bêche avec une houe.

hoge n. f. (XIIe s., M. de Fr.; germ. *hoga,* cf. all. *Hügel,* colline). Colline, hauteur.

hognier, vuignier v. (1250, *Ren.;* orig. obsc.). Grogner : *Renart, ne hoingne (Ren.).* ◆ **hogne, hoigne** n. f. (fin XIIe s., saint Grég.). 1° Gronderie, reproche. — 2° Difficulté. ◆ **hogneor** n. m. (1310, *Arch.*). Grogneur, de mauvaise humeur.

hoi, hui adv. V. UI, aujourd'hui.

hoir n. m. V. OIR, héritier.

hoirre n. m. V. OIRE, voyage, chemin.

hole n. f. (XIIe s.; cf. germ. *hol,* creux). 1° Trou, caverne. — 2° Lieu de débauche, bordel. ◆ **holete** n. f. (XIIe s., M. de Fr.). Petit logement. ◆ **holerie** n. f. (1268, E. Boil.). 1° Lieu de débauche. — 2° Libertinage, débauche. ◆ **holier** n. m. (1190, J. Bod.). 1° Débauché, paillard : *Putain et ribaut et houlier Vont le pais ardant a pourre* (J. Bod.). — 2° Maquereau. ◆ **holiere** n. f. (1333, *Arch.*). Femme débauchée.

holer v. (XIIe s.; *Auc. et Nic.* d'orig. germ.). Lancer : *Il prist tox les dras [...] si les houla aval le canbre (Auc. et Nic.).*

holpil, horpil n. m. V. GOLPIL, renard.

honir v. (déb. XIIe s., *Voy. Charl.*; francique **haunjan*). 1° Déshonorer, maudire (spécialement dans les formules de malédiction) : *Honni soient tout li courlieu* (J. Bod.). — 2° Maltraiter, mettre à mal. — 3° Salir : *Cheoit en la boe et se honissoit tout (Mir. Saint Louis).* ◆ **honi** n. m. (XIIe s.), **honement** n. m. (XIIe s.), **-iement** n. m. (XIIe s., *Horn*), **-issement** n. m. (XIIe s., *Trist.*), **-ison** n. f. (XIIe s. J. Fantosme). Déshonneur, honte, humiliation.

honte n. f. (XIe s., *Alexis;* francique **haunita*). 1° Déshonneur, outrage : *Si Dieus me gart de honte, De meskeanche et de prison* (J. Bod.). — 2° *Faire honte*, infliger un affront. — 3° *Metre a honte*, traiter outrageusement. ◆ **hontage** n. m. (1080, *Rol.*), **-or** n. f. (1150, *Thèbes*). 1° Déshonneur, opprobre : *Et son cors livrer a hontage (Rose).* — 2° Affront. ◆ **honter** v. (XIIIe s., *Sept Sages*). ◆ **hontoier** v. (fin XIIe s., *Loher.*). 1° Outrager. — 2° Avoir honte, rougir de honte.

hoper, huper v. (fin XIIe s., *Alisc.*; d'orig. onomat.). Pousser de longs cris.

hoqueler v. (1362, *Arch.*; orig. obsc.). Chicaner, quereller. ◆ **hoquelerie** n. f. (1330, *G. de Rouss.*). Chicane, querelle, filouterie. ◆ **hoqueleor** n. m. (1277, *Rose*). Chicaneur, querelleur.

hoquerel n. m. (1160, Ben.; orig. obsc.; cf. le précédent et le suivant). Piège : *Nos le prendrom al hoquerel* (Ben.).

hoquet n. m. (1306, Guiart; d'orig. onomat.). 1° Heurt, secousse. — 2° Silence, pause (en musique). — 3° Chicane, obstacle. — 4° Surprise, piège : *Ainz est vilment pris au hoquet* (Guiart). ◆ **hoqueter** v. (XIIe s., *B. d'Hanst.*). 1° Secouer, heurter. — 2° Chanter une phrase harmonique dont les parties sont entrecoupées par des silences. — 3° Frapper avec des mouvements saccadés. ◆ **hoquetement** n. m. (XIIIe s.). Secousse, action de secouer. ◆ **hoqueterie** n. f. (1313, Godefr. de Paris). Tromperie. ◆ **hoqueteeur** n. m. (1220, Coincy). Trompeur.

hoqueton n. m. V. ALQUETON, sorte de drap, vêtement.

horde n. f. (1250, *Ren.*), **hort** n. m. (1220, Coincy; francique **hurd*). 1° Palissade. — 2° Ouvrage en bois dressé au sommet des murs ou des tours. — 3° Estrade d'où l'on suivait le tournoi. — 4° Ruse. ◆ **horder** v. (fin XIIe s., *Ogier*), **-ir** v. (1180, *Rom. d'Alex.*). 1° Palissader, fortifier. — 2° Garnir de hourds le sommet des murs. — 3° Garnir, bourrer. ◆ **hordement** n. m. (1264, *Arch.*). 1° Palissade, échafaudage. — 2° Bois de construction. ◆ **hordeis** n. m. (fin XIIe s., *Loher.*). 1° Palissade; retranchement. — 2° Ouvrage en bois au sommet des tours. — 3° Échafaudage pour suivre le tournoi. — 4° Lutte entre deux groupes de chevaliers.

horlier n. m. V. HOLIER, débauché, à HOLE.

hors adv. et prép. (XIe s., *Alexis;* var. de *fors*, avec un *h* expressif, difficile à expliquer). 1° Adv. Dehors. — 2° Loc. prép., *Hors de*, en dehors de (*Chev. cygne*). — 3° Prép. En dehors de : *En droit u huers droit* (1318, *Arch.*). ◆ **horsmis** (1268, E. Boil.), **horspris** (XIIIe s.), prép. Hormis, excepté, autre. ◆ **hors du sens**, loc. adj. (1260, A. de la Halle). Fou : *Gillot, estes vous hors du sens?* (A. de la Halle). ◆ **horsain** adj. (XIIIe s.). Étranger.

hors- préf. (v. *hors*, préposition). Préfixe assez peu productif, synonyme de *for-*, *fors-*. Possède la valeur spatiale et indique un mouvement centrifuge inchoatif (*horsbanir*, bannir) ou terminatif (*horsborc*, faubourg).

I. **hort** n. m. V. ORT, jardin.

II. **hort** n. m. V. HORDE, palissade, estrade, ruse.

hose, huese, heuse n. f. (1080, *Rol.;* francique **hosa,* botte). 1º Botte, chausse : *A courtes hoeses longues lanieres* (proverbe du XIIIᵉ s.). — 2º Jambière. ◆ **hos, hues** n. m. (1276, *Arch.*). Botte. ◆ **hosel** n. m. (1175, Chr. de Tr.). Jambière. ◆ **hoser** v. (1190, Garn.). Mettre les heuses à, botter. ◆ **hosé** adj. (1265, J. de Meung). Souillé : *Estient par tout si housé Et si ort et si emboué* (J. de Meung). ◆ **hoserie** n. f. (1280, *Arch.*). Lieu où l'on fait et vend des bottes.

hoste n. m. V. OSTE, hôte.

hous n. m. (1250, *Ren.;* francique **hulis*). Houx. ◆ **houssier** v. (1250, *Ren.*). 1º Nettoyer (avec le houssoir ou balai de houx). — 2º Battre (avec une verge de houx) : *As dens le pigne et house* (*Ren.*). ◆ **houssoie** n. f. (1200, *Quatre Fils Aymon*). Lieu planté de houx.

hua, huat n. m. (1175, Chr. de Tr.; croisement probable de *chaon, choan,* chat-huant, et de *huer,* crier, avec aphérèse). Chat-huant, hibou, milan. ◆ **huant** n. m. (début XIIᵉ s.; *Ps. Cambr.*), **huanel** n. m. (1250, *Ren.*). Chat-huant, hibou.

huche, huge n. f. (1175, Chr. de Tr.; lat. médiév. *hutica,* d'orig. germ.). 1º Coffre. — 2º Arche. — 3º Boutique où sont étalées les marchandises. ◆ **huchel** n. m. (1304, *Arch.*). Coffre. ◆ **hucherie** n. f. (v. 1300, *Arch.*). Menuiserie. ◆ **huchier** n. m. (1226, *Arch.*). Menuisier.

huchier v. (1160, Ben.; orig. incert.; cf. francique **hûkôn*). 1º Appeler à haute voix, faire venir : *Symons huche sa fenme (Berte).* — 2º Proclamer : *Par sa mesnie a fait un ban huichier (Cour. Louis).* ◆ **huchie** n. f. (XIIᵉ s., M. de Fr.). 1º Cris d'appel. — 2º Portée de la voix. ◆ **hucheor** n. m. (1210, *Dolop.*). Crieur public.

huer, huier v. (1160, Ben.; d'orig. onomat.). 1º Crier, parler à haute voix : *Or poés huer* (J. Bod.). — 2º Couvrir de huées. — 3º Appeler à grands cris. — 4º Lancer en excitant par des cris. ◆ **hu, hui** n. m. (1080, *Rol.*). 1º Cri. — 2º Huée, vacarme. — 3º Cri de guerre : *La noise*

est grant, et li hus est leves (Loher.). ◆ **huee** n. f. (1160, Ben.). 1º Cri. — 2º Portée de la voix. — 3º Renommée. ◆ **huement** n. m. (1306, Guiart), **-ance** n. f. (XIIᵉ s., *Barbast.*), **-eis** n. m. (XIIᵉ s.), **-erie** n. f. (XIIᵉ s., *Chev. cygne*). 1º Cri. — 2º Clameur confuse, bruit.

hues n. m. V. UES, usage.

hues n. m. V. HOS, botte.

huese n. f. V. HOSE, botte, chausse, jambière.

I. **hui** adv. V. UI, aujourd'hui.

II. **hui** n. m., cri, huée. V. HUER, crier.

huie n. f., maillet, force, coup. V. HIER, enfoncer avec une hie.

huiriere n. f. (déb. XIIIᵉ s., R. de Clari; orig. incert.). Haras.

huis n. m. V. UIS, porte.

huisdive, huisose n. f. V. OIDIVE, OISOSE, oisiveté.

hulque, hurque n. f. (1326, G.; moy. néerl. *hulke,* croisé avec *hoeker,* autre type de bateau). Bateau de transport à fond plat.

huper v. V. HOPER, crier.

hure n. f. (1190, Garn.; d'orig. sans doute germ.). 1º Poil qui couvre la tête. — 2º Tête d'homme ou de bête. — 3º *Faire une hure,* faire une mine sauvage. — 4º *Faire hure, faire la hure,* se moquer. — 5º Bonnet à poil. ◆ **hurer** v. (1180, *Rom. d'Alex.*). Hérisser. ◆ **hureper, heruper** v. (1180, *Enf. Vivien*). Hérisser, se hérisser. ◆ **herupage** adj. (1190, J. Bod.). Hérissé, farouche.

hurler v. (1160, Ben.; lat. pop. **urulare,* de *ululare,* avec un *h* expressif). ◆ **hurle** n. f. (1277, *Rose*). 1º Hurlement, cri. — 2º Chose qu'on peut reprocher. ◆ **hurleis** n. m. (1160, Ben.). Hurlement. ◆ **hurleur** n. m. (1350, *Arch.*). Crieur public.

hurter v. (1160, Ben.; cf. francique **hurt,* bélier). Heurter, frapper contre : *Se vos l'ongle hurtiés au dent* (J. Bod.). ◆ **hurt** n. m. (déb. XIIᵉ s., *Ps. Cambr.*),

-ee n. f. (1175, Chr. de Tr.), -ement (XIIᵉ s., *Macch.*). Heurt, choc. ◆ **hurteis** n. m. (1180, *Rom. d'Alex.*). 1º Heurt, choc : *De targes et d'escus tant aspres hurteis (Rom. d'Alex.).* — 2º Rencontre, combat. ◆ **hurteure** n. f. (1210, *Best. div.*). 1º Heurt. — 2º Coup, meurtrissure. ◆ **hurteor** n. m. (XIIIᵉ s.). Qui heurte, qui frappe. ◆ **hurtebise** n. f. (1249, *Cart.*). Maison de ferme située sur une hauteur.

husser v. (1190, J. Bod.; orig. obsc.). Refuser.

hustiner v. (XIIᵉ s., *Chev. cygne;* orig. obsc.). 1º Faire du bruit, du tapage. — 2º Disputer, se quereller. ◆ **hustin** n. m. (fin XIIᵉ s., *Loher.*). 1º Tapage, vacarme.

— 2º Querelle, combat : *Il trait l'espee, lors fu grans li hutins (Mort Garin).* ◆ **hustison** n. f. (XIIIᵉ s., *Maug. d'Aigr.*). Huée, bruit.

I. **huve** n. f. (1230, *Eust. le Moine;* francique *huba). Sorte de bonnet. ◆ **huvet** n. m. (1288, *Ren. le Nouv.*), -ete n. f. (XIIIᵉ s.). 1º Sorte de coiffure à l'usage des gens de guerre. — 2º Bonnet de femme. ◆ **huver** v. (XIIIᵉ s., *Rich. li Biaus*). Coiffer d'une huve ou d'un huvet.

II. **huve** n. f. (1268, E. Boil.; orig. obsc.). Corde de halage.

huvé adj. (XIIIᵉ s., *Court. d'Arras;* orig. obsc.). Rempli, enflé : *Sa borse emporte bien enflee, qu'il a si grant et si huvee (Court. d'Arras).*

i

i adv. pronom. (*iv*, 842, *Serm.*; lat. *ibi*). 1° Adv. de lieu, indique le point d'aboutissement vers lequel on tend : *Menez m'i* (*Queste Saint-Graal*). — 2° Pron., substitut personnel : *Mes ge la vi e s'i parlai* (*Percev.*). — 3° Pron., substitut non personnel : *Ce fist Brengain, qu'i dut garder* (*Trist.*).

ial adj. V. IVEL, égal.

ialme n. m. V. HELME, heaume.

iave, ieve n. f. V. EVE, eau.

I. **ice, iço, iceo** pron. (*ezo*, Xᵉ s.; *iceo*, déb. XIIᵉ s.; *Ps. Cambr.*; v. *ce*, *ço*, avec renforc.). Pron. démonstratif neutre, Ce, cela : *Sire, se jo fis iceo, se est felenie en mes mains* (*Ps. Cambr.*). A *ice*, alors. *Por ice*, c'est pourquoi.

icel démonstr. renforcé m. sing. cas rég. 1, **icelui** cas rég. 2, **icil**, cas sujet. (fin XIᵉ s., *Lois Guill.*; forme tonique du démonstr.). Démonstratif d'éloignement qui remplit à la fois les fonctions actuelles d'adjectif : *En iceli tens deliteus* (*Rose*) et de pronom : *Bonauré tuit icil chi espeirent en lui* (*R. de Cambr.*). V. CEL, ce... là, celui-là. ◆ V. TABLEAU DES DÉMONSTRATIFS, p. 95.

iceo pron. démonstr. neutre. V. ICE, ce, cela.

icest démonstr. renforcé m. s. cas rég. 1, **icestui**, cas rég. 2, **icist**, cas sujet. V. CEST, démonstr. ordinaire de rapprochement, Ce, celui-ci. ◆ V. TABLEAU DES DÉMONSTRATIFS, p. 95.

ici, issi adv. (Xᵉ s., *Passion*; v. *ci*, ici, renforcé par un *i* initial dont l'identification étymologique n'est pas assurée : lat. *hic*, ici, ou converg. avec *illuec*). 1° Adverbe de lieu, Ici. — 2° Adverbe de temps.

Des ici, jusqu'à maintenant. ◆ **iciluec, icilec** adv. (fin XIIᵉ s., *Est. Saint-Graal*; v. *iluec*). Ici même.

icil démonstr. d'éloignement, forme renforcée, cas sujet. V. ICEL, cas régime. ◆ V. TABLEAU DES DÉMONSTRATIFS, p. 95.

icist démonstr. de rapprochement, forme renforcée, cas sujet. V. ICEST, cas régime. ◆ V. TABLEAU DES DÉMONSTRATIFS, p. 95.

iço pron. démonstr. neutre. V. ICE, ce, cela.

icoine, ancone, ansconne n. f. (déb. XIIIᵉ s., R. de Clari; grec byzantin *eikone*, image sainte). Image, bannière : *il laierent cair l'ansconne* (R. de Clari).

idee n. f. (1119, Ph. de Thaun; lat. philos. *idea*, du grec). 1° Forme des choses. — 2° Représentation des choses dans la pensée : *Et lor promet, en ses idees, Des oevres qu'il avront ovrees, Sauvement ou dampnacion* (*Rose*).

idiote adj. (1180, *Rom. Édouard*; lat. *idiota*, sot, du grec). Illettré.

idle, idre, idele n. m. ou f. (1080, *Rol.*; lat. chrét. *idolum* ou *idola*, plur. pris pour un fém., du grec). Idole, dieu païen.

idoine adj. (XIIIᵉ s., *Rich. li Biaus*; lat. *idoneus*, propre à). Capable : *En lui ot chevalier ydone* (*Rich. li Biaus*).

idonc, idont, idonques adv. (XIᵉ s., *Alexis*; lat. *tunc*, renforcé d'un *ibi* ou d'un *id?*). Adv. de temps, Alors. *Des idonc*, dès lors.

ier, er, adv. (1080, *Rol.*; lat. *heri*, hier). Adv. de temps, Hier.

iere, eire, ere, edre n. m. (Xᵉ s., *Fragm. Valenc.*; lat. *hedera*). Lierre.

ierne, iergne, ergne n. f. (déb. XIIIᵉ s., R. de Beauj.; orig. obsc.). Buisson épineux.

ierre n. m. ou f. V. ERRE, route.

iestre v. V. ESTRE, être.

ieus n. m. plur. V. OIL, œil.

ieve n. f. V. IVE, jument.

igal, iguel, ingal adj. (1175, Chr. de Tr.; lat. pop. **ecqualem*, pour *aequalis;* v. *ivel*). Égal, de même nature. *Par ingal*, également. ◆ **igal** n. m. (1180, *Rom. d'Alex.*). Plaine, terrain uni. ◆ **igalir**, *igaillier* v. (1260, Br. Lat.). Rendez égal : *Mors igalist touz* (Br. Lat.). ◆ **igance** n. f. (1160, Ben.), **igalance** n. f. (1260, Br. Lat.). Égalité, même valeur.

iglise n. f. (XIe s., *Alexis;* lat. chrét. *ecclesia*, du grec). Église.

ignel adj. V. ISNEL, rapide, léger.

il pron. pers. (842, *Serm.;* lat. pop. **illi*, pour *ille*, démonstr. au nominatif). Pron. de troisième personne au singulier et au pluriel (*ils* au plur., analogique, ne date que du XIVe s.). ◆ **lo, le** sing., **els, eus** plur., cas régime 1 ◆ **lui** sing., **lor** plur., cas régime 2.

ila adv. (1276, Aden.), **ilaques** (XIIIe s.), **illaient** (1273, *Arch.;* lat. *illac*). Adv. de temps, Là. ◆ **ilens** adv. (XIIe s., *Mort Garin;* composé de *ila* et de *enz*). De là : *Ilens s'adrecent droitement vers Paris* (Mort Garin).

ilec adv. V. ILUEC, en ce lieu-ci, alors.

ilier, iller n. m. (déb. XIIe s., *Ps. Cambr.;* lat. pop. **iliarium*, de *ilia*, flancs). Côté, flanc. ◆ **iliers** n. m. plur. (XIIIe s.), **ilieres** n. fém. plur. (XIVe s.). Côtés, flancs.

ille n. f. V. ISLE, île.

illuminer v. (fin XIIe s., saint Grég.; lat. *illuminare*). 1° Rendre la vue : *Tu illuminas les avogles* (saint Grég.). — 2° Éclairer. — 3° Donner de brillantes qualités à. ◆ **illumineor** n. m. (1220, *Saint-Graal*). Qui apporte la lumière.

illusion n. f. (1120, *Ps. Oxf.;* lat. *illusio*, ironie). 1° Moquerie. — 2° Fausse apparence.

illustrer v. (1327, J. de Vignay; lat. *illustrare*). 1° Éclairer : *En l'autre escolle j'enseignoie, Illustroye et endoctrinoye d'entendement* (Deguil.). — 2° Rendre illustre. ◆ **illustration** n. f. (XIIIe s., G.). Apparition.

ilores, ilors adv. (1119, Ph. de Thaun; v. *ore*, renf. par le démonstr. lat. *illum*). Adv. de temps, Alors.

iluec, ilec, iluoc, iloques adv. (Xe s., *Saint Léger;* lat. *illoc, illuc*). 1° Adv. de lieu, En ce lieu-ci : *Iluec remaindre u aillurs traire* (Wace). — 2° Adv. de temps, Alors : *Iluec firent chastel fermer* (Gaimar). ◆ *Ci iluec*, ici tout près, là contre. *D'iluec*, de cela.

imagene n. f. (XIe s., *Alexis*), **image** n. f. ou m. (1175, Chr. de Tr.); lat. *imago, inis*). 1° Statue. — 2° Portrait dessiné. ◆ **imagele** n. f. (1180, *Rom. d'Alex.*), **-ete** n. f. (1220, Coincy), Petite image. ◆ **imagerie** n. f. (XIIIe s., G.). 1° Image. — 2° Art des imagiers. ◆ **imagier** n. m. (1268, E. Boil.). 1° Sculpteur en pierre, en bois, en corne, en ivoire. — 2° Peintre. ◆ **imagination** n. f. (1160, Ben.). 1° Image : *L'ymaginacion du gracieus visage Ma dame Fezonnas qui ert bele a outrage* (Test. Alex.). — 2° Hallucination. ◆ **imaginer** v. (1297, *Inv. Éd. Ier*). 1° Sculpter, peindre. — 2° Orner, parer. ◆ **imaginative** n. f. (1350, *Ars d'Am.*). Imagination.

imais adv. (XIIe s., *Trist.;* v. *mais*, avec renforc.). Adverbe de temps, Désormais : *Vois m'en, imais ne prendrai some* (Trist.).

imal n. m. (1273, *Charte;* v. *hemal*, altér. du lat. *hemina*). Hémine, mesure de grain.

imbecile adj. (1327, J. de Vignay; lat. *imbecillus*). Faible.

impere n. m. et f. (XIVe s., *Chron. Saint-Denis;* lat. *imperium*, empire, pouvoir). Droit de haute et moyenne justice. ◆ **imperation** n. f. (1220, Coincy). Pouvoir : *Tres douz Dieus, donne moi, par t'imperation, Volenté de bien faire* (Coincy).

impet n. m. (1308, Aimé; lat. *impetus*, élan). Vigueur, impétuosité.

importer v. (1345, *Arch.;* réfection de *emporter*, infl. par le lat. *importare*). 1° Emporter, enlever. — 2° Réfl. Se rapporter à quelque chose.

imposer v. (1160, *Eneas;* adapt., d'après *poser*, du lat. *imponere*). 1° Poser, placer. − 2° Imputer, mettre à charge : *L'en li imposoit que il avoit dit aucunes paroles contre sa majesté royal* (1353, *Arch.*). ◆ **imposition** n. f. (fin XIIIᵉ s., D.). 1° Action de placer, de poser : *l'imposicion de nostre seel* (1317, *Arch.*). − 2° Impôt. ◆ **imposeur** n. m. (1340, *Arch.*), **-iteur** n. m. (1345, *Arch.*). Celui qui règle la répartition de l'impôt.

improperie n. m. (1120, *Ps. Oxf.;* lat. *improperium,* reproche, affront). Honte, opprobre : *Tu seis le mien improperie e ma confusion (Ps. Oxf.).* ◆ **improperer** v. (1309, Aimé). Reprocher en faisant honte, comme une chose honteuse.

incarnation n. f. (1119, Ph. de Thaun; lat. eccl. *incarnatio*). 1° Incarnation. − 2° Nature humaine : *Prist il nostre incarnation (Dolop.).* ◆ **incarnalité** n. f. (1200, *Ren. de Montaub.*). Incarnation : *Qui en la Sainte Virge prist incarnalité (Ren. de Montaub.).* ◆ V. ENCHARNER.

incliner v. (1213, *Fet Rom.;* lat. *inclinare;* v. *encliner*). 1° Incliner, pencher. − 2° S'incliner en saluant. ◆ **inclineté** n. f. (1235, H. de Méry). Inclination, penchant.

inconvenient n. m. (1220, Coincy; lat. *inconveniens, -tis*). 1° Accident. − 2° Choses fâcheuses, malheur : *Molt les assaut, molt lor cort sus Et meine a inconvenient* (Coincy). ◆ **inconvenience** n. f. (1220, Coincy). 1° Inconvenance. − 2° Malheur.

inde adj. (1175, Chr. de Tr.; lat. *indicum,* de l'Inde). Violet, couleur venue de l'Inde. ◆ **indoier** v. (1229, G. de Montr.). Paraître violet.

indele n. m. ou f. V. IDLE, idole.

induce, induisse n. f. (1220, Coincy; lat. **inducta,* de *inducere,* conduire). Délai, trêve, loisir : *Doné li a par grant savoir trois jors d'indusse et d'espace* (Coincy).

induration n. f. (1335, Deguil.; lat. *induratio*). 1° Endurcissement. − 2°Obstination.

inel adj. V. ISNEL, rapide.

inepte adj. (1327, J. de Vignay; lat. *ineptus,* de *aptus*). Incapable.

infamer v. (XIIIᵉ s., *Sept Sages;* lat. *infamare*). Déshonorer. ◆ **infame** n. m. (1220, Coincy). Infamie, déshonneur.

infre prép. (1309, Aimé; v. lat. *infra*). Au-dessous de : *Li pape infre li mur de la cité fu miz en lo plus grant palaiz* (Aimé).

ingal adj. V. IGAL, IVEL, égal.

ingremance, ingromance n. f. (1180, *Rom. d'Alex.;* altér. de *nigromance, negromance,* nécromancie). Magie : *Car Amaugis par ingremanche Embla la couronne de Franche (Eust. le Moine).* ◆ **ingremant, -ent** n. m. (1180, *Rom. d'Alex.*). Magie : *Et connoistre raison et savoir ingrement (Rom. d'Alex.).*

inhiber v. (1327, J. de Vignay; lat. *inhibere,* retenir). Interdire. ◆ **inhibition** n. f. (fin XIIIᵉ s., Macé). Défense : *Contre l'inibition et le comandement de l'eglyse de Rome (Gr. Chron. de Fr.).*

iniquité n. f. (1120, *Ps. Oxf.;* lat. *iniquitas,* de *aequus,* égal, juste). Situation défavorable, chose injuste : *Ne li filz ne partira ja as iniquitez au pere (Queste Saint-Graal).*

inition n. f. (1220, Coincy; lat. *initio*). Commencement.

injure n. f. (fin XIIᵉ s., lat. *injuria,* injustice). 1° Injustice : *Par les grans injures et par les grans rapines* (Joinv.). − 2° Insulte, offense. ◆ **injurier** v. (1266, G.). 1° Endommager. − 2° Offenser. ◆ **injurios** adj. (1300, Du Cange). 1° Injuste. − 2° Qui cause du tort.

inobediant adj. (1160, Ben.; lat. *inobediens*). Désobéissant, insoumis. ◆ **inobedience** n. f. (fin XIIᵉ s., saint Grég.). 1° Désobéissance. − 2° Inattention, négligence.

inocent adj. (1080, *Rol.;* lat. *innocens,* de *nocere,* nuire). 1° Non nuisible. − 2° Non coupable (XIIIᵉ s.).

inopinable adj. (1295, Boèce; cf. lat. *inopinatus,* non pensé). Imprévu, incroyable : *Car lor opinion muable Avons prouvé inopinable* (Boèce).

insensible adj. (1220, Coincy; bas lat. *insensibilis*). 1° Insensible. − 2° Insensé.

insinuer v. (1336, *Arch.*; lat. *insinuare,* faire pénétrer). Notifier, signifier. ◆ **insinuation** n. f. (1319, G.). Publication, enregistrement.

insister v. (1336, G.; lat. *insistare,* s'appuyer sur). S'appliquer, s'adonner.

inspirer v. (1190, Garn.; lat. *inspirare,* souffler). 1° Aspirer l'air. — 2° Respirer, haleter : *Et l'a si durement navré Que d'anguisse inspire et gient (Const. del Hamiel).* ◆ **inspiration** n. f. (1130, *Job*). Aspiration, respiration.

instance n. f. (1288, J. de Priorat; lat. *instantia,* de *stare,* se tenir debout). 1° Effort, application. *A instance,* avec effort. — 2° Circonstance, motif, intention. *En instance de, en instance que,* dans l'intention de, en faveur de, ayant pour motif que. — 3° Instar, ressemblance : *El est à l'instance D'une fauz et a sa samblance (J. de Priorat).* — 4° Juridiction (XIVᵉ s.). ◆ **instant** adj. (1296, Limoux). Proche, imminent.

instituer v. (1268, E. Boil.; lat. *instituere*). Établir : *Je vous institue a estre souverains de celle armee (Froiss.).* ◆ **institution** n. f. (1190, saint Bern.). 1° Chose établie. — 2° Commandement.

integrer v. (1340, *Arch.*; lat. *integrare*). Exécuter complètement. ◆ **integration** n. f. (1309, *Arch.*). Achèvement complet.

integument n. m. (1277, *Rose;* lat. *integumentum,* couverture, enveloppe). Enveloppe, voile, tout ce qui recouvre ou cache : *Bien l'entendras* (la vérité), *se tu repaires Les integumens as poetes (Rose).*

interest n. m. (1290, *Arch.*; lat. *interest,* il importe). Dommage, préjudice.

interfection n. f. (XIIIᵉ s., *Nouv. franç.;* lat. *interfectio,* meurtre). Meurtre, carnage.

interjection n. f. (1119, Ph. de Thaun; lat. gramm. *interjectio*). Exclamation : *Asemblez Y e O, Sin avrez YO, C'est interjectio, Victorie signefie* (Ph. de Thaun).

invasion n. f. (1160, Ben.; lat. *invasio; v. envair*). Attaque.

iol n. m., **ioes** pl. V. OIL, œil.

ipidime n. f. (XIIIᵉ s., lat. *epidemia,* du grec). Épidémie.

ipotatesmos, ipotimeos n. m. (1180, *Rom. d'Alex.;* altér. du lat. *hippopotamus,* du grec). Hippopotame.

iquel adj. (1180, *Rom. d'Alex.;* v. *quel*). Quel : *Se tu viens chi enquerre iquels hom tu seras (Rom. d'Alex.).*

iquest, iquist démonstr. V. ICEST, ce, celui-ci.

iracundie n. f. (déb. XIIᵉ s., *Ps. Cambr.;* lat. *iracundia*). Emportement, fureur. ◆ **iracond, -onde, -unde** adj. (1260, Br. Lat.). Emporté : *Ceux de l'isle de Corse sont iraconds* (G. Bouchet). ◆ **iracondos** adj. (1260, Br. Lat.). Emporté.

irage n. m., **ireté** n. f., **iretaige** n. m. V. ERITER, hériter.

iraigne n. f. V. ARAIGNE, araignée.

iraistre v. (1120, *Ps. Oxf.;* lat. pop. **irascere,* pour *irasci*). 1° Mettre en colère. — 2° Se mettre en colère : *Iraisez vus et ne voillez pecher (Ps.).* ◆ **iraissance** n. f. (XIIIᵉ s.). Disposition à se mettre en colère. ◆ **irascu** adj. (1080, *Rol.*). 1° Irrité, furieux. — 2° Chagrin : *N'en soit dolanz et irascus* (Chr. de Tr.).

ire n. f. (Xᵉ s., *Saint Léger;* lat. *ira*). 1° Colère. — 2° Angoisse, épouvante. ◆ **irer, -ier** v. (1180, *R. de Cambr.*). Irriter, rendre furieux : *C'est l'om el mont qui plus m'a fait irier (Cour. Louis).* ◆ **irement** n. m. (1080, *Rol.*), **irage** n. m. (XIIᵉ s., *Barbast.*), **irois** n. m. (1190, J. Bod.), **irance** n. f. (1080, *Rol.*). 1° Colère, emportement. — 2° Douleur. ◆ **iror** n. f. (1080, *Rol.*). 1° Colère, fureur. — 2° *Faire iror,* combattre avec fureur. — 3° *Faire iror a* quelqu'un, le mécontenter, l'irriter. — 4° *Faire iror : Icist ferunt nos Franceis grant irur (Rol.).* ◆ **iré, irié** adj. (1080, *Rol.*), **iros** adj. (XIIᵉ s., *Fl. et Bl.*), **irois** adj. (1160, Ben.). 1° Irrité, emporté. — 2° Furieux, farouche : *Je lor serai fel et* *irous* (Ruteb.). ◆ **iresse** n. f. (fin XIIIe s., *Sydrac*). Caractère coléreux.

irege adj., **irese** adj. V. EREGE, hérétique.

irois, ireis n. m. et adj. (1125, *Gorm. et Is.;* nom de peuple). 1° Irlandais. — 2° Arme de jet d'origine irlandaise.

irregulier adj. (1283, Beaum.; lat. *irregularis*). Peu propre, peu habitué, incapable : *Cil cuident François metre en detes Dont il seront irreguliers* (Guiart).

irrision n. f. (XIIe s., *Ps.;* lat. *irrisio*, moquerie). Raillerie, dérision : *N'est que bourde et irrision De trestout ton pelerinage (Rom. du moine).*

irriter v. (1317-1340, *Ord.;* lat. *irritare*). Rendre vain, annuler, casser : *Sa parole ne sera ja faulse ne irritee* (A. Chart.). ◆ **irrite** adj. (1365, *Arch.*). Nul, vain.

I. **is** adj. V. ES, même.

II. **is** démonstr. V. IST, cet, celui-ci.

isambrun, isenbrun n. m. (1190, Garn.; composé germ. de *isan*, fer, et *brun*, noir, brun). Etoffe de couleur foncée, pour vêtements masculins.

isengrin, isangrain n. m. (XIIe s., *Auberi;* francique *Isangrîm*). Personnification du loup : *L'aignel ressemble qui joe a Isengrin (Auberi).*

isle, ille n. f. et m. (1155, Wace; lat. pop. *isula*, pour *insula*). Île. ◆ **islage** n. m. (fin XIIe s., *Aiol*). Île. ◆ **islel** n. m. (1170, *Percev.),* -**et** n. m. (1155, Wace), -**ete** n. f. (1169, Wace). Petite île, îlot. ◆ **islaie, illaie** n. f. (1339, *Arch.*). Île remplie de broussailles. ◆ **islois** adj. (fin XIIe s., *G. de Rouss.*). Qui habite une île, insulaire.

isnel, inel, ignel, esnel adj. (1080, *Rol.;* germ. *snell*, rapide). Rapide, agile, léger : *Soit fait cist brief o main isnele (Trist.).* ◆ **isnel le pas,** loc. adv. (ou en un seul mot), Rapidement, sur-le-champ. ◆ **isnelece** n. f. (1169, Wace), -**eté** n. f. (1220, *Saint-Graal*). Agilité, rapidité.

isselite n. f. (1112, *Saint Brand.;* orig. incert.). Sorte de pierre précieuse imaginaire.

I. **issi** adv. (1214, Villeh.; v. *einsi,* ainsi). De cette manière, de cette sorte : *Avoit il issi esploitiee* (Villeh.). ◆ **issiques** adv. (fin XIIe s., *Aym. de Narb.*). Ainsi. ◆ **issi n'issi,** loc. adv. (1170, *Percev.*). Nullement, en aucun cas. ◆ **issi com,** loc. conj. Ainsi que, **issi que,** loc. conj. De sorte, de telle sorte. ◆ **par issi que,** loc. conj. Comme.

II. **issi** adv. V. ICI, ici.

issil n. m. V. ESSIL, exil, ravage, tourment.

issillier v. V. ESSILLIER, massacrer.

issir, istre v. (1080, *Rol.;* lat. *exire;* v. *eissir*). 1° Sortir. — 2° S'écarter, se soustraire : *Et jou ja issir ne m'en quier* (J. Bod.). — 3° Survivre : *Si puisse je issir du jour (Pass. Palat.).* ◆ **issement** n. m. (XIIIe s.), **issor** n. f. (XIIIe s.), *issue* n. f. (1175, Chr. de Tr.). 1° Sortie. — 2° Issue.

ist, est, is démonstr. (842, *Serm.;* lat. *iste*). Démonstratif marquant le rapprochement, Cet, celui-ci : *Un des plus haus d'iste contree Et des plus sages qui i soit* (Ben.). Disparait progressivement devant *cest.*

istre prép. V. ESTRE, hors de, excepté.

itant adj. et adv. (1160, Ben.; lat. *tantum,* précédé d'un élément incertain). 1° Adj., indique une équivalence quantitative, Aussi nombreux. - 2° Adv. Autant, souvent synonyme de *feiz,* fois : *Qui treiz itant dure plus e tant* (Ben.). *D'itant,* autant. — 3° Adv. Alors, maintenant : *Mais itant me faites doner Pain et vin (Percev.). A itant,* alors. *D'itant,* alors, maintenant. *Entre itant,* cependant, pendant ce temps. *Entre itant que,* pendant que. ◆ *Par itant, por itant* (1190, J. Bod.), à cause de cela, c'est pourquoi : *Car por itant pas ne me prueves Ke en toi ait plus grant bonté* (R. de Moil.). *Por itant que,* parce que.

itel adj. (1080, *Rol.;* v. *tel,* avec renforc.). 1° Adj. Tel, le même, semblable : *Oliviers frere, itel colp me sunt bel! (Rol.).* — 2° Adv. Pareillement : *Ytieus le soir comme le main (Rose).*

itrestant adv. (XIIIe s., *Doon de May.;* composé de *tres* et *tant,* avec renforc.). Adv. de quantité, Beaucoup, tant : *Doolin mon biaus fis, que je aim intrestant (Doon de May.).*

itropis adj. (XIIe s., Herman; altér. du lat. *hydropicus,* du grec). Hydropique.

I. **ive, yegue, esgue, eque** n. f. (1080, *Rol.;* lat. *equa*). Jument. ◆ **iverie** n. f. (fin XIIIe s., G. de Tyr). 1° Troupeau de cavales. — 2° Haras : *Il menoient avec eus toute leur chose, leur sers, leur baiasses, leur iveries* (G. de Tyr).

II. **ive** n. f. V. EVE, AIGUE, eau.

ivé, ivel, uwel, ewal, ial adj. (fin XIe s., *Lois Guill.;* lat. *aequalem*). 1° Égal. — 2° De même nature : *Chascun d'eus soffre paine elgal (Trist.).* — 3° De la même taille. ◆ **iveler** v. (XIVe s., *Geste de Liège*). Rendre égal. ◆ **ivelté, oelté** n. f. (1120, *Ps. Oxf.*). 1° Égalité. — 2° Équité.

ivern, iver n. m. (1160, *Eneas;* lat. *tempus hibernum*). Hiver. ◆ **iverner** v.

(1204, R. de Moil.). Faire le temps d'hiver. ◆ **ivernage** adj. et n. m. (1204, R. de Moil.). 1° adj. D'hiver. — 2° n. m. Saison d'hiver *(Rose).* — 3° n. m. Blé semé en automne et qui passe l'hiver. ◆ **iverne** adj. (XIIIe s., *Auberee*). D'hiver. ◆ **ivernal** adj. (1119, Ph. de Thaun). Qui s'est reposé pendant l'hiver.

ivoire n. m. (déb. XIIe s., *Voy. Charl.;* lat. *eboreus*). 1° Ivoire. — 2° Éléphant (XIIIe s.). ◆ **ivoirin, ivorin** adj. (1190, J. Bod.). D'ivoire, semblable à l'ivoire.

ivre adj. (déb. XIIe s., *Voy. Charl.;* lat. *ebrius*). 1° Ivre. — 2° Plein, rempli : *Et ert de volenté si yvres (Lai Arist.).* ◆ **ivrece** n. f. (1160, *Eneas*), **ivroigne** n. f. (1190, saint Bern.), **ivroignie** n. f. (XIIIe s., *Règl. saint Ben.*), **ivretoigne** n. f. (fin XIIe s., saint Grég.). 1° Ivresse. — 2° Ivrognerie. ◆ **ivroin** adj. (XIIIe s.). Ivrogne. ◆ **ivrer** v. (XIIIe s.). 1° Enivrer : *Qui tant doucement Le cuer sole et yvre* (R. de Fournival). — 2° Se livrer à l'ivresse.

ja, jai adv. (Xe s., *Passion;* lat. *jam*). Adverbe de temps indiquant la concomitance ou la quasi-concomitance du temps de l'action avec le temps du message : 1° Maintenant : *Mais, s'il vous plaist, vus l'ores ja (Passion Dieu).* — 2° Par rapport au passé, Déjà. — 3° Par rapport au futur, Aussitôt : *Dame, ce dist Huguez, ja orrez verité (Parise).* ◆ Dans une phrase négative : 1° Le sens correspond à *ne ... plus : Sire, puis ke tant en savés, Le sourplus n'en chelerai ja.* — 2° Renforcé par *mais, jor,* le sens correspond à *jamais : Cort i ot bone, tel ne verrez ja mais (Cour. Louis). Ja jor,* jamais. *A ja,* jamais. ◆ **jadis** adv. (1175, Chr. de Tr.; amalgame de l'expression *ja a dis*). Il y a déjà des jours. ◆ *ja soit que, ja soit ce que, ja fust ce que,* quoique, bien que. ◆ *ja du moins, ja le moins,* néanmoins, cependant. ◆ *ja du moins que,* quoique. ◆ *jal, jat,* contractions de *ja le, ja te.*

jaal adj. et n. f. V. JAEL, vénal; prostituée.

jable, gable n. m. (XIIIe s., *Vie saint Grég.;* norrois *gafe,* pignon). Façade, fronton d'une maison.

jacint, jacincte n. m. (1112, *Saint Brand.;* lat. *hyacinthus,* du grec). 1° Sorte de rubis. — 2° Étoffe de la couleur du rubis.

jaconce n. f. V. JAGONCE, pierre précieuse.

jacop n. m. (fin XIIIe s., B. de Condé; lat. *Jacobus,* Jacques). *Se conseillier a Jacop,* être lâche. ◆ **jacobin** adj. (1270, Ruteb.). Dominicain (le premier couvent de l'ordre était situé rue Saint-Jacques).

jactance n. f. (fin XIIe s., *Théophile;* lat. *jactancia,* de *jactare,* lancer, proférer).

Vanterie, vantardise. ◆ **jacture** n. f. (1306, *Arch.*). Perte (jurid.).

jadel n. m. V. GADEL, chevreau.

jael, jaal, jaiel adj. et n. f. (1180, *R. de Cambr.;* orig. obsc.). 1° adj. Vénal : *Ce ele estoit une feme jael, Si la prendroie, puis qe vos le volez (R. de Cambr.).* — 2° n. f. Prostituée.

jafuer, jafur n. m. (1160, Ben.; francique *gafori;* cf. *gaforium, Gloss. Reich.*). Vie délicieuse, bonne chère, gaieté bruyante : *Jafuer aveient e sejor; Kar li Engleis d'iloc entor Lor portoent quanqu'il aveient* (Ben.).

jagloi, jaglel n. m. (XIIe s., *Trist.;* v. *glaïeul,* de *gladiolus,* avec métathèse). Glaïeul.

jagonce, jaconce n. f. (1080, *Rol.;* lat. *hyacinthus,* avec diverses altérations). Pierre précieuse de couleur rouge non foncé.

jai adv. V. JA, maintenant, déjà, aussitôt.

jaiant n. m. (1080, *Rol.;* lat. pop. **gagantem,* pour *gigantem,* du grec). Géant.

jaie n. f. (1220, Coincy; lat. pop. **gavia,* pour *cavea*). 1° Cage. — 2° Prison : *Enjayolez est en fort jaye* (Coincy). ◆ **jaiole, jaole, geole** n. f. (1155, Wace). 1° Cage (pour oiseaux). — 2° Geôle. ◆ **jaioleor, javioleur** n. m. (1313, *Arch.*). Geôlier. ◆ **jaiolage** n. m. (1306, *Arch.*). 1° Droit perçu par le seigneur ou le geôlier pour la garde et les soins donnés au prisonnier. — 2° Prison.

jaiel adj. V. JAEL, vénal.

jaiet n. m. V. GEST, jais.

jal, jau, gal n. m. (Xe s., *Passion;* lat. *gallum*). Coq.

I. jale n. f. (1160, *Eneas;* lat. *galla,* excroissance). Gale, rogne des chevaux : *Poutrels orent de Capadoce, Qui n'ont mehaing, jale ne boce* (Eneas).

II. jale n. f. (1176, *Livr. des man.;* orig. obsc.). Espèce de jatte.

jalir, jaillir v. (1180, *R. de Cambr.;* lat. pop. **galire,* d'orig. gaul.). 1° Lancer, jeter, mettre : *ces pierres jaillir (Loher.).* — 2° Etre lancé, tomber, échapper : *Le brac destre li fait espres galir (Anseis).* — 3° Réfl. Se précipiter.

jalne adj. (1080, *Rol.;* lat. *galbinum*). Jaune. ◆ **jaunasse** adj. (1125, Marb.). Qui tire sur le jaune. ◆ **jaunesse, gaunece** n. f. (1220, Coincy). Teint jaune. ◆ **jaunor** n. f. (XIIIe s.). Jaunisse. ◆ **jaunoier** v. (XIIIe s., *Lapid.*). Devenir jaune, tourner au jaune, paraître jaune.

jaloie n. f. (1237, *Arch.*), **jalois** n. m. (1272, *Cart.*), **jalet** n. m. (1309, *Arch.;* lat. pop. *galeta*, orig. obsc.). Mesure de capacité variable selon les provinces, pour les liquides, les grains et la terre. ◆ **jalage** n. m. (1331, *Arch.*). Droit levé sur le vin vendu en détail.

jambe, jame n. f. (1080, *Rol.;* bas lat. *gamba*, jarret, du grec). 1° Jambe. — 2° *Jambe salee,* jambon. ◆ **jambee** n. f. (1170, *Percev.*). Enjambée. ◆ **jamberesce** adj. (1250, *Ren.*). A grandes jambes. ◆ **jambet** n. m. (1150, *Thèbes*). 1° Petite jambe. — 2° Croc-en-jambe, surprise, ruse : *Car cis compainz souz soi le met Ou soit par force ou par jambet (Thèbes).* — 3° Embûche, piège. 4° Mouvement du cheval qui se cabre. — 5° Jambière. ◆ **jambeter** v. (1169, Wace). 1° Gigoter. — 2° Faire la culbute, être renversé : *Asez en veissiez gambeter et morir* (Wace). ◆ **jamboier** v. (1306, Guiart). Marcher, se promener, aller à grands pas : *Diex! con l'ost de France jamboie!* (Guiart).

I. **jame** n. f. (1080, *Rol.;* lat. *gemma*, bourgeon, au fig., pierre précieuse). Pierre précieuse. ◆ V. GEME, même sens.

II. **jame** n. f. V. JAMBE, jambe, jambon.

jangler, gengler v. (déb. XIIe s., *Ps. Cambr.;* francique *jangalôn*, crier). 1° Criailler. — 2° Bavarder, jaser : *Et gengle as gens, rit et parole (Rose).* — 3° Railler, médire. — 4° Mentir. ◆ **jangle** n. f. (1170, *Percev.*). 1° Caquet, bavardage : *Ta gangle ira auques mult abaissant (Ogier).* — 2° Divertissement. ◆ **janglement** n. m. (XIIIe s., *Chans.*), **-ois** n. m. (1170, *Percev.*), **-erie** n. f. (1190, saint Bern.). Caquet, bavardage. ◆ **jan-**

gleor n. m. (1125, *Gorm. et Is.*). 1° Bavard : *Cil avocat, cil gencleor* (Coincy). — 2° Médisant : *Cil jaingleor ki n'ont autre pensee Fors de blamer et de honeir Amor (Gorm. et Is.).* ◆ **janglart** adj. (1138, *Saint Gilles*), **-os** adj. (fin XIIe s., Guiart). Bavard, médisant. ◆ **jangleter** v. (XIIIe s.), **-oier** v. (XIIIe s.). Jaser, médire, se moquer.

janse, jance n. f. (fin XIIe s., Colin Muset; orig. incert.). Sorte de sauce.

jante, gante n. f. (1175, Chr. de Tr.; lat. pop. *ganta*, du germ.). Oie sauvage.

jaque n. m. ou f. (1360, Froiss.; mot catalan signifiant « cotte de mailles »). Tunique serrée et courte, à manches. ◆ **jaquete** n. f. (1327, J. de Vignay). Vêtement court à manches.

jarbe n. f. (XIIe s.; francique *garba*). Gerbe. ◆ **jarber** v. (XIIIe s., G.). Mettre en gerbes.

jard n. m. V. JART, jardin, enclos.

jargel, jardel n. m. (1294, *Arch.;* orig. incert.). Gorge, gosier. ◆ **jargoillier** v. (XIIIe s., *Fabl. d'Ov.*). Gazouiller, murmurer (en parlant des oiseaux). ◆ **jargon** n. m. (XIIe s., M. de Fr.). 1° Babil, gazouillement, langage des oiseaux. — 2° Langage en général. ◆ **jargoner** v. (fin XIIe s., *Loher.*). Jaser, bavarder, médire : *Englois, Flamenc prissent a gargonner Por coi ont fait chelui emprisonner (Loher.).*

jargerie, jarderie, garberie n. f. (1180, *Rom. d'Alex.;* orig. obsc.). Ivraie.

jarle n. m. ou f. V. GERLE, panier.

jarris n. m. (1170, *Percev.;* orig. obsc.). Sorte de plante, houx ou chêne vert. ◆ **jarrie** n. f. (fin XIIe s., *G. de Rouss.;* v. prov. *garriga*). 1° Lieu planté de *jarris.* — 2° Terre inculte.

jarron n. m. (fin XIIe s., *G. de Rouss.;* orig. incert.). Branche d'arbre.

jarser, garser v. (1204, R. de Moil.; sans doute du lat. pop. *charissare,* var. de *charassare,* faire une entaille, du grec). 1° Scarifier. — 2° Tourmenter. — 3° Réfl.

Se piquer, se blesser : *Chil ki si griement se garsa* (R. de Moil.). ◆ **jarse** n. f. (1170, *Percev.*). 1° Arme tranchante. — 2° Lancette servant à la scarification.

I. **jart, gart** n. m. (1150, *Thèbes*; francique **gard*). Jardin, verger, enclos. ◆ **jartage** n. m. (1309, *Arch.*), **jardin** n. m. (1150, *Thèbes*), **jardinage** n. m. (1281, G.). Jardin.

II. **jart, jarre** n. m. (1268, E. Boil.; sans doute du francique **gard*, baguette). 1° Poil de loutre. — 2° Poil long et dur dans la laine.

jaschier n. m. (XIIIᵉ s.), **-ere** n. f. (1175, Chr. de Tr.; bas lat. *gascaria*, d'orig. gaul.). Jachère. ◆ **jascherer** v. (XIIIᵉ s.). Donner le premier labour à une terre pour la laisser reposer une année.

jaseran (1080, *Rol.*), **jaserois** adj. (1180, *R. de Cambr.;* nom arabe d'Alger, *al-Djaza'ir*). 1° D'Alger. — 2° Fait de mailles de fer torses à la mode arabe. — 3° n. m. Armure en mailles de fer pour les chevaliers et les chevaux. — 4° Chaînette. ◆ **jasequené** adj. (1310, G.). Revêtu de mailles.

ja soit que loc. conj. Quoique. V. JA, maintenant, déjà.

jau n. m. V. JAL, coq.

jaude n. f. V. GELDE, troupe de fantassins.

javel n. m. (fin XIIᵉ s., *Ogier*), **javele** n. f. (1190, J. Bod.; lat. pop. **gabella*, d'orig. gaul.). 1° Monceau. — 2° Botte, poignée de blé, javelle. ◆ **javeleis** n. m. (XIIIᵉ s., *Doon de May.*), **-ee** n. f. (XIIIᵉ s., *Doon de May.*). Monceau, petit tas. ◆ **javeler** v. (XIIIᵉ s., *Doon de May.*). 1° Mettre en tas. — 2° Garnir d'une pièce de bois.

jehir v. V. GEHIR, faire avouer.

jehui, jeui, jui adv. (1160, Ben.; composé de *ja* et *ui*, aujourd'hui). Adv. de temps. 1° Aujourd'hui. — 2° Maintenant.

jeir v. V. GEHIR, faire avouer, confesser.

jenvre, genvres adj. cas sujet. V. JOVENOR, cas rég., cadet.

jerbe n. f. V. GERBE, gerbe.

jercier v. (1260, Mousk.; orig. obsc.). Traîner : *S'uns grans on a pié l'afublast (le manteau) Jusques al talon li jerçast* (Mousk.).

jergerie n. f. V. JARGERIE, ivraie.

jesir v. V. GESIR, être couché.

jeter v. V. GETER, lancer, produire, commettre.

I. **jeu, ju, giu, gieu** n. m. (1080, *Rol.*; lat. *jocum*, jeu). 1° Jeu. — 2° Pièce en vers dialoguée, généralement sur des sujets galants, dite aussi *jeu parti*. — 3° *Partir le jeu*, proposer une alternative : *Le geu a parti si fort Que l'un et l'autre tient a mort (Chast. Vergi).* — 4° *Jeu parti*, dilemme, alternative. — 5° *Faire le jeu*, jouer un tour.

II. **jeu** pron. pers. V. JO, je, moi.

jeui adv. V. JEHUI, aujourd'hui, maintenant.

jeun adj. (1130, *Job;* lat. *jejunum*). 1° Qui est à jeun : *Sa femme remanoit geune (Dolop.).* — 2° Desséché. ◆ **jeuner** v. (XIIᵉ s., *Roncev.*). Jeûner. ◆ **jeunement** n. m. (1180, G. de Saint-Pair), **-aison** n. f. (1121, Ph. de Thaun). Jeûne. ◆ **jeunerie** n. f. (XIIIᵉ s.). Habitude de jeûner. ◆ **jeunable** adj. (1180, G. de Saint-Pair). De jeûne, pendant lequel on jeûne.

jingnor n. m. V. GIGNEOR, ouvrier.

I. **jo, jou, jeu** pron. pers. (842, *Serm.;* lat. *ego*). Forme ordinaire du pron. pers. de la 1ʳᵉ pers. (*eo, io*, dans les très anciens textes), tant en syntagme verbal qu'en emploi disjoint : *Jou, le empereres de Busance (Nouv. franç.,* XIIIᵉ s.). Devient progressivement *je* par suite de l'emploi proclitique. ◆ **gié** pron. pers. Forme tonique et disjointe : *K'ira o vous? Et gié et gié! (Percev.).* ◆ *Jos, joes, jes*, contractions de *jo les. Jol, jel*, contraction de *jo le. Jot*, contraction de *jo te.*

II. **jo** interj. (1119, Ph. de Thaun; d'orig. onomat.). Exclamation de victoire. *Ne pouvoir ne ho ne jo*, n'en pouvoir plus.

jode n. f. V. GELDE, bande de soldats, confrérie.

joe n. f. (1080, *Rol.;* lat. pop. **gauta,* d'orig. incert.). Joue. ◆ **joee** n. f. (1170, *Percev.*). Coup sur la joue, gifle : *Or tenez or ceste joee, Si vos en tesiez autre foiz (Percev.).* ◆ **joier** n. m. (XIIIᵉ s., *Otinel*). Le bas de la joue. ◆ **joiere** n. f. (fin XIIᵉ s., *Alisc.*). Partie de l'armure qui protège la joue.

joene, joigne, joevene n. m. (XIIᵉ s.; lat. pop. **jovenis,* pour *juvenis*). 1° Jeune homme. — 2° Maître garçon d'un boulanger ou d'un meunier. ◆ **joant** adj. (1160, *Eneas*). Jeune. ◆ **joenesse, jenneische, jenneische** n. f. (XIIIᵉ s., *Doon de May.*). 1° Jeunesse. — 2° Action de jeunesse : *Explicit des jenneichez de Do le bon guerrier (Doon de May.).* ◆ **joence** n. f. V. JOVENCE.

joer v. (1080, *Rol.;* lat. *jocare,* de *jocus,* jeu). 1° Jouer, badiner. — 2° Jouer (aux jeux de hasard). — 3° Chanter. — 4° Se livrer au plaisir, à la débauche. — 5° Célébrer : *Et joir en Dieu et joer (R. de Moil.).* ◆ **joement** n. m. (av. 1300, Poët. fr.). -**erie** n. f. (XIIIᵉ s., *Livr. de Jost.*). Jeu. ◆ **joeor** n. m. (1175, Chr. de Tr.). Joueur.

jogier v. V. JUCHIER, être en repos.

jogler, jongler v. (1160, Ben.; lat. *joculari,* en partie confondu avec *jangler,* bavardor). 1° Faire des tours. — 2° Dire des chansons : *Je sai bien jugler en breton Et sai mainte bonne canchon (Ren.).* — 3° Plaisanter. — 4° Se jouer de : *Juglé m'a e envilani Laidement m'a le jeu parti* (Ben.). ◆ **jogleis** n. m. (1160, Ben.), -**ement** n. m. (XIIᵉ s., *Horn*). Plaisanterie : *Unkes a noeces n'en out nul peur jugle-ment (Horn).* ◆ **joglerie** n. f. (1119, Ph. de Thaun). 1° Métier de jongleur. — 2° Instruments, artifices de jongleur : *Ne melloit nule juglerie A se haute chevale-rie (Isle et Gal.).* ◆ **jogler, joculer, guiculer** n. m. (déb. XIIᵉ s., *Voy. Charl.*). Jongleur : *Un jougler chante, onques millor ne vi (R. de Cambr.).* ◆ **jogleor** n. m. (1190, J. Bod.). 1° Ménestrel qui chantait des chansons et disait des poèmes en s'accom-pagnant d'une vielle. — 2° Bateleur, fai-seur de tours (XIVᵉ s.).

I. joi n. m. (XIᵉ s.), **joie** n. f. (1080, *Rol.;* lat. *gaudium* ou plur. *gaudia,* dev. fém.). 1° Joie. — 2° Jouissance : *Je vois ce que je desir Si n'en puis joie avoir* (Poët. fr., av. 1300). — 3° Joyau, bijou. ◆ **joiance** n. f. (1138, *Saint Gilles*). 1° Joie, plaisir. — 2° Bon accueil. — 3° Puissance. — 4° Jouissance (jurid.). ◆ **joiete** n. f. (XIIIᵉ s., *Ass. Jér.*). Jouissance, usufruit. ◆ **joiant** adj. (1180, *R. de Cambr.*), -**os** adj. (1175, Chr. de Tr.), -**el** adj. (déb. XIIᵉ s., *Voy. Charl.*), -**able** adj. (fin XIIᵉ s., *Alisc.*). Joyeux, réjouissant. ◆ **joieler** v. (1180, *Rom. d'Alex.*). 1° Accueillir joyeusement : *A sa tente les maine, ses jouist et joiele (Rom. d'Alex.).* — 2° Faire des cadeaux à. — 3° S'amuser, se réjouir.

II. joi adj., joyeux, réjoui. V. JOIR, jouir de, se réjouir.

joice n. m. V. JUISE, jugement.

joiel, joel n. m. (1175, Chr. de Tr.: lat. **jocalem,* plaisant, de *jocus*). 1° Joyau, bijou. — 2° Cadeau. — 3° Bijou au sens figuré, une jeune fille fort jolie. — 4° Le sexe de la femme. — 5° Amant : *Dame, quelz est vostres juyalz, Est il bons come il est biaus? (Sones de Nans.).* ◆ **joielet, joalet** n. m. (1277, *Rose*). Jouet, joyau.

joignet n. m. V. JUIGNET, juillet.

I. joindre v. (1080, *Rol.;* lat. *jungere*). 1° Relier. — 2° Ajouter : *Dunkes joins ge apres : Ge toi proi* (saint Grég.). — 3° Pla-cer : *A une glise le fait Joindre (Rich. li Biaus).* — 4° S'unir amoureusement avec une femme. — 5° *Joindre ses mains de,* rendre hommage à : *Dou roi de France joinst ses mains* (Mousk.). — 6° Réfl. Se couvrir. ◆ **jointe** n. f. (XIIᵉ s., *Trist.*), -**ement** n. m. (1164, Chr. de Tr.). 1° Join-ture. — 2° Rencontre, poignée de mains. ◆ **jointure** n. f. (1080, *Rol.*). Action de joindre, accouplement, assemblage : *Jointure de male et de fumele, que nos apelons mariage (Livr. de Jost.).* ◆ **join-tiee** n. f. (XIIIᵉ s., *Vie saint Mart.*). Ce que peuvent contenir les deux mains. ◆ **joint** adj. (1180, *R. de Cambr.*). 1° Bien fait, svelte, élégant. — 2° Vif, alerte : *Plus est joins que faus ne espervier (R. de Cambr.).* ◆ **jointis** adj. (1155, Wace). Uni, rappro-ché, contigu. ◆ **jointoier** v. (1204, *R. de*

Moil.). 1° Joindre, réparer. — 2° Se dandiner, jouer des articulations avec coquetterie : *Cors ki ensi va jointoiant Merveille est se mout ne se lasse* (R. de Moil.). ◆ **joignant** adv. (1283, Beaum.). 1° Tout près : *Aucuns des voisins veut mesonner joignant* (Beaum.). — 2° *Joignant de*, loc. prép. Près de.

II. **joindre, gindre** n. m. cas sujet. V. JOVENOR, cas rég., puîné, mitron.

joine adj. V. JOVENE, jeune.

joir v. (1112, *Saint Brand.;* lat. pop. **gaudire*, de *gaudium*, joie). 1° Bien accueillir, caresser : *Dunc prist li reis le duc, Sil baisa e joi, Ses beles, ses deduiz, ses aveirs li offri* (Wace). — 2° Gratifier de son amour. — 3° Jouir de, goûter, savourer. — 4° Se réjouir. — 5° Venir à bout de : *S'il pooit tant faire qu'il peust de moi joir (Chron. Reims).* ◆ **joi** adj. (1162, *Fl. et Bl.*). Joyeux, réjoui : *Cele feste fu bien joie Et bele et boine et moult jolie (Fl. et Bl.).*

jolif adj. (1175, Chr. de Tr.; peut-être du scand. *jôl*, nom d'une fête paienne). 1° Gai. — 2° Beau. — 3° Tendre, amoureux, ardent. ◆ **joliet** adj. (1277, *Rose*). Gai, joyeux, agréable : *Et de la joliette vie Donc mes cuers a si grant envie (Rose).* ◆ **joliete** n. f. (XIIᵉ s., *Trist.*). 1° Gaieté, bonne humeur. — 2° Plaisir, agrément. — 3° Plaisir d'amour, volupté. ◆ **joliveté** n. f. (XIIᵉ s., M. de Fr.). 1° Gaieté, entrain. — 2° Volupté, plaisir de l'amour : *Hé Dieus! je n'ai pas mari Du tot a mon gré; Il n'a cortoisie en li Ne joliveté (Chans.).* — 3° Légéreté, coquetterie. ◆ **joliver** v. (XIIIᵉ s.). 1° Se divertir. — 2° Caresser tendrement. — 3° Faire le joli, faire la coquette. — 4° Enjoliver.

jonc n. m. (1160, Ben.; lat. *juncum*). Jonc. ◆ **jonchier** v. (1080, *Rol.*). Joncher. ◆ **jonchoi** n. m. (XIIᵉ s., Herman), -**eure** n. f. (XIIᵉ s.). Jonchée. ◆ **jonchier** n. m. (XIIIᵉ s.),-**iere** n. f. (déb. XIIIᵉ s., R. de Beauj.). Lieu planté de joncs.

jongler v. V. JOGLER, faire des tours, dire des chansons.

joquier v. V. JUCHIER, être en repos, jucher.

jorn, jor n. m. (XIᵉ s., *Alexis;* lat. *diurnum*, adj., de jour). 1° Jour, journée. *Le jor*, ce jour-là, alors. *Tote jor*, toute la journée. *A toz jors*, pour toujours. *Ja jor*, jamais. *Mais jor*, désormais. *De jors*, âgé. *Sur ses jours*, au terme de la grossesse. *Bon Jour*, dimanche de Pâques. — 2° Ouverture : *La dite huisserie aura trois pies et demi de jour* (1334, *Lettre*). — 3° Journal, mesure de terre. ◆ **jornee** n. f. (1160, Ben.). 1° Tâche journalière. — 2° Voyage. — 3° Jour fixé pour comparaître en justice. — 4° Délai. ◆ **jornal, -el** adj. (1121, Ph. de Thaun). 1° Du jour, diurne : *O resplendans aube jornaus* (R. de Moil.). *Estoile journal*, Lucifer, l'étoile du point du jour. — 2° Journalier. — 3° Qui porte vaillamment la fatigue, vigoureux, vaillant : *Li visquens... (fu) proz, fort et jurnau (G. de Rouss.).* ◆ **jornal** n. m. (1190, J. Bod.). 1° Jour, journée, tâche journalière. — 2° Jour de la mort : *Tost fu Richiers venuz a son journaul (Gar. de Mongl.).* — 3° Mesure de terre. ◆ **jorné** n. m. (1270, Ruteb.). Champ. ◆ **jorneor** n. m. (1321, *Ord.*). Journalier, ouvrier qu'on paie à tant par jour. ◆ **jorner** v. (XIIIᵉ s.). 1° Faire jour. — 2° Faire sa tâche journalière. — 3° Voyager. — 4° Ajourner. ◆ **jornoier** v. (1271, *Rose*). 1° Travailler à la journée. — 2° Voyager, marcher : *Pour journoyer ne por errer (Rose).*

jorvir, juvir v. (fin XIIᵉ s., *Auberi;* orig. obsc.). 1° Suffire, venir à bout : *Qui plus emprent ne peut juvir Il ne peut a honte faillir* (prov. du XIIIᵉ s.). — 2° Endurer : *Il ne poroient jurvir Les painnes qu'il ont a souffrir* (Froiss.).

jos adv. V. JUS, à bas, en bas, par terre.

josque prép. V. JUSQUE, jusqu'à.

I. **joste** n. f., combat singulier. V. JOSTER, rassembler, combattre.

II. **joste** prép. (1080, *Rol.;* lat. *juxta*, auprès de). 1° Le long de, auprès de, proche. — 2° Selon, suivant : *Tenir et garder fermement jouxte et selon ce que dessus est dit* (1348, *Cart.*).

joster v. (1080, *Rol.;* lat. pop. *juxtare*, de *juxta*, près de). 1° Rassembler, réunir : *Son grant concile a fait juster* (Ben.). — 2° Se rassembler. — 3° Frapper, lancer : *Plus n'oserent retorner en tornoi ne joster cop de lance (Artur).* — 4° Combattre de près, à cheval, avec des lances, jouter. ◆ **joste** n. f. (1125, *Gorm. et Is.*). Combat singulier : *Ja est il reis e reis sui jié : la nostre joste avenist bien (Gorm. et Is.).* ◆ **jostee** n. f. (1180, *Rom. d'Alex.*), **-ement** n. m. (XIIIe s.), **-erie** n. f. (XIIIe s., *Tourn. Chauv.*). Joute, combat.

jostice n. f. V. JUSTICE.

jote n. f. (déb. XIIe s., *Ps. Cambr.*; orig. incert.). 1° Bette, sorte de légume. — 2° Légume en général.

jou n. m. (XIIe s., *Ps.*; lat. *jugum*). 1° Joug, lien. — 2° Jointure : *Sus le jou de l'espaule est le brant devalé (Maug. d'Aigr.).*

joule, **joure** adj. (1160, Ben.; v. *jovene*). Jeune : *Li plus joures, li corajus* (Ben.). ◆ **joulece** n. f. (1277, *Rose*). Jeunesse. ◆ **joulencel** n. m. (1175, Chr. de Tr.). Jouvencel, jeune homme.

jovene, **joene**, **jovle** adj. (XIe s.; lat. pop. **jovenem*, pour *juvenis*). Jeune : *Mes sire est jovenes, n'a que quinze ans entiers (Cour. Louis).* ◆ **jovenor** adj. et n. m. cas rég., **jenvre**, **joindre** cas sujet (1155, Wace; lat. *juveniorem, junior*). 1° Puîné, le plus jeune de la famille. — 2° Jeune : *E sui juvenur d'els tuz par eage (Horn).* ◆ **jovenet**, **joenet**, **jonet** adj. (1150, Wace). Un peu jeune : *L'une fu junete pucele* (Wace). ◆ **jovenencel** n. m. (fin XIIe s., *Loher.*). Jeune homme. ◆ **jovencelin** adj. (XIIIe s., *Fabl. d'Ov.*). Jeune. ◆ **jovenement**, **jonement** adv. (1260, A. de la Halle). En jeune homme, d'une manière irréfléchie : *Vous parlés d'amour trop jovenement* (A. de la Halle).

jovent n. m. (Xe s., *Saint Léger;* lat. *juventus*). 1° Jeunesse : *En ton jovent as fait tante folor (G. de Rouss.).* — 2° Jeunes gens : *Cil prince qui jovent ont mort* (Guiot). — 3° Gaieté : *Tient fin ami en jouvent (Chans.).* ◆ **jovente** n. f. (XIe s., *Alexis*). 1° Jeunesse. — 2° Jeune fille, jeune homme : *Ami Rollanz, pruzdom, juvente bele (Rol.).* — 3° adj. *E qui femme*

juvente aprent (Trist.).* ◆ **jovence** n. f. (fin XIIe s., saint Grég.). Jeunesse.

ju n. m. V. JEU, jeu, pièce de vers, plaisanterie.

jubler v. (1190, saint Bern.; lat. *jubilare*). 1° Éprouver une joie intense. — 2° Pousser des cris de joie. — 3° Chanter dans l'allégresse : *Montaignes, jubileiz la loenge* (saint Bern.). ◆ **jublement** n. m. (XIIIe s.). Jubilation, chant de joie.

juchier, **joqier** v. (1155, Wace; probablement de *joc*, joug). 1° Etre en repos, jucher (en parlant des oiseaux). — 2° Etre en repos, rester sans rien faire, attendre : *Vous volies adies cevancier Ne mie en .I. seul lieu jokier (Regr. Guill.).*

judice n. m. (1309, Aimé; lat. *judicium*). 1° Justice. — 2° Jugement. ◆ **judicer** v. (1309, Aimé). Juger.

juene adj. V. JOVENE, jeune.

juere n. m. cas sujet. V. JOEOR, joueur.

juesdi n. m. (XIIe s.; lat. *Jovis dies*, jour de Jupiter). Jeudi.

jugier v. (1080, *Rol.;* lat. *judicare*). 1° Prononcer un jugement, rendre un arbitrage. — 2° Condamner : *Si me jugat a mort e a dulur (Rol.).* — 3° Adjuger, confier. — 4° Décider : *Ha! Dieus! or vient la mort qui tant m'a esté jugie (Artur).* — 5° Approuver. — 6° Faire savoir, indiquer : *Cho me juge mes sentemens (G. li Muisis).* — 7° Fixer le prix (en parlant des denrées). ◆ **jugement** (1080, *Rol.*). 1° Jugement, arbitrage. *Estre en le jugement de*, dépendre de l'arbitrage de. — 2° Choix : *Sur mei avez turnet fals jugement (Rol.).* — 3° Juridiction. ◆ **jugié**, **jugé** n. m. (1150, Wace). Jugement, sentence : *Or vos ai ja lou jugé dit* (Wace). ◆ **jugie** n. f. (1322, *Arch.*). Bailliage. ◆ **jugeor** n. m. (XIe s., *Alexis*). Juge.

juguler v. (1213, *Fet Rom.;* lat. *jugulare*). Égorger.

jui adv. V. JEHUI, aujourd'hui, maintenant.

juil, **jul**, **juille** n. m. (1243, G. de Metz; lat. *Julius*, mois de Jules César).

Juillet. ◆ **juignet, junet, joignet** n. m. (1119, Ph. de Thaun; confusion entre *juin* et *juil*). Juillet. ◆ **juilot, julot** n. m. (1256, *Lettre*), **juinot** n. m. (1243, G. de Metz). Juillet. ◆ **juillet** n. m. (1213, *Fet Rom.*). Juillet.

juin n. m. (XIIe s.; lat. *junius,* mois de Junius Brutus, premier consul de Rome). Juin.

juise, joice n. m. (1080, *Rol.*; lat. *judicium*). 1° Jugement, jour du jugement. — 2° Jugement de Dieu, épreuve judiciaire par le fer chaud, l'eau froide, etc. : *Ung jouise fist faire de XXX. homes pour savoir quel droit ses oncles avoit ou roiaume son pere (Chr. Saint-Denis). Juise a trois dobles (Lois Guill.),* épreuve trois fois plus forte que celle subie d'ordinaire par l'accusé. — 3° Jugement dernier. — 4° Torture : *Veez cum grant dolur, quel mort e quel juise suffroit a icel tens la sainte mere iglise* (Garn.).

juiu, juieu, juif n. m. (XIIe s.; lat. *judaeum,* du grec). 1° Juif. — 2° adj. Avare (1268, E. Boil.). ◆ **juisecel, juizel** n. m. (1112, *Saint Brand.*). Petit juif. ◆ **juerie, juierie, juverie, juiserie** n. f. (1150, Wace). 1° Nation juive, religion des juifs. — 2° Quartier des juifs. — 3° Judée : *Se tu es rois de Juerie* (Wace). ◆ **juiesme, judaesme, guesme** n. m. (XIIe s., *Macchab.*). 1° Terre des juifs : *Vers judaesme est l'ost acheminee (Macchab).* — 2° Judaïsme. ◆ **judeain** n. m. (XIIIe s., *Anseis*). Juif.

jument n. m. (1190, Garn.; lat. *jumentum,* même sens). 1° Bête de somme. — 2° Jument, cavale (1271, G.). ◆ **jumente** n. f. (1314, *Arch.*). Jument. ◆ **jumentier** n. m. (XIIe s., *Asprem.*). 1° Valet d'écurie. — 2° Goujat.

jupe, gipe n. f. (XIIe s., *Asprem.*; arabe *djubba*). 1° Vêtement de dessous, tunique. C'était le premier vêtement que l'on passait sur la chemise; on le mettait aussi, tout comme la cotte, par-dessus l'armure. ◆ **jupel** n. m. (1260, A. de la Halle). Pourpoint, tunique.

juper v. (1230, *Eust. le Moine;* orig. incert., sans doute onomat.). 1° Crier. —

2° Parler en élevant la voix. — 3° Appeler en criant. ◆ **juperie** n. f. (1360, Froiss.). Criaillerie.

jurer v. (842, *Serm.;* lat. *jurare*). 1° Prêter serment. — 2° Fiancer. ◆ **jure** n. f. (XIIe s., *Trist.*). 1° Serment. — 2° Alliance : *Se il vuelent avoir ma jure (Trist.).* ◆ **juree** n. f. (XIIe s., *Chev. deux espees*). 1° Serment. — 2° Redevance annuelle payée au roi ou au seigneur par les bourgeois jurés. — 3° Vente à l'encan. — 4° Enquête judiciaire. ◆ **juré** n. m. (1190, Garn.). 1° Vassal. — 2° Confédéré, allié. — 3° Échevin, bourgeois d'une commune jurée. ◆ **jurage** n. m. (1305, *Franch.*). 1° Commune, bourgeoisie. — 2° Sauf-conduit. ◆ **jurable** adj. (1228, *Arch.*). Fief, château, etc., que le vassal jure de rendre à son seigneur. ◆ **jureor** n. m. (1190, Garn.). 1° Celui qui jure. — 2° Témoin de moralité. — 3° Juge expert.

I. **jus** n. m. (1190, J. Bod.; lat. *jus, juris*). Droit, raison : *Ce est d'amour li drois jus (Chans.).*

II. **jus, ju, jos** adv. (Xe s., *Passion;* lat. pop. **jusum,* pour le bas lat. *deorsum,* sous l'infl. de *sursum*). 1° Adv. A bas, en bas, par terre (le contraire de *sus*) : *Jus se giterent a sos pez (Saint Léger).* — 2° Loc. prép. *Jus de,* à bas de, hors de : *Et la mist ju del mullet afeutré (Loher.).* — 3° *Ruer jus, metre jus,* chasser, dépouiller. — 4° *Metre jus,* déposer : *Met jus le pot et le baston* (J. Bod.). ◆ *ça jus,* ici-bas. ◆ *la jus,* là-bas. ◆ *sus et jus.* 1° Çà et là, de côté et d'autre : *Par la chanbre vet sus et jus* (Ben.). — 2° En raisonnant de choses et d'autres. ◆ *sus ne jus* ou *jus ne sus,* d'aucune manière.

jusarme n. f. V. GISARME, hallebarde.

jusier, juisier n. m. V. GISER, gésier.

jusque, josque, juesque prép. (Xe s., *Passion;* lat. *usque,* renforcé d'un élément incertain). 1° Prép. Jusque, jusqu'à. — 2° *Jusque ci,* jusqu'à ce moment. — 3° Conj. Jusqu'à ce que : *Jusqu'en aiez les murs fondus (Thèbes).* ◆ **jusquement** adv. (XIIIe s.). Jusque.

just adj. cas rég., **juz, jus** cas suj. (1120, *Ps. Oxf.;* lat. *justum*). 1° Juste. —

2° Sincère : *Juste amor mi destraint (Chuns.).* — 3° Droit, opposé à courbe. ◆ **justee** n. f. (XIIIe s.), **-eté** n. f. (XIVe s., *B. de Seb.*). Justice. ◆ **justis, jostis** n. m. (fin XIIe s., *Loher.*). 1° Justice. — 2° adj., Juste. ◆ **juster** v. (1190, Garn.). 1° Ajuster. — 2° Vérifier une mesure. — 3° *Juster a soi,* gagner pour soi, faire entrer dans son parti. ◆ **justoier** v. (1283, Beaum.). Vérifier, étalonner une mesure.

juste n. f. (1160, Ben.; v. *just,* juste). 1° Sorte de vase, à couvercle et à anse, utilisé pour servir les boissons à table et comme mesure de capacité pour le vin et la bière. — 2° Pourpoint, jupe serrés à la taille (1155, Wace).

justice, jostice n. f. (XIe s., *Alexis;* lat. *justitia*). 1° Punition. — 2° *Faire justice de,* traiter quelqu'un comme il le mérite. — 3° Droit de justice : *Jou ay vendu et escongié ... toutes les justices que jou avoie a Corbie* (1208, *Cart. noir de Corbie*). — 4° Juridiction. — 5° Tribunal. — 6° *Justice capital* (1344, *Ord.*), parlement. — 7° Juge : *Et por son sens le font seignor Jostice d'aus et jugeor (Part.).* ◆ **justicier** v. (1155, Wace). 1° Administrer, gouverner : *Tote Bretaigne justiza, Vint ans en pais la guverna* (Wace). — 2° Dominer : *Et bone amor me vait si justisant (Estampies).* — 3° Rendre la justice. — 4° Etre soumis à la juridiction. — 5° Exécuter. — 6° Mortifier : *Por sa char justisier* (Wace). — 7° Justifier, excuser. — 8° Étalonner, en parlant d'une mesure. — 9° Réfl. Devenir juste. ◆ **justicement** n. m. (XIIIe s., *Ps.*). Droit de justice. ◆ **justicerie** n. f. (1286, *Charte*). 1° Magistrature, juridiction. — 2° Tribunal. ◆ **justiçable** adj. (1160, *Charroi Nîmes*). 1° Juste : *Au meillor roi ... et au plus fier et au plus justisable (Charr. Nîmes).* — 2° *Bien justiçable,* bien famé. — 3° Qui appartient à la juridiction du juge en question. — 4° n. m. (1242, *Cart.*). Celui qui relève d'une juridiction. ◆ **justiceor** n. m. (1243, G. de Metz). 1° Juge. — 2° Justicier.

justifier v. (déb. XIIe s., *Ps. Cambr.;* lat. *justificare*). 1° Rendre juste. — 2° Vérifier une mesure. — 3° Etre soumis à une juridiction.

juvableté n. f. (XIIe s., *Adam;* lat. *juvabilis,* secourable). Secours, assistance.

juvir v. V. JORVIR, suffire, endurer.

l

I. **la, lai** adv. (1080, *Rol.;* lat. *illac,* par là). 1° Adverbe de lieu, désigne d'une manière précise un lieu quelconque : *Au Mans le troveroiz, la est il plus sovant* (J. Bod.). — 2° Sert à renforcer d'autres adverbes de lieu : *Il vont la fors et font maint tour Au bos, au molin et au four* (R. de Moil.). V. LAENZ, là-dedans, LAJUS, LAVAL, en bas, vers le bas, LAMONT, là-haut, LASUS, LAISSUS, là-haut. — 3° *Laou, lau, leu,* là où, quand. V. LAU. — 4° *D'ici la que,* jusqu'à ce que. — 5° *Devant la que,* avant que.

II. **la** pron. pers. 3ᵉ pers. fém. cas régime, **lei, li, lie** cas oblique, **ele** cas sujet (lat. *illa*). 1° Cas régime fém. sing. — 2° Anaphorique de l'attribut au féminin : *avoir amie Bone et leaus qui onques ne la fust* (C. de Béth.).

III. **la** art. fém. cas sujet et régime. (lat. *illam, illa*). V. LE ◆ V. TABLEAU DES ARTICLES, p. 359.

labastrie n. f. (1160, Ben.; lat. *alabastrum,* du grec). Albâtre.

labe n. f. (1220, Coincy; cf. lat. *labes,* éboulement?). Énorme projectile : *les granz labes pesans et fieres* (Coincy).

labech n. m. et f. V. LEBECH, vent du sud-ouest.

label, lambel n. m. (1260, A. de la Halle; diminutif du francique **labba,* morceau d'étoffe). 1° Ruban pendant en manière de frange, ornement porté sur les vêtements. — 2° Terme de blason.

labir v. (fin XIIIᵉ s., B. de Condé; v. *label?*). Tomber en loques : *Or ont cangiet tout cel abit Li mal glaut, qui tempres labit!* (B. de Condé). ◆ **labit** n. m. (1339, J. de La Mote). 1° Détresse,

affliction. — 2° Tourmente, peine. ◆ **labiter** v. (1322, J. Lefevre). Maltraiter, tourmenter : *Le poisson sans eau habiter Ne peut, femme sans labiter* (J. Lefevre).

laborer v. (xᵉ s., *Fragm. de Valenc.;* lat. *laborare,* travailler). 1° Travailler : *En poi d'ure Deu labure* (J. Fantosme). — 2° Cultiver la terre. — 3° Fabriquer. — 4° *Laborer a, laborer que,* faire ses efforts pour. ◆ **laborement** n.m. (XIIIᵉ s.). Travail de la terre, labour. ◆ **laborage** n. m. (fin XIIᵉ s.). 1° Travail en général. — 2° Produit du travail. — 3° Culture de la terre. — 4° Métier de courtisane. ◆ **labor** n. f. (1120, *Ps. Oxf.*). 1° Travail suivi et pénible. — 2° Fatigue, peine : *Li faiz de la labor* (saint Bern.). — 3° Labourage. ◆ **laboré** n. m. (XIIᵉ s., *Horn*). Travail. ◆ **laboreor** n. m. (1160, Ben.), **-ier** n. m. (1204, R. de Moil.). 1° Travailleur, ouvrier : *Laboreours de mains (Rose).* — 2° Cultivateur. ◆ **laboros** adj. (1204, R. de Moil.). Pénible.

lacier v. (1080, *Rol.;* lat. *laqueare,* serrer au lacet). 1° Attacher par un lacs. — 2° Saisir. — 3° Garrotter. — 4° Enlacer : *En dormant son mari embrace Et de ses bras l'estraint et lace* (Lapid.). — 5° Réfl., Se lier, s'engager. ◆ **laz, las** n. m. (1080, *Rol.;* lat. *laqueus,* cordon). 1° Lacet, lien. — 2° Piège : *Se Symon puet cheoir en mes laz, Et il chiee entre mes braz* (Pass. Palat.). ◆ **laceis** n. m. (1160, *Eneas*), **laçon** n. m. (fin XIIᵉ s., M. de Fr.), **laceron** n. m. (1335, Watriquet). Lacet, filet, lien. ◆ **laceure** n. f. (1185, A. de Neckam). 1° Liens, filet. — 2° Ouvrage fait en forme de filet ou de réseau. — 3° Palissade aux pieux attachés.

lacrime n. f. (1265, J. de Meung. lat. *lacryma,* larme). Larme. ◆ **lacrimable** adj. (1308, Aimé). Déplorable, lamentable.

lacueillon n. m. (1231, G.; orig. obsc.). Homme de guerre d'un rang inférieur à l'arbalétrier à pied.

ladenge n. f. V. LAIDENGE, outrage.

ladre, lasre n. m. (XIIᵉ s., *Trist.*), **ladros** n. m. et adj. (XIIᵉ s., Herman; lat. *Lazarus,* nom du pauvre couvert d'ulcères dans l'Évangile). Lépreux.

I. laece n. f., **laeure** n. f., largeur. V. LÉ, large.

II. laece n. f. V. LEECE, joie, réjouissance.

laenz, leenz, liens adv. (1175, Chr. de Tr.; lat. pop. *illac - intus*, là, à l'intérieur). Adverbe de lieu. Là-dedans : *De laians issir ne pooie (Dolop.).*

lagan n. m. (1175, Chr. de Tr.; anc. scand. *lag,* disposition juridique). 1º Débris d'un navire, épave : *Les gens du pais cururent au lagan (Auc. et Nic.). A lagan,* comme une épave : *Il vinrent devant Aumarie tot a lagen (Fille du comte de P.). Estre u lagan,* être à l'abandon. — 2º Droit d'épave qui appartenait au seigneur. — 3º Destruction, ruine, dégâts : *Or cha, Connart, cries le ban Que li tresors est a lagan (J. Bod.). Metre a perte et a lagan,* livrer à la destruction totale. *Aler au lagan,* aller à sa ruine, à sa perte : *Or poés aler au lagan,* vous pouvez aller au diable. — 4º Profusion, abondance. *A lagan,* à profusion.

lahon n. m. V. LAON, planche.

I. lai adj. (1155, Wace; gr. *laikos,* du peuple). 1º Séculier, civil. *La laie justice* (1247, *Charte). Joustice de laie poissance (Vers de la mort).* — 2º Laïque, sans engagement dans l'Église. — 3º Qui ne fait pas partie de l'université. — 4º Ignorant (Wace). ◆ **laiement** adv. (1204, R. de Moil.). 1º En langue vulgaire : *Et des nons sest le sens estrere ou en latin ou laiement (R. de Moil.).* — 2º Selon l'usage du monde. — 3º Vulgairement.

II. lai n. m. (1175, Chr. de Tr.; du celtique; cf. irland. *laid,* chant). Petit poème en vers de huit syllabes qu'on chantait en s'accompagnant d'un instrument de musique et qui consistait le plus souvent dans le récit d'une aventure amoureuse.

III. lai n. m. (1175, Chr. de Tr.; lat. *lacum*) 1º Lac. — 2º Fosse : *El lai volt metre Daniel (Garn.).*

IV. lai adv. V. LA, là.

laic adv. V. LUEC, là, alors.

laid adj. V. LAIT, désagréable, odieux.

I. laide n. f. V. LEUDE, sorte d'impôt.

II. laide n. f., injure, outrage. V. LAIDIR, maltraiter.

III. laide n. f. V. LAIE, sentier de forêt.

laidenge n. f. (1175, Chr. de Tr.; v. *lait,* désagréable, nuisible). 1º Injure, outrage. — 2º Raillerie, mépris : *Li saint praicheor soffrent les laidanges et si ne randent nule encontre* (saint Grég.). ◆ **laidengier** v. (1180, *R. de Cambr.*). Maltraiter, injurier, railler : *M'a ladengié devant le roi Pépin (Loher.).* ◆ **laidengement** n. m. (déb. XIIIe s., *Trois Aveugles*). Outrage, affront.

laidir v. (1160, Ben.; v. *lait,* désagréable, nuisible). 1º Maltraiter, outrager, déshonorer : *Cele nuit fut Rollans laidis et mal menés (Fierabr.).* — 2º *Laidir* quelque chose, ravager, endommager : *Le castel ont abatu et leidi (Mort Garin).* — 3º Enlaidir, rendre laid. ◆ **laider** v. (XIIIe s., *Atre pér.*). Outrager. ◆ **laidoier** v. (1169, Wace). Maltraiter, malmener : *Moult ledoie sa face qui son nez fuit tranchier (Rom. d'Alex.).* ◆ **lait** n. m. (1160, Ben.). 1º Outrage : *Me feistes ennui e lait* (Ben.). — 2º Mal, dommage. — 3º Laideur : *il s'entresemblent de lais (Meraugis).* ◆ **laide** n. f. (XIIIe s., *Menestr. Reims*). Injure, outrage. ◆ **laidit** n. m. (1190, J. Bod.). Outrage, acte de violence. ◆ **laidissement** n. m. (XIIIe s., *Livr. de Jost.*). 1º Injure, mauvais traitement. — Blessure, coup. ◆ **laidure** n. f. (fin XIIe s., *Loher.*). Injure, outrage, tort : *Vengiez la honte et la laidure (Ren.).* ◆ **laidiere** n. f. (av. 1300, *Poet. fr.*). Injure, outrage.

I. laie, laide, lesde n. f. (fin XIIe s., *Ogier;* francique **laida*). 1º Sentier de forêt. — 2º Réserve dans une forêt, partie de bois quelquefois le bois lui-même. ◆ **laier** v. (1307, *Cart.*). 1º Tracer un passage dans la forêt. — 2º Séparer par un sentier le bois destiné à la vente.

II. laie n. f. (1357, G.; moy. néerl. *laeye,* coffre). 1º Coffre. — 2º Boîte.

◆ **laiete** n. f. (1360, G. de Machaut). Tiroir. ◆ **laiier** n. m. (1294, *Arch.*). Fabricant de coffres appelés *laies*.

I. **laier** v. (1150, *Pèl. Charl.;* orig. obsc.). 1° Laisser, quitter, abandonner : *Laies moi faire mon talent (Et. et Polin.).* — 2° Terme de vénerie, Laisser les chiens fatigués pour en prendre d'autres. ◆ **laiee** n. f. (1331, G.). 1° Cession. — 2° Bail.

II. **laier** v., tracer un passage dans la forêt. V. LAIE, sentier.

laigne, laine n. m. et f. V. LEIGNE, bois.

laignier n. m. V. LANIER, sorte de faucon.

I. **laine** n. f. (déb. XIIᵉ s., *Ps.;* lat. *lana*). Laine. ◆ V. LANER, apprêter la laine.

II. **laine** n. m. et f. V. LEIGNE, bois.

laire v. (1180, *Rom. d'Alex.;* v. *laier*, laisser). 1° Laisser, abandonner. — 2° Renoncer : *Ne set por coi aidier li lait (R. de Moil.).*

lairis n. m. V. LARIZ, lande; tertre.

lairme n. f. V. LERME, larme.

lairron n. m. V. LARRON, voleur.

lais adv. (1204, R. de Moil.; v. *lai*, là, doté d'un *s* adverbial). Adverbe de lieu, Là-dedans, là-bas : *Un tor et une vache ensemble* [...] *Lais el chief de cest prael (Ren.).*

laisarde, loi-, li- n. f. (1162, *Fl. et Bl.;* lat. *lacerta*). Lézard.

laise, laize n. f. (fin XIIᵉ s., *Rois;* lat. pop. *latia*, de *latus*, large). Largeur. ◆ V. LÉ, large.

laisir v. V. LOISIR, être permis.

I. **laisse** n. f., **laisseor** n. f., largeur. V. LÉ, large.

II. **laisse** n. f., lien, cadeau, chanson. V. LAISSIER, laisser.

laissier v. (xᵉ s., *Eulalie;* lat. *laxare*, relâcher, laisser aller). 1° Élargir. — 2° Laisser de côté : *Ceste chançon n'est pas drois que vos lais (R. de Cambr.).* — 3° Négliger, omettre de faire. — 4° Faire un rabais : *(Ils) les reprendrant Por trente mars, sans riens laissier (Chr. de Tr.).* ◆ **lais** n. m. (1250, *Arch.*). 1° Ce qui est laissé : legs, don, bail. — 2° Arbres laissés dans une coupe de taillis pour croître en haute futaie. ◆ **laisse** n. f. (1220, *Ps. Oxf.*). 1° Lien pour mener un animal. — 2° Présent, cadeau : *E mes lesses qui s'ensegront en cest meisme testament* (1269, *Test. de J. de Fougères*). — 3° Chanson, air, pièce de vers. — 4° Tirade monorime d'une chanson de geste : *Si chanterons entre nos doi Une laisse de cuer joli (Cour. Ren.). D'une laisse*, d'un seul trait. — 4° *A ceste laisse*, en cette occurrence, maintenant. ◆ **laissement** n. m. (1170, *Percev.*), **-ance** n. f. (1270, *Arch.*). 1° Abandon, cession. — 2° Action de quitter, retard.

laissus adv. V. LASUS, là-haut.

I. **lait, laid** adj. (1080, *Rol.;* francique **laid*, désagréable). 1° Désagréable : *Quant ce virent li chien puant Si se sunt de cele part treit Car de ce leur estoit mout leit (Est. Saint-Graal).* — 2° Horrible, odieux : *Morir de mort laide et despite (J. Bod.).* — 3° Nuisible, funeste. — 4° Dévasté. *Faire une terre laide*, dévaster une terre. — 5° *Qui qu'en fust lait ne gent*, loc. proverbiale, à qui cela pût plaire ou déplaire. ◆ **laidece** n. f. (fin XIIᵉ s., M. de Fr.). 1° Laideur physique. — 2° Laideur morale, vilenie : *Trop grant laeidesce feriuns Se nus ne lur aidissiuns (M. de Fr.).* — 3° Préjudice, outrage. ◆ **laideté** n. f. (XIIᵉ s., Herman). 1° Laideur. — 2° Outrage. ◆ **laidir** v. Maltraiter.

II. **lait** n. m. (déb. XIIᵉ s.; lat. pop. *lactem*, lait). Lait. ◆ **laitel, laicel** n. m. (1190, saint Bern.). Lait, laitage. ◆ **laitier** v. (XIIIᵉ s.). 1° Boire du lait. — 2° Donner du lait. — 3° Allaiter. ◆ **laictaille** n. f. (XIIIᵉ s., *Règle saint Ben.*). Laitage. ◆ **laituaire** n. m. (XIIIᵉ s., *Court. d'Arras*). Crème, onguent : *laituaires et iaue rose por laver sa bouche et son vis (Court. d'Arras).* ◆ **laitenier** adj. (1190, Garn.). *Enfant laitenier*, nourrisson.

laitice n. f. V. LETICE, animal à fourrure blanche.

lajus adv. (XIIᵉ s.; composé de *la* et *jus*, en bas). Adv. de lieu, Là en bas.

laman n. m. (1346, G.; néerl. *lootsman*, homme à la sonde). Pilote.

lambel n. m. V. LABEL, ruban porté comme ornement.

lambrus, -ois n. m. (1180, *Rom. d'Alex.*; lat. pop. **lambruscum*, de *lambrusca*, vigne sauvage, d'après l'ornementation). 1° Lambris. — 2° Latte. ◆ **lambre** n. m. (1160, *Athis*; avec apocope). 1° Lambris, revêtement des murs, des parquets. — 2° Latte. ◆ **lambruchier, lambroissier** v. (1220, Coincy). Lambrisser.

lame n. f. (déb. XIIᵉ s., D.; lat. *lamina*). 1° Bande mince. — 2° Trame : *Autretant vaut come tistre sans lame (Chans.).* — 3° Pierre sépulcrale, tombeau (Chr. de Tr.).

lamenter v. (déb. XIIIᵉ s., D.; bas lat. *lamentare*). Gémir sur, se lamenter. ◆ **lament** n. m. (XIIIᵉ s.), **-e** n. f. (1169, Wace), **-ement** n. m. (XIIIᵉ s.). Lamentation, plainte.

lamont adv. (XIIᵉ s.; comp. de *la* et *mont*). Adv. de lieu, Là-haut.

lampas, -ast n. m. (1204, R. de Moil.; v. *lampe?*). Maladie de la bouche, en parlant surtout des chevaux.

lampe n. f. (1160, *Encas*; lat. *lampas, -adis*). Lampe. ◆ **lampier** n. m. (déb. XIIIᵉ s., R. de Clari). 1° Support de lampes. — 2° Ensemble de lampes, lustre. **lampement** n. m. (fin XIIIᵉ s., *Sydrac*). 1° Lumière de la lampe. — 2° Lumière en général qui n'est pas la lumière du jour.

lance n. f. (1080, *Rol.*; lat. *lancea*). 1° Lance. — 2° Mesure de terre. ◆ **lancete** n. f. (fin XIIᵉ s., *Alisc.*). 1° Petite lance. — 2° Instrument de chirurgie (1314, Mondev.). ◆ **lancele** n. f. (1335, Deguil.). Navette. ◆ **lançon** n. m. (XIIIᵉ s., Bible). Branche. ◆ **lancegaie** n. f. (XIIIᵉ s., G. de Saint-André). 1° Javeline, demi-pique. — 2° Bâton ferré par un bout.

lancier v. (déb. XIIᵉ s., *Voy. Charl.*; v. *lance*). 1° Jeter. — 2° Lancer des

traits. — 3° Combattre avec la lance. ◆ **lanceer** v. (XIIᵉ s., *Conq. Irl.*). Combattre avec la lance. ◆ **lanc, lanz** n. m. (1160, Ben.). 1° Action de lancer. — 2° Élan. ◆ **lance** n. f. (1349, G. li Muisis). 1° Attaque, atteinte. — 2° Mauvais procédé. ◆ **lanceis** n. m. (1160, Ben.). 1° Action, rapide ou répétée, de lancer. — 2° Joute à la lance. — 3° Combat. ◆ **lanceis** adj. (XIIᵉ s., *Blancandin*). 1° Qui s'élance bien : *Un ceval fort et desrée, Roide et isnel et lanceis (Atre pér.).* — 2° Que l'on abat : *Li pont estoient avalé A grant caines lanceices (Gauvain).* ◆ **lançant** adj. (fin XIIᵉ s., *Loher.*). Qui s'élance d'un bond, impétueux. ◆ **lanceor** n. m. (1314, *Arch.*), **-lere** n. f. (1160, *Eneas*). Créneau par lequel on lance les flèches ou les projectiles.

lande n. f. (déb. XIIᵉ s., *Ps. Cambr.*; gaul. **landa*). Contrée boisée : *Une lande a, Corcers a nun, Pres de la forest de Luin* (Wace). ◆ **landele** n. f. (1323, G.), **-ete** n. f. (1326, *Arch.*). Petite lande. ◆ **landie** n. f. (1250, *Ren.*). Parties naturelles de la femme. *Envoier* (quelqu'un) *a la landie sa mere,* (XIVᵉ s.), juron obscène.

landit n. m. V. LENDIT, foire de Saint-Denis.

landgrave n. m. (1270, Ruteb.; moy. haut all., composé de *graf*, comte, et *land*, pays). Prince souverain. ◆ **landefride** n. f. (1346, *Arch. Meuse*; composé avec *fride*, paix). Paix.

landier n. m. (1160, *Charr. Nîmes*; v. *andier*). Gros chenet de fer utilisé à la cuisine.

landon n. m. (1160, Ben.; orig. obsc.). 1° Sorte d'entrave ou billot qui empêche les chiens de chasser. — 2° Muselière en général. — 3° Sujétion.

laner v. (1334, *Arch.*; v. *laine*). Apprêter la laine. ◆ **lanerie** n. f. (1295, G.). Lieu où l'on vend la laine. ◆ **lanage** n. m. (fin XIIIᵉ s., B. de Condé). 1° Mouton. — 2° Chevelure. — 3° Redevance en laine. ◆ **laneure** n. f. (1342, *Arch.*). Ouvrage de laine. ◆ **laneor** n. m. (1262, *Arch.*), **-ier** n. m. (fin XIIIᵉ s., Guiart). Apprêteur ou marchand de laine. ◆ **lanu**

adj. (1204, R. de Moil.). Laineux, couvert de laine. ◆ **lané** adj. (fin XIIIᵉ s., B. de Condé). De laine. ◆ **laneis** adj. (1268, E. Boil.). 1° De laine. — 2° n. m. Fil préparé pour faire de la toile. ◆ **laneton** n. m. (1253, *Arch.*). Fil de laine.

laneret n. m. V. LANIER, oiseau de proie.

lange adj. et n. m. ou f. (1160, Ben.; lat. *laneum, laneam,* de laine). 1° adj. (1204, R. de Moil.). De laine. — 2° n. Étoffe de laine. — 3° Vêtement, chemise de laine : *Chascuns vousist a Rome aler Nuz pez en langes* (Ben.). ◆ **langel** n. m. (116O, Ben.). Petit morceau d'étoffe servant à différents usages.

langor n. f. (déb. XIIᵉ s., D.; lat. *languor, -oris*). État de maladie, affaiblissement. ◆ **langorer** v. (1190, saint Bern.), **-ir** v. (1277, *Rose*). Etre faible, languissant : *E d'ilec en avant Ne fait que langourir* (*Rose*). ◆ **langoros** adj. (XIᵉ s., *Alexis*). 1° Malade : *Prie por le gent languerouse* (R. de Moil.). — 2° Languissant.

langoste n. f. (1260, Br. Lat.; anc. prov. *langosta,* du lat. *locusta,* sauterelle; v. *laouste,* même sens). Sauterelle.

langue n. f. (Xᵉ s., *Saint Léger;* lat. *lingua,* langue). 1° Organe situé dans la bouche. — 2° Tout objet en forme de langue, par ex. bande d'étoffe, etc. — 3° Langage parlé ou écrit (rare en anc. fr.). ◆ **langoier** v. (1210, *Dolop.*). 1° Agiter la langue : *Nes li muez assez souvent Langoïe et arriere et avant* (*Dolop.*). — 2° Bavarder, médire. ◆ **langueter** v. (1204, R. de Moil.). 1° Faire mouvoir la langue. — 2° Bavarder, médire : *Il fust bon avocat en court, Car il scet trop bien langueter* (*Mir. N.-D.*). — 2° Caresser avec la langue. ◆ **langué** adj. (XIIIᵉ s.). Terme de blason, Langueté. ◆ **langos** adj. (déb. XIIᵉ s., *Ps. Cambr.*), **-art** adj. (XIIIᵉ s.). Bavard : *La rainne qui est tant lengouse contre lo buef fut enviouse* (*Ysopet*). ◆ **languaige,** **-age** n. m. ou f. (980, *Passion*). 1° Langue, moyen de communication propre à une communauté : *Quant il les vit, bel les apele : Il les welcume en sa language* (Saint Gilles). — 2° Au plur. Manière de parler hautaine, mensonge audacieux : *Ces Franczois ont trop de langages* (*Livr. du bon Jehan*). — 3° n. m. Celui qui parle les langues étrangères. ◆ **languier** n. m. (1353, G.). Pièce d'orfèvrerie façonnée, destinée à porter ou contenir des langues de serpent qui servaient à faire l'essai de certains aliments.

I. **lanier, laignier, lenier** n. m. (1175, Chr. de Tr.; lat. pop. *lanarium,* de *lana,* laine). Espèce de faucon. ◆ **laneret** n. m. (1318, Gace de La Bigne). Petit lanier.

II. **lanier, lasnier, lenier** adj. (1180, *Rom. d'Alex.;* peut-être de *lanier,* faucon). 1° Paresseux, lent à : *Ne soiez d'ouvrer lenniers* (*Mir. N.-D.*). — 2° Timide : *Et vous, ne soiés mie sos, ne gage prendre laniers* (*Court. d'Arras*). — 3° Lâche, couard : *Mon joie! escrie, ferez i, chevalier! E il si font, n'en furent pas lanier* (*Otinel*).

lans n. m., lancement, élan. V. LANCIER, lancer.

lanterne n. f. (1080, *Rol.;* lat *lanterna*). 1° Lanterne, boîte à parois transparentes pour protéger la lumière. — 2° Parties naturelles de la femme. *Aler a la lanterne sa mère,* cf. *Aler a la landie sa mere.* ◆ **lanterner** v. (XIVᵉ s.). 1° Envoyer à la lanterne d'une femme. — 2° Injurier.

laon, lahon, leon, lavon n. m. (1282, *Reg. aux bans;* anc. haut all. *lado*). 1° Planche. — 2° Ensemble de planches, plancher.

laor, leor n. f., largeur. V. LÉ, large.

laouste n. f. (déb. XIIᵉ s., *Ps. Cambr.;* lat. *locusta*), sauterelle; v. *langoste,* probabl. empr. à l'anc. prov.). Sauterelle.

lape n. f. (XIIIᵉ s., *Gloss. lat.-fr.;* lat. *lappa*). Bardane.

lapidaire n. m. et adj. (1121, Ph. de Thaun; lat. *lapidarius,* adj., de *lapis,* pierre). 1° Traité sur les pierres prècieuses. — 2° Tailleur de pierre (*Ren.*). — 3° Homme atteint de la pierre. — 4° Adj. De pierre.

lapider v. (xᵉ s., *Passion;* lat. *lapi-dare*). 1° Lapider. — 2° Livrer à la mort. — 3° Dévaster. — 4° n. m. Massacre.
◆ **lapidement** n. m. (1170, *Fierabr.*), -**e** n. m. (xIIIᵉ s.), -**ee** n. f. (1170, *Fierabr.*), -**eis** n. m. (fin xIIᵉ s., *Loher.*). 1° Lapidation. — 2° Massacre. — 3° Destruction. ◆ **lapis** n. m. (fin xIIᵉ s., *Alisc.*). Destruction, carnage.

lapriel n. m. (1320, texte wallon; d'orig. ibère ou germ.). Lapereau.

larc, large adj. (1080, *Rol.;* lat. *largum;* la forme *large* est refaite sur le fém.). 1° Large. — 2° Généreux. — 3° Dépensier. ◆ **largement** adv. (1175, Chr. de Tr.). 1° Avec largeur, au large. — 2° Sur un long espace. — 3° Longtemps. — 4° En grande quantité, beaucoup. — 5° Au moins. ◆ **largece** n. f. (1162, *Fl. et Bl.*). 1° Largeur. — 2° Libéralité : *Tierche fois al abé s'adreche La dame et refait sa largeche* (R. de Moil.). — 3° Profusion, abondance. ◆ **largeté** n. f. (xIᵉ s., *Alexis*). 1° Largeur. — 2° Largesse : *Tous nous a mis a povreté Por amor et por largeté (Florim.).*

larcin n. m., **larcine** n. f. V. LARRECIN, vol.

lard, lart n. m. (xIIᵉ s.; lat. *laridum*). Pièce de porc salé. *Avoir mangié le lart,* être coupable. ◆ **larder** v. (1175, Chr. de Tr.). 1° Faire comme lard, consumer. — 2° Brûler : *On devroit tous ceux larder qui le roy donnent tex consex* (Sarrazin). — 3° Percer de coups. ◆ **lardel** n. m. (1175, Chr. de Tr.). 1° Morceau de lard. — 2° Morceau de chair en général : *Le cuir li fent deseur la coste De le longne .I. lardel li oste* (Chr. de Tr.). — 3° Coup d'épée. ◆ **lardé** n. m. (1162, *Fl. et Bl.*). Morceau de viande. ◆ **lardier** n. m. (1180, *R. de Cambr.*). 1° Morceau de lard. — 2° Garde-manger. — 3° Charcutier (1345, *Arch.*). — 4° Adj. *Mardi lardier,* mardi gras.

larice n. m. (1213, *Fet Rom.;* lat. *larix*). Mélèze, arbre conifère.

lariz, lairis n. m. (1080, *Rol.;* peut-être du germ. *laar,* clairière). 1°

Lande, bruyère, terre inculte. — 2° Éminence de terrain, tertre.

larmer, larmier v. V. LERMIER, pleurer.

larrecin n. m. (fin xIᵉ s., *Lois Guill.;* lat. *latrocinium,* empr. ancien). Larcin, vol. *En larrecin,* furtivement, en cachette. ◆ **larrecine** n. f. (xIIIᵉ s., *Rom. Lumere*). Larcin. *En larcine,* furtivement. ◆ **larrecinosement** adv. (1112, *Saint Brand.*). 1° En voleur. — 2° Secrètement, en cachette.

larron, lairron n. m. cas régime, **lerre, larres, leirre** n. m. cas sujet (xᵉ s.; lat. *latro, latronem*). Voleur : *Car mal larron as enfanté* (R. de Moil.). *A larron,* furtivement. ◆ **laronesse** n. f. (1260, Mousk.). Voleuse. ◆ **larroncel** n. m. (1155, Wace), -**in** n. m. (1346, *Arch.*). Petit voleur. ◆ **larron** n. m. (1169, Wace). Larcin. ◆ **larronaille** n. f. (1335, Deguil.). Troupe de voleurs, de brigands. ◆ **larronie** n. f. (1210, *Dolop.*). Brigandage.

lart n. m. V. LARD, pièce de porc salé.

I. **las** adj. (xᵉ s., *Fragm. de Valenc.;* lat. *lassum,* fatigué). 1° Fatigué. — 2° Malheureux : *Ele leur cela verité et dist ke une lasse cose estoit en une povre pecheresse (Fille du comte de P.)* — 3° *Las a,* malheur à : *las a celui qui est seuls* (Bible). — 4° Misérable : *Las malfeuz! cum esmes avoglez! (Alexis).* — 5° n. m. (1354, *Ord.*). Roturier, paysan, serf. ◆ **lasset** adj. (xIIIᵉ s., *Rom. et past.*). Malheureux : *Por coi me bait mes maris, Laissette! (Rom. et past.).* ◆ **lasté** n. f. (xIᵉ s., *Alexis*), **lassesse** n. f. (1160, Ben.). 1° Grande fatigue, défaillance : *Pour la lasté s'est endormiz* (Ben.). — 2° Misère. — 3° Négligence. — 4° Manque, faute. — 5° Lâcheté due à la fatigue ou au manque de forces : *Hom qui si bien menjue ne fera ja lasté (Gui de Bourg.).*

II. **las** n. m., lacs, lacet. V. LACIER, attacher, saisir.

lasche adj. (fin xIIᵉ s., *Cour. Louis;* forme, refaite sur le fém., du lat. pop. **lasca,* pour *laxa,* relâchée). 1° Relâché, non tendu. — 2° Mou. — 3° Lâche. —

4º Méchant. ◆ **laschement** adv. (1155, Wace). 1º D'une manière relâchée, mollement : *La guverna mult lascement* (Wace). — 2º Méchamment. ◆ **lascheté** n. f. (fin XIIᵉ s., *Ogier*). 1º Lassitude, fatigue. — 2º Négligence. — 3º Manque, faute : *Mais de viandes orent grant laixeté (Loher.).* ◆ **laschesse** n. f. (1190, Garn.). 1º Indolence, négligence. — 2º Lassitude, faiblesse : *Comment par lasqueche morroit (Sones de Nanç.).*

laschier v. (1080, *Rol.;* lat. *laxicare*). 1º Lâcher, abandonner. — 2º Réfl., Se retirer, s'abstenir : *Lascher, faindre ne resortir Ne se voleit de Deu servir* (Ben.). — 3º Se fatiguer, faiblir : *Ne sai porquoi voi mon cheval laschier (Gaydon).* ◆ **lasche** n. f.ˉ(XIIIᵉ s., *Chron. Saint-Denis*), **-ement** n. m. (1225, *Sept Sages*). 1º Abandon. — 2º Relâchement, indolence. — 3º Fatigue : *L'en doit faire grant laschement Pour gaegnier cent mars d'argent (Sept Sages).* ◆ **laschance** n. f. (XIIIᵉ s.). 1º Rémission, absolution. — 2º Abandon.

lasne n. f. (XIIᵉ s., *Horn*; orig. obsc.; peut-être une altér. du francique *nastila*, allem. *Nestel*, lacet). Lanière. ◆ **lasnete** n. f. (1138, *Saint Gilles*), **-iere** n. f. (XIIᵉ s., *Part.*). Lanière. ◆ **lanierete** n. f. (XIIIᵉ s., *Pastor.*). Petite lanière. ◆ **lasnis** adj. (1150, Wace). Enlacé, enchaîné : *Ja n'iert [...] de pechié hom si lasniz* (Wace).

lasnier adj. V. LANIER, paresseux, lent, timide, lâche.

lasre, lasdre n. m. V. LADRE, lépreux.

lasser v. (1080, *Rol.;* lat. *lassare*). Se fatiguer. ◆ **lasse** n. f. (1160, Ben.). Grande fatigue : *ke de lasse ot la face rouge (Ren.).* ◆ **lassement** n. m. (1160, Ben.). 1º Fatigue. — 2º Misère. ◆ **lasseure** n. f. (1160, *Athis*). Fatigue.

last n. m. V. LEST, mesure de poids.

lasus, laissus adv. (XIIᵉ s.; composé de *la* et *sus*). Adv. de lieu, Là-haut : *Et dois lessus gietent et ruent Moult de choses* (J. de Priorat).

lat n. m. (1160, Ben.), **late** n. f. (fin XIIᵉ s., *Loher.;* bas lat. *latta*, du fran-

cique). 1º Latte, pièce de bois longue. — 2º Ourlet de tisserand. ◆ **later** v. (1288, G.). Couvrir de lattes. ◆ **lateure** n. f. (XIIIᵉ s., Bible). Lattis, couverture de lattes. ◆ **lateret** adj. (1306, *Arch.*). A lattes.

later v. (fin XIIIᵉ s., B. de Condé; lat. *latum*, forme de *fero*, porter). Porter.

latin n. m. (1160, Ben.; lat. *latinum*). 1º Langage : *Sa lengue torne, ses latins est muez : Grezois parole, qu'il en fu doctrinez (Alisc.).* — 2º Langue : *Ele savoit parler de .XIIII. latins (Aiol).* — 3º Discours, propos : *Si recomence son latin La ou ele l'avoit lessié* (Chr. de Tr.). — 4º Ce qu'on a à dire, pensée, réflexion : *Avez vous dit vostre latin? (Ren.).* — 5º Gazouillement des oiseaux : *Que cil oiselet cantent souef en lor latin (Rom. d'Alex.).* — 6º Finesse, subtilité (au plur.). — 7º Science : *Sire, or mandez le nain devin : Certes, il set de maint latin (Trist.).* ◆ **latiner** v. (XIIᵉ s.). Raconter en latin. ◆ **latinent** n. m. (fin XIIIᵉ s., Macé). Celui qui parle latin. ◆ **latinier** n. m. (1169, Wace). 1º Homme qui connaît plusieurs langues. — 2º Celui qui enseigne les lettres, savant. — 3º Interprète, traducteur : *Et li fist reqere par latiniers q'ele li desist de quel linage ele estoit (Fille du comte de P.).*

latitude n. f. (1314, Mondev.; lat. *latitudo*). Largeur.

laton n. m. (1250, *Ren.;* arabe *latun*, cuivre). Laiton.

latuaire n. m. V. LEITUAIRE, médicament, sirop.

latui n. m. (1160, Ben.; cf. lat. *latere*, être caché). Cachette : *En latui les est alez traire* (Ben.). ◆ **latuitet** n. f. (1160, Ben.). Cachette.

lau, leu adv. (fin XIIᵉ s., *Loher.;* adv. composé de *la*, là, et de *u*, où; v. *la*). 1º Adv. de lieu, Là où : *Mais lau le prist, la le remete* (R. de Moil.). — 2º Adv. ou conj. de temps, Quand, pendant que : *Li navré de tel guise traient La ou l'un sue et l'autre tremble* (Guiart).

laude n. f. (XIIᵉ s., Evrat; lat. *laus, laudis*). 1º Louange, éloge. — 2º Partie de l'office divin où l'on chante des psaumes à la louange de Dieu. ◆ **laudable** adj. (1308, Aimé). Louable, glorieux.

laure n. f., largeur. V. LÉ, large.

laval adv. (XIIIᵉ s., *Tourn. Chauvenci*; composé de *la*, là, et de *aval*). Adv. de lieu, En bas, vers le bas, à terre : *Qui fust en sel chafaut laval (Tourn. Chauvenci)*.

laver v. (980, *Passion;* lat. *lavare*). Laver, se laver : *Eneas lava et sa gent (Eneas)*. ◆ **lavement** n. m. (1190, saint Bern.). 1º Action de se laver. — 2º Lavage. — 3º Ablution : *Recevoir le lavement De baptesme (Myst. saint Clém.)*. ◆ **laveure** n. f. (XIᵉ s., *Alexis*). 1º Eau qui sert à laver. — 2º Lotion : *Il firent mout de medecines et laveures (Mir. Saint Louis)*. ◆ **laveoir** n. m. (fin XIIIᵉ s., Guiart). Bassin où l'on se lave, où l'on lave. ◆ **laveor** n. m. (fin XIIᵉ s., *Rois*). Bassin. ◆ **lavacre, laivaicre** n. m. (1150, *Pèl. Charl.*). Fonts baptismaux. ◆ **lavandier** n. m. (1313, *Arch.*). Blanchisseur. ◆ **lavanderie** n. f. (1335, Deguil.). Buanderie.

lavon n. m. V. LAON, planche.

lavru adj. V. LEVRU, lippu.

lazaron n. m. (fin XIIᵉ s., *Loher.;* de *Lazarus*, n. propre). Lépreux. ◆ **lazerique** n. f. (1175, Chr. de Tr.). Lèpre.

I. **le, lo** pron. pers. masc. 3ᵉ pers. cas rég., **lui, li** cas oblique, **il** cas sujet (980, *Passion;* lat. [*i*]*llum*). 1º Cas régime de la 3ᵉ pers. : *Venjar lo vol (Passion)*. — 2º Perd sa voyelle et se combine avec différents mots outils le précédant : *Dolanz en est, jel vos affi (Rom. et past.). Quil conduira, Sire? (Loher.). Puis quel feistes desrochier (Parten). Desarmé l'ont sel (si le) coucent en I. lit (Loher.)*.

II. **le, lo** art. masc. sing. cas régime, **li** cas sujet, **les** plur. cas régime, **li** plur. cas sujet (Xᵉ s., *Fragm. de Valenc.;* lat. *illum*). 1º Article défini proche, par le sens, du démonstratif du fr. mod. : *Ki od lu roi furent venu* (Wace). — 2º En sa qualité de démonstratif, faisant fonction de pronom : *Enflammé d'une telle flamme Son lit laissa pour le sa fame* (Coincy). — 3º Se combine et s'amalgame avec les prépositions *de, a, en*. — 4º En particulier, se combine avec la préposition régissant un infinitif quand l'article détermine le complément de celui-ci : *Grant sunt li colp as helmes detrenchier (Rol.)*. ◆ V. TABLEAU DES ARTICLES, ci-dessous.

I. **lé, let, ley, lay** adj. (1080, *Rol.;* lat. *latum*). Large. *L'erbe lee*, gazon. ◆ **lé** n. m. (1175, Chr. de Tr.). 1º Largeur : *Entre dous uelz ot de lé demi pié (Cour. Louis)*. — 2º Étendue : *en tot le*

TABLEAU DES ARTICLES

			Masculin	Féminin
Singulier	Sujet		li (lui)	la (le, li)
	Rég.	autonome	le, lo	la
		contracté	+ *de* = del, deu, dou, do, du + *a* = al, au + *en* = el, eu, ou, o, on	
Pluriel	Sujet		li	les
	Rég.	autonome	les	les
		contracté	+ *de* = dels, daus, des + *a* = als, as, aus + *en* = ens, eins, ons, es	les mêmes que pour le masculin

monde, tant comme il a de lé (Ogier). De lonc et de lé, par lonc ne par lé, en long et en large. *Environ et en lé,* en tous sens. ◆ **laor, leor** n. f. (1120, *Ps. Oxf.*). 1° Largeur : *Dix sept piés avoit li Turs de lonc, Et de lacur une toise environ (Ogier).* — 2° Étendue. ◆ **laure, leure** n. f. (1180, *Rom. d'Alex.*). Largeur. ◆ **laece, leece, lesse** n. f. (1160, Ben.). Largeur. ◆ **laisseur** n. f. (XIIᵉ s.). Largeur.

II. **lé** adj. V. LIÉ, joyeux.

leal adj. V. LOIAL, légitime, de bonne qualité.

lebech, labech n. m. ou f. (1260, Br. Lat.; v. ital. *libeccio,* même sens). Vent du sud-ouest.

lec adv. V. LUEC, là, alors.

leche n. f. V. LESCHE, laîche, ou tranche, lame.

lechier, lichier, loichier v. (déb. XIIᵉ s., *Ps. Cambr.;* francique *lekkon*). 1° Lécher. — 2° Etre gourmand. — 3° Vivre dans la débauche. ◆ **leche, lesche, leiche** n. f. (déb. XIVᵉ s., J. de Condé). 1° Appât, amorce : *Biauté et grasse sont deux leches* (J. de Condé). — 2° Friandise. ◆ **lechement** n. m. (XIIIᵉ s., *Fabl. d'Ov.*). Flatterie. ◆ **lecheure** n. f. (XIIIᵉ s., *Rom. et past.*). Amour du plaisir, de la volupté. ◆ **lechois** n. m. (XIIIᵉ s., *Thaïs*). 1° Amour du plaisir, sensualité. — 2° Lieu de débauche. ◆ **lecherie** n. f. (fin XIIᵉ s., M. de Fr.). 1° Amour excessif du plaisir, licence, luxure. — 2° Sensualité : *N'est pas amurs, ainz est folie Et mauveisté et lecerie* (M. de Fr.). — 3° Plaisir en général, sans sens défavorable : *Sa lecherie ert de lancier La ou li tornois assambloit (Meraugis).* — 4° Tromperie, perfidie : *Et Judas, par sa lecerie, quant Damediu vit aparu, Il le vendi... (ABC).* — 5° Impertinence : *Onques si bele lecherie Ne fit deable ne maufé (Pass. Palat.).* ◆ **lecheor** n. m. (1138, G.). 1° Homme livré à la gourmandise, gourmet : *Li bon lechieres Qui des morseaus est connoissierres (Rose).* — 2° Débauché : *Li loicheor la vourent a force demener au bordel (Vie sainte Lucie).* — 3° Amant d'une femme mariée :

Le proudom ... ocist ambedeus, ce est sa feme et son lechour (Ass. Jér.). — 4° Terme d'injure sans signification précise : *Filz a putain, mauvais lichiere (Florim.).* ◆ **lecheresse** n. f. (XIIIᵉ s., *Chron. Saint-Denis*). Femme impudique, lubrique : *Ja femme lecheresse ne fra porre espesse* (proverbe). ◆ **lecherel** n. m. (XIIIᵉ s., *Rom. et past.*). Homme qui aime le plaisir, sensuel, gourmand. ◆ **lechefroie** n. f. (XIIIᵉ s., *Fabl. d'Ov.*), **-freit, -frit** n. m. (fin XIIᵉ s.; mot composé de *leche* et de *froier,* frotter). Lèchefrite, ustensile de cuisine servant à recevoir la graisse de la viande qu'on fait rôtir à la broche. ◆ **leche doit** n. m. (XIIIᵉ s., *Court. d'Arras*). *A leke doit,* en petite quantité : *Versés dou vin a leke doit (Court. d'Arras).*

leçon n. f. (XIᵉ s.; lat. *lectionem*). 1° Partie de l'office qui est lue ou récitée. — 2° Lecture. — 3° Enseignement qu'on peut en tirer. ◆ **leçonier** n. m. (1119, Ph. de Thaun). Livre contenant les parties lues de l'office.

lection n. f. (1190, Garn.; lat. *lectio*). 1° Élection, choix, élite : *Li clerc sunt serjaunt Deu et de sa lectiun* (Garn.). — 2° Leçon, terme de liturgie.

ledange n. f. V. LAIDENGE, outrage.

I. **lede** n. f. V. LEUDE, sorte d'impôt.

II. **lede** adj. fém. V. LÉ, LET, large.

I. **leece, laece, liece** n. f. (XIᵉ s., *Alexis;* lat. *laetitia,* la forme *liece* étant infl. par *lié,* joyeux). 1° Bonheur céleste. — 2° Joie, allégresse : *Sire, tu dunas letice el mien cuer (Ps. Oxf.).* — 3° Réjouissance. ◆ **leecier** v. (1155, Wace). 1° Réjouir. — 2° Se livrer à la joie. ◆ **leeços** adj. (XIIIᵉ s., *Sim. de Pouille*). Joyeux.

II. **leece, laece** n. f., Largeur. V. LÉ, large.

leenz adv. V. LAENZ, là-dedans.

legal n. m. (XIIIᵉ s., *Chr. Reims;* lat. *legalis*). Homme de loi, légat, négociateur. ◆ **legation** n. f. (1160, Ben.). Mission. ◆ **legat** n. m. (1310, *Charte*). Legs.

legier, ligier, loigier adj. (1080, *Rol.;* lat. pop. **leviarium,* dc *levis,* léger). 1° De peu de poids. — 2° Souple, vif, agile : ·*Biaus fieus, fors estes et legiers* (A. de la Halle). — 3° Frivole. *Les legieres femes,* les femmes de mauvaise vie. — 4° Subtil : *Quant li mestres aperceu Son ligier sens et coneu (Gar. Loher.).* — 5° Facile à faire : *Rome* [...] *N'est mie legere a conquerre* (Ben.). -6° Facile à comprendre : *Chançon legiere a entendre* (Con. de Béth.). — 7° *De legier,* facilement. ◆ **legierement** adv. (fin XIIe s., *Cour. Louis*). Facilement, sans peine, sans regret. ◆ **legeret** adj. (XIIIe s., *Bat. des sept arts*). Léger, très souple, assez facile. ◆ **legerie** n. f. (1080, *Rol.*), **legerece** n. f. (XIIIe s., *Artur*). 1° Qualité de ce qui est léger. — 2° Légèreté, imprudence, folie : *Franceis sunt mort par vostre ligerie* (Rol.). — 3° *De legerie,* par légèreté. ◆ **legier** v. (1160, *Eneas*). 1° Alléger, rendre plus léger. — 2° Diminuer la charge d'un bateau par transbordement ou débarquement. — 3° Diminuer les charges. ◆ **lege** n. f. (1268, E. Boil.). Sorte de cadre pour soutenir les fardeaux. ◆ **legeance** n. f. (XIIIe s., J. Le Marchant). Allègement, soulagement.

I. **legne** n. m. et f. V. LEIGNE, bois.

II. **legne** n. f. V. LANGE, étoffe de laine, chemise.

legun n. m. V. LEUN, légume, herbe.

lehe n. f. (1138, *Saint Gilles;* francique *lêka*). Laie, femelle du sanglier.

lehereng, lohorang adj. (1080, *Rol.*; nom du pays, doté du suff. d'orig. germ. *-enc*). Lorrain. *Notes lohorenges,* sorte de chanson *(Rose).*

lehun n. m. V. LEUN, légume.

I. **lei** n. f. V. LOI, religion, coutume, serment, amende.

II. **lei, li, lie** pron. pers. 3e pers. fém. cas oblique (v. *la,* cas régime). 1° Employé comme régime indirect : *Quant el fu hors, cil leva sus, Et soentre lie ferma l'us (Cast. d'un père).* — 2° Employé comme régime de préposition : *Od lie seras penduz* (Wace).

leidir v. V. LAIDIR, maltraiter, outrager.

leigne, laigne, legne, laine n. f. (1190, saint Bern.; lat. *lignum* et *ligna,* plur. neutre pris pour fém.). 1° Bois en général. — 2° Bois à brûler. ◆ **leignal, laignal** n. m. (1220, *Arch.*). Provision de bois. ◆ **laigname** n. m. (1308, Aimé). Provision de bois. ◆ **laignier** n. m. (1306, *Arch.*). 1° Coupe de bois. — 2° Provision de bois. ◆ **laignas, lignas** n. m. (XIIIe s., Cortebarbe). Gourdin.

lein, leng, lin n. m. (1307, *Hist. de Chypre;* ital. *legne,* au sens de navire). Navire : chaloupe, frégate légère.

leirre n. m. cas sujet. V. LARRON, voleur.

leis n. m. V. LEZ, côté.

leisir v. V. LOISIR, être permis.

leit adj. V. LAIT, désagréable, nuisible.

leitrin, leitron n. m. V. LETRIN, lutrin, tribune, chaire.

leituaire, latuaire n. m. (1180, *Rom. d'Alex.;* bas lat. *eletuarium,* du grec). Électuaire, sorte de médicament, sirop : *Les espices, les letuaires Aiment il mielz que saintuaires* (Coincy).

lemele, limele, lumele n. f. (1170, *Fierabr.;* lat. *lamella;* v. *lame*). Lame : *Tenoit la lumele de son coutelet pur la pointe* (Froiss.).

lemignon n. m. V. LIMEGNON, mèche.

lendit n. m. (déb. XIIe s., *Ps. Cambr.;* v. *endit,* du lat. *indictum,* fixé). 1° Foire de la plaine de Saint-Denis. — 2° Honoraires payés aux maîtres par les écoliers à cette époque. — 3° Péage (1340, G.).

leng n. m. V. LEIN, navire.

lengoier v. V. LANGOIER, agiter la langue, bavarder.

I. **lenier** n. m. V. LANIER, faucon.

II. **lenier** adj. V. LANIER, paresseux, lent, timide.

lent adj. (1080, *Rol.*; lat. *lentum,* souple). 1° Peu empressé : *Dist Oli-*

viers : dehait ait li plus lenz! (Rol.). —
2° Qui vient en retard, trop tard : *Repenties somes trop lent (Lai du Trot).* —
3° Mou, sans force : *Si que ne put mangier, tant fu floible et lente* (Aden.).
◆ **lentif** adj. (1204, R. de Moil.). 1° Lent.
— 2° Sans force, malade : *Nous ki somes
mal et lentiu* (R. de Moil.).

lentille n. f. (fin XIIe s., *Rois;* lat.
lenticula, dim. de *lens, lentis,* lentille).
Lentille. ◆ **lentilliere** n. f. (1279, *Cart.*).
Terrain semé de lentilles. ◆ **lentillos**
adj. (1160, Ben.). Semé de taches de rousseur.

I. leon n. m. (1080, *Rol.;* lat. *leo,
leonem*). Lion. ◆ V. LIONESSE, lionne.

II. leon n. m. V. LAON, planche.

leonin adj., **leonine, -ime** n. f.
(1175, Chr. de Tr.; du nom de Léon de
Saint-Victor, de Paris, qui aurait mis à
la mode les vers léonins, en latin). 1° Se
dit du vers latin dont les deux hémistiches
riment ensemble. — 2° Se dit du vers
français dont une ou deux syllabes
répètent la consonance de la rime. —
3° n. f. Rime léonine. — 4° Pièce de poésie
en rimes léonines.

leor, laor n. f., largeur. V. LÉ, large.

lerme, lairme n. f. (XIe s., *Alexis;*
lat. *lacrima*). Larme. ◆ **lermer, larmer** v.
(1160, Ben.). 1° Verser des larmes,
pleurer. — 2° Dégoutter : *La lance dont
la pointe lerme De sanc (Percev.).*
◆ **larmier, -oier** v. (fin XIIe s., *Ogier*).
1° Verser des larmes. — 2° Etre triste.

lerre, lere n. m. cas sujet. V. LARRON,
voleur.

I. les n. m. V. LEZ, côté, flanc.

II. les, lis adj. (1155, Wace; orig.
incert.). Blessé : *Pres furent tut u mors
u lis* (Wace).

III. les art. masc. plur. cas régime; art.
fém. plur. cas sujet et régime. V. LE et
LA. ◆ V. TABLEAU DES ARTICLES, p. 359.

IV. les, los pron. pers. 3e pers. plur.
masc. et fém. cas régime, **il, eles,** cas
sujet. V. LE et LA.

les prép. V. LEZ, à côté, près de.

I. lesche n. f. (XIIe s.; v. *esche,* du
germ. **liska*). Laîche, sorte de roseau.
◆ **leschere** n. f. (XIIIe s., *Sim. de Pouille*).
Lieu plein de roseaux.

II. lesche n. f. (XIIIe s., *Mir. saint Éloi;*
orig. obsc., v. le précédent ou peut-être
leschier?). 1° Tranche mince. — 2° Lame
d'épée.

leschier v. V. LECHIER, être gourmand, débauché.

I. lesde n. f. V. LEUDE, sorte d'impôt.

II. lesde n. f. V. LAIE, sentier, réserve
dans une forêt.

lesdenge n. f. V. LAIDENGE, outrage.

lesion n. f. (1160, Ben.; lat. *laesio,*
blessure au propre et au fig.). 1° Dommage, tort. — 2° Blessure (Mondev.).
◆ **leseure** n. f.; (1336, *Franch.*). Lésion.

lesir v. V. LOISIR, être permis.

lesse n. f. V. LAISSE, tirade en vers, et
LAECE, joie.

lessif n. m. (1277, *Rose;* lat. pop.
lixivum, de *lix, licis,* cendre). Eau de
lessive.

lesson n. m., couchette. V. LIT, lit.

lest, last, liest n. m. (1208, *Hist.
de Liège;* néerl. *last*). Sorte de mesure de
poids pour les solides. ◆ **lestage** n. m.
(mil. XIVe s.). Droit payé pour le poids.

letanie n. f. (1155, Wace; lat. chrét.
litania, prière publique, du grec). 1° Litanie. — 2° Longue énumération (XIVe s.).

lete n. f. V. LATE, latte.

leteril n. m. V. LETRIN, lutrin, chaire,
tribune.

letice, laitice n. f. (XIIIe s.; dér. de
lactem, lait). 1° Animal à fourrure blanche, peut-être une variété d'hermine. —
2° Fourrure de couleur blanche servant
de bordure à certains vêtements.

letre n. f. (Xe s.; lat. *littera*). 1° Caractère d'écriture. — 2° Missive : *Li rois
ouvre la cire, la letre reversa* (déplia)
[Aden.]. — 3° Bien possédé en vertu d'un
acte public (XIVe s.). — 4° Texte, contenu

d'une lettre, d'un livre : *Mais issi le conte le lettre Qu'en se chartre le fist remetre* (J. Bod.). — 5° Littérature, savoir contenu dans les ouvrages écrits (au sing. et au plur.) : ... *Li prestres Ne fu onques de letres mestres (Ren.)*. ◆ **letrele** n. f. (1220, Coincy). Petite lettre : *Par brieves et par lettreles* (Coincy). ◆ **letré** adj. (1160, Ben.). 1° Couvert d'inscriptions, d'arabesques (épithète fréquente de *brant*, lame de l'épée). — 2° Écrit, inscrit. — 3° Versé dans les lettres (XIVᵉ s.). ◆ **letreure** n. f. (fin XIIᵉ s., M. de Fr.). 1° Instruction, connaissance des lettres : *Cil qui sevent de letreure* (M. de Fr.). — 2° Écriture, lecture.

letrin n. m. (fin XIIᵉ s., *Cour. Louis*), **letril** n. m. (1213, Villeh.), **letrun** n. m. (1169, Wace; lat. ecclés. *lectrinum*, dimin. de *lectrum*, pupitre). 1° Meuble en bois ou en métal où l'on posait les livres pour la lecture, lutrin. — 2° Prie-Dieu. — 3° Tribune, chaire : *Li dux de Venise ... monta el leteril et parla al pueple* (Villeh.).

letuaire n. m. V. LEITUAIRE, sirop, sorte de médicament.

I. **leu, lou** n. m. (1080, *Rol.*; lat. *lupum*). 1° Loup. — 2° Chancre. ◆ **leuve, loue, louve** n. f. (XIIᵉ s.). Louve : *Com la leuve sauvaige ki des leus d'un boskaige Trait le pieur a li* (C. de Béth.).

II. **leu** n. m. V. LIEU, place, rang.

III. **leu** adv. V. LAU, là où, pendant que.

leude, lesde, laide n. f. (XIIIᵉ s.; lat. pop. **levita*, de *levare*, lever). 1° Taxe exigée des forains et des étrangers sur les marchandises vendues dans les foires et les marchés. — 2° Sorte de contribution indirecte, en usage dans le Centre et dans le Midi de la France, comparable au *tonlieu* dans le Nord.

leun, leum, legun n. m. (1260, Br. Lat.; lat. *legumen*, légume). Légume, herbe. ◆ **leunage** n. m. (fin XIIᵉ s., saint Grég.), **-mage** n. m. (1314, Mondev.). Terme collectif : toute sorte de légumes.

leupart, lie-, lu- n. m. (1080, *Rol.*; lat. *leopardus*). 1° Léopard. — 2° Bête sauvage et terrible en général.

leure n. f., largeur. V. LÉ, large.

leurre n. f. V. LORRE, loutre.

leus adv. V. LUES, aussitôt.

leusse n. f. (1169, Wace; orig. obsc.). Finesse, tromperie : *Cels del chastel kuida sorprendre, Par leusse et par voisdie prendre* (Wace).

leut n. m. (1277, *Rose*; ar. *al'-ud*, peut-être par l'interm. du prov.). Luth. ◆ **leutor** n. m. (1285, Aden.). Joueur de luth.

leuve n. f. V. LEU, loup.

lever v. (980, *Passion;* lat. *levare*). 1° Se lever, se mettre debout. *Lever sus, se lever : Lieve sus, vilain, si t'en vien!* (J. Bod.). — 2° Élever, construire. — 3° S'élever, augmenter : *Live la noise et le bruit (Trist.).* — 4° Récuser : *Cil qui est apelee doit dire : Je vos en lieve comme parjure* (Beaum.). — 5° Relever, augmenter l'honneur : *Bien devons la loi Dieu essauchier et lever (Gaufrey).* — 6° Élire. — 7° Tenir sur les fonts baptismaux : *Baptisier se fist et lever Et lui et ses autres paiens* (J. Bod.). — 8° *Lever un mestier*, s'établir maître. — 9° *Lever le chanvre*, partager le chanvre en tas pour les faire peser. ◆ **levement** n. m. (XIIIᵉ s.), **-ance** n. f. (1268, E. Boil.). 1° Action de lever. — 2° Levée. *A la levance*, au prorata. ◆ **leveure** n. f. (XIIᵉ s., *Part.*). 1° Action de lever. — 2° Levée. — 3° Charpente, toiture, échafaudage. ◆ **levee** n. f. (1204, R. de Moil.). 1° Revenu. — 2° Récolte. — 3° Impôt. ◆ **levation** n. f. (1311, *Arch.*). Élévation, partie principale de la messe. ◆ **levage** n. m. (1289, *Arch.*). Droit sur les bestiaux. ◆ **levable** adj. (1080, *Rol.*), **-eor** adj. (XIIᵉ s.). Levis; qui se lève.

levesche n. f. V. LIVESCHE, ache des montagnes.

levre n. f. (Xᵉ s.; plur. lat. *labra*, pris comme fém. sing.). Lèvre. ◆ **levrete** n. f. (1160, *Athis*). Dimin. de lèvre. ◆ **levru, lavru** adj. (XIIIᵉ s., *Doon de May.*). Lippu.

levrier n. m. (1160, *Eneas;* v. *lievre*). Chien qui chasse le lièvre. ◆ **levriere** n. f. (1210, *Dolop.*). Levrette. ◆ **levroz** n. m. (1306, Guiart). Levraut.

I. **lez, les** n. m. (xıᵉ s., *Alexis;* lat. *latus,* côté). 1° Côté. — 2° plur. Flancs, sein : *C'est li miens filz et si l'ai engendré, Car Aelis le porta en ses lez (Loher.).* — 3° Côté, au figuré : *li paien l'esgardent de toz lez* (J. Bod.). — 4° *Les a les, Les et les,* côte à côte. *A tout les,* de tout côté. *D'autre lez,* de l'autre côté.

II. **lez, les** prép. et adv. (fin xııᵉ s., Guiot; lat. *latus,* côté). Prép. de lieu, A côté, près de. *Par les,* à côté de. *De les,* à côté. V. DELES.

I. **li** art. masc. cas sujet sing. et plur. V. LE, le. ◆ V. TABLEAU DES ARTICLES, p. 359.

II. **li** pron. pers. 3ᵉ pers. sing. V. LUI, masc. et LEI, fém.

liage n. m. (1291, *Arch.;* gaul. **liga,* lie). 1° Droit sur la lie de vin. — 2° Foire, marché (même mot?).

I. **liart** adj. (1160, *Eneas;* à rapprocher de l'irland. *liath,* gris). 1° Grisâtre, gris pommelé. — 2° n. m. (1180, *Rom. d'Alex.).* Cheval gris.

II. **liart** adj. V. LIÉ, joyeux.

libele n. m. (1283, Beaum.; lat. *libellus,* dimin. de *liber,* livre). 1° Petit livre. — 2° Demande en justice.

libraire n. m. (1119, Ph. de Thaun; lat. 1° Généreux. — 2° Libre : *A en faire sa liberau plenere volunté* (Arch. Thouars). ◆**libertin** n. m. (xıııᵉ s., *Ass. Jér.).* Esclave sarrasin converti au christianisme.

libraire n. m. (1119, Ph. de Thaun; lat. *librarium).* 1° Copiste. — 2° Auteur. — 3° Bibliothèque. ◆ **librairie** n. f. (1119, Berger). Bibliothèque. ◆ V. LIVRAIRE, livre, bibliothèque.

I. **libre** adj. (1339, G.; lat. *liber).* En parlant des hommes, opposé à esclave. ◆ **liberté** n. f. (fin xııᵉ s., D.). 1° Libre arbitre. — 2° Au plur., synonyme de *franchises* qu'on accordait aux communes.

II. **libre** n. f. (1260, Br. Lat.; lat. *libra,* mesure de poids). La Balance, signe du Zodiaque. ◆ **librement** n. m. (fin xıııᵉ s., Végèce). Plateau de la balance.

I. **lice** n. f. (1155, Wace; francique **listja).* ·1° Barrière, palissade. — 2° Mur d'enceinte : *Fort manoir a dedenz ses liches* (H. de Cambr.). — 3° Champ clos pour un tournoi : *Les dames qui sont sour les lices Regardent le Fosseu venir* (Sarrazin). ◆ **licier** v. (1293, *Charte).* Entourer de lices, enfermer.

II. **lice** n. f. (xııᵉ s., *Part.;* lat. *licia,* plur. pris pour le fém.). 1° Fil de trame. — 2° Filet. — 3° Pièce du métier à tisser (E. Boil.). — 4° *De fil en lice,* de fil en aiguille. ◆ **liceor** n. m. (1270, *Reg. aux bans).* Trameur (en filature).

III. **lice** n. f. (fin xııᵉ s., M. de Fr.; probabl. du bas lat. *lyciscus,* chien-loup). Femelle du chien de chasse.

IV. **lice, lisse** n. f. (1208, *Charte;* orig. obsc.). Coffre, caque.

licence n. f. (1190, Garn.; lat. *licentia,* de *licet,* il est permis). 1° Permission, autorisàtion : *Madoc bailla les letres [...] (au pape) [...] quant il en out licence (Saint Thomas).* — 2° Pouvoir : *Cis apostoles Innocenses N'ot encor guaires de licence De Rome* (Mousk.). — 3° Possibilité : *Li rois commende que nus ne soit semons qui n'ait licence de venir à son jor (Livr. de Jost.).*

lichier v. V. LECHIER, être gourmand, débauché.

licier v. (déb. xııᵉ s., D.; lat. *lixare,* extraire par lavage). Repasser.

liçon n. m., couchette. V. LIT, lit.

licor n. f. (xııᵉ s.; lat. *liquor,* liquide). Liquide. ◆ **licorece** n. f. (xııᵉ s.; bas lat. *liquiritia,* du grec, infl. par *licor).* Réglisse.

I. **lie** n. f. (déb. xııᵉ s.; *Ps. Cambr.;* probabl. gaul. **liga).* Lie de vin. *Vin sor lie,* vin clair. ◆ **liage** n. m. (1268, E. Boil.). Droit du seigneur sur les lies de vins vendus.

II. **lie** pron. pers. 3ᵉ pers. fém., cas oblique. V. LEI, à elle.

lié, liet adj. m., **liee, lie** fém. (xıᵉ s., *Alexis;* lat. *laetum,* heureux). 1° Joyeux, gai. — 2° Content. ◆ **liart** adj. (1190,

J. Bod.). Joyeux. ◆ V. LEECE, LIECE, joie, réjouissance.

liege adj. V. LIGE, sans restriction, entier.

liens adv. V. LAENZ, là-dedans.

liepart n. m. V. LEUPART, léopard, bête sauvage.

liepre n. f. (1155, Wace; lat. *lepra*, du grec). Lèpre.

lier, loier v. (xᵉ s., *Saint Léger;* lat. *ligare*). 1° Lier. — 2° Mettre les entraves. — 3° Lier par obligation, par serment. ◆ **liement** n. m. (fin XIIᵉ s., saint Grég.). Lien, ligature. ◆ **liance** n. f. (XIIᵉ s., *Trist.*). 1° Alliance. — 2° Hommage lige : *Liance et sairement vos dei (Trist.).* — 3° Obligation. ◆ **lieure** n. f. (fin XIIᵉ s., saint Grég.). Ligature, lien, ruban. ◆ **lioison** n. f. (1190, *Bertr. de Born*). 1° Ce qui lie, lien. — 2° Façon de s'habiller. — 3° Engagement, obligation. ◆ **lias, liaz** n. m. (fin XIIᵉ s., *Rois*). Paquet : *Cent liaz de grape sechies (Rois).* ◆ **liage** n. m. 1° Lien. — 2° Ce qui sert à lier. ◆ **lien, liem, loien** n. m. (1130, *Job*; lat. *ligamen*). 1° Lien, entrave : *Savoir se ja de ches liens me geteroit sains Nicolaïs (J. Bod.). Au lien!,* en prison!. ◆ **liemier** n. m. (1160, *Eneas*). Chien tenu en laisse. ◆ **lieor** n. m. (1280, *Arch.*). 1° Celui qui lie. — 2° Ouvrier emballeur. ◆ **licpiez** n. m. (1160, *Eneas*). Rubans maintenant la chaussure. ◆ **liecol** n. m. (1333, G.). Licou.

liest n. m. V. LEST, mesure de poids.

lieu, liu, lue, leu n. m. (xᵉ s., *Fragm. de Valenc.;* lat. *locum*). 1° Lieu, place. *Tenir son lieu,* se trouver : *Oil, cilluec tiegnent lor lieu! (J. Bod.).* — 2° Place, rang : *Que son lue poisse maintenir E seit dignes de li servir* (saint Grég.). — 3° Estime, considération : *Taisiés, dame, assés arés liu : ce faz jou pour le gent deçoivre (Court. d'Arras).* — 4° *Lieu de pavillon,* tente. *Lieu d'engendreure,* matrice. *Derrain lieu de mer,* l'extrémité des mers. *Emmi liu,* au milieu. *En lieu de, el lieu de,* à la place de. ◆ **lieu tenant** n. m. (fin XIIIᵉ s.). Administrateur.

lieue, liue n. f. (1080, *Rol.;* lat. *leuca, leuga,* d'orig. gaul.). Lieue. ◆ **lieuee** n. f. (1169, Wace). 1° Longueur d'une lieue. — 2° Le temps qu'on met à parcourir une lieue. — 3° Banlieue, une lieue à la ronde (Wace). ◆ **lieuete** n. f. (1180, G. de Saint-Pair). Petite lieue.

lieve n. f. (1242, *Charte; v. lever*). 1° Levée. — 2° Impôt. ◆ **lieve** adj. (1292, *Britton*). *Porte lieve,* porte qui se lève.

lige, liege, linge adj. (1080, *Rol.;* orig. incert., probabl. germ.). 1° En parlant d'un vassal, celui qui a promis à son seigneur la fidélité sans restriction : *Est vaste linge homme et vo carnel amis (Quatre Fils Aymon).* — 2° Par extension, Qui voue une fidélité totale : *Car je suis vostre lige toute A tos jors mais (Ars d'am.).* — 3° En parlant d'un fief, Possédé en qualité d'hommage lige. — 4° En parlant d'hommage, Entier, total. — 5° Libre entier, souverain : *En sa bonne et lige pooté (1279, Cart.).* ◆ **ligement** adv. (1160, Ben.). 1° Comme un homme lige. — 2° Sans réserve, absolument : *Or, fetes vostre plesir De moi, car tot ligement A vos me rent (Chans.).* ◆ **ligee** n. f. (1190, Garn.), **-esse** n. f. (XIIIᵉ s., *Ass. Jér.*), **-eté** n. f. (1256, *Arch.*). 1° Hommage lige : *Vus li devez fei, humage e ligee* (Garn.). — 2° Service d'homme lige. ◆ **ligeance** n. f. (1155, Wace). 1° Vassalité, hommage lige : *De son fié li a fait lijance (Wace).* — 2° Fidélité. — 3° Au plur., Actes d'hommage, terres soumises à l'hommage.

ligier adj. V. LEGIER, léger, souple, facile.

lign, lin n. m. (fin XIIᵉ s., *Cour. Louis*), **ligne** n. f. (déb. XIIᵉ s., *Ps. Cambr.;* lat. *lineum, linea*). 1° Lignage, famille, parenté. — 2° Généalogie. ◆ **lignage** n. m. (XIᵉ s., *Alexis*). 1° L'ensemble de personnes qui appartiennent à la même lignée : *Sanz le conseil de son lingnage Son ami prist et espousa (Lai du Conseil).* — 2° Parenté, race. ◆ **lignas** n. m. (1298, M. Polo; forme italianisée). Lignage. ◆ **lignier** v. (XIIIᵉ s.). Tirer son origine de. ◆ **linier** adj. (1304, *Year Books*). De lignée, de race.

lignaloel, linalouez, lignoua-loe n. m. (XIIe s., *Comm. sur les Ps.*; composé de *lign*, bois, et d'*aloe*, aloès). Bois d'aloès.

lignas n. m. V. LEIGNAS, gourdin.

ligne n. f. (XIIe s.; lat. *linea*, fil de lin). Ligne. *Trestot a ligne*, très exactement. ◆ **lignete** n. f. (XIIIe s., J. Le Marchant). Petite ligne. ◆ **lignee** n. f. (déb. XIIe s., *Ps. Cambr.*). 1° Descendance. — 2° Alignement. ◆ **lignier** v. (fin XIIe s., Guiot). 1° Tracer une ligne sur. — 2° Mesurer à la corde, prendre des mesures. — 3° Redresser. — 4° Se diriger en ligne droite.

lignoel, lignel n. m. (1220, Coincy; lat. pop. *lineolum*, de *linea*, fil de lin). 1° Fil de lin, fil enduit de poix (pour le cordonnier). — 2° Cordon de soie. ◆ **lignement** n. m. (1318, *Arch.*). Mèche. ◆ **lignolet** n. m. (1335, Deguil.). *Au lignolet*, d'une manière élégante, gracieuse.

ligote n. f. (1180, D.; prov. *ligot*, lien, de *ligare*, lier). 1° Corde. — 2° Courroie intérieure du bouclier.

ligure n. m. (1260, Br. Lat.; lat. *lyncurium*, lynx). Pierre précieuse provenant du lynx.

lihue n. f. (1205, *G. de Palerne*; prélat. *lisca*). Sorte de roseau.

lil n. m. cas régime, **lis** cas sujet (1175, Chr. de Tr.; lat. *lilium*). Lis : *Plus blanc que flor de lil (Trist.)*. *Estre des fleurs de lis (Chron. Saint-Denis)*, être de la famille royale. ◆ **lilie** n. m. (1190, J. Bod.; forme savante). Lis.

limas n. m. (1175, Chr. de Tr.; lat. pop. *limaceum*, pour *limax*). Limace. ◆ **limace** n. f. (1270, Ruteb.). Limaçon.

lime n. f. (1175, Chr. de Tr.; lat. *lima*). Lime, sorte d'outil. ◆ **limer** v. (XIIIe s.). 1° Limer. — 2° Ronger, irriter, détruire : *Par sa pensee ki li lime Le cuer (Baarl. et Jos.)*. — 3° Expier. ◆ **limeure** n. f. (XIIIe s.). 1° Action de limer. — 2° Ce qui est limé des métaux, limaille. ◆ **lime** n. f. (1160, Ben.). 1° Action de limer. *Traitier la lime*, polir un ouvrage d'esprit, des vers, etc. — 2° Peine,

tourment. — 3° Querelle. ◆ **limande** n. f. (1327, *Arch.*). Planche plate.

limegnon, lemignon n. m. (1246, G. de Metz; lat. pop. *luminionem*, de *lumen*, lumière). 1° Mèche. — 2° Pièce de fer sur laquelle on fixe une chandelle.

limele n. f. V. LEMELE, lame.

limite n. m. et f. (1327, J. de Vignay; lat. *limes*, *-itis*, masc.). Limite, frontière. ◆ **limiter** v. (1310, Delb.). Arrêter dans ses écarts. ◆ **limitation** n. f. (1322, G.). Limite, frontière.

limoge n. m. (1270, Mousk.; du nom propre *Limoges*). Faisan.

I. limon n. m. (1160, *Eneas;* d'orig. gaul.). Brancard. ◆ **limonier** n. m. (1160, *Charr. Nîmes*). Cheval attaché au limon.

II. limon n. m. (déb. XIIe s., *Ps. Cambr.*; lat. pop. *limonem*, de *limus*, même sens). 1° Terre d'alluvion. — 2° Bourbe. ◆ **limonee** n. f. (XIIIe s., *Fabl. d'Ov.*). Amas de limon. ◆ **limoné** adj. (XIIIe s., *Fabl. d'Ov.*). De limon, de boue.

III. limon n. m. (1160, *Athis*; à rapprocher de *limes*, *-item*, bord). Bord, côté (d'un lit, d'un cercueil, etc.).

I. lin n. m. (fin XIIe s., M. de Fr.; lat. *linum*). Lin, toile de lin. ◆ **lin** adj. (1204, R. de Moil.). De lin, de toile. ◆ **linge, ligne** adj. (1125, Marb.; lat. *lineum*, de lin). 1° De lin, de toile. — 2° Simple, faible : *Car son sens et trop nuä et linge* (J. de Meung). — 3° Léger, délicat. — 4° n. m. (XIIIe s.). Toile de lin. ◆ **lingement** adv. (déb. XIIIe s., *Clef d'Am.*). Finement, délicatement. ◆ **linois, lignois, linuis** n. m. (fin XIIe s., M. de Fr.). Lin, graine de lin. ◆ **liniere** n. f. (XIIe s., *Ysopet*, I). Champ semé de lin. ◆ **linsuel, lensuel, lonsiol** n. m. (XIe s., *Alexis*). 1° Drap de lit. — 2° Morceau de drap ou de linge. ◆ **lincel** n. m. (1160, Ben.). Drap, vêtement de lin. ◆ **lincele** n. f. (déb. XIVe s., *F. Fitz Warin*). Drap.

II. lin, ling n. m. V. LIGN, lignage.

III. lin n. m. V. LEIN, chaloupe, frégate légère.

I. linge adj. V. LIGE, sans restriction, entier.

II. linge adj., de lin, faible, délicat. V. LIN, toile de lin.

linot n. m. (1270, Ruteb.; v. *lin*, l'oiseau étant friand des graines de lin). Linotte. ◆ **linereul** n. m. (déb. XIVe s., J. de Condé). Linot, linotte.

lins n. m. (XIIe s., Marb.; lat. *lynx*, du grec). Animal sauvage auquel on attribuait une vue très perçante : *Car lins a la regardeure Si fort, si perçant et si dure ... (Rose).*

lintier n. m. (XIIIe s., *Gloss. Glasg.*), **-ueil** n. m. (fin XIIe s., saint Grég.; lat. pop. **limitaris*, croisement de *liminaris* et de *limitem*, avec deux suffixes différents). 1° Seuil. — 2° Traverse supérieure d'une porte.

liois n. m. (1112, *Saint Brand.*; d'orig. gaul.). 1° Pierre blanche, calcaire. — 2° Marbre blanc. ◆ **liois** adj. (1285, Aden.). Blanc et dur, épithète de pierre et de marbre.

lion n. m. V. LEON, lion. ◆ **lionesse** n. f. (1210, *Dolop.*). Lionne. ◆ **lionel** n. m. (1288, *Ren. le Nouv.*), **lioncel** n. m. (1160, Ben.). Lionceau. *Faire le lioncel, faire bien le lioncel,* mousser, écumer beaucoup, en parlant du vin. ◆ **lionnois** adj. (1335, *Rest. du Paon*). Léonin. ◆ **lionier** n. m. (1162, *Fl. et Bl.*). Gardien de lions.

lipe n. f. (1250, *Ren.;* moy. néerl. *lippe,* lèvre). 1° Lèvre. — 2° Expression (dans le sens péjoratif) : *Moult li avenoit La chiere qu'il fet et la lipe (Ren.).* ◆ **lipee** n. f. (1316, G.). Bouchée.

I. lire v. (XIe s., *Alexis*; lat. *legere*). 1° Lire. — 2° Enseigner une leçon : *Amors, molt sai bien ma leçon; Or ne m'as leu se mal non, Del bien me redevroies lire (Eneas).* — 3° n. m. Lecture : *Lires est noble chause (G. de Rouss.).* — 4° n. m. le contenu de ce qu'on lit : *Cil sains preudom la letre lut; La lires mult li abelut* (Ruteb.). ◆ **liseor, leisor** n. m. (1130, *Job*). Lecteur. ◆ **liteor, litoir**

n. m. cas rég., **litres, listre** cas sujet (1112, *Saint Brand.*). Lecteur.

II. lire n. f. (1175, Chr. de Tr.; lat. *lyra*, du grec). Lyre. ◆ **lirer** v. (XIIIe s., *Pastor.*). Jouer de la lyre.

I. lis n. m. V. LICE, fil de trame. ◆ **lisiere** n. f. (1268, E. Boil.). Bord d'étoffe.

II. lis n. m. cas sujet. V. LIL, lis.

III. lis adj. V. LES, blessé.

lisarde n. f. V. LAISARDE, lézard.

lische n. f. V. LESCHE, laîche et tranche mince.

I. lise n. f. (XIIe s., mot norm., D.; var. probable de *glise*, glaise). Sable mouvant.

II. lise n. f. V. LICE, chienne.

lispreu, isproz n. m. (1155, Wace; scand. **hk-sproti*). Extérieur des voiles.

lisse n. f. V. LICE, coffre, caque.

liste, listre, lite n. f. (1150, *Thèbes;* germ. *lista*, bordure). 1° Bord, lisière. — 2° Bande peinte sur les murs des églises, noire ou ornée des armoiries du fondateur. — 3° Barrière. — 4° Rang : *Et garnisiez nes et galies Tout ordonee-ment par listes De mariniers* (Guiart). ◆ **listé** adj. (1080, *Rol.*). Entouré d'une bordure, rayé de bandes (s'applique aux palais, chambres, marbres, tables, écus, ceintures, etc.). ◆ **listel** n. m. (1247, G.). Bordure, bande, raie. ◆ **lister** v. (1267, *Arch.*), **listeler** v. (1328, *Arch.*). Faire des bordures. ◆ **listeor** n. m. (1259, *Arch.*). Ouvrier qui fait la lisière des draps.

lit n. m. (XIe s., *Alexis;* lat. *lectum*). 1° Lit, meuble. — 2° Mariage. *Lit brisié,* mariage dissous. *Lit entier,* mariage subsistant, et *lit deffait,* mariage fini par la mort d'un des conjoints. — 3° Endroit où couchent les bêtes. — 4° Lit de fleuve (XIIIe s.). ◆ **litee** n. f. (XIIe s., G.). 1° Couche, gîte. — 2° Portée d'un animal. — 3° Progéniture. ◆ **liçon, lesson** n. m. (XIe s., *Alexis*). Petit lit, couchette, siège : *Ele vint a vos pies par dessous le leson (Chans. d'Ant.).*

litargire, litarge n. m. (1314, Mondev.; lat. *lithargyrus*, du grec).

Sorte de médicament (protoxyde de plomb demi-vitreux).

literature n. f. (1120, *Ps. Oxf.;* lat. *litteratura*). Écriture.

literil n. m. V. LETRIN, lutrin, chaire, tribune.

litre n. f. V. LISTE, bord, bande.

litres, listre n. m. cas sujet. Voir LITEOR, lecteur.

liu n. m. V. LIEU, place, rang.

liue, live n. f. V. LIEUE, lieue.

livel n. m. (1256, *Arch.;* lat. pop. *libellum*, de *libra*, balance). Niveau : *Et si doit on metre el fossé de vint pié trois estaches a livel* (1256, *Arch.*).

livesche, levesche, luvesche n. f. (XIIᵉ s., *Part.;* lat. *ligusticum*, de *Liguria*). Ache des montagnes.

livon n. m. (XIIIᵉ s., *Rom. de Kanor;* orig. incert.). Sorte d'animal : *Li livons sivoit l'emperer ausi com .I. levriers* (*Rom. de Kanor*).

livraire n. m. (1220, Coincy; voir *libraire*). 1° Livre : *Laiens erent li grant livraire Estendu sour une establie* (*Mir. saint Éloi*). — 2° Bibliothèque.

I. **livre** n. f. (Xᵉ s., D.; lat. *libra*). Livre, mesure de poids. ◆ **livree** n. f. (XIIᵉ s., J. Fantosme). 1° Valeur d'une livre. — 2° Étendue de terre rapportant la rente d'une livre.

II. **livre** n. m. (1080, *Rol.;* lat. *liber*, libre). 1° Livre. — 2° Au fig. Inventaire : *Seient eslavé del livre des vivans* (*Ps.*). — 3° La Bible : *A desenor muert a bon droit Qui n'aime livre ne ne croit* (*Ren.*).

livrer v. (980, *Passion;* lat. *liberare*, au sens de « laisser partir »). 1° Délivrer. — 2° Remettre à quelqu'un. — 3° Pourvoir : *De vin et de viande vout bin sa gens livreir* (*Geste de Liège*). — 4° Sens inchoatif général, Se mettre à, commencer à. *Livrer une foire,* l'ouvrir légalement. *Livrer garde,* prendre garde. ◆ **livraison** n. f. (1169, Wace). 1° Action de livrer, de donner, de distribuer. — 2° Provision, ration, prestation en nature : *Cascun jor orent livrisons* (Wace). — 3° Engagement, bataille : *Sovent s'en ist par tel division Que a l'espee lor faisoit livrison* (*Loher.*). — 4° Mauvais traitement : *Fetes li a force amener E puis tel livroison doner Dont il en apres se recort* (*Ren.*). *Coups de livraison,* coups donnés abondamment. ◆ **livreure** n. f. (XIIᵉ s., Evrat). 1° Action de livrer, livraison. — 2° Délivrance, accouchement : *Morte fu d'enfant livreure* (Evrat). ◆ **livree** n. f. (fin XIIIᵉ s., D.). Vêtement fourni par les seigneurs aux gens de leur suite. ◆ **livreor** n. m. (XIVᵉ s.). Celui qui fournit, distributeur.

livrié adj. (1119, Ph. de Thaun; orig. obsc.; à rapprocher peut-être de *levrier*?). Rusé, fin : *Gupilz est mult livrié e forment vezié* (Ph. de Thaun).

I. **lo** pron. pers. 3ᵉ pers. cas rég. V. LE, le.

II. **lo** art. masc. cas rég. V. LE, le. ◆ V. TABLEAU DES ARTICLES, p. 359.

lobe n. f. (1250, *Ren.;* germ. *lob*, louange). 1° Discours flatteur, séduction. — 2° Ruse, tromperie : *Ja ne les connoistrez aus robes Li faus treistres pleins de lobes* (Rose). ◆ **lober** v. (1250, *Ren.*). 1° Flatter. — 2° Séduire par les paroles flatteuses. — 3° Tromper : *De bien lober buen mestre sui* (*Ren.*). ◆ **loberie** n. f. (1235, H. de Méry), **-ement** n. m. (XIIIᵉ s.). Manière flatteuse, cajolerie. ◆ **lobant** adj. (1271, *Rose*). Flatteur, enjôleur. ◆ **lobeor** n. m. (1270, Ruteb.). 1° Flatteur : *Car qui oiseus hante autrui table Lobierres est e sert de fable* (Rose). — 2° Trompeur, menteur.

loc n. m. (1190, Garn.; germ. *lok*, serrure). Serrure, loquet. ◆ **loquet** n. m. (XIIᵉ s., D.). Loquet.

locat adj. (1220, Coincy; v. *locu*, ébouriffé). Ébouriffé, en désordre : *Fui, vilains locaz, Ne sez que diz* (Coincy).

locel n. m. (fin XIIᵉ s., *Ysopet Lyon;* orig. incert.). Animal de trait non encore dompté : *Uns saiges hons mist por donter A la charrue un locel traire* (*Ysopet Lyon*).

loceret n. m. (1206, *Cart.;* francique *lukja*). Tarière, vrille, perçoir.

I. **loche** n. f. (XIIIe s., G.; francique *lotja*, même sens). Grande cuillère, cuillère à long manche. *Avoir la loche mal lavee*, être mal traité. ◆ **lochete** n. f. (1345, *Arch.*). Cuillère. ◆ **lochier** n. m. (1306, *Cart.*). Fabricant de louches. ◆ **lochier** v. (1204, R. de Moil.). Avaler. ◆ **locheor** n. m. (XIIIe s.). Avaleur. ◆ **lochepois** n. m. (1204, R.˙ de Moil.). Grand avaleur de pois.

II. **loche** n. f. (fin XIIe s., *Loher.*; probabl. même mot que *loche*, louche). bêche. ◆ **louchet** n. m. (1342, *Arch.*). Sorte de bêche.

lochier, loichier, loigier v. (1180, *R. de Cambr.*; anc. haut all. *luggi*, qui branle). 1° Branler, être sur le point de tomber : *Li hiaume qui el chief li loche* (H. de Méry). — 2° Agiter, secouer : *L'anel loiga : lt chumbrelains l'oi* (R. de Cambr.).

locu, loqu adj. (fin XIIe s., *Ogier;* probabl. du néerl. *locke*, boucle de cheveux; cf. *loque*, XVe s.). 1° En parlant des cheveux, ébouriffés, en désordre : *Li vavasors qui le chief ot locu* (*Gaydon*). — 2° En désordre, négligé.

locuste n. f. (1120, *Ps. Oxf.*; lat. *locusta;* v. *laouste, lagoste*, sauterelle). Sauterelle.

lodier n. m. et adj. (XIIe s., *Chev. cygne;* orig. obsc.). 1° Gueux, vaurien. — 2° Débauché, coureur de mauvais lieux. ◆ **lodiere** n. f. (1278, Sarrazin). Fille perdue, femme de rien : *Alés avant, dame putain, Orde ribaude, orde loudiere* (Sarrazin).

loel n. m. (1260, Mousk.; lat. *localem*, de *locus*, lieu). Lieu, endroit.

I. **loer, loier, lochier** v. (1080, *Rol.*; lat. *locare*, de *locus*, lieu). 1° Donner en location, louer. — 2° Prendre en location. — 3° Salarier, récompenser, soudoyer : *Vos serez mout bien luiee De novel vos vestirai* (*Rom. et past.*). — 4° Donner, attribuer : *Li regnes li fu loeiz* (Wace). ◆ **loement** n. m. (1262, *Arch.*). 1° Action de louer, de prendre à louage. — 2° Louage des domestiques. — 3° Loyer, location. ◆ **loage** n. m.

(1262, *Reg. aux bans*). 1° Action de louer, de donner ou de prendre en location. — 2° Récompense, rémunération, prix. ◆ **loagement** n. m. (1289, *Cart.*). Louage. ◆ **locage** n. m. (1306, *Hist. des Bret.*). Loyer. ◆ **loeis** adj. et n. m. (fin XIIe s., saint Grég.). 1° Loué, aux gages, mercenaire : *Et en soudees, com serjans loueis* (*Auberi*). — 2° De vil prix. ◆ V. LOIER, loyer.

II. **loer** v. (Xe s., *Saint Léger;* lat. *laudare*, faire éloge). 1° Louer, faire l'éloge. — 2° Approuver, conseiller : *Et dist Fromons : je ne lo pas l'issir* (*Gar. Loher.*). *Loer a*, conseiller de. *Loer que*, conseiller que : *Je lo que nous le cuer d'un porcel enportons* (Aden.). *Loer* (quelqu'un), le conseiller. — 3° *Se loer de, a* (quelqu'un), suivre son avis, s'en rapporter à lui. — 4° Ordonner : *Quant Eneas ot apresté Et son chastel tot ordené, çaus a loez qui deffandroient* (*Eneas*). ◆ **loement** n. m. (1080, *Rol.*). 1° Conseil, avis : *Ceus maudient amerement qui donerent le loement c'unques li chasteiaus fust renduz* (Ben.). — 2° Approbation : *Au loement de ses vasaus Preist sa feme la cortoise* (*Trist.*). — 3° Conduite, direction. — 4° Louange. ◆ **loance** n. f. (1138, *Saint Gilles*). 1° Louange. — 2° Conseil. — 3° Renommée, gloire : *Et avoient li tribun loance Et de sant et de dilijance* (J. de Priorat). ◆ **loange** n. f. (1120, *Ps. Oxf.*), **loangement** n. m. (XIIe s., *Horn*). Louange. ◆ **loé** adj. (1080, *Rol.*). Célèbre, renommé : *Veez l'orguill de France la loee* (*Rol.*). ◆ **loeor** n. m. (1190, saint Bern.). Qui loue, recommande, approuve, conseille.

III. **loer, luer** v. (1080, *Rol.*; lat. *lutare*, de *lutum*, boue). Enduire de boue, barbouiller : *Del sanc luat sun cors et sun visage* (*Rol.*).

loes, loeus adv. V. LUES, aussitôt.

lof n. m. (1155, Wace; néerl. *loef*, terme de marine). 1° Côté du navire frappé par le vent. — 2° Coin d'une basse voile qui est du côté du vent.

loge n. f. (1138, *Saint Gilles;* francique *laubja*). 1° Abri de feuillage : *Loiges*

i fisent aprester et rengier (R. de Cambr.).
— 2° Tente. — 3° Hutte, cabane. —
4° Chambre haute : *En une loge sor la
porte S'en sont alé priveement* (H. de
Cambr.). — 5° Abri couvert aux halles
et foires (E. Boil.). — 6° Boutique. —
7° Tribune, galerie pour le tournoi. —
8° *Tenir loge*, résider. ◆ **logete** n. f.
(fin XIIe s., M. de Fr.). 1° Abri de feuillage. — 2° Abri en général. ◆ **logier** v.
(1138, *Saint Gilles*). Camper sous les
abris de feuillages, sous des tentes.

lohoreng adj. V. LEHERENG, lorrain.

I. loi, lei n. f. (1080, *Rol.*; lat. *legem*).
1° Religion, foi. *La loi de Rome, Cres-
tiene loi*, la religion chrétienne. *La loi
escrite*, l'Écriture, les préceptes de
l'Écriture. — 2° Serment en justice,
serment en général. *Passer par loi*, prêter
serment. — 3° Lois, justice. *A loi*, légalement. — 4° Coutume, usage, manière
de vivre : *Huidelon les apele a la loi
paienie (Gui de Bourg.).* *A loi de*, à la
manière de, comme : *Je le te proveroie
a loi de champion* (J. Bod.). *De la loi*,
selon la manière, l'usage. — 5° Raison,
argument. *Sans droite loy*, sans juste
raison. — 6° Somme fixée par la loi,
amende. ◆ **loidreit** adj. (XIIIe s.). Qui
connaît bien la loi, qui sait bien ce qu'il
faut faire.

II. loi n. m. V. LOIE, galerie.

loial adj. (1080, *Rol.*; lat. *legalem*,
conforme à la loi). 1° Loyal. — 2° Légal :
Ma seror... est vostre leal espose (Chr. de
Tr.) — 3° De bonne qualité : *Il n'est plus
de kemins loiaus* (R. de Moil.). — 4° n. m.
Fidèle, chrétien. ◆ **loialté** n. f. (fin XIe s.,
Lois Guill.). 1° Légalité, légitimité. —
2° Bonne foi, loyauté. — 3° Bonne qualité.
◆ **loialtage** n. m. (fin XIIe s., *Ogier*).
Loyauté. ◆ **loiable** adj. (1328, *Arch.*).
Loyal, honorable.

loiance n. f. V. LIANCE, alliance,
hommage lige.

I. loichier v. V. LECHIER, être gourmand, débauché.

II. loichier v. V. LOCHIER, branler,
secouer.

I. loie n. f. (1235, *Arch.*), **loi** n. m.
(1227, *Cart.*; francique *laubja*; cf.
loge). Galerie de bois servant à relier
entre eux deux bâtiments.

II. loie n. f. (fin XIIe s., *Ed. le Conf.*;
v. *lose*, louange?). Louange.

III. loie n. f. (XIVe s., *Geste de Liège*;
v. *lier, loier*, lier). Aloi.

loiee n. f. V. LIEUEE, longueur d'une
lieue, banlieue.

loiemier adj. (XIIIe s., Guill. li Viniers;
orig. incert.; v. *loiemerie, lormerie*,
ouvrage de lormier, au mot *lore*).
1° Amoureux : *Et saciés que pas n'est
entiere Feme puis qu'ele est loiemiere*
(Guill. li Viniers). — 2° Attaché à, désireux de.

I. loier n. m. (1080, *Rol.*; lat. *locarium*,
loyer d'un emplacement). 1° Salaire.
A loier, contre salaire, par intérêt : *Ne
ja por nul desirier Ne remanrai chi avoc
ces tirans, ki sont croisiet a loier* (C. de
Béth.). — 2° Récompense : *De tel seigneur
tel louier (Ren.).* — 3° Prix de location.
◆ V. LOER, louer.

II. loier v. V. LIER, lier. ◆ **loiere** n. f.
(XIIIe s.). Gibecière.

III. loier v. V. LOER, donner ou prendre
en location.

loige n. f. V. LOGE, abri, tente, hutte,
boutique.

I. loigier v. V. LOCHIER, branler,
secouer.

II. loigier adj. V. LEGIER, léger, souple,
facile.

I. loigne, longe n. f. (1204, *l'Escouffle*; fém. subst. de *lonc, loig*, long).
Longe, corde, lanière de cuir.

II. loigne, luine, longe n. f.
(1160, *Eneas*; lat. pop. *lumbea*, de
lumbus, rein). 1° Longe, moitié de
l'échine de veau, de porc, de chevreuil,
etc. — 2° Les reins, en parlant de
l'homme : *Parmi les loignes l'assena du
baston (Aym. de Narb.).*

III. loigne n. f. V. LOIE, galerie.

IV. loigne n. m. et f. V. LEIGNE, bois.

I. loignier v. (1112, *Saint Brand.; v. loing*, loin). 1° S'éloigner de, être éloigné de. — 2° Éloigner : *Entrent en mer, vent unt par Deu qui les luinet del isle Albeu (Saint Brand.).* — 3° Prolonger. ◆ **loignir** v. réfl. (1295, Boèce). S'éloigner. ◆ **loignement** n. m. (1160, Ben.). Séparation. ◆ **loignete** n. f. (XIIIᵉ s., *Livr. de Jost.*). 1° Éloignement. — 2° Parenté éloignée.

II. loignier n. m. V. LEIGNIER, provision de bois.

loime n. m. (1313, *Arch.;* lat. *ligamen;* v. *lier*). Lien, bride.

loincel n. m. V. LUISSEL, pelote.

I. loing, loin, luin, lonc adv. (XIᵉ s., *Alexis;* lat. *longe*). 1° Adv. de lieu, A une grande distance : *Luin et pres (Lois Guill.).* — 2° Au loin. — 3° Adv. de temps, Longuement, longtemps : *Geres long n'i demora.* — 4° *De loin,* d'une grande distance : *Partonopeus de lonc le voit (Part.). En loin,* loin. ◆ **lonc** prép. Le long de. ◆ **loinz, loins** adv. (XIIᵉ s., *Gar. Loher.* avec un *s* adverbial). Loin. ◆ **loignet** adv. (1277, *Rose*). Loin, loin de : *Loignet de luy (Vœux du Paon).*

II. loing adj. V. LONC, long, éloigné.

lointain, lontin, loingtan adj. (déb. XIIᵉ s., *Voy. Charl.;* lat. pop. *longitanum*). 1° Éloigné : *Quant ele m'est loingtaine (Couci).* — 2° D'une parenté éloignée. — 3° Long, qui dure longtemps : *Se ensi le maintienent par lointaine folour (G. de Cambr.).* ◆ **lointaine** n. f. (1307, *Hist. des Bret.*). Éloignement. ◆ **lointaineté** n. f. (XIIIᵉ s.). Éloignement, distance. ◆ **lointerain** adj. (XIIIᵉ s.), **lointieu** adj. (fin XIIIᵉ s., G. de Tyr). Éloigné, lointain.

loir, loire n. m. (fin XIIᵉ s., G. de Cambr.; lat. pop. **lis, liris,* pour *glis*). Loir.

I. loire, loirre n. m. (1204, R. de Moil.; francique **loder,* appât). Appât pour le faucon, consistant généralement en un morceau de cuir rouge en forme d'oiseau qu'on montre au faucon pour qu'il revienne à sa place sur le poing, leurre. ◆ **loirier** v. (1220, Coincy). 1° Faire revenir le faucon à sa place. — 2° Dresser le faucon au *loire.* — 3° Dresser en général. ◆ **loirrier** adj. (1360, Froiss.). Dressé au *loire.*

II. loire n. m. V. LOIR, loir.

lois adj. m., **loische, losche** fém. (XIIᵉ s., *Part.;* lat. *luscum,* borgne). 1° Louche, qui louche. — 2° Myope : *Voient tuit cil qui ne sont lois (Part.).* ◆ **loschart** adj. (1267, *Arch.*). Celui qui louche.

loisarde n. f. V. LAISARDE, lézard.

loische n. f. V. LESCHE, sorte de roseau.

loisir v. (Xᵉ s., *Saint Léger;* lat. *licere*). Etre permis, être possible : *Ben li leist ocire l'avultere (Lois Guill.).* ◆ **loisir** n. m. (1080, *Rol.*). 1° Permission. — 2° Faculté, capacité : *Or pues tu bien avoir lisir Par mecine de toi guerir (Athis).* — 3° Possibilité, libre disposition. *Bon loisir,* bonne volonté. *A loisir,* à son aise, à son choix : *Sa custume est qu'il parolet a leisir (Rol.). Par loisir,* à son aise. — 4° Oisiveté. *Sans loisir,* sans retard. ◆ **loisier** n. m. (1220, Coincy). Loisir, opportunité : *Bon leisier a d'estu dier (Coincy). Par loisier,* à loisir. ◆ **loisor** n. f. (1160, Ben.). 1° Permission, loisir. — 2° Possibilité : *Si orent en lor cuers grant joies Quant il orent aise et laissor De corre seure a lor segnor (Part.).* — 3° Aise, plaisir : *Laiens se font les dames ventouser et baignier; Grant laisseur en avoient li keu et li huissier (J. Bod.).* ◆ **loisant, laisant** adj. (XIIIᵉ s., *Livr. de Jost.*). 1° Permis : *Il est loisanz de prendre la prove a la feme (Livr. de Jost.).* — 2° A qui il est permis. ◆ **loisable** adj. (XIIIᵉ s.). Loisible, permis. ◆ **loisongier** v. (1160, *Eneas*). Etre oisif : *Car amors est molt plus griés chose, Quant an loisonje et repose Et qu'il s'an velt bien delivrer, Si ne doit mie reposer (Eneas).*

loissel n. m. V. LUISSEL, pelote.

loitier v. V. LUITIER, lutter.

lombart n. m. et adj. (1190, Garn.; du nom propre *Lombard,* les Italiens étant nombreux parmi les prêteurs à gages).

1° n. m. Prêteur à gages, usurier : *Metre en gages a juif et lombart* (E. Boil.). — **2°** adj. Avide, rapace : *Sout bien que cardonal sunt pernant et lumbart Coveitus sunt d'avoir plus que vilein d'essart!* (Garn.). ◆ **lombarderie** n. f. (XIIIe s., *Cart.*). Droits perçus sur les lombards aux foires de Lagny.

lomble, lombe, lombre n. m. (1120, *Ps. Oxf.;* lat. *lumbum,* rein, bas du dos). **1°** Nombril : *Li a boutee Durendal Droit, parmi le lonble, ens le cors* (Mousk.). — **2°** plur. Reins : *Li mien lumble empli sunt de illusiuns (Ps. Oxf.).*

lombric n. m. (fin XIIIe s., *Mépris du siècle;* lat. *lumbricus*). Ver de terre, ascaride.

lombril n. m. V. LUMBLIL, reins.

lompuis n. m. (1314, Mondev.; orig. incert.). Sorte de légume.

I. lonc, long, loing adj. (Xe s.; lat. *longum*). **1°** Long. — **2°** Éloigné : *Les gens voisins manda, car il n'eust pas loisir de mander loings soudoiers (Chron. Saint-Denis).* — **3°** *Faire les longs ieus,* tenir les yeux baissés. ◆ **lonc** n. m. (1190, J. Bod.). Espace, distance : *Devant l'ost chevaucha le loig d'une traitie* (J. Bod.). — **2°** *Au long de, du long de,* loc. prép. Tout le long de. ◆ **longuel** adj. (1160, Ben.), **longuet** adj. (1250, *Ren.*). Un peu long. ◆ **longisme,** adj. (XIVe s., *Prise de Pampel.*). Très long : *Un longisme baton (Prise de Pampel.)*. ◆ **longuece** n. f. (1190, J. Bod.). Prolongation, délai. ◆ **longain** adj. (1298, M. Polo). **1°** Long : *Que trop seroit longaine matere* (M. Polo). — **2°** Éloigné, lointain.

II. lonc, lons, lung prép. (1080, *Rol.;* lat. *longum,* long). **1°** Prép. de lieu, Le long de, à côté de : *Lunc un alter belement l'enterrerent (Rol.).* — **2°** Prép. de manière, Selon : *Lonc le servise li rendez son loier (Charr. Nîmes).* ◆ **lonc de,** loc. prép. (1169, Wace). Loin de, à distance de. *Lonc de sa gent aloit pensant* (Wace).

III. lonc adv. V. LOING, au loin, longuement.

longaigne n. f. (fin XIIe s., *Rois;* v. *longain,* écarté). **1°** Latrines. —

2° Cloaque, lieu infect : *Sathan [...] sires des merdes, des longaingnes (Sept Est. du monde).* — **3°** Excrément. — **4°** Chose sale, de très mauvaise qualité : *Et vos plorastes por un cien de longaigne (Auc. et Nic.).* — **5°** Terme d'injure. ◆ **longaignier** n. m. (1325, *Arch.*). Vidangeur.

I. longe n. f. V. LOIGNE, corde, lanière de cuir.

II. longe n. f. V. LOIGNE, rein, longe.

longes, longues adv. (1160, *Eneas;* v. *lonc,* long). Adv. de temps, Longuement, longtemps : *Lunges dura cel assaut* (J. Fantosme). *A longes,* pendant longtemps. *Par longes,* longuement. ◆ **longe** prép. (XIIIe s., texte wallon). Pendant.

longié adj. (1162, *Fl. et Bl.;* v. *longier,* allonger). Tissé, tressé : *Un laz ... De ses cheveus estoit longiez (Fl. et Bl.).*

longier v. V. LOIGNIER, éloigner, s'éloigner.

lons prép. V. LONC, le long de, à côté de.

lontin adj. V. LOINTAIN, éloigné, long.

I. lope n. f. (1220, Coincy; orig. obsc.). **1°** Agitation de la langue par dérision. — **2°** Grimace en général : *Et Renart li fet la lope Porce que si tost le desçoit (Ren.).* ◆ **lopet** n. m. (XIVe s., *Geste de Liège*). Celui qui se moque des gens en faisant des grimaces.

II. lope n. f. (déb. XIVe s.; probabl. francique *luppa,* masse informe d'un liquide caillé). **1°** Pierre précieuse (considérée dans sa masse). — **2°** Excroissance sous la peau. ◆ **lopin** n. m. (1330, *H. Capet*). **1°** Morceau. — **2°** Coup, horion : *Dessus lez trayteurs fierent un grant lopin (H. Capet).* ◆ **lopiner** v. (1350, G. li Muisis). Garnir de pièces : *Et de petits lopins lor cotes lopinoient* (G. li Muisis).

loque n. f. (1468, Chastellain; probabl. moy. néerl. *loche,* boucle de cheveux, mèche). Chiffon. ◆ **loquetier** n. m. (1226, *Arch.*). Marchand de loques. ◆ V. LOCU, ébouriffé.

loquele n. f. (fin XIIe s., Guiot; lat. *loquela*). **1°** Discours, propos : *Ce ne sont* *pas loqueles ne paroles* (Guiot). — 2° Facilité de parole.

loquence n. f. (XIIIe s., J. Le Marchant; *loquentia*, facilité à parler). 1° Élocution, parole : *Chieus qui set loquense amoyer A biaus dis faire et rimoyer* (J. de Condé). — 2° Discours, bavardage.

I. **lor** n. m. (1175, Chr. de Tr.; lat. *laurum*). Laurier. ◆ **lorier** n. m. (déb. XIIe s., *Voy. Charl.*). Laurier. ◆ **loretiere** n. f. (1316, *Livr. pelu*). Lieu planté de laurier.

II. **lor** pron. pers. 3e pers. plur. (lat. *illorum*, v. *les*, les). 1° Employé comme régime indirect. — 2° Employé comme régime de préposition : *Et tien de lor ma maison* (1256, *Arch.*).

III. **lor, lore, lores, lors** adv. (1175, Chr. de Tr.; lat. *illa hora*, à l'ablatif, doté souvent d'un *s* adverbial). 1° Adv. de temps, A cette heure, alors. — 2° Adv. de lieu. Où. à l'endroit où : *Leur il n'a chat, soris revielle* (Son. de Nans.). ◆ **lor que**, loc. conj. (XIIe s.). Lorsque, au moment où.

lore n. f. (XIIIe s.; lat. pop. *lora*, pl. neutre, pris pour fém., de *lorum*, courroie). Coup d'étrivière. ◆ **lorel** n. m. (XIIIe s., *Tourn. Chauvenci*). 1° Courroie, rêne, bride. — 2° Tresse : *Ta belle fille aux blons loriaux* (Pastor.). ◆ **lorain** n. m. (1170, *Porcar.*; lat. *loramen*, de *lorum*, courroie). 1° Partie du harnachement : poitrail et avaloire. — 2° Harnais en général. ◆ **lorenier, loremier, lormier** n. m. (XIIe s., *Chev. cygne*). Fabricant de harnais, selles, brides, éperons, etc. ◆ **lormerie, loiemerie** n. f. (XIIIe s., *Dit des Marchands*). Métier qui consiste à fabriquer les accessoires de sellier (clous en fer, éperons, mors, etc.).

lorgne adj. (1236, G.; orig. obsc.). 1° Louche, myope : *Ovrez vos borses et vos eus Si ne soiez avez ne lorne* (Vie des Pères). — 2° Sot. — 3° *Faire le lorgne*, traiter quelqu'un comme s'il n'y voyait pas. ◆ **lorgnart** adj. (XIVe s., *Geste de Liège*). Mal avisé, sot. ◆ **lorgnerie** n. f. (XIIIe s., *Digeste*). 1° Action de loucher. — 2° État de celui qui voit mal.

lorre, leurre n. f. (XIIe s.; lat. *lutra*). Loutre.

lort, lord adj. (1160, Ben.; lat. pop. *lurdum*, altér. du lat. *luridum*, blême, jaunâtre). 1° Idiot, stupide. — 2° Niais : *Vilain, fait ele, de mal aire Lorsz e enputres e enpoz Ne sunt or pas li oistil noz* (Ben.). ◆ **lorde** adj. (1220, Coincy). Lourdaud, sot : *Trop par est fol, trop par est lordes Quant ne lait ester ses bordes* (Coincy). ◆ **lordas** adj. (1220, Coincy). Lourdaud, naïf. ◆ **lordart** n. m. (1220, Coincy). Lourdaud. ◆ **lordois** n. m. (1265, J. de Meung). 1° Esprit lourd, esprit simple et naïf : *C'est trop cuider en ton lourdois* (J. de Meung). — 2° Langage grossier, manières rustres. ◆ **lordece** n. f. (1250, *Ren.*). 1° Lourdeur, stupidité. — 2° Grossièreté. ◆ **lordoier** v. (1306, Guiart). S'occuper lourdement, gauchement.

I. **los** n. m. (1080, *Rol.*; lat. *laus, laudis*, louange). 1° Louange. — 2° Honneur, réputation : *En dulce France en perdreie mun los* (Rol.). — 3° Approbation, consentement, conseil : *Qui conseil croit n'est mie fous Buer creumes en vostre lous* (Chr. de Tr.). *A los*, parfaitement, d'une manière qui mérite l'approbation. — 4° Mesure, taux : *Cinc sestiere d'avoienne, a la mesure et au lous dou minage de Joinville* (1278, lettre de J. de Joinv.). — 5° Approbation par le seigneur pour effectuer la mutation du détenteur d'une terre, d'une censive. — 6° *Metre en lo*, remplacer, payer de retour : *Onques mes ialz n'en gita lerme Qui ne me soit tot mis en lou* (Eneas). ◆ **lose** n. f. (fin XIIe s., Guiot). 1° Renommée. — 2° Louange. — 3° Flatterie, tromperie. ◆ **losange** n. f. (1160, Eneas). 1° Éloge : *Ne vos an quier losange traire* (Eneas). — 2° Fausse louange, tromperie. — 3° Ruse, supercherie. ◆ **losangier** v. (1175, Chr. de Tr.). 1° Flatter, parler gentiment : *Eve dist tant et losangait c'Adans apres li en menjait* (Dolop.). — 2° Tromper. ◆ **losengement** n. m. (XIIIe s., Chans.), **-erie** n. f. (1164, Chr. de Tr.). 1° Éloge trompeur. — 2° Tromperie. ◆ **losengier** n. m. (1155, Wace), **-eor** n. m. (1180, *Rom. d'Alex.*).

Flatteur, trompeur. ◆ **losengable** adj. (XIIIᵉ s., *Fabl. d'Ov.*). Trompeur, perfide.

II. **los** adj. (fin XIIᵉ s., *Aiol; orig. obsc.*). 1° Misérable : *Cis garchons vint en France povres et los (Aiol).* — 2° Méchant, taquin (B. de Condé). ◆ **lossier** v. (1260, A. de la Halle; même mot?). Houspiller : *Vilains, fuies de chi des vous seres mout loussies et desvestus* (A. de la Halle).

los pron. pers., 3ᵉ pers. plur. V. LES.

loschart adj. V. LOIS, louche.

lose n. f. (s. d.; gaul. *lausa*, pierre plate). 1° Pierre plate, carreau, dalle. — 2° Tombe. — 3° Épitaphe. ◆ **losange**, **loseigne** n. m. ou fém. (fin XIIIᵉ s.; du gaul. **lausine*, de *lausa*, pierre plate, ou de l'arabe). 1° Forme utilisée en blason. — 2° Losange (géom.) [XIVᵉ s.]. ◆ **losangié** adj. (XIIIᵉ s., *Durm. le Gall.*). 1° En forme de losange. — 2° Composé de losanges de différentes couleurs.

losegnol, losignol n. m. (1175, Chr. de Tr.; lat. pop. **lusciniolum*, dim. de *luscinia*, rossignol). Rossignol : *Li lousignols sor els cantoit* (R. de Beauj.). ◆ **losegnoler** v. (XIIᵉ s.). Imiter le chant du rossignol.

losturgne n. f. (1327, Watriquet; orig. obsc.). Sorte d'oiseau.

I. **lot** n. m. (1190, J. Bod.; francique **hlot*, got. *hlauts*, héritage, sort). 1° Lot. — 2° Part qui échoit en tirant au sort. *Jeter los*, tirer des parts au sort. ◆ **lotir** v. (v. 1300, D.). 1° Tirer des lots au sort. — 2° Prédire, présager : *Calabre la royne le m'avoit bien loty* (*Chev. cygne*). ◆ **lotie** n. f. (1306, Guiart). Portion de l'héritage échue par le partage. ◆ **lotissement** n. m. (v. 1300, D.). Tirage des lots au sort. ◆ **lotisseour** n. m. (XIIIᵉ s.). Personne chargée de faire la division et l'attribution des lots.

II. **lot** n. m. (1190, J. Bod.; v. le précédent?). Mesure de liquides qui, au nord de la Loire, valait généralement quatre pintes. *A plain lot*, bien mesuré. ◆ **lotee** n. f. (XIVᵉ s., *B. de Seb.*). Contenance d'un *lot*.

lotre n. m. (déb. XIIᵉ s.; lat. *lutra;* v. *lorre*, loutre, forme normale). Loutre. ◆

lotrier n. m. (fin XIIIᵉ s., G.). Chasseur de loutres.

lou n. m. V. LEU, loup, chancre.

lovel n. m. (XIIᵉ s., *Ysopet*, I; lat. pop. *lupellum*, dim. de *lupus*). Jeune loup. ◆ **lovet** n. m. (1291, *Arch.*). Louveteau. ◆ **lovesse** n. f. (XIIIᵉ s., *Fabl. d'Ov.*). Louve. ◆ **lovin** adj. (1250, *Ren.*), **lovinet** adj. (1160, *Eneas*), **lovinace** adj. fém. (XIIIᵉ s.). De loup. *Faire la coe lovinace,* faire la nique. ◆ **lovis**, **-iz** adj. (XIIIᵉ s., *Chron. Saint-Denis*). Affamé, avide comme un loup. ◆ **lovissement** adv. (XIIIᵉ s., *Vers de la mort*). Goulûment, avec l'avidité d'un loup. ◆ **lovier** n. m. (1250, *Ren.*). 1° Tanière de loup. — 2° Piège à loups. — 3° Parties naturelles de la femme.

lovendrant, -dric, -drinc n. m. (XIIᵉ s., *Trist.;* mot comp. anglais). Philtre d'amour.

lovergier v. (fin XIIᵉ s., saint Grég.; lat. *lubricare*). Glisser, s'écouler. ◆ **loverjant** adj. (fin XIIᵉ s., saint Grég.). 1° Qui glisse, qui s'écoule : *totes choses loverjanz* (saint Grég.). — 2° Lubrique, débauché.

lovier, lover n. m. (1185, A. de Neckam; dér. prob. de *lupus*, loup, par rapprochement sémantique avec la forme du piège à loups). Lucarne.

luance n. f., lueur. V. LUIRE, faire des éclairs.

luberne, luperne n. f. (1268, E. Boil.; orig. obsc.). 1° Femelle du léopard, panthère. — 2° Fourrure de cet animal.

lucane, lucarne n. f. (déb. XIVᵉ s., D.; prov. *lucana*, lucarne; v. *luiserne*, même mot). Lucarne.

lucel n. m. V. LUISEL, cercueil, tombeau.

lucerne n. f. V. LUISERNE, flambeau, lampe.

luchnere n. f. (XIIIᵉ s., *Gloss. Garl.;* forme de *luiserne*, flambeau, lampe). Chandelier, bougeoir, veilleuse.

luciabel nom propre (1162, *Fl. et Bl.;* le second élément est incertain). Lucifer.

lucrer v. (xᵉ s., *Saint Léger;* lat. *lucrari,* gagner, avoir du profit). Gagner. ◆ **lucrier** adj. (fin xiiᵉ s., *G. de Rouss.*). Mercenaire : *Chies un lucrier felon s'est herberjaz (G. de Rouss.).* ◆ **lucrative** n. f. (fin xiiiᵉ s., J. de Meung). Gain.

lucrote n. f. (1260, Br. Lat.; orig. obsc.). Sorte d'animal composite originaire des Indes.

I. **lue** n. m. V. LIEU, place, rang.

II. **lue** n. f. V. LEUVE, louve.

luec, lec, laic adv. (fin xiiᵉ s., *Ogier;* lat. *illoc,* avec aphérèse pour la forme atone). 1° Adv. de lieu, Là : *Egar, luec, voy une maison (Mir. N.-D.).* — 2° Adv. de temps, Alors. ◆ **lueques, luques, leuques** adv. (déb. xiiiᵉ s., *Mort Artus).* Adv. de lieu et de temps, Là, alors. *Puis lueques en avant, de lueques en avant,* désormais (Beaum.).

luer v. V. LOER, enduire de boue, barbouiller.

lues, loes, loeus, leus adv. (1162, *Fl. et Bl.;* lat. *loco ipso).* Adv. de temps, Sur-le-champ, aussitôt : *Si li bouta aval que il fu lues tues (Rom. d'Alex.).* ◆ **lues que,** loc. conj. Aussitôt que : *Lues ke ele l'ot veu, se li mua li sans et li cuers li atenri (Fille du comte de P.).*

lufre adj. (xiiiᵉ s., *Bretel;* orig. controversée). 1° Friand, excité : *Ja di k'en amour mesprent Qui luffres est : cascuns doit garandir l'ouneur de sa dame et mesdisans cremir (Bretel).* — 2° Glouton, goinfre. — 3° Lascif.

lui, li pron. pers. 3ᵉ pers. masc. sing., cas oblique (v. *le,* cas régime). 1° Employé comme régime indirect : *Il li regarde et la bouche et le vis (Loher.).* — 2° Employé comme régime de préposition : *Nostre sires fist maintes miracles por lui* (Villeh.).

luin adv. V. LOING, au loin, longuement.

luine n. f. V. LOIGNE, longe de veau, reins.

luis n. m. V. LUS, brochet.

luisel, lucel, lugel n. m. (xiiᵉ s., *Chev. cygne;* lat. *locellum,* de *loculus;* compartiment). 1° Cercueil. — 2° Tombeau. — 3° Châsse de saint. ◆ **luiselier** n. m. (1240, *Charte).* Fabricant de cercueils.

luiserne, lucerne n. f. (1080, *Rol.;* lat. *lucerna,* lampe). 1° Flambeau : *Tu enlumines la meie luiserne, Sire (Ps. Oxf.).* — 2° Lampe, lanterne : *Por lire son sautier s'assist Sa luiserne devant lui mist (Vie des Pères).* — 3° Lumière, lueur.

luisir v. (fin xiiᵉ s., *Loher.*), **luisier** v. (fin xiiᵉ s., *Aye Avignon),* **luire** v. (1080, *Rol.;* lat. *lucere* et lat. pop. **lucire).* 1° Luire, briller. — 2° Faire un temps clair. — 3° Faire des éclairs : *Quant il loist en estés* (Poèt. mss. av. 1300). ◆ **luor** n. f. (xiiᵉ s., Marb.), **luance** n. f. (xiiiᵉ s., *Gaydon),* **luisor,** **luisor** n. f. (fin xiiᵉ s., *Prise de Pamp.),* **luision** n. f. (xiiiᵉ s., Th. de Kent), **luoison** n. f. (xiiᵉ s., *Amis).* Lueur, lumière. ◆ **luisable** adj. (déb. xiiᵉ s., *Ps. Cambr.*). Lumineux, brillant.

luisoire adj. (fin xiiiᵉ s., Guiart; cf. lat. *luxuria,* excès d'ardeur). Qui est en chaleurs, en parlant d'une femelle d'animal.

luissel, loissel, loincel n. m. (1246, G. de Metz; orig. obsc.). Pelote, écheveau. ◆ **luisselet, lisselet** n. m. (1277, *Rose).* Pelote.

luitel n. m. V. OITEL, un huitième, octave.

luitier, loitier v. (1080, *Rol.;* lat. *luctare).* Lutter. ◆ **luite** n. f. (1160, Ben.). Lutte. ◆ **luitement** n. m. (xiiᵉ s., Evrat), **-eis** n. m. (1335, *Rest. du Paon),* **-erie** n. f. (1360, Froiss.). Lutte.

luiton, nuiton n. m. (xiiᵉ s., *Chev. cygne;* probabl. altér. de *netun,* de *Neptunus,* dieu de la Mer). Lutin, esprit malin qui hantait les hommes pendant la nuit.

I. **lum, lun, lume** n. m. (1190, saint Bern.; lat. *lumen, luminis).* Lumière. ◆ **lumiere** n. f. (xiiᵉ s., *Roncev.;* lat. *luminaria).* 1° Flambeau, lampe. — 2° Lumière. — 3° Vue : *Je ne veoie maintenant goute : Or m'a rendue ma lumiere Vostre saint sanc (Pass. Palat.).* — 4° Embouchure d'un cor. — 5° Œillères, dans le masque du heaume (XIIIe s.). — 6° Ouverture en général. ◆ **lumer** v. (1121, Ph. de Thaun). 1° Allumer. — 2° Éclairer, briller.

II. **lum, lun** n. m. (1190, saint Bern.; lat. *limum*). Limon, boue, fange.

lumblil, lombril n. m. (déb. XIIe s., *Ps. Cambr.*; croisement de *lumbus*, reins, et de *umbilicus*, nombril). Reins : *Tu posas hisdur a noz lumblilz (Ps. Cambr.).*

lumele n. f. V. LEMELE, lame.

luminaire n. m. (1175, Chr. de Tr.; lat. *luminarium*). 1° Lumière, clarté. — 2° Faculté de voir, vue. — 3° Fabrique d'une paroisse (1248, *Arch.*). ◆ **luminer** v. (1170, *Fierabr.*). Illuminer. ◆ **luminos** adj. (1265, J. de Meung). Lumineux. ◆ **luminosité** n. f. (XIIIe s., *Règle saint Benoît*). Éclat.

lune n. f. (1080, *Rol.*; lat. *luna*). Lune. ◆ **lunete** n. f. (1204, *l'Escouffle*). 1° Petite lune. — 2° Divers objets de forme ronde. ◆ **lunal** adj. (1119, Ph. de Thaun). 1° De la lune. — 2° n. m. Cycle lunaire. ◆ **lunier** adj. (XIIIe s., *Lai du Corn*). De la couleur de la lune, d'un blond clair. ◆ **lunage** adj. (1220, Coincy). Soumis à l'influence de la lune, fou : *Qui moult iert lordes et lunages* (Coincy). ◆ **lunoison** n. f. (1119, Ph. de Thaun). Influence de la lune, folie. ◆ **lunaire** n. m. (XIIIe s., *Fabl.*). Livre qui explique les influences de la lune.

lung prép. V. LONC, le long de, à côté de.

luor, luoison n. f., lueur, lumière. V. LUISIR, luire, briller.

lupart n. m. V. LEUPART, léopard. ◆ **lupardel** n. m. (1245, *Arch.*). Petit léopard.

luperne n. f. V. LUBERNE, panthère.

luradé n. m. (1220, Coincy; orig. incert.). *A luradé*, furtivement : *Fait moult grant honte a li hons Dé Quant il i entre a luradé* (Coincy).

lurele, luriele n. f. (1190, saint Bern.; francique **lûpera*). Lange, linceul.

lus, luz, luis n. m. (1170, *Percev.*; lat. *lucium*, brochet). Sorte de brochet.

lusel n. m. V. LUISEL, cercueil, tombeau.

lut n. m. (XIIIe s., *Nature à l'alchimiste;* lat. *lutum*, limon). Boue, terre à potier.

luton n. m. V. LUITON, lutin.

luvesche n. f. V. LIVESCHE, ache des montagnes.

luxure n. f. (1119, Ph. de Thaun; lat. *luxuria*, surabondance, débauche). Débauche : *Luxure, qui les fols desrobe, Qu'au fol ne lest chape ne robe,* [...] *Est bien voisine gloutonie* (Ruteb.). ◆ **luxurier** v. (1220, Coincy). S'adonner à la débauche : *Les chastes cuers point et encite Jor et nuit a luxurier* (Coincy).

I. **ma** adj. poss. fém. sing. cas sujet et régime, **mes**, plur. cas sujet et régime. V. TABLEAU DES POSSESSIFS, p. 422.

II. **ma** adv. V. MAIS, davantage, plutôt, désormais, toujours.

maagnier v. V. MEHAIGNIER, mutiler, blesser, torturer.

maaille n. f. V. MAILLE, petite monnaie de cuivre.

macain, maquain adj. (1160, Ben.; orig. obsc.). Signification incertaine : habile, rusé; épithète, couplée avec *sage : Sage est ceste jeuz a macaigne* (Ben.).

mace n. f. (1138, Gaimar; lat. pop. **mattea,* pour *mateola,* outil agricole). 1° Marteau. — 2° Masse d'armes. ◆ **maçue** n. f. (1155, Wace; lat. pop. **matteuca*). 1° Massue. — 2° Houlette. ◆ **maçuele** n. f. (fin XIIᵉ s., *Auc. et Nic.*). 1° Partie de la masse d'armes. — 2° Petite massue, houlette. ◆ **maçuette** n. f. (1160, Ben.). Petite massue, houlette. ◆ **macelote** n. f. (XIIIᵉ s., *Fabl.*). Petite masse, petite boule. ◆ **macefonde** n. f. (fin XIIIᵉ s., G. de Tyr). Machine de guerre pour jeter les pierres.

macecle, macecre n. m. (XIIᵉ s.; orig. incert.; peut-être altér. de l'ar. *maslakh,* abattoir?). 1° Boucherie. — 2° Massacre. ◆ **maceclerie, macecrerie** n. f. (fin XIIᵉ s., *Alisc.*). 1° Boucherie, profession de boucher. — 2° Massacre, carnage : *De nostre gent fist macequerie (Alisc.).* ◆ **macecrier** n. m. (1162, *Fl. et Bl.*). 1° Boucher, charcutier. — 2° Bourreau.

macel n. m. V. MAISEL, boucherie, carnage.

macequote n. f. (1314, *Fauvel;* orig. incert.). Sorte d'instrument de musique.

macerer v. (1327, J. de Vignay; lat. *macerare*). Mortifier la chair.

mache n. f. (fin XIIᵉ s., *Aiol;* orig. incert.). 1° Instrument à broyer, meule. — 2° Massue. — 3° Masse d'armes. — 4° Arme, au fig. : *Encontre le diable fait Dieus des boins se make* (G. li Muisis). ◆ **machier** v. (XIIIᵉ s.).

Broyer, froisser, meurtrir (parfois confondu avec *maschier,* mâcher). ◆ **macheler** n. m. (1339, *Arch.*), **-elet** n. m. (1254, *Charte;* même racine). Sorte d'ouvrage de maçonnerie.

machecoller v. (1358, G.; orig. incert.; le premier élément peut être *machier,* broyer). Garnir de mâchicoulis. ◆ **machicop** n. m. (1358, *ibid.*). Mâchicoulis.

machiner v. (1225, *Sept Sages;* du lat. *machina,* du grec). Tramer, organiser un complot. ◆ **machinerie** n. f. (1350, *Ars d'am.*). Mécanique. ◆ **machineor** n. m. (1247, *Charte*). Celui qui machine, qui organise quelque chose (un complot, une bataille).

maciele n. f. V. MAISSELE, mâchoire, joue.

macle n. f. (1293, G.; germ. **maskila,* dimin. de **maska*). 1° Maille de filet du pêcheur. — 2° Maille de la cotte de mailles.

maçon n. m. (1155, Wace; germ. **makjo,* de **makôn,* faire, avec spécialisation de sens). Maçon. ◆ **maçoner** v. (1190, *H. de Bord.*). 1° Préparer l'argile pour la construction. — 2° Préparer, établir. — 3° Fabriquer, construire. ◆ **maçonement** n. m. (1335, Deguil.). 1° Maçonnerie. — 2° Bâtiment. ◆ **maçonage** n. m. (1240, Delb.). 1° Travail de maçon, maçonnerie. — 2° Construction en maçonnerie. ◆ **maçoneis** n. m. (1306, Guiart). Bâtiment.

macrocosme n. m. (1265, J. de Meung; mot savant, d'après *microcosme*). Le grand monde, l'ensemble des choses.

macrole n. f. (1300, G.; prob. du frison *markol,* même sens). Macreuse, un des noms de la grande foulque.

madegloire n. f. V. MANDEGLOIRE, plante narcotique.

madelaine n. f. (1220, Coincy; du nom propre de *Madeleine*). *Faire la Madelaine,* affecter le repentir, l'humilité.

madraire n. m. (1300, *Anseis;* orig. incert.). Homme voué à la pénitence : *C'anchois vestiroit haire Tot son vivant, et devenroit madraire (Anseis).*

madre n. m. V. MASDRE, bois veiné; sorte de coupe à boire.

maesté, maisté n. f. (déb. XII⁰ s., *Voy. Charl.;* lat. *majestas, -atem*). 1º Majesté. — 2º Image de la Vierge *(Vie des Pères).*

maestire, maistire n. m. (fin XII⁰ s., M. de Fr.; lat. *magisterium*). 1º Autorité, puissance : *Rois, entierement dois traitier chiaus sor cui tu as maiestiere* (R. de Moil.). — 2º Supériorité du savoir, du talent. *Par maestire, a maestire,* excellemment, parfaitement : *Les denz de la bouche et li nez Avoit toz fez par maiestire (G. de Dole).* — 3º Art, métier. — 4º Enseignement : *D'un chat ci apres vous veuil dire Qui appris fu, par grant maistire, A servir et tenir chandeille* (M. de Fr.).

magari n. m. V. MARGARI, amiral.

mage, mague n. m. (1260, Br. Lat.; lat. *magus,* du grec). Magicien. ◆ **mage** adj. (1150, Wace). De mage : *Ovrez la porte, mage gent* (Wace). ◆ **magis** n. m. (1298, M. Polo). Mage. ◆ **magique** n. f. (1277, *Rose*). Magie : *De magique, l'art au deable (Rose).*

maginois adj. (1180, *R. de Cambr.;* francique **magninisk*). 1º Puissant, riche, noble (épithète de *palais*) : *Si sont monté el palais maginois (Ogier).* — 2º Fort, solide : *l'escu maginois (H. Capet).* — 3º n. m. Chef *(Geste de Liège).*

magistre, magestre n. m. et f. (x⁰ s., *Saint Léger;* forme savante; de *magister, magistra*). 1º Maître. — 2º Maîtresse : *Ele respont : Bele magistre, Bien doit estre pensive et tristre (Trist.).* ◆ **magistere** n. m. (fin XII⁰ s., saint Grég.). 1º Supériorité d'un maître sur son disciple.

— 2º Charge d'enseignement. — 3º Science du maître. ◆ **magisterial, magistral** adj. (1260, Br. Lat.). Grand, élevé.

magne adj. V. MAINE, grand.

magnete n. f. (XII⁰ s., Marb.; lat. *magnetem,* pierre de Magnésie). Pierre d'aimant : *Par la vertu de la manette* (Guiot).

magnon n. m. (1349, G. li Muisis; orig. obsc.). Rouge-gorge.

mahaignier v. V. MEHAIGNIER, mutiler, blesser, torturer.

mahom n. m. (XII⁰ s., *Barbast.;* apocope de *Mahomet*). 1º Nom donné au prophète Mahomet. — 2º Idole adorée par les musulmans, d'après les chansons de geste. ◆ **mahomerie** n. f. (1080, *Rol.*). 1º Mosquée, temple musulman. — 2º Temple païen en général. — 3º Islam, foi musulmane. — 4º Pays des musulmans, pays de l'Islam. — 5º Idole. ◆ **mahomie** n. f. (XIII⁰ s., *Ciperis*). 1º Mosquée. — 2º Pratiques de mécréant. — 3º Méchanceté. ◆ **mahomet** n. m. (1190, J. Bod.). 1º Idole, fétiche : *S'aoure .I. mahommet cornu* (J. Bod.). — 2º Favori, mignon (J. de Condé). ◆ **mahometique** adj. (1190, Garn.). Musulman.

mahustre, mahurtre, et aussi **mahoistre** n. m. ou f. (XIII⁰ s., *Doon de May.;* orig. obsc.). 1º Gras de l'épaule, muscles du bras. — 2º Épaule. — 3º Moignon. — 4º Gros des ailes des oiseaux de proie.

I. mai, moi, mé n. m. (1080, *Rol.;* lat. *maius* [*mensis*]). 1º Mois de mai. — 2º Branches vertes, rameau de feuillage en l'honneur du printemps. — 3º Sorte de fête. — 4º Bon temps, plaisir : *Orguellous, tu as mout bon mai* (R. de Moil.). ◆ **maiole** n. f. (1246, *Charte*). Le premier jour de mai. ◆ **maiolier** n. m. (XIII⁰ s., *Pastor.*). Arbre chargé de branches vertes. ◆ **maierolles** n. f. plur. (XIII⁰ s., *Meraugis*). Danses, divertissements qui font partie de la fête du mai.

II. mai adv. V. MAIS, davantage, plutôt.

maie, mait, maige, mege n. f. et m. (XI⁰ s., D.; lat. *magidem,* du grec).

Huche, pétrin. ◆ **maiere** n. f. (1179, *Arch.*). Levain qui sert à fermenter la bière.

maigle, maigne, mergle, mesgne n. m. et f. (1175, Chr. de Tr.; lat. pop. **marrula*, de *marra*, sorte de houe). 1º Bêche. — 2º Houe, binette.

maignan, -ain n. m. (1268, E. Boil.; dér. du bas lat. *machina*, métier). Chaudronnier ambulant. ◆ **maignenerie** n. f. (1296, *Arch.*). Travail de chaudronnier.

maignen adj. (XIIIᵉ s., *Vie saint Martin;* v. MOIGNON, même sens). Mutilé, estropié.

maignerie n. f. (1280, *Arch.;* à rapprocher du précédent?). Sorte de *pourboire* : *Si doit doner a ses compaignons jusques a.C.s. de parisis et ne plus ne mains, ne autre buverage ne autre maignerie, ne lifecop, ne bonté* (1280, *Arch.*).

maigre adj. (1160, Ben.; lat. *macrum*). 1º Maigre. — 2º Capiteux, en parlant du vin (J. Bod.). ◆ **maigret** adj. (XIIIᵉ s.). Un peu maigre. ◆ **maigrece** n. f. (1204, R. de Moil.), **-eté** n. f. (XIIᵉ s., *Trist.*). Maigreur. ◆ **maigroier** v. (1277, *Rose*). Faire maigrir.

mail n. m. (1080, *Rol.;* lat. *mulleum*, marteau). Marteau, masse d'armes. ◆ **maillier** v. (1162, *Fl. et Bl.*). 1º Frapper avec un marteau ou une massue. *Maillier un coup*, donner un coup de maillet. — 2º Battre, frapper : *Li uns le fiert, l'autre le maille (Ren.).* — 3º Combattre. ◆ **mailleis** n. m. (1160, Ben.). 1º Action de frapper à coups de marteau. — 2º Combat à coups de marteau. ◆ **mailleor** n. m (1306, Guiart). Ouvrier qui travaille avec le marteau, forgeron. ◆ **maillel** n. m. (XIIIᵉ s., *Fabl.*), **-ot** n. m. (1210, *Dolop.*). Maillet. ◆ **maillet** n. m. (1250, *Ren.*). 1º Maillet. — 2º Marteau de porte. ◆ **mailleter** v. (1335, Deguil.). Frapper à coups de maillet. ◆ **mailletement** n. m. (1335, Deguil.). Coups de maillet.

maillart n. m. V. MALART, canard sauvage.

I. maille, meaille, maaille n. f. (XIIᵉ s., *Part.*; orig. incert., probabl. du lat. pop. **medialia*, de *medius*, demi). 1º Petite monnaie de cuivre, d'un demi-denier. —

2º Chose de peu de valeur. ◆ **maillete** n. f. (1220, Coincy). Petite pièce de monnaie. ◆ **maillie, -iee** n. f. (1268, E. Boil.). Valeur d'une maille, la maille elle-même. *Pas maillie*, rien du tout. *Tenir maillie*, tenir compte. ◆ **mailliere** adj. fém. (1180, *R. de Cambr.*). Qualifie une femme qui se livre pour une maille : *Je ne sai rien de putain chanberiere Qi ait esté corsaus ne maailliere (R. de Cambr.).*

II. maille n. f. (1080, *Rol.;* lat. *macula*). 1º Boucle de fil ou de métal, maille. — 2º Filet. ◆ **maillier** v. (1160, *Eneas*). 1º Fabriquer des objets formés de mailles. — 2º Particulièrement, confectionner des cottes de mailles. — 3º Lacer. — 4º Armer d'une cotte de mailles. ◆ **maillié** adj. (1160, Ben.). 1º Formé de mailles. — 2º Dont le tissu est serré, solide. — 3º Qui est étincelant, scintillant. ◆ **maillet** adj. (1328, *Lettre*). D'une maille. ◆ **maillol** n. m. (1150, *Thèbes*). 1º Maillot d'enfant. — 2º Sac de mailles pour enfermer un oiseau (G. de la Bigne). ◆ **mailloler** v. (1290, W. de Bibbesworth). Envelopper d'une maille. ◆ **maillolet** n. m. (XIIᵉ s., *Florim.*). Petit maillot.

III. maille n. f. (XIIᵉ s.; lat. *macula*, même mot que le précéd.). 1º Tache en général : *Lors engroissa la Vierge sainte qui onques nul jur ne fu tainte De nule maille de pecchié (Joies N.-D.).* — 2º Taie sur l'œil. — 3º Tache ou moucheture des ailes d'oiseau. ◆ **maillete** n. f. (1277, *Rose*). Tache, marque. ◆ **maillenter** v. (1180, *Rom. d'Alex.*). 1º Tacher, souiller : (*L'eve) s'est corrumpue et maillentee Et refroidie et engelee* (G. de Cambr.). — 2º Ensanglanter.

IV. maille n. f. V. MARLE, marne. ◆ **maillier** v. (1283, Beaum.). Marner, mettre de la marne, de l'engrais sur une terre. ◆ **mailliere** n. f. (1247, *Charte*). Mine de marne, marnière, fondrière.

I. main n. f. (980, *Passion;* lat. *manus*). 1º Main. — 2º (par métonymie) Corps humain. *De muins et de cuer*, de corps et d'âme. *Main a main*, côte à côte. 3º (par métaphore) Pouvoir, puissance, possession. *En ta main*, en ta puissance. *Prendre la parole en main*, prendre la parole.

Venir a main, venir en la possession. — 4° jur., Pouvoir, autorité du suzerain. — 5° jur., Garantie, sauvegarde. — 6° Espèce, condition : *Je sui chil qui tot a vaincu, Ja sui li miealdres de ma main (Rom. des Ailes).* De bone main, de haute naissance : *Oiez du franc de bone main! (Trist.).* De basse main, de pute main, de basse condition. — 7° Peuple : *Ceste mains chi truanderie Est nommee et coquinerie* (Deguil.). — 8° *Avant les mains, avant la main,* loc. adv., D'avance, préalablement.

II. main adv. (980, *Passion;* lat. *mane,* matin). Adv. de temps, Matin, de bon matin : *Mais hier main s'en ala au bois* (Couci). *Bien main,* de très bon matin. ◆ **main** n. m. (1175, Chr. de Tr.). Matin.

III. main n. m. V. MEHAING, blessure.

IV. main n. m., maison. V. MAINDRE, rester.

mainbor, manbor n. m. (1278, *Cart.;* germ. *muntboro,* composé de *munt,* bouche, parole, et de *beran,* porter, soutenir). 1° Tuteur, gardien. — 2° Exécuteur testamentaire. — 3° Administrateur, gouverneur. ◆ **mainbornir** v. (fin XII° s., *Loher.*). 1° Protéger, défendre. — 2° Gouverner, administrer : *J'ai cest roialme a mainburnir (Sept Sages).* ◆ **mainbornie** n. f. (1180, *Rom. d'Alex.*). 1° Tutelle, protection. — 2° Puissance paternelle et maritale. — 3° Exécution testamentaire : *Et la france royne, qui l'ot en sa baillie, Avoit ceste cité adont en mamboirnie (Chev. cygne).* ◆ **mainbornissement** n. m. (1318, *Arch.*). Curatelle, tutelle. ◆ **mainbornisseor** n. m. (1213, Beaum.). 1° Tuteur. — 2° Qui a la puissance maritale.

mainbote, manbote n. f. (fin XI° s., *Lois Guill.;* germ. *mann-bôt*). Somme due au seigneur, par le meurtrier, pour l'assassinat d'un serf ou d'un homme libre.

maindegloire n. f. V. MANDEGLOIRE, plante narcotique.

maindre v. (1155, Wace; lat. pop. *manere,* pour *manēre;* v. *manoir,* reſter). 1° Rester, demeurer. — 2° n. m. Demeure, palais : *Mon seigneur, bien soiez venuz*

En vostre maindre (Mir. N.-D.). ◆ **main** n. m. (XIII° s., *Rich. li Biaus*). Maison. ◆ **maine** n. m. (1246, G. de Metz). 1° Demeure. — 2° Village (1343, *Arch.*). ◆ **mainement** n. m. (fin XIII° s., *Son. de Nans.*). Domicile, domaine, propriété. ◆ **mainir** v. (1281, *Arch.*). Demeurer.

I. maine n. f. (XII° s., *Trist.;* déverb. de *maner,* manier). 1° Maniement. — 2° Manière, espèce : *Tant par estoit* (le chien) *de male maine (Trist.).*

II. maine, magne adj. (980, *Passion;* lat. *magnum*). Grand : *Karles li maines a moult son temps usé (Cour. Louis).*

III. maine n. m., demeure, village. V. MAINDRE, rester.

mainee n. f. V. MANAIDE, aide, pitié.

mainemain adv. (fin XII° s., *Ysopet Lyon;* loc. amalg. *main a main*). Adv. de temps, Aussitôt, sur-le-champ : *Il li corrent sus mainnemain, Ensemble l'esaillent tuit quatre (Ysopet Lyon).*

mainferme n. f. (XIII° s., G.; comp. de *main* et de *ferme*). 1° Roture, terre roturière. — 2° Héritage roturier tenu de manière ferme et permanente contre un cens fixé.

mainie n. f. V. MAISNIE, famille, suite, armée.

mainmetre v. (1324, *Arch.;* comp. de *main* et de *metre*). Affranchir.

mainmuable n. m. (1255, *Cart.;* comp. de *main* et de *muable;* v. *muer*). Serf qui avait le droit de changer de seigneur.

mainpast n. m. (1283, *Cart.;* composé de *main* et de *past,* nourriture). L'ensemble de ceux qui sont au pain d'un autre : domestiques, mineurs sous tutelle, etc.

mainplant n. m. (1314, *Arch.;* composé de *main,* et de *plant,* action de planter). Plantation faite de la main d'un homme.

mainprendre v. (XIII° s., G.; composé de *main,* au sens de garantie, et

de *prendre*). Accepter une caution. ◆
mainprise n. f. (1304, *Year Books*).
1° Caution. — 2° Prise, action de s'emparer. ◆ **mainprenor** n. m. (1305, *Year
Books*). 1° Celui qui est garant d'un autre.
— 2° Caution.

mains adv. V. MEINS, moins.

mainsné, meinsné adj. et n. (déb.
XIIIᵉ s., R. de Clari; v. *né* et *mains*,
moins). Puîné, cadet : *La mainnee apele
Robin son ami (Rom. et past.)*.

maint adj. indéfini (déb. XIIᵉ s., *Voy.
Charl.*; orig. controversée; gaul., lat. ou
germ.). 1° Plus d'un, nombreux (en ne
considérant que la quantité). — 2° Composite, bariolé (en introduisant, en plus, la
diversification qualitative) : *Vestu se fu de
mainte guise (Trist.)*. ◆ **mainte** adv. (fin
XIIᵉ s., *Aiol*). En grand nombre : *Puis partirons l'eskiec mainte communalment
(Aiol)*.

maintenant adv. (1175, Chr. de Tr.;
part. prés. de *maintenir*). 1° Adv. de
temps. Immédiatement, aussitôt, bientôt :
*Et commencerent a boivre des vins, et
furent maintenant touz ivres (Joinv.)*. —
2° *Tout maintenant*, tout de suite. — 3°
De maintenant, aussitôt après, sans plus
attendre, sans discontinuation. — 4°
Maintenant quant, tout aussitôt que.

maintenir v. (1160, *Eneas;* lat. *manu-
tenerc*). 1° Protéger, avoir sous sa garde :
Je ne puis maintenir les moines (Guiot). —
2° Soutenir. — 3° Entretenir (une femme).
— 4° Conserver, garder : *S'il maintienent lor mestier A quoi il furent establi
(Guiot)*. ◆ **maintenement** n. m. (1169,
Wace). 1° Secours, soutien. — 2° Maintien,
conduite : *Li mantenemanz du cors est
enseigement des cuers et des coraiges des
hommes (G.)*. ◆ **maintenance** n. f. (1169,
Wace). 1° Pouvoir : *Ja de vostre maintenance, Amors, ne me quier oster (poèt. fr.
av. 1300)*. — 2° Protection. — 3° Maintien,
conduite. ◆ **maintien** n. m. (1260, A. de
la Halle). 1° Conduite, agissement.
2° Conservation, protection. — 3° Importance. ◆ **mainteneor** n. m. (1169, Wace).
Celui qui entretient, soutient, protège.

maintris n. f. V. MERETRIS, prostituée.

maiole n. f. Le premier jour de mai.
V. MAI, mai, fête, plaisir.

maior adj. cas régime, **maire** cas
sujet (1080, *Rol.;* lat. *maior, maiorem*). 1°
Adj. compar., Plus grand. Cas régime :
Ele n'est graindre ne maor (Florim.). —
2° Cas sujet : *Q'une mais ne fu en maire
esfrei (Ben.)*. — 3° Majeur, principal :
*La mere partie des borgois si s'en consen-
tist (Livr. de Jost.)*. — 4° Grand, puissant :
*Et Auberi se met en la forest major
(Auberi de Bourg.)*. ◆ **maior** n. m. (déb.
XIIᵉ s., *Ps. Cambr.*). 1° Ancêtre. —
2° Maire d'une ville, chef d'un corps de
métier : *Et eslirent le prevost de la Vile
Nove a estre maior de Senz (Livr. de
Jost.)*. — 3° *Maieuresse* n. f. (1335,
Deguil.). Supérieure. ◆ **maire** n. m. (fin
XIIᵉ s., *Loher.*). Sorte de magistrat municipal. ◆ **mairesse**, femme du maire. ◆ **mai-
reté** n. f. (1289, *Arch.*), **mairalté** n. f.
(1290, G.). Fonction de maire. ◆ **mairie**
n. f. (1282, *Cart.*). 1° Sorte de fief. —
2° Sorte de redevance. ◆ **mairer, merer**
v. (1160, Ben.). 1° Maîtriser, subjuguer :
*Car bien voy que cest ost me destruist et
me maire (Chev. cygne)*. — 2° Opprimer :
*Gautiers s'en est tornez, qui grant
angoisse maire (Gaut. d'Aup.)* — 3° Gouverner.

maiorane, majorane n. f.
(XIIIᵉ s., lat. médiév. *maiorana*, d'orig.
obsc.). Marjolaine.

mairién, merrain n. m. (1150,
Thèbes; lat. pop. **materiamen*, de *materia*,
matière). 1° Bois de construction, bois de
charpente. — 2° En part., Bois à faire des
douves et des tonneaux. — 3° Substance,
matière, nature (en parlant des choses
matér. et mor.) : *Paradis est de tel mer-
rien C'on ne l'a pas par Dieu flater (Dou
Pest vilain)*. — 4° Nature, avec personnification : *Fous est qui garde teil marien
(il s'agit d'une femme) [Rose]*. ◆ **maire-
ment, merrement** n. m. (1308, *Arch.*).
Bois de construction. ◆ **mairemenier** v.
(1271, *Charte*). Échalasser. ◆ **mairenier,
marroner** v. (1251, *Arch.*). 1° Construire
en bois de charpente. — 2° Échalasser. ◆
mairenage n. m. (1276, *Arch.*). 1° Bois de
charpente. — 2° Droit de prendre ce bois.
◆ **mairenier** n. m. (fin XIIᵉ s., *Ogier*).

1º Marchand de bois de construction. — 2º Charpentier.

mairier v. (1330, *B. de Seb.*; lat. *macerare*). 1º Pétrir. — 2º Remâcher son chagrin : *Entrues que sa tristece maire A porpensser quel te fera* (H. de Cambr.). ◆ **mairi** adj. (1336, *Arch.*). Pétri.

mairir v. V. MARIR, égarer, affliger.

I. **mais, mois** adj. (1200, *Ogier;* orig. obsc.). Mauvais : *Fils de maise putain, comment osas penser, ... (Ogier).* ◆ **maiseté** n. f. (1270, Ruteb.). 1º Qualité de ce qui est mauvais. — 2º Mauvaise action, méchanceté. ◆ **maisement** adv. (XIIIᵉ s., *Garç. et Av.*). 1º Méchamment. — 2º Malaisément, difficilement. — 3º Mal, peu : *Mout maisement me resamblés, sire ... (Garç. et Av.).*

II. **mais, meis, mai, ma, mes** adv. (980, *Passion;* lat. *magis,* davantage). 1º Davantage, plus : *Treis cenz en unt perduz e mais* (Ben.). — 2º Au sens spatial, Plus loin : *Et dit chascun de venir mais (Trist.).* — 3º Plutôt : *Je irai la desous a Huidelin parler, Sire, ce dist Bertrans, mais moi laissiés aler (Gui de Bourg.).* — 3º Au sens temporel, Désormais : *Si use mais ta vie en pais* (Ben.). — 4º Maintenant : *Vous remanrés anuit mes ci (Percev.). De mais en avant,* dorénavant. — 5º Toujours : *A tozjors mais, a toz tens mais,* pour toujours, à perpétuité. *Mais toz dis, a tout mais,* à tout jamais. — 6º Jamais, quelque jour. *Onques mais,* jamais. — 7º *Ne ... mais,* ne ... plus : *Quant veit la pedre que mais n'avrat enfant (Alexis).* — 8º *Ne mais,* sinon, excepté : *Guenes respunt : Jo ne sai veirs nul hume Ne mais Rollant (Rol.).* — 9º *N'en pooir mais,* n'en pouvoir plus, n'y pouvoir rien. — 10º *Mais de,* plus de, plus que : *Dunt il ocist mes des treis cenz* (Chr. de Tr.). ◆ **mais que** loc. conj. (1175, Chr. de Tr.). 1º Sinon, excepté, si ce n'est que : *Et ne verra l'en mes que bestes sauvages par la berrie (Livr. au filz Agap).* — 2º Quoique. — 3º Même si : *Mes qe vous, sire, [...] fussez par moy herbygez... (F. Fitz Warin).* — 4º Pourvu que.

maiscele n. f. V. MAISSELLE, joue, mâchoire.

I. **maise** n. f. et m. (1229, *Cart.;* lat. *mansa,* part. passé subst. de *manere,* rester). 1º Jardin potager. — 2º Habitation, cabane (XIVᵉ s.). ◆ **maisil** n. m. (fin XIIᵉ s., *Loher.*). Maison.

II. **maise, moise** n. f. (1320, *Ord.;* néerl. *meise*). Coque. *A maise,* à la fois.

maisel, macel, maisiel n. m. (1160, Ben.; lat. *macellum,* marché à viandes, abattoir). 1º Boucherie. — 2º Carnage, massacre : *Jo vous ai orendroit des Turs fait grant maisel (Chans. d'Ant.).* ◆ **maiseler** v. (XIᵉ s., *Alexis*). 1º Maltraiter. — 2º Déchirer, ensanglanter : *Ses crins derumpre e sen vis maiseler (Alexis).* ◆ **maiselement** n. m. (1190, J. Bod.). Carnage, massacre.

maiseter v. (XIIᵉ s., *Chev. cygne;* cf. *maiseté,* défaut, mauvaise qualité, du lat. *malifacius*). Souiller.

maishui, meshui adv. (1175, Chr. de Tr.; composé de *mais* et de *hui,* aujourd'hui). Adverbe du temps : 1º Dès aujourd'hui, aujourd'hui. — 2º Dès ce moment, maintenant : *Et cent dahez ait qui mesui Lessera a joer por lui* (Chr. de Troyes).

maisiele n. f V. MAISSELLE, mâchoire, joue.

maisiere, mesiere n. f. (1120, *Ps. Oxf.;* lat. *maceria,* mur de clôture, de *macerare,* faire détremper). 1º Muraille. — 2º Débris, décombres. — 3º Maison. ◆ **maiserer** v. (1190, Garn.). Construire, maçonner, en parlant d'un mur. *Piler maiseré,* pilier plein. ◆ **maiserete** n. f. (1323, *Arch.*). Habitation, cabane. ◆ **maiseril** n. m. (1371, G.). Petite maison.

maisniee, -nie n. f. (XIᵉ s., *Alexis;* lat. pop. **mansionata,* de *mansio,* maison). 1º Ensemble de personnes qui habitent la maison, la grande famille avec les domestiques : *Deus gart li rois et sa lignee, Fame et enfanz, freres, megnee* (J. Le Marchant). — 2º Compagnie ordinaire du roi ou d'un grand seigneur, sa suite : *Roys, Mahom, toi et te maisnie Saut et gart!* (J. Bod.). — 3º Armée : *Ja ne faudrai a sa meisnee pur tant cum pusse ceindre espee*

(Gorm. et Is.). — 4° Compagnie en général, multitude, troupe. — 5° Les pièces du jeu d'échecs. ◆ **maisnier** n. m. (XIIIᵉ s.). 1° Celui qui fait partie de la *maisnie*, familier, domestique. — 2° Habitant, résident. — 3° Tenancier. ◆ **maisnier** adj. (1162, *Fl. et Bl.*). — 1° Seigneurial. — 2° Attaché à la maison.

maisnil, menil n. m. (1180, *R. de Cambr.;* lat. *mansionile,* de *mansio,* maison). 1° Habitation, demeure. — 2° Métairie.

maisoan adv. (1160, Ben.; composé de *mais* et de *oan,* maintenant). Adv. de temps : 1° Désormais : *Ne plus vezié humme ne verrez maisuan* (Garn.). — 2° Maintenant, alors.

maison n. f. (XIᵉ s.; lat. *mansionem,* de *manere,* rester). Maison, demeure, manoir. *Maison fort,* manoir fortifié. *Maison Dieu,* hôtel-Dieu. ◆ **maisonele** n. f. (XIIᵉ s., Herman), **-elete** n. f. (1210, *Dolop.),* **-cele** n. f. (1120, *Ps. Oxf.*). Maisonnette. ◆ **maisoner** v. (1220, Coincy). 1° Construire une maison. — 2° Bâtir, construire. — 3° Agir : *Si comme li maisonera a son pere, tot autresi li remaisonera ses fils* (Br. Lat.). — 4° Se tenir à la maison, être sédentaire. ◆ **maisonement** n. m. (1264, *Arch.*). 1° Bâtiment. — 2° Construction. ◆ **maisonage** n. m. (1265, *Arch.*). 1° Construction, action de construire. — 2° Bâtiment, édifice. ◆ **maisoneis** n. m. (1295, G. de Tyr). Édifice. ◆ **maisonier** n. m. (1312, *Cart.*). Habitant d'une maison, tenancier.

maissele, maiscele, maisiele n. f. (déb. XIIᵉ s., *Ps. Cambr.;* lat. *maxilla*). 1° Mâchoire. — 2° Joue : *L'eve des euz li a la messele moillie* (Barbast.). ◆ **maisselete** n. f. (1160, *Athis*). 1° Mâchoire. — 2° Joue, pour désigner, le plus souvent, un visage délicat. ◆ **maisselier** adj. (XIIIᵉ s.. *Chans. d'Ant.*). 1° Relatif à la mâchoire. — 2° Molaire (en parlant des dents).

maisté n. f. V. MAESTÉ, majesté.

maistire n. f. V. MAESTIRE, puissance, supériorité du savoir.

I. **maistre, mestre** n. m. (1080, *Rol.;* lat. *magistrum*). 1° Maître, par oppos. à son disciple. — 2° Maître, par oppos. à compagnon. — 3° Docteur, médecin. — 4° *Maistre le roy,* maire du roi, majordome (Aden.). — 5° *Maistre escole,* écolâtre; scolastique d'un chapitre. — 6° Sorcier, enchanteur : *Je suis maistre Por carnin face erbe paistre A ceuls ki amer ne vuelent (Rom. et past.).* ◆ **maistre** n. f. (1160, Ben.). Gouvernante, servante : *Et Thessala, qui m'a norrie, ma mestre, en qui je moult me croie* (Chr. de Tr.). ◆ **maistre** adj. (XIIᵉ s., *Part.*). 1° Principal : *En son maistre mandement Est l'emperere avec sa gent* (G. de Palerne). — 2° Important : *Je veul demain boutelliere estre De vostre coupe la plus mestre Et servir a vostre mengier (Atre pér.).* ◆ **maistrement** adv. (1160, *Eneas*). 1° Avec science, art, habilement. — 2° En maître, en souverain. ◆ **maistresse** n. f. (XIIᵉ s.), **-iere** n. f. (1180, *R. de Cambr.*). Maîtresse, amante. ◆ **maistrer** v. (1214, Villeh.). Dominer : *Nus ne vos sauroit si governer et si maistrer com ge, qui vostre sire sui* (Villeh.). ◆ **maistrier** v. (1160, Ben.). 1° Maîtriser, dominer, gouverner. — 2° Élever, diriger : *Livré l'ont a la damoisele, Por çou qu'ele estoit sage et bele, A norrir et a maistroier (Fl. et Bl.).* — 3° Malmener, tourmenter : *Amis, trop me guerroie Por vostre amor mes maris et maistroie* (Audefroy le Bâtard). — 4° Étreindre, faire souffrir en serrant trop. — 5° Se conduire en maître. ◆ **maistrie** n. f. (1119, Ph. de Thaun). 1° Puissance, autorité. — 2° Acte d'autorité. — 3° Qualité de maître. — 4° Science médicale : *C'estait maladie ne mie curable par nature et par mestrie et par medecine (Mir. Saint Louis).* — 5° Supériorité due à la science, au savoir-faire, au talent. *Par maistrie, par grant maistrie,* excellement, parfaitement. — 6° Artifice, supercherie : *Le roi, se mere, et lor mestrie Maudist et se novele amie (Part.).* ◆ **maistriement** n. m. (1160, Ben.). Tutelle, autorité d'un maître : *Uncor ert soz maistriement Qu'en enfance ert...* (Ben.). ◆ **maistrise** n. f. (fin XIIᵉ s.). 1° Autorité, puissance. — 2° Supériorité de science, de talent. *Par maistrise,* excellement. ◆ **maistrisier** v. (1265, J. de Meung). 1° Dominer. — 2° L'emporter sur. ◆

maistral n. m. (1311, G.). 1° Sorte d'officier municipal pour les affaires de justice ou d'impôts. − 2° Employé subalterne, souvent de condition servile. ◆ **maistrance** n. f. (XIIIᵉ s.). Fonction de magistrat. ◆ **maistreor** n. m. (1180, *Rom. d'Alex.*). Celui qui renseigne.

II. **maistre** n. m. (1298, M. Polo; v. le précédent). Nord-ouest.

maisture n. f. V. MISTURE, mélange; méteil.

maisvesier v. réfl. (XIIIᵉ s., *Règle saint Ben.; v. vesié, voisié,* avisé, rusé). Se donner pour plus habile que l'on est.

mait n. m. V. MAIE, pétrin.

maiter v. V. MATER, dompter, vaincre.

major n. m. plur. (1080, *Rol.;* gén. plur. *majorum,* de *major,* ancêtre; v. *maior,* ancêtre). Des aïeux. *La terre major,* la terre des aïeux. ◆ **majorois** adj. (XIIᵉ s., *Pr. d'Orange*). Très grand. ◆ **majorie, maiorie** n. f. (1160, Ben.). Puissance. ◆ **majorance** n. f. (XIIᵉ s., *G. de Rouss.*). La plus grande partie.

makement n. m. (1304, *Year Books;* cf. germ. *makôn,* angl. *to make,* faire). Machination.

mal (Xᵉ s., *Eulalie;* lat. *malum*). 1° Adj. Mauvais, méchant : *Et les max usaiges abaitre (Dolop.).* − 2° Difficile, pénible : *Dure bataille i out e male* (Ben.). − 3° Désagréable : *Qui a mau voisin si a mau matin (Artur).* − 4° Redoutable. − 5° Adv. Pour son malheur. − 6° Constitue souvent des syntagmes figés : *Mal an,* mauvaise année. *Metre en mal an,* accabler de maux. *Mal art,* artifice, tromperie. *Male façon,* méfait, mauvaise action. *Male gote,* sorte de maladie. *Mal jor,* mauvais jour, malheur. *Mal point,* mauvaise situation. *Male volenté,* mauvais dessein, conspiration. ◆ **mal** n. m. (980, *Passion*). 1° Le mal, malheur. − 2° Maladie, souffrance. *Le mal le roy,* les écrouelles. *Le mal Saint Julien,* abcès, apostume. *Le mal Saint Martin,* l'esquinancie. *Le mal Saint Éloy,* la fistule. *Le mal Saint Jehan, le mal Saint Leu,* l'épilepsie. ◆ **mal** interj. (1180,

R. de Cambr.). Exclamation, malheur sur, maudit soit : *Mal del congié qe il volsist rover! (R. de Cambr.).* ◆ **malisme** adj. superl. (fin XIIIᵉ s., B. de Condé). Très mauvais, très méchant. *Malisme gré son vis,* tout à fait à contrecœur. ◆ **malement** adv. (1080, *Rol.*). 1° Mal, méchamment : *En nom Deu, sire, trop faites malement (Loher.).* − 2° Malheureusement, en mal : *Molt malement somes changié* (Guiot). − 3° Redoutablement : *Mais malement s'est defendue* (Wace). ◆ **malté** n. f. Méchanceté. ◆ **malage** n. m. (XIIᵉ s., C. de Béth.). Maladie, malaise, souffrance : *Que d'amors avoit le malage (Florim.).* ◆ **maler** v. (XIIᵉ s., *Trist.*). 1° Tourmenter : *Par eus fu mot li rois malez (Trist.).* − 2° Souhaiter du mal à : *Cele qui forment le male Par parole et moult le maudit (Atre pér.).*

mal, mar n. m. (1160, *Eneas;* lat. *malum*). Mât.

mal-, mau- préf. (XIIᵉ s.; v. *mal,* mauvais). Préfixe péjoratif faisant porter un jugement défavorable sur le contenu de la racine avec laquelle il se combine : 1° Soit en relation avec le sujet : *malvenu,* venu pour son malheur. − 2° Soit en se référant à l'objet : *malparler,* parler mal de q'un. − 3° Soit sur le procès lui-même : *malpas,* passage difficile.

malace n. f. et m. (1283, Beaum.; dér. de *mal*). Mauvaise action : *Cil qui bee a fere aucun malace* (Beaum.).

malade adj. (1160, *Eneas;* lat. *male habitus,* qui se trouve en mauvais état). 1° Malade, souffrant. − 2° Lépreux. ◆ **maladi** adj. (XIIᵉ s., *Conq. Irl.*). Rendu malade, malade. ◆ **maladerie** n. f. (1283, Beaum.), **-iere** n. f. (1288, *Franch.*). Hôpital des lépreux, léproserie. ◆ **maladrerie** n. f. (1160, Ben.; avec attraction de *ladre,* lépreux). Léproserie. ◆ **malandos, malendos** adj. (XIᵉ s., *Alexis;* peut-être avec infl. de *malandre, malande* n. m.; 1398, *Ménag. Paris,* maladie des chevaux?). Souffrant.

maladirer v. (XIIIᵉ s., *Ass. Jér.;* cf. *adirer,* égarer). Perdre, égarer.

malair v. V. MALEIR, maudire.

malaisier v. (1190, Garn.; v. *aisier*, mettre à l'aise). Etre gêné. ◆ **malaisif** adj. (1204, R. de Moil.). Mauvais, de mauvais caractère : *Desuse toi et renovele De ta pensee malasive* (R. de Moil.). ◆ **malaisu** adj. (fin XIIᵉ s., *Loher.*). Impétueux : *Il donna l'oncle un cop si grant, si malasu et si pesant* (Sarrazin). ◆ **malaisibie** adj. (1350, *Ars. d'am.*). Malaisé, difficile. ◆ **malaisibilité** n. f. (fin XIIᵉ s., saint Grég.). Difficulté.

malan, malen n. m. (XIIᵉ s., *Asprem.*; orig. incert.; v. *mal* et *malandre*, 1398, au mot *malade*). 1º Maladie qui se manifeste par les boutons. — 2º Chancre, bubon, ulcère : *Et loichoient les plaies et les malanz* (Sermons). — 3º Souffrance, malheur.

malart, maslart, maillart n. m. (XIIᵉ s., *Asprem.*; dér. de *masle*, mâle). Canard sauvage. ◆ **malarde** n. f. (1318, Gace de la Bigne). Femelle du *malart.* ◆ **malardel** n. m. (1315, *Ord.*). Petit malart. ◆ **mallon, maslon** n. m. (1160, *Eneas*). Canard sauvage : *Il ne velt pas biset mangier, Molt par aimme char de maslon* (Eneas).

malartos adj. (1160, Ben.; v. *artos*, savant, honnête). Fourbe, traître : *Cruel et fel et malartos (Parten.).*

malastru adj. V. MALESTRU, mal pourvu, fâcheux, grossier.

malaventure n. f. (XIIᵉ s., *Auc. et Nic.*; v. *aventure*, ce qui arrive par chance, par hasard). 1º Mauvaise chance : *Il est conceuz en ordure Et nest a grant malaventure* (Alexis). — 2º Malheur : *Il m'avint une grande malaventure, que je perdi le mellor de mes bues (Auc. et Nic.).* — 3º Méfait, crime, délit. ◆ **malaventuros** adj. (XIIIᵉ s., *Serm.*). Malheureux, infortuné.

malbaillir v. (déb. XIIIᵉ s., R. de Beauj.; v. *baillir*). 1º Maltraiter. — 2º Fausser, dénaturer. ◆ **malbailli** adj. (1160, Ben.). 1º Maltraité. — 2º Mal gouverné. — 3º Ruiné, détruit.

malchevance n. f. (fin XIIIᵉ s., G. de Tyr.; v. *chevance*, accomplissement). Perversité.

malchief n. m. (1160, Ben.; v. *chief*, tête, extrémité). Mauvaise fin : *Malchief prennent li traytour (Ren.).*

malclerc n. m. (XIIIᵉ s., *Menestr. Reims;* v. *clerc*). Mauvais clerc.

malcuer n. m. (XIIᵉ s., *Part.*; v. *cuer*, cœur). Ressentiment.

malcuidant adj. (XIIᵉ s., *Prise d'Orange;* v. *cuidier*, penser, songer). Qui nourrit de mauvaises pensées.

maldehait n. m. (1160, Ben.; renforc. de *dehait*, joyeux). 1º Malheur, malédiction : *Maldehez ait qui m'engendra! (Ren.).* — 2º Disgrâce : *Maldehait ait el col et el visaige qui ce fera (R. de Cambr.).* — 3º Mauvaise rencontre.

maldire v. (1080, *Rol.;* lat. *maledicere*). 1º Maudire. — 2º Médire. ◆ **maldiçon** n. f. (1169, Wace). Malédiction. ◆ **maldit** adj. et n. m. (1080, *Rol.*). 1º Maudit. — 2º n. m. Malédiction (R. de Cambr.). ◆ **maldisseor** n. m. (déb. XIIIᵉ s., R. de Beauj.). 1º Médisant. — 2º Qui maudit.

male n. f. (déb. XIIᵉ s., *Voy. Charl.;* francique **malha*, sacoche). Sacoche, malle. ◆ **malete** n. f. (fin XIIᵉ s., *Mir. saint Éloi*). 1º Petite malle, valise. — 2º Poche. ◆ **maler** v. (XIVᵉ s., *Geste de Liège*). 1º Charger. — 2º Remplir comme une malle). ◆ **malier** adj. (XIIIᵉ s., *Tourn. Chauvenci*), **maleret** adj. (1338, *Arch.*). Qui sert au transport. ◆ **malier** n. m. (1335, Deguil.). Cheval de poste, qui porte la malle et les bagages. ◆ **malote** n. f. (1348, *Arch.*). Valise. ◆ **maloteur** n. m. (1324, *Arch.*). Fabricant de *malotes.*

malecote n. f. (1349, *Arch.;* v. *cote*, jupe). Sorte de jupe.

malefice n. m. (1213, *Fet Rom.*), **maleficion** n. f. (1341, *Arch.;* lat. *maleficium*, méfait). Méfait, délit : *Les prueves des malefices* (Br. Lat.).

maleir, -air v. (XIIᵉ s., *Asprem.;* lat. pop. *maledire*, pour *maledicere*, dire du mal, injurier). 1º Maudire : *Fiz a putain, Deus maleie ti (Loher.).* — 2º Médire. ◆ **maleiçon** n. f. (déb. XIIᵉs.,

Ps. Cambr.), **maleissement** n. m. (XIIIe s., *Ps.*). Malédiction. ◆ **maleoit, maleit, -lit** adj. (1150, Wace). Maudit : *Maleois soies tu! (Roncev.). Maleoit gré*, malgré, avec énergie, avec insistance : *Mes ce fu maleoit gre mien (Percev.).* ◆ **maloitisme, maletisme** adj. (XIIe s., Chardry). Superlatif de *maleoit. Maloitisme son gré*, tout à fait malgré lui.

malementer v. (fin XIIIe s., Guiart; form. à partir de *lamenter*). Tourmenter : *Ma fille est malementee du deable* (Guiart).

malemort n. f. (1220, Coincy; comp. de *mort* et de *mal*, mauvais). Mort cruelle et funeste.

malen n. m. V. MALAN, chancre, ulcère.

malencontre n. f. (XIIIe s., v. *encontre*, rencontre). 1° Mauvaise rencontre. — 2° Événement fâcheux.

malendos adj., souffrant. V. MALADE.

malengin n. m. (1325, *Hist. de Metz*; v. *engin*, talent, invention, habileté). Tromperie, ruse, fraude.

maler v. (1080, *Rol.*; francique **mahl*). 1° Assigner, faire régler le sort par le combat judiciaire. — 2° Fixer le jour de ce combat. ◆ **malé, melé** adj. (1080, *Rol.*). Appelé par jugement en combat singulier : *Ben sunt malés, par jugement des altres (Rol.). Champ malé*, champ de bataille, lieu de combat : *Si le deves ./. campion trouver, A cui se puist combatre en camp malé (H. de Bord.).*

malescienteus adj. (fin XIIIe s., G. de Tyr; v. *escientos*, savant, habile). Malintentionné.

malestance n. f. (XIIIe s., *Maug. d'Aigr.*; v. *estance*, position, situation). Mauvais état, affliction. ◆ **malestast** adj. (1160, Ben.). Maladroit (même rac.?).

malestru, malastru adj. (1160, Ben.; lat. pop. **male-astrucum*, pour *astrosum*, né sous une mauvaise étoile). 1° Mal pourvu, malheureux. — 2° Difforme : *Le singe est lai et malostru (Best. div.).* — 3° Lourd, pénible, en parlant

des choses : *Tant attendy que troussey fu De mon fardel moult malostu* (Deguil.). — 4° Grossier : *paroles malostrues* (*Regr. Guill.*). — 5° Mal conformé : *Grans espaulles et malostrues (Clef d'Am.).* — 6° *Char malostrue*, la chair pécheresse.

maleur n. m. (1150, *Thèbes*; v. *eur*, destin, présage). Mauvais destin. *A maleur*, pour son malheur. ◆ **maleure, -ure** n. f. (XIIe s., *Chev. cygne*). Malheur. ◆ **maleuree** n. f. (XIIIe s., *Doon de May.*). Mauvais destin. ◆ **maleurté** n. f. (1150, *Thèbes*). 1° Malheur. — 2° Règles des femmes. ◆ **maleuré** adj. (1160, *Eneas*). Accablé de malheur, malheureux. ◆ **maleuros** adj. (fin XIe s., D.). 1° Malheureux. — 2° Méchant : *Ne me batés mie maleuroz maris Vos ne m'aveis pas norrie (Rom. et past.).*

malevoisine n. f. (XIIIe s., *Chron. Reims;* v. *voisin*). 1° Nom d'une machine de guerre; (littér.) mauvaise voisine. — 2° Sorte d'étoffe (1338, *Arch.*).

malfaire v. (1160, *Eneas;* v. *faire*). Mal faire, agir mal : *Ançois, se Gascoins maufet urent, Apres a pis fere s'esmurent* (Godefr. de Paris). ◆ **malfart** n. m. (1220, *Saint-Graal*). Mauvaise action. ◆ **malfaite** n. f. (1272, *Arch.*). Infraction, transgression d'une convention, délit. ◆ **malfaisant** n. m. (fin XIIe s., M. de Fr.). Malfaiteur. ◆ **malfaitor** n. m. (1175, Chr. de Tr.). Criminel. ◆ **malfaiteresse** n. f. (1313, *Arch.*). Femme qui commet des méfaits.

malfé n. m. (1175, Chr. de Tr.; cf. lat. *fatum*, destin). Diable, démon : *Callot morses; t'ame enportent malfé* (Ogier).

malfeu adj. (XIe s., *Alexis;* lat. pop. **male-fatutum*, de *fatum*, destin). Misérable, malchanceux.

malgracier v. (1306, Guiart; v. *gracier*, rendre grâces, louer). Maugréer contre qu'un : *Il commença par esmaier Dieu et s'ymage a maugratier* (Guiart).

malgré n. m. (XIIe s., *Trist.;* v. *gré*, chose agréable). Chagrin, peine, mécontentement : *J'arai l'anel, vous en aies*

maugré (*H. de Bord.*). *Malgré mien, tien, sien,* malgré moi, toi, lui. *Malgré bé,* juron (déform. de *Dieu*). ◆ **malgreer** v. (1279, Fr. Laurent). 1° Ne pas trouver à son gré. — 2° Blasphémer. ◆ **malgré, maugré** prép. (1175, Chr. de Tr.). Malgré.

malhaitié adj. (XIIIe s., Th. de Kent; v. *haitié,* heureux, en bonne santé). 1° Malade : *Mais malhaitié senti le corps* (Mousk.). — 2° Mal à l'aise, mal disposé.

malice n. f. et m. (fin XIIe s., *Cour. Louis;* lat. *malitia*). 1° Méchanceté. — 2° Méfait. ◆ **malicement** adv. (1190, saint Bern.). Méchamment, malicieusement.

maliçon n. f. V. MALEIÇON, malédiction.

maligne adj. (déb. XIIe s., *Ps. Cambr.;* lat. *malignum*). 1° Méchant, malin. — 2° n. m. (1190, saint Bern.). Le diable. ◆ **malignier** v. (1120, *Ps. Oxf.*). 1° Tramer, machiner : *Cum granz choses maligna li enemis el saint (Ps. Oxf.).* — 2° Tromper. ◆ **maligne** n. f. (1210, *Dolop.*). Malice, méchanceté. ◆ **maligneus** adj. (1265, J. de Meung). Dangereux, malin. ◆ **malignant** n. m. (1120, *Ps. Oxf.*). Homme animé de mauvaises intentions.

malingeos adj. (XIIIe s., *Sept Est. du monde,* à partir de l'adj. *mal,* dériv. ou composé obscur). Malingre : *La bonne fame malingeuse ... Toz jorz mais Dieu reclamera Por l'enferté qu'el sentira (Sept Est. du monde).* ◆ **malingros** adj. (déb. XIIIe s., D.; croisement de l'adj. *mal* et de l'adj. *haingre,* décharné).

malis n. m. (XIIIe s., Bible; v. lat. *malus,* pommier). Pommier.

malit adj. V. MALEOIT, maudit.

malle n. f. V. MARLE, marne.

mallel n. m., mâle, mari. V. MASLE, mâle.

I. **maller** v. V. MESLER, mêler, brouiller.

II. **maller** v. V. MARLER, sonner, médire.

malmetre v. (1080, *Rol.;* v. *metre*). 1° Mettre en mauvais état, détériorer : *L'escu li ad freit e malmis (Gorm. et Is.).* — 2° Maltraiter, nuire. — 3° S'abîmer, pourrir, péricliter. — 4° Violer un serment : *Or vos volez del tot maumetre* (Ben.). ◆ **malmeteure** n. f. (XIIIe s., J. Le Marchant). Détérioration.

malmonté adj. (fin XIIIe s., G. de Tyr; v. *monter*). Qui a une mauvaise monture.

malo interj. (XIIIe s., G. de Saint-André; orig. obsc.). Exclamation orientale : *Droit as visours s'est avanczie Et va criant comme un Turc : Malo, malo au riche duc! (G. de Saint André).*

maloer v. V. MALUER, souiller, crotter.

maloir v. (1237, *Hist. de Meaux;* lat. pop. **malere,* pour *malle,* préférer). Aimer mieux, préférer.

maloit, maloitisme adj. maudit. V. MALEIR, maudire.

malon, mallon n. m. V. MALART, canard sauvage.

malostru adj. V. MALESTRU, mal pourvu, fâcheux, grossier.

malot n. m. (1175, Chr. de Tr.; orig. obsc.). Guêpe, bourdon, frelon.

malparler v. (1160, Ben.; v. *parler*). 1° Parler mal de q'un, médire. — 2° n. m. (l'Escouffle). Médisance, calomnie. ◆ **malparlier** n. m. (XIIe s., *Horn*). Médisant.

malpas n. m. (XIIe s., *Barbast.;* v. *pas*). 1° Mauvais pas. — 2° Passage difficile : *Ne ot maupas ne haies (Barbast.).*

malpenser v. (1160, Ben.; v. *penser*). Avoir une mauvaise pensée. ◆ **malpensé** n. m. (1200, Quatre Fils Aym.). Mauvaise pensée. ◆ **malpensif** adj. (1160, Ben.). Malintentionné.

malportrait adj. (XIIIe s., *Pastor.;* v. *portraire,* représenter, dessiner). Mal bâti : *Vilains malportrait! Toz jors flairiez vous lou vin! (Pastor.).*

malquerant adj. (1160, Ben.; v. *querre,* chercher). Malveillant; qui cherche à faire du mal.

malsage adj. (XIIIe s., *Petit Voc. lat.-fr.;* v. *sage*). Qui n'est pas sage, insensé.

malsené adj. (XIIe s., *Auberi;* voir *sené,* sensé, sage). Qui a de mauvaises intentions.

malseur adj. (1316, *Ord.;* v. *seur,* sûr). Incertain; où il y a du danger.

maltaillier v. (déb. XIIIe s., R. de Beauj.; v. *taillier,* tailler, couper). Couper, tailler de travers. ◆ **maltaillié** adj. (déb. XIIIe s., R. de Beauj.). 1° Mal fait, mal bâti : *Or le voi crasse et mautaillie, Triste et tenchant* (A. de la Halle). — 2° Mal préparé, peu capable.

maltalent n. m. (1080, *Rol.;* voir *talent,* disposition du cœur). 1° Irritation, colère, dépit : *Guillames l'ot, de maltalent rogi* (*Loher.*). — 2° Raison de colère, d'irritation : *Por le grant Dé, quel moutalent Vous a fet estre si dolent?* (Ruteb.). — 3° Mauvaise intention : (de telle sorte) *qu'il furent entrebayseez e toutz maltalentz pardonneez* (F. Fitz Warin). ◆ **maltalenter** v. (XIIe s., *Ps.*). Irriter, couroucer. ◆ **maltalentif** adj. (1080, *Rol.*). Irrité, de mauvaise humeur.

maltenir v. (1160, Ben.; v. *tenir,* maintenir, posséder). 1° Maltraiter : *S'il m'unt laidi e mautenu Assez le lor ai cher vendu* (Ben.). — 2° Brouiller : *Et me voelent vers vus mesler et maltenir* (Garn.).

maltote, maltoste n. f. (mil. XIIIe s.; v. *tolte,* imposition, levée d'impôt; précédé du préf. *mal-,* mauvais, pour le malheur). Sorte d'impôt levé à partir de Philippe le Bel, conçu comme impôt de guerre contre les Anglais.

maltraire v. (XIIIe s.; v. *traire,* tirer, attirer, obtenir). 1° Souffrir, être dans la peine. — 2° Maltraiter. ◆ **maltraitement** n. m. (1313, *Arch.*). Action de maltraiter. ◆ **maltrait** n. m. (av. 1300, poés. ms). Mauvais traitement. ◆ **maltraible** adj. (1160, Ben.). Dur à la peine : *Ici a*

chevalier penible E endurant e mautraible (Ben.).

maluer, maloer v. (1120, *Ps. Oxf.;* v. *loer,* enduire de boue, souiller). Souiller, crotter.

malus n. m. (1175, Chr. de Tr.; v. *us,* habitude, état habituel). Tourment.

malvais adj. (1080, *Rol.;* lat. pop. *malifatium,* qui a un mauvais sort). 1° Malheureux. — 2° Défectueux. — 3° Nuisible, méchant. ◆ **malvaisissime** adj. (1308, *Aimé*). Très mauvais. ◆ **malvaistié** n. f. (déb. XIIe s., *Ps. Cambr.*). 1° Qualité de ce qui est mauvais. — 2° Méchanceté. — 3° Lâcheté : *Si me tremble de malveitié Plus ne puis sus piez ester* (Pass. Palat.).

malvé adj. (XIIe s., *Ps.;* orig. obsc.). 1° Mauvais : *Nient malvee est la sue veie* (Ps.). — 2° n. m. Le diable (Passion).

malvenu adj. (XIIIe s., Fr. Angier; v. *venir*). Venu pour son malheur : *Lasse! fait ele, mauvenue!* (Vie saint Grég.).

malvoisdie n. f. (1130, *Job;* v. *voisdie*). Tromperie.

malvoisié adj. (fin XIIe s., *Aiol;* v. *voisié,* habile, rusé). 1° Rusé. — 2° Malintentionné.

malvoisin n. m. (1160, Ben.; v. *voisin*). Mauvais voisin : *Pesme home i out e mauveisin* (Ben.).

malvoloir n. m. (1160, Ben.; voir *voloir*). Mauvais vouloir, mauvaise foi.

mambor n. m. V. MAINBOR, tuteur, administrateur.

mamele n. f. (1119, Ph. de Thaun; lat. *mamilla*). 1° Mamelle. — 2° Sein. — 3° Poitrine : *Sachiez, si tres m'en deut li cuers sous la mamelle* (Aden.). ◆ **mamelete** n. f. (1175, Chr. de Tr.). Mamelle, sein : *Si li vienent les mameletes Autresi conme .II. pometes* (Blancandin). ◆ **mameron** n. m. (1270, Ruteb.). Mamelon. ◆ **mameliere** n. f. (1352, *Arch.*). Pièce d'armure protégeant les pectoraux.

mamelos n. m. (1192, *Récit de croisade;* arabe d'Égypte *mamlŭk,* esclave blanc). Mamelouk.

manacier v. V. MENACIER, menacer, quereller.

manage n. m. V. MESNAGE, habitation, séjour, ménage.

manaidier v. (1180, *Rom. d'Alex.*; composé lat. pop. de *manu*, main, et *adjutare*, aider). 1° Secourir, protéger. — 2° Traiter avec ménagement, faire grâce de. ◆ **manaide** n. f. (fin XIIᵉ s., *Cour. Louis*). 1° Aide, secours. — 2° Puissance. — 3° Pitié, merci : *Proies le roi et menaide et merci (Loher.)*.

manaier v. (1155, Wace; doublet de *manaidier*, construit sur *aie*, aide). 1° Aider : *N'ai mes anfant qui mon regne ait Ne nul baron qui me manait (Eneas)*. — 2° Avoir pitié de. ◆ **manaie** n. f. (1112, *Saint Brand.*). 1° Puissance, protection : *Metez vus en Deu maneie E n'i ait nul qui s'esmaie (Saint Brand.)*. *Servir en manaie*, abondamment, à discrétion. — 2° Ménagement, pitié, merci : *Il disoit ce qu'il avoit plaie : Mes de lui ot male manaie (Ren.)*. *En manaie*, doucement, mollement. — 3° Intérêts d'une somme prêtée (1260, *Arch.*).

manais adv. V. MANOIS, à l'instant.

manant adj. et n. m. (1160, Ben.; *manoir*, demeurer). 1° Habitant, domicilié. — 2° Riche, puissant. — 3° Employé avec le complément : *Mananz est trop d'or et d'argent (Ben.)*. ◆ **manantie** n. f. (1160, Ben.). 1° Demeure. — 2° Bien, possession, domaine : *Tout son argent et son tresor Et toute l'autre manantie (Saint Eust.)*. — 3° Droits de l'habitant de la commune. — 4° Sorte de redevance. ◆ **manantise** n. f. (XIIᵉs., *Part.*). 1° Habitation, maison. — 2° Droit de séjour. — 3° Biens, richesses en général. ◆ **mananderie, manaderie** n. f. (XIIᵉ s., *Chev. cygne*). Maison, demeure. ◆ **manandif** adj. (déb. XIIIᵉ s., G. de Cambr.). 1° Résidant. — 2° Riche.

manbor n. m. V. MAINBOR, tuteur, gouverneur.

manbote n. f. V. MAINBOTE, somme due pour l'assassinat d'un serf.

manc, mans adj. et n. m., **manche** fém. (1180, *R. de Cambr.*; lat. *mancum*, manchot). 1° Manchot. — 2° Mutilé, estropié : *Meus voudroie estre d'un pié manc Que tu euses maremenz (Ren.)*. — 2° Défectueux, imparfait : *monoie de manque poiz (Aimé)*.

I. manche n. m. (fin XIIᵉ s., M. de Fr.; lat. pop. **manicum*, ce que l'on tient avec la main, de *manus*). Manche. ◆ **manchon** n. m. (XIIIᵉ s., *Gloss. Garl.*). Manche de la charrue. ◆ **mancheron** n. m. (1277, *Rose*). Manche de la charrue. ◆ **manchier** v. (1308, Aimé). Abaisser : *Li duc [...] se combati pour eaux destruire et manchier lor honor (Aimé)*. ◆ **maneque** n. f. (1298, M. Polo). Anse.

II. manche n. f. (mil. XIIᵉ s., D.; lat. *manica*, de *manus*). Manche. ◆ **mancele** n. f. (XIIᵉ s., *Part.*). Manche. ◆ **mancheron** n. m. (XIIIᵉ s.). Garniture du haut des manches d'une robe de femme.

III. manche adj. fém. V. MANC, manchot, mutilé.

I. mande n. f. (1202, Tailliar; moy. néerl. *manne, mande*). Panier d'osier à deux anses. ◆ **mannequin** n. m. (1202, Tailliar; dimin. néerl. du même mot). Panier en forme de hotte.

II. mande n. f., mandement, avertissement. V. MANDER, ordonner.

III. mande n. f. V. MENDE, faute, souillure.

mandé, -et, -at n. m. (1112, *Saint Brand.*; lat. *mandatus*). 1° Le lavement des pieds du jeudi saint dans les abbayes. — 2° L'aumône qui se faisait en cette occasion et qui était distribuée pendant toute l'année sur la caisse du *mandé*).

mandegloire n. f. (XIIᵉ s., *Barbast.*; lat. *mandragoras*, du grec). Mandragore, plante narcotique ayant des vertus magiques.

mander v. (980, *Passion*; lat. *mandare*). 1° Commander, ordonner : *Sa dame mande que il viegne (Percev.)*. — 2° Demander : *Puis manda .I. fasselon* *d'ierbe* (Mousk.). — 3° Faire savoir, déclarer : *Ch'est trop boin a dire vo feme, Rikier; li volés plus mander?* (A. de la Halle). — 4° Envoyer : *Dites lui que salus li mant* (Rose). — 5° Convoquer, faire venir : *Tous jours venés quant je vous mant* (J. Bod.). ◆ **mant** n. m. (1190, J. Bod.), **mande** n. f. (XIII° s.). 1° Mandement, action de mander : *Or vienent a vo mant li chevalier membré (Chans. d'Ant.).* — 2° Avertissement. — 3° Message. — 4° n. m. Messager, huissier. ◆ **mandison** n. f. (1180, *Rom. d'Alex.*). Requête, demande : *Alixandres [...] Otroie plainement toute te mandison (Rom. d'Alex.).* ◆ **mandement** n. m. (déb. XII° s., *Ps. Cambr.*). 1° Commandement, précepte. — 2° Gouvernement. — 3° Résidence du chef, de l'administrateur. — 4° Lieu de ralliement des troupes, place forte : *Done moi, rois, Vaseure la grant Et ses Nymes et le fort mandement (Charr. Nîmes).* — 5° Message : *Mandon au roi nostre talent Par brief, sanz autre mandement (Trist.).*

mandible n. f. (1314, Mondev.; bas lat. *mandibula*, mâchoire). Mâchoire.

mandoire, -dore n. f. (1285, Aden.; altér. du lat. *pandura*, du grec). Instrument de musique du genre des luths.

mandre n. f. (XIII° s., *Lapid.*; orig. obsc.; cf. lat. *mandra*, troupe de bêtes de somme). Étable, chalet, cellule. ◆ **mandrier** n. m. (XV° s.). Berger.

manede n. f. V. MANAIDE, secours, puissance; pitié.

manee n. f. (1260, G.; v. *main*). 1° Poignée, ce que peut contenir la main. — 2° Sorte de mesure. — 3° Grande quantité : *Dras donne et deniers a manees* (B. de Condé). — 4° Puissance, possession : *Si creire ore me volez, En sa manee vus mettrez (Gui de Warwick).* — 5° État, condition. *Povre manee,* condition misérable. ◆ **manvee** n. f. (1120, *Ps. Oxf.;* lat. pop. **manuata*). Poignée, gerbe. ◆ **manete** n. f. (XIII° s., *Rom. et past.*). Petite main. ◆ **manel** adj. (fin XII° s.). De la main, qui se fait avec la main. ◆ **manel** n. m. (1138, Gaimar). 1° Poignée. — 2° Doigt de la main. ◆ **manier** adj. (1150, *Thèbes*). 1° Manuel : *Hom qui fait labour manier* (R. de Moil.). — 2° De la main, à main : *un arc menier* (J. Bod.). — 3° Souple, habile : *En mal eur [...] Trop par estes ades maniers (Ren.).* — 4° *Manier a, de,* habile à. — 5° Dominateur : *Car j'estoie en vo cuer maniere Qui de tous poins vous gouvernoie* (J. de La Mote). — 6° *De manier,* loc. adv. Avec mesure, convenablement. ◆ **maneser** v. (1308, Aimé). Toucher des mains.

maner v. (1235, Charte; v. *manere*). Rester, séjourner. ◆ V. MANOIR, rester.

manes adv. V. MANOIS, à l'instant, sur-le-champ.

manete n. f. V. MAGNETE, pierre d'aimant.

manevi adj. (1080, *Rol.;* cf. *amanevir,* être prêt, dispos). Dispos, alerte, ardent : *Gardes que del ferir soit cascuns manevis (Chétifs).*

mangan n. m. (1298, M. Polo; lat. pop. **manganum,* du grec). Mangonneau. ◆ **mangonel** n. m. (déb. XIII° s., R. de Clari), **-ele** n. f. (XII° s., *Gloss. Neckam*). Mangonneau, machine de guerre projetant de grosses pierres ou des dards. ◆ **mangoner** v. (1180, *Rom. d'Alex.*). Renverser à coups de mangonneau.

mangier, manjuer v. (980, *Passion;* lat. pop. *manducare,* d'abord mâcher, ensuite manger). Manger. ◆ **mangier** n. m. (1175, Chr. de Tr.). 1° Fait de manger, repas. — 2° (en particulier) Repas du matin (*Trois Aveugles*). — 3° *Grant mangier,* repas principal, dîner (*Saint Eust.*). — 4° Repas que le vassal devait à son seigneur un certain nombre de fois. ◆ **mangeue** n. f. (1220, Coincy). 1° Appétit, voracité. — 2° Démangeaison. ◆ **mangeure** n. f. (1175, Chr. de Tr.). 1° Mangeoire, auge, crèche. — 2° Démangeaison. ◆ **mangerie** n. f. (XII° s., *Macch.*). 1° Action de manger, festin. — 2° Gourmandise, voracité. ◆ **mangeaille** n. f. (1264, G.). Tout ce qui sert à la nourriture de l'homme et des animaux. ◆ **mangeable** adj. (1190, saint Bern.), **mangeant** adj. (1283, Beaum.).

Qui peut être mangé, mangeable. ◆ **man- jue pain** n. m. (1335, Deguil.). Celui qui ne mange que du pain.

mangon n. m. (1080, *Rol.*; orig. obsc.). Écu d'or, valant deux besants.

I. **manicle, -ique, -ille** n. f. (1160, Ben.; lat. pop. *manicula*, dim. de *manus*, main). 1° Partie de l'armure qui couvre la main. — 2° Menotte.

II. **manicle** n. f. (XIIᵉ s.; lat. pop. *maniculum;* de *manus*, main). Aspersoir.

maniee n. f. V. MAISNIEE, maisonnée, suite, armée.

manier, -oier v. (1160, Ben.; v. *main*). 1° Caresser, tâter : *Le bras senestre li prist a menoier, Puis la regarde* (Auberi de Bourg.). — 2° Peloter : *Et li manoie la char qu'ele avoit tendre et blanche* (Artur). — 3° Maltraiter, malmener : *Uns hom ke je voeil maniier* (A. de la Halle). — 4° Se conduire : *Et li quant li va reprochant Au plus bel qu'il set menoier* (Lai de Conseil). — 5° S'attaquer. — 6° Posséder, administrer, en parlant d'une terre. — 7° *Manier de,* user de, se servir de. ◆ **maniement** n. m. (1237, Du Cange). 1° Administration. — 2° Possession. — 3° Manière d'agir, coutume. ◆ **maniance, manuiance** n. f. (1273, G.). 1° Maniement, gouvernement, administration. — 2° Possession, jouissance. ◆ **maniable** adj. (1169, Wace). 1° Souple : *Bien avum cuntre .I. chevalier .XXX.u.XL. paisanz Maniables et cumbatanz* (Wace). — 2° Justiciable.

maniere n. f. (1119, Ph. de Thaun; v. *manier*, adj., fait avec la main, souple). 1° Mode d'agir, de faire, façon. — 2° Mode de se comporter conforme aux normes sociales : *Elle ert sage et courtoise et de bonne maniere* (Aden.). — 3° Catégorie de gens caractérisés par une certaine façon d'agir : *Et ceste maniere de gent ne sunt pas tout d'une condition* (Beaum.). — 4° Intention : *Chastelains, pour noient parlés, Car je n'ay vouloir ne menniere Que je face vostre priere* (Couci). ◆ **manierete** n. f. (1260, A. de la Halle). Conduite, maintien.

manifester v. (1120, *Ps. Oxf.;* lat. *manifestare*). Faire connaître publiquement : *Il ... manifesta tant l'estre del Crucifié que Nusciens reçut baptesme* (Est. Saint-Graal). ◆ **manifeste, manifet** adj. (1190, Delb.). Évident, manifeste.

manipulon n. m. (1345, G.; lat. ecclés. *manipulum*. Manipule, ornement ecclésiastique.

manique, maniaque adj. (1294, *Cout. Dijon;* lat. médiév.*maniacus*, de *mania*, folie, du grec). Maniaque, possédé de manie.

mannequin n. m., panier. V. MANDE, panier d'osier.

manoele, -oiele, -ole n. f. (1297, G.; dér. de *manus*, main). Poignée, manivelle.

I. **manoir** v. (Xᵉ s., *Eulalie;* lat. *manere*, demeurer). 1° Demeurer, habiter. — 2° Rester, séjourner. — 3° Persister, continuer à exister : *En siecle, sire, ta parole maint el ciel* (Ps. Cambr.). ◆ **manoir** n. m. (1155, Wace). 1° Habitation, demeure. — 2° L'ensemble du domaine féodal à l'exclusion des terres fieffées (en Normandie et en Angleterre). ◆ **manoier** n. m. (1312, *Cart.*). Manoir. ◆ **manance** n. f. (1320, *Arch.*). Séjour. ◆ **manable** adj. (1150, Wace). 1° Habitable : *maison manavle* (1240, *Arch.*). — 2° Stagnant : *eve manable* (Best. dlv.). — 3° Durable, permanent.

II. **manoir** n. m. (fin XIIᵉ s., saint Grég.; dér. de *main*). Manche, poignée.

manois, manais, manes adv. (1160, Ben.; composé du lat. pop. *manu-ipsa*). Adverbe de temps : 1° A l'instant, tout de suite : *Et Floire l'a menois feru, Le blanc hauberc li a rompu* (Fl. et Bl.). — 2° *Tout manois,* sur-le-champ. — 3° *Trosque manois,* jusqu'au moment où : *N'est esveilliés trosque manois S'est arivés molt pres de Blois* (Part.).

manoque n. f. (1190, J. Bod.; moy. bas all. *mande*, corbeille). 1° Chapelle, oratoire. — 2° Petite maison, cabane. — 3° Sorte de bateau.

manovier v. (1080, *Rol.;* lat. pop. *manuoperare,* travailler). 1° Placer avec la main. — 2° Faire quelque chose avec les mains, à la main, fabriquer : *De samit est bien fez et menouvrez (Loher.).* — 3° Travailler. — 4° n. m. Construction *(Conq. Jér.).* ◆ **manovrement** n. m. (1316, *Arch.*). Ouvrage, travail. ◆ **manovrage** n. m. (1283, Beaum.). Labour, culture. ◆ **manovrier** n. m. (1180, *Loher.*). Ouvrier manuel.

manquement n. m. (1308, Aimé; cf. *manquer,* v. 1398, E. Deschamps, de l'ital. *mancare*). Insuffisance.

mans adj. V. MANC, manchot, estropié.

manser v. (1250, *Ren.;* all. rhénan *manssen*). Presser, serrer : *Et li laz li manse la gorge (Ren.).*

mansion n. f. (1155, Wace; empr. au lat. *mansio,* doublet de *maison*). 1° Demeure, domicile : *Fortune a la sa mansion (Rose).* — 2° État, situation : *Puet l'en trover religion En seculiere mansion? (Rose).* ◆ **mansiaire** n. m. (fin XIIᵉ s., saint Grég.), **mansier** n. m. (XIIᵉ s.). Concierge, sacristain. ◆ **mansionaire** n. m. (1300, G.). 1° Colon ou fermier qui devait un cens pour les maisons et les terres occupées. — 2° Celui qui a soin d'une maison, concierge. ◆ **mansois** n. m. (1258, *Charte*). Ce qu'on paie pour le droit de gîte. ◆ **mansor** adj. (XIVᵉ s., *Ger. de Blav.*). Qui sert de résidence : *mon palaiz mansor (Ger. de Blav.).*

mansois n. m. (1190, J. Bod.; dér. du *Mans*). 1° Monnaie du Mans. — 2° Adj. (1272, *Charte*). Du Mans.

mansuet adj. (1260, Br. Lat.; lat. *mansuetus,* doux, tranquille). Qui a de la modération et de la douceur : *En ire a mi et extremitez : et li hom qui tient le mi est apelés mansuetes* (Br. Lat.). ◆ **mansuel** adj. (1318, *Arch.*). Doux, bienveillant. ◆ **mansuetume** n. f. (1190, saint Bern.; lat. *mansuetudo, -udinem,* avec chang. de suffixe). Mansuétude, douceur.

mant n. m., mandement, message, messager. V. MANDER.

mantel n. m. (980, *Passion;* lat. *mantellum,* dimin. de *mantum*). 1° Manteau. — 2° Couverture de lit. — 3° Couverture. ◆ **manteler** v. (fin XIIᵉ s., *Ysopet Lyon*). 1° Recouvrir, abriter. — 2° Fortifier. ◆ **mantelement** n. m. (1284, *Arch.*). Caution.

manticore n. f. (1246, G. de Metz; lat *mantichoras,* du grec, même sens). Animal merveilleux de l'Inde.

manuevre n. f. (1248, *Cart.;* dér. déverbal de *manovrer,* travailler, fabriquer). 1° Service de bras, opération manuelle, travail : *Que ledit bois avoit esté planté et coustivé par maneuvre d'ome* (1314, *Arch.*). — 2° Corvée manuelle.

manumetre v. (1338, *Arch.;* v. *mainmetre,* affranchir). Affranchir. ◆ **manumission** n. f. (1324, *Arch.;* lat. jur. *manumissio*). Affranchissement.

maoe, miawe n. f. (fin XIIᵉ s., M. de Fr.; anc. angl. *maew,* du francique **mauve*). Mouette. ◆ **moete** n. f. (XIVᵉ s., Delb.). Mouette.

mappe n. f. (1246, G. de Metz; médiév. *mappa mundi,* nappe du monde). Figure de la terre, mappemonde. ◆ **mapamonde** n. f. (1150, *Thèbes*). Mappemonde.

maquain adj. V. MACAIN, habile, rusé.

maque n. f. V. MACHE, masse d'armes, marteau.

maquerel n. m. (1265, J. de Meung), **makelare** n. m. (1270, *Arch. Saint-Omer;* moy. néerl. *makelaer,* courtier). 1° Courtier. — 2° Entremetteur. ◆ **maquerelerie, makelarie** n. f. (1270, *Arch. Saint-Omer*). 1° Office de courtier. — 2° Maquerellage : *Hostel de bordelerie et maquerelerie (Chron.,* XIVᵉ s., G.).

I. **mar** n. m. (1170, *Fierabr.;* v. *marbre*). Marbre.

II. **mar** n. m. V. MAL, mât.

III. **mar** adv. (1080, *Rol.;* orig. incert., peut-être une contraction de *mala hora?*). 1° Mal, à tort, mal à propos : *Et respont*

Bernars : Tais, Hervi, mar le dis !
(Loher). — 2° En vain : *Tant mar ai fct lo*
bel servise, lo bel sanblant, lo bel ostage
(Eneas). — 3° Malheureusement, pour son
malheur : *Que mar fus oncques nes, se tel*
cuor as norris (J. de Meung). — 4° *Mar,*
suivi d'un verbe au futur, équivaut à une
forte dénégation et fonctionne comme
l'impératif négatif : *Respundi Samuel :*
Mar aurez pur (Rois).

marabille n. f. (XIIe s., *Chast. d'un*
père; forme mi-savante). Merveille.

marage adj. (fin XIIe s., *Loher.;*
lat. pop. **maraticum*, de *mare*, mer;
v. *mer*). 1° De mer : *boin pisson maraige*
(Loher.). — 2° Marin : *Saint Climent le*
marage (Aye d'Avign.). — 3° De marais,
marécageux. — 4° Sauvage, dangereux :
Uns cinges marages (Estamp.). ◆ **marage**
n. m. (1180, *Rom. d'Alex.*). 1° Lieu situé
au bord de la mer. — 2° Marais. —
3° Lieu sauvage, dangereux. ◆ **maree**
n. f. (XIIIe s., Th. de Kent). 1° Bord de la
mer. — 2° Grande quantité, foule .
◆ **mareer** v. (1342, *Arch.*). 1° Séjourner
dans un port. — 2° Naviguer. ◆ **marei**
adj. (XIIIe s., *Gaufrey*). De mer.

marande n. f. V. MERENDE, collation.

marbre, marbe n. m. ou f. (XIe s.,
Alexis; lat. *marmor*). 1° Marbre. —
2° Pierre, caillou. ◆ **marbri** adj. (XIIe s.,
Florim.), **marbrin** adj. (1150, *Pèl. Charl.*),
marbru adj. (déb. XIIIe s., R. de Beauj.),
marbrois adj. (XIIIe s., *Maug. d'Aigr.*),
marbin adj. (1180, *R. de Cambr.*),
marbinois adj. (XIIIe s., *Gaydon*). De
marbre. ◆ **marbré** n. m. (fin XIIe s., D.).
Tissu fait de laines de diverses couleurs.
◆ **marbrier** n. m. (1311, *Charte*). Artisan
qui scie et polit le marbre.

I. marc n. m. (1138, Gaimar; francique
*marka). 1° Poids équivalant à huit onces,
servant à peser l'or et l'argent. —
2° Quantité d'or ou d'argent pesant un
marc. — 3° Monnaie, argent (J. Bod.,
argot?). ◆ **marchie** n. f. (1190, Garn.).
Étendue de terre rapportant la rente d'un
marc. ◆ **marquee** n. f. (XIIIe s., G.).
Valeur d'un marc. ◆ **marquant** adj.
(1329, *Arch.*). D'un marc chacun.

I. marc n. m. (1190, J. Bod.; orig.
incert.). Patron (en argot) : *Le marc dou*
cois (J. Bod.).

III. marc n. m. V. MERC, marque,
borne.

marce n. f. (déb. XIIIe s.; lat. *margo,*
-inem, bord). 1° Bord, bordure, en géné-
ral. — 2° Marge. ◆ V. MARGELE, bord.

marchas n. m. (1180, *Rom. d'Alex.;*
même racine germ. que *maresc*, marais).
1° Marais, marécage. — 2° Flaque. ◆
marcheil n. m. (1160, Ben.). Marais,
marécage. ◆ **marchel** n. m. (1365,
Arch.). Mare. ◆ **marchois, -eiz, -is**
n. m. (fin XIIe s., *Ogier*). Marais, marécage.

marche n. f. (1080, *Rol.;* francique
*marka, frontière). Pays frontière.
◆ **marchir** v. (1190, J. Bod.). 1° Etre
limitrophe, confiner : *uns rois paiiens*
Qui marchissoit as crestiens (J. Bod.).
— 2° Etre riverain, contigu. — 3° *Avoir a*
marchir a quelqu'un, avoir affaire à.
◆ **marchissant** adj. (fin XIIIe s., G. de
Condé). Limitrophe, voisin. ◆ **marchie**
n. f. (1361, *Ord.*). Marche. ◆ **marchois**
n. m. (XIIIe s., *Menestrel Reims*). Frontière. ◆ **marchis** n. m. (1080, *Rol.*).
Marquis.

marcheant, marchant n. m.
(1190, Garn.; p. prés. subst. de *marcheer*).
Commerçant. ◆ **marcheant** adj. (1162,
Fl. et Bl.). 1° Affecté aux marchands. —
2° Ayant la qualité d'une bonne marchandise. — 3° Bien servi. ◆ **marcheander** v.
(1204, R. de Moil.). 1° Faire le commerce.
— 2° Faire le commerce de : *Alant et*
marcheandant sal et atres danrees
(1281, *Arch.*). — 3° Faire marché :
Uns hom ... Marchanda de son fil
aprendre A parler pour dix mars d'argent
(Pastor.). — 4° Passer une convention.
— 5° Réfléchir, délibérer, méditer : *Lies*
fu moult et joyant, en sen coer marcanda
(G. li Muisis). ◆ **marcheandie** n. f.
(1160, Ben.). 1° Marchandise. — 2°
Commerce. ◆ **marcheandise** n. f. (déb.
XIIIe s., R. de Clari). 1° Commerce. —
2° Compagnie des marchands. ◆ **mar-**
cheanderie n. f. (XIIIe s., *Sermons*).

Marchandise. ◆ **marchandeie** n. f. (1190, J. Bod.). Marchandage, trafic.

marchié, marchiet n. m. (980, *Passion;* lat. *mercatum,* de *merx,* marchandise). 1° Marché, accord : *Faire voeil a vous un marchiet Si bon que ainc ne fistes tel* (J. Bod.). — 2° Marché, lieu où l'on fait du commerce. — 3° Assemblée. ◆ **marcheer** v. (XIIᵉ s., *Chast. d'un père*). Faire du commerce, négocier. ◆ **marchel** adj. (1119, Ph. de Thaun). De marché.

marchier v. (1162, *Fl. et Bl.;* francique *markôn,* marquer, d'où : imprimer le pas). 1° Fouler aux pieds, piétiner. — 2° Abattre. — 3° Parcourir à pied (XIIIᵉ s.). ◆ **marchir** v. (déb. XIVᵉ s., J. de Condé). 1° Fouler aux pieds, abattre. — 2° Mater. ◆ **marcheis** n. m. (fin XIIIᵉ s., *Mir. Saint Louis*). Bruit de pas, piétinement : *Il aperçut la noise des hommes et le marcheis de ceus qui aloient et qui se movoient (Mir. Saint Louis).* ◆ **marchement** n. m. (XIVᵉ s.). Action de marcher. ◆ **marchepié** n. m. (déb. XIVᵉ s., D.). Tapis de pied. ◆ **marchepié** n. m. (1289, *Ord.*), **marchepiece** n. f. (1389, G.). Engin de pêche prohibé.

marcier v. V. MERCIER, remercier.

marcir v. (1220, Coincy; v. lat. *marcere,* pourrir). 1° Pourrir, se faner, se flétrir. — 2° Au fig. : *Ke la flur de casté ne peust en moi marchir (Prière à la Vierge).* ◆ **marci** adj. (fin XIIᵉ s., *Loher.*). Fané, flétri.

mardele n. f. (1346, *Arch.;* orig. obsc.). Enfoncement quelquefois boisé.

I. **mare** n. f. (fin XIIᵉ s., M. de Fr.; anc. norrois *marr,* mer). Mare. ◆ **marestant** adj. (XIIᵉ s., *Floov.*). Entouré de marais.

II. **mare, maire** adj. cas sujet. V. MAIOR, cas rég., plus grand.

marel n. m. V. MEREL, galet, jeton, petite pièce de monnaie.

I. **marer, marrer, mairer** v. (XIᵉ s.; germ. *marrjan,* fâcher; cf. *marir*). 1° Affliger, chagriner. — 2° Opprimer. ◆ **marement, marre-** n. m. (980, *Passion*). Chagrin, douleur : *De marre-*

ment et de pour Ublia tote sa dolur (Wace). ◆ **maremence** n. f. (XIVᵉ s., *Geste de Liège*). Affliction, contrariété. *Sans marimance,* sans erreur. ◆ **marance** n. f. (fin XIIᵉ s., *Loher.*). 1° Affliction, sujet d'affliction. — 2° Faute, défectuosité, infraction à la règle. ◆ **marain** n. m. (1170, *Percev.*). Dépit, colère : *Par marain sa lance brisa (Percev.).* ◆ **marage** n. m. (1200, *Quatre Fils Aym.*). 1° Chagrin. — 2° Courroux, fureur. ◆ **marage** adj. (XIVᵉ s., *Geste de Liège*). Fâché, furieux.

II. **marer** v. V. MAIRER, dominer.

maresc n. m. (1086, G.; lat. tard. *mariscum,* du francique *marisk*). Marais. ◆ **maresche** adj. et n. f. (XIIIᵉ s., *J. César*). 1° Marécageux. — 2° Marais. ◆ **marechel** n. m. (1250, Tailliar). Petit marais. ◆ **mareschiere** n. f. (XIIᵉ s., *Auberi*). Marais, marécage. ◆ **mareschois** adj. et n. m. (XIIᵉ s., *Ogier*). 1° Marécageux. — 2° Marécage. ◆ **marescage** adj. (1213, *Fet Rom.;* forme picarde). Marécageux.

mareschal n. m. (fin XIᵉ s.; francique *marhskalk*). 1° Maréchal-ferrant. — 2° Officier chargé du soin des chevaux (Wace). — 3° Grand-officier commandant une armée *(Fet Rom.).* — 4° Titre donné aux différents dignitaires de la cour. ◆ **mareschaude** n. f. (1250, *Charte*), **-chalesse** n. f. (1325, *Chron. Morée*). Femme du maréchal. ◆ **mareschalcie** n. f. (fin XIᵉ s., D.). 1° Écurie. — 2° Office de maréchal (fin XIIIᵉ s.). ◆ **mareschalcier** v. (XIIIᵉ s., *Ass. Jér.*). Ferrer, panser un cheval. ◆ **mareschaucier** n. m. (1294, *Charte*). Maréchal.

marestanc, -ent n. m. (XIIIᵉ s., *Rom. des Ailes;* orig. obsc.). Pierre de touche qui sert à éprouver la qualité du métal.

margari, magari n. m. (XIIᵉ s., *Part.;* nom propre dans *Rol.;* orig. incert.; peut-être du grec *margarites*). 1° Amiral, chef d'une flotte : *Octaviuz, uns margaris, qui estoit amis Pompee (Fet Rom.).* — 2° Renégat (1260, Mousk.).

margele, marzele n. f. (1160, Ben.; lat. pop. *margella,* dim. de *margo,*

bord; v. *marce,* même sens). 1° Bord en
général. — 2° L'assise de pierre qui forme
le rebord d'un puits, d'une fontaine.

margerie n. f. (1150, Wace); **-gue-
rite** n. f. (1270, Ruteb.; lat. *margarita,*
perle, du grec). 1° Perle. — 2° Marguerite, variété de fleur, par analogie de couleur *(Auc. et Nic.).*

margoillier v. (1120, *Ps. Oxf.;* orig.
incert.). 1° Rouler dans la boue. —
2° Souiller : *Marguillierent le tuen saint
temple (Ps. Oxf.).* ◆ **margochier, -ossier**
v. (XIII° s., *Doon de May.;* même racine?).
Salir.

I. **marier** v. (1155, Wace; lat. *mari-
tare).* 1° Trouver un mari pour une fille.
— 2° Unir en mariage. ◆ **mariement** n. m.
(fin XII° s., *Loher.).* Mariage. ◆
mariage n. m. (1155, Wace). 1° Mariage.
— 2° Donation matrimoniale, biens des
époux. — 3° Mari, homme marié *(Maug.
d'Aigr.).* ◆ **marial** adj. (1169, Wace).
Marital, matrimonial. ◆ **mariable** adj.
(fin XII° s., saint Grég.). De mariage,
conjugal.

II. **marier, -oier** v. V. MARIR,
égarer.

marin adj. et n. m. (1155, Wace; lat.
marinum, de *mare,* mer). 1° De la mer :
Estoile marine (R. de Moil.). — 2° n. m.
Mer *(Chev. cygne).* ◆ **marine** n. f. (1138,
Gaimar). 1° Mer. — 2° Rivage de la mer :
*Lor ost assemblee an la marine ou la nef
estoit arivee (Est. Saint-Graal).* ◆ **mari-
nee** n. f. (XIII° s., *Doon de May.).* 1° Bord
de la mer. — 2° Marée. ◆ **marinant** n. m.
(XII° s., *Horn),* **marinon** n. m. (XIII° s.,
Doon de May.), **marinaire** n. m. (1180,
Rom. d'Alex.). Marin. ◆ **marinier** n. m.
(1138, Gaimar). 1° Homme de mer,
marin. — 2° Batelier. ◆ **marinage** adj.
et n. m. (1200, *Ren. de Montaub.).*
1° Situé au bord de la mer. — 2° n. m.
Homme de mer, marin *(Vœux du Paon).*
◆ **marinal** adj. et n. m. (1138, Gaimar).
1° De la mer *(Rom. d'Alex.).* — 2° n. m.
Marin (Gaimar).

mariole n. f. (1220, Coincy; dimin.
de *Marie).* 1° Petite image de Marie.
— 2° Terme de mépris pour désigner la

Vierge : *Quant uns hon croit que li grans
Deus fust nez de cele mariole* (Coincy). —
3° Figurine sainte, idole.

marir, marrir v. (1155, Wace; francique **marrjan;* v. *marer).* 1° Égarer,
perdre (en parlant du chemin). — 2° *Marir
le sens,* perdre l'esprit, la raison. —
3° Affliger, fâcher, maltraiter (XIII° s.).
— 4° Se désoler : *Que vaut ne marir ne
plorer Perde c'on ne puet recovrer?
(Part.).* ◆ **mari, marri** adj. (1155, Wace).
1° Perdu, égaré. — 2° Fourvoyé : *Appren-
tic jongleor et escrivain mari Ont l'estoire
faussee* (Aden.). — 3° *Mari del sens,*
insensé. — 4° Affligé, triste. ◆ **mariment**
n. m. (XII° s., *Asprem.).* 1° Égarement. —
2° Tristesse, désolation. ◆ **marisson** n. f.
(XII° s., *Chev. cygne),* **-issement** n. m.
(XIII° s., *Clef d'Am.).* 1° Chagrin. —
2° Mécontentement. ◆ **marier, -oier**
v. (1190, J. Bod.). Égarer.

maritorne n. f. (1324, *Arch.;* orig.
incert.; semble représenter le verbe *torner*
et le préf. *mar-,* mal, mauvais). Maltôte,
sorte d'impôt.

I. **marle, maille, marne** n. f.
(XII° s.; lat. pop. **margila,* d'orig. gaul.).
Marne. ◆ **marler** v. (déb. XIII° s., texte
norm.). Marner. ◆ **marliere** n. f. (fin
XII° s., Gace Brulé). Marnière.

II. **marle** adj. et n. m. V. MASLE, mâle.

I. **marler, maller** v. (XIII° s.; lat.
pop. **marculare, de marcus,* marteau)
1° Sonner. — 2° Médire, déblatérer
contre quelqu'un. (G. li Muisis). ◆ **mar-
leor** n. m. (1234, *Cart.).* Sonneur.

II. **marler** v. V. MALER, faire la malle,
emballer.

III. **marler** v., marner. V. MARLE,
marne.

marlier n. m. V. MARREGLIER,
bedeau, sacristain.

marliere n. f. (XIII° s., J. de Garl.;
probabl. dérivé de *marre,* houe). Petite
houe, serpe.

marmite adj. (XIII° s., *Fabl. d'Ov.;*
orig. obsc.; à rapprocher de *mite,* chatte,
et de *mar,* peut-être mâle?). Affligé, souf-

freteux : *Li singe sont faux ypocrite Qui font le simple et le marmite (Fabl. d'Ov.).* ◆ **marmiteus** adj. (fin XIIe s., *Gar. Loher.*). Soucieux, affligé : *Ele ot ploré, s'ot marmiteux le vis (Gar. Loher.).* ◆ **marmitaine** n. f. (déb. XIVe s., *Pass. Palat.*). *Faire la marmitaine,* faire le bon apôtre, être hypocrite.

marmoire adj. (1204, R. de Moil.; lat. *marmoreum*). 1° De marbre. — 2° n. f. (1180, *Rom. d'Alex.*). Marbre. ◆ **marmori** adj. (XIIIe s., *Conq. Jérus.*). Marbré, tacheté. ◆ **marmorin** n. m. (fin XIIe s., *G. de Rouss.*). Peau tachetée.

marmoser v. (XIVe s., *Vie des Pères;* orig. obsc.; probabl. onomat.). 1° Grommeler entre les dents. — 2° Etre chagrin, d'humeur noire. ◆ **marmouset** n. m. (1360, Froiss.; rue des Marmousets, XIIIe s.). Fou, favori. ◆ **marmoserie** n. f. (1360, Froiss.). 1° Mauvaise humeur. — 2° Frénésie.

maroier v. V. MARIR, MARIER, égarer.

marois adj. (1180, *Rom. d'Alex.;* v. *mer,* du lat. *mar*). De mer, marin. ◆ **maronier** n. m. (1175, Chr. de Tr.). Marin.

marpaut, -ault n. m. (XIIe s., *Mainet;* orig. incert.). Goinfre, fripon, vaurien : *Tant est vieus et roigneus k'il samble carinaut; Ainc de mes ieus ne vi nul si tres marpaut (Mainet).*

marquee n. f. V. MARC, poids, quantité d'or ou d'argent.

marquis n. m. (déb. XIIIe s.; réfection de *marchis,* d'après l'ital. *marquese*). Marquis. ◆ **marquiseté** n. f. (1327, J. de Vignay). Marquisat.

marrain n. m. V. MAIREN, bois de construction.

marramas n. m. (1323, *Arch.;* orig. obsc.). Sorte de drap d'or d'origine orientale.

marre n. f. (XIIIe s., *Livr. de Jost.;* lat. *marra,* même sens). Houe, sorte de pelle recourbée utilisée par les vignerons. ◆ **marrer** v. (XIIIe s., *Gaydon*). 1° Tra-

vailler la terre avec la marre. — 2° Briser, déchirer. ◆ **marrete** n. f. (1295, G.). Petite bêche.

marreglier, marrugler, mar-lier n. m. (1160, Ben.; lat. pop. **matricularium,* proprement dit : qui tient les registres). Marguillier, bedeau, sacristain, celui qui a soin de la fabrique et des œuvres de l'église. ◆ **mareglerie** n. f. (fin XIIe s., Guiot). 1° Office de marguillier, de sacristain. — 2° Fabrique, archives de l'église.

I. **marrer** v. (XIIIe s.; néerl. *marren,* attacher). Amarrer.

II. **marrer** v. V. MARER, égarer, chagriner.

III. **marrer** v., travailler la terre, briser. V. MARRE, houe.

marrine, marrene n. f. (1080, *Rol.;* lat. pop. *matrina,* dér. de *mater,* mère). Marraine.

marriz n. f. (XIIIe s.; lat. *matrix,* de *mater,* mère, d'après *nutrix*). Matrice (anat.).

mars n. m. (déb. XIIIe s.; lat. *martius* [*mensis*], mois de Mars). 1° Mois de mars. — 2° Menu grain semé en mars (Beaum.). ◆ **marsdi** n. m. (1119, Ph. de Thaun; lat. pop. *Martis dies*). Mardi. ◆ **marsage** adj. et n. m. (1233, *Charte*). 1° adj. Qu'on sème en mars (1340, *Arch.*). — 2° n. m. Grain qu'on sème en mars (1233, *Charte*). ◆ **marsaine** n. f. (1283, *Cart.*). Menu grain qu'on sème en mars. ◆ **marsesche** adj. et n. f. (XIIIe s., J. Le March.). 1° adj. De mars, qui arrive en mars. — 2° n. f. Fête de l'Annonciation (qui a lieu le 25 mars). — 3° Menu grain qu'on sème en mars.

marsaule n. m. (XIIIe s., *Fabl. d'Ov.;* lat. *marem salicem*). Marsault, saule mâle.

marsoillier, v. (fin XIIIe s., *Mir. saint Éloi;* v. *soillier,* souiller, et *mar,* mal). Souiller complètement.

martel n. m. (déb. XIIe s., *Voy. Charl.;* lat. pop. **martellum,* altér. de *marculus*). 1° Marteau. — 2° Action de marteler.

— 3° Cheville qui tient les chevaux attachés au limon. — 4° Nom d'un jeu (*Rose*). — 5° Inquiétude, tourment (date?). ◆ **marteler** v. (1175, Chr. de Tr.). 1° Frapper du marteau. — 2° Jouir d'une femme. ◆ **marteleis** n. m. (1160, Ben.). 1° Coup de marteau, bruit de marteau. — 2° Cliquetis, choc des armes. ◆ **martelisson** n. m. (XIIᵉ s., *Asprem*.). Cliquetis d'armes.

martin n. m. (XIIᵉ s., *Chev. cygne*; orig. incert.). 1° Idée, projet. — 2° Sujet de conversation, de préoccupations. *Chanter, parler, plaidier d'autre martin*, changer de ton, baisser le ton, rabattre le caquet : *A moy vous convenra d'autre martin canter* (*Chev. cygne*).

martinet n. m. (1315, Du Cange; à rapprocher du nom propre *Martin*, d'une explication difficile). Engin à contrepoids, propre à lancer de grosses pierres.

I. **martre** n. m. (1190, saint Bern.; lat. ecclés. *martyrem*, accentué sur la première syllabe; forme pop.). Martyr. ◆ **martir** n. m. (XIᵉ s., *Alexis*). Martyr. ◆ **martirie** n. m. (1080, *Rol*.), **martire** n. m. (1119, Ph. de Thaun; lat. ecclés. *martyrium*, du grec). 1° Martyre. — 2° Ravage : *Despuis qu'il entrent en lour guerre A martire metent la terre* (*Thèbes*). — 3° Souffrance. ◆ **martirion** n. m. (XIIIᵉ s., *Maug. d'Aigr*.). Martyre, massacre. ◆ **martirier** v. (1150, Wace). 1° Martyriser. — 2° réfl. Se tourmenter. ◆ **martireer** v. (1169, Wace). 1° Martyriser. — 2° Souffrir le martyre. ◆ **martirement** n. m. (fin XIIᵉ s., *Sept Dormants*). 1° Martyre. — 2° Carnage. ◆ **martroi, -ay** n. m. (XIIIᵉ s., *Livr. de Jost*.). 1° Torture. — 2° Place où l'on torture. — 3° Place publique en général. ◆ **martrologe** n. m. (1325, *Arch*.). 1° Martyrologe, catalogue des saints et martyrs. — 2° Chartrier, registre en général.

II. **martre** n. f. (1080, *Rol*.; germ. *martha*). Martre. ◆ **martrin** adj. (1162, *Fl. et Bl.*). De martre. ◆ **martrine** n. f. (1160, *Athis*). Martre, peau de martre.

marveoir v. (XIIIᵉ s., *Chans*.; v. *veoir*, voir). Voir pour son malheur : *Las! tant marvi sen cors gent! Tante peine en ai eue* (*Chans*.).

marvier, -oier v. (1180, *R. de Cambr*.; v. *voier*, mettre dans la voie, et le préf. *mar*, mal). 1° Entrer dans une mauvaise voie, s'égarer. — 2° S'égarer dans les paroles ou dans la conduite. — 3° Devenir fou : *Qui tel duel fet, pou ne marvoie* (*Percev*.). *Marvoier del sens*, perdre la raison. ◆ **marvoié** adj. (1204, *R. de Moil*.). 1° Égaré. — 2° Fou.

mas n. m. (XIIIᵉ s.; lat. *mansum*, de *manere*, demeurer). Maison, tenure, ferme. ◆ **masel** n. m. (1205, *G. de Palerne*). Maison campagnarde, propriété. ◆ **maset** n. m. (1290, *Arch*.). Sorte de tenure sur laquelle s'élevait généralement une maison. ◆ **masage** n. m. (1229, *Cart*.). Tenure où l'on bâtit un logement, métairie, maison.

mascel n. m. Mari. V. MASLE, mâle.

mascele n. f. V. MAISSELE, mâchoire, joue.

mascherer, maschurer v. (fin XIIᵉ s., *Alisc*.; lat. pop. *mascarare*, à partir d'un radical obscur). Tacher, salir, barbouiller : *Trestout le vis li out fait mascurer* (*Alisc*.). ◆ **mascheros, mescheros** adj. (fin XIIᵉ s., *Loher*.). Sali, noirci.

maschier v. (1190, G.; lat. impér. *masticare*). 1° Mâcher. — 2° Méditer : *Ches paroles sont vraies, or les poes mascier* (G. li Muisis). ◆ **maschoire** n. f. (fin XIIᵉ s., P. de Saint-Cloud). Mâchoire.

masdre, madre, masre n. m. (XIIᵉ s., *Trist*.; cf. anc. haut all. *masar*, bois moucheté). 1° Bois veiné servant à la fabrication de hanaps. — 2° Vase à boire, hanap fait de ce bois. ◆ **maserin, maderin** adj. (fin XIIᵉ s., *Loher*.). 1° Fait de bois madré. — 2° n. m. Madre, bois précieux. — 3° Sorte de coupe, vase à boire. ◆ **maderinier, maserinier** n. m. (1261, *Arch*.). 1° Officier chargé de la garde des *maserins*. — 2° Fabricant de hanaps appelés *maserins*.

I. **masel** n. m. V. MAISEL, boucherie, carnage.

II. **masel** n. m., maison campagnarde. V. MAS, maison.

III. **masel** adj. V. MESEL, lépreux, dégoûtant.

masenge n. f. (fin XIIe s., M. de Fr.; francique *mesinga*). Mésange.

masiere n. f. V. MAISIERE, mur, débris, maison.

maslart n. m., **maslon** n. m. V. MALART, canard sauvage.

masle, mascle, marle adj. et n. m. (XIIe s., *Macchab.*; lat. *masculum*). 1° adj. Mâle, de sexe masculin. — 2° n. m. Homme, adulte de sexe masculin : *Et ocist tos les mascles que il trova (Macch.).* ◆ **mallei** n. m. (av. 1300, poèt. fr.). 1° Diminde mâle. — 2° Mari. ◆ **mascel, macel** n. m. (IXe s., ms. de Saint-Pétersbourg, Littré). Mari. ◆ V. MASLART, MALLART, canard sauvage.

masre n. m. V. MASDRE, bois veiné hanap.

masquillier v. (XIIIe s., *Chans. d'Ant.;* orig. incert.; probabl. d'un rad. *mask-,* d'orig. obsc.; cf. *masque,* XVe s., empr. à l'ital.). Barbouiller : *Vit sa barbe sanglente et le vis masquilliés (Chans. d'Ant.).*

massart n. m. (1255, *Ban Douai;* orig. incert.). Trésorier dans les Flandres. ◆ **massarderie** n. f. (1329, *Arch.*). Office de trésorier.

I. **masse** n. f. (XIe s., *Alexis;* lat. *massa,* masse de pâté). 1° Amas. — 2° Lingot. — 3° Sorte de reliquaire : *En croiz d'or ne d'argent n'en son mases (Trist.).* ◆ **masser** v. (XIIIe s., *Gar. de Mongl.*). Ramasser, entasser. ◆ **masseis** adj. (1160, Ben.), **massi** (1260, Mousk.). 1° Massif, solide, ferme. — 2° Important. ◆ **masseicement** adv. (1180, *Rom. d'Alex.*). Massivement. ◆ **masserie** n. f. (1308, Aimé). Bagage.

II. **masse** n. f. V. MACE, marteau, masse d'armes.

massoner v. V. MAISONER, être sédentaire, construire une maison.

mast n. m. (1080, *Rol.;* francique **mast*). 1° Pièce de bois. — 2° Mât.

mastin n. m. (1155, Wace; lat. pop. **mansuetinum,* apprivoisé, de *manere,* rester). 1° Gros chien. — 2° Domestique, valet. *Faire le mastin,* prendre un air humble, servile. ◆ **mastin** adj. (1200, *Ren. de Montaub.*). Servile. ◆ **mastinel** n. m. (1318, Gace de la Bigne). Mâtin, gros chien. ◆ **mastiner** v. (XIIe s.). Traiter de chien, maltraiter. ◆ **mastinaille** adj. (fin XIIe s., *Aym. de Narb.*). De chiens : *Envers paiens cele gent mastinaille (Aym. de Narb.).*

masure n. f. (1180, *Rom. d'Alex.;* lat. pop. **mansura*). 1° Demeure. — 2° Maison et terres qui en dépendent. ◆ **masurel** n. m. (1266, G.), **-in** n. m. (1313, *Vœux du Paon*). Masure. ◆ **masurete** n. f. (1279, *Arch.*). Petite masure. ◆ **masurage** n. m. (1222, *Cart.*), **masuage** n. m. (XIIIe s.). 1° Masure, métairie. — 2° Redevance payée par le tenancier d'une maison. ◆ **masurier** n. m. (1170, *Charte*), **masuier** n. m. (1236, *Arch.*). 1° Tenancier d'une maison pour laquelle il paie un cens annuel. — 2° Économe, procureur de couvent.

I. **mat** n. m. (1160, *Eneas;* du pers. *mât,* mort). 1° Action de mater, de rendre mat. — 2° Victoire. ◆ **mater** v. (1080, *Rol.*). 1° Faire mat. — 2° Dompter, vaincre : *Onkes ne fui matez de guerre (Dolop.).* ◆ **matir** v. (1169, Wace). 1° Mater, abattre : *Por sa char mestir et fouler (Vie des Pères).* — 2° Flétrir : *li frois la verdeur matist (Chans.).* ◆ **matison** n. f. (XIIIe s., *Fregus*). Acte de faire échec et mat.

II. **mat** adj. (XIe s.; lat. *mattum*). 1° Abattu, vaincu : *Qui gisoit a la tiere, a mort navrés et mas (Rom. d'Alex.).* — 2° Abattu, affligé. — 3° Humilié : *Maz et confus de ce que sa traison fu ensi descoverte (Chron. Saint-Denis).* — 4° Triste. *Faire mate chiere,* avoir une mine triste. ◆ **matement** adv. (XIIe s., *Chev. deux esp.*). D'un air abattu, avec accablement.

matematique n. m. (1260, Br. Lat.; lat. *mathematicus,* du grec). Mathématicien.

matenot n. m. (XIIIe s., *Hist. des Trois Maries;* moy. néerl. *mattenoot,* propr. compagnon de couche). Matelot.

I. **materas** n. m. (1180, *Rom. d'Alex.;* lat. pop. **mattara,* d'orig. probabl. gaul.). Gros trait d'arbalète. ◆ **materace** n. f. (XIIIᵉ s., *Gloss. de Garl.*). Trait d'arbalète.

II. **materas** n. m. (1272, Joinv.; ar. *matrash*). Matelas.

matere n. f. (1190, Garn.), **matire** n. f. (1119, Ph. de Thaun), **matiere** n. m. (1175, Chr. de Tr. bas lat. *materia,* pour *materies,* bois de construction). 1º Matière. — 2º Qualité, nature, caractère : *Le vous trouvai piteus et de bone matere* (Aden.). — 3º Raison : *Ainsi as tu double matere Ke tu soies dous et gentius* (R. de Moil.). — 4º Sujet d'un récit. — 5º Enseignement. ◆ **materiement** n. m. (1335, Deguil.). Matière.

materon n. m. (XIIIᵉ s., *Gaydon;* orig. incert.; v. *matir,* tuer). Gros bout de la massue.

matice, -iste n. f. (1080, *Rol.;* lat. *amethystus,* du grec). Améthyste.

matin adj. et n. m. (980, *Passion;* lat. impér. *matutinum*). 1º adj. Du matin. — 2º n. m. Matin. ◆ **matinet** adj. et n. m. (fin XIIᵉ s., *Loher.*). 1º adj. De bon matin. — 2º n. m. Point du jour. ◆ **matinot** n. m. (XIIᵉ s., *Floov.*). Matin. ◆ **matinel** n. m. (1220, Coincy). Repas du matin, déjeuner. ◆ **matince** n. f. (XIIIᵉ s., saint Grég.). 1º Matinée. *Granz matinees gesir,* dormir tard, faire la grasse matinée. — 2º Matines. ◆ **matinier** n. m. (1312, *Cart.*). Chantre ou chapelain à gages qui assiste aux matines.

maton n. m. (fin XIIᵉ s., *Ogier;* cf. all. dialect. *matte,* lait caillé, d'orig. obsc.). 1º Lait caillé. — 2º Fromage blanc. ◆ **matoner** v. (XIIIᵉ s., *Ps.*). Cailler, coaguler.

matre n. f. V. MARTRE, martre.

matremoigne, -moine n. m. (1304, *Year Books;* lat. *matrimonium*). 1º Mariage. — 2º Les biens de la mère.

matrix n. f. V. MERETRIS, prostituée.

maturation n. f. (v. 1300, G.; lat. *maturatio*). Action de mûrir. ◆ **maturable** adj. (XIIIᵉ s., *Chron. Saint-Denis*). Qui fait mûrir.

mau- préf. V. MAL-, préfixe péjoratif.

maurer, maurir v. V. MEURER, mûrir, devenir sage.

mauve n. f. (1119, Ph. de Thaun; francique **mauwe;* v. *maoe*). Mouette.

me pron. pers. (842, *Serm. Strasb.;* lat. *me,* forme atone du pron. pers.). Pron. pers. de la 1ʳᵉ pers., cas rég., forme non accentuée. ◆ V. MOI, MEI, forme accentuée. ◆ V. JO, GIÉ, cas sujet.

I. **mé** n. m. V. MAI, mai, branches vertes, fête, plaisir.

II. **mé** adj. V. MI, demi.

meaignier v. V. MEHAIGNIER, mutiler, blesser, tourmenter.

meaille n. f. V. MAILLE, petite monnaie de cuivre.

meant prép. (1223, *Cart.;* v. *moier,* diviser par moitié). Moyennant, au moyen de : *Icelles choses furent ramenees et remises meant justice a nostre domaine* (1321, *Arch.*). *Par meant,* moyennant.

meautris n. f. V. MERETRIS, prostituée.

mecanique adj. (1260, Br. Lat.; lat. impér. *mechanicus,* du grec). 1º Comportant l'action de la main. — 2º Servile, rurier, artisanal : *convers mecaniques (Règle saint Ben.).*

meche, mece n. f. (1160, *Eneas;* lat. pop. **micca*). Mèche : *D'abesto an* (de la lampe) *estoit la mece, D'une pierre que l'an alume (Eneas).* ◆ **meschier** n. m. (XIIIᵉ s., *Clef d'Am.*). Fabricant de mèches, marchand de cheveux.

mecine n. f. (XIᵉ s., *Alexis;* lat. *medicina*). 1º Remède. — 2º Vertu guérissante : *Le beste a tel mecine que Aucassins ert garis de son mehaing (Auc. et Nic.).* — 3º Enchantement : *A icest por le* (premier de l'an) *solent li malvais crestien faire lor mezines et charrais (Sermon,* XIIIᵉ s.). ◆ **meciner** v. (1150, Wace). 1º Soigner, panser, guérir : *Il fit mires par tot mander Por lui garir et meciner* (Wace). — 2º Empoisonner *(Gaydon).* ◆ **mecinement** n. m. (1160, *Athis*). 1º Médicament, remède. — 2° Secret magique, enchantement. ◆ **mecinel** adj. (XIIᵉ s., *Horn*). Qui sert à la guérison. ◆ **mecinaud** adj. (XIIᵉ s., *Blancandin*). Médicinal.

mect n. m. V. MET, pétrin.

mede n. f. (XIIIᵉ s., *Gui de Warwick;* germ. *meth;* v. *mies*, hydromel). 1° Hydromel. — 2° Pierre précieuse de couleur verte.

medecine n. f. (1135, G.; lat. *medicina*). 1° Remède. — 2° Art de guérir (XIVᵉ s.), remplace progressivement *mecine*. ◆ **medeciner** v. (1160, *Eneas*). 1° Soigner, guérir. — 2° Diriger, instruire. ◆ **medecinal** adj. (1204, R. de Moil.). 1° Médicinal. — 2° n. m. Remède (1160, Ben.). ◆ **medecinable** adj. (fin XIIᵉ s., saint Grég.). Propre à guérir.

medelan adj. (1350, G. li Muisis; lat. *mediolanus*). Milanais.

medeps, medips pron. (980, *Passion;* lat. pop. **metipsum;* v. *meisme*). Même : *Per lui medeps audit l'avem (Passion).*

medesme adj. et adv. V. MEISME, même.

medique n. m. (1308, Aimé; lat. *medicus*). Médecin. ◆ **medir** v. (XIVᵉ s., *Geste de Liège*). Guérir. ◆ **mediacon** n. f. (1155, Wace). Remède, potion préparée.

mediocrité n. f. (1314, Mondev.; lat. *mediocritas*). Modération.

medle n. f. V. MESLE, nèfle.

medler v. V. MESLER, mêler, brouiller.

I. **mege, miege, mige, mide, mie** n. m. (1180, *Rom. d'Alex.;* lat. *medicum*). Médecin. ◆ **megier** v. (XIIIᵉ s., *Ass. Jérus.*). 1° Soigner, traiter. — 2° Traiter les peaux. ◆ **megement** n. m. (XIIIᵉ s.). Médicament. ◆ **megeresse** n. f. (XIIIᵉ s., J. Le March.). Femme médecin, sagefemme.

II. **mege** n. f. V. MAI, pétrin.

III. **mege** adj. et n. V. MI, qui est au milieu; moitié.

megedus, meghedux n. m. (1213, Villeh.; orig. incert.; semble être un composé de *duc* et d'un mot germ. reprÉs. *magen*, pouvoir). Grand-duc : *E ce estoit li megedux l'empereor de Constantinoble* (Villeh.).

megier v. (XIIIᵉ s.; lat. *medicare*, soigner, traiter, avec spécialisation). Traiter, préparer les peaux. ◆ **megeis, meguez** n. m. (1260, G.). 1° Composition d'alun, de cendre et d'eau. — 2° Peau mégissée. ◆ **megeicel** n. m. (fin XIIIᵉ s., *Cart.*), **megucier** n. m. (1205, *Ilvonen*). Mégissier. ◆ **megeisserie** n. f. (v. 1300, G.). Métier du mégissier.

mehaignier, maagnier, mengnier v. (1175, Chr. de Tr.; orig. obsc.; probabl. germ.). 1° Mutiler, blesser. — 2° Maltraiter, tourmenter. ◆ **mehaing, meaing, main** n. m. (1160, *Eneas*). 1° Défaut physique. — 2° Le fait d'être estropié. — 3° Blessure, maladie : *Aucassins ert garis de son mehaing (Auc. et Nic.).* — 4° Malheur : *N'ai mestier de plus de mehaing* (A. de la Halle). — 5° Dommage, tort. ◆ **mehaigneor** n. m. (1204, R. de Moil.). Celui qui estropie, qui blesse. ◆ **meshaignure** n. f. (1232, *Charte*), ⸗**iere** n. f. (1336, *Franch.*). Le fait d'être estropié.

I. **mei** pron. pers. cas rég. et suj. V. MOI, moi.

II. **mei** adj. V. MI, demi.

meie adj. et pron. possessif féminin. V. MOIE, mienne. (V. TABLEAU DES POSSESSIFS, p. 422).

meildre adj. cas sujet. V. MEILLOR, meilleur.

meille adj. f. (déb. XIIIᵉ s., *Clef d'Am.;* à rapprocher de *miel* et de *melé*, jaunâtre). Jaunâtre.

meiller v. V. MESLER, mêler, brouiller.

meillor adj. cas rég., **mieldre, meldre** cas sujet (1080, *Rol.;* lat. *melior, meliorem*, compar. de *bonus*). Meilleur, le meilleur : 1° Cas régime : *Tenez m'espee, meillur n'en a nuls hum (Rol.).* — 2° Cas sujet : *Mieudres de lui ains en cheval ne sist (Gar. Loher.).* —

3° Confusion des deux cas : *Le meudre roi et le meillour que Englois eussent a seignour* (Gaimar). — 4°. *Avoir le meillor, l'avoir meillor,* avoir le dessus, avoir la victoire. ◆ **mellisme** adj. (XIIᵉ s., *Chast. d'un père*). Le meilleur. ◆ **meliorer** v. (fin XIIᵉ s., saint Grég.). 1° Améliorer, réparer, entretenir. — 2° S'améliorer : *Touz jours cresist et meillore Vostre bon pris* (poèt. ms. av. 1300).

meimon n. m. (1298, M. Polo; d'orig. arabe). Sorte de singe.

meindre adj. cas sujet. V. MENOR, plus petit, inférieur.

meins, mains, moins adv. (1190, saint Bern.; lat. *minus,* neutre, pris adverbialement; de *minor,* comparatif de *parvus,* petit). Adverbe de quantité, marque l'infériorité ou la diminution : *Que de .II. max doit on estire Celui ou meins a de grevance* (Dolop.). *C'est del meins,* c'est sans importance.

meinsné adj. et n. V. MAINSNÉ, puîné, cadet.

meire n. m. V. MIRE, médecin.

meiril n. m. V. MERIL, épis restés dans le champ.

I. **meis** n. m. V. MOIS, subdivision de l'année.

II. **meis** adv. V. MAIS, davantage, plutôt, désormais, toujours.

III. **meis** n. m. V. MES, habitation, jardin.

meisel adj. V. MESEL, lépreux, dégoûtant.

meisme, meesme (XIᵉ s., *Alexis*), **mesme** (XIIᵉ s.), **medesme** adj. (Xᵉ s.; lat. pop. *metipsimum,* sorte de superlatif de *metipse,* tiré lui-même de la loc. class. *egomet + ipse,* de *ego,* moi, de *met,* particule de renforcement, et de *ipse,* même). 1° Négation d'altérité, qui n'est pas autre, qui n'est pas différent : *Car Damideus meismes dist Et l'evangeliste l'escrit* (Aden.). — 2° Affirmation renforçante d'identité, peut suivre le substantif ou le pronom : *Chi respondrat a mei, quant jo methesme le fis* (Ps.

Cambr.), ou les précéder : *A meismes l'eure* (Lancelot). ◆ **meisme,** en fonction pronominale. 1° *A meisme,* à la chose même. — 2° *En meisme,* en même temps. — 3° *De meisme,* de la même sorte : *Altre bataille lur livrez de meisme* (Rol.). — 4° *De meisme,* au milieu de, parmi, à travers : *Deus a plantés les humles qui estoient de meismes les gens* (Bible). ◆ **meismes, meisme** adv. 1° De plus, aussi, encore : *Por noveles oir i corurent plusour Moimes l'amiraus, pensis et engousus* (Floov.). *Meismes le pas,* aussitôt. *Meismes la voie,* le long du chemin. — 2° *Meismes la manere que,* loc. conj., de même que. — 3° *A meismes de,* loc. prép., tout près de : *Tot a meismes des murs de Saint Quentin* (Loher.). ◆ **meismement, meiment, meement** adv. (1150, Wace). Surtout, principalement.

meisseron n. m. (fin XIIᵉ s., *Loher.*; bas lat. *mussirionem,* mot prélatin). Mousseron, sorte de champignon.

meitié n. f. (1080, Rol.), **meiteiee** n. f. (1160, Ben.; lat. *medietatem,* milieu, moitié). Moitié. ◆ **meitier** v. (1155, Wace). 1° Partager, diviser par la moitié. — 2° Arriver à la moitié de. ◆ **meiteier** adj. (1155, Wace). 1° Qui n'a que la moitié d'une chose : *Por quoi seroit li moiteiers Dunt devoit estre rois entiers?* (Wace). — 2° Tenu à moitié. ◆ **meiteier** n. m. (1150, *Thèbes*). 1° Possesseur par moitié. — 2° Métayer. ◆ **meiteierie** n. f. (XIIᵉ s., *Mort Aym.*). 1° Moitié des fruits. — 2° Moitié, partage *(Rose).* — 3° Bail à moitié, métairie. ◆ **meiteresse** n. f. (1231, *Cart.*). 1° Obligation de rendre la moitié des fruits d'une récolte. — 2° Terrain cultivé à moitié.

meje n. m. V. MEGE, médecin.

meladerie n. f. V. MALADERIE, hôpital, léproserie.

melage n. m. (1180, G. de Saint-Pair; lat. *malus,* pomme). Droit sur les pommes. ◆ V. MALIS, pommier.

melaler v. V. MERALER, accoucher.

melancolie, merencolie n. f. (1190, J. Bod.; lat. *melancholia,* du grec, une des quatre humeurs cardinales).

401

1° Bile noire, humeur noire (méd.). —
2° Mauvaise disposition, mauvais traitement : *Quant Dieus vit lor malencolie Et lor orguil et lor follie* (Macé). — 3° Mauvaise humeur : *Tervagan, par melancolie Vous ai hui dit mainte folie* (J. Bod.). ◆ **melancolier, malencolier** v. (1295, Boèce). 1° Attrister, chagriner. — 2° S'attrister, se faire du mauvais sang : *Et Porus par la court va melencoriant (Vœux du Paon).* ◆ **melancolios** adj. (fin XIIᵉ s., *Ysopet Lyon*). 1° Bilieux. — 2 ° Triste, chagrin, irritable.

meldre adj. cas sujet. V. MEILLOR, cas régime, meilleur.

mele n. f. (av. 1300, poés. ms; lat. *mala*, mâchoire supérieure). Joue.

I. **melé** adj. (XIIᵉ s., G.; dér. de *miel*, du lat. *mel*). 1° Couleur de miel. — 2° Jaunâtre. ◆ **melide** adj. (XIIᵉ s., *Chev. cygne*). 1° De miel. — 2° n. f. Sentiment doux, satisfaction, joie : *Ses cuers est en melide* (Coincy).

II. **melé** adj. V. MALÉ, requis pour un combat singulier.

melekin, melkelin adj. (XIIᵉ s., *Horn;* ar. *melek*, roi). D'excellente qualité, pur, en parlant de l'or.

meliorer v. V. MEILLORER, améliorer, réparer. ◆ **melioration** n. f. (1315, *Arch.*). Amélioration. ◆ **melioratif** adj. (XIIIᵉ s., *Règle saint Ben.*). Qui sert à améliorer.

melitote n. f. (1314, Mondev.), **melitot** n. m. (1322, Delb.; lat. *melitotum*, du grec). Mélitot.

mellisme adj. V. MEILLOR, meilleur.

melodie n. f. (XIIᵉ s., *Ps.;* bas lat. *melodia*, du grec). 1° Musique, chant. — 2° Sorte d'instrument de musique (XIVᵉ s.). ◆ **melodier** v. (XIIIᵉ s., *Rom. et past.*). Faire de la musique, chanter. ◆ **melodiement** n. m. (1335, Deguil.). Mélodie. ◆ **melodieus** adj. (XIIIᵉ s.). Beau pour l'oreille, mais aussi pour la vue.

mels adv. V. MIELS, mieux, davantage.

membre n. m. (1080, *Rol.;* lat. *membrum*). 1° Partie, portion en général. —
2° Partie du corps humain, et, en particulier, autre que le tronc ou la tête : *Puis en perdit et la vie et ses membres (Rol.).* — 3° En parlant de personnes, celui qui fait partie d'un groupe, d'une armée, d'une communauté : *Le plus fort membre (Roland) qui m'alloit souztenant (Roncev.).* — 4° Partie d'un fief (Beaum.). — 5° Anneau *(Sept Sages).* ◆ **membrance** n. f. (1160, *Athis*). Disposition des membres. ◆ **membré** adj. (fin XIIᵉ s., *Cour. Louis*). 1° Robuste. — 2° Vaillant. — 3° Sage, prudent : *Et de berser membré soiez (Saint Eust.).*

membrer v. (980, *Passion;* lat. *memorare*). 1° Se souvenir. — 2° Impers., Revenir à la mémoire : *A chanteir prant, ke d'amors li manbroit (Rom. et past.).* ◆ **membrance** n. f. (XIIᵉ s. *Part.*). Mémoire, souvenir. ◆ **membré** adj. (1080, *Rol.*). 1° Renommé, illustre. — 2° Sage, avisé : *Ça dist Marsilie : Oiez raison membree (Rol.).* ◆ **membrable** adj. (déb. XIIᵉ s., *Ps. Cambr.*). Digne de mémoire.

memento n. m. (1318, G. de la Bigne; lat. *memento*, souviens-toi, impératif de *meminisse*, se souvenir). 1° Partie de la messe où l'on invite à se souvenir des morts et des vivants. — 2° Mémoire en général.

memoire, memorie n. m. et f. (XIᵉ s., *Alexis;* lat. *memoria*). 1° Mémoire. — 2° Bon sens : *Un chevalier qui perdi son memoire de corrouz pour un autre chevalier (Mir. Saint Louis).* — 3° Coutume. — 4° Reliques. — 5° Écrit destiné à se souvenir de quelque chose. ◆ **memorer, memorier** v. (XIIIᵉ s., *Pastor.*). 1° Se souvenir. — 2° Commémorer. — 3° Raconter. ◆ **memoracion** n. f. (1335, *Rest. du Paon*). Mémoire. ◆ **memorial** n. m. (XIIIᵉ s., Fr. Laurent). 1° Acte juridique contenant les éléments du procès. — 2° Procès-verbal, certificat, etc. ◆ **memoreier** n. m. (1276, *Charte*). Greffier.

menacier, manacier v. (déb. XIIᵉ s., *Voy. Charl.;* lat. pop. **minaciare*, de *minacia*, menace). 1° Menacer. — 2° Quereller, réprimander. ◆ **menace, manace** n. f. (Xᵉ s., *Eulalie*). Menace. ◆ **menacement** n. m. (XIIIᵉ s., *Gar. de*

Mongl.). Menace. ◆ **menaceor** n. m. (1180, *Rom. d'Alex.*). Celui qui menace. ◆ **menaçable** adj. (1260, Br. Lat.). Menaçant.

menchaut n. m. (1260, A. de la Halle; orig. obsc.). Mesure pour les grains (valant un demi-setier) et pour la terre. ◆ **menchaudee** n. f. (1216, *Charte*). Mesure de superficie valant à peu près 25 ares.

mençoigne, mençonge n. f. et m. (1080, *Rol.*; lat. pop. **mentionica*, dér. de *mentio*, mot attesté, de *mentiri*, mentir). Mensonge, discours contraire à la vérité. ◆ **mençongerie** v. (déb. XIIᵉ s., *Ps. Cambr.*). Mentir. ◆ **mençongerie** n. f. (XIIIᵉ s., G.). Mensonge. ◆ **mençoignete** n. f. (fin XIIIᵉ s., *Mir. saint Éloi*). Petit mensonge. ◆ **mençongeable** adj. (XIIᵉ s., Herman). 1º Menteur, en parlant des personnes. — 2º Mensonger, en parlant des choses. *Faire mençongeable*, donner un démenti. ◆ **mençongeus** adj. (fin XIIIᵉ s., *Mir. saint Éloi*). 1º Mensonger, faux. — 2º Menteur. ◆ **mençongier** adj. (déb, XIIᵉ s., *Ps. Cambr.*), **mençoignier** adj. (XIIᵉ s., *Asprem.*). 1º Menteur, déloyal. — 2º Contraire à la vérité.

mende, mande n. f. (1220, Coincy; lat. pop. *menda*, faute, erreur, plur. neutre pris pour fém.). Faute, souillure : *Si le chastie, si l'amende Ne lait en lui teche ne mende* (Coincy).

mendi adj. (déb. XIIᵉ s., *Ps. Cambr.*; lat. *mendicum*). 1º Mendiant, indigent. — 2º Épith. d'un nom de chose : *Vie porre [...] e mendie* (Ben.). — 3º Épuisé : *La terre ert lasse e mendie* (Ben.). ◆ **mendif** adj. et n. m. (1190, Garn.). Mendiant, pauvre. ◆ **mendier, -oier** v. (1080, *Rol.*; lat. *mendicare*). 1º Être privé de. — 2º Être dans le besoin, dans la détresse. — 3º Mendier. ◆ **mendieté** n. f. (1080, *Rol.*), **-ance** n. f. (1277, *Rose*), **-ement** n. m. (1120, *Ps. Oxf.*). Mendicité, pauvreté. ◆ **mendiant** adj. et n. (fin XIIᵉ s.), **-ieur** n. m. (fin XIIIᵉ s., *Son. de Nans.*). Mendiant, pauvre.

mendre, meindre, menre adj. cas sujet. V. MENOR, plus petit, inférieur, d'un moindre prix.

mener v. (980, *Passion;* lat. pop. *minare*, pour *minari*, menacer). 1º Conduire, mener (littéral., en excitant, en menaçant). — 2º Mener grand train, s'agiter : *Avés oi, dame, de vos cosins, Comme menacent et menent devant mi? (Loher.).* — 3º Se conduire. *Mener duel, joie, mener vie greveuse.* — 4º Brandir. — 5º Traiter. — 6º Gouverner, administrer. ◆ **menee** n. f. (1080, *Rol.*). 1º Une très longue note (mus.). — 2º Sonnerie du cor. — 3º Cris prolongés. *A basse menee,* à voix basse. — 4º Voie que prend le cerf et par laquelle il mène les chasseurs qui le suivent. — 5º Voyage. — 6º Exploit symbolique par lequel un seigneur fait sommer son vassal de satisfaire à ses devoirs. — 7º Suite, compagnie. ◆ **meneure** n. f. (1200, *Ren. de Montaub.*). 1º Action de guider, de conduire. — 2º Conduite. ◆ **meneor** n. m. (déb. XIIIᵉ s., R. de Clari). 1º Tuteur. — 2º Procureur. ◆ **meneresse** n. f. (1277, *Rose*). Guide, conductrice.

menestre, ministre n. m. (1190, Garn.; lat. *minister, -trum*). 1º Serviteur de Dieu, pasteur. — 2º Administrateur, supérieur. — 3º Homme de métier, artisan (1305, *Cart.*). ◆ **menestier** n. m. (xᵉ s., *Eulalie*). 1º Service. — 2º Métier. ◆ V. MESTIER.

menestrel, menestereil n. m. (xiᵉ s., *Alexis*; lat. pop. **ministerialem*, de *ministerium*, service). 1º Serviteur : *E li reis Yram enviad al rei Salomun un menestrel (Rois).* — 2º Ouvrier, artisan. — 3º Médecin : *Cyrurgiens et autres menestrerex* (Mondev.). — 4º Poète ou musicien allant de château en château et chantant des vers ou récitant des fabliaux *(Loher.).* — 5º Officiel de justice, officier d'église. — 6º Vaurien, gredin : *As leceours, as manestreus* (Mousk.). *Feme menstral,* femme galante *(Rois).* ◆ **menestrier** n. m. (1235, *Charte*). 1º Artisan, qui exerce un métier. — 2º Musicien. ◆ **menestreor** n. m. (XIIᵉ s., *Chev. cygne*). 1º Serviteur, ouvrier. — 2º Sergent. — 3º Ménestrel. — 4º Administrateur. ◆ **menestrer, menistrer** v. (déb. XIIᵉ s., *Ps. Cambr.*). 1º Administrer, prendre soin de. — 2º Distribuer, donner. — 3º Faire son service, servir : *La dame qui tel coustume a A menistrer*

aus povres seule (Ruteb.). ◆ **menestralsie**
n. f. (fin XIIᵉ s., *Éd. le Conf.*). Art du
ménestrel. ◆ **menestrauder** v. (XIVᵉ s.).
Faire le métier de ménestrel, de bouffon.
◆ **menestraudie** n. f. (XIIIᵉ s., *Tourn.
Chauvenci*). Art du ménestrier, musique,
chant. ◆ **menestrauderie** n. f. (1330, *H.
Capet*). 1° Assemblée. — 2° Concerts de
ménestriers.

mengnier v. V. MEHAIGNIER, mutiler,
blesser.

menil n. m. V. MAISNIL, maison. ◆
menois n. m. (1180, *G. de Vienne*).
Manoir, habitation.

I. **menois** n. m., manoir. V. MENIL,
maison.

II. **menois** adv. V. MANOIS, à l'instant.

menor adj. cas régime, **mendre,
menre, maindre** cas sujet (1080,
Rol.; lat. *minor, minorem,* comp. de *parvus,* petit). 1° Adj. comparatif, Plus petit,
moindre : *Nule chose greindre u maindre
(Ps. Cambr.).* — 2° Mineur, inférieur,
d'un moindre prix. — 3° **Mendresse,
meneresse** adj. fém. : *Toute autre grandeur èst mendresse Vers la sienne*
(J. de Meung).

mensor n. m. (1288, J. de Priorat; lat.
mensor, mesureur). 1° Mesureur. —
2° Fourrier.

I. **mente** n. f. (1275, Aden.; lat. *mentha,*
du grec). Menthe. ◆ **mentastre** n. m.
(XIIᵉ s., *Barbast.*). Menthe sauvage.

II. **mente** n. f., mensonge. V. MENTIR.

mentevoir v. (1150, Wace), **men-
toivre** v. (1180, *Rom. d'Alex.;* lat. pop.
mentehabere, avoir à l'esprit). 1° Mentionner, rapporter, retracer : *Lignee li
homes sunt plus dignes a mentevoir que
les femes* (Br. Lat.). — 2° Se rappeler. ◆
mentivement n. m. (XIIᵉ s., *Horn*). Mention.

mention n. f. (1167, G. d'Arras; lat.
mentio). 1° Souvenir : *Aiez souvent en
vo cuer mencion Que vous fiex estes le
tres bon roi Charlon (Enf. Ogier).* —
2° Discours.

mentir v. (1080, *Rol.;* lat. pop. *mentire,*
pour *mentiri*). 1° Mentir. *Mentir la chose,*
avancer une fausseté. — 2° Manquer,
défaillir : *Li cor li ment et Hue chiet
(Gorm. et Is.).* — 3° Faillir à, ne pas remplir : *Aima mieulz a mentir son serment
... que a garder sa foy (Chron. Saint-
Denis).* — 4° Manquer à la parole. ◆
ment n. m. (XIIIᵉ s., *Gilles de Chin*),
mente n. f. (XIIIᵉ s., *Ysopet Avignon*).
Mensonge. ◆ **menteor** n. m. (XIIᵉ s., E. de
Fougères), Menteur. ◆ **menteresse** adj. et
n. f. (XIIᵉ s., *Am. et Id.*). Menteuse, trom-
peuse. ◆ **mental** adj. (1204, R. de Moil.).
Menteur. ◆ **mentable** adj. (1190, J. Bod.).
1° Menteur. — 2° Mensonger.

menton n. m. (1080, *Rol.;* lat. pop.
**mentonem,* pour *mentum*). 1° Menton.
— 2° *Soustenir le menton,* aider quelqu'un
*Se sens veus faire, t'a trouvé qui te sous-
tenra le menton (Garç. et Av.).* ◆
mentoner n. m. (XIIᵉ s., *Barbast.*). Partie
du casque protégeant le menton. ◆ **men-
tonal** n. m. (1180, *Rom. d'Alex.*). 1° Menton. — 2° Mentonnière.

mentre, mentres adv. (1308,
Aimé; apocope de *dementres*). Suivi de
que, forme la loc. conj. de temps *pendant
que, tandis que.*

menu, menut adj. (XIᵉ s., *Alexis;*
lat. *minutum,* p. passé de *minuere,*
diminuer). 1° Qui a peu de volume :
Gros et menuit (1236, *Arch.*). — 2° De
petite taille. — 3° A mailles menues :
hauberc menu (Gorm. et Is.). — 4° De
peu d'importance : *Crient la gent menude
(Alexis).* — 5° adv. (1160, Ben.). Finement. *Menu et souvent,* avec fréquence
et rapidité. ◆ **menuement** adv. (XIIᵉ s.,
Barbast.). De façon menue. ◆ **menuet**
adj. (XIIᵉ s., *Part.*). Fin, mince, délicat.
◆ **menuel, -iel** n. m. (1170, *Percev.*).
Petit cor. ◆ **menuier** adj. (1170, *Percev.*).
1° Aminci, menu. — 2° Aigu (en parlant
du son, épithète fréq. de *cor*). — 3° Léger,
frivole : *Qui trop est de parler legiere
Et tres tornans et menuiere (Percev.).*
— 4° Menaçant, terrible : *des ondes
menuieres (Rom. d'Alex.).* — 5° n. m.
Petit cor au son aigu *(Percev.).* ◆ **menue**
n. f. (1317, *Ord.*). Sorte de mesure. ◆

menuaille n. f. (1306, Guiart). 1° Populace, canaille. — 2° Sorte de petit poisson (1322, *Arch.*).

menuisier v. (1120, *Ps. Oxf.;* lat. pop. **minutiare,* de *minutus*). 1° Couper menu. — 2° Rendre menu, diminuer. ◆ **menuise** n. f. (XIIᵉ s., *Stances sur la mort*). — 1° Menu morceau, petit objet. — 2° Sable·menu et fin. — 3° Menu fretin. — 4° Cou de pied : *Sor la menuisse du pié (Auc. et Nic.).* — 5° Menu bois. ◆ **menuison, -oison** n. f. (XIIᵉ s., Marb.). 1° Affaiblissement. — 2° Diarrhée, dysenterie : *J'en menjai l'autre fois tant que j'en euch le menison* (A. de la Halle). — 3° Perte de sang, menstrues. ◆ **menuisier** n. m. (XIIIᵉ s., D.). 1° Ouvrier qui fait de menus travaux en bois. — 2° Artisan qui fait des ouvrages délicats.

mer adj. V. MIER, pur, limpide, vrai.

meraler, melaler v. (XIIIᵉ s.; orig. incert.). Accoucher. ◆ **meraleresse** n. f. (1267, G.). Sage-femme.

merancolie n. f. V. MELANCOLIE, bile noire, mauvaise humeur. ◆ **merancole** adj. (1318, G. de la Bigne). D'humeur noire.

I. **merc** n. m. (1119, Ph. de Thaun; germ. *merka;* cf. all. *Marke,* signe). 1° Marque, trace, signe distinctif : *l'espee au merc sarazinor (Ren. de Montaub.).* — 2° Borne, limite : *Mun seignur un jur si passa Les mercs de la forest (G. de Warwick).* ◆ **merchier, merquier** n. m. (1190, Garn.). 1° Marquer : *Quant tuit li soudoier furent assemblé e amené devant le mestre des chevaliers, il mercha chascun e seigna en l'espaule (Saint Eust.).* — 2° Remarquer : *Chescun frere vit et mercha que le chiel tout haut trespercha* (saint Grég.).

II. **merc** n. f. V. MERS, marchandise. ◆ **mercerie** n. f. (fin XIIᵉ s., D.). 1° Marchandise. — 2° Boutique de marchand (*Chron. Saint-Denis*). — 3° Butin : *Si s'en tornent vers Lombardie Et en mainent grant mercerie (Saint Eust.).* ◆ **mercier** n. m. (1204, R. de Moil.), **mercheor** n. m. (1119, Ph. de Thaun), **mercadier** n. m. (fin XIIᵉ s., G. de Rouss.),

mercator n. m. (1204, R. de Moil.). Marchand. ◆ **merceret** n. m. (1335, *Arch.*). Petit marchand. ◆ **mercenal** adj. (1204, R. de Moil.). De marchand. ◆ **mercenier** adj. (1204, R. de Moil.). Mercenaire, celui qu'on peut acheter.

merci n. f. (980, *Passion;* lat. *mercedem,* salaire, prix). 1° Grâce, pitié, miséricorde : *Merchi vos proi, s'en renç me coupe* (J. Bod.). *Rendre soi en la merci de,* s'abandonner à la discrétion de. — 2° Amende (Wace). — 3° Sorte de redevance. — 4° Titre honorifique, terme de politesse, Votre Grâce : *Bel a·parlé vostre merci (Fl. et Bl.).* ◆ **mercier** v. (1080, *Rol.*). 1° Récompenser. — 2° Remercier. ◆ **merciement** n. m. (1175, Chr. de Tr.). 1° Remerciement. — 2° Sorte de redevance. ◆ **mercin** n. m. (XIIᵉ s., *Horn*). Merci, récompense. ◆ **merciere** n. f. (1308, Aimé). Sorte d'instrument de torture. ◆ **merciable** adj. (déb. XIIᵉ s., *Ps. Cambr.*). 1° Compatissant, miséricordieux. — 2° Digne de pitié. — 3° Qui implore la pitié. ◆ **merciablement** adv. (XIIᵉ s., Herman). 1° En remerciant. — 2° En suppliant. — 3° En accordant merci.

mercresdi n. m. (1119, Ph. de Thaun; lat. pop. *Mercoris dies,* jour de Mercure). Mercredi. ◆ **mercres** n. m. (1373, *Arch.*). Mercredi.

merde n. f. (XIIᵉ s., Audigier in *D. D. N.;* lat. *merda*). 1° Merde, excrément. — 2° Au fig. : *Foules asses en cele merde Car anguilles i a asses (Eust. le Moine).* ◆ **merde** adj. (1230, Eust. le Moine). Avare : *Or n'en soies escars ne merde (Eust. le Moine).* ◆ **merdement** adv. (XIIIᵉ s.). Lâchement. ◆ **merdas** n. m. (fin XIIᵉ s., *Alisc.*). Excréments. ◆ **merdaille** n. f. (XIIᵉ s., *Chev. cygne*). Troupe de gens méprisables : *Ce ne sont que merdaille, tost lez desconfiron! (H. Capet).* ◆ **merderie** n. f. (av. 1300, poés. ms.). Vilenie, infamie. ◆ **merdier** n. m. (fin XIIᵉ s., *Loher.*). 1° Lieu rempli d'immondices. — 2° Excrément (Coincy).

I. **mere** n. f. (XIᵉ s., *Alexis;* lat. *matrem*). 1° Mère. — 2° Protectrice : *la mere yglise (Lois Guill.).* — 3° Home de *mere né (Roncev.),* formule d'insistance, Personne bien présente, réellement existante.

II. mere, maire adj. cas sujet. V. MAIOR, cas rég., plus grand.

merel, marel, meriel n. m. (1160, *Eneas;* orig. obsc., probabl. d'un rad. prélatin *marr-, pierre). 1° Petit caillou, galet. — 2° Pion au jeu de la *merele.* — 3° Jeton qui servait à faire des comptes. — 4° Jetons de présence qu'on distribuait aux prêtres assistant à certains offices. — 5° Petite pièce de monnaie. — 6° *Mestraire le merel,* jouer mauvais jeu, éprouver du remords : *Viens tu juer* [...] *A ·mort, ki ne mestrait merel* (R. de Moil.). — 7° Coup de fortune, chance. *Tans et merel,* bon temps et heureuse fortune : *Bien a son tans et son meriel qui boit et jue au tremeriel (Court. d'Arras).* — 8° Part due. — 9° Situation : *Noz sommez miz en dolirouz merel (Gaydon).* — 10° Coup, atout : *donner meriaus et poingnies* (Guiart). *Faire tel merel,* faire subir tel traitement à. *Doner un merel,* donner un choc, bouleverser : *Cele qui li fet fere li done un tel merel Du regart de son vis qu'ele a fres et novel, Que rien ne li porfite, viande ne morsel (Gaut. d'Aup.).* ◆ **merele** n. f. (1190, J. Bod.). Sorte de jeu qui se jouait sur une table carrée, semblable au jeu de dames. *Traire autre merele,* jouer un autre jeu, se conduire d'une autre manière. *Mestraire la merele,* éprouver un revers, un malheur. *Avoir la merele,* avoir du profit. *Un trait de merele,* un coup de fortune. ◆ **merelier, marelier** n. m. (1335, Deguil.). 1° Table sur laquelle on jouait la *merele.* — 2° Le jeu lui-même.

merende, marande n. f. (1180, *Rom. d'Alex.;* lat. *merenda,* de *mereo*). 1° Goûter, collation. — 2° Chose méritée.

I. merer v. réfl. (1210, *Best. div.;* v. *mare*). Se vautrer dans une mare, se rouler dans la boue : *La se vautre e roolle e merre (Best. div.).*

II. merer v. V. MAIRER, dominer, dompter.

meretris, meautris, matrix, maintris n. f. (fin XIIe s., *Loher.;* lat. *meretrix,* courtisane). Prostituée, débauchée : *Et ma seror, la pute meretris (Alisc.).*

mergle n. f. V. MAIGLE, bêche, houe.

meriene n. f. [1160, Ben.; lat. *meridiana (hora)*]. 1° Heure de midi. — 2° Sieste. ◆ **meridiane** n. f. (1260, Mousk.). Heure de midi. ◆ **meridien** adj. et n. m. (fin XIIe s., *Aye d'Avign.*). 1° n. m. Habitant du Midi. — 2° adj. (fin XIIIe s., *Mir. saint Éloi*). De midi.

merier v. V. MARIR, MARIER, affliger, rendre triste. ◆ **meror** n. f. (fin XIIe s., saint Grég.). Chagrin.

meril, meiril n. m. (1240, *Arch.;* orig. obsc.). Épis restés dans le champ, à l'endroit où l'on avait réuni les herbes.

merir v. (1150, Wace; lat. pop. *merire, pour merere). 1° Gagner, mériter. — 2° Payer de retour, récompenser. — 3° Formule de souhait : *Laissiez me aler, Deus vos lo mire* (Wace). — 4° *Merir cher,* faire payer cher. — 5° *Don de merir,* don de récompense. ◆ **mérite** n. f. et m. (1112, *Saint Brand.;* lat. *merita,* pl. neutre pris pour fém.). 1° Chose méritée, récompense. — 2° Ce que l'on mérite, récompense ou punition : *Bone merite, male merite.* — 3° Remerciement : *Si vos rens graces et merites (Rose).* ◆ **meriter** v. (1308, Aimé). Récompenser. ◆ **meriton** n. m. (fin XIIe s., *Chev. cygne*). Récompense. ◆ **merite** adj. (fin XIIIe s., B. de Condé). Qui mérite, méritant, digne.

merlanke, merlan n. m. (1268, E. Boil.; v. *merle,* doté du suffixe -*enc*, -*anc*). Merlan.

merler v. V. MESLER, mêler, brouiller.

merme adj. (1247, Ph. de Nov.; lat. *minimum*). 1° Très petit. — 2° Plus petit, moindre. — 3° Mineur. ◆ **mermer** v. (1160, Ben.). 1° Diminuer. — 2° Priver : *Je ais esté mermé de ma paie (Ass. Jérus.).*

meror adj. compar. V. MIER, pur.

merrain n. m. V. MAIRIEN, bois de construction.

I. mers, merz n. f. (980, *Passion;* lat. *mercem,* même sens). Marchandise.

II. mers adj. (1204, R. de Moil.; lat. *mersus,* p. passé de *mergere*). Plongé dans.

merveille n. f. (XIe s., *Alexis;* lat. pop. **mirabilia,* pl. neutre pris pour fém.). 1° Ce qui provoque l'étonnement, l'admiration. — 2° Chose étonnante : *Toutes les merveilles de l'ost sont tous gas fors de che caitif* (J. Bod.). — 3° *Avoir merveille, torner a merveille,* s'étonner de. — 4° *Pour merveille,* pour faire voir les choses étonnantes, pour étonner : *E fist garder la mace a la mostra longement a plusors pur la merveille q'ele fust si graunde* (F. Fitz Warin). — 5° *Tenir a merveille,* être étonné de. ◆ **merveillier** v. (1155, Wace). 1° Admirer : *Tuit merveillent sun hardement, Sa vertu* (Wace). — 2° Étonner, émerveiller. ◆ **merveillance** n. f. (1160, Ben.). Matière à étonnement. ◆ **merveil** adj. (XIe s., *Alexis*). Merveilleux. ◆ **merveillos** adj. (1080, *Rol.*). 1° Étonné, frappé d'étonnement. — 2° Terrible : *La bataille est e merveiluse e grant* (Rol.). — 3° Impétueux, emporté. — 4° Fâché, chagrin. ◆ **merveillable** adj. (1277, *Rose*). Étonnant : *Don li arbre sont merveillable (Rose).* ◆ **merveilles, -oilles, -oigles** adv. (1160, Ben.). 1° Merveilleusement. — 2° Extrêmement, beaucoup, très : *Li rois fu merveilles iriez* (Ben.).

I. mes, meis n. m. (1190, saint Bern.; lat. *mansum,* p. passé de *manere,* rester). 1° Habitation, demeure. *Mes demaine,* propriété seigneuriale. — 2° Jardin. ◆ **mesage** n. m. V. MASAGE, maison.

II. mes n. m. (1080, *Rol.;* lat. *missum,* p. passé de *mittere,* envoyer). Messager, envoyé. ◆ **messagé** n. m. (1080, *Rol.*). 1° Envoyé, messager : *Dist li mesages : Aparmain le sarez (Loher.).* — 2° Message. — 3° Procureur, intendant. ◆ **messagerie** n. f. (1272, Joinv.), **messagiere** n. f. (1298, M. Polo). Ambassade, mission.

III. mes n. m. (1160, *Eneas;* lat. pop. *missum,* ce qui est mis sur la table, de *mittere*). Mets, plat.

IV. mes n. f. V. MOIS, moisson.

V. mes n. m. (1180, *G. de Vienne;* orig. obsc.). Sorte de pioche ou de hache.

VI. mes, mis adj. poss. masc. sing. cas sujet. V. MON, mon. ◆ V. TABLEAU DES POSSESSIFS, p. 422.

VII. mes adj. poss. masc. plur. cas régime. V. MON, mon. ◆ V. TABLEAU DES POSSESSIFS, p. 422.

VIII. mes adj. poss. fém. plur. cas sujet et régime. ◆ V. TABLEAU DES POSSESSIFS, p. 422.

IX. mes adv. V. MAIS, davantage, plutôt, désormais, toujours.

X. mes adv. V. MEINS, moins.

mes- préf. (XIIe s., francique **missi,* particule à sens négatif et péjoratif). Préfixe négatif, transforme le sens du radical : 1° En le neutralisant : *mesaesmer,* faire peu de cas, *mesentendre,* entendre mal. — 2° En lui opposant son contradictoire : *mesaesmer,* mépriser, *mespois,* fraude.

I. mesacointe n. m. (1220, Coincy; v. *acoint,* familiarité, amitié). Mécompte.

II. mesacointe adj. (1270, Ruteb.; v. *acointe,* familier, sage). Qui ne s'y connaît pas, ignorant.

mesaesmer v. (1175, Chr. de Tr.; v. *aesmer,* estimer, apprécier). 1° Faire peu de cas, dédaigner : *Consel crei, consel ama, Ainc consel ne mesaesma* (G. de Montr.). — 2° Traiter avec mépris, mépriser : *N'affiert a conte ni a roi D'ensi ses dieus mesaesmer* (J. Bod.).

mesafaitié adj. (1175, Chr. de Tr.; v. *afaitier,* façonner, éduquer). Mal disposé, malintentionné.

mesagnier v. V. MEHAIGNIER, mutiler, blesser.

mesaise, mesaaise n. f. et m. (1170, Percev.; v. *aise, aaise,* bien-être). 1° Embarras, chagrin. — 2° Maladie, misère : *Que mœurent de faim et de soi et de froit et de mesaises* (Auc. et Nic.).

◆ **mesaisier, mesaaisier** v. (1175, Chr. de Tr.). 1° Faire du tort, de la peine à quelqu'un. — 2° Etre dans la peine, être souffrant. ◆ **mesaisais** n. m. (1180, G. de Saint-Pair). Malaise, tribulation. ◆ **mesaisi** adj. (1180, *Rom. d'Alex.*). Lésé, mécontent. ◆ **mesaisié** adj. (1160, Ben.). 1° Malheureux : *Par la vile fit demander Les chevaliers mesaaisies* (M. de Fr.). — 2° Incommode, désagréable (en parlant des choses).

I. **mesaler** v. (1150, *Thèbes*; v. *aler*). 1° S'égarer. — 2° Avoir le dessous, ne pas réussir : *Deus est la sus el ciel et li regnes mesvet* (Garn.). — 3° Commettre un crime. — 4° Se gâter, pourrir : *Or vees la une jent mesalee (Asprem.).*

II. **mesaler** v. V. MESELER, être lépreux, se gâter.

mesamer v. (1277, *Rose*; v. *amer*, aimer). 1° Maltraiter. — 2° Haïr.

mesange n. f. V. MASENGE, mésange. ◆ **mesangier** n. m. (XIII⁰ s., *Chron. Reims*), **-iere** n. f. (XIII⁰ s., *Menestrel Reims*). Piège à mésange, cage de bois.

mesavenir v. (1160, *Eneas*; v. *avenir*, arriver). 1° Arriver par malheur. — 2° impers. : *Mes molt ly mesavynt, il lui en advint un grand malheur (F. Fitz Warin).*

mesaventure n. f. (1175, Chr. de Tr.; v. AVENTURE). Malheur. ◆ **mesaventureus** adj. (1220, *Saint-Graal*). Qui a mauvaise chance.

mesbaillir v. (XII⁰ s., *Part.*; v. *baillir*, protéger, gérer). 1° Maltraiter. — 2° Réfl., Se conduire mal : *Trop mal nous mesbaillons Quant hors de nostre bail issons* (Coincy).

meschacier v. (1306, Guiart; v. *chacier*, chercher à atteindre, pousser, poursuivre). Faire du tort.

meschalcier v. (1169, Wace; v. *chalcier*, fouler aux pieds, marcher). Faire un faux pas.

meschangier v. (1160, *Athis*; v. *changier*, changer). Changer en mal, pour devenir pire.

meschater v. (1160, Ben.; lat. *capitare*, doté d'un préf. négatif). Échouer : *Mais n'esteit pas leger l'entrer, Trop i peussent meschater* (Ben.).

mescheoir, -cheir, -chair v. (1190, J. Bod.; v. *cheoir*, tomber). 1° Arriver malheur, arriver du mal : *Lui prent a meschair, fort est a relever* (R. de Moil.). — 2° Etre malheureux. — 3° Se tromper. ◆ **meschaement** n. m. (1175, Chr. de Tr.). Malheur. ◆ **mescheance** n. f. (1160, Ben.). 1° Malheur, infortune. — 2° Malchance, accident. — 3° *Male mescheance*, malheur, mauvais traitement. ◆ **mescheue** n. f. (1313, *Vœux du Paon*). Mésaventure. ◆ **mescheoite** n. f. (1160, Ben.). Malheur. ◆ **mescheant** adj. (1190, J. Bod.). 1° Malchanceux : *Con par sui mesqueans a dés!* (J. Bod.). — 2° Misérable. — 3° Porté à faire du mal (XIV⁰ s.).

mescheros adj., sali, noirci. V. MASCHERER, tacher, salir.

meschever v. (1160, *Eneas*; v. *chever*, accomplir, disposer de). 1° Échouer, déchoir : *Ame, quan par pekié meskieve, Peu truevet mais ki li aidieve* (R. de Moil.). — 2° Etre malheureux. — 3° Mal faire, fabriquer avec défauts (E. Boil.). ◆ **meschief** n. m. (1175, Chr. de Tr.). 1° Mésaventure, infortune. — 2° Calamité. — 3° Dommage : *Molt en voldroit grant meschief fere (Est. Saint-Graal).* ◆ **meschevé** adj. (1268, E. Boil.). 1° Malheureux. — 2° Mal fabriqué.

meschiber v. (XIII⁰ s., *Sermons*; probabl. une forme dial. de *meschever*, sens comparable). Faire un mauvais usage de : *Si cremeie que je meschibasse ton aveir (Sermons).*

meschin adj. et n. m. (fin XII⁰ s., *Loher.*; arabe *meskin*, pauvre). 1° n. m. Jeune homme, jeune noble. — 2° adj. Jeune : *Tu es meschins et jones chevaliers (Gar. Loher.). A loi d'ome meschin,* comme un jeune homme *(Loher.).* — 3° Serviteur. ◆ **meschine** n. f. (1155, Wace). 1° Jeune fille. — 2° Femme ou fille de naissance noble. — 3° Servante. ◆ **meschinete** n. f. (fin XII⁰ s., *Auc. et*

Nic.). 1° Fillette. — 2° Petite servante. ◆ **meschinage** n. m. (déb. xive s., *Etabl. Saint Louis*). Domesticité, service domestique.

meschoisir v. (1160, *Athis;* v. *choisir,* remarquer, distinguer, choisir). 1° Ne pas reconnaître : *Mes Viviens ne l'a pas meschoisi* (*Alisc.*). — 2° Mal choisir, choisir le pire : *Et dient qu'il a meschoisi Quant d'un garçon fist son ami* (A. de la Halle).

mesconseillier v. (1169, Wace; v. *conseillier*). 1° Donner un mauvais conseil : *Qui son droit seignor mesconselle Ne puet faire greignor mervelle* (*Trist.*). — 2° Conseiller de mauvaises choses.

mesconter v. (1169, Wace; voir *conter,* compter). 1° Mal compter, se tromper dans le calcul. — 2° Omettre, oublier. ◆ **mescont** n. m. (xiii[e] s., *Court. d'Arras*), -ance n. f. (1167, G. d'Arras). Erreur dans un compte. ◆ **mesconte** n. m. (1204, R. de Moil.). 1° Erreur dans un compte. — 2° Tricherie en calculant. ◆ **mesconte** adj. (xiiie s., *Ysopet,* II). Qui compte mal.

mescorre v. impers. (xiiie s., *Fabl. d'Ov.;* v. *corre,* courir). Arriver malheur.

mescroire v. (1180, *R. de Cambr.;* v. *croire*). 1° Ne pas croire, refuser de croire. — 2° Etre incrédule, être mécréant : *Jo croi, fait il, encore que angeles meskerrunt* (Garn.). — 3° Croire à tort, être abusé : *Si sunt li plusor mescreant, si ferat mescreire les chaistifs (Rés. Sauv.).* — 4° Mettre en doute, soupçonner. ◆ **mescroiement** n. m. (xiie s., *Amis et Am.*). Incrédulité. ◆ **mescreance** n. f. (1155, Wace). 1° Incroyance, incrédulité. — 2° Fausse croyance : *Car il estoit en error e en mescreance (Saint Eust.).* — 3° Méfiance, soupçon. ◆ **mescreantise** n. f. (xiiie s., *Chron. Reims*). 1° Incrédulité en matière de foi, hérésie, idolâtrie. — 2° Méfiance. — 3° Faute. ◆ **mescreant** adj. (1190, J. Bod.). 1° Mécréant. — 2° Incrédule : *Il ravoie les desvoiés, Il rapele les mescreans, Il ralume les non voians* (J. Bod.). ◆ **mescreable** adj. (déb. xiie s., *Ps. Cambr.*).

1° Qui ne croit pas, mécréant. — 2° Fâcheux, pénible : *la mescreable obscurté qui li estoit el cuer entree (Fabl. d'Ov.).* ◆ **mescreu** adj. (xiie s., *Asprem.*). 1° Mécréant, infidèle. — 2° Sans foi, trompeur.

mesdire v. (1160, *Eneas;* v. *dire*). Médire, dire du mal. ◆ **mesdit** n. m. (1190, Garn.). 1° Médisance. — 2° Calomnie, mensonge : *Garde ta bouke de mesdit Et de mentir et de glouter* (R. de Moil.). ◆ **mesdite** n. f. (1250, *Ren.*). Médisance, calomnie. ◆ **mesdit** adj. (fin xiie s., *Gar. Loher.*). Médisant.

mesel, masel, meisel adj. (1190, Garn.; lat. *misellum,* dimin. de *miser,* misérable). 1° Lépreux, ladre blanc. — 2° Dégoûtant (en parlant des choses) : *Vile est leur vie, orde et mesele* (Coincy). — 3° *Or mesel,* plomb. ◆ **meseler** v. (1190, J. Bod.). 1° Etre lépreux. — 2° Se gâter : *Vin qui devient mauvés ou bles qui mesale* (Beaum.). ◆ **meselé** adj. (1220, Coincy). 1° Gâté, corrompu. — 2° Moisi, pourri, puant. ◆ **meselerie** n. f. (1220, *Saint-Graal*). 1° Lèpre. — 2° Léproserie (1352, G.).

mesentendre v. (1138, *Saint Gilles;* v. *entendre*). 1° Entendre mal. — 2° Ne pas comprendre : *Or crient avoir mesentendue La parole du mesagier (Athis).* ◆ **mesentendement** n. m. (1224, G.). Malentendu, inintelligence.

meserin adj. V. MISERIE, misère.

meserrer v. (1170, *Fierabr.;* voir *errer,* cheminer, se comporter). 1° Prendre un mauvais chemin, s'égarer. — 2° Arriver malheur. — 3° Commettre, en parlant d'une faute : *Si li pardone quan qu'il ot meserré (Loher.).* — 4° Égarer, troubler l'esprit. ◆ **meserrement** n. m. (xiiie s.), -ance n. f. (xiiie s., *Digeste*). Égarement, faute, tort. ◆ **meserreor** n. m. (déb. xive s., J. de Condé). Qui s'égare, qui commet une faute.

mesestance n. f. (1155, Wace; v. *estance,* position, situation). 1° Situation fâcheuse, misère, affliction : *Sueffre hardiement te mesestanche S'aies saint Nicolai en ramembranche!* (J. Bod.). —

2° Mésintelligence, mésentente : *N'a mesestance entre Franceis Que tot n'acort a son plaisir* (Ben.). — 3° Crime, délit.

meseur n. m. (déb. XIII° s., *Clef d'Am.;* v. *eur,* chance, bonne ou mauvaise; bonheur). Malheur. ◆ **meseuros** adj. (1160, Ben.). Malheureux.

mesevrer v. (1180, *Rom. d'Alex.,* v. *sevrer,* séparer, retrancher). S'écarter de : *Et ont a entient la voie mesevree (Rom. d'Alex.).*

mesfaire v. (1160, Ben.; v. *faire*). 1° Faire du tort à, nuire : *De t'ai basti si bien ton plet Quanques tes sires t'a mesfet t'amendera* (Ruteb.). — 2° Médire. — 3° Commettre une faute. — 4° Se déshonorer : *Ver li mon repaire De cuer sans meffaire Ferai (Estamp.).* ◆ **mesfaisant** (1190, Garn.). Malfaisant, nuisible, criminel. ◆ **mesfait** adj. (1160, *Eneas*). 1° Coupable. — 2° Contrefait, malade. ◆ **mesfetor** n. m. (1289, G.). Malfaiteur.

mesgarder v. (1190, *H. de Bord.;* v. *garder,* se tenir sur ses gardes, garder). Ne pas se tenir sur ses gardes. ◆ **mesgarde** n. f. (XIII° s., *Atre pér.*). Manque d'attention, de soin.

mesgle, mesgne n. f. V. MAIGLE, bêche, houe.

mesgrece n. f., maigreur. V. MAIGRE.

meshaignier v. V. MEHAIGNIER, mutiler, maltraiter.

meshait n. m. (1287, *Lettre;* v. *hait,* joie, santé). Dommage, tort.

meshui adv. V. MAISHUI, dès aujourd'hui, maintenant.

mesiere n. f. V. MAISIERE, muraille, débris, maison.

mesjugier v. (XIII° s., *Fabl. d'Ov.;* v. *jugier*). Mal juger.

mesle, mesple, medle n. f. (XII° s.; lat. pop. *mespila,* plur. neutre pris pour fém. de *mespilum,* du grec). Nèfle. ◆ **meslier, medlier** n. m. (déb. XIII° s., R. de Beauj.). Néflier.

mesler, medler, meller v. (980, *Passion;* lat. pop. *misculare,* de *miscere*).

1° Mêler, mélanger. — 2° Brouiller : *Dites qui m'a mesle vers li (Ren.).* — 3° Quereller, battre. — 4° *Mesler le poing el chief de* (quelqu'un), le saisir par les cheveux. — 5° Perdre connaissance : *Li oill li troblent, si commence a meller (Alisc.).* ◆ **mesle, melle** n. f. (1170, *Percev.*). 1° Mélange. — 2° Boucle, anneau. *Mesle a mesle, mesle et mesle* (1175, Chr. de Tr.). *Mesle pesle* (1160, Ben.), pêle-mêle. ◆ **meslee** n. f. (1080, *Rol.*). Combat, bataille, querelle. ◆ **meslis** n. m. (XIII° s., *Conq. des Bret.*). Mêlée, combat. ◆ **meslement** n. m. (fin XII° s., saint Grég.), **-eure** n. f. (1268, E. Boil.). Mélange. ◆ **meslance** n. f. (1160, *Eneas*). 1° Mélange. — 2° Trouble, discorde. ◆ **mesleor** n. m. (1330, *Cart.*). Celui qui excite les querelles, les rixes. ◆ **meslif** adj. (fin XII° s., *Loher.*). 1° Bouillon. — 2° Querelleur : *Car tous jors estes tenceres et melis (Loher.).* ◆ **meslin** adj. (1283, Beaum.). Querelleur, brouillon. ◆ **meslé** adj. (1180, *R. de Cambr.*). 1° De diverses couleurs. — 2° Gris. — 3° n. m. Lainage de couleurs mêlées (Godefr. de Paris).

mesmarier v. réfl. (1220, Coincy; v. *marier*). Se mal marier. ◆ **mesmariage** n. m. (1300, *Arch.*). Somme due par le serf à son seigneur pour pouvoir se marier à une serve d'un autre seigneur ou à une femme de condition libre.

mesme adj. et adv. V. MEISME, même.

mesmener v. (1155, Wace; v. *mener,* conduire, se conduire). 1° Malmener, maltraiter. — 2° Se conduire mal : *Altrement fussent li mesmené el pais* (Garn.). ◆ **mesmeneor** n. m. (1327, G.). Celui qui administre mal.

mesnage, manage n. m. (déb. XII° s.; D.; lat. pop. *mansionaticum,* dér. de *mansio*). 1° Maison, manoir. — 2° Séjour, demeure, endroit où se tenir : *Aleiz aillurs manage querre* (Wace). — 3° Les habitants d'une maison, la famille. — 4° Ensemble de ce qui sert dans une maison : *meisnage d'otel (De vita Christi).* — 5° Meuble, ustensile. — 6° L'ordre et la dépense d'une maison. ◆ **mesnager** v. (1309, *Hist. des Bret.*). Habiter. ◆ **mesnagier** n. m. (1281, *Arch.*). Habitant, ouvrier.

mesniee n. f. V. MAISNIEE, famille, suite, armée.

mesofrir v. (XIIIᵉ s., *Menestrel Reims;* v. *ofrir,* offrir, présenter humblement). 1º Faire du tort, léser. — 2º Insulter. — 3º Fausser l'hommage juré.

mesoir v. (1160, Ben.; v. *oir,* écouter). Ne pas écouter, faire la sourde oreille : *Ja vos concel n'en seront mesoi (R. de Cambr.).*

mesovrer v. (1175, Chr. de Tr.; v. *ovrer,* agir). 1º Agir mal. — 2º Faire le mal : *Car moult mesoevre [...] Qui vers sa mere guerre prent* (Chr. de Tr.).

mespaier v. (XIIIᵉ s., G.; v. *paier,* apaiser). Irriter, courroucer.

mesparer v. (1308, *Ord.;* v. *parer,* fournir, préparer). Mal fabriquer : *Li draps est mesperes (Ord.).* ◆ **mesparant** adj. (1180, *Rom. d'Alex.*). Qui a mauvaise façon.

mesparler v. (XIIᵉ s., Herman; v. *parler*). 1º Parler sans réfléchir. — 2º Médire : *De tutes femmes mesparlai* (M. de Fr.). — 3º Injurier. ◆ **mesparlance** n. f. (1210, *Best. div.*). Discours déplacé, injure. ◆ **mesparole** n. f. (XIVᵉ s., *Geste de Liège*). Injure, calomnie. ◆ **mesparlant** adj. (XIIIᵉ s., Fr. Angier). Médisant.

mespartir v. (déh XIVᵉ s., J. de Condé; v. *partir,* partager). 1º Mal partager. — 2º Frustrer.

mespenser v. (1080, *Rol.;* v. *penser*). 1º Mal penser, se tromper. — 2º Penser à mal, avoir de mauvaises pensées : *Tantost com il le vit presente En covoitant i mespensa* (R. de Moil.).

mesplaidier v. (1304, *Year Books;* v. *plaidier,* discourir, déclarer). Faire une fausse déclaration.

mesple n. f. V. MESLE, nèfle.

mespois n. m. (1312, *Vœux du Paon;* v. *pois,* poids). 1º Mauvais poids. — 2º Fraude.

mespoint adj. (1268, E. Boil.; v. *poindre,* piquer, coudre, arranger). 1º Pipé.

Joer de des mespoins, tromper. — 2º Dé pipé. *Joer de mespoins,* tromper.

mesprendre v. (980, *Passion;* v. *prendre*). 1º Faire une erreur, se tromper : *El n'en pout mais, quar trop mesprit (Trist.).* — 2º Manquer à, faire tort à : *Ne voel pas c'on vers lui mesprende* (J. Bod.). — 3º Commettre une faute, un crime. ◆ **mesprison** n. f. (1150, Wace). 1º Méprise, tort, faute. *Sans mesprison,* sans méprise, sans être coupable. — 2º Mauvais traitement, outrage : *Par mesprison avez mort mon seigneur* (Pass. Palat.). — 3º Chose blâmable : *Ja ne vous querrai mesproison Ne outrage ne vilounie (Atre pér.).* ◆ **mesprisure** n. f. (1210, *Dolop.*), **mesprenture** n. f. (1268, E. Boil.). 1º Méprise. — 2º Faute. — 3º Tort, délit.

mesproisier, mesprisier v. (XIIᵉ s., *Part.;* v. *proisier, prisier,* apprécier). Avoir du mépris, témoigner du mépris. ◆ **mesproisie** n. f. (XIIᵉ s., *Asprem.*). Mépris. ◆ **mesprisement** n. m. (1349, *Arch.*). Mépris, dédain. ◆ **mesprisage** n. m. (1319, *Hist. des Bret.*). Fausse appréciation.

message n. m. V. MES, envoyé.

messavoir v. (fin XIIIᵉ s., Guiart; v. *savoir*). Ignorer.

messe n. f. (Xᵉ s.; lat. chrét. *missa*). Messe. ◆ **messel** n. m. (XIIᵉ s.). Livre de messe, missel. ◆ **messel** adj. (XIIIᵉ s , *Gaut, d'Aup.*). Qui sert à la messe. ◆ **messier,** -**oier** v. (fin XIIᵉ s., *Loher.*). 1º Dire la messe. — 2º Assister à la messe.

messeir v. (fin XIIᵉ s., *Auc. et Nic.;* v. *seoir, seir,* convenir). Aller mal : *Forment te vont maneçant, Tost te feront messeant, s'or ne t'i gardes* (Auc. et Nic.). ◆ **messeant** adj. (1160, *Athis*). 1º Malséant. — 2º n. m. Chose pénible : *Grant paor ai, foi que doi saint Amant, Qu'il ne m'ocie ou face messeant* (Auberi).

messele n. f. V. MAISSELE, mâchoire, joue.

I. **messier** v. réfl. (1160, Ben.; orig. incert.). Se lancer, se précipiter : *Enz el tas d'els se vait messier* (le duc) [Ben.].

II. **messier** v., dire la messe. V. MESSE.

III. **messier** n. m. (1231, *Charte;* v. *mes, mois,* moisson). 1° Garde des moissons et des vignes. — 2° Garde champêtre. ◆ **messeillier** n. m. (1354, *Arch.*). Gardien des récoltes. ◆ **messerie** n. f. (1246, *Arch.*). Fonctions du messier. ◆ **message** n. m. (1279, *Cart.*). Redevance payée au *messier.*

messire, misire, messi n. m. (1277, *Rose;* v. *mes,* cas sujet de *mon,* et *sire,* seigneur). Titre réservé aux seigneurs de haute noblesse.

messoner v. V. MOIS, MES, moisson.

mestaillier v. (1204, R. de Moil.; v. *taillier,* couper). Mal tailler, mal couper. ◆ **mestaille** n. f. (1268, E. Boil.). Mauvaise coupe (en parlant de vêtements).

meste adj. (1155, Wace; orig. incert.; cf. *mois,* fané, triste?). Triste : *Mielz vuelent vivre cume beste Que tuz dis estre serf e meste* (Wace).

mesté n. f. V. MAISETÉ, mauvaise action, méchanceté.

mesteil n. m. (XIIIᵉ s., D.; lat. pop. **mistilium,* de *mixtus,* mélange). Méteil. ◆ **mesteillon** n. m. (XIIIᵉ s., *Traité d'économie rurale*). 1° Blé mélangé de seigle, méteil. — 2° Mélange que le van rejette.

mestier n. m. (Xᵉ s., *Saint Léger;* lat. pop. **misterium,* pour *ministerium*). 1° Besoin, nécessité : *Il n'en avoit nul mestier* (*Mir. Saint Louis*). Estre mestier, avoir mestier, être nécessaire, avoir besoin : *S'i fist metre pain et car et vin et quanque mestiers lor fu (Auc. et Nic.).* — 2° Profit, utilité. — 3° Service, office : *Ci par tot en chascon mostier A celebré devin mestier* (Ben.). — 4° *Avoir mestier a* quelqu'un, lui rendre service, lui être utile. — 5° Métier. — 6° Office de salle à manger. *(Saint Brand.).* — 7° Usine, fabrique (1332, *Cart.*).

mestis –iz adj. (fin XIIᵉ s., *G. de Rouss.;* bas lat. *mixticium,* de *mixtus,* mélangé). De races mélangées : *A ces mestiz Franceis, demi Borgoings (G. de Rouss.).*

mestive n. f. (XIIIᵉ s., *Livr. de Jost.;* lat. pop **mestiva*). 1° Moisson. — 2° Temps de la moisson. ◆ **mestiver** v. (XIIIᵉ s., *Livr. de Jost.*). Couper les blés, moissonner. ◆ **mestivage** n. m. (1323, *Charte*). Redevance en grains. ◆ **mestivier** n. m. (1235, H. de Méry), **mestivot** n. m. (1331, *Arch.*). Moissonneur.

mestorner v. (XIIᵉ s., *Part.;* v. *torner,* tourner, arranger). 1° Tourner dans le mauvais sens. — 2° Mal ordonner, mal arranger. — 3° v. réfl. Se conduire mal. ◆ **mestor** n. m. (XIIᵉ s., *Part.*), **mestornee** n. f. (XIIᵉ s., *Part.*). Mauvais tour. ◆ **mestorné** adj. (XIIᵉ s., *Part.*). 1° Faillible, sujet à l'erreur. — 2° Sens dessus dessous : *Car ses cuers est tos mestornes (Part.).* — 3° Choqué, blessé. — 4° Mal fait. *Pain mestorne,* pain qui n'a pas les dimensions voulues.

mestraire v. (1190, J. Bod.; v. *traire,* tirer). 1° Tricher au jeu. — 2° Tricher, fausser la mesure. — 3° Forligner, dégénérer. ◆ **mestrait** adj. et n. m. (1138, *Saint Gilles*). 1° adj. *Merel mestait,* coup mal joué. — 2° n. m. Tricherie, fait de fausser la mesure : *Je n'en serai a nul fourfait Ne du vendre ne du mestrait* (J. Bod.). — 3° Erreur, perfidie.

mestraitier v. (1190, Garn.; v. *traitier,* tirer, conduire). Maltraiter.

mestre n. m. et adj. V. MAISTRE, maître, docteur, sorcier; principal, important.

mesture n. f. V. MISTURE, mélange; méteil.

mesui adv. V. MAISHUI, dès aujourd'hui, maintenant.

mesure n. f. (1080, *Rol.;* lat. *mensura,* de *metiri,* mesurer). 1° Mesure. — 2° Modération. — 3° Accommodement, compromis : *Mesure m'offre Fromons li poestis, Et qui mesure refuse, ce m'est avis... (Gar. Loher.).* — 4° Occasion favorable : *S'est bien tans et mesure Et raisons et droiture Ke li rende s'amor* (C. de Béth.). ◆ **mesurer** v. (1080, *Rol.*). 1° Prendre des mesures, mesurer. — 2° Modérer. ◆ **mesurement** n. m. (1288, *Charte*),

-**ance** n. f. (XIIIe s.). Modération, prudence. ◆ **mesuree** n. f. (XIIe s., *Ysopet*, I). Mesure, borne, limite. ◆ **mesurage** n. m. (1268, E. Boil.). 1° Action de mesurer. — 2° Droit perçu de ce fait. ◆ **mesurable** adj. (1120, *Ps. Oxf.*). 1° Qui peut être mesuré. — 2° Modéré, sensé : *Et droituriers, Mesurables et josticiers (Part.).* ◆ **mesurableté** n. f. (1220, *Saint-Graal*). Modération.

mesuser v. (1283, Beaum.; v. *user*). 1° User mal. — 2° Commettre une faute, un abus, un délit. ◆ **mesus** n. m. (1340, G.), -**ement** n. m. (1324, *Arch.*), -**age** n. m. (1304, *Arch.*). Abus, excès, prévarication.

met n. m. et f. (1180, *Rom. d'Alex.*; v. *maie*, huche). 1° Pétrin, huche. *Pain de met*, pain de ménage. — 2° Vase de grandeur diverse utilisé à des usages variés (*Rom. d'Alex.*).

metail n. m. (déb. XIIe s., *Voy. Charl.*; lat. *metallum*, mine, du grec). Métal. ◆ **metal** n. m. (XIIe s., *Macchab.*). Mine. ◆ **metalin** adj. (1277, J. de Meung). De métal.

mete, metro n. f. (1305, *Test.*; lat. *meta*, borne). 1° Limite, borne. — 2° Frontière, bord. ◆ **meteor** n. m. (1305, *Arch.*). Celui qui mesure. ◆ **metator** n. m. (1288, J. de Priorat; lat. *metator*, celui qui délimite). Arpenteur, fourrier.

meteore n. m. (mil. XIIIe s., D.; lat. médiév. *meteora*, du grec). Phénomène qui se passe dans les airs.

I. **metre** v. (Xe s., *Fragm. de Valenc.*; lat. *mittere*, envoyer, ensuite : mettre). 1° Mettre. — 2° Dépenser, employer : *En l'uevre du mostier soit mis Li argent* (Guiot). — 3° Imputer, accuser : *Mal faites quant le m'i metés* (Chr. de Tr.). — 4° Dans diverses locutions, exprime le comportement de façon générale. *Metre au dessouz*, triompher de. *Metre sus*, *metre seure*, accuser, imputer : *Ce que me metez a tort seure Je ne penssai ne jor ne eure* (Chast. Vergi). *Metre son gage*, parier, gager. *Metre des coups*, les assener. *Metre du tems*, tarder. *Metre une tençon seure* quelqu'un, le prendre comme arbitre. *Soi metre en* quelqu'un, s'en remettre à lui. ◆ **metement** n. m. (fin XIIIe s., Guiart). 1° Action de mettre. — 2° Imposition des mains. ◆ **metable** adj. (1160, Ben.). 1° Qui possède toutes les qualités requises : *Ce conseil est metable* (J. Fantosme). — 2° Capable, doué. — 3° Qui peut être mis en circulation, qui a cours (en parlant des monnaies). — 4° Qui dépense largement, généreux.

II. **metre** n. f. V. METE, limite, frontière.

metrie n. f. (av. 1300, poèt. fr.; lat. *metrica*, du grec). Art de faire des vers.

meu adj. (1120, *Ps. Oxf.*; p. passé de *movoir*). 1° Mis en mouvement. — 2° Ému. — 3° Fou.

meubler v. (XIIIe s., D.; v. *mueble*, biens meubles). 1° Garnir. — 2° S'enrichir. ◆ **meublant** n. m. (déb. XIVe s., *Etabl. Saint Louis*), -**age** n. m. (1298, *Arch.*). Mobilier.

I. **meure** n. f. (1167, G. d'Arras; lat. *mora*, pl. neutre pris pour fém., fruit du mûrier et baie de la ronce). Mûre. ◆ **meurier, mourier** n. m. (déb. XIIe s., *Ps. Cambr.*). 1° Ronce. — 2° Mûrier.

II. **meure** n. f. V. MORE, pointe de l'épée, lame.

meurer, maurer v. (1119, Ph. de Thaun; lat. *maturare*, de *maturus*, mûr). 1° Mûrir. — 2° Devenir sage : *Beaus sire, ainc covient meurer* (A. de la Halle). ◆ **meurté** n f (1120, *Ps. Oxf.*). Maturité. ◆ **meurisson** n. f. (1259, *Cart.*). Maturité, le fait de mûrir. ◆ **meur** adj. (XIIe s.; lat. *maturum*). Mûr. ◆ **meurir, maurir** v. (1160, *Eneas*). Pourrir : *Ja mes li cors ne maurroit Desi que eve i tocheroit (Eneas).*

meurtrir v. V. MORDRIR, tuer.

meute n. f. V. MUETE, départ, expédition, émeute.

meutir v. (1260, Br. Lat.; orig. incert.; v. *esmeutir*, même sens). Fienter.

I. **mi, mige, mege** adj. m., **mie, mige, mege** fém. (1080, *Rol.*; lat. *medium*). 1° Qui est au milieu. — 2° Qui est à la moitié : *Mi voie de l'ost le roy vindrent* (Guiart). — 3° n. m. Moitié, milieu : *En mi lit s'est alez verser (Dame* *qui conchia le prestre).* — 4° n. f. Moitié, milieu. — 5° *En mi, a mi, par mi,* au milieu de : *Par mi lou fronc estoit cornue (Unicorne). A mi,* pendant. — 6° *Se metre en mege de,* chercher les moyens de (Aimé). *Coillir en mege,* amener à tel état, réduire à.

II. **mi** pron. pers. cas rég. et sujet. V. MOI, moi.

III. **mi** adj. poss. masc. plur. cas sujet. V. MON, mon. ◆ V. TABLEAU DES POSSESSIFS, p. 422.

mi- préf. (1214, *Arch.;* v. *mi,* qui est au milieu). Préfixe de formation récente, relativement rare en anc. fr., au sens de « par le milieu, en parts égales ». V. MIPARTIR, séparer par le milieu.

mialdre adj. cas sujet. V. MEILLOR, cas régime.

miauler, miauwer v. (1288, *Ren. le Nouv.;* orig. onom.; cf. all. *miauen,* ital. *miagolare*). Miauler. ◆ **miauleis** n. m. (1220, Coincy). Miaulement.

miawe n. f. V. MAOE, mouette.

micanon n. m. (fin XIII° s., Aden.; v. *canon,* instrument de musique). Instrument à cordes.

miche n. f. (mil. XII° s., D.; lat. pop. **micca,* forme renforcée de *mica,* parcelle). 1° Miette. — 2° Sorte de pain (XIII° s.). ◆ **michete** n. f. (XII° s., *Auberi*). Petite miche, pain.

michier v. (XIII° s., *Doon de May.;* orig. obsc.). 1° Mettre en pièces. — 2° Assommer : *Le veus tu devant nous comme pourchiaus michier (Doon de May.).*

microcosme n. m. (1314, *Fauvel;* bas lat. *microcosmus,* du grec). Dénomination philosophique de l'homme, considéré comme la réduction de l'univers lui-même, dit alors *macrocosme.*

mide n. m. V. MEGE, médecin.

I. **mie** n. f. (1175, Chr. de Tr.; lat. *mica,* parcelle). 1° Miette de pain. *Ne mie ne croste,* rien du tout. — 2° Particule négative de renforcement : *Se vos l'avés, ne le me celés mi (R. de Cambr.).* —

3° *Mies,* avec un *s* adverbial, pour servir de particule de négation : *Ne vos en donroie je mies* (Dolop.). ◆ **miete** n. f. (XII° s.). Miette, dimin. de *mie.*

II. **mie** n. f. (XIII° s., *Fabl.;* forme apocopée de *amie*). Amie, maîtresse.

III. **mie, miege** n. m. V. MEGE, médecin.

mié adj. V. MOIÉ, à moitié.

mieldre, mielre, meldre, mialdre adj. cas sujet. V. MEILLOR, cas régime, meilleur.

miels, mels adv. (X° s., *Eulalie;* lat. *melius,* neutre, considéré comme adverbe, comparatif de *bonus*). 1° Mieux, plutôt : *Muez velt morir q'a honte vivre (Menestrel Reims). A mieus,* au mieux : *E le vesty meyntenant a mieux qu'il savoit (F. Fitz Warin). Venir mieus a,* valoir mieux. — 2° Plus, davantage. *Miels et miels,* de plus en plus. — 3° adj. Le meilleur, la meilleure partie : *Rois, je sui nes de France, des vaillans et des mieus (Aiol).* — 4° n. m. Avantage.

mien adj. poss. masc. cas rég. sing. et cas sujet plur., **miens,** cas sujet sing. et cas rég. plur. (XII° s., lat. *meum,* forme accentuée). 1° Adj. Qui est à moi. — 2° En fonction de pronom, précédé ou non d'un article : *Li mens reis et Deus li mens (Ps.).* — 3° n. m. Ce qui est à moi, mon bien : *Je vos claim cuite ce qui remaint en la nef dou mien (Villeh.).* ◆ V. TABLEAU DES POSSESSIFS, p. 422.

mier, mer adj. (1080, *Rol.;* lat. *merum*). 1° Pur, entier : *or mier (Rol.).* — 2° Limpide : *La lumière [...] claire et miere (Dolop.).* — 3° Vrai. — 4° Entier, complet. ◆ **meror** adj. compar. (XII° s., *Trist.*). Plus pur.

miere n. m. V. MIRE, médecin.

mies, miez n. m. (1260, Mousk.; germ. *meth,* même sens). Hydromel. ◆ **miessee** n. f. (1327, *Cart.*). Hydromel.

mievre adj. (déb. XIII° s., D.; probabl. scand. *snaefr,* vif, habile). Vif, malicieux : *Se kievre ki par jovenece estoit si mievre (Ren. le Nouv.).*

I. **mige** n. m. V. MEGE, médecin.

II. **mige** adj. et n. V. MI, qui est au milieu; moitié.

mignon n. m. (XIIe s., *Trist.;* orig. incert.; probabl. à rattacher à la racine *min-*, chat, et ses dérivés métaphor.). 1° Mendiant. — 2° Terme d'injure, probabl. au sens de quelqu'un qui se prête aux plaisirs d'un autre : *Tex a esté set anz mignon Ne set si bien traire guignon* (*Trist.*). ◆ **mignot** adj. (XIIe s., *Asprem.*). 1° Gentil, gracieux, en parlant des personnes : *Jouene et vaillant, mignot et gent* (Coincy). — 2° Joli, beau à voir, en parlant des choses : *Durendal dont li brans fu mignos* (*Asprem.*). ◆ **mignotement** adv. (1170, *Percev.*). D'une manière gracieuse et caressante : *Mignotement la voi venir Celi ke j'aim* (Mot. *et past.*). ◆ **mignotie** n. f. (1260, A. de la Halle). 1° Gentillesse. — 2° Coquetterie : *Tout jour (les femmes) font et truevent novelles mignoties De guignier, de pignier, d'estre par rains formés* (J. de Meung). ◆ **mignotise** n. f. (1271, *Rose*). 1° Gentillesse. — 2° Galanterie. ◆ **mignopet** n. m. (XIIe s., *Ysopet,* I; suffixe pour la rime?). Jeune homme : *Que estudier en Ysopet N'est pas euvre de mignopet* (*Ysopet,* I).

migoe n. f. V. MUSGODE, provision, cellier, amas.

migraine, -aigne n. f. (1155, Wace; adapt. du gréco-latin *hemicrania*). 1° Mal de tête (Ruteb.). — 2° Dépit : *De l'arc li tramet une engaine Par orguel et par grant migraine* (Wace).

I. **mil, milie** n. de nombre (déb. XIIe s., *Voy. Charl.;* lat. *mille* ou *milia,* au plur.). 1° Mille, n. de nombre : *Loowis at ses genz jostés tant que diz milie sont d'armés* (*Gorm. et Is.*). — 2° Mesure itinéraire (Mousk.). ◆ **milete** n. f. (1260, Mousk.). Dimin. de *milie,* mesure de distance. ◆ **millier** n. m. (1080, *Rol.*). 1° Millier. — 2° *Derrain millier,* dernier jour, dernière extrémité, position critique : *Jou sui ou derrain millier* (Ren.). ◆ **miliaire** n. m. (1203, G.). Millésime. ◆ **millesiesme** n. m. (1246, G. de Metz). La millième partie.

II. **mil** n. m. (1282, *Arch.;* lat. *milium*). Millet. ◆ **millet** n. m. (1256, Ald. de Sienne). Millet.

mile n. m. V. MIRE, médecin.

militer v. (1235, H. de Méry; lat. *militare,* être soldat). Faire la guerre, combattre.

milsoldor, misaudor, mussodor adj. et n. m. (1080, *Rol.;* lat. *mille solidorum,* de mille sous). 1° adj. De grand prix, magnifique (épithète de *destrier*). — 2° n. m. Cheval de grand prix, cheval de bataille (Ben.). ◆ **milsoudier** R. m. (XIIIe s., Th. de Kent). Cheval de bataille.

mincier v. (XIIIe s., *Gloss. Neckam;* var. de *menuisier,* du lat. pop. **minutiare,* de *minutus*). Couper en menus morceaux. ◆ **mince** n. m. (1306, Guiart). Petite monnaie de la valeur d'un demi-denier.

I. **mine** n. f. (1314, Mondev.; gallorom. **mina,* probabl. d'orig. celt.). Mine de houille, de fer, etc. ◆ **minete** n. f. (fin XIIIe s.). Cuvette, baquet. ◆ **miner** v. (1190, J. Bod.). 1° Creuser, miner. — 2° Exterminer. — 3° Décroître, finir. — 4° Faire souffrir (au mor.). ◆ **minement** n. m. (1288, J. de Priorat). Galerie souterraine. ◆ **minerois** n. m. (1314, *Arch.*). Toute substance qui renferme un métal. ◆ **minier** n. m. (1267, *Arch.*), **-iere** n. f. (1277, *Rose*). Mine. ◆ **mineral** adj. (1265, J. de Meung). Qui appartient aux minéraux : *De toute espece minerale* (J. de Meung).

II. **mine** n. f. (XIIe s., *Thomas le Martyr;* apocope de *emine,* mesure pour les grains). Émine, mesure pour les grains. ◆ **minot** n. m. (1268, E. Boil.). Mesure d'une demi-mine, plus tard, baril. ◆ **minel** n. m. (1309, *Arch.*), **-on** n. m. (1328, *Arch.*), **-ee** n. f. (1275, *Arch.*). Sorte de mesure pour les grains ou pour la superficie ensemencée. ◆ **minage** n. m. (1268, E. Boil.). Droit perçu par le seigneur qui fournit la *mine,* c'est-à-dire la mesure pour la vérification des quantités de grains. ◆ **minageur** n. m. (1247, *Cart.*).

Percepteur d'impôt sur la mensuration des grains et des vins.

III. mine n. m. (XIIIᵉ s., *Anseis;* lat. *minium*). Minium.

IV. mine n. f. (1164, Chr. de Tr.; orig. incert.). Terme de jeu : *Dont soit a hasart, en le mine!* (J. Bod.). *Metre en la mine*, mettre comme enjeu, exposer, sacrifier. *Estre mis a mine*, jouer sa vie. ◆ **minete** n. f. (XIIᵉ s., *Chast. d'un père*). 1° Sorte de jeu de dés, *mine*. — 2° Table sur laquelle on jouait ce jeu.

miner v. (XIIᵉ s., *Adam;* lat. *minari*). Menacer.

ministrel n. m. V. MENESTREL, serviteur, artisan, poète.

minorete adj. fém. (1270, *Arch.;* v. *menor*, plus petit, mineur). 1° Mineure. — 2° n. f. Sœur mineure (1337, *Arch.*).

minute n. f. (XIIIᵉ s., *Comput;* lat. médiév. *minuta*, de l'adj. fém., menue). Division du temps : *Li jors a quatre quadrans, li quadrans six eures, li eure quatre poins, les poins dix momens, li momens douze onces; une once quarante sept minuces qui sont si petites qu'on ne les puet deviser* (*Comput*).

mioldre adj. cas sujet. V. MEILLOR, cas régime, meilleur.

mipartir v. (1214, *Arch.;* v. *partir*, partager). Partager, diviser par la moitié : *Il convena qu'en .II. nos gens mipartissons* (*Aye d'Avign.*). ◆ **mipartisseure** n. f. (1335, Deguil.). Partage en deux.

mirable adj. (1180, *R. de Cambr.;* lat. *mirabilis*). 1° Admirable, merveilleux (épithète fréq. de *cité*). — 2° Fort, puissant : *Hauce le poing a loi d'ome mirable* (*Enf. Guill.*). ◆ **mirabilité** n. f. (fin XIIIᵉ s., *Sydrac*). 1° Merveille. — 2° Excellente position d'observation.

miracle n. m. et f. (XIᵉ s., *Alexis;* lat. *miraculum;* prodige, de *mirari*, s'étonner). 1° Miracle. — 2° Récit du miracle : *Mais pour abrégier le miracle, M'en passe outre, selonc l'escrit* (J. Bod.).

mirande n. f. (1200, *Ren. de Montaub.;* orig. mérid.). 1° Ville. — 2° Maison

fortifiée. ◆ **mirmande** n. f. (fin XIIᵉ s., *Blancandin*). Maison fortifiée.

miravile n. f. (1213, *G. de Dole;* forme poétique mi-savante de *merveille*). Merveille. ◆ **miravilos** adj. (1180, *G. de Vienne*). 1° Merveilleux. — 2° Grand, puissant.

mire, miere, meire, mile n. m. (1169, Wace; lat. *medicum;* cf. aussi *mege*, médecin). Médecin, chirurgien. ◆ **miresse** n. f. (XIIᵉ s., *Trist.*). Femme qui fait office de médecin. ◆ **mirgie** n. f. (1175, Chr. de Tr.). Art de la médecine. ◆ **mirge** n. m. (XIIᵉ s.), **mirier** n. m. (XIIᵉ s., *Horn*). Médecin. ◆ **mire** adj. (fin XIIIᵉ s., *Mir. Saint Louis*). Doit mire, doigt annulaire (et, plus tard, *doigt medecin*).

mirer v. (1175, Chr. de Tr.; lat. pop. *mirare*, pour *mirari*, regarder attentivement). 1° Regarder. — 2° Reconnaître : *Nouri m'avés Diex le vos mire* (Chr. de Tr.). — 3° Réfléchir, fixer sa pensée : *Mirons nous au vrai crucefis* (Ren. le Nouv.). — 4° Prendre soin de sa personne. ◆ **mirement** n. m. (1180, *Rom. d'Alex.*). 1° Action de regarder. — 2° Action de se mirer. ◆ **mireor** n. m. (1160, *Eneas*). 1° Miroir. — 2° Modèle. — 3° Exemple. — 4° *Faire mireor*, faire montre : *La roine Sebile ki cascun jor Faisoit mireor de son cors As bacelers legiers et fors* (Mousk.). ◆ **miroirier** n. m. (1323, *Cart.*). Miroitier. ◆ **mirail** n. m. (1277, *Rose*). Miroir. ◆ **miraillier** n. m. (1306, G.). Miroitier.

mirobolanz n. m. pl. (XIIIᵉ s., *Simples Médec.;* lat. *myrobalanus*, du grec). Mot désignant diverses espèces de fruits desséchés, utilisés en pharmacie.

mirre (1080, *Rol.;* lat. *myrrha*, empr. au grec). Myrrhe.

mirte (XIIIᵉ s., *Simples Médec.;* lat. *myrtus*, du grec). Myrte. ◆ **mirtille** (XIIIᵉ s., *Simples Médec.*). Myrtille.

mis adj. poss. masc. sing. cas sujet. V. MON, mon. ◆ V. TABLEAU DES POSSESSIFS, p. 422.

misaldor adj. et n. m. V. MISOLDOR, de grand prix; cheval de bataille.

mischin adj. et n. m. V. MESCHIN, jeune, jeune homme.

mise n. f. (1233, G.; p. passé de *metre;* subst. au fém.). 1° Action de mettre. — 2° Dépense : *Pour les mises et pour les couz et pour les despens qu'il y font* (E. Boil.). — 3° Arbitrage, compromis, sentence arbitrale. ◆ **miseor** n. m. (1244, *Cart.*). Arbitre.

miselerie n. f. V. MESELERIE, lèpre; léproserie.

miserele, miserere n. f. (1160, Ben.; lat. *miserere,* impératif de *misereri,* début d'un psaume). Complainte, litanie plaintive : *Lors comence* [...] *Sa credo et sa miserele (Ren.).*

miséricorde n. f. (1120, *Ps. Cambr.;* lat. *misericordia*). 1° Pitié, amour du prochain, amour de l'homme dans le malheur. — 2° Épée courte, sorte de poignard pour achever les blessés (R. de Clari). ◆ **misericort, -court** adj. (1170, *Percev.*). 1° Miséricordieux, compatissant. — 2° n. m. Miséricorde *(Chétifs).* ◆ **misericordios** adj. (1160, Ben.). Miséricordieux, compatissant.

miserie, misere n. f. (1120, *Ps. Cambr.;* lat. *miseria*). Misère. ◆ **miseracion** n. f. (1160, Ben.). Compassion, pitié, grâce. ◆ **miserer** v. (1210, *Best. div.*). Ftre misérable. ◆ **miserable** adj. (1340, *Arch.*). Accessible à la pitié. ◆ **miscrin** adj. (1160, Ben.). Misérable, malheureux.

misire n. m. V. MESSIRE, titre de haute noblesse.

missie n. f. (fin XIII° s., G. de Tyr; dér. de *missus (dominicus),* envoyé, lieutenant du roi). Province ou comté dans lequel on envoyait un *missus.*

mission n. f. (XII° s., *Florim.;* lat. *missio*). 1° Mission. — 2° Dépense, frais.

miste n. f.; (XIII° s.; *Règle saint Ben.;* lat. *mixta*). Repas monacal qui consistait en un quart de livre de pain et le tiers d'une hémine de vin. ◆ **misture, mesture** n. f. (1190, saint Bern.). 1° Mélange, assemblage : *Car d'ommes et de femmes*

est bele li maisture (saint Bern.). — 2° Méteil *(Court. d'Arras).* ◆ **mistion** n. f. (1265, J. de Meung; lat. *mixtio*). Substances mélangées. ◆ **mistioner** v. (1265, J. de Meung). Mélanger, mêler.

mistere n. m. (1167, G. d'Arras; lat. *mysterium,* du grec). Raison cachée, vertu mystérieuse inhérente à toute chose. ◆ **misterial** adj. (fin XII° s., saint Grég.). Mystérieux, mystique.

mistier n. m. V. MESTIER, besoin, service, métier.

I. mite n. f. (1288, *Ren. le Nouv.;* orig. incert.; peut-être de la même origine que *mite,* insecte, 1398, *Ménag.*). 1° Monnaie de cuivre de Flandre. — 2° Petit sou. ◆ **mitaille** n. f. (1295, G.). 1° Menue monnaie. — 2° Morceaux de métal, ferraille.

II. mite n. f. (XIII° s.; d'orig. probabl. onomat.). Chatte. ◆ **mitemoue** n. f. (1220, Coincy). Douceur hypocrite. ◆ **mitaine** n. f. (1180, *Part.;* peut-être un dérivé métaph. de *mite,* chatte). Gant sans séparation pour les quatre doigts, à l'exception du pouce.

miterraine adj. f. (1260, Br. Lat.; adapt. du lat. *mediterranea*). [Mer] Méditerranée.

mobile n. m. (1301, *Ord. Bretagne;* lat. *mobilis,* de *movere,* mouvoir). Bien meuble. ◆ **mobilité** n. f. (fin XII° s., saint Grég.). Mobilité, inconstance.

moble adj. et n. m. V. MUEBLE, mobile; biens meubles.

mochier v. (1220, Coincy; lat. pop. **muccare,* de *muccus,* morve). 1° Enlever les mucosités nasales. — 2° Moucher la chandelle. ◆ **mocheron** n. m. (1200, G.), **-eroncel** n. m. (1220, Coincy). Bout de mèche qui charbonne.

mocier v. V. MUCIER, cacher.

modle n. m. V. MOLE, modèle, manière.

moe n. f. (1175, Chr. de Tr.; francique **mawwa*). 1° Lèvre, bouche : *Sire Goubert d'une crasse oe James n'en metra en sa moe (Ren.).* — 2° Gri-

mace : *Tu laiseras par tans tes moes :
Je te ferai maigrir les joes (Pass. Palat.).*
— 3° *Faire la moe,* se moquer : *Gillot,
me faites vous le moe?* (A. de la Halle).

moele, meole, mole n. f. (XIIe s.,
Pir. et Tisb.; lat. *medulla*). Moelle.
◆ **moulé** adj. (1120, *Ps. Oxf.*). Plein de
moelle, gras. ◆ **moelier** adj. (1170,
Fierabr.). Médullaire, garni de moelle.

moeule n. f. V. MOLE, racine des bois
de cerf.

moevre v. V. MUEVRE, mouvoir, se
mouvoir.

I. **mofle** n. f. (1213, *G. de Dole;* orig.
incert.). 1° Gros gant sans séparation de
doigts. — 2° Objet de peu de valeur :
Tot ce ne vaut une viez mofle (Coincy).
— 3° Instrument de torture : *Moffles de
fer et grant karkan soffrir li font mult
grant ahan (Blancandin).*

II. **mofle** n. m. (1250, *Ren.;* orig.
obsc.). Meule : *Uns mofles de fain (Ren.).*

moflet adj. (1220, Coincy; orig.
incert.). Tendre, mou : *Pain d'orge vaut
pain moflet* (Coincy). ◆ **moflart** adj.
(XIIIe s., *Dit de ménage*). Joufflu.

I. **moi, mui** n. m. (1160, *Charrette;*
lat. *modium,* une grande mesure de blé).
1° Mesure de grains. — 2° Mesure en
général : *Adont en doi je bien gouster
Puisqu'il est taillés a no moy!* (J. Bod.).
◆ **moie** n. f. (1160, Ben.). 1° Muid. —
2° Mesure de terre qui, pour l'ensemencement, exigeait un muid de grain. —
3° Meule de grain, de foin ou de paille,
botte, gerbe. — 4° Tas, amas, monceau. —
5° Foule, multitude. — 6° Fois : *Hasart!
dit mors, a cheste moie cheste levee sera
moie* (R. de Moil.). ◆ **moiee** n. f. (1290,
G.). 1° Contenu d'un muid. — 2° Mesure
de terre. ◆ **moiel** n. m. (1210, *Dolop.*).
1° Muid. — 2° Meule de foin. — 3° Tas,
monceau en général.

II. **moi** n. m. V. MAI, mai, branches
vertes, fête, plaisir.

III. **moi** adj. et n. V. MI, qui est à moitié;
milieu. ◆ **moie** n. f. (XIIIe s., *Artur*).
Moitié, milieu. ◆ **moier** v. (1220, Coincy).

1° Diviser par moitié. — 2° Dire à moitié.
◆ **moie** adj. (1169, Wace). Arrivé à la
moitié : *Cel jur meismes vint, mais li
jurs est moiez* (Wace). ◆ **moiel** n. m.
(1175, Chr. de Tr.). 1° Milieu. —
2° Moyeu; jaune d'œuf.

IV. **moi, mei, mi** pron. pers. (980,
Passion; lat. *me,* forme tonique du pron.
pers.).

I. Pron. pers. de la 1re personne, forme
accentuée du cas régime : 1° Employé
comme régime direct : *Qui si moi foulent
et gastent mon pais (Loher.).* — 2° Comme
régime indirect : *Cist moz mei est estran-
ger (Rol.).* — 3° Comme régime d'une
préposition. *De mi en ti,* de l'un à
l'autre.

II. Employé, dès le XIIe s., comme cas
sujet : *Alons an moi et vos ansabme
(Percev.).*

I. **moie, meie** adj. et pron. poss.
fém. (XIe s.; lat. *mea,* forme accentuée).
Adj. et pronom possessif, employé,
comme pronom, avec ou sans article,
Mienne : *Par le moi foi, Grese, mult estes
or lontaine!* (Rom. d'Alex.). ◆ V. TABLEAU
DES POSSESSIFS, p. 422.

II. **moie** interj. (1260, A. de la Halle;
onomat.). Imitation du beuglement.

III. **moie** n. f. (1213, Villeh.; lat.
meta, borne, cône). 1° Borne. —
2° Tas, meule de blé ou de paille. —
3° Muid. ◆ **moiel** n. m. (XIIIe s.). Petit tas,
petite meule. ◆ **moilon, muilon, mulon**
n. m. (1250, *Ren.*). Petite meule, meulon.

moien, meien, mean adj.
(1120, *Ps. Oxf.;* lat. *medianum*). 1° Qui
est au milieu : *Tuit estoient assis moiain*
(Wace). — 2° Commun : *Cilz pechiez
est par tout communaulz et moyens*
(J. de Meung). ◆ **moien** n. m. (XIIe s.,
Macchab). 1° Milieu, ce qui est au milieu.
— 2° Intermédiaire. *Sans moien,* immédiatement. — 3° Protecteur. — 4° Ce qui sert
à parvenir à un but, moyen (Oresme).
◆ **moieneté** n. f. (1120, *Ps. Oxf.*). 1° Modération. — 2° Lien, rapport. — 3° Modération, médiocrité. ◆ **moiener** v. (1190,
saint Bern.). 1° Diviser par le milieu,
atteindre le milieu de. — 2° Trouver son

milieu. — 3° Régler par une sentence arbitrale, prononcer l'arbitrage. ◆ **moienement** n. m. (1255, *Cart.*). 1° Sentence d'arbitre. — 2° Entremise, médiation. ◆ **moieneor** n. m. (1190, saint Bern.), **-eresse** n. f. (1190, saint Bern.). Médiateur, médiatrice. ◆ **moienier** n. m. (XIIIe s., *Comm. Ps.*). Intermédiaire. ◆ **moienel** n. m. (1160, Ben.). Sorte de petit cor, cornet de chasse.

moieul n. m. (1160, *Charr. Nîmes*; lat. pop. *modiolum*, dimin. de *modius*, muid). Partie centrale de l'œuf, moyeu. ◆ **moieuf, mieuf** n. m. (1243, G. de Metz; par attraction de *uef*, œuf et de *mi*, moitié). Partie centrale de l'œuf. ◆ **moilon** n. m. (1170, *Fierabr.*). Milieu, centre.

moignier v. (XIIIe s.; orig. obsc.; peut-être de **mundiare*, couper, de l'adj. *mundus*, pur; v. *esmoignier*, mutiler). Mutiler. ◆ **moignon** adj. (fin XIIe s., *Alisc.*). Mutilé, estropié.

I. **moillier, moiller** n. f. (1080, *Rol.*; lat. *mulierem*, avec déplacement d'accent sur l'avant-dernière syllabe). Femme, épouse. ◆ **moillerer** v. (fin XIIe s., *Saint Ed.*). Légitimer.

II. **moillier** v. (XIe s., *Alexis*; lat. pop. **molliare*, amollir, de *mollis*, mou). 1° Mouiller. — 2° Pleurer : *Tous me deconfis, et muel* (poés. av. 1300). ◆ **moilleure** n. f. (XIIe s., *Blancandin*). 1° État de ce qui est mouillé. — 2° Chose mouillée.

moilon n. m. V. MOULON, meule, tas.

moine, monie n. m. (1080, *Rol.*; lat. pop. **monicum*, altér. du lat. chrét. *monachus*, du grec). 1° Moine, religieux. — 2° Moineau *(Lai de l'Oiselet)*. ◆ **moinel** n. m. (XIIe s.), **-et** n. m. (fin XIIe s., M. de Fr.). 1° Petit moine. — 2° Moineau. ◆ **moinerie** n. f. (fin XIIe s., saint Grég.). État monastique. ◆ **moinage, moniage** n. m. (1169, Wace). 1° Vie monastique. — 2° Ordre monacal. — 3° Couvent. ◆ **moinie** n. f. (XIIIe s., *Règle Citeaux*). Collectif de moine.

I. **mois** n. m. (1080, *Rol.*; lat. *mensem*, mois). Mois. *Des mois*, de longtemps,

longtemps : *N'en ert mais bien garis des mois* (Ben.).

II. **mois, mes** n. f. (XIIIe s.; lat. *messem*). Moisson. ◆ **moisson** n. f. (1180, *R. de Cambr.*; lat. pop. **messionem*). Moisson. ◆ **moissoner, mes-** v. (1270, Ruteb.). Moissonner.

III. **mois** adj., fané, triste, nigaud. Voir MOISIR, sécher.

IV. **mois** adj. V. MAIS, mauvais.

I. **moise** n. f. (1328, *Arch.*; lat. *mensa*, table, planche). 1° Pièce de bois servant à maintenir ensemble d'autres pièces de charpente. — 2° La charpente elle-même.

II. **moise** n. f. V. MAISE, coque.

moisir v. (XIIe s., D.; lat. pop. **mucire*, pour *mucere*). 1° Sécher. — 2° Moisir. — 3° Rouiller. — 4° Rendre triste (XIVe s.). ◆ **mois** adj. (1160, Ben.; lat. *mucidum*). 1° Fané, flasque. — 2° Triste, abattu. — 3° Nigaud, niais : *Respont li reis : Trop par sui mois S'eisi ceste ovre ne conois* (Ben.).

moisné adj. V. MAINSNÉ, puîné.

I. **moisnel** n. m. V. MOIENEL, petit cor, trompette.

II. **moisnel** n. m., moineau. V. MOISSON, moineau.

moison n. f. (1243, G.; lat. *mensionem*, mesure). 1° Mesure, capacité, dimension : *Le col fu de bonne moison* (Rose). — 2° Droit prélevé en nature sur les vins amenés d'ailleurs. — 3° Profit en général.

moissine, moisine n. f. (XIIIe s., G.; orig. obsc.). Sarment garni de feuilles et de grappes.

moisson n. m. (1160, *Eneas*; lat. pop. **muscionem*, gobe-mouches, dér. de *musca*, mouche). Moineau. ◆ **moisnel** n. m. (1250, *Ren.*; contraction de **moissonel*). Moineau.

moiste adj. (1260, Br. lat.; lat. pop. *muscidum*, moisi). 1° Humide. — 2° Moite. ◆ **moistece** n. f. (1246, G. de Metz). Humidité, moiteur. ◆ **moistre** n. m. (1335, Deguil.; même mot?). Emplâtre.

moitain, -een adj. (1257, G.; dér. de *meitié*, moitié). De méteil. — *Blé moitain*, méteil. ◆ **moitange** adj. (1266, *Cart.*). De méteil, mélangé de divers grains. ◆ **moitoiant** adj. (1267, *Arch.*). De méteil.

moitoier v. V. MEITEIER, partager par la moitié, arriver à la moitié de.

mol adj. (fin XII⁰ s., *Rois;* lat. *mollem*). 1° Mou. — 2° n. m. (1324, *Arch.*). Mollet. ◆ **molete** n. f. (1162, *Fl. et Bl.*). 1° Molleton, embourrure de laine fine. — 2° Manteau de molleton. ◆ **moleté** n. f. (1288, J. de Priorat). 1° Qualité de ce qui est mou, mollesse. — 2° Substance molle. ◆ **moloier** v. (XIII⁰ s., *Artur*). Mollir. ◆ **molenc** n. m. (1160, *Eneas*). Terrain mou. ◆ **molois** n. m. (fin XII⁰ s., *Loher*). Terre molle, humide. ◆ **moloisier** n. m. (1232, G.). Celui qui habite une prairie humide, un marais.

I. **moldre** v. (XII⁰ s., *Roncev.;* lat. *molere*). 1° Moudre. — 2° Émoudre, aiguiser (E. Boil.). — 3° Manger. — 4° n. m. Droit de moudre. ◆ **moldrage** n. m. (1254, *Cart.*). Action de moudre. ◆ **molu** adj. (1180, *Rom. d'Alex.*). 1° Aiguisé, tranchant (épithète fréquente de *brant*). — 2° Broyé, mis en poussière.

II. **moldre** v. (1204, R. de Moil.; lat. *mulgere*). Traire.

I. **mole** n. f. (fin XII⁰ s., *Rois;* lat. *mola*). 1° Meule à moudre. — 2° Masse, fondement : *Plus est ferms que la piere qui siet sur vive mole* (Garn.). — 3° Mouture (1272, *Charte*). ◆ **molage** n. m. (1313, *Arch.*). Partie du moulin qui sert à faire tourner les meules, trémie. ◆ **molardel** n. m. (1315, *Ord.*). Petite meule. ◆ **molee** n. f. (1320, *Arch.*). Poudre de pierre et de fer qui tombe de la meule des taillandiers et qui sert à la teinture. ◆ **molier** n. m. (1272, *Charte*). Tailleur de meules à moulin. ◆ **moleor** n. m. (1292, G.). 1° Fabricant de meules. — 2° Rémouleur. — 3° Serf tenu de faire moudre au moulin banal.

II. **mole, moeule, meule** n. f. (1155, Wace; emploi métaph. de *mole,*

moelle, ou *mole,* fondement?). Racine des bois de cerf.

III. **mole, modle** n. m. (fin XII⁰ s., *Rois;* lat. *modulum*, mesure, de *modus*). 1° Modèle, moule. — 2° Mode, manière : *Pour dechevoir les hommes ont femmes moult de molles* (G. li Muisis). ◆ **moler, modler** v. (1080, *Rol.*). Prendre la forme de. — 2° Se presser contre un objet : *En l'escu s'est moslez* (Gaydon). — 3° Prendre sur soi, réussir : *Ne nus ne se porroit moller qui duel eust, a joie faire* (Rose). ◆ **molé** adj. (1180, *R. de Cambr.*). 1° Fait au moule (en parlant du corps) : *Savaris prist la dame au cors mollet* (*R. de Cambr.*). — 2° Bien fait (en parlant des personnes). — 3° *Molé a*, fait pour, capable de. — 4° Éprouvé : *Renaus* [...] *au corage molé* (Ren. de Montaub.).

IV. **mole** n. f. V. MOELE, moelle.

molequin, morequin, molesquin n. m. (1230, *Eust. le Moine;* lat. pop. **molochinum*, du grec). 1° Étoffe de lin de grand prix. — 2° Robe faite de cette étoffe. ◆ **molesquinier** n. m. (1271, Chr. de Troyes). Marchand ou fabricant de molequins.

molester v. (1204, R. de Moil.; lat. impérial *molestare*). Tourmenter, importuner. ◆ **moleste** n. f. (1155, Wace). 1° Ennui, mauvaise humeur : *Ceste temptation reçut il debonerement e sanz moleste* (Saint Eust.). — 2° Peine, fatigue. — 3° Tort, dommage : *Jamais ne nous fera moleste* (Pass. Palat.). *A moleste,* à tort. ◆ **moleste** adj. (XIII⁰ s.). 1° Désagréable, ennuyeux. — 2° Ennuyé, furieux. ◆ **molestation** n. f. (1330, *G. de Rouss.*). Vexation. ◆ **molesteor** n. m. (1320, *Arch.*). Fâcheux, importun.

molete n. f. (XIII⁰ s., *Tourn. Chauvenci;* dim. de *mole,* meule). 1° Partie de l'éperon qui sert à piquer le cheval. — 2° Ornement en forme de molette. — 3° Terme de blason, pièce principale de l'éperon.

molgier v. (fin XII⁰ s., *Rois;* lat. pop. **mulgare*, pour *mulgere*; v. *moldre*, traire). Traire.

molier n. f. V. MOILLIER, femme, épouse.

molin n. m. (XIIᵉ s., *Thomas le Martyr;* bas lat. *molinum,* de *mola,* meule). Moulin. ◆ **molinel** n. m. (fin XIIᵉ s., *Ogier*). Petit moulin. ◆ **molineure** n. f. (1283, Beaum.). Mouvement de rotation d'un moulin ou d'un pressoir.

molnee n. f. V. MONEE, mouture.

molre v. V. MOLDRE, moudre.

molt, mout, mot adj. et adv. (980, *Passion;* lat. *multum*).

I. Adj. de quantité indéfini : 1º Nombreux, en grand nombre : *Remist iloches mulz jurz (Rois).* — 2º Grand, considérable : *Enguarder els multe retribution (Ps. Oxf.).* — 3º *Li mult,* n. m. pl., un très grand nombre.

II. Adv. de quantité indéfini : 1º En grand nombre : *Bestes orent mot amassees* (Ben.). — 2º *Molt de,* beaucoup de. — 3º *C'est molt,* c'en est trop. — 4º Très, grandement : *Si sui mout liés ke je te voi* (A. de la Halle). ◆ **moltisme** adv. (1330, *G. de Rouss.*). Très.

molte n. f. (1169, Wace; p. passé de *moldre,* moudre). Mouture. ◆ **molture** n. f. (XIIIᵉ s.), **-urage** n. f. (XIIIᵉ s., *Chron. Saint-Denis*), **-urance** n. f. (1297, G.). Mouture. ◆ **molturer** v. (1364, *Arch.*). Moudre. ◆ **moldier** n. m. (1303, *Cart*) Celui qui est obligé de moudre son grain au moulin banal.

molteplier, -oier v. (déb. XIIᵉ s., *Ps. Cambr.;* lat. *multiplicare*). 1º Accroître, augmenter, aggraver : *La dite maladie crut et monteplia (Mir. Saint Louis).* — 2º Se multiplier, grandir, s'étendre : *Les gens mouteplieru si que li uns hons de l'autre issi (Dolop.).* — 3º Faire réussir, favoriser, enrichir : *Et Dex an bone guise vostre amor mouteploit!* (J. Bod.). — 4º Prospérer, réussir. — 5º Mettre aux enchères. ◆ **moltepli** n. m., **moltepli** n m., **-ement** n. f. (fin XIIᵉ s., *Rois*), **-ance** n. f. (1160, Ben.). Mutiplication, augmentation, abondance. ◆ **moltepliable** adj. (1120, *Ps. Oxf.*). Qui se multiplie, fécond.

molton n. m. (déb. XIIᵉ s., *Ps. Cambr.;* lat. pop. **multonem,* du gaul.). 1º Bélier. — 2º Bélier, signe du zodiaque. — 3º Bélier, machine de guerre pour battre les murailles. — 4º Mouton. ◆ **moutonin** adj. (1260, Br. Lat.). De mouton. ◆ **moutonier** n. m. (1303, *Arch.*). 1º Boucher qui vend la viande de mouton. — 2º Berger (D.). ◆ **moutonage** n. m. (1265, G.). Droit sur les moutons.

moluel, molue n. f. (XIᵉ s., D.; orig. obsc.). Morue.

moment n. m. (1119, Ph. de Thaun; lat. *momentum,* parcelle de temps; poids). 1º Petite division du temps, équivalant à une minute et demie de notre façon de mesurer la durée (v. MINUTE). — 2º Poids, importance, valeur : *Or est vroy que l'ajournement Par droit estoit de nul moment (Livr. du bon Jehan).* ◆ **momentel** adj. (1327, J. de Vignay), **-ain** adj. (1349, J. Lefebvre). Qui ne dure qu'un moment.

momer v. (1263, *Arch.;* orig. obsc., peut-être onomat.). 1º Se déguiser. — 2º Se masquer. ◆ **momeor** n. m. (XIIᵉ s., Evrat). Masque, bateleur.

momie n. f. (XIIIᵉ s., *Simples Médec.,* lat. médiév. *mumia,* de l'arabe). 1º Sorte de poudre qu'on donnait aux oiseaux utilisée en vénerie. — 2º Sorte de préparation médicinale pour les humains.

I. **mon** adj. poss. masc. sing. cas rég., **mes, mis** cas sujet, **mes** cas rég. **mi** plur. cas sujet (842, *Serm. Strasb.,* lat. *meum*). Adj. poss. se référant à un possesseur unique à la première personne; forme non marquée, employée exclusivement comme adjectif, par opposition à la forme marquée (*mien, miens*), qui peut être employée comme pronom et comme adjectif. 1º Cas sujet sing. : *Mis quers me dist que jeo vus pert* (M. de Fr.). — 2º Cas sujet plur. : *Mi granz palais en Rome la citet (Alexis).* ◆ V. TABLEAU DES POSSESSIFS, p. 422.

II. **mon, mont** particule affirmative (1160, Ben.; orig. incert.; peut-être de *munde,* adv., purement, assurément). 1º Particule affirmative, employée avec le

TABLEAU DES POSSESSIFS
(se rapportant à un seul possesseur)

Pers.	Nbre	Cas	Formes non marquées		Formes marquées	
			Masculin	Féminin	Masculin	Féminin
1ʳᵉ	sing.	suj.	mes	ma	miens	meie, moie
		rég.	mon	ma	mien	meie, moie
	plur.	suj.	mi	mes	mien	meies, moies
		rég.	mes	mes	miens	meies, moies
2ᵉ	sing.	suj.	tes	ta	tuens	toe
		rég.	ton	ta	tuen	toe
	plur.	suj.	ti	tes	tuen	toes
		rég.	tes	tes	tuens	toes
3ᵉ	sing.	suj.	ses	sa	suens	soe
		rég.	son	sa	suen	soe
	plur.	suj.	si	ses	suen	soes
		rég.	ses	ses	suens	soes

verbe *être,* en construction impersonnelle :
Ce est sa fille, par foi, ce est mon (Joinv.),
ou avec le verbe *faire : Et dist Geriau-
mes : vous en repentirés. Che fera mon,
dist li provos Hondré (H. de Bord.).* —
2° *Savoir mon, a savoir mon,* à savoir,
bien entendu que : *Saveir`mun s'il vol-
drunt* (Garn.).

III. **mon** n. m. V. MONT, monde.

monacorde n. m. (1155, Wace; gr.
monochordon, instrument à une corde).
Manicorde, manichordion.

monarchie n. f. (1260, *Br. Lat.*),
monarche n. f. (1265, J. de Meung).
Monarchie.

monastere n. m. (1330, *G. de
Rouss.* lat. eccl. *monasterium,* du grec).
Monastère. ◆ **monastique** adj. (XIIIᵉ s.,
Règle saint Ben.). De moine : *Labours
monastiques (Règle saint Ben.).*

moncel n. m. (déb. XIIᵉ s., *Ps. Cambr.;*
bas lat. *monticellum*). 1° Petit mont,
monticule, colline. — 2° Tas, amas :
en munceals de pierres (Ps. Cambr.).
◆ **moncelet** n. m. (fin XIIIᵉ s., Guiart).
Petit mont. ◆ **monceler** v. (1288, J. de
Priorat). Amonceler, accumuler.

monde, mont adj. (XIIᵉ s., Marb.;
réfection du premier sur le fém.; du lat.

mundum, mundam). 1° Pur, sans tache :
(âme) *bien pure et bien monde* (Coincy).
— 2° Nu : *Et qui me fet lessier si monde
Qu'il ne m'est remez riens el monde*
(Ruteb.). ◆ **monder** v. (1170, *Percev.*).
Purifier, nettoyer. ◆ **mondement** n. m.
(XIIIᵉ s.). Purification. ◆ **mondece, -ice**
n. f. (1335, Deguil.). Pureté, propreté.
◆ **mondain** adj. (1204, R. de Moil.).
1° Pur, net. — 2° Noble, généreux.
◆ **mondefier** v. (1260, Br. Lat.). Purifier,
nettoyer.

monee, molnee n. f. (1232, G.;
lat. pop. **molinata,* de *molere,* moudre).
1° Mouture. — 2° Droit sur la mouture.
◆ **monerie** n. f. (1239, *Arch.*). 1° Mouture.
— 2° Droit sur la mouture. ◆ **moneure**
n. f. (1248, *Cart.*), **-erage** n. m. (1294,
Cart.). Droit sur la mouture. ◆ **moneor**
n. m. (1218, *Cart.*), **-eresse** n. f. (1277,
Cart.). Meunier, meunière. ◆ **monant** n.
m. (1235, *Lettre*). Serf obligé de faire
moudre ses grains au moulin banal.

monester v. (1180, *Rom. d'Alex.;*
bas lat. **monestare,* pour *monere,* avertir).
Avertir, admonester.

monge n. m. V. MOINE, MONIE, moine.

monicion n. f. (1283, Beaum.; lat.
monitio). Avertissement. ◆ **monitoire**
adj. (XIVᵉ s., G.). Qui sert à avertir.

monie n. m. V. MOINE, religieux.

monjoie, monjoe, montjoie n. f. (1080, *Rol.*; francique *mund-gawi*, protection du pays, avec attraction déformante de *mont* et *joie*). 1° Hauteur, colline, monticule de pierre (bordant les chemins) : *Noz gens furent encloz deles une monjoie (Chev. cygne).* — 2° Monceau, quantité considérable. — 3° Foule : *par tote la montjoie Fud oie cele risee* (H. de Méry). — 4° Point culminant, bonheur, félicité. — 5° interj. Cri de guerre des chevaliers français : *Montjoie escrient a haut ton* (Mousk.).

monoceros n. m. (1119, Ph. de Thaun; lat *monoceros*, unicorne, du grec). Animal merveilleux qui n'a qu'une corne.

monocle, monougle adj. (XIIᵉ s., *Cast. d'un père*; bas lat. *monoculus*, composé gréco-latin). Qui n'a qu'un œil, borgne.

monoie n. f. (XIIᵉ s., *Macchab.*; lat. *moneta*). Monnaie. ◆ **monier, -oier** n. m. (1260, *Régl.*). Monnayeur, changeur. ◆ **moneage** n. m. (1296, *Arch.*). 1° Fabrique de monnaies. — 2° Sorte de droit sur les monnaies.

monopole n. m. (1343, Arch.; lat. *monopolium*, du grec). Cabale, conspiration.

monpansier n. m. (1270, Ruteb.; v. *panse*). *Amer monpansier*, être gourmand, ne se préoccuper que des plaisirs de la panse.

monsieur n. m., **messieurs** n. m. pl. (1314, Mondev.; composé de *mon, mes*, et de *sieur*, seigneur). Titre donné à des personnages de haute noblesse.

I. **monstre** n. m. V. MOSTRE, prodige, monstre.

II. **monstre** n. f., inspection, revue. V. MOSTRER, montrer.

monstrer v. V. MOSTRER, montrer, prouver, enseigner.

I. **mont** n. m. (Xᵉ s.; lat. *montem*, montagne). 1° Mont. — 2° Colline. — 3° Monceau, tas, lot. — 4° Tête d'une lignée (jurid.). — 5° *A mont*, par en haut,

v. *amont*. — 6° Encontre mont, en haut, vers le haut : *Encontre munt dreça l'espié* (*Gorm. et Is.*). — 7° *Encontre mont, sur pied* : *Il resalt sus encontre munt* (*Gorm. et Is.*). ◆ **montoi** n. m. (1282, *Arch.*). Colline. ◆ **montoire** n. f. (1307, *Arch.*). Montée, colline, montagne. ◆ **montorin** adj. (1307, *Arch.*). Qui habite sur les montagnes. ◆ **monton** n. m. (1308, Aimé). Troupe. ◆ **montel** n. m. (XIIIᵉ s., Th. de Kent). Monticule. ◆ **monteor** n. m. (XIIIᵉ s., Th. de Kent). Qui habite les montagnes (épithète fréquente de *faucon*). ◆ **monticole** n. m. (XIIIᵉ s., *Pastor.*). Montagnard. ◆ **montagne** n. f. (déb. XIIᵉ s., *Voy. Charl.*; lat. pop. *montanea*, adj. subst. au fém.). Montagne. ◆ **montain** adj. (1260, Br. Lat.). De montagne, qui habite sur les montagnes. ◆ **montanier** adj. (XIIᵉ s., *Asprem.*). 1° Qui habite la montagne (en parlant des animaux et, en particulier, du *faucon*). — 2° En parlant des choses : *cor montagnier (Chans. d'Ant.).* ◆ **montardin** adj. (fin XIIᵉ s., *Loher.*). Qui habite les montagnes, qualificatif de *faucon*.

II. **mont, mon** n. m. (980, *Passion*; lat. *mundum*, univers). 1° Monde. — 2° Siècle, par opposition à la vie religieuse. — 3° La vie d'ici-bas : *Le mont ou tant avés duré!* (J. Bod.). — 4° Gens, ensemble de personnes envisagées : *Dame gentiz, de tot le mont loee* (poèt. fr. av. 1300). ◆ **mondain** adj. (1204, R. de Moil.). Qui appartient au monde, profane.

III. **mont** adj. V. MONDE, pur, sans tache.

monteplier, -oier v. V. MOLTEPLIER, accroître, favoriser, prospérer.

monter v. (déb. XIIᵉ s., *Voy. Charl.*; lat. pop. *montare*, de *mons*, montem, montagne). 1° Faire monter. — 2° Monter à cheval : *Mais tost furent retorné, si monterent et alerent leur voie (Fille du comte de P.).* — 3° Monter sour mer, prendre le bateau. — 4° Augmenter, accroître. — 5° Se rapporter, avoir trait à. — 6° Valoir, servir, être utile : *Tant plorait, mais rien ne li monte, Fors li en meinent a grant honte* (Trist.). — 7° Importer : *Bien voit que riens ne li monte Parole ne bele priere (Am. et Id.). A vos* *que monte? (Auc. et Nic.).* ◆ **mont** n. m. (1313, *Vœux du Paon*). Valeur, prix. ◆ **monte** n. f. (1180, *Rom. d'Alex.*). 1° Action de monter, montée. — 2° Montagne. — 3° Valeur, prix, nombre : *Halbers n'i valt la monte d'un festu (Cour. Louis).* — 4° Valeur morale. — 5° Intérêt : *Set anz fu en eissil, mult emprunta a munte* (Garn.). — 6° Empreinte : *Et d'empereour et de conte et fait saiiel et fausse monte* (Mousk.). — 7° *A une monte,* à la fois. ◆ **montee** n. f. (1162, *Fl. et Bl.*). 1° Augmentation de prix. — 2° Terme de musique, fait de monter la gamme. ◆ **montement** n. m. (1120, *Ps. Oxf.*). 1° Action de monter, de s'élever. — 2° Degré pour monter. ◆ **montance** n. f. (1180, *R. de Cambr.*). 1° Action de monter. — 2° Valeur d'une chose, prix, montant : *Mais ne li vaut la montance d'un pois (R. de Cambr.).* — 3° Espace, longueur, durée. ◆ **monteor** n. m. (déb. XIIᵉ s., *Ps. Cambr.*). 1° Celui qui monte. — 2° Cavalier. — 3° Escalier ou pente pour monter un chemin de ronde. — 4° Borne qui aide à monter à cheval. ◆ **monté** adj. (1270, Ruteb.). 1° Élevé, hautain. — 2° Ambitieux. — 3° Opulent, riche : *Cil prestres i fut emputeiz Qui tant fu riches et monteiz* (Ruteb.). ◆ **montable** adj. (1160, Ben.). 1° Qui peut être gravi. — 2° D'une grande valeur, considérable. ◆ **montefoy** n. m. (1272, Joinv.). Écrit authentique qui fait foi en justice.

montjoie n. f. V. MONJOIE, colline, monceau; cri de guerre.

monument n. m. (1138, *Saint Gilles*; lat. *monumentum*). 1° Tombeau. — 2° Le Sépulcre.

moque n. f. (1220, Coincy; francique **mokka*). Morceau de pain, croûton.

moquier v. (fin XIIᵉ s., *Ysopet Lyon*; orig. obsc.). 1° Railler, se moquer de. — 2° Faire la grimace. ◆ **moquoi** n. m. (fin XIIᵉ s., *Aym. de Narb.*), **-eis** n. m. (1277, *Rose*). Raillerie, plaisanterie. ◆ **moquement** n. m. (XIIIᵉ s., *Comm. Ps.*). 1° Moquerie. — 2° Objet de moquerie. ◆ **moqueor** n. m. (fin XIIᵉ s.), **-eresse** n. f. (1335, Deguil.). Railleur.

I. mor adj. (1306, Guiart; lat. médiév. *Maurus,* Maure). Brun. ◆ **morois, -eis**

adj. (1160, *Athis*). 1° Brun, noir. — 2° n. m. Cheval noir. ◆ **morel** adj. et n. m. (1138, *Saint Gilles*). 1° Brun, noir (surtout en parlant du poil des chevaux). — 2° n. m. Cheval maure. — 3° Drap de couleur foncée. ◆ **moré** adj. (1160, *Charrette*). Brun, noir. ◆ **moret** adj. (XIIᵉ s., *Barbast.*). 1° De couleur sombre. — 2° n. m. Drap foncé. ◆ **morillon** n. m. (XIIIᵉ s., *Bat. de Quaresme*). 1° Canard de couleur grise. — 2° Gros raisin noir (Beaum.).

II. mor n. m. (XIIᵉ s.; lat. pop. **murrum,* d'orig. obsc.). Museau. ◆ **moraine** n. f. (1250, *Ren.*), **moraille** n. f. (XIIIᵉ s., *Tourn. Chauvenci*). Pièce de fer à charnière servant à fixer la visière du casque.

III. mor, muer, meur n. m. (1290, *Cart.*; orig. incert.). Terrain à tourbe. ◆ **more** n. f. (1160, Ben.). Lande, marais, tourbière. ◆ **moree** n. f. (XIIIᵉ s., *Traité d'économie rurale*). Marécage.

moralité n. f. (fin XIIᵉ s., *Ysopet Lyon;* bas lat. *moralitas*). Caractère, mœurs.

mordication n. m. (1314, Mondev.; lat. *mordicatio,* de *mordere*). Action de mordre. ◆ **mordicatif** adj. (1314, Mondev.). Mordicant.

mordieu interj. (1170, *Percev.;* composé de *mort* et *Dieu*). Exclamation d'insistance : *Se as amie ou ami Par la mordieu envoie m'i (Percev.).*

mordre v. (1080, *Rol.;* lat. pop. *mordere,* accentué sur la première syllabe, pour *mordere*). 1° Mordre. — 2° Atteindre. ◆ **mordant** adj. et n. m. (XIIᵉ s., *Thomas le Martyr*). 1° Mordant. — 2° n. m. Agrafe de métal fixée à l'extrémité de la ceinture et qui restait librement suspendue. ◆ **mordable** adj. (fin XIIIᵉ s., Macé). Mordant, qui mord. ◆ **mordeor** n. m. (1270, Ruteb.). Qui aime à mordre, caustique.

mordrir, murtrir v. (1169, Wace), **mordrer** v. (XIIIᵉ s., *Ass. Jérus.;* francique **murthrjan,* assassiner). 1° Tuer, assassiner. — 2° Maltraiter cruellement. — 3° Étouffer. ◆ **mordre** n. m. (XIᵉ s., *Lois Guill.*), **mordrie** n. f. (1080, *Rol.*), **-ise** n. f. (1235, H. de Méry).

Meurtre, assassinat. ◆ **mordreor** n. m. (fin XIIe s., *Loher.*). Meurtrier, assassin. ◆ **mordrisseor** n. m. (déb. XIIIe s., R. de Clari). Meurtrier. ◆ **mordrissoir** adj. (1211, *Charte*). Meurtrier.

more, muere, meure n. f. (1180, *Rom. d'Alex.;* orig. obsc.). 1° Pointe de l'épée. — 2° Lame, tranchant.

moré, moret n. m. (1112, *Saint Brand.;* v. *mor,* brun?). Sorte de vin, quelquefois hydromel.

moreine n. f. (1260, Br. Lat.; lat. *muraena,* du grec). Murène.

morequin n. m. V. MOLEQUIN, sorte d'étoffe.

morer v. (1260, Mousk.: lat. *morari*). 1° Demeurer. — 2° S'attarder, retarder. ◆ **morance** n. f. (1204, R. de Moil.). Retard, délai.

morfondre v. réfl. (déb. XIVe s., D.; composé de *mor,* museau, et *fondre,* couler). Contracter un coryza nasal (en parlant des chevaux). ◆ **morfondee** n. f. (XIIIe s., *Pastor.*). Morve.

morgengave n. f. (1305, G.; cf. all. *Morgen,* matin, et *Gabe,* cadeau). Présent que le mari fait à sa femme le matin du lendemain de ses noces (en parlant des *us d'Alemaigne*).

morien n. m. (XIIe s., *Chev. cygne;* cf. *mor,* brun). Maure. ◆ **moriant** n. m. (XIIIe s., *Conq. Jérus.;* sur le modèle d'*Orient*). Le pays des Maures.

morier n. m. (XIIe s., *Pir. et Tisb.;* v. *meure,* mûre). mûrier. ◆ **morial** n. m. (1298, M. Polo). Mûrier.

morigené, -giné adj. (déb. XIVe s., D.; lat. médiév. *morigenatus,* pour *morigeratus,* complaisant pour). Éduqué, dressé.

morine n. f. (1180, *Rom. d'Alex.;* dér. de *morir,* mourir). 1° Maladie mortelle, épidémie, mort. — 2° Bête crevée. ◆ **morineus** adj. (1277, *Rose*). Attaqué d'une maladie contagieuse (en parlant des animaux). ◆ **morille**, n. f. (XIIIe s., J. Le March.). Sorte de maladie : *Com l. chevaux mors de morille* (J. Le March.). ◆ **morilleus** adj. (XIIIe s., *Pastor.*). Malade.

morir v. (Xe s., *Eulalie;* lat. pop. **morire,* pour *mori*). 1° Tuer, faire mourir : *Mort as mun filz par le mien escientre (Rol.).* — 2° Mourir. ◆ **morie** n. f. (1277, *Rose*). 1° Mort. — 2° Massacre, meurtre. — 3° Mortalité. — 4° Charogne (1296, *Arch.*). ◆ **moriant** adj. et n. m. (1169, Wace). 1° Le moment de la mort. — 2° adj. *Vie moriant,* vie passée dans le péché *(Mir. saint Éloi).* ◆ **moreur** adj. (1265, J. de Meung). 1° Mourant. — 2° Triste, chétif. ◆ V. MORT, n. f. et adj.

morle n. f. V. MOSLE, moule, poisson de mer.

mormeler v. (1220, Coincy; francique *murmulôn*). Marmotter, psalmodier.

morne adj. (1138, *Saint Gilles;* cf. francique **mornan,* être triste). Morne. ◆ **morni** adj. (XIIe s., *Horn*). Triste, pensif.

morone n. f. (1314, Mondev.; peut-être dér. de *mor,* brun). Salamandre terrestre.

morose adj. (1343, *Lettre;* lat. *morosus,* sévère). Fâcheux.

I. **mors** n. m. (1112, *Saint Brand.;* lat. *morsum,* p. passé de *mordere,* mordre). 1° Action de mordre, morsure. — 2° Trace, goût : (Vin) *Sans nul mors de pourri ne d'aigre* (J. Bod.). — 3° Morceau : *Un mors de pain* (Ysopet, I). — 4° Mors. — 5° Boucle. ◆ **morsel** n. m. (1120, *Ps. Oxf.*). 1° Morsure. — 2° Bouchée. ◆ **morsure** n. f. (déb. XIIIe s., D.). 1° Morsure, blessure. — 2° Affliction. ◆ **morsier** adj. (1180, *Rom. d'Alex.*). Qui mord. ◆ **morsiller** v. (déb. XIVe s., J. de Condé). Mordiller.

II. **mors** n. f. pl. (XIIe s., *Thomas le Martyr;* lat. *mores,* masc. pl.). Mœurs.

mort n. f. (Xe s., *Eulalie;* lat. *mortem*). Mort. ◆ **mort** adj. (Xe s., *Eulalie;* lat. pop. **mortum,* pour *mortuus,* de *mori*). 1° Mort. — 2° Nul, jurid. (1315, G.). — 3° Funeste : *Ele aportoit mortes noveles (Est. Saint-Graal).* — 4° n. m. Mort, défunt (1080, *Rol.*). ◆ **mortel** adj. (1080, *Rol.*). 1° Cruel. — 2° Qui mérite la mort :

Nos anemis mortés (J. Bod.). ◆ **mortin** adj. (1260, Br. Lat.). Mort, crevé. ◆ **mortein** adj. (XIIIe s., Fr. Angier). 1° De mort. — 2° n. m. Atteinte mortelle (Poés. fr. av. 1300). ◆ **mortable** adj. (XIIe s., *Mon. Guill.*). Mortel, qui cause la mort. ◆ **morteus** adj. (1246, G. de Metz). Qui donne la mort. ◆ **morticin** adj. (1260, Br. Lat.). Mort, crevé. — ◆ **morticine** n. f. (XIIIe s., Th. de Kent). Charogne. ◆ **mortement** adv. (1210, *Dolop.*). 1° Mortellement. — 2° Faiblement. — 3° Froidement, lâchement. ◆ **mortalité** n. f. (fin XIIe s., *Loher.*). 1° Massacre : *Fiers fu li chaples et li mortalitez (Loher.).* — 2° Maladie mortelle : *Après ceste mortalité Revint une autre enfermeté (Saint Eust.).* — 3° Misère. ◆ **mortaille** n. f. (XIIIe s., *Livr. de Jost.*). 1° Mort, mortalité, massacre : *Quel mortaille, Quel ocision, quel bataille!* (Guiart). — 2° Funérailles, services pour les morts. ◆ **mortaillable** adj. (1346, *Arch.*). Se dit d'un serf dont la succession revient au seigneur. ◆ **mortage** n. m. (1355, *Arch.*). État du serf mortaillable, droit du seigneur sur lui. ◆ **mortoille** n. m. (1350, G. li Muisis). Mortalité. ◆ **mortoire** n. m. et f. (1235, *Charte*). 1° Mort. — 2° Mortalité, épidémie. — 3° Destruction. ◆ **mortuaire** n. m. et f. (1313, Godefr. de Paris). 1° Mortalité, épidémie. — 2° Funérailles. — 3° Droits prélevés par le curé sur les paroissiens décédés. — 4° Corps morts. ◆ **mortuore** n. m. (XIIe s., Herman). 1° Épidémie, mort. — 2° adj. Qui appartient aux défunts. (Mousk.). ◆ **morteier** v. (déb. XIIIe s., R. de Beauj.). Tourmenter. ◆ **morteis** n. m. (1302, G.). Perte. ◆ **mortir** v. (1160, Ben.). 1° Mettre à mort. — 2° Amortir, détruire. ◆ **mortissement** n. m. (1340, *Arch.*). Amortissement. ◆ **mortgage** n. m. (1283, Beaum.). Gage qui donne droit aux fruits de l'objet engagé sans qu'ils soient décomptés de la dette. ◆ **mortemain** n. f. (1237, *Cart.*). Mainmorte, droit de main morte.

mortefier v. (1120, *Ps. Oxf.*; lat. eccl. *mortificare*). 1° Anéantir. — 2° Punir (Br. Lat.). ◆ **mortification** n. f. (XIIe s.). Anéantissement. ◆ **mortifieor** n. m. (1120, *Ps. Oxf.*). Meurtrier.

morteret n. m. (XIIIe s., *Fabl.*), **-eruel** n. m. (1213, *G. de Dole*; orig. incert.). Sorte de plat, probablement mélange de pain et de lait.

I. **mortier** n. m. (fin XIIe s., *Rois*; lat. *mortarium*, auge de maçon, mortier). Mortier. ◆ **mortelier** n. m. (1268, E. Boil.). Artisan qui fait le mortier.

II. **mortier** n. m. (fin XIIe s., *Aym. de Narb.*; v. *mor*, terrain à tourbe?). Mare.

mortoise n. f. (XIIIe s., *Fabl.*; peut-être de l'arabe *murtazza*). Mortaise. ◆ **mortoiser, -aisier** v. (1302, G.). Tailler à mortaise.

morveus adj. (XIIIe s., *Poés. roi de Navarre*; dér. de *morve*, fin XIVe s., d'orig. incert.). Qui a la morve au bout du nez : *Or s'en iront cil vaillant bacheler ... Et li morveux, li cendreux demourront (Poés. roi de Navarre).*

mos adj. cas sujet sing. ou cas régime plur. V. MOL, mou.

mosche n. f. (déb. XIIIe s., R. de Clari; lat. *musca*). Mouche. ◆ **moschet** n. m. (1160, Ben.). Emouchet, petit épervier. ◆ **moschete** n. f. (1260, Br. Lat.). 1° Petite mouche. — 2° Mouche à miel, abeille. — 3° Essaim d'abeilles.

mosi adj. V. MUSIC, fait de pièces rapportées, émacillé.

mosle, moscle, morle n. f. (fin XIIIe s., J. de Meung; lat. *musulus*, petite souris, coquillage, de *mus, muris*, souris). 1° Moule, fruit de mer. — 2° Poisson de mer (sens vague).

mosler v. V. MOLER, prendre la forme de, se presser contre, prendre sur soi.

mosnee n. f. V. MONEE, mouture.

mosse n. f. (1204, R. de Moil.; orig. incert. : francique **mossa*; cf. lat. *mussula*, VIe s.). Mousse. ◆ **mossu** adj. (1160, *Eneas*). 1° Couvert de mousse. — 2° Velu. — 3° Souvent couplé avec *vieil*, dont il renforce le sens : *Vielle fu et moussue et des ars bien sachant (Chans. d'Ant.).* ◆ **mossé** adj. (1292, *Taille Paris*). Moussu, velu.

mosson n. m. V. MOISSON, moineau.

most n. m. (1256, Ald. de Sienne; lat. *mustum*). Moût. ◆ **moster** v. (1204, R. de Moil.). 1º Récolter le moût. — 2º Vendanger. ◆ **mostoison** n. f. (fin XIIᵉ s., *Loher.*). 1º Vendange. — 2º Époque de la vendange. ◆ **mostage** n. m. (1254, *Cart.*). Redevance en vin doux. ◆ **mostarde** n. f. (déb. XIIIᵉ s., D.). Grains de sénevé broyés avec du moût de vin.

mostier, monstier n. m. (xᵉ s., *Saint Léger;* lat. pop. **monisterium*, pour *monasterium*). 1º Couvent, monastère. — 2º Église en général. — 3º Temple païen. ◆ **mosteret** n. m. (1220, Coincy). Petit monastère.

mostoile n. f. (1277, *Rose;* lat. *mustela*). Fouine, belette. ◆ **mostelete** n. f. (1121, Ph. de Thaun). Petite belette.

I. **mostre, monstre** n. m. (1120, *Ps. Oxf.;* lat. *monstrum*). 1º Prodige, chose prodigieuse, incroyable : *Ceste letre si nous demonstre Que tout li haut home sont monstre (ABC).* — 2º Monstre. ◆ **monstreus** adj. (1243, G. de Metz). 1º Prodigieux. — 2º Monstrueux.

II. **mostre** n. f., inspection, revue. V. MOSTRER, montrer.

mostrer v. (xᵉ s., *Fragm. de Valenc.*), **monstrer** v. (1213, Villeh.; lat. *monstrare*). 1º Montrer. — 2º Démontrer, prouver. — 3º Enseigner. ◆ **mostrance** n. f. (1160, Ben.) 1º Preuve, démonstration : *Ci a bone moustrance Et aperte senefiance (Houce partie).* — 2º Enseignement. — 3º Prodige. — 4º Présence. ◆ **mostreison** n. f. (1190, Garn.). 1º Action de montrer, de faire voir. *Faire mostreison,* montrer. — 2º Apparition : *Cum il esteit a us, od grant devotiun, S'aparut Deus a lui en veire mustreisun* (Garn.). — 3º Signe, prodige. ◆ **mostrement** n. m. (1160, Ben.). 1º Action de montrer. — 2º Démonstration en rhétorique, démonstration en général. — 3º Remontrance. ◆ **mostre, monstre** n. f. (1243, *Arch.*). Inspection, revue. ◆ **mostree** n. f. (XIIIᵉ s., *Digeste*). 1º Action de montrer. — 2º Inspection. — 3º Troupes passées en revue. ◆ **mostreor** n. m. (1328, *Cart.*). Celui qui montre.

mosulin n. m. (1298, M. Polo; cf. ital. *mussolina (tela)*, de l'arabe *mausilî*, de Mossul). 1º Drap d'or et de soie. — 2º Marchand qui vend ce drap.

I. **mot** n. m. (déb. XIIᵉ s., *Voy. Charl.;* lat. pop. **mottum*, du bas lat. *muttum*, son émis). 1º Son de trompe : *Sonés le vostre (cor) [...] Tant que on l'oie quatre mos (Atre pér.).* — 2º Mot. — 3º Motet : *Chansonetes, mos, fableaus (Vie des Pères).* — 4º *De mot,* d'un seul mot. *A un mot,* aussitôt. — 5º Renforcement de négation : *ne ... mot,* nullement. ◆ **motel** n. m. (1318, G. de la Bigne), **-ot** n. m. (av. 1300, poèt. fr.). Motet. ◆ **motir** v. (XIIᵉ s., *Part.*), **-ier, -oier** v. (1283, Beaum.). 1º Déclarer, expliquer. — 2º Désigner nommément, spécifier. ◆ **motison** n. f. (fin XIIIᵉ s., G. de Tyr). 1º Déclaration. — 2º Désignation.

II. **mot** adj. et adv. V. MOLT, nombreux; beaucoup, très.

mote n. f. (1169, Wace; probabl. d'une rac. prélatine **mutt-*). 1º Butte, tertre. — 2º Levée de terre. — 3º Alluvion. — 4º Château bâti sur une éminence, maison seigneuriale. — 5º Droit de prendre de la terre pour réparation des chaussées. ◆ **motel** n. m. (XIVᵉ s.), **-ele** n. f. (1306, Guiart), **-elete** n. f. (1304, *Arch.*). Petit monticule. ◆ **motier** n. m. (1308, *Charte*). Qui doit le service de *mote,* de réparation des chaussées.

motion n. f. (1277, *Rose;* lat. *motio*). 1º Mise en mouvement. — 2º Mouvement, soulèvement, tremblement. — 3º Sollicitation (Froiss.). ◆ **motif** adj. (1314, Mondev.). Qui met en mouvement.

moule, meule n. f. (XIIIᵉ s., *Ps.;* orig. incert.; v. *mole,* meule). Meule de foin, tas, amas. ◆ **moulon, meulon, moilon** n. m. (1160, Ben.). Meule, tas, monceau.

mouser v. (1250, *Ren.;* orig. incert.). Froisser : *Que qu'il a lui issi parole Des piez li mouse la chanole (Ren.).*

mout adj. et adv. V. MOLT, nombreux; beaucoup, très.

movoir v. (1080, *Rol.;* lat. *movere*). 1º Mettre en mouvement, remuer, bouger. — 2º Se mettre en mouvement, s'en aller : *Ele muet d'ilec de randon Tantost s'en va en sa meison (Est. Saint-Graal).* — 3° Causer, occasionner. — 4° Introduire (en parlant d'une cause). — 5° Soulever, provoquer (la querelle, la guerre). — 6° Se décider. — 7° *Movoir de,* commencer à écrire, traiter de. ◆ **mover** v. (XII° s., *Trist.*). 1° Terme de chasse, lever le gibier : *Ses chiens out envoié mover En un espoisse un fier sanglier (Trist.).* — 2° Mettre en mouvement, mouvoir. ◆ **movoir** n. m. (1170, *Percev.*). 1° Départ. — 2° Mandement. ◆ **movement** n. m. (XII° s., *Horn*). 1° Départ. — 2° Commencement. ◆ **movin** n. m. (XII° s., *Chev. cygne*). 1° Mouvement. — 2° Bruit, tumulte. — ◆ **moveor** n. m. (XIII° s., *Fabl. d'Ov.*). Celui qui met en mouvement, moteur : *Une gleste pour soi mouvoir Sans mouveeur (Fabl. d'Ov.).* ◆ **moveresse** n. f. (1277, *Rose*). Motrice, instigatrice. ◆ **movant** adj. (fin XII° s., *Ogier*). 1° Qui se met en mouvement. — 2° Qui aime à se mouvoir, alerte. — 3° n. m. *(Chev. cygne).* Mouvement, bruit, tumulte. ◆ **movable** adj. (déb. XII° s., *Ps. Cambr.*). 1° Mobile : *Choses mouvables (Rose).* — 2° Meuble. *Biens movables et non movables (1279, Lettre).* ◆ **movableté** n. f. (1260, Br. Lat.). Qualité de ce qui est mobile.

mu adj. (XI° s., *Alexis;* lat. *mutum*). Muet. ◆ **muel** adj. (1170, *Percev.*), -et adj. (1175, Chr. de Tr.). Muet : *Ele fu nee Muiele, sourde et avulee* (A. de la Halle). ◆ **muacle** adj. (1295, Boèce). Muet.

mucel n. m. (XIII° s., J. de Garl.; altér. du lat. *musculus*). Muscle.

mucier v. (déb. XII° s., *Ps. Cambr.;* lat. pop. **muciare,* d'orig. gaul.). 1° Cacher, soustraire aux regards : *Vint li abbés [...] Qui fist la dame en son dortoir mucier (R. de Cambr.).* — 2° v. réfl. Se cacher, s'abriter : *A la crois vinrent erranment Si s'i mucierent anbedui (Atre pér.).* — 3° *Mucier hors,* découvrir. ◆ **muce** n. f. (1190, J. Bod.). Cachette, lieu secret. ◆ **muçote** n. f. (1220, Coincy), **muçaille** n. f. (1335, Deguil.). Cachette.

mueble adj. (XII° s., *Trist.;* lat. pop. *mobilem*). 1° Mobile, mouvant. — 2° Qui peut changer de place. ◆ **mueble** n. m. (fin XII° s., *Gar. Loher.*). 1° Biens meubles : *Trestot son mueble a li rois departi (Gar. Loher.).* — 2° Changement. ◆ **muebler** v. V. MEUBLER, garnir, s'enrichir.

muele n. f. (1277, *Rose;* orig. obsc.). Morceau de cuir.

I. **muer** v. (XI° s., *Alexis;* lat. *mutare*), changer). 1° Changer, modifier : *Comme vei mudede vostre bele figure (Alexis).* — 2° Changer, remplacer. — 3° Remuer. — 4° S'empêcher de. *Ne puet muer que,* il ne peut pas ne pas se faire que ... ne : *Ne poet muer que de ses oilz ne plurt (Rol.).* ◆ **muement** n. m. (1160, Ben.). Changement, mutation : *C'ert de regnes muemenz* (Ben.). ◆ **muance** n. f. (1175, Chr. de Tr.). Changement, variation, vicissitude. ◆ **muison, muoison** n. f. (déb. XII° s., *Ps. Cambr.*). 1° Changement, transformation. — 2° Métamorphose. — 3° Mue. ◆ **mue** n. f. (1175, Chr. de Tr.). 1° Changement. — 2° Mué. — 3° Départ. ◆ **muant** adj. (1250, *Ren.*). Changeant. ◆ **muable** adj. (1080, *Rol.*). 1° Sujet à la mue, au changement. — 2° Changeant, éphémère. — 3° Versatile. ◆ **muableté** n. f. (1190, saint Bern.). 1° Qualité de ce qui est muable. — 2° Disposition au changement. — 3° Instabilité, inconstance. ◆ **muier** adj. (1175, Chr. de Tr.). Qui a mué.

II. **muer** n. m. V. MOR, terrain à tourbe.

muerdrir v. V. MORDRIR, tuer.

muere n. f. V. MORE, pointe de l'épée, sa lame.

muete, meute n. f. (1169, Wace; lat. pop. *movita,* p. passé de *movere,* mouvoir, pour *mota*). 1° Départ, expédition : *Il ne remest el palais ame Au jor que la muete dut estre (l'Escouffle).* — 2° Soulèvement, émeute. — 3° Troupe. ◆ **mueter** v. (1340, *Arch.*). Chasser, bannir.

muevre, moevre v. (1170, *Percev.;* lat. pop. *movere,* avec l'accent sur la syllabe initiale, pour *movere,* mouvoir). 1° Mouvoir. — 2° Se mouvoir, se mettre en mouvement.

mugot n. m. V. MUSGOT, magot, provision.

mugue n. m. V. MUSGUE, musc, muguet.

mui n. m. V. MOI, muid, mesure de grains. ◆ **muiot** n. m. (1328, *Arch.*). Sorte de mesure. ◆ **muiage** n. m. (1258, *Arch.*). 1° Mesurage des grains par muid. − 2° Droit de péage sur les grains. ◆ **muieur** n. m. (1257, *Arch.*). Mesureur.

I. **muire** v. (1112, *Saint Brand.*), **muier** v. (1220, *Saint-Graal*), **mugir** v. (XIIIe s., *Unicorne;* lat. *mugire,* la forme *mugir* étant la réfection plus tardive d'après le lat.). 1° Crier. − 2° Mugir. − 3° Faire du bruit. ◆ **muiement** n. m. (1210, *Best. div.*). Mugissement, cri sourd : *Ne metre hors nule voiz ne nul muiement ne nul son par sa bouche ou par sa gorge (Mir. Saint Louis).*

II. **muire** n. f. (1249, texte franc-comtois; lat. *muria,* saumure). Eau salée naturelle qui sort des sources salines.

muiron n. m. (XIIe s., *Ysopet,* I; cf. *muire*). Anguille, lamproie.

muiz n. m. (XIIe s., *Gloss.;* cf. francique *mosa*). Mousse.

mujoe n. m. V. MUSGOT, provision, amas.

I. **mul** n. m. (1080, *Rol.*), **mur** n. m. (1160, *Eneas;* lat. *mulum,* mulet). Mulet. ◆ **mule** n. f. (1080, *Rol.*). Femelle du mulet. ◆ **mulet** n. m. (1080, *Rol.*). Mulet. ◆ **mulace** adj. et n. f. (1302, G.). 1° De la nature des mulets. − 2° n. f. Mule. ◆ **mulain** n. m. (fin XIIe s., saint Grég.). Muletier.

II. **mul** n. m. (XIIIe s.; orig. obsc.). Estomac. ◆ **mule** n. f. (XIIIe s., *la Chace dou cerf*). Caillette du cerf. ◆ **mulete** n. f. (XIIIe s., Ph. de Rémi). Estomac.

mulse n. f. (XIIIe s., *Digeste;* lat. *mulsa* [*aqua*], eau miellée). Hydromel.

mult adj. et adv. V. MOLT, nombreux; beaucoup, très.

multitudine n. f. (1120, *Ps. Oxf.;* lat. *multitudo, -inem*). 1° Multitude. − 2° Abondance.

multrir v. V. MORDRIR, tuer.

mune n. m. ou f. (XIe s., *Alexis;* cf. lat. *munus,* cadeau?). 1° Cadeau. − 2° Récompense.

muple n. m. (1288, J. de Priorat; orig. incert.). 1° Poisson de mer. − 2° Au fig. Espèce de bouclier.

I. **mur** n. m. (Xe s.; lat. *murum*). Mur. ◆ **murail** n. m. (1160, *Eneas*), **murois, -aiz** n. m. (1160, Ben.), **muree** n. f. (déb. XIIe s., *Ps. Cambr.*). Mur, muraille. ◆ **muron** n. m. (XIIe s.), **-ot** n. m. (1332, *Arch.*), **-in** n. m. (1313, *Vœux du Paon*), **-et** n. m. (1240, G.), **-etel** n. m. (1313, *Arch.*). Petit mur. ◆ **murage** n. m. et f. (1190, *H. de Bord.*). Muraille.

II. **mur** n. m. V. MUL, mulet.

murdrir, -er v. V. MORDRIR, assassiner, tuer.

murgier n. m. (1249, *Arch.*), **-iere** n. f. (XIII[e] s.), **-is** n. m. (1325, *Arch.;* orig. obsc.). Monceau de pierres.

murgue n. m. V. MUSGUE, musc, muguet.

murjoe n. f. V. MUSGODE, provision, cellier, amas.

murmurer v. (1120, *Ps. Oxf.;* lat. *murmurare,* d'orig. onom.). Murmurer. ◆ **murmure** n. m. (1175, Chr. de Tr.). 1° Murmure, bruit sourd de voix humaines. − 2° Débat, querelle (XIVe s.). − 3° Bravoure *(Geste de Liège).* ◆ **murmuree** n. f. (1312, *Vœux du Paon*). Grand murmure. ◆ **murmuracion** n. f. (fin XIIe s., saint Grég.). 1° Murmure. − 2° Murmure de mécontentement (Froiss.). ◆ **murmurillier** v. (1278, Sarrazin). Murmurer tout bas. ◆ **murmureor** n. m. (1312, *Vœux du Paon*). 1° Qui murmure. − 2° Qui grogne de mécontentement. ◆ **murmuros** adj. (1190, saint Bern.). Qui murmure.

mus n. m. (XIIe s.), **muse** n. f. (XIIIe s.; *Fabl.;* lat. pop. *musum,* VIIIe s., d'orig. obsc.). Museau, bouche. ◆ **musel** n. m. (1250, *Ren.*). Museau. ◆ **muselee** n. f. (1306, Guiart). Coup de poing sur le museau.

muscier v. V. MUCIER, cacher, abriter.

I. **muse** n. f. (1295, Boèce; lat. *musa*, du grec). Muse. ◆ **musee** n. m. (XIIIe s., G.; lat. *museum*, du grec). Temple des Muses, édifice où l'on se livre à l'art, à la poésie, etc.

II. **muse** n. f. (1164, Chr. de Tr.; v. *muser*, amuser, flâner). 1° Musette, sorte de cornemuse. — 2° Chanson. ◆ **muser** v. (1220, Coincy). Jouer de la musette. ◆ **muset** n. m. (fin XIIe s., Colin Muset). Air de musette. ◆ **musete** n. f. (XIIIe s., *Rom. et past.*). Musette. ◆ **museter** v. (1204, R. de Moil.). Jouer de la musette, chanter. ◆ **museor** n. m. (XIIIe s., *Rom. et past.*). Joueur de musette.

III. **muse** n. f., amusement, dissipation. V. MUSER, perdre son temps.

IV. **muse** n. f., museau, bouche. V. MUS, museau.

muser v. (XIIe s., *Trist.*; v. *mus*, museau, propr. rester le museau en l'air). 1° Perdre son temps, flâner : *Il musa tant a la fontaine Qu'il ama son umbre demaine (Rose).* — 2° S'amuser : 3° Amuser : *Bien set faire le roi muser (Trist.).* ◆ **muse** n. f. (1204, R. de Moil.). Amusement, dissipation, perte de temps. *Rendre la muse,* renoncer aux plaisirs de ce monde. ◆ **musance** n. f. (1335, *Rest. du Paon*). Amusement, plaisir. ◆ **musage** n. m. et f. (1138, Gaimar). 1° Vie joyeuse. — 2° Dissipation, folie : *Lessez folie et tien musage (Petit Plet).* — 3° Perte de temps. *Rendre musage,* perdre son temps. — 4° Dépenses de jeu, de plaisirs. ◆ **musel** n. m. (fin XIIe s., Colin Muset), -**eor** n. m. (1285, Aden.). Celui qui passe son temps à s'amuser. ◆ **musart** adj. et n. m. (1150, *Thèbes*). 1° Sot, niais : *Qu'est che, musars? (J. Bod.).* — 2° Irréfléchi, étourdi : *Sire, chevaliers, trop fustes fox et musarz qui cest escu pendistes a vostre col (Saint-Graal).* — 3° Débauché. ◆ **musembert** n. m. (1220, Coincy). Étourdi. ◆ **musardie** n. f. (1190, J. Bod.). 1° Folie, bêtise. — 2° Étourderie. — 3° Fainéantise. ◆ **musardaille** n. f. (1313, *Vœux du Paon*). Troupe de musards, de gens qui aiment s'amuser. ◆ **musable** adj. (XIIIe s.). Qui cherche à s'amuser. ◆ **museter** v. (1220, Coincy). S'amuser, aimer à s'amuser.

muserat n. m. (1080, *Rol.;* orig. obsc.). Javelot, trait d'arbalète.

musgode, -goe, -joie, murjoie n. f. (XIe s., *Alexis;* germ. **musgauda*). 1° Provision, trésor : *Bourse ne fesoit ne murgoe (Vie des Pères).* — 2° Lieu où l'on conserve les provisions, cellier. — 3° Amas. ◆ **musgot** n. m. (XIe s., *Alexis*). 1° Lieu où l'on conserve les fruits. — 2° Provision, réserve d'argent

musgue, musque, muge n. m. (1220, Coincy; bas lat. *muscus*, d'orig. orientale). 1° Musc. — 2° Muguet. ◆ **musguete** adj. fém. (1277, *Rose*). De muscade : *Nois mugedes (Rose).* ◆ **musguelius** n. m. (XIIIe s.). 1° Musc. — 2° Muguet. — 3° Odeur, parfum du muguet. ◆ **musquellie** adj. f. (av. 1300, poèt. fr.). De muscade : *Quatre nos mosquelie* (poèt. fr.).

music, musique, mosi adj. (1160, Ben.: lat. médiév. *musaicum*, pour *musivum* [*opus*]). 1° Fait de pièces rapportées de diverses couleurs. — 2° Émaillé. *Or musique,* sorte de dorure en mosaïque (R. de Clari). ◆ **musique** n. m. (1330, G. de Rouss.). Mosaïque, marqueterie.

musquete n. f. (mil. XIVe s.; de l'ital. *moscheta,* forme altérée de *moschea,* de l'arabe). Mosquée.

mussodor adj. et n. m. V. MILSOLDOR, de grand prix; cheval de bataille.

mustabet, mutabet n. m. (1138, *Saint Gilles;* orig. incert.). Sorte d'étoffe de luxe d'origine orientale.

mustel n. m. (1160, *Athis;* orig. controversée). 1° Gras de la cuisse de bœuf, immédiatement au-dessus du jarret. — 2° Mollet.

mut adj. V. MU, muet.

mute n. f. (1180, *Rom. d'Alex.;* orig. incert.). Gros rat, surmulot, taupe (?). ◆ **mutelote** n. f. (1328, *Arch.*). Taupinière. ◆ **muterne, muturle** n. f. (XIIe s., *Trist.*). 1° Tertre, colline. — 2° Taupinière (1349, G.).

muzel adj. V. MESEL, misérable.

nacaire, nagaire n. f. (1272, Joinv.; ital. *nacchera*, nacre, d'où castagnettes faites avec des coquilles). 1° Instrument de musique militaire, petit tambour. — 2° Castagnettes.

nacele n. f. (XIᵉ s., *Alexis;* bas lat. *navicella*, de *navis*, bateau). Petit bateau, barque. ◆ **nacelet** n. m. (1170, *Percev.*) -**ete** n. f. (fin XIIᵉ s., saint Grég.). Barque, petite embarcation. ◆ **nacelee** n. f. (1332, *Arch.*). Ce que peut contenir une *nacelle : nascelee de vin* (1332, *Arch.*).

nache, nage n. f. (fin XIIᵉ s., *Rois*; lat. pop. **natica*, de *natis*, fesse). Fesse : *Ge vous eschaufferai les naches* (Rose). ◆ **nacherel** n. m. (1250, *Ren.*). Dimin. de *fesse*.

nacion n. f. (1120, *Ps. Oxf.;* lat. *natio*, de *natus*, né). 1° Naissance : *La feste fu del jor qu'il vint a nassion* (Jésus) [Herman]. — 2° Extraction, rang. — 3° Pays, patrie : *Por amor de vos avoie ma terre lessiee et la douçor de ma nacion* (Queste Saint-Graal).

nacis, -iz n. m. (1317, G.; orig. obsc.). Espèce de drap d'or.

nadre adj. V. NASTRE, avare, méchant, vil.

nael, noel adj. et n. m. (1112, *Saint Brand.;* lat. eccl. *dies natalis*, jour de naissance). 1° Natal. — 2° Primitif, originel. — 3° n. m. Jour de naissance *(Saint Brand.).*

nafrer v. V. NAVRER, blesser.

nagaire n. f. V. NACAIRE, petit tambour, castagnettes.

I. **nage** n. f., navigation, voyage par eau. V. NAGIER, naviguer.

II. **nage** n. f. V. NACHE, fesse.

nagier v. (1080, *Rol.;* lat. *navigare*, naviguer). 1° Naviguer. — 2° Ramer. — 3° Conduire en bateau : *Dunc se firent ensemble a Clermareis nagier* (Garn.). — 4° Traverser à la nage (avec compl. d'obj.). [Coincy]. ◆ **nage** n. f. (1160, *Eneas*). 1° Navigation. — 2° Marche à l'aviron. — 3° Voyage par eau en général. *A nage*, par mer. ◆ **nageor** n. m.

(1112, *Saint Brand.*). 1° Navigateur, matelot, rameur. — 2° Pilote, guide : *Car Dix est notre drois nagieres* (Saint Brand.).

nai adj. (1180, *Rom. d'Alex.;* probabl. doublet de *naif*). 1° Naturel, brut, vierge (épithète fréq. de *roche, pierre, forest*). — 2° Employé souvent sans sens précis, comme cheville d'un vers.

naie n. f. (1220, Coincy; v. *nier, neier*, nettoyer). 1° Vieux linge pour faire de la charpie. — 2° Chiffon, étoupe. ◆ **naier** v. (1272, Joinv.). Étouper, boucher avec un chiffon : *Aussi comme l'en naye un tonel* (Joinv.).

naif adj. (XIIᵉ s., *Am. et Id.;* lat. *nativum*, naturel, de *natus*, né). 1° Natif, né : *De Nivernois et du pais Dont li cuens est sires nais* (Am. et Id.). — 2° Simple, brut : *La roche fu dure et naive (Dolop.).* — 3° Niais, sot : *Moult est chetis et folz nais Qui croit que ce soit son pais* (Rose). ◆ **neife, niefe** n. f. (1304, *Year Books*). Femme née serve.

nairon n. m. V. NERON, arme composite, hache et marteau à la fois.

naistre v. (1080, *Rol.;* lat. pop. **nascere*). 1° Naître. — 2° Poindre, apparaître : *Une tor aperçoit, qui nest* (Mess. Gauvain). ◆ **naissement** n. m. (déb. XIIᵉ s., *Ps. Cambr.*). 1° Naissance. — 2° Lever du soleil, aube. — 3° Orient. — 4° Commencement. ◆ **naissance** n. f. (1220, *Queste Saint-Graal*). 1° Naissance. — 2° Lieu de naissance, nation. ◆ **naissant** n. m. (1336, *Arch.*). Animal nouvellement né.

naité n. f. (1160, Ben.; lat. *nativitatem*). 1° Naissance. *Par naité*, par droit de naissance : *Crieres sui, par naité. As eskievins* *de la chité* (J. Bod.). — 2° Condition de l'homme né serf. — 3° Nature : *Amena* (le ciel) *a sa droite naité, car il le fist cler et luisant (Artur).*

naje particule négative (1138, *Saint Gilles;* négation composée s'opposant à *o-je,* oui). Non : *Estes el cors ne blecies ne ferus? — Naje, dist il, loés en soit Jhesus* (Ogier). ◆ **naie, nai** particule négative (1260, A. de la Halle). Non, pas du tout : *Or, me di par amours se tu es cler ou lai. Je croi que du pays ou les gens dient nai (Dit du ménage).*

naliere n. f. (1288, *Ren. le Nouv.;* francique **nastila,* v. *lasnière).* Cordon, aiguillette.

nan, nant n. m. (fin XIᵉ s., *Lois Guill.;* anc. scand. *nâm,* prise de possession, la seconde forme refaite sur le pluriel *nans).* Gage, caution, nantissement. ◆ **nanter** v. (1267, *Arch.).* 1° Prendre gage par exécution d'un jugement. — 2° Contraindre en saisissant un gage. ◆ **nantir** v. (1283, Beaum.). Déposer en gage.

naon n. m. (fin XIIIᵉ s., *Son. de Nans.;* dér. de *naistre,* naître). Petit d'un oiseau.

nape n. f. (déb. XIIᵉ s., *Voy. Charl.;* lat. *mappa,* avec dissimilation). Nappe. ◆ **napele** n. f. (fin XIIᵉ s., saint Grég.). Petite nappe.

napee n. f. (XIIIᵉ s., *Pastor.;* lat. *Napaeae,* nymphes des bois et des vallées, du grec). Nymphe des eaux, des forêts et des monts.

naque n. f. (1316, G.; orig. obsc.; cf. *nacis,* même sens). Espèce de drap d'or.

naquer v. (XIIIᵉ s., D.; orig. incert.; peut-être du lat. pop. **nasicare,* de *nasus,* nez). Flairer.

naris n. f. et m. (1306, Guiart; lat. pop. **naricem,* pour *naris).* Narine. ◆ **narille** n. f. (1160, *Charr. Nîmes),* **-ine** n. f. (fin XIIᵉ s., *Rois).* Narine. ◆ **narillier** v. (XIIIᵉ s.). V. NASILLIER.

nasel n. m. (1080, *Rol.),* **-al** (1155, Wace), **-eul** (fin XIIᵉ s., *Auc. et Nic.;* v. *nes,* nez). Partie du casque protégeant le nez. ◆ **nasier** n. m. (XIIᵉ s., *Mort Aym.*

de Narb.). Naseau. ◆ **nasillier** v. (1220, Coincy). 1° Se frotter le nez. — 2° Se moucher, renifler.

nasquier v. (1180, *Rom. d'Alex.;* forme latinisée à partir du lat. *nascere).* Naître. ◆ **nasquison** n. f. (XIIᵉ s., *Chétifs),* **-ation** n. f. (XIIIᵉ s., *Maug. d'Aigr.).* Naissance.

nasse n. f. (XIIᵉ s.; lat. *nassa).* 1° Nasse. — 2° Pêcherie. ◆ **nasseron** n. m. (1343, *Arch.).* Sorte de nasse. ◆ **nasson** n. m. (1289, *Ord.).* Engin de pêche prohibé. ◆ **nasseor** n. m. (1313, *Livr. de la taille),* **-ier** n. m. (1340, *Arch.).* Fabricant de nasses.

nastre, natre, nadre adj. (fin XIIᵉ s., *Petit Plet;* apocope de *vilenastre,* vilain, infâme). 1° Avare, méchant, bizarre : *Mes il sunt mauvais, vilain nastre Et d'autrui noblece se vantent* (Rose). — 2° Au sens social, s'applique aux hommes de métiers bas, de basse condition.

natal n. m. (1241, *Charte;* lat. *natalis).* 1° Jour de Noël. — 2° Par ext., chacune des fêtes principales de l'année.

natatoire n. m. (XIIᵉ s., Herman; bas lat. *natatorius).* Piscine, endroit où l'on peut nager.

I. nate n. f. (XIᵉ s., *Alexis;* bas lat. *natta,* altér. de *matta,* d'orig. obsc.). Natte. ◆ **natete** n. f. (1220, Coincy). Petite natte. ◆ **natier** n. m. (1335, Deguil.). Celui qui fait et vend des nattes.

II. nate n. f. (1155, Wace; empr. du p. passé subst. *nata,* née). Naissance, origine : *Traitres fol de pute nate* (Wace).

III. nate particule (fin XIIᵉ s., *Loher.;* v. NATE, naissance, origine). *Nate que nate,* advienne que pourra, vaille que vaillę : *Li blans chevaliers s'est teus, Mais il a dit : Nate que nate (Rich. li Biaus).*

nater v. (1308, Aimé; lat. *natare,* nager). Nager. ◆ **naténel** n. m. (1285, *Lettre).* Nautonier.

nativité n. f. (1120, *Ps. Oxf.;* lat. *nativitas).* 1° Nativité, au sens relig. — 2° Naissance, extraction.

nature n. f. (1119, Ph. de Thaun; lat. *natura*). 1° Ensemble des lois qui régissent l'univers (Br. Lat.). — 2° Personnification de ces lois : *N'i* (en une belle femme) *perdit pas nature ses uevres ne son tans* (J. Bod.). — 3° Essence, condition propre à un être ou une chose (Chr. de Tr.). — 4° En part., une bonne nature : *Et ma dame truis de merci si dure, Qu'a peu je di qu'en son cuer faut nature (Eust. le Peintre).* — 5° Parties du corps humain servant à la génération : *Mais il cuevvrent leur nature d'un pou de drap* (M. Polo). ◆ **naturete** n. f. (1119, Ph. de Thaun). Dimin. de *nature*. ◆ **naturel, -al** adj. (1119, Ph. de Thaun). 1° Qui est de naissance : *Nus d'iaus ne fist desfuut, Car aidier voellent lor seignour naturaut (Auberon).* — 2° Pur, sans alliage (au pr. et au fig.) : *Aidum as Engleis naturels (Conq. Irl.).* — 3° Franc, sincère : *Vostre cort set a tant loial, Vostre mesnie natural (Trist.).* — 4° Humain, affable. — 5° n. m. (XIIIᵉ s., Bible). Naturaliste, physicien. ◆ **naturece** n. f. (XIIᵉ s., J. Fantosme). Nature, franchise, affabilité. ◆ **naturer** v. (1204, R. de Moil.). 1° Former, façonner. — 2° Créer, travailler. — 3° Se conformer à, ressembler : *Bien naturons à nostre mere* (R. de Moil.). ◆ **naturé** adj. (XIIᵉ s., *Asprem.*). 1° De pure origine, de bonne race : *prince naturé (Asprem.).* — 2° De bonne nature. ◆ **naturier** adj. (XIIᵉ s., *Horn*). Pur, franc.

naufragié adj. (déb. XIVᵉ s., D.; dér. du lat. *naufragium*). Qui a essuyé un naufrage.

naule n. m. V. NOL, naulage, fret.

nave n. f. (XIIIᵉ s., *Chron. Saint-Denis;* forme savante de *nef*, du lat. *navis*). 1° Navire. — 2° Charge d'un bateau (XIIIᵉ s., *Arch.*). ◆ **navel** n. m. (1276, *Cart.*), **-ele** n. f. (1155, Wace). Bateau, navire. ◆ **navoi** n. m. (1160, Ben.), **-ile** n. m. ou f. (1080, *Rol.*), **-ie** n. f. (1298, M. Polo), **-ie** n. f. (1160, Ben.). 1° Navire. — 2° Flotte. ◆ **navage** n. m. (XIIIᵉ s., *Fabl. d'Ov.*), **-ire** n. f. (XIIIᵉ s., *Chron. Saint-Denis*). Ensemble de vaisseaux, flotte. ◆ **navige** n. f. (1155, Wace). 1° Vaisseau. — 2° Navigation. ◆ **naviron** n. m. (1112, *Saint Brand.*). Aviron.

◆ **navier, -eier** v. (fin XIIᵉ s., saint Grég.). 1° Naviguer. — 2° Traverser sur un bateau. — 3° Faire passer dans un bateau. — 4° Guider, conduire. ◆ **naviement** n. m. (XIIIᵉ s., *Fabl. d'Ov.*). Action de naviguer. ◆ **naviage** n. m. (1285, G.). 1° Navigation. — 2° Art du pilote. — 3° Droit de faire l'office de passeur. ◆ **navee** n. f. (1162, *Fl. et Bl.*). Ce que peut contenir un vaisseau, charge d'un bateau. ◆ **navier** n. m. (1328, *Arch.*), **-elier** n. m. (1337, *Cart.*). Batelier, matelot. ◆ **navior** n. m. (fin XIIᵉ s., saint Grég.). 1° Bateleur, marin. — 2° Pilote. — 3° Passeur.

I. navel n. m. (1288, *Ren. le Nouv.;* dér. de *nef*, navet). Navet. ◆ **navine** n. f. (1309, *Charte*). Lieu semé de navets.

II. navel n. m., bateau. V. NAVE, navire.

navrer, nafrer v. (1080, *Rol.;* anc. norois *nafarra*, percer). Blesser. ◆ **navreure** n. f. (1298, M. Polo). Blessure, plaie. ◆ **navre** n. f. (1374, *Arch.*). Blessure.

I. ne, nen (devant voyelle) particule négative (Xᵉ s., *Fragm. de Valenc.;* lat. *non*, forme proclitique). 1° Particule négative, suffisante pour dénier le procès : *An ices secle nen at parfit amor (Alexis).* — 2° *Ne que,* loc. conj., pas plus que : *Quar il ne croient ne que chien* (Coincy).

II. ne (842, *Serm. Strasb.*), **ni** conj. de coord. (XIIIᵉ s.; lat. *nee*). 1° Conjonction de coordination qui disjoint les classes paradigmatiques et conjoint, en même temps, les fonctions syntaxiques : *Comment il a erré ne esploitié (Loher.).* — 2° *Ne ... ne,* exprime la dénégation de deux paradigmes disjoints : *ne por or ned argent (Eulalie). Ne ce ne quoi, ne un ne quoi,* ne cela ni autre chose, rien, nullement (Chr. de Tr.).

né adj. (1175, Chr. de Tr.; lat. *natum*, né). 1° Né. *Faire né,* faire naître : *Roys, chil Mahom qui te fist né ...* (J. Bod.). — 2° *Hom nes, rien nee,* renforcement de négation personnelle, au sens de « personne au monde », « âme qui vive » : *Li rois s'en va l'espee çainte, Avoec lui la* *roine ençainte, que nule rien nee n'en portent* (Chr. de Tr.). ◆ **nee** n. f. (1170, *Fierabr.*). Créature : *Il s'ecria s'amie : Taisies vous, bele nee! (Fierabr.).*

neble n. m. et f. V. NIULE, nuage, brouillard; sorte de pâtisserie.

neçain n. f. cas régime. V. NIEÇAIN, nièce.

necaudent adv. et conj. V. NEQUE-DENT, cependant, néanmoins.

necessité n. f. (1120, *Ps. Oxf.;* lat. *necessitas,* l'inévitable). 1° Détresse. — 2° Obligation. ◆ **necessiter** v. (XIVe s.). Contraindre, mettre dans l'obligation de faire quelque chose. ◆ **necessite** adj. (1119, Ph. de Thaun). 1° Contraint, nécessiteux. — 2° Actif, vaillant (XIVe s., *Geste de Liège*). — 3° n. f. (XIIIe s., *Règle de Cîteaux*). Cabinet d'aisances. ◆ **neces-siteus** adj. (1308, Aimé). *Nécessiteus de,* dénué de.

necre n. f. V. NEGRE, noir.

nee adj. fém. (1160, Ben.; fém. de *net,* net, propre). Nette, agréable. ◆ **neeté** n. f. (1170, *Fierabr.).* Netteté, propreté, pureté.

I. **neel, noel, noiel** n. m. (XIe s., D.; lat. *nigellum,* noirâtre). Nielle, ouvrage en émail noir. ◆ **neeler** v. (1150, *Pèl. Charl.*). Nieller, émailler en noir. ◆ **neelé** adj. (1160, *Charr. Nîmes*). Ciselé, émaillé. ◆ **neeleure** n. f. (1162, *Fl. et Bl.*). Ouvrage ciselé, damasquinure. ◆ **neeleis** n. m. (XIIe s., *Chast. d'un père*). Joyaux, bijoux ciselés. ◆ **neelier** n. m. (1294, *Arch.*). Joaillier.

II. **neel** n. m. V. NOIEL, noyau, bouton.

neele, niele n. f. (fin XIIe s., *Rois;* lat. *nigella,* fém. de *nigellum,* noirâtre). Nielle, plante qui croit dans les blés et dont la semence est noire.

I. **nef** n. f. (XIe s., *Alexis;* lat. *navem*). 1° Navire. — 2° Nef d'église (XIIe s.). — 3° Pièce d'orfèvrerie qu'on plaçait sur la table figurant d'abord une nef. — 4° Grand vase à boire, coupe.

II. **nef** n. m. (XIIe s., *Thomas le Martyr;* lat. *napum*). Navet.

nefme adj. num. V. NUEFME, neuvième.

I. **negier** v. (XIIe s., *Macchab.;* lat. pop. *nivicare,* pour *nivere*). Neiger. ◆ **negié** adj. (1080, *Rol.*). 1° Rempli de neige. — 2° Fraîchement tombé (en parlant de neige) : *blans come noif negie (Artur).*

II. **negier** v. V. NAGIER, naviguer, ramer.

negligence n. f. (1120, *Ps. Cambr.;* lat. *neglegentia,* négligence, indifférence). 1° Cause d'absence ou de non-accomplissement d'un devoir. — 2° Injustice, outrage. ◆ **negligeos** adj. (1190, saint Bern.). Négligent.

negoces n. m. pl. (fin XIIe s., saint Grég.; lat. *negotium,* occupation, négoce). 1° Affaire. — 2° Choses à faire (déb. XIVe s.).

negre, nigre, necre adj. (1313, *Arch.;* lat. *niger,* v. *noir, neir*). Noir. ◆ **negrezi** p. passé (fin XIIe s., *G. de Rouss.*). Noirci.

negromance n. f. V. NIGREMANCE, nécromancie, magie.

negun, neun, nun adj. et pron. indéf. (980, *Passion;* lat. pop. *nec unum,* pas un). 1° Adj. indéf., Aucun; pas un : *Negun besoing ne nos detienge qe ne façons confession* (Fr. Anger). — 2° Pron. indéf., Personne : *Et nuns ne s'i doit plus fier (Rom. et past.).*

I. **nei** n. m. V. NI, négation, déni, refus.

II. **nei** n. f. V. NOIF, neige.

neient n. m., pron. et adv. V. NIENT, néant, rien, en vain.

I. **neier** v. V. NIER, noyer, se noyer.

II. **neier** v. V. NIER, dénier, refuser.

neif n. f. V. NOIF, neige.

neife n. f., femme née serve. V. NAIF, natif, simple.

neille n. f. V. NILLE, tourniquet.

neir, noir adj. (1080, *Rol.;* lat. *nigrum*). 1° Noir, de couleur noire. —

2° Livide : *la char noire et froncie (Eneas).* — 3° Triste : *Sa mere dolant et noir Avoit le cuer (Percev.).* — 4° n. m. Couleur noire, partie noire d'un objet. ♦ **neireté** n. f., **nercir** v. et les autres dérivés. (V. NOIR.).

I. **neis** n. m. (1313, *Arch.;* v. *nier, nettoyer*). Obligation, servitude de nettoyer.

II. **neis, nois, nes, nis** adv. (1120, *Ps. Oxf.;* lat. pop. *nec ipsum*). 1° Pas même, pas du tout : *Ja n'en perdra nes le fer d'une lance (R. de Cambr.).* — 2° Même : *François les voient, tot en sont esmeus, Nis Kallemainne en est tos esperdus (Ogier).* — 3° Encore : *Certes, se l'osies nis par mal esgarder, Ja vous verries ce branc parmi le cors bouter (Gui de Bourg.).* — 4° Neis que, neis com, même que, pas plus que. *Si neis que, si bien que.* ♦ **nee** adv. (1175, Chr. de Tr.). Même.

neisun adj. et pron. indéf. V. NESUN, personne, aucun.

nembre n. m. V. NOMBLE, nombril, longe de veau.

nemie adv. (1266, *Charte;* composé de *ne* et de *mie, miette, et, ensuite, rien*). Nullement : *Letres nemie gatees, cancellees (Charte de 1266).*

nen particule, devant une voyelle. V. NE, particule négative.

nenil particule négative (1130, *Chans. Guill.;* particule composée, opposée à *o-il,* oui, avec le verbe anaph. *faire* sous-entendu). Mot-phrase, non : *Nenil, par Diu (C. de Béth.).*

nepe, neppe n. f. (1317, *Lettre;* orig. obsc.). Bécassine, cul-blanc.

neporquant adv. et conj. (1080, *Rol.;* composé de *ne porquant,* litt. « non pour autant »). Néanmoins, cependant : *Cesar fu de gran sapience, Neporquant fu il en doutance (Dolop.).*

neporuec adj. et conj. (980, *Passion;* expr. du lat. pop. *non pro hoc*). Néanmoins, nonobstant : *Neporoc as Engleis hurta* (Wace).

neputchaler, nepechaler loc. adv. (fin XIIᵉ s., *Éd. le Roi;* loc. figée : ne peut chaloir). Peu importe : *Ki ad emporté cest aver? Respund li rois : Neputchaler (Éd. le Roi).*

nequedent, necaudent adv. et conj. (1160, *Athis;* représente une locution figée du lat. pop.). Cependant, néanmoins : *Nequedent boivent l'aighe, qui qu'en poist ne qui non (Rom. d'Alex.). Nequedent que, nequedenques,* néanmoins.

nequisse n. f. (fin XIIIᵉ s., *Mir. saint Éloi;* lat. *nequitia,* mauvais état, mauvais caractère). Méchanceté, perversité.

nerf n. m. (1080, *Rol.;* lat. *nervum,* ligament, tendon). 1° Ligament des muscles. — 2° Filament nerveux (Mondev.). ♦ **nervos** adj. (1265, Ald. de Sienne), **-u** adj. (1270, Ruteb.). Fort, solide : *Le col ot lonc, nervu et gresle* (Ruteb.).

nermi adj. (XIIᵉ s., *Barbast.;* v. *ermi,* solitaire, avec agglutination de l'art.). 1° Solitaire. — 2° Désert.

neron, nairon n. m. (1220, Coincy; orig. obsc.). 1° Arme composite à la fois hache et marteau. — 2° Nom donné à divers instruments emmanchés. — 3° Pointe et lame, à la fois, d'un instrument tranchant.

nerté n. f. V. NOIRETÉ, couleur noire, obscurité.

I. **nes** n. m. (1080, *Rol.;* lat. *nasum*). 1° Nez. — 2° Trompe. — 3° Narine : *Dous chalemiaus de fin or pristrent Les chiés dedans les nes li mistrent (Eneas).*

II. **nes** n. f. cas sujet. V. NEF, navire.

III. **nes** adv. V. NEIS, pas même, même, encore.

nescient adj. (1220, Coincy; lat. *nesciens,* qui ne se connaît pas). Ignorant, inconscient : *Orgueil fet homme nescient* (Coincy).

nesple n. f. (XIIᵉ s., D.; lat. pop. *mespila,* pl. neutre pris pour fém. sing., de *mespilum,* du grec; le *n* est dû à une dissimilation). Nèfle. ◆ **nesplier** n. m. (1250, *Ren.*). Néflier.

nesun, neisun, nisun adj. et pron. indéf. (1162, *Fl. et Bl.;* composé de *neis, nes,* pas même, et de *un*). 1° Pron. indéf., Pas un, aucun, personne : *Ne n'a naissun trové* (Herman). — 2° Adj. indéf. Aucun : *Que sans nesun terme morrons (Fl. et Bl.).*

net adj. (déb. XII⁰ s., *Ps. Cambr.;* lat. *nitidum*). Net, propre, pur. ◆ **netelet, nai-** adj. (1277, *Rose*). 1° Dimin. de net, au propre et au fig. — 2° Joli : *Il eut au chief ung chapelet De roses bel et nettelet (Rose).* ◆ **netee** n. f. (déb. XII⁰ s., *Ps. Cambr.*), **-eté** n. f. (déb. XIII⁰ s., D.). 1° Netteté, propreté. — 2° Pureté : *Nobles hom ert, e netee Ama toz dis et honesté* (G. de Saint-Pair). ◆ **neter** v. (XIII⁰ s., *Sermons*), **-ir** v. (XIII⁰ s., G.), **-eier** v. (1175, Chr. de Tr.). Nettoyer. ◆ **neteement** n. m. (1190, saint Bern.). Action de rendre net, de purifier. ◆ **netefier** v. (XIII⁰ s., *Ps.*). Nettoyer, purifier.

netun n. m. (1175, Chr. de Tr.; lat. *Neptunus,* dieu de la Mer, considéré comme démon par les chrétiens; v. *nuiton,* infl. par *nuit*). Démon, lutin : *De fame et de netun furent* (Chr. de Tr.).

neu n. m. V. NO, NOT, nœud.

neuf adj. V. NUEF, neuf.

neufar n. m. (XIII⁰ s., *Simples Médec.;* lat. médiév., de l'ar. *nīnūfar*). Nénuphar.

neufvins n. de nombre (1337, *Arch.;* v. *nuef,* neuf). Cent quatre-vingts.

neun adj. et pr. indéf. V. NEGUN, aucun, personne.

nevois n. m. (XII⁰ s., *Chétifs;* orig. obsc.). *A nevois, en nevois,* en vain : *Car grans avoirs lor est a nevois presentes (Chétifs).*

nevot, neveu n. m. cas rég., **nies** cas sujet (1080, *Rol.;* lat. *nepos, nepotem*). 1° Petit-fils. — 2° Neveu (XIII⁰ s.). — 3° Descendance : *Icil tuens niés Rome fera Et son non li anposera (Eneas).* ◆ **neveçon, -oçon** n. m. (1200, *Ren. de Montaub.*). Dimin. de *neveu.*

◆ **nevesse** n. f. (XIII⁰ s., trad. d'une charte de 1133). Nièce.

ni n. m. (1190, Garn.; lat. *nidum*). Nid. ◆ **niee** n. f. (XII⁰ s., *Ysopet,* I). Nichée. ◆ **nidifier** v. (1190, Garn.). 1° Faire son nid. — 2° Nicher.

niais, nies adj. (1175, Chr. de Tr.; lat. pop. **nidax, -acis,* de *nidus,* nid). 1° Sot. — 2° En parl. du faucon, Qui ne sait pas encore voler. ◆ **niart** adj. (1306, Guiart). Niais, sot.

nice adj., (1175, Chr. de Tr.; lat. *nescium,* qui ne sait pas). 1° En parlant des personnes, Ignorant, niais, sot. — 2° Pauvre, nécessiteux. — 3° Faible : *Leur sambloit Jhesu Crist trop nice (Pass.).* — 4° En parl. des choses, Sans valeur, bête : *Si sunt lor mot nice et volage (Durm. le Gall.).* ◆ **nicet** adj. (1277, *Rose*). Dimin. de sot, niais. ◆ **niceté** n. f. (1170, *Percev.*). Naïveté, enfantillage, niaiserie : *Par nicheté oublient cest mestier (H. de Bord.).* ◆ **niceroles** n. f. pl. (1270, Ruteb.). Nom de ville imaginaire, patrie des sots.

nichier v. (1155, Wace; lat. pop. **nidicare,* de *nidus,* nid). 1° Nicher. — 2° Séjourner.

nicorace n. m. (1210, *Best. div.; nycticorax,* du grec *nyx,* nuit). Hibou, chat-huant.

I. **nieble, nible** n. m. (fin XII⁰ s.; *Ysopet Lyon;* lat. tard. *nibulum*). Sorte d'oiseau de proie.

II. **nieble** n. m. et f. V. NIULE, nuage, brouillard, maladie des blés.

nieçain, neçain n. f. cas rég., **niece** cas sujet (XII⁰ s., *Roncev.;* lat. pop. *neptia,* pour *neptis,* intégré dans la déclinaison *-e, -ain*). Nièce. ◆ **niecete** n. f. (XIII⁰ s.). Dimin. de *niece.*

nief n. m. (XIII⁰ s., *Gaydon;* cas rég. formé par analogie sur le cas sujet *nies*). Neveu.

niefe n. f., femme née serve. V. NAIF, natif, simple.

niel n. m. V. NEEL, nielle, émail noir.

I. **niele** n. m. et f. V. NIULE, brouillard, nuage, maladie des blés.

II. **niele** n. f. V. NEELE, nielle (bot.).

nient, noient, neient pron., n. m. et adv. (XIe s., *Alexis;* orig. incert., prob. du lat. pop. **ne gentem,* de *gens,* ensemble d'êtres vivants). 1° Pronom indiquant absence d'une chose ou d'une personne : *Et vint au pont; de passer fu neans (Loher.).* — 2° n. m. Néant, rien : *Cil sires qui nous fist de niient (Sermons,* XIIIe s.). — 3° n. m. Rien, chose qui ne sert à rien : *Ases li rois l'a losengié De remanoir, mais c'est noiens (Gauvin).* — 4° *Pour noient,* en rien, en vain. *De noient,* en rien, nullement. *Metre au noiant,* annuler. *Il est noiant de,* c'en est fait de : *Et se tu si nel fais, de ta vie est noient (Gui de Bourg.). Il i a noient,* il n'y a nul moyen de. — 5° adv. En vain, nullement : *Les prisonns furent quis partot : ce fust nyent, quar eschapez erent (F. Fitz Warin).* — 6° *Noiant moins,* néanmoins. ◆ **nienté, noienté** n. f. (1220, *Quête Saint-Graal).* 1° Néant, rien. — 2° Chose qui ne vaut rien, bassesse : *Par la malvestié et la noienté qu'il trova en ax (Quête Saint-Graal).* ◆ **neiantage** n. m. (1160, Ben.). 1° Condition vile, misère. — 2° Homme de rien, vaurien : *Qui senz valor, effeminé M'avez, oiant tuz, apelé, Mauveis d'armes e neientage (Ben.).* ◆ **neientel** n. m. (1160, Ben.). Homme de rien, ◆ **nientaille** n. f. (XIIe s., *Rom. des Rom.).* Gens de rien : *Envers ices n'eimes fors nientaille (Rom. des Rom.).* ◆ **nientir** v. (1169, Wace). 1° Anéantir. — 2° Rendre nul.

I. **nier** v. (1120, *Ps. Oxf.;* lat. pop. **nitidare,* de *nitidus,* net, propre). Nettoyer, purifier. ◆ **niage** n. m. (1265, G.). Nettoyage, curage. ◆ **nieure** n. f. (1253, *Cart.).* Balayure, ordure, débris.

II. **nier, neier, noier** v. (980, *Passion;* lat. *negare).* 1° Renier : *Lo Deu fil li fai neier (Passion).* — 2° Dénier. — 3° Refuser : *L'ostel [...] Prenés, ja ne vous iert neïs (Rose).* — 4° *Mettre en neier,* s'inscrire en faux. ◆ **ni, nei, noi** n. m. (1160, Ben.). 1° Action de nier, négation. — 2° Déni, reniement : *Par*

trois fois (Pierre) fist ce noix (G. de Rouss.).* — 3° Refus. — 4° *Mettre en ni, a ni, au ni,* nicr. ◆ **nié** n. m. (1289, *Cart.).* Dénégation. *Metre en nié,* s'inscrire en faux contre. ◆ **niance, neiance** n. f. (1268, E. Boil.). Dénégation, action de dénier en justice. ◆ **niement** n. m. (1265, J. de Meung). 1° Dénégation. — 2° Reniement. — 3° Refus.

III. **nier, neier, noier** v. (Xe s., Herman de Valenc.; lat. *necare,* tuer, avec spécialisation de sens en bas lat.). 1° Noyer. — 2° Se noyer : *Il cuida neier en la mer (Florim.).* ◆ **niement, noiement** n. m. (1160, Ben.). 1° Action de noyer. — 2° Déluge. ◆ **noiable** adj. (1321, *Arch.).* Susceptible d'être inondé.

I. **nies** n. m. cas sujet (1080, *Rol.;* v. *nevot;* s'est employé de bonne heure comme cas régime). 1° Petit-fils. — 2° Neveu. — 3° Descendance.

II. **nies** adj. V. NIAIS, sot.

nievre adj. (XIIIe s., forme norm.; scand. *snoefr,* même sens; v. MIEVRE). Vif, ardent.

nifler v. (fin XIIe s., saint Grég.; orig. probabl. onomat.). Renifler, flairer.

nigre adj. V. NEGRE, noir.

nigremance, nigromancie n. f. (1119, Ph. de Thaun; lat. impérial *necromantia,* du grec, infl. par *niger,* noir). Nécromancie, magie.

nille, neille, noiele n. f. (1335, *Arch.;* déglutination de *anille,* du lat. *anaticula,* petit canard). Tourniquet, fer de moulin.

nimbre n. m. V. NOMBLE, nombril; longe de veau.

nimpole n. f. (fin XIIe s., *Auc. et Nic.;* orig. incert.). Sorte de jeu de table, comparable au trictrac et au jeu de dames.

niole n. m. et f. V. NIULE, nuage, brouillard, maladie des épis.

niquier v. (1330, *Charles le Chauve;* à rapprocher de l'all. *nicken,* faire un signe de tête). 1° Remuer la tête, faire

signe de la tête. — 2° Assener un coup à.
◆ **niquet** n. m. (XIVᵉ s., *Geste de Liège*).
1° Signe de tête, inclination de tête. —
2° Malice, mauvais tour.

nis adv. V. NEIS, pas même, même,
encore.

nisun adj. et pron. indéf. V. NESUN,
personne, aucun.

niticorasse, -al n. m. (1180,
Rom. d'Alex.; lat. *nycticorax*, du grec).
Hibou, oiseau de nuit.

**niule, niuele, nuile, neble,
noble, niele** n. m. et f. (1112,
Saint Brand.; lat. *nebula*, nuée, brouillard). 1° Nuage. — 2° Brouillard, bruine,
rosée. — 3° Maladie de l'épi (cf. infl. de
niele). — 4° Sorte de pâtisserie, déliée et
fort légère, vendue dans certaines
églises *(Fl. et Bl.)*. ◆ **niulee** n. f. (fin
XIIᵉ s., saint Grég.). Nuage, brume.
◆ **niulier** n. m. (XIIIᵉ s., *Bans*). Celui qui
fait des pâtisseries appelées *niules*.

nive n. f. (1350, G. li Muisis; lat.
nix, nivis, v. *noif*, neige, forme pop.).
Neige.

nivel n. m. (déb. XIVᵉ s.; v. *livel*, avec
dissimilation). Niveau. ◆ **niveler** v. (déb.
XIVᵉ s.). 1° Mesurer au niveau. —
2° Rendre plan et horizontal.

no n. m. V. NOC, conduite d'eau, égout,
auge.

noals, noauz adj., adv. et n. m.
(1155, Wace; orig. incert.; peut-être
*nugalem, de *nugae*, bagatelles). 1° Adj.
comparatif : *Le nualz de tuz les malz*
(Rois). — 2° Adj. positif, Mauvais,
vil : *Estez pluieus et tres noaux (Part.)*.
— 3° n. m. Ce qu'il y a de pire, le pis.
— 4° n. m. Désavantage, dessous :
Chascuns tort mais a son nouauz
(Coincy). *Faire noálz*, faire mal le
plus possible dans une lutte, dans un
tournoi. — 5° adv. Pis, moins : *Tu seroies*
toz tens plus vil, Et il noalz t'an priseroit
Enz an son cuer (Eneas). ◆ **noaleor,
noaillor** adj. comparatif cas rég., **noaudre**,
cas sujet (1160, *Eneas*). 1° Pire,
moindre : *Mes noaudre escuiers iert de*
gris afubles (Quatre Fils Aymon). —

2° Méprisable : *N'a cure de jouster as*
noelor (Aiol). — 3° *Avoir le noaleor*,
avoir le dessous.

I. **noble, nobile** adj. (XIᵉ s., *Alexis*);
lat. *nobilis*, connu, célèbre): 1° Qui
l'emporte par ses mérites. — 2° Qui a
le caractère. l'âme noble. — 3° Qui a un
comportement courtois. — 4° Bien né,
noble au sens social (déb. XIIIᵉ s.). ◆
noblet adj. (fin XIIᵉ s., Couci). Dimin. de
noble. ◆ **nobleté, nobilité** n. f. (XIᵉ s.,
Alexis). 1° Noblesse d'âme, courtoisie :
E Franceis se deportent par grant nobi-
litet (Pèler. Charl.). — 2° Action noble.
— 3° Gens nobles, réunion des nobles,
ensemble des nobles. — 4° Fief noble. —
5° Titre d'honneur : *Mes a ce que sache*
la toe nobleté la benivolence de misire
lo pape (Aimé). ◆ **noblesse** n. f.
(1138, Gaimar). 1° Objet, chose magnifique : *Noblaices et dras d'or c'on avoit*
mis devant (Chev. cygne). — 2° Fête
pompeuse. — 3° Fief noble. — 4° Action
noble. ◆ **noblerie** n. f. (XIIIᵉ s., Fr. Anger).
Qualité de ce qui est noble. ◆ **nobloi,
-ai, -ei** n. m. (1155, Wace). 1° Noblesse,
richesse, magnificence : *Mordres estoit*
de grant nobloi (Wace). — 2° Gens nobles,
réunion de nobles. ◆ **nobloie** n. f. (fin
XIIᵉ s., *Sept Dormants*). 1° Noblesse,
réunion de nobles. — 2° Mets délicat
(testicules de cerf). ◆ **nobloier** v. réfl.
(fin XIIᵉ s., M. de Fr.). Affecter la noblesse,
être arrogant. ◆ **noblier** n. m. (XIIIᵉ s.,
Fr. Anger). 1° Fief noble. — 2° Château,
manoir. ◆ **nobiliation** n. f. (1342, *Arch.*).
Anoblissement, ennoblissement.

II. **noble** n. m. et f. V. NIULE, nuage,
bruine, maladie des blés.

noc, no n. m. (1220, *Arch.*; lat. pop.
*naucum, pour **navicum*, de *navis*,
bateau). 1° Conduite d'eau. — 2° Égout.
— 3° Auge, baquet, réservoir d'eau.
◆ **noe, nohe** n. f. (1223, texte *Tournoi*).
1° Angle rentrant formé par deux
combles : gouttière, auge, etc. — 2° Tuile
en demi-canal qui sert à égoutter les
eaux. ◆ **nolet, nouret** n. m. (1314,
Arch.). Sorte de tuile servant de conduite.
◆ **noche, noge, noghe** n. f. (1339, *Arch.*).
Gouttière. ◆ **nockierete** n. f. (1323,
Arch.). Gouttière.

noce n. f. (1298, M. Polo; du lat. *nux, nucem,* par l'interm. de l'ital.). 1° Noix. − 2° Noyer (Aimé).

noces n. f. pl. (xiᵉ s.; lat. pop. *noptiae,* pour *nuptiae*). Noces. ◆ **nocier** v. (xiiᵉ s., *Trist.*). 1° Épouser, se marier. − 2° Célébrer les noces. ◆ **noçailles** n. f. pl. (1160, Ben.). Noces. ◆ **noceeur** n. m. (xiiiᵉ s., *Fabl. d'Ov.*). Qui est de la noce, qui y préside. ◆ **noceable** adj. (xiiiᵉ s., *Fabl. d'Ov.*). De noces, nuptial. ◆ **noçoier** v. (xiiᵉ s., *Roncev.*). 1° Épouser. − 2° Se marier. − 3° *Femme noçoiee,* femme légitime. ◆ **noçoiement** n. m. (1160, Ben.). Noce, mariage.

nocet n. m. (1350, G. li Muisis; lat. *nocet,* forme de *nocere,* nuire, léser). Admonition, réprimande.

noche n. f. V. NOSCHE, boucle, bracelet. ◆ **nochet, noquet** n. m. (1318, *Arch.*). Sorte de cadenas.

nocturne n. m. et f. (xiiiᵉ s., *Règle de Cîteaux;* lat. *nocturnus, -a*). Office de nuit. ◆ **nocturnal, -el** adj. (1119, Ph. de Thaun). Nocturne, de nuit.

noe n. f. (1210, *Best. div.;* bas lat. *nauda,* d'orig. gaul.). 1° Prairie, terre marécageuse. − 2° Étendue d'eau, mare (G. de Tyr). ◆ **noete** n. f. (1318, *Arch.*). Mare. ◆ **noan** n. m. (1250, *Ren.*). Terre défrichée.

noé adj. (fin xiiiᵉ s., Aden.; lat. *notatum,* p. passé de *notare*). Signalé, notoire : *Mais toujours a sa fille esté sote noee* (Aden.).

noee n. f. (1306, Guiart; peut-être du lat. pop. **nugata,* de *nūgor,* plaisanter). Badinage : *Bien sont de mentir a meismes, cil qui vont contant tiex noees* (Guiart). ◆ **noiel** adj. (s. d.). Futile.

noefme adj. numér. V. NUEFME, neuvième.

I. **noel** n. m. V. NEEL, nielle.

II. **noel** adj. et n. m. V. NAEL, natal, primitif; jour de naissance.

I. **noer** v. (fin xiiᵉ s., *Loher.;* lat. pop. **notare,* pour *natare,* nager). Nager. ◆ **no, nou, neu** n. m. (xiiᵉ s., *Moinet*).

Nage : *Se nous ne passions a nou la dite yaue ...* (Joinv.). ◆ **noe** n. f. (1112, *Saint Brand.*). 1° Action de nager, nage. − 2° Nageoire. ◆ **noeure** n. f. (1277, *Rose*). Nageoire. ◆ **noant** adj. et n. m. (fin xiiᵉ s., *Sept Dormants*). 1° Qui nage. − 2° Nageur. ◆ **noable** adj. (fin xiiiᵉ s., Macé). Qui nage.

II. **noer** v. (xiiᵉ s.; lat. *nodare*). Nouer, faire un nœud. ◆ **no, not, neu** n. m. (1175, Chr. de Tr.; lat. *nodum*). Nœud. ◆ **noet** n. m. (1298, J. Richard), **-el** n. m. (xiiᵉ s., *Asprem.*). Petit nœud. ◆ **noous** adj. (xiiiᵉ s., D.), **noouseis** adj. (1260, Br. Lat.). Noueux. ◆ **noellos** adj. (1160, Ben.). 1° Noueux. − 2° Épineux : *Gens tous noilleux et espineux* (Deguil.).

nof n. de nombre. V. NUEF, neuf.

I. **noi** n. m. V. NI, négation, déni, refus.

II. **noi** n. f. V. NOIF, neige.

I. **noiel, neel** n. m. (1160, Ben.; lat. pop. **nodellum,* de *nodus,* nœud). 1° Noyau, grumeau. − 2° Bouton, boucle, agrafe. ◆ **noillon, noeillon** n. m. (1190, saint Bern.). Noyau, grumeau.

II. **noiel** n. m. V. NEEL, nielle, émail noir.

noiele n. f. V. NILLE, tourniquet.

noient n. m., pron. et adv. V. NIENT, néant, rien, en vain.

I. **noier** n. m. (fin xiiᵉ s., D.; lat. pop. **nucarium,* de *nux,* noix). Noyer. ◆ **noierete** n. f. (1265, *Cart.*), **-oie** n. f. (1268, *Cart.*). Lieu planté de noyers.

II. **noier** v. V. NIER, noyer, se noyer.

III. **noier** v. V. NIER, renier, dénier, refuser.

noif, noi, nei n. f. (980, *Passion;* lat. *nivem*). Neige. *Noif negie,* neige fraîche.

noir adj. V. NEIR, noir, livide, triste. ◆ **noiret** adj. (fin xiiᵉ s., Guiot). 1° Dimin. de *noir.* − 2° Sorte de monnaie : *le sol noiret* valait moins que *le sol tournois.* ◆ **noirement** adv. (1220, Coincy). 1° D'une manière noire, sombre. −

2° Avec méchanceté. ◆ **noireté, neireté, nerté** n. f. (1112, *Saint Brand.*). 1° Noirceur, au propre et au fig. — 2° Obscurité. — 3° Douleur, deuil. ◆ **noiror, neror** n. f. (XIIe s., *Am. et Id.*). 1° Noirceur. — 2° Action noire. ◆ **noirçor** n. f. (1160, Ben.), **-çon** n. f. (1112, *Saint Brand.*), **-tume** n. f. (XIIIe s., *Cant. des cant.*). Noirceur, obscurité. ◆ **noirir** v. (1160, Ben.). Noircir. ◆ **noircir, nercir** v. (1155, Wace). 1° Rendre noir. — 2° Devenir livide : *Tant c'uns granz maus prist cele qui le noircist et faine (Gaut. d'Aup.).* ◆ **noirci, nerci** adj. et n. m. (XIIe s., *Pir. et Tisb.*). 1° Noir. — 2° Pervers, corrompu : *Moult doit avoir le cuer nerci qui ne la sert et ne l'aimme* (Coincy). — 3° Assombri, affligé. — 4° n. m. Démon : *Molt avra bien de lui merci Sathan et li autre nerci* (Ruteb.). ◆ **noirçoier** v. (XIIe s., *Pir. et Tisb.*). 1° Noirir. — 2° Devenir, être noir. ◆ **noiron** adj. (fin XIIe s., *Alisc.*). *Le lignage noiron,* les Infidèles.

I. **nois, noiz** n. f. (1155, Wace; lat. *nux, nucem*). Noix. ◆ **noisete** n. f. (1280, Aden.), **-ele** n. f. (1308, Aimé). Noisette. ◆ **noisier** n. m. (XIIIe s., *Rom. et past.*).

II. **nois** adv. V. NEIS, pas même, même, encore.

noise n. f. (XIe s., *Alexis;* lat. *nausea,* avec évolution de sens conject.). 1° Bruit, tapage. — 2° Querelle. — 3° Bruit d'une nouvelle : *Li cris et le noise ala par tote le terre [...] que Nicolete estoit perdue (Auc. et Nic.).* ◆ **noisier** v. (1180, *Rom. d'Alex.*). 1° Faire du tapage. — 2° Disputer, quereller. — 3° n. m. Tumulte, querelle. ◆ **noisement** n. m. (1160, Ben.), **-ee** n. f. (XIIe s., *Horn*), **-el** n. m. (1160, Ben.). 1° Bruit, tapage. — 2° Querelle. ◆ **noisos** adj. (déb. XIIIe s., *Ps. Cambr.*), **-able** adj. (1160, Ben.). Qui cherche noise, querelleur.

noit n. f. V. NUIT, nuit, durée de vingt-quatre heures.

nol, naule n. m. (1329, *Arch.;* ital. *nolo,* affrètement, et lat. *naulum,* frais de transport). Naulage, fret. ◆ **nolesement** n. m. (1337, Molinier). Nolisement.

noloir v. (XIIe s., *Florim.;* constr. anal., d'après *voloir,* à partir du lat. *nolle,* ne pas vouloir). Ne pas vouloir : *Se ge, al roi nolent mentir, Ne li porroie dire voir (Florim.).*

nom, non n. m. (Xe s., *Eulalie;* lat. *nomen, inis*). 1° Nom, dénomination. *Propre non,* nom propre. *Avoir non,* s'appeler. — 2° Titre, gage. *Par non de,* à titre de, pour : *Par non d'acorde* (J. Bod.). — 3° *Par non,* loc. adv. Formellement, positivement : *Si vous mande, sire, par non* (Mousk.). ◆ **nomer** v. (980, *Passion*). 1° Nommer, désigner. — 2° Annoncer. — 3° Se recommander : *De servir ceuls dont tu te nommes* (Watriquet). ◆ **nomement** n. m. (XIIIe s., *Livr. de Jost.*). 1° Action de nommer. — 2° Déclaration, reconnaissance. ◆ **nomee** n. f. (1190, saint Bern.). 1° Renommée. — 2° Dénombrement avec déclaration faite au seigneur dont dépendaient les fiefs, les héritages et autres droits.

nomble, nembre, nimbre n. m. (1298, M. Polo; v. *lomble,* nombril, infl. probabl. par *nombre*). 1° Nombril. — 2° Longe de veau, filet de bœuf, partie qui s'élève entre les cuisses du cerf. ◆ **nomblet** n. m. (1301, *Arch.*). Longe de veau, échine de porc. ◆ **nombril** n. m. (fin XIIe s., M. de Fr.; lat. pop. **umbiliculum,* tiraillé en sens divers du fait du symbolisme de son contenu). Nombril.

nombre n. m. (déb. XIIe s., *Ps. Cambr.;* lat. *numerum*). 1° Nombre. — 2° Grandeur, quantité : *Et fu si grans li gaaings, que nus ne vos en sauroit dire le nombre* (Villeh.). — 3° Sorte de mesure (1332, *Arch.*). ◆ **nombrer** v. (1080, *Rol.*). Dénombrer, compter. ◆ **nombré** adj. (XIIIe s.). Au nombre de : *Les chevalers d'Engleterre sont nonbrez a treis centz (F. Fitz Warin).* ◆ **nombrement** n. m. (fin XIIe s., *Loher.*). 1° Nombre. — 2° Dénombrement. ◆ **nombree** n. f. (XIIe s., *Parise*). 1° Nombre. — 2° Quantité. ◆ **nombrage** n. m. (1282, *Charte*). 1° Fonction des officiers féodaux chargés de compter les gerbes et autres produits nombrables. — 2° Superficie de terre cultivée. ◆ **nombreor** n. m. (XIII° s., *Maug. d'Aigr.*). Celui qui compte, calcule. ◆ **nombrier** n. m. (fin XII° s., Guiot). Calculateur. ◆ **nombrable** adj. (déb. XII° s., *Ps. Cambr.*). Qui peut être nombré, compté.

nome adj. numér. V. NUEFME, neuvième.

nomper adj. V. NONPER, différent, impair, sans pareil.

I. **non** particule (842, *Serm. Strasb.;* lat. *non* en position accentuée). 1° Particule de négation, accompagnée du verbe *faire : Certes, non fac* (A. de la Halle). — 2° Particule de négation, seule : *Ne l'amez vos mie? - Ge non (Pr. d'Orange).* — 3° Ce que non, sinon. *Non que,* pas plus que. — 4° n. m. Négative : *nul ne peut faire preuve de non (Ass. Jérus.).*

II. **non** n. m. V. NOM, dénomination, titre, gage.

nonain n. f. cas rég., **none** cas sujet (1080, *Rol.;* lat. eccl. *nonna*). Nonne, religieuse. ◆ **nonete** n. f. (déb. XIII° s., J. de Condé). Jeune religieuse.

nonante adj. numér. (1175, Chr. de Tr.; lat. *nonaginta*). Quatre-vingt-dix. ◆ **nonaine** adj. (XIII° s., texte liégeois). Quatre-vingt-dix.

nonc, nonque, nonques adv. (842, *Serm. Strasb.,* lat. *nunquam*). Jamais.

noncerté n. f. (1130, *Job;* v. *certé*). Incertitude.

nonchaloir v. (1306, *Ord.;* v. *chaloir,* importer). 1° Ne pas se soucier, négliger. — 2° Dédaigner, mépriser. ◆ **nonchaloir** n. m. (1160, *Eneas*). Insouciance, négligence. *Metre a nonchaloir,* laisser péricliter. ◆ **nonchaler** v. (1190, Garn.). Mépriser, négliger. *Metre en nonchaler,* ne pas tenir compte de. ◆ **nonchalant** adj. (1265, J. de Meung), -if adj. (XIII° s., *Fabl. d'Ov.*). Nonchalant, insouciant.

noncier v. (980, *Passion;* lat. *nuntiare*). 1° Annoncer. — 2° Raconter. —

3° Proclamer. ◆ **noncir** v. (fin XII° s., *Rois*). Annoncer. ◆ **nons, noins** n. m. (1160, Ben.). Annonce, nouvelle. ◆ **noncement** n. m. (1150, Wace), **-eage** n. m. (XII° s., *Horn*). 1° Action d'annoncer. — 2° Message. ◆ **noncion** n. f. (1180, *G. de Vienne*). 1° Annonce, ordre : *Il oirent de Dieu la nuntion (G. de Vienne).* — 2° Réputation, renommée. — 3° Annonciation. ◆ **nonciation** n. f. (1160, Ben.). 1° Action d'annoncer. — 2° Annonciation. ◆ **noncieor** n. m. (1260, Br. Lat.). 1° Messager. — 2° Annonciateur.

noncure n. f. (XII° s., *Part.;* v. *cure*). Négligence.

nondroiturier adj. (1190, Garn.; v. *droiturier*). 1° Qui n'est pas droit. — 2° Injuste.

none n. f. (980, *Passion;* lat. *nona hora,* neuvième heure). 1° Heure de midi. — 2° Le midi, le sud (*Rom. d'Alex.*).

nonesciant n. m. (XIII° s., *Livr. de Jost.;* v. *escient,* savoir, connaissance). Inconscience : *Li derreniers seremenz si est en autre forme, que n'i a point de non savoir, ne de nonesciant (Livr. de Jost.).*

nonfoi n. f. (1160, Ben.; v. *foi*). 1° Manque de foi, incrédulité. — 2° Infidélité. — 3° Parjure.

nonnuisant adj. (1120, *Ps. Oxf.;* v. *nuisant,* nuisible). Innocent.

nonper, nomper adj. (XIII° s., *ABC;* v. *per,* pair, pareil, doté d'un préfixe privatif). 1° Non pareil, différent : [...] *Toutes sont nonpers a l'une, Si com l'estoille est a la lune (ABC).* — 2° Impair (E. Boil.). — 3° Sans pareil. — 4° n. m. Non pareil, celui qui surpasse tous les autres *(Percev.).*

nonpooir n. m. (XII° s., *Part.;* v. *pooir,* pouvoir). Impuissance : *Nonpooir, soffrete et porverte* (poët.). ◆ **nonpoant** adj. (1138, *Saint Gilles*). 1° Impuissant, paralytique. — 2° Impossible.

nonporoec adv. et conj. (1155, Wace; v. *neporoec*). Néanmoins, nonobstant : *Nomporoc bien les consilla* (Wace).

nonporquant adv. et conj. (1155, Wace; v. *neporquant*). Néanmoins, cependant : *Nonporquant si ot il bon talent de fuir* (*Rom. d'Alex.*).

nonportant adv. (XIIIᵉ s., *Ass. Jérus.*; v. *portant*). Néanmoins : *Et nonportant toutes ores deit on entendre* (*Ass. Jérus.*).

nonpuissant adj. et n. m. (fin XIIᵉ s., M. de Fr.; v. *pooir*, pouvoir). 1º Celui qui n'est pas puissant. — 2º Paralysé. ◆ **nonpuissance** n. f. (déb. XIVᵉ s., *Mir. Saint Louis*). Paralysie.

nonsage adj. (déb. XIIᵉ s., *Ps. Cambr.*; v. *sage*, sensé). Insensé.

nonsavoir n. m. (XIIᵉ s., *Trist.*; v. *savoir*). Ignorance : *J'ai esté plains de grant nonsavoir* (Ruteb.). ◆ **nonsachant** adj. (1155, Wace). Ignorant, imprudent, insensé : *Li saiges escharnit lo nonsachant* (saint Bern.). ◆ **nonsavant** adj. (déb. XIIᵉ s., *Ps. Cambr.*). 1º Ignorant. — 2º Inconsidéré : *Ces crestiens sunt nunsavant qui de juster me vont hastant!* (*Gorm. et Is.*).

nonsuite n. f. (1304, *Year Books*; v. *suite*). Le fait de ne pas donner suite, défaut.

nonviable adj. (déb. XIIIᵉ s., *Ps. Cambr.*; v. *voie*, chemin). Que l'on ne peut traverser.

nonvoiant adj. (XIIᵉ s.; v. *veoir*, voir). Qui ne voit pas, aveugle. *L'ordre des nonvoians*, la congrégation des aveugles aux Quinze-Vingts (Ruteb.).

nope n. f. (v. 1350, texte de Saint-Omer; flam. *noppe*, nœud). Nœud du drap nouvellement fabriqué, bourre qu'on enlève ensuite par la tonte. ◆ **noper** v. (v. 1300, D.). Énouer, en parlant du drap.

norme n. f. (1160, Ben.; lat. *norma*). Règle de conduite.

noroi, -oisc, -ais adj. (1169, Wace; germ. *nordr*). 1º Norvégien : *Hache norresche tint mult bele* (Wace). — 2º Fier, orgueilleux. ◆ **norois** n. m. (1155, Wace). 1º Homme du Nord. — 2º Pays du Nord. — 3º Langage du Nord. — 4º Action digne d'un homme du Nord

considéré comme fourbe : *Qui bien saveiz par queil norrois Li filz Dieu fu en crois mis* (Ruteb.).

norrir, norir v. (Xᵉ s., *Saint Léger*; lat. *nutrire*). 1º Élever, éduquer : *Ele avoit esté norie en la cité* (*Auc. et Nic.*). — 2º Grandir, se fortifier : *En moi norrist ... La grans amors* (*Chans.*). ◆ **norriment** n. m. (fin XIIᵉ s., *G. de Rouss.*). 1º Nourriture. — 2º Famille. ◆ **norrissement** n. m. (1160, *Ben.*). 1º Aliment. — 2º Habitude : *De cors ou a nourrissement De vivre vicieusement* (R. de Moil.). ◆ **norreture** n. f. (fin XIᵉ s., *Lois Guill.*). 1º Alimentation. — 2º Éducation : *Vilain fuissent, se norreture Se peust combattre a nature* (Chr. de Tr.). — 3º Formation de l'esprit, entretien moralisant : *Qui veut oir une aventure Con grant chose a an noreture, Si m'escoute un sol petitet!* (*Trist.*). — 4º Famille. — 5º Jeune bétail qu'on élève. ◆ **norreçon** n. f. (1155, Wace). 1º Action de nourrir. — 2º Action d'élever, d'entretenir. — 3º Animaux qu'on élève. — 4º Éducation. — 5º Manière d'être, manière d'agir : *Moult suis dolanz de vostre norriçom* (*Gar. de Mongl.*). — 6º Famille : *Et! Dame, moustrs moy iceste noreçon* (*Chev. cygne*). ◆ **norrin, -ain** n. m. (1210, G.; lat. *nutrimen*). 1º Nourriture servant à l'élevage du bétail. — 2º Menu poisson. ◆ **norri** adj. et n. m. (1160, Ben.). 1º Familier, celui qui est élevé avec la famille. — 2º Commensal. — 3º Serviteur. ◆ **norrecier** n. m. (fin XIIᵉ s., saint Grég.). 1º Celui qui élève un enfant. — 2º Celui qui élève le bétail et, en particulier, des bêtes à laine. ◆ **norrier** n. m. (1190, saint Bern.). Nourricier. ◆ **norriceor** n. m. (1160, Ben.). Celui qui nourrit, en général. ◆ **norrie** n. f. (XIIᵉ s., *Horn*), **-ice** n. f. (1138, Gaimar). Nourrice.

nort n. m. (déb. XIIᵉ s., D.; anc. angl. *north*). Nord. ◆ **normant** adj. et n. m. (1169, Wace; francique *nortmann*, homme du Nord). Normand : *Man en engleiz et en noreiz Senefie home en franceis; Justez ensenle north et man; Ensemle dites donc normanth; çoe est hom de north en roman* (Wace). ◆ **normandeus** adj. (1304, *Cart.*). Normand.

nos pron. pers. plur. 1re pers. (980, *Passion;* lat. *nos,* en position non accentuée). Nous.

nosche n. f. (1080, *Rol.;* germ. *nuska,* bijou). 1° Boucle, agrafe. — 2° Bracelet, collier.

nostre adj. poss. sing. (842, *Serm. Strasb.*), **nos, no** plur. (1080, *Rol.;* lat. *noster,* en position proclitique). Adj. possessif de la première personne, Notre, nos. ◆ **nostrement** adv. (XIIe s., *Chev. cygne*). A notre manière, de la bonne façon. ◆ **nostré** adj. (XIIe s., *Chev. cygne*). 1° Notre, à la manière de chez nous : *Sont fierement armet d'armeure nostree (Chev. cygne).* — 2° Qui appartient en propre. — 3° Indigène, local : *Nus ne doit vendre laine nostree por laine d'Angleterre* (1243, *Arch.*). — 4° n. m. Drap de production locale.

nota n. m. (XIe s., D.; forme de l'impératif de *notare,* noter, remarquer). 1° Observation : *C'est un certain nota (Charl. le Chauve).* — 2° *Nota que,* remarquez que (XIVe s.).

notaire, notarie n. m. (fin XIIe s., *Rois;* lat. *notarius,* de *notare*). 1° Scribe, secrétaire. — 2° Notaire (fin XIIIe s.). ◆ **notairie** n. f. (1293, *Cart.*). 1° Office, charge de notaire. — 2° Acte de notaire.

I. **note** n. f. (1175, *Chr. de Tr.;* lat. *nota,* note de musique). Air d'accompagnement, chant : *Notes, vielles et chançons Avoit todis en la maison (Durm. le Gall.).* ◆ **notelete** n. f. (av. 1300, poèt. fr.). Chansonnette. ◆ **noter** v. (1155, Wace). Chanter, jouer. ◆ **notoier** v. (XIIIe s., *Pastor.*). Jouer d'un instrument.

II. **note** n. f., édit, charte. V. NOTER, remarquer.

noter v. (1119, Ph. de Thaun; lat. *notare*). 1° Remarquer. — 2° Signifier. — 3° Faire un acte, un écrit notarié. ◆ **note** n. f. (1241, *Arch.*) Édit, charte. ◆ **notir** v. (1282, *Arch.*). Désigner. ◆ **notefier** v. (1314, Mondev.). Donner connaissance de. ◆ **noteté** n. f. (fin XIIIe s., *Mir. saint Éloi*). Renommée, réputation. ◆ **notice** n. f. (mil. XIVe s.), **noticion**

n. f. (1314, Mondev.). Connaissance. ◆ **notable** adj. (1265, J. de Meung). 1° Bien connu. — 2° Qui mérite une attention particulière (XIVe s.). — 3° n. m. Dit ou fait mémorable, maxime (Froiss.). ◆ **notier** n. m. (1285, G.). Secrétaire.

noton n. m. (fin XIIe s., *Loher.;* lat. pop. **nautonem,* de *nauta,* du grec). Nautonier, matelot, pilote. ◆ **notonier** n. m. (1119, Ph. de Thaun). Nautonier. ◆ **notonage** n. m. (1160, *Eneas*). Marine : *Caro estoit rois del paisage, Icil gardoit lo notonnage (Eneas).* ◆ **notenerie** n. f. (XIIIe s., *Livr. de Jost.*). Métier de batelier.

notore adj. (déb. XIIIe s.), **-oire** adj. (1283, Beaum.; lat. *notorius*). Qui fait connaître, bien connu. ◆ **notoriement** adv. (1302, *Cart.*). Notoirement.

notorne n. f. (1190, J. Bod.; lat. *nocturna;* v. nocturne). *Crier notorne,* sonner le couvre-feu, sonner la retraite : *Oiiés quel lecherie a dite Qui me roeve crier notorne! (J. Bod.).*

novacle n. m. ou f. (1120, *Ps. Oxf.*), **novacule** n. f. (1314, Mondev.; lat. *novaculum, -a*). Rasoir.

novain adj. num. (1160, Ben.; lat. pop. **novanum,* de *novem,* neuf). 1° adj. ord. Neuvième. — 2° adj. collectif, Qui réunit neuf personnes. ◆ **novaime** adj. (fin XIIe s., *G. de Rouss.*). 1° Composé de neuf personnes. — 2° n. f. Neuvième partie.

nove n. f. (XIIe s., *Trist.;* lat. *nova*). Nouvelle. ◆ **novité** n. f. (fin XIIe s., saint Grég.). 1° Nouveauté, innovation. — 2° Désordre, préjudice.

novel adj. (XIe s., *Alexis;* lat. *novellum,* de *novus*). 1° Neuf. — 2° Rapide, à bref terme : *De mort novele mes cors t'avesrira (R. de Cambr.).* — 3° n. m. Terre nouvellement défrichée. — 4° n. f. Paroles par lesquelles on interpelle quelqu'un : *Huclin dist une novele qui a Gromund ne fut pas bele (Gorm. et Is.).* — 5° n. f. Réplique. — 6° n. f. Nouvelle. ◆ **novelement** adv. (1160, *Eneas*). 1° Récemment. — 2° De nouveau. — 3° Bientôt. ◆ **novelet** adj. (XIIIe s., J. Le Marchant). Nouveau. ◆ **novelier** adj. (1150, Wace).

1° Changeant, inconstant : *Qu'ele ne seit mie novelere* (M. de Fr.). — 2° Varié. — 3° Curieux. — 4° Faux, traître, lâche : *C'est un vize repris e lait De corage trop novelier* (Ben.). — 5° Bavard, médisant : *ta mesnie novelere (Trist.).* — 6° n. m. et f. Celui, celle qui rapporte des nouvelles, conteur. — 7° n. m. et f. Celui, celle qui débite des fables. ◆ **noveleté, novelté** n. f. (1190, saint Bern.). 1° Nouveauté, innovation. — 2° Changement. — 3° Changement de possesseur. — 4° Construction nouvelle. — 5° Trouble, querelle, soulèvement (*G. de Warwick*). ◆ **novelerie** n. f. (1160, *Eneas*). 1° Chose nouvelle. — 2° Changement. — 3° Inconstance : *Novelierie fust d'amors (Eneas).* ◆ **noveler** v. (1080, *Rol.*). 1° Changer : *Aidiez a noveler mes dras (Trist.).* — 2° Se renouveler. — 3° Répandre la nouvelle, raconter. — 4° Conter des histoires. ◆ **novelement** n. m. (1175, Chr. de Tr.). Renouvellement, commencement. ◆ **novelure** n. f. (1288, J. de Priorat). Nouveauté. ◆ **novales** n. f. pl. (1209, *Cart.*). Terres nouvellement mises en culture.

novice adj. (1175, Chr. de Tr.; lat. *novicius*, nouveau). 1° Nouveau. — 2° Maladroit. — 3° n. m. ou f. (1265, J. de Meung). Novice (sens ecclés.). ◆ **noviceté** n. f. (XIIIᵉ s., *Fabl. d'Ov.*). 1° Action de novice, ignorance. — 2° Nouveauté (M. Polo).

noxer v. (1169, Wace; orig. obsc.). Frapper du pied en s'escrimant : *Taluns sout remuer e retraire e noxer* (Wace).

nu adj. (1080, *Rol.;* lat. *nudum*). 1° Nu, dévêtu : *Ele iere nue comme vers (Rose).* — 2° Dénué, privé. — 3° Vide, dépeuplé. — 4° *Nu a nu,* sans intermédiaire, directement : *Le cors li ont tant batu O les verges, tot nu a nu* (Wace). *Nu a nu,* en nue-propriété (1276, *Cart.*). ◆ **nuer** v. (XIIᵉ s.). Mettre à nu, dénuder.

I. **nuble** adj. (1204, *l'Escoufle;* lat. *nubilus,* nuageux). 1° Nuageux. — 2° Obscur, obscurci. — 3° Sombre, noir : *Mult a le vis et taint et nuble (l'Escoufle).* ◆ **nublece** n. f. (déb. XIIᵉ s., *Ps. Cambr.*). 1° Amas de nuages, de vapeurs. —

2° Obscurité. ◆ **nublant** adj. (fin XIIIᵉ s., *Sydrac*), **-os, nyllos** adj. (XIIᵉ s., *Part.*). Nuageux, obscur.

II. **nuble** n. m. et f. V. NIULE, nuage, brume.

nue n. f. (fin XIIᵉ s., *Rois;* lat. pop. **nuba,* pour *nubes*). 1° Nuage. — 2° Par ext., Ciel : *La fille au roy d'Hongrie n'a mieudre sous la nue* (Aden.). — 3° Ombre.

I. **nuef, nof, neuf** n. de nombre (1119, Ph. de Thaun; lat. *novem*). Neuf. ◆ **nuefme, noefme, nofme, nome, nuesme** adj. (1080, *Rol.*). Neuvième. ◆ **noviesme** adj. (1213, *Fet Rom.*). Neuvième. ◆ **neufvins** n. de nombre (1337, *Arch.*). Cent quatre-vingts.

II. **nuef, neuf** adj. (980, *Passion;* lat. *novum*). Neuf, nouveau. *L'an neuf,* le Nouvel An.

nuile n. m. et f. V. NIULE, nuage, bruine, maladie des épis.

nuisir (1120, *Ps. Oxf.*), **nuire** v. (1175, Chr. de Tr.; lat. *nocere*). Nuire. ◆ **nuisement** n. m. (déb. XIIᵉ s., *Ps. Cambr.*). 1° Action de nuire. — 2° Tort, dommage, préjudice. — **nuiseor** n. m. (1160, Ben.). Celui qui nuit. ◆ **nuisant** adj. et n. m. (déb. XIIᵉ s., *Ps. Cambr.*). 1° Nuisible. — 2° Ennemi : *Molt ai en vos a tos jors Mon nuisant (R. de Cambr.).* ◆ **nuisif** adj. (XIIIᵉ s., *Chans.*). Nuisible.

nuit, noit n. f. (980, *Passion;* lat. *noctem*). 1° Nuit. — 2° S'emploie à la place de *jour* comme mesure de temps, plus partic., délai : *Se il ne paie dedenz les nuiz ...* (E. Boil.). ◆ **niutee, nuitiee** n. f. (XIIᵉ s., *Auberi*). Nuit, espace d'une nuit. ◆ **nuitance** n. f. (1317, *Ord.*). Attaque nocturne. ◆ **nuitier** v. (XIIᵉ s. *Florim.*). 1° Passer la nuit. — 2° Veiller. ◆ **nuitel** adj. (fin XIIᵉ s., *Cour. Louis*). Nocturne. ◆ **nuitrenel** adj. (1120, *Ps. Oxf.;* lat. pop. **nocturnalem*). 1° De nuit. — 2° Qui aime la nuit : *De malfaitor ensi avient Angliers et nuitreneus devient* (R. de Moil.). ◆ **nuitrenier** adj. (1204, R. de Moil.). Qui aime les ténèbres. ◆ **nuitangement** adv. (1249, *Arch.*). Nuitamment.

nuitantre, -ante, -andre adv.
(fin XIIe s., *Rois;* lat. pop. **noctanter*).
Adv. de temps, Pendant la nuit, de nuit :
*Envers la mer se sunt nuitauntre ache-
miné* (Garn.). *De nuitantre,* pendant la
nuit. ◆ **nuitantree** adv. (XIIIe s., *Livr. de
Jost.*). Nuitamment. ◆ **nuitrement** adv.
(déb. XIVe s., *Établ. Saint Louis*). Nuitamment.

nuiton n. m. (1175, Chr. de Tr.;
v. *luiton,* lutin, infl. par *netun* et *nuit*).
Lutin.

nul pron. et adj. indéf. cas rég. (842,
Serm. Strasb.), **nus** cas sujet,
nului, nuli cas oblique (XIIe s., *Part.;*
lat. *nullum,* aucun). 1° Pron. pers.
indéf., Personne : *Bon mot n'espargne
nului* (prov. XIIIe s.). — 2° Employé, aussi,
précédé d'une préposition : *Ne a nolui ne
parleres (Part.).* — 3° Au sens positif,
Quelqu'un : *Qui est nul ki puit dignement
eswarder* [...] (saint Grég.). — 4° Adj.
indéf. nég., Aucun. — 5° Adj. indéfini
positif, Quelque. — 6° Sans valeur
(XIIIe s.). ◆ **nul** n. m. (XIIe s., J. Fantosme). Aucune partie : *N'i out noise ne
cri ne nuls n'i parla Harpe ne viele nul
d'ure n'i suna* (J. Fantosme). ◆ **nule**
n. f. (1339, J. de La Mote). Rien. ◆ **nus**
adv. (1170, *Percev.*). Nullement : *Ja
porce n'en creré ge nus Qu'il la besa sanz
fere plus (Percev.).* ◆ **nuliu** adv. (1204,
l'Escouffle). Nulle part, en nul lieu.

nun adj. et pr. indéf. V. NEGUN, aucun,
personne.

nuque n. f. (1314, Mondev.; lat. médiév.
nucha, de l'arabe). Moelle épinière.

O

I. **o, ou, euc** pron. démonstr. (842, *Serm.;* lat. *hoc.*). Pron. démonstr. neutre, Ce. cela : *A qoi? fait-il. — Par foi par euc* (*Ren.*). *Par o,* pour cela. ◆ V. POROEC, à cause de cela.

II. **o** partic. affirm. (XIIᵉ s., *Loher.;* lat. *hoc*). Particule affirmative, Oui : *Li plus felons ne dit ne o ne non (Loher.).* ◆ **oje** part. affirm. (XIIᵉ s., *Amis et Am.*). Oui : *Oje, dist il; or m'en sui ramenbrez (Amis et Am.).* ◆ **oil** part. affirm. (1080, *Rol.*). Oui : *Oïl, par ma foi, sire, oïl mult volentiers (Gui de Bourg.).*

III. **o** adv. et conj. (Xᵉ s., *Fragm. de Valenc.;* lat. *ubi*). Adv. et conj. de. lieu, Où, au moment où, lorsque.

IV. **o** prép. V. OT, avec, à l'aide de.

V. **o** conj. (Xᵉ s., *Fragm. de Valenc.;* lat. *aut*). Conj. de coordination, indique la disjonction des termes, Ou.

VI. **o** interj. (980, *Passion;* orig. onomat.). Interjection servant à appeler, à attirer l'attention.

VII. **o** art. masc. cas rég. contracté avec *en.* V. OU ◆ V. TABLEAU DES ARTICLES, p. 359.

VIII. **o** n. m. V. OST, armée, guerre. ◆ **obanie** n. f. V. OST BANIE, armée convoquée par ban.

oan adv. (1080, *Rol.;* lat. *hoc anno*). 1° Cette année, année courante : *Ouen en mai ferai mon clain (Ren.).* — 2° Maintenant, à présent : *Vint owens a confessiun De ses pechiez querre pardun (M. de Fr.). A oan,* maintenant, alors : *Se ma proumesse n'ai a oen (G. d'Arras).* — 3° Dernièrement, désormais. *Des oan, de oan,* depuis un certain temps. ◆ V. MAISOAN.

ob prép. V. OT, avec, à l'aide de.

obedience n. f. (1155, Wace; lat. *oboedientia*). 1° Obéissance. — 2° Couvent. ◆ **obedient** adj. (fin XIIᵉ s., *Rois*). Obéissant. *Obedient a,* soumis à.

obeir v. (1120, *Ps. Oxf.;* lat. *oboedire*). 1° Obéir. — 2° Servir. ◆ **obeis** n. m. (fin XIIIᵉ s., Aden.), **-issement** n. m. (fin XIIIᵉ s., Guiart). Obéissance. ◆ **obéissance** n. f. (1270, *Ord.*). 1° Obéissance. — 2° Service. — 3° Hommage féodal. — 4° Juridiction : *Por ce ne perdra il pas l'obeissance de la cort (1270, Ord.).* ◆ **obei** adj. (XIIᵉ s., *Chétifs*), **-issable** adj. (XIIᵉ s., *Chast. d'un père*). Obéissant, docile : *Segnor, jo vos comanc, cascuns soit obeis (Chétifs).*

obicier v. (1260, *Arch.;* lat. *obicere*, jeter devant, opposer). Objecter, opposer : *Et quant tu d'autre part obices Que lait et vilain sont li mot (Rose).*

obit n. m. (1150, Wace; lat. ecclés. *obitum*, mort, de *obire*, mourir). 1° Trépas, mort. — 2° Messe anniversaire pour un mort (1259, G.).

objeter, objiter v. (1288, Delb.; lat. *objectare*, jeter devant). Objecter, opposer. ◆ **objection** n. f. (fin XIIᵉ s., saint Grég.). 1° Objet. — 2° Plainte en justice (1336, *Franch.*).

oblation n. f. (1120, *Ps. Oxf.;* lat. eccl. *oblatio*, offrande). Offrande pour un mort.

oblee, oblie n. f. (1160, *Eneas;* lat. eccl. *oblata*, offrande, hostie, de *offerre*, offrir). 1° Offrande, oblation. — 2° Hostie, consacrée ou non (selon les contextes) : *Si prist dedenz le saint Vessel une oublee qui ert fete en semblance de pain (Saint-Graal).* — 3° Sorte de pâtisserie très légère préparée avec la même pâte (*Fl. et Bl.*). — 4° Sorte de redevance. ◆ **obliage** n. m. (1248, *Charte*). Redevance payée en oublies ou autrement. ◆ **oblaier, -ier, -oier** n. m. (1204, R. de Moil.). 1° Marchand d'oublies. — 2° Pâtissier en général.

oblier v. (1080, *Rol.;* lat. pop. *oblitare*, de *oblitus*, p. passé de *oblivisci*, oublier). 1° Oublier. — 2° *Oblier le siecle*, perdre la vie (Guiart). — 3° v. réfl. Passer son temps, se distraire. ◆ **obli** n. m. (1080, *Rol.*), **obliee** n. f. (*Rom. d'Alex.*). Oubli. ◆

obliement n. m. (1190, saint Bern.), **-ance** n. f. (1120, *Ps. Oxf.*). 1° Oubli. — 2° Omission. ◆ **obliete** n. f. (XIIIᵉ s.). 1° Oubli. — 2° Obscurité.

obligier v. (1246, *Chartes;* lat. *obligare,* lier par contrat). 1° Engager, donner en caution. — 2° Assujettir à : *A vous servir voel mon cors obligier (Auberon).* ◆ **obligement** n. m. (XIIIᵉ s., *Digeste*), **-ance** n. f. (1277, *Cart.*), **-acion** n. f. (déb. XIIIᵉ s.). Action d'engager, engagement : *Seur l'obligation de touz noz biens* (1323, *Arch.*). ◆ **obligatoire** adj. (1330, G.). D'engagement : *Letres obligatoires* (1330, G.).

oblique adj. (1313, Godefr. de Paris; lat. *obliquus*). 1° Oblique. — 2° Qui se détourne : *Tu ne doiz de Dieu estre obliques (Fauvel).* — 3° Hypocrite : *Et au cuer estoient obliques Et plains de fausse ypocrisie* (Godefr. de Paris). — 4° n. f. Obliquité. ◆ **obliquer** v. (fin XIIIᵉ s.). 1° Placer obliquement. — 2° Aller en ligne oblique. — 3° Détourner.

oblivion n. f. (1246, G. de Metz; lat. *oblivio,* oubli). Oubli.

obnubler v. (1277, *Rose;* lat. *obnubilare,* de *nubes,* nuage). 1° Couvrir de nuages. — 2° Obscurcir. ◆ **obnublir** v. réfl. (XIIIᵉ s., *Fabl. d'Ov.*). S'obscurcir. ◆ **obnuble** adj. (1175, Chr. de Tr.). 1° Couvert de nuages, de ténèbres. — 2° Sombre : *La sale n'estoit mie obnuble* (Chr. de Tr.). — 3° Effacé : *Tant ai pooir povre et obnuble (Rose).*

obole n. f. (1268, E. Boil.; lat. *obolus,* du grec). Petite pièce de monnaie de cuivre qui valait la moitié d'un denier tournois.

obombrer v. (1277, *Rose;* lat. *obumbrare*). Couvrir de son ombre, obscurcir. ◆ **obombration** n. f. (1160, Ben.). Ce qui obscurcit, assombrit (au sens moral). ◆ **obombre, -ble** adj. (1277, *Rose*). Couvert de ténèbres, obscurci.

obruer v. (1304, *Chron. de Nangis;* lat. *obruere,* recouvrir d'un amas). Accabler, écraser, engloutir.

obscur adj. V. OSCUR, noir, sinistre, mortel.

obsecrer v. (1361, Bers.; lat. *obsecrare,* adjurer). Supplier, prier. ◆ **obsecration** n. f. (1190, saint Bern.). Supplication.

obseque n. m. (1150, *Thèbes;* lat. *obsequium,* même sens). Service funèbre. ◆ **obsequie** n. f. (1316, *Arch.*). Service funèbre.

obsone n. m. (XIVᵉ s., *Geste de Liège;* lat. *obsonium,* provisions de bouche). Repas que le vassal doit à son seigneur.

obstacle n. m. (1220, Coincy; lat. *obstaculum*). 1° Ce qui empêche. — 2° Opposition : *De metre ostancle et contredit En ce que prodon conte et dit* (Coincy). — 3° Difficulté.

obtent n. m. (1337, Arch.; lat. *obtentus*). Considération, égard. *Pour obtent de,* en égard à.

obvier v. (fin XIIᵉ s., D.; lat. *obviare,* aller au-devant). 1° Aller au-devant. — 2° Résister.

ocasion n. f. (1190, Garn.; lat. *occasio;* v. forme pop. *ochoison*). 1° Cause, motif. — 2° Occasion (XIVᵉ s.). ◆ **ocasioner** v. (1305, *Test. Marg. de Bourg.*). 1° Chercher querelle à. — 2° Accuser.

ocean adj. (1112, *Saint Brand.;* lat. *oceanus,* du grec). Océanique.

oche n. f. V. OSCHE, entaille, coche.

ochoison, -aison n. f. (1175, Chr. de Tr.; lat. *occasionem*) 1° Cause, motif, raison : *Il vos a mort par malvaise oquison (R. de Cambr.).* — 2° Accusation, reproche. *Sans ochoison,* sans rien hésiter, sans retard. — 3° Faute : *Et si a encor moult grignor Ocoison, se l'osoie dire* (Chr. de Tr.). *Par s'ochoison,* de sa faute. *A ochoison,* sur le fait. — 4° Occasion malheureuse, accident. — 5° Circonstance. — 6° Droit, droit de revendiquer. — 7° Poursuite en justice, querelle. *Prendre a ochoison,* prendre à partie. ◆ **ochoisoner** v. (1213, Villeh.). 1° Chercher querelle.— 2° Accuser. ◆ **ochoisonos** adj. (1169, Wace). 1° Qui accuse. — 2° Suspect, dont il faut se méfier. — 3° Répréhensible.

oci interj. (1175, Chr. de Tr.; onom.). Imitation du cri du rossignol : *Quant j'oi* *chanter a mes oreilles Le roussignol : oci, oci (Meraugis).*

ocire v. (1080, *Rol.;* lat. pop. **auccidere*, pour *occidere*). 1° Tuer. — 2° Massacrer. — 3° v. réfl. Mourir presque de chagrin : *Sire, che dolant confortés Qui s'ochist en plours et en larmes* (J. Bod.). ◆ **ocise** n. f. (1155, Wace), **-ement** n. m. (1155, Wace), **-ision** n. f. (1080, *Rol.*), **ociance** n. f. (XIIIᵉ s., *Fabl. d'Ov.*). 1° Meurtre. — 2° Massacre. ◆ **ocisor, -eor** n. m. (1190, Garn.). Tueur, meurtrier. ◆ **ociteur** n. m. (1215, *Ord.*). Meurtrier. ◆ **ocidental** n. m. (1308, Aimé). Assassin. ◆ **ociable** adj. (1160, Ben.). Mortel, meurtrier.

oct n. de nombre. V. OIT, huit.

octave adj. num. (1167, G. d'Arras; lat. *octava*). 1° adj. Huitième. — 2° n. f. Droit de prendre la huitième gerbe. — ,3° Mesure de terre. — 4° Octave (ecclés.). — 5° Huitaine. ◆ **octain** adj. num. (fin XIIIᵉ s., Macé). Huitième. ◆ V. OIT, huit.

octembre, -ombre n. m. (1225, *Arch.*), **-obre** n. m. (1213, *Fet Rom.;* lat. *october*). Octobre. ◆ V. OITOVRE, octobre. ◆ **octobreus** adj. (XIIIᵉ s., *Pastor.*). D'octobre.

ocult adj. (1120, *Ps. Oxf.;* lat. *occultus*). Caché, secret. *En occult,* en cachette. ◆ **occulté** n. f. (déb. XIVᵉ s., *Pass. Palat.*). Obscurité : *Car pour sa mort toute clarté En est mise en occulté (Pass. Palat.).* ◆ **occulter** v. (1324, G.). Cacher.

ocuper v. (fin XIIᵉ s., saint Grég.; lat. *occupare,* s'emparer de). 1° Occuper, employer à. — 2° Occuper, remplir un espace. — 3° Empêcher. — 4° Se saisir de (Bers.). ◆ **ocupement** n. m. (1335, Deguil.). 1° Occupation, action de s'occuper. — 2° Empêchement, obstacle : *Joir sans nul occupement* (1345, *Hist. des Bret.).* — 3° Embarras.

od prép. V. OT, avec, à l'aide de.

odie n. m. (1308, Aimé; lat. *odium*). Haine.

odir v. V. OIR, entendre.

odorer v. (1120, *Ps. Oxf.;* lat. *odorare,* exhaler une odeur). 1° Sentir, répandre de

l'odeur. — 2° Parfumer. — 3° Sentir, flairer. ◆ **odorement** n. m. (1119, Ph. de Thaun). Odorat. ◆ **odor** n. f. (déb. XIIᵉ s., D.). Odeur, parfum. ◆ **oder** v. (1328, Watriquet). Sentir, avoir l'odeur de. ◆ **odorable** adj. (XIIIᵉ s., J. Le Marchant). Parfumé, qui sent bon.

oe n. f. (XIIᵉ s., D.; lat. pop. **auca,* contr. de **avica,* de *avis,* oiseau). Oie. ◆ **oier** n. m. (XIIIᵉ s.). 1° Marchand d'oies. — 2° Rôtisseur.

oé interj. V. OHÉ, interj. servant à appeler.

oef, of, uef n. m. (1119, Ph. de Thaun; lat. *ovum,* avec un *o* ouvert en lat. pop.). 1° Œuf. — 2° Quelque chose sans valeur (au fig.) : *Dehait qui t'en donroit un oef Ne qui de dis perdre le crient!* (J. Bod.).

oeil, oil, ueil n. m. sing., **oeus, ieus** pl. (Xᵉ s., *Saint Léger;* lat. *oculum*). 1° Œil. — 2° Bonde de tonneau. ◆ **œillet** n. m. (XIIIᵉ s., *ABC*). 1° Petit œil. — 2° Ouverture. ◆ **œilleté** adj. (1235, H. de Méry). 1° Garni d'œils. — 2° Tacheté : *escu œilleté* (H. de Méry). ◆ **œillière** n. f. (fin XIIᵉ s., *Loher.*). Partie du heaume qui servait de visière aux chevaliers armés.

oeille n. f. (1120, *Ps. Oxf.;* lat. pop. **ovicula,* de *ovis,* brebis). Brebis : *Lions paisibles com hoeilles (Part.).*

oel adj. V. IVEL, égal.

oelté n. f. V. IVELTÉ, égalité, équité.

oer n. m. V. OR, bord, lisière.

oes n. m. V. UES, profit, usage, intérêt.

oeste n. f. V. OISTE, hostie.

oestre n. m. V. OSTRE, vent du sud.

oeuchine, oechevine n. f. (XIIIᵉ s., *Cout. Cambr.;* lat. *officina*). 1° Atelier, officine. — 2° Atelier de foulon, de teinturier, de brasseur. — 3° Redevance due par le brasseur pour l'exercice de son métier.

oeuvre, uevre n. f. (1175, Chr. de Tr.; lat. *opera,* v. *ovrer,* agir). 1° Action, affaire : *Avés vous dont souffert,tel oevre?* (J. Bod.). — 2° Manière d'agir. *Avant* *oeuvre,* avant toute chose. — 3° Ouvrage. — 4° Mesure agraire, ce que l'on peut labourer en un jour. — 5° Corvée.

I. **of** n. m. V. OEF, œuf.

II. **of** n. f. V. OV, brebis.

III. **of** prép. V. OT, avec, à l'aide de.

ofendre v. (1120, *Ps. Oxf.;* lat. *offendere,* heurter). 1° Heurter, choquer : *... que tu par aventure ne offendes a la pierre tun pied (Ps. Oxf.).* — 2° Attaquer, commettre une agression. — 3° Offenser. ◆ **ofense** n. f. (1220, Coincy; lat. *offensa,* p. passé du préc.). 1° Action de heurter. — 2° Attaque. ◆ **ofension** n. f. (1160, Ben.). Offense. ◆ **ofendu** adj. (1160, Ben.). *Ofendu envers* quelqu'un, qui a offensé quelqu'un.

oficace, ofiace n. m. (1160, Ben.; orig. obsc.). Sorte de pierre précieuse.

ofice n. m. (1155, Wace; lat. *officium,* de *facere,* faire). 1° Eccl., Office. — 2° Fonction. — 3° Droit que confère une fonction : *Li baillis, de s'office, pot bien debouter l'avocat* (Beaum.). ◆ **oficier** v. (fin XIIIe s.). 1° Exercer sa fonction. — 2° Servir. ◆ **oficier** n. m. (déb. XIVe s.), -ieur n. m. (1325, *Arch.*). Celui qui exerce une fonction, officier. ◆ **oficial** adj. et n. m. (1204, R. de Moil.). 1° Principal. — 2° Officieux. — 3° n. m. Officier public, officier de justice. — 4° En particulier, juge ecclésiastique délégué par l'évêque.

oficine n. f. (1160, Ben.; lat. *officina,* fabrique). 1° Dépendance, corps de bâtiment : *Moult i ot riches officines (Dolop.).* — 2° Boutique, atelier.

I. **ofre** adj. (1260, Mousk.; orig. obsc.). Pillard : *Je n'en vi onques tant Qu'il sont, baut et offre et questant Et kiercant gent* [...] (B. de Condé).

II. **ofre** n. m. ou f., action d'offrir, proposition. V. OFRIR, proposer.

ofrir v. (fin XIe s., D.; lat. pop. **offerire,* pour *offerre*). 1° Offrir, proposer, donner. — 2° Mettre totalement à la disposition : *Segnieur, el Dieu serviche soit hui chascuns offers!* (J. Bod.). ◆ **ofre** n. m. ou f. (déb. XIIe s., D.). 1° Action d'offrir. —

2° Proposition dont on souhaite l'acceptation : *Ja n'en arés mains que vo offre* (J. Bod.). ◆ **ofrende, oferende** n. f. (1080, *Rol.;* lat. méd. *offerenda*). Offrande. ◆ **oferte** n. f. (1317, *Arch.*). 1° Offrande. — 2° Don.

ofusquer v. (mil. XIVe s.; lat. *offuscare,* obscurcir). 1° Rendre sombre, obscurcir. — 2° Porter préjudice à.

ogier n. m. (1260, Mousk.; nom propre *Ogier,* héros des chansons de geste). *Chanter d'ogier,* chanter victoire : *N'i canteront d'Ogier Li Englois, en bevant ciervoise* (Mousk.).

ohé, oé interj. (XIIIe s., *Meraugis;* orig. onomat.). Interjection servant à appeler, à attirer l'attention : *Tant qu'en un gué par aventure Ont un chevalier encontré Qui va criant : oé, oé!* (*Meraugis*).

ohi interj. (1155, Wace; onom.). Exclamation marquant la douleur : *Ohi! queil est lur destineie!* (Wace).

oiche n. f. V. OSCHE, jardin clos, terre entourée de clôtures.

oidif adj. V. OISDIF, oisif, oiseux.

oignier v. (XIIIe s., *Pastor.;* v. *oing,* graisse, onguent). 1° Oindre, frotter. — 2° n. m. Action d'oindre (*Percev.*). ◆ **oignement** n. m. (déb. XIIe s., *Ps. Cambr.*). 1° Tout ce qui sert à oindre, à parfumer. — 2° Onguent : *Ele i meist oignemenz a guerir cele trace (Mir. Saint Louis).*

oignon, ognon n. m. (déb. XIIIe s., D.; lat. pop. *unionem*). Oignon. ◆ **oignonet** n. m. (XIIIe s., *Bat. de Quaresme*). Petit oignon. ◆ **oignonete** n. f. (1268, E. Boil.). Plante du genre des oignons. ◆ **oignonee** n. f. (XIIIe s., *Bat. de Quaresme*). Ragoût aux oignons.

I. **oil** n. m. V. ŒIL, œil.

II. **oil** particule affirm. V. O, oui.

oile n. f. (1120, *Ps. Oxf.;* lat. *olea,* olive; v. *uil,* huile). Huile. ◆ **oilement** n. m. (XIIIe s., *Rom. Lumere*). Onction d'huile.

oillier v. (fin XIIIe s., D.; v. *oil,* œil, au sens de « bonde »). Remplir de vin un tonneau. ◆ **oillage** n. m. (1322, *Arch.*). Vin destiné au remplissage.

oime adj. num. V. OITME, huitième.

oimes adv. V. UIMAIS, dorénavant.

I. **oince** n. f. V. ONCE, lynx.

II. **oince** n. f. V. ONCE, ongle.

oinces n. f. pl. (XIIᵉ s.; lat. *uncia*, jointure des doigts). Os du poing fermé.

oindre v. (1120, *Ps. Oxf.*; lat. *unguere*). 1° Oindre, induire d'onguent. — 2° Flatter, caresser : *Quant ceus qu'el seult par devant oindre Seult ausinc par derriere poindre (Rose).* ◆ **oing** n. m. (XIIIᵉ s.). Graisse, axonge. ◆ **oint** n. m. (1260, Ruteb.). 1° Suif, graisse : *Vostre soleir n'out mestier d'oint* (Ruteb.). ◆ **ointer** v. (s.d.). Oindre. ◆ **ointeure** n. f. (1204, R. de Moil.). 1° Onguent, graisse. — 2° Action de frotter, d'oindre. — 3° Droit sur le suif et la graisse vendus au marché. ◆ **ointier** n. m. (1204, R. de Moil.). Marchand de graisse.

I. **oir, odir** v. (Xᵉ s., *Saint Léger;* lat. *audire*). 1° Percevoir les sons et les bruits. — 2° Entendre, accepter d'écouter : *N'oir gouste a ceste oreille,* refuser catégoriquement une proposition. — 3° Entendre, écouter. *Oiïés, oiïés!,* appel lancé par le crieur au début de son discours. ◆ **oie** n. f. (1080, *Rol.*). 1° Action d'entendre, ouïe : *Car de paradis ot la vie Et des angeles avoit la oie (Saint Brand.). A clere oie,* de manière à être bien entendu. — 2° Son perçu : *Del corn qu'il tient l'oie en est mult grant (Rol.).* — 3° Oreille : *Tel me donna d'un baston leiz l'oie (R. de Cambr.)* ◆ **oiel** n. m. (déb. XIVᵉ s., G.). Ouïe. ◆ **oiement** n. m. (déb. XIIᵉ s., *Ps. Cambr.*). 1° Ouïe. — 2° Audition. — 3° La chose entendue. ◆ **oiance** n. f. (1120, *Ps. Oxf.*). 1° Action d'entendre, d'écouter. — 2° Ce qu'on entend. — 3° Confidence : *Mais a Osmunt le dit, n'en fait a altre oance* (Wace). — 4° Cour de justice, audience. — 5° *En oiance,* devant témoins, publiquement : *Il ne m'en volt oir n'en conseil, n'en oiance* (Garn.). ◆ **oiancier** v. (1312, *Arch.*). Communiquer, faire connaître. ◆ **oiant** n. m. (1180, *R. de Cambr.*). *En oiant,* en présence des témoins. Son

oiant, pendant qu'il entend, en sa présence : *Parolent son oiant et en derriere (G. de Rouss.).* ◆ **oieor** n. m. (1160, Ben.). Auditeur, celui qui écoute.

II. **oir** n. m. (1175, Chr. de Tr.; lat. pop. *herem,* pour *heredem,* de *heres,* héritier). Héritier, descendant : *Il et leur oir seront a tous jours mais cuivert* (J. Bod.).

I. **oire, oirre** n. m. (1160, *Eneas;* lat. *iter,* chemin). 1° Voyage, route. — 2° Bagage : *Li rois ot fet tout son oirre aprester (Aym. de Narb.).* — 3° Allure, vitesse. *En oirre,* en hâte. *Grant oirre,* en toute hâte, à toute vitesse.

II. **oire** adj. V. ORIE, doré. ◆ **oireflor** n. f. V. OREFLOR, oriflamme.

oisdif, oidif, uisdif, oisif adj. (XIIᵉ s., *Part.;* formation obscure, à rattacher à *oisos*). 1° Qui ne s'occupe pas de quelque chose dont il a la charge : *L'enpereriz n'ert pas oidive (Part.).* — 2° Qui est sans occupation, dont on ne fait pas usage : *D'estre oisdif ou jolif n'avoit il leisir* (Th. de Kent). — 3° Oiseux, vain. ◆ **oisdive, oisive, uisdive** n. f. (1155, Wace). 1° Oisiveté : *En nuncaloir ne en widive* (M. de Fr.). — 2° Chose oiseuse : *Qu'il ne pensent a nule huidisve* (Coincy). ◆ **oisivesse, udivesse** n. f. (XIIIᵉ s., *Rom. Lumere*). Oisiveté. ◆ **oisiveté** n. f. (1330, *G. de Rouss.*). Oisiveté. ◆ **oisiver, oidiver** v. (1204, R. de Moil.). Vivre dans l'oisiveté. *Oisiver de,* ne pas faire telle chose. ◆ **oisevie** n. f. (1190, saint Bern.). Oisiveté, paresse.

oisel n. m. (1080, *Rol.*; lat. pop. **aucellum,* contraction de **avicellus,* de *avis*). Oiseau. ◆ **oiselet** n. m. (1155, Wace), -**elel** n. m. (1235, H. de Méry), -**elot** n. m. (XIIIᵉ s., *Chans.*). Oisillon. ◆ **oiseler** v. (1220, Coincy). 1° Chasser à l'oiseau. — 2° Chasser, en parlant de l'oiseau. — 3° Prendre les oiseaux aux gluaux. — 4° S'ébattre, se réjouir : *Deables qui de joie oisele Quant voit les bones genz meffaire* (Coincy). ◆ **oiselé** p. passé (1160, Ben.). *Avoir bien, mal oiselé,* avoir réussi, échoué dans une entreprise. ◆ **oiselerie** n. f. (1336, *Arch.*). 1° Chasse à l'oiseau. — 2° Volière. ◆ **oiseloison** n. f.

(1298, M. Polo). 1° Chasse à l'oiseau. — 2° Gibier à plumes.

oison n. m. (1250, *Ren.;* lat. pop. **aucionem,* de *avis,* oiseau). Petit de l'oie. ◆ **oisonet** n. m. (1250, *Ren.*). Petit oison.

oisos, uiseus adj. (1175, Chr. de Tr.; lat. *otiosum,* de *otium,* loisir). 1° Paresseux, qui reste à ne rien faire : *Jamais* [...] *N'ierent huiseuses mes tenailles* (*J. Bod.*). — 2° Lâche : *no baron sont oisous En la terre de Surie* (*Chans.*). — 3° Inutile. ◆ **oisose, uiseuse** n. f. (1175, Chr. de Tr.). 1° Oisiveté, paresse. — 2° Parole oiseuse, sottise : *Ne dire ja mais tel oisose* (Chr. de Tr.). — 3° *Torner a huiseuse,* négliger.

oissir v. V. EISSIR, sortir.

oissor n. f. (1080, *Rol.;* lat. *uxorem,* épouse). Épouse, femme : *E des pulceles e des gentilz oixurs* (*Rol.*). ◆ **oissoré** adj. (1225, *Sept Sages*). Marié (en parlant d'un homme ou d'une femme).

oiste, oeste n. f. (1170, *Percev.;* lat. *hostia,* victime sacrifiée aux dieux). Hostie.

oistre n. f. (fin XIIIᵉ s.; lat. *ostrea*). Huître.

oit, oct, uit n. de nombre (fin XIᵉ s., *Lois Guill.;* lat. *octo*). Huit. ◆ **oitme, oime, uime, uisme** adj. num. (1080, *Rol.*), Huitième. ◆ **oitisme, utime, huitisme** adj. num. (XIIᵉ s., *Conq. Irl.*). 1° Huitième. — 2° n. m. La huitième partie. ◆ **oitain, uitain** adj. num. (1160, Ben.). 1° Huitième. — 2° n. m. La huitième partie. ◆ **oitieve, -eve** adj. num. (XIIIᵉ s.). Huitième. *Dyemenche des oitieves de la Resurrection (Mir. Saint Louis),* dimanche de Quasimodo. ◆ **oitel, huitel** n. m. (1273, *Arch.*), **-elee** n. f. (1235, *Arch.*). 1° Mesure contenant le huitième de quelque chose. — 2° Mesure de superficie (d'après la quantité de la semence). — 3° Octave : *Aus huitieus de la feste Seint Jehan* (1273, *Arch.*). ◆ **oitelage** n. m. (1274, G.). Redevance sur la terre calculée d'après le nombre d'*oitels.* ◆ **uitante,** n. de nombre (déb. XIIᵉ s., *Voy. Charl.*). Quatre-vingts.

oitovre, -uevre n. m. (1180, G. de Saint-Pair; lat. *october*). Octobre.

oje part. affirm. V. O, oui.

ole, uele n. m. (1180, *Rom. d'Alex.;* lat. pop. **ollum,* pour *aulla,* marmite). 1° Marmite, chaudière. — 2° Grand pot, cruche à deux anses. — 3° Crâne (Mondev.). — 4° Division du setier (1215, *Cart.*). ◆ **olee** n. f. (XIIIᵉ s.). Contenu d'une marmite. ◆ **olier** n. m. (1271, *Cart.*). Potier.

oler v. (1220, *Saint-Graal*), **oloir** v. (1160, Ben.), **olir** v. (1160, Ben.; lat. *olere,* intégré dans diff. conjugaisons). 1° Sentir, exhaler une odeur. — 2° Sentir, flairer. ◆ **olor** n. f. (1160, Ben.). Senteur, odeur, bonne ou mauvaise : *L'olors des mors et des ocis* (Ben.). ◆ **olant, olent** adj. (XIIᵉ s., Herman). 1° Qui exhale une odeur, parfumé. — 2° Qui répand une mauvaise odeur.

olie n. f. (1120, *Ps. Oxf.;* v. *oile,* huile). 1° Olive. — 2° Huile. ◆ **olier** n. m. (1250, *Arch.*). Fabricant ou marchand d'huile. ◆ **olieresse** n. f. (1312, *Arch.*). Marchande d'huile. ◆ **oliete** n. f. (déb. XIVᵉ s., J. de Condé). Olivette, sorte de pavot qui donne une huile comestible.

olif n. m. (1180, *R. de Cambr.;* lat. *olivum*). Olivier. ◆ **olive** n. f. (1080, *Rol.*). Olivier. ◆**olivete** n. f. (1213, *G. de Dole*). Lieu planté d'oliviers. ◆ **olivier** n. m. (déb. XIᵉ s., *Voy. Charl.*). Olivier. *Avoir l'olivier, avoir son olivier courant,* avoir la chance, avoir le vent en poupe.

olifant, olivant n. m. (1080, *Rol.;* lat. *elephantem,* du grec). 1° Éléphant. — 2° Ivoire. — 3° Cor d'ivoire. ◆ **oliflambois** adj. (XIIIᵉ s., *Maug. d'Aigr.*). De la nature de l'éléphant. ◆ V. ORIFLAMBLE.

olle n. m. V. ORLE, bord, lisière.

olme n. m. (1175, Chr. de Tr.; lat. *ulmum*). Orme. ◆ **olmiere** n. f. (XIIᵉ s., *Auberi*). Lieu planté d'ormes. ◆ Voir ORME.

oltrage n. m. (1080, *Rol.;* dér. de *oltre,* outre). 1° Excès : *Tant enprennent par lor ustraige que lor honur turne a domaige*

(M. de Fr.). — 2° Chose excessive, impossible : *Vous demandés outrage et cose qui avenir ne puet (Chron. Reims).* — 3° Excès de langage : *A! roys, nel duissiés pas dire tel outrage* [...] (J. Bod.). — 4° Présomption : *Je doi faire et outrage et folor D'amer plus halt que ne m'avroit mestier* (C. de Béth.). — 5° Bravoure excessive, témérité. — 6° Tort : *Il sont prochain de lor linnage, L'an ne lor doit pas faire oltrage (Eneas).* — 7° *A outrage,* avec excès, extrêmement. *Par outrage,* avec excès. *D'outrage,* d'excédent, de surplus. ◆ **oltrajos** adj. (1160, Ben.). 1° Excessif, immodéré : *Ne fu sourfais ne outragos, Mais dos et frans et amorous* (Ben.). — 2° Téméraire. — 3° En parlant des choses, excessif, trop sévère : *Trop outrageuses ordenances ne sunt pas a tenir* (Beaum.). ◆ **outrageor** adj. (XIIIᵉ s., Chans.). Excessif, outrecuidant.

oltre adv. et prép. (1080, *Rol.;* lat. *ultra,* outre). 1° Adv. de lieu, Plus loin. — 2° Prép. Au-delà de. — 2° Adv. indiquant l'extrême limite, l'achèvement, tout à fait, à fond : *Voit bien qu'ele est morte tout outre (Chast. Vergi). Tout outre,* totalement, entièrement. ◆ **oltreement** adv. (1175, Chr. de Tr.). Absolument, sans réserve.

oltreberser v. (XIIᵉ s., *Trist.;* v. *berser,* tirer à l'arc, avec le préf. *oltre*). Transpercer d'une flèche

oltrebort adv. (1270, A. de la Halle; composé de *oltre,* outre, et de *bort,* bord). Adv. de quantité, Outre mesure, au plus haut degré : *Onques, fors moi, ne vi Nul amer si fort, Ne si oultrebort* (A. de la Halle).

oltrebrisier v. (fin XIIᵉ s., *Gar. Loher.;* v. *brisier*). Céder en se brisant : *La barre font tote oltrebrisier (Gar. Loher.).*

oltrecuidier v. (XIIᵉ s., *Asprem.;* v. *cuidier,* penser). Avoir de l'outrecuidance. ◆ **outrecuidement** n. m. (XIIIᵉ s., *Auberon*), **-aison** n. f. (XIIᵉ s., *Chev. cygne*), **-erie** n. f. (1190, saint Bern.). Outrecuidance, parole outrecuidante. ◆ **outrecuideur** n. m. (1265, J. de Meung). Homme outrecuidant.

oltredoté adj. (1235, H. de Méry; v. DOTER, craindre, hésiter). Très redouté.

oltremarin adj. (1160, Ben.; v. *marin*). 1° D'outre-mer, qui habite au-delà de la mer, qui provient d'au-delà de la mer : *Covert d'un drap oltremarin* (Ben.). — 2° n. m. Celui qui habite au-delà de la mer. ◆ **oltremarinois** n. m. (XIIᵉ s., *Macchab.*). Celui qui habite outre-mer.

oltremontain n. m. (1323, *Ord.;* v. *montain,* adj., de la montagne). Celui qui habite au-delà des monts.

oltrenoer v. (1170, *Fierabr.* v. *noer,* naviguer). Traverser en naviguant.

oltrepasser v. (XIIᵉ s., *Prise d'Orange;* v. *passer*). Passer au-delà de : *Par Tarascon s'en sont outrepassé (Prise d'Orange).* ◆ **outrepasseur** n. m. (XIVᵉ s.). Prévaricateur.

oltreplus n. m. (1317, G.; v. *plus*). Surplus.

oltrer v. (1155, Wáce; v. *oltre,* outre). 1° Passer au-delà de, dépasser, traverser : *Hom vuis ne puet le porte outrer* (R. de Moil.). — 2° Trépasser : *Cieus qui m'amoit, il est outrés* (J. de La Mote). 3° Passer, en parlant du temps : *Ançois que fust celle semaine outree* (Auberon). — 4° Surpasser, vaincre, exterminer, ruiner : *S'ensi furent li autre, nostre gent est outree Et Antioche prise. (Chans. d'Ant.).* — 5° Passer outre. — 6° Terminer : *La bataille aujourdhuy nous convenra oultrer (Chev. cygne).* ◆ **oltré, outré** n. m. (XIIIᵉ s., D.). Vaincu. ◆ **oltree** interj. (1220, Coincy). Exclamation d'encouragement, en avant! : *Diex! quant crieront outree, Sire, aidiez a pelerin* (Coincy). ◆ **oltreer** v. (XIIᵉ s., *Horn*). Surpasser : *De proesce e de sen trestuz les ultreat* (Horn).

oltrevin n. m. (1190, J. Bod.; v. *vin*). Supervin : *Tien le seur le langue un petit, Si sentiras ja outrevin* (J. Bod.).

I. **om, on** n. m. cas sujet. V. OME, homme, vassal. 1° Homme, vassal. — 2° Pronom personnel : *Si creissiez en Damne Deu, meudre hom ne pust hom trover (Gorm. et Is.).* 3° Pronom pers., employé avec l'article : *Pur l'amistié del* *pere deit l'um amer l'enfant* (Wace).

II. om art. masc. cas régime, contracté avec *en*. V. OU. ◆ V. TABLEAU DES ARTICLES, p. 359.

omaille n. f. V. ALMAILLE, bétail, bêtes à cornes.

omble n. m. (1260, Mousk.; v. *lomble, lombe,* nombril). Nombril.

ombre n. f. (xᵉ s., *Fragm. de Valenc.;* lat. *umbra*). Ombre. ◆ **ombrer** v. (1265, J. de Meung). 1° Ombrager. — 2° Mettre à l'ombre. — 3° S'incarner (au sens relig.). ◆ **ombrement** n. m. (1220, *Saint-Graal*). 1° Action de couvrir de son ombre. — 2° Incarnation. ◆ **ombrail** n. m. (1150, *Thèbes*), -**aille** n. f. (xIIᵉ s., *Chétifs*), -**ier** n. m. (déb. xIIIᵉ s., R. de Beauj.). — 1° Ombre. — 2° Ombrage. ◆ **ombrier, -oier** v. (1180, *Rom. d'Alex.*). 1° Ombrager. — 2° S'incarner. — 3° v. réfl. Se mettre à l'ombre. ◆ **ombrable** adj. (1220, *Saint-Graal*). Qui donne de l'ombre. ◆ **ombrant** adj. (xIIᵉ s., *Horn*). Qui donne de l'ombre. ◆ **ombrin** adj. (1170, *Fierabr.*). Ombreux. ◆ **ombreos** adj. (1170, *Percev.*). De l'ombre, qui fait de l'ombre, qui est à l'ombre. ◆ **ombrage, -aige** adj. (1160, Ben.). — 1° Couvert d'ombre, sombre, obscur : *Et en sa cartre qui'st obscure et ombrage Te jetera* (Ogier). — 2° Sombre, mélancolique : *Faisolent ly bourgois chiere obscure et ombrage* (Chev. cygne). — 3° Taciturne, ombrageux, soupçonneux. ◆ **ombragier** v. (1260, Mousk.). Rendre sombre, attrister.

ome, omne n. m. cas rég., **om, on,** cas sujet (842, *Serm.;* lat. *homo, hominem*). 1° Homme, qui appartient à l'espèce humaine. — 2° Homme, de sexe masculin et adulte. — 3° Vassal, qui dépend d'un autre, qui appartient à un autre : *Tu n'ies mes hom ne jo ne sui tis sire* (Rol.). ◆ **omesse** n. f. (1340, *Arch.*). Vassale. ◆ **omee** n. f. (1225, *Arch.*). Mesure de terre plantée en vigne. ◆ **omesse** n. f. (1160, Ben.). 1° Virilité, courage. — 2° Mesure agraire. ◆ **omenage** n. m. (1160, Ben.), **omenois** n. m. (xIIᵉ s., *Florim.*). 1° Hommage. — 2° Terre tenue en hommage. ◆ **omage** n. m. (1160,

Eneas). Hommage, engagement solennel de servir son seigneur : *Rendre son homage et son fief,* se dégager des obligations de vassalité. ◆ **omicide** n. m. (fin xIIᵉ s., saint Grég.; lat. *homicidium* et *homicida*). 1° Action de tuer un homme : *li autre en fornicacion et li autre en homicide* (Queste Saint-Graal). — 2° Auteur de l'homicide.

omni adj. V. ONI, égal, uniforme, modeste, poli.

I. on n. m. cas sujet et pron. pers. V. OM, homme, vassal; on.

II. on, om art. masc. cas régime, contracté avec *en*. V. OU. ◆ V. TABLEAU DES ARTICLES, p. 359.

onc, ons, anc adv. (1160, Ben.; v. *onques*). 1° Une fois, en certaine circonstance : *La meillor chevalerie Qu'enc fu seue ne oie* (Ben.). — 2° *Onc ... ne,* jamais : *Moult souef te norrist, ons ne te couroça* (Herman). — 3° *Onc mais, oimmes,* toujours. — 4° *Onc mais ... ne,* jamais : *An mais ne vi si bonne gent* (Florim.).

I. once, oince n. f. (1175, Chr. de Tr.; orig. incert.). Ongle ; *Que dou doi menu jusqu'à ners La premiere once se creva* (Chr. de Tr.).

II. once, oince n. f. (1270, Ruteb.; forme apocopée de *lonce,* du lat. pop. **lyncea,* pour *lynx*). 1° Lynx. — 2° Bête féroce en général.

III. once n. f. (fin xIIᵉ s., *Rois;* lat. *uncia,* mesure d'un douzième). 1° Ancien poids. — 2° Mesure de temps, une des petites subdivisions de l'heure. ◆ V. MINUTE.

oncor adv. V. ONQUORE, encore, jamais.

onction n. f. (1190, saint Bern.; lat. *unctio*). 1° Onction. — 2° Baptême.

onde n. f. (1112, *Saint Brand.;* lat. *unda*). 1° Onde, vague. — 2° *Une onde* sert à renforcer la négation : *Mais se Richars li biaus seust Que chilz Loys ses peres fust, Encontre lui n'alust une onde, Pour tout l'avoir qui est u monde* (Rich. li Biaus). ◆ **ondee** n. f. (fin xIIᵉ s., saint Grég.). Flot, onde. ◆ **onder** v. (1180, *Rom. d'Alex*). 1° Inonder. — 2° Ondoyer. —

ONE

3º Flotter, être hésitant. ◆ **ondeer, -oier**
v. (1160, Ben.). 1º Rouler ses eaux, couler.
— 2º Flotter. — 3º Se plonger. — 4º Etre
affligé : *Tout le cuer m'en va ondoiant*
(Ren.). ◆ **ondeiement** n. m. (1160, Ben.).
Action d'ondoyer, de flotter par ondes.
◆ **ondier** adj. (XIIIᵉ s., *Chans.*). Agité
comme les ondes : *Volage cuer et ondiere*
folie (Chans.).

oneste adj. (1125, *Gorm. et Is.*; lat.
honestus, honorable). 1º Honorable. —
2º Convenable. — 3º Puissant, en parlant
des personnes : *Le vostre Deu n'est tant*
honeste que il vus pusse garant estre
(Gorm. et Is.). — 4º Considérable (en
parlant des choses) : *Qui amaine ost*
grant et honestre (Part.). ◆ **onesté** n. f.
(Xᵉ s., *Eulalie*). 1º Action honnête. —
2º Honorabilité, honneur. ◆ **onestance**
n. f. (XIIIᵉ s., *Fabl.*). Témoignage
d'honneur.

ongier v. V. ENGIER, tourmenter.

I. **ongle** n. f. (1160, *Eneas*; lat. *ungula*).
Serre, ergot, griffe. ◆ **onglon** n. m. (fin
XIIIᵉ s., Guiart). Pied de porc.

II. **ongle** n. (fin XIIᵉ s., *Alisc.* orig. obsc.).
Bête à fourrure. *D'un cuir de ungle estoit*
envelopee (Alisc.).

onguel, -ghelt, ohmgeld n. m.
(fin XIIIᵉ s., G.; d'orig. germ.). Redevance
perçue sur les vins et, ensuite, sur toute
autre marchandise.

oni, onni, omni adj. (1250, *Ren.*;
lat. *unitum*, confondu avec *omnis*?).
1º Égal, continu, uniforme : *Mesures de*
vins ne sunt pas omnies (Beaum.). —
2º Modeste, simple : *Amors doit estre tout*
ounie (Poèt. fr. av. 1300). — 3º Poli. —
4º Indifférent : *A engingnier li sont onni*
Privé, ou estrange ou ami (Ren.). ◆
oniement adv. (1170, *Percev.*). 1º D'une
manière égale, par portions égales. —
2º Tous ensemble, unanimement : *Tout*
li vint eslisseeur omniement s'accorderent
que [...] (R. de Clari). ◆ **onier** v. (fin
XIIᵉ s., *Loher.*). Unir, aplanir.

onice, onicle n. m. et f. (1160, *Eneas*;
lat. *onyx*, du grec). 1º Onyx, agate fine. —
2º Essence aromatique qu'on enfermait
dans un onyx creux.

onipotent adj. (1080, *Rol.*; lat. *omni-*
potens, -tis). Tout-puissant.

onor, enor, anor n. m. et f. (Xᵉ s.,
Saint Léger; lat. *honorem*). 1º Honneur
dans lequel quelqu'un est tenu. — 2º Avantages matériels qui en résultent : *L'onor et*
la signorie D'un roiame (Chr. de Tr.). —
3º Pouvoir, empire : *Beax filz, quant ge*
te fis seignor Et chief de trestote m'anor,
Coroner te fis hautement (Fl. et Bl.). —
4º Fief, bénéfice féodal : *Rentes pramist*
as vavasors Et as barons pramist enors
(Wace). — 5º Bien, richesse en général. —
6º Palais. — 7º Parole qui exalte
l'honneur : *Del duc distrent mult grant*
enor (Wace). — 8º Marques, attributs de la
dignité. ◆ **onorer, enorer** v. (Xᵉ s., *Saint*
Léger). 1º Honorer. — 2º Gratifier. ◆
onorement n. m. (1190, saint Bern.).
1º Action de rendre hommage. —
2º Hommage. — 3º Seigneurie, domaine.
◆ **onorance** n. f. (1138, Gaimar).
1º Action d'honorer, honneur. —
2º Respect, vénération. ◆ **onorage** n. m.
(1314, *Vœux du Paon*). Honneur.

onques adv. (Xᵉ s., *Eulalie;* lat.
unquam, quelquefois, doté d'un s adverbial). Adverbe de temps. 1º Une fois, en
certaines circonstances : *Se j'onques mal*
d'amors connui (Rose). Des onques
dusques en ci, depuis le temps passé jusqu'à présent. — 2º *Onques ... ne*, jamais
... ne : *Tenez mun helme, unches meillur*
ne vi (Rol.). — 3º *Onques jor, onques mes*
jor, jamais. — 4º *Onques mais*, jamais
depuis.

onquore, oncor adv. (1080, *Rol.*;
composé de *ore* et d'un premier élément
douteux; à rapprocher de *onc*, une fois,
jamais, ou d'un lat. pop. *hanc-ad-horam*).
1º Encore : *Charles respunt : Uncor*
purrat guarir (Rol.). — 2º Jamais.

ons adv. V. ONC, une fois, en certaine
circonstance.

ont adv. et conj. (1112, *Saint Brand.*; lat.
unde). 1º Adv. et conj. de lieu, Où : *Ce me*
dirras, savoir le voil, Par unt il t'a trait. —
Par l'oil. — Par l'oil! et si nel t'a crevé?
(Chr. de Tr.). — 2º Conj. marquant la
cause, la manière, par quoi, à cause de

quoi : *Ond maint furent ferus (Prise Pamp.). Par ont,* par quoi, avec quoi.

onze n. de nombre (1080, *Rol.;* lat. *undecim*). Onze. ◆ **onzime** adj. num. (1190, Ph. de Thaun). Onzième. ◆ **onzain** adj. num. (fin XIIIᵉ s., Macé). Onzième. ◆ **onzaine** n. f. (1204, R. de Moil.). 1° Collectif de onze. — 2° Les onze apôtres.

opaque adj. (XIVᵉ s., *Nature à alchim.;* lat. *opacus*). Sombre.

operation n. f. (1130, *Job;* lat. *operatio*). 1° Ouvrage. — 2° Bonnes œuvres.

opiler v. (XIVᵉ s.; lat. *oppilare,* boucher). Obstruer, boucher.

oposer v. (1175, Chr. de Tr.; adapt. du lat. *opponere,* d'après *poser*). 1° Se mettre contre quelqu'un. — 2° Interroger : *Quant de ce oposé serez (Saint-Graal).* — 3° Reprocher : *Or escoutez que respondiez Quant de ce oposé serez (Est. Saint-Graal).* — 4° Délibérer : *Entr'aus commenchent laiens a oposer (Anseis).* — 5° L'emporter : *... la rose Qui sor toutes flors opose (Dou Capiel).* — 6° Lutter, rivaliser. ◆ **opost** n. m. (1210, *Dolop.*). Réplique. ◆ **oposeur** n. m. (1324, *Arch.*). Celui qui s'oppose, opposant. ◆ **oposite** adj. (1225, *Sept Sages*). Opposé.

opresser v. (XIIIᵉ s., Tailliar; dér. de *oppressus,* part. passé de *opprimere*). 1° Opprimer. — 2° Accabler, tourmenter. ◆ **opression** n. f. (1160, Ben.). 1° Violence. — 2° Contrainte (déb. XIIIᵉ s.).

opslare n. m. (1280, *Arch. Saint-Omer;* d'orig. néerl.). 1° Sorte de bateau. — 2° Celui qui décharge ce genre de bateau.

optime adj. (1308, Aimé; lat. *optimus,* le meilleur). Excellent.

I. or n. m. (1160, *Eneas;* lat. pop. **orum,* pour *ora,* bord). 1° Bord, côté : *Sor l'eur de la fontaine esteient* (M. de Fr.). — 2° Bordure, lisière, ourlet. ◆ **oré** n. m. (1119, Ph. de Thaun). 1° Bord. — 2° Bordure, frange : *Une dame ki d'un oré ot son chief couvert (Chev. deux épées).* ◆ **oree** n. f. (déb. XIVᵉ s., D.). Rive, bord. ◆ **oraille**

n. f. (1250, *Enf. Guill.*). 1° Bord, lisière. — 2° Frontière. ◆ **oriere** n. f. (1180, *R. de Cambr.*). Bord, lisière. ◆ **orier** n. m. (1204, R. de Moil.). Étole que le prêtre met sur la tête d'une · personne pour laquelle il fait ses oraisons. ◆ **orer** v. (XIIIᵉ·s., *Vie saint Martin*). Border. ◆ **orier** n. m. (1268, E. Boil.). Ouvrier qui fait des galons et des broderies.

II. or n. m. (xᵉ s., *Eulalie;* lat. *aurum*). Or. ◆ **oré** adj. (1080, *Rol.*), **orin** adj. (1120, *Ps. Oxf.*), **orien** adj. (fin XIIᵉ s., saint Grég.). Doré. ◆ **orie, oire** adj. (XIᵉ s., *Alexis*). Doré : *Les portes oires (Chev. cygne).*

III. or n. m. V. ORT, jardin, verger.

IV. or adv. (1080, *Rol.;* v. *ore,* même sens). Adv. de temps, Maintenant : *Li dus Godefrois crie : Or de l'erer en pais! (Chans. Jérus.). Et or et ore,* en tout temps.

oracle n. m. (1160, Ben.; lat. *oraculum,* de *orare,* prier). 1° Lieu de culte, temple, oratoire. — 2° Vérités de l'Église (XIVᵉ s.).

orafle n. m. (1272, Joinv.; empr. à l'arabe *zurāfa,* avec altér.). Girafe.

orage n. m., souffle de vent, tempête. V. ORE, vent.

orains adv. (1170, *Percev.;* comp. de *ore* et de *ainz*). Adv. de temps, Tout à l'heure, il y a un instant : *Orains me trovastes moult dur (Florim.).*

oration n. f. (1298, M. Polo; lat. *oratio*). Prière. ◆ **orator** n. m. (XIIᵉ s., *Thomas le Martyr*), **oradour** n. m. (1317, *Arch.*). Oratoire.

orb adj. (XIᵉ s., *Alexis;* lat. *orbum,* privé de, et aveugle en lat. pop.). 1° Aveugle. — 2° Sombre, obscur : *Parmi les orbes rues commença a aler (Gui de Bourg.).* — 3° Confus : *Orbe et oscure est la meslee (Part.).* — 4° Équivoque, douteux. — 5° *Orbes cops,* contusions (par opposition aux blessures faites par des instruments tranchants). ◆ **orbement** adv. (1283, Beaum.). Secrètement, obscurément. ◆ **orbeus** adj. (XIIIᵉ s., Fr. Anger). Aveugle. ◆ **orbeison** n. f. (XIIᵉ s., *Horn*).

Obscurité. ◆ **orbeté** n. f. (XIVe s.).
1° Aveuglement. — 2° Privation en général.

orbatre v. (1343, *Ord.;* mot comp.).
Battre, en parlant de l'or. ◆ **orbateor** n.
m. (1240, *Charte*). Batteur d'or, orfèvre.

I. **orce** n. f. (1250, *Ren.;* orig. obsc.).
Côté du navire, bâbord. *A orce, a l'orce,*
de côté, de travers, à la dérive : *Quant jou
fui en ma vive forche Nus devant moi
n'aloit a orche Que maintenant ne fust
vengiés (Ren. cour.).*

II. **orce** n. f. (XIIe s.); orig. obsc.). Cruche,
vase, pot. ◆ **orcel** n. m. (1160, Ben.), **-ueil**
n. m. (1180, G. de Saint-Pair), **-ele** n. f.
(1180, *Rom. d'Alex.*). 1° Vase, cruche. —
2° Bénitier. ◆ **orcelee** n. f. (XIIIe s., *Chron.
Saint-Denis*). La contenance d'un *orcel.* ◆
orchil n. m. (1338, *Arch.*). Sorte de vase.

ord, ort adj. (1160, Ben.; lat. *horridum,*
qui fait horreur). 1° Sale, ignoble : *Ors sui
et ordoiez doit aler en ordure* (Ruteb.). —
2° Repoussant, laid : *Le plus orde beste*
(R. de Clari). — 3° Terme d'injure : *Cel
ort larron* (J. Bod.). ◆ **order** v. (déb.
XIIIe s., G. de Cambr.). Salir, souiller. ◆
ordir v. (1268, E. Boil.). Se salir. ◆ **ordee**
n. f. (1120, *Ps. Oxf.*). Souillure, impureté.
◆ **ordece** n. f. (1308, Aimé). Saleté. ◆
ordure n. f. (1119, Ph. de Thaun).
1° Saleté. — 2° En part., Pus. ◆ **ordier** n.
m. (XIIIe s., *Conq. Jér.*). Ordure. ◆ **ordeer,**
-oier v. (XIIe s., *Ysopet Lyon*). 1° Salir :
*Et ordeoit cele Nicole chascun jour le lit
ou ele gisoit (Mir. Saint Louis).* —
2° Souiller, corrompre. — 3° Déshonorer.
◆ **ordoiement** n. m. (fin XVIe s., G. de Tyr).
Souillure. ◆ **ordos** adj. (1204, R. de
Moil.). 1° Sale, infâme. — 2° n. m. Le
diable.

ordene, ordne, ordre n. m.
ou f. (1080, *Rol.;* lat. *ordo, ordinem*).
1° Ordre, commandement : *Mais l'ordene
Deu ne vueil mie abaissier (Cour. Louis).*
— 2° Ordre, disposition régulière. —
3° Position, place : *Cascuns en son ordre
s'estache (Saint Eust.).* — 4° Ordre
religieux. ◆ **ordener, -iner, -oner** v.
(fin XIIe s., *Ogier*). 1° Mettre un certain
arrangement : *Si dites au roi Leodegan*

*que face sa gent ordener a bataille
(Artur).* — 2° Régler. — 3° Préparer. —
4° Ordonner, enjoindre. — 5° Rédiger,
libeller. — 6° Léguer, donner par testament. — 7° Ordonner chevalier. —
8° Sacrer évêque. — 9° Nommer, désigner : *Le roi doit ordener un chevalier
en leuc del lui (Ass. Jérus.).* —
10° Prendre ses mesures. ◆ **ordenement**
n. m. (1121, Ph. de Thaun). 1° Ordonnance, règlement, règle. — 2° Arrangement, manière d'être : *L'ordenement
dou ciel et dou firmament* (Br. Lat.). —
3° Sacre. ◆ **ordenance** n. f. (XIIe s.).
1° Ordre. — 2° Ordonnance. ◆ **ordeneor**
n. m. (1160, Ben.). 1° Ordonnateur. —
2° Arbitre. — 3° *Ordeneor de soi,*
sain d'esprit.

ordiere n. f. (fin XIIe s., *Loher.;* lat.
pop. **orbitaria,* de *orbita,* au sens de
« ornière »). Ornière.

ordinaire n. m. (XIIIe s., *Livr. de
Jost.;* lat. *ordinarius,* rangé par ordre).
Membre de la *maisnie,* de l'entourage
d'un seigneur, familier.

ordine n. f. (1306, Guiart; v. *ordene*).
Ordre. ◆ **ordiner** v. (1190, D.). 1° Ordonner, régler, disposer. — 2° Ordonner,
commander. ◆ **ordinement** n. m.
(1252, *Arch.*). Ordonnance. ◆ **ordinance**
n. f. (XIIIe s., *Traité d'économie rurale*).
Ordre, ordonnance. ◆ **ordinacion** n. f.
(1190, saint Bern.). 1° Ordination (eccl.).
— 2° Ordonnance, règlement. — 3° Puissance, pouvoir. ◆ **ordineor** n. m. (1288,
Cart.). Ordonnateur.

ordir v. (XIIe s., *Ps.;* lat. *ordiri*). 1° Préparer le tissage en tendant les fils. —
2° Tramer, machiner. ◆ **ort** n. m. (XIIe s.,
Ysopet, I). Ruse, machination : *Li juges
qui voit bien le hourt Et la deliauté
Renart (Ysopet,* I). ◆ **ordoir** n. m.
(1243, *Arch.*). Ourdissure.

ordon n. m. (1307, *Cart.;* v. *ordene,*
ordre). 1° Ordre, règle. — 2° État, situation. — 3° Usage, emploi. ◆ **ordonance**
n. f. (1200, D.). 1° Ordre, règlement. —
2° Décision. — 3° Rédaction. ◆ **ordonation** n. f. (1294, *Charte*). Ordonnance.
◆ **ordonaire** n. m. (1288, J. de Priorat).

Ordonnateur. ◆ **ordoné** adj. (mil. XIIIᵉ s.), **-able** adj. (fin XIIIᵉ s., Macé). Arrangé, mis en ordre.

ordre n. m. ou f. V. ORDENE, ORDINE, ORDON, ordre, arrangement, position.

I. **ore, eure** n. f. (1080, *Rol.;* lat. *hora*). 1° Heure, division du temps. *Mesme l'ore,* à l'heure même. — 2° Temps, moment, instant : *Il est ensi que li amant ont par ores joie et torment (Rose). Petit est lheure que,* les moments sont rares où. *Tele ore est,* souvent. *A dreit ore,* immédiatement. — 3° *De bone ore,* par bonheur, heureusement. *De male ore, de dure ore,* malheureusement. — 4° *Totes ores,* toutefois, cependant. ◆ **orete** n. f. (1119, Ph. de Thaun). Dimin. de *heure.*

II. **ore** n. f. (1150, Wace; lat. *aura,* brise). 1° Vent, brise : *Hé, ore douce, qui de France venés (Charr. Nîmes).* — 2° Le temps qu'il fait. ◆ **ore** n. m. (1080, *Rol.*). 1° Vent. — 2° Bon vent, vent favorable à la navigation. — 3° Le temps qu'il fait, temps favorable au voyage terrestre. — 4° Orage, tempête, pluie d'orage. ◆ **oree** n. f. (1160, Ben.). Vent. ◆ **orage** n. m. (déb. XIIᵉ s., *Voy. Charl.*). 1° Souffle de vent, vent favorable : *Bon orage avez et bon vent* (Ben.). — 2° Tempête, orage. ◆ **orageus** adj. (1277, *Rose*). Qui cause de l'orage, tumultueux : *Mes amours est si oragieuz (Rose).*

III. **ore, ores** adv. et conj. (Xᵉ s., *Fragm. de Valenc.;* lat. *hac hora,* à cette heure). 1° Maintenant : *Que ge ai hores et que je aurai on temps a venir* (1321, G.). — 2° Alors, or. — 3° *Ores en avant, d'ores en avant, des ores en avant, des ores mais, d'ors enqui en avant,* dorénavant.

I. **oré** n. m. V. ORE, vent, temps qu'il fait.

II. **oré** n. m. V. OR, bord, bordure.

oreflor n. f. (fin XIIᵉ s., *G. de Rouss.;* comp. de *orie,* doré et de *flor,* fleur). Oriflamme.

oreille n. f. (1080, *Rol.;* lat. *auricula,* dimin. de *auris*). Oreille. ◆ **oreillete**

n. f. (1170, *Fierabr.*). Petite oreille. ◆ **orcillet** n. m. (1246, G. de Metz), **-eul** n. m. (1246, G. de Metz). Oreiller. ◆ **oreillon** n. m. (1225, *Sept Sages*). Coup sur l'oreille. ◆ **oreilliee** n. f. (XIIᵉ s., *Chev. cygne*). 1° Coup sur l'oreille. — 2° Perce-oreille, petit insecte *(Part.).* ◆ **oreillier** v. (1175, Chr. de Tr.). 1° Tendre l'oreille, écouter : *Si escoute et oreille (Saint-Graal).* — 2° Essoriller (XIVᵉ s.). ◆ **oreilleur** adj. (1314, Mondev.). Auriculaire.

orendroit, -e, -es adv. et conj. (1180, *R. de Cambr.;* loc. figée *or en droit,* maintenant, directement). 1° Maintenant, désormais : *Que se jusque au jour d'orendroit Mon cuer fu ainc en nul des destroit (Fauvel). A orendroit,* maintenant. — 2° *Des orendroit,* désormais. — 3° *Orendroit ... orendroit,* tantôt ... tantôt : *Orendroit rit, orendroit plore (Dolop.).*

orer v. (Xᵉ s., *Eulalie;* lat. *orare*). 1° Prier, adorer : *Dieu proier et ourer (Aiol).* — 2° Se mettre en prières. — 3° Demander en prière. — 4° Souhaiter (du bien) : *Ainz a le mestre salué Et cil li a bon jor horé (Trubert).* — 5° Souhaiter (du malheur) : *Il resgarde la nef ... et li ore male aventure et pestilence (Saint-Graal).* ◆ **orement** n. m. (fin XIIIᵉ s., M. de Fr.). 1° Prière, action de prier. — 2° Désir, souhait : *Cil avoit fait son orement* (M. de Fr.). ◆ **orison, oraison** n. f. (XIᵉ s., *Alexis;* lat. *orationem*). 1° Prière. *Estre a orison,* rester en prière. — 2° Discours (XIVᵉ s.). ◆ **oraisonier** n. m. (déb. XIIᵉ s., *Ps. Cambr.*). Lieu de la prière, sanctuaire. ◆ **oroir** n. m. (1302, *Arch.*). Oratoire. ◆ **oreor** n. m. (1112, *Saint Brand.*). 1° Celui qui adresse des prières. — 2° Prêtre.

orfe, orfene adj. (fin XIIᵉ s., *Gar. Loher.;* lat. eccl. *orphanum,* du grec). Orphelin : *Maint orfe firent et maint homme morir (Gar. Loher.). Deniers orfes,* biens des mineurs. ◆ **orfenin** n. m. (1190, Garn.). Orphelin. ◆ **orfenté** n. f. (XIIᵉ s., *Herman*). 1° État de celui ou celle qui a perdu la protection du père de famille (d'orphelin, de veuve, etc.). — 2° Misère, malheur : *Dont anemis m'a* *enchanté Et m'ame mise en orfenté* (Ruteb.). ◆ **orfanité** n. f. (1180, *G. de Vienne*). 1° État de celui qui est orphelin. — 2° Privation, misère.

orfevre n. m. (XIIᵉ s.; lat. pop. *aurifaber,* d'après *aurifex*). Orfèvre. ◆ **orfevresse** n. f. (1335, Deguil.). Fém. de orfèvre. ◆ **orfaverie** n. f. (fin XIIᵉ s., *Rois*), **orfevrie** n. f. (fin XIIIᵉ s., *Mir. Saint Éloi*). Atelier d'orfèvre. ◆ **orfavril** n. m. (1323, *Arch.*). Or travaillé.

orfergié adj. (1120, *Ps. Oxf.;* v. *fergier,* enchainer). Brodé d'or, tissé en or.

orfreis n. m. (déb. XIIᵉ s., *Voy. Charl.*), **orfroi** n. m. (XIIIᵉ s.; probabl. lat. pop. *aurum phrygium,* or de Phrygie). Broderie employée en bordure. ◆ **orfrein** n. m. (XIIᵉ s., *Macch.*). Orfroi. ◆ **orfreser** v. (fin XIIIᵉ s., Guiart). Garnir d'orfroi. ◆ **orfreté** adj. (1160, *Athis*). Couvert d'orfrois. ◆ **orfroisié** adj. (XIIᵉ s., *Horn*). Garni, bordé d'orfroi. ◆ **orfroiseler** v. réfl. (1204, R. de Moil.). Se parer d'orfroi.

organe n. m. (1120, *Ps. Oxf.;* lat. *organum,* du grec). Instrument de musique. ◆ **organon** n. m. (XIIIᵉ s., *Atre pér.*). Orgue. ◆ **organiser** v. (XIVᵉ s.). 1° Chanter en s'accompagnant sur un instrument. — 2° Disposer de manière à rendre apte à la vie. ◆ **organisement** n. m. (1335, Deguil.). Organisation.

orge n. m. (XIIᵉ s., *Roncev.;* adapt. du lat. *hordeum*). Orge. ◆ **orgiere** n. f. (1204, R. de Moil.). Champ d'orge.

orgue n. m. ou f. (1155, Wace; lat. *organum,* instrument, du grec). 1° Instrument de musique. — 2° Orgue (fig.). — 3° Organe : *orgues de l'oie et des oreilles* (Mondev.). ◆ **orguene** n. m. et f. (1120, *Ps. Oxf.*). Lyre. ◆ **orguener** v. (1155, Wace). 1° Chanter, faire de la musique. — 2° Produire un son musical, sonner. — 3° Chanter en s'accompagnant sur un instrument. — 4° Charmer par des chants : *Orguieus de faus cant nous orgaine* (R. de Moil.). ◆ **orgueneor** n. m. (XIIᵉ s., Evrat), **-iste** n. m. (déb. XIIIᵉ s.). Organiste. ◆ **orguenal** adj. (1180, *Rom. d'Alex.*). Vital, organique : *l'elme le trenca et le vaine orgenal (Rom.*

d'Alex.). ◆ **orguenable** adj. (fin XIIIᵉ s., Macé). 1° D'orgue. — 2° Organisé. ◆ V. ORGANE, instr. de musique.

orguil, orgoil n. m. (1080, *Rol.;* francique *urgôli,* fierté). 1° Fierté, orgueil. — 2° Témérité : *Comancié est* (cette guerre) *par grant orgueil (Eneas).* — 3° Action, parole outrecuidante, outrageante. — 4° Combat, joute : *La out de chevalers orguil E de lances si espes bruil* [...] (Ben.). — 5° Guerrier vaillant : *De .I. jovenes orgius ert tos ascientes (Rom. d'Alex.).* — 6° Homme présomptueux, outrecuidant. ◆ **orguillier, orgoillier** v. (1119, Ph. de Thaun). 1° Etre orgueilleux, s'enorgueillir. — 2° Se révolter par orgueil : *Pur ceo qui iert en grant honur s'orguillat contre son seignur* (Wace). ◆ **orgoillir** v. (XIIIᵉ s., *Fabl. d'Ov.*). 1° Rendre orgueilleux. — 2° v. réfl. Se gonfler. ◆ **orguillié** adj. (XIIᵉ s., *Chev. cygne*), **orgoillois** adj. (fin XIIᵉ s., M. de Fr.). Orgueilleux. ◆ **orgoillos** adj. (1080, *Rol.*). 1° Orgueilleux. — 2° Énergique, vigoureux. — 3° Énorme : *F. l'entent, s'en fist orgillos ris (Loher.).* — 4° Rapide : *Li cheval sunt orguillus et curant (Rol.).*

orible adj. (1175, Chr. de Tr.; lat. *horribilis*). Qui fait peur, répugnant. ◆ **orribleté** n. f. (1160, Ben.). Chose horrible, qui fait horreur, qui répugne.

orie, orien, orin adj. doré. V. OR, or.

oriflambe, -ble, orie flambe n. f. (1080, *Rol.;* comp. de *orie,* doré, et de *flambe,* flamme). Oriflamme. V. OREFLOR, oriflamme.

I. **orine** n. f. (déb. XIIᵉ s.; lat. *originem*). Origine, race : *Ne porte ire a la roine N'a moi, qui sui de vostre orine (Trist.).* ◆ **orinal** adj. (1160, *Eneas*). Originel, qui vient des profondeurs. *Orinal voine,* trachée.

II. **orine** n. f. (fin XIIᵉ s., *Rois;* lat. *urina,* infl. par *aurum,* or). Urine. ◆ **oriner** v. (fin XIIᵉ s., Guiot). 1° Uriner : *Qui les orroit quant il orinent Com il mentent, com il devinent* (Guiot). — 2° Consulter l'urine d'un malade. ◆ **orinal** adj. et n. m. (1175, Chr. de Tr.). 1° Relatif à l'urine. − 2° n. m. Vase de nuit (A. de la Halle).

I. oriol n. m. (1190, Garn.; lat. pop. *oriolum,* dimin. de *orum*). 1° Bord. − 2° Seuil. − 3° Couloir, galerie, porche : *A l'uis de la chambre out un oriol fermé* (Garn.).

II. oriol n. m. (1160, Ben.), **oriot** n. m. (1180, *G. de Vienne*), **oriel** n. m. (XIIe s., *Part.;* lat. *aureolum* d'or). Loriot : *Euriels cante dous et bas (Part.).*

oripel n. f. (fin XIIe s., *Ogier;* composé de *orie,* doré, et de *pel,* peau). Ornement de bouclier, souvent en cuivre doré.

orle, olle n. m. (1120, *Ps. Oxf.;* lat. pop. *orulum,* dim. de *orum; v. or,* bord). 1° Bordure, lisière. − 2° Ourlet. ◆ **orlct** n. m. (déb. XIIIe s., J. Bod.). ◆ **orleure** n. f. (1120, *Ps. Oxf.*). Bordure. ◆ **orler** v. (1160, *Eneas*). 1° Border, ourler. − 2° Tromper : *Ki mex sevent gent ourler Et decevoir par bel parler* (Poèt. fr. av. 1300).

orlois n. m. (fin XIIe s., *Trist.;* orig. incert.). Ardeur amoureuse, débauche : *Lors devisent li queus d'eus trois Ira premier voier l'orlois Que Tristran an la chanbre maine O celié qui seue est demeine (Trist.).*

ormeger v. (1247, Ph. de Nov.; orig. obsc.). 1° Ranger dans un port. − 2° Amarrer.

orme n. m. V. OLME, orme. ◆ **ormoi** n. f. (1206, G., *Cart.*), **ormiere** n. f. (v. *olmiere*). Lieu planté d'ormes. ◆ **ormissel** n. m. (XIIIe s., *Rom. et past.*). Ormeau.

orne n. m. et f. (1155, Wace; lat. *ordinem,* rang, ordre). 1° Rangée de ceps, vigne. − 2° Manière d'agir. *Prendre son orne,* s'y prendre. *Atorner son orne,* faire ses préparatifs. − 3° *A orne,* l'un après l'autre, ensemble. − 4° *A orne,* tout à fait, régulièrement (Wace).

ornicle n. m. (1180, *Rom. d'Alex.;* cf. lat. *ornare,* parer). 1° Bracelet. − 2° Fers d'un prisonnier.

ors n. m. (1080, *Rol.;* lat. *ursum*). Ours.

◆ **orsiel** n. m. (XIIe s., *Asprem.*). Petit ours. ◆ **orsetel** n. m. (fin XIIe s., *Rois*). Ourson. ◆ **orsiere** n. f. (XIIIe s., *Vie des Pères*). Retraite d'un ours.

I. ort, hort, or n. m. (1160, Ben.; lat. *hortum*). Jardin, verger, clos. ◆ **ortel** n. m. (1230, *Eust. le Moine*). Jardin. ◆ **ortelon** n. m. (1255, *Arch.*). Jardinet. ◆ **ortage** n. m. (1059, *Cart. de Beaulieu*). Jardinage, produits du jardinage. ◆ **ortelage** n. m. (1277, G.). 1° Plante potagère. − 2° Produits du jardin potager. ◆ **ortellerie** n. f. (XIIe s., *Chétifs*). Grand jardin, grand verger. ◆ **ortolain, -ien** n. m. (1308, Aimé). Jardinier, maraîcher.

II. ort n. m., ruse, machination. V. ORDIR, préparer le tissage, tramer.

III. ort adj. V. ORD, ignoble, repoussant.

ortie, ortrie n. f. (1112, *Saint Brand.;* lat. *urtica*). Ortie. ◆ **ortier** v. (1277, *Rose*). 1° Frotter et piquer d'orties. − 2° Se piquer en général. ◆ **ortier** n. m. (fin XIIe s., Guiot). 1° La plante de l'ortie. − 2° Lieu où il croît des orties. ◆ **ortiere** n. f. (fin XIIe s., *Alisc.*). Lieu où il croît des orties.

I. os n. m. (1080, *Rol.;* lat. pop. *ossum,* pour *os, ossis*). Os. ◆ **osse** n. f. (fin XIIe s., saint Grég.). Os. ◆ **ossel** n. m. (1204, R. de Moil.), **osson** n. m. (XIIIe s., Mon. Ren.). Os. ◆ **ossemente** n. f. (1160, Ben.). Ensemble des os. ◆ **ossé** adj. (fin XIIe s., *Ogier*). ◆ **ossu** adj. (1170, *Percev.*). Osseux, qui a de gros os.

II. os adj. (1080, *Rol.;* lat. *ausum,* p. passé de *audere*). Osé, hardi : *N'i a baron tant os ne si hardi (Loher.). Os de,* ayant conçu le dessein hardi de : *de prendre Flandres os* (Guiart). ◆ **osement** n. m. (1160, Ben.), **osé** n. m. (XIIIe s., *Doon de May.*). Hardiesse. ◆ **osé** adj. (1190, Garn.). Hardi. ◆ **oseement** adv. (XIIIe s., *A tre pér.*). Avec hardiesse.

III. os interj. (fin XIIe s., *Auc. et Nic.;* peut-être *os,* hardi?). Exclamation d'étonnement : *Os por le cuer be! fait cil. Por quoi canteroie je por vos, s'il ne me seoit? (Auc. et Nic.).*

IV. **os** n. m. V. UES, usage.

V. **os** n. m. cas sujet. V. OST, armée.

osberc n. m. V. HALBERC, haubert.

I. **osche** n. f. (XIIᵉ s., *Trist.;* orig. obsc.). 1° Entaille, brèche faite dans la lame de l'épée. — 2° Coche de l'arc.

II. **osche, oiche** n. f. (1229, *Arch.;* orig. incert.). 1° Jardin fermé de haies. — 2° Terre labourable entourée de clôtures. — 3° Terre cultivée en général. ◆ **oschote** n. f. (1285, *Cart.*), -ete n. f. (1336, *Cart.*). Petite superficie de terre labourable entourée de haies ou de fossés.

oscle n. m. (fin XIIᵉ s., *G. de Rouss.;* lat. *osculum,* propr. petite bouche, de *os,* bouche). 1° Présent de noces du mari à sa femme : *Quant li reis nos gita de nostre honor, Si me dona tot l'oscle a ma seror, Dijon e Rossillon [...] (G. de Rouss.*). — 2° Part que l'époux survivant prend sur les biens du conjoint décédé.

oscur adj. (déb. XIIᵉ s., D.; lat. *obscurum*). 1° Obscur, sombre. — 2° Noir, de couleur sombre. — 3° Sinistre, sauvage, ignoble : *La mere du sierpent fu amere et oscure (Chev. cygne).* — 4° Fatal, mortel : *le hanste qui la pointe ot obscure (Geste de Liège).* — 5° Maladie *oscure,* épilepsie. ◆ **oscur** n. m. (XIIᵉ s., *Chev. cygne*). Ombre. ◆ **oscure** n. f. (XIIᵉ s., *Florim.*). Obscurité. ◆ **oscurer** v. (1119, Ph. de Thaun). 1° Obscurcir, rendre obscur. — 2° Ternir, souiller. — 3° S'obscurcir, devenir obscur. ◆ **oscurir** v. (déb. XIIᵉ s., *Ps. Cambr.*). S'obscurcir, devenir obscur. ◆ **oscurement** n. m. (XIIIᵉ s., *Anseis*), **oscurissement** n. m. (1335, Deguil.). Obscurité, obscurcissement. ◆ **oscuror** n. f. (1190, saint Bern.). Obscurité. ◆ **oscurté** n. f. (1119, Ph. de Thaun). 1° Obscurité. — 2° Embarras : *Desirant de issir de la dite oscurtei et discention* (Beaum.). — 3° Intrigues obscures. ◆ **oscurcir** v. (1160, Ben.). 1° S'obscurcir, se dénaturer. — 2° Déchoir. ◆ **oscurcier** v. (1314, *Cart.*). Obscurcir.

oscurdance n. f. (1160, Ben.). Refus. ◆ **oscurdos** adj. (1160, Ben.).

Qui refuse : *Ne se fist vers els oscurdos* (Ben.).

osfe n. f. (XIIᵉ s., *B. d'Hanst.;* orig. obsc.). Flocon : *Lors fu plus blanche que une osfe de noif (B. d'Hanst.).*

osier n. m. (1265, J. de Meung; lat. pop. **auserium,* du francique). Osier. ◆ **osiere** n. f. (XIIᵉ s. *Chev. cygne*). Osier, branche d'osier. ◆ **oseraie** n. f. (fin XIIᵉ s.), **oseron** n. m. (1315, *Ord.*). Oseraie.

osile n. f. (XIIIᵉ s.; lat. pop. *acidula,* de *acidus,* aigre). Oseille.

osmer v. (XIIᵉ s., *Part.;* lat. pop. **osmare,* du grec). Flairer, sentir : *La beste voit l'enfant, entour li osme et fleire (Doon de May.).*

ospital n. m. (1190, Garn.; lat. *hospitalis domus,* maison pour accueillir les hôtes). 1° Établissement charitable. — 2° Hôpital. ◆ **ospice** n. f (XIIIᵉ s., *Mir. saint Éloi*). 1° Hospitalité. — 2° Gîte. ◆ **ospitalité** n. f. (fin XIIᵉ s., Guiot). 1° Charité, aumône. — 2° Hôpital. ◆ **ospitalier** n. m. (fin XIIᵉ s., Guiot). 1° Religieux qui accueille les étrangers. les indigents. — 2° Chevalier de l'Hôpital.

osse n. f. V. OS, os.

ost n. m. (1080, *Rol.;* lat. *hostem,* ennemi, par ext., armée ennemie, armée). 1° Armée. *Service d'ost (Livr. de Jost.),* obligation du vassal d'aider son seigneur par les armes. *Crier l'ost,* convoquer les vassaux pour ce service. *Ost banie,* armée convoquée par ban. — 2° Guerre importante, surtout celle du suzerain (par opposition à *chevauchie,* expédition privée) : *Li homs de Saurre doivent al seignor de la ville le houst et la chevauchie* (1245, *Franch.*). — 3° Camp et, en part., siège : *Al matin s'an departi l'ost (Eneas).* — 4° Guerre, campagne, expédition. *Estre en ost,* être en campagne. ◆ **oster** v. (XIIᵉ s.). Faire la guerre. ◆ **osteor** n. m. (XIIᵉ s.). Guerrier, combattant. ◆ **osteier** v. (1080, *Rol.*). Faire la guerre, guerroyer. ◆ **osteiement** n. m. (1200, *Gar. de Mongl.*). Guerre, combat. ◆ **ostelois** n. m. (fin XIIᵉ s., *Loher.*).

Armée. ◆ **ostage** n. m. (XIIᵉ s., *Part.*).
Service d'ost. ◆ **osteieor** n. m. (XIIᵉ s.).
Guerrier. ◆ **ostegier** v. (1180, *G. de
Vienne*). Combattre : *Le dus Girars le
venoit ostegier Devant les autres (G. de
Vienne).*

I. ostage n. m. (1080, *Rol.; v. oste*,
hôte). 1° Hospitalité. — 2° Accueil,
réception : *La raine de Cartaige, Qui
molt li faisoit bel ostage (Eneas).* —
3° Gîte, logement, demeure. — 4° Redevance due pour la location d'une maison.
— 5° Redevance en général. ◆ **ostagier**
v. (XIIᵉ s.). 1° Donner l'hospitalité à,
loger. — 2° Bien recevoir.

II. ostage n. m. (1175, Chr. de Tr.;
orig. incert.; cf. lat. pop. *obsidaticum*, de
obsidem, otage). 1° Gage, caution. — 2°
Gage, objet symbolique témoignant d'un
vœu fait à Dieu. — 3° Otage : *E, a ce fere,
lessa ses sis chevalers on eux en hostage
(F. Fitz Warin).* ◆ **ostagier** v. (1160,
Ben.). 1° Promettre en donnant un gage.
— 2° Donner en otage, retenir, en otage.
— 3° Se constituer en otage : *Il se cuida
vers le duc ostegier (Asprem.).* — 4° Délivrer sous caution : *Ernous [...] Fu
ostagiés delivrement (Mousk.)* ◆ **ostagement** n. m. (XIIᵉ s., *Horn*). Convention
relative aux otages : *Selon la forme de
l'ostagement es prisons (1299, Traité).*

III. ostage n. m., service d'ost.
V. OST, armée, guerre.

oste n. m. (1190, J. Bod.; lat. *hospi-
tem*). 1° Hôte, celui qui donne l'hospitalité, qui héberge. — 2° Étranger, celui qui
reçoit l'hospitalité : *Hoste fu, vous me
recueillistes (Rose).* — 3° Homme jouissant du statut social intermédiaire entre
les hommes libres et les serfs : il
disposait d'une tenure moyennant redevance, mais n'était pas attaché à la glèbe.
◆ **ostesse** n. f. (1175, Chr. de Tr.).
Hôtesse, celle qui accorde l'hospitalité. ◆
ostoier v. réfl. (1250, *Ren.*). Se loger.

ostel n. m. (XIᵉ s., *Alexis; lat. hospi-
tale (cubiculum)*, chambre pour les
hôtes). 1° Demeure, maison. — 2° Logis.
Prendre ostel, se loger. — 3° Hôtellerie,
auberge. ◆ **osteler** v. (1080, *Rol.*).
1° Loger, donner l'hospitalité. — 2° Loger,

demeurer : *Aveuc les boens faites m'asme
osteleir (Chans.).* ◆ **ostelage** n. m.
(1277, *Rose*). 1° Action de loger, hospitalité. — 2° Redevance payée au seigneur
pour pouvoir résider sur ses domaines.
◆ **ostelerie** n. f. (1138, *Saint Gilles*).
1° Hospice, hôpital. — 2° Couvent.
◆ **ostelain** n. m. (1160, Ben.). 1° Aubergiste. — 2° Hôte, chez qui on loge.

ostendre v. (XIIIᵉ s., Fr. Anger;
lat. *ostendere*). Montrer. ◆ **ostention**
n. f. (fin XIIIᵉ s. J. de Meung). Action
de montrer.

I. oster v. (1119, Ph. de Thaun; lat.
obstare, avec, en lat. pop., le sens de
empêcher, retenir). Ôter, enlever. ◆
osteor n. m. (1220, *Saint-Graal*). Celui
qui enlève. ◆ **ostable** adj. (1277, *Arch.*).
Qu'on peut ôter. ◆ **ostevent** n. m.
(1304, *Arch.*). 1° Paravent. — 2° Por-
tière.

II. oster v., faire la guerre. V. OST,
armée.

osterin adj. et n. m. (1138, *Saint
Gilles;* germ. *oster*, orient). 1° D'orient,
étoffe précieuse d'Orient. — 2° n. m.
Étoffe de pourpre (il y avait de la pourpre
de différentes couleurs). ◆ **osterine** n. f.
(déb. XIIIᵉ s., R. de Beauj.). Étoffe de
pourpre.

ostés, osteis interj. (1190, J. Bod.;
v. *oster*, ôter, éloigner). Exclamation
indiquant le refus, la répugnance : *Osteis!
fet Grimus, laissios le, trop en avez fait
(Saint-Graal).*

ostil n. m. (1190, Garn.; bas lat.
ustilium, altér., d'après *usare*, de *utesi-
lium*, pour *ustensilia*). 1° Outil. —
2° Ustensile. — 3° Toute sorte d'appareil :
*De venerie i a ostius Li canives et li
fuisius (Part.).* ◆ **ostille** n. f. (1175, Chr.
de Tr.). 1° Toute sorte d'outils et d'appa-
reils. — 2° En particulier, métier à
tisser. ◆ **ostillement** n. m. (XIIIᵉ s., *Traité
d'économie rurale*). Tout ce qui sert à
garnir, à meubler : *Deivent oster hors touz
lour ustilemenz de lour mesouns (Lib.
cust.).*

ostise, -ice n. f. (1249, *Arch.;*
v. *oste*, hôte). 1° Demeure. — 2° Tenure,
exploitation rurale d'un *oste.*

ostor, ostoir n. m. (1080, *Rol.;* lat. pop. *auceptorem*, oiseleur, confondu avec *acceptor*, forme altérée de *accipiter*, épervier). Autour. ◆ **ostorier** n. m. (XIIIᵉ s.). Celui qui dresse les autours. ◆ **ostegier** n. m. (1260, Mousk.). Celui qui est chargé du soin des autours.

ostre, oestre n. m. (XIIIᵉ s., *Ps.;* lat. *auster, -tri,* le vent du midi). Vent du sud, du midi : *Deu torne la misere nostre si cumme li ruissiaus en ostre (Ps.).* ◆ **ostrevant, -van, austrevant** n. m. (XIIᵉ s., *Am. et Id.*). Région de l'Est, la Flandre : *Et par Gascougne a Arle droit, U grant pars de son ost estoit, Ki d'Ostrevant ierent parti Et li Bourguignon autresi* (Mousk.).

ostruce n. f. (1130, *Job;* lat. pop. *avis,* oiseau, et *struthio,* autruche, du grec). Autruche.

ot, od, ob, of, o prép. (980, *Passion;* lat. *apud*). 1° Préposition de conjonction ; d'adjonction : *Amis, venes el bois od moi (Sept Sages).* − 2° Prép. introduisant un compl. circonstanciel de manière, d'instrument : *Les meies paroles ot tes oreilles receif, Sire (Ps. Oxf.).* − 3° *Ot,* suivi de p. présent, construit une subordonnée conditionnelle (ayant le sens « à la condition de ») : *E ob icest cens rendant chascun an,* [...] *(1224, Arch.).* − 4° *O tot,* v. OTOT, avec, avec tout.

otaive n. f., huitaine. V. OCTAVE, huitième.

otot prép. (1180, G. de Saint-Pair; comp. de *o,* avec, et de *tot,* tout). 1° Avec tout : *L'enfant li ont tost aporté Ou tot le berz ou il esteit* (G. de Saint-Pair). − 2° pron. Avec tout cela : *Li malades les sorchauz prent Otot s'en vet isnelement (Trist.).*

otroier, otrier v. (1080, *Rol.;* lat. pop. **auctoridiare,* pour le lat. impérial *auctorare,* accorder). 1° Donner son consentement, autoriser. − 2° Consentir à, être d'accord sur quelque chose : *Jo l'otroi, jo l'otroi bien,* je suis d'accord. − 3° Approuver. − 4° Concéder, donner. − 5° v. réfl. Se donner : *Li biaus, li dous, a cui mes cuers s'otroie (Rom. et past.).* ◆ **otroi** n. m. (1112, *Saint Brand.*). 1° Action d'autoriser. − 2° Autorisation donnée à une ville de prélever une taxe. − 3° Accord. *Estre a un otroi, estre mis a un otroi,* être d'accord. *Ce n'est mie d'otroi,* ce n'est pas acceptable. *En vostre otroi,* en accord avec ce que vous proposez, à votre disposition. − 4° Action de donner, don : *Des qu'el n'avoit que VII anz De s'amor li dona l'otroi (Rose).* ◆ **otroiance** n. f. (1160, Ben.). 1° Action d'accorder, permission : *A cestui, od vostre otreiance, Faz del regne dun e quitance* (Ben.). − 2° Action de concéder, don. ◆ **otroiement** n. m. (1160, Ben.). Octroi, permission, don. ◆ **otroiage** n. m. (1138, *Saint Gilles*). Octroi, don. ◆ **otrise** n. f. (XIIᵉ s., *Trist.*). Octroi, don, permission.

I. ou pron. dém. neutre. V. o, ce, cela.

II. ou adv. et conj. V. o, où.

III. ou conj. de coord. V. o, ou.

IV. ou, o, on, om art. masc. cas régime, contracté avec la prép. *en.* V. LE. *Ou proverbe dit on que force paist le pré* (J. Bod.). *Mort l'abat o sablon* (J. Bod.). *On nom de Sainte Triniteis* (1197, *Hist. de Metz).* ◆ V. TABLEAU DES ARTICLES, p. 359.

oufler v. (1204, *l'Escoufle;* altér. de *enfler*). Etre enflé : *Le mul qui de la teste ouffle (l'Escoufle).*

ov, ove n. f. (XIIIᵉ s., *Traité d'économie rurale;* lat. *ovis,* brebis ; mot d'emprunt). Brebis.

I. ove, ueve n. f. (XIIᵉ s., *Chev. cygne;* v. *uef,* œuf, du lat. *ovum*). Collectif d'œufs. ◆ **ovee** n. f. (XIIᵉ s., *Horn*). 1° Omelette. − 2° Couvée (Coincy).

II. ove n. f. V. ov, brebis.

ové adj. (1204, R. de Moil.; peut-être de *ov,* œuf?). Plein, gros. ◆ **ovel** adj. (XIIIᵉ s., *G. de Warwick*). Plein, plénier : *en owele curt,* devant une cour plénière.

ovrer v. (980, *Passion;* bas lat. *operare,* pour *operari*). 1° Agir : *Issi ouvra icil preudom* (Ruteb.). − 2° Opérer : *Mes la grace dou Saint Esperit, qui plus* *oevre en vos que la terrienne chevalerie* [...] *(Queste Saint-Graal).* — 3° Travailler. — 4° Accomplir sa besogne. ◆ **ovre** n. m. et f. V. OEUVRE, UEVRE. ◆ **ovraigne** n. f. (1155, Wace). 1° Ouvrage : *Donez conseil sur cest ovraigne* (Ben.). — 2° Œuvre. ◆ **ovrage** n. m. (déb. XIIIe s., D.). Besogne. ◆ **ovree** n. f. (1306, Guiart). 1° Œuvre : *Son hyaume el chief, el poing l'espee, Vint d'autre partie a l'ovree* (Guiart). — 2° Mesure agraire, la huitième partie du journal. ◆ **ovrier** n. m. (déb. XIIe s., *Ps. Cambr.*). 1° Celui qui agit. — 2° Travailleur. ◆ **ovreor, -oir** n. m. (1160, Ben.). Atelier : *Dames et puceles issoient De lo ouvroirs* (R. de Beauj.). ◆ **ovrable** adj. (fin XIIe s., *Rois*). 1° Qui peut travailler. — 2° Où l'on peut

travailler : *jour uverable (Rois).* — 3° Destiné au travail : *boef overable, charue overable (Traité d'économie rurale).*

ovrir v. (1080, *Rol.;* lat. pop. *operire,* pour *aperire).* 1° Ouvrir. — 2° Découvrir, montrer. *Ovrir le voir,* découvrir la vérité. ◆ **overt** adj. (1210, *Dolop.*). 1° Découvert, évident : *Cist exemples est si clers et si overs que ...* (Br. Lat.). — 2° Franc, sincère.

oxumel, oximel n. m. (1220, Coincy; lat. *oxymel,* vinaigre miellé, du grec). Mélange d'eau, de miel et de vinaigre : *Bon pain, bon vin, et le buen air Aing assez melz par Witace Que toz lor oxumias ne face Ne que totes lor herbolees* (Coincy).

paage n. m. V. PEAGE, péage.

paalon n. m., poêlon. V. PAELE, poêle.

pacefier v. (1250, G.; lat. *pacificare*).
1º Faire la paix, conclure un accord. —
2º Accorder par un traité. ◆ **pacifiable**
adj. (fin XIIIᵉ s., Macé). Qui procure la
paix.

pacience n. f. (1120, *Ps. Oxf.*; lat.
patienta, de *pati*, souffrir). 1º Souffrance.
— 2º Permission : *Nous, Hues, par la
patience de Dieu abbes de Saint Venne*
(1306, G.). ◆ **pacient** adj. (1120, *Ps.
Oxf.*). Patient, paisible : *Mes tu es sire
mult pacent (Rés. Sauv.)*.

I. **paele** n. f. (déb. XIIIᵉ s., R. de Clari;
lat. *patella*, petit plat). Poêle, ustensile de
cuisine. ◆ **paelee** n. f. (1268, E. Boil.).
Contenance d'une poêle. ◆ **paalon** n. m.
(déb. XIVᵉ s.). Poêlon.

II. **paele** n. f. (1297, *Arch.*; orig.
obsc.; peut-être lat. *pensilem*, poêle?).
1º Mesure pour les liquides. — 2º Vase
servant à l'évaporation de l'eau dans les
salines.

pafut n. m. V. ESPAFUT, espadon,
large épée à deux mains.

I. **page** (1155, Wace), **pagene** n. f.
(fin XIIᵉ s., Grég.; lat. *pagina*). 1º Page,
feuillet. — 2º Récit, livre *(Geste de Liège)*.
— 3º Liste, nombre.

II. **page** n. m. (1220, Coincy; orig.
obsc., lat. **pagicum*, de *pagus*, pays?).
1º Jeune garçon. — 2º Valet. ◆ **pagesse**
n. f. (1335, Deguil.). Fém. de *page*.

pagnage n. f. V. PASNAIE, panais.

pagosse n. f. (1270, A. de la Halle;
dér. de *pagus, pagensem;* v. *pais*, pays).
Payse, compatriote : *Ke devenra li
pagousse* (A. de la Halle).

paien adj. et n. (1080, *Rol.;* lat. *paga-
num,* paysan). Païen. ◆ **paienois** adj.
(1160, Ben.). De païen. ◆ **paienor** (1080,
Rol.) adj. pl. Des païens. ◆ **paienie** n. f.
(1155, Wace), **-ise** n. f. (XIIᵉ s., *Horn*),
-isme, -ime n. f. (1160, *Charr. Nîmes*).
Terre des païens, des Sarrasins : *De paie-
nime amenrons avoir tant (Loher.)*. ◆
paieneté n. f. (XIIᵉ s., *Aym. de Narb.*).
Paganisme. ◆ **paienisme, -ime** adj. fém.
(1080, *Rol.*). Païenne.

paier v. (XIᵉ s., *Alexis;* lat. *pacare*, pacifier; v. *pais*, paix). 1º Apaiser, réconcilier :
*Ja somes nos acordé et paié (Cour.
Louis.)*. — 2º Réconcilier, faire la paix :
*Un conte ocist dont ne se pot paier
(Charr. Nîmes)*. — 3º v. réfl. S'apaiser :
La reine point ne se paie (Ben.). —
4º Satisfaire, donner l'argent qu'on doit,
payer, s'acquitter. — 5º *Paier un cop*,
donner un coup. — 6º *Paier un dap*,
donner un coup, entamer quelque chose :
*Laissiés courre che vin entour, Je li paie-
rai ja un dap* (J. Bod.). ◆ **paie** n. f. (1175,
Chr. de Tr.). 1º Paix : *Dedens le lit fu fait
la paie* (Sept Sages). — 2º Affaire qui fait
l'objet d'un accord. — 3º Don. — 4º Règlement d'une dette. ◆ **paiable** adj. (1255,
Arch.). 1º Qui peut payer, solvable. —
2º Qui satisfait, de bonne qualité : *vin
dous et paawles* (1270, *Cart.*). ◆ **paiant**
adj. (1298, *Charte*). Devant être payé.

pail n. m. V. PEL, PAL, pieu, lance,
piquet.

paile, palie, paille n. m. et f. (980,
Passion; lat. *pallium,* manteau). 1º Riche
drap d'or ou de soie, généralement rayé.
Paile roé, étoffe à dessins circulaires.
— 2º Tenture, tapisserie, dais. — 3º Drap
noir recouvrant le cercueil. — 4º Linceul.
— 5º Pallium, manteau ecclésiastique
porté par les archevêques.

I. **paille** n. f. (1175, Chr. de Tr.; lat.
palea). Paille. ◆ **paillet** n. m. (déb. XIIᵉ s.).
Balle de blé. ◆ **paillot** n. m. (déb. XIVᵉ s.).
Petite paillasse pour un lit d'enfant. ◆
paillis n. m. (XIIᵉ s., Herman). 1º Paille. —
2º Lit de paille. ◆ **paillier** n. m. (XIIᵉ s.,
Chast. d'un père). 1º Paille. — 2º Tas de
paille, litière. — 3º Basse-cour, chenil. ◆
paillole n. f. (1204, *l'Escouffle*). 1º Dimin.

de paille. — 2° Paillette d'or. — 3° Grenier à paille. — 4° Maison de prostitution (1244, *Cart.*). ◆ **pailluel** n. m. (1304, *Arch.*). Mur fait d'argile et de paille mélangées. ◆ **pailloler** v. (1304, *Arch.*). Garnir d'un *pailluel*. ◆ **pailloleur** n. m. (1304, *Arch.*). Maçon qui construit un *pailluel*. ◆ **paillevole** n. m. (1220, Coincy). Brin de paille, paillette. ◆ **paillart** n. m. (fin XIIᵉ s., Couci). 1° Qui couche sur la paille, paysan. — 2° Gueux, vaurien. ◆ **paillos** adj. (1204, R. de Moil.). Plein de paille.

II. paille n. m. et f. V. PAILE, drap, tenture, linceul.

pain n. m. (XIᵉ s., *Alexis*), **pan** (980, *Passion*; lat. *panem*). Pain. *Pain benit*, hostie (déb. XIIIᵉ s.). *Estre au pain de quelqu'un*, être à sa table, à son service, sous sa dépendance. ◆ **paingnon, paignon** n. m. (XIIIᵉ s., *Rés. Sauv.*). Petit pain.

I. paindre v. (1160, *Athis*; lat. *pangere*, enfoncer). 1° Lancer, précipiter : *Tuit sont garniz, en mer se paignent* (*Athis*). — 2° n. m. Élan, course (*Atre pér.*).

II. paindre, v. V. PEINDRE.

paine n. f. V. PEINE, souffrance, fatigue, difficulté.

pair, per, pier adj. et n. (Xᵉ s., *Fragm. de Valenc.*; lat. *par*, égal). 1° Pareil, semblable, égal : *Ne trovast l'om mie son pier* (*Rol.*). — 2° n. m. Compagnon, compagne : *Se la prendrez a moullier et a per* (*Rom. et past.*). — 3° n. m. Pair : *Li doze per, qui furent detranchié* (*Cour. Louis*). — 4° *Pair a per*, corps à corps. ◆ **pairment, perment** adv. (déb. XIIᵉ s., *Ps. Cambr.*). Également. ◆ **paire** n. f. (1160, *Eneas*; lat. pop. *paria*). Couple. — 2° Compagnie. — 3° *Faire paire*, être égal (R. de Moil.). ◆ **pairier** v. (1260, Mousk.). 1° Mettre sur un pied d'égalité, mettre de pair. — 2° Aller de pair. — 3° v. réfl. Se comparer, s'associer. 4° v. réfl. S'accoupler : *Chascun oiseaus se paire* (poés. ms. av. 1300). ◆ **pairie** n. f. (1286, G.). Sorte de tenure : *Hommage de paarie* (*Arch.*). V. PARIAGE. ◆ **pairier** n. m. (1269, G.). Coseigneur. ◆ V. PARAGE, lignée, extraction.

pairesis n. m. V. PARISIS, denier parisis.

pairol n. m. (XVᵉ s.; orig. incert.). Chaudron. ◆ **pairolet** n. m. (1370, *Lettre*). Dimin. de *pairol*. ◆ **pairolier** n. m. (1306, G.). Chaudronnier.

pairons, parons n. m. pl. (1260, Br. Lat.; dér. de *patrem*, père). 1° Le père et la mère. — 2° Les deux pennes des ailes.

I. pais n. f. (1080, *Rol.*; lat. *pax, pacem*, paix). 1° Paix. *Faire pais*, faire la paix, régler les choses. *Metre a pais*, terminer (la guerre) : *Car te guerre avons mis a pais* (J. Bod.). — 2° Réconciliation, accord. *En est il pais?*, êtes-vous d'accord? — 3° Tranquillité, silence : *E cum la gente est tute asise, E la pes de tutez parz mise* (*Rés. Sauv.*). *Faire pais*, rester tranquille : *Or nous faites pais, si l'orrés* (J. Bod.). *En pais*, tout tranquillement. — 4° Composition, prix du sang : *XX. lib. de parisis qu'il lui devoit pour le cause de le pais de son pere qui fu ochis* (*Chirographe d'oct. 1322*). — 5° Engagement de s'abstenir de tout acte hostile pris devant le magistrat par les familles qui se haïssent. — 6° Satisfaction, bon plaisir : *Elas! dist il, je sui trays, Aucuns a male pais m'a mis Vers ma dame* (Couci). *Mengier a pais*, manger à son saoul. *Faire pais de quelque chose*, y goûter : *Dist Menues : Faites pais de cest vins* (Gar. Loher.). — 7° Permission : *Paiz do venir, e paiz d'aler, E paiz de viande achater* (Wace). — 8° Baiser. — 9° Agneau pascal (*Pass. Palat.*). ◆ **pais** adj. (XIIIᵉ s., *Meraugis*). Tranquille : *Avoi! fet Lidoine, biau sire, Tenez vous pes* (*Meraugis*).

II. pais n. m. (Xᵉ s., *Saint Léger*; bas lat. *pagensem*, habitant d'un *pagus*, canton.) 1° Région, contrée. — 2° Terre ferme. — 3° Pays natal (XIIIᵉ s.). ◆ **paisier** v. (XIIIᵉ s.). Mettre dans un pays. *Paisier fors*, bannir. ◆ **paisant** n. m. (1160, Ben.). Homme du pays : *O lui .X. chevalier qui erent paisant Et sont né de la terre et tout sont conissant* (*Chev. cygne*).

I. paisier v. (XIIᵉ s.; v. *pais*, paix). 1° Apaiser, faire la paix. — 2° v. réfl. Se réconcilier. ◆ **paiseor, paisor** n. m. (1255,

Bans). 1º Pacificateur. — 2º Magistrat chargé de maintenir la paix entre les citoyens d'une ville. ◆ **paiserie** n. f. (1268, *Charte*). Charge, fonctions de *paisor*. ◆ **paisible** adj. (1080, *Rol.*). 1º Pacifique, de paix : *Paroles dulces e paisibles Li a mandees* (Ben.). — 2º Exempt, quitte. ◆ **paisibleté** n. f. (déb. XIIe s., *Ps. Cambr.*). État paisible, tranquillité, paix. ◆ **paisable** adj. (fin XIIe s., M. de Fr.). Paisible. ◆ **paisif** adj. (1175, Chr. de Tr.). Paisible. ◆ **paisivement** adv. (1266, *Cart.*). En paix, tranquillement.

II. **paisier** v., mettre dans une contrée. V. PAIS, région, contrée.

paissel n. m. (XIe s., D.; lat. pop. **paxellum*, pour *paxillum*). Petit rondin soutenant les sarments de vigne, échalas. ◆ **paisseler** v. (1213, G.). Garnir une vigne d'échalas. ◆ **paisson** n. m. (1180, *R. de Cambr.*). 1º Pieu, échalas, piquet. — 2º Piquet de tente. ◆ **paissoner** v. (fin XIIe s., *Loher.*). Soutenir avec des pieux, à l'aide de piquets. ◆ **paissonage** n. m. (1274, G.). Droit de couper les échalas.

I. **paistre** v. (XIe s., *Alexis*, lat. *pascere*). 1º Manger : *Iluec paist l'om del relief de la table* (*Alexis*). — 2º Nourrir. — 3º Combler de : *Vos meismes, de quels delisces seriés vos peue et servie?* (Chr. de Tr.). — 4º *Faire paistre od sei*, attirer dans son parti par des promesses. — 5º Faire paître, paître. ◆ **paister** v. (XIIIe s., *Traité d'économie rurale*). Paître, repaître. ◆ **paist** n. m. V. *past*. ◆ **paissement** n. m. (1160, Ben.). Pâture. ◆ **paisseis** n. m. (1180, *G. de Vienne*). Pré. ◆ **paissance** n. f. (1204, R. de Moil.). 1º Action de nourrir, de faire paître. — 2º Nourriture. — 3º Pâture. ◆ **paisson** n. f. (1245, *Charte*). 1º Action de paître. — 2º Pâture, nourriture du bétail. — 3º Toute sorte de nourriture en général. — 4º Pâturage. — 5º Temps où la permission de faire paître les animaux était accordée. ◆ **paissonage** n. m. (1257, *Arch.*). Pâturage, pâture. ◆ **paisterie** n. f. (1238, *Cart.*). Droit de pâture.

II. **paistre** n. m. cas sujet. V. PASTOR, berger.

pal n. m. V. PEL, pieu, épieu, palissade. ◆ **paleçon, palçon** n. m. (.1250, *Ren.*). 1º Pieu. — 2º Canne à pêche. — 3º Sorte de piège pour attraper le gibier. ◆ **paler** v. (av. 1300, poèt. fr.). 1º Garnir de pieux, fermer de palissades, fortifier. — 2º Mettre en pal, en croix : *Diu qui en croe fut pelé* (poèt. fr.). ◆ **palis** n. m. (1155, Wace). 1º Pieu, poteau. — 2º Clôture faite de pieux, palissade. ◆ **paleter** v. (1169, Wace). 1º Combattre aux palissades. — 2ºEscarmoucher, faire la petite guerre. ◆ **paleteis** n. m. (1155, Wace). Combat qui se fait aux palissades d'un château ou d'une ville. ◆ **palestoc** n. m. (1353, G.). Piquet. ◆ **palage** n. m. (1320, *Cart.*). Droit seigneurial qui se payait pour l'attache des bateaux. ◆ **palfis, -ice** n. m. (fin XIIe s., M. de Fr.; lat. *palum fixum*). Pieu, palissade.

I. **palais** n. m. (XIe s., *Alexis;* lat. *palatium*, le Palatin, colline de Rome). 1º Palais. — 2º Cour de l'empereur, du roi. — 3º Palais de la bouche (lat. *palatum*, confondu avec *palatium*). ◆ **palasin** adj. (1180, *Rom. d'Alex.*). 1º Du palais, palatin : *Conte palasin* (R. de Cambr.), *cemin palasin* (Rom. d'Alex.), *dame palasine* (Rose). — 2º n. m. Comte palatin. — 3º **palasine** n. f. (*Mort d'Aymeri*). Femme d'un comte palatin. ◆ **palantien** adj. (1286, *Lettre*). Palatin.

II. **palais, paleis** adj. (XIIIe s., *Ass. Jérus.;* orig. incert.). 1º Ouvert, clair. — 2º Manifeste, public : *E la chose est paleise* (Ass. Jérus.). *As armes palaises*, en combat découvert.

palanc n. m. (1323, *Charte;* ital. *palanco*, v. *pal*, pieu). Palanque, barrière de pieux.

I. **palasin** n. m. (1155, Wace), **-ine** n. f. (1270, Ruteb.; adapt. de *paralysim*, du grec). Paralysie. ◆ **palasinos** adj. (XIe s., *Alexis*). -ois adj. (XIIe s.). Paralytique.

II. **palasin** adj., de palais. V. PALAIS.

palastrel, paletel n. m. (1250, *Ren.;* orig. obsc.). 1º Pièce qu'on met à un vieil habit. — 2º Lambeau, haillon.

I. **pale** n. f. (forme dialectale; v. PELE, pelle). 1º Pelle. — 2º Pale, partie plate de l'aviron (XIIIᵉ s.). ◆ **palete** n. f. (1220, Coincy). Petite pelle. *Faire la palete, se livrer au plaisir.* ◆ **palon** n. m. (1314, *Vœux du Paon*). Pelle. ◆ **paleret** n. m. (XIIIᵉ s., *Fabl. d'Ov.*). Paleron. ◆ **palanghe** n. f. (1335, Deguil.). Pelle.

II. **pale** adj. (1080, *Rol.;* lat. *pallidum*). Pâle. ◆ **palet** adj. (XIIIᵉ s., *Rom. et past.*). Dimin. de pâle, pâlot. ◆ **palor** n. f. (1120, *Ps. Oxf.*), -eté n. f. (1277, *Rose*), -issor n. f. (1277, *Rose*). Pâleur. ◆ **palir** v. (1155, Wace), -oir v. (XIIᵉ s.). Pâlir.

palefroi, -freid n. m. (1080, *Rol.;* bas lat. *paraveredum*, cheval de renfort, de *veredus*, d'orig. celt., doté d'un préf. grec *para-*, à côté). Cheval de marche, ou de parade. ◆ **palefrenier** n. m. (XIIIᵉ s., *Chron. Saint-Denis;* adapt. de l'anc. prov.). Celui qui conduit et soigne le palefroi.

palen n. m. (1271, Tailliar; orig. obsc.). Anguille.

paler v. (1204, R. de Moil.); lat. *palari*, se débander). Chasser : *Pales est fors de sen palais* (R. de Moil.).

palescarme, -calme n. m. (1246, G.; orig. obsc.). Grande chaloupe à rames.

palestre n. m. (1160, *Eneas;* lat. *palestra*, du grec). Protecteur.

palet n. m. (1395, G. de Tyr; v. *pal*, épieu?). Escrime, exercice militaire.

paletel n. m. V. PALASTREL, morceau, lambeau, haillon.

palfis n. m., pieu, palissade. V. PAL, pieu.

palie n. m. et f. V. PAILE, drap d'or ou de soie, tenture, manteau. ◆ **paliot** n. m. (1272, Joinv.). Étoffe de soie ou de laine.

palion n. m. (1190, Garn.; lat. *pallium*, manteau). 1º Pallium (eccl.). — 2º Manteau. ◆ V. PAILE.

I. **palme** n. f. (XIᵉ s., *Alexis;* lat. *palma*, paume). 1º Le dedans de la main. *Batre ses paumes*, s'appliquer (Mousk.). *A paumes*, les mains contre terre : *A*

genoillons se mist et a paumes devant (*Gui de Bourg.*). — 2º Mesure de longueur. ◆ **palmee** n. f. (fin XIIᵉ s., *Loher.*). 1º Main. — 2º Main pleine; sa contenance. — 3º Coup donné avec la paume de la main. — 4º Enchère; marché conclu à sa suite (exprimé par le coup de la paume, une poignée de main énergique). ◆ **paumele** n. f. (fin XIIIᵉ s., *Mir. saint Éloi*). 1º Paume de la main. — 2º Paumée, ce que contient la main. — 3º Férule, sorte de plante (Joinv.). ◆ **paumer** v. (1282, *Britton*). Toucher de la main : *Paumer les evangiles* (*Britton*). ◆ **paumet** n. m. (1298, M. Polo). Longueur de la paume de la main. ◆ **paumeter** v. (XIIIᵉ s., *Doon de May.*). Tomber sur les mains. ◆ **paumeton** n. m. (1175, Chr. de Tr.). Paume. *Cheoir a paumetons*, tomber sur les mains. *Abatre a paumetons*, faire tomber sur les mains. ◆ **paumoier** v. (1080, *Rol.*). 1º Tenir à pleines mains, manier, brandir : *Son bon espié paumoier et tenir* (*Loher.*). — 2º Battre : *Et or feites batre et paumoier* (*Auberi le Bourg.*). — 3º Tomber sur les mains. — 4º Conclure le marché en frappant dans les mains. — 5º v. réfl. Se tordre les mains, en signe de douleur. ◆ **palmoiere** n. f. (1220, Coincy). Coup de la paume. ◆ **paumer** n. m. (XIIIᵉ s., *Gloss. Glasg.*). Férule avec laquelle on frappe dans la paume de la main.

II. **palme** n. f. (1150, Wace; lat. *palma*, paume). 1º Rameau de palmier. — 2º Palmier. *Les paumes*, le jour des Rameaux. ◆ **palmier** n. m. (1180, *R. de Cambr.*). 1º Celui qui porte des palmes. — 2º Pèlerin en général. ◆ **palmier** adj. (fin XIIIᵉ s., porte des palmes.

I. **palmer** v. V. PASMER, se pâmer, s'évanouir.

II. **palmer** v., toucher de la main. V. PALME, paume.

palpoier v. (XIIIᵉ s., *Fabl. d'Ov.;* fréquentatif fr. à partir du lat. *palpare*, toucher). Palpiter. ◆ **palpiant** adj. (fin XIIᵉ s., saint Grég.). Palpitant, agité, ému.

palpre n. f. (1120, *Ps. Oxf.*), **palpebre** n. f. (1125, Marb.; lat. *palpebra*). Paupière.

paltonier adj. et n. m. (1125, *Gorm. et Is.;* se rattache probabl. à la racine du lat. *palari,* errer çà et là). 1° Valet. — 2° Vagabond, gueux, scélérat : *Il li escrie : Retorne, chevaliers, O ja morras a lei de paltonier* (*Cour. Louis*). — 3° Méchant, insolent. ◆ **paltoniere** n. f. (1204, R. de Moiliens). Fille publique, femme entretenue.

I. **palu** n. m. et f. (1160, Ben.; lat. *paludem,* marais). 1° Marais, marécage. — 2° Fange, boue : *Qui toz nous a geté De duel et de vilté Et d'enferne palu* (Ruteb.). ◆ **paluable** adj. (XIII* s., *Fabl. d'Ov.*). Marécageux.

II. **palu, paillu** adj. V. PALUER, souiller.

paluer v. (1175, Chr. de Tr.; orig. obsc.). Souiller. ◆ **palu, paillu** adj. (fin XII* s., *Loher.*). Souillé : *Dou sanc l'erbe est paillue (Loher.).*

pampe-n. m. (fin XIII* s.; lat. *pampinum,* rameau de vigne). Pétale.

I. **pan** n. m. (1080, *Rol.;* lat. *pannum,* morceau d'étoffe). 1° Morceau, partie d'une chose : *Li rois de Cartage [...] A cui grans pans d'Espaigne afiert (Part.).* — 2° Morceau de vêtement. — 3° Partie de l'armure. — 4° Langue du gonfanon. *Tenir, sostenir son pan,* maintenir sa bannière haute, soutenir son honneur. — 5° Côte : *Les hanches basses sor les pans (Part.). De pan,* de côté. — 6° Gage, nantissement. — 7° Butin qu'on retire d'un coup de main. — 8° *A pan,* extrêmement : *La nuit de Nouvel, en cel an, Fist il si tres grant froit a pan* (Godefr. de Paris). — 9° Terme de chasse, sorte de filet que l'on tend autour d'un bois (*Trist.*). ◆ **panel** n. m. (1155, Wace). 1° Morceau d'étoffe. — 2° Vêtement déchiré, haillon, guenille. *Trosser son panel, ses paneus,* se sauver (*Ren.*). — 3° Coussin de selle. — 4° Guêtre. — 5° Pièce de menuiserie encadrée (fin XIII* s.). — 6° Portion, morceau, pièce en général. — 7° Flèche de lard, partie du cochon depuis l'epaule jusqu'à la cuisse. ◆ **paner** v. (1150, Wace). 1° Essuyer avec un morceau de linge. — 2° Habiller. ◆ **pane, pene** n. f. et m. (1080, *Rol.*). 1°

Étoffe de soie à longs poils, drap, fourrure. — 2° Déchets de laine. — 3° Peau qui couvre le bouclier (*Rol.*). — 4° *Traire la panne devant l'oil,* mettre un voile devant les yeux, chercher à tromper. ◆ **paniot** n. m. (1282, *Arch.*). Housse. ◆ **paneler** v. (l'326, *Arch.*). Couvrir. ◆ **panu** adj. (XII* s., *Chev. deux épées*). Fourré : *.I. bliaut Grant et panu d'un blanc samit (Chev. deux épées).* ◆ **panufle** n. m. et f. (1277, *Rose*). Haillon, guenille : *L'en te devroit en un putel Tooillier cum un viex panufle (Rose).* ◆ **panir** v. (1190, saint Bern.). 1° Saisir, arrêter, dépouiller. — 2° Se livrer à des exactions. ◆ **panie** n. f. (1279, *Hist. Metz*). 1° Action de prendre des gages. — 2° Saisie, arrêt, enlèvement. — 3° La chose ou la personne dont on s'est saisie. ◆ **panise** n. f. (1300, *Charte*). Saisie.

II. **pan** n. m. (980, *Passion*). V. PAIN, pain. ◆ **panet** n. m. (XII* s., *Chast. d'un père*). Petit pain. ◆ **panete** n. f. (1350, G. li Muisis). Petit pain. *Faire soupe d'une panete,* prendre de grands airs. ◆ **paneter** v. (1335, Deguil.). 1° Cuire au four, en parlant du pain. — 2° Approvisionner en pain. ◆ **paneterie** n. f. (1272, Joinv.). Lieu où l'on garde et où l'on distribue le pain. ◆ **panetier** n. m. (v. 1150, D.). 1° Celui qui distribue le pain. — 2° Boulanger. ◆ **panier** n. m. (mil. XII* s.). Corbeille à pain. *Faire le panier,* tromper. ◆ **paneret** n. m. (1230, *Artur*). Petit panier. ◆ **panetiere** n. f. (déb. XIII* s.). Sac à pain.

III. **pan** n. m. V. ESPAN, mesure de longueur.

pance n. f. (1155, Wace; lat. *panticem*). Ventre (non spécialisé aux animaux). ◆ **panceil** n. m. (1160, Ben.). Panse. ◆ **pancier** n. m. (1210, *Dolop.*), **-iere** n. f. (1308, Aimé). Partie de l'armure destinée à couvrir et à protéger le ventre. ◆ **pançart** adj. (1220, Coincy). Pansu. *Faire feste saint Pançart,* s'emplir la panse. ◆ **pançuot** adj. (1335, Deguil.). Pansu.

pander v. (1258, *Charte;* lat. *pandere,* tendre, ouvrir?). Saisir comme gage. ◆ **pandingue** n. f. (1271, *Arch.*). Saisie.

I. **pane** n. f. V. PENE, plume.

II. pane n. f. et m., drap, peau qui couvre le bouclier. V. PAN, morceau.

I. panel n. m. (1292, *Britton;* v. *pan,* morceau, pièce?). Liste, rôle.

II. panel n. m., morceau d'étoffe, haillon. V. PAN, morceau, pièce.

panfile, paufile n. m. (1246, G.; orig. incert.). Bateau de guerre plus petit que la galère.

panir v. (XIIIᵉ s., *Rom. et past.;* apocope de *espanir*). S'épanouir.

panis n. m. (1282, *Franch.*), **-ise** n. f. (1298, M. Polo; cf. lat. *panicum,* sorte de millet). Genre de plante dont fait partie le millet.

panser v. V. PENSER, réfléchir, s'occuper de.

I. pantere n. f. (1119, Ph. de Thaun; lat. *panthera,* du grec). Panthère.

II. pantere n. f. (fin XIIIᵉ s., *Son. de Nans.;* orig. obsc.). Sorte d'instrument de musique.

pantiere n. f. (fin XIIIᵉ s.; lat. *panthera;* cf. *panthère*). Filet pour prendre les oiseaux.

pantoisier, pantiser v. (1160, Ben.; lat. pop. **pantasiare,* de *phantasia,* fantôme, du grec). 1° Haleter, avoir l'haleine courte, respirer avec peine : *Sor .I. cheval dolent et las, Et panteisant et tressue* (Chr. de Tr.). — 2° Être suffoqué d'émotion, être aux abois. ◆ **pantois** adj. (XIVᵉ s.). Asthmatique. ◆ **pantois** n. m. (XIVᵉ s.). Oppression.

I. paon, poon n. m. (XIIᵉ s., *Gorm. et Is.;* lat. *pavonem*). Paon. ◆ **paonel** n. m. (v. 1200, D.), **paoncel** n. m. (1220, *Saint-Graal*). 1° Paonneau. — 2° Girouette *(Saint-Graal).* ◆ **paonal** adj. (XIIᵉ s., *Asprem.*), **-é** adj. (1170, *Fierabr.*), **-as** adj. (1170, *Percev.*), **-assé** adj. (1316, G.). D'une couleur bleu paon qui est une nuance de bleu violet.

II. paon n. m. V. PEON, qui va à pied, fantassin.

paor, peor n. f. (Xᵉ s.; lat. *pavorem*). 1° Peur (presque toujours avec *avoir* ou *faire*). — 2° Crainte, appréhension : *Del paier n'est nule peurs* (J. Bod.). ◆ **paorance** n. f. (fin XIIᵉ s., *Aym. de Narb.*). Peur. ◆ **paoros** adj. (1160, *Eneas*). 1° Peureux, qui a peur. — 2° Effrayant, terrible : *Et vi telz choses qui moult estoient paereuses et espoentables a veoir* (*Hist. de Joseph*).

papa n. m. (1256, Ald. de Sienne; mot enfantin formé par dédoublement; cf. lat. *pappa,* père, et *pappus,* aïeul). Père. ◆ **papon** n. m. (1303, *Lettre*). Aïeul.

papacuste, papaluste n. m. (1220, *Saint-Graal;* orig. incert.). Serpent fabuleux qui constituait l'*enheudeure* d'une épée merveilleuse.

papegai n. m. (1155, Wace), **-galt** n. m. (1277, *Rose;* anc. prov. *papagai,* de l'arabe). 1° Perroquet. — 2° Girouette. ◆ **papejaie** n. f. (XIIIᵉ s., *Gloss. Garl.*). Perroquet.

papemor n. m. (déb. XIIIᵉ s., R. de Beauj.; orig. obsc.). Sorte d'oiseau.

paper v. (v. 1200, D.; lat. *pappare,* d'orig. onom.). 1° Mâcher, avaler lentement et sans appétit. — 2° Manger goulûment : *Tout englout mors, menjue et pape* (Coincy). ◆ **pape** n. f. (XIIIᵉ s.), **-in** n. m. (XIIIᵉ s., *Dit de ménage*), **-ine** n. f. (XIIᵉ s., *Chev. cygne*). Bouillie pour les enfants. ◆ **papeter** v. (1220, Coincy). 1° Babiller. — 2° Manger. — 3° Piller. **papelart** adj. et n. m. (1220, Coincy). Faux dévot, hypocrite. ◆ **papelardir** v. (1220, Coincy), **-er** v. (1270, Ruteb.). Faire l'hypocrite : *Papelart si papelardissent Por estre abbé* (Coincy). ◆ **papelardie** n. f. (1277, *Rose*), **-ise** n. f. (XIIIᵉ s., *Fabl. d'Ov.*). Hypocrisie. ◆ **papetort** n. m. (1190, J. Bod.). Tricherie, fraude, manigance.

papier n. m. (XIIIᵉ s., Delb.; adapt. du lat. *papyrus,* du grec). Papier (à partir du Xᵉ siècle). ◆ **papelier** n. m. (1318, G.). Fabricant de papier, papetier.

papirun n. m. (XIIᵉ s., Marb.; v. le précéd.?). Sorte de pierre précieuse, rubis ou escarboucle : *L'altre* (pierre) *ressemble papirun, Ne fou ne flame ele ne crient* (Marb.).

I. par n. f. V. PART, côté, part, portion, participation.

II. par adj. et n. V. PAIR, égal; compagnon, pair.

III. par prép. (842, *Serm.; lat. per*). 1º En parlant de l'espace, à travers. — 2º En parlant du temps, durant, pendant : *Par la noit la mer est plus bele (Rol.).* — 3º Indique aussi la répétition : *Bien veigne par cent mile foiz Li rois, mes sire* (Chr. de Tr.). *Par aage, par eagee*, longtemps, *par devant*, auparavant, *par tens*, bientôt. — 4º Introduit l'instrument, l'intermédiaire, l'agent : *Il vos mande par moi salus et amistiés (Gui de Bourg.). Par lui, par ele, par eus*, à lui seul, à elle seule, à eux seuls, etc. *Par mon cors, par son cors*, à moi seul, à lui seul. — 5º Introduit la cause : *Ne sai se par boen coer le fist* (Wace). *Par itant*, à cause de cela. *Par ce*, c'est pourquoi. *Par ce que*, attendu que, vu que. — 6º Introduit le régime indiquant la manière : *Par orgoil e par hatie La cité unt dunc envaie (Conq. Irl.). Par aramie*, avec force. *Par compas*, très régulièrement. *Par droit*, à bon droit, justement. *Par esguart*, avec justice. *Par establie*, régulièrement. *Par loisir*, à son aise. *Par maistrie*, excellemment. *Par non*, formellement. *Par oltrage*, avec excès. *Par aparent*, en apparence. *Par avenant*, comme il convient. *Par igal*, d'une manière égale, par parties égales. — 7º Suivi d'un participe présent, introduit une proposition participe : *Par la rente paant* (1239, *Arch.*), en payant la rente. — 8º Suivi d'un infinitif, introduit une proposition infinitive : *ele ne puet estre prise fors par afamer (Artur).* — 9º Loc. conj. *Par ainsi que*, de même que, à condition que. *Par si que*, à condition que, pourvu que. — 10º *Par un petit, par poi*, peu s'en faut.

IV. par particule intensive (XIᵉ s., *Alexis*; lat. *per*). Particule intensive, superlative ou augmentative, qualifiant un adjectif, souvent précédée de *molt, tant, trop, com*. Dans la construction, *par* est séparé de l'adjectif qu'il détermine : 1º Par le verbe *estre* : *Trop par sont bon pour vuidier escuele (R. de Cambr.).* — 2º Par le verbe *avoir* : *S'il perdoit l'aide du compte de Triple, il par avoit tot perdu* (G. de Tyr).

par- préfixe (lat. *per-*). 1º Ajoute au radical l'aspect intensif, augmentatif : *paramer*, aimer passionnément. *Pardestraindre*, serrer fortement. — 2º Transforme l'aspect duratif des radicaux qui le possèdent en un aspect terminatif : *Paratendre*, attendre jusqu'à la fin. *Paradire*, achever de dire. *Parcreu*, arrivé au terme de sa croissance, d'où : fort, grand, puissant.

parabatre v. (XIIIᵉ s., Fr. Angier; v. *abattre*). Détruire complètement.

parable n. f. (1260, Br. Lat.; lat. eccl. *parabola*, comparaison, du grec). 1º Parabole. — 2º Style, une des cinq parties de la rhétorique : *Parables est li atornemens des paroles et des sentences avenables a ce que il a trové; car trover et penser po vaudroit sanz les paroles acordans a sa maniere* (Br. Lat.). ◆ **parabole** n. f. (1265, J. de Meung). 1º Allégorie. — 2º Fable, sujet de récits ingénieux (Godefr. de Paris). — 3º Mensonge, feinte : *Mes tout estoit en parabole, Car de lor bouche une disoient Et lor cuer autre pensoient* (Godefr. de Paris).

paracomplir v. (XIIIᵉ s., Fr. Angier; v. *acomplir*). Accomplir entièrement, parachever.

paracorer v. (XIᵉ s., *Alexis;* v. *acorer*, percer le cœur à). Percer le cœur, tuer.

parafaitié adj. (1285, Aden.; v. *afaitié*). Muni, doué, habile.

parafe n. m. (mil. XIVᵉ s.; lat. médiév. *paraphus*, altér. de *paragraphus*). 1º Paragraphe. — 2º Chiffre ajouté au nom. ◆ **paragrafe** n. m. (déb. XIIIᵉ s.). Division du texte. ◆ **paragrafer** v. (XIIIᵉ s., Ordin. Tancrei). 1º Diviser en paragraphes. — 2º Exposer dans un paragraphe.

parafoler v. (XIIᵉ s., *Part.;* v. *afoler*, meurtrir). Battre à coups redoublés, maltraiter : *Sa mere s'i met d'autre part Por parafoler le musart (Part.).*

parage n. m. (XIᵉ s., *Alexis;* v. *pair*, égal, pair). 1º Parenté, famille : *Si lais Mahom et Apolin, Tout leur parage et tout leur lin* (J. Bod.). — 2º Ascendance : *Ge cuit qu'il est de halt parage Et de celes-*

tial linage (Eneas). — 3° Noble naissance : *Puis querra, selonc son lignage, A son fil feme de parage (Fl. et Bl.).* — 4° Égalité de naissance, malgré le partage inégal de l'héritage entre l'aîné, qui en recevait les deux tiers en Normandie, et les puinés. — 5° Droit des puinés à leur part d'héritage. ◆ **paragier** v. (XII⁰ s.). 1° Égaler par la naissance. — 2° S'allier. — 3° S'allier par mariage. ◆ **parageor** n. m. (déb. XIVᵉ s.; *Établ. Saint Louis*). Aîné qui donne une partie de son fief en parage.

parairer v. réfl. (1200, *Quatre Fils Aym.;* v. *airier*, courroucer). Se mettre dans une colère violente.

parals n. m. V. PAREIS, paradis, parvis.

paraler v. (1080, *Rol.;* v. *aler*). 1° Aller, parvenir : *Jesqu'a Marsilie en parvunt les noveles (Rol.).* — 2° v. réfl. S'en aller, partir : *Si revendras parler a moi Et je me parirai a toi (Saint Eust.).* — 3° *Au paraler*, après tout, finalement.

paralever v. (XIIᵉ s., *Florim.;* v. *alever*, élever). Relever, soulever.

paralisin n. f. (fin XIIᵉ s., saint Grég.; v. *parasin*, même sens). Paralysie.

paramender v. (XIIᶜ s., *Am. et Id.;* v. *amender*). Se rétablir entièrement.

paramer v. (fin XIIᵉ s., *Loher.;* v. *amer*, aimer). Aimer passionnément : *Son bon destrier que il paramoit si (Loher.).*

parande n. (1260, Br. Lat.; orig. obsc.). Animal fabuleux originaire d'Éthiopie.

parasceve, -euve n. f. (fin XIIIᵉ s., Guiart; gr. *paraskeuê*, préparation). Veille de sabbat chez les juifs.

parasseoir v. (1305, *Arch.;* voir *asseoir*). Assigner complètement. ◆ **parassiete** n. f. (1323, *Arch.*). Assignation de dot, de douaire.

parassomer v. (1167, G. d'Arras; v. *assomer*). 1° Achever, accomplir. — 2° Accabler, affliger. ◆ **parasome** n. m. (1298, *Hist. des Bret.*). Ce qui complète. ◆ **parasomet** adv. et prép. (1180, G. de Saint-Pair). 1° Adv. De plus, en outre :

Em plusors leus France destruist, Parassumeit Chartres assist (G. de Saint-Pair). — 2° Prép. Au-delà de, en surplus de.

parastre n. m. (1080, *Rol.;* bas lat. *patraster*, second mari de la mère). Beau-père.

paratendre v. (XIIIᵉ s.; v. *atendre*). Attendre jusqu'à la fin : *Bien attent qui parattant* (prov. XIIIᵉ s.).

paravant adv. (1346, *Arch.;* voir *avant*). Adv. de temps, Auparavant.

parboter v. (1220, Coincy; v. *boter*, bouter, pousser). Pousser vivement : *Chascun le parboute en la boe* (Coincy).

parc n. m. (1160, *Charr. Nîmes;* bas lat. *parricum*, d'orig. prélatine). 1° Endroit où l'on parque les animaux. — 2° Lice. *Faire parc*, tout tuer autour de soi. — 3° Troupeau. ◆ **parchet** n. m. (XIIᵉ s.). Petit parc, petite étendue de terre. ◆ **parquet** n. m. (1339, D.). 1° Petit parc. — 2° Partie d'une salle de justice où se tiennent les juges (XIVᵉ s.). ◆ **parchiee** n. f. (1335, *Cart.*). 1° Endroit où l'on a le droit de mettre les bestiaux en parc. — 2° Mise en fourrière. ◆ **parchier** n. m. (XIIIᵉ s., *Traité d'économie rurale*). Garde-parc, garde-chasse. ◆ **parge** n. m. et f. (1257, *Cart.*). Enclos. ◆ **pargiee** n. f. (XIIIᵉ s.). Amende payée pour les dommages faits par les bestiaux.

parcele n. f. (mil. XIIᵉ s.), **parcel** n. m. (1331, *Cart.;* lat. pop. **particella*, pour *particula*, de *pars, partis*). Partie, portion. ◆ **parcete** n. f. (1270, *Cart.*). Portion.

parchievement adv. (XIIIᵉ s., J. Le March.; v. *chief*, tête, bout). Entièrement.

parcion n. f. V. PARTIR, séparer.

parclos adj. (1175, Chr. de Tr.; p. passé de *clore*, doté du préf. *par-*). Achevé complètement. ◆ **parclos** n. m. (1304, *Year Books*). 1° Clôture. — 2° Fin : *E pus en le perclos de son conte dit ... (Year Books).* ◆ **parclose** n. f. (1160, Ben.). 1° Fin, clôture, dernier mot : *En la fin il torna le dos; A la* *porclose fu huntos* (Ben.). — 2° Enclos, enceinte. — 3° Cloître.

parçon n. f. (1155, Wace; lat. *partitionem*, de *partiri*, diviser). 1° Division, portion. — 2° Partage, butin. — 3° Dot, part, lot. — 4° Distribution, ordonnancement des troupes, situation respective des deux adversaires : *Bien furent X. contre ung, c'estoit dure parçon (Chev. cygne).* — 5° Situation en général. ◆ **parçoner, -ier** v. (XIIᵉ s.). 1° Partager. — 2° Associer. ◆ **parçonement** n. m. (1190, Garn.). 1° Partage.. — 2° Communauté. — 3° Chose faite en commun. ◆ **parçonerie** n. f. (1190, J. Bod.). 1° Part, partage. — 2° Portion, partie. — 3° Action de particiuper, société, communauté. — 4° Bien possédé par indivis. ◆ **parçonier** adj. (1080, *Rol.*). 1° Qui partage. — 2° Qui prend part, coresponsable : *Si me clamera l'um del mesfait parçunier* (Wace). — 2° Copartageant, cohéritier. — 3° Associé : *N'est plus droiz qu'en mon soudoier Soit le deable parchonnier (Saint Eust.).* — 4° En parlant des choses, commun, mitoyen : *molin parçonier (Établ. Saint Louis).* ◆ **parçonable** adj. (XIIIᵉ s., *Fabl.*). Qui a part, participant.

parcreu adj. (fin XIIᵉ s., *Cour. Louis;* v. *croistre*). 1° Arrivé au terme de sa croissance, grandi, développé, fort : *Qui tant est granz, parcreuz et membrez (Cour. Louis).* — 2° Grand, important (en parlant des choses) : *Il estut ou palais larges et parcreuz* (J. Bod.).

parde n. f. (1260, Br. Lat.; lat. *parda*, femelle du léopard). Panthère.

pardefin n. f. (1219, *Chirogr.;* voir *fin, defin*). Fin : *A la partefin nous sommes assenti* (1257, *Cart.*).

pardessore n. m. (XIIIᵉ s., *Guerre de Metz;* v. *dessore*, adv.). Partie supérieure. *Au pardessore,* tout en haut. ◆ **pardessor** n. m. (1314, *Hist. de Metz*). Rapporteur.

pardessus n. m. (1283, Beaum.; v. *dessus*, adv.). 1° Supérieur, maître. — 2° Arbitre.

pardestraindre v. (1210, *Dolop.;* v. *destraindre*). Serrer, étreindre fortement : *Tant la perdestraint durement Ce qu'ele sent tot nuement (Dolop.).*

pardire v. (1220, Coincy; v. *dire*). Achever de dire, de réciter, réciter entièrement.

pardoner v. (980, *Passion;* v. *doner*). 1° Donner, accorder, concéder. — 2° Remettre, pardonner. — 3° *Pardoner a* q'un qq chose, renoncer à quelque chose en faveur de quelqu'un : *Quidames que par ço peussiez recovrer la grace al rei, e s'ire vous volsist parduner* (Garn.). ◆ **pardon** n. m. (déb. XIIᵉ s., *Ps. Cambr.*). 1° Don, grâce : *Ne l'uns ne l'autre n'a de merci pardon (G. de Vienne).* — 2° Pardon. *Avoir pardon de,* pardonner à : *Prier qu'il ait pardon de nous* (J. Bod.). — 3° Indulgence (ecclés.). — 4° Permission : *Orieis moi tantost, je vus en faix pardon, Car bien l'a desservie (Gar. de Mongl.).* — 5° *En pardon, en pardons,* en vain, en pure perte : *Sire, vous parles en pardon (Chans. d'Ant.).* — 6° *En pardon,* franchement, librement. ◆ **pardonement** n. m. (XIIᵉ s., *Macchab.*). Pardon. ◆ **pardonance** n. f. (1120, *Ps. Oxf.*). 1° Pardon, rémission, indulgence. — 2° Exercice religieux, fête où se gagnaient les indulgences. ◆ **pardonable** adj. (déb. XIIᵉ s., *Ps. Cambr.*). Qui pardonne, miséricordieux.

pardurer v. (déb. XIIᵉ s., *Ps. Cambr.;* v. *durer*). 1° Durer jusqu'à la fin. — 2° Durer toujours. ◆ **pardurable** adj. (XIIᵉ s., *Am. et Id.*). Perpétuel, éternel.

pareil adj. (1175, Chr. de Tr.; lat. pop. **pariculum*, de *par*, égal). Égal, pareil, semblable. ◆ **pareilleor** adj. (1160, *Athis*). Pareil. ◆ **pareillier** v. (av. 1300, poèt. fr.). Rendre égal.

I. **pareillier** v. (1160, Ben.; form. dégressive; v. *apareillier*, préparer). Apprêter. ◆ **pareillure** n. f. (1261, *Arch.*). Apprêt donné à une marchandise.

II. **pareillier** v., rendre pareil. V. PAREIL, égal.

pareis, -edis, -evis n. m. (980, *Passion;* lat. eccl. *paradisum*, du grec). 1° Paradis. — 2° Parvis.

parempaindre v. (1160, Ben.; v. *empeindre*). Pousser, renverser.

paremplir v. (fin XIIe s., saint Grég.; v. *emplir*). 1° Emplir entièrement. — 2° Remplir, accomplir.

parendroit prép. (1318, G. de la Bigne; v. *endroit*). Vers : *Parendroit le costé* (G. de la Bigne).

parenson n. m. (1309, *Hist. des Bret.*; v. *ensom*, adv., en haut). Surplus : *Sans rien en retenir a soy a paranson* (1309, *Accord*).

I. parent n. m. (xe s., *Saint Léger*; lat. *parentem*, mêmes sens en bas lat.). 1° Père : *Mes parens estes, de ce sui je bien fis (Loher.).* — 2° n. m. plur. Père et mère. — 3° n. sing. Membre de la famille. *Prochain parent*, proche parent (fin XIIe s.). ◆ **parenté** n. m. (xie s., *Alexis*). Parenté, famille. ◆ **parentece** n. f. (1308, Aimé). Parenté, alliance. ◆ **parentois** n. m. (1160, Ben.). Parenté, lignée. ◆ **parentel** n. m. (1314, *Vœux du Paon*). 1° Parenté, lignée. — 2° Parent. ◆ **parentage** n. m. (1080, *Rol.*). Parenté. ◆ **parenter** v. (1167, G. d'Arras). 1° Traiter en parent : *Or le baisent tuit le voisin Et la parentent sl cousin* (G. d'Arras). — 2° Se reconnaître entre parents.

II. parent adv. (XIIIe s., *Atre pér.*; composé de *ent*, du lat. *intus*, et de *par*, prép.). *Ci parent*, par ici. *La parent*, par là, dans ces environs.

parentre prép. (XIIIe s., *Atre pér.*; v. *entre*). Entre, parmi : *Ses destres bras li fu brisies Parentre l'espaule et le coute (Atre pér.).*

parer v. (980, *Passion;* lat. *parare*, préparer). 1° Préparer. — 2° Orner. — 3° Apprêter (E. Boil.). — 4° Peler, écorcer. — 5° Tirer vanité, se glorifier : *Tantost fist ces cheveus couper Donc elle se souloit parer (Passion).* — 6° Expier : *Moult souvent le malvais de malfaire le pere* (G. li Muisis). ◆ **paré** adj. (XIIe s.). 1° Fermenté (vin), apprêté (étoffe), pelé (pomme), orné (lit). — 2° *Mestier de paré*, métier de pareur, qui aplanit et peigne le drap. ◆ **parement** n. m. (xe s., *Eulalie*). 1° Parure, vêtement. — 2° Long manteau riche en forme de dalmatique que l'on posait sur l'armure dans les grandes solennités ou dans les combats. ◆ **parementier** n. m. (1229, G. de Montr.). Tailleur. ◆ **pareure** n. f. (1270, Ruteb.). Pelure (de fruits et légumes). ◆ **parail** n. m. (1345, G.). Agrès. ◆ **pareor** n. m. (1250, D.). Ouvrier apprêteur.

pares adv. (fin XIIe s., saint Grég.; composé de *par* et de *es*, du lat. *ipsum?*). *Lo pares*, aussitôt, sur-le-champ, de nouveau : *A la fontaine retornent li fluve dont il issent, por ceu qu'il lo parax poient corre* (saint Bern.).

paresploitier v. (fin XIIe s., *Loher.;* v. *esploitier*). Agir avec une extrême activité.

parestorer v. (déb. XIVe s., J. de Condé; v. *estorer*, établir, bâtir). Achever complètement : *Quant l'uevre fu parestoree* (J. de Conde).

parestre v. (980, *Passion;* bas lat. *parescere*, dér. inchoatif du lat. class. *parere*, paraître). Paraître, apparaître. ◆ V. PAROIR.

parestroit n. m. (XIIIe s., *Jeh. et Bl.;* v. *estroit*, étroitesse). Fin, dernière extrémité. *Au parestroit*, en somme.

parestros n. m. (XIIIe s., *Jeh. et Bl.*), **-estrose** n. f. (XIIe s., J. Fantosme; v. *estros*, adv.). 1° Extrémité, fin : *A la parestrusse Samuel od Saul en alad (Rois).* — 2° Nécessité.

parfait adj. (1204, R. de Moil.; p. passé de *parfaire*, d'après le lat. *perfectus*). 1° Achevé, terminé, accompli. — 2° Qui a achevé les préparatifs, prêt : *Car. je suis tot parfait Por mon honte vengire (Geste de Liège).* ◆ **parfait** n. m. (1345, *Arch.*). 1° Accomplissement. — 2° Paiement intégral. — 3° Pouvoir, mandat.

parferir v. (1170, *Fierabr.;* v. *ferir*, frapper). Frapper complètement. *Au parferir de*, au moment de frapper.

parfermer v. (1288, *Arch.;* v. *fermer*). Ratifier.

parfiner v. (1160, Ben.; v. *finer, finir*). 1° Achever complètement. — 2° Finir ses jours. ◆ **parfinir** v. (1213, *G. de Dole*). Finir, achever complètement. ◆ **parfin** n. f. (1250, Ch.). Fin. *A la parfin, en la parfin*, à la fin.

parfont adj. m., **parfonde** adj. f. (1080, *Rol.;* lat. *profondum*, avec chang. de préf.; le fém. refait d'après le lat.). 1° Profond. — 2° Emploi adverbial, profondément : *Li Sarrazins se sent navré parfont* (*Cour. Louis*). — 3° n. m. Profondeur, fond (J. Fantosme). ◆ **parfondee** n. f. (déb. XIIᵉ s., *Ps. Cambr.*), **-ece** n. f. (déb. XIIᵉ s., *Ps. Cambr.*), **-or** n. f. (XIIᵉ s., *Auberi*), **-ement** n. m. (1180, *Rom. d'Alex.*), **-eté** n. f. (1155, Wace). Profondeur (au pr. et au fig.). ◆ **parfonder** v. (1295, Boece). Approfondir. *Se parfonder de*, s'appliquer exagérément à.

parformer v. (1291, G.; v. *former*). Exécuter, parfaire.

parforni adj. (XIIIᵉ s., jeu parti; v. *fornir*)'. 1° Terminé, exécuté. — 2° *Cerf parforni*, grand cerf, cerf de huit ans.

parge n. m. et f., enclos. V. PARC.

pargesir v. (1190, Garn.; v. *gesir*, être couché). Coucher avec : *David* [...] *parjut altruit mulier* (Garn.).

parhonir v. (XIIIᵉ s., Fr. Angier; v. *honir*). Maltraiter, détruire.

paricide n. m. (fin XIIᵉ s., D.; lat. *parricida*). 1° Meurtrier d'un proche parent. — 2° Meurtrier de son père ou de sa mère.

parier v. V. PAIRIER, s'associer. ◆ **pariage** n. m. (1290, G.). 1° Association. — 2° En part., Association entre un ecclésiastique et un seigneur qui se portait protecteur de l'entreprise. — 3° Partage des revenus de cette association.

parifier v. (1190, Garn.; lat. *parificare*, rendre égal). 1° Égaler. — 2° v. réfl. Se comparer, s'égaler : *E se li reis se puet a Deu parifier* ... (Garn.).

parin n. m. (XIIᵉ s.; lat. *patrinum*, de *pater*, père). Parrain. ◆ **parinage** n. m. (XIIᵉ s., *Am. et Amile*). 1° Parrain. — 2° plur. Le parrain et la marraine.

parisis adj. et n. m. (XIIᵉ s., *Mon. Guill.;* bas lat. *parisiis*). 1° adj. De Paris. — 2° n. m. Denier parisis, monnaie frappée à Paris. ◆ **pariset** n. m. (XIIIᵉ s., *Otinel*). Parisis. ◆ **parisin** adj. (1312, *Arch.*). De Paris.

parissir, -oissir v. (1180, *Rom. d'Alex.;* v. *issir*, sortir). 1° Sortir, quitter définitivement. — 2° n. m. Sortie.

parivel, parigal adj. et n. (1162, *Fl. et Bl.;* v. *ivel, igal*, égal). Tout à fait égal, tout à fait semblable.

parjeter v. (1080, *Rol.;* v. *geter*). Jeter au loin, en avant : *Et Sonnehaut parjetoit si grans cris* (*Auberi de Bourg.*).

parjurer v. (1080, *Rol.;* lat. *perjurare*). 1° Prêter un faux serment. — 2° Rendre parjure. ◆ **parjure** n. f. (déb. XIIᵉ s.), **-ement** n. m. (XIVᵉ s.), **-eté** n. f. (1298, *Hist. des Bret.*), **-erie** n. f. (1288, J. de Priorat). Parjure. ◆ **pajuré** n. m. (XIIᵉ s., C. de Béth.). 1° Parjure. — 2° Consacré.

parler v. (980, *Passion;* lat. pop. *paraulare*, du lat. ecclés. *parabolare*). 1° Parler, discourir. — 2° Converser, conférer. — 3° n. m. Le fait de parler (XIIᵉ s.). ◆ **parloier** v. (1169, Wace). Parler. ◆ **parlement** n. m. (1080, *Rol.*). 1° Entretien, conversation : *Un parlement ont entr'eus pris* (*Percev.*). — 2° Discours, propos : *Il laissierent le parlement Si s'esgarderent doucement* (*Florim.*). — 3° Pourparlers, conférence. — 4° Assemblée des grands d'une région ou d'un royaume, conseil : *Ot li sires tel parlement Assemblé por lui fere honor* (*G. de Dole*). — 5° Cour de justice (*Parise*). — 6° Assemblée législative en Angleterre (fin XIIIᵉ s.). ◆ **parleure** n. f. (1160, Ben.). 1° Manière de parler, élocution, langage : *Bel nes out, bele buche, e bele parleure* (Wace). — 2° Faculté de parler, langage. — 3° Langue particulière : *A la Danesche parleure Le comença a aresnier* (Ben.). ◆ **parlance** n. f. (XIIᵉ s., J. Fantosme). 1° Façon de parler, discours, propos. — 2° Entretien, pourparlers. ◆ **parlerie** n. f. (av. 1300, Poèt. fr.). 1° Façon de parler. — 2° Action de parler, abus de la parole. ◆ **parlier** n. m. et adj.

(1160, Ben.). 1° Celui qui parle de telle ou telle manière : *Sage e vezié e bons parliers* (Ben.). — 2° Discoureur, avocat. — 3° Grand parleur, bavard, médisant. — 4° adj. Qui parle bien *(Florim.).* ◆ **parleor,** n. m. (1155, Wace). Parloir, prétoire.

parloignier v. (XIIIᵉ s.; v. *loignier,* éloigner, écarter). Éloigner, priver. ◆ **parloignance** n. f. (1306, Guiart). Retard, délai.

I. **parmain** n. m. (1138, *Saint Gilles;* orig. obsc.). Espèce de poire.

II. **parmain** adv. (XIIIᵉ s., *Durm. le Gall.;* v. *main, demain).* 1° De bon matin. — 2° Lendemain.

parmaindre v. (Xᵉ s., *Fragm. de Valenc.;* v. *maindre,* demeurer). Subsister, persévérer : *Un Deu est e serat e fud e parmaindrat* (Ph. de Thaun).

parmanoir v. (XIIᵉ s., *Cant. des cant.*), -**ir** v. (1150, *Thèbes;* v. *manoir*). 1° Demeurer. — 2° Durer, subsister. ◆ **parmanable** adj. (1119, Ph. de Thaun). Permanent, perpétuel. ◆ **parmanableté** n. f. (1120, *Ps. Oxf.*). Durée constante, éternité, stabilité. ◆ **parmanance** n. f. (fin XIIᵉ s., M. de Fr.). Durée, constance inaltérable. ◆ **parmanal** adj. (fin XIIᵉ s., *Alisc.*). Rémanent.

parmo n. f. V. PASME, pierre précieuse.

parmenant adv. (1190, saint Bern.; v. *manoir,* rester, durer). Toujours : *Corune d'or aureit el ciel a parmenant* (Garn.). ◆ **parmenanté** n. f. (fin XIIᵉ s., saint Grég.). Éternité.

parmi prép. et adv. (1080, *Rol.;* composé de *mi,* milieu, et de la prép. *par*). 1° Adv. de lieu, Par le milieu, au milieu : *IIII des dens li a brisié parmi* (Loher.). — 2° Au travers. — 3° Prép. Au milieu de : *Parmi cel host funt mil grailles suner* (Rol.). — 4° Prép. Sur : *Grant cols li dunet parmey le hiaume agu* (Loher.). — 5° Prép. Par : *E tant vilain parmi la gole pris* (Loher.). — 6° Suivi d'un participe présent, A condition de : *Permey lou domaige randant* (1294, *Arch.*). — 7° *L'un par l'autre,* l'un dans

l'autre. *A parmi,* à moitié. *Parmi ... parmi,* moitié ... moitié.

parmorir v. (1190, J. Bod.; v. *morir*). 1° Mourir. — 2° Achever, donner le coup de grâce.

parnage n. m. V. PASNAGE, droit de pâture, au mot PASNIER.

parnu adj. (1250, Ren.; v. *nu*). Tout à fait nu.

paroec, paroc conj. (1160, *Athis;* v. *poruec,* même sens). 1° Pour cela, à cause de cela : *Paroc recommence li dels si granz* (G. de Rouss.). — 2° *Paroec que,* pourvu que *(Athis).*

I. **paroi** n. m. (XIIᵉ s., *Herman;* v. *pair,* égal). 1° Paire. — 2° Parité, position égale à une autre : *Quant en mon regne avras paroi Od celui qui mez valt que toi* (Fr. Angier). — 3° Parenté.

II. **paroi** n. f. V. PAROIT, paroi.

I. **paroir** v. (1119, Ph. de Thaun; lat. *parere*). 1° Paraître, apparaître, se voir : *Or i parra,* on verra bien. — 2° Se manifester, être évident : *Car te vertus reluist et pert* (J. Bod.). ◆ **parance** n. f. (1274, Sarrazin). Ce qui paraît, apparence, extérieur : *Par parance* (le destrier) *valoit cent livres* (Sarrazin). ◆ **parant** adj. (1190, J. Bod.). 1° Qui apparaît, visible : *Cele nuit se reposent tant que jorz fu parans* (J. Bod.). — 2° De belle apparence, en vue, puissant : *Tulurs a haus, agus, parans* (Rose).

II. **paroir** v. (déb. XIIᵉ s., *Ps. Cambr.;* v. *oir*). Entendre parfaitement, entièrement.

paroit, paroi n. f. (1080, *Rol.;* lat. pop. **paretem,* pour *parietem*). Paroi, mur.

parole n. f. (1080, *Rol.;* lat. pop. * *paraula,* du lat. eccl. *parabola*). 1° Le fait de parler. — 2° Parole. — 3° *Tenir les paroles,* converser. — 4° *Metre en paroles,* faire parler : *Ele se met encoste de lui et le met en paroles de ce que ele puet* (Artur). — 5° *A ces paroles,* à l'instant même où l'on parle. — 6° *Par parole,* en paroles, superficiellement, par opposition aux convictions profondes. ◆ **paro-lete** n. f. (XIIIe s., Bretel). Dimin. de *parole*. ◆ V. PARLER.

parone n. f. (XIIe s., *Gloss.;* germ. *sparro*, poutre). Timon de la charrue.

parosse, -oisse n. f. (fin XIe s.; bas lat. *parochia*, du grec). Paroisse. ◆ **parochage** n. m. (1224, *Arch.*). 1° Paroisse, territoire d'une paroisse. — 2° Devoir d'un paroissien (J. Le March.). ◆ **parochial** n. m. (1204, R. de Moil.). Prêtre. ◆ **parochien** n. m. (1273, *Arch.*). Curé.

parpoint n. m. (XIIIe s., *Gaufrey;* v. *poindre*, piquer, coudre). Pourpoint. ◆ **parpointe** n. f. (1160, Ben.). Sorte de couverture piquée. ◆ **parpointeur** n. m. (1306, G.). Faiseur de pourpoints.

parquet n. m., petit parc, partie d'une salle de justice. V. PARC.

parroi n. m., grève, chemin pierreux. V. PERRON, grosse pierre, grève.

parsieute n. f., poursuite. V. PAR-SIVRE, poursuivre, exécuter.

parsivre, -suir, -sivir, -sievir v. (fin XIe s., *Lois Guill.;* v. *sivre, porsivre*). 1° Poursuivre, suivre de près. — 2° Déve-lopper : *Lesquieus ne voldroient aucune chose dire ne parsieurre* (1322, *Arch.*). — 3° Poursuivre, rechercher. — 4° Pour-suivre, continuer. — 5° Continuer à faire, exécuter : *qu'il ne puist les choses qui sunt devant dites parsivir (Gr. Charte).* ◆ **parsieute** n. f. (1318, *Cart.*). Poursuite. ◆ **parsivor** n. m. (déb. XIIe s., *Ps. Cambr.*). Persécuteur.

parsoldre v. (1120, *Ps. Oxf.;* v. *soldre*). Payer entièrement.

parsome n. f. (XIe s., *Alexis;* v. *some*). 1° Somme complète, total. — 2° Résumé, fin. *Venir à la parsome*, venir à bout (d'une affaire). *A la par-some*, en conclusion, en somme. ◆ **parsomer** v. (fin XIIIe s., *Mir. saint Éloi*). Accomplir entièrement. *Au parsomer*, en définitive.

parsomet adv. et prép. (1288, *Charte;* v. *somet*, renf. par *par*). 1° Adv.

En outre. — 2° Prép. En plus de : *Pur parsomet les rentes* (1315, *Charte*).

parsuir v. V. PARSIVRE, poursuivre, développer, exécuter.

parsur adv. (1340, *Arch.;* v. *sor, sur*). Par-dessus, en outre.

I. part n. f. (842, *Serm.;* lat. *partem*). 1° Côté. *De part de, a part*, de la part de. — 2° Participation. *Avoir part en* quelque chose, s'y intéresser : *si ait Dieux en moi part* (Aden.). *Avoir part a*, avoir des rap-ports sexuels. *Prendre a sa part*, pro-téger. — 3° Juridiction, pouvoir, puis-sance. — 4° Portion. — 5° *A part moi, toi, soi*, seul : *il n'avoit pas tote Sa fame a par lui (Fabl.).* *Porter en apart*, mettre à part. *A une part*, à l'écart. — 6° *Que Dieus part i ait*, que Dieu protège, grâce à Dieu.

II. part n. m. (mil. XIIe s., D.; lat. *partus*, de *parere*, enfanter). Accouche-ment.

partenir v. (1112, *Saint Brand.;* lat. *pertinire*, pour *pertinere*, infl. par *tenir*). 1° Posséder, détenir. — 2° Appar-tenir : *Tout li autre vaissiel pertenoient a l'autel (Vie saint Brand.).* — 3° Conve-nir à : *Esi cum li tens le requiert E cum li partient et afiert* (Ben.). ◆ **partenance** n. f. (1320, *Arch.*). Appartenance, dépen-dance. ◆ **partenant** adj. (1246, *Arch.*). Qui appartient à, propre à. ◆ **partenant** n. m. (XIIe s., *Horn*). 1° Tenant, parti-san : *Kar j'ai ocis trestuz lur meillur pertenanz (Horn).* — 2° Parent.

particion n. f. (1160, Ben.; lat. *partitio*). Part, participation.

participe adj. et n. m. (1220, H. d'Andeli; lat. *participium*). 1° Participe. — 2° Participant, qui prend part. — 3° Compagnon.

partir v. (980, *Passion;* lat. pop. *par-tire*, pour *partiri*, diviser). 1° Partager : *Nous la partirons par mi* (Villeh.). — 2° Répartir, distribuer : *Floremons a partit de soi Toz les chevaus et son hernoi (Florim.).* — 3° Séparer : *Del cors la teste partirai* (Wace). — 4° Briser en morceaux, se briser : *Que ne parti mon cuer de* *destroit (Pass. Palat.).* — 5° *Partir un jeu, partir une parteure,* donner à choisir. — 6° v. réfl. Partir, s'en aller, se séparer : *Je li renc son homaige Et si me part de li* (C. de Béth.). — 7° Se degager : *Je ne me vueil pas partir de vostre foi (Établ. Saint Louis).* — 8° Participer, prendre part : *Partiront tot a cest pelerinaige* (C. de Béth.). ◆ **partement, iment** n. m. (XIIᵉ s., *Chev. cygne*). Partage, division, séparation. ◆ **partissement** n. m. (1160, Ben.). Action de partager, partage. ◆ **partison** n. f. (1180, *Rom. d'Alex.*). 1° Partage. — 2° Part. — 3° Séparation. ◆ **parteure** n. f. (1180, *Rom. d'Alex.*). 1° Partage, division. — 2° Part du profit, don : *che sont .II. parteures (Aiol).* — 3° Séparation, distinction. — 4° Rayure : *Mantel a parture (Rom. et past.).* — 5° Combat entre adversaires égaux en nombre : *D'un homme contre .II. n'est une parteure (Rom. d'Alex.).* — 6° Alternative. — 7° Sorte de poésie, dialogue en vers sur une question d'amour : *Partures savoit faire et chans* (Couci). Jeu de parture, mystère (XIVᵉ s.). ◆ **partage** n. m. (1283, Beaum.). Partage, division, séparation. ◆ **partageance** n. f. (1284, *Charte*). Partage. ◆ **partancie** n. f. (1250, *Ren.*). Séparation, départ. ◆ **partisseure** n. f. (XIIᵉ s., *Chev. deux épées*). 1° Partage, division. — 2° Déchirure. — 3° Situation respective des deux adversaires. ◆ **parcion** n. f. (1160, Ben.). Séparation. ◆ **parti** n. m. (1190, J. Bod.). 1° Partie de jeu. — 2° Demi-maille. ◆ **partie** n. f. (1119, Ph. de Thaun). 1° Fraction d'un tout. — 2° Part d'héritage. — 3° Partage. — 4° Séparation : *Trop me grevast ceste partie* (Chr. de Tr.). — 5° *Faire partie,* faire part : *Dex me gart de tel vilante Ke je face a nului partie Ne de mon cors ne de mon cuer (Alexis).* ◆ **parti** adj. (XIIᵉ s., *Part.*). 1° Séparé. — 2° Dispersé. — 3° *Jeu parti,* alternative; chanson dialoguée. — 4° *Charte partie,* chirographe fait en double et coupé en deux (1311, *Arch.*). ◆ **partable** adj. (XIIIᵉ s., *Llvr. de Just.*). 1° Qui est à partager. — 2° Divisible. — 3° Participant, copartageant. — 4° Qui partage, qui fend : *Cils* (javelot) *est officiaus et partables* (*Fabl. d'Ov.*). ◆ **parteor** n. m.

(1204, R. de Moil.). Celui qui fait le partage. ◆ **partisseor** n. m. (1250, *Ren.*). Celui qui fait le partage.

partraitier v. (1190, Garn.; voir *traitier*). Conclure définitivement, terminer.

partrover v. (1160, *Athis;* v. *trover*). Trouver, inventer, imaginer.

parvenir v. (980, *Passion;* lat. *pervenire*). 1° Atteindre le but. — 2° Avec un compl. d'objet de chose, Recevoir son accomplissement : *Dist a Ogier : Frans hom, or t'esvertue : Ta volenté te sera parvenue (Ogier).*

parveoir v. (XIIIᵉ s., *Fregus;* v. *veoir*). 1° Prévoir : *Si com l'avoit Diex parvu (Fregus).* — 2° v. réfl. S'obstiner : *Il [...] moult se parveoit en son proposement (G. de Tyr).*

I. **pas** n. m. (Xᵉ s.; lat. *passum*). 1° Action de mettre un pied devant l'autre pour marcher : *Goliath vint vers David petit pas (Rois).* — 2° Manière, façon : *Je l'enfantay sans sentir paine; Onquez mez franche ne villaine Ne pout par tel pas concevoir (Passion). Ne pas ne hore, ne pas ne trot,* en aucune façon. — 3° *Pas* désigne une petite unité de temps. *Del pas, le pas, tout le pas,* aussitôt. *En pas que,* aussitôt que. *Plus que le pas,* rapidement. *Pas a pas,* un pas après l'autre, *doucement.* — 4° Passage, défilé : *Il fait le pas et la porte garnir (Loher.).* — 5° Passage d'un livre : *Prends le pas qui font des abbés mencion* (G. li Muisis). ◆ **passet** n. m. (1160, *Athis*). Petit pas. ◆ **passel** n. m. (1323, *Charte*). Sentier.

II. **pas** particule négative (1080, *Rol.;* v. le précédent). Combiné avec la particule *ne,* renforce la négation : *Malades est forment Evas, Bien a un mois ne leva pas (Athis).*

I. **pascor** adj. et n., de Pâques, Pâques, printemps. V. PASQUES, Pâques.

II. **pascor** n. f., pâturage. V. PASQUAGE, pâturage.

pasle n. m. et f. V. PAILE, étoffe, tenture.

pasme, parme n. f. (XIIᵉ s., *Mort d'Aym.;* orig. obsc.). Pierre précieuse.

pasmer v. (XIᵉ s., *Alexis;* lat. pop. **pasmare,* de *spasmus*). Se pâmer, s'évanouir. ◆ **pasmir** v. (1160, *Eneas*). Se pâmer, tomber évanoui. ◆ **pasmee** n. f. (XIIIᵉ s.), **-ement** n. m. (XIIᵉ s., *Horn*), **-oison** n. f. (1080, *Rol.*). Pâmoison.

pasnaie n. f. (1220, Coincy; lat. *pastinaca*). Panais (bot.). ◆ **pasnaise** n. f. (XIIIᵉ s.). 1º Panais. — 2º Membre viril. ◆ **pagnage** n. f. (XIIIᵉ s., *Gloss. Glasg.*). Panais.

pasnier, -er v. (1323, *Arch.;* lat. pop. **pastionare,* de *pastio,* pâturage). Paître. ◆ **pasnage** n. m. (fin XIIᵉ s., D.). Droit de pâturage payé pour les porcs. ◆ **pasnageor** n. m. (1331, *Cart.*). Qui jouit du droit de *pasnage.*

I. pasquage n. m. (1330, *B. de Seb.*), **-is** n. m. (1284, *Charte*), **-il** n. m. (1275, *Cart.;* dér. de *pascuum,* de *pascere,* paître). Pâturage, pacage. ◆ **pasquier** n. m. (1251, *Hist. Bourg.*). 1º Pâturage. — 2º Droit sur les pâturages. ◆ **pascor** n. f. (1298, M. Polo). Pâturage. ◆ **paschorer** v. (1298, M. Polo). Aller en pâturage. ◆ **pasquerage** n. m. (fin XIIIᵉ s., G.). Droit payé au seigneur pour le pâturage des bêtes de labour.

II. pasquage adj., de Pâques. V. PASQUES, Pâques.

pasques, pasches n. f. pl. (Xᵉ s., *Saint Léger;* converg. du lat. eccl. *Pascha* et du lat. *pascua,* nourriture). Pâques. ◆ **pascor** adj. et n. (1112, *Saint Brand.*1º adj. De Pâques : *Le di paschur celebrient (Saint Brand.).* — 2º n. f. Pâques, temps de Pâques. — 3º Printemps : *Verdoie l'erbe sos la flor Com el novel tans de pascor (Past.).* ◆ **pasquerie** n. f. (1320, G.). Temps de Pâques. ◆ **pasquage** adj. (XIIIᵉ s., *Helias*). De Pâques, pascal. ◆ **pasqueret** adj. (1287, G.). De Pâques, du temps de Pâques.

I. pasquier n. m. (1318, G. de la Bigne; orig. incert.). Espèce d'épervier.

II. pasquier n. m., pâturage. V. PASQUAGE; pâturage.

passe n. m. et f. (1120, *Ps. Oxf.;* lat. *passer*). Passereau, moineau.

passer v. (XIᵉ s., *Alexis;* lat. pop. ** passare,* de *passus,* pas). 1º Passer, traverser. — 2º Traverser de part en part. — 3º Faire passer, avaler. — 4º Transgresser : *Mais nous n'osames le sien commant passer (Loher.).* — 5º v. réfl. Se tirer d'affaire : *Si se passe au miels k'ele puet (Chev. deux épées).* — 6º S'abstenir. — 7º S'acquitter : *Pour ce m'en vueil briement passer (Rose).* — 8º Sortir : *Ne il n'en puet passer Se parmi la bataille non (Chev. deux épées).* ◆ **passement** n. m. (XIIᵉ s., *Auberi*). 1º Action de passer, passage. — 2º Décès. — 3º Passation d'un acte. — 4º Acte passé, signé. ◆ **passage** n. m. (1080, *Rol.*). 1º Lieu où l'on passe. — 2º Action de passer. — 3º Droit de passage. — 4º Voyage d'outre-mer, croisade : *Comme le terme du passage fere aprochast... (Mir. Saint Louis).* ◆ **passee** n. f. (1288, J. de Priorat). Passage, ouverture, brèche. ◆ **passant** n. m. (v. 1250, D.). 1º Celui qui passe. *Faire le passant,* consentir. — 2º Chemin, passage *(Vœux du paon).* ◆ **passeor** n. m. (XIIᵉ s., *Trist.*). Passage. ◆ **passable** adj. (1200, *Ren. de Mont.*). 1º Qui peut être traversé, guéable. — 2º Possible, facile : *Or pensez de demander donques, et s'il est a moy passable saichiez que ja n'en serés esconduit (Ren. de Montaub.).* — 3º Qui peut passer. ◆ **passaument** adj. (XIIᵉ s., *Chev. cygne*). 1º Passé et au-delà : *Et s'en pierdirent bien .X. mille passaument (Chev. cygne).* — 2º Passablement bien : *vous m'avez respondu passaument* (A. de la Halle). ◆ **passagier** n. m. (1334, *Rest. du Paon*). 1º Passeur. — 2º Celui qui perçoit le droit de passage.

passible adj. (1112, *Saint Brand.;* lat. eccl. *passibilis,* de *pati,* souffrir). 1º Sensible, qui peut souffrir. — 2º Tourmenté, agité : *E la mer fud tant passible Pur quei unt le curs mult peinible (Saint Brand.).* ◆ **passif** adj. (1220, Coincy). Qui subit, qui souffre. ◆ **passis** adj. (1265, J. de Meung). Atteint, attaqué.

passion n. f. (Xᵉ s.; lat. impérial *passionem,* de *pati,* souffrir). 1º Passion du Christ. — 2º Souffrance physique, mal, douleur, maladie. *Male passion,* épilepsie. — 3° En part., la colique : *Deus! que dunc nel prist passtun!* (Wace). — 4° Affection vive (Br. Lat.). ◆ **passioner** v. (fin XIIᵉ s., D.). 1° Causer des souffrances. — 2° Affliger (Coincy). ◆ **passioné** adj. (1220, Coincy). Tourmenté, affligé. — ◆ **passionel** adj. (1285, H. de Gauchy). 1° Inspiré par la passion. — 2° Qui fait souffrir, nuisible. ◆ **passioneus** adj. (XIIIᵉ s., *Chans.*). Qui se tourmente.

past n. m. (XIIᵉ s., *Trist.;* lat. *pastum,* nourriture). 1° Nourriture pour les chiens de chasse, mélange de farine et de son détrempés dans des lavures. — 3° Banquet, repas de cérémonie. ◆ **paste** n. f. (XIIᵉ s.). 1° Pâté. *Faire tourtel à qu'un de sa paste,* lui apprendre à tirer leçon de son malheur. — 2° Nourriture. — 3° Pâtée. ◆ **pastel** n. m. (fin XIIᵉ s., *Loher.*). 1° Morceau de pâte, gâteau. — 2° Emplâtre. — 3° Nourriture. ◆ **pastoier** v. (XIIIᵉ s., *Helias*). 1° Nourrir. — 2° Manger, prendre son repas. ◆ **pastoiement** n. m. (fin XIIᵉ s., *Rois*). Repas, banquet, festin. ◆ **pastoierie** n. f. (1316, *Ord.*). Pâtisserie. ◆ **pastoiant** adj. et n. m. (déb. XIIᵉ s., *Ps. Cambr.*). Convive. ◆ **pastoier** n. m. (1268, E. Boil.), **-eur** n. m. (1261, *Ord.*). Pâtissier.

I. **pastis** n. m. (XIVᵉ s.; lat. pop. **pasticium,* pâté). Pâté, gâteau. ◆ **pasticier** n. m. (1278, G.), **-eur** n. m. (1341, G.). Pâtissier.

II. **pastis** n. m. (1119, Ph. de Thaun; dér. du lat. *pastum,* nourriture). 1° Pâture. — 2° Pâturage. ◆ **pastil** n. m. (déb. XIIᵉ s., *Ps. Cambr.*). Pâturage. ◆ **pastiner** v. (1320, *Cart.*). Faire paître, paître. ◆ **pastinage** n. m. (1320, *Cart.*). Droit de pâture.

pastor n. m. cas régime **pastre** cas sujet (XIᵉ s., *Alexis;* lat. *pastor, -orem*). Berger. ◆ **pastore** n. f. (XIIIᵉ s., *Chans.*). Bergère. ◆ **pastorel** n. m. (1180, *R. de Cambr.*). 1° Jeune berger. — 2° Sot, niais : *Ne me tenres huimais por pastorel (R. de Cambr.).* ◆ **pastoret** n. m. (XIIIᵉ s., *Rom. et past.*). Petit berger. ◆ **pastorgier** v. (1285, *Arch.*). Paître, faire paître. ◆ **pasture** n. f. (XIIᵉ s., *Chev. deux épées*).

1° Pâturon. — 2° Corde avec laquelle on attache le cheval par le paturon.

pastoral n. m. (1160, *Eneas;* orig. incert.). Pilier : *Li mur sont fait a pastorals (Eneas).*

I. **pasture** n. f. (fin XIIᵉ s., *Rois;* bas lat. *pastura,* de *pascere*). Pâture, pâturage.

II. **pasture** n. f., corde pour attacher l'animal. V. PASTOR, berger.

patarin n. m. (XIIIᵉ s., *Ass. Jérus.;* orig. obsc.). 1° Membre d'une société populaire cherchant à réformer le clergé. — 2° Hérétique.

patart n. m. (déb. XIVᵉ s., D.; empr., par l'interm. du prov., à l'esp. *pataca,* pièce d'argent). Petite monnaie de valeur variable.

pate n. f. (1220, Coincy; d'orig. probabl. onomat.). Patte. ◆ **patin** n. m. (XIIᵉ s., La Curne). Chaussure. ◆ **patoier** v. (fin XIIᵉ s., *Alisc.*). 1° Agiter les pieds : *Ele chiet morte et s'estent et patoie (Alisc.).* — 2° Tenir dans la main, manier *(B. de Seb.).* — 3° Piétiner, patauger. ◆ **patoillier** v. (1213, *Fet Rom.*). Piétiner, patauger.

pateor n. m. (XIIIᵉ s., *Livr. de Jost.;* cf. lat. *patere,* être ouvert). Celui qui tient une maison de jeux interdits.

paterne, patene adj. et n. f. (1080, *Rol.;* lat. *paternus*). 1° adj. Paternel. — 2° n. f. Dieu, père des hommes : *Deus, la grand paterne (Gorm. et Is.).* — 3° Affection paternelle, qualité de père : *Voire paterne, qui unques ne mentis (Rol.).* ◆ **paternité** n. f. (1160, Bern.). 1° En parlant de Dieu, état de créateur. — 2° Patronage (G. li Muisis).

paternostre, patrenostre n. f. (déb. XIIᵉ s., *Voy. Charl.;* lat. *pater noster*). 1° Prière. — 2° Chapelet.

patet adj. (1350, G. li Muisis; orig. incert.). Renommé, distingué : *On ne peust trouver homme plus biel ne plus patet (G. li Muisis).*

patible n. m. (fin XIIIᵉ s., *Mir. saint Éloi;* lat. *patibulum,* gibet). 1° Gibet. — 2° Supplice.

paticle n. m. (XIIIe s., Cortebarbe; orig. incert.). Bruit, joie bruyante : *Chascuns grant paticle menoit* (Cortebarbe). ◆ **pati-clement** n. m. (XIIe s., *Asprem.*). Vacarme, joie bruyante.

patiler v. (1290, W. de Bibbesworth; orig. obsc.). Gazouiller.

patois n. m. (1260, Br. Lat.; peut-être dérivé de *pate*, patte?). Langage propre à un pays, à une communauté d'hommes ou à une espèce d'animaux : *Cist livres est escriz en romans, selonc le patois des François* (Br. Lat.).

patracion n. f. (1332, *Cart.*; lat. *patratio*, accomplissement). Convention, acte.

patrenomique n. m. (1220, H. d'Andeli; bas lat. *patronymicus*, du grec). Nom patronymique.

patriarche n. m. (déb. XIIe s., *Voy. Charl.*), **-iacle** n. m. (1260, Mousk.; lat. eccl. *patriarcha*). Patriarche. ◆ **patriarché, -ee, -ie** n. f. (1295, G. de Tyr). Patriarcat.

patron n. m. (1119, Ph. de Thaun; lat. *patronus,* protecteur). 1° Protecteur. — 2° Saint patron. — 3° Modele (déb. XIVe s.).

pau adj. et adv. V. POI, petit, peu, à peine.

paufile n. m. V. PANFILE, bateau de guerre.

I. **paute** n. f. (1330, *G. de Rouss.; orig. incert.). Fange.

II. **paute** n. f. (1260, Br. Lat.; orig. obsc.). Cosse, enveloppe de graines.

paver v. (1160, *Eneas.* lat. pop. **pavare*, pour *pavire*, niveler le sol). Paver. ◆ **pave-ment** n. m. (1150, *Thèbes*). 1° Pavé. — 2° Salle pavée. ◆ **paveis** n. m. (fin XIIe s., *Cour. Louis*). Cour ou salle pavée. ◆ **paveure** n. f. (1180, *Rom. d'Alex.*). Pavé. ◆ **paverie** n. f. (1313, *Arch.*). Pavage. ◆ **pavage** n. m. (1351, *Arch.*). Péage pour l'entretien de la chaussée. ◆ **pavementé** adj. (1160, Ben.). Pavé.

paveillon, pavillon n. m. (1162, *Fl. et Bl.*; lat. *papilionem*, papillon, et

« tente » en latin tardif). 1° Papillon. — 2° Tente en forme conique. — 3° Tonnelle. — 4° Filet à perdrix. — 5° Sein de la mère. — 6° Sorte de petite monnaie.

pavo n. m. (1175, Chr. de Tr.; lat. pop. **papavus*, pour *papaver*). Pavot. ◆ **pavon** n. m. (1175, Chr. de Tr.). Pavot.

pavois n. m. (déb. XIVe s.; ital. *pavese*, de Pavie). Grand bouclier ovale ou qua-drangulaire porté par les fantassins, sur-tout par les arbalétriers. ◆ **paviet** n. m. et adj. (1340, G.). 1° Pavois. — 2° adj. De Pavie (1337, *Act. norm.*). ◆ **pavart** n. m. (1337, *Ord.*). Pavois. ◆ **pavoisier** n. m. (1350, *Arch.*), **-ien** (1353, *Arch.*), **-eur** (1360, Froiss.). Soldat armé d'un pavois. ◆ **pavoisier, paveschier** v. (1360, Froiss.). Protéger avec des pavois.

peage n. m. (1190, J. Bod.; lat. pop. **pedaticum*, droit de mettre le pied, de *pes, pedis,* pied). Péage. ◆ **peagier** v. (1175, Chr. de Tr.). 1° Soumettre au péage. — 2° Payer le droit de péage. ◆ **peageau** adj. (1277, *Arch.*), **-eret** adj. (1338, *Arch.*). Sujet au péage. ◆ **peageor** n. m. (1257, *Hist. Bourg.*). Péager, préposé au péage.

peanite n. f. (XIIIe s., *Lapid. fr.*; orig. grecque). Sorte de pierre précieuse.

peau n. f. V. PEL, peau. ◆ **peaucel** n. m. (1280, *Arch.*), **-ele** n. f. (1282, *Arch.*). Petite peau. ◆ **peaucelu** adj. (fin XIIe s., *Ogier*). Qui n'a que la peau sur les os : *Le vis ot pale, piauchelu et oissié (Ogier).

I. **peautre** n. m. et f. V. PELTRE, gou-vernail, poupe, barque.

II. **peautre** n. m. V. PELTRE, balle de grain, paillasse.

III. **peautre** n. m. V. PELTRE, étain.

I. **pec, piec** n. m. (1190, J. Bod.; orig. obsc.). 1° Émotion : *Plorerent de pec et de la grant joie qu'i eurent* (R. de Clari). — 2° Pitié, compassion : *Ki de povres avoit grant piec* (Mousk.).

II. **pec, pek** n. m. (XIIIe s.; orig. obsc.; cf. *picoter*). Mesure pour l'avoine, picotin.

pecat, peccat n. m. (fin XIIe s., *Aiol*; lat. *peccatus*). Péché. ◆ **pecator** n. m.

(1204, R. de Moil.). Pécheur. ◆ **pecant** adj. (1314, Mondev.). Relatif au péché.

pechié n. m. (xe s.; lat. *peccatum*, faute). 1° Péché. — 2° Faute. — 3° Mauvaise action. — 4° Chose regrettable : *Ceo fut damages e pechiés, car mult par ert bons chevaliers (Gorm. et Is.).* ◆ **pechier** v. (déb. xiie s.). 1° Pécher, commettre un péché. — 2° Etre en faute : *Demandés Caignet li quels peke, Que ja n'i ait de mot menti* (J. Bod.). ◆ **pechable** adj. et n. (xie s., *Alexis*). 1° Pécheur, coupable. — 2° Malheureux : *Allas! pecchable, que frai! (Adam).* ◆ **pecheant** adj. et n. (fin xiie s., saint Grég.). Pécheur. ◆ **pecheor** n. iii. cas rég., **pcchiere** cas sujet (980, *Passion*). 1° Pécheur. — 2° *Pechiere*, exclam., infl. par l'anc. prov. *pecaire.* ◆ **pecheris** n. f. (xiie s., Herman). Pécheresse.

I. **pechier** n. m. V. PICHIER, pichet, cruche.

II. **pechier** v., pécher, être en faute. V. PECHIÉ, péché.

pecier, -eoir v. (1080, *Rol.;* v. *piece*). 1° Mettre en pièces : *Pur hanste freindre e pur escuz pecier (Rol.).* — 2° Se briser. ◆ **peçoier** v. (1080, *Rol.*). 1° Mettre en pièces, briser, détruire. — 2° Dépecer. — 3° Ruiner, ravager : *Bernars pechoie capeles e mostiers (Loher.).* ◆ **peceure** n. f. (xiiie s., *Livr. de Jost.*). Action de mettre en pièces. ◆ **peçoi** n. m. (1332, *Hist. des Bret.*). 1° Bris. — 2° Droit de bris. ◆ **peceis** n. m. (1231, *Charte*). 1° Action de briser en morceaux. — 2° Débris. — 3° Épave. ◆ **peçoieis** n. m. (1160, Ben.). Action de mettre en pièces, de briser. ◆ **peçoiement** n. m. (1200, *Aye d'Avign.*). 1° Mise en pièces. — 2° Dépecement. — 3° Effraction. ◆ **peceor** n. m. (xiiie s., *Livr. de Jost.*). Briseur, destructeur.

pecine n. f. (fin xiie s., D.; lat. *piscina*, vivier). 1° Vivier, réservoir d'eau. — 2° Fonts baptismaux (Coincy).

peçol, -ciol n. m. (1160, Ben.; lat. pop. *petiolum*, queue d'un fruit, proprement, petit pied). 1° Tige. — 2° Pied d'un lit, fauteuil, chaise. — 3° Manche de faux.

pecoral, -el n. m. (1308, Aimé; dér. savant du lat. *pecus, pecoris*). Ouaille.

pecou n. m. (1322, *Arch.;* orig. incert.; cf. *pecier*). Droit de bris sur les vaisseaux naufragés.

pecune n. f. (déb. xiie s., *Ps. Cambr.;* lat. *pecunia*, argent, fortune). Argent, fortune. ◆ **pecunaille** n. f. (1250, *Ren.*). Argent, richesses. ◆ **pecuniel** adj. (1290, *Arch.*). Pécuniaire.

pedoire n. m. (1160, Ben.; orig. obsc.). Sorte de pierre précieuse.

peester v. (xiie s.; lat. pop. **pedestare*, de *pedem*, pied). 1° Aller à pied. — 2° Se traîner à terre *(Ren.).* ◆ **peestre** adj. (xiiie s.; lat. *pedestris*). Qui va à pied. ◆ **peestres** adv. (1220, Coincy). Promptement, immédiatement. ◆ **peestrement** adv. (1220, Coincy). Promptement, sur-le-champ.

pegre adj. V. PIGRE, paresseux.

peignier v. (mil. xiie s.; réfection, sur les formes toniques, du verbe *pignier*). Peigner. ◆ **peigne** n. m. (1175, Chr. de Tr.; v. PIGNE). ◆ **peigneor, -ier** n. m. (1268, E. Boil.). Fabricant de peignes. ◆ **peigneresse** n. f. (1243, *Arch.*). Celle qui peigne la laine, le chanvre, le lin.

peignote, pignote n. f. (fin xiie s., *Macchab.;* orig. incert.). 1° Marmite, chaudière, casserole en cuivre. — 2° Petit pot de terre.

peil, poil n. m. (1080, *Rol.;* lat. *pilum*). 1° Poil. — 2° Chevelure. — 3° Brin d'herbe. *N'avoir poil,* n'avoir rien, pas un brin. ◆ V. PELER, épiler.

peille n. f. (fin xiie s., D.; prov. *pelha,* feutre). 1° Vieux chiffon. — 2° Pièce, morceau : *Soissante et dis peiles de terre* (1276, *Charte*).

I. **peindre** v. (1080, *Rol.;* lat. *pingere*). 1° Peindre, représenter. — 2° n. m. Action de peindre, peinture *(Rose).* ◆ **peinture** n. f. (déb. xiie s., D.). 1° Peinture. — 2° Discours trompeur, illusoire. — 3° Fausse apparence. ◆ **peint** adj. (xiie s.). 1° Peint. — 2° Faux, feint. — 3° n. m. Peinture. ◆ **peinturé** adj. (1180, *Gir. de*

Vienne). Peint. ◆ **peinturier** adj. et n. m. (1260, Br. Lat.). 1° Habile à peindre. — 2° Peintre, celui qui peint. ◆ **peintor** n. m. cas régime, **peintre** cas sujet (1180, *Rom. d'Alex.*). Peintre. ◆ **peignor** n. m. (1285, Aden.). Peintre.

II. **peindre** v. V. PAINDRE, lancer, précipiter.

peine, paine, poine n. f. (xe s., *Saint Léger;* lat. *poena*). 1° Tourments du martyre. — 2° Peine, souffrance : *Segneur, de vo paine ai grant pec* (J. Bod.). — 3° Difficulté. *A paines*, difficilement. *A grant peine*, très difficilement. — 4° Fatigue. — 5° Travail : *Vivre de sa peine*, de son travail. ◆ V. PENER, peiner.

peior adj. cas rég., **pire,** cas suj. (1080, *Rol.;* lat. *peiorem*, comparatif de *malus*, mauvais). 1° Pire, plus mauvais, plus méchant : *Del meilluer ne del peieur* (Villeh.). — 2° Moindre : *Quar a piour de lui se connissoit amie* (Rom. d'Alex.). — 3° *Peior*, employé comme cas sujet : *La piours amors c'est de nonains* (anc. prov.). — 4° n. m. Ce qui est pire, ce qu'il y a de pire : *Apres mauves a l'on pior (Dolop.).* — 5° n. m. Infériorité. *Avoir le peior*, avoir le dessous, être vaincu. ◆ **pejoration** n. f. (XIIIe s., Br. de Lonc Borc). Empirement.

I. **peiz** n. m. (1080, *Rol.;* lat. *picem*). Poix.

II. **peiz** n. m. V. PIZ, poitrine, poitrail.

pek n. m. V. PEC, mesure pour l'avoine.

I. **pel** n. f. (1080, *Rol.;* lat. *pellem*, peau d'animal). 1° Peau. — 2° Pelure. — 3° Parchemin, bref écrit sur du parchemin. ◆ **pelet** n. m. (XIIIe s.). Petit morceau de pelure. ◆ **pelete** n. f. (XIIIe s., J. Le March.). Petite peau, pellicule, épiderme. ◆ **pelace** n. f. (1335, Deguil.). Petite peau, écorce. ◆ **peler** v. (1080, *Rol.*). 1° Écorcher, dépouiller. *Peler la chastaigne a q'un*, lui en faire accroire. — 2° Peler, plumer. — 3° Voler, piller : *Que quiert si souvent a saint Jake Hons qui le gent escorche et poile?* (J. Bod.). ◆ **peleure** n. f. (1225, *Sept Sages*). 1° Fourrure, toison. — 2° Égratignure, écorchure. ◆ **peleture** n. f. (XIIe s., *Rom. des Rom.*). Peau, tout ce qui recouvre la chair. ◆ **pelage** n. m.

(1291, *Charte*). Écorchage. ◆ **peleis** n. m. (1190, J. Bod.). Frottée, volée de coups.

II. **pel** n. m. (1160, Ben.; lat. *palum*, pieu). Pieu, épieu, lance, piquet, bâton, poteau : *Des tors lor lancent pes agus* (Ben.). ◆ V. PAL et ses dérivés.

pelagre, pelage n. m. (fin XIIe s., *Alisc.;* lat. *pelagum*, mer). Mer, haute mer.

pele n. f. (XIe s.; lat. *pala;* v. *pale*). Pelle.

I. **peler** v., écorcher, dépouiller. V. PEL, peau.

II. **peler** v. (XIIe s.; lat. *pilari*). 1° Épiler. — 2° Confondu partiellement avec *peler*, dér. de *pel*, peau. ◆ **pelet** n. m. (1220, Coincy). Dimin. de poil. ◆ **pelain** n. m. (1204, R. de Moil.). 1° Pelage. — 2° Laine courte du mouton tondu en été, ou d'une bête morte. — 3° Naturel, nature : *Feme prent le musart a la gluz et a l'eim : Fame fait mult de tors, mult est de mal pelain (Chastie Musart). Mal, malvais, lait pelain*, situation embarrassante, périlleuse. *En tel pelain*, de telle sorte. — 4° *Demorer en pelain*, être tout nu, rester abondant. *Metre en pelain*, peler, plumer (V. PEL, peau). ◆ **pelaine** n. f. (1298, M. Polo). Peau, fourrure. ◆ **pelate** n. f. (1340, G.). Fourrure. ◆ **pelu** adj. (XIIe s.), **-os** adj. (1260, Br. Lat.). Garni de poils, velu. ◆ **peleus** n. m. (1342, *Arch.*). Terre en friche.

III. **peler** v. (XIIIe s., *Jeh. et Bl.;* aphérèse de *apeler*). Appeler.

pelerin n. m. (1080, *Rol.;* lat. eccl. *pelegrinus*, pour *peregrinus*, étranger). Pèlerin. ◆ **peleriner** v. (XIIIe s., *Fabl. d'Ov.*). 1° Aller en pèlerinage. — 2° Voyager. ◆ **pelerinement** n. m. (1355, Deguil.). Pèlerinage. ◆ **pelerinage** n. m. (1190, Garn.). 1° Pèlerinage. — 2° Croisade.

pelfre n. f. (1138, Gaimar; angl. *pelf*, argent). 1° Butin : *La preie e la pelfre ke pris aveient (Rois).* — 2° Habits de friperie, friperie. ◆ **pelfrer** v. (1190, *Rois*). Voler, piller.

pelice n. f. (fin XIIe s.; bas lat. *pellicia*, de *pellis*, peau). 1° Peau, corps. — 2° Pelisse. ◆ **pelicete** n. f. (1344, G.).

Petite pelisse. ◆ **peliçon** n. m. (1150, *Pèler. Charl.*). 1° Pelisse, tunique fourrée. — 2° Poil : *Li chen par le peliçon L'aerdent (Ren.).* ◆ **peliçonet** n. m. (XIIᵉ s., *Part.*), **-el** n. m. (1332, *Arch.*). Petite pelisse. ◆ **pelicier** v. (1155, Wace). 1° Arracher la peau, peler. — 2° Dépouiller, dérober : *Tout prent, tout robe, tout pelice, N'i a laissié croiz ne chalice* (Ruteb.). ◆ **pelicier** n. m. (1307, *Arch.*). Pelletier. ◆ **peleçonier** n. m. (1294, *Cart.*). Fabricant de pelisses.

I. **pelicier** v. (1268, E. Boil.; v. *peil*, poil). 1° Débarrasser des poils. — 2° Tondre.

II. **pelicier** v., arracher la peau, dépouiller. V. PELICE, pelisse.

I. **pelle** n. m. V. PESLE, pêne, verrou.

II. **pelle** n. f. V. PERLE.

pelot n. m. (1249, G.; v. *pel*, pieu, bâton). Pilon.

pelote n. f. (déb. XIIᵉ s., *Voy. Charl.*; lat. pop. *pilotta*, dim. de *pila*, balle à jouer). 1° Pelote. — 2° Sorte de torture.

I. **peltre, peautre** n. m. et f. (XIIIᵉ s., *Fabl. d'Ov.;* orig. obsc.). 1° Gouvernail, timon. — 2° Poupe. — 3° Barque, chaloupe.

II. **peltre, peautre** n. m. (1270, Ruteb.; orig. obsc.). 1° Balle du grain. — 2° Paillasse, grabat : *Gesir en piautre* (Ruteb.). ◆ **peautrer** v. (1306, Guiart). 1° Fouler aux pieds. — 2° Avoir des rapports indignes.

III. **peltre, peautre** n. m. (XIIᵉ s., Evrat; lat. pop. *peltrum*, d'orig. ligure). Étain.

peluc, pluc n. m. (1253, *Cart.;* cf. *peluchier?*). Balle du blé, ce qui reste du grain après qu'il a été vanné.

peluchier v. (fin XIIᵉ s., M. de Fr.; bas lat. *piluccare*, à partir de *pilus*, poil). 1° Éplucher, nettoyer. — 2° Lisser le poil, caresser. — 3° Becqueter, picoter.

I. **penal** n. m. (1286, *Lettre;* orig. incert.). Sorte de mesure équivalant au bichet.

II. **penal** adj. (fin XIIᵉ s., saint Grég.; lat. *poenalis*, de *poena*, peine). Où l'on peine, où l'on expie. *Liu poinal*, le purgatoire. ◆ **penalité** n. f. (déb. XIVᵉ s.). Souffrance.

pendre v. (980, *Passion;* lat. pop. **pendere*). 1° Pendre. — 2° Être suspendu. — 3° Mettre à mort par pendaison (XIIᵉ s.). — 4° Dépendre de quelqu'un. ◆ **pendier** v. (1210, *Dolop.*), **pendoisier** v. (1250, *Ren.*). Pendre. ◆ **pendeler** v. (déb. XIIIᵉ s.), R. de Beauj.). Être suspendu, pendiller. **pendance** n. f. (1295, G. de Tyr). Pente. ◆ **pendoir** n. m. (1182, *Ord.*). 1° Ce qui sert à suspendre. — 2° Perche pour sécher le linge. ◆ **pendillel** n. m. (1335, Deguil.). Loque qui pend. ◆ **pendeloche** n. f. (XIIIᵉ s., *Fabl.*). Membre viril. ◆ **pendant** adj. et n. m. (1150, *Thèbes*). 1° Qui est, qui va en pente. — 2° Auquel une chose pend, est suspendue. *Letres pendanz*, lettres scellées. — 3° Comme suspendu : *Cil ki l'oient l'unt locie A sun cunseil tuit sunt pendant* (Wace). — 4° n. m. Pente, penchant, coteau, colline. — 5° Montée ou descente. — 6° Tout ce qui sert à pendre, chaîne, corde, etc. — 7° Testicule. ◆ **pendeis** adj. et n. m. (déb. XIIIᵉ s., R. de Beauj.). 1° Pendant, qui pend. — 2° n. m. Appentis (1337, *Cart.*).

I. **pene** n. f. (XIᵉ s., *Alexis;* lat. *penna*, plume). 1° Plume d'oiseau. *Perdre plumes et penes*, perdre, précipiter sa ruine. — 2° Aile. — 3° Plume pour écrire. ◆ **penon** n. m. (déb. XIIᵉ s.). 1° Plume. — 2° Plume dont on garnit les flèches. — 3° Petit drapeau triangulaire qu'on fixe à l'extrémité de la lance des chevaliers (Loher.). ◆ **penonier** adj. (fin XIIᵉ s., *Mort d'Aym.*). Garni d'un pennon. ◆ **pener** v. (1325, G.). Empenner, garnir de plumes. ◆ **penoncel** n. m. (XIIᵉ s., *Barbast.*). 1° Étendard, pennon. — 2° Écusson d'armoirie. ◆ **penart** n. m. (XIIIᵉ s., *Bat. sept arts*). Vol en armoirie.

II. **pene** n. f. (1220, *Arch.;* lat. *pinna*, créneau). 1° Éminence, cime. — 2° Pointe, bout. — 3° Pièce de bois horizontale formant le toit d'une maison. — 4° *Voler de pene en pene*, s'élever, faire fortune. ◆ **penon, pinon** n. m. (1190, Garn.). Sommet.

III. pene n. f., étoffe, fourrure. V. PAN.
◆ **penaille** n. f. (XIIIe s., Montaiglon).
Hardes, tas de loques.

peneir v. (XIIIe 's., *Livr. de Jost.*; lat.
pop. *poenitere*). Expier, porter sa peine.
◆ **peneance** n. f. (1160, Ben.). Pénitence,
peine, punition. ◆ **peneant** n. m. (1170,
Percev.). 1° Pénitent. — 2° adj. De pénitent : *En vie peneande* (J. Bod.). ◆ **penean-
cier** n. m. (1200, *Ren. de Montaub.*).
1° Celui qui fait pénitence, pénitent. —
2° Confesseur, pénitencier.

I. pener v. (XIe s., *Alexis*; v. *peine*).
1° Faire souffrir, malmener : *Par icelle
croiz ou Jhesu fu penez (Parise).* —
2° Souffrir : *Te covient ceste mort pener
(Pass. Palat.).* — 3° Chagriner, ennuyer. —
4° Gagner péniblement : *Malvaisement
wardet chou que bien est penet* (G. li Muisis). — 5° v. réfl. Se mettre en peine,
s'efforcer. ◆ **peneur** n. f. (1292, *Arch.*).
Peine. ◆ **penos** adj. (1080, *Rol.*).
1° Pénible, douloureux : *Deus, dist li reis,
si penuse est ma vie! (Rol.). La penose
semaine,* la semaine sainte. — 2° Pénible,
difficile : *A prendre un mestier si peneus*
(J. Bod.). ◆ **penable** adj. (1160, Ben.).
1° Qui sait supporter, endurci. — 2° Pénible, difficile à supporter. ◆ **penible** adj.
(1112, *Saint Brand.*). Dur à la peine,
infatigable. ◆ **penevos** adj. (1190, saint
Bern.). Pénible, douloureux. ◆ **penif** adj.
(1180, *Rom. d'Alex.*). 1° Dur à la peine.
— 2° Pénible. ◆ **penier** adj. (1180, *Rom.
d'Alex.*). 1° Dur à la peine. — 2 Qui est
dans la peine, affligé. ◆ **peneor** n. m.
(1249, Tailliar). Homme de peine, occupé
à des travaux pénibles.

II. pener v., garnir de plumes. V. PENE,
plume.

pengier v. (1285, Ald. de Sienne; lat.
pop. **pendicare*, de *pendere*, pendre).
Pencher.

penidoin n. m. (fin XIIIe s., Guiart;
orig. incert.). Médicament composé,
facilitant la salivation et l'expectoration.

penil n. m. (1204, *l'Escouffle*), **–ille** n.
f. (déb. XIVe s., J. de Condé), **–illiere**
n. f. (1314, Mondev.; lat. pop. **pectinicu-*
lum, de *pecten,* peigne). Partie du corps où
croît la marque de puberté.

penitance n. f. (XIe s., *Alexis;* lat.
poenitentia). 1° Pénitence, punition. —
2° Souffrance. *La doble penitance,* participation à la croisade et séparation de la
dame aimée : *Ki tos jors est de pechier
desirans; Adont voit Dieus la doble penitance* (C. de Béth.). ◆ **penitant** n. m.
(XIIe s., *Chev. cygne*). Châtiment.

I. penon n. m., plume, pennon, petit
drapeau. V. PENE, plume.

II. penon n. m., sommet. V. PENE,
cime, pointe.

penre v. V. PRENDRE.

penser v. (Xe s., *Saint Léger;* bas lat.
pensare, penser). 1° Penser. — 2° *Penser
de,* prendre soin de, se préoccuper de :
(Une dame) *dou levrier mout bien pensa*
(J. de Condé). — 3° Soigner, donner ses
soins à : (Ma femme) *que je tant pensoi et
amoie* (J. de Condé). — 4° Panser. ◆ **pens**
n. m. (1175, Chr. de Tr.), **pense** n. f.
(1120, *Ps. Oxf.*), **pense** n. m. (Xe s., *Saint
Léger*). Pensée, projet, souci. ◆ **pense-
ment** n. m. (1260, Br. Lat.). Pensée, méditation. ◆ **pensiere** n. f. (1228, J. de Priorat), **-action** n. f. (XIIe s., Herman). Pensée. ◆ **pensage** n. ˙m. (XIIe s., *Roncev.*).
Pensée, délibération : *Forment me hes,
je sai ben ton pensage (Ogier).* ◆ **pensant**
adj. (fin XIIe s., Couci), **-able** (XIIIe s.,
Anseis), **-ieuf** adj. (XIe s., *Alexis*), **-if**
(1175, Chr. de Tr.). 1° Qui pense. —
2° Pensif.

pension n. f. (déb. XIIIe s., D.; lat.
pensio, paiement). 1° Paiement. —
2° Location, loyer. — 3° Gages.

pentacol n. m. (1328, G.; mot
composé; littér. pend-au-cou). Bijou qui
se pendait au cou.

pentir v. (Xe s., *Fragm. de Valenc.*;
lat. pop. *penitire,* pour *poenitere*). Se
repentir.

peoil n. m. (XIIIe s.; lat. pop. *peducu-*
lum, de *pedis,* pou). Pou. ◆ V. POIL.

peon n. m. (1180, *Rom. d'Alex.;* lat.
pedonem, de *pes, pedis,* pied). 1° Qui va à
pied, piéton. — 2° Fantassin. *Faire peon,*

faire tomber de cheval, mettre à pied. — 3° Pion, pièce de jeu d'échecs. ◆ **peonel** n. m. (1288, J. de Priorat). Piéton, fantassin. ◆ **peonier** n. m. (1160, Ben.). 1° Piéton. — 2° Fantassin. *Faire peonier,* faire tomber du cheval. — 3° Ouvrier dans l'armée (xive s.). — 4° adj. De piéton (Garn.). ◆ **peonet** n. m. (1200, *Ogier*). Pion, pièce du jeu d'échecs. ◆ **peonage** n. m. (1190, Garn.). Voyage à pied. ◆ **peonaille** n. f. (1160, *Athis*). Infanterie, troupe de fantassins.

peonas adj., de couleur bleu paon. V. PAON.

peone n. f. (1180, *Rom. d'Alex.;* lat. *paeonia,* du grec). Pivoine.

peor n. f. V. PAOR, peur.

peperce n. f. (1308, Aimé; cf. lat. *piper,* poivre). 1° Poivre. — 2° Épice en général.

pepin n. m. (1160, Ben.; rac. **pipp-,* exprimant l'exiguïté). 1° Pépin. — 2° Jardinier (1333, *Arch.*). ◆ **pepine** n. f. (1263, *Cart.*). Jardinière. ◆ **pepier** v. (déb. xive s.). Crier comme les petits oiseaux.

per adj. et n. V, PAIR, égal; compagnon, pair.

per- préf. V. PAR-, préfixe intensif ou terminatif.

perceivre v. (déb. xiie s., *Ps. Cambr.*), **percevoir** v. (1210, *Ren. de Mon taub.;* lat. *percipere,* saisir par les sens). 1° Apercevoir, voir. — 2° Recueillir les impôts (mil. xive s.). ◆ **percevement** n. m. (1119, Ph. de Thaun). Fait d'être aperçu. ◆ **percevance** n. f. (xiie s., *Florim.*). 1° Action d'apercevoir. *Sans percevance,* sans être aperçu, sans crainte d'être aperçu. — 2° Fait d'être aperçu. *Por percevance,* de crainte d'être aperçu. — 3° Action de reconnaître, perspicacité. — 4° Découverte. ◆ **percevant** adj. (1260, Mousk.). Avisé, intelligent. ◆ **perceveur** n. m. (1345, *Arch.*). Celui qui perçoit les revenus d'une terre.

perche n. f. (xiie s., *Barbast.;* lat. *pertica*). 1° Perche de bois. — 2° Branche, endroit où l'on fait percher les oiseaux de chasse. — 3° Perche horizontale servant de porte-vêtements. — 4° Mesure agraire (1256, G.). ◆ **perchant** n. m. (xii[e] s., *Barbast.*). 1° Gros bâton. — 2° Perche pointue. ◆ **perchoi** n. m. (1264, *Arch.*). Clos de vigne. ◆ **perchier** v. (1314, Mondev.). Se mettre debout. ◆ **perchier** n. m. (1308, *Arch.*). Marchand de perches.

percier v. (1080, *Rol.;* lat. pop. **pertusiare,* pour *pertundere*). Percer, trouer. ◆ **perceure** n. f. (1314, Mondev.). Ce qui est percé, trou. ◆ **perçoier** v. (fin xiie s., *Loher.*). Percer en plusieurs endroits : *A fait la tor parsoier et croisir (Loher.).*

percuter v. (xe s., *Saint Léger;* lat. *percutere,* frapper violemment). Traverser en frappant, percer de part en part. ◆ **percussir** v. (xe s., *Fragm. de Valenc.*). Frapper fortement, percer. ◆ **percussion** n. f. (fin xiie s., *Loher.*). 1° Action de frapper, coup. — 2° Carnage : *Et le conte Fedry [...] Ly fasoit de se gent grande percussion (H. Capet).* — 3° Tribulation, malheur : *Nous avons souffiert mainte percussion, Fain, froit, soif (Chev. cygne).* ◆ **percus** adj. (1338, J. Lefebvre). Percé de part en part, frappé. ◆ **percuteor** n. m. (1265, J. de Meung). Celui qui a l'habitude de vexer les gens.

perdre v. (xe s., *Eulalie;* lat. *perdere*). 1° Perdre. — 2° Périr : *Or les part Duisque il ne pergent* (R. de Beauj.). ◆ **perdition** n. f. (1080, *Rol.*). 1° Perdition. — 2° Perte : *la perdission de la tiere d'Outremer (Chr. d'Ernoul).* — 3° Calamité.

perdriz n. m. (fin xiie s., *Rois;* lat. *perdicem*). Perdrix. ◆ **perdrisel** n. m. (1119, Ph. de Thaun), **perdriet** n. m. (1260, Br. Lat.). Perdreau. ◆ **perdrial** n. m. (xive s.). 1° Perdreau. — 2° Sorte de machine de guerre.

perece n. f. (fin xie s.; lat. *pigritia,* de *piger,* paresseux). 1° Paresse. — 2° Ennui profond : *La grant perece en quoi il estoit (Mir. Saint Louis).* ◆ **pereços** adj. (1119, Ph. de Thaun). Paresseux, lâche.

peregrination n. f. (déb. xiie s.; lat. *peregrinatio*). Pèlerinage.

peremptoire n. m. (1283, Beaum.; lat. *peremptorius*). Sommation péremptoire.

peresin n. m. (XIIᵉ s., *Chev. cygne*), **peresil** n. m. (XIIᵉ s.; lat. *petroselinum* et lat. pop. **petrosilium,* du grec). Persil.

perier n. m. (1160, *Athis;* dérivé de *pira,* poire). Poirier. *Faire le perier,* faire le poirier, la tête en bas, les jambes en l'air.

peril n. m. (Xᵉ s., *Fragm. de Valenc.;* lat. *periculum,* épreuve). Danger. ◆ **perillier** v. (1169, Wace). 1° Mettre en danger, faire périr : *Ung hons qui sieut amours va sen corps perillant (H. Capet).* — 2° Périr, faire naufrage. ◆ **perillement** n. m. (1160, Ben.). Péril, ◦ danger. ◆ **pericule** n. m. (1308, Aimé). Péril. ◆ **periculosité** n. f. (XIIIᵉ s., *Règle saint Ben.*). Danger.

perir v. (fin XIᵉ s., D.; lat. *perire,* aller à travers). Faire périr, perdre, détruire : *Por Dieu, ne perissons la grant honor que Diex nos a faite* (Villeh.). ◆ **peri** adj. (XIIᵉ s.). Peri de, privé de, qui a perdu : *Fu tote muce et perrie De sa color* (Fr. Angier).

I. **perle** n. f. (déb. XIIᵉ s.; ital. *perla*). Perle.

II. **perle** n. m. V. PESLE, pêne, verrou.

perne n. f. (XIIIᵉ s., *Gloss. Glasg.;* lat. *perna,* cuisse). Jambon.

pernement n. m., action de prendre, saisie. V. PRENDRE.

perore n. f. (1358, *Arch.;* cf. lat. *perorare,* exposer, plaider). Discussion. ◆ **perorele** n. f. (1314, Mondev.). Discours frivole, vain bruit.

perron n. m. (1080, *Rol.;* v. pierre). 1° Grosse pierre. — 2° Banc de pierre. — 3° Grand escalier. — 4° Grève (Mousk.). ◆ **perreis** n. m. (1160, Ben.). 1° Amas de pierres. — 2° Attaque à coups de pierres. ◆ **perroi** n. m. (XIIᵉ s., *Part.*). 1° Grève. — 2° Chemin pierreux. ◆ **perrois** n. m. (1160, Ben.). Terrain pierreux. ◆ **perriere** n: f. (fin XIIᵉ s., *Loher.*). 1° Carrière de pierres. — 2° Machine de guerre qui jette

des pierres. ◆ **perrier** n. m. (1190, Garn.). Chemin caillouteux. ◆ **perree** n. f. (1297, *Cart.*). Mesure de poids de 200 livres (utilisée surtout en Bretagne). ◆ **perrin** adj. et n. m. (fin XIIᵉ s., *Loher.*). 1° De pierre. — 2° n. m. Palais de pierre *(Part.).* ◆ **perré** adj. (1150, *Saint Evroul*). De pierre.

pers adj. (1080, *Rol.;* bas lat. *persum,* persan). 1° Bleu de diverses nuances, tantôt bleu azur, tantôt bleu foncé. — 2° Bleuâtre. — 3° Terne. — 4° Blême, livide : *Teinz fut e pers, desculurez e pales (Rol.).* — 5° n. m. Drap bleu *(Rose).* ◆ **persir** v. (1160, *Eneas*). Devenir livide : *Tainte et persie avoit la face, Tant avoit chascune ploré (Atre pér.).* ◆ **perseur** n. f. (déb. XIVᵉ s., *Mir. Saint Louis*). Couleur livide.

persecuter v. (fin Xᵉ s., *Saint Léger*). formé sur *persecutus,* p. passé de *persequor*). 1° Poursuivre. — 2° Suivre, imiter. ◆ **persecucion** n. f. (1190, Garn.). 1° Poursuite. — 2° Danger. — 3° Calamité, misère.

perseverer v. (déb. XIIᵉ s., *Ps. Cambr.;* lat. *perseverare*). 1° Continuer. — 2° Poursuivre. ◆ **perseveracion** n. f. (1160, Ben.). 1° Persévérance, obstination. — 2° Récidive. ◆ **perseverie** n. f. (1261, *Cart.*). Droit de poursuite.

persone n. f. (1190, Garn.; lat. *persona*). 1° Personne. — 2° Curé, recteur d'une paroisse. — 3° Bénéficier ecclésiastique : *Chanoinnes, chapelains, personnes, Moines nouviaus de toutes gonnes (Fauvel).* — 4° Pron. négatif (XIVᵉ s.). ◆ **personage** n. m. (1226, *Charte*). 1° Dignité, bénéfice ecclésiastique. — 2° Étendue d'un bénéfice. — 3° Taille, stature. — 4° Dignitaire ecclésiastique. ◆ **personal** adj. (1190, Garn.). 1° Personnel (gramm.). — 2° Qui est un personnage important (R. de Moil.).

pert n. m. (1270, *Cart.;* part. passé de *perdre*). Perte. ◆ **perte** n. f. (1190, J. Bod.). 1° Perte. — 2° plur. Choses perdues : *Tant sont ses miracles a pertes! Il fait ravoir toutes ses pertes* (J. Bod.). — 3° *Estre mis a perte,* aller à sa perte, à sa destruction.

pertinace adj. (1260, Br. Lat.; lat. *pertinax*, qui tient bon). Opiniâtre, obstiné : *Soies constans, non mie pertinaces* (Br. Lat.). ◆ **pertinence** n. f. (XIIIᵉ s., *Fabl. d'Ov.*). Présomption.

pertuisier v. (1190, saint Grég.; lat. pop. **pertusiare*, pour *pertundere*, trouer). Trouer, percer. ◆ **pertuisement** n. m. (déb. XIVᵉ s.). Action de percer. ◆ **pertuisage** n. m. (1319, *Lettre*). 1º Ouverture, chose percée. — 2º Droit payé au seigneur pour mettre un tonneau en perce et vendre le vin au détail. ◆ **pertuis** n. m. (déb. XIIᵉ s., *Voy. Charl.*). 1º Trou, ouverture, creux. — 2º Tanière, antre. — 3º Le derrière. — 4º Trouée, passage : *Froisse les lances que il n'i pot durer Tel pertruis feit que se drecha li ber (Loher.).* — 5º Défilé, passage. ◆ **pertuiset** n. m. (fin XIIᵉ s., M. de Fr.). Petit trou.

pervertir v. (1190, saint Bern.; lat. *pervertere*). 1º Renverser, détruire. — 2º Fausser : *Cil qui se poinent de pervertir les Saintes Escriptures* (saint Bern.).

I. pesaz, pesas n. m. (1250, *Ren.*; lat. pop. **pisacium*, de *pisum*, pois). Chaume de pois, hachure de pailles quelconques. ◆ **pesiere** n. f. (1335, Deguil.). Champ de pois. ◆ **pesalerie** n. f. (1340, *Arch.*). Champ de pois.

II. pesaz n. m., peson. V. PESEL, petit poids.

peschier v. (déb. XIIᵉ s.; lat. pop. **piscare*, pour *piscari*). Pêcher. ◆ **peschement** n. m. (XIIᵉ s., Herman), **-eis** n. m. (1294, *Arch.*). Action de pêcher, pêche. ◆ **peschage** n. m. (1332, *Arch.*). 1º Action de pêcher. — 2º Produit de la pêche. ◆ **pesche** n. f. (mil. XIIIᵉ s.), **-ison** n. f. (1321, *Arch.*). Pêche, action de pêcher. ◆ **pescherie** n. f. (1150, *Thèbes*). 1º Pêche. — 2º Droit de pêche. ◆ **peschaille** n. f. (XIIIᵉ s., *Bat. Quaresme*). 1º Ce que l'on prend à la pêche. — 2º Collectif de poisson. ◆ **peschoir** n. m. (1268, *Cart.*). Lieu destiné à la pêche. ◆ **pescheret** adj. (fin XIIIᵉ s., *Son. de Nans.*). Propre à la pêche. ◆ **pescheor** n. m. (XIIᵉ s., *Barbast.*). 1º Pêcheur. — 2º Lieu de pêche.

I. pesel n. m. (XIIIᵉ s.; dimin. de *pois*, poids). Petit poids. ◆ **peson** n. m. (1243, G.). 1º Petit poids. — 2º Petite monnaie. ◆ **pesaz** n. m. (1304, *Hist. de Metz*). Peson.

II. pesel n. m. (dimin. de *pois*). Petit pois.

peser v. (XIᵉ s., *Alexis;* lat. pop. **pesare*, pour *pensare*, de *pendere*, peser). 1º Etre lourd : *Chis escrins poise comme uns gres!* (J. Bod.). — 2º Tournure impers. Etre pénible, désagréable, déplaire : *Beal sire, ne vus en peist mie Se je vus di del fiz Marie (Rés. Sauv.). Ne vous peise*, ne vous inquiétez pas. — 3º Acheter. ◆ **pesant** adj. (1080, *Rol.*). 1º Qui est lourd. — 2º Qui éprouve de la peine, peu disposé à, mécontent : *Et jou, mais mout le faç pesans* (J. Bod.). *Pesant de*, avec infinitif, peu à la peine à, peu disposé à : *Je sui* [...] *De tous bien faire si pesans que ...* (Froiss.). — 3º Important. — 4º Puissant : *Il tint Borgogne, une terre pesant* (*Auberi*). — 5º n. m. Poids, pesanteur (Wace). ◆ **pesance** n. f. (1080, *Rol.*). 1º Peine, chagrin : *Anguice, peisance e peine (Trist.).* — 2º Souci : *De moi n'aiez vos ja pesance (Eneas).* — 3º Pesanteur (Boèce). ◆ **pesantume** n. f. (fin XIIᵉ s., saint Grég.). 1º Pesanteur, lourdeur. — 2º Chose pesante, accablante. — 3º Gravité : *Garde que ti mot ne soient nice, ainz soient griez et de granz pesantume* (Br. Lat.). — 4º Contenance grave. ◆ **pesanture** n. f. (1288, J. de Priorat). Pesanteur. ◆ **pesage** n. m. (déb. XIIIᵉ s.). Droit payé pour les marchandises pesées. ◆ **pesantif** adj. (1235, H. de Méry). Pesant. ◆ **pesançon** n. m. (1313, Godefr. de Paris). Chagriné, courroucé. ◆ **peseor** n. m. (1252, *Arch.*). Celui qui pèse.

pesle n. m. (déb. XIIᵉ s.; *Ps. Cambr.;* lat. *pessulum*, verrou). Pêne, verrou. ◆ **pesler** v. (1220, Coincy). Fermer au verrou.

pesle-mesle loc. adv. (1175, Chr. de Tr.; altér. de l'expression *mesle-mesle*). Pêle-mêle.

pesme adj. (1080, *Rol.;* lat. *pessimum*, superlatif de *malus*). 1º Très mauvais, très méchant : *Li reis est fiers e sis curages pesmes (Rol.).* — 2º Ayant perdu sa valeur de superlatif, il peut être modifié par les adverbes *mot, si, plus, par*, etc., au sens de « cruel, farouche » : *Mult par ert pesmes e orguillus e fiers (Rol.)*. ◆ **pesmement** adv. (fin XIIe s., *Rois*). Très mal, très méchamment. ◆ **pessime** adj. (1260, Br. Lat.). 1° Très mauvais, très cruel. — 2° n. f. (fin XIIIe s., *Mir. saint Éloi*). Peste (même mot?).

pessaire n. m. (XIIIe s., *Simples Médec.;* bas lat. *pessarium*, d'orig. grecque). 1° Tampon de charpie. — 2° Médicament introduit à l'aide du *pessaire*.

pesse n. f. V. PASSE, moineau.

pester v. (XIIe s., *Barbast.;* lat. pop. **pistare*, pour *pinsere*). 1° Broyer, pétrir. — 2° Piétiner, fouler. — 3° Battre. ◆ **pestor** n. m. cas rég., **pestre** cas suj. (XIIe s., Herman). Boulanger, celui qui pétrit la farine. ◆ **pestel** n. m. (fin XIIe s., *Loher.*). 1° Pilon. — 2° Massue. — 3° Dard à grosse tête. — 4° Le haut du bras. ◆ **pesteler** v. (fin XIIe s., *Alisc.*). 1° Piler, écraser avec le pilon. — 2° Écraser, fouler, en général : *Del branc d'acier a l'erbe pestelé (Ren. de Montaub.)*. — 3° Battre, frapper. — 4° Remuer vivement les jambes, frapper du pied : *Ses piez demener et pesteler la terre (Mir. Saint Louis)*. ◆ **pesteil** n. m. (1270, Ruteb.), **pestueil** n. m. (1333, G.). 1° Pilon. — 2° Dard à grosse tête. ◆ **pestelllier** v. (1330, *B. de Seb.*). 1° Broyer, écraser avec un pilon. — 2° Battre, frapper en général. ◆ **pesteleis** n. m. (1160, Ben.). 1° Action de broyer. — 2° Action de frapper du pied, de piétiner, de trépigner : *Des chevaus fu grans li pasteleis (Loher.)*. — 3° Traces de piétinement.

pestilance n. f. (1120, *Ps. Oxf.;* lat. *pestilentia*). 1° Peste. — 2° Fléau, calamité, malheur. — 3° Carnage, défaite.

pestrir v. (fin XIIe s., *Loher.*), **-er** v. (XIIe s., A. de Neckam; bas lat. *pistrire*). Pétrir. ◆ **pestrin** n. m. (fin XIIe s., *Rois*). Pétrin.

peterin adj. (1190, saint Bern.; orig. obsc.). 1° Petit, insignifiant, de peu de valeur : *Dous poeterizmes ai, chier sire, c'est mon cors et mon ainrme* (saint Bern.). — 2° Vil, abject, méprisable. ◆

peterinet adj. (déb. XIIe s., *Ps. Cambr.*). 1° Le plus petit, le moindre : *Jeo ere petringnette entre mes freres (Ps. Cambr.)*. — 2° De peu de valeur.

petillon n. m. (1210, *Dolop.;* orig. incert.). Aiguillon, pointe, épine.

petit adj. (XIe s., *Alexis;* lat. pop. **pittitum*, à partir d'un rad. onomat. **pitt-*). 1° Petit. — 2° De peu de valeur. — 3° Défectueux, peu sûr. ◆ **petit** n. m. (1080, *Rol.*). 1° Petite quantité : *Car de Francéis i ad asez petit (Rol.)*. *Un petit, un peu.* — 2° Petit espace de temps. *Un seul petit*, un seul instant : *Puis se dreça un sul petit (Gorm. et Is.)*. *Dusqu'à petit*, bientôt. — 3° *Por un petit, par un petit, a bien petit*, peu s'en fallut : *Pour .I. petit qu'il n'en esrage vis (Auberi)*. — 4° *Il est petit de*, il importe peu. — 5° *Vendre petit*, vendre bon marché. ◆ **petitet** adj. (1119, Ph. de Thaun). 1° Tout petit. — 2° n. m. Petite quantité. *Un petitet*, un peu, un petit moment. ◆ **petitel** adj. (1295, G. de Tyr). Tout petit. ◆ **petitelet** adj. (1285, Aden.). 1° Tout petit. — 2° *Un petitelet*, un peu *(R. de Cambr.)*. ◆ **petitece** n. f. (déb. XIIe s., D.). 1° État de celui qui est petit. — 2° Jeune âge. — 3° État de misère. ◆ **petiteur** n. f. (fin XIIIe s., Guiart). Petitesse. ◆ **petitat** m. (déb. XIIIe s., *Gar. de Mongl.*). Petite quantité.

petral n. m. V. POITRAL, partie du harnais couvrant la poitrine du cheval.

petre n. m. (XIIe s., *Ps. Orange*); peut-être du lat. *pyrethrum*, pyrèthre, du grec?). Sorte d'épice. ◆ **petrele** n. f. (1315, *Ord.*). Dimin. de *petre*.

petrel n. m. (1247, Ph. de Nov.; lat. *petralis*, de *petra*, pierre). Muraille.

peu adj. (1293, Beaum.; part. passé de *paistre*). Repu, bien nourri.

peuture n. f. V. POLTURE, pâtée, nourriture.

pevree n. f. (1160, *Eneas;* dér. du lat. *piper*, poivre). 1° Poivre. — 2° Mélange poivré, sauce au poivre. ◆ **pevrier** n. m. (fin XIIe s., Guiot). Marchand de poivre.

pharete n. f. (1322, J. Lefevre; orig. incert.). 1° Carquois. — 2° Au sens grivois : *Car ma pharrette Est vuide et mon arc ne peut tendre* (J. Lefevre).

philosophe n. m. (1160, Ben.), **-ien** n. m. (XIIIe s., G. de Cambr.; lat. *philosophus*, du grec). Philosophe, savant, alchimiste. ◆ **philosophie** n. f. (1160, Ben.). Philosophie, science, savoir. ◆ **philosophier** v. (XIIIe s., *Fabl. d'Ov.*). Vivre selon les principes de la philosophie.

phisiquer v. réfl. (fin XIIIe s., J. de Meung; lat. *physica*, du grec). Se droguer : *Se foy n'as, en vain te phisiques, Car foy a toutes les reliques, Par toutes vertus sont faictes* (J. de Meung).

pi adj. V. PIU, pieux, miséricordieux.

pial n. m. (1298, *Cart.*; v. *pal, pel*, pieu). Hache, cognée. ◆ **piasse** n. f. (1325, *Arch.*). Hache, cognée.

pic n. m. (1155, Wace; emploi fig. de *pic*, oiseau). Pic, outil. ◆ **picon** n. m. (XIIe s., *Floov.*). 1° Arme pointue, lance, dard. — 2° Pointe en général. ◆ **picot** n. m. (1170, *Fierabr.*). 1° Pointe, objet pointu. — 2° Arme pointue. — 3° Pic. ◆ **picois** n. m. (1162, *Fl. et Bl.*). 1° Sorte de dard. — 2° Aiguillon. — 3° Houe, pioche, bêche. ◆ **pichon** n. m. (XIIIe s., *Arch.*). Pieu. ◆ **pigace** n. f. (XIIe s., J. Fantosme, même rac.?). 1° Pointe, pic. — 2° Soulier pointu. ◆ **picart** adj. (1344, *Arch.*). Aigu, piquant. ◆ **picois** adj. (fin XIIIe s., *Ménag. Reims*). Pointu. ◆ **picoter** v. (1360, Froiss.). Donner des coups de pic.

pices, piches n. plur. (1277, *Rose*; orig. obsc.). Testicules.

pichier n. m. (fin XIIe s., *Rois*; altér. de *bichier*, peut-être d'après *pot*). Pichet, cruche, pot à vin. ◆ **pichon** n. m. (1235, H. de Méry). 1° Vase, cruche. — 2° Mesure de liquides. ◆ **pichet** n. m. (1288, *Charte*). Mesure de terre.

piciere n. f., harnais qui protège le poitrail. V. PIZ, poitrail.

I. **pie** n. f. (Chr. de Tr.: lat. *pica*, fém. de *picus*). Pie. ◆ **piot** n. m. (v. 1290, D.). Petit de la pie.

II. **pie** adj. V. PIU, pieux, miséricordieux.

pié n. m. (Xe s.; lat. *pedem*). 1° Pied. — 2° Mesure de longueur. — 3° Tige, support de différents objets (meuble, verre, etc.). — 4° *En pied, en piés*, debout : *Gugemes s'est en piez levez* (M. de Fr.). *Doner bon pié*, marcher droit, dans la bonne voie. — 5° *Metre a pié* q'un, le faire descendre du cheval, le réduire en une situation fâcheuse. *Estre mis entre piés*, être méprisé. — 6° *Pié a pié*, près l'un de l'autre, ensemble : *Quant li jors ert demain esclos, Si resoions ci pié a pié* (Atre pér.). — 7° Dans les énoncés négatifs, pron. pers., Personne : *N'en eschapa unc piez Qui pris n'i fust u retenuz* (Ben.). *Toute lor gent i entre, n'i est demoré piés* (Gaufrey). — 8° *Pié levé*, sorte de redevance ecclésiastique. ◆ **piechonet** n. m. (1229, G. de Montr.). Petit pied. ◆ **pietaille** n. f. (1155, Wace). 1° Milice à pied, gens de pied, infanterie. — 2° Menu peuple, populace : *Le nom Dieu sermonoient a la povre pietaille* (Ruteb.). ◆ **pietee** n. f. (1335, *Rest. du Paon*). Ruade, coup de pied. ◆ **pieter** v. (1330, *B. de Seb.*). 1° Se promener à pied. — 2° Parcourir à pied, arpenter. ◆ **piedan** n. m. (XIIIe s., *Lai courtois*), **pieton** n. m. (1330, H. Capet). Piéton, voyageur à pied. ◆ **pietoner** v. (1340, *Arch.*). Aller et venir, marcher.

piec n. m. V. PEC, émotion, pitié.

pieça adv. (1155, Wace; loc. figée *piece a*, il y a une pièce de temps). Depuis longtemps, depuis un bon moment : *Dermod entendi la novele Peça ne lui vint tant bele* (Conq. Irl.). *Des pieça, de pieça*, depuis longtemps.

piece n. f. (1080, *Rol.*; lat. pop. **pettia*, d'orig. probabl. celtique). 1° Morceau, fragment. — 2° Un certain espace de temps : *Une piece del tans nos i sejorneron* (Rom. d'Alex.). *Une piece*, quelque temps, peu de temps. *A petit de piece*, au bout de peu de temps. *A chief de piece*, enfin. *Grant piece, une grant piece*, un long temps, après un long temps. *Bone piece*, longtemps. — 3° *A piece, en piece, mais en piece*, jamais, de longtemps : *Je suis si mesfais en mon pais ke je n'i porai mes en pieche pais avoir* (Fl. et Jeh.). — 4° *Grant piece*, heure avancée : *Issi dura*

tros que a grant piece de la nuit (Villeh.).
— 5° *Por piece, De por piece*, à la fin.
◆ **piecete** n. f. (1247, *Arch.*). 1° Petite
pièce. — 2° Quartier de terre. ◆ **piecelete**
n. f. (1285, Aden.). 1° Petite pièce. —
2° Un tout petit espace de temps : *Une
piecelete dou tans* (Aden.).

piege n. m. et f. (1155, Wace; lat.
pedica, liens pour les pieds). Piège. ◆
piegier v. (1220, Coincy). Faire tomber
dans un piège. ◆ **piégié** adj. (XIIIe s.,
Pastor.). Muni de pièges.

pieler v. V. PIOLER, barioler, peindre.

I. **pier** v. (1292, *Taille de Paris;* orig.
incert.). Boire.

II. **pier** adj. et n. V. PAIR, égal;
compagnon, pair.

I. **piere, pierre** n. f. (1080, *Rol.;* lat.
petra, du grec). 1° Pierre. — 2° Sorte de
poids de valeur variable (E. Boil.). —
3° Prison. — 4° Pièce, morceau. ◆ **pierete**
n. f. (fin XIIe s., *Rois*). Petite pierre. ◆
pierge n. m. (1270, *Cart.*). Route empier-
rée. ◆ **pierroseus** adj. (1316, *Arch.*). De
pierre. ◆ V. PERRON.

II. **piere** n. m. V. PIRE, sorte d'écluse;
passage.

pierset n. m. (1307, *Arch.;* v. *pers*,
couleur bleue). Drap bleu de qualité
inférieure. ◆ **piersetrie** n. f. (1341, *Arch.*).
Drap bleu de qualité médiocre.

pieté n. f. (1160, *Eneas;* lat. *pietatem*).
1° Piété. — 2° Pitié : *Lo cuer avez dur
et serré, N'i a dont faire pieté* (Eneas). ◆
pietable adj. (1150, Wace). 1° Qui a de la
pitié. — 2° Pitoyable, qui inspire la pitié.

pievoie n. f. (1313, *Arch.;* composé de
pie, pied, et de *voie*). Sentier, chemin de
ronde.

pif adj. V. PIU, pieux, miséricordieux.

pifle adj. (1260, Mousk.; peut-être de
l'ital. *piffero*, fifre). Qui s'empiffre,
gourmand.

pigeon n. m. (1247, Ph. de Nov.; bas
lat. *pipionem*, pigeonneau). 1° Petit d'un
oiseau quelconque. — 2° Pigeonneau.

pigmain, pimain n. m. (1247, G.
de Metz; lat. *Pygmaeus*, du grec). Pyg-
mée, nain appartenant à un peuple légen-
daire.

pigment n. m. V. PIMENT, épice,
baume, sorte de boisson.

pigne n. m. (XIIe s.; lat. *pectinem*).
Peigne. V. PEIGNE. ◆ **pignier** v. (1250,
Ren.). 1° Peigner. — 2° Donner des
coups de griffe, des coups de dents : *As
dens le pigne et house et hape (Ren.)*.

pignote n. f. V. PEIGNOTE, marmite,
pot de terre.

pigre, pegre adj. (1160, Ben.; lat.
piger; v. *perece*, paresse). Paresseux.

pilate n. m. (1304, *Arch.;* n. propre
Pilate). *Estre en pilate*, se décharger des
suites d'une affaire.

I. **pile** n. f. (XIIIe s.; lat. *pila*, mortier).
Mortier à piler. ◆ **pilete** n. f. (1306,
Guiart). Pilon. ◆ **pileron** n. m. (XIIIe s.,
Dit du Mercier). Pilon. ◆ **piler** v. (fin
XIIe s., *Rois*). Réduire en petits morceaux,
écraser. ◆ **pilage** n. m. (1310, *Arch.*).
1° Action de piler. — 2° Action d'écraser
les pommes en préparant le cidre.

II. **pile** n. f. (1220, Coincy; lat. *pilula*).
Pilule. ◆ **pilete** n. f. (fin XIIe s., Guiot).
Pilule.

III. **pile** n. f. (1283, Beaum.; lat. *pila*,
colonne). 1° Pilier. — 2° Pilori : *Il doit
estre tenus en prison, et puis estre mis en
l'esquele devant le pille* (Beaum.). ◆ **piler,
pilier** n. m. (XIe s.; lat. pop. **pilare*, de
pila). Pilier. ◆ **pileret** n. m. (1160, Ben.),
-**erel** n. m. (1160, Ben.). Petit pilier. ◆
pilot n. m. (1360, Froiss.). Grand pieu,
poteau. ◆ **piloter** v. (1321, texte de
Fagniez). Garnir de pilotis. ◆ **pilorin** n.
m. (1270, *Arch.*). Pilori. ◆ **pilorisier** v.
(XIVe s., *Cout. d'Anjou*). Mettre au pilori.

IV. **pile** n. f. (1155, Wace; probabl. empl.
fig. du précédent). Revers d'une monnaie.
◆ **pilote** n. f. (XIIIe s., Fr. Angier). Sorte de
jeu, pile ou face. ◆ **piloter** v. (1360,
Froiss.). Jouer à croix ou pile.

pilet n. m. (1160, *Eneas;* dim. du lat.
pilum, javelot). Javelot, dard, trait d'arbalète.

I. **pilete** n. f., pilon. V. PILE, mortier.

II. **pilete** n. f., pilule. V. PILE, pilule.

pille n. f. V. PILE, revers d'une monnaie.

pillier v. (XIIIᵉ s., D.; orig. incert. lát. pop. **piliare*, pour *pilare*, voler?). 1º Houspiller, malmener. — 2º Piller (fin XIIIᵉ s.).

I. **pilot** n. m. (mil. XIVᵉ s.; ital. *piloto, pilota*). Pilote.

II. **pilot** n. m., poteau. V. PILE, pilier.

I. **piloter** v., garnir de pilotis. V. PILE, pilier.

II. **piloter** v., jouer à croix ou pile. V. PILE, revers d'une monnaie.

pimart n. m. (1352, G.; dér. de *pic*). Sorte de pic, loriot.

piment n. m. (980, *Passion;* lat. *pigmentum,* au sens bas-lat. « aromate »). 1º Baume. — 2º Épice. — 3º Boisson composée de vin ou de miel, et d'épices. ◆ **pimentier** n. m. (fin XIIᵉ s., saint Grég.). Embaumeur, parfumeur.

pimpre n. f. (mil. XIIIᵉ s.), **piprenele** n. f. (XIIᵉ s., *Gloses Tours*), **pipornele** n. f. (déb. XIVᵉ s., *Pass. Palat.;* orig. incert.). Pimprenelle (bot.). ◆ **pimpernel** n. m. (1296, *Arch.*). Espèce de petit poisson remarquable par son agilité. ◆ **pimpernele** n. f. (1220, Coincy). 1º Petit poisson. — 2º Femme vive, alerte, tête folle : *Quant l'acointe la jovincele Qui estoit jone pinpernele* (Coincy).

pin n. m. (1080, *Rol.;* lat. *pinum*). Pin. ◆ **pine** n. f. (1277, *Rose*). 1º Pomme de pin. — 2º Membre viril *(Rose).* — 3º Épingle (G. li Muisis). ◆ **pinel** n. m. (fin XIIᵉ s., *Gar. Loher.*). 1º Petit pin. — 2º Bois de pins. ◆ **pineie** n. f. (1295, G. de Tyr). Lieu planté de pins.

pinacle n. m. (1261, Delb.; lat. eccl. *pinnaculum*). Sommet en général.

pincier v. (1160, Ben.; lat. pop. **pinctiare,* crois. de plusieurs racines). 1º Pincer. — 2º Voler (J. Bod.). ◆ **pinceure** n. f. (fin XIIᵉ s., *Rois*). Pince. ◆ **pincemerille, -ine** n. f. (1220, Coincy; le second élément n'est pas clair). 1º Sorte de sauce. — 2º Sorte de jeu de société lors duquel on pinçait le bras (Froiss.).

pinon n. m., sommet. V. PENE, cime, pointe.

pinte n. f. (1265, J. de Meung; prob. du lat. *pincta,* pourvue d'une marque, de *pingere*). Pinte, mesure de capacité pour liquides. ◆ **pintat** n. m. (1267, *Arch.*). Moitié de la pinte, chopine. ◆ **pinter** v. (1265, J. de Meung). Mesurer, en parlant du vin. ◆ **pintage** n. m. (1331, *Cart.*). Étalonnement des mesures.

pintor n. m., peintre. V. PEINDRE.

pioler v. (1277, *Rose;* probabl. de la *pie,* qui est tachetée). Barioler, peindre, parer de diverses couleurs. ◆ **piolé** adj. (1204, R. de Moil.). Bariolé.

pionier n. m., piéton, fantassin. V. PEON, qui va à pied. ◆ **pionerie** n. f. (1332, *Act. norm.*). Fouilles, travaux de terrassement.

pior adj. cas rég. V. PEIOR, pire, moindre.

piot n. m., petit de la pie. V. PIE.

pipelorer v. (1220, Coincy; form. par dédoublement de deux verbes, *piper* et *lorer,* termes de chasse, ayant en commun l'idée d'appâter en trompant; le second élément étant pris ensuite comme suffixe), **-luper** v. (1220, Coincy), **-loter** v. (1277, *Rose*). Orner, enjoliver, décorer. ◆ **pipoler** v. (1277, *Rose*). Orner, enjoliver.

piper v. (fin XIIᵉ s.; M. de Fr.; lat. pop. **pippare,* pour *pipare,* glousser, pépier). Pousser un petit cri. ◆ **pipe** n. f. (fin XIIᵉ s., J. de Bruges). 1º Chalumeau, pipeau. — 2º Tuyau, goulot. — 3º Gorge. — 4º Tige à divers usages. — 5º Sorte de mesure. — 6º Narcisse. ◆ **piperie** n. f. (XIIIᵉ s., *Rom. et past.*). Action de jouer du pipeau. ◆ **pipet** n. m. (fin XIIᵉ s., *Auc. et Nic.*). 1º Pipeau. — 2º Souche. ◆ **pipart** n. m. (XIVᵉ s.). Celui qui joue du pipeau. ◆ **pipon** n. m. (1260, Mousk.). Pipeur, trompeur : *Moult a en lui cruel pipon Et traitre est, bien le savons*

(Mousk.). ◆ **pipenie** n. f. (1344, Arch.). Prison.

piprenele, pipornele n. f. V. PIMPRE, pimprenelle.

piquer v. (1138, *Saint Gilles;* lat. pop. **piccare,* d'orig. onom.). 1° Miner, démolir à coups de pic. — 2° Remuer la terre avec une houe. — 3° Percer d'une pointe. ◆ **piquement** n. m. (1278, Arch.). Piqûre. ◆ **piqueter** v. (1347, Arch.). 1° Faucher avec une faux appelée *piquet.* — 2° Frapper à coups de pic.

piquois n. m., dard, aiguillon, outil pointu. V. PIC, pic.

I. **pire, piere** n. m. (1254, Arch. Tournai; orig. incert., probabl. germ.). 1° Estacade servant à maintenir l'eau, sorte d'écluse. — 2° Passage, chemin. ◆ **piremon** n. m. (1280, Arch.). Membre d'une corporation de bateliers circulant dans les *pires* de Tournai).

II. **pire** adj. cas sujet. V. PEIOR, pire, moindre. ◆ **pirer** v. (XIIᵉ s., *Chast. d'un père*). Rendre pire.

pis adv. (fin Xᵉ s.; lat. *peius,* neutre de *peior,* pire). 1° Adv. Pis. — 2° n. m. Ce qu'il y a de pis, désavantage, malheur : *De son pis querre se pena (Vie des Pères)*.

I. **pise** n. f. (XIVᵉ s., *Gloss. hébr.-fr.;* lat. *pinsa,* de *pinsare,* piler, broyer). Mortier.

II. **pise** n. f. V. POISE, balance, poids, sorte de monnaie.

pissier v. (fin XIIᵉ s., M. de Fr.; lat. pop. **pissiare*). Uriner. ◆ **piz, pis** n. m. (1260, Br. Lat.). Urine. ◆ **pissace** n. f. (fin XIIIᵉ s., Guiart). Urine. ◆ **pisseis** n. m. (XIIIᵉ s., G.). 1° Action de pisser. — 2° Chute d'eau.

pitié n. f. (1080, *Rol.;* lat. *pietatem*). 1° Piété. — 2° Pitié. — 3° Souci : *Si en sui mout endroit l'ame joians, Mais del cors ai et pitié et pesance* (C. de Béth.). ◆ **pitance** n. f. (1120, *Ps. Oxf.*). 1° Piété. — 2° Pitié. — 3° Portion de vivres attribuée à un moine pour son repas. — 4° Service religieux d'anniversaire (1249, Tailliar). ◆ **pitancerie** n. f. (1294, G.),

-iere n. f. (1336, *Cart.*). Lieu d'un couvent où se faisaient les distributions de vivres, office du pitancier. ◆ **pitancier** n. m. (1297, G.). Celui qui est chargé des approvisionnements de bouche, économe. ◆ **pite, pide** adj. (XIIIᵉ s., Fr. Angier). 1° Qui a de la pitié. — 2° Pitoyable. ◆ **pitos** adj. (1160, Ben.). 1° Pieux : *Rois piteus et humbles (Saint-Graal).* — 2° Compatissant. — 3° Pitoyable. ◆ **pitable** adj. (1240, G. de Lorris). 1° Pieux, doux. — 2° Pitoyable. ◆ **piteer** v. (1350, G. li Muisis). Avoir pitié, s'attendrir.

piu, pi, pif adj. m., **piue, pie, pive** fém. (1160, Ben.; lat. *pius*). 1° Pieux. — 2° Miséricordieux : *Si les commande a Diu le pi* (Chr. de Tr.).

I. **piz, peiz** n. m. (980, *Passion;* lat. *pectus,* poitrine). 1° Poitrine. — 2° Poitrail. ◆ **piciere** n. f. (1316, G.). Harnais qui couvre le poitrail des chevaux de guerre.

II. **piz** n. m., urine. V. PISSIER, uriner.

place n. f. (1080, *Rol.;* lat. pop. **platea,* d'après **plattus,* du lat. class. *platea,* large rue). Place, emplacement. ◆ **plaçage** n. m. (1325, Arch.). Droit seigneurial sur l'emplacement et la vente des marchandises dans les foires, dans les marchés ou dans les halles.

placebo n. m. (XIIIᵉ s., D.; mot lat., futur du verbe *placere,* plaire). Flatterie.

plage n. f. (XIIIᵉ s., D.; ital. *piaggia,* coteau, du grec). Pente douce descendant vers la mer.

plaid n. m. (842, *Serm.;* lat. *placitum,* ce qui est conforme à la volonté; de *placere,* plaire). 1° Convention. — 2° Assemblée de justice. — 3° Procès. ◆ V. PLAIT. ◆ **plaidier** v. (1080, *Rol.*). 1° Tenir le plaid : *Ad Ais u Carles soelt plaidier (Rol.).* — 2° Traduire en justice, plaider. — 3° Etre attrait au plaid. — 4° Rendre justice. — 5° Parler : *Ja de l'acorde ne vuel oir plaidier* (R. de Cambr.). — 6° Prier, supplier : *Se de rien vos i puis aidier Je ne m'en quier feire pleidier Car pres sui de vostre servise* (Rose). — 7° n. m. (1138, *Saint Gilles*). Plaidoyer, discours. *A petit de plaidier,* pour une légère cause. ◆ **plaideis** n. m. (XIIIᵉ s., *Doon de May.*), -ié n. m. (1302, *Cart.*). 1° Plaidoirie. — 2° Procès. — 3° Discussion. ◆ **plaideor** n. m. (1297, *Cart.*). 1° Avocat. — 2° Juge. — 3° Procureur d'un monastère. ◆ **plaidif** n. m. (1190, J. Bod.). 1° Avocat, défenseur. — 2° Homme procédurier, querelleur. ◆ **plaiderel** n. m. et adj. (1220, Coincy). Qui a l'habitude de plaider, chicaneur. ◆ **plaideis** adj. et n. m. (1180, *R. de Cambr.*). 1° Qui aime à plaider. — 2° n. m. Celui qui plaide, avocat, défenseur. ◆ **plaidable** adj. (1304, *Year Books*). 1° Que l'on peut plaider. — 2° Où l'on peut plaider. ◆ **plaidicer** v. (1316, G.). Plaider souvent. ◆ **plaidoier** v. (1160, Ben.). 1° Plaider. — 2° Parler en général. — 3° Mettre en cause, appeler en jugement. — 4° v. réfl. Adresser des supplications : *Humblement vers lui se plaideie* (Ben.). ◆ **plaidoiable** adj. (1303, *Ord.*). 1° Que l'on peut plaider. — 2° Où l'on peut plaider.

plaie n. f. (fin XIᵉ s., *Lois Guill.;* lat. *plaga*, blessure, plaie). 1° Blessure. — 2° Plaie. ◆ **plaier** v. (980, *Passion*). Blesser, meurtrir, couvrir de plaies : *En plusors lieus li ont le cors plaiet* (Ogier). ◆ **plaiere** n. f. (XIIᵉ s., *Auberi*). Plaie. ◆ **plaiete** n. f. (fin XIIᵉ s., *Loher.*). Petite blessure, petite plaie, cicatrice. ◆ **plaié** n. m. (fin XIIᵉ s., *Loher.*). Blessé.

plaige n. m. V. PLEGE, garant, caution.

plaigne n. f., plaine. V. PLAIN, uni.

plaignier adj., uni, plat. V. PLAIN, plat.

plain adj. (1160, *Eneas;* lat. *planum*). 1° Plat; uni. *A plain*, à plat : *De ci s'en vait a Rains la cit'a plan* (G. de Rouss.). *A plaine terre*, à même le sol. — 2° Sans obstacles. *Tout a plain*, sur-le-champ, aussitôt. *Tout plain*, de toute force. *A plain*, de près, directement : *De loin lancent et a plain fierent (Eneas).* — 3° Clair, réglé : *Si seroit li affaires plains* (J. Bod.). — 4° D'une seule couleur. ◆ **plain** adj. (1160, *Eneas*). 1° Pleine campagne, plaine. — 2° Partie plate d'un objet. ◆ **plaine** n. f. (XIIᵉ s.). Plaine. ◆ **plaigne** n. f. (1080, *Rol.;* lat. pop.

*planea). Plaine. ◆ **plainier** adj. (1160, *Eneas*). 1° Uni. — 2° Plat. — *Chemin plenier*, grande route. ◆ **plainiere** n. f. (XIIᵉ s., *Florim.*). Plaine.

plaindre v. (XIᵉ s., *Alexis;* lat. *plangere*). 1° Plaindre, compatir. — 2° Regretter. — 3° Donner à regret. ◆ **plaignement** n. m. (1112, *Saint Brand.*), -eiz n. m. (1210, *Dolop.*). Plainte. ◆ **plaint** n. m. (1160, *Eneas*), -e n. f. (fin XIᵉ s., *Lois Guill.*). Plainte. ◆ **plaintif** adj. et n. m. (1130, *Job*). 1° Qui se plaint. — 2° Plaignant. — 3°·n. m. Plainte. ◆ **plaigneor** n. m. (av. 1300, poés. fr.). Plaignant.

plaire v. (1080, *Rol.;* forme parallèle à *plaisir*). Plaire, agréer : *Si Dieu plaist* (J. Bod.). Remplace progressivement *plaisir* en tant que verbe.

plais n. m. (XIIᵉ s.), **plaise** n. f. (XIIᵉ s., G.; lat. pop. *platissum, -issam,* pour le bas lat. *platessa*). Plie, limande.

plaisir v. (1080, *Rol.;* lat. *placere*). 1° Plaire : *Se miex ne devoie plaisir* (G. de Montr.). — 2° Faire plaisir à, satisfaire : *Mais que tu puises plaisir a cel seignor (Sermons,* XIIIᵉ s.). ◆ **plaisir** n. m. (1190, J. Bod.). 1° Plaisir, agrement. — 2° Désir : *Fache mon plaisir et mon boen* (J. Bod.). — 3° Bon plaisir, volonté : *En ton plaisir et en ta main Est ou del morir ou del vivre* (J. Bod.). *Estre en ton plaisir,* dépendre de ta volonté. ◆ **plaisement, -iment** n. m. (XIIᵉ s., Herman). Plaisir, bon plaisir. ◆ **plaisance** n. f. (1265, J. de Meung). Plaisir, jouissance. ◆ **plaisable, -ible** adj. (fin XIIᵉ s., M. de Fr.). Qui cause du plaisir, agréable.

plaissier v. (1150, Wace; lat. pop. *plaxare,* de *plectere,* tresser). 1° Entrelacer, tordre. — 2° Plier, courber, ploier : *Il ne se deigna unc baissier Ne vers nul rei sun col plaissier* (Ben.). — 3° Soumettre, abattre, détruire. — *Plaissier a,* plier quelqu'un, l'obliger à faire telle chose. — 4° Meurtrir. — 5° Quereller. — 6° Se précipiter, se jeter : *De maintes pars se sont sor lui plaissié* (Ogier). — 7° Entourer de haies entrelacées, palissader. ◆ **plaisse** n. f. (1326, G.). 1° Haie, clôture. — 2° Terrain entouré de haies.

◆ **plaisseis** n. m. (1160, *Eneas*), **-ié** n. m. (1170, *Percev.*). 1° Clôture, palissade. — 2° Parc ou forêt entouré de haies. — 3° Jardin entouré de claies. — 4° Maison de campagne, propriété où il y a des parcs. ◆ **plaissié** adj. (1160, Ben.). 1° Dompté. — 2° Abattu, accablé. — 3° Entouré de clôtures. ◆ **plaissoier** v. réfl. (1170, *Fierabr.*). Aller par un chemin détourné.

plaistre n. m. (1273, *Arch.*; orig. incert.; cf. *plastre?*). Place à bâtir, emplacement.

plait n. m. (842, *Serm.*; lat. *placitum*; v. *plaid*, même mot). 1° Accord, convention. *Faire plait*, passer un accord. — 2° Paroles, langage : *En la salle entre sans lonc plait* (Couci). *Tenir plait*, faire une conversation : *Il n'en tint onques plait a ax; ainz respondi tout pleinement qu'il ne lor diroit ore pas* (Saint-Graal). — 3° Discussion, querelle : *Sire, bien dites, vous plait, Et nous le ferons sans plait* (Pass. Palat.). — 3° Procès, jugement. — 4° Affaire : *Si tu veis que tu as mesfait, Cri lui merci, si fras bon plait* (Rés. Sauv.). — 5° Assemblée de justice réunie autour du roi, d'un seigneur, assises. — 6° Situation, état : *Dame, fait il, malement vait De vostre fil : i a mal plait* (Fl. et Bl.). — 7° Résolution, dessein.

planche n. f. (XIIᵉ s., *Trist.*; bas lat. *planca*, pour *palanca*, sous l'infl. de *planus*). 1° Petit pont de bois. *Cheoir en male planche*, être mal en point. — 2° Balance à plateaux. — 3° Mesure de terre. ◆ **planchier** n. m. (1160, Ben.). 1° Salle planchéiée. — 2° Pont d'un navire. ◆ **planchié** n. m. (1138, *Saint Gilles*). Salle planchéiée. ◆ **planchage** n. m. (1275, *Arch.*). Collection de planches. ◆ **plancheer** v. (1330, *Ren. le Contr.*). Etre étendu sur le plancher.

plançon n. m. (1180, *Rom. d'Alex.*; lat. pop. **plantionem*, de *plantare*, planter). 1° Jeune plante, bouture. — 2° Branche, tronc d'arbre (*Loher.*). — 3° Épieu (*Durm. le Gall.*). — 4° Palis, engin de pêche. ◆ **plançonel** n. m. (XIIIᵉ s., *Gaydon*). Épieu. ◆ **plançoncel**

n. m. (1230, *Eust. le Moine*). Branche d'arbre.

planer v. (1180, *R. de Cambr.*; bas lat. *planare;* v. *plain*, uni, plat). 1° Aplanir, niveler, raboter. — 2° v. réfl. S'étendre comme une nappe : *Jouste une aigue ki la se plane* (Mousk.). — 3° Effacer : *tu me planes hors du livre de vie* (Guiart). — 4° Caresser de la main. — 5° Se coucher à plat, baisser le haut du corps sur le cheval (A. de la Halle). ◆ **planier, -oier** v. (1138, *Saint Gilles*). 1° Aplanir. — 2° Effacer. — 3° Caresser. ◆ **planece** n. f. (1160, Ben.). 1° Qualité de ce qui est uni, plat, en forme de plaine. — 2° Plaine, surface plane. — 3° Plate-forme. ◆ **planor** n. f. (1308, Aimé). Plaine. ◆ **planee** n. f. (1160, *Eneas*). Esplanade. ◆ **planistre** n. m. (1160, *Athis*). 1° Plaine, esplanade. — 2° Plateau. ◆ **planistrel** n. m. (1160, Ben.). Clairière. ◆ **planage** adj. (1311, *Charte*). Qui est dans la plaine. ◆ **planeis** adj. (fin XIIᵉ s., *Gar. Loher.*). Aplani, uni, poli.

planestre n. f. (1119, Ph. de Thaun; bas lat. *planeta*, du grec). Planète.

planghe n. f. (1270, Ruteb.; orig. incert.). Semelle.

plante n. f. (mil. XIIᵉ s., D.; lat. *planta*). 1° Ce qui est planté, plante. — 2° Plantation, vigne récemment plantée (1273, *Arch.*). ◆ **plantele** n. f. (1295, Boèce). Jeune plante. ◆ **planter** v. (mil. XIIᵉ s.). 1° Planter. — 2° n. m. (1235, *Arch.*). Plantation, clos de vigne. ◆ **plantee** n. f. (1286, *Arch.*). Vigne nouvellement plantée. ◆ **plantoison** n. f. (déb. XIIᵉ s., *Ps. Cambr.*). 1° Action de planter (saint Bern.). — 2° Jeune plante. ◆ **planteis** n. m. (fin XIIᵉ s., *Loher.*). Plantation, lieu planté, clos de vigne. ◆ **plantin** n. m. (1248, Tailliar), **-ain** n. m. (1298, M. Polo). 1° Plantation. — 2° En part., Buissons plantés au bord des fossés.

plaquier v. (XIIIᵉ s., Bretel; moy. néerl. *placken*, rapiécer, enduire). 1° Appliquer quelque chose sur. — 2° Enduire de mortier. — 3° Etre tramé : *de Renart traison plake* (Ren. le Nov.). ◆ **plaquerie** n. f. (1350, G. li Muisis).

Tromperie. ◆ **plaqueur** n. m. (1239, *Arch.*). Ouvrier qui enduit une muraille de plâtre ou de ciment.

plasmer v. (1120, *Ps. Oxf.;* lat. *plasmare,* du grec). Former, créer : *Je la plasmai de ton cors (Adam).* ◆ **plasmacion** n. f. (1160, Ben.). Création, action de donner une forme.

plastir v. (1180, *Rom. d'Alex.;* cf. lat. *plastes,* modeleur, sculpteur). Former, forger : *de fin or fu plastie (Rom. d'Alex.).*

plastre n. m. (1268, E. Boil.; v. *emplastre,* avec aphérèse). 1° Plâtre. — 2° Sol pavé, dallage, plancher. ◆ **plastrir** v. (1160, Ben.). Enduire de plâtre. ◆ **plastrerie** n. f. (1334, *Act. norm.*). Ouvrage en plâtre, crépissage.

plat adj. (1080, *Rol.;* lat. pop. *plattum,* du grec). 1° Plat. — 2° Étendu. — 3° n. m. (1328, chez Havard). Plat. ◆ **plate** n. f. (fin XIIᵉ s., *Rois*). 1° Plaque de métal. — 2° Lingot : *De grant plates d'argent et d'or (J. Bod.).* — 3° Plaque d'acier de la cuirasse. ◆ **plataine** n. f. (1160, Ben.), -ine n. f. (XIIᵉ s., *Chev. deux épées*). 1° Plaque de métal. — 2° Pierre de tombeau. — 3° Patène. ◆ **platel** n. m. (fin XIIᵉ s., *Pr. Orange*). 1° Plaque, morceau plat. — 2° Écuelle. — 3° Grand plat (XIIIᵉ s.). ◆ **plater** v. (1288, *Ren. le Nov.*). Plaquer, munir, fortifier. ◆ **platir** v. (1169, Wacc). 1° Aplatir. — 2° S'aplatir. ◆ **platerie** n. f. (1298, M. Polo). Plaine.

plege n. m. (1080, *Rol.;* orig. incert.; cf. *plevir*). 1° Celui qui se porte garant. — 2° Garantie, caution. *Metre en plege,* promettre. ◆ **plegier** v. (1220, *Saint-Graal*). Garantir, répondre de, se porter garant. ◆ **plegement** n. m. (1301, *Ord.*), -age n. m. (XIIIᵉ s., Chardry), -erie n. f. (1220, Coincy), -eure n. f. (1229, G. de Montr.). Cautionnement, gage, garantie. ◆ **plegeor** n. m. (XIIIᵉ s., *Gui de Nanteuil*). Celui qui se porte garant.

plein adj. (1080, *Rol.;* lat. *plenum*). 1° Plein, rempli. *Pleine,* adj. fém., grosse, enceinte (en parl. des femmes et des femelles). — 2° Plein, entier. *A plein,* pleinement, entièrement. *Le plein,*

complètement. — 3° *Plein* exprime, en plus, une expansion dans l'espace ou un épanouissement de force. *Plein pié,* à grands pas : *Hue s'en est tant avanciés Qu'il vait avant, contre, plein pié (Gorm. et Is.).* Al plein, de plein, de toute sa force. *Pleine sa lance (Rol.),* de toute la force de sa lance. — 4° n. m. (1350, *Ars. d'am.*). Satisfaction, plaisir : *Et tu plus la destrain, Join toi pres nu a nu, Si en feras tot son plain (Ars. d'am.).* ◆ **pleineté** n. f. (1254, G.). Plénitude.

plenece n. f. (fin XIIᵉ s., saint Grég.; v. *plein*). 1° Plénitude. — 2° Abondance. ◆ **plenté** n. f. (1120, *Ps. Oxf.*). Abondance, multitude. *A plenté,* en grande quantité. — 2° Plénitude : *Ke m'ont menei Ou j'ai plantei De la durtei Troveit (Estamp.).* ◆ **plentee** n. f. (fin XIIᵉ s., M. de Fr.). 1° Grande quantité, multitude. *A la plentee,* en grande quantité. — 2° Veillée, fête où il y a grand rassemblement *(Ren.).* ◆ **plenier** adj. (1080, *Rol.*). 1° Complet, entier, absolu : *.VIII. lieues plenieres avoit le bois de lé (Parise).* — 2° Grand, vaste, gros : *Et Ogier fu en son castel plenier (Ogier).* — 3° Important (épithète fréq. des mots désignant la bataille, tels que *estor, assaut,* etc.). — 4° En parlant de personnes, de haute taille, fort, vaillant : *De cors fu mult granz e mult pleniers* (Ben.). — 5° Violent, acharné. — 6° Abondant, riche : *Alemaigne ont destruite, le grant pais plenier (J. Bod.).* — 7° En vogue, en estime. ◆ **plenierete** n. f. (1190, Garn.). Plénitude. ◆ **plenteis, -if** adj. (1120, *Ps. Oxf.*). 1° En parl. de choses, abondant, fertile. — 2° En parl. de personnes, riche, pourvu, plantureux. — 3° En parl. de femmes, féconde. ◆ **plenti** adj. (fin XIIᵉ s., *Aiol*). Abondant. ◆ **plentiveté** n. f. (déb. XIIᵉ s., *Ps. Cambr.*). Abondance, fertilité. ◆ **plentible** adj. (fin XIIIᵉ s., *Mir. saint Éloi*). 1° Fertile. — 2° Suffisant, convenable. — 3° Féconde (en parl. de femmes). ◆ **plentivos, -euros** adj. (1155, Wace). Abondant, fertile, riche.

I. **plenier** adj., entier, grand, important, abondant. V. PLENECE, plénitude.

II. **plenier** adj., uni, plat. V. PLAIN, uni.

plever v. (fin XIe s., *Lois Guill.*), **-ir** v. (1080, *Rol.; orig.* incert.; peut-être de *praebere,* fournir). 1° Garantir, cautionner. — 2° Engager. — 3° Engager sa foi, se fiancer. — 4° Accorder en mariage. — 5° Promettre, jurer : *Je les oi plevir et afier De moi tolir vers vous par poesté (Loher.).* ◆ **plevine** n. f. (1190, J. Bod.). 1° Cautionnement, promesse faite en justice. — 2° Fiançailles (Beaum.). ◆ **plevison** n. f. (XIIe s., *G. de Rouss.*). Engagement, promesse avec serment. ◆ **plevissance** n. f. (1306, Guiart). Cautionnement, garantie. ◆ **plevissailles** n. f. pl. (1283, Beaum.). Fiançailles.

plicacion n. f. (1277, *Rose; cf.* lat. *plicare,* plier). 1° Inflexion, pli. — 2° Action de louvoyer, excuse embarrassée : *Tant eust la langue doblee En diverses plicacions A trover escusacions (Rose).*

pliçon n. m. V. PELIÇON, pelisse.

plige n. m. et f. V. PLEGE, garant, caution.

plitre, plite n. f. (1328, *Invent.; orig.* incert.; cf. lat. *plinthus,* du grec?). Applique.

ploich n. m. (1293, *Cart. de Cauchy;* v. *plaisse,* haie, clôture). Plessis, clôture en branches entrelacées. ◆ **plochon** n. m. (1260, A. de la Halle). Petite clôture.

ploiel n. m. V. PLUIEL, vent du sud.

ploier v. (Xe s., *Eulalie;* lat. *plicare).* 1° Plier. — 2° Déployer. — 3° Payer (1339, G.). ◆ **ploi** n. m. (1190, J. Bod.), **pli** n. m. (1265, J. de Meung). 1° Pli. — 2° Tour, contour. — 3° Ordre, ligne. — 4° Lien : *Or m'avez vous tenu longuement en vos plois (Chev. cygne).* — 4° État, situation, disposition : *Pour moi oster de si mal seant ploi* (Aden.). ◆ **ploite** n. f. (1285, Aden.). 1° Pli, ligne. — 2° Chemin, route. ◆ **ploion** n. m. (1120, *Ps. Oxf.*). 1° Branche, pousse. — 2° Lien d'osier, de paille tordue. ◆ **ploiçon** n. m. (1260, A. de la Halle). Pli. ◆ **ploiant** adj. (1160, Ben.). Souple (au physique et moral).

ploistre n. m. V. PLOSTRE, cadenas.

plom, plon n. m. (1119, Ph. de Thaun; lat. *plumbum*). 1° Plomb. —

2° Sorte de vase en plomb. — 3° *A plom,* perpendiculairement (XIIe s.). ◆ **plome** n. f. (1272, Joinv.). 1° Sonde. — 2° Balance. ◆ **plomé** n. m. (1150, *Thèbes*). 1° Morceau de plomb en général. — 2° Sonde. — 3° Plomb de l'horloge. — 4° Poids de plomb. — 5° Projectile de plomb. — 6° Massue ou fléau d'armes plombés. — 7° Lanière plombée. — 8° Mesure de liquide. ◆ **plomee** n. f. (1155, Wace). 1° Massue plombée. — 2° Flèche armée de plomb. — 3° Boulet de plomb. — 4° Tout objet garni de plomb. ◆ **plomas** n. m. (1332, *Arch.*). Vase en plomb. ◆ **plomer** v. (fin XIIe s., *Rois*). Plomber. ◆ **plomos** adj. (1288, J. de Priorat). Garni de plomb. ◆ **plomerech** adj. (1304, *Arch.*). Destiné à être fiché dans le plomb.

plongier v. (1120, *Ps. Oxf.;* lat. pop. **plumbicare,* de *plumbum*). Sombrer, engloutir : *Et mast et sigle an mer plungiez (Eneas).* ◆ **plonge** n. f. (fin XIIe s., Gace Brulé), **-erie** n. f. (1335, Deguil.). Action de s'enfoncer dans l'eau, action d'engloutir.

ploquet n. m. (XIIIe s., J. de Garl.; orig. incert.). Petit bouclier.

plorer v. (980, *Passion;* lat. *plorare*). 1° Pleurer. — 2° Se lamenter, manifester de l'affliction. ◆ **plor** n. m. (1160, *Eneas*). 1° Action de pleurer : *Du ris et du pleur Que feistes ...* (J. Bod.). — 2° Pl. collectif, Larmes. ◆ **plore** n. f. (1282, *Arch.*), **-ee** n. f. (1330, *H. Capet*), **-eis** n. m. (1169, Wace), **-ement** n. m. (1120, *Ps. Oxf.*), **-oison** n. f. (fin XIIe s., *Loher.*). Pleurs, lamentation. ◆ **plorerie** n. f. (fin XIIe s., *Loher.*). Pleurs, larmes en abondance. ◆ **ploros** adj. (XIe s., *Alexis*). 1° Qui pleure, qui est en larmes. — 2° Accompagné de larmes, triste, lugubre. ◆ **plorable** adj. (fin XIIe s., saint Grég.). Triste, lamentable.

plostre, ploistre n. m. (1344, *Arch.; orig.* incert.). Cadenas, grosse serrure à bosse. ◆ **plotroir** n. m. (XIIIe s., J. de Garl.; même rac.?). Rouleau de bois pour briser les mottes de terre.

plot n. m. (1290, G.; orig. incert.). Billot. ◆ **plote** n. f. (1336, *Cart.*). Tronc.

plovoir v. (1160, Ben.; lat. pop. *plovere,* pour *pluere*). 1° Pleuvoir. — 2° Arroser, inonder (R. de Moil.). ◆ **ploviner** v. (fin XIIe s., *Loher.*). 1° Tomber une pluie fine, bruiner. — 2° n. m. Pluie (Godefr. de Paris). ◆ **plove** n. f. (XIIIe s., *Chans. d'Ant.*). Pluie. ◆ **plovinos** adj. (1360, Froiss.). Pluvieux.

pluc n. m. V. PELUC, balle de blé.

pluie n. f. (1080, *Rol.;* lat. pop. **ploia,* pour *pluvia,* d'après *plovere*). Pluie. ◆ **pluiel, pluguel** n. m. (fin XIIe s., saint Grég.). Vent du sud, vent de la pluie. ◆ **pluiete** n. f. (XIIIe s., *Fregus*). Petite pluie. ◆ **pluios** adj. (1555, Wace), **pluvieus** adj. (1213, *Fet Rom.*). Pluvieux.

pluisor pron. et adj. indéf. V. PLUSOR, la plupart, nombreux.

plume n. f. (1175, Chr. de Tr.; lat. *pluma,* duvet). Plume. ◆ **plumee** n. f. (XIVe s.). Oiseau donné en pâture à un faucon. ◆ **plumacel** n. m. (1314, Mondev.). Tampon. ◆ **plumeus** adj. (fin XIIe s., *Ogier*). Emplumé, garni de plumes. ◆ **plumage** adj. (1260, Br. Lat.). De plume.

plurel adj. (1190, Garn.; lat. *pluralis,* multiple). Qui est au pluriel. ◆ **plurier** adj. (1282, *Arch.*). 1° Qui est au pluriel. — 2° Nombreux. ◆ **plurieus** adj. pl. (1209, *Charte*). Plusieurs. ◆ **pluralité** n. f. (1328, *Ov. moral.*). Pluriel. ◆ **plurifier** v. (1335, Deguil.). Multiplier.

plus adv. (980, *Passion;* lat. *plus,* davantage). 1° Davantage. — 2° *Ne ... plus* (1080, *Rol.*), renforcement de la négation marquant la cessation. — 3° *Qui plus plus,* à qui mieux mieux. *Plus et plus,* de plus en plus : *Apries les uit jors, ele les peut petit et petit et plus et plus et lor fist aporter a boire a l'avenant (Fille du comte de P.).* — 4° *Il n'i a plus,* il n'y a pas d'autres ressources : *Chantecler voit qu'il n'i a plus, A crier commence a haut ton (Ren.).* — 5° n. m. Surplus, majorité, le plus grand nombre. ◆ **plusage** n. m. (1311, *Arch.*). Surplus, accident.

plusor, pluisor pron. indéf. (1080, *Rol.;* lat. pop. **plusiores,* altér., d'après

plus, de *pluriores*). 1° Pron. numér. indéf., La plupart : *De ses barons tout li pluisor Se baptierent a cel jor (Fl. et Bl.).* — 2° Adj. numér. indéf., Nombreux : *Troveres esperviers [...] et gentils et pluisor (Part.).* ◆ **pluisemes** adv. (fin XIIe s., saint Grég., forme superlative). Surtout, particulièrement : *Ceste oevre est mult traveilhouse et pluisemme a occupeit corage et tendant a altres choses* (saint Grég.).

pluvir v. V. PLEVIR, garantir, engager sa foi.

poacre n. m. et f. (XIIe s., *Trist.;* lat. *podagra,* du grec). 1° Goutte. — 2° Gale. — 3° Saleté repoussante. ◆ **poacre** adj. (1160, Ben.). 1° Goutteux. — 2° Sale : *Une mesele si poacre* (Ruteb.). ◆ **poacros** adj. (1160, Ben.). Sale, infecté d'ulcères.

poance n. f. (1120, *Ps. Oxf.;* lat. *potentia*). Puissance. ◆ **poant** adj. (980, *Passion*). Puissant.

pochart n. m. (1392, *Arch.;* orig. incert.). Étançon destiné à empêcher une pièce de bois de reculer. ◆ **pochardé** adj. (1326, *Arch.*). Étançonné.

I. poche n. f. (fin XIIe s., M. de Fr.; francique **pokka*). Bourse, petit sac.

II. poche n. f. (1349, J. Lefebvre; orig. obsc.). Sorte d'oiseau, la spatule.

I. poçon n. m. (fin XIIe s., M. de Fr.), **poohon** n. m. (1260, A. de la Halle; dimin. prob. de *pot*). Pot, vase, tasse. ◆ **poçonet** n. m. (XIIIe s., J. de Garl.). Mesure de liquides. ◆ **pochonee** n. f. (1330, *B. de Seb.*). Contenance d'un poçon.

II. poçon n. m. V. PALÇON, pieu.

podnee n. f. V. POSNEE, orgueil, violence, tumulte.

I. poe n. f. (fin XIIe s., *Cour. Louis;* orig. incert.; cf. anc. prov. *paute,* probabl. préceltique). Patte : *De la poe li dona un colp tel (Cour. Louis).*

II. poe n. f. (1328, Watriquet; lat. *pava,* paonne). Femelle du paon.

poeir v. et n. V. POOIR, pouvoir, armée, seigneurie.

poeros adj., peureux, effrayant. V. PAOR, peur, crainte.

poeste n. f. (XIᵉ s., *Alexis;* lat. pop. **potesta*). 1° Puissance, grandeur : *Ke ne soion en reprovanche A ceuz qui ont nostre poesce Weuee et nostre grant richece (Saint Eust.).* — 2° Force : *Que il orent par grant poeste (Eneas). A poeste,* vigoureusement, rapidement. ◆ **poesté** n. f. (980, *Passion;* lat. *potestatem*). 1° Puissance, pouvoir : *Puis ot Rome la poesté (Eneas).* — 2° Puissance, en parlant d'une des hiérarchies célestes. — 3° Seigneur (Br. Lat.). — 4° Honneur, dignités. — 5° Armée, troupes : *Car trop dotoient le Danois d'outremer, son vasselage, ses fieres poestés (Ogier).* — 6° Force, violence : *Pris et liez serez par poestés (Rol.).* — 7° Seigneurie, étendue de son pouvoir. *Hom de poesté, gens de poesté,* vilain, roturier. ◆ **poestel** n. m. (1243, G. de Metz). Puissance. ◆ **poestal** adj. et n. m. (1204, R. de Moil.). 1° Puissant. — 2° Podestat, avoué (*Ménag. Reims*). ◆ **poesteif, -if** adj. (1080, *Rol.*). Puissant, qui a le pouvoir. *Poestif de,* maître de, qui possède. ◆ **poestable** adj. (1204, R. de Moil.). Puissant.

poete n. m. (1155, *Wace;* lat. *poeta,* du grec). Poète. ◆ **poetisse** n. f. (XIIIᵉ s., *Pastor.*). Femme poète. ◆ **poetries** n. f. pl. (1295, Boèce). *Les Poetries,* les Muses.

poge n. f. (1160, *Athis;* orig. incert.). Tribord. *Tirer la poge,* mettre la barre au vent pour arriver.

pogeois n. m. (fin XIIᵉ s., *Ogier*), **-oise** n. f. (déb. XIIIᵉ s., R. de Beauj.; orig. obsc.). Petite monnaie équivalant à un quart du denier.

pohier n. m. (1180, *Rom. d'Alex.;* orig. controv.). Héraut : *Lor font crier par l'ost et hucent li pouhier, Devant les Grius qui sunt et noble et bon guerrier (Rom. d'Alex.).*

I. **poi** n. m. V. PUI, hauteur, colline.

II. **poi, pou, pau** adj. et adv. (XIᵉ s., *Alexis;* lat. pop. *paucum,* pour *pauci*). 1° adj. Petit, faible : *Ne que chose n'i tienge a meie, Nule qui seit, poie ne grant* (Ben.). — 2° adj. En petite quantité. — 3° adv. Peu. *Por poi que,* peu s'en faut. — 4° adv. A peine : *et s'ai pau gage le moitié de çou que por eles deviés (Court. d'Arras).* — 5° *Ne pou ne grant,* rien du tout.

I. **poier** v. (1169, Wace; lat. pop. **piceare,* de *picem,* poix). 1° Poisser. — 2° Couvrir d'un emplâtre. ◆ **poiat** n. m. (1268, E. Boil.). Pain, tourteau de poix, de résine.

II. **poier** v. et n. m. V. POOIR, pouvoir, armée, seigneurie.

poignier v. (XIIᵉ s.; lat. pop. *pugnare,* combattre). 1° Combattre. — 2° Attaquer : *Moult aigrement veissiez Frans poignier (Aden.).* ◆ **poigneis** n. m. (1180, *R. de Cambr.*). Lutte, combat : *Devant Bordele ot riche pogneis (Loher.).* ◆ **poigne** n. f. (déb. XIVᵉ s., *Livr. Passion*), **poignié** n. m. (1260, Mousk.). Combat, lutte. ◆ **poigneor** n. m. (1080, *Rol.*). Combattant, guerrier.

I. **poil** n. m. V. PEOIL, pou. ◆ **poille** n. f. (XIIIᵉ s., *Fabl.*). Pou : *De maigre poille par nature Plus male d'autre est la morsure (Fabl.).* ◆ **poillier** v. (1250, *Ren.*). Enlever les poux. ◆ **poillos** adj. (XIIᵉ s.). 1° Plein de poux. — 2° De mauvaise qualité, stérile (1226, *Arch.*).

II. **poil** n. m. (1150, Wace; bas lat. *pullium;* v. *pol,* coq). Coq, poulet. ◆ **poille** n. f. (XIIIᵉ s.). Poule. ◆ **poillot** n. m. (1246, G. de Metz). Petit de tout volatile. ◆ **poillon** n. m. (1190, saint Bern.). Petit de n'importe quel oiseau.

III. **poil** n. m. V. PEIL, poil, chevelure, brin.

I. **poille, puëille** n. f. (1335, *Cart.;* bas lat. *polyphyca,* du grec). 1° Rente, registre de comptes. — 2° Sorte de droit.

II. **poille** n. f., poule. V. POIL, coq.

III. **poille** n. f., pou. V. POIL, pou.

poindre v. (1080, *Rol.;* lat. *pungere,* piquer). 1° Piquer. — 2° Coudre, broder. — 3° Éperonner. — 4° Charger, se précipiter. — 5° Paraître : *Il est biaus, barbe* n'i point (Eneas). — 6° Commencer à pousser (en parlant des plantes). — 7° Commencer à pousser en pointe, faire saillie : *Les mameletes me poignent (Rom. et past.).* — 8° Faire souffrir, incommoder : *La dite maladie le poinsist aucune foiz (Mir. Saint Louis).* — 9° n. m. Attaque, combat, bataille. — 10° n. m. Course. *Parfonir son poindre,* aller jusqu'au bout de sa course. ◆ **poignant** adj. (1119, Ph. de Thaun). 1° Piquant. — 2° Pointu. — 3° Actif, efficace. *A poignant,* en piquant des deux, en se précipitant. ◆ **poigneor** n. m. (1272, *Arch.*). Celui qui pique, qui coud.

poine n. f. V. PEINE, souffrance, fatigue, difficulté.

poing, poin, pon n. m. (XIe s., *Alexis;* lat. *pugnum,* poing). 1° Poing. — 2° Poignée : *J'ai plain poing de mailles de musse* (J. Bod.). — 3° Pommeau : *L'espee au poin d'or mier (Auc. et Nic.).* ◆ **poignet** n. m. (1243, *Lettre*), **-eul** n. m. (XIIIe s., *Cart.*), **-el** n. m. (1320, G.). Mesure de terre. ◆ **poignie** n. f. (1170, *Percev.*). 1° Coup de poing. — 2° Coup en général. ◆ **poignal** adj. et n. m. (1170, *Pervcev.*). 1° Que l'on tient au poing, qu'on manie avec le poing. — 2° n. m. Poignée d'une épée. — 3° Poing : *Tint l'espee al poingnel* (Th. de Kent). — 4° Ornement des manchettes de l'aube.

point n. m. (XIe s.; lat. *punotum,* piqûre, point). 1° Endroit déterminé. — 2° Moment, occasion, instant : *el point de l'ajorner (Loher.).* — 3° Limite, frontière. — 4° État, situation d'une affaire. *Metre a point,* arranger, régler le compte à q'un. *Tous poins,* de toute façon. — 5° Piqûre, douleur piquante. — 6° Question débattue, article de foi. — 7° Marque sur un dé. *A plus poins,* jeu de dés. — 8° Petite quantité, quelque chose : *Ains le ferai sans nul point de dangier* (Aden.). *Ne ... point,* nullement. — 9° adv. Un peu : *Seis tu geline ne chapon qui soit point gras sur le crepon? (Ren.).* ◆ **pointel** n. m. (1170, *Percev.*). Point de la lance. ◆ **pointet** n. m. (XIIIe s., *Vie saint Martin*). 1° Petite quantité. — 2° adv. Un peu : *Sus l'asne pointet ne s'areste (Vie saint Mar-*

tin). ◆ **pointe** n. f. (1169, Wace). 1° Pointe. — 2° Piqûre. — 3° Charge, attaque. — 4° Petite chandelle de cire. ◆ **pointure** n. f. (fin XIIe s., *Rois*). 1° Piqûre. — 2° Blessure : *Si out il mainte grief pointure (Livr. Passion).* — 3° Douleur aiguë. — 4° Dommage. — 5° Nombre de points. ◆ **pointillon** n. m. (1190, saint Bern.). Petite pointe, extrémité d'une pointe. ◆ **pointeer** v. (XIIIe s., *Ass. Jérus.*). 1° Marquer les points. — 2° Marquer, noter. — 3° Chercher des pointilleries, des chicanes. ◆ **pointié** adj. (XIIe s., *Horn*). Piqué, taillé. ◆ **pointier** n. m. (1265, G.). Graveur.

poior adj. V. PEIOR, pire, moindre.

poire v. (1250, *Ren.;* lat. *pedere*). Péter : *Segnors, dist il, venez grant oire! L'archeprestres commenche a poire (Ren.).*

I. **pois** n. m. (1160, Ben.; lat. *pensum,* ce qui est pesé, de *pendere,* peser). 1° Poids. — 2° Ensemble de mesures servant au poids public. — 3° Sorte de mesure de poids. — 4° *Sor le pois de, dessus son pois, encontre son pois,* contre le gré de, contre son gré : *La trieve fu des trois mois Malgré Hector, et sor son pois* (Ben.). ◆ **pois** n. f. (déb. XIIe s., *Ps. Cambr.*). 1° Balance. — 2° Poids. — 3° Sorte de mesure équivalant à une livre. — 4° Petite monnaie. ◆ V. PESEL, petit poids.

II. **pois, pels** n. m. (XIIe s.; lat. *pisum*). Pois. ◆ V. PESAZ, chaume de pois. ◆ **poise** n. f. (1250, *Ren.*). Pré dépouillé.

III. **pois** prép. et adv. V. PUIS, après, depuis, ensuite.

poison n. f. (1155, Wace; lat. *potionem*). 1° Breuvage, potion : *La poison [...] Qui bone este contre vostre mal (Ren.).* — 2° Philtre magique. — 3° Poison.

poistron n. m. (1250, *Ren.;* lat. pop. **posterionem,* cul). Derrière, anus : *Et la boele [...] Vos saudra fors par le poistron (Ren.).*

poitrine n. f. (XIe s.; lat. pop. **pectorina,* de *pectus,* poitrine). 1° Ceinturon autour de la poitrine. — 2° Cuirasse, plastron du poitrail du cheval. — 3° Poitrine (dès le xiie s., concurremment avec *piz, pis*). ◆ **poitrinier** n. m. (xiiie s., J. de Garl.). Cuirasse. ◆ **poitral** n. m. (1138, Gaimar), **-ail** n. m. (déb. xiiie s.). Partie du harnais couvrant la poitrine du çheval. ◆ **poitré** n. m. (1190, *H. de Bord.*). Le plastron du poitrail. ◆ **poitrier** n. m. (1138, *Saint Gilles*, **-iere** n. f. (xiie s., *Auberi*). Poitrinière, courroie qui passe sur le poitrail du cheval. ◆ **poitrinal** n. m. (1190, J. Bod.). Poitrail.

I. **pol** n. m. (1119, Ph. de Thaun; orig. incert.). Mare, bourbe : *Ceo dist Escripture, vin e femme unt une nature, Que funt del sage fol, tribucher el pol* (Ph. de Thaun).

II. **pol** n. m. (xiie s.; lat. *pullum*, petit d'un animal). Poulet, coq. ◆ **pole** n. f. (xiiie s., *Clopinel*). Poule. ◆ **polein** n. m. (1220, *Saint-Graal*). Poussin. ◆ **polcine** n. f. (xiiie s.). Jeune poule : *Petite geline semble longe pucyne* (prov. fr.). ◆ **polete** n. f. (1250, *Ren.*). 1° Petite poule. — 2° Pièce de métal sur laquelle frappe le marteau de la porte (1345, *Arch.*). — 3° Enclume (1371, G.). ◆ **polage** n. m. (1247, *Arch.*). 1° Volaille. — 2° Redevance, droit sur la volaille. ◆ **polaillerie** n. f. (1268, E. Boil.). 1° Volaille. — 2° Poulailler. — 3° Métier de coquetier. ◆ **poleterie** n. f. (1280, *Arch.*). Poulailler.

I. **polain** n. m. (déb. xiie s.; lat. pop. **pullanum*, pour *pullamen*). Petit de tout animal : *De demeyn en demeyn avera laine le puleyn* (prov. fr.). ◆ **polainee** adj. fém. (1119, Ph. de Thaun). Qui a mis bas (en parlant d'une jument).

II. **polain** n. m. (1316, *Invent.*; orig. obsc.). Boîte de métal ajustée aux genoux dans l'armure du xive siècle.

III. **polain** n. m. (1272, Joinv.; orig. obsc.). Enfant né du mariage d'un Franc et d'une chrétienne d'Orient.

IV. **polain** n. m. (1360, Froiss.; nom d'un peuple). Polonais. ◆ **polaine** n. f. (xive s.). 1° Peau de Pologne. — 2° Pointe de soulier.

V. **polain** n. m., poulie. V. POLIE, poulie.

poldre n. f. (1080, *Rol.*; lat. *pulverem*, acc. de *pulvis*). 1° Poussière. — 2° Cendre. *Ardre a poldre*, réduire en cendres : *Putain et ribaut et houlier Vont le pais ardant a pourre* (J. Bod.). — 3° Substance broyée, poudre. — 4° Poudre de toilette (1328, Gay). ◆ **poldrete** n. f. (1119, Ph. de Thaun). Poussière. ◆ **poudrer** v. (fin xiie s., *Est. Saint-Graal*). 1° Réduire en poudre. — 2° Etre couvert de poussière. — 3° Joncher. ◆ **poldrier** n. m. (1160, Ben.), **-iere** n. f. (1160, Ben.), **-or** n. f. (xiie s., *Roncev.*), **-oi** n. (fin xiie s., saint Grég.). Poussière, tourbillons de poussière. ◆ **poldroier** v. (xiie s., *Barbast*). 1° Couvrir de poussière. — 2° Réduire en cendres.

I. **pole** n. f. (xe s., *Eulalie*; orig. incert.). Jeune fille : *Que virges poles, que meschines* (*Ren.*).

II. **pole, pule** n. m. (1190, J. Bod.; lat. *populum*; v. *pueple*). 1° Peuple : *Mes pules, qui mes comans fesis* (*Chans. d'Ant.*). — 2° Foule, multitude : *C'ainc si grant pule, de le dime, N'eut nus roys de paiens ensanle ...* (J. Bod.).

III. **pole** n. f., poule. V. POL, coq.

police n. f. (1250, Espinas; bas lat. *politia*, du grec). Gouvernement, administration publique.

polie n. f. (1160, *Eneas*; bas grec *polidion*, de *polos*, pivot). 1° Poulie. — 2° Lieu où l'on étend et étire les étoffes pour les faire sécher (1309, *Cart.*). ◆ **polain** n. m. (1280, *Arch.*). Poulie. ◆ **polion** n. m. (xiiie s., *Gaufrey*). Poulie.

polipe n. m. (1260, Br. Łat.; lat. *polypos*, du grec). Poulpe.

polir v. (fin xiie s., Gace Brulé; lat. *polire*). 1° Rendre uni et luisant. — 2° Mettre en meilleur ordre, tenir en meilleur état : *Il ne şet si son quer polir ·Qu'il soit cortois, preuz et vaillanz (Rose)*. — 3° Parer, orner, farder : *Cil felon — Seivent si bien lor langage Et lor mos polir* (Gace Brulé). ◆ **poli** adj. (1160,

Eneas). 1° Lisse, brillant. — 2° Élégant, gracieux. *A la polite,* d'une manière élégante.

polment n. m. (XIIᵉ s., Herman; lat. *pulmentum,* ragoût). 1° Mets, plat. — 2° Ce qu'on mange avec le pain.

polre n. m. (1269, Tailliar; néerl. *polder*). Marais desséché, polder.

pols n. m. V. POLZ, pouce.

poltre n. f. (1332, texte de l'Aisne; lat. pop. *pullitra, fém. de *pulliter,* petit d'animal). 1° Jeune jument, pouliche. — 2° Jument qui n'a pas été encore saillie. ◆ **poltrel** n. m. (1160, *Eneas*). Poulain. ◆ **poltrain** n. m. (1288, *Arch.*). Poulain, jeune cheval. ◆ **poltraignon** n. m. (1246, G. de Metz). Poulain. ◆ **poltrenier** n. m. (1312, *Arch.*). Celui qui élève et vend les poulains.

polture n. f. (1119, Ph. de Thaun; lat. pop. *pultura, de *puls, pultis,* bouillie). 1° Pâtée, nourriture des animaux. — 2° Nourriture en général : *Se n'i trovés vostre peuture (Houce partie).* — 3° Légume.

polu adj. (1130, *Job;* lat. *pollutus*). Souillé, sale.

polz, pols n. m. (XIᵉ s.; lat. *pollicem,* acc. de *pollex*). 1° Pouce. — 2° Mesure de longueur. ◆ **polcier** n. m. (1175, Chr. de Tr.). Pouce.

I. **pom** n. m. (XIIᵉ s.; lat. *pomum,* fruit, pomme). Poignée, pommeau de l'épée. ◆ **pome** n. f. (1080, *Rol.*). Pomme. ◆ **pomel** n. m. (1160, *Eneas*). 1° Petite boule en forme de pomme placée au sommet de quelque chose. — 2° Spécialement, pommeau de l'épée. — 3° Sommet en général : *Sor le pumel de la tour (Artur).* — 4° Quenouille. — 5° Pommette de la joue *(l'Escouffle).* ◆ **pomelet** n. m. (fin XIIᵉ s., *Loher.*). Petite boule en forme de pomme. ◆ **pomelé** adj. (1190, H. de Bord.). Garni d'un pommeau. ◆ **pomete** n. f. (1175, Chr. de Tr.). Petite pomme. ◆ **pomé** n. m. (1330, *G. de Rouss.*). Cidre de pommes. ◆ **pomier** n. m. (1080, *Rol.*). Pommier et

les autres arbres dont les fruits ressemblent aux pommes (grenades, oranges, etc.). ◆ **pomerin** adj. (1190, J. Bod.). De pommier. ◆ **pomeret** n. m. (1267, *Cart.*). Lieu planté de pommiers.

II. **pom** n. m. V. PONT, pont, barre transversale de la poignée de l'épée.

pompe n. f. (XIIIᵉ s., D.; lat. *pompa*). Magnificence. ◆ **pompee** n. f. (1190, Garn.). Arrogance : *Par orgoil grant et par pompee* (Garn.). ◆ **pomperie** n. f. (1350, G. li Muisis). Pompe, faste, étalage.

I. **pon** n. m. V. PONT, barre transversale de la poignée de l'épée.

II. **pon, pong** n. m. V. POING, poing, poignée de l'épée.

poncel n. m. (XIIᵉ s., *Gloss. Tours;* dér. de *paon,* par comparaison des couleurs). Coquelicot, pavot.

ponee n. f. V. POSNEE, orgueil, violence.

ponent n. m. (1247, Ph. de Nov.; lat. pop. *(sol) ponens*). 1° Ouest. — 2° Vent d'ouest.

pont, pon, pom n. m. (1080, *Rol.;* lat. *pontem*). 1° Pont. — 2° Plan incliné fait de planches pour monter à une salle : *La dame sur le pont seoit Si esgarde, et voit le mercier* (Couci). — 3° Planche du navire servant à l'embarquement. — 4° Barre transversale de la garde de l'épée qui protège la ⋅ main *(Eneas*). ◆ **poncel** n. m. (fin XIIᵉ s., *Ogier*), **pontel** n. m. (1274, *Arch.*). 1° Petit pont. — 2° Pont-levis. — 3° Planche qu'on jette d'un navire pour descendre à terre. ◆ **pontelage** n. m. (1293, G.), **pontenage** n. m. (1260, Mousk.). Droit de passage sur les ponts. ◆ **pontenee** n. f. (1271, *Lettre*). Charge d'un bateau.

pontifice n. m. (fin XIIIᵉ s., *Mir. saint Éloi;* lat. *pontifex, -icis*). 1° Pontife. — 2° Pontificat. ◆ **pontifique** n. m. (1328, *Arch.*). Pontificat. ◆ **pontifier** v. (1349, J. Lefebvre). Élever à la dignité de pape. ◆ **ponifiement** n. m. (1349, J. Lefebvre). Pontificat, fonction d'évêque.

ponton n. m. (1245, *Arch. Nord;* lat. *pontonem,* bac). 1° Pont-levis. — 2° Bateau servant de pont. ◆ **pontonier** n. m. (1162, *Fl. et Bl.*). 1° Celui qui a soin des ponts, des bacs, des bateaux. — 2° Batelier, passeur.

pooir, poeir, poier v. (842, *Serm.:* lat. pop. **potere,* pour *posse*). 1° Pouvoir. *Ne pooir avant,* être hors d'état d'avancer. — 2° n. m. Pouvoir : *Sa seignorie et son poier* (Coincy). — 3° n. m. Armée, troupes : *Li empereres* [...] *estoit a venu herbergier* [...] *a tot son pooir* (Villeh.). — 4° Territoire soumis à une même juridiction, seigneurie : *Et di ke tu vuelz hosteler Sor sa terre et sor son pooir* (Dolop.). — 5° *A son pooir,* selon sa capacité.

I. poon n. m. V. PEON, qui va à pied, fantassin, pion.

II. poon n. m. V. PAON, paon.

poonas adj., couleur bleu-violet. V. PAON.

poor n. f. V. PAOR, peur, appréhension.

popart n. m. (déb. XIII° s., D.; lat. pop. **puppa,* pour *pupa,* petite fille, poupée). Poupard. ◆ **popeillon** n. m. (1220, Coincy). Petit enfant.

popelican, poplican n. m. et adj. (1190, saint Bern.; lat. *publicanus,* fermier d'impôts publics). 1° Publicain. — 2° Hérétique, terme d'injure. — 3° adj. Hérétique *(Ogier)*.

popelote n. f. (1282, *Arch.;* orig. obsc.). Sorte de soie.

popelure n. f. (XIII° s., *Gloss. Glasg.;* orig. douteuse). Pavot.

pople n. m. (XV° s.; lat. *populus*). Peuplier. ◆ **poplier** n. m. (mil. XII° s.). Peuplier.

poquet n. m. (1332, G.; orig. incert.). Petit cheval, bidet, bardot.

por prép. (842, *Serm.;* lat. *pro*). 1° Introduit le but : *Pur set anz en la terre ester u demurer* (*Voy. Charl.*). *Aler por, corir por,* aller chercher : *Va por lo fol, si lo m'amoine* (*Trist.*). Envoier *por,* envoyer chercher. *Por ce que, por que,* afin que. Suivi d'un infinitif, construit une proposition infinitive de but : *Lors por revenir sa color Le commencierent a baignier* (Chr. de Tr.). — 2° Introduit la cause : *Pur bien ferir l'emperere nus aimet* (Rol.). *Por poi ... ne, por poi que ... ne,* peu s'en faut que ... ne : *Pur poi d'ire ne fent* (Rol.). *Por ceo, por ce,* pour cette raison, à cause de cela. *Por ce que,* parce que (Saint Léger). *Por quoi,* c'est pourquoi. *Por quoi que,* parce que. *En por,* à cause de : *En por icest asemblement Que entre els funt si faitement* (Ben.). Suivi d'un infinitif, construit une proposition infinitive, avec le sens « de crainte de » : *Mais li mares est grand, N'osent por affondrer* (Helias). — 3° Introduit le moyen : *Por bruire ne por geuner, Ne puet on bien s'ame sauver* (Guiot). *Por mi, pormi,* moyennant. Suivi d'un infinitif, construit la proposition infinitive de moyen : *Avis li est ne puet garir Fors seulement por li guerpir* (Part.). — 4° Introduit la condition. *Por ço que, por que, por quoi,* à condition que, pourvu que : *Por ço que il puet aler* (Wace). *Por quoi que,* à condition que : *Pur quei ke soies sages Ja home de viel eage Ne serras gabant* (prov. fr.). Suivi d'un part. présent, construit une proposition participe de condition : *Ne l'en mentist por un membre perdant* (Ogier). Suivi d'un infinitif, construit une proposition infinitive de condition : *N'em mangeroie por les menbres tranchier* (R. de Cambr.). — 5° Introduit la manière : *Moult fait l'amours que vilaine Qui commence por faillir ...* (Couci). — 6° Introduit l'idée de comparaison et de substitution. En qualité de : *Por fol me tieng* (Guiot). Au lieu de : *Se li reis voelt, prez sui por vus le face* (Rol.). En échange de : *J'en donroie, par Saint Pere, Doze freres por un ami* (Guiot). En comparaison de : *Por aus sui forment au desouz* (Guiot). — 7° Établit la correspondance mesurable, quantitative, entre deux termes : *Ist de la sale descendant Pas por pas aval le degré* (Lai de l'Ombre).

por- préf. (lat. *pro-,* avec métathèse, infl. par *per-*). 1° Ajoute au radical l'aspect de totalité : *Poraler,* courir en tout sens, chercher partout. *Porcorre*, courir en tout sens. — 2° Ajoute l'aspect d'accomplissement, d'achèvement : *Porgesir*, connaître charnellement, abuser de, d'où : *porjeue*, enceinte. — 3° Ajoute au procès l'idée de but : *Porchacier*, poursuivre avec ardeur, se procurer, se pourvoir. *Porcuidier*, prendre ses précautions, tramer, comploter.

poraler v. (1155, Wace; v. *aler*). 1° Parcourir. — 2° Courir de tous côtés après qu'un, chercher partout : *Si avons, merci Dieu, tant quis et poralé* (*Ren. de Montaub.*). — 3° Poursuivre. — 4° Etre accompli.

porc n. m. (1080, *Rol.*; lat. *porcum*). 1° Porc. — 2° Sanglier. ◆ **porcel** n. m. (1190, J. Bod.), **-elet** n. m. (1220, *Arch.*), **porchet** n. m. (1258, *Lettre*). Petit porc. ◆ **porcor** n. m. (1160, Ben.). 1° pl. Des porcs, des sangliers. — 2° sing. Porc, sanglier. ◆ **porceler** v. (1288, *Ren. le Nouv.*). Mettre bas, en parlant d'une truie. ◆ **porchoison** n. f. (XIIIᵉ s., *Ménag. Reims*). Saison où le sanglier est bon à chasser. ◆ **porcherie** n. f. (fin XIIᵉ s., D.). 1° Troupeau de porcs. — 2° Toit à porcs (déb. XIVᵉ s.). ◆ **porcheril** n. m. (1220, Coincy). Porcher. ◆ **porçaing** n. m. (1301, G.). Droit seigneurial sur les porcs. ◆ **porc espin** n. m. (1214, *G. de Dole*), **porc d'espine** n. m. (1246, G. de Metz). Porc-épic.

porceindre v. (1120, *Ps. Oxf.*; voir *ceindre*). 1° Entourer. — 2° Au sens mor. : *Et malvesties le mout porsaint* (*Chans.*). — 3° Se ceindre, s'envelopper. ◆ **porceint** n. m. (fin XIIᵉ s., *Rois*). 1° Enceinte, territoire. — 2° Ceinture. ◆ **porceinte** n. f. (1275, *Charte*). 1° Enceinte, pourtour. — 2° Parenté, extraction : *Que il et cil de cui orine est poursainte il est descenduz* (1300, *Arch.*).

porcelaine n. m. (1298, M. Polo; ital. *porcellana*, coquillage). 1° Sorte de coquillage. — 2° Pourpier, sorte d'herbe.

porchacier v. (1080, *Rol.*; v. *chacier*). 1° Chercher : *Aler par la vile porchacier des aumosnes a sostenir sa vie* (*Mir. Saint Louis*). — 2° Chercher à obtenir, s'occuper activement de : *Bers*

ne porchasse que tu soies honnis (*Gar. Loher.*). — 3° S'efforcer, poursuivre avec ardeur : *Qui traison pourchace, drois est qu'il s'en repente* (Aden.). — 4° v. réfl. Se tourmenter. — 5° Se pourvoir, se procurer : *D'une autre femme vous estuet porchacier* (*R. de Cambr.*). ◆ **porchas** n. m. (XIIᵉ s., *Trist.*). 1° Action de rechercher, de poursuivre. — 2° Gain, profit. — 3° Quête, produit d'une quête. — 4° Préoccupation. — 5° Instigation. — 6° *Enfes, fis de porchas*, bâtard. ◆ **porchace** n. f. (XIIIᵉ s., *Chron. Reims*). 1° Poursuite. — 2° Intention. ◆ **porchacement** n. m. (XIIᵉ s., *Horn*). 1° Action de poursuivre un but. — 2° Conduite : *Par mon porchacement meisme, ai ma vie en duel escueillie* (*Court. d'Arras*). — 3° Bien, possession : *Perdu fuit mun regne e tut mun purchacement* (*Horn*). ◆ **porchaceor** n. m. (1295, G. de Tyr). Celui qui poursuit, qui recherche.

porcorre v. (1310, *Hist. des Bret.*; v. *corre*, courir). Courir en tous sens. ◆ **porcors** n. m. (1248, *Lettre*). Droit de chasser dans les forêts.

porcuidier v. (1160, *Athis;* voir *cuidier*, penser). Prendre ses précautions, se préparer : *De la guerre se porcuidierent* (*Athis*). ◆ **procuidié** adj. (1250, *Auberi de Bourg.*). Qui trame, qui complote.

porculer v. (XIIIᵉ s., *Garç. et Av.;* v. *cul*). Renverser.

porec adv. et conj. V. PORUEC, pour cela, à cause de cela, dans ce dessein.

poret n. m. (XIIᵉ s., Marb.; dér. dimin. du lat. *porrum*). Poireau. ◆ **porete** n. f. (XIIIᵉ s.). Nom d'une plante, variété d'oignon qui ne grossit pas beaucoup. ◆ **porè** n. m. (XIIᵉ s., *Chev. cygne*), **poree** n. f. (fin XIIᵉ s., Guiot). 1° Poireau. — 2° Légume en général. — 3° Potage aux poireaux, potage en général. — 4° Plat de légumes hachés. ◆ **porion** n. m. (fin XIIᵉ s., *Aym. de Narb.*). Poireau. ◆ **porionier** n. m. (1302, *Arch.*). Marchand de poireaux.

porferir v. (1211, *Cart.;* v. *ferir*). Garnir, munir. *Se porferir de*, se faire fort de.

porfichier v. (1169, Wace; v. *fichier,* ficher). 1° Enfoncer. − 2° Piquer, piquer des éperons. − 3° Se hasarder, s'aventurer : *Le cunte Waldef ne se purfiche mie a cunseillier la guerre* (J. Fantosme). ◆ **porfichant** adj. (XIIe s., *Horn*). Qui a telle confiance, telle certitude.

porfie, porfile n. m. (déb. XIIIe s., R. de Clari; du grec *porphyrites,* par l'interm. prob. de l'italien). Porphyre.

porfiler v. (XIIe s.; v. *fil*). Garnir le contour de. ◆ **porfil** n. m. (1160, *Eneas*). Bordure. ◆ **porfileure** n. f. (1324, *Arch.*). Bordure.

porfiter v. (déb. XIIe s., *Ps. Cambr.;* dér. de *porfit,* du lat. *profectum,* de *proficere,* progresser). 1° Faire du bien : *Con chis vins nous pourfite!* (J. Bod.). − 2° Faire profiter, accroître. ◆ **porfit** n. m. (déb. XIIe s., *Ps. Cambr.*). 1° Gain, profit. − 2° Avantage. ◆ **porfit** adj. (1200, *Ren. de Montaub.*). 1° Bien bâti, bien ordonné : *C'est d'uevre sarrazine, li quarres sont eslit Et seelles a plon comme bon mur porfit* (*Ren. de Montaub.*). − 2° Gras, qui a de l'embonpoint.

porfondece n. f. V. PARFONDECE, profondeur.

porforcier v. (1175, Chr. de Tr.; v. *forcier*). Forcer, contraindre. ◆ **porforcement** n. m. (1280, G.). Force, violence.

porgarder v. (1120, *Ps. Oxf.;* voir *garder*). 1° Faire grande attention à. − 2° v. réfl. Se mettre sur ses gardes. − 3° Veiller parfaitement sur : *Vilains, je te ferai larder, S'il ne monteploie et pourgarde mon tresor* (J. Bod.). − 4° Chercher de tous les côtés.

porgesir v. (fin XIe s., *Lois Guill.;* v. *gesir,* être couché). 1° Connaître charnellement : *David [...] purjut altrui muillier* (Garn.). − 2° Abuser de. ◆ **porjeue** adj. fém. (XIIIe s.). Enceinte.

porgeter v. (déb. XIIe s., *Ps. Cambr.;* v. *geter,* jeter). 1° Jeter au loin. − 2° Jeter dehors. − 3° Jeter à terre. − 4° Crépir (1211, *Cart.*).

porgiegne n. f. V. PROGENE, progéniture, race.

porguaitier v. réfl. (1210, *Best. div.;* v. *guaitier,* faire le guet). Se garantir, se garder, faire le guet.

porloignier v. (1119, Ph. de Thaun; lat. *prolongare*). 1° Différer, tarder. − 2° Différer, remettre à plus tard. − 3° Éloigner, écarter. − 4° Allonger. − 5° Prolonger : *Ne vont plus porloignier sen erre* (J. Le March.). ◆ **porloigne** n. f. (1160, Ben.). Retard, délai.

porlongier v. (1170, *Percev.;* voir *lonc*). 1° Éloigner, écarter. − 2° Prolonger le récit de. − 3° Mettre au large. ◆ **porlongement** n. m. (1160, Ben.), **-ance** n. f. (déb. XIIIe s., R. de Beauj.). 1° Prolongation. − 2° Retard. − 3° Éloignement.

pormener v. (XIIIe s., *Gilles de Chin;* v. *mener*). 1° Poursuivre, tourmenter. − 2° Amener.

poroc adv. et conj. V. PORUEC, pour cela, à cause de cela, dans ce but.

poroffe, porofre, profe n. m. (1080, *Cart.;* orig. incert.). 1° Territoire. − 2° Assises d'un tribunal.

porofrir v. (1080, *Rol.;* v. *ofrir*). 1° Présenter, offrir. − 2° v. réfl. S'offrir à, se prosterner : *As piez Vedon tantost se poroffri* (*Loher.*). − 3° *Se porofrir que,* se proposer à soutenir que. ◆ **porofre** n. m. (déb. XIVe s., *F. Fitz Warin*). Proposition, offre.

poroindre v. réfl. (1160, Ben.; voir *oindre*). Se pourlécher.

porparler v. (1080, *Rol.;* v. *parler*). 1° Discourir, conférer, discuter. − 2° Tramer, comploter : *De faire rei si poupallerent* (Wace). ◆ **porparlement** n. m. (déb. XIIe s., *Ps. Cambr.*). 1° Parole. − 2° Pourparler. − 3° Objet, but des pourparlers. − 4° Chose que l'on trame. ◆ **porparlance** n. f. (XIIIe s., Th. de Kent). 1° Délibération. − 2° Complot.

porpeis, -ois n. m. (1210, *Best. div.;* d'orig. germ.). Marsouin.

porpendre v. (1210, *Ren. de Montaub.;* v. *pendre*). 1° Pendre, attacher tout autour. − 2° Tapisser, orner tout autour d'objets pendus.

porpenser v. (XIᵉ s., *Alexis;* v. *penser*). 1° Penser, réfléchir. — 2° Chercher par réflexion, projeter. — 3° Former telle résolution, comploter : *Je me sui porpanssez d'une grant traison (Parise).* — 4° v. réfl. Se rappeler. ◆ **porpens** n. m. (1160, *Eneas*). 1° Réflexion, considération : *A moi servir met ton porpens, Tut la force e tot tun sens (Adam).* — 2° Projet. ◆ **porpensement** n. m. (1120, *Ps. Oxf.*). Pensée, projet, complot : *Porpensement feront encontre tes sainz (Comm. Ps.).* ◆ **porpensif [a]** adj. (XIIᵉ s., *Auberi*). Qui pense attentivement à.

porpisser v. (av. 1300, poèt. fr.; v. *pisser*). 1° Pisser dans ses vêtements. — 2° Pisser de peur : *Quant Maquesai revint si prist a porpisser* (av. 1300, poèt. fr.).

porpoindre v. (1360, *Arch.;* voir *poindre,* piquer). 1° Piquer. — 2° Coudre. ◆ **porpoint** n. m. (1190, J. Bod.). Vêtement de dessus. V. PARPOINT, pourpoint. ◆ **porpoint** adj. (1170, *Percev.*). 1° Piqué, brodé. — 2° Percé. ◆ **porpoigneor** n. m. (1270, *Arch.*), **-ier** n. m. (1329, *Cart.*). Faiseur de pourpoints. ◆ **porpointier** n. m. (1294, G.), **porpoindeor** n. m. (1344, *Ord.*). Faiseur de pourpoints.

porporter v. (1118, *Charte de Renaud;* v. *porter*). 1° Porter çà et là. — 2° Comporter, contenir. — 3° S'étendre : *La terre o siens appendices, si còme el se pourporte et est bonee et devisee* (1118, *Charte de Renaud*). ◆ **porport** n. m. (1278, *Cart.*). Rente, revenu, produit.

porposer v. (déb. XIIᵉ s., *Ps. Cambr.;* v. *poser*). 1° Exposer sa pensée. — 2° Projeter. ◆ **porpos** n. m. (1265, J. de Meung), **-ement** n. m. (déb. XIIIᵉ s., R. de Clari). 1° Paroles, propos, sujet de conversation. — 2° Plan, projet : *Juis n'ont pas tousjours un pourpos : lez pensees sont tost changies (Livr. Passion).*

porpre n. m. et f. (1162, *Fl. et Bl.;* lat. *purpura,* du grec). 1° Étoffe précieuse de couleur foncée. — 2° Sorte de fourrure, ainsi nommée à cause de sa couleur (souvent de qualité médiocre). ◆ **porprin, -erin** adj. et n. m. (1119, Ph. de Thaun).

1° De couleur pourpre. — 2° n. m. Étoffe de pourpre *(Rom. d'Alex.).*

porprendre v. (1080, *Rol.;* voir *prendre*). 1° Investir, occuper : *N'i a passage qu'il n'ait tot porpris (Loher.).* — 2° Prendre de force, usurper : *Le pais que Normant unt purpris e poplé* (Wace). — 3° Entourer, encercler, embrasser : *Si purprendrez l'ost de trois partz* (Wace). — 4° Occuper un endroit, un espace, s'étendre. — 5° Franchir rapidement l'espace. — 6° Entreprendre. — 7° *Porprendre terre,* prendre terre, aborder. — 8° *Porprendre le champ,* gagner l'avantage du terrain. — *Porprendre le champ por,* l'emporter sur. ◆ **porpris** n. m. (1175, Chr. de Tr.). 1° Enclos. —· 2° Jardin, parc. ◆ **porprise** n. f. (1160, Ben.). 1° Enceinte. — 2° Espace occupé. — 3° Suspension d'hostilités limitée. ◆ **porprison** n. f. (1169, Wace). 1° Enceinte. — 2° Action d'en venir aux prises. ◆ **porprenance** n. f. (XIIIᵉ s., *Pastor.*). Ce qu'une chose embrasse, circuit, étendue. ◆ **porpresure** n. f. (1180, *Rom. d'Alex.*). 1° Étendue, place occupée par un objet. — 2° Clôture, enceinte.

porquant adv. et conj. (1160, Ben.; lat. *proquantum*). 1° A cause de cela : *Li reis aveit porquant as justises maundé* (Garn.). — 2° Cependant : *A cascuns d'els trençon le cief; Porquant s'est il afaire greif* (Ben.).

porquerre v. (1162, *Fl. et Bl.;* v. *querre,* chercher). 1° Chercher, rechercher, poursuivre. — 2° Procurer, fournir : *Porquerre anui et damage (Am. et Id.).* — 3° *Se porquerre de,* se pourvoir, s'approvisionner de; penser à, s'inquiéter de. — 4° S'appliquer à : *De bonne heure pourquist cel besoigne (G. de Rouss.).* — 5° *Porquerre que,* s'efforcer à : *Ains porquerrai qu'il sera vergondez (Alisc.).* — 6° Avec un compl. de personne, Convoquer, mander : *Qui ont lor gent assemblé et porquis (Gar. Loher.).*

porro n. f. V. POLDRE, poussière, cendre.

porrir v. (XIᵉ s., *Alexis;* lat. pop. **putrire,* pour *putrescere*). Pourrir, moisir. ◆ **porreture** n. f. (XIIᵉ s.,). 1° Pourriture. —

2º Pus fétide : *La pourreture qui issoit de son pié (Mir. Saint Louis).* ◆ **porrisseur** n. f. (XIIIᵉ s., *Fabl. d'Ov.*). Pourriture. ◆ **porri** adj. (1190, J. Bod.). Moisi : (Vin) *Sans nul mors de pourri ne d'aigre* (J. Bod.).

porsachier v. (fin XIIᵉ s., *Auc. et Nic.;* v. *sachier,* tirer). Tirailler en tous sens.

porsaillir v. (1169, Wace; v. *saillir*). 1º Sauter, bondir, s'élancer. — 2º Faire sauter, faire galoper : *Et porsalloient les bon chevaus de pris (Loher.).*

porseignier v. (1180, *G. de Vienne;* v. *seignier*). 1º Marquer du signe de la croix : *Icelui jor que le rois dut couchier .II. arceveskes i ot a porseignier (G. de Vienne).* — 2º Initier à la foi chrétienne, baptiser. — 3º Fournir, munir.

porseoir v. (1119, *Charte de Renaud;* v. *seoir,* être assis, siéger). 1º Entourer : *Porsise estoit de bones peres* (M. de Fr.). — 2º Siéger. — 3º S'étendre, se prolonger : *O le chastiau come il se porsiet o le ville (Chron. Reims).*

porsevre, -sivre, -suir v. (fin XIᵉ s., *Lois Guill.;* v. *sevre*). 1º Rechercher, poursuivre. — 2º Poursuivre, continuer. — 3º Réclamer, revendiquer. — 4º Posséder. ◆ **porsieute, -suite** n. f. (mil. XIIIᵉ s.). 1º Recherche. — 2º Droit de poursuivre les serfs établis ailleurs. — 3º Suite. — 4º Dépendance. ◆ **porsuit** n. m. (XIIIᵉ s., *Ménag. Reims*). Effort. ◆ **porsivement** n. m. (1190, saint Bern.). 1º Poursuite, action de poursuivre. — 2º Réclamation, poursuite en justice. ◆ **porsivance** n. f. (1288, J. de Priorat). 1º Poursuite. — 2º Suite. — 3º Continuation. — 4º Harmonie. ◆ **porsoiement** n. m. (1274, *Invent.*). Dépendance d'une maison, d'une propriété. ◆ **porsuivant** adj. (1266, *Bans*). Qui se ressemble, semblable, de même qualité. ◆ **porsevor, -suivor** n. m. (1190, saint Bern.). 1º Persécuteur. — 2º Celui qui revendique.

I. **port** n. m. (1080, *Rol.;* anc. prov. *port,* au sens lat. conservé). Col (de montagne) : *Sel pois truver a port ne a passage (Rol.).*

II. **port** n. m. (XIᵉ s., *Alexis;* lat. *portus*). Port.

III. **port** n. m., manière de se conduire; aide. V. PORTER.

portant adv. (fin XIIᵉ s., saint Grég.: mot composé). 1º A cause de cela. — 2º *Portant que,* parce que, pourvu que : *Por tant qu'il ait sor ses homes possance* (C. de Béth.). — 3º *Ne portant,* cependant, malgré cela : *Ne pourtant, c'est chose seue* (saint Grég.).

porte n. f. (980, *Passion;* lat. *porta,* porte de ville). 1º Porte de la ville. — 2º Porte de la maison. ◆ **porture** n. f. (1241, G.). Porte. ◆ **portal** n. m. (fin XIIᵉ s., *Loher.*), **-ier** n. m. (1170, *Percev.*). 1º Porte. — 2º Portail. ◆ **porterel** n. m. (1276, *Arch.*). Porte, endroit fortifié. ◆ **portelete** n. f. (1332, *Arch.*). Petite porte.

portendre v. (1160, *Eneas;* voir *tendre*). 1º Étendre dans toute sa longueur. — 2º Offrir en tendant. — 3º Tapisser.

portenir v. (1120, *Ps. Oxf.;* v. *tenir*). 1º Posséder, garder. — 2º Appartenir *(Year Books).*

porter v. (980, *Passion;* lat. pop. *portare*). 1º Porter. — 2º Se porter (bien ou mal). — 3º Etre enceinte. — 4º *En porter,* emporter : *Et quant il l'en orent porte* (J. Bod.). ◆ **port** n. m. (1265, *Lettre*). 1º Manière de se conduire : *Par vostre paresse et mauvais port* (1330, *Ord.*). — 2º Faveur, aide, secours : *du boen port qu'il font vers vous* (1265, *Lettre*). ◆ **portee** n. f. (XIIᵉ s., *Pr. Orange*). 1º Action de porter. *Faire portee,* porter un enfant dans son sein. — 2º Charge. — 3º Terme de mesure de liquides. ◆ **portement** n. m. (1260, *Br. Lat.*). 1º Port, action de porter — 2º Manière de se conduire, état de santé. ◆ **porteure** n. f. (XIᵉ s., *Alexis*). 1º Action de porter. — 2º Portée, grossesse. — 3º Fruit de l'enfantement, les enfants, les petits : *Pour ce que n'avoit engenree Nule porteure en sa fame (Est. Saint-Graal).* — 4º Attitude, tenue, maintien. — 5º Apport : *Porture de mariage* (pièce de 1269). ◆ **portage** n. m. (mil. XIIIᵉ s.). Droit d'entrée payé aux portes d'une ville. ◆ **portoir** n. m. (fin XIIIe s., Guiart). Objet servant à transporter, brancard, hotte de vendangeur, etc. ◆ **porteis** adj. (1395, G. de Tyr). Portatif. ◆ **porteoin** adj. (1284, G.). 1° Qui doit être porté. — 2° Portable. ◆ **portable** adj. (1265, J. de Meung). Supportable. ◆ **portant** adj. (XIIIe s.). *Bien portant,* favorable (en parl. du vent), qui tient bien sur l'eau (en parl. du bateau). ◆**porture** adj. fém. (XIIe s., *Chev. cygne*). Pleine, enceinte. ◆ **porteor** n. m. (déb. XIIe s., *Ps. Cambr.*). 1° Promulgateur : *Juda porterre de ma lei (Ps. Cambr.).* — 2° Celui qui porte, qui transporte. ◆ **portebouz** n. m. (1316, *Ord.*). Échanson, porte-bouteille. ◆ **portechape** n. m. (1285, *Ord.*). Maître cuisinier de la ville de Paris et du roi, la *chape* servant à couvrir les plats portés en ville. ◆ **portepais** n. m. et f. (1328, *Invent.*). Étui servant à contenir la patène appelée *paix.*

portion n. f. (1160, Ben.; lat. *portio*). Part, portion. ◆ **portioner** v. (1330, *Cart.*). Partager par portions.

portracier v. (1260, Mousk.; voir *tracier*). Chercher avec ardeur.

portraire v. (1160, *Eneas;* v. *traire,* tirer). 1° Achever : *Ensi fu pourtraite leur fins* (Mousk.). — 2° Former, façonner. — 3° Représenter, dessiner, graver, faire le plan de. — 4° Ressembler, être semblable : *Bien en pourtraolt a sa merc (Rose).* — 5° Mettre en jugement, accuser. — 6° Convaincre. ◆ **portrait** n. m. (1175, Chr. de Tr.). 1° Image, dessin, représentation en général. — 2° Apparence. — 3° Plan, projet. ◆ **portraier** adj. (XIIIe s., *Garç. et Av.*). Qui sert à peindre, à dessiner, crayon. ◆ **portraitier** v. (1330, *H. Capet*). 1° Rechercher, ménager, tramer, conclure : *Qui furent desirant De lor pais pourtraitier (H. Capet).* — 2° Répéter, reproduire. ◆ **portraiture** n. f. (1160, Ben.). 1° Portrait, image, représentation en général. — 2° Ressemblance. ◆ **portraiteor** n. m. (XIIe s., Evrat). Celui qui trace quelque chose.

poruec adv. et conj. (Xe s., *Eulalie;* composé tardif lat. de *pro* et *hoc,* cela). 1° Adv. et conj. de coord., Pour cela, à

cause de cela : *Poruec soies sonious ke tu ne soies feruz del serpent* (saint Grég.). — 2° Pour cela, en échange de cela : *Karles li en rendra poruec .IIII. livrees (Ren. de Montaub.).* — 3° Pour cela, dans ce dessein : *Rainouars cort porec, si l'a saisi (Alisc.).* — 4° *Aler poruec, venir poruec,* aller, venir chercher. ◆ **poruec que,** loc. conj. 1° Parce que, puisque. — 2° Supposé que, quoique : *Point pour amie ne la tenoit, Preug qu'amy apelé l'avoit (Ren. le Contr.).* — 3° Pourvu que : *Pruec qu'ele soit de haut parage* (Comte de Poitiers).

porveoir v. (1120, *Ps. Oxf.;* lat. *providere*). 1° Examiner, fouiller. — 2° Réfléchir, aviser : *Li clers esraument se porvoit (Trois Aveugles).* — 3° Regarder, s'adresser pour demander du secours. — 4° Régler d'avance, projeter, tramer. — 5° Procurer, se procurer. — 6° Défendre, protéger, gouverner. — 7° Réfléchir, refléter. ◆**porveance** n. f. (1180, *Rom. d'Alex.*). 1° Prévoyance, précaution : *Tout confermé en la creance Joseph et en sa pourveance (Est. Saint-Graal).* — 2° Prudence, sagesse : *Ceste noble porvaience* (J. de Priorat). — 3° Mesure de précaution. — 4° Service. — 5° Provision, munition. ◆ **porveement** n. m. (XIIe s., Herman). 1° Prévoyance, providence : *Deus nos a asenblez par son porvoiement* (Herman). — 2° Provision. ◆ **proveer** v. (1160, Ben.). 1° Surveiller, veiller à. — 2° Prendre garde. 3° Comploter. ◆ **porvir** v. (1248, G.). 1° Pourvoir. — 2° Etre prévoyant. ◆ **porveant** adj. (1260, Br. Lat.). Prévoyant, prudent. ◆ **porveiable, porvoiable** adj. (1298, M. Polo). 1° Prévoyant, précautionneux. — 2° Prudent, avisé : *Pourvoiable et sage et de bon conseil (Mir. Saint Louis).* — 3° Qui pourvoit à ses besoins, à quoi il faut pourvoir. ◆ **porveu** adj. (1285, Aden.). 1° Résolu : *Car de ce faire soumes bien pourveu* (Aden.). — 2° Prudent, sage : *Adonc appella Pilates les pourveuz homes et les plus sages (Livr. Passion).* — 3° Attentif. — 4° *Porveu de,* qui prend soin de, qui s'inquiète de. ◆ **porveor** n. m. (fin XIIe s., *Est. Saint-Graal*). 1° Pourvoyeur, fournisseur. — 2° Administrateur, proviseur.

porvil n. m. (1220, Coincy; v. *vil*). Mépris, humiliation : *Qui mout la tienent en porvil* (Coincy).

porvoire n. m. cas rég. V. PROVOIRE, prêtre.

poser v. (xᵉ s.; lat. pop. *pausare*). 1° S'arrêter, cesser. — 2° Se reposer. — 3° Poser. ◆ **pose** n. f. (1112, *Saint Brand.*). 1° Repos, séjour : *Cest ne rovent estre empose* (*Saint Brand.*). — 2° Moment, espace de temps : *De grant pose mot ne suna* (Wace). *A grant pose*, à loisir : *Se je vos mant aucune chose, Hastivement ou a grant pose, Dame, faites mes volontez* (*Trist.*). — 3° Un certain temps, longtemps : *Li Dus tint pose en pais Bretaigne e Normendie* (Wace). — 4° Mesure agraire. ◆ **posee** n. f. (1328, J. Lefebvre). Proposition, maxime.

posnee, ponee, podnee n. f. (déb. xiiᵉ s., *Ps. Cambr.;* orig. obsc.). 1° Orgueil, arrogance, insolence : *La vile asiet par la fiere posnee* (*Loher.*). — 2° Parole, action arrogante. — 3° Tapage, tumulte : *A trois cenz chevaliers grant i fu la posnee* (*Barbast.*). ◆ **posnois** n. m. (xiiiᵉ s., *Fabl.*). Puissance, haute position.

posseoir v. (1120, *Ps. Oxf.*), **-eer** v. (1255, *Charte;* lat. *possidere*). Posséder, être possesseur. ◆ **possis** adj. (fin xiiᵉ s., *Rois*). Possédé : *Ces ki esteient pursis de deable* (*Rois*). ◆ **posseor** n. m. (fin xiiᵉ s., saint Grég.). Possesseur. ◆ **possesser** v. (1269, *Lettre;* formé à partir de *possessum*). Posséder, entrer en possession : *Mais je ne puis noient goir ne possesser* (la dame) [*B. de Seb.*]. ◆ **possessir** v. (1311, *Arch.*). Posséder.

possible adj. (1260, Br. Lat.; lat. impér. *possibilis,* de *posse,* pouvoir). Puissant.

post n. m. (1160, *Eneas;* lat. *postem,* jambage, poteau). Poteau, pilier, madrier. ◆ **postel** n. m. (1190, J. Bod.). Poteau. ◆ **postille** n. f. (1335, *Arch.*). Poteau léger, équarri, supportant une traverse.

poste n. f. (xiiᵉ s., *Adam;* dér. de *pondre,* poser). Position : *Iceste coste qui m'ad mis en si mal poste* (*Adam*).

posterle n. f. (déb. xiiᵉ s., D.; bas lat. *posterula,* porte de derrière). Poterne.

postille n. f. (xiiiᵉ s.; lat. médiév. *postilla,* de *post* et *illa,* après ces choses). Glose, annotation, note explicative.

postiz, -is n. m. (1150, *Pèler. Charl.;* lat. pop. **postitium,* de *postis*). 1° Petite porte, poterne. — 2° Arcade ou portique à front de rue donnant accès à une avant-cour ou à une allée. — 3° Palissade.

pot n. m. (1155, Wace; lat. pop. *pottum,* d'orig. probabl. préceltique). Pot. ◆ **poton** n. m. (xiiiᵉ s., Th. de Kent), **-el** n. m. (1308, *Arch.*); **-elet** n. m. (1344, *Arch.*). Petit pot. ◆ **potage** n. f. (1267, *Cart.*). 1° Aliment cuit dans un pot. — 2° En particulier, grains tels que pois, fèves, etc. — 3° Pitance, subsistance. ◆ **poteure** n. f. (1341, *Charte*). Poterie. ◆ **potiere** n. f. (1352, *Arch.*). Ustensile de fer sur lequel on pose le pot pour le faire bouillir.

I. pote adj. (xiiᵉ s., Evrat; orig. obsc.). Gauche : *La main pote* (Evrat).

II. pote adj. (1268, E. Boil.; orig. obsc.; même mot que le précédent?). Se dit d'un pain qu'on pouvait vendre en dehors du prix fixé : *Et se li pains estoit de plus de .II. d. il seroit le mestre. Cel pain apele l'on pain pote* (E. Boil.). ◆ **potelé** adj. (xiiiᵉ s.). Enflé.

potence n. f. (1120, *Ps. Oxf.;* lat. *potentia*). 1° Puissance. — 2° Appui. — 3° Béquille *(Trist.).* ◆ **potencier** n. m. (xiiiᵉ s., *Fabl.*). Béquillard. ◆ **potentif** adj. (xiiiᵉ s., *Conq. Bret.*). Puissant.

pou adj. et adv. V. POI, petit, peu, à peine.

pour adv. V. PUER, dehors, en avant.

povre, poure adj. (xiᵉ s., *Alexis;* lat. *pauperem*). 1° Pauvre. — 2° Faible, maigre. — 3° *Povre et riche,* tous : *Que tout i viegnent, povre et rique* (J. Bod.). ◆ **poverin** adj. (xiᵉ s., *Alexis*). Pauvre. ◆ **poveri** adj. (1175, Chr. de Tr.). Appauvri. ◆ **povrece** n. f. (1160, Ben.). Pauvreté. ◆ **poverté** n. f. (xiᵉ s., *Alexis*). 1° Pauvreté. — 2° Malheur, tristesse. — 3° Dommage.

4° Chose digne de mépris. ◆ **povraille** n. f. (1220, Coincy). Groupe de pauvres gens.

poype n. m. (1272, G.; orig. incert.). Maison bâtie sur une hauteur et entourée de fossés.

prael n. m. (1160, Ben.), **praele** n. f. (1180, *Rom. d'Alex.*; lat. *pratellum, -am*, de *pratum*, pré). 1° Petit pré, prairie. — 2° Cour, préau (XIIIe s.). ◆ **praage** n. m. (1180, *R. de Cambr.*). 1° Prairie, pâturage. — 2° Droit de faire paître sur le pré après la première herbe coupée. ◆ **praelet** n. m. (XIIe s., *Barbast.*), **praetel** n. m. (1160, Ben.). Petit pré. ◆ **praerie** n. f. (1150, *Thèbes*), **praiere** n. f. (fin XIIe s., *Alisc.*). Prairie. ◆ **praier** n. m. (1294, *Hist. des Bret.*). Sergent chargé de surveiller les prés.

praer v. V. PREER, chercher du butin.

praieor n. m. (XIIe s., *Part.*; v. *proie*). Le proyer, oiseau de l'espèce des bruants.

praindre v. V. PREINDRE, presser, opprimer.

prains, preinz adj. fém., enceinte, pleine. V. PREIGNE, même sens

pran n. m. (XIIe s., *Blancandin;* orig. obsc.). *De pran en pran*, à la piste : *Et le sivent de pren en pren (Blancandin).*

prangier v. (XIIIe s.; lat. pop. *prandiare*, de *prandium*, déjeuner). 1° Déjeuner. — 2° Faire la sieste . ◆ **prangeree** n. f. (XIIe s., *Chétifs*). 1° Après-midi. — 2° Heure de la chaleur du jour. ◆ **prangiere** n. f. (XIIIe s., *Court. d'Arras*). 1° Heure du repas de midi. — 2° Midi.

prasme, prame n. m. V. PRESME, cristal de roche coloré.

pratique n. f. (1256, Ald. de Sienne; lat. médiév. *practica*, du grec). Application des règles.

prave adj. (1120, *Ps. Oxf.*; lat. *pravus*, perverti). Mauvais, méchant, dépravé.

pré n. m. (1080, *Rol.*; lat. *pratum*). Pré. ◆ **pree** n. f. (1080, *Rol.*). Prairie. V. PRAEL, petit pré. ◆ **preage** n. m., voir PRAAGE, droit de faire paître.

prece n. f. (1220, Coincy; lat. *prex, precem*). Prière.

precellent adj. (1160, Ben.; lat. *praeexcellens*). Qui l'emporte, supérieur.

precet, precept n. m. (1119, Ph. de Thaun; lat. *praeceptum*). 1° Commandement, sommation. — 2° Ordonnance. — 3° Enseignement, règle.

precier v. (1279, *Hist. des Bret.*; lat. *pretiare*). Priser, apprécier. ◆ **preciable** adj. (1150, Wace). De prix, de grande valeur. ◆ **precios** adj. (déb. XIIe s., *Voy. Charl.*). Précieux. ◆ **preciosissime** adj. (1308, Aimé). Très précieux. ◆ **preciosité** n. f. (déb. XIVe s.). Valeur.

preconiser v. (1321, *Arch.*; bas lat. *praeconizare*, publier). Proclamer, publier. ◆ **preconisation** n. f. (1321, *Arch.*). Publication. ◆ **preconier** n. m. (déb. XIVe s., *Livr. Passion*). Celui qui proclame.

preechier v. (Xe s., *Saint Léger;* lat. eccl. *praedicare*). Prêcher. ◆ **preechement** n. m. (1220, *Saint-Graal*), -**eis** n. m. (XIIIe s., *Fabl. d'Ov.*). Action de prêcher, prédication. ◆ **preecheor** n. m. (1175, Chr. de Tr.). Prêcheur. ◆ **preechable** adj. (1150, *Saint Evroul*). Digne d'être loué publiquement.

preer, proier v. (XIe s., *Alexis;* lat. pop. *predare*, pour *praedari*, piller). 1° Faire, ramener du butin. 2° Piller, ravager, saccager : *Ardent et proient et enforcent li cri (Loher.).* 3° Faire prisonnier, enlever quelqu'un : *Ele fu pree petis enfes (Auc. et Nic.).* ◆ **proir** v. (fin XIIe s., *Mort Garin*). Ravager. ◆ **preie, proie** n. f. (1155, Wace). 1° Butin de guerre, pillage. — 2° Troupeau (XIIIe s.). — 3° Gibier (Ph. de Nov.). *Proie de bestes,* gibier. ◆ **preeor** n. m. (1190, saint Bern.). Pillard, voleur. ◆ **preon** n. m. (1555, Wace). Pillard, bandit.

preigne adj. fém. (XIIe s.; lat. pop. *praegna*, pour *praegnas, atis*). Enceinte, grosse, pleine. ◆ **preinz** adj. fém. (1160, Ben.; lat. pop. *praegnis*). Enceinte, pleine : *Maintenent le vois faire prains* (A. de la Halle).

preindre v. (XIᵉ s., *Gloses Raschi;* lat. *primere*). 1° Presser. — 2° Opprimer, accabler. — 3° Empreindre. — 4° v. réfl. Se serrer, se presser : *Priement et quassent sei en bas* (Ben.). ◆ **preinte** n. f. (1281, *Cart.*). 1° Droit de pressoir. — 2° Empreinte (1317, *Arch.*).

prejuise n. m. (1265, J. de Meung; lat. *praejudicium*). Préjudice.

prelat n. m. (1155, Wace; lat. médiév. *praelatus,* de *praeferre*). 1° Supérieur, chef en général. — 2° Dignitaire de l'Église. ◆ **prelation** n. f. (1229, G. de Montr.). 1° Dignité de prélat. — 2° Prééminence, supériorité en général.

premer v. (1308, Aimé; adapt. du lat. *premere;* v. *preindre,* même sens). Presser, accabler.

premerain adj. (déb. XIIᵉ s., *Ps. Cambr.;* lat. pop. **primaranum,* de *primus,* premier). 1° Premier. — 2° Supérieur, souverain, en parlant de personnes : *Primerain docteur (Règle saint Ben.),* ou de choses : *La vertu premerainne (Rose).* ◆ **premerains** adv. (1080, *Rol.*). Premièrement, d'abord. *A premerains, aus premerains,* premièrement. ◆ **premeraineté** n. f. (1311, *Arch.*). Premier rang, première place.

premevaire n. f. (1308, Aimé; voir *primevere*). Printemps.

premier adj. (980, *Passion;* lat. *primarium,* de *primus*). 1° Premier, adj. numér. ord. — 2° Qui est premier en quelque chose, qui apparaît pour la première fois. ◆ **premiers** adv. (1138, *Saint Gilles*). 1° Premièrement, d'abord. — 2° Pour la première fois. — 3° *A premiers, de premiers,* en premier, dès l'origine. — 4° *Premiers que,* dès que.

pren n. m. V. PRAN, dans : *de pran en pran,* l'un après l'autre.

prendre v. (842, *Serm.;* lat. pop. *prendere,* pour *prehendere,* saisir). 1° Prendre, saisir, se rendre possesseur. — 2° *Prendre soi pres de,* chercher à, s'empresser de : *Sachiez, se le poon*

trouver, *Pres nos prendron de l'amener (Saint Eust.).* — 3° Se passer, se terminer : *Bien sai, fait il, coment cest parlement prendra* (Garn.). — 4° *Soi prendre a,* tenir compte de. — 5° *Prendre a pris,* considérer comme important : *Et si li proi qu'il me pardoigne, Et qu'il pas ne prenge a pris Çou que tant ai vers lui mespris (Atre pér.).* — 6° *Estre pris,* être perdu, être ruiné. — 7° *Se prendre,* se comparer : *Sai grant biatei florie, A cui nulle ne s'est prize (Estamp.).* ◆ **prenement** n. m. (1120, *Ps. Oxf.*). 1° Action de prendre, de se saisir. *Doner en prenement,* livrer en proie. — 2° Filet, piège. ◆ **preneure** n. f. (XIIIᵉ s., *Vie saint Martin*). Prise. ◆ **prenance** n. f. (1276, *Charte*). 1° Prise de possession. — 2° Transformation (de Dieu en homme). ◆ **prenant** adj. (déb. XIIᵉ s., *Ps. Cambr.*). 1° Qui aime à prendre, hardi. — 2° Vénal. — 3° Qui s'attache, qui fait son effet : *Ta tainture est moult bien prenanz (Ren.).* ◆ **pris** adj. et n. (XIIᵉ s.). Prisonnier. ◆ **prenable** adj. (1155, Wace). Capable, convenable, susceptible. ◆ **prendeor** n. m. (1130, *Job*). Celui qui prend.

prens adj. V. PREINZ, grosse, enceinte, au mot PREIGNE.

prentoire n. m. (1170, *Fierabr.;* orig. incert.). Parterre.

preon n. m., pillard. V. PREER, ramener du butin, piller.

pres adv. (XIᵉ s., *Alexis;* lat. *presse,* en serrant, ou *pressum,* serré). 1° Dans le voisinage (dans l'espace ou dans le temps) : *Si tu ies loins, ki sera pres?* (R. de Moil.). *Ci pres,* dans cet endroit-ci, voisin. — 2° De près : *Ne luinz ne pres ne poet vedeir si cler (Rol.).* — 3° Presque, environ : *Dont il at pries la mort reciute* (Mousk.). *Pres que, pres ne,* il s'en faut de peu que : *Pres ne m'a fait sor me table verser (H. de Bord.).* — 4° Tenir pres, surveiller attentivement, poursuivre de près. *De pres,* à très peu de distance. *Pres a pres,* coup sur coup. — 5° *Pres a, pres de,* loc. prép., près de : *Pres est de Deu e des regnes del ciel (Alexis).* *A pres de,* auprès de.

presage n. m., action d'estimer, appréciation. V. PRISIER, estimer.

presbiterie n. f. (fin XIIe s., *Rois;* lat. eccl. *presbyterium*). État de prêtre, prêtrise. ◆ **presbiteree** n. f. (1323, *Arch.*). Repas offert au clergé.

prescrire v. (XIIe s., *Macchab.;* lat. *praescribere*). Condamner.

preseignier v. (1162, *Fl. et Bl.;* voir *seignier*, signer). 1° Marquer du signe de la croix. — 2° Bénir. — 3° Baptiser. Voir PRINSEIGNIER, même sens.

presenter v. (xe s., *Eulalie;* lat. impér. *praesentare*, de *praesens*). 1° Proposer, offrir : *Ce que je vos ai presenté Vos ferai jo, n'en dotes mie (Durm. le Gall.).* — 2° Montrer, manifester, mettre sous les yeux. — 3° Dénoncer : *celui qui a le murtre presenté (Ass. Jérus.).* ◆ **presentement** n. m. (1170, *Percev.*), -**age** n. m. (XIIe s., *Horn*), -**ison** n. f. (XIIIe s., *Anseis*). Action de présenter, présentation. ◆ **presention** n. f. (XIIIe s., *Anseis*). 1° Action de présenter. — 2° Présence. ◆ **presentie** n. f. (déb. XIVe s., *Pass. Palat.*). Présomption : *Seigneurs, veez ci le prophetie. Ci ne vint pas pour presentie, Mais de mon pere (Pass. Palat.).* ◆ **present** n. m. (déb. XIIe s., *Voy. Charl.*), -**e** n. f. (1170, *Percev.*). Présent, cadeau : *De cest cheval vos fei presente (Percev.).* ◆ **present** adj. (1080, *Rol.*). Qui est là, manifeste. *En present, de present*, aussitôt, à l'instant : *Or veit bien sainz Thomas sun martire en present* (Garn.). *En presant fait*, en flagrant délit (1275, *Bans*). ◆ **presentier** adj. (1180, *Enf. Vivien*). 1° Prêt à, disposé à. — 2° Qui se présente bien : *Quant je estoie josnes et presentier (Enf. Vivien).* — 3° adj. fém. Qui aime les présents, qui se donne à tous, courtisane. ◆ **presentable** adj. (1190, saint Bern.). Présent.

presepe n. m. et f. (1169, *Wace;* lat. *praesepe*, étable). Crèche.

presme, prasme, prisme n. m. et f. (1160, Ben.; lat. *prisma*, du grec). Cristal de roche coloré (il prend le nom de la pierre fine dont il se rapproche par la nuance).

presompcie n. f. (1155, Wace; lat. pop. *praesumptia). Présomption. ◆ **presompcier** v. (XIIIe s., *Fabl. d'Ov.*). Etre présomptueux. ◆ **presompcios** adj. (1150, *Thèbes*). Présomptueux.

presser v. (mil. XIIe s.; lat. *pressare*, fréq. de *premere*). 1° Presser. — 2° Pressurer. — 3° Tourmenter. ◆ **presse** n. f. (1080, *Rol.*). 1° Action de presser. — 2° Machine à presser. ◆ **presseure** n. f. (1190, saint Bern.). 1° Ce qui accable, opprime. — 2° Oppression, violence. — 3° Souffrance, torture. — 4° Angoisse. — 5° Instrument servant à comprimer (saint Grég.). ◆ **pressor, -oir** n. m. (1190, J. Bod.). Pressoir. ◆ **pressoirier** v. (1283, Beaum.). Pressurer. ◆ **pressoirage** n. m. (1296, *Cart.*). 1° Pressurage. — 2° Droit pour se servir du pressoir banal. ◆ **pressoirier** n. m. (1237, *Arch.*). Vendangeur, pressureur.

prest adj. (XIe s., *Alexis;* bas lat. *praestum*, de l'adv. *praesto*, tout près). 1° Prêt. — 2° Prompt, rapide. ◆ **presteis** adj. (1277, *Rose*). Prêt. ◆ **preste** n. f. (1260, Br. Lat.). Espèce de serpent venimeux.

prester v. (déb. XIIe s.; lat. *praestare*, fournir). 1° Fournir ce qui est nécessaire. — 2° Prêter. ◆ **prestation** n. f. (fin XIIIe s.). Action de reconnaître une obligation.

prestre n. m. cas sujet. V. PROVOIRE, cas rég., prêtre. ◆ **prestresse** n. f. (1155, Wace). 1° Concubine du prêtre. — 2° Prêtresse (en parlant du culte païen). ◆ **prestrot** n. m. (1350, G. li Muisis). Diminutif péjoratif de *prestre*. ◆ **prestrer** v. (XIIe s., *Chev. cygne*). Ordonner prêtre. ◆ **prestrage** n. m. (fin XIIe s., saint Grég.). 1° Prêtrise, sacerdoce : *Chevalerie et prestrage Et puis ordre de mariage* (J. de Condé). ◆ **prestrerie** n. f. (XIIIe s.). 1° Vie, qualité de prêtre. — 2° Terre appartenant à l'Église.

I. preu n. m. V. PROD, profit, avantage.

II. preu adj. V. PROD, vaillant, sage, expert.

III. preu adv. V. PROD, beaucoup, assez.

I. prevarier v. (1120, *Ps. Oxf.;* lat. *praevaricari*). Prévariquer. ◆ **prevariant** adj. (1120, *Ps. Oxf.*). Prévaricateur.

PRE

II. **prevarier** v. (1160, Ben.; v. *varier*). Changer, varier.

previr v. (déb. XIII° s.; lat. *praevidere*). Prévoir. ◆ **previdence** n. f. (1295, Boèce). Prévision.

prevost n. m. (XII° s.; lat. *praepositum*, préposé). Magistrat, officier civil. ◆ **prevoste** n. f. (1210, *Dolop.*). Femme de prévôt. ◆ **prevostel** n. m. (1306, *Arch.*). Dimin. de prévôt. ◆ **prevosté** n. f. (1155, Wacę), -ie n. f. (XII° s., *B. d'Hanst.*). Prévôté. ◆ **prevostage** n. m. (1319, *Arch.*). Dignité de prévôt.

priembre v. V. PREINDRE, presser, accabler.

prier, preier v. (x° s., *Eulalie;* bas lat. *precare*). 1° Prier, supplier. — 2° Faire des prières. ◆ **pri** n. m. (XI° s., *Alexis*), -ement n. m. (x° s., *Eulalie*). Prière. ◆ **priere, proiere** n. f. (déb. XII° s.). 1° Prière. — 2° Corvée, taille, aide que le seigneur avait le droit de réclamer. ◆ **prieor** n. m. (fin XII° s., Couci). Celui qui prie.

prin, prim adj. (1119, Ph. de Thaun; lat. *primum*). 1° Premier, numéral ord. — 2° Premier, qui paraît, qui apparaît premier : *Un baceler juene de barbe prime (Pr. Orange). Tens prin,* la première saison de l'année, qui commence en mars, le printemps. — 3° Premier, qui est ou se croit le meilleur en quelque chose : *Ne se doit nulz faire si prume (Ren.).* ◆ **prin** n. m. (1175, Chr. de Tr.). 1° Commencement : *El prin d'esté* (G. de Cambr.). — 2° Le moment du frai (1318, *Arch.*). — 3° *Au prin, o prum, a prume,* premièrement, d'abord, tout de suite. ◆ **prime** n. f. (1119, Ph. de Thaun). Première heure (c'est-à-dire six heures du matin). ◆ **primor** n. f. (XII° s., *Am. et Id.*). Premier commencement. *En la primor,* d'abord, en commençant. ◆ **primes** adv. (x° s., *Saint Léger*). Premièrement, d'abord. *A primes,* tout premièrement. ◆ **primement** adv. (XII° s., *Roncev.*). Premièrement. ◆ **primerole** n. f. (1277, *Rose*). Primevère. ◆ **primerose** n. f. (fin XII° s., *Loher.*). Passe-rose. ◆ **primevere, -voire, -voile** n. f. (1298, M. Polo). Printemps.

prinsautier adj. (1160, *Eneas*). 1° Précipité dans ses actions, présomptueux :

Bertran, dist il, trop as le cuer legier Et de corage isnel et prisautier (Ogier). — 2° Empressé : *Li rois Artus parle premier, Qui de parler fu prinsautier (Trist.).* ◆ **prinseignier** v. (1160, Ben.). 1° Couvrir du signe de la croix, bénir. — 2° Baptiser. — 3° Enchanter par un signe de croix. ◆ **prinsome** n. m. (XII° s., *Trist.*). 1° Premier sommeil. — 2° Premières heures de la nuit.

prince n. m. (déb. XII° s.; lat. *princeps*). Prince, chef. ◆ **princier** n. m. (1150, *Thèbes*). Prince, chef : *Baronz, dist Kallemaine, mi nobile princhier (Quatre Fils Aym.).* ◆ **princé** n. m. et f. (1160, Ben.), **princee** n. f. (1160, Ben.), **princpee** n. f. (1308, Aimé). Principauté, domination. ◆ **principel** adj. (1080, *Rol.*), -**er** adj. (fin XII° s., *Aym. de Narb.*). De prince, princier : *Del palais principer (Aym. de Narb.).* ◆ **principalité** n. f. (1160, Ben.). Domination, puissance.

principe n. m. (1260, Br. Lat.; lat. *principium*, commencement). Origine, première cause. ◆ **principal** adj. (1119, Ph. de Thaun). 1° Principal. — 2° n. m. (Beaum.). Fond d'une affaire, sujet principal. ◆ **principalment** adv. (1260, Br. Lat.). Au commencement.

prior n. m. (1190, Garn.; lat. eccl. *prior*). Prieur, abbé. ◆ **prioresse** n. f. (1250, *Arch.*). Prieure. ◆ **priorage** n. m. (1180; *R. de Cambr.*), -**ee** n. f. (1277, *Arch.*), **priorté** n. f. (1248, *Arch.*). Prieuré, couvent.

pris n. m. (fin XI° s.; lat. *pretium*). 1° Somme à payer. — 2° Récompense. — 3° *Metre en pris,* faire valoir : *Jamais par lui escu ne lance N'iert achetez ne mis en pris (Trist.).*

I. **prise** n. f. (1176, E. de Fougères; part. passé de *prendre*). 1° Perception de l'impôt. — 2° Droit de réquisition, comparable au droit de gîte. — 3° Conjecture. *Avoir autre prise,* avoir autre chose que ce qu'on attendait.

II. **prise, proise** n. f., action d'estimer, réputation. V. PRISIER, estimer.

prisier, proisier v. (1080, *Rol.;* bas lat. *pretiare,* apprécier, de *pretium,* prix). 1° Évaluer. — 2° Apprécier, faire

512

cas de. ◆ **prise, proise** n. f. (XIIe s., *Trist.*).
1° Action d'estimer. — 2° Réputation.
◆ **prisement** n. m. (fin XIIIe s., Guiart).
Prix consenti, fixé. ◆ **prisance** n. f. (1335,
Rest. du Paon). Estimation. ◆ **priseor**
n. m. (1268, E. Boil.). Estimateur. ◆
prisage n. m. (1248, *Arch.*). 1° Action
d'estimer. — 2° Appréciation. — 3° Prix.
◆ **prisagier** v. (1279, *Hist. des Bret.*).
1° Estimer, évaluer. — 2° Mettre le prix.
◆ **prisageur** n. m. (1323, *Hist. des Bret.*).
Celui qui fait l'estimation. ◆ **prisant,
proisant** adj. (1160, Ben.). Présomptueux,
arrogant : *Cist en sunt mult preisanz e
fiere* (Ben.).

I. **prisme** n. m. et f. V. PRESME, cristal
de roche coloré.

II. **prisme** adj. V. PROISME, très
proche, prochain.

prison n. f. (1080, *Rol.*; lat. pop.
**prensionem,* pour *prehensio*). 1° Action
de prendre, de se saisir de. — 2° Prise,
capture : *Se Deus me gart de honte, De
meskeanche et de prison* (J. Bod.). —
3° Lieu d'emprisonnement. — 4° Captivité. ◆ **prison** n. m. (1080, *Rol.*). 1° Prisonnier. — 2° Otage. ◆ **prisonier** n. m.
(fin XIIe s., *Aiol*). Prisonnier, otage. ◆
prisonage n. m. (1317, *Arch.*). Frais de
prison.

I. **privance** n. f., affection, affaire
privée. V. PRIVÉ, intime.

II. **privance** n. f., privation, manque.
V. PRIVER.

privé adj. (déb. XIIe s., D.; lat. *privatum,*
particulier, privé). 1° Particulier : *En
.I. privé liu me menez (Sainte Thaïs).*
— 2° Intime, ami. *Privez mar achate*
(proverbe); l'amitié est mal récompensée.
— 3° Familier : *Sire privé fest fol vassal
(Prov. del Vilain).* — 4° Apprivoisé :
*Li cers qui si estoit privez, Que la mes-
chine avoit norri (Eneas).* — 5° n. m. Ami
intime, confident : *Ses princes a trestoz
mandez E ses barons et ses privez* (Ben.).
— 6° n. m. Concitoyen, par opposition
à l'étranger. ◆ **privee** n. f. (1170, *Fierabr.*), **privaise, -esse** n. f. (1250, *Ren.*).
Latrines. ◆ **priveté** n. f. (1220, *Saint-
Graal*). 1° Affaire privée, chose secrète,

cachée. — 2° Lieu particulier, privé :
*Et facent en leur priveté Trestoute leur
joliveté (Rose).* — 3° Charmes secrets,
au sens érotique : *Venez en ma chambre
seoir, Por ma priveeté veoir (Vie des
Pères).* ◆ **priveterie** n. f. (1318, G. de la
Bigne). Privauté, faveur. ◆ **privance**
n. f. (1204, R. de Moil.). 1° Douceur, affabilité. — 2° Affection : *Et li dona de sa
privanche Grasce* (R. de Moil.). —
3° Affaires privées, intimes.

priver v. (déb. XIVe s.; lat. *privare*).
Priver, enlever, soutirer. ◆ **privance** n. f.
(1204, R. de Moil.). Privation, manque,
absence : *Faucons qui ne revient au loire
De sa privance me despoire* (R. de Moil.).
◆ **priveté** n. f. (1204, R. de Moil.). Privation, manque.

I. **priveté** n. f., affaire, lieu privé.
V. PRIVÉ, particulier, intime.

II. **priveté** n. f., manque, privation.
V. PRIVER.

pro adv. V. PROD, beaucoup, assez.

pro- préf. de forme savante. V. POR-,
préfixe indiquant l'achèvement, le but.

probable adj. (fin XIIIe s., H. de Gauchy; lat. *probabilis,* de *probare,* prouver).
Qu'on peut prouver.

proceder v. (fin XIIIe s.; lat. eccl.
procedere, sortir de). 1° *Proceder de,*
sortir de, émaner de. — 2° Agir judicieusement. ◆ **proces** n. m. (1176, E. de
Fougères; lat. *processus*). 1° Titre,
contrat. — 2° Marche du temps. *Par
proces de tems, en proces de tens,* par la
succession du temps (1209, G.). —
3° Marche, développement, progrès : *Je
vos faz a savoir [...] le proces, et les
noveles, et les choses qui sont avenues en
France (Lettre de 1250).* — 4° Procès (fin
XIIIe s.). ◆ **procession** n. f. (déb. XIIe s.,
Voy. Charl.). 1° Cortège religieux. —
2° Marche, suite (J. de Vignay).

prochain adj. (déb. XIIe s., *Ps.
Cumbr.;* lat. pop. **propeanum,* de *prope,*
près). Proche, dans le temps et dans
l'espace. ◆ **prochaineté** n. f. (XIIIe s.).
État de ce qui est proche, voisinage,
accointance, parenté. ◆ **proche** adj.

(mil. XIIIe s., dérivé dégressif du préc.).
Proche, prochain. ◆ **prochement** adv.
(1259, *Arch.*). Prochainement.

procurer v. (fin XIIe s.; lat. *procurare*,
de *cura*, soin). 1° Avoir soin de, s'occuper
de. — 2° Munir, approvisionner. —
3° Obtenir par des efforts : *Procurer ...
Que bonne pes entre eus eust (Rose).*
◆ **procurement** n. m. (XIIIe s., *Rom.
Lumere*). Action de procurer, soin,
charge. ◆ **procure** n. f. (1265, J. de
Meung). 1° Procuration. — 2° *Metre en
procure*, donner à ferme. ◆ **procuration**
n. f. (déb. XIIIe s.). 1° Pouvoir donné à un
mandataire. — 2° Moyen, aide : *Par la
procuration du prince des tenebres (Règle
saint Ben.).* — 3° Indemnité donnée aux
tenanciers en corvée (1302, G.). ◆ **pro-
curator** n. m. (XIIe s., *Saint Évroul*).
1° Chargé de pouvoir. — 2° Procureur du
couvent.

I. **prod, preu** n. m. (980, *Passion;*
lat. pop. *prode*). Profit, avantage, chose
utile : *Oil voir, Sire, pour vostre preu i
viens (Gar. Loher.). Faire bon preu,*
profiter bien, faire grand bien : *Bon preu
te fache! (J. Bod.). Le metre en mon
preu*, le faire tourner à mon avantage.
◆ **proage** n. m. (fin XIIe s., *Ysopet Lyon*).
Bénéfice, avantage : *Quel prouaige Ai
jou en vostre amour? (G. de Rouss.).*

II. **prod, preu** adj. (1080, *Rol.;* adj.
bas-lat. *prodis*, de *prode*, profit). 1° Vaillant, preux : *Vous fustes pros. Et jo vous
tien a vaillans tos* (Wace). — 2° Sage,
vertueux : *La meschine ert cortoise et
prous (Fl. et Bl.).* — 3° *Preu de*, habile,
expert dans : *De plusors arz preuz et
vallanz (Alexis).* — 4° Bon : *Amur
n'est prus se n'est egals (M. de Fr.).* ◆
proos adj. (XIIe s.). Vaillant. ◆ **proosement**
adv. (1160, Ben.). En preux, vaillamment.
◆ **proece** n. f. (1080, *Rol.*). Exploit courageux. ◆ **prodome, preu d'ome** n. m.
(1080, *Rol.*). 1° Homme de valeur. —
2° Homme probe, sage, loyal : *Pruz-
dume i out pur sun seignur aider (Rol.).*
— 3° Homme expert dans tel ou tel
domaine (mil. XIIIe s.). ◆ **prodefeme, preu-
defame** n. f. (fin XIIe s., *Rois*). Femme
probe et sage, sérieuse, modeste. ◆

preudometé n. f. (1313, *Hist. de Metz*).
1° Qualité de prud'homme. — 2° Réunion
des prud'hommes.

III. **prod, preu** adv. (1080, *Rol.;*
v. *prod* adj. et n. m.). Beaucoup, assez :
*Recreans est, ne corra pro huimais
(Loher.).*

prodicion n. f. (1358, *Arch.;* lat.
proditio, dénonciation, trahison). Trahison. ◆ **prodicieus** adj. (1311, *Arch.*).
Traître, de traître.

proef, prof adv. V. PRUEF, près,
presque.

profe n. m. V. POROFFE, territoire,
assises d'un tribunal.

profession n. f. (1155, Wace; lat.
professio, de *profiteri*, déclarer). Déclaration publique de sa foi.

profete, profite n. m. (980, *Passion;* lat. eccl. *propheta*, du grec). 1° Prophète. — 2° Devin : *Atant fu Calcas
demandez, Uns profites molt enorez
(Eneas).* ◆ **profetant** n. m. (1120, *Ps.
Oxf.*). Prophète. ◆ **profiteresse** n. f.
(1160, *Eneas*). Prophétesse, devineresse.
◆ **profetisier** v. (XIIe s., Herman). Inspirer
prophétiquement. ◆ **profetisement** n. m.
(1160, Ben.), **-ison** n. f. (XIIe s., Herman).
Prophétie. ◆ **profecier** v. (1246, G. de
Metz). Prophétiser. ◆ **profecie** n. f.
(1119, Ph. de Thaun), **-iement** n. m.
(1160, Ben.). Prophétie. ◆ **profecien**
adj. (fin XIIe s., saint Grég.). De prophète.
◆ **profetal** adj. (fin XIIe s., saint Grég.).
Prophétique.

profondece n. f. (déb. XIIe s., *Ps.
Cambr.;* v. *porfont*, profond). Profondeur,
fond.

progene n. f. (XIIe s., Evrat), **-ie**
n. f. (1220, *Saint-Graal*), **-iee** n. f.
(1230, *Saint Eust.;* lat. *progenium*).
Progéniture, race, descendance.

proi n. m. V. PRI, prière.

proicheor n. m., prêcheur. V. PREE-
CHIER, prêcher.

I. **proier** v. V. PRIER, prier, demander.

II. **proier** v. V. PREER, ramener du
butin, piller, enlever.

prois n. m. (1260, A. de la Halle; orig. incert.). Derrière : *Ai je fait le noise du prois?* (A. de la Halle).

proisier v. V. PRISIER, évaluer, apprécier, faire cas de.

proisme adj. (1155, Wace; lat. *proximum,* très proche). 1° Très proche, proche, prochain, en parl. de choses. — 2° Proche, en parl. de personnes. — 3° n. m. (1120, *Ps. Oxf.*). Proche parent, personne qui touche de près. — 4° Le prochain en général : *Ne metre max seur sun pruisme* (M. de Fr.). ◆ **proismece** n. f. (1285, *Cart.*), **-eté** n. f. (1246, *Cart.*). 1° Proximité. — 2° Parenté. — 3° Sorte de droit lignagier (surtout en Bretagne). ◆ **proismer** v. (XIIIᵉ s.). Approcher. ◆ **proismain** adj. (1242, *Charte*). Proche, prochain.

prologe n. m. (1190, J. Bod.; lat. *prologus,* du grec). Discours : *Mais n'ai mais soing de son prologe* (J. Bod.).

promerain adj. V. PREMERAIN, premier.

prometre v. (Xᵉ s., *Saint Léger;* lat. *promittere*). 1° Promettre. — 2° Commander, ordonner : *Et Marie li hont non mis, Si com li anges lor promis* (Wace). ◆ **promesse** n. f. (1155, Wace), **-etement** n. m. (1160, Ben.), **-etage** n. m. (1334, *Rest. du Paon*). Promesse. ◆ **promission, -cion** n. f. (fin XIIᵉ s., *Rois*). 1° Promesse. — 2° *Terre de promission,* terre promise.

promoistre, -ostre, -oiste n. f. (1260, Br. Lat.; orig. incert.). Trompe de l'éléphant.

promovoir v. (1130, *Job;* lat. *promovere,* faire avancer). 1° Élever à un rang supérieur, conférer les honneurs. — 2° Inciter, exciter. ◆ **promovement** n. m. (1335, *Arch.*). Instigation. ◆ **promotion** n. f. (1350, G. li Muisis); 1° Élévation; élection. — 2° Instigation, incitation.

I. prone n. m. ou f. (1175, Chr. de Tr.; lat. pop. **protinum,* pour *protirum,* du grec). 1° Grille qui sépare le chœur de la nef. — 2° plur. Barreaux. — 3° Enceinte entourée de grilles. ◆ **pronel** n. m. (déb. XIVᵉ s., *Pass. Palat.*). 1° Grille, palissade. — 2° Chaire.

II. prone, prorne n. m. (1190, J. Bod.; dér. sémantique du précédent). Prôneur, grand parleur. *Faire le prorne,* faire le fanfaron, se vanter : *Or ne fai pas le prorne* (J. Bod.).

prononcier v. (déb. XIIᵉ s., *Ps. Cambr.;* lat. *pronuntiare*). 1° Déclarer, proclamer. — 2° Dire avec autorité (Beaum.). — 3° Articuler, proférer. ◆ **prononcement** n. m. (1283, Beaum.). 1° Sentence, décision. — 2° Action de prononcer. ◆ **prononciation** n. f. (fin XIIIᵉ s.). Jugement, arrêt, décision.

propagation n. f. (XIIIᵉ s., Bible; lat. *propagatio,* reproduction). Rejeton, enfant : *Ostez lui ses propagations, car il ne sont mie de Nostre Seigneur* (Bible).

proposer v. (1175, Chr. de Tr.; adapt. du lat. *proponere,* d'après *poser*). 1° Exposer une affaire. — 2° Avancer, soutenir. — 3° Projeter. ◆ V. PORPOSER. ◆ **proposement** n. m. (1155, *Brut*). Intention, dessein, résolution. ◆ **propos** n. m. (XIIᵉ s.; v. *porpos*). Bon sens : *Ele revint en son propos si com il plot a Nostre Seigneur* (*Mir. Saint Louis*). ◆ **proposé** adj. (1225, *Sept Sages*). Décidé, résolu.

I. propre adj. (fin XIᵉ s., *Lois Guill.;* lat. *proprium*). 1° Qui appartient en propre. — 2° Exact (Br. Lat.). — 3° Propice : *Molt li estoit propre fortune* (*Eneas*). — 4° Bien soigné (fin XIII ᵉs.). — 5° Capable (XIVᵉ s.). — 6° n. m. Bien propre (1220, Tailliar). ◆ **proprieté** n. f. (1190, Garn.; lat. *proprietas*). 1° Droit de possession. — 2° Qualité propre d'un être ou d'une chose. ◆ **proprietaire** adj. (1335, *Arch.*). Propre, personnel. ◆ **proprietier** n. m. (1339, *Arch.*). Propriétaire.

II. propre, propere n. m. (1160, *Eneas;* lat. *probrum*). Blâme : *Mais ge crienbroie Que vos m'en tenissiez propre* (*Eneas*).

prorne n. m. V. PRONE, prôneur, fanfaron.

prosme adj. et n. V. PROISME, proche, prochain.

prospre adj. (déb. XIIᵉ s., *Ps. Cambr.;* lat. *prosperum*). Prospère. ◆ **prosprement** n. m. (XIIIᵉ s.), **-eté** n. f. (fin XIIᵉ s., *Rois*). Prospérité. ◆ **prosperer** v. (1355, Bersuire). Favoriser.

prostré adj. (XIIIᵉ s., *Règle saint Ben.;* lat. *prostratus*). 1° Prosterné. — 2° Renversé, couché sur le dos. ◆ **prostration** n. f. (1300, Richier). Action de se prosterner, prosternement.

protecole n. m. (déb. XIVᵉ s.; lat. jurid. *protocollum*, feuille collée à la charte, du grec). Minute de contrat.

proterve adj. (1265, J. de Meung; lat. *protervus*). Effronté, insolent, farouche : *Dieu suefffre bien qu'il soient desloyel et proterve* (J. de Meung). ◆ **protervé** adj. (XIIIᵉ s., *Règle saint Ben.*). Opiniâtre, acharné. ◆ **protervité** n. f. Aimé). Insolence, effronterie.

protester v. (mil. XIVᵉ s.; lat. *protestari*). Déclarer publiquement.

provende n. f. (XIᵉ s.; lat. eccl. *praebenda*, qui doit être fourni). 1° Provision de vivres. — 2° Prébende : *Prouvendes ou possessions (Rose).* ◆ **provendier** n. m. (XIᵉ s., *Alexis*). 1° Celui qui pourvoit en vivres. — 2° Celui qui reçoit sa nourriture d'autrui : *Lor provendier unt fait del roi* (Wace). — 3° Mesure de grains contenant quatre boisseaux. ◆ **provender** v. (1350, G.). 1° Prendre sa provende. — 2° Approvisionner (Froiss.).

provenisien n. m. (1230, *Charte;* du nom de la ville de *Provins*). Monnaie de Provins.

prover v. (XIᵉ s., lat. *probare*, mettre à l'épreuve). 1° Établir la vérité de quelque chose. — 2° Se rendre compte par expérience de quelque chose : *Quant li roys l'ot ensi prouvé Le haut miracle du bon saint* (J. Bod.). — 3° Goûter. — 4° Convaincre de culpabilité : *Ne fust la nuit nus d'eus provez* (Trist.). — 5° Approuver. — 6° v. réfl. Se faire connaître à l'épreuve, se conduire (bien ou mal) : *Se bien ne vous prouvez de la dolor*

mourrai (Aden.). — 7° *Se prover de,* se montrer digne de. — 8° *Prendre prove,* prendre sur le fait, en flagrant délit. ◆ **provance** n. f. (fin XIᵉ s., *Lois Guill.*). 1° Preuve. — 2° Expérience : *Par une provance ke fist Uns prodom de jadis cui non L'escriture apele Zenon* (R. de Moil.). — 3° Caractère de ce qui est éprouvé. — 4° Manifestation de ce qu'on est, de ce qu'on vaut réellement. — 5° Approbation. ◆ **provement** n. m. (1119, Ph. de Thaun). 1° Preuve. — 2° Chose éprouvée. ◆ **provece** n. f. (1167, G. d'Arras). Preuve. ◆ **provison** n. f. (XIIᵉ s., Herman). Preuve. ◆ **provant** adj. (1204, R. de Moil.). Qui résiste à l'épreuve. ◆ **provable** adj. (1260, Br. Lat.). 1° Qu'on peut prouver, certain. — 2° Digne d'être approuvé, loué. ◆ **proveor** n. m. (déb. XIIᵉ s., *Ps. Cambr.*). 1° Celui qui éprouve, qui sonde. — 2° Défenseur, avocat. — 3° Demandeur.

providence n. f. (1160, Ben.; lat. *providentia*). 1° Prévision, prévoyance. — 2° Sagesse divine (déb. XIIIᵉ s.). — 3° Provision : *Se tu veulx faire providence De sens et de bonne science* (Deguil.).

provision n. f. (1320, *Arch.;* lat. *provisio*, action de pourvoir). 1° Prévoyance, soin, précaution. — 2° Action de pourvoir. ◆ **proviseur** n. m. (mil. XIIIᵉ s.). 1° Celui qui a le soin, la charge d'une chose. — 2° Fournisseur.

provoire n. m. cas reg., **prestre**, cas sujet (1080, *Rol.;* lat. pop. *presbyterum*, du grec). Prêtre. ◆ **proverage** n. m. (fin XIIᵉ s., *Rois*). Prêtrise, sacerdoce. ◆ **provoirie** n. f. (XIIᵉ s., *Comm. Ps.*). 1° Sacerdoce. — 2° Habitation, propriété d'un prêtre. ◆ V. PRESTRE.

provost n. m. V. PREVOST, magistrat, officier civil.

pru adv. V. PROD, beaucoup, assez.

pruec adv. et conj. V. PORUEC, pour cela, à cause de cela, dans ce dessein.

pruef, proef, prof adv. (Xᵉ s., *Passion;* lat. *prope*). 1° Près. *Prof a prof,* près l'un de l'autre. *De proef en prof,* de proche en proche. — 2° Presque : *Son chief a li dus enz boté, Prof l'aveit ja tot* *endossé* (Wace). *A bien prof*, presque, à peu près : *A ben prof le veit tut nu (G. de Warwick).*

pruève n. f. (1175, Chr. de Tr.; v. *prover*). 1° Épreuve. − 2° Preuve. − 3° Expérience.

pruine n. f. (déb. XIIᵉ s., *Ps. Cambr.*; lat. *pruina*). Gelée blanche.

psalme n. m. (1120, *Ps. Oxf.*; lat. eccl. *psalmus*, du grec). Psaume. ◆ **psalmoier** v. (1160, Ben.). Psalmodier, chanter des psaumes. ◆ **psalmonie** n. f. (1112, *Saint Brand.*). Psalmodie.

psalterion n. m., **-erie** n. f. (fin XIIᵉ s., *Rois*; lat. *psalterium*, du grec). Psaltérion, instr. de musique. ◆ **psalterioner** v. (1277, *Rose*). Jouer du psaltérion.

puble adj. (1276, *Charte*; lat. *publicus*). Public : *Notaire puble* (1276, *Charte Saint-Lambert*). ◆ **publial** adj. (1119, Ph. de Thaun). 1° Public. − 2° Vulgaire, établi par le peuple. ◆ **publier** v. (1175, Chr. de Tr.). 1° Rendre public et notoire. − 2° Répéter, dire partout. − 3° Communiquer. − 4° Parler publiquement de. − 5° Se confesser publiquement. − 6° Vendre à l'encan *(Livr. de Jost.).* ◆ **public ment** n. m. (1287, *Ord.*). 1° Publication. − 2° Déposition publique d'un témoin. ◆ **publiance** n. f. (1338, *Arch.*). Action de rendre public, publication.

pucele n. f. (Xᵉ s., *Eulalie*; lat. pop. **pullicella*, dimin. de *puella*, jeune fille). 1° Jeune fille. − 2° Servante : *Si vos servi come pulcele (Gorm. et Is.).* − 3° Vierge. ◆ **pucelete** n. f. (fin XIIᵉ s., *Est. Saint-Graal*), **-ote** n. f. (XIIIᵉ s., *Rom. et past.*). Jeune fille. ◆ **pucelage** n. m. (fin XIIᵉ s., *Trist.*). État de celle ou de celui qui est vierge : *Perdi, dame, mun pucelage (Trist.).*

puch n. m. (XIIᵉ s., *Part.*, forme normanno-picarde; v. *puis*, puits). Puits. ◆ **puchot** n. m. (1347, *Arch.*). 1° Goulot, conduit, canal. − 2° Eau d'une source. ◆ **pucheor** n. m. V. PUISEOR, celui qui puise l'eau.

pueille n. f. V. POILLE, rente, registre de comptes.

puel, pueil n. m. (XIIᵉ s., *Ps.*; orig. obsc.). Rejeton, jeune plant. ◆ **puelle** n. f. (1330, *B. de Seb.*). Jeune bois. ◆ **pueillier** adj. (fin XIIIᵉ s., *Arch.*). Qui est dans un taillis.

pueple n. m. et f. (842, *Serm.*; lat. *populus*). 1° Peuple. − 2° Population : *La pueble du royaume de France* (1308, *Cart.*). − 3° Foule, multitude. ◆ **puepler** v. (XIIᵉ s., *Mainet*). 1° Etre peuplé, se peupler. − 2° Garnir, munir : *Grant eschec i retint d'or et d'argent pueplé (Mainet).* ◆ **pueploier** v. (1318, *Arch.*). Peupler. ◆ V. POLE, peuple.

I. **puepler** v., être peuplé, se peupler. V. PUEPLE, peuple.

II. **puepler** v. (1296, *Cart.*; doublet de *publier*, de *publicare*, confondu avec *puepler*, être peuplé). Publier. ◆ **pueploier** v. (1220, *Saint-Graal*). Publier, rendre public. ◆ **pueplement** n. m. (1260, *Ord.*). Publication.

puer adv. (1190, J. Bod.; lat. pop. *por*, pour *pro*, devant). 1° Dehors : *Rois, giete te folie puer* (J. Bod.). − 2° En avant.

pues prép. et adv. V. PUIS, après, depuis, ensuite.

puet cel estre, puet ce estre loc. adv. (1120, *Ps. Oxf.*; v. *pooir*, pouvoir). Peut-être.

pugnais adj. V. PUNAIS, puant, fétide.

pui n. m. (1080, *Rol.*; lat. *podium*, soubassement, du grec). 1° Montagne, colline, coteau. − 2° Hauteur, sommet. − 3° Assemblée réunie pour juger des poésies en vue de l'attribution d'un prix : *A sen pui canchon faire doit Par droit maistre Wauters As Paus* (A. de la Halle). − 4° Appui. ◆ **puiel, -al** n. m. (XIIᵉ s., *B. d'Hanst.*). 1° Élévation, sommet. − 2° Appui, balcon. ◆ **puiot** n. m. (XIIᵉ s., *Trist.*). 1° Balcon pour s'appuyer, balustrade. − 2° Béquille. ◆ **puier** v. (1160, Ben.). 1° Monter, gravir, grimper : *Par les degrés sont ou palais puié (Loher.).* − 2° Monter, élever en honneur, en fortune, etc. − 3° Faire monter, élever, augmenter : *E mult par aveit son cors mis A creistre e a poier* *s'onor* (Ben.). — 4° n. m. (XIII° s., *Chron. Reims*). Montée d'un tertre. — 5° Appui. ◆ **puie** n. f. (fin XII° s., *Auc. et Nic.*), **puiee** n. f. (1278, Sarrazin). — 1° Balustrade, rampe. — 2° Balcon, appui, dossier d'un siège. ◆ **puiere** n. f. (1160, *Athis*). Hauteur, éminence, lieu élevé.

puir v. (fin XII° s., *Loher.*; lat. pop. **putire*, pour *putere*). 1° Répandre une mauvaise odeur, puer. — 2° *Faire puir*, faire repentir. ◆ **puor** n. f. (1160, *Eneas*). 1° Puanteur. — 2° Infection, pus fétide. ◆ **puee** n. f. (XII° s.), **puine** n. f. (XIII° s., *Fabl. d'Ov.*). Puanteur. ◆ **puasine** n. f. (1204, R. de Moil.). 1° Puanteur. — 2° Infection, matière puante. — 3° *Grant puasine,* enfer *(Gaufrey).*

puire v. (1335, Watriquet; adapt. de **putire,* puer). Puer. ◆ **puiriel** n. m. (1288, *Ren. le Nov.*). Bourbier.

I. **puis** n. m. (1120, *Ps. Cambr.*; lat. *puteum;* v. *puch*). Puits. ◆ **puiset** n. m. (1242, *Charte*). Petit puits. ◆ **puisier** v. (1112, *Saint Brand.*). 1° Puiser. — 2° Faire eau, en parlant du bateau : *La nes puisa, Par crevaces l'eve i antra (Eneas).* ◆ **puisoir** n. m. (1308, *Charte*). 1° Puisard, lieu où l'on puise de l'eau à une rivière. — 2° Sorte d'engin de pêche. ◆ **puiseor** n. m. (1220, Coincy). Celui qui puise. ◆ **puisier** n. m. (1301, *Arch.*). Puisatier.

II. **puis** prép. et adv. (X° s., *Eulalie;* lat. pop. **postius,* pour *post, postea,* d'après *melius*). 1° Prép., Après, depuis : *Puis icel jur en fut cent anz deserte (Rol.).* — 2° Adv. Après cela, ensuite, depuis lors : *Ço fist li dus que jo ne trois Qu'altre feist avant ne pois* (Wace). *Puis apres,* ensuite. — 3° *Puis que,* loc. conj., après que, du moment que, à cause que, puisque. ◆ **puiscedi** adv. (XII° s., *Chev. cygne;* mot composé *puis ce di,* après ce jour). 1° Depuis ce jour, désormais : *Ne ainz deduit ne demena Puissedi tant com il dura* (Couci). — 2° *Puissedi que,* loc. conj. *(Percev.),* depuis que, après que.

puisnier v. (fin XIII° s., B. de Condé; altér. de *punier,* infecter). Infecter, empoisonner. ◆ **puisnie** n. f. (XIII° s., *Anseis*). Puanteur.

pulce n. f. (fin XII° s., *Rois;* lat. *pulex, -icem*). Puce. *Metre la puce a l'oreille,* provoquer chez qqn un désir amoureux; inspirer des inquiétudes (déb. XIV° s.).

pule n. m. V. POLE, peuple, foule.

pulent adj. (1112, *Saint Brand.*; lat. *putulens, -entis*). 1° Puant, infect : *Bucs est beste pulente* (Ph. de Thaun). — 2° Au moral, Abject : *Judas li fel, li traitres puslans (Am. et Amiles).* ◆ **pulenté** n. f. (1220, Coincy), **-tie** n. f. (XIII° s., *Vie saint Mart.*). Puanteur, infection (au phys. et au mor.).

pun n. m. V. POM, pommeau.

punais adj. (fin XII° s., *Cour. Louis;* lat. pop. **putinasium,* composé de **putire,* puer, et de *nasus,* nez). 1° Fétide, puant. — 2° n. m. (1138, *Saint Gilles*). Lieu puant. — 3° n. f. (1265, Ald. de Sienne). Punaise. ◆ **punaisie** n. f. (1272, Joinv.). Puanteur.

punier v. (XII° s.; lat. pop. **putinare,* de **putire,* puer). Infecter. ◆ **puniee** n. f. (XII° s.). Puanteur.

punir v. (fin XIII° s.; lat. *punire*). Punir. ◆ **punissement** n. m. (1265, J. de Meung). Punition. ◆ **puniment** n. m. (1308, *Arch.*). 1° Punition. — 2° Droit d'infliger une punition.

pur adj. (980, *Passion;* lat. *purum,* propre, sans mélange). 1° Pur, vrai, sans mélange. — 2° Nu, simple. *En pur le cors,* nu. *A pur, en pur, em pur,* seulement, simplement : *O lui couchai en pure ma cemise* (Anseis). L'adjectif peut aussi ne pas s'accorder avec le substantif : *Il estoit toz nus enpur sa chemise (Nouv. fr.,* XIII° s.). — 3° Pur, absolu. *Pur a pur,* absolument. *En pure,* absolument : *Je lesse et quite en pure* (1269, *Arch.*). ◆ **pure** n. f. (1150, Wace). Pure vérité : *Des deus barons, ce est la pure, Que ainc ne s'entr'amerent jour (Ren.).* ◆ **purain** adj. (1325, *Ord.*). 1° Pur, intact, sans tache. — 2° Seul, unique. — 3° *Purain de,* composé uniquement de. ◆ **pureté** n. f. (1285, Aden.), **purté** n. f. (XII° s.). Pure vérité. ◆ **purer** v. (XII° s., *Rom. des Français*). 1° Purifier, nettoyer, épurer. —

2° Vanner, passer au crible. — 3° Presser les légumes. — 4° *Purer hors,* chasser, bannir. ◆ **puree** n. f. (déb. XIIIᵉ s.). Purée de légumes. ◆ **puroir** n. m. (1326, *Arch.*). Van, crible, tamis, passoire. ◆ **pureor** n. m. (1276, *Arch.*). Celui qui épure, qui nettoie.

purgier v. (XIIᵉ s., *Asprem.;* lat. *purgare,* purifier). 1° Nettoyer, laver. — 2° Purger. — 3° Purifier. ◆ **purge** n. f. (XIIIᵉ s., *Fabl. d'Ov.*). Épurge, euphorbe. ◆ **purgement** n. m. (fin XIIᵉ s., saint Grég.). Purgation, purification. ◆ **purgeable** adj. (XIIIᵉ s., *Fabl. d'Ov.*). Qui peut être expié.

puricr, puirier v. (1190, Garn.; orig. obsc.). Offrir, présenter : *Et li quens Bauduins son escu li puira (Conq. Jérus.).*

purlent adj. V. PULENT, puant.

purs adv. V. PUER, dehors, en avant.

pusnais adj. V. PUNAIS, fétide, puant.

put adj. (1080, *Rol.;* lat. *putidum,* de *putere,* puer). 1° Puant, sale, infect. — 2° Mauvais, méchant : *D'ardoir, de pendre, de faire pute fin (Loher.).* — 3° Ignoble, bas, méprisable : *Li serf de pute estrace* (Ruteb.). ◆ **putain** n. f.

cas rég., **pute** cas suj. (1119, Ph. de Thaun). Femme de mauvaise vie : *Fil a putain* (J. Bod.); *Ceo est drelt que bele feme puite fait* (prov.). ◆ **putement** adv. (fin XIIᵉ s., saint Grég.). Laidement, honteusement. ◆ **putee** n. f. (1150, Wace). Débauche : *Que Tristran n'ot vers vos amor De putee ne de folor (Trist.).* ◆ **puterie** n. f. (1160, Ben.). Débauche, mauvaise conduite en général. ◆ **putage** n. m. (1150, Wace). 1° Débauche, prostitution : *A mal putaige soit li siens cors livrez! (Ami).* — 2° Vie déréglée : *Ne ving pas ça por moi mostrer Ne por putage demener, Mais por fere chevalerié (Eneas).* ◆ **puteleime** n. f. (XIIIᵉ s., *Rom. Lumerc*). Luxure, débauche. ◆ **putie** n. f. (1277, *Rose*). 1° Ordure, poussière. — 2° Lie de vin. — 3° Fumier. — 4° Chose honteuse : *Mena religieuse vie Honneste et pure et sans putie (Mir. saint Éloi).* ◆ **putier** n. m. (fin XIIᵉ s., *Aiol*). Homme débauché. ◆ **puterele** n. f. (1295, Boèce). Jeune putain : *A dix ans pucelle, A quinze putrelle, A vingt ans putain parfaite* (N. de Troyes). ◆ **putisme** adj. (XIIᵉ s., *Part.*). 1° Laid. — 2° Ignoble. ◆ **putel** n. m. (1170, *Fierabr.),* **-iel** n. m. (1220, Coincy). Bourbier, mare, gâchis. ◆ **putois** n. m. (1175, Clıᵣ. de Tr.). Putois.

q

quadrangle n. m. (XIIIe s., G.; lat. *quadrangulus*). Figure quadrangulaire.

quadrant n. m. (XIIIe s., G.; lat. *quadrans, -tis*, de *quadrare*, former un carré). 1° Cadran solaire. — 2° Petite pièce de monnaie, le quart du denier (en Angleterre).

quadruble, -uple n. m. et adj. num. (XIIIe s., *Chans.*; lat. *quadruplex*). 1° Morceau de musique écrit pour quatre voix ou quatre instruments. — 2° La quatrième partie (G. de la Bigne). ◆ **quadruplié** adj. (1335, *Arch.*). Plié en quatre.

quadruve n. m. (XIIIe s.; du lat. **quadruvium*, pour *quadrivium*, carrefour). Subdivision des sept arts libéraux comprenant l'arithmétique, la géométrie, la musique et l'astronomie, venant après le *trivium* composé de la grammaire, de la rhétorique et de la logique.

quaer, quaier n. m. (1160, Ben.; bas lat. *quaternum*, distributif de *quatuor*). Feuille pliée en quatre, cahier.

quaerne n. m. sing. ou plur. Voir QUERNE, terme de jeu, double quatre.

quaie n. f. (XIIIe s., *Rom. et past.*; orig. onom.). Nom désignant le son de la viole.

quaile adj. (XIIIe s., *Fabl.*; orig. obsc.). Vif, ardent, vigoureux : *Sire Gombers, dist dame Guile, si viez hom com estes et frailes, moult avez anuit esté quailes* (Fabl.).

quaille n. f. (fin XIIe s., *Chron. d'Ant.*; d'orig. francique, probabl. onomat.). Caille. ◆ **quaillier** n. m. (1229, G. de Montr.). Chasseur de cailles.

quainses conj. V. QUANSES, comme, comme si.

quaistron n. m. V. COISTRON, marmiton, bâtard.

qualcatri n. m. V. CAUCATRI, crocodile.

quanconque, -ques pron. et n. m. (XIIe s., *Part.*; lat. *quantumcumque*; v. *quant*, combien grand). 1° Tout ce qui, tout ce que : *Et faisoit tot a volenté quanconques li venoit a gré* (Part.). — 2° Tout le bien, l'unique richesse : *C'iert ses pooirs et ses quanconques, ce disoit il, ne finoit onques* (Coincy).

quandis, quandius conj. (Xe s., *Saint Léger*; lat. *quamdiu*). Tant que, aussi longtemps que : *Quandius visquet ciel reis* (Saint-Léger).

quanque, quanques pron. (1080, *Rol.*; v. *quant*, combien grand). 1° Autant que : *Kar chevalchez a quanque vos puez* (Rol.). De quanque, en quanques, autant que. — 2° Tout ce que : *Quant qu'a Deu monte tornerai a damage* (Cour. Louis).

quans, cuens n. m. cas sujet. V. CONTE, comte.

quanses, quainses, queinsi conj. (1175, Chr. de Tr.; lat. *quam sic*). Comme, comme si : *Et si feit quanses que il n'ot* (Chr. de Tr.).

I. **quant** adj. et pron. (842, *Serm.*; lat. *quantum*, combien grand). 1° Adj. interrogatif et exclamatif, Combien grand, combien nombreux : *Trieves querront vers Grigois, Ne sai pas cans ans ne quans moi* (Ben.). — 2° Pronom neutre, au sens de « autant que », employé soit avec le corrélatif *tant*, soit avec le corrélatif sous-entendu : *Por quant il pot, tant fai de miel* (Saint Léger). *Quant plus,* d'autant plus. *Tant ne quant,* d'aucune façon. *Quant est a, quant a,* pour ce qui est de, en ce qui concerne. — 3° Conjonctif de corrélation, *Quant ... quant,* soit ... soit : *quant par lettres, quant par messages* (Aimé). — 4° Dans la même fonction, avec la considération du temps, *Quant ... tant que,* tant que, jusqu'à ce que : *Et quant ne fina de coitier. Tant qu'il fust pres de mie di* (Percev.). — 5° Construit avec *que*, prend le sens de

« tout ce qui », « tout ce que » : *Li malves vaissel tost empire Quant qu'on y met* (Guiot). — 6° Même sens avec l'antécédent pléonastique *tot*, tout : *Tot avenra quanque doit avenir (Loher.).* — 7° *Quant que,* quoique, bien que. ◆ V. QUANQUE, QUANCONQUE.

II. quant conj. (xe s., *Fragm. de Valenc.;* lat. *quando*). 1° Conj. de temps, Dans le temps où, lorsque. — 2° Interrogatif, Dans quel temps, quand. — 3° *Quant et quant, quant et,* loc. adv. et prép. En même temps, avec, aussi.

quantel adj. et pron. (1220, Coincy; dimin. de *quant,* combien grand). Combien : *Tant en voit tout autour la vile Nus ne saroit dire quantel* (Coincy).

quantité n. f. (1190, saint Bern.; lat. *quantitas*). 1° Grandeur. — 2° Longueur. — 3° Volume et, plus spécialement, stature, taille : *La proesse ne respondoit pas a la beauté ne a la quantité du corps (Chr. Saint-Denis).*

quaquehan n. m. V. CAQUEHAN, assemblée illicite, émeute populaire.

quaquevel n. m. V. CHACHEVEL, crâne.

quar conj. V. CAR, donc, or; parce que.

quarante n. de nombre (1080, *Rol.;* lat. pop. *quaranta,* pour *quadraginta*). Quarante. ◆ **quarantain** adj. (1246, *Charte*). Quarantième. ◆ **quarantisme** adj. (1190, Garn.). Quarantième.

quare n. f. V. CARRE, côté, face, coin.

I. quaré n. m. (1220, Coincy; mot comp. lat. *qua re*). Ergoterie : *Il aprenent, par saint Gile, Tant de barat, et tant de gile, Et de quaré et d'argotant Que le mont vont tout argotant* (Coincy).

II. quaré adj. et n. m. (xiie s., *Roncev.;* part. passé du lat. *quadrare,* rendre carré). 1° Qui a la forme carrée. — 2° Bien taillé. — 3° n. m. Carré (Br. Lat.). ◆ **quareure** n. f. (1180, *Rom. d'Alex.*). Forme carrée. ◆ **quareure** n. f. (1277, *Rose*). Surface carrée. ◆ **quariere** n. f. (fin xiie s., *Rois*). Lieu où l'on équarrit les blocs de pierre.

quarefor n. m. (1190, J. Bod.; bas lat. *quadrifurcum,* à quatre fourches). Carrefour.

quaregnon, -ignon n. m. (1180, *Rom. d'Alex.;* lat. pop. **quatrinionem,* pour *quaternionem*). 1° Carré de parchemin, parchemin plié en quatre, pli renfermant une lettre, la lettre elle-même. — 2° Carillon, composé de quatre cloches *(Ren.).* — 3° Mesure appelée aussi *quarte* et correspondant à un huitième d'hectolitre (1266, Tailliar).

quarel n. m. (1080, *Rol.;* lat. pop. **quadrellum,* de *quadrus,* carré). 1° Objet carré, petit carreau. — 2° Flèche, trait d'arbalète à quatre pans. — 3° Trait de foudre. ◆ **quareler** v. (av. 1300, poèt. fr.). Percer comme avec une flèche, entailler.

quaresme n. f. (1190, saint Bern.; lat. *quadragesima,* le quarantième jour avant Pâques). Carême. ◆ **quaresmel** adj. et n. m. (1273, *Charte*). 1° De carême. — 2° n. m. sing. Carême. — 3° n. m. plur. Jours gras, carnaval (1290, *Charte*). ◆ **quaresmage** adj. (xiiie s., *Helias*). De carême. ◆ **quaresme prenant** n. m. (fin xiie s., *G. de Rouss.*). L'entrée du carême, carnaval. ◆ **quaresmentrant** n. m. (1269, *Chambre des comptes de Dole*). Commencement de carême.

quarillon n. m. (fin xiie s., *Loher.;* v. *quaregnon,* intégré dans une classe de subst. suffixés). 1° Carré de parchemin. — 2° Carillon.

quarroge n. f. V. CARROGE, carrefour, place.

quart adj. num. (1080, *Rol.;* lat. *quartum*). 1° Quatrième. — 2° n. m. (xive s.). La quatrième partie d'un tout. ◆ **quarte** n. f. et adj. (1233, Cart.). 1° Mesure de capacité en général. — 2° En part., Mesure de liquides valant deux pintes (E. Boil.). — 3° Quartier d'une année. — 4° Banlieue dont l'étendue est d'un rayon de quatre milles ou qui est composée de quatre villages (1268, *Charte*). 5° adj. *Fievre quarte,* qui revient tous les quatre jours (1265, J. de Meung). ◆ **quartois** n. m. (1180, *Rom. d'Alex.*). Quartier. ◆ **quartoier** n. m. (1312, *Arch.*). Droit seigneu-

rial de prélever le quart des produits. ◆
quartain adj. (XIIe s.). 1° Quatrième. −
2° Qui revient tous les quatre jours :
fievre quartaine (Joinv.). ◆ **quartenaire**
adj. (fin XIIe s., *Ysopet Lyon*). 1° Atteint
de la fièvre quarte. − 2° n. m. Malade atteint
de la fièvre quarte (Mondev.). ◆ **quarta-
niere** n. f. (1220, Coincy). Fièvre quarte.
◆ **quartenor** adj. (1160, Ben.). De quatre
ans. ◆ **quartieme, -ime** adj. (1324, *Lettre*).
Quatrième. ◆ **quartage** n. m. (1235,
Arch.). Mesurage, droit de mesurage du
sel.

quartel n. m. (1285, *Ch. des comptes
de Dole;* v. *quart*). 1° Petit quart. −
2° Mesure de blé, de capacité variable
selon les provinces. ◆ **quartele** n. f.
(XIIIe s., *Arch.* G.). Sorte de mesure. ◆
quartelee n. f. (1243, *Arch.*). Mesure
de terre. ◆ **quarteler** v. (XIIe s., *G. de
Rouss.*). Écarteler, partager en quatre :
L'iaume s'a quartellé, le baccinot fendist
(G. de Rouss.).

quarteron n. m. (1268, E. Boil.;
v. *quart*). 1° Quart d'une livre en parlant
des choses qui se vendent au poids. −
2° La quatrième partie de cent, en parlant
des choses nombrables. − 3° Étendue de
terre ensemencée avec une quarte de blé.
− 4° Mesure pour les vins. ◆ **quarte-
ranche** n. f. (1274, *Arch.*), **-uel** n. m.
(1277, *Cart.*). 1° Mesure de capacité de
liquides, de grains, etc. − 2° Mesure de
terre en relation avec l'ensemencement.
◆ **quarterecer** v. (1326, G.). Diviser,
couper en quatre, écarteler.

quartier n. m. (1080, *Rol.;* lat. *quarta-
rium,* de *quartus*). 1° La quatrième partie
de l'écu. *Escu de quartiers,* écu en quartiers, écartelé en croix. − 2° Portion d'un
tout. − 3° Côté d'un heaume à quatre
pans. − 4° adj. Divisé en quartiers *(Aiol).*

quas adj. V. CAS, cassé, brisé. ◆ **quasset**
adj. (XIIIe s., *Rom. et past.*). Un peu cassé.
◆ **quassement** adv. (1180, *Rom. d'Alex.*).
D'une voix brisée, faible.

quasser v. V. CASSER, secouer,
frapper, briser.

quatir v. V. CATIR, presser, cacher :
heurter.

quatorze n. de nombre (fin XIe s.,
Lois Guill.; lat. pop. *quattordecim*).
Quatorze. ◆ **quatorsain** adj. (1250,
Arch.). De quatorze deniers. ◆ **quator-
zaine** n. f. (XIIIe s.). 1° Collectif de qua-
torze. − 2° Espace de quatorze jours.
◆ **quatorzime** adj. ord. (1119, Ph. de
Thaun). Quatorzième.

I. que conj. (Xe s., *Eulalie;* lat. tardif
quid, qui remplace *quod*).

I. 1° Conjonction servant à réunir deux
propositions, ayant un sens très général
d'implication (cause, concession, but,
relation temporelle, etc.) : *Ceo quid li
leres qe tuz li seient freres (Prov. de
France).* − 2° Marque la cause, Car,
parce que : *Adonques traist l'espee q'il
se voloit ocire (J. Bod.).* − 3° Puisque :
*Por nul chastoiement Ne lairai mon ami
gent Que tote a li m'ottroi (Chans.).*
− 4° Afin que, pour que : *Haste tei, que
je seie salved (Ps. Cambr.).* − 5° De sorte
que : *Et parla hautement, que l'oirent
plusors (J. Bod.).* − 6° Pendant que :
*Une grant piece estut que mot ne dist
(Loher.).* − 7° *Que ne,* afin que ne, de peur
que : *El camp estez, que ne sei um vencut
(Rol.).*

II. 1° Conjonction servant à comparer
deux membres d'énoncé. − 2° En insis-
tant sur leur égalité ou leur équivalence,
que ... que, tant ... tant, et ... et : *Que por
savoir que por eage Lo mist del regne
en l'eritage* (Wace). − 3° Introduit, à
l'aide du verbe *faire,* un jugement, avec
le sens de *comme* : *Quant jo i vinz, je fis
molt que caitis (Loher.).* − 4° Introduit
une comparaison d'inégalité, à l'aide d'un
comparatif : *Il est plus gensz que solleiz
enn ested (Cant. des cant.).* − 5° A l'aide
d'un comparatif sous-entendu : *De Marie
me niece qui est blance qu'aubespin
(H. Capet).* − 6° Après la négation, introduit la restriction : *Il ne sejorna c'un jor
devant la vile* (Villeh.). ◆ **queque** conj.
(1170, *Percev.*). 1° Quoique : *Queque
nus die, De vos consel n'istrai je mie
(Trist.).* − 2° Pendant que : *Queque il
parloient einsi Li orgueilleus du bois issi
(Percev.).*

II. **que** pron. interr., indéf., relatif, cas
rég. (980, *Passion;* lat. *quem*).

I. Pronom interrogatif. 1° Interrogation directe : *Fols, que c'est qe tu dis? (Ogier).* — 2° Interrogation indirecte : *Ne set que faire, ne set que devenir (Loher.).*

II. Pronom indéfini. 1° Équivaut au fr. moderne « ce que » : *Voz avez bien oi que nos vos avons dit (Villeh.).* — 2° *Que que,* quelle que soit la personne qui : *Soit bien, soit max, que ke s'en plengne (Dolop.).*

III. Pronom relatif. 1° En fonction de régime direct : *Oiet, virgines, aiso que vos dirum (Sponsus).* — 2° En fonction de sujet, avec un antécédent inanimé : *Pierre n'i ad ionc ne seit neire (Rol.).* — 3° Avec un antécédent neutre : *Or dites ce que vos plaira (Villeh.).* ◆ V. QUI, QUOI, QUI-CUI.

quedondi quedonda particule (XIII° s., *Rom. et past.;* orig. onomat.). Imitation du son des cloches.

quei pron. interr., indéf., relatif. V. QUOI.

queinsi conj. V. QUANSES, comme, comme si.

I. quel adj. et pron. interr. et relatif (X° s., lat. *qualis*). 1° Interrogation directe : *Quel merci voles vos avoir?* (G. d'Arras). — 2° Interrogation indirecte : *Oez, seignur, quels pecchiez nus encumbret (Rol.).* — 3° Interrogation portant sur l'attribut : *Quelx est la convenance? fait l'empereres (Villeh.).* — 4° Interrogation portant sur un élément du syntagme prédicatif. *Quel la ferai?* que faire? *Quel la feras?,* qu'y feras-tu? : *Ha, Piramus, quel la feras? En quel guise te contendras? (Pir. et Tisb.).* — 5° Introduit l'exclamation : *Lasse! quels peres m'engendra! (Wace).* — 6° En fonction d'indéfini, Quelque : *Et traient le sigle ben halt, Que luin se puisse apercevir, Quel se seit, le blanc u le neir (Trist.).* — 7° Suivi de *que,* constitue une conjonction introduisant la proposition de concession : *a)* discontinue : *De quel part que je viegne, tost me retrouveres (Fierabr.); b)* continue : *Quel* suivi de *que,* quoique, quoi que ce soit que : *Car de si haute signorie N'est dame, quel ke nus en die (G. d'Arras).* ◆ **quel que onques, quelconque** pron. et adj. (1120, *Ps. Oxf.*). 1° Pron., Quel qu'il soit, quoi que ce soit : *Tutes genz quele qu'unques tu fesis vendrunt (Ps. Oxf.).* — 2° Adj. : *An quequonques maniere que ce fust* (1252, *Cart.*).

II. quel pron. relatif, interr., contracté avec *le.* V. QUE.

quelconque pr. et adj., quel qu'il soit, quoi que ce soit. V. QUEL.

quelement adv. (mil. XIII° s., D.; v. *tel*). Comment, de quelle manière, combien (souvent coordonné avec *tellement*) : *Chier fils, j'aym tant et tellement Que je monstray bien quellement* (J. Lefebvre).

queles interj. (XII° s., *Trist.;* formation obsc.). Exclamation d'encouragement ou de supplication : *Et, queles, quar vos repentez! (Trist.).*

queloigne n. f. V. QUENOILLE, quenouille.

quemander v. V. COMANDER, donner des ordres.

quemun adj. V. COMUN, commun, public, communal.

quenart n. m. V. CANART, embarcation.

quenas adj. (fin XII° s., *G. de Rouss.;* orig. incert.). Terme de mépris, vilain : *Chevaliers fu vaillans, saiges, non pas quenas (G. de Rouss.).*

quenivet n. m. V. CANIVET, couteau.

quenoille, queloigne n. f. (1265, J. de Meung; bas lat. *conucula,* pour *colucula,* de *colus,* quenouille). Quenouille.

quepol, quipol n. m. (1160, Ben.; pourrait être une inversion de syllabes de *pecol,* même sens?). Pied de lit.

queque conj., quoique, pendant que. V. QUE, conj.

I. quer n. m. V. CUER, cœur.

II. quer conj. V. CAR, donc, or; parce que.

querdener n. m. (fin XI° s., *Lois Guill.;* composé de *quart* et de *denier*). Pièce de monnaie valant un quart de denier.

I. quere, querre v. (XIᵉ s.; lat. *quaerere*, chercher). 1º Chercher, aller chercher, rechercher. — 2º Désirer, vouloir, pouvoir : *Nul plus bel home ne quissiés veoir (Ogier).* — 3º Avoir l'intention : *Oil bien, dusqu'ele reviegne ne me quier de chi remuer (Court. d'Arras).* — 4º Demander, prier, invoquer, réclamer : *par l'apostre que quierrent peneant (Aym. de Narb.).* ◆ **querement** n. m. (XIIIᵉ s.). Requête, demande. ◆ **querie** n. f. (1224, *Franch.*). Réquisition. ◆ **quereor** n. m. (1204, *G. de Palerne*). Celui qui va chercher, qui est à la poursuite de. ◆ **quereus** n. m. (1330, *Cart.*). Collecteur.

II. quere n. f. V. CUERE, collège des échevins.

querel n. m. V. QUAREL, objet carré, flèche.

querele n. f. (1155, Wace; lat. *querela*, plainte en justice). 1º Dispute, contestation, revendication en justice : *Traire le borjois en kerele* (1231, *Charte*). — 2º Débat, discours, conversation : *Si li ramenbrai la querele Et le couvent qu'ele me fist (Atre pér.).* — 3º Affaire, entreprise, préoccupation : *Nous irons en nostre queriele un petit, si ne vous anoie (Court. d'Arras). Faire sa querele,* conduire à bien son entreprise. — 4º Façon de jouer, savoir-faire en jeu. — 5º Raison, motif : *Dites moi, fit il, la querelle Por quoi cist lez est en deffense* (Chr. de Tr.). — 2º Faire un procès. ◆ **quereler** v. (1190, Garn.). 1º Réclamer. — 2º Faire un procès. ◆ **querelos** adj. (XIIIᵉ s., *Ass. Jérus.*). Querelleur. ◆ **querelleur** n. m. (déb. XIVᵉ s., *Établ. Saint Louis*). Plaignant.

querine n. f. V. CORINE, entrailles.

querir v. (1175, Chr. de Tr.). V. QUERE, chercher, désirer, demander.

querne n. m. ou pl. (XIIIᵉ s., *De Richaut*; lat. *quaternum*). Quaterne, terme de jeu, coup où chacun des deux dés amène quatre points.

quernel n. m. V. CARNEL, créneau.

querole n. f. V. CAROLE, danse en rond, divertissement, assemblée.

I. queste n. f. (1176, E. de Fougères; part. passé de *quere*, chercher). 1º Recherche. — 2º Requête : *Por le pitié dont estes plaine, Dones m'ent. Mais ch'est queste vaine* (R. de Moil.). — 3º Taille que s'imposent, par une collecte, d'abord les taillables eux-mêmes. — 4º *En queste,* sur-le-champ. ◆ **quester** v. (fin XIIᵉ s., *Auc. et Nic.*). 1º Chercher. — 2º Rechercher, poursuivre : *Douce amie o le vis cler, Or ne vous ai u quester* (Auc. et Nic.). ◆ **questor** n. m. (1204, *G. de Palerne*). 1º Celui qui cherche, qui recherche. — 2º Avocat. ◆ **questier** n. m. (1277, *Ord.*). Percepteur de la redevance appelée *queste*. ◆ **questain** n. m. (1336, *Cart.*). Quêteur.

II. queste n. f. et m. (1295, *Cart.*; orig. germ.; v. all. *Kiste*). 1º Caisse, bahut. — 2º Bourse. ◆ **questel** n. m. (1300, *Arch.*). Bahut, coffre.

question n. f. (1160, *Eneas*; lat. *quaestio*, recherche). 1º Interrogation. — 2º Enquête judiciaire, torture. — 3º Discussion, différend, querelle, procès : *Doit chascuns obeir simplement, sanz noise et sanz question* (Br. Lat.). ◆ **questioner** v. (1250, *Ren.*). 1º Interroger. — 2º Mettre à la question.

questre n. m. cas sujet. V. COISTRON, marmiton, bâtard.

quetif adj. V. CHAITIF, misérable, prisonnier.

queu n. m. V. COUS, COEU, cuisinier. ◆ **queuerie** n. f. (1307, *Arch.*). Charge du grand queux de France.

queue n. f. V. COE, queue.

queur n. m. V. CUER, chœur de l'église.

queute n. f. V. COLTE, matelas, couverture.

queuvre n. m. V. CUEVRE, carquois.

I. qui pron. interr., indéfini, relatif, cas sujet (980, *Passion*; lat. *qui*).

I. Pronom interrogatif, en interrogation directe et indirecte, permettant d'interroger sur le sujet de l'énoncé attendu.

II. Pronom indéfini. 1° Au sens de « celui qui », sans antécédent. — 2° Avec un pronom personnel anaphorique qui le précède : *Mult fust il dur ki n'estoust plurer (Alexis)*. — 3° Avec un pronom personnel anaphorique qui le suit : *Et qui mal quiert, il doit bien mal soffrir* (Couci). — 4° Au sens de « si l'on » : *Qui bien nos voldroit jugier touz [...] Ja n'en eschaperoient troi* (Guiot). — 5° *Qui ... qui*, l'un ... l'autre : *Qui porte tinel, et qui hache, Qui flael, qui baston d'espine* (Ren.). — 6° *Qui qui, qui que*, quel que soit celui qui : *Fame est taverne qui ne faut Qui qui i viegne ne qui aut* (*Blasme des femes*). *Qui que le tiegne pour fol* (Ren.). — 7° *Qui onques, qui oncque*, qui que ce soit, quiconque (1214, *Arch.*). — 8° *Qui ains ains*, à qui mieux mieux.

III. Pronom relatif. 1° Avec antécédent : *Tot cels qui creivent en Dé (Ép. saint Étienne)*. — 2° Sans antécédent : *Je ne truis qui de moi ait pitié* (Couci). ◆ V. QUE, QUI - CUI, QUOI.

II. **qui, cui** pron. interr., indéfini, relatif, cas régime (XIᵉ s., *Alexis*; lat. *cui*).

I. Pronom interrogatif, interrogation directe et indirecte : *Certes, dist il, ne sai cui antercier (Alexis)*.

II. Pronom indéfini. *Cui que*, quel que soit celui à qui : *En douce France esterez prisonnier, Audain aurai, cui qu'en doive anuier (G. de Vienne)*.

III. Pronom relatif. 1° En fonction de régime direct : *Celui cui nos eslirons a empereor* (Villeh.). — 2° Employé comme régime de préposition : *E Oliviers en cui il tant se fiet (Rol.)*. — 3° En fonction de régime indirect, au sens de « à qui » : *Si ai l'onor cui Dex l'a destiné (G. de Vienne)*. — 4° En fonction de régime indirect, au sens de « de qui, duquel » : *Le roi de France cui cosins il ere* (Villeh.). ◆ V. QUE, QUOI, QUI.

quicaudaine n. f. (1295, *Cart. de Corbie*; formation obsc.) 1° Objet en cuivre difficile à déterminer. — 2° En part., Fontaine accrochée au mur et servant à laver les mains ou la vaisselle.

I. **quiere** v. V. QUERE, chercher, désirer, demander.

II. **quiere** n. f. V. CARRE, côté, face, coin.

quiete adj. (1260, Br. Lat.; lat. *quietus*; v. *coi*). Tranquille. ◆ **quietement** adv. (1260, Br. Lat.). En repos, en liberté, sans charge ni redevance (voir QUITE).

quil pron. rel.-interr. contracté avec *il*. V. QUI.

quin pron. rel.-interr. contracté avec *en*. V. QUI.

quinancie n. f. (1175, Chr. de Tr.; lat. méd. *cynanche*, du grec). Esquinancie, inflammation de la gorge. ◆ **quinatique** n. f. (1175, Chr. de Tr.). Esquinancie : *Et si sai garir de tysike, De quinatike et de cuerpous* (Chr. de Tr.).

quine n. f. ou m. (1155, Wace; lat. *quinas*, acc. f. pl. du distributif *quini*, cinq par cinq). Terme de jeu, coup de dés où chacun des dés amène un cinq. *Tous quinnes*, triple cinq.

quint adj. et n. m. (XIIᵉ s., *Parise*; lat. *quintum*). 1° adj. Cinquième. — 2° n. m. La cinquième partie (*Chron. Saint Denis*). — 3° La cinquième partie d'héritage laissée, dans certaines provinces, au cadet. — 4° Droit du cinquième sur les engagements ou lettres de change (1307, G.). 5° Jeu de *quintaine* (Mousk.), v. ce mot. — 6° Cinquième note, la quinte. ◆ **quinte** n. f. (XIIᵉ s., *Chev. deux épées*). 1° Sorte de redevance. — 2° Banlieue composée de cinq villages ou comprenant l'étendue d'un rayon de cinq lieues. ◆ **quinter** v. (1260, Mousk.). 1° Partager en cinq parties. — 2° Partager, mesurer en général. — **quintoier** v. (1220, Coincy). 1° Partager en cinq parties. — 2° Etre sujet au paiement d'un cinquième en plus de cens dû (1318, *Arch.*). — 3° Faire l'accord de quinte en musique, chanter en quinte (Coincy).

I. **quintaine** n. f. (1180, *R. de Cambr.*; adj. lat. subst. *quintana*). Mannequin servant de cible dans l'exercice de la lance, ainsi dénommé soit selon les traditions remontant à l'armée romaine, soit parce qu'il était composé de cinq pièces : casque, cuirasse, bouclier, lance et épée.

II. quintaine n. f. (1328, *Hist. Tournus;* v. *quint,* cinquième). Ban à vin, droit d'interdire la vente du vin en détail certains jours de l'année.

quintarieur n. m. (fin XIII⁰ s., Aden.; altér., par attraction de *quint,* de *guiterne,* guitare). Joueur de guitare.

quinterne n. f. V. GUITERNE, guitare.

quinze n. de nombre (1080, *Rol.;* lat. *quindecim*). Quinze. ◆ **quinzain** adj. (XII⁰ s., *Florim.*). Quinzième. ◆ **quinzisme** adj. et n. f. (1119, Ph. de Thaun). 1⁰ adj. Quinzième. — 2⁰ n. f. Redevance du quinzième des récoltes. — 3⁰ n. f. Collectif de quinze.

quipol n. m. V. QUEPOL, pied de lit.

quiquelique n. f. (1220, Coincy; orig. onom.). Mot ironique rappelant le bruit d'une discussion oiseuse : *Mes il redient que por vers qu'il claiment dyalectique Par mal despit quiquelique, Cil de Paris, li clerc Platon, Ne les prisent pas un bouton (Bat. sept arts).*

quiquionques pron. indéf. (1130, *Job;* v. *qui* et *onques*). Quiconque : *Kikiunkes sunt paien, ensi servent (Job).* ◆ V. QUI ONQUES, à QUI.

quis pron. rel.-interr. contracté avec *els, les* ou *se.* V. QUI.

quise n. f. (1160, Ben.; part. passé subst. de *quere,* chercher). 1⁰ Demande, recherche. — 2⁰ Sorte de redevance (1333, *Arch.*).

quisinaire n. m. (XIII⁰ s., *Helias;* v. *cuisine*). Provisions de cuisine.

quistron cas rég., **quistre** cas suj. V. COISTRON, marmiton, bâtard.

quite adj. (1080, *Rol.;* lat. pop. *quietum,* accentué sur l'élément vocalique *i*). 1⁰ Libre, racheté, en parlant d'un gage, d'un bien gagé. — 2⁰ A l'abri de toute revendication. — 3⁰ *Clamer quite,* renon-

cer à : *Si me claime le mestier quite* (J. Bod.). — 4⁰ Tranquille (Br. Lat.). ◆ **quiter** v. (1150, *Thèbes*). 1⁰ Libérer d'une obligation. — 2⁰ Laisser, se séparer, abandonner. ◆ **quit** n. m. (1272, G.). Quittance, récépissé. ◆ **quité** n. f. (1160, Ben.). 1⁰ Paix, tranquillité : *De quieté esteit besoignos* (Ben.). — 2⁰ État d'une terre quitte de redevance *(Fierabr.).* ◆ **quitee** n. f. (1080, *Rol.*). 1⁰ Franchise, possession franche : *Et reçoives de lui Espagne en quitee (Barbast.).* — 2⁰ Tranquillité, paix. — 3⁰ Terre quitte de toute redevance. ◆ **quitement** n. m. (1160, Ben.). 1⁰ Paix, tranquillité. — 2⁰ Abandon, cession. ◆ **quitage** n. m. (XII⁰ s., *Horn*). Affranchissement. ◆ **quitance** n. f. (XII⁰ s., *Trist.*). 1⁰ Abandon, cession. — 2⁰ Acquittement, rachat, exemption : *Tos li communs velt lor quitance, Lor franchise, et lor delivrance* (Ben.). — 3⁰ Paix, tranquillité. ◆ **quitacion** n. f. (1310, *Arch.*). Abandon, renoncement.

quiteclamer v. (1292, *Britton;* mot composé de *quite,* libre, racheté, et de *clamer*). Délaisser, renoncer, abandonner. ◆ **quiteclame** n. f. (1304, *Year Books*). Délaissement, abandon. ◆ **quiteclamance** n. f. (1240, *Arch.*). Délaissement, abandon.

quivert adj. V. CULVERT, vil, lâche, de basse condition.

quivre n. m. V. CUEVRE, carquois.

I. quoi adj. V. COI, calme, paisible, paresseux.

II. quoi, quei pron. interr., indéf., relatif (1080, *Rol.;* lat. *quid*).

I. Pronom interrogatif. 1⁰ Interrogation sur le régime, avec ou sans la préposition, directe ou indirecte, avec l'attente de l'objet inanimé ou neutre : *Quei li peust il faire pis?* (M. de Fr.). — 2⁰ Interrogation au sens de « pourquoi » : *Seignors, feit il, por Deu merci, E quei m'escharnissez ensi?* (Fr. Angier). — 3⁰ *Quoi* seul, dans l'emploi exclamatif.

II. Pronom indéfini, au sens de « quelque chose ». 1⁰ *Ne ço ne quei, Ne que ne quoi,* rien du tout. — 2⁰ *Quoi que,* quelque chose que : *Ma volonté ferez, quoi qu'il doie* *couster* (Aden.). — 3° *Avoir de quoi,* avoir des ressources : *Li quens s'aparella et bien ot de qoi par marceans et par templiers, qui volentiers li prestent du leur (Fille du comte de P.).* — 4° *En quoi n'a quoi,* d'une manière ou d'une autre.

III. Pronom relatif. 1° Ayant un antécédent inanimé. — 2° Ayant un antécédent animé : *Li valles fu grans et fors* [...] *et li cevaus sor quoi il sist rades e corans (Auc. et Nic.).* ◆ V. QUI, QUICUI, QUOI.

quoisier v. V. COISIER.

quolibet n. m. (fin XIIIe s., Joinv.; lat. scolast. *disputationes de quolibet,* débats sur n'importe quoi). Causerie, propos sur ce que l'on veut.

quoquain n. m. (1330, *B. de Seb.;* orig. incert.; cf. *coche,* bateau). Petit navire.

quoquet, cochet n. m. Élégant. V. COC, coq. ◆ **quoqueret** n. m. (XIIIe s., *Fabl.*). Homme présomptueux.

quos pron. rel.-interr. contracté avec *vos,* vous. V. QUE.

quotage, cotage adj. En parlant du cens, paye pour le ténement en roture. V. COTIN, cabane.

quotiser v. (déb. XIVe s.; lat. *quotus,* combien). Taxer.

quvir v. V. COVIR, désirer.

r– préf. devant voyelle. V. RE-, préfixe itératif ou intensif.

raaimbre, raaindre v. Voir RAEMBRE, payer la rançon, racheter.

raaisier v. (XIIᵉ s., Herman; v. *aaisier*, mettre à l'aise). Réconforter, remettre : *Quant je fui a mesaise, vous si me raaisastes* (Herman).

raamer v. (1350, *Ars d'am.*; v. *aamer*, tomber amoureux). Rendre à qqn amitié pour amitié.

raamir v. (XIIIᵉ s., G.; v. *raembre*, avec chang. de conjug.). 1º Racheter : *De mon sanc vos ai raami (Rom. saint Fanuel)*. — 2º Se prévaloir de, en appeler à.

raancle n. m. V. DRAONCLE, furoncle, abcès.

raançon n. f. V. RAENSON, rédemption, rachat, rançon.

raatir v. (1170, *Percev.*; v. *aatir*, exciter, provoquer). 1º Attaquer de nouveau, à son tour. — 2º *Estre raati de*, être excité de nouveau à : *Et sacies bien s'il l'osast faire Que a Percheval fust repris Et de bataille rahatis (Percev.).*

rabache n. f. V. REBECHE, rebâchage, radotage.

I. **rabardel** n. m. V. ROBARDEL, repaire de voleurs.

II. **rabardel** n. m. V. ROBARDEL, jeune élégant; danse accompagnée de chants.

rabaster v. (1160, Ben.; d'une rac. obsc. *rabb-*). 1º Faire du tapage. — 2º Frapper, chamailler : *Crie, huche, bat e rabaste, Forment s'angoisse e mult se haste* (Ben.).

rabatre v. (XIIᵉ s., G.; v. *abatre*). 1º Déduire d'une somme. — 2º Effacer, biffer. ◆ **rabat** n. m. (1262, *Test.*). 1º Action de rabattre sur un prix, rabais. — 2º Retrait d'un rempart, d'un mur, d'une cloison (Guiart). — 3º Barrage. ◆ **rabatement** n. m. (1284, G.). 1º Diminution, décompte. — 2º Rabais.

rabi adj. m., **rabice, -iche** fém. (XIIᵉ s., *Chev. cygne;* v. *ravi*, enragé). Enragé, furieux : *Car oncaues chiens rabis tellement n'esraga (Chev. cygne).* ◆ **rabiant** adj. (fin XIIᵉ s., *Aiol*). Plein de feu, fougueux : *Vostre chevaus n'est mie des miex corans : L'autre jor nen ert mie si rabiant (Aiol).* ◆ **rabee** n. f. (XIIIᵉ s., *Bat. sept arts*). Vol rapide et impétueux : *Li autorel font teus rabee Que iluesques sont assamble (Bat. sept arts).*

rabider v. (1306, Guiart; à partir de *bider*, trotter, XIVᵉ s., orig. inc.). Accourir en hâte.

raboin n. m. (1295, G. de Tyr; orig. incert.). Monnaie de billon valant trois sols.

rabolderie n. f. (1265, *Ch. des comptes de Lille;* orig. obsc.). Chose sujette à redevance.

I. **rabot** n. m. (1268, *Arch.;* v. *bot*, bout). Établissement d'une hypothèque. ◆ **raboter** v. (1294, *Cart.*). Donner une chose pour garantie à q'un.

II. **rabot** n. m. (1220, Coincy; orig. incert.). Nabot : *Avoirs fait bien [...] d'un rabot Qui n'est pas graindres qu'un cabot, Un grant seigneur* (Coincy).

rabriver v. (1306, Guiart; v. *abriver*, s'élancer). Lancer de nouveau.

racas, -az n. m. (1317, G.; orig. inconnue). Sorte de taffetas.

racerer v. (1304, *Arch.;* v. *acerer*). Regarnir d'acier.

racesmer v. (1175, Chr. de Tr.; voir *acesmer*). 1º Arranger, réparer. — 2º v. réfl. S'équiper de nouveau, se rhabiller : *Mais tost furent reviestu et racesmé, car il avoient bien de coi... (Fille du comte de P.).*

I. **rachat** adj. (fin XIIᵉ s., Guiot; orig. incert.). 1° Galeux, teigneux : *Con nos a mort cil ort rachaz, Cil rous puans, cil bareterres?* (Ren.). — 2° Décharné, exténué. ◆ **rachos** adj. (fin XIIᵉ s., Guiot). Teigneux, galeux.

II. **rachat** n. m., dégagement, délivrance. V. RACHATER, dégager.

rachater v. (1080, Rol.; v. achater). 1° Rassembler, rallier : *D'un graisle cler racatet ses cumpainz* (Rol.). — 2° Dégager, en s'acquittant, les choses laissées en gage. ◆ **rachat** n. m. (1204, R. de Moil.), **-ement** n. m. (1190, saint Bern.). 1° Dégagement. — 2° Rédemption, délivrance. ◆ **rachateor** n. m. (déb. XIIᵉ s., Ps. Cambr.). Rédempteur.

rachete n. f. (1314, Mondev.; lat. médiév. *rasceta*, d'orig. arabe). 1° Paume de la main. — 2° Plante du pied.

I. **rachier** v. (1119, Ph. de Thaun; lat. *radicare*, de *radicem*, racine). Déraciner, arracher. ◆ **rachel, rajal** n. m. (1355, G.; lat. pop. *radicalem*). Souche.

II. **rachier** v. (1190, Garn.; germ. *hraki*, salive). Cracher, vomir : *Enmi le vis li unt escopi e rachié* (Garn.).

racine n. f. (1175, Chr. de Tr.; bas lat. *radicina*). Racine, souche. ◆ **raciner** v. (1160, Ben.). Prendre racine, s'enraciner. ◆ **racinement** n. m. (XIIᵉ s., Herman). 1° Action de prendre racine. — 2° Racine, souche.

racle n. m. V. RAICLE, geai.

racoillir v. (XIIᵉ s., Trist.; v. acoillir). 1° Rassembler. — 2° Échanger, prendre en échange. ◆ **racuel** n. m. (déb. XIVᵉ s., Estamp.). Réception.

racointier v. (1190, J. Bod.; v. acointier). Faire connaissance, se rapprocher de : *Sommes nous ore a racointier?* (J. Bod.). ◆ **racointance** n. f. (XIIᵉ s.). Commerce amoureux.

racoler v. (1162, Fl. et Bl.; v. acoler). 1° Passer autour du cou. — 2° Embrasser, baiser de nouveau, de son côté : *Atant ses amis la racole Et ele lui* (Fl. et Bl.).

raconsuivre v. (1330, H. Capet; v. consuivre). Atteindre.

raconter v. (1175, Chr. de Tr.; voir conter). 1° Raconter. — 2° Compter. ◆ **raconte** n. m. (1285, Aden.). Récit, narration. ◆ **racontement** n. m. (fin XIIᵉ s., saint Grég.). Récit.

racorder v. (1175, Chr. de Tr.; v. acorder). 1° Réconcilier : *Racordes est al roi et si rara sa tere* (Aiol). — 2° Se réconcilier. — 3° Se réunir dans un but hostile : *As mains sont combatu et racordé* (Aiol). — 4° Conclure. ◆ **racordement** n. m. (1190, saint Bern.), **-ee** n. f. (XIIIᵉ s., Anseis), Raccommodement, réconciliation. ◆ **racordance** n. f. (1246, G. de Metz). 1° Mémoire, souvenir. — 2° Réconciliation. ◆ **racort** n. m. (1160, Athis). 1° Avis. — 2° Réconciliation. ◆ **racordeor** n. m. (1328, Watriquet), **-eresse** n. f. (1270, A. de la Halle). Celui, celle qui réconcilie.

racouper v. (XIIIᵉ s., Rom. et past.; v. coup, cous, cocu). Rendre cocu par représailles : *Robins vos a acoupie Et vos lui racoupés* (Rom. et past.).

racoveter v. (1321, Arch.; v. coveter, recouvrir). Couvrir un toit. ◆ **racoveteor** n. m. (1295, Cart.). Couvreur.

racovrer v. (1270, Ruteb.; v. covrier, covrir). Recouvrir. ◆ **racovre** n. m. (1314, Godefr. de Paris). Recouvrement.

racuser v. (XIIᵉ s., Chev. cygne; voir acuser). Accuser à son tour.

rade adj. (fin XIIᵉ s., Ogier; lat. *rapidum*). 1° Rapide, impétueux : *Une eve rade descendoit par enqui* (Ogier). — 2° Vigoureux, vaillant. ◆ **radece** n. f. (fin XIIᵉ s., Ogier). Rapidité, impétuosité. ◆ **rador** n. f. (1204, R. de Moil.). 1° Rapidité, vigueur, violence. — 2° Courant de l'eau. ◆ **radoi** n. m. (1160, Ben.). Courant, rapidité de l'eau. ◆ **radement** adv. (1162, Fl. et Bl.). 1° Rapidement. — 2° Fortement, violemment : *Il feri Mauquaré ung cop moult radement* (Chev. cygne).

radoier v. (1204, R. de Moil.; v. raier, même orig.). Briller : *Ensi com par luis entrovert Au main li noviaus jours radoie* (R. de Moil.).

rados n. m. (1160, *Eneas;* v. *ados,* appui, abri). 1° Abri contre le vent, abri. — 2° Secours, défense : *N'a nul secors ne nul rados (Chev.).* — 3° Soutien, garantie : *En cui aurai je mais rados Ne fiance de mon roiaume? (Chev. deux épées).* ◆ **radossement** n. m. (1160, *Athis*). Action de se mettre à l'abri, de se garantir.

radoter v. V. REDOTER, tomber en enfance; ◆ **radot** n. m. (1288, *Ren. le Nouv.*). Radotage. ◆ **rados** n. m. (1230, H. d'Andeli). Radoteur. ◆ **radoté** adj. (1170, *Fierabr.*). Radoteur, qui est tombé en enfance : *Tant estait vielle et radotee (Rose).*

radrecier v. (1155, Wace; v. *adrecier, drecier*). 1° Redresser. — 2° Remettre dans la bonne voie. — 3° Réparer, corriger, amender.

raembre v. (980, *Passion;* lat. *redimere,* avec var. préf.). 1° Racheter (relig.). — 2° Payer la rançon, affranchir. — 3° Racheter, résilier (jurid.). — 4° Rançonner, dépouiller, piller : *Ses humes fist raembre e ses terres gasta* (Wace). ◆ **raembrer** v. (1169, Wace). 1° Rançonner. — 2° Se racheter. ◆ **raembreor** n. m. (XIIᵉ s., *Ps.*). Rédempteur. ◆ **raemant** adj. et n. m. (XIIᵉ s., *Asprem.*). Rédempteur.

raengier v. (XIIIᵉ s., *Jeh. et Bl.;* voir *aengier*). Rétablir, restaurer.

raenson, -çon n. f. (XIIᵉ s., *Roncev.;* lat. *redemptionem,* rachat). 1° Rédemption. — 2° Rachat, délivrance. — 3° Rançon.

raer v. V. RAIER, rayonner.

rafabler v. (1160, Ben.; v. *afabler*). Entretenir de nouveau.

rafaitier v. (1220, *Saint-Graal;* voir *afaitier*). 1° Rajuster. — 2° Raccommoder, réparer. — 3° Caresser amoureusement : *Juvenaus, qui dist, du mestier Que l'en apele rafetier, Que c'est li meindres des pechiés Dont cuer de fame est entechies (Rose).* — 4° Apprivoiser de nouveau, rendre favorable.

rafane n. f. V. RAVENE, rave, raifort.

rafarder v. (XIIIᵉ s.; orig. obsc.). Railler, tourner en dérision. ◆ **rafarde** n. f. (1306, Guiart). Moquerie : *Poi i a nule si couarde Qui ne li giet une rafarde* (Guiart).

raferir v. impers. (1277, *Rose;* voir *aferir*). Convenir : *Au plourer raffiert il maniere (Rose).*

rafermer v. (1160, Ben.; v. *afermer*). 1° Raffermir, consolider. — 2° Affirmer de nouveau. — 3° Contenir, modérer. — 4° n. m. *Le rafermer de la lune,* la pleine lune *(Aiol).*

rafiancier v. (1204, R. de Moil.; voir *afiancier*). Rassurer.

I. **rafle** n. m. (1220, Coincy; lat. *raphanum,* du grec). Raifort, petite rave.

II. **rafle** n. f. (XIIIᵉ s., D.; all. *Raffel*). 1° Instrument pour racler le feu. — 2° Terme de jeu, coup gagnant.

III. **rafle, roifle, roife, rofe** n. f. (1160, *Eneas;* moy. néerl. *roof,* éruption galeuse). 1° Gale de la lèpre. — 2° Teigne. — 3° Rogne : *Il s'est colchiez toz en reorte En sa roiffe (Eneas).*

rafroidier v. (XIIIᵉ s., *Gar. de Mongl.;* v. *froit,* froid). Avoir froid, sentir le froid : *Parmi l'auber commance a rafroidier (Gar. de Mongl.).*

rage n. f. (1080, *Rol.;* lat. pop. *rabia,* pour *rabies*). Rage. ◆ **ragier** v. (1155, Wace). 1° Faire rage, s'agiter. — 2° Devenir enragé. — 3° S'abandonner avec emportement au plaisir, à la joie. — 4° Folâtrer : *Tous jors vuelent enfant ragier (Rose).* ◆ **ragerie** n. f. (XIIᵉ s., *Gir. de Rouss.*). Rage, colère. ◆ **raget** n. m. (XIIIᵉ s., *De Richaut*). Colère, mauvaise humeur.

ragregier v. (1294, *Cout. Dijon;* voir *agregier*). 1° Aggraver de nouveau. — 2° Soumettre à une excommunication majeure.

rahaner v. (1276, *Arch.;* v. *ahaner,* labourer). Cultiver de son côté.

rahireter v. (1155, Wace; v. *ahireter, aheriter*). Rétablir dans son héritage.

I. **rai** n. m. (1175, Chr. de Tr.; lat. *radium,* rayon). 1° Rayon de lumière. — 2° Éclat, clarté. — 3° Rayon d'une roue.

◆ **raier, reder** v. (1162, *Fl. et Bl.*). 1º Darder des rayons, briller, rayonner. — 2º Flotter : *Par ses espaules li raioient si crin (Gar. Loher.).* — 3º Répandre. ◆ **raie** n. f. (1160, Ben.). 1º Rayon. — 2º Broderie, passementerie. ◆ **raice** n. f. (1119, Ph. de Thaun). Rayon. ◆ **raiere** n. f. (XIIIᵉ s., *Atre pér.*). 1º Raie. — 2º Ouverture verticale dans un mur, meurtrière. — 3º Ornière.

II. **rai** n. m., jet, filet d'eau. V. RAIER, ruisseler.

III. **rai** n. m. V. ROI, règle.

IV. **rai** n. m. V. ROIS, filet.

raiance n. f. V. REANCE, jet, flot.

raicle, racle n. m. (fin XIIᵉ s., *Ysopet Lyon;* peut-être de *graculum,* geai?). Geai.

I. **raie, roie** n. f. (XIIIᵉ s., *Chron. Reims;* lat. pop. **reta,* de *retis,* filet). Filet de pêche. ◆ **raiel, reel** n. m. (1230, *Eust. le Moine*). 1º Filet, réseau. — 2º Mesure, rayon.

II. **raie** n. f., rayon, broderie. V. RAI, rayon.

III. **raie** n. f. V. REE, rayon de miel.

I. **raler** v. (1080, *Rol.;* lat. *rigare;* confondu de bonne heure avec *raier,* rayonner). 1º Ruisseler, couler : *Li sancs tuz clers parmi le cors li raiet (Rol.).* — 2º Mouiller, arroser. ◆ **rai** n. m. (1160, *Eneas*). 1º Jet, filet d'eau. — 2º Rigole, sillon.

II. **raier** v., rayonner, répandre. V. RAI, rayon.

III. **raier** v. (1236, *Cart.;* v. *rachier,* arracher). 1º Arracher : *Lor couvanroit raier tout le boiz (1236, Cart.).* — 2º Renverser.

raille n. f. V. REILLE, barre, planchette, ais.

raim, rain n. m. (980, *Passion;* lat. *ramum,* branche). 1º Branche, branchage, ramée. — 2º Brin, parcelle : *Ma suer puis que il est tex hom Qu'il a fait rain de trayson (Aden.).* — 3º Rame : *Il prisent a nagier des rains (Saint Brand.).* — 4º Bois de cerf : *(Un cerf) De seize rains estoit armés* (R. de Beauj.). — 5º Embranchement de deux routes. ◆ **raime, reme** n. f. (XIIᵉ s., *Parise*). 1º Branche, branchage. — 2º Fagot de ramilles, fascine. ◆ **raincel** n. m. (1180, *R. de Cambr.*). 1º Petite branche, petit rameau. — 2º Brin, parcelle.

raimbre v. V. RAEMBRE, racheter, rançonner.

I. **rain** n. m. (fin XIIᵉ s., *Rois;* lat. *ren*). Rein.

II. **rain** n. m. V. RAIM, branche, brin, rame.

raincier, reincier v. (fin XIIᵉ s., Bible; dissimil. prob. de *recincier*). Laver, nettoyer.

I. **raine** n. f. (1250, *Ren.;* lat. *rana*). Grenouille. ◆ **rainoille** n. f. (fin XIIᵉ s., M. de Fr.). Grenouille.

II. **raine** n. m. V. REGNE, règne, royaume.

III. **raine** n. f., raison, argument de droit. V. RAISNIER, discourir.

IV. **raine** n. f. V. REINE, reine.

I. **raire** v. (XIVᵉ s., Delb.; lat. pop. **ragulare,* pour le bas lat. *ragere,* bramer). Bramer. ◆ **rairant** adj. (XIIIᵉ s., *Muug. d'Aigr.*). Très affligé.

II. **raire** v. V. RERE, raser, gratter, effacer.

I. **rais** n. m. V. ROIS, filet.

II. **rais** n. f. V. RAIZ, racine, rave.

raisin n. m. V. RESIN, raisin. ◆ **raisinet** n. m. (déb. XIIᵉ s., *Ps. Cambr.*). Jus du raisin. ◆ **raisiner** v. (av. 1300, poès. fr.). Boire du vin. ◆ **raisinoter** v. (1266, *Franch.*). Grappiller.

raisnier v. (1190, *H. de Bord.;* lat. pop. *rationare*). 1º Parler, discourir : *En haut parolent, qui bien seurent raisnier (H. de Bord.).* — 2º Raisnier de : *Icis baufrois dont ci m'oez raisnier* (Aden.). — 3º *Raisnier a,* parler à. — 4º Déclarer, établir. — 5º Défendre en justice. ◆ **raisne, raine** n. f. (1271, Tailliar). Raison, argument qu'on expose en justice). ◆ **raisnable** adj. (déb. XIIᵉ s., *Ps. Cambr.*). 1º Juste, raisonnable :

Li vielz reis est rednable, si li faites rai-sun (J. Fantosme). — 2° Légitime, valable.
◆ **raisnableté** n. f. (1190, saint Bern.).
1° Qualité de ce qui est raisonnable. —
2° Chose raisonnable, juste.

raison n. f. (980, *Passion;* lat. *ratio-nem*). 1° Parole, propos, discours : *Sire, fet il, or oiez ma reson (Aym. de Narb.). Tenir raison de,* parler de. *Metre a raison,* adresser la parole. *Baissier sa raison,* rabattre son caquet. — 2° Langage : *Ebrieu savoit parler la raison de Judee (B. de Seb.).* — 3° Façon de s'exprimer : *Ele avoit la plus bele raison que femme poist avoir (Artur).* — 4° Sujet d'une conversation, d'un récit. — 5° Composition poétique. — 6° Contenu d'une lettre : *Guardet al brief, vit la raisun escrite (Rol.).* — 7° Raisonnement, pensée : *Ne li os descovrir ma raison. Dire sa raison.* Dire sa raison, exposer sa pensée. — 8° Parole donnée, promesse. — 9° Justice, droit : *Dont est drois et raissons* (G. de Cambr.). *A raison,* à bon droit. *Contre raison,* injustement. — 10° Chose raisonnable : *Il dist raison* (J. Bod.). *Par raison,* naturellement, raisonnablement. *C'est raison, il est raison,* c'est raisonnable, il est naturel. *Metre a raison,* mettre à un prix raisonnable. — 11° Compte, calcul. — 12° Cause, motif. *Pour raison de,* à cause de. ◆ **raisoner** v. (xIIe s., G.; infinitif construit sur les formes accentuées sur le rad.). V. RAISNIER. ◆ **raisonel** adj. (1295, Boèce). Raisonnable.

raiz, rais n. f. (1150, Wace; lat. *radicem*). 1° Racine, souche. *Par rais,* de fond en comble. — 2° Rave.

rajal n. m. V. RACHEL, souche.

rajuvenir v. (1220, *Saint-Graal;* sur la rac. lat. *juvenis,* jeune). Rajeunir.

raler v. (xe s., *Saint Léger;* v. *aler*). 1° Aller de son côté, aller de nouveau, aller une seconde fois. — 2° Retourner : *Si rala en son pais (Auc. et Nic.).* — 3° S'en raler,* retourner.

ralier, raloier v. (1080, *Rol.*). Rassembler. ◆ **raliance** n. f. (xIIIe s., Bretel). 1° Cri de ralliement : *Puis crie Basile : çou est se raliance (Anseis).* —

2° Personne qui sert à rallier, point de ralliement : *Lors comança une chanson Madame de Chini premiere, Por ce qu'es-toit chief et baniere, Et raliance de la feste (Tourn. Chauvenci).*

ralumer v. (xIe s., *Alexis;* v. *alumer*). 1° Rendre la vue à : *Il ralume les non voians* (J. Bod.). — 2° Recouvrer la vue. ◆ **ralumement** n. m. (xIIe s., *Enf. Guill.*). État de celui qui recouvre la vue.

ramanoquier v. (1333, *Arch.;* cf. *manoque,* xvIIe s., poignée, dér. de *main*). Disposer avec attention, avec un soin spécial.

I. **rame** n. f. V. RAIME, branche. ◆ **ramee** n. f. (xIIe s., *Trist.*). Branches entre-lacées, cabane de feuillage. ◆ **ramaille** n. f. (1306, Guiart). Branche, branchage. ◆ **ramoison** n. f. (1323, *Franch.*). 1° Branche d'arbre, tête de l'arbre. — 2° Droit de couper les branches sèches. ◆ **ramier** n. m. (xIIe s., *Asprem.*). Bran-chage, ramée. ◆ **ramage** n. m. (1277, *Rose*). 1° Ramée, forêt. — 2° Droit de couper les branches. — 3° Descendance en ligne collatérale (1328, *Hist. des Bret.*). ◆ **rameil** n. m. (xIIe s., *Gir. de Rouss.*). Petit bois, bosquet. ◆ **ramelet** n. m. (1160, Ben.). 1° Petit rameau. — 2° Sorte de poésie. ◆ **ramil** n. m. (1138, *Saint Gilles*). Ramilles. — *Ramis palmaus,* le jour des Rameaux. ◆ **ramisel** n. m. (1150, *Voy. Charl.*). Petit rameau, petite branche. ◆ **ramselet** n. m. (1220, Coincy). Petite branche. ◆ **ramet** n. m. (1160, *Eneas*). Petite branche. ◆ **ramon** n. m. (xIIIe s.). 1° Branche. — 2° Balai de branchages. ◆ **ramor** n. f. (1160, *Eneas*). Bois de cerf, andouiller. ◆ **ramage** adj. (1160, *Athis*). 1° Qui a beaucoup de rameaux, épais, touffu : *un buisson assez ramage (Trois Maries).* — 2° *Cerf ramage,* cerf qui a son bois. — 3° Qui vit dans les arbres, dans la forêt, sauvage : *l'esperver ramages* (Ben.); *loup ramage* (Boèce). — 4° Sauvage, grossier, mal élevé. ◆ **ramain** adj. (1260, Br. Lat.). 1° En parlant de l'oiseau pris sur les branches. — 2° Ramu. ◆ **ramé** adj. (fin xIIe s., *Gar. Loher.*). 1° Branchu. — 2° Orné de branches. 3° *Faucon ramé,* qui a un vol ramé *(Aym. de Narb.).* ◆ **ramu** adj. (1160, Ben.).

1° Branchu. — 2° Rameux : *Li cers avoit les cornes hautes et ramues (Chron. Saint-Denis).* — 3° Qui vit dans les bois, sauvage. ◆ **ramier** adj. (fin XIIᵉ s., *Aiol*). 1° Plein d'arbres, touffu. — 2° Sauvage.

II. **rame** n. m. (1308, Aimé; orig. incert.). Cuivre.

ramembrer v. (1155, Wace; vou *remembrer*, avec variation préfixale). 1° Rappeler. — 2° *Ramembrer* q'un *de son sens*, le remettre en possession de sa raison. — 3° Se rappeler, se souvenir de. — 4° impers. Il me, te souvient : *Car vos ramembre de Loherenc Garin (Loher.).* ◆ **ramembrement** n. m. (1220, *Saint-Graal*). Souvenir, mémoire. ◆ **ramembroison** n. f. (fin XIIᵉ s., *Cour. Louis*). Commémoration. ◆ **ramembrance** n. f. (1190, J. Bod.). 1° Souvenir, mémoire. *Avoir en ramembrance*, avoir présent à l'esprit. — 2° Commémoration. ◆ **ramembrant** adj. (1283, Beaum.). 1° Qui se souvient. — 2° Dont on se souvient.

ramentevoir v. (1155, Wace), **-oivre** v. (1260, Mousk.; v. *amentevoir*). 1° Rappeler à la mémoire. — 2° Reconnaître, ratifier. — 3° Réveiller : *Ne ramentevez point le chat qui dort (Caquets de l'accouchée).* ◆ **ramentevance** n. f. (1204, *l'Escoufle*). Souvenir, mémoire, mention. ◆ **ramenter** v. (XIIIᵉ s., Fr. Angier). Rappeler.

I. **ramer** v. (XIIᵉ s.; v. *amor*). Aimer en retour.

II. **ramer** v. (1213, *Fet Rom.;* lat. pop. **remare, de remus,* rame). Se servir de rames.

ramesurer v. (fin XIIᵉ s., *Aiol;* voir *mesurer*). 1° Faire rentrer dans la mesure, modérer. — 2° Apaiser : *Por tant si son sens ramesuré : Belement lor respont par humleté (Aiol).*

ramon n. m., balai de branches. Voir RAME, branche. ◆ **ramoner** v. (déb. XIIIᵉ s., D.). 1° Nettoyer. — 2° Balayer — 3° Frapper à tour de bras, maltraiter.

ramper v. (fin XIIᵉ s., *Rois*), **-ir** v. (XIIIᵉ s., Fr. Angier; francique **hrampon*, grimper avec des griffes). 1° Grimper,

monter : *Rampant comme escuireus en bos* (J. Bod.). — 2° Se dresser. ◆ **rampant** adj. (XIIᵉ s., *Chev. deux épées*). Qui se tient debout, dressé, raide.

ramposne, -oigne n. f. (1170, *Percev.;* cf. l'ital. *rapone,* crampon). 1° Reproche. — 2° Raillerie : *Mesire Gauvains clerement Ot ces rampones et entent Que les dames dient de lui (Percev.).* — 3° Insulte. — 4° Terme de blason, raillerie personnifiée (H. de Méry). ◆ **ramposner** v. (1160, Ben.). 1° Réprimander, insulter : *Noz enemis nus rampodnent a avilent (Rois).* — 2° Tourner en dérision. — 3° Plaisanter. ◆ **ramposnerie** n. f. (fin XIIᵉ s., *Alisc.*). Reproche : *Je ne puis oublier les longes ramposnees (Chétifs).* ◆ **ramposnement** n. m. *(Doon de May.),* **-eis** n. m. (1160, Ben.). Reproche, insulte. ◆ **ramposneor** n. m. (1180, *Rom. d'Alex.*). Qui outrage, qui injurie. ◆ **ramposnant** adj. (fin XIIᵉ s. *Alisc.*). Moqueur, railleur, injuriant. ◆ **ramposnier** adj. (1175, Chr. de Tr.). Injurieux. ◆ **ramposnos** adj. (1277, *Rose*). Railleur, injurieux. ◆ **ramposnal** adj. (XIIᵉ s., *Enf. God.*). De reproche, de raillerie.

ranaturer v. (XIIIᵉ s., *ABC;* v. *naturer*). 1° Transformer la nature de. — 2° Ressembler : *Car tel pooir i ra nature c'a ciaus dont il ist ranature* (B. de Condé).

rance n. m. (XIIᵉ s., D.; lat. *rancidum*). Goût d'une chose rance.

rancle n. m. V. DRAONCLE, furoncle, abcès.

rancon n. f. (1220, *Arch. Mos.;* orig. incert.). Opposé à meuble : *Li remananz, soit movles soit rancons, ira a l'assise (Arch. Mos.).*

rancuer, -or n. f. (1190, saint Bern.; lat. *rancorem*). Rancune, ressentiment. ◆ **rancure** n. f. (1160, Ben.; infl. par *cure,* souci). 1° Indignation, colère, haine : *Et grant haine et grant rancure* (Ben.). — 2° Chagrin, douleur : *La dame maine tel rancure Que merveille est que ses cuers dure (Rol.;* altér. d'après *amertume,* etc.). ◆ **rancune** n. f. (1080, *Rol.;* altér. d'après *amertume,* etc.). 1° Colère : *X. colps i fiert par doel e par* rancune (*Rol.*). − 2° Contrariété, chagrin, querelle : *Qui n'aime rancune et plaidier* (Ruteb.). − 3° Révolte : *A Poingbuef treuvent la commune Preste de commencier rancune* (Guiart). ◆ **rancurer** v. (XIIᵉ s., *Gir. de Rouss.*). S'indigner, s'emporter. ◆ **rancuner** v. (XIIᵉ s., *Barbast.*). 1° Se fâcher. − 2° Garder rancune. ◆ **rancuros** adj. (1160, Ben.). Fâché, irrité.

randir v. (fin XIIᵉ s., M. de Fr.; francique *rant, course). 1° Courir avec impétuosité, galoper : *Tant com cheval puet randir* (M. de Fr.). − 2° Parcourir rapidement.

randon n. m. (1150, *Thèbes;* francique *rant, course). 1° Rapidité, impétuosité. *En un randon,* d'un seul coup, sans interruption. − 2° Force, violence. *De randon,* avec force, avec violence : *Lor les destriers s'afiche de randon* (G. de Vienne). − 3° Vigueur, abondance. *A randon, a grans rendons,* avec abondance : *Li sans vermaus en cort a grant randon (Ogier).* ◆ **randonee** n. f. (XIIᵉ s., J. Fantosme). 1° Course impétueuse. *De randonee,* avec vigueur et impétuosité. *A randonée,* avec rapidité. *Par randonee,* en abondance. *En une randonee,* d'un coup, d'une fois. − 2° Volée rapide. − 3° Violence : *Li Turs i fiert de si grant randonee (Cour. Louis.).* ◆ **randoner** v. (1180, *R. de Cambr.*). S'élancer, courir rapidement, poursuivre.

rangier n. m. (1277, *Rose;* d'orig. germ.; cf. norv. *hreindêjri*). Renne.

raniger v. réfl. (1160, Ben.; orig. incert.). Se réfugier : *Que la es parties de France Se rangeront veirement* (Ben.).

raoncle n. m. V. DRAONCLE, furoncle, chancre.

raonier v. (1220, Coincy; v. *oni, omni,* uni). Rendre de nouveau uni.

rapaier v. (déb. XIIᵉ s., *Ps. Cambr.;* v. *apaier*). Calmer, apaiser, adoucir.

rapaisier v. (XIIᵉ s., v. *apaisier*). Apaiser, calmer : *D'un sol baisier mon cuer rapaist (Cant. des cant.).* ◆ **rapais** adj. (1260, Mousk.). Réconcilié.

rape n. f. (fin XIIᵉ s., *Aiol;* v. *raspe*). Râpure de fromage.

rapeler v. (1080, *Rol.;* v. *apeler*). 1° Appeler pour faire revenir. − 2° Recourir de nouveau. − 3° Révoquer. ◆ **rapel** n. m. (1283, Beaum.). Appel, recours. *Sans rapel,* irrévocablement. ◆ **rapelement** n. m. (1289, *Charte*). Révocation. ◆ **rapelable** adj. (XIIIᵉ s., *Livr. de Jost.*). 1° Dont on peut rappeler. − 2° Révocable.

rapeu adj. (1180, *Rom. d'Alex.;* v. *peu,* p. passé de *paistre*). Repu : *de tous biens rapeue (Rom. d'Alex.).*

rapine n. f. (1190, saint Bern.; lat. *rapina,* de *rapere,* prendre, voler). 1° Action de voler, vol. − 2° Désir de voler, rapacité : *Femme est la riens el mont ou il a plus rapine (Chastie Musart).* − 3° Sorte de redevance. ◆ **rapiner** v. (mil. XIIIᵉ s., D.). Voler, piller. ◆ **rapineus** adj. (1204, R. de Moil.). Ravisseur, rapace : *Main sanglente a hom rapineus* (R. de Moil.).

raplaquier v. (XIIIᵉ s., Bretel; v. *plaquier,* appliquer qq chose sur). Apaiser, consoler : *Fame a luez son duel guerpi Quant on la set raplaquier* (Bretel).

rapleni adj. (1112, *Saint Brand.;* voir *plein*). Rempli : *Bois raplenis de venison (Saint Brand.).*

rapoestir v. (1292, *Arch.;* v. *poestir*). 1° Remettre le criminel en la puissance de son juge. − 2° Restituer une chose entre les mains de son propriétaire. ◆ **rapoestissement** n. m. (1292, *Arch.*). Restitution.

rapoi n. m. (XIIIᵉ s., *Rom. et past.;* orig. obsc.). Buisson.

rapoine n. f. V. RAMPOIGNE, reproche, raillerie, insulte.

rapresmer v. (1180, G. de Saint-Pair; v. *aproismer, apresmer*). Se rapprocher.

raqueer v. réfl. (XIIIᵉ s., *Doon de May.;* v. *quei, coi,* tranquille). S'apaiser, se calmer.

rariere adv. (1314, Godefr. de Paris; v. *ariere*). En arrière : *Retornez, gent de pié, rarriere* (Godefr. de Paris).

ras adj. (1256, *Arch.;* cf. lat. *rasus,* p. passé de *radere,* raser; v. *res*). 1° Tondu de près, coupé jusqu'à la peau. — 2° Rempli à ras de bord. — 3° *Table rase*, lame, planche sur laquelle il n'y a encore rien de gravé (Mondev.). — 4° *Ras a ras, ras et ras*, tout contre, au niveau de : *res a res li copa l'oreille (Florim.)*. ◆ **ras** n. m. (1249, G.). Mesure rase, pour les choses sèches, remplie de façon que le contenu ne dépasse pas les bords du contenant, de capacité variable. ◆ **rase** n. f. (1237, *Arch.*). Mesure rase, pleine. ◆ **rasel** n. m. (1262, G.). 1° Mesure de capacité pour le blé. — 2° Morceau de bois servant à enlever les grains de blé qui dépassent les bords du boisseau. ◆ **rasier** n. m. (1326, *Arch.*). Mesure de capacité pour les matières sèches. ◆ **rasiere** n. f. (1212, *Arch.*). Mesure de superficie.

raser v. (déb. XIIe s., *Voy. Charl.;* lat. pop. **rasare*, pour *radere*). 1° Tondre de près, raser. — 2° Remplir jusqu'au bord. ◆ **raseure** n. f. (1235, *Charte*). 1° Coupe de cheveux. — 2° Rature. ◆ **rasor** n. m. (1160, Ben.). Rasoir.

raserier v. (1220, *Saint-Graal;* voir *aserier*). Adoucir, s'adoucir, en parlant du temps.

rasine n. f. (XIIIe s., *Gestes Chypr.;* orig. incert.). Séparation : *Car rancune, descorde, haine Entre la gent a fait rasine (Gestes Chypr.)*.

rasoagier v. (1160, *Eneas;* v. *asoagier*). Soulager : *Amors, redone moi del miel, Si rasoage ma dolor (Eneas)*.

raspe n. f. (1202, D. G.; germ. *raspôn*, rafler). 1° Grappe de raisin dépouillée de ses grains. — 2° Râpe, ustensile de cuisine (fin XIIIe s.). ◆ **raspure** n. f. (av. 1300, poèt. fr.). Grappe de raisin dont tous les grains sont ôtés. ◆ **raspillos** adj. (1190, saint Bern.). Plein de nœuds épineux.

rasque n. f. (1230, *Eust. le Moine;* orig. obsc.). Étang, bourbier.

rasquete n. f. V. RACHETE, paume de la main, plante du pied.

rassaier v. (XIIIe s., *Tourn. Chauvenci;* v. *assaier*, essayer, mettre à l'épreuve). 1° Mettre de nouveau à l'épreuve. — 2° v. réfl. Recommencer : *Au departir chascune a plorer se rassaie* (Aden.).

rassaurre v. (1330, *B. de Seb.;* lat. *salere*, pour *salire*, saillir, attaquer). Assaillir : *Qu'il est bien aprestes et bien amanevis De rassaure nonnains, par nuit, ens en leur lis! (B. de Seb.)*.

rasse n. f. V. REISE, raid, incursion.

rasseir v. (1260, Mousk.), **-eoir** v. (déb. XIIe s., *Voy. Charl.;* v. *asseoir*). 1° Remettre à sa place, replacer. — 2° Fixer, ajouter, en parlant de vêtements. — 3° Assiéger de nouveau.

rassener v. (1169, Wace; v. *assener*). 1° Assigner de son côté, diriger. — 2° Atteindre, arriver à. — 3° Retourner, revenir : *Dist li rois : Povez rassener Au lieu la ou vous la laissates* (Aden.). — 4° Remettre dans le droit chemin. — 5° Rassembler, convoquer de nouveau : *Toute sa maisnie raçaine (Blancandin)*. ◆ **rassen** n. m. (1268, *Arch.*). Nouvelle assignation d'un bien, d'un revenu. ◆ **rassenement** n. m. (1260, *Charte*). Nouveau cautionnement.

rasseurer v. (1175, Chr. de Tr.; voir *asseurer*). Donner confiance. ◆ **rasseurement** n. m. (XIIIe s., *Chans.*). Confiance, certitude.

rassoldre v. (1260, Mousk.; v. *soldre*). 1° Délier : *C'amors de fol voloir le lie Et sens le rassaut d'autre part (Manekine)*. — 2° Absoudre. — 3° Dispenser d'un engagement.

rassoter v. (1175, Chr. de Tr.; voir *assoter*). 1° Dire des bêtises : *Mais mesire rasote.* (Chr. de Tr.) — 2° Devenir sot.

rastel n. m. (fin XIIe s., D.; lat. *rastellum*, dimin. de *rastrum*). 1° Râteau. — 2° Herse d'une porte de château ou de ville. ◆ **rasteleis** n. m. (1240, *Arch.*). Râtelage.

rastiere n. f. (av. 1300, poèt. fr.; v. le précédent?). Vanne. ◆ **rastoire** n. f. (1280, *Ord.*). Vanne.

I. **rat** n. m. (XIIe s.; orig. obsc.). Rat. ◆ **ratoire** n. f., **-oise** n. f. (XIIIe s., *Gloss. Garlande*). Ratière, souricière. ◆ **ratier** adj. (XIIe s., *Chev. deux épées*). 1° Avare. — 2° Pillard, voleur : *En France n'a que*

corretiers, Et unes gens qui sont ratiers,
Qui ne servent que de pais fere, Por or et
por argent atraire (Godefr. de Paris). ◆
raté adj. (1268, E. Boil.). Entamé par les
rats ou les souris : *Si come leur pain raté,*
que rat ou souris ont entamé (E. Boil.).

II. **rat** n. m. (1283, Beaum.; lat. *raptus,*
de *rapere,* saisir, enlever). 1° Rapt, vol. —
2° Viol : *On apele rat feme efforcier*
(Beaum.).

rataindre v. (1190, J. Bod.; voir
ataindre). Rattraper.

rate n. f. (mil. XIIᵉ s.; orig. incert.,
peut-être du moyen néerl. *râte,* rayon de
miel). Viscère. ◆ **ratele** n. f. (XIIIᵉ s.). Rate.

I. **rater** v. (XIVᵉ s.; orig. obsc.).
1° Racler. — 2° Raturer. ◆ **rature** n. f.
(XIIIᵉ s., L.). 1° Raclure. — 2° Action de
racler. — 3° Action de gratter un mot. ◆
ratoir n. m. (XIIIᵉ s., *Gloss. Glasg.*).
Instrument pour racler, racloir.

II. **rater** v. (1313, Godefr. de Paris;
orig. incert.). Croître, prendre de la force :
Ne lesses les mauvez rater, Ou encore te
feront grater (Godefr. de Paris).

III. **rater** v. (1288, J. de Priorat; orig.
incert.). Surprendre, prévenir.

ratirer v. (fin XIIᵉ s., *Alisc.;* v. *atirier,*
arranger). 1° Remettre en bon état,
rétablir. — 2° v. réfl. Retourner, revenir :
A la loenge de la Virge [...] *me ratierge*
Pour un miracle reciter (Coincy). —
3° Se disposer, s'apprêter : *D'assembler*
sa gent se ratire Li roys Phelippes
(Guiart).

ratorner v. (1160, Ben.; v. *atorner*).
1° Retourner, faire retourner, ramener. —
2° Remettre en état, rétablir, réparer. —
3° Disposer, arranger. — 4° Rassembler.
— 5° Donner en retour, en compensation.

ratraire v. (1160, Ben.; v. *atraire*).
1° Rompre, annuler : *Se aucun voloit ledit*
marchié ratraire par coustume de pais...
(1300, *Charte*). — 2° Délivrer : *Quar il ne*
ratrest pas le rice Pour le povre metre en
la brice (Mousk.). — 3° Serrer plus fortement. — 4° Raconter : *Lor dame content*
a ratraient Tute l'ovre (Ben.). — 4° Rame-

ner : *Ses hommes ratraire a son droit*
(Mousk.).

ratropeler v. réfl. (1306, Guiart; voir
atropeler). Se rassembler, se rallier.

rauc adj. (fin XIIIᵉ s.; lat. *raucus*).
Enrhumé, enroué. ◆ **rauet** adj. (1288,
Ren. le Nouv.). Un peu rauque.

rauner v. (1230, *Saint Eust.;* v. *auner*).
Rassembler, réunir.

rauser v. V. REUSER, refuser.

ravaler v. (1175, Chr. de Tr.; v. *ava-*
ler). 1° Faire descendre, jeter à terre. —
2° Descendre. — 3° Baisser, abaisser (sens
moral).

ravene, rafane n. f. (XIIᵉ s., *Gloss.;*
lat. *raphanum,* du grec). Rave, raifort.

ravenir v. (1214, Villeh.; v. *avenir*).
Advenir.

raverdir v. (1220, Coincy), **-oier** v.
(1213, *G. de Dole;* v. *verdir*). Reverdir.
◆ **raverdie** n. f. (XIIIᵉ s., *Court. d'Arras*).
1° Feuillée, verdure. — 2° Chant qui
célèbre le printemps et la verdure.

ravertir v. (1180, *G. de Vienne;*
v. *avertir*). 1° Faire revenir à soi. —
2° Revenir, retourner : *Droit a son tref*
chascuns se raverti (G. de Vienne).

ravesquir v. (1190, saint Bern.;
refait à partir d'un passé simple *vesqui*).
Revenir à la vie, renaître : *Si k'en vraie*
foi ravesqui (Mir. saint Éloi).

ravestir v. (1180, *Rom. d'Alex.;*
v. *vestir*). 1° Vêtir. — 2° Investir : *Tolomé*
ravesti de toute la contree (Rom. d'Alex.).
◆ **ravestissement** n. m. (1254, *Arch.*).
Investiture, donation mutuelle. ◆ **raves-**
ture n. f. (1249, *Arch.*). Investiture. ◆
ravestu, -i adj. (1290, *Arch.*). 1° Revêtu.
— 2° Ensemencé.

ravigorer v. réfl. (fin XIIᵉ s., *Loher.;*
v. *avigorer*). Sévir avec une nouvelle
force. ◆ **ravigoré** adj. (fin XIIᵉ s., *Loher.*).
Réconforté.

ravine n. f. (1160, *Eneas;* lat. *rapina,*
de *rapere,* saisir). 1° Rapine, vol. —
2° Rapt, enlèvement. — 3° Rapidité,

élan impétueux : *la rabine des chevaus* (Ben.). *De ravine*, avec rapidité, avec violence. *Par ravine*, par force. — 4° *Ravine de terre*, avalanche (*Ps. Cambr.*). ◆ **raviner** v. (1160, *Athis*). 1° Se précipiter avec force, courir à toute vitesse. — 2° Couler avec force : *Moult se plaint de son piz qui de sanc li ravine* (*Part.*). — 3° Enlever de force, ravir : *Quant voit la dame bele, si le tot et ravine, Ou ele veut ou non, par force l'entraine* (*Rom. d'Alex.*). ◆ **ravineor** n. m. (1260, Br. Lat.). Ravisseur. ◆ **ravinier** adj. (1229, G. de Montr.). Qui aime la rapine, voleur. ◆ **ravinant** adj. (1180, *Rom. d'Alex.*), **-al** adj. (XIIᵉ s., *Mainet*). Impétueux, rapide. ◆ **ravinos** adj. (1160, Ben.). 1° Impétueux (en parlant d'un fleuve). — 2° Plein d'élan (en parlant d'un coursier). — 3° Raide (en parlant d'un chemin). — 4° Violent, ravisseur (en parlant de personnes).

ravir v. (fin XIIᵉ s., *Rois;* lat. pop. *rapire, pour *rapere*, saisir). 1° Enlever de force. — 2° Courir impétueusement. — 3° v. réfl. Etre emporté avec rapidité : *En un hafne ceste nef vi : Dedenz entrai, si fis folie : Of mei s'en est la nes ravie* (M. de Fr.). — 4° Ravir l'esprit, exalter. ◆ **ravoi** n. m. (XIIᵉ s., *Mainet*). 1° Ravine, torrent. *A grant ravoi*, à torrents. — 2° Bruit. ◆ **ravor** n. f. (1190, J. Bod.). Torrent, courant violent. ◆ **ravoir** n. m. (1308, *Arch.*). Ravine, inondation. ◆ **ravoire** n. f. (1345, *Arch.*). Exploitation à son profit du fief d'un vassal ouvert par défaut d'homme. ◆ **raviere** n. f. (1160, *Athis*). Impétuosité. ◆ **ravisseure** n. f. (1350, *Ars d'am.*). Ambition, avidité, cupidité. ◆ **ravissable** adj. (1277, *Rose*). 1° Ravissant. — 2° Rapace, violent. — 3° Qui s'emporte, rapide. — 4° Qui peut être saisi.

ravisier v. (1164, G. d'Arras; voir *avisier*). 1° Examiner attentivement, examiner. — 2° Apercevoir. — 3° Reconnaître : *Il me voit, si ne me ravisse por chou c'onques mais ne me vit en teus dras ne en tel habit* (*Court. d'Arras*). — 4° Rassembler à. — 5° v. réfl. *Se raviser de*, penser à. *Se raviser que*, veiller à ce que. — 6° Changer d'avis.

ravoier v. (1175, Chr. de Tr.; voir *avoier*). 1° Remettre dans la bonne voie : *Les errans pense a ravoier* (*Fabl. d'Ov.*). — 2° Revenir au bon sens : *Mes une cruel maladie Li prist ersoir dedenz sa teste ... Dieu merci, or est ravoiez* (*Trois Aveugles*). — 3° Retourner. — 4° Rappeler, raconter : *Si com l'estore nous ravoie* (Mousk.).

raz n. m. (XIVᵉ s., D.; breton *raz*). Détroit de mer.

re-, **r-** devant voyelle, **ren-**, **res-**, avec cumul de préfixes, préfixe (lat. *re-*). 1° Préfixe itératif indiquant le recommencement d'un même procès : *Refonder*, rebâtir par les fondements. *Regendrer*, repousser. — 2° Préfixe itératif indiquant le retour à la position antérieure : *Revenir*, retourner au même endroit. — 3° Préfixe itératif indiquant l'existence d'un autre procès comparable : *Regesir*, être couché à côté de. — 4° Préfixe intensif : *Refuir*, fuir de toutes ses forces. *Regarder*, examiner attentivement. *Regoloser*, désirer ardemment.

I. ré, rei, rez n. m. et f. (1119, Ph. de Thaun; orig. obsc.). 1° Bûcher : *Se ferons noz morz sevelir, Ardoir en rez et anfoir* (*Eneas*). — 2° Four.

II. ré n. m. V. RAI, rayon, filet d'eau.

III. ré n. m. V. ROI, arrangement, règle.

IV. ré n. m. (fin XIIᵉ s., *Loher;* v. *reus*, accusé, coupable). Accusé : *Et dist Girbers : Vos faites molt que res* (*Loher.*).

real adj. (1155, Wace; lat. *regalem*). Royal. ◆ **realme, reame** n. m. (1080, *Rol.;* lat. *regimen, -inis*, attiré par *real*). Royaume. ◆ **realté** n. f. (fin XIIᵉ s., *Alisc.*). Royauté.

I. reance n. f. (1327, J. de Vignay; v. *reant*, p. prés. de *raembre*, racheter). Rançon.

II. reance n. f. (1350, G. li Muisis; v. *raier*, couler). 1° Jet (d'eau). — 2° Flot.

rebaillier v. (1190, J. Bod.; v. *baillier*). 1° Donner en retour. — 2° Rendre (un coup).

rebaler v. (1306, Guiart; v. *bale*).
Rebondir.

rebarber v. (XIIIe s., *Doon de May.;*
v. *barbe*). 1° Faire face à l'ennemi,
résister. — 2° Etre rébarbatif, regimber.

rebart n. m., voleur. V. ROBE, butin.

rebatre v. (1346, *Lettre;* v. *batre*).
Retrancher. *Rebatre en tavernes,* reprendre le chemin des tavernes. ◆ **rebat**
n. m. (1260, A. de la Halle). Corniche,
contour, chambranle. ◆ **rebatement**
n. m. (1290, *Lettre*). Diminution.

rebebe n. f. (1277, *Rose;* arabe *rabab,*
sorte de vielle). Vielle à trois cordes,
rebec.

rebeche n. f. (fin XIIe s., *Trist.;*
orig. obsc.). Rabâchage, radotage : *De lor*
rebeche n'ai mes cure (Trist.).

rebechier v. (1316, *Arch.;* orig.
incert.). Renoncer à.

rebeer v. (1204, R. de Moil.; voir
beer). 1° Guetter. — 2° Désirer encore.

rebertorner v. (1335, Deguil.;
v. *torner,* doté d'un double préfixe).
Tourner, fausser.

rebifer v. (fin XIIe s., *Gar. Loher.;*
orig. obsc.; peut-être du même rad. que
biffer). 1° Froncer le nez : *Les iex roelle,*
si rebife du nes (Gar. Loher.). —
2° Rabrouer, repousser (XIIIe s.).

rebillier v. (1306, Guiart; v. *billier,*
jouer aux boules). Repousser. ◆ **rebillant**
adj. (1277, *Rose*). Qui est repoussé, en
retrait, dehors.

reblandir v. (1160, Ben.; v. *blandir*).
Caresser, flatter. ◆ **reblant** n. m. (XIIe s.,
Gace Brulé). *A reblant,* avec des paroles
flatteuses.

rebofer v. (XIIIe s., *Fabl. d'Ov.;*
v. *bofer*). Faire bouffer, soulever :
Deane couroit contre le vent Qui li rebuf-
foit moult sovent Sa robe, et ses jarrez
paroient (Fabl. d'Ov.). ◆ **rebofé** adj.
(1298, M. Polo). Retroussé.

rebois adj. V. REBORS, hérissé, à
l'envers, revêche.

reboisier v. (1200, *Aye d'Avignon;*
v. *boisier*). 1° Tromper. — 2° Devenir
lâche : *Et Durondal ne va pas reboisant*
(Otinel).

I. reboler v. (fin XIIe s., *Est. Saint-*
Graal; v. *bole*). 1° Frapper à nouveau
(comme une boule dans le jeu de quilles).
— 2° Refuser, rechigner : *Commanda leur*
a labourer, Et ce firent sanz rebouler
(Est. Saint-Graal). ◆ **rebolé** adj. (XIIIe s.,
Durm. le Gall.). 1° En forme de boule,
gros, bouffi. — 2° Circoncis.

II. reboler v. (1200, *Quatre Fils*
Aym.; v. *bole,* duperie). Duper, tromper.

rebombe n. f. (1260, Mousk.; cf. lat.
bombus, bruit). Contrecoup, ricochet.

rebonder v. (XIIIe s., Th. de Kent),
-ir v. (fin XIIe s., *Loher.;* v. *bondir, -er*).
1° Retentir, résonner. — 2° Chasser,
repousser. ◆ **rebondie** n. f. (1277, *Rose*).
Retentissement. *De rebondie,* par
secousse.

rebors adj. (1170, *Percev.;* bas lat.
reburrum, hérissé, devenu *rebursum,
par croisement avec *reversum,* renversé).
1° Hérissé, à contre-poil. — 2° Retourné,
mis à l'envers. — 3° Qui rebrousse,
retourné, de travers : *Qui font les bons*
contes rebors (Percev.). — 4° Émoussé :
Vostre espee est reborse (Garn.). —
5° Flou (en parlant de la lumière) :
Pale color et rebosche (Marb.). —
6° Revêche, rebelle : *Tot tens reboisse*
est et rebelle (Coincy). — 7° Désagréable,
malheureux : *vie orde et rebourse*
(Coincy). — 8° Hostile, déloyal. ◆ **rebors**
n. m. (1190, J. Bod.). Le contraire, le
contre-pied. *A rebors,* en sens contraire,
de façon opposée : *Quant a rebours les*
lettres lisent (Rose). A rebors, contrairement à ses désirs : *U li estuet vivre a*
rebours (M. de Fr.). ◆ **reborser** v. (1169,
Wace). 1° Écorcher. — 2° Retrousser.
— 3° Bouleverser. — 4° Faire défaut,
rechigner : *Mais quant chascun moine*
fait borse Li communs bien faut e reborce
(Wace).

reboter v. (1180, *R. de Cambr.;*
v. *boter*). 1° Chasser, repousser l'ennemi.
— 2° Repousser, écarter. — 3° Débouter

(jurid.). − 3° Remettre une épée dans le fourreau. ◆ **rebot** n. m. (XIIIe s., *Pastor.*). Le fait d'être repoussé, rebuffade. ◆ **rebotee** n. f. (XIIIe s., Bretel). Action de repousser, de chasser. ◆ **reboture** n. f. (1260, A. de la Halle). 1° Rebut. − 2° Action de rebouter, de refaire la pointe. ◆ **rebotis** adj. (1268, E. Boil.). Défectueux, en parlant du pain. ◆ **rebotons** adv. (1180, G. de Saint-Pair). *A rebutons,* de mauvais gré, à tort.

reboucher v. (1220, *Saint-Graal;* orig. obsc.). Rebondir : *Et despeçoient ausi lor espees et rebouchoient come s'il ferissent sor une enclume (Saint-Graal).*

rebracier v. (1170, *Percev.;* voir *bracier*). 1° Relever, retrousser (un vêtement). − 2° Mettre à nu, déshabiller. − 3° Relever le cuir d'un animal (vénerie). − 4° v. réfl. Retrousser ses manches, se mettre au travail, à l'action.

rebrichier v. (1267, *Cart.;* voir *rubriche*, titre en lettres rouges). 1° Enregistrer, marquer avec des rubriques, indiquer. − 2° Censurer, critiquer, réprimander (J. de Meung).

rebrois, rebros adj. V. REBORS, hérissé, à l'envers, revêche. ◆ **rebrois** n. m. (XIIe s., *Chev. cygne*). Résistance, opposition.

rebruire v. (fin XIIe s., Guiot; voir *hruire*). 1° Rejeter, repousser avec mépris : *Les obediences rebruient* (Guiot). − 2° Répéter, retentir.

recalcitrer v. (XIIe s., d'une forme latine dérivée de *calx, calcis,* talon). 1° Ruer. − 2° Regimber.

receler v. (1190, saint Bern.; v. *celer*). Cacher. ◆ **recel** n. m. (1180, *Rom. d'Alex.*). Secret : *En la cité entrerent, sans noise et sans recel (Rom. d'Alex.).* ◆ **recelade** n. f. (fin XIIe s., *Gir. de Rouss.*). Action de se cacher. ◆ **recelage** n. m. (XIIIe s., *Maug. d'Aigr.*). Secret. ◆ **recelee** n. f. (1190, J. Bod.). 1° Secret. 2° Endroit secret. − 3° Embuscade. − 4° Chose qu'on cache. − 5° Sorte d'amende. − 6° *A recelee, en recelee,* en secret, en cachette. ◆ **recelé** adj.

(1164, Chr. de Tr.). Retiré, secret. *A recelé, en recelé,* en cachette.

recener v. V. RECINER, faire une collation, un goûter.

recenser v. (1277, *Rose;* lat. *recensere,* recenser). 1° Énumérer, compter. − 2° Raconter, débiter, proclamer. ◆ **recenseor** n. m. (déb. XIVe s., *Gir. de Rouss.*). Raconteur.

receper, -ir v. (1308, Aimé; lat. *recipere,* forme sav.). Recevoir. ◆ **recepte** n. f. (1308, *Cart.*). 1° Réception. − 2° Repaire.

recerceler v. (1080, *Rol.;* v. *cercel,* cercle, cerceau). 1° Mettre en cercle, recoquiller. − 2° Former en cercle, un anneau, friser. − 3° Entourer. ◆ **recercelé** adj. (1119, Ph. de Thaun). 1° En forme de cercle, arrondi. − 2° Bouclé, frisé. − 3° A cheveux frisés. − 4° Arqué.

receter v. (1160, Ben.; lat. pop. *receptare,* pour *recipere*). 1° Recevoir chez soi, donner asile à, cacher : *Mes enemis me rendi, que il a receté (Ren. de Montaub.).* − 2° Donner asile à un serf ou à un criminel poursuivi par la justice. − 3° Cacher, en parlant des choses. − 4° v. réfl. Se retirer. − 5° Retourner. ◆ **recet, receit** n. m. (1080, *Rol.*). 1° Refuge, retraite : *Fuiant en vait lance sour fautre, Canque il puet, vers son rechet (Fregus).* − 2° Habitation. − 3° Repaire, terrier (en parlant des animaux). − 4° Château fort, lieu fortifié. − 5° Réservoir. − 6° Asile. *En recet,* en cachette. − 7° Enterrement. ◆ **recetement** n. m. (1190, Garn.). Action de donner asile, accueil. ◆ **receter, -oier** v. (XIIIe s., *Livr. de Jost.*). Abriter, cacher. ◆ **receteor** n. m. (1283, Beaum.). Receveur, receleur. ◆ **recetant** adj. (1307, *Cart.*). Qui donne refuge.

recevoir v. (XIIIe s.; forme refaite, par chang. de conjug., de *reçoivre, recivre*). − 1° Recevoir. − 2° Saisir. − 3° Accueillir, accepter. − 4° Percevoir les impôts. ◆ **recete** n. f. (1080, *Rol.*). 1° Somme reçue (XIIIe s.). − 2° Manière de préparer un remède, un plat (XIVe s.). ◆ **recevement** n. m. (XIIe s., *Ps.*). 1° Lieu où l'on est reçu. − 2° Réception. ◆ **rece-veison** n. f. (XIIᵉ s., *Horn*). Action de recevoir, accueil. ◆ **receverie** n. f. (1270, *Cart.*). 1° Recette. − 2° Bureau du receveur. − 3° Circonscription du receveur. ◆ **receveor** n. m. (1120, *Ps. Oxf.*). 1° Aide, soutien. − 2° Homme posté dans une embuscade.

rechaner v. (XIIᵉ s., *Pr. Orange;* anc. picard *kenne*, joue, du francique **kinni,* mâchoire). 1° Braire comme un âne. − 2° Chanter faux. − 3° Chanter. − 4° *Rechaner des dens,* grincer des dents. − 5° *Rechaner* q'un, lui montrer un visage furieux et menaçant. ◆ **rechan** n. m. (1119, Ph. de Thaun). 1° Braiment. − 2° Chant des oiseaux. ◆ **rechanement** n. m. (1220, *Saint-Graal*), **-eis** n. m. (XIIIᵉ s.). Braiment.

rechater v. (fin XIᵉ s., *Lois Guill.;* v. *rachater*). Racheter. ◆ **rechateor** n. m. (XIIᵉ s., *Ps.*). Celui qui rachète.

recheoir v. (1160, Ben.; v. *cheoir*). 1° Retomber, tomber de nouveau. − 2° Tomber à son tour. − 3° Retomber (dans un danger, dans une erreur, etc.). − 4° n. m. Rechute, chute. ◆ **recheable** adj. (1277, *Rose*). Qui se répète, qui se renouvelle.

rechignier v. V. RESCHIGNIER, grincer des dents, faire des grimaces, regimber.

recincier v. (1167, G. d'Arras; lat. pop. **recentiare,* rafraîchir, laver, de *recens,* au sens de « frais »). 1° Laver avec de l'eau propre, rincer, nettoyer : *Or voel me bouce recincher* (G. d'Arras). − 2° Purifier : *Luxure enboe tout et neant ne recince* (J. de Meung).

reciner, recener v. (XIIIᵉ s., *Serm.;* v. *cener*). 1° Faire une collation après le dîner, souper. − 2° Offrir quelque chose comme goûter. − 3° Faire la cène (relig.).

reciter v. (fin XIIᵉ s., M. de Fr.; lat. *recitare*). 1° Lire à haute voix. − 2° Raconter.

reclamer v. (1080, *Rol.;* lat. *reclamare*). 1° Invoquer, implorer, supplier :

Dunt comancent tuz a crier, Deu et ses seinz a reclamer (Wace). *Reclamer sa culpe,* dire son *mea culpa.* − 2° Demander une chose due, particulièrement en justice. − 3° Appeler. − 4° *Se reclamer de* q'un, interjeter appel auprès de. − 5° Appeler l'oiseau pour le faire revenir sur le poing ou au leurre. − 6° Se rappeler. *Se reclamer de,* faire mention de. ◆ **reclaim, reclain** n. m. (1112, *Saint Brand.*). 1° Appel, recours, invocation. − 2° Cri de guerre pour réclamer du secours des siens : *Li rois Othe, pour son reclain, Cria Roume .III. fois* (Mousk.). − 3° Plainte, lamentation. − 4° Réclamation en justice. − 5° Prétention, droit qu'on fait valoir. − 6° Cri pour rappeler les oiseaux de chasse. − 7° Rappel : *Ge quit, mien esciant, ge ain; Des or vanrai bien au reclaim (Eneas).* − 8° Proverbe, dicton. − 9° *Sans reclain,* sans conteste. *A reclain,* à merci. ◆ **reclamance** n. f. (1274, *Arch.*), **-ement** n. m. (1283, *Arch.*). Réclamation.

recliner v. (fin XIIᵉ s., M. de Fr.; v. *cliner*). 1° Aller en arrière, retourner : *Or me covient a recliner Et retorner a ma nature* (M. de Fr.). − 2° Pencher en arrière ou de côté, incliner, coucher. ◆ **reclin** n. m. (1112, *Saint Brand.*). Lieu de repos.

reclore v. (Xᵉ s., *Saint Léger;* bas lat. *recludere*). 1° Renfermer, enclore. − 2° Refermer. ◆ **reclus** n. m. (Xᵉ s., *Saint Léger*). − 1° Lieu de réclusion, prison. − 2° Cellule, hermitage. ◆ **reclusoire** n. m. (XIIIᵉ s., Fr. Angier). Cloître, ermitage.

recoi n. m. (1150, *Pèl. Charl.;* v. *coi,* tranquille). 1° Calme, repos, tranquillité : *Por eles parer en reqoi Por venir cointes aus caroles (Chast. Vergi).* − 2° Lieu abrité, lieu retiré. − 3° Refuge, cachette. *A recoi,* en repos, en cachette. *En recoi,* à part, en secret. *En son recoi,* à part soi. ◆ **recoite** n. f. (1285, Aden.). Lieu retiré. *En recoite,* secrètement.

recoillir v. V. RECUEILLIR, rassembler, accueillir, recevoir.

reçoivre v. (1080, *Rol.;* lat. *recipere*). 1° Recevoir. − 2° Prendre, saisir : *Les*

.*II. enfanz a faiz receivre Les comanda*
noier el Toivre (Wace). — 3° Accepter
ce qui arrive de désagréable : *.II. hontes*
m'a ja fait reçoivre (R. de Beauj.). —
4° Accueillir, agréer. — 5° *Reçoivre frere,*
regarder comme un frère. — 6° Abriter.

recoler v. (mil. XIVᵉ s.; lat. *recolere,*
se rappeler). Se rappeler, se souvenir.
◆ **recolé** n. m. (1337, G.). Minute d'un
acte.

recompenser v. (déb. XIVᵉ s., D.;
bas lat. *recompensare*). 1° Dédommager.
— 2° Gratifier (Froiss.). ◆ **recompensa-**
cion n. f. (1269, *Charte*). 1° Dédommagement. *Faire recompensacion,* rendre la
pareille. — 2° Récompense.

reconchier v. (XIIIᵉ s., *Doon de*
May.; v. *conchier,* salir). 1° Salir de nouveau. — 2° Outrager de nouveau.

reconcilier v. (1190, Garn.; lat.
reconciliare). 1° Réconcilier. — 2° Absoudre : *Il reconcilia la dame et remist en*
droit crestientet (Fille du comte de P.).

reconoistre v. (1080, *Rol.;* lat.
recognoscere). 1° Reconnaître, identifier.
— 2° Avouer ses torts, révéler : *Que*
reconnoistre ne li osc (Chast. Vergi). —
3° v. réfl. Etre reconnaissant, se déclarer
satisfait : *A la borse me reconnois, Adieu,*
biaus peres, je m'en vois (Court. d'Arras).
◆ **reconoissance** n. f. (1080, *Rol.*).
1° Action de reconnaître, aveu (en termes
de droit féodal). — 2° Offrande (calque
biblique). — 3° Redevance. — 4° Expiation, punition. — 5° Action de reconnaître une faute, repentir. — 6° *Faire reco-*
noissance, déclarer, faire savoir. — 7° Ce
qui sert à faire reconnaître, ralliement :
Munjoie escriet pur la reconuissance
(Rol.). — 8° Armoiries. — 9° Avant-cour
d'un palais. ◆ **reconoissement** n. m.
(1240, *Arch.*). 1° Action de reconnaître,
connaissance. — 2° Droit de relief :
Quatre deniers en reconnoisement Que
de vous tiegne trestout son chasement
(Agolant). ◆ **reconoissant** n. m. (1220,
G.). 1° Redevance. — 2° Enquête juridique.

reconsivre v. (1190, J. Bod.; voir
consivre). Rattraper, rejoindre : *Nus*

cameus [...] *N'est tant isniaus de courre*
que je nel raconsieue (J. Bod.).

reconter v. (déb. XIIᵉ s., *Ps. Cambr.;*
v. *conter*). 1° Conter de nouveau, répéter.
— 2° Raconter, exposer : *Si con l'estoire*
nos reconta (Chr. de Tr.). — 3° Faire un
récit. ◆ **recontement** n. m. (déb. XIIᵉ s.,
Ps. Cambr.), **-ier** n. m. (1160, Ben.). Récit.
◆ **reconte** n. m. (1260, Ben.). Péroraison,
résumé. ◆ **racontable** adj. (fin XIIᵉ s.,
saint Grég.). 1° Racontable. — 2° Dont on
doit tenir compte, recommandé, véné-
rable.

recoper v. (1160, *Charr. Nîmes;* voir
colper, coper). 1° Couper, tailler, rogner.
— 2° Diminuer, retrancher : *Bien li a ou*
son vivre recopé (Charr. Nîmes). —
3° Interrompre : *Se ma parole un peu*
recoup (Rose). — 4° Annuler.

I. recor n. m., souvenir, récit, enquête.
V. RECORDER, se souvenir.

II. recor, élan. V. RECORE, courir.

recorbeillié adj. (1277, *Rose;* p.
passé du verbe itératif, d'après *recorber*).
Recourbé. ◆ **recorbee** n. m. (XIIᵉ s., G.).
Sinuosité.

I. recorder v. (XIᵉ s., *Alexis;* bas
lat. *recordare,* de *cor,* cœur). 1° Rappeler
à son esprit, remettre à l'esprit. — 2° Se
souvenir. *Recorder* qu'un *de,* lui faire
mention de. — 3° Raconter, répéter : *Ne*
sai mie toutes recorder leur paroles
(Villeh.). — 4° Faire savoir. — 5° Résumer,
récapituler (jurid.). — 6° Rapporter,
déclarer comme témoin. — 7° Confirmer
(le jugement). ◆ **recordement** n. m. (déb.
XIIᵉ s., *Ps. Cambr.*). Souvenir. ◆ **recor-**
dance n. f. (1271, *Lettre*). Souvenir,
mémoire. ◆ **recordation** n. f. (1204, R. de
Moil.). Mention, mémoire, souvenir.
Estre en recordation, se souvenir. ◆
recordee n. f. (fin XIIᵉ s., *Aym. de Narb.*).
Récit, rapport. ◆ **recort** n. m. (fin XIIᵉ s.,
M. de Fr.). 1° Souvenir, mémoire. —
2° Récit, rapport, témoignage —
3° Enquête. *Ja n'i avra recort,* il n'y aura
pas lieu à enquête. — 4° Récapitulation.
◆ **recordeor** n. m. (1285, Aden.). 1° Celui
qui raconte, ménestrel. — 2° Témoin. ◆

recort adj. et n. m. (XIIIe s., *Ass. Jérus.*). 1° Qui se souvient. — 2° n. m. Témoin.

II. **recorder** v. (1175, Chr. de Tr.; v. *acorder*). 1° Mettre d'accord, confirmer : *Doubles est qui son fet ne recorde a son dit* (J. de Meung). — 2° *Recorder un marchié*, conclure un marché. — 3° réfl. Se réconcilier. ◆ **recordement** n. m. (1160, *Athis*). Soulagement :, *n'i a dolant Qui n'ait acun recordement Fors moi* (*Athis*).

recore, recorre v. (1250, *Ren.;* v. *core*, courir). 1° Courir de nouveau. — 2° Courir en gén. ◆ **recor** n. m. (1250, *Gui de Bourg.*). Nouvelle course, élan.

recors n. m. (1169, Wace; orig. incert.). Sorte d'arme : *De pels e de recors fierent escuiez* (Wace).

recostoier v. (1306, Guiart; voir *costoier*). Aller à côté de, accompagner.

recovrer, -ier v. (1080, *Rol.;* lat. *recuperare*). 1° Se procurer, obtenir, trouver : *Vus recoverrez altre amur* (M. de Fr.). — 2° Rallier. — 3° Rétablir, remettre en état. — 4° Se procúrer du secours : *Li escuier resont apres assez, Ou al besoing porrons bien recovrer* (*Cour. Louis*). — 5° Recevoir : *Que dis tu, forsene? Viels tu donnez .I. cop pour .XV. recouvrer?* (*Fierabr.*). — 6° Se tirer d'une difficulté, d'un danger. — 7° Réitérer, revenir à la charge. — 8° Revenir, parvenir, arriver. ◆ **recovrer, -ier** n. m. (1160, *Eneas*). 1° Réparation, salut : *Mais çou de mon enfant m'esmaie Que nul recovrier n'i aroit* (Chr. de Tr.). — 2° Guérison. — 3° Ressource, secours, remède. *Sans recovrir*, sans remède possible. *N'i a nul recovrier*, le mal est sans remède. — 4° Butin : *Et bien .VII[m]. chevaliers Y font moult riches recouvriers* (*Athis*). ◆ **recovre** n. f. (XIIIe s., *J. de Journi*). Secours, remède. ◆ **recovré** n. m. (1180, *G. de Vienne*). Secours. ◆ **recovree** n. f. (XIIIe s., *Doon de May.*). 1° Action de recouvrer. — 2° Retour. — 3° Remède, réparation : *Mort est, je le soy bien, n'i a mes recouvree* (*Doon de May.*). ◆ **recovrement** n. m. (1080, *Rol.*). 1° Secours, remède. — 2° Retraite, refuge. ◆ **recovrance** n. f. (1080, *Rol.*). 1° Action de récupérer. — 2° Délivrance, salut,

secours : *Il estoit des siens le miudre recouvrance* (*Rom. d'Alex.*). ◆ **recovrage** n. m. (XIIIe s., *Maug. d'Aigr.*). Action de recouvrer, de retrouver, retour.

I. **recovrier** v. V. RECOVRER, obtenir, récupérer.

II. **recovrier** v. V.RECOVRIR, couvrir de nouveau.

recovrir, -ier v. (1160, *Eneas;* voir *covrir;* en partie confondu avec *recovrer, -ier*). 1° Couvrir de nouveau, réparer. — 2° Mettre à l'abri. — 3° Soigner une blessure. ◆ **recovreor** n. m. (1268, E. Boil.). Couvreur.

recreant adj. et n. m. (1080, *Rol.;* v. *recroire*). 1° Celui qui se rend à merci, qui se déclare vaincu. *Faire recreant*, réduire à merci. — 2° Épuisé, à bout de forces : *Recreanz ert de sa guerre mener* (*Rol.*). — 3° Lâche. — 4° Fourbu (en parlant des chevaux). ◆ **recreance** n. f. (fin XIIe s., *Ysopet Lyon*). 1° Relâche, répit. — 2° Réparation du tort, restitution. — 3° Possession provisoire de l'objet litigieux jusqu'à la fin du procès. ◆ **recreantie** n. f. (1160, Ben.). 1° Renonciation. — 2° Lâcheté. ◆ **recreantise** n. f. (1080, *Rol.*). Lâcheté, faiblesse.

recrespir v. (1277, *Rose;* v. *crespir*). Rider.

recreu adj. (1080, *Rol.;* v. *recroire*, renoncer à la lutte, se lasser). 1° Vaincu. — 2° Rendu, fourbu : *Li chien sont las, recreu sont* (*Ren.*). — 3° Lâche. — 4° Mis en liberté provisoire. ◆ **recreue** n. f. (1167, G. d'Arras). 1° Aveu de défaite. — 2° Retraite, relâche : *Je ne voel pas premier corner la recreue* (*Rom. d'Alex.*).

I. **recrier** v. (1204, R. de Moil.; lat. *recreare*). Recréer, restaurer. ◆ **recreation** n. f. (déb. XIIIe s.). Action de se restaurer, réconfort. ◆ **recreable** adj. (1350, G. li Muisis). Agréable, qui recrée.

II. **recrier** v. (980, *Passion;* v. *crier*). 1° Crier de nouveau. — 2° Crier, annoncer.

recroire v. (1080, *Rol.;* bas lat. *se recredere*, se rendre, être rendu). 1° Forcer à s'avouer vaincu, vaincre. —

2° Renoncer à la lutte : *Se ore estoit morz Eneas, Ne nos recreiion nos pas (Eneas).* — 3° S'avouer vaincu, se soumettre. — 4° Se lasser, se décourager : *Sire, faus est qui te mescroit Et qui de toi servir recroit* (J. Bod.). — 5° *Se recroire a* quelque chose, refuser de le faire. — 6° Etre parjure, se dédire. — 7° Abjurer sa foi. — 8° Tomber de fatigue. — 9° S'engager, en donnant une garantie, à restituer telle ou telle chose. — 10° Remettre, délivrer. — 11° Avouer. ◆ **recrois** n. m. (1316, *Invent.*). 1° Délivrance *(les Trois Maries).* — 2° Altération légale de la monnaie. ◆ V. RECREANT, RECREU.

I. **recrois** n. m. (1155, Wace; v. *croistre, croissir,* grincer). 1° Grincement. — 2° Éclat : *Oissiez armes croissir, Et recrois de hantes voler* (Wace).

II. **recrois** n. m., augmentation, surenchère. V. RECROISTRE, accroître.

III. **recrois** n. m., délivrance, faiblage de la monnaie. V. RECROIRE, renoncer à la lutte, se lasser.

recroistre v. (1213, Villeh.; voir *croistre*). 1° Accroître, augmenter. — 2° S'accroître. ◆ **recrois** n. m. (1296, *Cart.*). 1° Nouvelle croissance. — 2° Augmentation. — 3° Surenchère.

rectorique n. f. (1160, *Eneas;* lat. *rhetorica,* du grec). Rhétorique, un des sept arts libéraux. ◆ **rectorien** n. m. (XIII⁴ s., G. de Cambr.). Rhétoricien, savant.

recueillir v. (1080, *Rol.;* lat. *recolligere;* v. *cueillir*). 1° Rassembler, ramasser. — 2° Accueillir. — 3° Recevoir, en parlant des ennemis. ◆ **recueil** n. m. (1360, Froiss.). Accueil. ◆ **recueillet** n. m. (1160, Ben.), **-oit** n. m. (1160, Ben.). Accueil. ◆ **recueilleor** n. m. (1243, *Accord*). Celui qui perçoit les impôts.

recueudre v. (1266, *Charte;* voir *cueudre,* cueillir). Prendre, recevoir, recueillir.

recuireure n. f. (1314, Mondev.; v. *cuir,* nouvelle peau). Cicatrisation.

recuit adj. (1214, *G. de Dole;* orig. incert.). 1° Rusé, pervers : *Le felon*

vavassor recuit [...] *N'amoit li rois ne tant ne quant (Durm. le Gall.).* — 2° Mauvais, en parlant des choses. ◆ **recuit** n. m. (XIII⁴ s., G.). Finesse, détour.

reculer v. (1160, *Eneas;* v. *cul*). Reculer. ◆ **reculee** n. f. (XII⁴ s., *Ogier*). 1° Action de reculer. *N'avoir pas grant reculee,* n'avoir pas beaucoup d'espace pour reculer. — 2° Renforcement d'une fenêtre. ◆ **reculet** n. m. (1150, Saint-Evroul). Lieu isolé, reculé. *En reculet,* à l'écart.

reculisse n. f. (déb. XIII⁴ s., R. de Beauj.; métathèse de *licorice*). Réglisse.

recuperer v. réfl. (1308, Aimé; lat. *recuperare*). Se réfugier.

recuter v. réfl. (1180, G. de Saint-Pair; v. *cuter,* cacher). Se cacher, se blottir.

redehaitier v. (1204, *l'Escoufle;* v. *deshaitier,* rendre malade, affliger). Remettre en mauvais état, abaisser, contrarier.

redeisme, redisme n. m. et f. (1169, Wace; v. *disme,* dîme). 1° Seconde dîme, le dixième du dixième. — 2° Le dixième du dixième des prisonniers qu'on décime.

redembre v. V. RAEMBRE, racheter, rançonner.

I. **reder, resder** v. (XIII⁴ s., *Voc. lat.-fr.;* orig. incert.). Délirer : *Toudis rede il ou cante ou brait Et si ne set onques qu'il fait* (A. de la Halle). ◆ **rederie** n. f. (XIII⁴ s., *Voc. lat.-fr.*). Rêverie, déraison, entêtement. ◆ **redier, -oier** v. (1190, Garn.). 1° Délirer. — 2° v. réfl. Se révolter : *Se nulz par aventure poist se redeier Vers li rei* (Garn.). ◆ **redie, resdie** n. f. (fin XII⁴ s., *Ogier*). 1° Déraison. — 2° Hardiesse due à l'orgueil : *Mult estes preus, mais trop aves reddie (Ogier).*

II. **reder** v. V. RAIER, rayonner.

redespendre v. (1220, Coincy; voir *despendre*). Dépenser ensuite : *Les granz du siecle ont moult grant faiz D'acquerre ce mauvesement Qu'il redespendent folement* (Coincy).

redne n. f. V. RESNE, rêne.

redocer v. (XIIe s., *Asprem.; v. dos, dous,* doux). 1° Radoucir. — 2° Émousser (en parlant d'une arme tranchante) : *Hé! Durendal, con estes redocee (Asprem.).*

redoissié, -dossié adj. (fin XIIe s., saint Grég.; v. *redocer,* émousser?). Émoussé, obtus.

redoit adj. (1175, Chr. de Tr.; lat. *reductum*). 1° Revêche, orgueilleux, inhumain. — 2° Épuisé.

redonder v. (1204, R. de Moil.; lat. *redundare,* regorger). Etre en abondance, affluer, abonder. ◆ **redondacion** n. f. (1308, G.). Action de retomber sur, de revenir, contrecoup.

redos loc. adv. (1335, Deguil.; voir *dos). A redos,* dos à dos, sur le dos : *Sur elle a redos se seoient Deux autres vieilles* (Deguil.).

I. **redoter** v. (XIe s., *Alexis;* v. *doter,* craindre). Redouter, craindre. ◆ **redot** n. m. (1170, *Percev.).* 1° Doute. — 2° Crainte. ◆ **redotement** n. m. (1119, Ph. de Thaun), **-ee** n. f. (1138, *Gorm. et Is.).* Crainte. ◆ **redotance** n. f. (1120, *Ps. Oxf.).* 1° Crainte. — 2° Force redoutable, puissance : *Il estoit de grant honor et de grant redoutance vers les plus haus de lui (Saint-Graal).* ◆ **redotable** adj. (fin XIIe s., saint Grég.), **-ant** adj. (1170, *Percev.).* Redoutable.

II. **redoter** v. (1080, *Rol.;* constr. sur une rac. germ.; cf. moy. néerl. *doten,* rêver, tomber en enfance). Tomber en enfance, radoter. ◆ **redoterie** n. f. (1169, Wace). Radotage. ◆ **redoté** adj. (1080, *Rol.).* Retombé en enfance.

ree n. f. (XIIe s., *Cant. des cant.;* francique **hrâta).* 1° Rayon de miel. — 2° Gâteau de miel.

reé n. m. (1340, *Traité;* v. *reus,* accusé, coupable). Accusé.

reel n. m. Filet. V. RAIE.

reer v. V. RAIER, rayonner.

refaçon n. f. (1308, *Cart.;* v. *façon).* Réparation.

refaire v. (1175, Chr. de Tr.; v. *faire).* Refaire, remettre en bon état, réparer. ◆ **refaisance** n. f. (1346, *Lettre).* Réparation. ◆ **refaisant** adj. (1204, R. de Moil.). Réconfortant. ◆ **refait** adj. (1219, *Guill. le Maréch.).* 1° Restauré. — 2° Fort, en bon état : (Chevaux) *gras et refez et bien emblans (Guill. le Maréch.).* ◆ **refaitier** v. (1281, *Arch.).* Réparer, reconstruire. ◆ **refaiture** n. f. (1311, *Arch.).* 1° Reconstruction, restauration. — 2° Droit permettant de se servir du bois pour les réparations.

refarde n. f. V. RAFARDE, moquerie.

refaudre v. réfl. (1170, *Percev.;* voir *faudre,* falloir, manquer). Manquer : *Mais li noirs chevaliers l'assaut, et Percheval ne s'i refaut (Percev.).*

refeitor, refroitor n. m. (1112, *Saint Brand.),* **-oir** n. m. (fin XIIe s., M. de Fr.; lat. eccl. *refectorium).* Réfectoire. ◆ **refeitorier** n. m. (fin XIIe s., *Alisc.).* Celui qui est chargé des provisions.

refendre v. (1320, G.; v. *fendre).* Abandonner, se séparer de, se dessaisir de.

refermer v. (1160, *Eneas;* v. *fermer).* 1° Raffermir, consolider. — 2° Fortifier. — 3° Confirmer.

reflamber v. (1080, *Rol.),* **-ir** v. (1150, *Thèbes),* **-oier** v. (1080, *Rol.;* v. *flamber).* 1° Reluire, flamboyer. — 2° Resplendir. ◆ **reflambie** n. f. (XIIe s., *Barbast.),* **-or** n. f. (XIIIe s., G.). Éclat, lueur. ◆ **reflambine** n. f. (1295, *Sydrac).* Sorte de pierre précieuse.

reflatir v. (fin XIIe s., *Gar. Loher.;* v. *flatir).* 1° Rejeter : *Maint sunt hors reflati par l'onde (Rose).* — 2° Se rejeter.

reflenchir v. (1288, J. de Priorat; forme de *reflechir).* 1° Retourner. — 2° v. réfl. Se détourner de, abandonner.

reflochier v. (1190, saint Bern.; voir *flochier,* aller au gré du vent). 1° Tourner vers, rappeler. — 2° Se tourner.

I. **refol** n. m. (1160, Ben.; v. *foler,* fouler). 1° Décharge d'étang, de canal.

— 2° Répugnance : *D'ocire et d'espandre cerveles Et d'estre en sanc et en boelles Deussiez estre tot saol Et aveir ce a grant refol* (Ben.). ◆ *Refole Marion*, locution prov. : *A refole Marion*, à gogo (Ruteb.).

II. refol adj. (XIIᵉ s., *Chast. d'un père;* v. *fol*, fou). Excessivement fou.

I. refonder v. (1160, Ben.; v. *fonder*). Rebâtir par les fondements, fonder de nouveau.

II. refonder v. (1274, *Charte;* voir *font*, fonds). Rembourser, restituer, rendre les fonds.

refondre v. (1313, Godefr. de Paris; v. *fondre*). Enfoncer.

reformer v. (1190, saint Bern.; lat. *reformare*). 1° Donner une forme différente, remettre dans l'état antérieur. — 2° Exalter, élever : *Tant l'ama Que sour tous rois le reforma* (Mousk.). — 3° v. réfl. Se conformer : *Puis ke clers se reforme au monde Je dis ke de Deu se depart* (R. de Moil.). ◆ **reformement** n. m. (1215, *Gr. Charte*). Action de réformer, rétablissement. ◆ **reformeor** n. m. (1323, *Arch.*). Réformateur, celui qui rétablit les institutions véritables : *Inquisiteurs et reformeurs* (1323, *Arch.*).

refraindre v. (1138, *Saint Gilles;* lat. pop. **refrangere*, pour *refringere*). 1° Briser. — 2° Refréner, réprimer, contenir, modérer : *Dou tant l'avoit perdue honte Qui les pluseurs refraint et donte* (Coincy). — 3° Vaincre. — 4° Cesser, s'arrêter. — 5° S'éloigner, se retirer : *Pourquoi du povre me refraigne? (Rose).* — 6° Diminuer. — 7° Accompagner un chant en modulant, retentir, chanter un refrain : *A la joie des oiseaus ke refraignent li buisson ke croist joies et reveaus (Chans.).* ◆ **refrait** n. m. (XIIIᵉ s., *Rom. et past.*). Répétition d'un couplet; refrain. ◆ **refrain** n. m. (mil. XIIIᵉ s., *Pastor.;* altér. de *refrait*). 1° Retenue, frein. — 2° Refrain.

refreseler v. (1160, Ben.; v. *freseler*). Briller, resplendir : *L'or des escuz i refresele* (Ben.).

refreschir v. (1160, *Eneas;* voir *freschir*). 1° Rafraîchir. — 2° Renouveler : *Les sairements [...] furent tous refreichis* (Ph. de Nov.).

refrigerer v. (XIIIᵉ s., G.; lat. *refrigerare*). Rafraîchir. ◆ **refrigere** n. m. et f. (déb. XIIᵉ s., *Ps. Cambr.*). 1° Rafraîchissement. — 2° Soulagement, réconfort.

refroidier v. (1080, *Rol.;* v. *froit*, froid). 1° Refroidir. — 2° Rafraîchir. — 3° Diminuer l'ardeur, calmer : *Or refroidiez a moi vostre ire* (Bretel). — 4° v. réfl. Se reposer : *Por lor cors reposer et por aus refroidier (Rom. d'Alex.).* — 5° v. réfl. Cesser : *Et pour ce te devroies d'eulz blasmer refroidier* (J. de Meung). — 6° Faire une chose avec mollesse, se lasser.

refroier v. (XIIIᵉ s., *Doon de May.;* v. *froier*). 1° Frotter. — 2° Redevenir plus pénible : *Souvent de son meschief li siens maus le refroe* (Aden.).

refroissier v. (1278, *Arch.;* voir *froissier*, briser). Changer de culture, en parlant d'une terre. ◆ **refroissich** adj. (1339, *Arch.*). Se dit d'une terre dont on a changé la culture.

refroitor, -oir n. m. V. REFEITOR, réfectoire.

refuir v. (XIᵉ s., *Alexis;* v. *fuir*). 1° Fuir de toutes ses forces. — 2° Éviter, repousser. ◆ **refui** n. m. (1155, Wace). 1° Refuge, asile. — 2° Appui, recours : *Saluz li seez et refui* (Ben.). — 3° Échappatoire : *par fine amor sans nul refui* (Gilles de Chin). — 4° Subterfuge, prétexte : *Obedience offristes ainz e subjectiun : En refui de ço faites puis appelatiun* (Garn.). ◆ **refuiement** n. m. (1220, Coincy), **-ance** n. f. (XIIᵉ s., *Ps.*). Refuge. ◆ **refuite** n. f. (XIIIᵉ s., Cortebarbe). 1° Refuge. — 2° Fuite.

refuser v. (fin XIᵉ s., *Lois Guill.;* lat. pop. **refusare*, croisement de *recusare*, refuser, et de *refutare*, réfuter). 1° Refuser, repousser. — 2° Écarter, chasser. — 3° Reculer. — 4° *Refuser a qq chose*, s'y soustraire, ne pas consentir. — 5° Éviter : *Li forestier quis encusa Mort cruele n'en* *refusa (Trist.).* ◆ **refus** n. m. (fin XIIe s., *Ogier*). 1° Action de refuser. *Faire refus de* qq chose, ne pas l'accorder. *Estre de refus,* être refusé, rejeté : *Tu n'es or pas si du refus Com tu seras encor du plus* (Ruteb.). — 2° Action de repousser, de mépriser. *Cerf de refus,* qui n'est pas bon à chasser. *Cerf sans refus,* qui est bon à chasser. — 3° Action de chasser, d'écarter, d'éviter. *Faire refus a* q'un, le fuir, l'abandonner : *François le fuient, trestot li font refus (Ogier).* — 4° *A refus,* tellement qu'on refuse, abondamment. ◆ **refuse** n. f. (1175, Chr. de Tr.). Refus. ◆ **refusement** n. m. (1155, Wace). 1° Refus. — 2° Répudiation. ◆ **refusos** adj. (1160, Ben.), **-eis** adj. (1277, *Rose*). Qui refuse, qui résiste.

I. **regal** n. m. (1310, *Fauvel*), **-e** n. f. (XIVe s., v. *gale,* réjouissance). Partie de plaisir offerte à q'un. ◆ **regalir** v. (1350, *Ars d'am.*). Festoyer, régaler.

II. **regal** adj. (fin XIIe s.; lat. *regalis*). Royal. ◆ **regale** n. m. (1170, *Percev.*). Royaume. ◆ **regale** n. f. (fin XIIe s.; lat. médiév. *regalia jura,* droits du roi). Droit régalien : *Tout cil* (les évêques) *tenoient lor regales De Blancheflor* (G. de Montr.). ◆ **regalité** n. f. (XIIIe s., *Chron. Saint-Denis*). 1° Fief royal. — 2° Honneurs royaux. ◆ **regalier** n. m. (1277, *Charte*). Administrateur, pour le compte du roi, des biens d'Eglise pendant la vacance d'un siège.

regambet n. m. (XIIe s., *Chev. trois épées;* v. *gambe,* jambe). Croc-en-jambe.

regarder v. (1175, Chr. de Tr.; v. *garder*). 1° Faire attention, regarder autour de soi. — 2° Examiner attentivement. — 3° Considérer. — 4° Décider. ◆ **regart** n. m. (1080, *Rol.*). 1° Garde, attention, considération : *Se de vos ne prenez regart, Il vos auront... Molt tost rompus* (Chr. de Tr.). — 2° Crainte, sujet de crainte. — 3° Préoccupation : *Nus d'aus n'a de l'autre regart (Eneas).* — 4° Aspect, vue : *Et sembloit bien en regart et en port non puissant (Mir. Saint Louis).* — 5° Police d'un métier, inspection. — 6° Droit d'inspection, redevance, salaire. — 7° *Au regart de,* en considération, en compa-

raison de, à l'avis de. ◆ **regardement** n. m. (1155, Wace). 1° Action de regarder, vérification. — 2° Regard. ◆ **regardeure** n. f. (1119, Ph. de Thaun). 1° Les yeux, regard, vue : *Oilz dreiz aperz out, dulce regardeure* (Wace). — 2° Aspect, physionomie. — 3° Appréciation, estimation. ◆ **regardeor** n. m. (1277, *Rose*). 1° Celui qui regarde, qui examine. — 2° Inspecteur. ◆ **regart** n. m. (XIIIe s.). 1° Inspecteur des maîtrises de métier. — 2° Administrateur en général.

regehir v. (déb. XIIe s., *Ps. Cambr.;* v. *gehir*). 1° Confesser, avouer. — 2° Raconter, rapporter : *Tot ton afaire mous pues bien rejehir (R. de Cambr.).* ◆ **regehissement** n. m. (1190, saint Bern.), **-ance** n. f. (XIIIe s., Fr. Angier). Aveu, confession.

regendrer v. (1246, G. de Metz; v. *gendrer*). 1° Régénérer. — 2° Repousser (en parlant d'une plante).

regenerer v. (XIe s., *Alexis;* lat. eccl. *regenerare,* faire renaître). 1° Renouveler moralement. — 2° Baptiser. ◆ **regenerement** n. m. (1160, Ben.). Régénération.

reger v. (XIVe s.), **regir** v. (déb. XIIIe s.; lat. *regere,* diriger). Gouverner, régir. ◆ **regement, regiment** n. m. (XIIIe s., *Ass. Jérus.;* lat. *regimentum*). 1° Gouvernement. — 2° Règlement : *Transmuer les quatre elemens Par mes actes et regemens* (J. de Meung). — 3° Direction (XIVe s.). ◆ **regime** n. m. (1338, *Ord.;* lat. *regimen*). 1° Gouvernement. — 2° Règlement. ◆ **regeor** n. m. (XIIIe s., *Ass. Jérus.*). 1° Gardien, défenseur. — 2° Commandant, gouverneur : *regeor de jens et de teres* (M. Polo). ◆ **regent** n. m. (mil. XIIIe s.). Professeur d'université.

regesir v. (1160, Ben.; v. *gesir*). Etre couché à côté de : *La dame regist en son lit Les son mari* (Couci).

regeste n. m. (1155, Wace; bas lat. *regesta,* registre, catalogue). Rapport, récit : *Les regestes Et les estoires* (Wace).

regestre n. m. (1260, Br. Lat.; lat. médiév. *regesta,* infl. par *epistre;* voir *regeste*). 1° Livre qui rapporte une histoire : *Or dist li contes et li regestres de*

Sainte Eglise (Br. Lat.). − 2° Règlement, ordonnance. − 3° Amende inscrite sur un rôle. ◆ **registrer** v. (1360, Froiss.). Enregistrer. ◆ **registrement** n. m. (1310, *Arch.*). Enregistrement. ◆ **registreur** n. m. (1301, *Arch.*). Celui qui enregistre.

I. **regeter** v. (1138, *Saint Gilles;* voir *geter,* jeter, projeter). 1° Ruer, regimber : *Il joint les .II. orelles, si regete des pies (Saint Gilles).* − 2° Renvoyer des coups. ◆ **regetant** adj. (1190, saint Bern.). Vif, alerte.

II. **regeter** v. (1339, *Arch.;* v le précédent?). Nettoyer, curer.

regiber v. (1250, Ren.), **regimber** v. (1180, *R. de Cambrai;* v. *giber,* secouer, d'orig. obsc.). 1° Ruer. − 2° Résister. ◆ **regiboi** n. m. (1220, Coincy). Patrie de ceux qui regimbent.

regier n. m. (1324, *Arch.;* v. *giet,* déverbal de *jeter*). 1° Terrain vague. − 2° Bord. ◆ **regiet** n. m. (1241, *Acte*). Terrain vague, terre abandonnée, décharge publique.

regieres adv. (XIIᵉ s., J. Fantosme; v. *gieres*). De nouveau, encore : *E la pestilence regiere Lu poeple occist e deguastat* (Fr. Angier).

regiment n. m., gouvernement, règlement. V. REGER, régir, gouverner.

regingnier v. (déb. XIIIᵉ s., R. de Beauj.; v. *engignier*). Tromper de nouveau : *Mais vos me volés regingnier Con vos fesistes avant ier* (R. de Beauj.).

regnable adj. V. RAISNABLE, juste, raisonnable.

regne n. m. (980, *Passion;* lat. *regnum*). 1° Règne. − 2° Royaume, pays. − 3° *Le resne precieus,* le paradis. ◆ **regné** n. m. (980, *Passion*). 1° Royaume. − 2° Pays, fief : *Ains que je isse du resné de Pavie (Ogier).* ◆ **regnee** n. f. (XIIᵉ s., *Horn*), **-ler** n. m. (1138, *Saint Gilles*), **-ation** n. f. (XIIᵉ s., *Chev. cygne*). 1° Royaume, pays. − 2° Règne. ◆ **regnement** n. m. (1211, *Charte*). 1° Règne. − 2° Influence des astres *(Sydrac).*

regol n. m. (1295, G. de Tyr; ital. *golfo*). 1° Golfe. − 2° Eau profonde. ◆ **regoleis** n. m. (1295, G. de Tyr). Golfe.

regoloser v. (1204, R. de Moil.; v. *goloser,* de *gole*). Désirer ardemment : *Car la guerre regoulousa* (Guiart).

regon, raon n. m. (1283, *Charte;* orig. incert.). Méteil.

regort n. m. (1162, *Fl. et Bl.;* v. *gort,* gouffre). 1° Petit détroit, petit golfe. − 2° Eau profonde, courant d'eau.

regracier v. (XIIᵉ s., *Chev. cygne;* v. *gracier*). Remercier, rendre grâces à.

regraignier v. (1246, G. de Metz; v. *graignier*). Augmenter.

regreter v. (XIᵉ s., *Alexis;* orig. obsc., peut-être de l'anc. scand. *grāta,* pleurer, gémir). 1° Déplorer à haute voix la perte de quelqu'un : *Quant ennuié sunt de plurer, Sil comencent a regrater (Saint Gilles).* − 2° Avec un objet inanimé, se lamenter sur. − 3° Appeler au secours, invoquer : *Et la merci Dieu moult regretent (Saint Brand.).* − 4° v. impers. Etre une cause de regret : *Tel as ocis dunt al coer me regrete (Rol.).* − 5° Relater, raconter : *Si com l'istore va contant, Qui le fet mot a mot regreté* (Fr. Angier). ◆ **regret** n. m. (XIIᵉ s.). 1° Regret, plainte. − 2° Reproche. *Faire regret,* faire honte : *Que ma dame n'a fet regret (Chast. Vergi).* ◆ **regretee** n. f. (1138, *Gorm. et Is.*). Regret, douleur, deuil ◆ **regretement** n. m. (1160, Ben.). Regret, plainte.

regroui adj. (1160, *Eneas;* orig. incert.). Ratatiné : *Vialz ert et laiz et regrouiz* (Eneas).

reguenchir v. (1160, Ben.; voir *guenchir*). Revenir de côté : *Et li Griu reguencirent les vers elmes lacies (Rom. d'Alex.).*

reguerdoner v. (déb. XIIᵉ s., *Ps. Cambr.;* v. *guerdoner,* récompenser). Donner une récompense. ◆ **reguerdon** n. m. (XIIᵉ s., *Gir. de Rouss.*), **-ement** n. m. (1190, saint Bern.). Récompense.

regule n. f. (1337, G.; lat. *regula,* règle). Règle. ◆ **regulier, -iere** adj. (1119, Ph. de Thaun). 1° Régulier. − 2° n. m.

Règle (Ph. de Thaun). ◆ **regulaire** adj. (1204, R. de Moil.). Régulier : *vie regulaire* (R. de Moil.).

rehaignet n. m. (1260, A. de la Halle; v. *haigne*, grimace). 1º Reste, relief : *On voit pour mieus le grant disner atendre Souvent .I. rehaignet anchois mengier* (A. de la Halle). — 2º Coup violent : *Puis a juré Dieu c'un tel rehaingnet Donrra au lardier qu'il sera froez (Fabl.).*

rehaitier v. (1160, *Eneas;* v. *haitier*, réjouir). 1º Réjouir, réconforter. — 2º Secouer vivement : *Ains le commence a rehaiter Si durement... (Percev.).* — 3º Rafraîchir, renouveler : *les paroles reheitier* (Chr. de Tr.). ◆ **rehait** n. m. (1160, *Athis*). Plaisir, souhait.

I. rehaster v. (XIIe s., *Part.;* v. *haster*, presser). 1º Hâter, presser. — 2º Harceler.

II. rehaster v. (1170, *Percev.;* voir *haste, hanste*, lance). 1º Piquer de nouveau avec la lance. — 2º Piquer avec une broche.

reherbergier v. (1204, *G. de Palerne;* v. *herbergier*). 1º Remettre en ordre. — 2º v. réfl. Se loger de nouveau.

rehercier v. (XIIe s., *Chast. d'un père;* v. *hercier*, herser, au sens fig.). 1º Exprimer, répéter ce qu'on a déjà dit ou écrit. — 2º Raconter en détail : *Trestoutes lor jornees ne vous vueil rehercier* (Aden.). — 3º Énumérer, indiquer en détail. — 4º Médire. ◆ **rehercement** n. m. (XIIe s., *Comm. Ps.*). Répétition. ◆ **reherceor** n. m. (fin XIIe s., *Trist.*). 1º Celui qui répète. — 2º Médisant.

rehiz adj. (XIIe s., *Part.;* orig. incert.). roide, rude : *Ci lor rendons estor dur, et fort, et rehiz (Part.).*

rehorder v. (fin XIIe s., *Auc. et Nic.;* v. *hort*, hourt). Remparer, rétablir les fortifications d'une ville.

rehuchier v. (1170, *Percev.;* voir *huchier*). Rappeler en criant : *Son coc rehuce a grant aleine (Ren.).*

rei n. m. et f. V. RÉ, bûcher, four.

reiame n. m. V. REALME, royaume.

reidele n. f. (1300, D.; moy. haut all. *reidel*, forte perche). Balustrade légère faite de branchages.

reille, raille n. f. (XIIe s.; lat. *regula*, règle). 1º Barre pour fermer la porte. — 2º Latte, planchette. — 3º Ais, poutrelle. — 4º Cheville. — 5º Chaînette.

reine, raine, roine n. f. (1080, *Rol.;* lat. *regina*, influencé partiellement par *roi*). Reine.

reinoille n. f. V. RAINE, grenouille.

I. reire v. V. RERE, raser, gratter, effacer.

II. reire adv. et prép. V. RIERE, en arrière, derrière.

reis adj. V. RES, RAS, tondu, à ras.

I. reise n. f. (XIVe s., *Guerre de Metz;* germ. *reisa*, voyage). Raid, incursion en pays ennemi.

II. reise n. f. V. ROISE, filet de pêche.

reit adj. V. ROIT, ferme, rude, raide, escarpé.

rejoster v. (1160, Ben.; v. *joster*). Assembler de nouveau : *Dunc rejosta le parlement* (Ben.).

relaier v. (fin XIIIe s., B. de Condé; v. *laier*, laisser). Terme de vénerie, Laisser les chiens fatigués pour en prendre d'autres.

relaissier v. (1175, Chr. de Tr.; lat. *relaxare*). 1º Laisser, quitter, abandonner. — 2º Relaissier a, cesser de : *Mes a conter je vous relais* (Chr. de Tr.). — 3º Faire abandon, cession de. — 4º Relaissier de, tenir quitte de, dispenser de. — 5º Faire remise de. — 6º Cesser, renoncer, s'arrêter de fatigue. — 7º Se relaissier de, se désister, se dispenser de. ◆ **relais** n. m. (1138, *Saint Gilles*). 1º Ce qui est laissé, ce qui reste. — 2º Rémission. — 3º Relâche, retard, délai, remise. *Et tout droit au palez Du pape vindrent sanz relez* (Godefr. de Paris). *A relais*, en s'arrêtant, lentement. — 4º Exception. — 5º *Laissier en relais*, laisser à part. — 6º Écluse, bonde. ◆ **relaison** n. f. (XIIe s., Herman). Guérison.

◆ **relaisor** n. f. (1260, Mousk.). Relais, interruption. ◆ **relais, reles** adj. (XIII⁰ s., Rob. de Blois). 1° Laissé. — 2° Absous.

relater v. (1304, *Arch.*; v. *late*). Garnir de nouvelles lattes.

relegion n. f. (fin XI⁰ s., *Lois Guill.*; lat. *religio*). 1° Religion, foi. — 2° Communauté religieuse, état religieux. — 3° Monastère : *Car maintenant se rendi en une religion de blans moines (Est. Saint-Graal). Maison de relegion*, couvent. *Gens de relegion*, religieux.

relenquir v. (1160, Ben.; adapt. du lat. *relinquere*). 1° Laisser, abandonner, quitter. — 2° Renier, abjurer : *Car relenquis ton Dieu (Barbast.).* — 3° Trahir : *S'ai conveili Aliaume mon cuisin Relenqui ai Fromont le posteis* (G. de Metz).

relent adj. (XIII⁰ s., *Lapid. fr.*; v. *lent*, du lat. *lentum*, lent à couler, visqueux). Malodorant, puant, infect : *Couverte est toute la planece Es places relentes et dures D'ommes ocis* (Guiart). ◆ **relentif** adj. (1235, H. de Méry). Relâché, flasque.

relever v. (1080, *Rol.*; v. *lever*). 1° Mettre debout. — 2° Élever à un grand honneur (en parlant d'un saint). — 3° Payer la *relevaison*, racheter. — 4° Se relever. — 5° Ressusciter. — 6° Sortir de la maison, après les couches, pour aller recevoir la bénédiction du prêtre. *Relever d'enfant*, se relever de ses couches. ◆ **relief** n. m. (XI⁰ s., *Alexis*). 1° Droit payé par un vassal pour relever son fief. — 2° Amende. — 3° Ce qu'on enlève de dessous une table. ◆ **relevee** n. f. (fin XII⁰ s., M. de Fr.). 1° Action de se relever, de se lever. — 2° L'après-midi : *Cel jur meisme ainz relevee Fu la fame el vergier alee* (M. de Fr.). ◆ **relevement** n. m. (XII⁰ s., Herman). 1° Action de relever, de se relever. — 2° Relevailles. — 3° Soulèvement. — 4° Soulagement. — 5° Relevé, dessin. ◆ **relevaison** n. f. (XIII⁰ s., *Livr. de Jost.*). Rachat ou relief dû au seigneur censuel par le nouveau vassal. ◆ **releveor** n. m. (1260, Mousk.). Celui qui relève, qui soutient : *Releveres de sainte glise* (Mousk.).

relier, reloier v. (1112, *Saint Brand.*; v. *lier*). 1° Assembler. — 2° Attacher, fixer de nouveau. — 3° Raccommoder, réparer. — 4° Bonder. — 5° Botteler. — 6° Serrer, enfermer : *Jel reloiai* (l'argent) *ens en mes horses (Saint Brand.).* ◆ **reliage** n. m. (1328, *Arch.*). Action de mettre des cercles à un tonneau. ◆ **relieor** n. m. (fin XII⁰ s.). 1° Relieur. — 2° Botteleur, tonnelier.

I. **relignier** v. (1175, Chr. de Tr.; v. *lign*, famille, lignage). Avoir des traits de parenté, de ressemblance.

II. **relignier** v. (1350, *Ars d'am.*; orig. incert.). 1° Dégeler. — 2° n. m. Dégel : *Li religniers si est contraire al engieler (Ars d'am.).* ◆ **rellng, relin** n. m. (1350, *Ars d'am.*). Dégel.

relober v. (1306, Guiart; v. *lober*, même sens). Plaisanter.

reloge n. m. (1270, Ruteb.; altér. de *orloge*, horloge). Horloge.

reloignier v. (XII⁰ s., *Barbast.*; voir *loignier*). 1° Tenir éloigné. — 2° Refuser : *Ja secors n'i seroit a Buevon relongnié (Barbast.).* ◆ **reloignement** n. m. (1317, *Arch.*). Délai, prolongation.

reluire v. (1080, *Rol.*; v. *luire*). 1° Reluire, étinceler. — 2° S'accoupler (en parlant du bélier et de la brebis). ◆ **reluisir** v. (fin XII⁰ s., *Loher.*). Reluire.

reluminer v. (déb. XII⁰ s., *Voy. Charl.*; lat. *luminare*, éclairer). 1° Rendre la vue à. — 2° Briller. — 3° v. réfl. Se rallumer.

I. **remaillier** v. (XIII⁰ s.; v. *maille*). Réparer en rejoignant les mailles.

II. **remaillier** v. (1160, Ben.; voir *maillier*, frapper). Frapper comme avec un maillet.

remaindre v. (XI⁰ s., *Alexis;* voir *maindre*, rester; v. *remanoir*, même mot). 1° Rester en arrière, tarder : *Seurs soit qui c'onques remaigne Que li roys le fera tuer* (J. Bod.). 2° Attendre. — 3° Cesser, s'arrêter. — 4° Ne pas se faire.

remanier v. réfl. (XIII⁰ s., *Doon de May.*; v. *manier*). Se comporter.

remander v. (fin XIIe s., M. de Fr.; v. *mander*). 1° Demander de nouveau. — 2° Mander de nouveau, renvoyer. — 3° Faire revenir, rappeler : *Par son pere fui couroures Et d'Engleterre remandes* (Mousk.). — 4° Ordonner de nouveau. — 5° Mand^er en réponse, faire connaître : *Si remandast par ledit messager (F. Fitz Warin).* ◆ **remand** n. m. (fin XIIIe s., *Menestr. Reims*). Nouvel ordre.

remanoir v. (XIe s., *Alexis;* v. *manoir,* séjourner, rester). 1° Demeurer, rester. — 2° *Remanoir en,* dépendre de : *Mais que il en moi ne remaigne Bien puis alegier ma dolour (Manekine).* — 3° *Remanoir en estant,* s'arrêter, rester debout. — 4° Ne pas se faire, ne pas avoir lieu : *Mes remanoir Ne pot l'amor d'ambes deus pars* (H. de Cambr.). — 5° Résister : *N'i ad castel ki devant lui remaigne (Rol.).* — 6° Cesser, finir : *L'assaus remaint que estoit entrepris (Loher.).* — 7° Attendre, tarder. *Sans remanoir,* sans hésitation, à l'instant même. — 8° n. m. Retard, délai. — 9° *Estre en remanoir,* être gardé dans le souvenir. ◆ **remanois** n. m. (fin XIIe s., Couci). Arrêt. ◆ **remanance** n. f. (1112, *Saint Brand.*). 1° Action de rester dans un lieu, séjour. *Faire remanance* quelque part, s'y arrêter. — 2° Résidence, demeure. — 3° Droit de séjour, redevance payée à cet effet : *Or n'ai je remanance ne en ciel ne en terre* (Ruteb.). — 4° Ressource, moyen de subsister, de rester. — 5° Reliquat, reste. — 6° *A remanance,* pour toujours, à perpétuité. ◆ **remanantise** n. f. (1256, *Cart.*). Biens laissés par un mort. ◆ **remanant** n M. (1119, Ph. de Thaun). 1° L'excédent, le surplus, le restant. *De remanant, a remanant,* de reste, abondamment. — 2° Survivant, ayant droit. — 3° *A remanant,* à tout jamais, pour toujours. ◆ **remanable** adj. (1160, *Eneas*). 1° Qui reste. — 2° Établi, fixé : *Ici veuil estre remanables (Eneas).*

remasance n. f. (1160, *Ben.;* voir *mas,* maison). 1° Demeure, résidence. — 2° Séjour. — 3° *Avoir remasance a,* être décidé à : *Mais n'ai en quor pas remasance A oster mei de ma creance* (Ben.). — 4° Droit de séjour, redevance à cet effet.

remasille n. f. (déb. XIIe s., *Ps. Cambr.;* lat. *mansum,* p. passé de *manere,* rester). Reste, dépouille : *E lerrunt lur remesilles a lur enfanz (Ps. Cambr.).*

rembatre v. (fin XIIe s., *Aiol;* voir *embatre*). 1° Renfoncer, enfoncer fortement. — 2° Rejeter.

remboister v. (1306, Guiart; v. *boiste*). Loger, cacher.

rembracier v. (1155, Wace; voir *embracier*). 1° Embrasser de nouveau. — 2° v. réfl. Se donner du mouvement aux membres, les revigorer.

reme n. f. V. RAIME, branche, fagot.

remembrer v. (980, *Passion;* lat. *rememorare*). 1° Remettre en mémoire, se souvenir. — 2° v. impers. *Il me remembre de,* je me souviens de. ◆ **remembrement** n. m. (1119, Ph. de Thaun), **-ee** n. f. (av. 1300, poèt. fr.). Souvenir, mémoire. ◆ **remembrance** n. f. (1080, *Rol.*). 1° Mémoire : *Repairet lui vigur e remembrance (Rol.).* — 2° Tout ce qui est destiné à conserver le souvenir, écrit, image, portrait, etc. ◆ **remembraille** n. f. (XIIIe s., *Clef d'Am.*). 1° Remémoration. — 2° Ce qui est destiné à conserver la mémoire de quelqu'un ou de quelque chose. ◆ **remembrant** adj. (1277, *Rose*). Qui se souvient. ◆ **remembrable** adj. (déb. XIIe s., *Ps. Cambr.*). 1° Qui se souvient, qui a de la mémoire. — 2° Dont on doit se souvenir, mémorable. — 3° n. m. Mémoire, souvenir.

remener v. (fin XIIe s., *Rois;* v. *mener*). Ramener, reconduire. *Au remener,* au retour.

remerir v. (1190, *H. de Bord.;* v. *merir*). Récompenser, payer de retour.

remes n. m. (1306, Guiart; p. passé subst. de *remaindre,* rester). Suif, saindoux, graisse, chandelle.

remetre v. (1170, *Percev.;* v. *metre*). 1° Repousser. — 2° Assigner comme délai, différer. — 3° Fondre : *Par cui fondu Sont maint bien et remis con nois* (J. de Condé). — 4° Se fondre, s'évanouir, disparaître. ◆ **remetement** n. m. (1295, G. de Tyr). 1° Relâchement. — 2° Fonte.

◆ **remetion** n. f. (1180, *Rom. d'Alex.*).
Fonte. ◆ **remis** adj. (déb. XIIᵉ s., *Ps. Cambr.*). 1º Fondu. — 2º Diminué, affaibli. — 3º Mou, tiède, négligent.

remire n. m. (1160, Ben.; lat. *remedium*). 1º Remède. — 2º Soulagement, repos : *Otreie lur paiz e remire* (Ben.). — 3º Consolation. ◆ **remireson** n. f. (XIIIᵉ s., *Gaufrey*). Guérison.

remirer v. (1160, Ben.; v. *mirer*). 1º Regarder. — 2º Examiner avec attention : *Dient bien cil qui le remirent c'unc mais tel chevalier ne virent* (Ben.). — *Remirer a*, lire avec attention dans. — 3º Se remettre en mémoire, se souvenir de. ◆ **remirement** n. m. (1334, *Rest. du Paon*). Action de regarder, d'admirer. ◆ **remirable** adj. (1160, Ben.). 1º Qui mérite d'être regardé. — 2º *Remirable sur*, plus admirable que.

remoillier v. (1160, Ben.; v. *moillier*). Etre de nouveau mouillé. ◆ **remoil** n. m. (1160, Ben.). *Estre en remoil*, être mouillé.

remonder v. réfl. (1288, *Ren. le Nouv.*; v. *emonder*, nettoyer). Redevenir pur.

remonter v. (déb. XIIᵉ s., *Voy. Charl.*; v. *monter*). 1º Faire monter plus haut. — 2º Surenchérir. — 3º Remonter à cheval. ◆ **remont** n. m. (1264, *Arch.*). Surenchère. ◆ **remonter** n. f. (1204, *l'Escoufle*). Retard, délai. ◆ **remontee** n. f. (1119, Ph. de Thaun). 1º Heure à laquelle on remonte à cheval après le repas. — 2º Après-midi.

I. **remor, rimor** n. f. et m. (1080, *Rol.*), **rumor** n. f. (XIIIᵉ s.; lat. *rumorem*). 1º Bruit, vacarme : *De .XV. liues en ot hum la rimur!* (Rol.). — 2º Guerre. — 3º Querelle, dispute. ◆ **remoreus** adj. (XIVᵉ s.). Querelleur.

II. **remor** n. m., reste. V. REMORER, arrêter, rester.

remordre v. (fin XIIᵉ s., *Rois*; v. *mordre*). 1º Causer du remords, inquiéter, tourmenter. — 2º User de représailles : *Et ne devons en nule manière remordre envers celui qui mal nos fait* (XIIIᵉ s., *Sermons*). — 3º Se sou-

venir. — 4º Rappeler, raconter : *Et s'il est preudom, on remort La grant bonté de sa vaillance (ABC)*. ◆ **remors** n. m. (1270, Ruteb.), **remorsion** n. f. (1350, G. li Muisis). Remords. ◆ **remort** n. m. (fin XIIIᵉ s., B. de Condé). Action de rappeler une chose, récit : *C'est est a vie et a mort Que des boins sont boin li remort* (B. de Condé).

remorer v. (fin XIIIᵉ s., *Saint Éloi*; v. *morer*, demeurer). 1º Arrêter, retenir. — 2º Rester. ◆ **remor** n. m. (1261, *Arch.*). Reste.

removoir v. (fin XIIᵉ s., M. de Fr.; v. *movoir*). 1º Écarter, éloigner. — 2º v. réfl. Se remuer : *Par saint Denis, mar vos remouverez (Gaydon)*. — 3º Se retirer, partir. — 4º Reculer : *Mult par sont fier quant ne se remuet nus (Ogier)*. — 5º Remuer, bouger. ◆ **removement** n. m. (1119, Ph. de Thaun). Mouvement. ◆ **removance** n. f. (1260, Br. Lat.). Action de rejeter sur un autre l'accusation dont on est l'objet. ◆ **remote** n. f. (XIIᵉ s., *Am. et Id.*). Tumulte, trouble, agitation.

rempaindre v. (1204, R. de Moil.; v. *empeindre*, enfoncer). Replonger.

remploier v. (1204, *l'Escoufle*; v. *emploier*). 1º Replier. — 2º Assener de nouveau : *Vers lui retraist, .I. col renploie (Gauvain)*.

remuer v. (1080, *Rol.*; v. *muer*, changer). 1º Changer, échanger : *Qui chascun jor ses armes change Et cheval et hernois remue* (Chr. de Tr.). — 2º *Remuer une plaie*, la panser. — 3º Etre excité, troublé : *Qant Savaris voit la descevue, De mautalent toz li sans li remue (Aym. de Narb.)*. — 4º Écarter, chasser. — 5º Changer de demeure, quitter. — 6º Différer, retarder : *Vostre voiage convient a remuer* (Aden.). — 7º *Remuer le siege*, lever le siège. — 8º *A remuer*; (loc. adv. De rechange, en grande quantité. ◆ **remuage** n. m. (1314, *Arch.*). 1º Action de remuer, de secouer. — 2º Droit de mutation dû au seigneur. ◆ **remuant** adj. (1180, *Rom. d'Alex.*). 1º Changeant. — 2º Ardent, vif : *Li cevax so quoi il sist fu remuans (Auc. et*

Nic.). ◆ **remuable** adj. (1260, Br. Lat.). Changeant, variable.

remuevre v. (XIIIᵉ s., *Mort Artus;* v. *muevre, movoir*). 1° Mouvoir, remuer. — 2° v. réfl. Remuer.

remusé adj. (1180, *Rom. d'Alex.;* orig. incert.). Maigre : .*V. nains qui tot sunt boceré, Et gros, et cors, et remusé (Durm. le Gall.).*

ren n. f. V. RIEN, chose, creature.

ren- préfixe cumulant *re-* et *en-*. V. RE-, préfixe itératif ou intensif.

renart n. m. (1210, *Dolop.;* du nom propre de Renart, du francique **Reginhart*). Ruse, malice : *La dame sot mout de renart (Rom. des braies).* ◆ **renardie** n. f. (1175, Chr. de Tr.). Ruse, mensonge, tromperie : *Quar il n'a point de renardie En preudomme n'en preude fame (Coincy).* ◆ **renardise** n. f. (XIIIᵉ s., *Fabl. d'Ov.*). Ruse, tromperie. ◆ **renart** adj. (1277, *Rose*). Rusé, faux : *Par parole fausse ou renarde (Guiart).* — 2° n. m. Renard, qui remplace progressivement *gopil.* ◆ **renarde** n. f. (fin XIIIᵉ s., Ruteb.). Femelle du renard. ◆ **renardel** n. m. (1288, Gelée). Renardeau.

renaturer v. (1204, R. de Moil.; v. *naturer*). Ressembler.

renc n. m. (1080, *Rol.;* francique **hring*, cercle). 1° Assemblée réunie et installée en cercle, assemblée. — 2° Rangées, tribunes pour une cérémonie, une joute : *e fery le tabour a l'entree des renks (F. Fitz Warin).* ◆ **renge** n. f. (1190, J. Bod.). 1° Rang, file, rangée : *Di, qui sont chil en chele rengue?* (J. Bod.). — 2° Arrangement. ◆ **rengier** v. (1190, J. Bod.). Arranger, agencer. ◆ **rengeor** n. m. (1298, M. Polo). Gouverneur, administrateur.

renchargier v. (1190, J. Bod.; v. *chargier*). 1° Charger de nouveau sur. — 2° Reprendre son fardeau. — 3° Donner un nouvel ordre pressant.

rencheoir v. (1138, *Saint Gilles;* v. *cheoir*, tomber). 1° Retomber. — 2° Recommencer (une faute, un péché), récidiver. — 3° Retomber malade : *Ne onques pour ce ne renchei, ainz fu gueri pleinement (Mir. Saint Louis).* — 4° n. m. Rechute. ◆ **rencheement** n. m. (1335, Deguil.), **-eis** n. m. (1283, Beaum.). Rechute.

rencliner v. (déb. XIIIᵉ s., R. de Beauj.; v. *encliner*). 1° Incliner. — 2° Saluer.

renclos adj. et n. m. (fin XIIᵉ s., Loher.; v. *renclore*, enclore, enfermer). 1° Qui vit dans la retraite. — 2° n. Reclus, recluse (R. de Moil.).

renclus n. m. (1180, *Rom. d'Alex.;* v. le précédent). 1° Lieu où l'on est renfermé. — 2° Enclos, enceinte.

rencontreur n. m. (1330, *H. Capet;* v. *encontrer*, rencontrer). Brigand, voleur : *rencontreur de bois (H. Capet).*

rendon n. m. V. RANDON, impétuosité, rapidité, violence.

rendre v. (xᵉ s.; lat. pop. **rendere;* croisement de *reddere*, rendre, et de *prendere*, saisir). 1° Restituer. — 2° Réparer. — 3° Exposer, faire connaître. — 4° *Rendre grant et fort*, soutenir un effort. — 5° *Rendre les abois*, être aux abois. — 6° Faire moine. — 7° v. réfl. Se faire moine, entrer en religion. — 8° n. m. Délivrance. ◆ **rendage** n. m. (1272, Joinv.). 1° Restitution. — 2° En particulier, legs fait à des personnes qu'on croit avoir lésées. — 3° Payement. — 4° Revenu, rente, salaire. ◆ **rendue** n. f. (1282, *Cart.*). 1° Reddition. — 2° Restitution. — 3° Revenu, redevance. ◆ **renderie** n. f. (1290, *Arch.*). Caution. ◆ **rendice** n. f. (fin XIIᵉ s., *Alisc.*). Monastère. **rendacion** n. f. (1250, *Ren.*). 1° Action de rendre, restitution. — 2° Lieu où l'on se fait *rendu*, couvent. ◆ **rendable** adj. (1160, Ben.). Qui peut être rendu, peut être payé. ◆ **rendableté** n. f. (1314, *Test.*). Obligation de remettre, dans certaines circonstances, son château au seigneur suzerain. ◆ **rendant** adj. (1160, Ben.). 1° Qui produit. — 2° Opulent, riche. ◆ **rendu** adj. et n. m. (1285, Aden.). Moine. ◆ **rendue** adj. et n. f. (1277, *Rose*). Religieuse. ◆ **rendeor** n. m. (1190, saint Bern.). Répondant, garant.

rené n. m. V. REGNÉ, royaume, règne.

reneissele n. f. (1176, E. de Fougères; v. *raine*). Petite grenouille.

I. **renfermer** v. (XIIIe s., *Rés. Sauv.*; v. *enfermer*, fortifier). 1° Confirmer de nouveau. — 2° Fortifier.

II. **renfermer** v. réfl. (1204, R. de Moil.; v. *enfermer*, tomber malade). Redevenir infirme.

renfuser v. (XIIe s., *Florim.*; v. *refuser*, avec subst. de préfixe). Refuser. ◆ **renfus** n. m. (1325, *Hist. Metz*), **-ement** n. m. (1130, *Job*). Refus. ◆ **renfusé** adj. (1130, *Job*). Réprouvé, damné.

I. **renge** n. f. (1080, *Rol.*; francique **hring*, cercle, anneau). 1° Anneau dans lequel passe le fourreau de l'épée. — 2° Ceinturon, baudrier, porte-épée. — 3° Courroie du bouclier. — 4° Ruban, attache, frange. ◆ **rengeure** n. f. (XIIe s., *Chev. deux épées*). Attache.

II. **renge** n. f., rang, file, rangée. V. RENC, assemblée en cercle.

rengelier v. V. RENGUILLIER, labourer.

rengenerer v. (1155, Wace; voir *regener*). 1° Régénérer. — 2° En part., Baptiser. — 3° Rétablir, relever : *Et par qui Sainte Glise i soit rengeneree (Conq. Jérus.).* ◆ **rengenere** n. f. (XIIIe s., *Conq. Jérus.*). Régénération.

rengier n. m. V. RANGIER, renne.

rengignier v. (1175, Chr. de Tr.; v. *engignier*). Tromper.

rengramir v. (1260, A. de la Halle; v. *engramir*). Courroucer, assombrir : *Sire, li maus l'a rengrami, si l'a on un petit conkiét (A. de la Halle).*

renguillier v. (1287, *Arch.*; orig. incert.). Labourer. ◆ **renguillage** n. f. (1323, *Arch.*). Couvrailles, semailles.

renhaitier v. (1190, J. Bod.; v. *rehaitier*). 1° Exhorter, réconforter. — 2° v. réfl. Reprendre courage, force. — 3° Recouvrer la santé.

renheldir v. (déb. XIIIe s., R. de Clari; v. *enhelder*). Encourager, donner de l'assurance : *Renheudissoit se gent et disoit : Ales la! ales cha! (R. de Clari).*

renoier, renier v. (fin XIIe s., M. de Fr.; v. *noier, nier*). 1° Nier, dénier. — 2° Refuser : *Ja ne vos voldra reneier Ainz m'amera e tendra chier* (M. de Fr.). — 3° Abjurer, apostasier, déserter sa foi ou son parti. — 4° Renoncer à : *Renoier li covient les oeuvres au deable (Ars d'am.).* ◆ **renoi** n. m. (1160, Ben.). 1° Reniement, trahison. — 2° Refus, désobéissance. ◆ **renoierie** n. f. (1220, Coincy). 1° Reniement. — 2° Renonciation, abandon. ◆ **renois, renoit** adj. (1285, Aden.). Renégat, hérétique. ◆ **renoié** adj. et n. m. (1160, Ben.). 1° Renégat. — 2° Infidèle, traître. — 3° Faux, pervers : *Estes vos Asselin, le quivert renoié? (Chev. cygne).* ◆ **renoier** n. m. (XIIe s., *Chev. cygne*). Renégat.

renomer v. (1175, Chr. de Tr.; v. *nomer*). Célébrer, glorifier : *Tes nons est jai renomez per tot le munde* (saint Bern.). ◆ **renomee** n. f. (fin XIIe s., *Aym. de Narb.*). Récit, rapport.

renoncier v. (fin XIIe s., *Aym. de Narb.*; lat. *renuntiare*, annoncer). 1° Annoncer, rapporter (en réponse, à la demande de q'un). — 2° Révéler. — 3° Déclarer, expliquer. — 4° Renoncier quelque chose a q'un, abandonner, céder qq chose à q'un. ◆ **renonc** n. m. (1262, *Charte*). 1° Renonciation. — 2° Réponse négative. ◆ **renoncement** n. m. (1160, *Athis*). Annonce, nouvelle. ◆ **renonçance** n. f. (1293, G.). Renoncement.

renoveler v. (1080, *Rol.*; v. *novel*). 1° Ranimer. — 2° Rajeunir (en parlant des personnes). — 3° Changer (en parlant des saisons). — 4° Répéter les détails de. — 5° Repasser dans la mémoire, se souvenir. — 6° Avertir de nouveau : *Renoveleir veut la belle en chantant (Gace Brulé).*

rente n. f. (1190, Garn.; lat. pop. ** rendita*). 1° Action de rendre, restitution : *Rois, ge te rent Yseut ... Hon ne fist mais plus riche rente (Trist.).* — 2° Ce que rend l'argent placé, rente. — 3° Bien affermé. ◆ **rent** n. m. (1308,

Cart.), -erie n. f. (1338, G.). Rente.
◆ **renter** v. (déb. XIVᵉ s., J. de Condé).
1° Doter d'une rente. — 2° Payer le rentage. — ◆ **rentage** n. m. (1133, *Test.*).
Droit de champart, rente. ◆ **rentable** adj.
(1290, *Cart.*). Qui rapporte une
rente. ◆ **rental** adj. (1330, *Cart.*). 1° Soumis à une redevance annuelle. — 2° n. m.
Registre (1279, *Lettre*). ◆ **renteus** adj.
(1264, *Arch.*). Chargé d'une rente. ◆
rentier adj. (R. de Moil.). Qui doit une
rente, qui paie une rente. ◆ **rentier** n. m.
(XIIᵉ s., *Asprem.*). Celui qui doit ou paie
une rente. — 2° Receveur de rentes (R. de
Moil.). ◆ **rentier** adj. fig. Qui rapporte.
◆ **rentif** n. m. (1175, Chr. de Tr.). Celui
qui paye une rente.

rentercier v. (1204, *l'Escouffle*;
v. *entercier*). 1° Reconnaître. — 2° Réclamer, revendiquer.

renteriner v. (XIIIᵉ s., J. Le March.;
v. *enteriner*, de *entier*). Remettre en état,
réparer, rétablir.

rentierier v. (1190, Garn.; v. *entier*).
Rétablir entièrement : *Tutes les rendez,
tut en tut rentieries* (Garn.).

renuef adj. (1255, *Arch.*; v. *nuef*).
Neuf, nouveau. *An renuef*, jour de l'an.

I. **renvier** v. (1204, R. de Moil.;
v. *envier*, inviter). 1° Inviter de nouveau.
— 2° Augmenter à l'envi. — 3° v. réf.
S'efforcer à l'envi.

II. **renvier** v. réfl. (1150, Thèbes;
v. *envier*, se mettre en route). S'en aller,
s'éloigner. ◆ **renviement** n. m. (XIIᵉ s.,
Ps.). Action de s'écarter.

renvoisier v. réfl. (1162, *Fl. et Bl.*;
v. *envoisier*). Se réjouir, être joyeux.
◆ **renvoisement** n. m. (XIIIᵉ s.). Ce
qui redonne de la joie, de la consolation.
◆ **renvoiserie** n. f. (1277, *Rose*), -eure
n. f. (déb. XIIIᵉ s., *Estamp.*). Gaieté,
charme. ◆ **renvoisi** adj. (XIIIᵉ s., *Pastor.*).
Charmant, attrayant : *Trovai dame a
cuer verai, Cors out ranvoisi, Bele et
blonde, bien le sai (Pastor.).* ◆ **renvoisié**
adj. (1277, *Rose*). Gai, joyeux.

reoignier v. V. ROOIGNIER, tonsurer,
couper, trancher

reoler v. V. ROELER, rouler, tourner
en rond.

reoncle n. m. V. DRAONCLE, abcès,
chancre.

reont adj. V. ROONT, rond. ◆ **reonde**
n. f. (XIIIᵉ s., *Fabl.*). Chope ronde. ◆
reondet adj. (fin XIIIᵉ s., G. de Tyr).
Rond, arrondi. ◆ **reondece** n. f. (1160,
Ben.). Rondeur, objet rond, forme circulaire. *A la reondece*, à la ronde, tout
autour. ◆ **reonder** v. (fin XIIᵉ s., *Alisc.*).
1° Arrondir, tailler en rond. — 2° Rouler.
◆ **reondre** v. (XIIᵉ s., *Enf. Vivien*). Tailler
en rond. ◆ **reondement** n. m. (1298,
M. Polo). Surface ronde.

reorte n. f. (1160, *Eneas*; lat. *retorta*,
p. passé de *retorquere*, retordre). 1° Lien
d'osier tordu. *En reorte*, en rond : *Il
s'est colchiez toz en reorte (Eneas).* —
2° Bande, troupe. ◆ **reortee** n. f. (1150,
Wace). Fagot lié par une *reorte*.

repaier v. (1180, *Rom. d'Alex.*;
v. *paier*). 1° Réconcilier. — 2° Donner
en retour. — 3° Payer : *As espees d'acier
lor sera repaié (Rom. d'Alex.).*

repaindre v. (XIIIᵉ s., *Fregus*;
v. *paindre*). 1° Renforcer. — 2° v. réfl.
Se précipiter de nouveau.

repairier v. (980, *Passion*; bas lat.
repatriare, de *patria*). 1° Rentrer chez
soi, retourner dans son pays. — 2° Revenir : *Donque repeyrerent les dys freres ...
a Bretaigne le Menure (F. Fitz Warin).*
— 3° Revenir, au fig. : *Repairet lui vigur
e remembrance (Rol.).* — 4° Reparaître.
— 5° *Repairier de*, revenir de, arriver de.
— 6° *Repairier a* (pers.), aller à : *A lui
repairent e li rice e li povre (Alexis).*
— 7° Se retourner : *Repaire e oi mei,
Sire! (Ps. Cambr.).* — 8° *Repairier a, en,
avec*, fréquenter. — 9° Demeurer, séjourner. ◆ **repaire** n. m. (1080, *Rol.*).
1° Retour chez soi, retour en général.
Se metre en repaire, retourner. — 2° Le
retour de l'âge. — 3° Retour à l'état
antérieur. *Metre en repaire*, annuler :
*ço que le pape fait, conferme e fait faire
Nel puet plus bas de lui par dreit metre
en repaire* (Garn.). — 4° Séjour, demeure :
un castel de bel repaire (Auc. et Nic.).

— 5° Lieu en général : *Entre moi et vos somes ci tot sol a sol en cest repere* (*Ren.*). — 6° Assemblée, réunion. ◆ **repairement** n. m. (1155, Wace). 1° Retour. — 2° Lieu de résidence. — 3° Réconciliation. ◆ **repairie** n. f. (XIIIe s., Th. de Kent), **-ison** n. f. (XIIe s., *Chev. cygne*). Retour.

repaistre v. (fin XIIe s.; v. *paistre*). Paître, se repaître. ◆ **repaissement** n. m. (1150, *Thèbes*). 1° Pâture, nourriture. — 2° Provisions de bouche. ◆ **repaisture** n. f. (1310, *Fauvel*). Chose dont on se repait, pâture.

repaner v. (1204, R. de Moil.; v. *pan*). Raccommoder.

reparer v. (1160, *Eneas;* v. *parer*). 1° Apprêter de nouveau. — 2° Réparer. ◆ **reparement** n. m. (1277, *Arch.*), **-eure** n. f. (XIIIe s., *Fabl. d'Ov.*). Réparation (au propre et au fig.).

reparlance n. f. (1160, Ben.; v. *parler*). 1° Action de s'entretenir. — 2° Renommée, réputation : *De Thebes est grant reparlance* (Wace).

repartuer v. (1277, *Rose;* v. *tuer*), doté de deux préfixes). Tuer, assommer de nouveau.

repasser v. V. RESPASSER, revenir de, guérir, mourir.

repast n. m. (mil. XIIe s., D.; v. *past,* nourriture). Nourriture. ◆ **repaster** v. (XIIe s., *Afait. Catun*). Se repaître. ◆ **repastier** v. (XIIIe s., *Doon de May.*). Se repaître de, dévorer.

repentir v. réfl. (déb. XIIe s., *Voy. Charl.;* v. *pentir*). 1° Se repentir. — 2° Regretter. — 3° n. m. Repentir (XIIe s.). ◆ **repentement** n. m. (1160, Ben.), **-ance** n. f. (XIIe s., *Trist.*), **-ise** n. f. (fin XIIe s., saint Grég.), **-acion** n. f. (1334, *Rest. du Paon*). Repentir. ◆ **repentie** n. f. (XIIIe s., *Durm. le Gall.*). 1° Repentir. — 2° Sorte de jeu. — 3° Enjeu. ◆ **repentaille** n. f. (XIIe s., *Part.*). 1° Repentir, regret. — 2° Dédit, en parlant d'un traité, d'un mariage, etc. ◆ **repentif** adj. (fin XIIe s., *Loher.*). Qui se repent.

reper v. V. REUPER, roter.

repeser v. (fin XIIe s., *Trist.;* v. *peser*). 1° Peser une fois de plus. — 2° Etre également pénible : *E a Tristran repoise fort Que Yseut a por lui descort* (*Trist.*).

repeter v. (XIIe s., D.G.; lat. *repetere*). Redire, refaire à plusieurs reprises. ◆ **repetement** n. m. (fin XIIe s., saint Grég.). Action de répéter. ◆ **repetition** n. f. (fin XIIIe s.). Copie.

repeuture n. f. (1310, *Fauvel;* v. *polture, peuture*). Nourriture.

replané adj. (1170, Percev.; v. *plain,* au sens de poli). Poli : *Bele bouche, dens fenestres Blans com ivoires replanes* (*Percev.*).

replegier v. (1190, *H. de Bord.;* v. *plegier*). 1° Se porter garant pour : *Et les replegierent li autres sour leur testes a couper* (*Menestr. Reims*). — 2° Promettre. ◆ **replege** n. m. (1283, Beaum.). Seconde caution. ◆ **replegiaire** n. m. (1292, *Britton*). Mainlevée de saisie moyennant caution.

replenir v. (XIe s., *Alexis;* v. *plenir*). 1° Remplir. — 2° Combler (de satisfaction). ◆ **replenissement** n. m. (XIIIe s., *Artur*). 1° Remplissement. — 2° Satisfaction de tous les désirs.

replet adj. (fin XIIe s.; lat. *repletus,* rempli). Rempli.

replevir v. (XIIIe s., *Doon de May.;* v. *plevir*). 1° Défendre, proteger. — 2° Donner caution.

repliquer v. (XIIIe s., *Cout. d'Artois;* lat. jurid. *replicare*). 1° Rappeler, répéter. — 2° Répondre. ◆ **replication** n. f. (XIIIe s., *Règle saint Ben.*). 1° Répétition, multiplication. — 2° Réplique.

reploier, -ier v. (1213, *Fet Rom.;* v. *ploier,* plier). Faire des plis, plier. ◆ **reploiement** n. m. (1260, Br. Lat.). Dilemme. ◆ **reploiant** adj. (1260, A. de la Halle). 1° Qui fait un pli, un bourrelet. — 2° Souple, flexible : *Gorge bien naissans, Cors reploians* (*Chans.*).

repoindre v. (déb. XIIIe s., R. de Beauj.; v. *poindre,* piquer). Éperonner de son côté, à son tour. ◆ **repoint** adj.

XIIIe s., *Court. d'Arras*). 1° Qui a piqué des deux, qui a fait route vers. — 2° Habile, sage : *biele dame mignote et cointe, bien gaagnant et bien repointe (Court. d'Arras)*. — 3° Rusé, fourbe.

repondre v. (1120, *Ps. Oxf.;* lat. *reponere*). 1° Cacher, refuser : *Se Deus se grasce li repont* (R. de Moil.). — 2° Se cacher, être caché. — 3° Se refuser. — 4° Placer à l'écart, enfouir. — 5° Plonger, enfoncer : *L'espié enz el cors li repont (Gorm. et Is.)*. ◆ **reponement** n. m. (1130, *Job*). 1° Action de cacher. — 2° Lieu où l'on cache. ◆ **reponail** n. m. (1130, *Job*). 1° Lieu où l'on dispose qq chose. — 2° Cachette, dissimulation. *En, a reponiaus*, en cachette, secrètement. — 3° *Joer a reponiaus*, jouer à cache-cache. ◆ **reponaille** n. f. (XIIIe s., *Arch.*). Cachette, retraite. ◆ **reponeor** n. m. (1350, G. li Muisis). Recéleur.

reporter v. (fin XIIe s., *Loher.;* v. *porter*). 1° Porter, être enceinte à nouveau de. — 2° Transmettre, remettre. ◆ **report** n. m. (1279, *Arch.*). 1° Sentence arbitrale. — 2° Rapport. ◆ **reportement** n. m. (1244, *Arch.*). Transfert de propriété. ◆ **reportation** n. f. (1280, *Cart.*). Action de remettre.

reposer v. réfl. (xe s., *Fragm. de Valenc.;* bas lat. *repausare*). 1° Se reposer. — 2° Ne pas accomplir un acte, y renoncer. ◆ **reposement** n. m. (xe s., *Fragm. de Valenc.*), **repos** n. m. (1080, *Rol.*), **-ance** n. f. (XIIe s., *Ps.*). Repos. ◆ **reposée** n F. (1180, G. de Saint-Pair). 1° Action de se reposer, halte, cessation : *or ferai ci ma reposee* (G. de Saint-Pair). — 2° Reprise d'un chant. — 3° *A reposees, par reposees*, tout à l'aise, sans se presser. ◆ **reposaille** n. f. (1180, *Rom. d'Alex.*). repos, cesse. ◆ **reposable** adj. (XIIIe s., *Fabl. d'Ov.*). 1° Où l'on peut se reposer, qui repose. — 2° Tranquille.

repost adj. (1120, *Ps. Oxf.;* p. passé de *repondre*, cacher). 1° Caché, secret. *En repost, a repost*, en secret : *E se departi en repost de son ostel (Saint Eust.)*. — 2° Enfoncé : *Tiestes orent de cien, mult sunt let et repost (Rom. d'Alex.)*. — 3° Mystérieux, secret. *Diman-che repos*, dimanche de la Passion. — 4° Mis de côté. *A repos, en repos*, en réserve. ◆ **repostail** n. m. (1160, Ben.). Cachette, lieu secret, embuscade. ◆ **repostaille** n. f. (1120, *Ps. Oxf.*). 1° Cachette, retraite, asile. *En repostaille*, en cachette, en particulier. — 2° Caverne. — 3° Endroit retiré dans un appartement. — 4° Fond intime, secret, mystère de la foi : *Car vos estes cil a qui Nostre Sires a mostrez ses secrez et ses repostailles*. — 5° Ce qui est caché. ◆ **reposture** n. f. (XIIe s., Evrat). Chose mise en réserve.

repovoir v. (fin XIIe s., M. de Fr.; v. *pooir*). 1° Pouvoir de son côté. — 2° Pouvoir : *Et vos de quoi vous repoies vanter?* (G. de Vienne).

reprendre v. (déb. XIIe s., *Voy. Charl.;* lat. *reprehendere*). 1° Prendre ce qui a été déjà donné. — 2° Blâmer, accuser : *Quant li Juis eurent Diu pris, Qui souvent ert par eus repris (ABC)*. ◆ **reprenement** n. m. (déb. XIIe s., *Ps. Cambr.*). 1° Action de reprendre. — 2° Reproche. ◆ **reprendement** n. m. (1318, *Arch.*). Reprise. ◆ **reprendeor** n. m. (1260, Br. Lat.). Celui qui blâme, qui réprimande. ◆ **reprenant** adj. (XIIe s., *Ps.*). Qui reprend, qui critique. ◆ **reprenable** adj. (fin XIIe s., M. de Fr.). Répréhensible, blâmable.

representer v. (1190, saint Bern.; lat. *repraesentare*). 1° Rendre présent, montrer. — 2° Rendre présent, représenter sur scène : *Sera essamples sans douter Del miracle representer Ensi con je devisé l'ai* (J. Bod.). ◆ **representement** n. m. (1190, saint Bern.). Représentation. ◆ **representable** adj. (1277, *Rose*). 1° Représentatif. — 2° Présenté.

repris n. m. (1292, *Britton;* v. *reprendre*, blâmer). 1° Avertissement, enseignement. — 2° Relais de mer. ◆ **reprise** n. f. (1277, *Rose*). 1° Reproche, réprimande, critique : *Mes ne veil leur reprise entendre* (Rose). — 2° Refrain.

reprochier v. (fin XIIe s., Couci; lat. pop. *repropiare*, rapprocher, mettre sous les yeux). 1° Blâmer. — 2° Accuser quelqu'un. ◆ **reproche** n. m. (1080, *Rol.*). 1° Opprobre, honte. *Poser reproche,* *clamer de reproche,* présenter, déclarer comme un objet d'opprobre. — 2° Chose reprochée, défaut : *S'en ta dame a vices ou repreuches (Clef d'Am.).* ◆ **reprochement** n. m. (XIIe s., *Ps.*), **-ier** n. m. (XIIe s., *Auberi*), **-on** n. m. (fin XIIe s., *Loher.*). Opprobre, blâme, reproche.

reprover v. (1080, *Rol.; lat. reprobare*). 1° Reprocher : *Par Dieu, vassal, mout avés fol pensé, Quant vous m'avés reprové mon eaige* (C. de Béth.). — 2° Blâmer, accuser. ◆ **reprove** n. m. (XIIIe s., Beaum.), **-ee** n. f. (1200, *Ren. de Montaub.*). **-ement** n. m. (XIIe s., *Afait. Catun*), **-age** n. m. (1080, *Rol.*), **-ance** n. f. (1175, Chr. de Tr.). Reproche. ◆ **reprové** n. m. (1170, *Fierabr.*). Proverbe : *Mais li vilains le dist piecha en reprouvé que moult a grant discorde entre faire et pensé (Fierabr.).* ◆ **reprovier** n. m. (1080, *Rol.*). 1° Reproche. — 2° Chose blâmable. — 3° État d'une personne qui mérite des reproches. — 4° Proverbe, dicton.

repter v. V. RETER, blâmer, accuser.

repugner v. (1361, Oresme; lat. *repugnare,* lutter contre). 1° Résister à. — 2° Etre en désaccord, contredire. **repugnance** n. f. (1304, *Year Books*). 1° Lutte, opposition. — 2° Contradiction, chose contraire. ◆ **repugnable** adj. (fin XIIIe s., Macé). Qui lutte, qui se soulève. ◆ **repugnableté** n. f. (fin XIIIe s., Guiart). Résistance, répugnance. ◆ **repugnant** adj. (1213, *Fet Rom.*). Contradictoire.

repuier v. (1190, Garn.; v. *puier,* monter). 1° Grimper. — 2° Repousser, rebuter : *A l'apostoile vont. Il les a repuiez* (Garn.). ◆ **repui** n. m. (1190, Garn.). Appui, protection : *Mult sei il den venu; ci puet aveir repui* (Garn.).

reputer v. (1294, G.; lat. *reputare,* compter, évaluer). Compter.

requerre v. (XIe s., *Alexis;* lat. pop. **requaerere,* pour *requirere*). 1° Prier. — 2° Réclamer par voie judiciaire. — 3° Exiger : *Car drois est ke de vous require ches trois coses* (R. de Moil.). — 4° Rechercher, chercher. — 5° Attaquer :

Un jour fist li paiens requerre Les crestiens (J. Bod.). ◆ **requerement** n. m. (1160, Ben.). 1° Requête, supplication. — 2° Réclamation. ◆ **requereor** n. m. (XIIe s.). 1° Requérant. — 2° Prétendant à l'amour d'une femme.

I. **rere** v. (1130, *Job;* lat. *radere,* raser). 1° Raser, tondre. — 2° Couper, trancher à ras. — 3° Tailler. — 4° Gratter. — 5° Effacer : *N'en pot l'anui de son cuer rere* (Mousk.).

II. **rere** v. (1160, Bén.; orig. incert.). Brûler : *Quant li mort furent enteré Et ars, et res et sevelis* (Ben.).

III. **rere** adj. (XIIe s.; lat. *rarus*). Rare. ◆ **rerement** adv. (1190, saint Bern.). Rarement.

IV. **rere** adv. et prép. V. RIERE, en arrière, derrière.

res adj. (déb. XIIIe s., R. de Beauj.; p. passé de *rere,* raser). 1° Rasé. — 2° Tondu. *Haut rez,* tonsuré. — 3° Raturé. — 4° Plein jusqu'à ras. *A res,* pleinement, tout à fait. *Res pié,* au niveau du pied. — 5° *A res de,* à l'exception de. ◆ V. RAS, adj. ◆ **res** n. m. V. RAS, pleine mesure.

res- préfixe cumulant *re-* et *es-.* V. RE-, préfixe itératif ou intensif.

resaille adj. et n. m. (1250, *Arch.;* orig. incert.). 1° n. m. Juin ou juillet. — 2° adj. De juin ou de juillet (toujours suivi du mot *mois*) : *Moix de junet que l'on dit resailhe mois* (1330, G.). *Le 7e jour de juillet que l'on dit resailhe mois* (1332, G.).

resaillir v. (1204, R. de Moil.; v. *saillir*). 1° Sauter de nouveau. — 2° Assaillir de nouveau. — 3° *Ressailir de,* enfreindre. — 4° Surgir de nouveau, se remettre debout : *Fouke chay a terre et resailly e saka l'espee (F. Fitz Warin).* — 5° Faire saillir.

resanc n. m. (1260, Mousk.; v. *essancier,* se contenter). Satisfaction : *Et si commanda que [...] De tous usages fussent franc, Si que bien lor fust a resanc* (Mousk.). *A resanc,* à souhait.

resaner v. (1180, *Rom. d'Alex.;* v. *saner*). Guérir.

resaoler v. (XIIe s., Herman; v. *saoler*). Rassasier.

resarcir v. (1281, *Arch.;* v. *sarcir*). Réparer, raccommoder.

resbaldir v. (1155, Wace; v. *baldir*). 1° Réjouir, exciter, encourager : *Resbaldis est en sun corage* (Wace). — 2° Ranimer : *la guerre resbaudir* (*Loher.*). ◆ **respaudie** n. f. (1277, *Rose*). Joie.

resbondie n. f. (1277, *Rose;* v. *bondir*, retentir). Écho : *Ele ne rend son ne resbondie* (*Rose*).

reschacier v. (1306, Guiart; v. *eschacier*, boiter). Renverser.

reschange n. m. (1295, *Arch.;* v. *escharge*). Chose donnée en échange, compensation.

rescharnir v. (1180, *G. de Vienne;* v. *escharnir*). Se moquer à son tour.

rescheoir v. (1263, *Cart.;* v. *escheoir*). 1° Revenir, échoir. — 2° Provenir. ◆ **rescheoite** n. f. (1314, *Arch.*). Succession, héritage collatéral.

reschignier v. (1169, Wace; francique *kinan, au sens de « tordre la bouche »). 1° *Reschignier des dens, rechignier les dens*, montrer les dents en grimaçant, grincer des dents. — 2° *Reschignier* quelqu'un, lui montrer les dents. — 3° Faire des grimaces, montrer les dents : *Les ex rooille, et puis rechingne Quant a veu le royal signe* (Godefr. de Paris). — 4° Donner des marques de refus, de dégoût. — 5° Regimber, ruer. — 6° Faire entendre un bruit aigu. — 7° Grimacer, insulter. ◆ **reschin, resching** n. m. (XIIe s., *Part.*). 1° Action de rechigner. — 2° Gueule. — 3° Braiment. ◆ **reschigneur** n. m. (1348, *Arch.*). Sorte de figure grotesque.

resclairer v. (1170, *Percev.;* voir *esclairer*). 1° Briller. — 2° S'éclairer, se réjouir. — 3° Se rapporter : *Ceste semblance se resclere A l'asne qu'Abrahans menoit...* (Evrat). ◆ **resclaire** n. f. (1306, Guiart). Éclat.

rescondre v. (fin XIIIe s., Ruteb.), **resconser** v. (1138, *Saint Gilles*). 1° Cacher. — 2° Se cacher. — 3° *En rescondu*, en cachette. ◆ **rescons** n. m. (XIIe s., *Auberi*). Lieu où l'on peut se cacher, recoin. *En rescons*, en secret. ◆ **resconse** n. f. (1329, *Cart.*). Action de tenir caché, de retenir. ◆ **resconsement** n. m. (XIIIe s., *Chans. d'Ant.*). Endroit caché, enfoncement.

resconter v. (fin XIIe s., *Loher.;* v. *esconter*). Raconter.

rescopir v. (1170, *Fierabr.;* v. *escopir*). Cracher.

rescorre v. (1162, *Fl. et Bl.;* voir *escorre*, secouer, du lat. *excutere*). 1° Reprendre, délivrer. — 2° *Rescorre a*, faire échapper des mains de. — 3° Reprendre, sauver, protéger : *Nus hom ne l'en poroit rescorre que jo ne li face son giu* (*Court. d'Arras*). — 4° Retirer brusquement, arracher : *Quant il revient, si le refrape Si li rescot tre bien la chape* (E. de Fougères). — 5° Empêcher : *Por vous rescorre d'esragier* (*Am. et Id.*). — 6° Repousser, combattre. ◆ **rescorreor** n. m. (1169, Wace). Sauveur, défenseur. ◆ V. RESCOSSER, délivrer.

rescosser v. (déb. XIIIe s., R. de Beauj.; dér. de *rescos*, p. passé de *rescorre*, reprendre, délivrer). Délivrer. ◆ **rescos** n. m. (XIIe s., *Adam*). Secours, recours. ◆ **rescosse** n. f. (fin XIIe s., M. de Fr.). 1° Reprise de ce qui a été enlevé par force, recouvrement. — 2° Retrait lignager. — 3° Attaque en général. — 4° Les troupes qui viennent appuyer les combattants et reprendre la bataille. — 5° Secours, aide, délivrance. ◆ **rescossion** n. f. (fin XIIe s., *Ogier*). 1° Secours. — 2° Reprise de combat.

rescrier v. (1080, *Rol.;* v. *escrier*). 1° Redoubler de cris. — 2° Appeler en criant. — 3° Relancer avec des cris.

resder v. V. REDER, délirer.

resdie n. f., déraison, hardiesse orgueilleuse. V. REDER, délirer.

rese n. f. V. REISE, raid, incursion.

resemondre v. (1260, Mousk.; voir *semondre*). 1° Exhorter. — 2° Faire ressouvenir de. — 3° Citer de nouveau.

reseoir v. (1306, Guiart; v. *seoir*). 1° Résider, séjourner. — 2° Etre situé, en parlant des choses. — 3° S'arrêter. — 4° Se calmer, se rassurer. ◆ **reseant** adj. et n. m. (1160, Ben.). 1° Qui réside, qui est établi, sédentaire. — 2° Situé, en parlant des choses. — 3° n. m. Vassal qui ne pouvait changer de domicile sans le consentement de son seigneur. ◆ **reseance** n. f. (1306, Guiart). Résidence, demeure. ◆ **reseantise** n. f. (fin XIIᵉ s., *Rois*). 1° Demeure, domicile. — 2° Redevance due pour le droit de domicile.

resequer v. (XIVᵉ s.; lat. *secare*, couper). Biffer, retrancher.

reserver v. (1190, saint Bern.; lat. *reservare*). Réserver, excepter. ◆ **reservement** n. m. (1150, Wace). Réserve, exception : *Si dona tut a povre gent Ne fit autre reservement* (Wace).

reseuil n. m. V. RESUEIL, rets, filet.

resgarder v. (déb. XIIᵉ s., *Ps. Cambr.*; v. *esgarder*). 1° Examiner, inspecter, considérer. — 2° Attacher la vue sur. — 3° Décider : *En nos assises [...] fu resgardé par jugement que...* (1305, *Cart.*). ◆ **resgart** n. m. (1162, *Fl. et Bl.*). 1° Souci, inquiétude, crainte : *Dist lor : N'en aiez ja resgart : Bien en poez estre asseur* (*Fl. et Bl.*). — 2° Jugement, décision. — 3° Inspecteur.

resin n. m. (1200, D.; lat. pop. *racimum*, pour *racemus*, grappe de raisin). Raisin.

reslaissier v. réfl. (1306, Guiart; v. *eslaissier*). S'élancer, se lancer.

resleecier v. (1155, Wace; voir *esleecier*). Réjouir.

reslire v. (1175, Chr. de Tr.; v. *eslire*, choisir). Choisir à son tour.

resmaier v. (1175, Chr. de Tr.; voir *esmaier*). Effrayer grandement.

resnable adj. V. RAISNABLE, juste, raisonnable. ◆ **resnablesce** n. f. (1247, Ph. de Nov.). Raison.

I. **resne** n. f. (1080, *Rol.*; lat. pop. **retina*, de *retinere*, retenir). Rêne.

II. **resne** n. m. V. REGNE, règne, royaume, pays.

resofir v. (1330, *B. de Seb.*; cf. *assovir*, satisfaire). Rassasier.

resoignier v. (1175, Chr. de Tr.; v. *soignier*). 1° Avoir du souci au sujet de : *Uns autres hom a li se joint, ki bien set ke ele resoigne* (R. de Moil.). — 2° Craindre, redouter : *Vers le plus fort qui tant iert resoignez* (*Cour. Louis*). — 3° Hésiter, balancer. ◆ **resoing** n. m. (XIIᵉ s.). 1° Crainte. *Ne pas faire resoin*, ne pas craindre. — 2° Souci, préoccupation. *Sans resoin*, sans merci. ◆ **resoine** n. f. (XIIIᵉ s., *Chans. d'Ant.*). Moyen d'échapper. ◆ **resoignie** n. f. (1334, *Rest. du Paon*). 1° Chose redoutable. — 2° Situation critique. ◆ **resoignant** adj. (1278, Sarrazin). 1° Qui craint, qui redoute. — 2° Qui se fait craindre, redoutable.

resoldre v. (1204, R. de Moil.; voir *soldre*). 1°. Se dissoudre. — 2° Payer : *Dones! ... Bien li doit estre entiers resous* (R. de Moil.). ◆ **resolution** n. f. (fin XIIIᵉ s.). Action de dénouer.

resoner v. (1160, *Eneas;* lat. *resonare*, de *sonus*, son). Résonner. ◆ **reson** n. m. (1160, Ben.). Résonance, son, bruit. ◆ **resonee** n. f. (1200, *Ren. de Montaub.*). Bruit. ◆ **resonement** n. m. (XIIᵉ s., D.G.). 1° Bruit. — 2° Murmure. ◆ **resonable** adj. (fin XIIIᵉ s., Macé). Retentissant.

resordre v. (980, *Passion;* lat. *resurgere*, se relever). 1° Rejaillir. — 2° Ressusciter. — 3° Se relever, se tirer de, ressortir : *Le malvais puiz, dont ne resordront mais* (*Cour. Louis*). — 4° Reparaître. — 5° Retourner. — 6° Repousser, empêcher de pénétrer. ◆ **resordement** n. m. (XIIIᵉ s., *Fabl. d'Ov.*). Résurrection. ◆ **resors** n. m. (1277, *Rose*). 1° Jaillissement. — 2° Abondance. ◆ **resorce, -se** n. f. (1160, Ben.). 1° Relèvement, moyen de se relever : *Que de France n'avoit resorse, Force n'aie ne rescosse* (Ben.). — 2° Action de s'envoler. ◆ **resors** adj. (1150, Wace). 1° Ressuscité. — 2° Relevé, rétabli.

resortir · v. (1080, *Rol.;* v. *sortir*).
1° Se retirer, reculer, échapper : *Moult fu
dolans, sa gent resortir vit (Loher.).* —
2° Sortir, disparaître. — 3° *Resortir a,*
suivre. — 4° Se dédire, changer d'avis :
*D'ambesdous parz unt afiee La paiz des
ore mais a tenir Senz forfaire, senz resortir* (Ben.). — 5° Détonner : *Ne puet chanter qu'il ne resort* (Coincy). — 6° Ressau-
ter, rebondir : *Lez la bocle fiert à l'escu,
Que la pierre s'en resortit (Eneas).* —
7° Repousser, renverser : *Et tost fu sa
chevalerie Par .I. petit nain resortie
(Percev.).* — 8° Poursuivre. — 9° Faire
revenir, ressusciter. — 10° Cesser : *Lascher, faindre ne resortir Ne se voloit de
Deu servir* (Ben.). ◆ **resort** n. m. (1160,
Ben.). 1° Abandon. — 2° Restriction :
*Et si vus mespriz de ren avez Vers
seinte Eglise, ci l'esdreseez Senz nul
resort* (Garn.). — 3° Ressource, secours,
remède : *N'i a resort Ne defense contre la
mort* (Ben.). — 4° Rebondissement,
contrecoup. — 5° Accord. ◆ **resorte** n. f.
(1306, Guiart). 1° Retraite. — 2° Troupe,
suite. ◆ **resortie** n. f. (XIIᵉ s., *Part.*).
Retraite. ◆ **resorti** adj. (1180, *R. de
Cambr.*). Lâche : *En tout le mont n'avoit
.I. si hardi, Mais or le voi couart et
resorti (R. de Cambr.).*

respalmer v. (XIIIᵉ s., *Règle Cîteaux;*
v. *palmoier,* frapper de la paume de la
main). 1° Battre, piétiner les peaux. —
2° Laver, nettoyer en général.

respandre v. (1162, *Fl. et Bl.;*
v. *espandre*). Répandre. *A respandant,*
à profusion : *Font porter vin a respandant*
(R. de Beauj.).

respasser v. (1160, Ben.; v. *passer*).
1° Revenir de, échapper à (un danger,
une maladie) : *Bien puisse de mes maux
respasser (Chans.).* — 2° Revenir à la
santé, guérir : *Sire, malaide estoie
Mais vos m'aveiz par vos jeu repasseit
(Rom. et past.).* — 3° Passer à une autre
vie, mourir. ◆ **respas** n. m. (XIIᵉ s.,
Evrat). 1° Retour. — 2° Guérison. —
3° Exemption : *Touz nous convient mourir, Nus n'en aura respas* (J. de Meung).
◆ **respassee** n. f. (fin XIIᵉ s., *Aym. de Narb.*).
1° Retour à la santé. — 2° Rétablissement.
◆ **respassement** n. m. (1285, Aden.).

Rétablissement. ◆ **respassant** n. m.
(1335, *Ren. le Contr.*). Passant, voyageur. ◆ **respassé** adj. (1160, Ben.). Guéri.

respel n. m. (1205, *G. de Palerne;*
v. *apel*). Plainte.

resperir v. (1162, *Fl. et Bl.*). 1° Re-
trouver le souffle, reprendre ses esprits.
— 2° Ressusciter. — 3° Réveiller, sauver :
*Qui de la mort nous resperit Par sa pitié
(Mir. N.-D.).* ◆ **resperi** adj. (1160, Ben.).
Réveillé.

respirer v. (XIᵉ s., *Alexis;* lat. *respi-
rare*). 1° Rendre la respiration, rendre la
vie à. — 2° Revenir à la vie, revenir à
soi. — 3° Respirer. ◆ **respirement** n. m.
(1288, J. de Priorat). Respiration.

respitier v. (1175, Chr. de Tr.;
lat. *respectare*). 1° Respecter : *Por itel
chose deis estre respitiez (Cour. Louis).*
— 2° Donner du répit à, différer. —
3° Épargner, garantir, sauver : *Nus hom
fors Deu ne vos peut respitier (Cour.
Louis).* ◆ **respit** n. m. (1112, *Saint
Brand.*). 1° Pardon. — 2° Répit, délai.
— 3° Proverbe, dicton : *Suivenget vus que
dit Li vilains par respit* (Ph. de Thaun).
◆ **respitiee** n. f. (1160, Ben.), **respitage**
n. m. (fin XIIᵉ s., *Ogier*), **respisse** n. f.
(1330, *B. de Seb.*). Répit.

resplendre v. (1160, Ben.), **-dir**
v. (1170, *Percev.;* lat. *resplendere,* de
splendere, briller). 1° Remplir d'éclat,
de splendeur, briller. — 2° Faire briller.
◆ **resplendor** n. f. (1119, Ph. de Thaun),
-issor n. f. (fin XIIᵉ s., M. de Fr.), **resplen-
die** n. f. (XIIᵉ s., *Barbast.*). Splendeur,
éclat. ◆ **resplendeler** v. (XIIIᵉ s., *Chans.*).
Resplendir. ◆ **resplendant** adj. (1204,
R. de Moil.), **-issable** adj. (1160, Ben.).
Qui brille, qui resplendit.

resploitier v. (1169, Wace; v. *exploitier*). 1° Ajourner : *Si poez bien cest
plaiz, s'il vos plaist, resploitier* (Wace).
— 2° Remettre, donner l'absolution de.

respondre v. (1080, *Rol.;* lat. pop.
respondere). 1° Répondre. — 2° Exposer.
— 3° Rapporter, rendre (en parlant d'une
terre). — 4° Se porter garant. — 5° Etre
conforme (XIVᵉ s.). ◆ **responance** n. f.
(XIIIᵉ s.). Réponse. ◆ **respondeor** n. m.

(1175, Chr. de Tr.). 1° Celui qui répond. — 2° Défenseur. — 3° Garant. ◆ **respondent** adj. (1265, J. de Meung). Correspondant. ◆ **responable** adj. (1304, *Year Books*). Responsable.

respons n. m. (1080, *Rol.;* p. passé de *respondre*). 1° Réponse, réplique. — 2° Manière de répondre à l'amour : *Et je la* (ma dame) *proi sanz biau respons avoir* (Couci). — 3° Compte. ◆ **responsement** n. m. (1119, Ph. de Thaun). Garantie, défense. ◆ **responsion** n. f. (1150, *Saint Evroul*). 1° Réponse. — 2° Sorte de redevance. ◆ **responsail** n. m. (XIIIe s., *Ordin. Tancrei*). Répondant, garant. ◆ **responseor** n. m. (1318, *Arch.*). Garant. ◆ **responsable** adj. (1309, *Arch.*). 1° Admissible en justice. — 2° n. m. Homme vivant d'un fief ecclésiastique (1289, G.).

resque adj. (XIIIe s., *Regret N.-D.*, forme picarde; francique **rubisk*). Rêche.

ressorer v. (1190, J. Bod.; v. *essorer*). Essuyer, sécher : *Onques de ceste pluie ne te ressore* (J. Bod.).

restanc adj. (1260, Mousk.; v. *estanc*). 1° Fatigué, rendu : *Quar son ceval virent restanc, Et de son cors raïer le sanc* (Mousk.). — 2° Désistant.

restanchier v. (1180, *Rom. d'Alex.;* v. *estanchier*). 1° Étancher : *Por le sanc restancier ki en cort a plenté (Rom. d'Alex.).* — 3° Diminuer. — 4° Annuler, mettre fin à : *Et ceste flame restancee (Saint Eust.).* ◆ **restanchié** adj. (1260, Mousk.). Las, abattu, épuisé.

restel n. m. V. RASTEL, râteau, herse de porte.

rester v. (1190, Garn.; lat. *restare*). 1° S'arrêter : *Mes al nun l'arcevesque restut et atendi* (Garn.). — 2° Se lever, se dresser pour faire face. — 3° Résister : *Mais vus doinst vertu a rester a la temptacion* (saint Bern.). — 4° Rester, demeurer. ◆ **reste** n. m. (déb. XIIIe s.), **resture** n. f. (XIIIe s., *Atre pér.*). Reste, rebut. ◆ **restif** adv. (1080, *Rol.*). 1° Qui s'arrête (en parlant du cheval). — 2° Vaincu : *Vos cumpaignuns feruns trestuz restifs (Rol.).*

restorer v. (Xe s., *Saint Léger;* lat. impérial *restaurare*). 1° Réparer. — 2° Guérir. — 3° Remplacer : *E restore altant chevaliers cume ocis i furent (Rois).* — 4° Substituer : *En liu de lui ont restoré Gautier (R. de Cambr.).* — 5° Rendre, restituer : *Qui pour Dieu se traveille, bien li restore* (J. Bod.). — 6° Compenser, dédommager. — 7° Venger : *La moie mors n'iert jamais restoree (R. de Cambr.).* ◆ **restor** n. m. (1160, *Eneas*). 1° Réparation, remise en état. — 2° Compensation, dédommagement : *Bon restor avez de celi A cui vous avez or failli* (H. de Cambr.). — 3° Défense, recours, moyen d'échapper : *Rendu estes sans nul restor* (J. Bod.). — 4° Renouvellement. — 5° Paiement, gages. ◆ **restorement** n. m. (1155, Wace), **-ance** n. f. (1160, *Athis*). 1° Remise en bon état, rétablissement. — 2° Compensation. ◆ **restorier** n. m. (1285, Aden.). Dédommagement, compensation. ◆ **restoreor** n. m. (1160, Ben.). Celui qui rétablit, qui répare. ◆ **restoré** adj. (déb. XIIe s., *Voy. Charl.*). Qui est mis à la place de quelqu'un.

restorique n. f. V. RECTORIQUE, rhétorique.

restormir v. réfl. (1160, *Athis;* v. *estormir*). Etre troublé, inquiété.

restovoir v. impers. (1160, Ben.; v. *estovoir*). Etre de nouveau nécessaire, falloir de nouveau : *Se ne parles ja restavra morir (Loher.).*

restraindre v. (1160, *Eneas;* lat. *restringere*, serrer). 1° Serrer, presser, lier. — 2° Bander, panser : *Si l'a oint d'ongement et bendé et restraint (Rom. d'Alex.).* — 3° Harnacher, brider. — 4° Arrêter, faire cesser. *Restraindre sa soif*, étancher sa soif. — 5° Arrêter, retenir, contraindre. ◆ **restraint** n. m. (1315, *Arch.*). Ordonnance restrictive. ◆ **restrainte** n. f. (1315, *Arch.*). 1° Défense, empêchement. — 2° Ordonnance restrictive. ◆ **restraignement** n. m. (1309, *Arch.*). 1° Action de réprimer. — 2° Restriction. ◆ **restrainture** n. f. (fin XIIIe s., Ruteb.). Restriction, exception.

restre v. (1175, Chr. de Tr.; v. *estre,* être). 1° Etre de nouveau : *Vous reserez chevaliers, se je vis (Gar. Loher.).* — 2° Etre de son côté. — 3° Etre aussi.

restruire v. (xii° s., *G. de Rouss.;* v. *estruire,* édifier). Reconstruire.

resueil, reseuil n. m. (1250, *Ren.;* lat. *retiolum,* dimin. de *retis*). Rets, filet. v. RESEL, même sens.

resul n. m. (1294, G.; v. *soldre,* dissoudre?). 1° Résiliation. — 2° Viol : *L'an 1260 fust faict le resul et violement de la belle bouchiere* (J. Burel).

resver v. (déb. xii° s., D.; v. *desver,* perdre le sens). 1° Aller çà et là pour son plaisir, rôder, vagabonder : *Qui toute nuit hors Parmi la ville aloit resvant Les bones filles decevant* (Godefr. de Paris). — 2° Délirer. ◆ **resverie** n. f. (déb. xiii° s., Chardry). 1° Réjouissance, ébats tumultueux : *La menerent grant joie et grande riverie* (Chev. cygne). — 2° Égarement d'esprit, délire : *Quida ke ceo fust resverie* (Sept Dormans). — 3° Opiniâtreté, emportement, fureur. ◆ **resveor** n. m. (1268, E. Boil.). Vagabond, rôdeur.

resvertuer v. (1160, Ben.; v. *esvertuer*). Rendre courage à, renouveler.

ret n. m., accusation. V. RETER, accuser.

retaconer v. (1240, H. d'Andeli; cf. ital. *taccone,* morceau de cuir, talon). Raccommoder, réparer.

retaillier v. (1155, Wace; v. *taillier*). 1° Retrancher, rogner, diminuer : *Et nous tolt nos ounors et retaille no rente (Rom. d'Alex.).* — 2° Circoncire. — 3° Morceler : *Ne velt son reine retailler* (Wace). — 4° *Retaillier les tresses,* rendre la pareille. — 5° v. réfl. Se débander, se séparer. ◆ **retail** n. m. (1312, *Arch.*). 1° Action de tailler. — 2° Détail, marchandise de détail. ◆ **retaille** n. f. (xii° s., *Mort d'Aym.*). Ce qu'on retranche d'une chose, rognure, déchet, reste. ◆ **retaillement** n. m. (xii° s., *Macch.*). Circoncision. ◆ **retaillage** n. m. (xii° s., *Horn*). Retranchement.

retarder v. (1164, Chr. de Tr.; v. *tarder*). 1° Hésiter. — 2° v. réfl. S'arrêter. ◆ **retardacion** n. f. (1350, G. li Muisis). Obstacle, empêchement.

retargier v. (1283, Beaum.; v. *targier*). 1° Retarder, empêcher. — 2° Tarder, différer de faire une chose. ◆ **retargement** n. m. (1274, *Arch.*). Retard.

rete n. f. (xiv° s., *Troilus;* lat. *retis*). Rets, filet. ◆ **reté** adj. (1313, Godefr. de Paris). Pris au filet : *Ainsi fu le pape reté* (Godefr. de Paris).

retenir v. (xi° s., *Alexis;* lat. pop. **retenire,* pour *retinere*). 1° Faire tenir bon, maintenir : *Munjoie escriet pur le camp retenir* (Rol.). — 2° Rester. — 3° Mettre à part : *Dius a les rikes retenus* (R. de Moil.). — 4° Engager, enrôler. — 5° Concevoir : *Li varles mainnage maintint Tant que sa femme .I. fil retint (la Houce partie).* — 6° Réparer, entretenir. — 7° Pourvoir à l'entretien, aux besoins de. ◆ **retenement** n. m. (1112, *Saint Brand.*). 1° Action de retenir. — 2° Ce qui retient. — 3° Retard : *Le chief li tranche sanz nul retenement (J. de Blaives).* — 4° Entretien, réparation. ◆ **retenage** n. f. (1294, *Arch.*). Entretien. ◆ **retenance** n. f. (1263, *Lettre*). 1° Action de retenir, d'empêcher, de défendre. — 2° Souvenir, mémoire. — 3° Retenue, modération. — 4° Séjour, hospitalité. — 5° Jouissance : *Je n'ai autre retenance En amours fors de mon chant (Chans.).* — 6° Suite, entourage : *Manda al roy e ly pria ... qu'il volsist oster de sa retenance Fouke, le fitz Guarin, son enymy mortel (F. Fitz Warin).* ◆ **retenure** n. f. (1277, *Cart.*). Réparation. ◆ **retenue** n. f. (1160, Ben.). 1° Action de retenir, de détenir. — 2° Retard. — 3° Prolongation d'un récit. — 4° Mémoire. — 5° Réparation. ◆ **retention** n. f. (fin xiii° s.). 1° Action de retenir, d'arrêter. — 2° Réparation, entretien. ◆ **retenail** n. m. (xiii° s., *Ass. Jérus.*). Réserve, restriction de droit. ◆ **reteneor** n. m. (1160, Ben.). Celui qui retient. ◆ **retentif** adj. (1260, Br. Lat.). Qui retient, qui a la vertu de retenir.

reter v. (fin xi° s., *Lois Guill.;* lat. *reputare*). 1° Blâmer, accuser : *De cuver-*

tage m'aves hui reté (Ogier). — 2° *Reter a,* imputer, mettre sur. ◆ **ret** n. m. (1190, Garn.). Accusation : *E anceis ot esté relessiez de cel ret ...* (Garn.).

retinter v. (1160, *Athis;* v. *tinter*). Retentir, faire retentir.

retolir v. (1155, Wace; v. *tolir*). 1° Enlever, retirer, reprendre : *Dame, ne nos retolez pas Ce qui li rois nos a doné* (Chr. de Tr.). — 2° L'emporter sur : *Je di que souvent de ses drois Retolt norreture a nature (Ren. le Nouv.).* — 3° v. réfl. Se déprendre de quelqu'un. ◆ **retolt** n. m. (1350, G. li Muisis). 1° Reprise. — 2° Retranchement, privation.

retombir v. (1170, *Percev.;* v. *tombir,* même sens). Retentir : *Mais tot li val en retombirent* (Mousk.).

retordre v. (XIIᵉ s., *Trist.;* lat. *retorquere*). Se tordre : *Garde du fil qu'il ne retorde (Trist.).* ◆ **retortis** adj. (1180, *Rom. d'Alex.*). Frisé.

retorner v. (842, *Serm.;* v. *torner*). 1° Faire retourner. — 2° Détourner. — 3° Ramener : *Ne sai se retorner poroie mon ceval (Percev.).* — 4° Changer : *Li clerc et li prevoire, evesque et abé, ont le duel a la dame en pion retorné (Parise).* — 5° Payer de retour. — 6° *Se retorner a,* revenir à. — 7° Avoir refuge. ◆ **retorn, retor** n. m. (1160, Ben.). 1° Retour à la santé, guerison. — 2° Lieu de refuge, droit de refuge : *Je n'ai mais castiel, tour ne porte, Ne retour u je puisse entrer (Regr. Guill.).* — 3° Asile, recours. — 4° Action de retourner, de se détourner. *Sans retor,* sans détour. — 5° Voie, moyen. — 6° Riposte, retour offensif. — 7° Restitution. — 8° *A retor Marion,* à coups redoublés. — 9° *Metre retor a* quelque chose, y aviser. ◆ **retorne** n. f. (1313, Godefr. de Paris). 1° Retour. — 2° Conversion. ◆ **retornee** n. f. (1160, *Athis*). 1° Retour. — 2° Retraite. — 3° Retour à la santé, guérison. — 4° Retour offensif, second choc des armées. — 5° *Faire la retornee* a quel-qu'un, s'enfuir devant lui. — 6° *A la retornee,* en retour. ◆ **retornement** n. m. (1150, Wace). Retour. ◆ **retornerie**

n. f. (XIIIᵉ s., *Doon de May.*), -**eure** n. f. (fin XIIᵉ s., saint Grég.). Retour. ◆ **retornance** n. f. (fin XIIᵉ s., *Loher.*). Retour, retraite.

retraçon n. f. (1080, *Rol.;* lat. *retractionem*). Reproche, sujet de reproche : *Et Maugis li a dit .III. mos en retraçon (Ren. de Montaub.).* ◆ **retraction** n. f. (XIIIᵉ s., Th. de Kent). 1° Blâme, reproche. *Tenir retraction,* trouver à blâmer. — 2° Exception.

retraire v. (1080, *Rol.;* lat. *retrahere,* retirer). 1° Retirer, enlever, éloigner : *Li quens [...] vit qu'il ne poroit Aucassin son fil retraire des amors Nicolete (Auc. et Nic.).* — 2° *Se retraire de,* renoncer à, cesser de : *Unkes de mal faire ne se voloit retraire* (J. Fantosme). — 3° Reculer, faire rentrer. — 4° Revenir, retourner. *Sans retraire,* sans retour, sans hésitation. *Sans ailleurs retraire,* sans prendre une autre direction. — 5° Devenir pire, se gâter : *Cest siecle c'on voit retraire empirier en mont de leus (ABC).* — 6° Contracter, rétrécir. — 7° Exercer un retrait lignager. — 8° Faire des reproches : *Si com moi semble [...] Ne m'en devroit nus hons retraire (Pir. et Tisb.). Retraire a,* imputer à. — 9° Raconter, dire : *Sire, bouche ne puet retraire Le grant ennui (Pass. Palat.).* — 10° Ressembler : *Qui retrait us boens ancessors* (Evrat). — 11° *Retraire a,* se dédommager sur. ◆ **retraire** n. m. (XIIᵉ s.). 1° Action de s'éloigner. — 2° Récit : *Je metroie tant au retraire Que ce seroit trop longement* (Aden.). — 3° Action de relever l'arme après avoir frappé. ◆ **retrait** n. m. (1180, *R. de Cambr.*). 1° Retraite, action de se retirer : *Fait souner le retrait (Rom. d'Alex.).* — 2° Lieu où l'on se retire. — 3° Reflux de la mer. — 4° Décharge d'un vivier. — 5° Retard. — 6° Coup donné en retirant l'arme *(Rom. d'Alex.).* ◆ **retraiement** n. m. (XIIIᵉ s., Th. de Kent). Rétractation : *Car vous avez mon cuer sans nul retraiement* (Th. de Kent). ◆ **retraiant** n. m. (1162, *Fl. et Bl.*). 1° Retour. — 2° Reflux.. ◆ **retraieor** n. m. (XIIIᵉ s., *Cart.*). 1° Celui qui exerce le retrait (jurid.). — 2° Celui qui est chargé de lever les dîmes.

retraitier v. (1190, Garn.; lat. *retractare*). 1° Retirer. — 2° Rétracter, révoquer, annuler. — 3° Revendiquer. — 4° Raconter, rappeler (v. *retraire*). ◆ **retraitif** adj. (XIIIᵉ s., G. de Cambr.). Parcimonieux : *Qu'il est escars, avers et retraitis* (G. de Cambr.).

retravaillier v. réfl. (1175, Chr. de Tr.; v. *travaillier*). 1° Souffrir de grands tourments. — 2° Faire de nouveaux efforts.

retriboler v. (1246, G. de Metz; v. *triboler*). Tourmenter à son tour, accabler de nouveau.

retribuer v. (1361, Oresme; lat. *retribuere*, attribuer). Restituer, indemniser. ◆ **retribuement** n. m. (1335, Deguil.). Rétribution, récompense. ◆ **retribueor** n. m. (XIIᵉ s., *Ps.*). Celui qui rétribue, celui qui accorde.

retroange n. f. V. ROTRUENGE, chanson à refrain, ritournelle.

retros n. m. (1155, Wace; v. *tors*). Petit tronçon, menu morceau, éclat.

reubarbe n. f. (XIIIᵉ s., *Simples Médec.;* lat. *rheubarbarum*). Rhubarbe.

reube n. f. V. ROBE, butin de guerre, pillage.

reule n. f. V. RIEULE, règle, principe.

reume n. f. (1272, Joinv.; lat. *rheuma*, du grec). Humeur, fluxion.

reuper v. (1190, saint Bern.; orig. germ.; cf. all. *rülpsen*). 1° Roter. — 2° Cracher : *Le crucefis reupe el visage* (poèt. fr. av. 1300). ◆ **reupe** n. f. (XIIIᵉ s., *Gloss. lat.-fr.*), **-ement** n. m. (1190, saint Bern.). Rot.

reure v. V. RORE, ronger.

reus adj. (XIIᵉ s., *G. de Rouss.;* lat. *reus*, accusé). 1° Accusé. — 2° Convaincu d'un crime, coupable. — 3° *A reus*, contrairement à la raison, tout de travers.

reuser v. (1160, Ben.; lat. *recusare*, refuser). 1° Mettre en fuite, faire reculer : *Mult unt lur enemis rusez et damagiez* (Wace). — 2° Écarter, éloigner. —

3° Reculer, s'éloigner. — 4° Tromper. ◆ **reusee** n. f. (1180, *R. de Cambr.*), **-ance** n. f. (1200, *Ren. de Montaub.*). Action de reculer.

revair v. (1306, Guiart; orig. incert.). *Revair la crois*, prendre la croix.

revanchier, -gier v. (1265, J. de Meung; v. *vengier*). Venger. ◆ **revanchement** n. m. (1313, Godefr. de Paris). Revanche, vengeance. ◆ **revengence** n. f. (1285, Aden.). 1° Revanche, vengeance. — 2° Sorte de droit de compensation (1325, *Arch.*).

I. reve n. f. (1264, *Lettre;* lat. *reva*, de *rogare*, prier). Droit prélevé sur les marchandises à la sortie ou à l'entrée du royaume.

II. reve n. f. V. REE, rayon de miel.

III. reve adj. (1288, J. de Priorat; v. *resver*, délirer). Violent.

reveintre v. (XIIᵉ s.; v. *veintre*, vaincre). 1° Vaincre à son tour. — 2° Convaincre.

I. reveler v. (1080, *Rol.;* lat. *rebellare*). 1° Se révolter, s'insurger : *Encuntre mei revelerent li Saisne (Rol.).* — 2° Dédaigner : *Molt se tienent por vergondez, Qu'ele les a toz revelez (Eneas).* — 3° Se livrer à une joie bruyante : *Lor il n'a cat, soris revielle (Rich. li Biaus).* ◆ **revel** n. m. (XIIᵉ s., *Adam*). 1° Rébellion, révolte, orgueil : *Nen fai jamais vers Deu revel (Adam).* — 2° Tapage, cris tumultueux, violence : *Saisne assaillent la vile a force et a rivel (Bod.).* — 3° Allégresse, joie, plaisir : *Hues le voit, ses peres : au cuer en a revel (Chans. d'Ant.).* — 4° Bonne chère, fête, divertissement, plaisir amoureux. ◆ **revelance** n. f. (1213, Villeh.). Joie. ◆ **revelos** adj. (1220, Coincy). 1° Disposé à la révolte, mutin. — 2° En parl. d'un animal, rétif, fringant. — 3° Hardi, entreprenant. ◆ **revelant** adj. (av. 1300, poèt. fr.). Joyeux.

II. reveler v. (fin XIIᵉ s., *Rois;* lat. *revelare*, dévoiler). Révéler (sens relig.). ◆ **revelement** n. m. (fin XIIIᵉ s., *Macé*).

Révélation. ◆ **reveleor** n. m. (1112, *Saint Brand.*). Celui qui révèle, révélateur.

revenue n. f. (fin XIIᵉ s., saint Grég.; p. passé de *revenir*). 1° Retour. — 2° Retour à la santé, guérison. — 3° Revenu, rente, héritage. — 4° *A la revenue*, en proportion, au prorata. ◆ **reveneure** n. f. (1337, *Cart.*). Revenu, rente.

reverchier v. (1175, Chr. de Tr.; même rac. que *esvertir*, retourner). 1° Retourner en tous sens, examiner : *La maison toute nuit reverche (Ysopet Lyon).* — 2° Faire des recherches.

reverser v. (1150, Wace; lat. pop. **reversare,* pour *revertere*). 1° Retourner, renverser, retrousser : *Tute se pout abandoner Senz sa chemise reverser* (Wace). — 2° Verser, jeter. — 3° Tomber (en parlant de la pluie). — 4° Renouveler, ranimer, réconforter. — 5° Faire des recherches, fouiller : *Par trestot ont il reversé Mes il ne pot estre trové (Ren.).* — 6° Parcourir. ◆ **revers** n. m. (XIIIᵉ s., H. de Gauchy). Assurance (jurid.). ◆ **reverse** n. f. (1306, Guiart). 1° Action de renverser. — 2° Coup de revers. ◆ **reversion** n. f. (XIIᵉ s., *Chétifs*). 1° Action de verser. — 2° Épanchement. ◆ **revers** adj. (1318, G. de la Bigne). 1° Renversé, retourné. — 2° A rebours. — 3° Ébouriffé, retroussé.

revertir v. (XIᵉ s., *Alexis*), **-er** v. (1304, *Year Books;* lat. pop. **revertire,* pour *revertere*). 1° Retourner, revenir. — 2° Revenir à soi, reprendre ses sens. — 3° Se changer en, s'en retourner : *Tost font tel chose qui a mal reverti (Gar. Loher.). Revertir en,* changer en. — 4° Retourner dans sa tête. ◆ **reverteure** n. f. (XIIᵉ s., Evrat). 1° Retour. — 2° Souvenir. ◆ **reverte** n. f. (av. 1300, poèt. fr.). Détour.

revesquir v. (1335, Deguil.; formé à partir du passé simple *vesqui*). Revivre, ressusciter. ◆ **revescu** adj. (fin XIIᵉ s., M. de Fr.). Retrouvé, ressuscité : *Tes fiz et sires est trovez et revescuz (Thomas le Mart.).*

revestiaire n. m. (XIIIᵉ s., *Chron. Saint-Denis;* v. *vestiaire,* infl. par *revestir*). Partie de la sacristie servant de vestiaire. ◆ **revestoir** n. m. (1265, J. de Meung). Vestiaire, sacristie. ◆ **revesti** n. m. (1267, *Test.*). Clerc qui figure à une cérémonie religieuse en costume ecclésiastique.

revestir v. (XIᵉ s., *Alexis;* v. *vestir*). Investir, doter. ◆ **revesteure** n. f. (1257, *Arch.*). Le droit dû pour l'investiture.

revider v. V. REVISDER, visiter, reconnaître, attaquer.

reviler v. (déb. XIIᵉ s., *Ps. Cambr.;* v. *viler*). 1° Traiter, regarder comme vil. — 2° Mépriser. — 3° Avilir. ◆ **revileor** n. m. (1220, Coincy). Celui qui avilit, qui méprise.

revirer v. (1150, *Thèbes;* v. *virer*). 1° Tourner, retourner. — 2° Se détourner de (sous l'effet de la crainte). — 3° Changer de sentiments.

revisder v. (déb. XIIᵉ s., *Ps. Cambr.;* v. *visder*). 1° Revoir, visiter : *Je ne sai rien de tel compere Qui sa conmere ne revide (Ren.).* — 2° Reconnaître : *Partans sera li bastars revisdé (R. de Cambr.).* — 3° Aller trouver, attaquer : *Or le voel revisder, car forment il reviele (Rom. d'Alex.).* ◆ **revist** n. m. (XIIIᵉ s., G.). Cadeau de noces. ◆ **revidaille** n. f. (XIIIᵉ s., *Fabl.*). Cadeau de noces.

reviser v. (1260, Mousk.; lat. *revisere,* revenir voir). Visiter, rendre visite à.

revois, revoit adj. (1170, *Percev.;* lat. *revistum,* revu?). 1° Convaincu d'un méfait. — 2° Prouvé, certain : *Ainz est vileinnie revoite (Percev.).* — 3° Traître, pervers : *Qui est s'amie revoiz Ne doit morir a une foiz (Part.).* — 4° Épithète fréquente de dénominatifs injurieux : *Lors nos seront livré li traitor revois* (J. Bod.).

revuidier v. (1213, Villeh.; v. *vuidier*). Évacuer : *si revuidierent la terre* (Villeh.).

I. **rez** n. m. V. ROIS, filet, rets.

II. **rez** n. m. et f. V. RÉ, bûcher, four.

ri n. m. V. RIF, ruisseau.

riace adj. fém., rieuse. V. RIRE.

ribalt n. m. (fin XIIe s., *Aym. de Narb.*; dérivé de *riber*, se livrer à la débauche). 1° Vagabond, soldat pillard. — 2° Débauché : *Regardes, chier pere, comment cestuy rybault commectoit adultere en vostre chambre (Sept Sages).* — 3° Amant, avec une nuance péjorative. — 4° Portefaix *(Rose).* — 5° *Roi des ribaux* (1317, G.), officier de la suite du roi qui enquêtait sur les crimes et délits commis dans l'entourage du roi (jeux, femmes publiques, etc.). ◆ **ribauderesse** n. f. (1350, *Ars d'am.*). Ribaude. ◆ **ribauderie** n. f. (1313, *Arch.*), **-ie** n. f. (1220, *Saint-Graal*). 1° Conduite de ribaud, débauche. — 2° Parole de ribaud. — 3° Infamie : *Toutes femes ... Qui aiment home por doner, Ce est grant ribaudie* (av. 1300, poèt. fr.). ◆ **ribaudaille** n. f. (1220, Coincy). Ramassis de ribauds. ◆ **ribauder** v. (1268, E. Boil.). Faire le ribaud, paillarder. ◆ **ribaudel** n. m. (1260, A. de la Halle). Petit débauché : *Je voi ces chetis ribaudeus Et ces garçons de joene aé Qui ja faussent leur chastee (Fabl. d'Ov.).* ◆ **ribaudelet** n. m. (1277, *Rose*). Jeune ribaud.

riber v. (1170, *Percev.*; anc. haut all. *riban*, être en chaleur, frotter). 1° Se livrer à la débauche : *Espres et grant deduit de bachelers legiers Qui ribent, et qui saillent, et font leurs tours pleniers (Foulque de Candie).* — 2° Folâtrer avec, cajoler : *Je lou vix l'autrier ribeir Et escoler une gairce (Rom. et past.).* ◆ **riboi** n. m. (1260, A. de la Halle). Plaisir désordonné. ◆ **ribelete** n. f. (XIIe s., G., même mot?). Tranche mince de lard qu'on sale et épice et qu'on fait griller. ◆ **ribant** n. m. (1220, Coincy). Celui qui folâtre.

richart n. m. (1324, *Arch.*; probabl. nom propre). Une variété de pommes : *Pome de Richart* (Ben.).

riche adj. (XIe s., *Alexis*; francique *riki*, puissant). 1° Considérable, puissant. — 2° Fort, redoutable : *Ha! leus, pute beste haie, Moult as or fait riche envaie D'un innocent que tu as mort!* (Chr. de Tr.). — 3° Noble, généreux : *Et non por cant maint povre chevalier Fait riches cuers venir a halte honor* (C. de Béth.). — 4° Beau, magnifique. ◆ **richee** n. f. (XIe s., *Alexis*). Richesse. ◆ **richeté** n. f. (1150, Wace). 1° Richesse. — 2° Possession, domaine. — 3° Noblesse : *Vous deussiés dame estre d'une grant richeté (Aiol).* ◆ **richesse** n. f. (déb. XIIe · s., *Voy. Charl.*). 1° Richesse. — 2° Puissance, force : *Par sa richesse dedens son lit ha mist Toz ses talans et ces voloirs en fist (R. de Cambr.).* — 3° Faveur. ◆ **richor** n. f. (XIIe s., *Barbast.*). Richesse, pompe. ◆ **richoise** n. f. (1190, J. Bod.). Richesse. ◆ **richir** v. (1308, *Aimé*). Enrichir. ◆ **richoier** v. (fin XIIe s., M. de Fr.). 1° Devenir riche. — 2° Affecter les airs hautains. ◆ **richement** adv. (fin XIIe s., M. de Fr.). 1° Puissamment. — 2° Avec force, vigoureusement.

ricochet n. m. (XIIIe s., *Fabl.*; orig. obsc.). Ritournelle de questions et de réponses.

ricolice n. f. (XIIe s., D.; métathèse de *licorice*). Réglisse.

I. **rider** v. (1175, Chr. de Tr.; anc. haut allem. *riden*, tordre). 1° Plisser. — 2° Rider (XIIIe s.).

II. **rider** v. (fin XIIe s., *Trist.*; orig. germ.; cf. flam. *riden*) 1° Aller à cheval, courir, galoper. — 2° Voguer, naviguer.

rien, ren n. f. (XIe s., *Alexis*; lat. *rem*, acc. de *res*, chose). 1° Chose : *plus est chier que tote rien terrestre (Alexis).* — 2° Créature, personne : *Coitive riens, bontes faillie, Dites qui vos a si baillie* (G. d'Arras). — 3° Dans un énoncé négatif, nulle chose : *Ne ren tolir ne rien veer* (Ben.): — 4° *Rien nee*, chose, personne qui existe : *Je l'aim plus que ne fas riens nee (Manekine).* — 5° adv. En quelque chose : *N'est ren sage, ço m'ert vis, ki en vus se fie (Horn).*

riepe, ripe n. f. (1281, *Cart.*; orig. incert.). Taillis.

riere, rere, reire adv. et prép. (980, *Passion*; lat. *retro*). 1° Adv. de lieu, En arrière. — 2° Prép., Derrière : *Rier lui*

regarde, et vit maint chevalier (Ogier). —
3° *Riere main*, mot comp., revers de la
main. — 4° *Riere* q'un, par-devers q'un,
en son pouvoir : *Retenons rere nos les
lettres dessusdites* (1294, *Hist. Bourg.*).
◆ **riereban** n. m. (1155, Wace). Arrière-
ban. ◆ **rierecuer** n. m. (1180, G. de Saint-
Pair). Arrière-chœur. ◆ **rierefié** n. m.
(1279, *Lettre*). Arrière-fief. ◆ **riere garde**
n. f. (1080, *Rol.*). Arrière-garde. ◆ **riere
vavassor** n. m. (XIIIe s., *Livr. de Jost.*).
Arrière-vassal (qui ne relève que par
l'intermédiaire d'un autre d'un seigneur
suzerain).

I. **ries** n. m. (XIIIe s., *Rom. et past.*;
orig. obsc.). Terre en friche, pâturage.

II. **ries** n. f. (XIIIe s., Tailliar; orig.
obsc.). Botte, paquet.

rieu n. m. V. RUI, RU, ruisseau.

rieule, riule n. f. et m. (1119, Ph.
de Thaun; lat. *regula*). 1° Règle, principe :
Ceste rieule doivent savoir (Rose). —
2° Règle, instrument. — 3° Ordre. ◆
rieuler v. (XIIIe s., *Chron. Saint-Denis*).
Etre réglé, se régler. ◆ **rieulé** adj.
(1180, *G. de Vienne*). 1° Réglé, régulier,
conforme à la règle. — 2° En parlant des
personnes, qui est assujetti à une certaine
discipline : *L'ordre des chanoines rieglez*
(Guiot). ◆ **rieuler** adj. (1119, Ph. de
Thaun). 1° Régulier : *Molnes voil estre
beneois et regler (Loher.).* — 2° n. m.
Chanoine régulier.

rif, ri n. m. (1170, *Fierabr.*; lat. *rivum*).
Ruisseau. V. RU, RUI, même mot.

rifler v. (fin XIIe s., *Rois;* anc. haut all.
riffilôn, déchirer en frottant). 1° Érafler,
écorcher, arracher. — 2° Raboter. —
3° Se quereller, se battre. ◆ **rifle** n. f.
(XIIe s., G.). Gale de la lèpre. ◆ **rifleis**
n. m. (1170, *Percev.*). Pays dévasté.

rigol n. m. (XIIIe s., moy. néerl. *regel*,
rangée, ligne droite, d'orig. lat.). Petit
ruisseau, rigole. ◆ **rigot** n. m. (XIIIe s.,
Baude Fastoul). Ruisseau. ◆ **rigoler** v.
(1297, G.). Ouvrir, pratiquer des rigoles
dans. ◆ **rigolas** n. m. (1339, *Cart.*).
Drainage. ◆ **rigorne** n. f. (1332, *Arch.*).
Rigole.

rigoler v. (1277, *Rose;* orig. obsc.,
se rattache peut-être à *rigol*, rigole).
1° Se moquer de, railler. — 2° Divertir :
*Ci parle l'amant de Liesce : C'est une
dame qui la tresce Maine volentiers et
rigole (Rose).* — 3° v. réfl. Se réjouir,
s'amuser. ◆ **rigolage** n. m. (1170,
Percev.). Risée, plaisanterie, amusement :
*Mainte parole s'entredistrent D'amor et
d'autre rigolage (Percev.).* ◆ **rigolet**
n. m. (XIIIe s., *Clef d'Am.*). Sorte de
danse. ◆ **rigoter** v. (XIIIe s., *Chans.*).
Caresser une femme, s'amuser avec elle :
*Quant l'oï rigotee, S'amour mi promet
(Chans.).*

I. **rigot** n. m. (XIIIe s., *Fabl.*; germ.
riga, cercle, anneau). 1° Bourse attachée
à la ceinture. — 2° Chevelure frisée,
perruque.

II. **rigot** n. m. V. RIGOL, ruisseau.

rihoter v. V. RIOTER, se quereller, se
livrer aux ébats amoureux.

I. **rime** n. f. (1175, Chr. de Tr.; francique **rim*, série, nombre). 1° Vers : *De
conter un conte par rime* (Chr. de Tr.).
— 2° Poésie. — 3° Rime. ◆ **rimer** v.
(1119, Ph. de Thaun). 1° Faire des vers. —
2° Adresser la parole : *Li uns a l'autre
a belement rimé (H. de Bord.).* ◆ **rimerie**
n. f. (1295, Boèce). Poésie, pièce en vers.
◆ **rimeter** v. (1190, *H. de Bord.*). Murmurer. ◆ **rimoier** v. (1170, *Percev.*).
Mettre en vers, chanter : *Or voeil cel
songe rimoier (Rose).* ◆ **rimoier** n. m.
(XIIIe s., *Fabl.*). Rimeur, celui qui met
en vers.

II. **rime** n. f. (1155, Wace; germ.
hrim). Frimas, gelée blanche. ◆ **rimee**
n. f. (déb. XIIe s., *Ps. Cambr.*). Frimas.

III. **rime** n. f. (1247, Ph. de Nov.; orig.
incert., cf. lat. *remus*). Rame, aviron.
◆ **rimer** v. (1170, *Percev.*). Ramer, naviguer. ◆ **rimoier** v. (XIIe s., *B. d'Hanst.*).
Conduire à force de rames.

rimor n. f. et m. V. REMOR, bruit,
guerre, querelle.

ringaille, -gale n. f. (1155, Wace;
orig. incert.). 1° La queue de l'armée, les
plus mauvais soldats. — 2° Gens de rien,

valetaille : *Ou ciel va tote la ringale* (Coincy).

rinois adj. (1271, *Lettre;* dér. du nom propre). Du Rhin : *vin rinois* (XIIIe s., *Statuts de Saint-Omer).*

riole n. f. (déb. XIIIe s., R. de Beauj.; cf. *rigoler).* 1° Bavardage, raillerie : *Ester laissies ceste riole* (G. de Montr.). — 2° Partie de plaisir, débauche : *Or est il en fole riole, Ne sait que dise ne que face* (R. de Beauj.).

riorte n. f. V. REORTE, lien d'osier.

I. **riot** n. m., petit ruisseau, conduit. V. RUI, ruisseau.

II. **riot** n. m., dispute, peine, effort. V. RIOTER, se disputer.

rioter, rihoter v. (fin XIIe s., Couci, orig. incert.). 1° Se disputer, se quereller. — 2° Chercher querelle à. — 3° Se livrer aux ébats amoureux. ◆ **riot** n. m. (XIIIe s., *Rom. et past.).* 1° Dispute, querelle : *Trop grant riot a en ce sot : Ostés le moi!* *(Fatrasies).* — 2° Peine, effort. ◆ **riote** n. f. (1138, *Saint Gilles).* 1° Débat, querelle. — 2° Discussion, bavardage ennuyeux, ennui : *Car longue riote n'est preus* (Aden.). — 3° Lutte amoureuse, ébats amoureux. ◆ **riotement** n. m. (XIIIe s., *Règle saint Ben.).* Débat, dispute. ◆ **riotos** adj. (fin XIIe s., Couci). Querelleur, chicaneur : *Moult menoit rihoteuse vie A sa fame et sa mesnie* (Couci).

ripe n. f. V. RIEPE, taillis.

riper v. (1328, G.; moy. néerl. *rippen,* palper). 1° Gratter, se gratter. — 2° Étriller. ◆ **ripe** n. f. (XIIIe s., *Pastor.).* Gale, ulcère. ◆ **ripeus** adj. (1328, J. Lefebvre). Galeux, teigneux.

rire v. (1080, *Rol.;* lat. pop. *ridere).* 1° Rire. — 2° n. m. Le rire (XIIIe s.). ◆ **ris** n. m. (1155, Wace). 1° Rire. — 2° Sourire : *Vos biax ris et vos dox mos Ont men cuer navré a mort (Auc. et Nic.).* ◆ **risee** n. f. (fin XIIe s., Aiol). 1° Éclat de rire. — 2° Moquerie. ◆ **rision** n. f. (fin XIIe s., Alisc.). Rire, éclats de rire. ◆ **risie** n. f. (XIIIe s., *Chron. Saint-Denis).* Farce. ◆ **riset** n. m. (1350,

G. li Muisis). Ris, moquerie. ◆ **riselet** n. m. (XIIIe s., Fr. Angier). Sourire. ◆ **riace** adj. fém. (1220, Coincy). Rieuse, qui aime se moquer.

riu n. m. V. RIF et RU, ruisseau, rigole.

riule n. f. V. RIEULE, règle, ordre.

rive n. f. (1080, *Rol.;* lat. *ripa).* Rive ◆ **rival** n. m. (1190, J. Bod.), **-aire** n. m. (1334, *Rest. du Paon),* **-ier** n. m. (XIIIe s., *Jeh. et Bl.),* **-aille** n. f. (XIIe s., *Chétifs).* Rivage, bord d'une rivière. ◆ **rivage** adj. et n. m. (1155, Wace). 1° De rivière. — 2° Rive, rivage. — 3° Plage sablonneuse, arène. — 4° Droit seigneurial sur les marchandises qu'on embarquait ou débarquait sur la rive. ◆ **riviere** n. f. (1169, Wace). 1° Rive, rivage, bord de la mer. — 2° Contrée située sur les bords d'une rivière. — 3° État, situation : *Qui mout est de povre riviere (Fabl.).* — 4° Chasse au gibier d'eau (Chr. de Tr.). ◆ **rivierete** n. f. (1260. Mousk.). Petit cours d'eau.

rivel n. m. V. REVEL, rébellion.

I. **river** v. (1204, R. de Moil.; v. *rive).* 1° Venir au rivage : *Qui bien naige, bien rive (Fabl.).* — 2° Amarrer. ◆ **riverer** v. (1204, *l'Escouffle),* **rivoier** v. (1170, *Percev.).* Chasser au gibier d'eau. ◆ **riveor** n. m. (1170, *Percev.).* Chasseur en rivière.

II. **river** v. (1160, Ben.; spécialisation de sens du précédent). 1° Attacher, fixer. — 2° Etre lié, s'attacher (J. de Meung). ◆ **riveor** n. m. (1335, Deguil.). Celui qui rive les clous.

III. **river** v. (1350, G. li Muisis; orig. incert., v. *riber* ou *resver).* Rôder, s'adonner à la débauche : *D'aller rivant par nuit, c'est leur droite saisons* (G. li Muisis).

ro adj. (1112, *Saint Brand.;* lat. *raucum,* enroué). Enroué, rauque : *A sa voix roe crie a peine (Trist.).* ◆ **roer** v. (XIIe s., Marb.). S'enrouer.

roable n. m. (1246, *Lettre;* lat. *rutabulum,* même sens). Fourgon de boulanger servant à ranger ou à tirer la braise du four.

roaison n. f., prière. V. ROVER, demander.

I. robe n. f. (1155, Wace; germ. **rauba,* butin). 1° Pillage, dépouille de guerre, butin : *Pernez la robe e la vitaille* (Wace). — 2° Vol, larcin. *En robe,* à la dérobée. ◆ **rober** v. (fin XIIᵉ s., *Cour. Louis*). 1° Voler, enlever. — 2° Piller, saccager, dévaster. — 3° Violer (en parlant d'une femme). ◆ **roberie** n. f. (fin XIᵉ s., *Lois Guill.*), **-ement** n. m. (1340, *Arch.*). Pillage, vol. ◆ **robardel** n. m. (1204, R. de Moil.). Repaire de voleurs. ◆ **robart** n. m. (1204, R. de Moil.). Voleur. ◆ **robeor** n. m. (1175, Chr. de Tr.). Voleur, pillard.

II. robe n. f. (1160, Ben.; sens dérivé du précédent). 1° Habit, habillement en général. — 2° Habillement de femme, de prêtre, de juge. ◆ **robart** adj. (XIIᵉ s.). Coquet, élégant. ◆ **robardel** n. m. (fin XIIᵉ s., *Loher.*). 1° Jeune homme élégant. — 2° Danse accompagnée de chant, fête bruyante. — 3° Celui qui compose et chante les *robardies*. — 4° n. f. Femme coquette. ◆ **robardie** n. f. (XIIIᵉ s., *Rom. et past.*). Danse avec chants sous la feuillée, sur la verdure. ◆ **robarder** v. (av. 1300, poèt. fr.). Danser en chantant. ◆ **robelinge** n. f. (1307, G.). Chemise.

III. robe n. f. (XIIIᵉ s., *Gaut. d'Aup.*; sens dérivé des précédents). 1° Frais, dépenses. — 2° Gages : *Et li sires li jure le cors de saint Vincent Qu'il li donra sa robe a feste saint Leurent (Gaut. d'Aup.).*

robechon n. m. (XIIIᵉ s., *Pastor.*; dimin. de *Robert*, n. propre). Petit robin : *Ces robins et ces robechons A danser ne se faindent pas (Pastor.).*

robor n. f. (1344, *Lettre*; lat. *robur*, *-oris*). Force, autorité. ◆ **roborer** v. (1295, *Charte*). 1° Fortifier, renforcer. — 2° Confirmer, ratifier.

roc n. m. (1180, *R. de Cambr.*; esp. *roque,* de l'arabo-persan). Nom de la tour au jeu d'échecs.

roche n. f. (déb. XIIᵉ s., *Voy. Charl.*; lat. pop. **rocca,* probabl. prélatin). 1° Roche, rocher. — 2° Château fort bâti sur une roche. — 3° Maison, cave, souterrain. — 4° Crèche *(Ysopet Lyon).* — 5° Carrière de pierres. ◆ **rochier** v. (1160, *Eneas*). Faire rouler, lancer des pierres. ◆ **rochoi** n. m. (1170, *Percev.*), **-eroi** n. m. (1160, Ben.), **-erie** n. f. (XIIᵉ s., *Enf. Godefr.*). Rocher, roc. ◆ **rochiere** n. f. (1170, *Fierabr.*). Roche. ◆ **rochal** n. m. (1170, *Percev.*). Rocher, amas de roches. ◆ **rochele** n. f. (XIIIᵉ s., *Pastor.*). 1° Château fort (dimin.). — 2° Éclat de roche. ◆ **rochet** n. m. (1112, *Saint Brand.*). Roc, falaise. ◆ **rochete** n. f. (1318, *Cart.*). Petit quartier de roche. ◆ **rocheter** v. (1263, *Arch.*). Extraire de la pierre. ◆ **rocher** adj. (XIIᵉ s., *Horn*). Rocheux.

I. rochet n. m. (XIIᵉ s.; francique **hrok*). 1° Surplis de prêtre. — 2° Robe des gens du peuple, espèce de blouse ou de sarrau, pour hommes et pour femmes (1265, G.).

II. rochet n. m. (fin XIIᵉ s., Couci; francique **rokka,* quenouille). Tampon fixé à l'extrémité de la lance courtoise qui la rendait propre aux tournois.

III. rochet n. m., roc, falaise. V. ROCHE, rocher, roche.

rodion n. m. (1260, Br. Lat.; orig. obsc.). Sorte de faucon.

roe n. f. (XIIIᵉ s.), **rode** n. f. (Xᵉ s.; lat. *rota*). 1° Roue. — 2° Tour de potier. — 3° Pilori. — 4° Palissade. 5° *A roe, a la roe,* à la ronde. ◆ **roet** n. m. (XIIᵉ s., *Chev. cygne*). Roue. ◆ **roete** n. f. (fin XIIIᵉ s., Macé). Petite roue. ◆ **roel** n. m. (1316, *Arch.*). 1° Roue. — 2° Rond. ◆ **roele** n. f. (1119, Ph. de Thaun). 1° Petite roue, roue en général. — 2° Roue de la Fortune, destin. — 3° Bouclier rond, rondache. — 4° Tout objet ayant une forme ronde et plate : molette d'éperon, pièce de monnaie, rotule, sorte d'instrument de musique, etc. ◆ **roer** v. (1210, *Best. div.*). 1° Tourner, tournoyer. — 2° Rouler, faire rouler. — 3° Circuler, röder. ◆ **roage** n. m. (1268, E.Boil.). 1° Ensemble de roues. — 2° Transport sur roues. — 3° Droit seigneurial sur les voitures. ◆ **roé** adj. (1080, *Rol.*). 1° Roué, arrondi. —

2° Orné de figures de roue, de rosaces : *targe roee, palie roé, drap roé,* etc. ◆ **roier** n. m. (XIIIe s., *J. de Garl.*). Fabricant de roues, charron.

roeillier v. (1180, *R. de Cambr.;* lat. pop. **roticulare,* de *rota,* roue, infl. par *œil*). 1° Rouler. — 2° Rouler (en parlant des yeux). — 3° Rouler les yeux : *Vers l'apostoile comence a roeillier* (*Cour. Louis*). — 4° Regarder q'un d'un air menaçant ou étonné. — 5° Battre, frapper : *Je sui batuz, je sui roieluz* (*Fabl.*). ◆ **roeille** n. f. (1277, *Rose*). Colère exprimée par le roulement des yeux.

roeler v. (1170, *Fierabr.;* v. *roele,* roue). 1° Rouler. — 2° *Roeler les ieus,* rouler les yeux. — 3° Tourner en rond. — 4° Jouer de l'instrument appelé *roele.* ◆ **roeleis, roleis** n. m. (1160, Ben.). 1° Action de rouler, de faire rouler. — 2° Retranchement, palissade de troncs d'arbres et de fascines roulées. — 3° Mêlée de combattants.

roer v. V. ROIR, rouir.

rofe n. f. v. RAFLE, gale, teigne.

I. **roge** adj. (XIIe s., *Macch.;* lat. *rubeum,* rougeâtre). Rouge. ◆ **roget** adj. (1162, *Fl. et Bl.*). 1° Un peu rouge, rougeâtre. — 2° n. m. Bœuf rouge (*Auc. et Nic.*). ◆ **rogeier** v. (1160, Ben.). 1° Rougir. — 2° Rougeoyer. — 3° Etre rouge. ◆ **rogeoiant** adj. (1180, *R. de Cambr.*). Rougissant, rouge.

II. **roge** n. f. V. ROIGE, seigle.

rogne n. f. (1265, *J. de Meung;* lat. *aranea,* araignée, altéré en *ronea). Gale.

rogue adj. (1265, *J. de Meung;* orig. incert.; peut-être du scand. *hrôkr,* arrogant). Dur, pénible.

I. **roi** n. m. (1170, *Fierabr.;* cf. germ. *raidjan,* arranger). 1° Règle, mesure, ordre : *Moult savés bien vos roi d'amour servir* (*Chans.*). — 2° Rang : *Quel part que il se tort a les rois esclaris* (*Fierabr.*).

II. **roi** adj. V. ROIT, ferme, dur, raide.

roiament n. m. (XIIe s., *Barbast.*). V. RAEMENT, rédempteur.

roide adj. f., **roit,** dur, rude, raide, escarpé. ◆ **roidece** n. f. (XIIIe s., *Gloss. lat.-fr.*). Raideur, rigidité. ◆ **roideté** n. f. (1288, J. de Priorat). Qualité de ce qui est rude. ◆ **roidor** n. f. (1190, Garn.). Raideur. ◆ **roidoier** v. (1170, *Percev.*). 1° Rester droit, raide. — 2° Devenir plus fort. — 3° Se raidir, regimber : *Il sent son ceval qu'il redoie* (*Percev.*).

I. **roie** n. f. (1160, *Eneas;* gaul. *rica,* en bas lat. *riga,* VIIe s.). 1° Sillon, entre-deux des sillons. — 2° Mesure de terre. — 3° Limite, frontière. — 4° Raie creuse du dos : *Tu as pris mult vilain mestier, Tu nos monstres ta roie* (*Rom. et past.*). — 5° *Remetre a droite roie,* faire rentrer dans le bon chemin. — 6° Sorte de jeu. ◆ **roier** v. (1204, *R. de Moil.*). Tracer un sillon. ◆ **roiage** n. m. (1242, *Cart.*). Pièce de terre entre deux sillons tracés par le laboureur. ◆ **roiere** n. f. (1150, Wace). Entre-deux des sillons, ornière, rigole. ◆ **roion** n. m. (déb. XIIe s., *Ps. Cambr.*). 1° Sillon, fosse, rigole. — 2° Éminence, talus de vigne. ◆ **roier** n. m. (1360, *Arch.*). Voisin, contigu, qui n'est séparé que par un sillon. ◆ **roié** adj. (XIIIe s.). 1° Rayé, à raies. — 2° n. m. L'étoffe rayée.

II. **roie, raie** n. f. Filet de pêche. V. RAIE, même mot.

roietel n. m. (1277, *Rose;* dimin. de *roi*). 1° Roitelet, oiseau. — 2° Petit roi (Godefr. de Paris).

roife, roifle n. f. V. RAFLE, gale, teigne.

roige n. f. (XIIIe s., *Livr. de Jost.;* germ. *rog*). Seigle.

roil n. m. (1120, *Ps. Oxf.;* lat. pop. *robiculum,* pour *robigo*). 1° Rouille. — 2° Boue, fange : *Cist garez est plain de rouiz* (*Trist.*). — 3° Saleté : *ruil de pechiet* (saint Grég.). — 4° Maladie des plantes appelée *rouille.*

roille n. f. V. REILLE, barre, latte, ais, cheville, chaînette.

roine n. f. V. REINE, reine.

roion n. m. (XIIe s., *Asprem.;* lat. *regionem*). 1° Pays, région : *Li gaste son roion* (*Asprem.*). — 2° Royaume.

I. **roir** v. (1265, J. de Meung; francique *rotjan). 1° Rouir. — 2° Croupir : *Ne nous laissons couver en pechié ne roir* (J. de Meung). ◆ **roise** n. f. (XIVe s.). Rouissage, rouissoir. ◆ **roissoir** n. ı. (XIIIe s., *Fabl. d'Ov.*). 1° Rouille. — 2° Saleté. ◆ **roer** v. (XIIIe s.). Rouir. ◆ **roe** n. f. (1244, *Arch.*). Rouissage.

II. **roir** v. (1160, Ben.; v. *oir*, entendre). Entendre d'un autre côté : *Roiez que diront cist seignor* (Ben.).

rois, roit n. m. ou f. (1160, *Eneas;* lat. *retis*, filet). Rets, filet. ◆ **roisel** n. m. (1277, *Rose*). Rets, réseau.

roisant adj (1204, R. de Moil.; lat. *recentem*). 1° adj. Frais. — 2° n. m. La fraicheur, le frais *(Cant. des cant.).*

roisin n. m. V. RESIN, raisin.

roisne n. f. (XIIIe s., *Fabl.;* lat. vulg. *rucina, pour *runcina*). Tarière.

roissole, rossole n. f., rissole. Voir ROS, roux.

I. **roiste** adj. (1160, Ben.; orig. obsc.) 1° Rude, raide : *Roiste ert le montee (Cant. des cant.).* — 2° Escarpé : *un sentier roiste et estreit* (Ph. de Nov.). — 3° n. m. Raideur, escarpement. — 4° n. m. Revers. ◆ **roistece** n. f. (1160, Ben.). Pente, raideur : *Les rosteces des montagnes* (saint Bern.). ◆ **roistor** n. f. (XIIe s., *Asprem.*). Pente raide. ◆ **roistal** adj. (XIIe s., *Horn*). Rude, vigoureux.

II. **roiste** adj. V. RUISTE, fort, rude, dur.

I. **roit** adj. m., **roite, roide** fém. (déb. XIIe s., *Voy. Charl.;* lat. *rigidum*). 1° Ferme, dur : *Coment je sais del roit espieu ferir* (Gar. Loher.). — 2° Rude, ferme (au sens moral) : *Les plus foys fach amolier* (J. de Condé). — 3° Raide : *Li corps sont cy mort, tuit froit, tuit roit (G. de Rouss.).* — 4° Escarpé, abrupt. — 5° adv. Rudement. — 6° *Ce roit fait que,* loc. conj., Aussitôt que.

II. **roit** n. m. ou f. V. ROIS, rets, filet.

role n. m. (1190, J. Bod.; lat. *rotulum*, rouleau). 1° Écrit, rouleau. — 2° Liste,

acte. ◆ **rolet** n. m. (1220, *Saint-Graal*). 1° Rouleau de papier, écrit. — 2° Rôle d'équipage (1357, *Cart.*). ◆ **rolee** n. f. (1287, *Arch.*). Étable faite de fagots.

roleis n. m., mêlée, fortification. Voir ROELER, rouler.

roler v. (fin XIIe s., *Gar. Loher.;* forme réduite de *roeler*, rouler). Fourbir, en parlant d'armures. *Roler le haubert de* q'un, le charger de coups.

romans, -ant n. m. et adj. m., **romance** adj. f. (1155, Wace; lat. pop. *romanice, « à la manière des Romains », par opposition aux Francs). 1° La langue courante, par opposition à la langue savante, le latin. — 2° Récit, en prose ou en vers, en langue vulgaire : *La bataille dura, ce dient li rommant (Chev. cygne).* — 3° Récit en général. — 4° Langage, discours, conversation : *Sire, dit li cuens Forques, antandez mon romans* (J. Bod.). ◆ **romancier** v. (1229, G. de Montr.). 1° Parler, écrire en langue vulgaire. — 2° Raconter. ◆ **romanceor** n. m. (1175, Chr. de Tr.). Écrivain en langue vulgaire.

romier n. m. (XIIIe s.), **romel** n. m. (XIIe s., *G. de Rouss.;* v. *Rome,* nom de ville). 1° Pèlerin qui va à Rome, ou en revient. — 2° Pèlerin, en gén. : *Herbergiez ist romieus, lui e s'oisor (G. de Rouss.).* ◆ **romipede** n. m. (XIIIe s., *Chron. Saint-Denis*). Pèlcrin. ◆ **romoisin** n. m. (1138, *Saint Gilles*), **romoisis** n. m. (fin XIIe s., *Aym. de Narb.*). Sorte de monnaie romaine, de très peu de valeur.

rompre v. (1080, *Rol.;* lat. *rumpere*). Briser, déchirer. ◆ **rompeure** n. f.; (XIIIe s., *Livr. de Jost.*). Rupture, brisure, déchirure.

ronce n. f. (1175, Chr. de Tr.; lat. *rumicem*, ronce en bas lat.). Ronce. ◆ **roncee** n. f. (1112, *Saint Brand.*). Amas de ronces. ◆ **ronçoi** n. m. (XIIe s., *B. d'Hanst.*). 1° Buisson de ronces. — 2° Ronceraie. ◆ **ronçoi** n. m. (1286, *Cart.*), **-el** n. m. (1350, G. li Muisis), **-eroi** n. m. (1210, *Best. div.*), **enai** n. m. (v. 1180, *Cart.*). Terrain couvert de ronces.

ronchier v. (1260, A. de la Halle; bas lat. *roncare*, ronfler). Ronfler.

roncin, ronci n. m. (1080, *Rol.;* orig. obsc.). Cheval de somme et de trait, généralement de peu de valeur : *Qui pert roncin, il li rendra destrier (Cour. Louis).* ◆ **roncine** n. f. (1285, *Charte*). Jument. ◆ **roncinet** n. m. (XIIᵉ s., *B. d'Hanst.*). Petit cheval. ◆ **ronciner** v. (1321, *Cart.*). 1º Travailler comme un *roncin*. — 2º Imposer le service du *roncinage* (1321, *Cart.*). ◆ **roncinage** n. m. (1377, *Arch.*). Service d'un cheval que le vassal devait à son seigneur.

rondel n. m. (1284, *Arch.;* v. *roont*, rond). 1º Danse en rond, ronde. — 2º Mesure agraire. — 3º Clou à tête ronde. — 4º Divers objets de forme ronde. ◆ **rondele** n. f. (fin XIIᵉ s., saint Grég.). 1º Petit bouclier rond. — 2º Divers menus objets de forme ronde. ◆ **rondet** n. m. (1288, *Ren. le Nouv.*). Rondeau. ◆ **rondir** v. (1243, G. de Metz). Arrondir. ◆ **rondeler** v. (fin XIIᵉ s., *Ogier*). Rouler.

rongier v.(fin XIIᵉ s., Delb.; lat. *rumigare*, ruminer). 1º Ruminer. — 2º Ruminer dans son esprit. — 3º Entamer, ronger. ◆ **ronge** n. f. (1176, E. de Fougères). 1º Rumination. — 2º Renvoi, rot. — 3º Ressouvenir, remords.

rongnie n. f. (XIIIᵉ s., *Rom. et past.;* v. le suivant?). Coup : *Li a doné tel rongnie Qu'il le fist verser (Rom. et past.).*

rooignier v. (1160, Ben.; lat. pop. *rotundiare*, de *rotundus*, rond). 1º Couper en rond, couper autour, tonsurer. — 2º Couper les cheveux à. *Halt rooignié*, tonsuré. — 3º Trancher la tête. — 4º Couper, trancher en général : *Fist roignier Ses beles tresches (Artur).* ◆ **rooigneure** n. f. (v. 1100, D.). Tonsure, coupe des cheveux. ◆ **roogneis** n. m. (XIIIᵉ s.). Morceau rogné.

rooillier v. V. ROEILLIER, rouler les yeux, battre.

roont adj. (1155, Wace; lat. *rotundum*). Rond. ◆ **roondece** n. f. (1220, *Saint-Graal*). 1º Rondeur, rond. — 2º Globe. ◆ **roonder** v. (fin XIIᵉ s., *Alisc.*). 1º Arrondir. — 2º Entourer. — 3º Faire le cercle.

roorte n. f. V. REORTE, lien d'osier.

roper v. V. REUPER, roter, cracher.

ropie n. f. (1265, J. de Meung; orig. obsc.). Humeur du nez. ◆ **ropios** adj. (XIIIᵉ s.). Qui a l'humeur pendant au nez, morveux.

rore v. (1160, *Eneas;* lat. *rodere*). Ronger : *Mon pain chescun jour [...] soloies rore (Ysopet Lyon).*

rorte n. f. V. REORTE, lien d'osier.

I. **ros** n. m. (1190, J. Bod.; allem. *Ross*, coursier). Cheval : *Beraus s'est mis sor le ros d'Oriant (Loher.).*

II. **ros** n. m. (980, *Passion;* germ. **raus;* cf. all. *Rohr*). Roseau, chaume. ◆ **rosel** n. m. (fin XIIᵉ s., *Trist.*). 1º Petit roseau. — 2º Sorte de joute avec des roseaux. ◆ **roselet** n. m. (XIIᵉ s., *Ysopet*). Petit roseau. ◆ **rosin** n. M. (XIIIᵉ s., Th. de Kent), -**eroi** n. m. (1295, G. de Tyr), -**iere** n. f. (XIIIᵉ s., *Conq. Jérus.*), -**eliere** n. f. (1240, *Charte*). Lieu où il pousse des roseaux.

III. **ros** adj. (fin XIIᵉ s., *Cour. Louis;* lat. *russum*). Roux. ◆ **rosset** adj. (1190, J. Bod.). 1º Un peu roux, roussâtre. — 2º n. m. Sorte de drap brun. ◆ **rossel** adj. (fin XIIᵉ s.). Roussâtre. ◆ **rossole, roissole** n. f. (fin XIIᵉ s., *Alisc.;* lat. pop. *russeola*, rougeâtre). Rissole, sorte de gâteau.

rose n. f. (1155, Wace; lat. *rosa*). Rose. ◆ **rosete** n. f. (1204, R. de Moil.). Petite rose. ◆ **rosin** adj. (1175, Chr. de Tr.). De rose, couleur de rose. ◆ **rosinet** adj. (XIIIᵉ s., *Lapid. fr.*). Couleur de rose. ◆ **rosal** adj. (fin XIIIᵉ s., B. de Condé). Rose. ◆ **rosé** adj. (1204, R. de Moil.). Couvert de roses. ◆ **rosade** adj. fém. (1160, *Eneas*). *Eve rosade*, eau de rose *(Eneas).* ◆ **rosier** n. m. (1175, Chr. de Tr.). 1º Buisson de roses. — 2º Jardin rempli de roses. ◆ **rosoier** v. (XIIIᵉ s., *Rom. et past.*). Avoir la couleur de la rose, être rouge.

rosee n. f. (1080, *Rol.;* lat. pop. *rosata*, de *ros, roris*, rosée). Rosée. ◆ **roseler** v. impers. (1180, *Rom. d'Alex.*). Tomber de la rosée. ◆ **roseillier, -illier** v. impers. (1220, Coincy). 1º Tomber de la rosée, faire de la rosée. — 2º Faire tomber en rosée : (Les grâces) *Que ciel de sur toi roussillerent et plurent (Coincy).*

rossignel n. m. (1175, Chr. de Tr.; anc. prov. *rossinhol*). Rossignol. ◆ **rossignot** n. m. (XIVᵉ s., *G. de Rouss.*), **-illon** n. m. (XIVᵉ s., *G. de Rouss.*). Rossignol. ◆ **rossignolerie** n. f. (1258, *Arch.*). Lieu peuplé de rossignols.

rostegier v. (1321, *Cart.*; v. *ostagier*). 1° Cautionner. — 2° Rançonner.

roster v. (1155, Wace; v. *oster*). 1° Enlever, retirer, priver : *Les armes lor firent roter* (Wace).

rostir v. (1175, Chr. de Tr.; francique **raustjan*). Rôtir. ◆ **rost** n. m. (1180, *Rom. d'Alex.*). 1° Rôti. — 2° Chaleur brûlante. ◆ **rostel** n. m. (1348, *Arch.*). Gril. ◆ **rosticr** n. m. (1204, R. de Moil.). Gril, rôtissoire.

I. rot adj. (1175, Chr. de Tr.; lat. *ruptum*, p. passé de *rumpere*, rompre). 1° Rompu, brisé, fêlé : *En sont ambui les manches rutes* (Chr. de Tr.). — 2° Interrompu : *Et fu la fieste route (Chev. cygne)*. — 3° Annulé. ◆ **rote** n. f. (1175, Chr. de Tr.). 1° Troupe d'hommes d'armes, troupe fractionnée. — 2° Compagnie, suite : *Bele ert la route quant il* (le roi) *vint a Paris (Loher.)*. — 3° Rangée. *De rote*, de suite, à la suite : *Li donnast .II. coups de route* (Aden.). — 4° Usurpation. — 5° Coupe de bois (1318, *Arch.*). ◆ **roter** v. (1308, *Cart.*). Rompre. ◆ **roture** n. f. (1170, *Percev.*). 1° Rupture, fracture, crevasse. — 2° Terre rompue, récemment défrichée. — 3° Redevance due a un seigneur pour une terre à défricher. — 4° Plaie ouverte *(Mir. Saint Louis)*. ◆ **rotier** n. m. (1260, Mousk.). Soldat d'aventure faisant partie d'une bande armée.

II. rot n. m., action de roter. V. ROTER, roter.

I. rote n. f. (XIIᵉ s., *Trist.*; lat. [*via*] *rupta*, voie rompue, frayée). 1° Chemin percé dans une forêt, sentier, piste. — 2° Route, voie. ◆ **roter** v. (1313, Godefr. de Paris). Faire route, aller, marcher. ◆ **rotier** n. m. (1220, Coincy). Vagabond. ◆ **roteor** n. m. (1329, *Arch.*). Vagabond, voleur de grand chemin.

II. rote n. f. (1175, Chr. de Tr.; germ. *hrôta*). Instrument de musique du genre de la vielle ou du violon. ◆ **roter** v. (déb. XIIᵉ s., *Voy. Charl.*). Jouer de la *rote*. ◆ **roterie** n. f. (XIIᵉ s., *G. de Rouss.*). 1° Action de jouer. — 2° Air joué sur la rote. ◆ **rotoier** v. (XIIIᵉ s., *Pastor.*). Jouer de la *rote*. ◆ **roteor** n. m. (XIIᵉ s., *Horn*). Joueur de rote.

III. rote n. f., troupe, compagnie, rangée. V. ROT, rompu.

IV. rote n. f., action de roter. V. ROTER, roter.

I. roter v. (1160, *Eneas;* bas lat. *ruptare*, altér. de *ructare*). Roter. *Roter l'ame*, rendre le dernier soupir. ◆ **rot** n. m. (XIIIᵉ s.), **rote** n. f. (XIIIᵉ s., *Lapid. fr.*). Action de roter.

II. roter v., rompre. V. ROT, rompu.

III. roter v., faire route, marcher. Voir ROTE, chemin, route.

IV. roter v., jouer de la *rote*. V. ROTE, instr. de musique.

rotruenge, retruenge n. f. (1169, Wace; orig. incert.). 1° Chanson à refrain. — 2° Ritournelle, redite. ◆ **rotruengier** v. (XIIIᵉ s., *Pastor.*). Chanter une rotruenge.

rover v. (980, *Passion;* lat. *rogare*, demander, prier). 1° Demander. — 2° Mendier. — 3° Prier, implorer. — 4° Commander, ordonner : *Li sains ordres le nous rueve (Ren.)*. — 5° *Se rover*, en rover, s'en rever, réclamer, vouloir, se soucier. ◆ **rovaison** n. f. (1119, Ph. de Thaun). 1° Prière. — 2° Prière de rogations. ◆ **roveor** n. m. (XIIIᵉ s., Tailliar). Celui qui provoque, qui incite.

rovir v. (déb. XIIᵉ s., *Ps. Cambr.*; lat. pop. **rubire*, pour *rubere*). Rougir. ◆ **rovor** n. f. (XIIᵉ s., Marb.). Rougeur. ◆ **rovel** adj. et n. m. (XIIᵉ s., *Ysopet*, I). 1° Rouge, rougeâtre. — 2° n. m. Nom du chien dans les fabliaux. ◆ **rovelin** n. m. (1170, *Percev.*). Soulier de peau non préparée. ◆ **rovecel** n. III. (XIIᵉ s., *Proth.*). Rouge, fard. ◆ **rovent** adj. (1138, *Saint Gilles*). 1° Rouge, rougissant. — 2° Vermeil, frais. ◆ **rovelant** adj. (1170, *Percev.*).

Rouge, rougissant, rose. ◆ **rovelain** adj. (fin XIIIe s., Guiart). Roux, rouge. ◆ **rovin** adj. (XIIIe s., *Maug. d'Aigr.*). Rouge, vermeil. ◆ **rovezi** adj. (XIIe s., *G. de Rouss.*). Rougi.

ru, riu n. m. (1180, *R. de Cambr.*; lat. *rivum*). 1° Ruisseau : *Par la face li cort li ru Des lermez (Saint Eust.). A ru, a grant ru*, à flots. — 2° Bord, rivage. ◆ **ruel** n. m. (XIIe s.). Petit ruisseau. V. RUI, RIF.

rubeste, rubestre adj. (1080, *Rol.*; lat. *robustus*). 1° Apre, sauvage, violent (en parlant des choses) : *Tant flueve grant, fier et rubeste (G. de Palerne).* — 2° En parlant des personnes : *Crie haut con sauvaige bieste Et fait ciere amere et rubieste (J. de Condé).*

rubi n. m. (XIIe s., *Part.*; lat. médiév. *rubinus*, pour *rubeus*). Rubis. ◆ **rubiet** n. m. (1285, Aden.). Petit rubis.

rubriche n. f. (XIIIe s., *Ass. Jérus.*; lat. *rubrica*, terre rouge). 1° Titre en lettres rouges des missels. — 2° Titre de rubrique. — 3° Règles de la liturgie. ◆ V. REBRICHIER, enregistrer, censurer.

rude adj. (1213, *Fet Rom.*; lat. *rudis*, brut). 1° Brut. — 2° Ignorant, incapable. — 3° Dur. ◆ **ruderie** n. f. (XIIIe s., G.), **-esse** n. f. (fin XIIIe s., Ruteb.). Rudesse, ignorance.

rue n. f. (1080, *Rol.*; lat. *ruga*, chemin en lat. pop.). 1° Voie bordée de maisons, rue, quartier. — 2° Village : *E li pastor e li bovier estoient tuit d'une rue (Saint Eust.).* ◆ **ruele** n. f. (1138, D.). Ruelle, impasse. ◆ **ruage** n. m. (1330, *Charte*). Rue, quartier.

ruef n. m. (1260, *Arch.*; v. *rover*, demander). 1° Demande. — 2° Sorte de redevance.

ruele n. f. V. RIEULE, règle, principe.

ruer v. (1160, *Eneas*; bas lat. *rutare*, intensif du lat. class. *ruere*, pousser violemment). 1° Lancer violemment, précipiter. *Une pierre ruant*, aussi loin que le jet d'une pierre *(Gaufrey)*. — 2° Jeter : *e la fist ruer en parfounde prisone (F. Fitz Warin).* — 3° Rejeter. ◆ **ruee** n. f. (1170, *Fierabr.*). Portée d'un objet lancé.

◆ **ruement** n. m. (1306, Guiart). Action de lancer. ◆ **rueor** n. m. (1288, J. de Priorat). Celui qui lance.

ruever v. V. ROVER, demander, prier, ordonner.

rufle n. m. et f. (1290, *Invent.*; v. *rafle*, instr. pour racler le feu). Sorte de pelle en fer.

rufor n. f. (XIIIe s., *Lapid. fr.*; v. lat. *rufus*, roux). Rousseur, couleur rousse.

rugir v. (1120, *Ps. Oxf.*; lat. *rugire*; v. *ruir*, forme ordinaire). Rugir. ◆ **rujement** n. m. (déb. XIIe s., *Ps. Cambr.*). Rugissement : *Mes Rujemenz est alsi com aiwes enundanz (Job).*

rui n. m. (1160, Ben.; lat. *rivum*; v. *ru*, *riu*, *rif*). Ruisseau. *A rui, par ruis*, à flots. ◆ **ruiel, ruel** n. m. (fin XIIe s., *Loher.*). Ruisseau. ◆ **ruiot, riot** n. m. (1180, *Rom. d'Alex.*). 1° Petit ruisseau, canal pour l'écoulement des eaux. — 2° Ravin. — 3° Bord d'un ruisseau. ◆ **ruiotel** n. m. (1260, A. de la Halle). Petit ruisseau, conduit. ◆ **ruisel** n. m. (1160, *Eneas*), **ele** n. f. (déb. XIVe s., *F. Fitz Warin*). Ruisseau. ◆ **ruisson** n. m. (1204, R. de Moil.), **-ot** n. m. (XIIIe s., *Arch.*). Ruisseau, égout.

ruige adj. V. ROGE, rouge.

ruin n. m., murmure, bruit. V. RUNER, ruminer, murmurer.

ruine n. f. (1355, Bers.; lat. *ruina*). Écroulement. ◆ **ruiner** v. (mil. XIIIe s.). 1° Faire écrouler. — 2° Jeter à terre. ◆ **ruineus** adj. (XIIe s.). 1° Qui cause la ruine. — 2° Qui menace ruine (1327, J. de Vignay).

ruir v. (1190, saint Bern.; lat. *rugire*). Rugir. ◆ **ruissement** n. m. (fin XIIe s., saint Grég.). Rugissement. ◆ **ruiant** adj. (XIIe s., *Ps.*). Rugissant.

ruiste, ruste adj. (déb. XIIe s., *Ps. Cambr.*; lat. *rusticus*). 1° Fort, vigoureux : *Qui moult fu grans, hardis et fier, Et moult ruistes et combatans (Percev.).* — 2° Rude, violent, terrible : *Bien maintenra mon regne par ses ruistes fiertes*

(Mainet). — 3° Dur à traverser, à gravir. — 4° Très grave. ◆ **ruistique** adj. (XIIᵉ s., *Part.*). Féroce. ◆ **ruistal** adj. (1190, J. Bod.). Fort, vigoureux. ◆ **ruistece** n. f. (1160, Ben.). 1° Violence, rudesse. — 2° Férocité. ◆ **rustie** n. f. (XIIIᵉ s., *Doon de May.*). 1° Grossièreté. — 2° Violence. — 3° Tapage. *Mener, faire rustie,* faire un grand vacarme, en se battant, en buvant, etc. ◆ **rusteier** v. (1190, Garn.). Rudoyer, combattre vivement. ◆ **ruisteler** v. (1230, *Eust. le Moine*). Marcher rudement.

ruit n. m. (1160, *Eneas;* lat. *rugitum,* de *rugire,* rugir). 1° Rugissement. — 2° Braiment du cerf quand il est en rut. — 3° Rut *(Eneas).* — 4° Tumulte, bruit désordonné.

rule n. f. V. RIEULE, règle, principe.

rumor n. f. V. REMOR, bruit, guerre, querelle.

runer v. (1130, *Job;* lat. *ruminare).* 1° Ruminer. — 2° Murmurer, chuchoter : (Dieu) *ne parolet mie a nos, anz runet (Job).* ◆ **ruin** n. m. (1220, *Saint-Graal*). Murmure, bruit. ◆ **runement** n. m. (1130, *Job*). Chuchotement, murmure.

ruser v. V. REUSER, reculer, tromper.

ruvel n. m. V. REVEL, rébellion.

S

sa adj. possessif se rapportant à la 3ᵉ pers., cas sujet et cas régime singulier, féminin. ◆ V. TABLEAU DES POSSESSIFS, p. 422.

saas n. m. (XIIIᵉ s.; bas lat. *setacium,* soie de porc, crin). 1° Tissu de crin ou de soie. — 2° Sas. ◆ **saacier** v. (fin XIIᵉ s., D.). Passer au sas, au tamis.

sabain n. m. (fin XIIᵉ s., saint Grég.; lat. *sabanum,* linge). Linge pour envelopper ou essuyer, linceul.

sabat n. m. (fin XIIᵉ s., *Rois;* lat. eccl. *sabbatum,* du grec). 1° Jour de repos des juifs. — 2° Réunion nocturne des sorciers. — 3° Tapage. ◆ **sabateis** n. m. (XIIIᵉ s., *Gauvain*). Bruit, tumulte.

sable n. m. (1169, Chr. de Tr.; lat. médiév. *sabellum,* d'orig. slave). 1° Martre zibeline. — 2° Fourrure noire. ◆ **sabelin** adj. et n. m. (1080, *Rol.*). 1° Doublé ou garni de zibeline. — 2° Supérieur : *Je sui* (le vin de La Rochelle) *des vins li sebelins* (H. d'Andeli). — 3° n. m. Zibeline.

sablon n. m. (1150, *Thèbes;* lat. *sabulonem*). 1° Sable. — 2° Plage de sable. ◆ **sabloi** n. m. (1180, *Rom. d'Alex.*). 1° Sable. — 2° Plaine de sable. ◆ **sablonoi** n. m. (1160, Ben.), **-al** n. m. (fin XIIᵉ s., *Ogier*), **-ier** n. m. (fin XIIᵉ s., *Ogier*), **-ee** n. f. (XIIIᵉ s., *Gaufrey*), **-oie** n. f. (1200, *Quatre Fils Aymon*), **-os** n. m. (fin XIIIᵉ s., *Anseis*), **-cel** (XIIᵉ s., *Chétifs*). 1° Sable, amas de sable. — 2° Terrain sablonneux, plaine de sable. ◆ **sablonaille** n. f. (1275, Aden.). Amas de sable, plaine de sable. ◆ **sablonière** n. f. (XIIᵉ s.). Carrière de sable. ◆ **sablonas** adj. (1335, Deguil.), **-ier** adj. (1210, *Best. div.*). Sablonneux. ◆ **sabloné** adj. (1295, Boèce). Composé de sable.

sabot n. m. (XIIᵉ s., D.; v. *bot,* botte, croisé avec *savate*). 1° Chaussure. — 2° Toupie. ◆ **saboter** v. (XIIIᵉ s., *Fabl. d'Ov.*). Heurter, secouer : *Si vont sabotant mon charroi Aus roches effraement* (*Fabl. d'Ov.*).

sac n. m. (XIᵉ s., *Alexis;* lat. *saccum,* du grec). Sac, poche. ◆ **sachet** n. m. (1190, saint Bern.). 1° Petit sac. — 2° Membre de l'ordre du Sac ou de la Pénitence de Jésus-Christ (1306, Guiart). ◆ **sachon** n. m. (XIIIᵉ s., J. Le March.), **sachel** n. m. (XIIIᵉ s., Chardry), **sachelet** n. m. (deb. XIIIᵉ s., R. de Clari). Petit sac, sachet, musette. ◆ **sachenoit** n. m. (av. 1290, *Arch.*). Sachet. ◆ **sacage** n. m. (1320, *Arch.*). Droit sur les denrées qui se mettent en sac. ◆ **sachier** n. m. (fin XIIIᵉ s., Ruteb.). 1° Fabricant de sacs. — 2° Sachet, membre de l'ordre du Sac.

sacerdot, -dos n. m. (1120, *Ps. Oxf.;* lat. *sacerdos*). Prêtre.

sachant adj. (1160, Ben.; p. prés. de *savoir*). 1° Instruit, savant, qui a de la science : *Sul Deus est sachanz e mestre* (Ben.). — 2° Qui a du savoir-vivre, habile.

sachier v. (1170, *Fierabr.;* lat. pop. **saccare,* de *saccus,* sac). 1° Tirer violemment, arracher. *Sachier resne,* tirer les rênes, ralentir la course du cheval. — 2° Dégainer : *Qui la bataille vit sans espee sacquie* (*Chev. cygne*). — 3° Débarrasser, purger : *s'il ne sunt anceois bien sachiet de lor humor* (saint Grég.). — 4° Tirer, retirer. — 5° Traîner : *Contremont le sacherent, si l'ont fait ancroer* (*Parise*). — 6° Épuiser : *Au jour d'ui par le siecle sont toutes bontes sakes* (G. li Muisis). — 7° Secouer, bousculer : *E lient ferm, sakent e butent* (Chardry). — 8° Bluter. — 9° Mettre à sac, saccager (G. li Muisis). ◆ **sachcor** n. m. (1342, *Arch.*). Celui qui tire, qui arrache, qui extrait.

sacle n. f. (1265, *Arch.;* lat. *sarcula,* v. *sarcler*). Sarcloir.

sacote n. f. (fin XIIIᵉ s., Ruteb.; orig. incert.; cf. *secorre,* secouer). Secousse, volée de coups : *Li uns save, li autre* *boute : si se donent mainte sacoute* (Ruteb.).

I. sacre n. m. (1298, M. Polo; arabe *çaqr*, épervier). Oiseau de proie. ◆ **sacrelet** n. m. (XIIᵉ s., Gace Brulé). Variété de sacre.

II. sacre n. m., consécration. V. SACRER, consacrer.

sacrefier v. (1119, Ph. de Thaun; lat. *sacrificare*). Sacrifier. ◆ **sacrefise** n. m. (1120, *Ps. Oxf.*), **-fiement** n. m. (1160, Ben.). Sacrifice.

sacrer v. (1138, Gaimar; lat. *sacrare*). 1º Consacrer. — 2º Faire la consécration à la messe. ◆ **sacrement** n. m. (1160, Ben.). 1º Sacre : *Au sacrement du roy* (Watriquet). — 2º Commémoration solennelle : *le sacrement de cest chaingement* (saint Bern.). — 3º Partie de la messe appelée consécration. — 4º Mystère. — 5º Serment : *Il en done lors saigremens sus lo seint evangere* (1260, *Arch.*). ◆ **sacre** n. m. (1175, Chr. de Tr.). Cérémonie de consécration : *Au saint sacre sacrer* (Chev. cygne). ◆ **sacration** n. f. (1160, Ben.). Sacre, consécration. ◆ **sacraire** n. m. (XIᵉ s., *Alexis*). Édicule à l'intérieur de l'église dans lequel on renfermait des vases sacrés.

sacriste, -istre n. m. (mil. XIIIᵉ s.; lat. *sacrista*, de *sacer*, sacré). Sacristain.

I. sade adj. (1204, *l'Escouffle*; lat. *sapidum*, savoureux). 1º En parlant des personnes, gracieux et doux, charmant, agréable : *Il parest tant sades et douz Que de douceur seuronda toz* (Coincy). — 2º En parlant des choses : *Lorsque sa main polie et sade Touché li a le pié malade Tous est sanez* (J. Le March.). — 3º Terme de caresse, mignon : *Mes dous, mes biax, mes cuers, mes sades* (l'Escouffle). ◆ **sadet** adj. (XIIIᵉ s., *Rom. et past.*). Gracieux, charmant. ◆ **sadaier** v. (fin XIIIᵉ s., J. de Meung). *Sadater la bouche, de bouche,* minauder, faire des mines : *Tant font le savoreux en venir, en aler, En sadaier la bouche, en regart, en parler* (J. de Meung).

II. sade n. f. V. SARDE, sardoine.

saer v. V. SEER, couper, scier, faucher.

safran n. m. (XIIᵉ s., D.G.; lat. méd. *safranum*, de l'arabe). Safran. ◆ **safleur** n. m. (1349, *Hist. Paris*). Safran.

safre n. m. (fin XIIᵉ s., *Aiol*; bas lat. *saphirus*, du grec). 1º Saphir. — 2º Orfroi servant d'ornement. ◆ **safrer** v. (1170, *Fierabr.*). Orner d'orfroi. ◆ **safré** adj. (1080, *Rol.*). Orné d'orfroi, de bandes de mailles dorées. ◆ **safre** adj. (1260, Mousk.). 1º Adonné au plaisir, goulu, glouton : *Que chil ribaut safre et friant Qui ches putains vont espiant* (Rose). — 2º Folâtre, vif, enjoué : *Ki biele fille avoit et safre* (Mousk.).

sagitaire n. m. (1119, Ph. de Thaun; lat. *sagittarius*, archer). 1º Archer. — 2º Signe du zodiaque. — 3º Monstre fabuleux *(Saint Gilles)*.

sagremor, sigamor n. m. (1180, *Rom. d'Alex.*; lat. *sycomorus*, du grec). Sycomore.

saie n. f. (1275, Aden.; lat. pop. *sagia, pl. neutre dér. de *sagum*, d'orig. celt.). Étoffe grossière de teinte sombre. ◆ **saier** n. m. (1270, *Arch.*). Marchand de *saies*.

saiel n. m. V. SEEL, sceau, lettre scellée, empreinte.

I. saier v. (XIIᵉ s., *Chev. cygne*; aphérèse de *essaier*, la première syllabe étant considérée comme préfixe). Essayer, éprouver : *Tu as sayet m'espee, ch'est du commenchement* (Chev. cygne). ◆ **sai, sa** n. m. (1346, *Arch.*). Essai.

II. saier n. m., marchand de tissus. V. SAIE, étoffe grossière.

III. saier v. V. SEER, couper, faucher.

saiete n. f. (1138, Gaimar; lat. *sagitta*, flèche). 1º Flèche. — 2º Pointe de flèche. ◆ **saietele** n. f. (XIIIᵉ s.). Flèche. ◆ **saieter** v. (1120, *Ps. Oxf.*). 1º Lancer les flèches contre. — 2º Percer de flèches : *Le dart de vanité ki tost a le cuer saieté* (R. de Moil.). ◆ **saietaire** n. m. (fin XIIᵉ s., *Alisc.*). 1º Archer. — 2º Centaure. — 3º Animal fabuleux.

saietie n. f. (1246, G.; orig. incert.). Bateau de guerre plus petit et plus rapide que la galère.

saige, saive adj. (XIᵉ s., *Alexis;* lat. pop. **sapium*, infl., pour le sens, par *sapiens*). 1º Savant, habile. — 2º Avisé, futé. — 3º *Sage de*, habile dans : *Qui prous fu et saives de guerre* (Wace). — 4º *Sage de* avec infinitif, habile à : *une mesaige mout apert et de parler saige* (R. de Blois). — 5º *Faire sage*, avertir, informer, instruire. ◆ **saget** adj. (XIIᵉ s.). Dimin. de *sage*. ◆ **sagement** adv. (1175, Chr. de Tr.). Judicieusement. ◆ **sagetment** adv. (1277, *Rose*). 1º Sagement. — 2º En bon ordre, sans confusion. ◆ **sageté** n. f. (XIIIᵉ s.). Sagesse.

saigne n. f. (mil. XIVᵉ s.; orig. incert., peut-être lat. pop. *sania*, pour *sanies*, sanie, ou du gaul. **sagna*). Terrain marécageux.

I. saignier v. (XIIᵉ s.; lat. *sanguinare*, de *sanguis*, sang). Saigner. ◆ **saigniere** n. f. (fin XIIᵉ s., *Alisc.*). Saignée.

II. saignier v. V. SEIGNIER, marquer d'un signe, faire signe à, faire le signe de la croix.

saillir, salir v. (1080, *Rol.;* lat. *salire*, couvrir une femelle). 1º Jaillir, surgir : *Contre lui en piés sali (Auc. et Nic.).* — 2º Jaillir, en parlant d'un liquide. — 3º Sautiller, pétiller, en parlant du vin (J. Bod.). — 4º Sauter, faire sortir : *Je te ferai les iex sallir (Pass. Palat.).* — 5º Danser. — 6º Couvrir une femelle. — 7º Sortir : *Mius voel morir que vivre mors. Sail de ton agait! (Rom. d'Alex.).* — 8º v. réfl. Échapper : *Uns de leur prisons en sailli (Meraugis).* ◆ **saillie** n. f. (XIIᵉ s., *Barbast.*). 1º Sortie. — 2º Lieu par où l'on sort. — 3º Attaque. ◆ **sailleis** n. m. (1220, Coincy). Saut, action de sauter. ◆ **sailleter** v. (XIIIᵉ s., *Fabl. d'Ov.*). Sauter. ◆ **sailleor** II. III. (fin XIIᵉ s., *Rots*). Sauteur, danseur.

saim, sain n. m. (1160, Ben.; lat. pop. **saginem*, pour *sagina*). 1º Graisse : *Li fondié le saim del ventre* (Ben.). — 2º Onguent. — 3º *Saim dous*, saindoux (XIIIᵉ s.). ◆ **saime** n. f. (XIIᵉ s., Evrat). Graisse.

I. saime n. f. (1268, E. Boil.; lat. *sagena*, du grec). Sorte de filet.

II. saime n. f., graisse. V. SAIM, graisse, onguent.

I. sain, sein n. m. (fin XIIᵉ s., *Ogier;* lat. pop. **setinum*, de *saeta*, soie de porc). 1º Lien, ceinture, sangle. — 2º Filet. ◆ **saion** n. m. (1200, *Aye d'Avignon*). Sorte de lien.

II. sain adj. (1175, Chr. de Tr.; lat. *sanum*). Sain. *Sain et haitié*, sain et sauf : *Quant les gentz virent lur seignour seyn et heyté revenuz (F. Fitz Warin).* ◆ V. SANER, guérir.

III. sain n. m. V. SEIN, mamelle.

IV. sain n. m. V. SEING, signe, sceau, cloche.

V. sain n. m. V. SAIM, graisse, onguent.

saint adj. et n. m. (Xᵉ s.; lat. eccl. *sanctus*). 1º adj. Saint. — 2º n. m. Le saint patron. — 3º Relique : *Nos avons bons sains en nostre eglise (Mir. Saint Louis).* ◆ **saintee** n. f. (1120, *Ps. Oxf.*). 1º Sainteté. — 2º Titre donné à l'évêque. ◆ **saintir** v. (1190, Garn.). 1º Sanctifier, rendre saint. — 2º Mettre au monde des saints, canoniser. — 3º Devenir saint. ◆ **saintoier** v. (1204, R. de Moil.). Rendre saint, déclarer saint. ◆ **saintissement** n. m. (1190, Garn.). Réputation de sainteté. ◆ **sainterel** n. m. (1138, *Saint Gilles*). Petit saint. ◆ **saintif** adj. (1277, *Rose*). Saint. ◆ **saintis** adj. (1260, Mousk.). Sanctifié, saint. ◆ **saintisme** adj. (XIᵉ s., *Alexis*). Très saint. ◆ **saintible** adj. (1190, saint Bern.). Qui sacrifie, qui bénit, salutaire. ◆ **saintel** adj. (1255, *Arch.*). Se dit d'un homme libre qui se fait serf d'un sanctuaire, d'une église. ◆ **sainteur** adj. (1284, *Charte*). 1º Serf d'un sanctuaire. — 2º n. m. Sanctuaire.

II. saint n. m. V. SEIN, cloche. ◆ **saintier** n. m. (1336, *Arch.*). Fondeur de cloches.

saintefier v. (XIIᵉ s.; lat. *sanctificare*). Sanctifier, rendre saint. ◆ **saintefiement** n. m. (1160, Ben.). 1º Sanctification. — 2º Sainteté. — 3º Sacrifice, offrande. ◆ **saintefieor** n. m. (fin XIIIᵉ s., Joinv.). Sanctificateur.

saintuaire n. m. (déb. XIIe s., *Ps. Cambr.*; lat. eccl. *sanctuarium*). 1° Reliquaire. — 2° Sanctuaire. — 3° Chose sainte, sacrée. — 4° Asile, droit d'asile accordé aux églises.

sairement, **serement** n. m. (842, *Serm.*; lat. *sacramentum*). 1° Serment. — 2° Sacrement. ◆ V. SEREMENTER, lier par serment.

saisir v. (1080, *Rol.*; lat. *sacire*, d'orig. incert., peut-être croisement du francique **sakjan*, renvendiquer, et **satjan*, mettre). 1° Mettre en possession, investir : *De cest mester vus saiserai* (*Rés. Sauv.*). — 2° Prendre possession, entrer en possession de. — 3° Saisir vivement. ◆ **saisie** n. f. (XIIe s.). Possession. ◆ **saisissement** n. m. (XIIe s., *Horn*). Action de saisir, saisine, possession. ◆ **saison** n. f. (XIIe s., *Chev. cygne*). Saisine, puissance. ◆ **saisine** n. f. (1138, *Saint Gilles*). 1° Action de saisir. — 2° Inféodation, le fait d'être saisi d'un fief : *Li rois li a ceint le baudré O la sessinme de son fié* (*Saint Eust.*). — 3° Possession, puissance : *Bien l'a Amors en sa saissine* (R. de Beauj.). — 4° Droit dû au seigneur pour la prise de possession d'un héritage relevant de lui. ◆ **saisineor** n. f. (1327, *Cart.*). Gardien d'effets saisis par la justice.

I. **saison** n. f. (XIIe s.; lat. *sationem*, semailles, saison de semailles). 1° Saison, période de temps. *En peu de saison*, en peu de temps. *De saison*, de bonne heure, prématurément. — 2° Prospérité, faveur. — 3° *Estre en saison*, être à propos. ◆ **saisoner** v. (1295, Boèce). Etre de saison, régner à son tour : *Apres printemps esté saisonne* (Boèce).

II. **saison** n. f., saisine, puissance. V. SAISIR.

saive adj. (XIe s., *Alexis*). V. SAIGE, habile, expert, avisé.

salcel n. m., petit saule, osier. V. SALS, saule.

I. **sale** n. f. (1080, *Rol.*; francique **sal*, masc. dev. fém.). Salle, pièce principale de l'habitation féodale où le seigneur recevait ses hôtes, rendait la justice, mangeait et parfois dormait : *La nuit,* *Qant ot li rois mengié, Par la sale furent couchié* (*Trist.*).

II. **sale** adj. (1285, Aden.; anc. haut allem. *salo*, trouble, terne). 1° Terne. — 2° Sale, souillé.

saler v. (1155, Wace; v. *sel*, sel). Mettre du sel. ◆ **salage** n. m. (1281, *Charte*). Droit de péage dû pour le sel voituré. ◆ **salier** n. m. (XIIe s., *Gloss.*). Salière. ◆ **saliniere** n. f. (1252, *Charte*). Saline. ◆ **saloir** adj. (1350, *Arch.*). Qui sert pour la salaison.

saleter v. (1170, *Percev.*; croisement de *salter*, sauter, et de *sailleter*, sautiller). Sauter, sautiller : *Li oisellon, de brance en brance, [...] vont saletant* (*Percev.*).

salf, **sauf** adj. (980, *Passion*; lat. *salvum*, entier, intact). 1° Sauvé (ecclés.). — 2° Qui est protégé, qui est en sécurité. *En sauf*, en sûreté : *Metés en sauf vo saintuaire* (A. de la Halle). ◆ **salf guionage** n. m. (XIIe s., *Chétifs*). Sauf-conduit. ◆ **salvemain** n. f. (1283, Beaum.). Sauvegarde, protection. ◆ **salvement** adv. (1080, *Rol.*). En sécurité, sain et sauf : *A son chastel les ramaint sauvement* (Loher.). ◆ **salveté** n. f. (XIe s., *Alexis*). 1° Action de sauver, le salut de l'âme. — 2° Sûreté, sauvegarde : *N'i poons demorer en nule salveté* (Rom. d'Alex.). *A salveté*, en sécurité. — 3° Somme d'argent due en rémunération d'une protection spéciale.

salir v. V. SAILLIR, jaillir, sauter, danser, sortir.

salme n. m. (1155, Wace; lat. eccl. *psalmus*, du grec). Psaume. ◆ **salmer** v. (XIIe s.), **-eier** v. (1160, Ben.). Psalmodier.

salmuire n. f. (XIe s., *Gloses Raschi*; lat. pop. **salmuria*). Saumure.

sals, **salz** n. m. et f. (1120, *Ps. Oxf.*; lat. *salix*). Saule. ◆ **salcel** n. m. (XIIe s., *Auberi*), **-ele** n. f. (1285, Aden.). Petit saule, osier. ◆ **salcil** n. m. (1189, *Cart.*). Lieu planté de saules. ◆ **saucis** n. m. (1271, *Arch.*), **saucoi** n. m. (XIIe s., *Chev. cygne*). Saussaie. ◆ **sauchinee** n. f. (1264, *Arch.*). Lieu planté de saules. ◆ **sauchin** adj. (1250, *Auberi de Bourg.*). De saule, d'osier.

salse adj. f. et n. f. (1080, *Rol.;* lat. pop. *salsa,* fém. subst. de *salsus,* salé). 1° adj. Salée (en parlant de la mer). — 2° Qui a le goût du sel. — 3° n. f. Salure, eau salée, eau de mer (Ben.). — 4° Sauce (Garn.). ◆ **salsé** adj. (1246, G. de Metz). Salé. ◆ **saussis** n. m. (1272, Joinv.). Saumure. ◆ **saucice** n. f. (XIIIe s.; lat. pop. *salsicia*). Saucisse. ◆ **saussier** n. m. (XIIIe s., J. de Garl.). Salière et saucière. ◆ **sausseron** n. m. (XIIIe s., J. de Garl.). Saucier, huilier, salière. ◆ **sauselet** n. m. (1350, *Arch.*). Saucière. ◆ **saussoire** n. f. (1347, *Invent.*). Saucière. ◆ **saussserie** n. f. (1304, *Arch.*). Partie de la cuisine. ◆ **saussier** n. m. (1285, *Ord.*). Officier de cuisine de la cour du roi.

salter v. (1175, Chr. de Tr.; lat. *saltare*). Sauter, bondir. ◆ **salt** n. m. (1080, *Rol.*). 1° Saut. — 2° Choc, secousse : *Le destrier souvent esperonne, Et le destrier granz saus li donne (Saint Eust.).* — 3° *Faire un saut,* se déterminer à un acte hasardeux : *A poi ferai por vos un saut (Pir. et Tisb.).* ◆ **saltet** n. m. (XIIIe s., *Pastor.*). Petit saut. ◆ **salteler** v. (fin XIIe s., *Alisc.*). Sautiller, bondir, sauter de joie : *La vie sent qui el cors li saltele (Alisc.).* ◆ **saltele** n. f. (XIIe s., *Florim.*). Sorte de castagnettes. ◆ **sauterel** n. m. (XIIIe s.). Sauterelle. ◆ **sauterele** n. f. (1335, Deguil.). 1° Danseuse. — 2° Sauterelle.

saltere n. m. (déb. XIIIe s., R. de Beauj.; lat. *psalterium,* du grec). Psaltérion, instr. de musique à cordes.

saltier n. m. (1119, Ph. de Thaun; lat. eccl. *psalterium*). Psautier, recueil de psaumes.

salu n. f. (Xe s.„ *Fragm. de Valenc.*), **salut** n. f. et m. (1080,`*Rol.;* lat. *salutem,* mais aussi déverbal de *saluer*). 1° Salut, salut éternel. — 2° Sauvegarde. — 3° Action de saluer, salutation. — 4° Ave Maria : *Salut la Dieu mere* (Coincy). ◆ **saluté** n. f. (1190, saint Bern.), **saluce** n. f. (1320, *Arch.*). Salut. ◆ **saluer** v. (1080, *Rol.*). 1° Souhaiter la santé, saluer. — 2° Sauver : *Si fiert la gens ke Dampnesdeus salue* (Herman). ◆ **saluement** n. m. (XIIe s., Herman),

-**ance** n. f. (1260, Br. Lat.), -**acion** n. f. (1260, Br. Lat.). 1° Action de saluer. — 2° Salut. ◆ **saluçon** n. f. (XIIe s., *Am. et Id.*). Salut. ◆ **saluable** adj. (1155, Wace). 1° Qui donne le salut, la santé, salutaire : *Girars, croi mon consoil, quar il t'iert saluables (G. de Rouss.).* — 2° Qui peut être sauvé.

salvage adj. (1175, Chr. de Tr.; bas lat. *salvaticum,* altér. de *silvaticus*). Sauvage, féroce. ◆ **salvagine** n. f. (1160, *Eneas*). 1° Ensemble de bêtes vivant à l'état sauvage. — 2° Venaison : *Toute volaille, toute sauvagine* (E. Boil.). — 3° Un fauve quelconque. — 4° Oiseau de mer, d'étang ou de marais. — 5° Odeur d'une bête sauvage : *Li chien sentent la sauvechine (Fergus).* — 6° Lieu sauvage, réserve de gibier. — 7° Habitude sauvage (Br. Lat.). ◆ **salvecie** n. f. (XIIIe s., *Helias*). Forêt, pays sauvage. ◆ **salveçon** n. m. (1204, *G. de Palerne*). Pomme sauvage.

salver v. (842, *Serm.;* bas lat. *salvare*). 1° Sauver, assurer le salut de (fréquent dans les formules de salutation). — 2° Protéger, garder intact : *Me cuidiés vous prendre, Tant que Mahom ches bras me sauve?* (J. Bod.). ◆ **salvement** n. m. (842, *Serm.*). 1° Action de sauver, salut, délivrance. — 2° Sauvegarde, protection. — 3° Droit dû au seigneur pour l'entretien des murs d'une ville ou d'un château. ◆ **salve** n. f. (XIIIe s., *Artus*), -**ance** n. f. (XIIe s., *Ps.*), -**eison** n. f. (1169, Wace), -**acion** n. f. (1160, Ben.). Salut. ◆ **salveor** n. m. (1175, Chr. de Tr.). 1° Sauveur (eccl.). — 2° Protecteur. — 3° Vivier, réservoir pour le poisson (1325, *Arch.*). ◆ **salvoir** n. m. (1283, Beaum.). Réservoir pour le poisson. ◆ **salvable** adj. et n. m. (1120, *Ps. Oxf.*). 1° Qui sauve, salutaire, utile. — 2° Qui sauve. — 3° n. m. Sauveur (*Ps. Oxf.*).

samadan n. m. (fin XIIe s., *Loher.;* orig. incert.). Sorte d'étoffe d'origine orientale.

samadi, sambadi n. m. (1119, Ph. de Thaun; lat. pop. *sambati dies,* jour du sabbat, pour *sabbati*). Samedi.

samaine n. f. (XIIIe s., G.; cf. bas lat. *sagma,* bât?). Bât.

sambuc n. m. (1138, Gaimar; lat. *sambucum*). Sureau. ◆ **sambucin** adj. (XIIIᵉ s., B. de Lonc Borc). De sureau.

sambue n. f. (1170, *Percev.*; orig. obsc.). 1° Housse de selle. — 2° Selle de femme, selle en général.

sambuque, -uche n. f. (1288, J. de Priorat; orig. obsc.). Machine de guerre, échelle sur chariot supportant une plate-forme sur laquelle pouvaient se placer une vingtaine d'hommes.

samit, sami, samis n. m. (1160, Ben.; lat. pop. **exametum*, du grec). Étoffe de soie sergée, plus riche que celle appelée *cendal*, provenant de Syrie et d'Asie Mineure. ◆ **samin** n. f. (XIIᵉ s., *Auberi*). Fine étoffe de soie. ◆ **samiton** n. m. (1317, G.). Dimin. de *samit*.

san n. m. V. SEN, sens, bon sens, direction, action sensée.

sanc n. m. (980, *Passion;* lat. *sanguis*). Sang. ◆ **sancmesler** v. (1250, *Ren.*). Se troubler le sang, avoir le sang troublé : *Del courruz qu'il ot sanmelle : Malades fu, si se pasma (Ren.).* ◆ **sancmueçon** n. f. (1220, Coincy), **sancmelison** n. f. (XIIIᵉ s., *Chans. d'Ant.*). Trouble du sang.

sancier v. (fin XIIᵉ s., *Loher.*; lat. pop. **sanitiare*, de *sanatus*, guéri). 1° Guérir, soulager, calmer. — 2° Protéger : *Et Sainte glise sancier et garandir (Loher.).* — 3° Rassasier, assouvir. — 4° Dompter : *Vertus ne puissance D'autrui le sien pooir ne sanche (B. de Condé).* — 5° v. réfl. En avoir assez, se contenter. — 6° Céder, s'arrêter, cesser.

sanction n. f. (XIVᵉ s., *Gr. Chron. de Fr.*; lat. *sanctio*, prescription). Précepte religieux.

sandal n. m. (1256, Ald. de Sienne; lat. méd. *sandalum*, de l'arabe). Santal. ◆ **sandale** n. f. (1314, Mondev.). Santal.

I. sandale n. f. (fin XIIᵉ s.; v. lat. *sandalium*, du grec). 1° Chaussure de religieux. — 2° Chaussure d'un emploi généralisé. ◆ **sandaire** n. f. (1160, *Eneas*). Sandale.

II. sandale n. f. V. SANDAL n. m., santal.

sanemonde n. f. (1314, Mondev.; orig. incert.). Giroflée.

saner v. (980, *Passion;* lat. *sanare*). 1° Guérir : *Et de sa vieillece sanez (Best. div.).* — 2° Faire du bien, être bon à quelque chose : *De cen qu'avez sacrefié ... A l'idole et fausse et wainne Qui plus fait mal qu'ele n'en sainne (Saint Eust.).* — 3° Soigner, panser. ◆ **sanement** n. m. (1190, saint Bern.), **-eure** n. f. (XIIIᵉ s., *Am. et Id., Nouv.*), **-ation** n. f. (1314, Mondev.). Guérison. ◆ **sanable** adj. (1228, *Arch.*). 1° Sain, salubre, de bonne qualité. — 2° Qui a la vertu de guérir. — 3° Qui peut être guéri. ◆ **sanement** adv. (XIᵉ s., *Alexis;* v. *sain*). Sûrement, en sûreté : *E sanement s'en pu partir (Conq. Irl.).*

sangle adj. V. SENGLE, seul, simple, privé.

sanglent adj. (1080, *Rol.*; bas lat. *sanguilentum*, pour *sanguinolentus*). 1° Sanguinaire : *lion o autres bestes sanglentes (Comm. Ps.).* — 2° Cruel, détestable. ◆ **sanglenter** v. (fin XIIᵉ s., saint Grég.). 1° Ensanglanter. — 2° Devenir sanglant : *Des mors et des navres la terre senglenta (Chans. d'Ant.).*

sanglot n. m. V. SENGLOT, sanglot, hoquet.

sanguin adj. (1138, Gaimar; lat. *sanguineus*, de *sanguis*, sang). 1° Sanglant. — 2° De couleur de sang, rouge. — 3° De tempérament sanguin (Br. Lat.).

sanguir v. (XIIIᵉ s., *Pastor.*; dér. de *sanguis*, sang). Saigner.

sanler v. V. SEMBLER, paraître, feindre, ressembler, rassembler.

sanmesler v., avoir le sang troublé. V. SANC, sang.

sans, senz, seinz prép. (980, *Passion;* lat. *sine*, croisé probabl. avec *absentia*). 1° Marque l'exclusion : *Sainz Alexis est el ciel senz dutance (Alexis).* — 2° Marque l'exception : *il n'a si rice* *home en cest pais sans le cors le conte Garin (Auc. et Nic.).* — 3° Construit la proposition infinitive d'exclusion : *Or vos en poes bien aler, Tot sains le vostre non nomer (Part.).* — 4° Construit la proposition infinitive d'exclusion, avec la prép. *a* qui précède l'infinitif : *Dites moi vostre nom, sans moi a decevoir (Rom. d'Alex.).* — 5° *Sans plus,* sans qu'il y en ait davantage, seulement : *Nus ne le seut fors sans plus quatre (Beaum.).* — 6° *Sans point de,* marque l'exclusion absolue : *Defendons nos senz point de l'atargier (Cour. Louis).*

sansfege adj. V. SENFEGE, sans foi, perfide.

sansuerre interj. (XIIIe s., *Tourn. Chauvenci;* orig. incert.). Exclamation correspondant à vive! : *Hyraut li vont crient a destre, Le petit pas à la lueure : Sansuerre au bacheler! sansuere! San- suerre a l'enfant preu et saige!* (Bretel).

santé n. f. (XIe s., *Alexis;* lat. *sanitas, -atem*). 1° Santé. — 2° Bien-être. *A santé,* avec joie, avec allégresse. — 3° Intégrité : *Restablit a la premiere santeit* (saint Grég.). ◆ **sanité** n. f. (1190, saint Bern.). 1° État de ce qui est sain, santé. — 2° Salut : *Il (Dieu) t'a doneit Crist per Marie et por ta saniteit* (saint Bern.). ◆ **santeif, -if** adj. (déb. XIIe s., *Ps. Cambr.*). Sain, salutaire : *(Amors) c'est langueur toute santeive (Rose).* ◆ **santain** adj. (fin XIIIe s., J. de Meung). Sain. ◆ **santable** adj. (av. 1300, poèt. fr.). Sain.

santoine n. f. (1180, *Rom. d'Alex.;* lat. *santonea [herba],* herbe de Saintonge). Santonine.

saol adj. (1175, Chr. de Tr.; lat. pop. *satullum,* rassasié). Rassasié, repu. ◆ **saoleté** n. f. (1190, saint Bern.). Satiété, état d'une personne gorgée de nourriture. ◆ **saoler** v. (1160, *Eneas*). 1° Rassasier. — 2° Satisfaire. ◆ **saole- ment** n. m. (XIIIe s., *Chans.*). 1° Rassa- siement, satiété. — 2° Nourriture (en parlant des faucons). ◆ **saolee** n. f. (fin XIIe s., M. de Fr.). Satiété, suffisance : *E une feiz le jor mengast La meitié de*

sa saolee (Besant). ◆ **saolable** adj. (1120, *Ps. Oxf.*). Qu'on peut rassasier, satisfaire.

saon n. m. (fin XIIe s.; orig. incert., peut-être de l'anglo-saxon *sëon,* rebut). 1° Rebut. — 2° Tronçon d'une chose coupée. — 3° Suspicion, reproche fait contre les témoins, récusation : *Par bons tesmoings et convenables, sans saon et sans suspeçon (1350, Ord.).* ◆ **saoner** v. (XIIIe s., *Chans.*). 1° Refuser, rejeter, rebuter : *Qui si dolce amor seone De grant joie se dessoivre (Chans.).* — 2° Récuser des témoins.

sap n. m. (1170, *Percev.;* gaul. **sappum*). Sapin. ◆ **sapoi** n. m. (XIIIe s.), **-oie** n. f. (1080, *Rol.*). Sapinière. ◆ **sapin** adj. et n. m. (1112, *Saint Brand.*). 1° De sapin. — 2° Sapin. ◆ **sapine** n. f. (XIIe s., *Part.*). 1° Sapin. — 2° Bois de sapin, sapinière. — 3° Bateau de rivière (fin XIIIe s.). ◆ **sapinoie** n. f. (1190, J. Bod.). Lieu planté de sapins. ◆ **sapinois** adj. (XIIIe s., Th. de Kent). De sapin.

sapience n. f. (déb. XIIe s., *Ps. Cambr.;* lat. *sapientia*). 1° Sagesse. — 2° Sagesse divine. ◆ **sapient** adj. (1180, *Rom. d'Alex.*). 1° Sage, savant : *Li mais- tre des escoles, li boin clerc sapient (Rom. d'Alex.).* — 2° n. m. Dieu (*B. de Seb.*). ◆ **sapientissime** adj. (1308, Aimé). Très sage.

saquier v. V. SACHIER, tirer, arracher, débarrasser, épuiser, secouer, saccager. ◆ **sacage** n. m. (1351, *Arch.*). Action de tirer. ◆ **saquoir** n. m. (1294, *Arch.*). Bouton de porte, poignée que l'on tire. ◆ **saquebote** n. f. (1306, Guiart; composé de *saquier* et de *boter,* pousser). Lance armée d'un fer crochu pour désarçonner des cavaliers.

sarasin n. m. (XIIe s.; bas lat. *sarra- cenus,* nom d'une peuplade d'Arabie, le mot signifiant, en arabe, « oriental »). Arabe, Turc, Oriental en général. ◆ **sarasinor** n. m. plur. (1160, Ben.). Des Sarrasins, des infidèles. ◆ **sarasinois** adj. (1080, *Rol.*). 1° Des Sarrasins, oriental en général, grec, byzantin. — 2° De provenance, de style sarrasins. —

3° Appliqué même aux ruines des constructions romaines. ◆ **sarasinal** adj.
(fin XIIIᵉ s., *Anseis*). De Sarrasin. ◆
sarasinesme n. m. (XIIIᵉ s., *Prov.*). Pays
des Sarrasins.

sarce n. m. (1298, M. Polo; orig.
incert.). Agrès, cordage. ◆ **sarchie** n. f.
(1261, G.). Agrès, cordage.

sarcir v. (1339, *Arch.*; lat. *sarcire*,
raccommoder). Réparer, raccommoder.
◆ **sarcisseor** n. m. (1271, *Arch.*). Celui
qui répare, qui raccommode. ◆ **sarci** adj.
(1180, *Rom. d'Alex.*). 1° Consolidé,
renforcé, solide : *Mais li haubers fu
serrez et sarcis (Gaydon)*. — 2° Couturé,
plissé : *Toz est ses visagez sarciz Et
boce out lede et mau fete (Ren.)*.

sarcler v. (fin XIIIᵉ s.; lat. *sarculare*).
Sarcler. ◆ **sarclement** n. m. (1335,
Deguil.). Sarclage. ◆ **sarcel** n. m. (fin
XIIᵉ s., *Loher.*). Sarcloir, serpe.

sarcou, sarqueu n. m. (1080),
Rol.; bas lat. *sarcophagus*, du grec.).
Cercueil.

sarde n. f. (XIIᵉ s., *Lapid. fr.*; lat.
sarda). Sardoine. ◆ **sardine** n. f. (1175,
Chr. de Tr.), **-on** n. m. (XIIIᵉ s., Bible).
Sardoine.

sarge n. f. (1175, Chr. de Tr.; lat.
pop. *sarica*, pour *serica*, de soie).
Étoffe de soie, serge. ◆ **sargil** n. m. (1294,
G.). Serge, ballot de serge. ◆ **sargeor**
n. m. (1270, *Arch.*). Fabricant de serge.

sarpe n. f. (1250, *Ren.*; lat. pop.
sarpa, de *sarpere*, tailler, émonder).
Serpe. ◆ **sarpellie** n. f. (1282, *Arch.*),
sarpelerie n. f. (1321, *Ord.*). Serpillière.

sarpilliere n. f. (1180, *Rom. d'Alex.*;
orig. obsc.). Toile grossière à mailles
lâches.

sarroc n. m. (déb. XIIᵉ s.; moy. haut
all. *sarrok*, vêtement militaire).
Sarrau.

sarter, -ir v. (1219, Tailliar; lat. pop.
sartare, pour *sarire*, sarcler). 1° Défricher, arracher, déblayer : *Si trouva .II.
moinnes sartans* (Mousk.). — 2° Arra-

cher, déchirer, briser : *L'escu li fraint,
l'auberc li fait sartir (B. d'Hanst.)*. ◆ **sart**
n. m. (1160, *Athis*). 1° Terre stérile
couverte de broussailles. — 2° Terre
défrichée. — 3° Ravage, destruction :
quant de Turs firent sart (F. de Candie).
◆ **sartiel** n. m. (1265, *Reg.*). Petit champ
nouvellement défriché. ◆ **sartage** n. m.
(1247, G.). 1° Obligation de défricher.
— 2° Terrain à défricher. ◆ **sarteur** n. m.
(1285, Aden.). 1° Celui qui défriche une
terre. — 2° Bûcheron. ◆ **sarti** adj. (XIIIᵉ s.,
Gaydon). Brisé, usé.

I. sartir v. (XIIᵉ s.; lat. pop. *sartire*,
de *sartus*, p. passé de *sarcire*, raccommoder). 1° Ajuster, joindre avec des coutures.
— 2° Raccommoder. — 3° Tailler, coudre.
— 4° Sertir (XIVᵉ s.). ◆ **sartor** n. m.
cas rég., **sartre** cas suj. (1285, Aden.;
lat. *sartor, -orem*). Tailleur.

II. sartir v. V. SARTER, défricher, déchirer, briser.

sasier v. V. SATIER, rassasier.

satanas, sate, satre n. m. (980,
Passion; lat. *satanus*, de l'hébreu).
1° Diable, démon, être malfaisant :
L'anme de lui en portet satanas (Rol.).
— 2° adj. Satanique, diabolique : *Mauquaré, qui cuer ot satrenas (Chev. cygne)*.
◆ **satenie** n. f. (1235, H. de Méry).
Royaume de Satan.

satefier v. (1294, *Cart.*; cf. lat.
satisfacere, avec attraction de *fier*).
1° Faire un paiement : *S'obligea a
sattifier en pecune nombree ou en gaiges
souffisanz* (1294, *Cart.*). — 2° Se déclarer
satisfait de. — 3° Donner satisfaction.
— 4° *Satefier de*, expier : *Pour satefier
par droiture De la susdicte forfaiture
(Conversion Saint-Denis)*. ◆ **satisfaire**
v. (déb. XIIIᵉ s.). 1° Payer, rémunérer. —
2° Réparer un dommage.

satier, sasier v. (1120, *Ps. Oxf.*;
lat. *satiare*, de *satis*, assez). Rassasier.
◆ **satiement** n. m. (fin XIIᵉ s., saint Grég.).
Rassasiement.

satirel, -al n. m. (1160, Ben.;
v. *satyre*, 1372, Corbichon). Dimin. de
satyre : *Un satirel hisdox, cornu* (Ben.).

satisdacion n. f. (1296, *Lettre;* lat. *satisdatio,* action de donner caution). Satisfaction.

satoille, setoille n. f. (1220, Coincy; orig. obsc. avec attraction popul. par *sept* et *œil*). Lamproie de rivière, « sept-œil ».

satre n. m. V. SATANAS, diable.

saturer v. (déb. XIVe s.; lat. *saturare*). Rassasier. ◆ **saturité** n. f. (XIIIe s., *Fabl. d'Ov.*). Rassasiement, pleine satisfaction.

sauf adj. V. SALF, sauf, en sûreté.

saule n. m. (1215, Pean Gatineau; francique **sahla*). Saule. ◆ **sauloie** n. f. (1328, texte de Paris). Lieu planté de saules. ◆ V. SALS, saule.

I. **saure** n. m. (1289, G.; orig. obsc.). Instrument pour pêcher, sorte de filet.

II. **saure** v. V. SOLDRE, dissoudre, absoudre, payer.

savité n. f. (1180, *Rom. d'Alex.;* lat. *suavitas, -atis*). Saveur.

savoir v. (980, *Passion;* lat. pop. **sapere,* avoir de la saveur). 1° Avoir une saveur : *Unques ne sot que il savoient Que dusque lui ne parvenoient (Eneas).* — 2°· Avoir une connaissance profonde de quelque chose. — 3° Avoir la certitude, savoir la vérité : *Or puis je bien enfin savoir (Trist.).* — 4° n. m. (842, *Serm.*). Savoir, sagesse. *Faire savoir,* agir sagement : *Je ne sai s'ele fait savoir (Court. d'Arras).* — 5° *Savoir,* loc., Pour voir si, dans l'espoir que : *Savoir se je porroie acomplir mon cuidier (Gaut. d'Aup.).* ◆ **savance** n. f. (XIIIe s., Th. de Kent). Science, savoir, connaissance.

savor n. f. (fin XIIe s., Couci; lat. *saporem*). 1° Sauce, assaisonnement, épice. — 2° Légume destiné à relever le goût des aliments. — 3° Agrément, plaisir : *Qui done au cuer savour De bien servir (Estamp.).* ◆ **savorer** v. (1162, *Fl. et Bl.*). 1° Exhaler. — 2° Répandre une agréable odeur. ◆ **savorant** adj. (XIIIe s., *Fabl. d'Ov.*). Savoureux, parfumé. ◆ **savoré** adj. (1162, *Fl. et Bl.*). 1° En parlant des choses, suave, doux, charmant : *Que molt l'avoie desirree, Ceste mort m'iert trop savoree (Fl. et Bl.).* — 2° En parlant des personnes : *Aurez vous merci de moi? Dites, douce savoree (Chans.).* ◆ **savoros** adj. (1190, J. Bod.). 1° Agréable au toucher, moelleux. — 2° Délicat, affiné : *son bel col saverous (Gar. de Mongl.).* — 3° Qui charme. ◆ **savorable** adj. (1204, R. de Moil.). Savoureux, agréable au goût. ◆ **savori** adj. (av. 1300, poèt. fr.). Savoureux. ◆ **savoret** adj. (1112, *Saint Brand.*). Savoureux. ◆ **savorete** n. f. (av. 1300, poèt. fr.). Saveur.

savore n. f. (1298, M. Polo; lat. *saburra*). Lest d'un bateau.

savot n. m. (1312, *Hist. Paris;* orig. obsc.). Fort, prison.

scafar, -art n. f. (1325, G.; orig. obsc.). Sorte d'étoffe, probabl. de laine.

scape n. f. (1112, *Saint Brand.;* orig. obsc.). Sorte de fruit.

scient adj. (1288, *Ren. le Nouv.;* lat. *sciens, -entis,* p. prés. de *scire,* savoir). Savant, instruit, habile : *Je sui, sire, uns fisissiens, De mainte science sciiens (Ren. le Nouv.).* ◆ **science** n. f. (1080, *Rol.*). Connaissance, savoir. ◆ **scienços** adj. (1330, *H. Capet*). Savant, habile.

scintelle, -ille n. f. (fin XIIe s., saint Grég.; lat. *scintilla*). Étincelle.

scor n. m. (1285, *Charte*), **scorie** n. f. (fin XIIIe s.; lat. *scoria,* du grec). Terrain d'alluvion.

I. **se** conj. (842, *Serm.;* lat. *si*). 1° Conj. servant à introduire la condition, En cas que, supposé que : *Se Carles vient, de nus i avrat perte (Rol.).* — 2° Introduit la subord. de compl. d'objet : *Par lui orrez se avrez pais u non (Rol.).* — 3° *Se... ne,* à moins que : *N'en parlez mais, se jo nel vus cumant (Rol.).* — 4° *Se ... non,* conj. discontinue, ayant donné « sinon » : *Amors ne m'aprant se bien non (Chr. de Tr.).* — 5° *Se n'est, se ne fust,* si ce n'est : *Unc ne l'sunast, se ne sust cumbatant (Rol.).* — 6° *Se ce non,* sans cela : *Pren la corone, si seras coronez Ou se ce non, filz, lessiez* la ester (Cour. Louis). — 7° n. m. Restriction, objection : *Vos ares tous les jours de vo vie, sans nul sy, besans d'argent (Chev. cygne).*

II. **se** pron. pers. réfl. et emphatique, 3ᵉ pers., forme atone. V. soi, forme accentuée.

sé n. m. V. sié, siège, trône, capitale, résidence.

seage n. m., droit de mouillage dans un port. V. seoir, être assis.

seaille n. f., faucille, au pl., moisson. V. seer, couper.

seant adj. (xiiᵉ s., *Thomas le Martyr*; p. prés. de *seotr*, être assis). 1° Qui reste à demeure. — 2° Bien assis : *N'a bourc ne vile, tour ne castel seant que ... (B. d'Hanst.).* — 3° Convenable, seyant. ◆ **seanment** adv. (1175, Chr. de Tr.). Décemment, convenablement : *Tant parlai seanment et bel (Chr. de Tr.).* ◆ **seance** n. f. (xiiiᵉ s., *Chron. Saint-Denis*). 1° Situation, état : *la seance de la cité de Damas (Chron. Saint-Denis).* — 2° Convenance, gré. — 3° Décence, aptitude : *De bone amour vient seance et biautez (Chans.).*

seas n. m. V. saas, tissu de crin, sas.

sebelin adj., garni de zibeline, supérieur. V. sable, zibeline.

sebile n. f. (1213, *Fet Rom.;* lat. *sibylla*, du grec). Sibylle.

seble n. m. V. sable, zibeline, fourrure.

sec adj. (xᵉ s., *Fragm. de Valenc.;* lat. *siccum*). 1° Sec (opposé à humide). — 2° Sec (en parlant du vin) (J. Bod.). — 3° *Deniers secs, a sec argent,* argent comptant. ◆ **sechier** v. (fin xiiᵉ s., *Rois*). Sécher. ◆ **sechor** n. f. (1190, saint Bern.). Qualité de ce qui est sec, sécheresse, aridité. ◆ **sechece,** n. f. (déb. xiiᵉ s.; *Ps. Cambr.*). 1° Sécheresse. *Par sechece,* à sec. *Aler en sechece,* sc pessécher : *Alerent en sechece les flums (Ps. Oxf.).* — 2° Aridité, terre, par opposition à eau (langage biblique). ◆ **secherie** n. f. (xiiiᵉ s., *Tr. écon. rur.*), **-eté** n. f. (1298,

M. Polo). Sécheresse. ◆ **sechon** n. m. (xiiiᵉ s., *Fabl.*). Bois sec, arbre mort. ◆ **secheron** n. m. (xiiiᵉ s., *Fabl.*). Bois sec.

secle n. m. V. siecle, vie terrestre, monde, état séculier.

secont, segon prép. (1112, *Saint Brand.;* lat. *secundum*, selon). 1° Selon, conformément à : *Secund sun sens en letre mis (Saint Brand.).* — 2° En proportion de.

secorcier v. (1277, *Rose;* lat. pop. **subcurtiare*, de *curtus*, court). Retrousser. ◆ **secorcié** adj. (1169, *Wace*). Retroussé : *Rechignié avoit et froncié Le vis, et le nes secorcié (Rose).* ◆ **secors** n. m. (1247, Ph. de Nov.). La traîne d'une robe, ce qu'on retrousse.

secorre v. (1080, *Rol.;* lat. *succurrere*, secourir). Secourir, aider. ◆ **secors** n. m. (1080, *Rol.*). 1° Secours. — 2° Ce qui sert à la défense (jurid.). — 3° Concours. ◆ **secorement** n. m. (1190, J. Bod.), **-ance** n. f. (1167, G. d'Arras). Secours, aide. ◆ **secorue** n. f. (1314, *Vœux du Paon*). Secours. ◆ **secorer** v. (1260, Mousk.). Secourir. ◆ **secoreor** n. m. (1160, Ben.). Celui qui secourt. ◆ **secorant** adj. (1220, Coincy). Secourable.

secot n. m. V. sorcot, tunique portée sur la cotte, corsage.

secré, secrei, segroi adj. (1160, Ben.; lat. *secretus*, séparé). 1° Secret, caché : *Et Turpin li a dit a parole segree (Gaufrey).* — 2° Isolé, écarté : *Et il font les autres porter En .II. cambres auques secrees (Chev. deux épées).* — 3° *Messe secree,* messe basse. *Val secree,* pays fabuleux. ◆ **secré** n. m. (xiiᵉ s., Marb.). 1° Secret : *Sire, tels est tun saint segrei (Ben.).* — 2° Secrète, oraison que le prêtre dit tout bas à la messe. — 3° Sceau secret. — 4° *A secré, en segroi,* en secret. *En son secré,* à part soi.

secret n. m. (1350, G.; lat. *secretus*). Petit sceau pour les affaires secrètes. ◆ **secrete** n. f. (xiiiᵉ s., *Ass.*

Jérus.). 1° Trésorerie secrète du prince.
— 2° *Écrire en la secrete,* sceller du sceau
secret.

secretain, -estin n. m. (1160,
Ben.; lat. médiév. **sacristanum*). Sacristain. ◆ **secretainerie** n. f. (déb. XIVᵉ s.,
Mir. Saint Louis). Sacristie. ◆ **secreterie**
n. f. (1336, *Cart.*). Sacristie.

secretaire n. m. (1160, *Saint Évroul;*
lat. médiév. *secretarius,* de *secretum*).
1° Tabernacle. — 2° Dépositaire de
secrets, confident, intime (fin XIIᵉ s.).
— 3° Celui qui rédige pour un autre
(Froiss.).

seculer adj. (1190, Garn.; lat. eccl.
saecularis, de *saeculum,* siècle). 1° Du
siècle, mondain. — 2° De ce monde : *Car
li escriz parloit de la chevalerie celestiel,
et tu entendoies de la seculer (Queste
Saint-Graal).*

secuter v. (1308, Aimé; lat. **secutare,*
à partir de *secutus,* p. passé de *sequi,*
suivre). 1° Suivre, poursuivre : *ceste
parole et toutes autres qui la sequte*
(Aimé). — 2° Persécuter, poursuivre. —
3° Ajouter. ◆ **secuteur** n. m. (1295,
G. de Tyr). Celui qui suit, qui succède.

sedeillos adj., qui a soif. V. SEEIL-
LIER, être altéré.

sedil n. m. (XIIᵉ s., Herman; lat.
sedile, siège). Siège.

sedme adj. num. V. SETME, septième.

seduire v. (1190, Garn.; lat. eccl.
seducere). Séduire, tromper. ◆ **seduitor**
n. m. (1150, Wace). Séducteur, trompeur.
◆ **seduiresse** n. f. (1335, Deguil.). Séduc-
trice.

sedule n. f. (1180, D.; bas lat. *sche-
dula,* feuillet). Acte, notification juridique.

I. seel n. m. (1080, *Rol.;* lat. pop.
*sigillum, dimin. dc *signum*). 1° Sceau.
— 2° Lettre scellée. — 3° Empreinte.
◆ **seeler** v. (XIIᵉ s.). Sceller. ◆ **seelerie**
n. f. (1310, *Arch.*). Lieu où l'on scelle.
◆ **seeleor** n. m. (1283, Beaum.). Celui qui
scelle. ◆ **seelé** adj. (1180, *Rom. d'Alex.*).
1° Sigillé (Mondev.). — 2° Figé : *sanc
saelé (Rom. d'Alex.).*

II. seel n. m. (1250, *Ren.;* lat. pop.
sitellum, pour *situla,* seau). Seau.

I. seeler v., sceller. V. SEEL, sceau.

II. seeler v. V. SEILLIER, avoir soif.

seer v. (fin XIIᵉ s., *Rois;* lat. *secare,*
couper). 1° Scier, couper : *Fai me anchois
le teste soier* (J. Bod.). — 2° Faucher,
moissonner. ◆ **seaille** n. f. (XIIIᵉ s., *Ass.
Jérus.*). 1° Faucille. — 2° plur. Moisson,
fruits de la terre. ◆ **seeor** n. m. (mil.
XIIIᵉ s.). Celui qui coupe, moissonneur.
◆ V. SIE, scie.

segleton n. m. V. CICLATON, sorte
d'étoffe.

segnefier v. (1119, Ph. de Thaun; lat.
significare). Signifier. ◆ **segnefiance** n. f.
(1080, *Rol.*). 1° Signification, signe,
marque : *Ce estoit cenefiance de virgi-
nité (Saint-Graal).* — 2° Signe divin.
◆ **segnefiement** n. m. (1119, Ph. de
Thaun). 1° Signe, indice : *Ci a, ceo dist
Richart, mal senefiement* (Wace). —
2° Notification d'un acte (jurid.).

segon prép. V. SECONT, selon, conformément à.

segrairie n. f. (1286, Du Cange;
v. *segrei*). Bois possédé par indivis.
◆ **segreage** n. m. (1314, *Arch.*). Droit
de cinquième dû au seigneur par les
vassaux qui vendaient leur bois. ◆ **segreal**
adj. (1313, *Arch.*), -**able** adj. (1345,
Arch.). Qui est de la nature d'une segrairie. ◆ **segraier** n. m. (1336, *Arch.*). Garde
d'une segrairie.

segrei, segroi adj. et n. m.
V. SECRÉ, caché, isolé, secret. ◆ **segreier**
n. m. (1215, Pean Gastineau). Particulier :
*Li huis sus lui fermé estoient ou iert
en son segreier* (Pean Gastineau).

segretain n. m. (1190, Garn.).
V. SECRETAIN, sacristain.

segu n. m. V. SEU, chien de chasse.

segue n. f. V. CEGUE, ciguë.

I. sei, soi n. f. (XIIᵉ s.; lat. *sitis*).
Soif.

II. sei n. m. V. SIÉ, siège, trône,
royaume, séjour. ◆

III. **sei** pron. pers. réfl. 3ᵉ pers. V. SOI.

seic n. m. (1272, Joinv.; arabe *chaykh*, vieillard). Cheik.

seier v. V. SEER, scier, couper, faucher.

seignacle n. m. (1112, *Saint Brand.*; lat. pop. **signaculum*, pour *signum*). 1° Signe, marque. — 2° Signe de la croix. — 3° L'étendard de la croix, la croix même : *Puis les meinet Brandans par mer, Des signacles les fais armer (Saint Brand.).* — 4° Miracle (XIVᵉ s.).

seignal n. m. (XIIIᵉ s., *Ass. Jérus.*; lat. pop. *signale*, de *signum*). 1° Signe, marque : *Chascun le fait seignier de son seignal (M. Polo).* — 2° Seing, signature authentique. — 3° *Pater* du chapelet. — 4° Quillon : *Il tint l'espee dont d'or sunt li signal (Anseis).* — 5° Astre (Br. Lat.).

seigne n. m. et f. V. SIGNE, marque, enseigne, miracle.

seignet n. m. (fin XIIᵉ s., *Ed. le Conf.*; dimin. de *seigne, signe*). 1° Signe : *Le senet de ceste chose N'est pas simplesce de enfance, Mut en ad signifiance (Ed. le Conf.).* — 2° Sceau, cachet, souvent gravé sur une bague. — 3° Empreinte de ce sceau, seing.

I. **seignier** v. (1080, *Rol.*; lat. *signare*). 1° Marquer d'un signe, poinçonner : *Ja vourroie estre seigné d'un fer chaut* (Joinv.). — 2° Faire le signe de la croix, bénir. — 3° Affirmer en faisant un signe de croix. — 4° Faire signe à : *Il apela si l'a do doi sené (Loher.).* — 5° Faire des signes : *Et du doy l'un a l'aultre signe Et puis de l'oel et puis du chief (Pastor.).* — 6° Désigner.

II. **seignier** v. V. SAIGNIER, saigner.

seigniere n. f. (1160, Ben.; lat. pop. **signaria*, de *signum*). Bande d'étoffe, écharpe.

seignor n. m. (1080, *Rol.*, forme du cas rég., du lat. *seniorem*). Seigneur. ◆ **seignorir** v. (1160, Ben.). 1° Gouverner. — 2° Dominer sur, commander à : *Il seignort as Borgoignons* (Ben.). — 3° Avoir la prééminence. — 4° Traiter en seigneur, honorer : *S'iglise voleit seignorir* (J. Le March.). ◆ **seignorer** v. (1120, *Ps. Oxf.*). Exercer le pouvoir d'un seigneur, dominer. ◆ **seignorier** v. (XIIIᵉ s., J. Le March.). 1° Gouverner, dominer. — 2° Exercer un empire, une domination : *Ainsi la dame seignorie* (J. Le March.). ◆ **seignorie** n. f. (1160, *Eneas*). 1° Autorité du seigneur. — 2° Noblesse : *A grant joie furent assemblé, et a grant seignorie et a grant deduit (Fille du comte de P.).* — 3° Dignité ecclésiastique (saint Bern.). ◆ **seignorance** n. f. (1160, Ben.). Pouvoir d'un seigneur, puissance. ◆ **seignorement** n. m. (1160, Ben.). Domination, puissance, pouvoir : *Ne deivent sur nus aver nul seignurement (Horn).* ◆ **seignorage** n. m. (fin XIᵉ s., *Lois Guill.*). 1° Seigneurie, terre seigneuriale. — 2° Droit seigneurial. — 3° Puissance : *Roi fort venrunt de tun linage ki mult arunt grant senorage* (Wace). — 4° Autorité du seigneur. — 5° Seigneur : *Qui traison vuelt faire a seignorage, Il est bien dreiz que il ait damage (Cour. Louis).* ◆ **seignoril** adj. (1080, *Rol.*). 1° Seigneurial : *.I. segnoril mostier (Alisc.).* — 2° Puissant, illustre. ◆ **seignorel** adj. (1190, Garn.). Du seigneur : *Droit seignorel* (1286, G.). ◆ **seignorable** adj. (XIIIᵉ s. G.). Seigneurial, du seigneur. ◆ **seignoré** adj. (1170, *Percev.*), **-ri** adj. (fin XIIᵉ s., *Loher.*). 1° Seigneurial. — 2° En parlant des personnes, riche, puissant, noble : *Et avec lui maint borjois signori (Loher.).* — 3° En parlant des choses, distingué, gracieux : *Et la roine al gent cors segnori (Loher.).* — 4° Important, considérable : *Grans fu la noise, li estors signoris (Loher.).* ◆ **seignoros** adj. (XIIᵉ s., *Part.*). Seigneurial, dominateur, majestueux : *A iols vairs, gros et segnorius (Part.).*

I. **seille** n. f. (1180, *Rom. d'Alex.*; lat. *situla*, seau). Seau, baquet, cruche. ◆ **seillet** n. m. (1284, *Arch.*). Seau. ◆ **seillerie** n. f. (1250, *Arch.*). Endroit où l'on fabrique ou enferme les *seilles*.

II. **seille** n. f. V. SEAILLE, faucille; au pl., moisson.

III. **seille** n. m. V. SOILE, seigle.

seillier, seeler v. (1119, Ph. de Thaun; lat. **siticulare*, avoir soif, de *sitis*, soif). Etre altéré, au pr. et au fig. : *Alguant seillerunt e par ardur murrun* (Ph. de Thaun). ◆ **seeillant** adj. (1120. *Ps. Oxf.*). Qui a soif, altéré : *Abuvrer les seellans (*XIIIᵉ s., *Sermons*). ◆ **seeillos** adj. (1112, *Saint Brand.*). Qui a soif, altéré.

seillon n. m. (1250, *Ren.;* de la même origine que l'anc. fr. *silier*, labourer, d'un radical gaulois **selj-*, amasser la terre). 1° Bande de terrain laissée à un paysan. — 2° Mesure agraire (le cinquième d'un arpent). — 3° Sillon. ◆ **seillonet** n. m. (1160, Ben.). Petit sillon.

I. sein, seing n. m. (1160, Ben.; lat. *signum*, signe). 1° Signe, marque, tant au pr. qu'au figuré. — 2° Instrument à marquer, sceau, signature. — 3° But. — 4° Cloche : *Qui donc oist les sains soner (*Gar. Loher.*).*

II. sein adj. V. SAIN, bien portant.

seiner v. V. SAIGNIER, saigner.

seines adv. V. SENES, immédiatement.

I. seingle adj. V. SENGLE, seul, isolé.

II. seingle n. f. V. CENGLE, sangle.

seinz prép. V. SANS, prép. d'exclusion.

seir v. (fin XIIᵉ s., *Loher.;* lat. pop. **sedire*, pour *sedere*). Etre assis, se tenir assis. ◆ V. SEOIR, même sens.

seite n. f. V. SETE, loutre.

seitier n. m. (1247, Ph. de Nov.; lat. *sextarium*, sixième partie). *Fief de seitiers,* fief de plusieurs chevaleries qui pouvait se partager entre sœurs.

sejorner v. V. SOJORNER, se reposer, rester, attendre, retenir.

sel contraction de : 1° *si + le (si,* adv.); 2° *se + le (se,* conj. « si »).

sele n. f. (1080, *Rol.;* lat. *sella*, siège). 1° Siège de bois sans dossier, escabeau. — 2° Selle. — 3° Chaise percée (XIVᵉ s.). ◆ **selete** n. f. (XIIIᵉ s.). 1° Petit siège. — 2° Siège pour les accusés.

selonc prép. et adv. V. SOLONC, le long de, auprès de, auprès.

selve n. f. (1080, *Rol.;* lat. *silva*). Forêt.

semaine n. f. (fin XIIᵉ s., *Auc. et Nic.;* lat. eccl. *septimana*, de *septem*, sept). Semaine. *Entrer en peneuse semaine, en pute semaine,* commencer une période de malheurs. *Des semaine, de semaine,* de longtemps.

semble, simble n. m. (fin XIIᵉ s., *Loher.;* lat. *semen, -inis*, graine). 1° Fleur de farine. — 2° Pain ou gâteau de fleur de farine.

sembler v. (1080, *Rol.;* bas lat. *similare*, ressembler). 1° Paraître, apparaître. — 2° Imiter, feindre. — 3° Ressembler à : *Mon frere sembles et de boche et de vis (*Gar. Loher.*).* — 4° Mettre ensemble, rassembler. *Bataille semblee,* bataille engagée (Ben.). ◆ **semblance** n. f. (1162, *Fl. et Bl.*). 1° Ressemblance : *Ains est fais en le sanlanche Saint Nicolai* (J. Bod.). — 2° Apparence, forme extérieure : *vynt le malfee en semblance Geomagag (*F. Fitz Warin*).* — 3° Symbole. — 4° Figure, visage. — 5° Caractère : *Dehait li bers qui est de tel sanblance Con li oixel qui conchiet son nit! (*C. de Béth.*).* 6° Semblant : *Si fis senblance d'estre mort* (Wace). — 7° Pensée, opinion : *Dites votre semblance (Chans.*).* ◆ **semblee** n. f. (1150, Wace). Réunion. ◆ **semblant** n. m. (XIᵉ s., *Alexis*). 1° Ressemblance, image, portrait. — 2° Manière d'être, physionomie, mine : *Com malades fait lait sanlant, Mais le cuer a liet et joiant* (Couci). — 3° Apparence. *Par semblant,* à ce qu'on voit, à ce qu'il semble, en apparence. *Ne movoir nul semblant,* ne faire semblant de. — 4° Avis, pensée. ◆ **semblant** adj. (fin XIIᵉ s., saint Grég.). 1° Semblable. — 2° Qui imite le vrai, faux. ◆ **semblableté** n. f. (1260, Br. Lat.). Ressemblance, similitude.

seme adj. num. V. SETME, septième.

I. semer v. (1155, Wace; lat. *seminare*, de *semen*, semence). Semer. ◆ **semeure** n. f. (1180, *Rom. d'Alex.*). Terre ensemencée, champ en général. ◆ **semoison** n. f. (1270, Ruteb.). 1° Semaille. — 2° Temps des semailles. ◆ **semancier** v. (1190, J. Bod.). Ensemencer, semer (pr. et fig.), ◆ **semancié** adj. (fin XIIe s., Couci). 1° Semé, ensemencé. – 2° Parsemé, entremêlé. ◆ **semeure** adj. fém. (1281, G.). Qu'on a coutume d'ensemencer. ◆ **seminos** adj. (1119, Ph. de Thaun). Favorable pour semer : *jurz seminus* (Ph. de Thaun).

II. **semer** v. (XIIIe s., *Fabl. d'Ov.;* peut-être d'un lat. pop. *semare,* de *semi,* demi). 1° Amoindrir. – 2° Maigrir, dépérir : *Et plus le chevalier aima, Et plus son cuer en lui cema (Ren. le Contr.).*

semillier v. (1277, *Rose;* fréquentatif de *semer*). 1° S'agiter, s'exciter. – 2° Faire l'espiègle. ◆ **semille** n. f. (1176, E. de Fougères). 1° Mouvement, agitation. – 2° Malice, tour : *Jou laissai le chité romane Ou tant a de males semilles* (R. de Moil.). ◆ **semillos** adj. (1277, *Rose*). 1° Remuant, changeant : *De Fortune le soumeilleuse (Rose).* – 2° Espiègle, rusé, capricieux.

seminer v. (XIIIe s., Fr. Angier; lat. *seminare*). Semer (au pr. et au fig.). ◆ **seminel** n. m. (fin XIIe s., *Ogier*). Pain ou gâteau de fleur de farine cuit deux fois, qu'on mangeait surtout dans le carême. ◆ **seminos** adj. (1119, Ph. de Thaun). Favorable pour semer, où l'on peut semer.

semondre, somondre v. (1080, *Rol.*). lat. pop. *submonere,* avertir en secret). 1° Avertir. – 2° Inviter, exciter. – 3° Convoquer, assigner : *Alez sedeir, quant nuls ne vos sumunt (Rol.).* – 4° Conseiller, réprimander. ◆ **semonse, -oste, -onte** n. f. (1190, saint Ben.). 1° Semonce, assignation. – 2° Invitation : *Si la pierre ostes Il mangera sans grans semostes (Lapid. fr.). Metre a semonse,* prier. – 3° Conseil : *traire a pechiet per lor envenimues semontes* (saint Bern.). ◆ **semoneor** n. m. (XIIe s., *Part.*). Qui invite, qui incite.

sempres, sempre adv. (xe s., *Eulalie;* lat. *semper*). 1° Toujours, continuellement : *Sempres ferai de Durendal granz colps (Rol.).* – 2° Tout de suite, aussitôt : *Trop paroles, sempres morras*

(Adam). Sempres quant, aussitôt que : *Sempres quant il anuitera [...] Ferai apeler les meillors* (Ben.). – 3° *Sempres ... sempres,* tantôt ... tantôt. ◆ **sempremais** adv. (1308, Aimé). Toujours, à toujours.

I. **sen** n. m. (1160, Ben.; francique *sin*). 1° Sens, intelligence, bon sens. – 2° Manière de comprendre les choses : *Dites, fait il, cher pere, amis, tot vostre sen e vostre avis* (Ben.). – 3° Action sensée : *Que ferai donc? Je cuit que je ferai san, Mais ne sai comant le face* (Chr. de Tr.). – 4° Manière d'être, état, situation. – 5° Direction, chemin : *Par tele estoile vont et viennent Et lor sen et lor voie tiennent* (Guiot). – 6° Sorte de jeu. ◆ **sené** adj. (1121, Ph. de Thaun). 1° Sensé, sage, prudent. *Mal sené,* insensé. – 2° n. m. Sage, savant : *Dame, vous dittes voir, dist marqués li senés (Chev. cygne).*

II. **sen** n. m. V. CEN, signe de tête.

III. **sen** n. m. V. SEIN, sein.

IV. **sen** n. m. V. SEIN, signe, marque, seing.

V. **sen** adj. V. SAIN.

senbue n. f. V. SAMBUE, housse de selle, selle.

sendal n. m. V. CENDAL, riche étoffe de soie.

sené, senet n. m. (1119, Ph. de Thaun; lat. *senatum*). 1° Sénat. – 2° Synode, concile, chapitre : *Bon gré mal gré va le prestre au seyné* (prov.). – 3° Assemblée en général. ◆ **senal** n. m. (1208, *Ord. Liège*). 1° Notable, sorte de magistrat. – 2° Sénateur.

senefier v. V. SEGNEFIER, signifier.

I. **sener** v. (XIIIe s., *Chans.;* orig. incert.). 1° Châtrer : *On doit sienner le traitour Qi sa dame cunchie (Chans.).* – 2° Débarrasser de, réprimer. – 3° Priver : *Ke d'amours sui senee (Chans.).* ◆ **seneor** n. m. (XIIIe s., *Fabl.*). Châtreur.

II. **sener** v. V. SANER, guérir.

senes, seines adv. (1112, *Saint Brand.;* probabl. de *sine,* sans, et *ipsum,* anc. fr. *es,* cela). Immédiatement : *Senes* *s'en aparçout li rais La u il sist almestre dais (Trist.).*

seneschal n. m. (XIe s.; francique **siniskalk,* propr. serviteur le plus âgé). Sénéchal. ◆ **seneschalesse** n. f. (1237, *Cart.*). Femme du sénéchal. ◆ **seneschalie** n. f. (XIIe s., *Florim.*). Sénéchaussée. ◆ **seneschalcie** n. f. (1155, Wace). 1° Dignité de sénéchal. — 2° Circonscription administrative gouvernée par un sénéchal (1283, *Charte*).

senestre adj. (1080, *Rol.;* lat. *sinistrum,* qui est à gauche). 1° Gauche. *A senestre,* à gauche. — 2° Défavorable, maladroit. — 3° adv. A gauche : *Destre et senestre ala ferir et caploier (Chev. Vivien).* ◆ **senestror** adj. plur. (1190, J. Bod.). Gauche. ◆ **senestrois** adj. (fin XIIe s., *Ogier*). Gauche. ◆ **senestral** adj. (fin XIIe s., *Ogier*). 1° Gauche. — 2° n. m. Côté gauche. ◆ **senestrier** adj. (1190, saint Bern.). 1° Qui se tient à gauche, comme une femme à cheval. — 2° Gauche, maladroit : *D'ainssin faire n'estoit pas li rois senestriers (G. de Rouss.).* — 3° n. m. Côté gauche.

senfege, sansfege, senzfoge adj. (fin XIIe s., saint Grég.; orig. incert.). Sans foi, perfide : *Qant Porre vous a mis en plege, la plus fause et la plus sansfege qui ainc s'entremist de cest art (Court. d'Arras).* ◆ **senfegerie** n. f. (fin XIIe s., saint Grég.). Manque de foi, perfidie.

sengle, sangle adj. (XIIe s., *Mainet;* lat. *singulum,* unique). 1° Seul, isolé : *Et qui est sengles en son tesmoin n'est creuz (Livr. de Jost.). Porc sangle,* sanglier. — 2° Simple, opp. à double ou à multiple : *Double soit, et sangle se faingne (Rose).* — 3° Simple, sans accessoires, sans ornements : *Elle a une jupe porprine* [...] *Sangle est por la chaleur d'esté (Part.).* — 4° Qui n'est pas accompagné d'autre chose : *Deles lui se coucha en sa cemise saingle (Mainet).* — 5° En parlant des personnes, avec *en,* qui n'a que : *Ele estoit sengle en .I. bliaut (Gilles de Chin).* ◆ **senglement** adv. (1150, *Thèbes*). 1° Simplement : *De vermax cendax sunt vestues, Tut senglement a lor cars nues*

(M. de Fr.). — 2° Seulement, uniquement. ◆ **sengler** adj. (1260, Br. Lat.). 1° Simple. — 2° Qui vit solitaire : *Porcq saingler* (Br. Lat.). ◆ **sengler** n. m. (déb. XIIe s., *Voy. Charl.*). Sanglier.

senglot, sanglot n. m. (1175, Chr. de Tr.; lat. pop. **singluttum,* altér. du class. *singultus*). Sanglot, hoquet. ◆ **senglotir** v. (1160, *Eneas*). 1° Sangloter, avoir le hoquet, roter. — 2° Respirer : *A la mort trait, n'a pooir qu'il souzgloute (Gaydon).* ◆ **sengloter** v. (1175, Chr. de Tr.). 1° Sangloter. — 2° Vomir. ◆ **sanglotement** n. m. (XIIIe s., *Lapid. fr.*). Sanglot.

senier v. V. SEIGNIER, marquer d'un signe, faire signe à, faire le signe de la croix.

senler v. V. SEMBLER, paraître, feindre, ressembler, rassembler.

senne n. f. V. SOINE, excuse.

senoec, senuec adv. (1190, J. Bod.; *sine hoc*). Sans cela : *Comment en irai je senuec, Je n'apris onques tel afaire? (Court. d'Arras).*

sens n. m. (1080, *Rol.;* lat. *sensum,* action de sentir; élimine progressivement *sen*). 1° Organe des sens, action de sentir. — 2° Manière de penser, bon sens, sagesse. — 3° Action sensée : *Soiez liez, fetes bele chiere, Si ferez et sens et savoir* (Ruteb.). *Faire sens,* bien agir. — 4° Direction. *En tous sens,* dans toutes les directions. ◆ **sensement** n. m. (1190, Garn.). Avis : *Recevez le conseil, sire, et le sensement De celui qui vus est feels veraiement* (Garn.). ◆ **sensable** adj. (1325, *Arch.*). 1° Raisonnable. — 2° Parvenu à l'âge de râison, majeur. ◆ **sensu** adj. (fin XIIe s., *Aym. de Narb.*). Sensé. ◆ **sensible** adj. (1260, Br. Lat.). 1° Venant des sens, *ame sensible,* par opposition à *ame raisnable.* — 2° Sensé. ◆ **sensif** adj. (1277, *Rose*). Scnsible.

sensualité n. f. (1190, saint Bern.; lat. eccl. *sensualitas*). 1° Faculté de percevoir les sensations. — 2° Ensemble de nos sens.

I. **sente** n. f. (fin XIIe s., *Rois;* lat. *semita,* sentier). Sentier. ◆ **sentele** n. f.

(XIIᵉ s., *Horn*). 1° Petit sentier. — 2° Détour. ◆ **sentelet** n. m. (1170, *Percev.*), **-elete** n. f. (XIIIᵉ s., *Chans.*). Petit sentier. ◆ **sentier** n. m. (1080, *Rol.*). Sentier. ◆ **senteret** n. m. (XIIIᵉ s., *Pastor.*), **-erete** n. f. (1277, *Rose*). Petit sentier.

II. **sente** n. f., fond de la cale. Voir SENTINE, même sens.

sentence n. f. (1175, Chr. de Tr.; lat. *sententia*). Jugement, condamnation. ◆ **sentencion** n. f. (1265, J. de Meung). Condamnation.

sentine n. f. (1190, saint Bern.; lat. *sentina*). 1° Fond de la cale. — 2° Rebut, lie. — 3° Sorte de chaland (bateau) [XIVᵉ s.]. ◆ **sente** n. f. (1272, Joinv.). Fond de cale d'un navire.

sentir v. (1080, *Rol.*; lat. *sentire*). 1° Percevoir une odeur. — 2° Éprouver un sentiment. ◆ **sentement** n. m. (1190, saint Bern.). 1° Senteur, action de sentir. — 2° Sentiment. ◆ **sentable** adj. (1308, Macé). Qui a du sentiment.

senuec adv. V. SENOEC, sans cela.

senz prép. V. SANS, prép. d'exclusion, d'exception.

senzfoge adj. V. SENFEGE, sans foi, perfide.

seoir v. (1112, *Saint Brand.*; lat. *sedere*, être assis). 1° Etre assis, s'asseoir. — 2° Etre situé, être dans une position : *Car il siet le plus droit del mont* (J. Bod.). — 3° Reposer. *Seoir coi*, rester tranquille. — 4° Séjourner : *Environ la cisté sistrent moult longement* (Chans. d'Ant.). — 5° Siéger. — 6° Avoir lieu. — 7° v. impers. Convenir, plaire : *Et moult li plot et moult li sist* (Dolop.). — 8° Convenir, bien aller. — 9° n. m. Siège. ◆ **seage** n. m. (1321, *Arch.*). Droit de mouillage dans un port. ◆ **seor** n. m. (fin XIIᵉ s., saint Grég.). Celui qui est sur un cheval.

seon n. m. V. SAON, rebut, tronçon, récusation en justice.

I. **sep** n. f. V. SOIF, haie.

II. **sep** n. m. V. CEP, tronc.

septain adj. et n. m. (1215, *Gr. Charte*; lat. pop. *septanum, de *septem*).

1° Septième : *L'an de nostre regne dis et septain* (Gr. Charte). — 2° n. m. Collectif de sept (1317, *Ord.*). ◆ **septaine** n. f. (1265, J. de Meung). Collectif de sept, ensemble de sept choses semblables.

septembreche, -oische adj. (1300, *Arch.*; v. *setembre*, septembre). 1° De septembre. — 2° n. f. La Notre-Dame de septembre, fête de la Nativité de la Vierge (1270, *Cart.*).

sequence n. f. (XIIIᵉ s., *Ass. Jérus.*; bas lat. *sequentia*, suite). Suite, ordre, rang. ◆ **sequencier** n. m. (1328, Q.). Livre renfermant des séquences (eccl.). ◆ **sequent** adj. (1308, Aimé). Suivant. ◆ **sequace** n. m. (1335, *Arch.*). Suivant, adhérent, partisan.

sequenie n. f. V. SOSCHANIE, souquenille.

serain, -ein adj. et n. m. (1170, *Percev.*; lat. *serenum*). 1° Sans nuages. — 2° Calme. — 3° n. m. Soir *(Loher.).* — 4° Sérénité, calme. ◆ **seril** n. m. (1112, *Saint Brand.*). Soir. ◆ **serel** n. m. (1260, A. de la Halle). Assemblée du soir, veillée. ◆ **seri** adj. (déb. XIIᵉ s., *Voy. Charl.*). 1° Serein : *Li airs est clers, nes et seris (Fl. et Bl.).* — 2° Qui est sans agitation, paisible : *Paien s'enfuient parmi un val seri.* — 3° Calme, harmonieux, en parlant de la voix, d'un instrument, d'un chant : *Lor chant esteit cleirs e seriz* (G. de Saint-Pair). — 4° n. m. Le calme. *A seri, en seri,* paisiblement, doucement. — 5° adv. Tranquillement, sans bruit : *s'en alerent coiement et seri (Menestr. Reims).* ◆ **seriet** adj. (XIIIᵉ s., *Rom. et past.*). Diminutif de *seri*, doux, harmonieux.

serans n. m. V. CERENS, peigne, carde.

serchier v. V. CERCHIER, chercher.

sereine, -aine n. f. (déb. XIIIᵉ s., R. de Beauj.; bas lat. *sirena*, pour *siren*, du grec). Sirène.

serementer v. (1297, *Arch.*; dénomin. de *sacrementum*, v. *sairement*). 1° Faire prêter serment à. — 2° Lier par un serment. ◆ **serementé** adj. et n. m. (1268, E. Boil.). 1° adj. Assermenté. — 2° n. m. Expert juré. ◆ **sermenteur** n. m. (1304,

Arch.). Celui qui a prêté serment. ◆ **sermentois** adj. (1313, Godefr. de Paris). Assermenté, lié par un serment.

serf n. m. (XIe s., *Alexis;* lat. *servum,* esclave). Serf. *Serf de pute estrace,* diable (Ruteb.). ◆ V. SERVETÉ, condition de serf.

serjant n. m. (XIe s., *Alexis;* lat. *servientem,* de *servire*). 1° Serviteur : *Li bons serjanz quil serveit volontiers (Alexis). Serf serjant,* attaché à la maison comme serviteur, par·opposition à serf attaché à la glèbe. — 2° Homme d'armes, homme de troupe à pied : *Li cevalier et li serjant s'arment (Auc. et Nic.). Frere serjant,* chez les Templiers, homme d'armes faisant partie de l'Ordre. — 3° Officier de justice. ◆ **serjantel** n. m. (XIIIe s., Th. de Kent). Serviteur. ◆ **serjanteret** n. m. (1220, Coincy). Officier de justice. ◆ **serjantise** n. f. (1190, Garn.). Service. ◆ **serjantie** n. f. (XIIIe s.). 1° État de serviteur, domesticité. — 2° Fief de *serjant.* ◆ **serjanterie** n. f. (XIIIe s., *Livr. de Jost.*). 1° Office de serjant, officier judiciaire. — 2° Juridiction de *serjant.* — 3° Fief de *serjant (Gr. Charte).* — 4° Corps d'hommes d'armes, troupe de mercenaires *(Son. de Nans.).* ◆ **serjanter** v. (XIIIe s.). Poursuivre par le moyen d'officiers ·de justice. ◆ **serjantement** n. m. (1290, *Arch.*). Action de poursuivre par les *serjants.*

sermon n. m. (Xe s., *Saint Léger;* lat. *sermonem*). 1° Discours. — 2° Prêche, sermon. ◆ **sermoner** v. (1167, G. d'Arras). 1° Faire un sermon, prêcher. — 2° Faire des représentations *(Rose).* — 3° Discourir : *Et respondi Maugis : Trop avez sarmonné (Maug. d'Aigr.).* ◆ **sermonement** n. m. (1190, Garn.), -age n. m. (XIIIe s., *Rich. li Biaus*). 1° Sermon. — 2° Discours. ◆ **sermoneor** n. m. (1247, Ph. de Nov.). 1° Prédicateur, prêcheur. — 2° Discoureur. ◆ **sermonier** n. m. (XIIe s., *Asprem.*). Prédicateur, sermonneur.

seror n. f. cas rég., **suer** cas sujet (1080, *Rol.;* lat. *soror, sororem*). Sœur. ◆ **serorge** n. m. (1160, Ben.; lat. *sororium*). Beau-frère. ◆ **serorge** n. f. (1220, G.). Belle-sœur.

I. **serorge** n. m. (XIIIe s., Darmesteter; lat. *chirurgus,* du grec). Chirurgien.

II. **serorge** n. m. et f., beau-frère, belle-sœur. V. SEROR, sœur.

serpent n. m. ou f. (1080, *Rol.;* lat. *serpentem,* p. prés. de *serpere,* ramper). Serpent. ◆ **serpentele** n. f. (1314, Mondev.). Sorte de serpent. ◆ **serpentine** n. f. (1170, *Fierabr.*). Quantité de serpents, les serpents. ◆ **serpental** adj. (XIIIe s., *Fabl. d'Ov.*), -**ial** adj. (1160, Ben.). De serpent.

serpilliere n. f. V. SARPILLIERE, toile grossière.

serpillon n. m. (1272, *Arch.;* dimin. de *serpe;* v. *sarpe*). Petite serpe.

serrant adv. et prép. (1232, *Charte;* p. prés. de *serrer*). 1° Adv., Près : *Et la bele se tint selonc li tout serrant, En moult trez grant paour (Doon de May.).* — 2° Prép., Auprès de, contigu à : *La maizon qi siet en vies markiet, serant de la maizon Gerart* (1232, *Charte*).

I. **serre** n. f. (fin XIIe s., *Rois;* lat. *serra,* scie). 1° Scie. — 2° Scie ou espadon, poisson de mer *(Best. divin).* — 3° Montagne *(Loher.).*

II. **serre** n. f., serrure, ce qui serre, prison, série. V. SERRER, fermer.

serrer v. (1160, Ben.; lat. pop. *serrare,* du bas lat. *serare,* fermer avec une barre, infl., peut-être, par *ferrum*). 1° Clore avec la barre ou la serrure. — 2° Tenir fermé : *Et paradis estoit clos et sieres (H. de Bord.).* — 3° Enfermer. — 4° Se trouver près l'un de l'autre. — 5° Presser, étreindre (Chr. de Tr.). ◆ **serre** n. f. (1170, *Percev.*). 1° Serrure (au pr. et au fig.) : *Ele li metoit la clef D'amor en la serre du cuer (Percev.).* — 2° Ce qui serre en général · mors, tenaille, objet d'emballage, etc. — 3° Prison. *Estre en serre, estre enfermé : Sathan! Sathan! es tu en serre?* (Ruteb.). — 4° Série, suite, ordre, rang : *Che que chi est escrit en serre (Mir. saint Éloi).* ◆ **serreure** n. f. (1120, *Ps. Oxf.*). 1° Serrure. — 2° Action de serrer, de presser. ◆ **serrin** n. m.

(1334, *Rest. du Paon*). Serrure. ◆ **serraille** n. f. (XIII⁰ s., G.). Serrure. ◆ **serrailleur** n. m. (1306, G.). Serrurier. ◆ **serror** n. m. (1306, G.), **-ier** n. m. (1312, *Arch.*). Serrurier. ◆ **serreement** adv. (1138, *Saint Gilles*). 1⁰ En rangs serrés : *Li Romain vont serreement* (G. d'Arras). — 2⁰ En serrant. — 3⁰ Avec force, violemment : *Mais Huon du martiel le fery serement* (*H. Capet*). — 4⁰ Vivement, rapidement : *Vers aus aluns serreiement* (Wace). — 5⁰ Dans un endroit fermé.

serte n. f. (1284, *Cout. norm.; v. servir*). 1⁰ Service féodal. — 2⁰ Temps de service d'un apprenti.

serventois n. m. (1169, Wace; anc. prov. *sirvent*, serviteur). 1⁰ Poésie composée en l'honneur de la Vierge. — 2⁰ Chanson morale ou satirique. — 3⁰ Plaisanterie : *Ne n'out talent de rire ... N'a faire serventois* (Wace). — 4⁰ Discours : *Chi n'afiert pas lons serventois* (*Court. d'Arras*).

server v. (1308, Aimé; lat. *servare*). 1⁰ Préserver. — 2⁰ Sauver. ◆ **serve** n. f. (1307, G.). Garde, réserve. ◆ **servoir** n. m. (1281, *Arch.*). Réservoir, vivier.

serveté n. f. (XIII⁰ s., *Ass. Jérus.; v. serf.*). 1⁰ État de serf, servitude. — 2⁰ Vasselage. ◆ **serve** n. f. (XIV⁰ s., *Troilus*). Servitude, esclavage. ◆ **servance** n. f. (XIII⁰ s., G. de Cambr.). 1⁰ Dépendance, servage. — 2⁰ Service, redevance seigneuriale (1335, *Arch.*). ◆ **servage** n. m. (fin XII⁰ s., *Rois*). Condition de serf, servage. ◆ **servagier** v. (1190, J. Bod.). Réduire à la condition de serf. ◆ **servagier** adj. (1180, *Rom. d'Alex.*). Réduit en servage : *Qu'il viegnent a Cesare por lor signor aidier, Et cil qui n'i venront soient tout servagez* (*Rom. d'Alex.*). ◆ **servaille** n. f. (1170, *Percev.*). Troupe de serfs, valetaille : *Hu! hu! fait ele, vilanaille, chien aragé, pute servaille!* (*Percev.*).

servir v. (X⁰ s., *Eulalie*; lat. *servire*, être esclave, servir). 1⁰ Servir. — 2⁰ Rendre les devoirs d'un vassal : *Meie ert la terre e li pais, que n'en suleie home servir, ne mais sul Deu, qui ne menti, e l'empe-rere Loowis* (*Gorm. et Is.*). — 3⁰ Agir, se

comporter : *Porpensa soi que ce devoit, Qar si servir pas ne soloit* (*Trist.*). ◆ **servant** n. m. (déb. XII⁰ s., *Voy. Charl.*). 1⁰ Serviteur : *li reis nostre sire me fist sun haut servant* (Garn.). — 2⁰ *Frere servant*, convers. — 3⁰ Soldat à pied : *Lors veissiez entre servanz Granz barates et granz meslees* (Wace). ◆ **servantage** n. m. (1288, J. de Priorat). Obéissance. ◆ **servantaille** n. f. (1295, Boèce). Collectif, les serviteurs. ◆ **servantie** n. f. (1219, G.). Redevance féodale. ◆ **servement** n. m. (XIII⁰ s., Beaum.). 1⁰ Action de servir. — 2⁰ Service à table. ◆ **serveor** n. m. (1247, Ph. de Nov.). Serviteur.

servise n. m. (XI⁰ s., *Alexis*), **service** n. m. (XIII⁰ s.; lat. *servitium*, servitude). 1⁰ Devoirs du vassal envers son suzerain; aide, soutien, service d'ost (ensuite, redevances en argent). — 2⁰ État de servage. — 3⁰ Mérite : *Argente la cortoise est de sa valour laisse Que pour sa grant valour l'aime chascuns et prise* (*Argentine*). — 4⁰ Amabilité. ◆ **servis** n. m. (XIII⁰ s., R. de Blois). 1⁰ Service féodal. — 2⁰ Service. ◆ **serviçable** adj. (1170, *Percev.*). Serviable, qui aime à rendre service. ◆ **servisant** adj. (1338, *Ren. le Contr.*). Serviable. ◆ **servicial** n. m. (1256, *Ord.*). Officier au service d'un seigneur.

servitume, -une n. f. (1175, Chr. de Tr.; lat. *servitudo, -inem*). Servitude, esclavage : *En servitune et en essil* (Chr. de Tr.). ◆ **servitute** n. f. (1265, J. de Meung). Servitude. ◆ **servitage** n. m. (XIII⁰ s., *Sermons*). Service.

ses adj. possessif. V. TABLEAU DES POSSESSIFS, p. 422. Adjectif possessif se rapportant à la 3⁰ personne du singulier : 1⁰ cas sujet masculin; — 2⁰ cas régime pluriel, masculin; — 3⁰ cas sujet et cas régime pluriel, féminin.

II. **ses, sez** n. m. (1180, *Rom. d'Alex.; v. sez*, adv.). 1⁰ Satisfaction, plaisir, gré : *Quar quant vos avez fait vos sez, Au departir vos en gobez* (*Part.*). — 2⁰ Satiété, suffisance, ce qui suffit : *Tant l'aime qu'il ne li est ses Nule riens que il puisse faire* (l'*Escoufle*).

III. **ses** adv. V. SEZ, assez, beaucoup.

IV. **ses** contraction de : 1° *si + els; — 2° si + les;* — 3° *se + els;* — 4° *se + les.*

sesme adj. num. V. SETME, septième.

session n. f. (1130, *Job;* lat. *sessio, -onis*). 1° Le fait ou la manière d'être assis. — 2° Assemblée.

sestier n. m. (1175, Chr. de Tr.; lat. *sextarius,* propr. 6ᵉ partie). Mesure de capacité. ◆ **sestiere** n. f. (1218, *Arch.*). 1° Setier, mesure pour les liquides. — 2° Mesure pour les grains (1298, *Arch.*). — 3° Mesure de terre (1282, *Arch.*). ◆ **sesteree** n. f. (1276, G.). Mesure de terre, champ pour lequel il faut un setier de semence. ◆ **sesterage** n. m. (1185, *Charte*). 1° Droit sur le mesurage des grains, du sel et du vin. — 2° Mesure de terre (1330, *Arch.*).

I. **set** n. de nombre (1080, *Rol.;* lat. *septem*). Sept. ◆ **setme, seme, sieme, sisme** adj. num. (XIᵉ s., *Alexis*). Septième. ◆ **setisme** adj. num. (déb. XIIᵉ s., D.). Septième. ◆ **setante** n. de nombre (XIIIᵉ s.). Soixante-dix.

II. **set** n. m. V. SIÉ, siège, trône, royaume, résidence.

I. **sete, seite** n. f. (1250, *Ren.;* orig. incert.). Excrément, matière fécale.

II. **sete** adj. num. V. SISTE, sixième.

setoille n. f. V. SATOILLE, lamproie de rivière.

I. **seu** n. m. (1150, Wace; lat. *sabucum,* autre forme de *sambucum*). 1° Sureau. — 2° Au fig., symbole du désespoir, parce que, suivant la tradition, c'est à cet arbre que Judas se pendit : *Si ai lessié le basme, pris me sui au seu* (Ruteb.). ◆ **seur** n. m. (1176, E. de Fougères; altér. d'après *sur,* à cause du goût des feuilles du sureau). Sureau.

II. **seu, segu** n. m. (1138, *Saint Gilles;* lat. pop. **segusium,* de *secutium,* qui suit, de *sequor,* suivre). Chien de chasse.

III. **seu, siu, sui** n. m. (fin XIIᵉ s., *Rois;* lat. *sebum,* graisse). Suif.

IV. **seu** n. m. (fin XIIᵉ s., Guiot; orig. obsc.; cf. bas lat. *sutis*). Étable à porcs : *Ains cacherai fors de la seu mes pors* (Court. d'Arras).

V. **seu** n. m. (1155, Wace; p. passé subst. de *savoir*). Le fait de savoir. *Senz le seu,* à l'insu. ◆ **seue** n. f. (1225, *Sept Dormans*). Le fait de savoir, science, connaissance. *Comune seue,* notoriété publique (*Livr. de Jost.*).

seul adj. et adv. V. SOL, seul, seulement.

I. **seule** n. m. V. SIECLE, vie terrestre, monde, état séculier.

II. **seule** n. f. V. SUELE, poutre, solive.

I. **seur** adj. (1080, *Rol.;* lat. *securum*). 1° Confiant. — 2° Qui a de l'assurance : *segurs, senz dute e senz esfrei* (Ben.). — 3° Qui est en sûreté : *sauf et segur* (1276, *Arch.*). *A seur,* en sûreté. — 4° Certain : *Seurs soit qui c'onques remaigne Qui li roys le fera tuer* (J. Bod.). ◆ **seurain** adj. (1160, Ben.). Sûr, plein de sécurité. ◆ **seurté** n. f. (1160, Ben.). 1° Promesse formelle, engagement, caution : *Seurté font a la seror, s'il ne revient, d'icel enor* (Fr. Angier). — 2° État de celui qui ne craint pas, assurance. — 3° Certitude. ◆ **seurance** n. f. (1160, Ben.). Gage, assurance, alliance avec serment : *En la terre Hunlaf ki ert en surance* (Horn). ◆ **seurtage** n. m. (XIIIᵉ s., Th. de Kent). Sûreté. ◆ **seurtance** n. f. (1155, Wace). Gage, assurance, certitude. ◆ **seurconduit** n. m. (1317, G.). Sauf-conduit.

II. **seur** n. m., sureau. V. SEU, sureau.

III. **seur** prép. V. SOR, sur, près de, vers, contre.

seure prép. et adv. V. SORE, sur, au-dessus de; en haut, sus.

seuwe, soue n. f. (1322, *Arch.;* bas lat. *soca,* peut-être mot gaulois). Corde.

seuwer v. (1307, *Arch. Tournai;* d'orig. germ.). Donner décharge, quittance d'une dette. ◆ **seuwiere** n. f. (1261, Tailliar) Écluse ou décharge d'un étang, d'un vivier.

seve n. f. (1265, J. de Meung; lat. *sapa*). 1° Sève, suc. — 2° Jus, sauce.

sevelir v. (1160, Ben.; lat. *sepelire*).
1° Ensevelir. − 2° Etre enseveli. − 3° n. m.
Ensevelissement *(Rom. d'Alex.).* ◆ **sevelissement** n. m. (1190, J. Bod.). Ensevelissement.

sevels, seveaus adj. (XIIe s., *Pir. et Tisb.;* composé latin tardif de *sic* et *vel*).
Du moins : *Seviaus Que nous contiegne uns seulz tombiaux (Pir. et Tisb.).*

several adj. (XIIe s., dér. du lat. *separ, -aris*, séparé, distinct). Séparé, distinct, particulier. ◆ **severalment** adv. (fin XIIe s., *Rois*). Séparément, à part, un à un : *Faites les enfanz mander E severalment od nus parler (Contin. Brut).* ◆ **severalté** n. f. (1304, *Year Books*). Séparation, distinction. ◆ **severeus** n. m. (XIIIe s., *Petit Voc. lat.-fr.*). Lieu à part, détourné.

sevil n. m. (1164, Chr. de Tr.; lat. pop. *sepilem*, de *saepes*, haie). Haie : *Remenez ci, dame! fet il, Un petit delez cest sevil (Chr. de Tr.).*

sevrer v. (1080, *Rol.;* lat. pop. *separare*, pour *separare*). 1° Séparer : *Tute la teste li ad par mi sevree (Rol.).* − 2° Fendre : *Qu'il cuida a force ceste prese sevrer (Chev. Vivien).* − 3° Partager : *Faites vos gens sevrer en deus moities (Gar. Loher.).* − 4° Mettre à part, retrancher, ôter. − 5° Éloigner − 6° Séparer du sein, sevrer (XIIIe s.). − 7° Organiser, former : *Et por les batailles sevrer (Saint Eust.).* ◆ **sevree** n. f. (XIIIe s., *Chans.*), -**ance** n. f. (XIIe s., J. Fantosme). Séparation : *La sevrance de vus (J. Fantosme).* ◆ **sevrement** n. m. (1112, *Saint Brand.*). Séparation, départ, disparition. ◆ **sevraison** n. f. (XIIIe s., *Tr. écon. rur.*). Sevrage. ◆ **sevrable** adj. (1160, Ben.). Changeant, variable, sujet à quitter.

sevronde n. f. (1155, Wace; orig. incert.). Partie du toit qui avance, partie du toit en saillie pour jeter les eaux pluviales hors du mur. ◆ **sevronder** v. (1290, W. de Bibbesworth). Rôder dans les gouttières, sur les toits.

I. **sez, ses** adv. (1080, *Rol.;* lat. *satis*). Beaucoup, assez : *De lui venger jamais ne li ert sez (Rol.).*

II. **sez** n. m. V. SES, satisfaction, suffisance.

I. **seze** n. de nombre (XIIe s.; lat. *sedecim*). Seize. ◆ **sezain** adj. et n. (1215, *Gr. Charte*). 1° Seizième. − 2° Seize (1326, *Arch.*). ◆ **sezisme** adj. num. (XIIe s.). Seizième.

II. **seze** n. m. V. CEIRE, pois chiche.

I. **si** adv. (XIe s., *Alexis;* lat. *sic*). 1° Ainsi, de cette manière : *Li reis otrie que si seit* (M. de Fr.). *Si com*, ainsi que, comme : *si cume liuns ravisanz (Ps. Oxf.).* *Si que*, ainsi que. − 2° Particule affirmative, déniant la négation : *Perrete : Je n'ose. Baudons : Si feras, si* (A. de la Halle). *Si est, si fait*, loc. affirmant le contraire de ce qui a été dit auparavant. − 3° Particule à sens faible, Ainsi : *Il est mes filz e si tendrat mes marches (Rol.).* − 4° *Si, or si*, donc, or donc : *Sire, quand parduné l'avez, tel vus dirai : si m'escultez!* (M. de Fr.). − 5° *Si ... si*, d'une part ..., d'autre part. − 6° Adv. de quantité, Tellement : *Si grant doel en out! (Rol.).* *Si tres*, tellement. *Si ... que*, tellement ... que. − 7° Autant, à tel point : *Quant or i vint Aucassins, Dolans fu, ainc ne fu si (Auc. et Nic.).* − 8° *Si que, tot si que, par si que, par tel si que*, de telle sorte que. − 9° *Par si que*, à condition que, pourvu que. − 10° Conjonction de coordination, Cependant, néanmoins : *Se j'avoie le sens qu'ot Salemons, si me feroit Amours pour fol tenir* (Couci). − 11° *Si com si*, comme ci, comme ça (Garn.). − 12° II. III. Assentiment : *Amender le volroie du tout a vostre sy (Chev. cygne).*

II. **si** adj. possessif 3e pers., cas sujet pluriel. V. TABLEAU DES POSSESSIFS, p. 422.

sibler, subler v. (1160, *Eneas;* lat. *sibilare*). 1° Siffler. − 2° Murmurer. − 3° Appeler en sifflant. ◆ **sible** n. m. (1175, Chr. de Tr.). *En un sible, a un sible*, tout d'une voix, rapidement. ◆ **siblet** n. m. (1272, Joinv.). 1° Sifflet. − 2° En particulier, sifflet pour appeler les oiseaux.

sicamor n. m. (1160, *Eneas;* lat. *sycomorus*, du grec; v. *sagremor, sigamor*). Sycomore.

sicle n. m. (fin XIIe s., *Rois;* lat. eccl. *siclus*, de l'hébreu, par l'interm. du grec). Monnaie juive.

sidoine n. m. (fin XIIe s., *Est. Saint-Graal;* lat. *sidonium*, pour *sindonium*). Suaire.

sie n. f. (XIIIe s.; déverb. de *seer*, scier, couper). Scie. ◆ **siement** n. m. (fin XIIIe s., Guiart). Action de scier, de faucher.

sié, see, sé n. m. (1080, *Rol.;* lat. *sedem*). 1o Siège, trône. — 2o Siège du gouvernement, capitale : *Ais le siet* (Rol.). — 3o Royaume : *Il garderunt les leis ki sunt en nostre sié* (Garn.). — 4o Résidence, séjour en général. — 5o Siège épiscopal : *Stigant fist l'apostoiles de sun sié deposer* (Garn.). *Maistre sié*, siège métropolitain. ◆ **siement** n. m. (XIIe s., Horn.). Siège (pour s'asseoir).

siecle, secle, seule n. m. (Xe s., *Eulalie;* lat. *saeculum*). 1o Une longue période de temps. — 2o Le temps présent, la génération présente : *Toz li siecles se merveille dont cele grace li puet estre venue* (Saint-Graal). — 3o La vie terrestre, par opposition à la vie céleste : *Volt lo seule laszier* (Eulalie). — 4o L'ensemble des hommes, le monde en général : *El secle n'at nul si bele* (Lai du Désiré). — 5o État séculier, vie mondaine : *Quant nous fumes al siecle, s'estiens chevalier* (Aiol). ◆ **siecler** v. (déb. XIVe·s., *Chev. cygne*). 1o Vivre durant des siècles : *Li rois des rois qui sans fin siecle* (Dis des sept blasons). — 2o Mener une vie mondaine. ◆ **siecleus** adj. (1350, G. li Muisis). Mondain.

siege n. m. (1080, *Rol.;* lat. pop. **sedicum*). 1o Lieu où l'on s'établit. — 2o Place où l'on s'assied. — 3o Siège d'une forteresse, d'une ville (XIIIe s.). — 4o En particulier, le banquet annuel de la Confrérie de Saint-Jacques (1326, *Hist. Paris*).

sieme adj. num. V. SETME, septième.

I. **siement** n. m. Action de scier, de faucher. V. SIE, scie.

II. **siement** n. m., siège. V. SIÉ, siège.

sien adj. poss. masc., 3e pers. V. SUEN, son, sien.

sierain adj. et n. m. V. SERAIN, calme; soir.

sieste adj. num. V. SISTE, sixième.

sieu n. m. V. SEU, suif.

sieur n. m. cas rég. (XIIIe s.), **sire** cas sujet (1080, *Rol.;* lat. pop. **seior*, **seiorem*, forme familière de *senior*, *-orem*). 1o Seigneur. — 2o *Sire* désigne le souverain (XIVe s.).

sieure v. V. SIVRE, suivre. ◆ **sieute** n. f. (XIIIe s., *Gaydon*). 1o Action de suivre, poursuite. *Avoir sieute*, être poursuivi. — 2o Obligation de fréquenter les plaids du seigneur. — 3o Suite. — 4o *Par sieute, par plaine sieute*, tout de suite, ensemble, unanimement.

sifait adj. (1160, Ben.; composé de *si* et *fait*). Qui est de telle sorte, tel, pareil : *De sifait chaple n'ores mais* (G. d'Arras). ◆ **sifaitement** adv. (1167, G. d'Arras). Ainsi, de cette façon.

sifler v. (XIIe s.; lat. pop. **sifilare*, pour *sibilare*). Siffler. ◆ **sifle** n. m. et f. (XIIIe s., *Conq. Jérus.*). 1o Sifflet. — 2o Bruit sifflant. — 3o Sifflement.

sifon n. m. (XIIIe s., D.; lat. *sipho*, du grec). Trombe.

sifonie, sinfonie n. f. (1125, *Sermon en vers;* lat. *symphonia*, du grec). 1o Instrument à cordes, sorte de vielle. — 2o Tambour (1210, *Dolop.*). — 3o Accord des sons (Oresme).

sigamor n. m. V. SAGREMOR, sycomore.

sigladon n. m., **-oine** n. m. V. CICLATON, long manteau, étoffe. ◆ **siglas** n. m. (1250, *Gui de Bourg.*). Ciclaton.

sigle n. f. et m. (XIe s., *Alexis;* germ. *sigla*). Voile de navire. ◆ **sigler** v. (1080, *Rol.*). 1o Faire voile, naviguer. — 2o Fendre en faisant voile : *Sigler les mers* (Ben.). ◆ V. CILLIER, même sens.

signal n. m. V. SEIGNAL, signe, seing, quillon, astre.

I. signe n. m. et f. (xe s., *Saint Léger;* lat. *signum*). 1º Signe, marque. — 2º Enseigne, cri de guerre. — 3º Enseigne de pèlerinage : *E ampolles reportent en signe del veage* (Garn.). — 4º Miracle.. ◆ **signerie** n. f. (1190, saint Bern.). Signe, marque. ◆ **signeportant** n. m. (1119, Ph. de Thaun). Zodiaque. ◆ **signet** n. m. V. SEIGNET, signe, sceau, empreinte.

II. signe n. m. (1170, *Fierabr.;* lat. pop. *sindonem,* du grec). Suaire.

signier v. V. SEIGNIER, marquer d'un signe, faire signe à.

signifiant n. m. (1344, *Lettre;* lat. *significans, -antem*). 1º Celui qui signifie, qui fait connaître une chose. — 2º Signification.

I. sillier v. (1260, Mousk.; v. *essillier,* même sens). 1º Ravager, dévaster. — 2º Mortifier : *Souvent pour Dieu servir de vos coers sen corps sille* (G. li Muisis). ◆ **sillement** n. m. (xiie s., *Chev. cygne*). Ruine, ravage.

II. sillier v. V. SIGLER, faire voile.

III. sillier v. V. CILLIER, coudre les cils. ◆ **silliere** n. f. (1318, G. de La Bigne). Fil qui coud les cils d'un oiseau de proie.

IV. sillier v. V. CINGLER.

siloc n. m. (1290, Br. Lat.; ital. *scirocco,* de l'arabe). Sirocco.

silve n. f. V. SELVE, forêt.

simble n. m. V. SEMBLE, fleur de farine.

sime adj. num. V. SETME, septième.

similitude n. f. (1220, *Saint-Graal;* lat. *similitudo*). 1º Ressemblance. — 2º Chose, phénomène semblable : *Et cele similitude que li Peres envoia en terre son fil pour delivrer son pueple est ore renovelee (Queste Saint-Graal).* ◆ **similance** n. f. (1308, Aimé). Ressemblance, chose semblable.

simple adj. (xiie s., *Pir. et Tisb.;* lat. *simplus,* var. de *simplex*). 1º Simple, par oppos. à complexe. — 2º Simple, affable, doux. — 3º Malheureux, misérable : *Si faite amours a mort le simple!* (Pir. et Tisb.). — 4º Qui est un peu simple, crédule, naïf. ◆ **simplet** adj. (xiie s., *Am. et Id.*). Qui est un peu simple, crédule, naïf. ◆ **simpleté** n. f. (1160, Ben.). Simplicité, douceur, bonne foi : *Si le torna en grant cierté La dame por sa simpleté* (Chr. de Tr.). ◆ **simplece** n. f. (fin xiie s., *Cour. Louis*). Simplicité, franchise. ◆ **simploier** v. (1204, R. de Moil.). 1º v. réfl. S'humilier. — 2º Donner un faux air de simplicité et de douceur (Deguil.). ◆ **simploiant** adj. (xiie s., G.). 1º Simple, doux, tranquille. — 2º n. m. Soumission, abaissement, (Watriquet).

simulacre n. m. (fin xiie s., *Rois;* lat. *simulacrum,* image). Statue, image d'une divinité païenne.

sinagoge n. f. (1080, *Rol.;* lat. eccl. *synagoga,* du grec). 1º Synagogue. — 2º Temple païen.

sincopin n. m. (xiiie s., Fr. Angier; dér. du lat. *syncopa,* du grec). Syncope, faiblesse. ◆ **sincopiser** v. (1314, Mondev.). Tomber en syncope.

sines, sisnes n. f. pl. (1190, J. Bod.; dérivé de *sis,* six, d'après *quines;* v. ce mot). Coup de dés qui amène les deux six. *Toutes sines,* triple six.

sinfonie n. f. V. SIFONIE, instrument à cordes, tambour.

singe n. m. (1268, E. Boil.; lat. *simium*). Singe. ◆ **singesse** n. f. (fin xiie s., M. de Fr.). Femelle du singe, guenon. ◆ **singeot** n. m. (xiiie s., *Fabl.*), -ote n. f. (xiiie s., *Fabl.*). Petit singe. ◆ **singaille** n. f. (xiiie s., *Fabl. d'Ov.*). Race des singes. ◆ **singeoiement** n. m. (1335, Deguil.). Singerie.

I. single n. m. et f. V. SIGLE, voile de navire.

II. single adj. V. SENGLE, seul, solitaire, simple.

singuler adj. (1190, Garn.; lat. *singularis,* seul). 1º Particulier, personnel : *La priere qui est singuliere (Ysopet).* — 2º Un, unique : *Cele singuleir diviniteit* (saint Bern.). — 3º Qui se distingue des autres (xive s.). ◆ **singulaire** adj. (1314, *Arch.*). 1º Particulier. — 2º Chaque. ◆ **singuler** v. (1334, *Rest. du Paon*). Exécuter en détail.

sinier v. V. SEIGNIER, marque d'un signe, faire signe à, faire le signe de la croix.

sinistrer v. (1350, G. li Muisis; lat. *sinistrum,* gauche). 1° Faire manquer, gâter : *J'en poroie moult bien tout men fait sinistrer* (G. li Muisis). — 2° Échouer, manquer.

sinne n. m. V. SIGNE, le saint suaire.

sinopre, sinople n. m. (fin XIIe s., *Trist.;* lat. *sinopis,* du grec). 1° Couleur rouge. — 2° Couleur verte (R. de Beauj.).

sion n. m. V. CION, scion.

sipier n. m. (XIIIe s., *Gaufrey;* dér. de *Cyprus,* Chypre). Bois de Chypre.

siques adv. (déb. XIVe s., *Chev. cygne;* composé de *si* et *que,* doté d'un *s* adverbial). Ainsi : *Cicques pour vo merite vo feray meriton (Chev. cygne).*

sire n. m. cas sujet. V. SIEUR, seigneur.

sis n. de nombre (XIIe s.; lat. *sex*). Six. *Sis et as,* sorte de jeu (Chr. de Tr.). ◆ **siste, sieste, sete** adj. num. (1080, *Rol.;* lat. *sextum*). Sixième. ◆ **sisain** adj. et n. m. (fin XIIe s., *G. de Rouss.*). 1° Sixième. — 2° Sorte de petite monnaie (fin XIIIe s.). ◆ **sisaine** n. f. (1260, *Arch.*). Sorte de redevance.

sisme adj. num. V. SETME, septième.

sisne n. m. V. SIGNE, le saint suaire.

sisnes n. f. pl. V. SINES, double-six.

site n. m. (1304, *Year Books;* lat. *situs,* situation). 1° Place, emplacement. — 2° Rang : *Des .II. eschieles desusdites Qui furent es premiers sites, L'une devant l'autre ordenees* (Guiart).

siu n. m. V. SEU, suif.

sivanmant adv. (1295, *Arch.;* dér. de *sivant,* p. prés. de *sivre,* suivre). De suite, ensuite, à la suite.

sivre, sivir, siuvre v. (980, *Passion;* *sequere* ou *sequire,* pour *sequi,* suivre). 1° Suivre, poursuivre. — 2° Suivre, imiter. ◆ **sivance** n. f. (fin XIIe s., saint Grég.). 1° Suite, train : *Mesire Challes O li touz ceus de sa sivance* (Guiart). —

2° Suites, dépendances d'une chose : *sivances de joustice* (1276, *Charte*). — 3° Ce qui se rapporte, ce qui ressemble. ◆ **siveor** n. m. (fin XIIe s., saint Grég.). Celui qui suit, imitateur. ◆ V. SIEUTE, suite.

soagier v. (fin XIIe s., saint Grég.; lat. pop. **suaviare,* de *suavis,* doux). Adoucir, soulager. ◆ **soage** n. m. (XIIIe s.). 1° Soulagement. — 2° Aide, sorte de redevance. — 3° Moulure ornant la base d'une pièce d'orfèvrerie (1332, *Arch.*). ◆ **soageté** n. f. (1120, *Ps. Oxf.*). Soulagement. ◆ **soatume** n. f. (déb. XIIe s., *Ps. Cambr.*). 1° Douceur, délice. — 2° Soulagement : *Done moi repos, s'il te plest, e soatume de mes dolors (Saint Eust.).* — 3° Odeur suave, parfum. ◆ **soatisme** n. f. (1190, saint Bern.). 1° Odeur suave. — 2° Douceur, grâce.

soavet adj. (1080, *Rol.;* dimin. de *soef,* doux). 1° Doux, agréable. — 2° adv. Doucement, délicatement : *Si lor fist a tos commander Que soavet a lui venissent* (Wace). — 3° adv. A voix basse.

sobiter v. (1167, G. d'Arras; lat. pop. **subitare,* de *subitus,* soudain). 1° Faire mourir de mort violente. — 2° Accabler. — 3° Périr. ◆ **sobitain** adj. (1155, Wace). 1° Subit, imprévu : *Dont il morra de la mort soubitainne (Gaydon).* — 2° n. m. Accident soudain (G. de Tyr).

I. **sobre** adj. (fin XIIe s., M. de Fr.; lat. *sobrius*). Sobre, convenable. ◆ **sobrement** adv. (1322, *Arch.*). Suffisamment, convenablement. ◆ **sobrier** v. (1360, Froiss.). Mener une vie sobre.

II. **sobre** prép. et adv. de lieu. V. SORE, sur, au-dessus de; en haut, sus.

sobriquet n. m. (1355, *Arch.;* orig. obsc.). Coup sous le menton.

soc n. m. (fin XIIe s., *Rois;* lat. pop. **soccum,* présumé d'orig. gaul.). Soc de la charrue. ◆ **sochet, soket** n. m. (1252, G.). Petit soc de charrue. ◆ **socage** n. m. (1215, *Gr. Charte*). Corvée de charrue due par un vassal ou son rachat en argent. ◆ **sokeman** n. m. (XIIe s., *Contin. Brut*). Qui tient en roture ou vilenage : *Les serganties e les sokages, Les petiz soke-*

men e les vilenages (Contin. Brut). ◆
sokemanerie n. f. (1292, Britton). Terre
tenue sous la condition du service de
charrue.

socanie n. f. V. SOSCHANIE, souquenille.

soces n. m. pl. (1361, Ord.; lat.
socius, compagnon, associé). Association
de plusieurs familles qui cuisent au four
ensemble. ◆ **socine, sociene** n. f. (1280,
Cart.). Associée dans une fournée. ◆
soçon, soichon n. m. (XIIIe s., Pastor.).
Compagnon, associé : Il est sochon a
mon maistre (Froiss.). ◆ **soceable** adj.
(1250, Arch.). Amical, agréable, bon. ◆
V. SOISTE, société.

soche n. f. V. ÇOCHE, couche. ◆
sochon n. m. (1295, Cart.). Souche. ◆
sochier v. (1277, Rose). Pousser des
rejetons, faire souche.

sodal n. m. (fin XIIIe s., Mir. saint
Éloi; lat. sodalis, camarade). Compagnon.

sode n. f. (1160, Ben.; lat. subita).
Terreur subite, panique : Unc n'out pour,
soudes n'effrei (Ben.). ◆ **sode** adj. (1160,
Ben.). Subit, soudain. ◆ **sodement,
sodeement** adv. (déb. XIIe s., Ps. Cambr.).
Rapidement, soudainement. ◆ **sodos**
adj. (1160, Ben.). Soudain, inopiné. ◆
sodosement adv. (déb. XIIe s., Ps. Cambr.).
Soudainement. ◆ **sodivement** adv.
(XIIIe s., Livr. de Jost.). Soudainement :
Home qui muert sodivement (Livr. de
Jost.). ◆ **sodain** adj. V. SOTAIN, soudain.

soduire v. (1112, Saint Brand.; lat.
subducere). 1º Tromper, séduire : Mult
est malveis cest siecle, quant ses amis
soduit (Sermon). — 2º Égaré. ◆ **sodoie-
ment** n. m. (1180, Rom. d'Alex.), **-isement**
n. m. (XIIe s., Asprem.), **-uison** n. f. (1160,
Ben.). Séduction, tromperie. ◆ **sodoiant**
adj. et n. m. (1080, Rol.). 1º Trompeur,
séducteur : Cil sunt
felun traitur suduisant (Rol.). — 3º En
parlant des choses : Jamais ne jerai nuit
les ton corps sodoiant (B. de Seb.). ◆
soidoisnaz adj. (1160, Ben.). Traître :
Fol le claiment, lort, sodoisnaz (Ben.). ◆
sodoitor n. m. (1150, Wace), **-oiseor** n. m.
(déb. XIVe s., J. de Condé). Séducteur,
trompeur.

soe adj. possessif, se rapportant à la
3e pers. fém. sing., **soes**, plur. (XIe s.,
Alexis, lat. sua). Forme accentuée du
possessif : 1º En fonction d'épithète :
La sue mort le vait mult angoissant
(Rol.). — 2º En fonction d'attribut : La
force ert soe, si cremeie ... (Wace). —
3º Doté de l'art. déf., en fonction de
pronom : Il li met se main en la siue
(Auc. et Nic.). ◆ V. TABLEAU DES
POSSESSIFS, p. 422.

I. soef adj. (1080, Rol.; lat. suavem).
1º Qui fait sur les sens une impression
douce, agréable : Od vent suef e bien portant (Ben.). — 2º Calme, paisible. —
3º En parlant des personnes : Blance fu
et soes et crasse (Comte de Poitiers). —
4º n. m. pl. Les gens doux, bienveillants.
◆ **soef** adv. (1080, Rol.). 1º D'une
manière douce : Si li demandent dulce-
ment e suef (Rol.). — 2º Facilement :
Soef conforte qui n'a mal (Part.). —
3º Tranquillement. — 4º Avec soin, avec
tendresse : Berte la debonaire qui souef
fu nourrie (Aden.).

II. soef n. m. et f. V. SOIF, haie,
clôture.

soeler v. V. SAOLER, rassasier.

soen adj. poss. masc., 3e pers. Voir
SUEN, son, sien.

soentre adv. et prép. V. SOVENTRE,
après, ensuite, peu après, suivant.

sofaschier v. (1155, Wace; lat. pop.
*subfasciare, de fascis, fagot). 1º Soule-
ver : Les paniers a bien alachez Et ses a
auques souffachiez (Ren.). — 2º Fléchir
sous le fardeau.

sofire v. (1175, Chr. de Tr.; lat. suffi-
cere). 1º Satisfaire. — 2º Suffire. ◆ **sofisant**
adj. (1162, Fl. et Bl.). 1º Propre à l'emploi
prévu. — 2º Qui a assez : Quant de mangier sont souffisant (Fl. et Bl.). —
3º Important, considérable. ◆ **sofiant**
adj. (fin XIIe s., saint Grég.). Suffisant,
convenable. ◆ **sofit** adj. (XIIIe s., Chans.).
Satisfait : De vo vouloir sui souffis
(Chans.). ◆ **sofisable** adj. (fin XIIe s.,
Cour. Louis). 1º En parlant des choses,
suffisant, qui satisfait. — 2º En parlant des

personnes; capable : *par tel home qui sof bien soit sofisable (Cour. Louis).*

sofistre n. m. (1240, H. d'Andeli; lat. *sophistes,* du grec). Qui use d'arguments captieux. ◆ **sofime** n. m. (1160, Ben.). Ruse : *De soffime et de question Ne me sot respondre (Ren.).* ◆ **sofimement** n. m. (1160, Ben.). Art, artifice.

sofler v. (1160, Ben.; lat. *sufflare*). Souffler. ◆ **soflement** n. m. (fin XIIe s., saint Grég.), **-aison** n. f. (1200, *Quatre Fils Aym.*). Action de souffler. ◆ **soflerie** n. f. (XIIIe s., *Fabl.*). Vent. ◆ **soflet** n. m. (XIIe s., *Asprem.*). 1° Souffle. — 2° Instrument à souffler. ◆ **soflant** adj. (1285, Aden.). Essoufflé.

sofraindre v. (1167, G. d'Arras; lat. pop. **suffrangere,* pour *suffringere*). 1° Manquer, faire faute : *Dame ou nuls bien ne soffraint* (Couci). — 2° Tourmenter. ◆ **sofraite** n. f. (1080, *Rol.*). 1° Privation, manque. — 2° Pénurie, disette : *Chaitive sui, de tut bien ai suffraite (Adam).* ◆ **sofraiture** n. f. (1180, *Rom. d'Alex.*). Manque, pénurie. ◆ **sofraitos** adj. (1120, *Ps. Oxf.*). 1° Nécessiteux — 2° Privé, dépourvu : *Car de blé sumez sosfreituz* (Wace). — 3° Misérable : *Fous est ki en vous se fie Ke vos estes l'Abeie As Soffraitous Si ne vous amerai mie* (C. de Béth.).

sofrir v. (1080, *Rol.;* lat. pop. **sufferire,* pour *sufferre*). 1° S'abstenir, se passer : *Soffers me sui de chanter En iver (Chans.).* — 2° Différer, attendre : *Pren la, sire, senz plus soffrir (Loher.).* — 3° Se modérer. — 4° Patienter : *Dist li portirs : .I. petit vos souffres (Rom. d'Alex.).* — 5° Souffrir. — 6° *Se sofrir de,* souffrir à cause de. — 7° Résister. — 8° Dispenser. — 9° Permettre, tolérer : *Aves vous dont souffert tel œuvre?* (J. Bod.). ◆ **soferre** v. (fin XIIe s., saint Grég.). Souffrir, supporter. ◆ **sofrance** n. f. (1190, Garn.). 1° Souffrance. — 2° Patience. — 3° Permission, délai. — 4° *Sofrance de guerre,* trêve, suspension d'armes. ◆ **sofrement** n. m. (1230, *Saint Eust.*). 1° Souffrance. — 2° Patience. ◆ **soferte** n. f. (1348, *Hist. Metz*). Armistice, trêve. ◆ **sofrant** adj. (déb. XIIe s., *Ps. Cambr.*). 1° Qui supporte courageuse-

ment, patient. — 2° Indulgent, bienveillant. ◆ **sofrable** adj. (1120, *Ps. Oxf.*). — 1° Supportable, tolérable. — 2° Qui a la force de souffrir, de supporter. — 3° *Sofrable de,* passible de. — 4° Acceptable, agréable. ◆ **sofreor** n. m. (1260, A. de la Halle). Celui qui sait supporter, qui supporte.

sogire v. (1167, G. d'Arras; lat. *subjicere,* soumettre). 1° Soumettre : *Car sogist sont li oil au cuer* (R. de Blois). — 2° Se soumettre, être soumis : *Toutes choses sozgisent a vanité* (Bible). ◆ **sogiet** n. m. (fin XIIe s., M. de Fr.). Sujétion. ◆ **sogit** adj. (1204, R. de Moil.). 1° Soumis, — 2° n. m. Sujet.

soglacier v. (XIIIe s., *Fergus;* v. glacier,* glisser). 1° Glisser. — 2° Faire glisser, faire tomber. — 3° Flageoler.

sognole n. f. V. CHAEIGNOLE, chaîne.

sohaidier, -tier v. (1175, Chr. de Tr.; francique *hait,* vœu, doté d'un préfixe provenant du lat. *subtus*). 1° Souhaiter. — 2° n. m. Souhait. *A sòhaidier, en sohaidier,* à souhait. ◆ **sohait** n. m. (1175, Chr. de Tr.), **-e** n. f. (1204, *l'Escouffle*). Souhait, regret. ◆ **sohaitement** n. m. (1334, *Rest. du Paon*). Souhait.

I. soi, sei pron. pers. forme accentuée (XIe s., *Alexis*), **se,** forme non accentuée (Xe s., *Fragm. de Valenc.*; lat. acc. *se*). 1° Pronom pers. réfléchi de la 3e pers. (les formes atone et tonique ne sont pas distribuées de la même manière qu'en fr. mod.) : *Il s'est sur le lit apuiez; Repose sei, sa plaie duelt* (M. de Fr.). — 2° Pron. pers. 3e pers., en fonction de réfléchi (correspondant à *lui,* elle du fr. mod.) : *Ses meillurs humes en meinet ensembl'od sei* (Rol.). — 3° *A soi, a soi meisme,* à part soi : *Dolenz en fu, plure e gaimente, A sai meismes se demente* (Saint Gilles). — 4° En fonction emphatique, indique la participation intense du sujet à l'action *Ains se pourpensent d'autre chose* (Pir et Tisb.).

II. soi n. f. V. SEI, soif.

soichon n. m., compagnon, associé. V. SOCES, association familiale.

I. **soier** v. V. SEER, scier, couper, faucher. ◆ **soioire** n. f. (XIIᵉ s., *Enf. Godefr.*). 1º Scie. — 2º Scierie (1304, *Trav.*). ◆ **soiture** n. f. (1251, *Arch.*). Mesure de pré, ce qu'un homme peut faucher en un jour. ◆ **soieresse** n. f. (1318, *Arch.*). Faucheuse. ◆ **soieis** adj. (1213, *Fet Rom.*). Scié.

II. **soier** v. V. SEOIR, être assis.

soif n. f. et m. (1170, *Percev.*; lat. *saepem*, haie). Haie, clôture, palissade. ◆ **soie** n. f. (1170, *Percev.*). Haie, clôture.

soignant n. f. (1155, Wace; part. prés. de *soignier*). Concubine : *Es tu de soignant ou bastars?* (Wace). ◆ **soignantiere** n. f. (XIIᵉ s., *Auberi*). Concubine. ◆ **soignantage** n. m. (1155, Wace), **-ise** n. f. (1150, Wace). Concubinage : *En soignantaige le vieus t'engenui* (R. de Cambr.).

I. **soigne** n. f. (1272, Joinv.; orig. obsc.). Chandelle. ◆ **soignee** n. f. (1220, Coincy). Cierge, chandelle, torche.

II. **soigne** n. f. V. CEGOINE, cigogne.

III. **soigne** n. f., souci, soin, nourriture. V. SOIGNIER, s'occuper de.

IV. **soigne** n. f. V. SOINE, excuse.

soignier v. (1175, Chr. de Tr.; francique *sunnjôn*, s'occuper de). 1º S'occuper de, veiller à. — 2º Procurer, fournir. 3º Avoir des soucis, être préoccupé. ◆ **soing** n. m. (1080, *Rol.*). Souci. *Avoir soing de*, se soucier de : *Vos savez bien, n'ai son d'orguel (Trist.).* ◆ **soigne** n. f. (1250, *Ren.*). 1º Soin, souci. — 2º Nourriture. ◆ **soignoison** n. f. (1335, Deguil.). Soin. ◆ **soignement** n. m. (1331, *Cart.*). 1º Soin. — 2º Frais, dépenses. ◆ **soignee** n. f. (1253, *Cart.*). Redevance, service consistant à cultiver l'avoine. ◆ **soignable** adj. (1250, *Ren.*). Digne de soins.

soigre n. m. V. SUERE, beau-père.

I. **soil** n. m. (1160, Ben.; lat. *suillum*, de porc). Souille, soue : *Il chairent par lor orguil Del beau ciel cler en l'oscur soil* (Ben.).

II. **soil** n. m. V. SUEL, seuil.

soile, seille n. m. (1283, Beaum.; lat. *secale*, ce qui est coupé). Seigle.

◆ **soileus** n. m. et f. (1340, *Arch.*). Celui, celle qui coupe le seigle.

soillier v. (fin XIIᵉ s., *Alisc.*; prob. du lat. pop. *suculare*, de *suculus*, dimin. de *sus*, porc). Souiller. ◆ **soillement** n. m. (1318, G. de la Bigne). 1º Action de souiller. — 2º Opprobre. ◆ **soillerie** n. f. (1277, *Rose*). Souillure. ◆ **soillart** adj. (mil. XIVᵉ s.). Sale, souillon.

soine, soigne, sone, senne n. f. (1170, *Percev.*; francique *sunnia*). Excuse : *Autre soine se la mors non Ne m'i tenra* (Percev.).

soisté n. f. (fin XIIᵉ s., *Loher.*; lat. *societatem*). 1º Société, compagnie : *A une vielle aveuc li por conpagnie et por soisté tenir* (Auc. et Nic.). — 2º Société entre époux (1329, *Cart.*). — 3º Métayage (1266, *Cart.*).

soit conj. et interj. (1175, Chr. de Tr.; forme figée de la 3ᵉ pers. sing. du subj. du verbe *estre*). 1º Conjonction alternative, Soit ... soit. — 2º Interjection d'acquiescement.

I. **soivre** adj. (1155, Wace; dér. de *sevrer*, séparer). 1º Séparé de, privé : *Molt se penout de ceus deçoivre Qui de l'ame le feroit soivre* (Trist.). — 2º Exempt. ◆ **soivre** n. m. (1294, *Arch.*). Séparation, limite, borne.

II. **soivre** n. m. (XIIIᵉ s., *Fabl.*; orig. obsc.). Sauce épicée : *Et li capon furent au soivre, Et li poisson a le fort poivre* (Fabl.).

sojorner v. (déb. XIIᵉ s., *Voy. Charl.*; lat. pop. *subdiurnare*, durer un certain temps). 1º Demeurer quelque temps en un lieu. — 2º Se reposer. — 3º Rester : *Li cors s'en vet li cuers sejorne* (la Charrette). — 4º Attendre : *Et s'els vuelent a li parler, Un poi sejorner* (Fabl.). — 5º Tarder. — 6º Sojorner de, s'arrêter de. — 7º Retenir, retarder. — 8º Recueillir, donner asile à : *Pus est au rei de Fraunce alé, Ki a maisnie le ad sojourné En soun païs* (Vie Saint Thomas). ◆ **sojorn, sojor** n. m. (1080, *Rol.*). 1º Le fait de demeurer quelque temps en un lieu. — 2º Repos : *Alixandres cevauce qui ainc n'ama soujor* (Rom.

d'Alex.). En sojor, a sojorn, en repos, en paix : *N'est mie del tot a sejor qui bien aime* (Ben.). *Sans sojorn*, sans repos, sans cesse. — 3° Arrêt, halte. *Crier sojorn*, commander la halte, faire arrêter. *Estre a sojorn de*, avoir cessé de. — 4° Délassement : *Cele grant joie et ciz sejors Dura bien .XV. jors passez (G. de Dole).* — 5° Retard, délai. ◆ **sojornement** n. m. (XIIe s., *Horn*). Séjour. ◆ **sojorné** adj. (déb. XIIe s., *Voy. Charl.*). 1° Reposé, frais. — 2° Dispos, vigoureux : *A pié descent del destrier sejorné (Cour. Louis).*

I. sol n. m. (XIIe s., *Roncev.*; lat. *solem*). Soleil. ◆ **solaing** n. m. (1313, *Arch.*). Soleil. ◆ **soleil** n. m. (déb. XIIe s., *Voy. Charl.*). Soleil. ◆ **soleillier** v. (1180, *Rom. d'Alex.*). 1° Éclairer. — 2° Exposer au soleil. — 3° Etre doré par le soleil.

II. sol, solt, solz n. m. (fin XIe s., *Lois Guill.*; lat. *solidum*, adj. substant.). 1° Monnaie de valeur fixe, d'argent ou, plus tard, de cuivre. — 2° Solde, paye *(Florim.).*

III. sol adj. (1080, *Rol.*; lat. *solum*). 1° Seul, solitaire, écarté. — 2° adv. Seulement : *N'il n'ont que seul en Dieu fiance* (G. d'Arras). ◆ **solet** adj. (XIIIe s., *Pastor.*). 1° Seul, tout seul. — 2° *Solet de*, privé de : *Mais je suis blondette Et d'amin soulette (Rom. et past.).* ◆ **soleté** n. f. (fin XIIe s., saint Grég.). Solitude, isolement : *Por solacier lor soleteit* (saint Bern.). ◆ **soleur** n. f. (XIIIe s.). 1° Solitude. — 2° Frayeur subite.

solaz, -as n. m. (1175, Chr. de Tr.; lat. *solacium*, soulagement). 1° Consolation. — 2° Plaisir, joie : *En joie et en solas plus legier qu'oiselon (Chev. cygne).* — 3° Réjouissance, divertissement : *Ainsi jusqu'a la mie nuit Furent en solaz sanz dangier (Trois Aveugles).* ◆ **solace** n. f. (1298, M. Polo), -**acion** n. f. (XIIe s., Herman). Réjouissance, joie. ◆ **solacier** v. (1175, Chr. de Tr.). 1° Consoler. — 2° Réjouir, amuser. — 3° Caresser : *Puet aler [...] Veoir son ami, pour solacier, Baisier, jouer et embracier (Pass. Palat.).* ◆ **solacieus** adj. (1220, Coincy).

1° Qui console. — 2° Qui réjouit, qui divertit.

solcier v. (1265, J. de Meung; lat. pop. **sollicitare*, inquiéter). Inquiéter, rendre soucieux. ◆ **solciant** adj. (1220, Coincy). Soucieux. ◆ **solcie** adj. (id.). Plongé dans les soucis.

soldan n. m. (1298, M. Polo; araboturc *soltān*). Sultan.

soldee n. f. (1160, Ben.; v. *sol, solt*, monnaie). 1° Valeur d'un sou (Ruteb.). — 2° Terre qui rapporte un sou de rente (1258, *Arch.*). — 3° Gage, salaire, solde : *Ne furent pas por ce trovees monoies por fere sodees (G. de Metz).* — 4° Récompense : *Se Dex vos done avoir et grant soudee (Ren. de Montaub.).* — 5° Service de mercenaire (Ren. de Montaub.) : *Et apres t'en iras en France la loee Tot droit a Karlemaine, s'i remaing en saudee (Gar. de Mongl.).* *Aler querre soldees*, prendre du service. ◆ **soldeer, -oier** v. (XIIe s., *Trist.*). 1° Prendre à sa solde : *Mais ne li osent pas loer Toi retenir et soudeer (Trist.).* — 2° Payer : *L'ovrier a soldoié de bon loier vaillant (Helias).* — 3° Entretenir, soutenir. — 4° Servir à la solde d'un chef militaire, en qualité de soldat soudoyé. — 5° Faire de la dépense. ◆ **soldoier, -ier** n. m. (déb. XIIe s., *Voy. Charl.*). 1° Homme d'armes, mercenaire : *En Engleterre manda a ses amis C'on li envoit et argent et or fin De coi il puisse ses sodoiers tenir (Loher.).* — 2° Serviteur à gages. ◆ **sodoieor** n. m. (1160, Ben.). Soldat mercenaire. ◆ **soldoiant** n. m. (fin XIIe s., *Auc. et Nic.*). Mercenaire, soudard. ◆ **soldaiere** n. f. (1160, Ben.). 1° Servante à gages. — 2° Femme publique, qui fait payer ses faveurs. ◆ **soldoierie** n. f. (1330, *H. Capet*). Troupe de mercenaires. ◆ **soldeis** n. m. (XIIe s., *Conq. Irl.*). Soldat. ◆ **soldener, -ier** n. m. (XIIe s., *Conq. Irl.*; lat. pop. **soldenarium*, dc *solidum denarium*). Soldat.

I. solder v. (1160, *Eneas*; lat. *solidare*, de *solidus*, solide). 1° Consolider. — 2° Souder. ◆ **solde** adj. (1260, *Br. Lat.*). Solide, d'une seule pièce, consistant. ◆ **soldement** adv. (XIIIe s., J. Le March.). Solidement, fermement.

II. solder v., dissoudre. V. SOLDRE, payer, dissoudre.

soldre, solre, sorre v. (1150, *Thèbes;* lat. *solvere,* délier). 1º Payer, acquitter : *Mais li sages hom sout se dete* (R. de Moil.). — 2º Absoudre. — 3º Résoudre, expliquer : *Mes de soldre la question comment* [...] *(Rose).* — 4º Convaincre, décider. — 5º Dissoudre. ◆ **solder** v. (1138, *Saint Gilles*). Dissoudre. ◆ **solt, solu, solé** adj. (1080, *Rol.*). 1º Payé. — 2º Dissous. — 3º Libéré, acquitté. — 4º Libre : *Jamais n'iert tels en France la solue (Rol.).* — 5º *Parole solue,* loc., pour trancher.

I. sole n. f. (fin XIIᵉ s., D.; lat. pop. **sola,* pour *solea,* sandale). 1º Dessous du sabot d'un cheval. — 2º Plante du pied (Guiart). — 3º Semelle. ◆ **soletier** n. m. (1347, *Arch.*). Cordonnier.

II. sole n. f. V. SUELE, poutre, solive. ◆ **solel** n. m. (1304, *Arch.*). Soliveau.

III. sole n. f. (1250, *Ren.;* orig. obsc.). 1º Ballon de cuir rempli de son, servant au jeu (Bretagne et Normandie). — 2º Boule de bois ou d'autre matière dure qu'on poussait avec une crosse (Nord). ◆ **soler** v. (1220, *Saint-Graal*). 1º Jouer à la *sole.* — 2º Frapper *(H. Capet).* ◆ **soleur** n. m. (XIIIᵉ s., prov.). Celui qui joue à la *sole : Au bon chouleur la pelote lui vient* (anc. prov. fr.).

IV. sole, seule n. f. (XIIIᵉ s., Taillar; lat. pop. **sola,* plur. neutre pris pour fém. de *solum,* base, fondement). Cellier, cave.

soleire, soloire n. m. (fin XIIIᵉ s., Macé; dér. de *sol,* soleil). 1º Orient. — 2º Vent d'est.

solemner v. (XIIIᵉ s., *Livr. de Jost.;* lat. *sollemnis,* solennel). Célébrer. ◆ **solemneement** adj. (XIIIᵉ s., *Livr. de Jost.*), **solemneusement** adv. (1330, *B. de Seb.*). Solennellement.

I. soler v. (1272, *Arch.;* v. *sole, suele,* pièce de charpente). Garnir le sol, planchéier. ◆ **solage** n. m. (1274, *Arch.*). 1º Planchéiage, carrelage. — 2º Terroir. ◆ **solement** n. m. (1274, *Arch.*). Soubassement, fondation.

II. soler n. m. (XIIᵉ s., *Thomas le Martyr;* lat. pop. *subtelarem*). Soulier. ◆ **soleret** n. m. (XIIIᵉ s., *Fabl.*). 1º Pièce de l'armure couvrant le pied, faite de lames d'acier articulées. — 2º Soulier en général.

III. soler v. jouer à la *sole.* V. SOLE, ballon, boule de bois.

solerce n. f. (1260, Br. Lat.; lat. *sollertia,* adresse). Habileté, adresse. ◆ **solert** adj. (1260, Br. Lat.). Adroit, habile.

soleté n. f. (1222, *Cart.*; dér. de *sol,* soleil; v. *assoler,* exposer au soleil). Franchise, exemption de tous droits.

soliciter v. (1350, *Ord.;* lat. *sollicitare*). 1º Soigner, prendre soin de : *Mais vous scavez qu'il est permis Que son espouse on solicite* (Myst. de la Conception). — 2º S'occuper d'une affaire. ◆ **soliciteur** n. m. (1347, *Arch.*). Celui qui prend soin des affaires, procureur. ◆ **solicitement** adv. (1318, G. de la Bigne). Avec empressement, soigneusement.

solier n. m. (déb. XIIᵉ s., *Ps. Cambr.;* lat. pop. **solarium,* de *solum,* sol). 1º Étage supérieur : *Li borjois montent es soliers, ce m'est vis, Gietent gruns pierres et les pieus fereis (Gar. Loher.).* — 2º Grenier : *Et del celier amont en un solier* (Charr. de Nîmes). — 3º Logement, chambre haute. — 4º *En haut solier,* en haut lieu. — 5º Siège : *Tu siez sur solier de justice (Ps. Cambr.).* ◆ **solin** n. m. (1348, *Arch.*). 1º Rez-de-chaussée. — 2º Édifice construit sur un sol donné à rente.

soloir v. (Xᵉ s., *Fragm. de Valenc.;* lat. *solere*). 1º Avoir l'habitude : *Cil est destreiz qui nos soleit aidier (Cour. Louis).* — 2º n. m. Habitude.

soloire n. m. V. SOLEIRE, orient, vent d'est.

soloit n. m. (1260, Mousk.; orig. incert.). Souci : *Lors fu li sains en grant soulloit Si comme ades estre soloit Pour cel cas (Mir. saint Éloi).*

solonc, selonc prép. (fin XIᵉ s., *Lois Guill.;* lat. *sublongum*). 1º Le long

de : *Selon la mer s'en vont le pas (Athis).*
— 2º Auprès de : *Se pasissoiz selon mon
pere tor (Bele Erembors).* — 3º Suivant,
conformément à : *Sulunc les clers divins
E sulunc les Latins* (Ph. de Thaun). —
4º A cause de : *il alerent en grant peri
[...] selon la traison as Gres* (Villeh.).
— 5º Adv., Au long, auprès : *Puis est la
grans fores solonc, Dont li bos est et
haus et beaus (Part.).*

solre v. V. SOLDRE, payer, absoudre,
résoudre, dissoudre.

solsie n. f. (1260, G. d'Amiens),
solsecle n. f. (XIIIᵉ s., *Gloss. Garl.*;
bas lat. *solsequia*). 1º Souci (bot.). —
2º Drap couleur de souci.

I. **solt, solz** n. m. V. SOL, sou, solde.

II. **solt, solu** adj., payé, dissous,
libéré. V. SOLDRE, payer, absoudre.

soltain adj. (1155, Wace; lat. pop.
solitaneum, de *solus*, seul). 1º Solitaire.
— 2º Caché, dérobé : *Clyges voit la
maison soutaine Que nus n'i vient ne
n'i converse* (Chr. de Tr.). — 3º Secret :
Se li dist en l'oreille tel parole soutaine
(J. Bod.). — 4º Seul, unique : *Rent a moi
mon soltain filh* (saint Grég.). — 5º *Soltain de*, peu fréquenté : *Une rue Qui de
gent estoit moult soutaine (Amaldas).*
◆ **soltaineté** n. f. (1120, *Ps. Oxf.*). Solitude.

soltif adj. (1120, *Ps. Oxf.*; v. *soltain*,
avec, probabl., substitution de suffixe)
1º Solitaire, écarté. — 2º Obscur : *Par
desoz terre une volte soltive (Pr. Orange).*
— 3º Secret. *Par soltif art*, sous main,
secrètement : *Comment le roy cuidoit
avoir Par soultiffart et ficcion mon pais et
ma nation (Livr. du bon Jehan).* —
4º Unique : *S. Esperis et pere et fius,
Et tout si est uns Dieux soptius* (Mousk.).
◆ **soltiveté** n. f. (déb. XIIᵉ s., *Ps. Cambr.*).
Solitude.

soluble adj. (1277, *Rose*; bas lat.
solubilis, de *solvere*, dissoudre). Qui peut
être détruit, susceptible de périr : *Mi
fait [...] sunt tuit soluble, Tant ai
pooir povre (Rose).*

solucion n. f. (1119, Ph. de Thaun;
lat. *solutio*, action de délier). 1º Action

de dissoudre. — 2º Paiement, solde,
acquit. — 3º Absolution, pardon, remise.
◆ **soluce** n. f. (1240, H. d'Andeli).
Solution. ◆ **solut** n. m. (1305, *Hist. des
Bret.*). Paiement.

I. **som** n. m. (1080, *Rol.*; lat. *summum*,
adj., le plus haut). 1º Sommet. *Par som,*
en haut de, au-dessus de. *Par som l'albe,*
à la pointe du jour. — 2º Bout, extrémité : *Et du son de sa queue la chingle
(Doon de May.). Jusques a som,* jusqu'au
bout. — 3º *En som,* loc. adv. : *a)* En haut,
au sommet, au bout; *b)* Par-dessus;
c) En sus : *E en som ço plus lor fesoit*
(Fr. Angier). — 4º *En som, ensom,* loc.
prép., Au sommet de, au bout de : *Adont
le va Thumas en sunc la tour porter
(Chev. cygne).* ◆ **somet** n. m. (1167,
G. d'Arras). Sommet. *En somet, tot en
somet,* tout en haut. ◆ **somete** n. f.
(XIIIᵉ s., *Tr. écon. rur.*). Sommet, cime.
◆ **someçon** n. m. (1170, *Percev.*), **someron**
n. m. (1180, G. de Saint-Pair). 1º Sommet.
— 2º Bout, pointe. — 3º Bout de la
mamelle. ◆ **someillon** n. m. (1295,
Boèce). Sommet.

II. **som, some** n. m. (1190, saint
Bern.; lat. *somnum*). Sommeil. ◆ **someil**
n. m. (1155, Wace). Sommeil. ◆ **someil-
lier** v. (1120, *Ps. Oxf.*). Dormir. ◆
someillement n. m. (1190, saint Bern.).
Sommeil, action de dormir. ◆ **someillon**
n. m. (1204, R. de Moil.). 1º Action de
sommeiller. — 2º Demi-sommeil. ◆
someillos adj. (1160, Ben.). 1º Qui a
besoin de sommeil, qui aime dormir. —
2º Somnolent, indolent, nonchalant.

III. **som** n. m. V. SOME, bât, charge.

IV. **som** prép. V. SON, selon.

somac loc. adv. (XIIIᵉ s., *D'Estormi*;
orig. incert.). *En somac*, obliquement :
*Estormis sovent en somac Le regarde
(D'Estormi).*

sombre n. m. (1260, *Arch.*; germ.
sommer, belle saison, été). 1º Saison du
premier labour. — 2º Jachère, terre qui
n'a reçu que le premier labour. ◆ **sombrer**
v. (1328, *Cart.*). 1º Faire le premier
labour. — 2º n. m. Saison du premier
labour (1316, *Arch.*). ◆ **somart** n. m.

(1239, *Arch.*). 1° Saison du premier labour. — 2° Jachère, terre labourable en friche. ◆ **somartras** n. m. (1295, G.). Juin. ◆ **sombrin** n. m. (1283, *Charte*, même famille?). Mesure pour les grains.

I. **some** n. f. (déb. XII⁰ s., *Voy. Charl.*; bas lat. *sagma*, du grec). 1° Selle, bât. — 2° Coffre que l'on met sur le dos des bêtes de somme. — 3° Charge, poids. — 4° Bête de somme. ◆ **somage** n. m. (XIII⁰ s., *Règle Temple*). 1° Bagage. — 2° Ensemble des bêtes de somme. — 3° Fabrication de coffres et malles. ◆ **somaille** n. f. (XIII⁰ s., Th. de Kent). Bagage. ◆ **someree** n. f. (1170, *Fierabr.*). Charge. ◆ **somier** n. m. (1080, *Rol.*). 1° Bête de somme, cheval de charge. — 2° Bagage, équipage (1334, *Invent.*). — 3° Poutre (XIV⁰ s.). ◆ **somoier** v. (1080, *Rol.*). Porter une charge. ◆ **somelier, -eillier** n. m. (mil. XIII⁰ s.). Conducteur de bêtes de somme. ◆ **sometier** n. m. (1306, Guiart). Bête de somme d'une armée.

II. **some** n. f. (1155, Wace; lat. *summa*, partie essentielle, totalité). 1° Résultat d'une addition, total général. — 2° Ce qu'il y a de plus important, l'essentiel, le capital : *De ce vus diroi jeo la sume* (M. de Fr.). — 3° Réunion, ensemble : *De touz maus est fame sonme* (*Fabl.*). — 4° Quantité, somme d'argent (J. de Meung). 5° Résumé ; *Ceo fu la sume de l'escrit* (M. de Fr.). *Che fu la somme*, en un mot. (J. Bod.). — 6° Achèvement, fin : *Perdu avon, ce est la somme* (*Percev.*). *A some*, complètement. — 7° Recueil, histoire. ◆ **some** adj. (1308, Aimé; lat. *summus*, suprême). Le plus grand, extrême, suprême. ◆ **somer** v. (1204, R. de Moil.). 1° Faire le total. — 2° Payer. — 3° Monter à la somme de. — 4° Achever. — 5° Raconter, résumer. — 6° Frapper, assommer.

I. **somer** v. (1283, Beaum.; lat. médiév. *summare*). Mettre en demeure (jurid.). ◆ **somement** n. m. (1283, Beaum.). Citation en justice.

II. **somer** v., faire le total. V. SOME, résultat d'une addition.

somondre v. V. SEMONDRE, avertir, inviter, conseiller.

I. **son** n. m. (XII⁰ s., *Roncev.*; lat. *sonum*). 1° Son, musical ou non. — 2° Voix : *Les Juis dirent a haut son* (*Livr. Pass.*). — 3° Chanson : *Plairait vos oir un son D'Aucassin (Auc. et Nic.)*. — 4° Mélodie, musique. — 5° Droit qu'avait le seigneur de faire sonner les cloches. ◆ **soner** v. (1080, *Rol.*). Sonner, faire entendre un son, une mélodie, un bruit, etc. ◆ **sonement** n. m. (déb. XII⁰ s., *Ps. Cambr.*). 1° Action de résonner, bruit. — 2° Signification. ◆ **soneis** n. m. (1155, Wace). 1° Action de sonner, sonnerie. — 2° Cliquetis. ◆ **sonois** n. m. (XIII⁰ s., *Pastor.*). Son, bruit, cri. ◆ **sonage** n. m. (1339, *Arch.*). Sonnerie, action de sonner. ◆ **sonet** n. m. (1150, *Thèbes*). 1° Petit son, petit bruit. — 2° Chanson : *Cantant .I. sonnet poitevin (Am. et Id.)*. Sonner. ◆ **sonetement** n. m. (1335, Deguil.). Son. ◆ **sonable** adj. (1335, Deguil.). Qui peut rendre un son, qui résonne.

II. **son** n. m. V. SOM, sommeil.

III. **son** n. m. V. SOM, sommet, bout.

IV. **son** n. m. V. SOING, souci.

V. **son, som** prép. (1160, Ben.; lat. *secundum*, selon). Selon : *E de cest afaire acomplir Son vos poeirs e son vos senz* (Ben.).

VI. **son** adj. possessif, se rapportant à la 3⁰ pers., cas régime singulier, masculin V. TABLEAU DES POSSESSIFS, p. 422.

sondre, sonre n. m. (XII⁰ s., *Horn*; orig. incert.). *Un sondre de pors*, une portée, une bande de porcs.

I. **sone** n. f. V. SOINE, excuse.

II. **sone** n. m. V. SOME, sommeil.

songe n. m. (XII⁰ s., *Roncev.*; lat. *somnium*). 1° Rêve. — 2° Le fait de réfléchir en formant des projets. ◆ **songier** v. (1080, *Rol.*). 1° Rêver. — 2° Penser à quelque projet. ◆ **sonjant** n. m. (1180, *G. de Vienne*). Pensée, réflexion. ◆ **songeos** adj. (XIII⁰ s., *Sainte Thaïs*). Qui pense à quelque chose. ◆ **songif** adj. (XII⁰ s., Gace Brulé). Réfléchi, qui songe à quelque chose.

I. sope n. f. (1190, J. Bod.; francique
*suppa). 1° Tranche de pain trempée
dans le vin ou dans le bouillon : *Mais
g'iere plus ivres que soupe* (J. Bod.).
— 2° Bouillon avec du pain (mil. XIVᵉ s.).
◆ **sopelete** n. f. (1285, Aden.). Dimin.
de *sope*, petite tranche de pain. ◆ **soper**
v. (1138, Gaimar). 1° Tremper des tran-
ches de pain dans du vin. — 2° Manger,
prendre son repas. — 3° n. m. (1175, Chr.
de Tr.). Souper, repas.

II. sope n. f. V. CHOPE, bûche.

sople adj. (1160, *Eneas*; lat. *supplex*,
suppliant, qui plie les genoux). 1° Qui
s'incline, humble. — 2° Soumis : *Et chascuns soit vers l'autre sople Et face· li
ses volantez (Eneas).* — 3° Suppliant. —
4° Abattu, triste : *Moult la vit souple
et esplore* (Aden.). ◆ **soploier** v. (1160,
Eneas). 1° Incliner, baisser. — 2° Soumettre : *Alixandres qui tout le mont
souplie (Rom. d'Alex.).* — 3° S'incliner,
se soumettre. — 4° Se courber. — 5° Supplier : *Il ne puet son cuer aploier A servir
ne a souploier (Rose).* — 6° Céder, faillir,
s'attendrir : *Dont li commence a sosplier
(Ogier).*

I. soploier v. (1324, *Arch.*; cf. lat.
supplere, compléter). 1° Compléter. —
2° Ajouter.

II. soploier v., incliner, soumettre,
supplier. V. SOPLE, humble, soumis.

soporter v. (1160, Ben.; lat. eccl.
supportare). Emporter au-delà : *Mais
puis qu'ire souportast A nul home foi
ne portast* (Ben.).

soposer v. (1120, *Ps. Oxf.*; adapt. du
lat. *supponere*, d'après *poser*). Placer
sous, soumettre. ◆ **soposition** n. f.
(1291, *Charte*). Soumission. ◆ **sopost**
adj. (1298, M. Polo). Vassal, dépendant,
sujet.

soprenom n. m. (1308, Aimé;
v. *sornom, sorenom*). Surnom.

I. sor adj. (1080, *Rol.*; francique
*saur, jaune-brun). 1° Nom de couleur,
à dominance de lustré, de brillant,
corresp. aujourd'hui à fauve, châtain

foncé, alezan, roux-brun : *Li vestiment
sunt tuit a or, En Arabie n'en at si sor
(Saint Brand.).* — 2° Couleur jaunâtre, d'un brun tirant sur le jaune :
Ki or me sanle pale et sore (A. de la
Halle). — 3° En parlant d'un oiseau
de proie, qui n'a qu'un an, qui n'a pas
encore mué : *ostier sor u muer* (Horn).
◆ **sorel** adj. (1080, *Rol.*). Roux, fauve.
◆ **soret** adj. (XIIIᵉ s., *Chans.*). 1° Roux,
châtain. — 2° Jaunâtre. ◆ **sorer** v.
(1160, *Athis*). Etre roux, tirer sur le roux.

II. sor adj. (XIIIᵉ s., D.; moy. néerl.
soor; même orig. que le précédent).
Desséché. ◆ **sorer** v. (XIIIᵉ s.). Roussir,
faire sécher à la fumée. ◆ **soré** adj.
(1284, *Arch.*). Séché.

III. sor, suer n. f., cas sujet.
V. SEROR, sœur.

IV. sor, suer, seur prép. (XIᵉ s.,
Alexis; lat. *super*). Préposition de lieu.
1° Marque la situation d'un objet par
rapport à un autre qui le soutient. —
2° Marque le même rapport, sans l'idée
de soutien : *Li rois a fait sor aus tendre
le pavillon (Rom. d'Alex.).* — 3° Marque
la proximité : *Sor lui s'areste* (Ben.).
— 4° Même rapport, avec l'idée de toucher, de frapper : *De son poing destre le
hurte sor le bu (Amis et Am.).* — 5° Même
rapport, un objet se trouvant derrière
l'autre : *E clost l'us sur sei et sur
l'enfant (Rois).* — 6° Même rapport, avec
l'idée de latéralité, Vers, du côté de : *Et
sur moi trait s'espee pour le mien cief
couper (Fierabr.).* — 7° Même
rapport, l'objet se trouvant en face,
contre un autre : *Sur mei avez turnet
fals jugement (Rol.).* — 8° Marque la
supériorité, la superlativité : *Sur tute gent
est la tue hardie (Rol.).* — 9° Marque
la supériorité, la dominance : *Et si dient
ke sor lui soit Et si soit sire et connes-
tables (Chev. deux épées).* 10° Marque
l'existence d'un rapport, Touchant,
concernant : *La plore li fiz sor le per*
(Chr. de Tr.). — 11° Malgré : *Car nule
riens el mont Ne faz sor son deffens
(Chans.).* — 12° *Sor tote rien*, principalement, de préférence à toute autre
chose. — 13° *En sor*, par-dessus, outre.
— 14° *Sor ce que*, quoique, puisque.

sor- préfixe (v. *sor*, IV, prép.). 1° Ajoute l'idée de dépassement, de supériorité. *Soraler*, passer par-dessus, dépasser. *Sorané*, de plus d'un an. — 2° Ajoute l'idée d'excès ou de démesure : *Sorboivre*, boire démesurément. *Soreissir*, déborder. *Soratendre*, attendre trop, en vain.

sorabonder v. (XIIIe s., *Chron. Saint-Denis*; v. *abonder*). Déborder.

soraidier v. (1170, *Percev.*; v. *aidier*). Aider.

soraler v. (1120, *Ps. Oxf.*; v. *aler*). 1° Passer par-dessus, dépasser, commettre des excès : *Les meies iniquitez suralerent mun chief (Ps. Oxf.).* — 2° Se jeter sur, poursuivre.

sorané adj. (1250, *Ren.*; v. *an*). De plus d'un an.

soraoite n. f. (XIIe s., Evrat; v. *aoite*). Suraugmentation, surcroît.

soraparance n. f. (1190, saint Bern.; v. *aparance*). Surabondance.

sorapeler v. (1167, G. d'Arras; v. *apeler*). Surfaire, exagérer la valeur de quelque chose.

soratendre v. (1190, Garn.; v. *atendre*). 1° Attendre encore, attendre trop, en vain. — 2° Attendre.

sorbatre v. (1220, *Saint Graal;* v. *batre*). Battre à outrance.

sorbir v. (1150, *Thèbes;* lat. pop. **sorbire* pour *sorbere*). 1° Engloutir. — 2° Supprimer, usurper : *Li rois ne li doit pas sorbir sa jostice (Livr. de Jost.).* ◆ **sorber** v. (1260, Mousk.). 1° Engloutir. — 2° Extirper : *L'on ne nes pot sorber ne destruire* (Mousk.). — 3° Enlever. ◆ **sorbissement** n. m. (1160, Ben.). Engloutissement. ◆ **sorbiter** v. (1210, *Best. div.*). Fréquentatif de *sorbir*.

sorboivre v. (fin XIIe s.; Guiot; v. *boivre*, boire). Boire démesurément : *Il font molt pou de ce qu'il doivent, Il sormenjuent, il sorboivent* (Guiot).

sorçaindre v. (1335, Deguil.; v. *ceindre*). Ceindre. ◆ **sorçaint** n. m.

(XIIIe s., *Clef d'Am.*), **-e** n. f. (1250, *Ren.*). Ceinture.

sorcanie n. f. V. SOCANIE, souquenille.

sorcel n. m. (1220, Coincy; orig. incert.). Tronc d'arbre.

sorcer n. m. (XIIe s.; latin tardif *sorcerius*, VIIIe s., *Gloses Reichenau*). Diseur de sorts, sorcier. ◆ **sorceresse** n. f. (XIIe s.). Sorcière. ◆ **sorcerie** n. f. (1170, *Rois*). 1° Sorcellerie. — 2° Sortilège, maléfice. ◆ **sorcelerie** n. f. (XIIIe s., *Chans. d'Ant.*). Sorcellerie. ◆ **sorcelier** n. m. (1303, *Franch.*). Sorcier. ◆ **sorceron** n. m. (XIIIe s., *Chans.*). 1° Philtre, breuvage magique. — 2° Sortilège.

sorchalz n. m. (XIIe s., *Trist.;* v. *chalcier*, chausser). Partie de l'habillement qui se met sur les chausses, sorte de guêtre.

sorcille n. f. (1160, *Eneas;* lat. *supercilia*). Sourcil. ◆ **sorcillier** v. (XIIIe s., *Gaydon*). Froncer les sourcils. ◆ **sorcilleure** n. f. (XIIIe s., *Fabl. d'Ov.*). Cicatrice.

sorcliner v. (1160, *Athis;* v. *cliner*). 1° Incliner. — 2° Etre incliné, pencher.

soroot n. m. (1175, Chr. de Tr.; v. *cote*, cotte). 1° Vêtement, ordinairement sans manches, que l'on portait sur la cotte. — 2° Sorte de corsage serré, boutonné par-devant et arrondi sur les hanches. ◆ **sorcotel** n. m. (1277, *Rose*), **-elet** n. m. (XIIIe s., *Court. d'Arras*). Dimin. de *sorcot*.

sorcuidier v. (fin XIIe s., *Ogier;* voir *cuidier*). Etre présomptueux, orgueilleux. ◆ **sorcuidance** n. f. (1160, Ben.), **-ement** n. m. (XIIIe s., *Doon de May.*), **-ee** n. f. (XIIe s., *Horn*), **-erie** n. f. (XIIe s., *Proth.*). Arrogance, présomption. ◆ **sorcuidant** adj. et n. (1160, Ben.). Arrogant, présomptueux.

sord, sort adj. (XIe s., *Alexis;* lat. *surdum*). Sourd. ◆ **sorder** v. (1350, G. li Muisis). Assourdir. ◆ **sorderie** n. f. (XIIIe s., *Chans.*). Humeur sombre.

sordire v. (1160, *Eneas; v. dire).* Calomnier, dire du mal. ◆ **sordit** n. m. (1138, Gaimar). Calomnie, méchanceté.

sordois adj. (1125, *Gorm. et Is.;* cf. lat . *sordidus).* 1° Pire : *Par foi, dist Kex, or est sordois (Percev.).* — 2° n. m. Le pis, tout ce qui peut arriver de fâcheux : *Le meuz donner, le sordeis prendre* (Ben.). *Emporter son sordois,* avoir le dessous. — 3° adv. Pis : *Mais miols ne l'en fu ne sordois (Part.).* — 4° Sale, honteux. ◆ **sordoior** adj. (1155, Wace). 1° Pire, moindre, inférieur : *Tant se penot d'estre meillor De celui dom fu sourdeor* (Fr. Angier). — 2° *Estre le sordoior,* avoir le dessous. — 3° n. m. Désavantage. ◆ **sordaille** n. f. (fin XIIᵉ s., saint Grég.). 1° Gravois. — 2° Saleté. ◆ **sorder** v. (1350, G. li Muisis). Souiller.

sordre v. (1080, *Rol.;* lat. *surgere,* se lever). 1° Jaillir, surgir. — 2° Se diriger en haut, s'élever : *Illuec ferai surdre le corn David (Ps. Cambr.).* — 3° Soulever. — 4° Susciter, exciter, fomenter. ◆ **sordine** n. f. (1260, Mousk.). Jet, bourgeon. ◆ **sordon** n. m. (1285, *Cart.),* **-ance** n. f. (XIIIᵉ s., *Fabl.).* Source.

sore, sobre, seure prép. et adv. (Xᵉ s., *Fragm. de Valenc.;* lat. *supra,* confondu avec *sore, sor,* venant de *super).* 1° Préposition de lieu, Sur, au-dessus de (synon. de *sor).* — 2° Adverbe de lieu, En haut : *Au fonz va, mes n'i demoure, Isnelement resailli soure (Ren.). Metre sore, metre a sore,* imputer, accuser de : *Vos defendez Vers moi, qui ce m'avez mis sure (Trist.).* — 4° *Corre sore,* attaquer : *De toutes parz li keurent seure* (G. d'Arras).

soreissir v. (1190, saint Bern.; voir *eissir, issir,* sortir). Déborder.

sorenom n. m. (1175, Chr. de Tr.; v. *sornom).* Surnom.

sorentrer v. (1130, *Job;* v. *entrer).* Entrer après.

soressalcier v. (déb. XIIᵉ s., *Ps. Cambr.;* v. *essalcier).* Élever, exalter.

sorfaire v. (XIIᵉ s., Herman; v. *faire).* 1° Avoir l'avantage : *Si se painent mout de sorfaire Sour els, mais trop en i avoit*

(Chev. deux épées). — 2° Faire qq chose avec excès, exagérer. ◆ **sorfaisant** adj. (XIIᵉ s., Herman). Immodéré, intempérant. ◆ **sorfait** adj. (1160, Ben.). 1° Excessif, immodéré : *la tres sorfaite arrogance* (Ben.). — 2° Arrogant, vantard. ◆ **sorfait** n. m. (1176, E. de Fougères). 1° Abus, excès. *A sorfait,* avec excès. — 2° Excédent, surplus. — 3° Outrage, tort, injure : *Il ait l'amande de la fausse mesure et d'autres surfaiz* (1260, *Arch.).* — 4° Forfait, crime : *Eve a mort toz nous livra Par son sourfait* (Coincy). ◆ **sorfaite** n. f. (1170, *Percev.),* **-ure** n. f. (XIIIᵉ s., Th. de Kent). Présomption, arrogance. ◆ **sorfaitos** adj. (XIIᵉ s.). Exagéré, excessif.

sorgeter v. (XIIIᵉ s., *Maug. d'Aigr.;* v. *geter).* 1° Jeter, mettre par-dessus, recouvrir. — 2° Donner asile.

sorhalcier v. (1160, *Charr. Nîmes;* v. *halcier).* 1° Porter en haut, élever : *A brais senestre ait l'escu sorhaucié (Loher.).* — 2° Exalter : *Jor de Neol que on deit sorhalcier (Cour. Louis).* — 3° Augmenter. — 4° Rendre plus puissant : *Or vos dorrai tel fié Se saiges estes, dont seroiz sorhaucié (Charr. Nîmes).*

sorhoste n. m. (1216, *Charte;* voir *oste).* Manant; qui ne possède aucun héritage en propre.

soris n. f. (fin XIIᵉ s., *Rois;* lat. pop. **soricem,* acc. de *sorix,* pour *sorex).* Souris. ◆ **sorice** n. f. (XIIIᵉ s., prov.). Souris. ◆ **sorisete** n. f. (1220, *Saint-Graal).* Petite souris. ◆ **soriser** v. (XIIIᵉ s., prov.). Poursuivre les souris.

sorjoir v. (fin XIIᵉ s., *Loher.;* v. *joir).* Jouir démesurément de : *Duel sordoloir ne joie sorjoir (Loher.).*

sorjon n. m. (XIIIᵉ s.; dér. de *sordre,* jaillir, infl. par le p. prés. *sorjant).* Source.

sorjorner v. V. SOJORNER, séjourner.

sorjoster v. (fin XIIᵉ s., Couci; voir *joster).* Etre vainqueur à la joute.

sorlever v. (1160, Ben.; v. *lever).* 1° Soulever, relever. — 2° Se soulever : *Naimes lou voit, li cuers l'an sorleva (Asprem.).* — 3° Relever, magnifier. — 4° Rendre présomptueux.

sormarchier v. (fin XIIe s., *Aye d'Avignon;* v. *marchier*). Marcher sur, fouler aux pieds, écraser.

sormeignon n. m. (1170, *Fierabr.;* v. *meignon,* moignon). Morceau de la surface.

sormener v (1160, Ben.; v. *mener*). 1° Emmener, entraîner : *Et quant l'ire le sormenoit Nule mesure n'esgardoit* (Ben.). — 2° Malmener : *Or vos sormoinent li Hongre et li Danois (Gar. Loher.).*

sormengier v. (fin XIIe s., Guiot; v. *mengier*). Manger avec excès.

sormise n. f. (XIIIe s., *Livr. de Jost.;* v. *mise*). Accusation.

sormonter v. (fin XIIe s., *Alisc.;* voir *monter*). 1° Exalter : *Moult fu par lui Renoars sormontez (Rom. d'Alex.).* — 2° Passer au-delà, par-dessus. ◆ **sormontement** n. m. (1288, J. de Priorat). 1° Action de surmonter, de dépasser, supériorité. — 2° Surplus, excédent. ◆ **sormontee** n. f. (1229, G. de Montr.). 1° Action de surpasser, victoire, gain. — 2° Terme d'escrime.

sormoster v. (1332, *Arch.;* v. *most,* moût). Écraser les raisins.

sornom n. m. (1119, Ph. de Thaun; v nom, non, nom). 1° Appellation ajoutée au nom d'une personne. — 2° Dénomination en général.

soronder v. (déb. XIIe s., *Ps. Cambr.;* v. *onde*). 1° Déborder. — 2° Regorger, abonder. — 3° Inonder, submerger. — 4° Surpasser : *Il parest tant sades et douz que de douceur souronde toz* (Coincy). — 5° Dominer : *La montagne fu haute qui le val soronda (Rom. d'Alex.).* ◆ **sorondant** adj. (déb. XIIe s., *Ps. Cambr.*). Abondant, débordant. ◆ **soront** adj. (1180, *Rom. d'Alex.*). Inondé.

soror n. f. cas rég. V. SEROR, sœur.

sororé adj. (1160, *Eneas;* v. *or*). Couvert d'or, doré.

sororge, serorge n. m. et f., beau-frère, belle-sœur. V. SEROR, sœur.

soros n. m. (1306, Guiart; v. *os*). Exagération, mauvaise plaisanterie.

sorpaindre v. (XIIIe s., *Vie saint Martin;* v. *paindre*). Envahir, faire invasion.

sorparler v. (1180, *Rom. d'Alex.;* v. *parler*). 1° Parler avec jactance, être bavard : *Seurparler nuist, seurgrater cuist* (prov. de France). — 2° n. m. Bavardage, babillage. ◆ **sorparlant** adj. (XIIe s., *Horn*). Bavard. ◆ **sorparlier** n. m. (1160, Ben.). Bavard, fanfaron.

sorpeser v. (XIIe s., *Parise;* v. *peser*). 1° Peser plus. — 2° Surcharger par son poids. — 3° Suspendre.

sorplanter v. (1260, G. d'Amiens; v. *soplanter*). Dompter : *L'amors qui maint cuer sorplante* (G. d'Amiens).

sorpoint, -poing n. m. (1260, Br. Lat.; v. *poing*). Espèce de faucon.

sorpooir v. (1160, *Eneas;* v. *pooir,* pouvoir). 1° Avoir le pouvoir sur, surpasser, vaincre : *Mais Percevaus a tel poissance que cis de rien ne li sorpuet* (Percev.). — 2° Pouvoir davantage.

sorporter v. (1167, G. d'Arras; voir *porter*). 1° Emporter, entraîner, dominer : *Ire et corous le sorporta, Si que a poi ne pot parler (Gauvain).* — 2° Endurer, supporter.

sorpost n. m. (1182, G.; v. *post,* poteau). 1° Coupe d'un taillis. — 2° Taillis.

sorprendre v. (1160, *Eneas;* voir *prendre*). 1° Prendre, envahir. — 2° Séduire : *Que bone gent n'en soit sorprise Par tel barate* (Ruteb.). — 3° Tromper. — 4° Surprendre. ◆ **sorprise** n. f. (1294, G.), **-ure** n. f. (1252, *Arch.*). Impôt extraordinaire, exaction. ◆ **sorprison** n. f. (1160, Ben.). Surprise. ◆ **sorpris** adj. (XIIe s., *Trist.*). 1° Envahi. — 2° Chargé, encombré : *S'autretant fust d'avoir seurpris Comme il estoit de bien espris* (H. de Cambr.). — 3° En détresse : *Se povres hom sorpris te proie, Torne l'oreille, va ta voie* (Ruteb.). ◆ **sorprenaument** adv. (1160, Ben.). Par surprise.

sorquenie n. f. V. SOSCHANIE, souquenille, vêtement de gens de basse condition.

sorquerre v. (1169, Wace; v. *querre*). 1° Demander plus qu'il ne faut. — 2° Etre trop exigeant : *Vos me sorquerez, ce me poise (Trist.).* — 3° Tourmenter. ◆ **sorquerant** adj. (1285, Aden.). 1° Qui exige trop. — 2° Qui cherche querelle.

sorquetot adv. (XIII⁰ s., Th. de Kent; mot composé). Surtout, principalement. ◆ V. ENSORQUETOT, même sens.

sorre v. V. SOLDRE, payer, absoudre, résoudre, dissoudre.

sorsaillir v. (1170, *Percev.;* voir *saillir*). 1° Sursauter. — 2° Contrevenir. — 3° Saillir, faire saillie. ◆ **sorsaillie** n. f. (1175, Chr. de Tr.). Action téméraire, audacieuse : *Que trop as feit grant sorsaillie Et grant orguel et grant outrage* (Chr. de Tr.). ◆ **sorsailli** adj. (1260, A. de la Halle). Hardi, téméraire.

sorsambler v. (XII⁰ s., *Part.;* voir *sembler*). Ressembler à.

sorsamer v. (1176, E. de Fougères; orig. incert.). 1° Devenir ladre. — 2° n. m. Ladrerie. ◆ **sorsamé** adj. (1210, *Best. div.*). 1° Ladre, ulcéreux. — 2° Gâté, pourri (en parlant de la viande de porc).

sorsaneure n. f. (déb. XII⁰ s., *Ps. Cambr.;* v. *saneure*, guérison). Cicatrice. ◆ **sorsané** adj. (1314, Mondev.). Cicatrisé.

sorsele n. f. (fin XII⁰ s., *Ogier;* v. *sele*). Couverture de selle.

sorsemaine n. f. (XII⁰ s., *Trist.;* v. *semaine*). 1° Le courant de la semaine, jour ouvrable : *Onques ne me falli pus paine Ne a foirié n'en sorsemaine (Trist.).* — 2° Tout jour de la semaine par rapport à un jour fixé d'avance.

sorseoir v. (fin XI⁰ s., *Lois Guill.;* v. *seoir*). 1° Entraver, lier. — 2° Retarder.

sorsome n. f. (XIII⁰ s., *Atre pér.;* v. *some*). Charge excessive, surcharge.

I. **sort** n. m. et f. (1080, *Rol.;* lat. *sors, sortem*). 1° Prédiction, oracle : *Par sort ou par art d'anemy* (J. Bod.). — 2° Destin. — 3° Suffrage, décision :

Maintenant sera fait li sors Li quiex de nous deus l'avera (Pass. Palat.). — 4° Capital : *en paiant le pur sort c'est assavoir le principal debte* (1330, *Ord.*). ◆ **sortir** v. (1138, *Gorm. et Is.*). 1° Prédire en consultant les sorts : *Poi devineor se tenoit, De plusors choses sortisseit* (Wace). — 2° Jeter les sorts. — 3° Obtenir par le sort. — 4° Fixer par le destin : (Minos) *A chascune ame sortissoit Sonc ce que deservi avoit* (Eneas). — 5° Tirer au sort, choisir. — 6° Pourvoir. ◆ **sortissement** n. m. (XII⁰ s., *Chev. cygne*). Sortilège, prédiction. ◆ **sortisseor** n. m. (1169, Wace). Celui qui prédit le sort, devin, sorcier. ◆ **sorti** adj. (1160, Ben.). 1° Désigné par le sort. — 2° Fixé, choisi : *Li enperere venra par tans sorti (Loher.).* — 3° Pourvu, muni.

II. **sort** n. m. (1170, *Percev.;* v. *sordre*). Endroit où l'eau sourd, source. ◆ **sorse** n. f. (1190, Garn.; p. passé de *sordre*). Source.

sorvaillance n. f. (1282, *Cart.;* v. *valoir*). Plus-value.

sorvaintre v. (1160, *Eneas;* voir *vaintre*, vaincre). 1° Vaincre. — 2° Surpasser : (César) *De proece sorveintra toz (Eneas).*

sorveir v. (1170, *Percev.;* v. *veir*). Surveiller, observer : *Et monte en haut la vile sorveir (Loher.).*

sorveisier v. (1169, Wace; v. *veisier*). Tromper, surprendre.

sorvenue n. f. (1170, *Percev.;* voir *venir*). 1° Venue, arrivée. — 2° Attaque.

sorveoir v. (1160, Ben.; v. *veoir*). 1° Voir d'en haut, surveiller. — 2° Examiner. — 3° Voir, regarder. — 4° Voir par hasard, par surprise : *Eut grant paor quant il le sorvit (Auc. et Nic.).* ◆ **sorveor** n. m. (1247, Ph. de Nov.). Surveillant.

sorversion n. f. (1160, Ben.; v. *verser*). Inondation.

sos prép. de lieu. V. SOZ, sous, à l'intérieur de, vers.

sos-, soz- préfixe (v. prép. *sos, soz,* sous, mais aussi le préfixe lat. *sub-* ou *ses* formes assimilées). 1° Marque la position en dessous ou le procès de ce qui se trouve, de ce qu'on met sous quelque chose : *Sosterrer*, mettre sous terre, enterrer. *Sostoitier*, loger, abriter. *Sostenir*, tenir par le dessous, soutenir. — 2° Ajoute l'idée d'infériorité, de tromperie, de fausseté : *sosentrer*, entrer subrepticement, s'insinuer. *Sosclave*, fausse clef. *Sosgit*, assujetti, soumis. — 3° Marque l'amoindrissement, la diminution : *Sostirer*, tirer un peu. *Sostraire*, retirer.

sosain adj. (1302, *Test.*; dérivé analog. de *soz*, sous). Supérieur, qui est au-dessus, haut, élevé.

sosbaillir v. (1290, *Charte*; v. *baillir*). Donner en sus.

sosblache adj. (1314, Mondev.; v. moy. all. *bleich;* cf. *blafard*). Blafard.

soschanie n. f. (xII[e] s., *Part.*; moy. haut all. *sukenie*, d'orig. slave). Souquenille, vêtement à l'usage des gens de basse condition.

soschier v. (1120, *Ps. Oxf.*; lat. pop. **suspicare*, pour *suspicari*). 1° Examiner. — 2° Penser, supposer : *Et suscha ben por quoi ço fust (Proth.).* — 3° Imaginer : *Des que la traison soscha* (Chr. de Tr.).

sosclave n. f. (1210, *Ren. de Montaub.;* lat. *clavem*, clef). Fausse clef.

soscliner v. (1080, *Rol.*; v. *cliner*). 1° Incliner, pencher. — 2° S'incliner, pencher.

sosclochier v. (1160, Ben.; v. *clochier*). Boiter.

sosentrer v. (1220, Tailliar; voir *entrer*). 1° Entrer subrepticement, s'insinuer : *Amors moult coiement souzentre* (R. de Blois). — 2° Arriver, avoir lieu.

sosfaissier v. V. SOFASCHIER, soulever, soupeser, fléchir.

sosgit adj. (xIII[e] s., *J. César;* v. *git*, *giet*, p. passé de *gesir*). Assujetti, soumis.

soshalcier v. (1170, *Percev.;* v. *halcier*). 1° Porter en haut, soulever. — 2° Élever en gloire, en honneur. — 3° Exalter, louer : *Soubhauciee fust Sainte Eglise* (J. Le March.).

soslegier v. (1160, Ben.; lat. pop. **subleviare*, d'après *alleviare*, pour *sublevare*). 1° Rendre plus léger. — 2° Soulager.

sosmarchier v. (1204, R. de Moil.; v. *marchier*). Fouler aux pieds, écraser.

sosmetre v. (déb. xII[e] s., *Ps. Cambr.;* lat. *submittere*). 1° Mettre dessous, mettre à vil prix. — 2° Renverser : *Le roi enbronce, sur l'archon l'as sosmis (Ogier).*

sospape n. f. (1190, J. Bod.; d'un hypothétique **pape*, mâchoire, de *paper*, manger). Coup sous le menton.

sospecier v. (1120, *Ps. Oxf.;* lat. *suśpicere*). Soupçonner. ◆ **sospeçon** n. f. (1190, J. Bod.). Soupçon. ◆ **sospeçoner** v. (1283, Beaum.). Soupçonner. ◆ **sospeçonement** n. m. (xIII[e] s., Bretel). Soupçon. ◆ **sospeçonos** adj. (1160, Ben.). 1° Qui suspecte, qui soupçonne. *Avoir sospeçonos*, suspecter. — 2° Suspect. ◆ **sospeçonable** adj. (xIII[e] s., G.), **-al** adj. (1316, *Arch.*). Suspect.

sospendre v. (1175, Chr. de Tr.; lat. *suspendere*). 1° Tenir sous soi, maîtriser : *Or m'avoit si pekiés souspris Que avulé m'avoit* (Chr. de Tr.). — 2° Empêcher, arrêter l'action de. — 3° Surprendre, tromper. ◆ **sospense** n. f. (fin xII[e] s., saint Grég.). 1° Indécision, délai. — 2° Suspension, sorte de peine disciplinaire.

sospeser v. (xII[e] s., *Auberi;* v. *peser*). Lever, élever, soulever.

sospirer v. (1080, *Rol.;* lat. *suspirare*). 1° Respirer, exhaler l'haleine. — 2° Soupirer. — 3° Frémir : *Et de gaieté souspiroit* (A. de la Halle). ◆ **sospir** n. m. (1160, *Eneas*), **-ee** n. f. (1170, *Fierabr.*), **-eis** n. m. (1170, *Percev.*), **-ement** n. m. (fin xII[e] s., Couci). Soupir. ◆ **sospiros** adj. (1190, *Gar. de Mongl.*). 1° Qui soupire. — 2° Langoureux. — 3° Lamentable.

sospit adj. (xII[e] s., *Macch.*; lat. *suspectum*). Suspect. ◆ **sospite** n. f. (1175, Chr. de Tr.). Soupçon. *Home de sospite*, personne suspecte.

sosplanter v. (1120, *Ps. Oxf.;* lat. *supplantare*). 1° Renverser. — 2° Soumettre, dompter. — 3° Arracher. —

4° Enlever frauduleusement, soustraire : *Fist tant qu'il li souplanta la dignité du palais (Chron. Saint-Denis).* ◆ **sosplanteor** n. m. (XIIe s., Herman). 1° Celui qui supplante. — 2° Celui qui dompte.

sosploier v. V. SOPLOIER, incliner, soumettre, supplier.

sospoier v. (déb. XIIe s., *Ps. Cambr.;* v. *poier, puier,* appuyer). Appuyer, soutenir.

sosprendre v. (1190, J. Bod.; voir *prendre*). 1° Surprendre, prendre à l'improviste et par ruse : *Il est mout fors; il le vous convenra sousprendre* (J. Bod.). *Sosprendre a ochoison,* prendre sur le fait. — 2° Tromper : *Garder vos doivent et aprendre Sans convoitise et sans souspendre (ABC).* — 3° Reprendre, entreprendre. — 4° Entraîner : *Et si m'a vostre amor soupris* (Ben.). — 5° Dompter. ◆ **sosprendement** n. m. (XIIe s., Herman). Action de prendre, de surprendre. ◆ **sospresure** n. f. (1169, Wace). 1° Surprise. — 2° Tromperie, fraude. ◆ **sosprenant** n. m. (1220, Coincy). Celui qui surprend, qui trompe les hommes, Satan. ◆ **sospris** adj. (XIIe s., *Auc. et Nic.*). 1° Pris à l'improviste, saisi. — 2° Séduit, épris. — 3° Malheureux : *En ceste terre ai conversé Soupris et povre et esgaré (Saint Eust.).*

sossele n. f. (1138, *Gorm. et Is.;* v. *sele*). Housse, chabraque.

sossis n. m. (1160, Ben.; v. *sis,* p. passé de *seoir*). 1° Caverne souterraine, région souterraine. — 2° Puisard, égout, évier.

sostance n. f. (1230, *Saint Eust.;* lat. *substantia*). Bien, fortune : *Toute lor sustance ont emblee, Ne lor remaint une desree (Saint Eust.).*

sostenir v. (Xe s., *Eulalie;* lat. pop. **sustenire*). 1° Soutenir. — 2° Entretenir, réparer. ◆ **sostenement** n. m. (1119, Ph. de Thaun), **-ance** n. f. (1150, Wace). 1° Soutien, appui. — 2° Entretien. — 3° Subsistance. ◆ **sostenage** n. m. (1318, *Arch.*). Réparation, entretien. ◆ **sosteneor** n. m. (XIIe s.). Appui, soutien. ◆ **sostenant** n. m. (1306, Guiart). Porteur. ◆ **sostenal** n. m. (1335, Deguil.). Soutien, appui.

sosterrer v. (XIIIe s., *Ass. Jérus.;* voir *terre*). Mettre sous terre, enterrer. ◆ **sosterin** adj. (1167, G. d'Arras). Souterrain.

sostirer v. (1180, *Rom. d'Alex.;* voir *tirer*). Tirer un peu.

sostoitier v. (1190, J. Bod.; v. *toit*). 1° Loger, abriter. — 2° Cacher, donner asile. — 3° Receler. — 4° Tenir secret : *Qui en son cuer tres grant amour soustoite (Chans.).*

sostraire v. (1190, saint Bern.; voir *traire*). 1° Retirer. — 2° Ressembler. ◆ **sostraiement** n. m. (fin XIIe s., saint Grég.). Action de retirer. ◆ **sostraction** n. f. (1155, Wace). Contraction.

sostre n. m. (1333, *Arch.;* orig. obsc.). Litière.

sosvaintre v. (1200, *Ren. de Montaub.;* v. *vaincre*). Vaincre, faire cesser.

sot adj. (1190, J. Bod.; orig. obsc.). Sot. ◆ **sotie** n. f. (fin XIIe s., *Loher.*). Sottise. ◆ **sotois** n. m. (XIIIe s., *Tourn. Chauvenci*). Langage de sot : *Sotins li a dit en sotoit (Tourn. Chauvenci).* ◆ **sotir** v. (XIIIe s., *Fabl.*). Plaisanter. ◆ **sotelet** adj. et n. (XIIIe s., *Fabl.*), **-erel** adj. et n. (1220, Coincy). Petit sot. ◆ **sotinas** adj. (id.). Sot. ◆ **sotoart** adj. (id.). Sot, imbécile.

I. **sotain, sodain** adj. (XIIe s.; lat. pop. **subitanum,* pour *subitaneus*). Soudain.

II. **sotain** adj. V. SOLTAIN, seul, isolé.

sote n. f. (XIIIe s., *Ass. Jérus.;* lat. pop. **subta,* du lat. class. *subtus,* sous). Partie inférieure. *En soute,* au-dessous de. ◆ **sotain** adj. (1220, Coincy). Inférieur : *les gens soutaines* (Coincy).

sotif adj. (1112, *Saint Brand.;* v. *sotil,* avec substitution de suffixe). 1° Adroit, habile : *Sa femme estoit si soutieve en mulisse (Saint-Graal).* — 2° Avisé : *parole soutive (Trois Aveugles).* — 3° Subtil : *Si fu la noise duce e sutive* (Chardry). — 4° Minutieux : *quar leur mestier est moult soutif* (E. Boil.). — 5° Abandonné : *Li mesage a l'ostel trouvé Trestoz soutis et degasté (Saint Eust.).* ◆ **sotieuté** n. f.

(fin xii⁰ s., *Ogier*). Caractère de ce qui est ingénieux, adresse, finesse : *Par soutiuté fu il pris et loies (Ogier).* ◆ **sotieusement** adv. (xiii⁰ s., *Chans.*). Par adresse. ◆ **sotivement** adv. (1160, Ben.). Avec adresse. ◆ **sotiver** v. (1277, *Rose*). S'ingénier, s'appliquer : *Ainssi nature y sootiva (Rose).*

sotil adj. (1160, Ben.; lat. *subtilem*). 1° Adroit, ingénieux, rusé : *Bien soutils hom seroit sopris En tel liu et de tel pucele (Part.).* — 2° En parlant des choses, fait avec art, fin : *De fer fist une roi soltil (Eneas).* ◆ **sotileté** n. f. (fin xii⁰ s., Guiot), **-ance** n. f. (xiii⁰ s., *Ass. Jérus.*), **-ece** n. f. (1247, Ph. de Nov.). 1° Adresse, finesse. — 2° Habileté, ruse. ◆ **sotillier** v. (fin xii⁰ s., *Est. Saint-Graal*). 1° Préparer subtilement, imaginer. — 2° S'ingénier. ◆ **sotillet** adj. (1260, Br. Lat.). Fin, délié. ◆ **sotillable** adj. (av. 1300, poèt. fr.). Subtil. ◆ **sotilement** adv. (1119, Ph. de Thaun). Avec adresse, habilement.

sou n. m. V. SEU, étable à porcs.

soue n. f. V. SEUWE, corde.

I. **sovenir** v. (1080, *Rol.;* lat. *subvenire,* venir à l'esprit). 1° Rappeler à qq'n qq chose. — 2° v. impers. Se souvenir. — 3° n. m. Le souvenir (xiii⁰ s.). ◆ **sovenant** n. m. (1210, *Dolop.*). Souvenir. ◆ **sovenue** n. f. (fin xiii⁰ s., J. de Meung). 1° Souvenir. — 2° Fait de se rappeler la promesse. ◆ **sovenier** adj. (1112, *Saint Brand.*). Qui se souvient, qui pense a : *De grans bien faire soveniers (Part.).* ◆ **sovenable** adj. (1280, *Cart.*). 1° Qui se souvient. — 2° Dont on se souvient.

II. **sovenir** v. (1308, Aimé; v. *venir*). Venir au secours de.

sovent adj. (1080, *Rol.;* lat. *subinde*). Fréquent, réitéré. ◆ **soventin** adj. (fin xii⁰ s., saint Grég.). Fréquent, répété.

soventre, soentre adv. et prép. (1155, Wace; lat. *subintra*). 1° Après, ensuite, derrière : *Quant Florimons en sa neif entre, Totes ses gens plorent soentre (Florim.).* — 2° Peu après, dans le moment même. — 3° prép. A la suite de : *Soventre li cururent beruns e vavasur*

(Wace).— 4° Entre, au milieu de : *Soventre les Normanz* (Wace). — 5° Vers : *Soantre none,* vers le soir *(Part.).* — 6° Suivant, conformément à : *Soentre la loi de Roume* (Mousk.). — 7° *Soventre iceo,* cependant.

sovin adj. (déb. xii⁰ s., *Voy. Charl.;* lat. *supinum*). Jeté à la renverse, couché sur le dos : *Fiert le premier, mort le giete sovin (Gar. Loher.).* ◆ **soviner** v. (1138, *Gorm. et Is.*). 1° Jeter à la renverse, étendre à terre. — 2° Tomber à la renverse. — 3° v. réfl. S'étendre sur le dos, se renverser. ◆ **sovinaillier** v. (xiii⁰ s., *Rich. li Biaus*). Jeter à la renverse.

sovrin adj. (1150, *Thèbes;* lat. médiév. *superanus,* de *super,* dessus). 1° Haut placé, élevé : *La tour est haute et souveraigne (Thèbes).* — 2° Au sens moral : *Voudroit estre lions en Jude la sobraigne (Prise Jérus.).* ◆ **sovraineté** n. f. (1120, *Ps. Oxf.*). 1° Sommet. — 2° Élévation morale.

soz, sos prép. (x⁰ s., *Fragm. de Valenc.;* lat. *subtus*). Préposition de lieu. 1° Indique la situation d'infériorité d'un objet par rapport à un autre. — 2° Indique la subordination, la dépendance. — 3° Indique la situation d'englobé d'un objet par rapport à l'objet englobant : *Ele est fole sos sa chemise (Sept Sages).* — 4° Indique la situation latérale d'un objet (au sens de « vers ») : *Guardet suz destre parmi un val (Rol.).*

spic n. m. V. ESPIC, sorte d'épice, le « spicnard ». ◆ **spicanarde** n. f. (1314, Mondev.). Nard indien.

spondile n. m. (1314, Mondev.; lat. *spondylus,* du grec). Vertèbre.

spontain adj. (1284, G.; lat. *spontaneus*). Spontané.

suaire n. m. (déb. xii⁰ s., *Voy. Charl.;* lat. *sudarium,* mouchoir). 1° Suaire. — 2° Fanon, manipule : *Car le fanon tout proprement Nome on de suour suaire* (R. de Moil.).

subduction n. f. (xii⁰ s., Herman; lat. *subductio*). Séduction.

subelin adj. V. SEBELIN, de zibeline.

subjecter v. (1308, Aimé; lat. médiév. *subjectare*, pour *subjicere*). Soumettre, subjuguer. ◆ **subjection** n. f. (1190, Garn.). Soumission.

subler v. V. SIBLER, siffler, murmurer.

subsaner v. (1120, *Ps. Oxf.;* lat. *subsannare*). Railler, se moquer de.

suburbe n. f. (1298, *Arch.;* lat. *suburbium*). Faubourg, banlieue. ◆ **suburbie** n. f. (fin XIIᵉ s., *G. de Rouss.*). Faubourg, banlieue.

subvertir v. (fin XIIIᵉ s.; lat. *subvertere*, retourner). Renverser, bouleverser.

suche n. f. V. ÇOCHE, souche, pièce de bois.

sudre n. m., cas sujet. V. SUOR, cordonnier.

I. **suef** n. f. et m. V. SOIF, haie, clôture.

II. **suef** adj. V. SOEF, doux, calme.

suel n. m. (XIIᵉ s.; lat. *solum*, sol). Seuil.

suele, seule n. f. (XIIIᵉ s., *Fabl.;* lat. pop. *sola*, altér. de *solea*). Pièce de charpente, poutre, solive.

suen, soen, sien adj. possessif se rapportant à la 3ᵉ pers., masc. sing. cas rég. et plur. cas sujet, **suens,** sing. cas sujet et plur. cas rég. (XIᵉ s., *Alexis;* lat. *suum*). Forme accentuée du possessif : 1° En fonction d'épithète : *Comande a un soen chevalier Pur lui le pié le rei batsier* (Ben.). — 2° En fonction d'attribut : *Meis se je mant, suens iert li torz* (Chr. de Tr.). — 3° Doté de l'art. déf., en fonction de pronom : *Et il la tient entre ses bras, Et ele lui entre les soens* (Chr. de Tr.). — 4° Doté de l'art. déf., en fonction de substantif, Son bien : *Si nos dona tant del sien (Auc. et Nic.). Au sien*, à ses frais (Villeh.). *Vivre du sien*, vivre à ses propres frais. *Malgré suen*, malgré lui (G. d'Λrras). ◆ V. TABLEAU DES POSSESSIFS, p. 422.

I. **suer** v. (XIIᵉ s., *Thomas le Martyr;* lat. *sudare*). Suer, transpirer. ◆ **suor** n. f. (1155, Wace). Sueur. ◆ **suance** n. f. (XIIIᵉ s. *Gaydon*). Sueur.

II. **suer** v. (1268, *Arch.;* lat. pop. **sucare*, de *sucus*, suc). Essuyer, sécher. ◆ **suiere** n. f. (1169, Wace). Drap, linge qui sert à essuyer.

III. **suer** n. f. cas sujet. V. SEROR, sœur.

IV. **suer** prép. V. SOR, sur, près de, vers, contre.

suere, suire, soigre n. m. (1155, Wace; lat. *socerum*). Beau-père. ◆ **suere** n. f. (1210, *Dolop.*). Belle-mère.

sueure n. f. (1268, E. Boil.; lat. *sutura*). Couture.

suficience n. f. (XIIᵉ s., *Rom. des Rom.;* lat. *sufficientia*). Suffisance, valeur, capacité. ◆ **suficient** adj. (XIIIᵉ s.). Suffisant.

sui n. m. V. SEU, suif.

suiance n. f., suīte. V. SIVRE, SIVIR, suivre. ◆ **suiant** n. m. (1336, *Arch.*). Poulain, veau ou tout autre jeune animal qui suit encore sa mère. ◆ **suiere** n. m., cas sujet. V. SIVEOR, celui qui suit. ◆ **suitor** n. m. (1260, *Arch.*). Plaignant.

suire n. m. V. SUERE, beau-père.

suiron n. m. (1220, Coincy; anc. haut all. **seuro*). Ciron.

sulent, sullent adj. (1112, *Saint Brand.;* lat. *suculentum*, plein de suc). Suant, mouillé, souillé : *De l'angoisse sunt tuit sullent* (G. de Saint-Pair).

sulien adj. V. SURIEN, syrien.

suor n. m., cas rég., **sudre, surre** cas sujet (fin XIIᵉ s., *Aym. de Narb.;* lat. *sutor, sutorem*). Cordonnier.

superbe adj. (1120, *Ps. Oxf.;* lat. *superbus*, orgueilleux). Orgueilleux. ◆ **superbie** n. f. (1120, *Ps. Oxf.*). Orgueil, superbe.

superficie n. f. (1277, *Rose;* lat. *superficies*, surface). 1° Surface. — 2° Extérieur : *Lor luisans superfices (Rose).*

superlatif adj. (fin XIIᵉ s., *Aym. de Narb.;* bas lat. *superlativus*, de *superlatus*). 1° Qui est au-dessus de tout : *En l'annor Deu le roy suppellatis (Aym. de*

Narb.). — 2º Puissant : *Laquelle cité est la plus superlative de toute la conté* (Aimé). — 3º Meilleur : *Des tous est le sorpilatis I. conte ke je vos devis* (Coincy). — 4º n. m. Maître absolu : *Et sera du roiaume rois et superlatis (H. Capet).* — ◆ **supelatin** adj. (xiiiᵉ s.). Très grand.

superne adj. (1160, Ben.; lat. *supernus*). D'en haut, supérieur : *Il governe Le munde e le regne superne* (Ben.). ◆ **supernel** adj. (1160, Ben.). Supérieur, suprême.

superscription n. f. (1339, *Cart.;* lat. *superscriptio*). Ce qui est écrit au-dessus, titre, inscription.

sur adj. (1160, *Eneas;* francique **sūr*). Acide, amer. ◆ **surece** n. f. (1204, R. de Moil.). Qualité de ce qui est *sur*). ◆ **sureté** n. f. (fin xiiiᵉ s., B. de Condé). Aigreur, amertume.

surexir v. (1150, Wace; mot eccl. formé sur *surrexi,* parfait de *surgere*). Ressusciter. ◆ **surection** n. f. (1119, Ph. de Thaun). Résurrection.

surge n. m. (1150, *Thèbes;* adapt. du lat. *chirurgus,* du grec). Chirurgien. ◆ **surgie** n. f. (1288, *Ren. le Nouv.*), -eure n. f. (1277, *Rose*). Chirurgie.

surien adj. (fin xiiᵉ s., *Aye d'Avignon;* du nom propre *Syria,* Syrie). 1º Syrien. — 2º n. m. Étoffe de Syrie *(Asprem.).*

surre n. m. cas sujet V. SUOR, cordonnier.

sursise n. f. (fin xiᵉ s., *Lois Guill.;* v. *sorseoir*). 1º Omission ou négligence de faire ce qu'on doit. — 2º En particulier, retard qu'on met à se rendre à l'appel de son suzerain : *Li reis dit n'i ira, Mes de cele sursise erramment respundra* (Garn.).

sus, suz adv. (xᵉ s., *Eulalie;* lat. pop. **susum,* pour *sursum*). I. Adv. de lieu. 1º En haut. — 2º D'en haut : *La bataille verres de nos gens toute sus (Chev. cygne).* *Sus et jus,* du haut en bas, partout. — 3º *La sus,* là-haut. *La sus amont,* de là-haut. — 4º Debout, sur pied : *Ore saill sus en piez, unques plus sains ne fut (Voy. Charl.).* — 5º Dessus : *Si estendirent une cape, se missent lor pain sus (Auc. et Nic.).* — 6º *Metre sus,* accuser, imputer. *Sus, en sus,* loin, au loin : *Et sanz nule autre demorance se traient sus* (Ben.). *Sus de, en sus de,* loin de.

II. Prép. de lieu. 1º Sur : *Met plé a terre sus le sablon marois* (Auberi). — 2º En sus, en haut de. — 3º Joignant, tout proche de : *Sus un estant sont arestees (Ysopet Lyon).* — 4º Vers, du côté de. — 5º Contre : *Chevaucherons sus les Turs (Cov. Vivien).* — 6º Marque une sanction : *Sus lor cors perdre lor comande (Ogier).*

III. Interj. servant à exciter, à encourager : *Sire, or sus, or sus, que vezci les Sarrazins* (Joinv.). ◆ **susee** interj. (xiiiᵉ s.). Exhortation au courage (refrain fréquent des chansons de pèlerins). ◆ **susee** adj. fém. (fin xiiiᵉ s., *Son. de Nans.*). Élevée, grande, fastueuse : *Ains vient faire susee vie (Son. de Nans.).*

suschier v. V. SOSCHIER, examiner, supposer, imaginer.

susciter v. (980, *Passion;* lat. *suscitare*). 1º Ressusciter. — 2º Revenir à la vie. ◆ **suscitement** n. m. (1170, *Fierabr.*), -ation n. f. (xiiiᵉ s., Chardry). Résurrection.

t

ta adj. poss. 2ᵉ pers. fém., cas sujet et cas régime sing. V. TABLEAU DES POSSESSIFS, p. 422.

tabart n. m. (XIIIᵉ s., *Tourn. Chauvenci;* orig. obsc.). Sorte de manteau que les gens de guerre portaient par-dessus leur armure. ◆ **tabarel** n. m. (1297, *Arch.*). Petit manteau.

tabelion n. m. (1260, Br. Lat.; lat. *tabellio,* qui écrit sur les tablettes). Notaire de juridiction subalterne. ◆ **tabelioner** v. (1335, Deguil.). Dresser un acte, l'expédier. ◆ **tabelionage** n. m. (1337, G.). 1º Office de tabellion. − 2º Acte notarié.

table n. f. (1080, *Rol.;* lat. *tabula,* planche, table). 1º Planche, ais. − 2º Table. *Table ronde* ou simplement *table,* celle des chevaliers de la cour d'Arthur (Wace); sorte de tournoi, divertissement chevaleresque. − 3º Pension, nourriture. − 4º Étal (E. Boil.). − 5º Bureau de changeur. − 6º Chacune des quatre divisions du tablier au trictrac. − 7º le f. plur. Jeu de trictrac, ou de dames. − 8º *Metre, remetre en sa table, retraire a sa table,* user de retrait, par puissance de fief, sur l'héritier ou l'acheteur d'un fief. ◆ **tablet** n. m. (XIIIᵉ s., J. de Garl.). 1º Petit tableau. − 2º Tablette. ◆ **tablete** n. f. (1220, Coincy). 1º Tableau. − 2º Petite table. *Porter tablete,* exercer le métier de changeur (1347, *Ord.*). − 3º Sorte d'instrument de musique *(Son. de Nansay).* ◆ **tabletier** n. m. (1268, F. Boil.). Courtier, petit marchand. ◆ **tableteur** n. m. (XIIIᵉ s., *Rom. et past.*). Menuisier. ◆ **tableteresse** n. f. (1277, *Rose*). Joueuse de *tablete.* ◆ **tablement** n. m. (fin XIIᵉ s., *Ed. le Conf.*). Entablement, échafaud. ◆ **tablier** n. m. (1175, Chr. de Tr.). 1º Tablette, étal. − 2º Table de jeu d'échecs ou de tout autre

jeu. − 3º Le jeu lui-même. − 4º Nappe de table. ◆ **tabloier** v. (XIIᵉ s., *Chétifs*). Jouer aux *tables.*

tabois n. m. V. TAMBOIS, vacarme, instr. de musique.

tabor n. m. (1080, *Rol.;* orig. orient. incert.). 1º Tambour. − 2º Bruit du tambour. − 3º Tapage, bruit, vacarme : *Si enforça la noise, le cri et le tabor (Maug. d'Aigr.).* ◆ **taborer** v. (XIIᵉ s., *Part.*). 1º Battre du tambour. − 2º Faire du tapage. ◆ **taborner** v. (XIIᵉ s., *Amis et Am.*). Battre du tambour. ◆ **taborement** n. m. (fin XIIᵉ s., *Ogier*). 1º Bruit que fait l'entrechoquement de deux corps, bruit d'un tambour, bruit du tonnerre. − 2º Bruit, vacarme. ◆ **taborie** n. f. (déb. XIIIᵉ s., R. de Beauj.), **-erie** n. f. (fin XIIᵉ s., *Loher.*), **-eis** n. m. (XIIIᵉ s., *Gauvain*). Bruit, tapage, vacarme. ◆ **taborel** n. m. (1229, G. de Montr.). 1º Tambour. − 2º Joueur de *tabor.* ◆ **taboreor** n. m. (1301, *Arch.*). 1º Joueur de tambour. − 2º Fabricant de tambours.

tacel n. m. V. TASSEL, gland, frange, morceau d'étoffe.

I. tache n. f. V. TECHE, marque, qualité bonne ou mauvaise, tache. ◆ **tacheus** adj. (1190, saint Bern.). 1º Couvert de taches. − 2º Honteux. ◆ **tachié** adj. (1288, J. de Priorat). Qui a telle qualité. ◆ **tachelé** adj. (1112, *Saint Brand.*). Tacheté, bigarré.

II. tache n. m. V. TACRE, bloc, lot de cuirs.

tacle n. f. (1313, Godefr. de Paris; orig. obsc.). Espèce de bouclier.

tacon n. m. (XIIᵉ s., *Gloss.;* orig. incert.). Pièce mise à un vêtement ou à une chaussure. ◆ **taconer** v. (XIIᵉ s., *B. d'Hanst.*). Rapiécer, raccommoder. ◆ **taconier** n. m. (XIIIᵉ s., *Gloss. Garl.*). Savetier, rapiéceur.

tacre, tache n. m. (1265, G.; orig. incert.). 1º Bloc, certaine quantité. − 2º Lot de cuirs au nombre de dix. *Cuirs de tacre,* peaux réunies en *tacre* (E. Boil.).

tafur adj. et n. (1160, *Charr. Nîmes;* orig. obsc.). 1º Semble désigner d'abord un peuple sarrasin : *Chevaucherai au soir* *et a la lune, De mon hauberc covert la feutreure S'en giterai la pute gent tafure (Charr. Nîmes).* — 2° En particulier, désigne, dans *la Chanson d'Antioche,* les alliés des chrétiens. — 3° Fripon, truand. — 4° Déloyal, traître : *Feinte amur e tafure (Chans. sat.).*

tahine n. f. (XIIIᵉ s., *Ass. Jérus.;* de l'arabe). Marc de l'huile de sésame.

taho interj. (fin XIIIᵉ s., D.; orig. onomat.). Cri pour exciter les chiens de chasse.

I. **tai** n. m. (1150, *Thèbes;* d'orig. germ.). 1° Boue, fange, vase : *Quant en voit un qui el tai voitre (Trist.).* — 2° Souillure. ◆ **taier** n. m. (1176, E. de Foug.). Bourbier. ◆ **taillier** v. (XIIᵉ s., *Asprem.*). Souiller.

II. **tai** interj. (déb. XIIIᵉ s., R. de Beauj.; onomat.). Exclamation : *Tai! mar le di! Va li rover merci, e va a li parler* (R. de Beauj.).

taiain n. f. cas rég., **taie** cas sujet (1133, *Test. Renaud;* mot enfantin d'orig. onomat.). Grand-mère, grand-tante. ◆ **taion** n. m. (1190, *H. de Bord.*). Grand-oncle, aïeul. ◆ **taienos** n. m. (1333, *Arch. Meuse*). Petit-neveu.

I. **taillier** v. (1080, *Rol.;* lat. pop. **taliare,* probabl. de *talea,* bouture). 1° Tailler, couper, frapper. — 2° Décider, convenir, fixer : *Puis fu la pais ensi taillie que ...* (Mousk.). — 3° Condamner. 4° *Taillier a* q'un, être capable de lui tenir tête. — 5° v. réfl. Se mettre à, être sur le point de : *Dont aucun se crier se taille* (Guiart). — 6° Frapper d'un impôt, d'une taxe. — 7° Contrôler. ◆ **taille** n. f. (1160, *Eneas*). 1° Action de tailler. — 2° Encoche sur un morceau de bois destinée à reconnaître une dette. — 3° Hauteur du corps humain. — 4° Impôt sur les serfs (XIIIᵉ s.). ◆ **taillee** n. f. (1160, Ben.). 1° Action de couper, incision. — 2° Taille, imposition. ◆ **tailleure** n. f. (XIIIᵉ s., *Sept Est. du monde*). 1° Rognure. — 2° Entaille, blessure. — 3° Rente. ◆ **taillage** n. m. (1255, *Arch.*). 1° Action de tailler, coupe. — 2° Taille, contribution. — 3° Taille, hauteur. ◆ **taillier** n. m. (1309, *Arch.*). Taillis. ◆ **taillerie** n. f. (1304, *Arch.*).

1° Action d'imposer des taxes. — 2° Boutique de tailleur. ◆ **taillant** n. m. (1229, G. de Montr.). Tranchant d'une épée, d'un couteau, etc. ◆ **tailleor** n. m. (1175, Chr. de Tr.). 1° Tailleur d'habits. — 2° Tailleur de pierre *(Rois).* — 3° Tailloir. ◆ **taillant** adj. (XIIᵉ s., *Chans.*). 1° Tranchant. — 2° Vif, ardent, empressé : *Cil qui por un desir trop taillant Veulent d'amour joir tout errant (Chans.).* — 3° Décharné : *Ainz estoit maigres et taillanz (Fabl.).* ◆ **tailleis** adj. (1277, *Rose*). 1° Taillé, entaillé. — 2° De taille. ◆ **taillié** adj. (fin XIIᵉ s., Couci). 1° Fourni, muni : *Dames en corps tres bien taillies* (Couci). — 2° Capable.

II. **taillier** v., souiller. V. TAI, boue.

taindre v. V. TEINDRE, teindre, peindre, changer de couleur.

tais n. m. cas sujet. V. TAISSON, blaireau.

taisir v. (1162, *Fl. et Bl.;* lat. *tacere*). 1° Se taire. — 2° Taire. — 3° n. m. Silence. ◆ **taisance** n. f. (déb. XIIᵉ s., *Ps. Cambr.*). Silence. ◆ **taisible** adj. (fin XIIIᵉ s., Macé). 1° Silencieux, taciturne. — 2° Secret, tacite, non exprimé. ◆ **taisibleté** n. f. (1327, J. de Vignay). Silence, le fait de se taire. ◆ **taisant** adj. (1160, Ben.). Silencieux, paisible : *Grant piece fu taisanz e mus* (Ben.). ◆ **taiseor** adj. (1260, Bl. Lat.), -**eus** adj. (XIIIᵉ s., *Rés. Sauv.*), -**i** adj. (1270, Ruteb.). Silencieux.

taissel n. m. V. TASSEL, gland, frange, morceau d'étoffe.

taisson n. m. cas rég., **tais** cas suj. (1247, Du Cange; lat. pop. **taxonem,* du germ.). Blaireau. ◆ **taissel** n. m. (1160, Ben.). Blaireau. ◆ **taisniere** n. f. (fin XIIᵉ s.), -**oniere** n. f. (1242, *Arch.*). 1° Lieu où il y a beaucoup de blaireaux. — 2° Terrier du blaireau.

takehan n. m. V. CAQUETAN, émeute.

talemasche n. f. (XIIIᵉ s., *Voc. lat.-fr.;* orig. obsc.). 1° Obscurité. — 2° Masque. ◆ **talemaschier** v. (XIIIᵉ s., *Maug. d'Aigr.*). 1° Souiller, salir : *Qui a le duc Milon issi talemaschié Que il resemble* *fevre qui anuit ait forgié? (Maug. d'Aigr.).* — 2° Masquer.

talemelier n. m. (1268, E. Boil.), **-metier** n. m. (1288, *Arch.*; orig. incert.; peut-être de *taler*, battre, et de *mesler*, mélanger?). Boulanger, pâtissier. ◆ **talemelerie** n. f. (XIII° s., *Livr. de Jost.*). Boulangerie, métier de boulanger.

talent n. m. (XI° s., *Alexis*; lat. *talentum*, du grec). 1° Désir, envie : *Li rois a talent qu'il le voie* (J. Bod.). *Avoir en talent,* désirer. *Venir a talent a,* être désiré par : *A li aloit priveiement quant lui venoit en sun talent* (Wace). *Metre q'un en talent,* lui inspirer un désir. *Faire son talent d'une femme,* en avoir la jouissance. — 2° Vouloir. *De bon talent,* de bonne grâce, de bon cœur. *Faire son talent,* faire ce qu'on voudrait. *Mal talent,* mauvais vouloir. — 3° *Dire son talent,* dire son avis. — 4° *Tot a talent,* aussi bien que possible : *Joce comanda qe ele fust guardé tot·a talent (F. Fitz Warin). A talent,* à souhait. ◆ **talente** n. f. (XIII° s., Rob. de Blois). Désir. ◆ **talentif** adj. (1160, Ben.), **-os** adj. (fin XIII° s., *Anseis*). Désireux, empressé, ardent : *Car talentiz estoient touz De la mort leurs amis vengier* (Godefr. de Paris).

taler v. (XIII° s.; germ. *tâlon*). Broyer, meurtrir, battre.

talevas n. m. (1150, *Thèbes*; orig. obsc.; peut-être gaul.). 1° Bouclier des gens de pied destiné à protéger contre les flèches des archers. — 2° Bouclier de bois pour protéger les escrimeurs.

taloche n. f. (XIV° s., Watriquet; orig. incert.). Petit bouclier, targe.

talpe n. f. (fin XIII° s., Ruteb.; lat. *talpa*). Taupe. ◆ **taupiere** n. f. (1312, G.). Taupinière.

talu n. m. et adj. (1176, E. de Fougères; lat. *talutium*, d'orig. gaul.). 1° Talus. — 2° En talus, protégé par un talus.

tamaint adj. et pron. indéf. (1180, *Rom. d'Alex.*; comp. du lat. *tam* et de *maint?*). 1° Adj., Maint, plusieurs : *Encore fait on ou siecle por lui tamaint paiage (Rom. d'Alex.).* — 2° Pron.,

Plusieurs : *Si fu moult plorés des tamains* (Mousk.).

tamarandi n. m. (1298, M. Polo; lat. médiév. *tamarindus*, datte de l'Inde en arabe). Tamarin.

tamarisque (1213, *Fet Rom.*), **tamarie** n. f. (1268, E. Boil.; bas lat. *tamarisca*, d'orig. obsc.). Tamaris.

tambois n. m. (1150, *Thèbes*; voir *tabor*, tambour, vacarme). 1° Vacarme : *Tel noise font, tel est li tambuis Onques n'osa issir del huis (Thèbes).* — 2° Instrument de musique. ◆ **tamboissier** v. (fin XII° s., *Gir. de Rouss.*). 1° Fracasser. — 2° Faire du bruit. ◆ **tambut** n. m. (fin XII° s., *Gir. de Rouss.*). Vacarme. ◆ **tambuire** n. m. (XIII° s., *Gilles de Chin*). Bruit de tambours, tapage.

tambor n. m. V. TABOR, tambour, bruit du tambour, vacarme.

I. **tambre** n. f. (1138, *Gorm. et Is.*; orig. obsc.). Javelot.

II. **tambre** n. f. (XIII° s., *Mir. saint Éloi;* orig. obsc.). Nom de maladie : *Diex l'ot feru d'une grief tambre Qui l'embrasoit par tout le cors (Mir. saint Éloi).*

tameir, -oir v. (XII° s., *Trist.;* lat. *timere;* v. *temer*). Avoir peur.

tampane, -paine n. f. (1295, *Arch.*; orig. obsc.). Pignon, pan.

tan n. m. (fin XIII° s., Ruteb.; probabl. d'un gaul. **tann-,* chêne). Tan. ◆ **tanet** n. m. (1311, *Arch.*). Drap brun, de la couleur du tan. ◆ **taner** v. (fin XII° s., *Est. Saint-Graal*). 1° Tanner. — 2° Fatiguer, ennuyer, tourmenter : *Et si les couvint labourer Et leur cors en sueur tenner (Est. Saint-Graal).*

tandis adv. (1160, Ben.; lat. *tamdiu*). 1° Pendant ce temps, cependant, en attendant : *Et vos pores veoir tans dis Et son gent cors et son cler vis (Part.).* — 2° Conj. de temps, *Tandis que, tandis com,* pendant le temps que, tant que : *Et tandis con il les asamble, Renars ses coroies li emble (Ren.).* — 3° n. m. Moment, espace de temps : *Et le roy qui* *plain fu de grace Les reçut, ce fu un tendis* (Godefr. de Paris).

tangoner v. (1180, *Rom. d'Alex.;* orig. incert.). 1° Piquer de l'aiguillon. − 2° Presser, tourmenter : *Lion ne autre beste que famine tangone (Rom. d'Alex.).*

tangre adj. (XIII° s., *Nouv. fr.;* orig. incert.). Désireux, impatient : *Robin, [...] puis ke tu ies si tangres ke ma fille fust mariee (Fl. et Jeh.).*

tans n. m. V. TENS, temps, vie.

I. **tant** adj. (980, *Passion;* lat. *tantum*). 1° Un aussi grand nombre, si nombreux : *Tanz colps ad pris de lances et d'espiez (Rol.).* − 2° Aussi grand : *Tantes dolurs ad pur tei andurede (Alexis).* − 3° Avec inversion, si fort que, à quelque point que : *Tant soit de flebe nature (Chans.).* − 4° n. m. Précédé d'un nom de nombre, rend l'idée de fois, autant : *Si a bien set tanz plus de gent Que n'a li seneschauz de Rome (G. d'Arras).* − 5° n. f. De si grands coups : *As espees lor viennent, tante lor ont donnee Que la plache entour eus en fu ensanglentee (Doon de May.).* − 6° *A tanz quanz, par tanz quanz,* en nombre égal, un contre un. − 7° *Tant ne quant, ne tant ne quant,* loc. adv., ni peu ni prou, rien du tout : *Ele ne respunt ne tant ne quant (Graelent).*

II. **tant** adv. (XI° s.; lat. *tantum*). 1° En si grande quantité, tellement, si : *Tant en ot detranchiez, bien pert au sanc raier* (J. Bod.). − 2° Adv. de temps, Si longtemps. *Tant que, tant com,* aussi longtemps que : *Tresors nus est e reençun Tant cum le tenruns en prisun* (Ben.). − 3° Autant, ainsi. *De tant,* d'autant. *Tant que,* de façon que, si bien que. *Par tant,* ainsi : *Par tans vos ferai coroner* (Chr. de Tr.). − 4° *Tant ... quant,* autant ... autant. *Tant plus ... plus,* plus ... plus.

tantir v. V. TENTIR, retentir.

tantost adv. (1160, *Eneas;* composé de *tant* et de *tost*). Adv. de temps, Aussitôt : *Merchi pria le Magdalaine, Tantost fu de ses pekies saine* (R. de Moil.). *Tot tantost, tantost en l'eure,* sans délai, immédiatement. *Tantost que, com,* dès que, aussitôt que.

taper v. (1175, Chr. de Tr.; probabl. germ. *tappôn,* bonde). Frapper avec le plat de la main.

tapir v. (1175, Chr. de Tr.; francique **tappjan,* fermer, enfermer). Se cacher. ◆ **tapinement** n. m. (XII° s., *Pr. Orange*). Action de se cacher. *A tapinement,* en tapinois. ◆ **tapison** n. f. (XIII° s., Fr. Anger). Action de se cacher. *En tapisson,* en tapinois. ◆ **tapin** adj. et n. (1160, *Athis*). 1° Qui est caché et déguisé. − 2° Fourbe, misérable : *Celui que ce li dit clama felon tapin (Gar. de Mongl.).* − 3° Caché et silencieux. *A tapin, a tapins, a tapine,* en tapinois, en cachette. − 4° *Se metre a tapin,* agir à la sourdine, se cacher. ◆ **tapiner** v. (XII° s., *Chev. cygne*). Cacher, se cacher. ◆ **tapinage** n. m. (1112, *Saint Brand.*). 1° Action de se dissimuler. *En tapinage,* à la dérobée. − 2° Endroit où l'on se cache, lieu secret et caché, embuscade.

taquehan n. m. V. CAQUEHAN, assemblée illicite, émeute populaire.

tarchois n. m. V. CHARCOIS, carcasse.

tarcois, tarquois n. m. (1169, Wace; cf. pers. *tarkash,* même sens). Carquois.

tardeis adv., plus tard. V. TART, tard.

tarder v. (1175, Chr. de Tr.; v. *tart,* adv., tard; v. *targier,* tarder). 1° Tarder, retarder. − 2° Forme impers. Avoir envie. ◆ **tarde** n. f. (fin XIII° s., Guiart). Retard. ◆ **tardation** n. f. (XII° s., Herman). Retard, délai. ◆ **tardant** adj. (1204, R. de Moil.). Lent.

tarere n. m. (1285, Aden.; peut-être de *tarier,* agacer?). Tarière. ◆ **tarele** n. f. (1268, E. Boil.). Tarière. ◆ **tarelet** n. m. (1288, *Ren. le Nouv.*). Petite tarière.

tarente n. f. (1220, Coincy; ital. *tarantola,* de *Tarente,* n. de ville). Tarentule.

targe n. f. (1080, *Rol.;* francique **targa*). Bouclier. ◆ **targier** v. (1277, *Rose*). 1° Se couvrir d'un bouclier. − 2° Couvrir, défendre, protéger. ◆ **targete** n. f. (1335, Deguil.). Petite targe.

I. **targier** v. (1080, *Rol.;* lat. pop. **tardicare*, fréq. de *tardare*). 1° Tarder, être en retard, être retardé. — 2° Différer : *Lors li dist l'angre sans targier (Livr. Passion).* — 3° Écarter, éloignier. — 4° Se dispenser de : *Encore avront felon et mesdisant Ma bone pais, s'il se veulent targier De faus jangler dont il sunt costumier (G. et Joc.).* ◆ **targement** n. m. (XIIᵉ s., Herman), **-jance** n. f. (1160, Ben.), **-oison** n. f. (1190, Garn.). 1° Action de tarder, retard. — 2° Délai. ◆ **targif** adj. (XIIᵉ s., *Part.*). Lent, en retard.

II. **targier** v., se couvrir d'un bouclier. V. TARGE, bouclier.

tarie, -ide n. f. (1247, Ph. de Nov.; arabe *taridah*, même sens). Navire de transport, utilisé en particulier pour le transport des chevaux.

tarier v. (1167, G. d'Arras; dér. du lat. *taratrum*, VIIᵉ s., d'orig. gaul.). 1° Provoquer, irriter : *Onques devant la gent ne le tariez mie (Doctr. de latin).* — 2° Solliciter. — 3° Tourmenter. — 4° Frapper, blesser.

I. **tarin, terin** n. m. (1285, Aden.; orig. obsc.). 1° Sorte de monnaie d'or. — 2° Lingot.

II. **tarin** n. m. (1330, *B. de Seb.;* peut-être d'orig. onom.). Oiseau chanteur, sorte de chardonneret.

tart adv. (1080, *Rol.;* lat. *tarde*, lentement). 1° Adv. de temps, indique que le temps convenable est déjà passé. — 2° Trop tard : *Mes tart vendroiz au repentir Se voir ne me reconoissiez (Chr. de Tr.).* — 3° A tart, trop tard : *A tart avez parlé (Fierabr.).* — 4° Il est tart a q'un, il lui tarde : *Tant li est tart que celi voie Qui son cuer li fortreit et tot (Chr. de Tr.).* ◆ **tardeis** adv. (1150, *Thèbes*). Plus tard : *Si seiez quatorze meis N'en mangerions nos tardeis (Thèbes).*

tartare, -aire n. m. (XIIIᵉ s., *Chron. Saint-Denis;* n. de peuple). Riche étoffe provenant d'Asie Mineure. ◆ **tartarais** adj. (1298, M. Polo). 1° Tartare. — 2° Langue tartare. ◆ **tartarin** adj. (1295, *Arch. Nord*), **-ien** adj. (1330, *Ch. le Chauve*). Tartare, de Tartarie.

tartarie n. f. (XIIᵉ s., *Trist.;* v. *tartevele, -erele*, même sens). Crécelle, cliquette portée par les lépreux.

tartevele n. f. (XIIIᵉ s., *Nouv. fr.;* orig. obsc.). Crécelle que portaient les lépreux pour prévenir les gens de leur approche. ◆ **tarterele** n. f. (1220, Coincy). Crécelle des lépreux. ◆ V. TARTARIE, même sens.

tas n. m. (1155, Wace; francique **tass*). 1° Tas, amas. — 2° *A tas*, en masse, d'un seul coup. — 3° *A tas*, lourdement, comme une masse : ◆ **tasse** n. f. (XIIIᵉ s., *Tr. d'écon. rur.*). Tas, amas. ◆ **tassee** n. f. (XIIIᵉ s., *Gaufrey*). Le fort de la mêlée, endroit où les combattants sont le plus tassés. ◆ **tassel** n. m. (1306, Guiart). 1° Tas, amas. — 2° Troupe.

I. **tasche** n. f. (1175, Chr. de Tr.; adapt. du lat. médiév. *taxa*). Prestation rurale, imposition. ◆ **tascheor** n. m. et adj. (1268, E. Boil.). 1° Celui qui est soumis à la prestation appelée *tasche*. — 2° Tâcheron : *Ne doit [...] tascheeur avoir qu'un aprentiz (E. Boil.).* ◆ **taschif** adj. (1260, A. de la Halle). Qui tâche de.

II. **tasche** n. f. (XIVᵉ s.; germ. *taske*). Bourse.

tasoner v. (fin XIIIᵉ s., *Mir. saint Éloi;* v. *tas*, amas?). Enfermer, inhumer : *Mesires sains Elois trouva Son cors et bien la tasouna En un tant riche monument (Mir. saint Éloi).*

I. **tassel** n. m. (1160, *Eneas;* lat. pop. **tasselum*, pour *taxillus*). 1° Plaque qui maintient les agrafes d'un manteau. — 2° Gland, frange, bordure d'un manteau. — 3° Morceau d'étoffe pour rapiéçage. ◆ **tasselé** adj. (1160, Ben.). Garni de glands.

II. **tassel** n. m., tas, troupe. V. TAS, amas.

taster v. (1120, *Ps. Oxf.;* lat. pop. **tastare*, contr. de **taxitare*). 1° Goûter. — 2° Visiter : *Ains vot les plus sains pors taster (Mousk.).* — 3° Toucher, frapper. ◆ **tast** n. m. (1204, R. de Moil.). 1° Attouchement. — 2° Toucher, tact *(Rose).* ◆ **taste** n. f. (1314, Mondev.). Sonde. ◆ **tastons** n. m. pl. (1175, Chr. de Tr.). *A tas-*

tons, en tâtonnant, en touchant. ◆ **tasto-ner** v. (fin XIIe s., *Alisc.*). Masser : *Douchement le tastone por endormir (Aiol)*. ◆ **tastoillier** v. (1160, *Charr. Nîmes*). 1° Chatouiller : *Ne t'ai servi par nuit de tatonner Ne de tes genbes grater ne taistoiller (Charr. Nîmes)*. — 2° Etre chatouillé : *Douz moz, qui font cuer tatoillier (Chans.)*.

tastre, tatre n. m. et f. (1220, Coincy; lat. *transtrum*, poutre, avec dissim.). Poutre.

tatereles n. f. pl. (fin XIIe s., *Auc. et Nic.*; orig. incert.). Haillons : *A ces viés tatereles vestues (Auc. et Nic.)*.

tatin n. m. (1260, A. de la Halle; mot expressif d'orig. obsc.). Tape, coup, gifle : *Tien che tatin (A. de la Halle)*.

tausser v. (XIIIe s., lat. *taxare*). Imposer, taxer. ◆ **taussacion** n. f. (1283, Beaum.). Imposition, taxation.

tavel n. m. (1160, *Eneas;* lat. pop. **tabellum*, dimin. de *tabula*). 1° Carreau d'étoffe. — 2° Compartiment d'un échiquier. ◆ **tavele** n. f. (XIIe s.). 1° Ruban, sorte de passementerie. — 2° Échiquier. ◆ **taveler** v. (1272, Joinv.). Parsemer de taches, de mouchetures. ◆ **tavelé** adj. (XIIIe s., *Clef d'Am.*). 1° Taché. — 2° Gâté, rompu.

taverne n. f. (1256, *Ord.;* lat. *taberna*), Taverne. ◆ **tavernerie** n. f. (1296, *Arch.*). Taverne. ◆ **tavernier** n. m. et adj. (fin XIIe s., *Aymeri*). 1° n. m. Celui qui tient une taverne. — 2° adj. Qui fréquente les tavernes (XIIIe s.). ◆ **taverneor** adj. (déb. XIVe s., *Établ. Saint Louis*), -**eret** adj. (XIIIe s., *Fabl.*). Qui fréquente les tavernes.

te pron. pers. 2e pers., cas rég. de *tu*, forme non accentuée (1080, *Rol.;* lat. *te*).

teche n. f. (1120, *Ps. Oxf.;* probabl. du francique **têkan*). 1° Agrafe, boucle. — 2° Plaque de pierre ou de métal. — 3° Marque distinctive, qualité en général : *Les meurs, les toiches, les semblances Des rois, des princes (Ben.)*. — 4° En parlant de bonnes qualités : *Et contre sa nature peche Fame qui de largesce a teiche*

(Rose). — 5° En parlant de défauts : *Teches ad males et mult granz felonies (Rol.)*. — 6° Tache, bigarrure, souillure. ◆ V. TACHE.

tegument n. m. (fin XIIIe s., *Mir. saint Éloi;* lat. *tegumentum*, même sens). Ce qui sert à couvrir, à recouvrir.

tehir v. (1167, G. d'Arras; germ. *thihan*). 1° Élever, exhausser : *Ensi me puisse Deus tehir (G. d'Arras)*. — 2° Grandir, croître. — 3° Prospérer.

I. **teie** n. f. (déb. XIIe s., *Voy. Charl.;* lat. *theca*, étui, du grec). 1° Enveloppe de l'oreiller. — 2° Taie sur l'œil (XIVe s.).

II. **teie** adj. et pron. poss., fém. V. TOE, ta, tienne.

teil n. m. V. TIL, tilleul. ◆ **teille** n. f. (1250, *Ren.*). 1° Écorce de tilleul. — 2° Écorce du chanvre et du lin.

teindre v. (1080, *Rol.;* lat. *tingere*). 1° Teindre, peindre. — 2° Faire changer de couleur, en parlant d'une personne : *Puisque amors tout le mont vaint Est ce merveille, s'il me taint? (Florim.)*. — 3° Changer de couleur : *Toz teinst d'ire, se sospira et dist ... (Eneas)*. ◆ **teint** adj. (1080, *Rol.*). 1° Qui a changé de couleur. — 2° Pâli, pâle. — 3° Obscurci : *Mes la nuit est tainte et oscure (Coincy)*. — 4° Noirci (moral.). ◆ **teint** n. m. (1080, *Rol.*). 1° Peinture. — 2° Teinture. ◆ **teindeor** n. m. (fin XIIe s., saint Grég.) Teinturier.

teise n. f. V. TOISE, toise, tension.

teisir v. V. TAISIR, taire, se taire.

teissier n. m., tisserand. V. TISTRE, tisser.

I. **tel** adj. (Xe s., *Saint Léger;* lat. *talem*). I. Adj. 1° De cette nature, de ce genre, de cette qualité ou, sous forme affaiblie, ce, cet : *a)* en fonction d'épithète : *onques tex genz ne fu (J. Bod.); b)* en fonction d'attribut : *Guenes respunt : Carles n'est mie tels (Rol.)*. — 2° Si grand, si fort : *La nuit soufrirent té labor (Ben.)*. — 3° *Tel quel*, tel que. — 4° *Tel ... tel*, introduit la comparaison d'équivalence : *Telle la mere, telle la fille (Rose)*.

II. Pron. 1° Cel*u*i, celle : *Tieus rit au main ki au soir plore (Dolop.)*. — 2° Un autre, mais comparable : *Pieus est Ogiers et chevaliers ites, Ens en cest mond ne seroit tes troves (Ogier)*. — 3° plur. Plusieurs de cette sorte : *tex i ot que*, quelques-uns.

III. Adv. et loc. conj. *Tel* adv. A tel point, tellement. *A tele*, de telle manière, ainsi : *Par mon cief, dist Aiols, n'en ires mie a tele (Aiol)*. *A teles que*, à condition que.

IV. Subst. *Tele* n. f. (1285, *Aden.*). Un tel coup : *Le glaive abaisse, tele li a dounee (Aden.)*.

II. **tel** n. m. V. TIL, tilleul.

telagon n. f. (fin XIIIe s., *Ruteb.*; orig. incert.). Pierre précieuse.

telier n. m. (fin XIIe s., *Loher.*; lat. pop. *telarium*, dér. de *talus*, talon). Talon.

telre v. V. TOLDRE, enlever, saisir, empêcher.

teltre n. m. V. TERTRE, tertre.

temer v. (1112, *Saint Brand.*; lat. *timere*). 1° Craindre. — 2° S'inquiéter, se préoccuper : *Ne vus tamez, Mais Damnedeu mult reclamez (Saint Brand.)*. ◆ **temoros** adj. (XIIIe s., *Chans.*). Craintif, peureux.

temolte n. m. ou f. (1160, *Eneas*; lat. *tumultus*). Tumulte.

tempeste n. f. (1080, *Rol.*; lat. pop. *tempesta*, temps, bon ou mauvais). 1° Tempête. — 2° Vacarme. — 3° Combat violent. — 4° Peste, épidémie violente : *Ne lor remaint nis une beste Ke n'ocie ceste tempeste (Saint Eust.)*. ◆ **tempest** n. m. (1190, *H. de Bord.*). 1° Tempête. — 2° Vacarme, tapage : *Et firent parmi la forest Trop grant noise, et trop grant tampest (G. de Cambr.)*. ◆ **tempesté** n. f. (1119, *Ph. de Thaun*), **-eison** n. f. (XIIIe s., *Th. de Kent*). Tempête. ◆ **tempester** v. (1150, *Thèbes*). 1° Faire une tempête. *Estre tempesté*, faire naufrage. — 2° Etre tempétueux, furieux, faire du vacarme. — 3° Secouer violemment, bouleverser, tourmenter. — 4° Renverser, jeter à terre : *XIV. chevaliers lor ocist et tempeste (Rom. d'Alex.)*. — 5° Détruire, ruiner : *Qu'Ennemis en nule menniere Me puist perdre ne tempester (Est. Saint-Graal)*. — 6° Verser.

tempier n. m. (1080, *Rol.*; lat. pop. *temperium*). 1° Tempête : *Cessa l'orage e le temper, Si coménça a esclairier (Ben.)*. — 2° Grand bruit, tumulte : *Cil provos est mon cuer qui maine tel tempier (Gaut. d'Aup.)*. — 3° Désordre, confusion, querelle. *Metre en tel tempier*, mettre en telle confusion, en tel désarroi.

temple n. f. ou m. (1080, *Rol.*; lat. pop. *tempula*, pour *tempora*). Tempe. ◆ **templei** n. m. (XIIIe s., *Tourn. Chauvenci*), **-ier** n. m. (XIIIe s., *Maug. d'Aigr.*). Tempe.

tempore, -oire n. f. ou m. (1155, *Wace*; lat. pop. *temporium*, de *tempus*, temps). 1° Temps, saison, époque : *Granz chose avint a cel temporie (Wace)*. — 2° Vie. — 3° Délai. ◆ **temporal** n. m. (1160, *Ben.*). Temps, époque. *El temporal*, en ce temps-là, alors : *Ke il vuellent el temporal Faire una grant feste roial (Saint Eust.)*. *En si petit temporal*, dans un si court délai, en si peu de temps. ◆ **temporalité** n. f. (1190, saint Bern.). 1° Caractère de ce qui est éphémère. — 2° Domaine temporel d'un évêché, d'une abbaye, etc.

tempre, -es adv. (XIIe s., *Chev. cygne*; lat. *tempore*, abl. de *tempus*). 1° A temps. — 2° Tôt, de bonne heure : *Ne jor ne nuit, ne tart ne tempre (Coincy)*. — 3° Vite. — 4° Prématurément. ◆ **temprement** adv. (1180, *G. de Saint-Pair*). 1° De bonne heure. — 2° Bientôt : *De si temprement espouser (A. de la Halle)*.

temprer v. (XIIe s., *Roncev.*; lat. *temperare*, mélanger). 1° Modérer, tempérer. — 2° *Temprer un bain*, l'amener au degré de chaleur voulu. — 3° Mélanger pour adoucir : *Faisoie temprer le vin [...] d'eaue (Joinv.)*. *Tremper*, absol., tremper sa soupe. — 4° Accorder un instrument de musique. ◆ **tempreure** n. f. (1180, *Rom. d'Alex.*). 1° Modération, manière d'agir. — 2° Trempe, qualité d'un métal trempé. — 3° Accord d'instruments de musique. ◆ **temproir** adj. (1338, *Arch.*). Se dit d'un vase servant à tremper diverses substances. ◆ **tempreement** adv. (1256, Ald. de Sienne). Modérément.

tempter v. V. TENTER, chercher à atteindre, sonder, tenter.

I. **tencier** v. (1080, *Rol.;* lat. pop. **tentiare,* pour *tendere,* faire l'effort). 1° Faire effort : *Ll uns encontre l'autre tance Comant plus li puisse pleisir* (Chr. de Tr.). — 2° Quereller, tourmenter : *Mais il fu nez pour gent trair, Pour gent confondre et pour tenser* (G. d'Arras). — 3° *Tencier a* q'un, s'adresser à q'un en l'injuriant, en le menaçant. — 4° Discuter, soutenir une opinion. — 5° Blâmer, reprocher. ◆ **tence** n. f. (1155, Wace). Dispute, contestation, querelle, bataille. ◆ **tencerie** n. f. (1320, *Arch.*). Dispute, querelle. ◆ **tençon** n. f. (1155, Wace). 1° Querelle, dispute. — 2° Bataille, coups : *Grant fu la noise et fiere la tenson (Gar. Loher.).* — 3° Poésie dialoguée où s'échangeaient arguments et invectives. — 4° *A tençon,* en rivalisant d'efforts. ◆ **tençonerie** n. f. (1170, *Fierabr.*). Dispute, querelle. ◆ **tençonos** adj. (fin XIIᵉ s., *Loher.*). Querelleur. ◆ **tensonable** adj. (1260, Br. Lat.). Qui est objet d'un litige, d'une querelle. ◆ **tençant** adj. (1260, A. de la Halle). Querelleur, chicaneur. ◆ **tenceus** adj. (XIIIᵉ s., *Fabl.*), **-if** adj. (1288, J. de Priorat). Querelleur. ◆ **tenceor** n. m. (fin XIIᵉ s., M. de Fr.). Chercheur de querelles.

II. **tencier** v. (1080, *Rol.;* même mot que le précédent?). 1° Défendre, protéger : *Car il m'a de la mort garandis et tensses (Chev. cygne).* — 2° Soutenir, supporter : *Que il te puist vers mei en champ tenser? (Cour. Louis).* ◆ **tence** n. f. (1200, *Ren. de Montaub.*). Défense, protection. ◆ **tencement** n. m. (déb. XIIᵉ s., *Voy. Charl.*). Défense, protection, secours. ◆ **tencerie** n. f. (XIIᵉ s., J. Fantosme). 1° Protection, assistance. — 2° Droit de protection. ◆ **tencee** n. f. (fin XIIᵉ s., *Aym. de Narb.*). Défense, garantie.

I. **tendre** adj. (1080, *Rol.;* lat. *tener, -eris*). 1° Tendre, jeune. — 2° Mou, lent. ◆ **tendret** adj. (1160, *Athis*). Tendre, jeune : *La char avoit tenrete et mole* (Coincy). ◆ **tendrier** adj. (1170, *Percev.*). 1° Tendre, cordial : *cuer tendrier* (R. de Moil.). — 2° Mou, lent : *Fois faut Carites est tenriere* (R. de Moil.). — 3° *Estre ten-*drier de, être porté à, aimer à faire telle chose. ◆ **tendror** n. f. (1080, *Rol.*). 1° Tendresse, attendrissement. — 2° Qualité de ce qui est tendre. — 3° Délicatesse, faiblesse, douceur. ◆ **tendresse** n. f. (1319, *Hist. des Bret.*). Age tendre. ◆ **tendron** n. m. (1175, Chr. de Tr.). 1° Cartilage. — 2° Bourgeon, rejeton. ◆ **tendros** adj. (XIIᵉ s., Herman). Tendre.

II. **tendre** v. (1080, *Rol.;* lat. *tendere*). 1° Présenter en allongeant le bras. — 2° Donner : *Se tu a moi ton cuer tendis* (R. de Moil.). — 3° Tirer et bander quelque chose : *li nerf li sont tendut (Voy. Charl.).* — 4° Allonger en raidissant dans une certaine direction. — 5° Se diriger, être porté vers : *La dont vlnt lu tent, la se haste* (R. de Moil.). — 6° Avoir l'intention. ◆ **tendement** n. m. (XIIIᵉ s., G.). Chose vers laquelle on tend, intention. ◆ **tente** n. f. (XIIᵉ s., *Trist.*). Tension, extension. ◆ **tendue** n. f. (1338, *Arch.*). Filet qu'on tend aux oiseaux. ◆ **tendant** adj. (1250, *Ren.*). 1° Qui se tend, allongé. — 2° adv. Promptement, sans tarder. ◆ **tendamment** adv. (1260, G. d'Amiens). 1° Attentivement. — 2° Rapidement, sans retard.

tenebres n. f. pl. (1080, *Rol.;* lat. *tenebrae*). Ténèbres. ◆ **tenebror** n. f. (1160, Ben.). Ténèbres, obscurité. ◆ **tenebrir** v. (fin XIIᵉ s., *Loher.*). 1° Obscurcir, assombrir. — 2° S'obscurcir. ◆ **tenebros** adj. (1080, *Rol.*), **-é** adj. (1170, *Fierabr.*), **or** adj. (1180, *Rom. d'Alex.*). Obscurci, sombre. ◆ **tenebrifer** adj. (1335, Deguil.). Épithète fréquente du diable.

tenegre, tenecle adj. (1150, *Thèbes;* v. le précédent). Ténébreux, sombre.

tener v. V. TANER, tanner, fatiguer.

tenir v. (Xᵉ s.; lat. pop. **tenire,* pour *tenere*). 1° Tenir, ne pas lâcher. — 2° Posséder. — 3° *Tenir a,* dépendre de, être en bons termes avec. ◆ **tenance** n. f. (1160, Ben.). 1° Tenure, propriété, possession. — 2° Dépendance. — 3° Gage : *Od serremenz e od tenance Retorna cist en bienvoillance* (Ben.). — 4° Liaison : *Od ses veisins n'aveit tenance N'amor ne fei* (Ben.). ◆ **teneure** n. f. (1150, *Thèbes*).

1° Action de tenir, possession en général.
— 2° Dépendance. — 3° Condition sous
laquelle on tient un fief. — 4° Terme de
musique, taille *(Rose).* ◆ **tenoire** n. f.
(1233, *Cart.*). Tenure. ◆ **tenor** n. f.
(XIIIᵉ s., *Tourn. Chauvenci*). 1° Possession.
— 2° Contenu (d'un acte). — 3° Terme de
musique, partie dominante d'une psalmodie. ◆ **tenue** n. f. (1150, *Thèbes*). Possession. ◆ **tenement** n. m. (fin XIIᵉ s., *Ogier*).
1° Possession, propriété : *A Judas vot
tolir son tenement (Auberon).* — 2° Bien-
fonds. — 3° Trésor : *E li murdreour vont
cerquant le tenement (Charles le Chauve).*
◆ **teneor** n. m. (XIIIᵉ s., Th. de Kent).
Tenancier. ◆ **tenementier** n. m. (1325,
G.). Celui qui tient un tènement. ◆ **tenant**
adj. et n. m. (fin XIIᵉ s., *Ogier*). 1° Celui
qui tient, qui possède : *De Jherusalem est
roys et sires tenans (Chev. cygne).* —
2° Ferme, stable, solide. — 3° Tenace. —
4° Avare : *Si avaricieus et si tenanz
ancontre les povres besoignous*
(Fr. Angier). — 5° Qui tient de quelqu'un,
dépendant : *Tes hom sui liges de tot mon
fief tenant (Ogier).* — 6° *En un tenant,
d'un tenant,* tout d'une fois, sans interruption. — 7° n. m. Tenancier. — 8° n. m.
Celui qui tient contre tout adversaire en
tournoi. ◆ **tenable** adj. (1160, Ben.).
1° Qui tient, tenant, possesseur. —
2° Ferme, solide. — 3° Durable, de nature
à tenir, qu'on doit tenir : *Nuls n'a parole
plus tenable* (Ben.). — 4° Qu'on peut
tenir, retenir. — 5° Qu'on tient facilement : *Il tint sa lance entre ses mains
Courte, grosse, fort et tenable (Chev.
Chauv.).* — 6° Constant : *Ton cuer n'est
mie bien tenables (Rose).* — 7° n. m. Vassal, tenancier. ◆ **tenablement** adv. (1112,
Saint Brand.). Avec persévérance. ◆
tenableté n. f. (fin XIIᵉ s., saint Grég.).
Avarice.

tenre adj. V. TENDRE, tendre, mou.

tens, tans n. m. (Xᵉ s., *Saint Léger;*
lat. *tempus*). 1° Temps. *S'est bien temps,*
il est grand temps. *Par tens,* de bonne
heure, bientôt. *A tens,* bientôt : *Encore
vous plaindrez bien a tens, Si com je suit et
com je pens* (Ruteb.). *A tens,* alors :
*A taunt vynt un disciple Jesu (F. Fitz
Warin).* — 2° Le temps qu'il fait. — 3° La

façon de passer le temps, vie : *Bien a son
tans et son meriel qui boit et jue au tremeriel (Court. d'Arras).* Chier *tans,* vie dure.

tente n. f. (1160, *Eneas;* lat. *tenta,* ou
*tendita). 1° Tenture. — 2° Tente,
pavillon. — 3° Tenderie. ◆ **tentelete** n. f.
(1304, Arch.). Petite tente.

tenter v. (1120, *Ps. Oxf.;* lat. *temp-
tare,* chercher à atteindre, tâter). 1° Chercher à atteindre : *D'enfer m'estoet tempter
le fond (Adam).* — 2° Sonder *(Chev.
deux épées).* — 3° Tenter. ◆ **tentement**
n. m. (1204, R. de Moil.). Tentation. ◆
tenteor n. m. (fin XIIᵉ s., saint Grég.).
Tentateur.

tentir v. (1150, *Thèbes;* lat. pop.
*tinnitire, pour *tinnitare*). 1° Retentir, tinter. — 2° Faire entendre un son, un bruit.
— 3° Faire retentir, faire entendre : *Se de
folie vos oi .I. mot tentir De la pucele qui
tant a cler le vis ... (Loher.).* ◆ **tentisse-
ment** n. m. (1210, *Dolop.*). Retentissement, bruit.

tenve, tenvre adj. (1175, Chr. de
Tr.; lat. *tenuem*). 1° Mince, menu : *Les
levres tenvres segnefient lescheries et
mensonges (Kalendr. des bergers).* —
2° Fluet, délicat. — 3° Maigre.

teois adj. V. TIOIS, germanique.

ter n. m. V. TIER, montagne, tertre.

terçoeul, terchuel n. m. (1287,
Arch.; orig. incert.). Son : *.I. rasiere
d'avaine et .I. rasieres de tierçuel* (1287,
Arch.).

terçuel n. m., tiercelet. V. TIERS, troisième.

terdre v. (1080, *Rol.;* lat. *tergere*).
1° Essuyer, frotter, nettoyer : *Les oilz
li tert de sun cendal* (Wace). — 2° Purifier :
*L'espouse ses piez laver quiert Quant de
lermes ses pechiez tiert* (Macé). ◆ **ters**
adj. (1175, Chr. de Tr.). Nettoyé, propre,
essuyé. ◆ V. TERST.

terin n. m. V. TARIN, monnaie d'or,
lingot.

terme n. m. (1175, Chr. de Tr.; lat.
terminus, borne). 1° Terme de paiement.
— 2° Délai. *Prendre terme,* fixer un délai.

— 3° Fin, achèvement. ◆ **termer** v. (1310, *Fauvel*). Finir.

terminer v. (1155, Wace; lat. *terminare*). 1° Déterminer, fixer. — 2° Achever, finir. ◆ **termine** n. m. (1160, Ben.). 1° Espace de temps. *En poi de termine*, en peu de temps, dans un court délai. — 2° Époque, fin : *Et fist cler jor Com an termine de pascor* (Ben.). — 3° *En celly termine que*, au moment où (*Livr. Pass.*). ◆ **terminement** n. m. (XIIIᵉ s., *Cart.*). 1° Terme. — 2° Délai, moment. — 3° Fin, limite. ◆ **terminee** n. f. (XIIᵉ s., *Auberi*). Terme, époque. ◆ **terminance** n. f. (1277, *Rose*). 1° Fin, achèvement. — 2° Décision. ◆ **terminaison** n. f. (1160, Ben.). Détermination. ◆ **termination** n. f. (1272, *Arch.*). 1° Fin. — 2° Détermination. ◆ **termineor** n. m. (1277, *Rose*). Celui qui, en accordant un délai à son débiteur, lui fait payer plus cher. ◆ **terminé** adj. (XIIIᵉ s.). 1° Achevé. — 2° Guéri (*Mir. Saint Louis*). ◆ **terminois** adj. (XIIIᵉ s., R. de Houdenc). Payé par terme.

termoier v. (XIIIᵉ s.; v. *terme*, terme, délai). 1° Tarder. — 2° Ajourner. — 3° Vendre à terme. ◆ **termoiement** n. m. (1283, Beaum.). Vente à terme. ◆ **termoiant** adj. (1176, E. de Fougères). Celui qui prête ou vend à terme. ◆ **termoieor** n. m. (1283, Beaum). Celui qui vend à terme.

terne n. m. (*1293, Cart.*; lat. **terminem*, accusatif tiré de *termen*). Tertre, colline.

ternes n. m. pl. (1190, J. Bod.; lat. *terni*, distributif, « par trois »). Coup où chacun des dés (deux ou moins) amène un trois.

terrage n. m. (XIIIᵉ s., *Auberon*; voir *terre*). 1° Territoire, terres : *Ens son regne sont moult bon li tierage* (*Hist. des Bret.*). — 2° Redevance seigneuriale sur les fruits de la terre, champart. ◆ **terragier** v. (XIIᵉ s., G.). 1° Soumettre au droit de terrage. — 2° Percevoir en parlant du droit de *terrage*. ◆ **terragerie** n. f. (1314, *Arch.*). Terres soumises au droit de *terrage*. ◆ **terrageor** n. m. (XIIᵉ s., G.). Celui qui perçoit le droit de *terrage*. ◆

terrageul adj. (1271, *Arch.*). Soumis au droit de *terrage*.

terre n. f. (xᵉ s.; lat. *terra*). Terre. *Aler a terre*, s'agenouiller. *Tot a la terre*, jusqu'à terre. ◆ **terrer** v. (1200, *Aye d'Avign.*). 1° Jeter à terre : *Il vait ferir Huon du tranchant de l'espee Amont desor son elme que le quart en a terree* (*Aye d'Avign.*). — 2° Couvrir de terre. — 3° Mettre de la terre végétale sur un champ pour l'améliorer. ◆ **terreor** n. m. (1247, *Arch.*), **terreoir** n. m. (1283, Beaum.). Territoire. ◆ **terrier** v. (1160, Ben.). 1° Rempart fait en terre. — 2° Terrain. — 3° Territoire : *Se je par force puis prendre cest terrier* (*Cour. Louis*). — 4° Possession en terre. ◆ **terrace** n. f. (1160, Ben.). 1° Amas de terre. — 2° Torchis, terre de foulon. ◆ **terris** n. m. (XIIIᵉ s., *Conq. Bret.*). Terrain. ◆ **terroi** n. m. (XIIᵉ s., *Chev. cygne*). Territoire, terre. ◆ **terroier** n. m. (1258, *Cart.*). Territoire, possession. ◆ **terros** n. m. (XIIᵉ s., *Auberi*). Terre. ◆ **terree** n. f. (XIIᵉ s., *Horn*). 1° Terre. — 2° Terrasse. — 3° Sol de terre battue, quelquefois mélangée de mortier, d'argile et de sable. ◆ **terrail** n. m. (1169, Wace). 1° Terrain. — 2° Terres, domaine. — 3° Remblai, retranchement en terre. — 4° Amas de terre. ◆ **terral** n. m. (fin XIIᵉ s., *Ogier*). 1° Terre, terrain, territoire. — 2° Retranchement en terre, rempart. — 3° Digue. — 4° Fossé. ◆ **terrine** n. f. (1155, Wace). 1° Ruines, décombres. — 2° Masure. — 3° Caverne. ◆ **terrier** n. m. (1180, *Rom. d'Alex.*). 1° Seigneur terrien, justicier. — 2° Tenancier. ◆ **terraillon** n. m. (1310, G.). Terrassier. ◆ **terros** adj. (1150, *Thèbes*). 1° Terrestre. — 2° *Faire terros*, renverser à terre. ◆ **terrestre** adj. (1119, Ph. de Thaun). 1° Terrestre, qui est de la terre. — 2° n. m. Homme mortel. ◆ **terrestrien** adj. (1306, Guiart). Terrestre. ◆ **terrin** adj. (XIIᵉ s., *Barbast*). 1° Qui est de la terre, terrestre : *amour terrine* (R. de Moil.). — 2° De terre. ◆ **terrien** adj. (1190, Garn.). Terrestre. ◆ **terrieneté** n. f. (XIIᵉ s., *Comm. Ps.*). Monde terrestre, affection terrestre : *As paiens qui avant leur conversion n'entendoient s'an terrienetez non* (*Comm. Ps.*). ◆ V. TERRAGE, terre, droit seigneurial.

terremote n. m. (1080, *Rol.*), **-mot**, **-muet** n. m. et f. (fin XIIᵉ s., saint Grég.; composé lat. de *terra* et *mota*). Tremblement de terre.

terrir v. (XIIIᵉ s., *Fabl.;* cf. lat. *terrere*). Effrayer. ◆ **terrible** adj. (1160, *Eneas*). Terrible.

terst, ters adj. (1175, Chr. de Tr.; p. passé de *terdre*, essuyer). Essuyé, propre, nettoyé. ◆ **tersor** n. m. (1204, R. de Moil.), **-oir** n. m. (1305, *Arch.*), **-on** (1263, *Arch.*). Serviette, torchon.

tertier n. m. (1339, *Arch.;* orig. incert.). Mesure de terre.

tertre n. m. (1080, *Rol.;* lat. pop. **termitem*). Tertre. ◆ **tertrier** n. m. (XIIᵉ s., *Trist.*). Petit tertre, éminence. ◆ **tertiel** n. m. (1164, Chr. de Tr.). Petit tertre, éminence. ◆ **tertrecel** n. m. (XIIIᵉ s., *Doon de May.*). Petit tertre.

I. tes adj. poss. 2ᵉ pers. masc. et fém. cas sujet sing. et cas rég. plur. V. TABLEAU DES POSSESSIFS, p. 422.

II. tes n. m. V. TEST, pot de terre, crâne, tesson. ◆ **tesson** n. m. (1293, Beaum.). Débris de pot. ◆ **tessoncel** n. m. (XIIIᵉ s., *Fabl.*). Petit tesson.

teser v. (XIIᵉ s., *Trist.;* lat. pop. *tensare*, pour *tendere*). 1º Tendre, étendre. 2º Bander son arc, viser : *Se tost ne te repenz, envers tei ad tesé* (Garn.). — 3º Tendre, se diriger vers : *Ist du buison, cele part taise* (*Trist.*). ◆ **tesee** n. f. (1160, *Athis*). Longueur d'une toise. ◆ **teseillier** v. (1210, *G. de Palerne*). Ouvrir la bouche. ◆ **teseillon** n. m. (XIVᵉ s.). Bâton servant à maintenir la bouche ouverte, bâillon.

I. tesir v. (fin XIIᵉ s., *Ogier;* orig. incert.). Etre gonflé : *Mult sont tesi de biere et de matons (Ogier)*.

II. tesir v. V. TAISIR, taire.

tesmoing n. m. (1175, Chr. de Tr.; lat. *testimonium*, témoignage). 1º Témoignage. — 2º Échantillon (E. Boil.). ◆ **tesmoignier** v. (fin XIᵉ s., *Lois Guill.*). Témoigner. ◆ **tesmoigne** n. f. (1169, Wace), **-ie** n. f. (XIIIᵉ s., *Sept Est. du monde*). — Témoignage, attestation. ◆ **tesmoigneor** n. m. (1250, *Ren.*). Celui qui témoigne, qui atteste. ◆ **tesmoignal** adj. (1291, *Charte*). Qui témoigne, qui atteste.

tessier n. m., tisserand. V. TISTRE, tisser.

I. tesson n. m. V. TAISSON, blaireau.

II. tesson n. m., bris de pot. V. TES, pot de terre.

test n. m. (1030, *Job;* lat. *testum*, vase de terre). 1º Pot de terre. — 2º Argile : *Tot essil cum fers et tez ne puyent estre junt ensemble ...* (saint Bern.). — 3º Crâne : *Trencha le test et la cervele* (*Trist.*). — 4º Tesson, débris de pot. ◆ V. TES, pot de terre, tesson.

testament n. m. (1120, *Ps. Oxf.;* lat. *testamentum*). 1º Bible. — 2º Testament (1213, *Fet Rom.*). ◆ **testamenter** v. (XIIIᵉ s.). Faire son testament. ◆ **testamenteur** n. m. (1200, Tailliar), **-eresse** n. f. (1297, *Arch.*). Exécuteur, exécutrice testamentaire.

I. teste n. f. (1080, *Rol.;* lat. *testa*, vase de terre cuite; « crâne » en bas lat.). 1º Tête. — 2º Tesson. ◆ **testet** n. m. (1306, Guiart). Tesson. ◆ **testelete** n. f. (XIIIᵉ s., Bretel). Petite tête. ◆ **testee** n. f. (fin XIIᵉ s., *Alisc.*). 1º Coup sur la tête. — 2º Coup de tête. — 3º Projet, caprice, fantaisie : *Frere, dist Namles, laissiez ceste testee* (Aden.). — 4º Corner de grant testee, ronfler fort. — 5º Potée, terrine (E. Boil.). ◆ **testerie** n. f. (1313, Godefr. de Paris). Caprice, fantaisie : *Les faiz de chevallerie que l'on a fait par testerie Les doit on tenir a prouesse?* (Godefr. de Paris). ◆ **testeron** n. m. (fin XIIᵉ s., *Auc. et Nic.;* au sens 1, confondu avec *tete*). 1º Téton : *Car li amors de le femme est en son l'oeul et en son le tateron de sa mamele (Auc. et Nic.)*. — 2º Bec d'un broc. ◆ **testu** adj. (1265, J. de Meung). 1º Qui a une tête, qui a une grosse tête. — 2º Têtu. ◆ **testart** adj. (1303, *Arch.*). 1º Qui a une grosse tête. — 2º Entêté, opiniâtre.

II. teste n. m. (1112, *Saint Brand.;* lat. *textus*, tissé, en bas lat. « texte »). 1º Livre des Évangiles. — 2º Texte (J. de Meung).

testemoigne, -moine, -monie n. m. (fin XIe s., *Lois Guill.*; lat. *testimonium*). Témoignage. ◆ **testemoignier** v. (1155, Wace). Témoigner.

tester v. (1288, J. de Priorat; lat. *testare*). Instruire en apportant des témoignages.

tesure n. f. (1247, *Cart.*; v. *teser*, tendre). Terme de chasse, assemblage de panneaux, de haies amovibles. ◆ **tesurer** v. (1326, G.). Chasser à la *tesure*.

tete n. f. (XIIe s., D.; germ. *titta*). 1° Bout de la mamelle. — 2° Mamelle, sein. *Norrir a la tete*, nourrir au sein. ◆ **tetel** n. m. (XIIIe s., *Fabl.*). Mamelle. ◆ **tetine** n. f. (1150, *Thèbes*). Téton. ◆ **tetinete** n. f. (1350, J. Lefebvre). Petit téton.

teuement adv. (XIIe s., poés.; dér. du p. passé de *taisir*, taire). Tacitement.

teule n. f. V. TIEULE, tuile.

teute n. m. V. TESTE, livre des Évangiles; texte.

teve adj. V. TIEVE, tiède. ◆ **tevor** n. f. (1190, saint Bern.). Tiédeur.

theorique n. f. (1277, *Rose*; lat. *theorica*, du grec). Théorie : *La theorique des planetes* (Oresme).

thiaulau interj. (XIIIe s., G.; orig. onomat.). Terme de vénerie, cri pour exciter les chiens.

ti adj. poss., 2e pers. masc., cas sujet plur. V. TABLEAU DES POSSESSIFS, p. 422.

tialz n. m. (1138, *Saint Gilles*; orig. incert.). Tente dressée sur un navire au repos, selon l'usage scandinave.

tiefaigne n. f. V. TIFAIGNE, Épiphanie.

tiége n. m. (1348, *Arch. Liège*; orig. incert.). Côte.

tieis adj. et n. m., **tiesche** fém. V. TIOIS, germanique, Germain.

tien adj. et pron. poss. masc. V. TUEN, ton, tien.

tier, ter n. m. (fin XIIe s., saint Grég.; orig. incert.). Montagne, tertre, colline.

tiere n. f. V. TIRE, ordre, rang, suite, trame, ressemblance.

tiers adj. num. (1080, *Rol.*; lat. *tertium*). 1° adj. Troisième. — 2° n. m. Tiers (XIIe s.). ◆ **tierce** n. f. (1119, Ph. de Thaun). Tiers. ◆ **tiercel** n. m. (fin XIIe s., *Loher.*). 1° Tiercelet. — 2° Assemblage de trois pelotes de laine (E. Boil.). — 3° Mesure de vin (1267, *Arch.*). — 4° Droit seigneurial sur les vins et les vignes. ◆ **tiercelee** n. f. (1309, *Arch.*). Le tiers d'un setier. ◆ **tiercuel** n. m. (1175, Chr. de Tr.). 1° Tiercelet. — 2° Mesure de vin, droit sur les vins (1296, *Cart.*). ◆ **tierciere** n. f. (1312, G.). Terre soumise au droit de *terrage*. ◆ **tierceron** n. m. (1282, *Arch.*). Tiers d'une quantité, d'une mesure, d'un nombre. ◆ **tiercier** v. (1283, Beaum.). 1° Partager en trois. — 2° Augmenter le prix, le cens d'un tiers. — 3° Venir, arriver pour la troisième fois. ◆ **tierçoier** v. (1318, *Arch.*). Payer un tiers du cens en sus de ce qui est dû; enchérir. ◆ **tierçain** adj. (1167, G. d'Arras). Qui est égal au tiers. *Blé tierçain*, blé composé d'un tiers de froment et de deux tiers de seigle. ◆ **tierclable** adj. (1272, *Cart.*). Qui est soumis au droit de terrage appelé *tierce*. *Terres tierciables*, terres sur lesquelles le seigneur lève le tiers des fruits. ◆ **tierceresse** n. f. (1240, *Cart.*). Tierce partie d'un droit. ◆ **tiercenere** n. f. (1263, *Arch.*). Trente messes dites de suite en faveur d'un mort. ◆ **tierçonier** adj. (1325, *Arch.*). Que l'on paie tous les trois ans. ◆ **tierçonerie** n. f. (1337, *Arch.*). Redevance consistant à prendre trois gerbes sur dix des grains récoltés.

tieule, tiule, teule n. f. (XIIe s.; lat. *tegula*, tuile). Tuile. ◆ **tieulete** n. f. (fin XIIe s., saint Grég.). Petite tuile. ◆ **tieulerie** n. f. (1169, Wace). Tuilerie, four à tuiles. ◆ **tieulier** n. m. (1283, *Arch.*). Fabricant de tuiles. ◆ **tieuleor** n. m. (1327, G.). Tuilier. ◆ **tieulé** adj. (XIIe s., *Asprem.*). 1° De la couleur de tulle, épith. fréq. de croupe de cheval. — 2° D'une étoffe dont la couleur rappelle la tuile. ◆ **tieulich** n. m. (1300, *Arch. Tournai*). Toit couvert de tuiles.

tieve, teve adj. (XIIe s., *Barbast.;* lat. *tepidum*). Tiède : *De teve iaue ont son son vis lavé (Gilles de Chin).* ◆ **tievoiant** adj. (1260, Mousk.). Tiédissant. ◆ V. TEVOR, tiédeur.

tifaigne, tifenie n. f. (1112, *Saint Brand.;* adapt. du lat. chrét. *epiphania,* du grec). Fête des Rois, Épiphanie.

tifer v. (1176, E. de Fougères; orig. obsc.). Parer, orner, attifer. ◆ **tifete** n. f. (XIIIe s., *Fabl.*). Parure, arcelet soutenant les cheveux sur la tête des femmes. ◆ **tifeure** n. f. (XIIe s., *Part.*). Parure, ornement de tête, coiffure. ◆ **tifé** adj. (1250, *Auberi de Bourg.*). 1° Attifé, paré. — 2° Trompeur.

tige n. f. (1080, *Rol.;* lat. *tibia,* os de la jambe). Tige. ◆ **tijuel** n. m. (1170, *Percev.*). Jambe des braies.

I. **til, teil** n. m. (1150, *Thèbes;* lat. pop. **tilium,* pour *tilia*). 1° Tilleul. — 2° Écorce de tilleul (E. Boil.). — 3° *Cheval til,* cheval de la couleur de tilleul. ◆ **tille** n. f. (fin XIIe s., *Auc. et Nic.*). 1° Tilleul. — 2° Bois, planche de tilleul débité. — 3° Corde, ficelle faite avec l'écorce de tilleul. — 4° Un rien, une bagatelle : *Il n'i fist vallant une tille De sa besougne* (Mousk.). — 5° Morceau, pièce. — 6° Pièce d'étoffe. ◆ **tilluel** n. m. (1250, *Ren.*). 1° Écorce de tilleul. — 2° Tilleul. ◆ **tillerel** n. m. (1317, *Cart.*). Tilleul. ◆ **tilloi** n. m. (1249, *Cart.*), **-eel** n. m. (1300, *Cart.*), **-olet** n. m. (1288, *Arch.*), **-oloie** n. f. (1310, *Arch.*). Lieu planté de tilleuls.

II. **til** n. m. (fin XIIe s., *Éd. le Conf.;* cf. angl. *till,* scand. *thilja*). Tillac, pont de bateau.

tiltle n. m. V. TITLE, marque, titre, place.

I. **timbre** n. m. (1150, *Thèbes;* bas grec *tumbanon*). 1° Sorte de tambour, tambourin. — 2° Cloche sans battant qu'on frappe avec un marteau (XIVe s.). ◆ **timbrer** v. (1190, *H. de Bord.*). 1° Battre du *timbre.* — 2° Résonner en général (en parlant de tout autre instrument). ◆ **timbresse** n. f. (1277, *Rose*). Joueuse de *timbre.*

II. **timbre** n. f. (1350, *Arch. Tournai;* orig. obsc.). Terme de pelletier, peau de martre, d'hermine, etc.

timoine, timiame n. m. (1080, *Rol.;* lat. *thymiamonium,* du grec). Encens, parfum.

timon n. m. (1150, *Thèbes;* lat. pop. **timonem,* pour *temo, -onis*). Timon. ◆ **timoner** v. (1155, Wace). Pousser, exciter, aiguillonner : *Tant l'a diables timoné ... De pranre la fille Hangist* (Wace). ◆ **timonement** n. m. (1169, Wace). Instigation, excitation. ◆ **timonage** n. m. (1266, *Cart.*). Droit de transport.

timpan n. m. (fin XIIe s., *Rois*), **-ane** n. f. (XIIIe s., *Atre pér.;* lat. *tympanum,* du grec). Tambourin, tambour de basque. ◆ **timpaneor** n. m. (XIIIe s., *G. de Warwick*). Tambourineur.

tine n. f. (XIIe s., *Chev. cygne;* lat. *tina,* vase pour le vin). 1° Cuve, baquet, seau. — 2° Mesure pour le vin. — 3° Tonneau. ◆ **tinel** n. m. (XIIIe s., *Fabl.*). 1° Baquet, cuve. — 2° Salle basse où mangent les officiers du roi, les princes et les seigneurs (1285, *Ord.*). — 3° Les gens de la suite du roi (1333, *Arch.*). ◆ **tinas** n. m. (1350, G. li Muisis). Cuve, tonneau.

tinel n. m. (1080, *Rol.;* v. *tin,* solive, poteau?). 1° Gros bâton, massue employés comme arme défensive. — 2° Soliveau.

tingle n. m. (1328, *Arch.;* néerl. *tingel, tengel*). Solive. ◆ **tingler** v. (1328, *Arch.*). Garnir de solives. ◆ **tingleret** adj. (1342, *Arch.*). Qui sert à clouer des solives.

tinter v. (1190, Garn.; bas lat. *tinnitare,* fréq. de *tinnire,* sonner). Résonner, tinter (en parlant des cloches). ◆ **tint** n. m. (1204, R. de Moil.). Son, bruit, tintement. ◆ **tintin** n. m. (fin XIIe s., Couci). 1° Son, bruit, cliquetis. — 2° Caquetage, commérage (G. li Muisis). ◆ **tintiner** v. (1150, *Thèbes*). Tinter, sonner, retentir.

tiois, tieis adj. et n. m., **tiesche** fém. (1080, *Rol.;* germ. *diutise,* all.

deutsch). 1º Germanique, tudesque : *S'an iront an tiesche terre, La fille l'anperor querre* (Chr. de Tr.). — 2º Langue allemande : *En langue thyose (Chron. Saint-Denis).* — 3º n. m. Teuton, Germain : *Asez i ad Alemans et Tiedeis (Rol.). Es tu Auvergnaz ou Tiois? (Fabl.)*

tir, tire n. m. (1314, Mondev.; orig. obsc.). Sorte de serpent.

tiran n. m. (xᵉ s., *Saint Léger*), **tirant** n. m. (xiiᵉ s., C. de Béth.; lat. *tyrannus*, du grec). 1º Tyran. — 2º Bourreau. (J. Bod.). ◆ **tiranie** n. f. (1155, Wace), **tirandise** n. f. (1360, Froiss.). Tyrannie.

I. tire, tiere n. f. (1160, *Eneas;* francique **teri*). 1º Ordre, rang : *Tables mises et napes beles ... Et les dames sirent par tires (G. de Dole).* — 2º Suite, rangée, file : *Li rois, et de gens beles tires Qui environ lui se tenoient (Guiart). A tire, de tire,* sans interruption, complètement. *Tire et tire,* sans interruption, de suite. *Tire a tire,* tout d'un trait, successivement (confondu avec *tirer*). — 3º Trame. — 4º Sorte, espèce, provenance. — 5º Fatigue, ennui, peine : *Bien trois jours fu en telle tire* (Couci). — 6º Ressemblance, image. — 7º *A tire,* en parlant du vol d'oiseau, à tire d'aile. — 8º *De bele tire, de grant tire,* promptement, à grand train. — 9º *D'une tire,* d'une seule pièce, d'un seul morceau.

II. tire n. f. (1160, *Athis;* bas lat. *tyria,* étoffe de *Tyr*). Étoffe de soie d'Orient. ◆ **tiretaine** n. f. (1247, D.G.); le second élément n'est pas assuré). Étoffe de prix. ◆ **tiretier** n. m. (1253, *Bans*). Fabricant de *tiretaines.*

tirer v. (1080, *Rol.;* probabl. altér. de *martirier,* martyriser, *mar-* étant senti comme préf. péjor.). 1º Tirer. — 2º Tirer vers, se diriger, s'acheminer : *Rikes por nient a chel mont tire* (R. de Moil.). — 3º *Tire le vilain,* sorte de jeu de hasard. ◆ **tirant** adj. (1175, Chr. de Tr.). 1º Qui tire sur les rênes, rétif. — 2º Opiniâtre. — 3º *A tirant,* à la file.

tirtre n. m. V. TITLE, marque, titre, place.

tisie n. f. (xiiiᵉ s.; lat. *phthisis,* du grec). Phtisie. ◆ **tisique** adj. (déb. xivᵉ s., *Mir. Saint Louis*). Phtisique : *Fu si tisique et si sec (Mir. Saint Louis).*

tison n. m. (1190, saint Bern.; lat. *titionem,* tison). 1º Tison. — 2º Gros bâton, morceau de bois. — 3º Quille d'un navire (Joinv.). ◆ **tisoner** v. (xiiiᵉ s., Fr. Angier). Allumer, enflammer.

tiste n. m. V. TESTE, livre d'Évangile, texte.

tistre v. (1160, *Eneas;* lat. *texere*). Tisser, filer, broder. ◆ **tisture** n. f. (1268, E. Boil.). Tissage. ◆ **tissier** n. m. (1170, *Percev.*). Tisserand, tisseur.

title, titre n. m. (mil. xiiᵉ s., D.; lat. *titulum,* inscription, marque). 1º Marque. — 2º Titre, acte juridique : *Par title d'acat* (Beaum.). — 3º Position, place, endroit. — 4º Tilde, signe d'abréviation *(ABC).* — 5º Relais des chiens à la chasse. — 6º Monument commémoratif. ◆ **titler** v. (xiiiᵉ s., *Tr. d'écon. rur.*). Intituler, mettre un titre à.

tiule n. f. V. TIEULE, tuile.

toaille n. f. (1160, *Charr. Nîmes;* francique **thwahlja,* serviette). 1º Serviette, nappe. — 2º Voile : *Il a son vis covert d'une toaille blanche et deliee (Saint-Graal).* ◆ **toaillon** n. m. (fin xiiᵉ s., G. de Rouss.). Torchon, serviette. ◆ **toaillete** n. f. (1287, G.). Petite serviette. ◆ **toaillole** n. f. (fin xiiiᵉ s., Joinv.). Toile, morceau d'étoffe.

I. toche n. f. (1220, Coincy; orig. obsc.). Bouquet de bois : *N'espargne bois, buison ne toche* (Coincy).

II. toche n. f., action de toucher. V. TOCHIER, toucher.

tochet n. m. (1243, *Arch.*; orig. incert.). Coin, angle, extrémité.

tochier v. (déb. xiiᵉ s., *Voy. Charl.;* lat. pop. **toccare,* d'orig. onomat.). Toucher, heurter. *Tochier le fu,* mettre le feu. ◆ **toche** n. f. (1268, E. Boil.). 1º Action de toucher. — 2º Atteinte : *Ainc puis n'oi touce de ce mal (Atre pér.).*

— 3° *De toche,* essayé avec la touche (Deguil.). — 4° Épreuve : *Ce est la touche et l'examplaire De ce c'on doit laissier et faire* (Aden.). — 5° Manière de toucher, de sonner. ◆ **tochement** n. m. (1204, R. de Moil.). 1° Tact, toucher. — 2° Attouchement.

tochin n. m. (1277, *Arch.;* orig. incert.). Rebelle, pillard, traître : *Brigant et touchin de bois* (1277, *Arch.*).

toe, tue, teie adj. et pron. poss. 2ᵉ pers., forme accentuée (xiᵉ s., *Alexis;* lat. *tua*). 1° Adj. poss., en fonction d'épithète : *Or fai de moi la tuie volenté* (*B. d'Hanst.*). — 2° Adj. poss., en fonction d'attribut : *Si en doivent estre toes les loenges* (*Comm. Ps.*). — 3° Pron. poss., doté de l'article : *Tien tu le tuen, et tu la toe, Cele a le suen, et cil la soe* (Chr. de Tr.). ◆ V. TABLEAU DES POSSESSIFS, p. 422.

toen adj. et pron. poss. masc. V. TUEN, ton, tien.

toenart, tuenart n. m. (1138, *Gorm. et Is.;* orig. incert.). Sorte de bouclier.

tofte n. f. (1304, *Year Books;* angl. *taft*). Plantation.

togue n. f. (1213, *Fet Rom.;* lat. *toga*). Toge.

toi, tei pron. pers. 2ᵉ pers., forme accentuée (980, *Passion;* lat. *te*). 1° Comme complément dir. : *Qui tei ad mort, France dulce ad hunie (Rol.).* — 2° Comme complément indir. : *Se tei plaist (Rol.).* — 3° Comme complément prépositionnel : *C'est .I. mesage qu'est envoié a ti (Loher.).*

toie n. f. V. TEIE, taie d'oreiller, taie sur l'œil.

toile n. f. (xiiᵉ s.; lat. *tela*). Toile. *Chanson de toile,* qu'on chante à la veillée, en tissant la toile. ◆ **toilete** n. f. (1352, G.). Petite toile.

I. **toise** n. f. (xiiᵉ s., *Trist.;* lat. pop. *tensa,* étendue; v. *teser*). 1° Mesure de longueur, valant six pieds. *Aler a toise,* faire chemin. — 2° Espace de temps. *A toise,* longtemps. *Corre a toise,* courir

longtemps. — 3° Action de tendre, tension : *Tristran, de l'arc nos pren ta toise,* tends ton arc autant que tu peux. *(Trist.). A toise,* en visant.

II. **toise** n. f. (1317, *Arch.;* v. le précédent?). Sorte de redevance.

toit n. m. (xiiᵉ s.; lat. *tectum,* de *tegere,* couvrir). 1° Toit. — 2° Forteresse. ◆ **toitel** n. m. (xiiiᵉ s., Fr. Angier). 1° Petit toit, appentis. — 2° Cabane, chaumière.

toldre, tolre v. (1080, *Rol.;* lat. *tollere,* enlever). 1° Enlever, ôter, prendre : *Il lor voudra tore la vie* (Wace). — 2° Saisir, confisquer : *Ne orfelin son fié ne li toldrez (Cour. Louis).* — 3° Empêcher : impératif *tol!,* tais-toi : *Tol, ne dire tel vilanie (Eneas).* ◆ **tolir** v. (xiiᵉ s., *Pr. Orange*), **-er** v. (xiiiᵉ s., *Ass. Jérus.*). Enlever, supprimer. ◆ **tolement** n. m. (1160, Ben.). Action d'enlever, prise. ◆ **tolage** n. m. (1169, Wace). Enlèvement, violence : *sans preie e sanz tolage* (Wace). ◆ **tolte** n. f. (1160, Ben.). 1° Enlèvement. — 2° Rapine, pillage. — 3° Imposition, redevance (1230, *Charte*). ◆ **tolture** n. f. (1169, Wace). Rapine : *Assez i out parlé de pais, De toutures e d'altres plaiz* (Wace). ◆ **toleor** n. m. (1160, Ben.). Voleur, ravisseur.

tolon n. m. V. TORON, colline, éminence.

tombe n. f. (1160, *Eneas;* lat. eccl. *tumba,* du grec). 1° Tombe. — 2° Dalle. ◆ **tom** n. m. (déb. xivᵉ s., *Mir. Saint Louis*). Tombeau. ◆ **tombel** n. m. (1160, *Eneas*). Monument funéraire. ◆ **tombier** n. m. (1350, *Ord.*). Celui qui fait les tombes, les châsses des reliques, etc.

tomber v. (1170, *Percev.;* lat. pop. **tumbare,* d'orig. onomat.). 1° Sauter, danser, gambader, faire des culbutes. — 2° Faire culbuter, laisser tomber, renverser : *Puis le tumbent en ung fossé (Rose).* — 3° Faire du bruit en tombant, retentir : *Tot en fait le pais tonbir* (R. de Beauj.). ◆ **tombé** n. m. (1225, *Sept Sages*). Chute. ◆ **tomberel** n. m. (xiiiᵉ s., *Fabl.*). 1° Chute : *Et fist un si lait tomberel qu'il se rompi le haterel* (J. de Condé). — 2° Tombereau. — 3° Machine de guerre, trébuchet. ◆ **tombeor** n. m. (1160, *Eneas*). Faiseur de tours, acrobate. ◆ **tomberesse** n. f. (1170, *Percev.*). Danseuse, acrobate : *E les baleresses baler, E les tumberesses tunber (Percev.).* ◆ V. TUMER, tomber, sauter.

tombir v. (1167, G. d'Arras; v. le précédent?). Retentir, résonner : *Tant saint et tante cloche sone, Tout en tombist, tout en resone* (Coincy).

I. **ton** n. m. (XIIᵉ s., *Roncev.;* lat. *tonum*, ton musical et son). 1° Degré d'élévation de la voix. *Crier a bas ton*, crier d'une voix qui porte mal. — 2° Son d'un instrument de musique. — 3° Ton musical.

II. **ton** adj. poss. 2ᵉ pers. masc., cas rég. sing. V. TABLEAU DES POSSESSIFS, p. 422.

I. **tondre** v. (XIIᵉ s., *Thomas le Martyr;* lat. pop. **tondere*). 1° Tondre. — 2° Couper, faucher. — 3° Instrument pour tondre les draps (1279, G.). ◆ **tonderie** n. f. (XIIIᵉ s., *Arch.*), **-age** n. m. (1337, *Arch.*). Action de tondre les draps. ◆ **tonteure** n. f. (1204, R. de Moil.). 1° Tonte. — 2° Tonsure. — 3° Émondes. ◆ **tonseure** n. f. (mil. XIIIᵉ s.). 1° Action de tondre, de faucher, d'émonder. — 2° Émonder. ◆ **tondoir** n. m. (1288, *Arch.*). Tondeuse. ◆ **tondu** n. m. (1155, Wace). *Haut tondu*, prince de l'Église.

II. **tondre** n. m. (1119, Ph. de Thaun; anc. scand. *tundar*, amadou). 1° Amadou. — 2° Bois pourri, sec.

tone n. f. (1283, Beaum.; bas lat. *tunna*, d'orig. gaul.). Mesure de capacité. ◆ **tonel** n. m. (1190, Garn.). Tonneau. ◆ **tonage** n. m. (fin XIIIᵉ s., D.), **-elage** n. m. (1334, *Cart.*). Droit seigneurial payé pour la mise en tonneau du vin. ◆ **tonele** n. f. (1340, *Charte*). 1° Tonneau. — 2° Tonnelle (par comparaison avec la forme du tonneau).

tonlieu, tolneu n. m. (1285, Aden.; lat. *teloneum*, du grec, « douane ») Droit payé par les marchands pour pouvoir étaler dans les marchés. ◆ **tonloier** n. m. (1150, Wace). Préposé à la perception du tonlieu. ◆ **tonloierie** n. f.

(1296, *Arch.*). Levée du tonlieu. ◆ **tonneur** n. m. (1214, G.; même origine?). Tonlieu. ◆ **tonnil** n. m. (1299, *Arch.*). Tonlieu. ◆ **tonneuage** n. m. (1330, *Hist. Metz*). Tonlieu.

tonoire, -eire n. m. (1080, *Rol.;* lat. *tonitrum*). Tonnerre.

tooille n. f. V. TOAILLE, serviette, nappe.

tooillier v. (1180, *Rom. d'Alex.;* lat. *tudiculare*, broyer, remuer, de *tudicula*, moulin à olives). 1° Salir, souiller : *Tant estoient tooulié en lor sanc* (Chron. Saint-Denis). — 2° Salir en renversant, en malmenant : *Ceuls qu'il trovoient ... toilloient en la boe* (G. de Tyr). — 3° v. réfl. Se vautrer dans la boue. — 4° Remuer, mélanger. — 5° Agiter : *Ses mains commence a tooillier Enz el seel et a froter* (Fabl.). — 6° Troubler. ◆ **tooil** n. m. (1160, Ben.). 1° Mêlée sanglante, massacre : *Ci out touil, ocise e fule* (Ben.). — 2° Trouble, confusion, agitation : *Tant que tuit fuient tressué Et de l'angoisse et del tooil* (Chr. de Tr.). — 3° Discussion. ◆ **tooillement** n. m. (fin XIIᵉ s., *Loher.*), **-eis** n. m. (1210, *Dolop.*). 1° Mêlée, bataille, massacre. — 2° Trouble, confusion. ◆ **tooleson** n. f. (fin XIIᵉ s., *Loher.*). Mêlée sanglante. ◆ **tooilure** n. f. (1270, *Arch.*). 1° Action de renverser dans la boue. — 2° Souillure.

top n. m. (1160, *Eneas;* germ. *top;* cf. all. *Zopf*, tresse de cheveux). 1° Toupet, touffe. — 2° Pointe, sommet. ◆ **topet** n. m. (XIIᵉ s., *Pr. Orange*). 1° Toupet. — 2° Sommet : *Sur le toupet d'une haulte montaigne* (Chron. Saint-Denis). ◆ **toper** v. (1150, *Thèbes*). 1° Appliquer : *Le fou grezeis de soz lor tope* (Thèbes). — 2° Se cogner, rencontrer. — 3° Toucher, frapper.

I. **topet** n. m. (XIIIᵉ s., G.; v. *top*, sommet, pointe). Toupie. ◆ **topoie** n. f. (déb. XIIIᵉ s.). Toupie. ◆ **topier, -oier** v (1150, *Thèbes*). 1° Faire tourner comme une toupie. — 2° Tourner, tournoyer. — 3° Faire des détours : *Car moult les couvient toupier Et entor les roches aler* (Son. de Nans.). ◆ **topiner** v.

(XIIIe s., *Doon de May.*). 1° Tourner, rouler comme une toupie. — 2° Meurtrir.

II. **topet** n. m., toupet, sommet. V. TOP, toupet.

I. **tor** n. f. (1080, *Rol.;* lat. *turris*). Tour. ◆ **torel** n. m. (1150, *Thèbes*), -**ele** n. f. (XIIe s.), -**ete** n. f. (1170, *Percev.*). Tourelle. ◆ **torillier**, -**eillier** v. (1180, *Rom. d'Alex.*). S'élever, en parlant d'une tour. ◆ **torin** n. m. (fin XIIIe s., *Son. de Nans.*). Tour. ◆ **torage** n. m. (1331, *Arch.*). 1° Internement dans une tour. — 2° Frais d'emprisonnement. ◆ **torien** n. m. (XIIe s., *Proth.*). Gardien de la tour. ◆ **torier** n. m. (XIIIe s., *Doon de May.*). Gardien d'une tour, portier, geôlier.

II. **tor, torn** n. m. (1138, *Gorm. et Is.;* lat. *tornum*, tour du potier, du grec). 1° Instrument de tourneur. — 2° Circonférence : *Nous avons hanap de biau tour* (J. Bod.). — 3° Mouvement circulaire. *Faire son torn*, faire un tour. — 4° *Tor franceis*, volte brusque, retour au grand galop (*Gui de Warwick*). — 5° Situation, disposition : *M'aveis mis en teil tor* (*Estamp.*). — 6° *Al chief del tor*, au bout du compte, à la fin. ◆ **toret** n. m. (1268, E. Boil.). 1° Rouet à filer. — 2° Instrument servant à percer (Mondev.).

III. **tor** n. m. (1175, Chr. de Tr.; lat. *taurum*, du grec). Taureau. ◆ **torel** n. m. (XIIe s.). Jeune taureau.

toral n. m. (XIIIe s., *Tr. écon. rur.;* orig. incert.). Séchoir. ◆ **toraille** n. f. (XIIIe s., *Fabl.*). Étuve dans laquelle le brasseur fait sécher le grain.

I. **torbe** n. m. et f. (XIIe s., *Trist.;* francique **turba*). 1° Tourbe. — 2° Tourbière : *Vez la cel torbe apres cel fanc* (*Trist.*). ◆ **torberie** n. f. (1260, G.), -**eriere** n. f. (XIIIe s., *Tr. écon. rur.*). Tourbière.

II. **torbe** n. f. (XIe s., *Alexis;* lat. *turba*). 1° Foule, multitude. — 2° Troupe : *atirer ses compaignons par torbes e par eschieles* (*Saint Eust.*). ◆ **torber** v. (1160, Ben.; lat. *turbare*). 1° Troubler, tourmenter : *E si li out France torbee* (Ben.). — 2° Empêcher. ◆ **torbement**

n. m. (1190, saint Bern.), -**ance** n. f. (1160, Ben.). Trouble. ◆ **torbel** n. m. (1314, *Vœux du Paon*). Mêlée, combat.

torbeillon n. m. (1175, Chr. de Tr.; dér. du lat. class. *turbo, -inis*, tourbillon). 1° Trouble, étourdissement, vertige : *Lors li monta .I. troubeillons El chief* (Chr. de Tr.). — 2° Tourbillon. ◆ **torbeillier** v. (XIIe s., *Macch.*). Souffler en tourbillon. ◆ **torbeillonos** adj. (XIIIe s., *Fabl. d'Ov.*). Tourbillonnant, plein de tourbillons.

torbelon n. m. (XIIe s., *Chev. cygne;* adapt. du turc *tülbend*). Turban.

torbentine n. f. (1160, *Eneas;* lat. *terebinthus*, du grec). Térébenthine.

torble adj. (1160, Ben.; lat. pop. **turbulum*, croisement de *turpidus*, agité, et de *turbulentus*). 1° Trouble, mêlé. — 2° n. m. Partie épaisse du vin : *Caignet, abaisse un poi le broche, Si nous laisse taster au tourble* (J. Bod.). ◆ **torbler** v. (1080, *Rol.*). 1° Troubler, mélanger, agiter. — 2° Violer (une promesse) ◆ **torblement** n. m. (1150, *Thèbes*), -**or** n. f. (1235, H. de Méry), -**ance** n. f. (XIIIe s., Chardry), -**acion** n. f. (1180, *Rom. d'Alex.*). Trouble, agitation, mêlée. ◆ **torblos** adj. (XIIe s., Marbode). De couleur trouble, fauve.

torche n. f. (1170, *Percev.;* lat. pop. **torca*, pour *torqua*, de *torquere*, tordre). 1° Bourrelet. — 2° Faisceau de choses tordues, paquet. — 3° Flambeau, torche (fait d'une corde tordue, enduite de cire ou de résine). ◆ **torcheis** n. m. (1270, Ruteb.). 1° Torche, flambeau. — 2° Torchis. ◆ **torcheor** n. m. (1308, *Arch.*). 1° Ouvrier qui recouvre un mur, une cloison avec du torchis. — 2° Celui qui essuie, qui frotte. ◆ **torchepot** n. m. (1175, Chr. de Tr.). Marmiton, souillon.

torçon n. f. (XIIe s.; lat. *tortionem*). Torture, violence. ◆ **torçonos** adj. (1120, *Ps. Oxf.*). 1° Qui exerce des violences, violent, tyrannique. — 2° Récalcitrant, rebelle. ◆ **torçonier** adj. (1120, *Ps. Oxf.*). 1° En parlant des personnes, qui exercent des exactions, des violences. — 2° En parlant des choses, injuste, inique, cruel :

Ont esté par voyes tres perverses Et tor-sonnieres et diverses (Deguil.). ◆ **torço-nerie** n. f. (1120, *Ps. Oxf.*). Violence, exaction. ◆ **torçoneor** adj. et n. m. (XIIᵉ s., *Ps.*). 1° Tortionnaire. — 2° Homme injuste.

tordre v. (XIIᵉ s.; lat. pop. **torcere*, pour *torquere*). Tordre, presser. ◆ **tordoir** n. m. (1254, *Cart.*). Pressoir. ◆ **tordage** n. m. (1333, *Chron. belg.*). Fabrication de l'huile. ◆ **tordeor** n. m. (1333, *Chron. belg.*). Fabricant d'huile. ◆ **torderesse** n. f. (1335, Deguil.). Celle qui tord. ◆ V. TORS, TORT.

toreil n. m. (XIIIᵉ s., *Fabl.*; orig. incert.). Verrou. ◆ **toreillier** v. (XIIᵉ s., *Ysopet*). Verrouiller. ◆ **toreillon** n. m. (fin XIIᵉ s., *Ogier*). Pivot. ◆ **toreilliere** n. f. (1332, *Trav.*). Anneaux fixés à la porte et dans lesquels court la tige du verrou appelé *toreil*.

torfait n. m. (1160, Ben.; mot composé de *tort*, et de *fait*). Dommage, méfait, outrage : *Plus bele chose est a eschuer un tortfait en taisant que vaincre en respondant* (Br. Lat.). ◆ **torfesor** n. m. (XIIIᵉ s., *Livr. de Jost.*). Celui qui fait du tort, malfaiteur, ennemi.

torment n. m. (Xᵉ s., *Saint Léger*; lat. *tormentum*, instr. de torture). 1° Instrument de torture, torture : *Puis a commandé ... qu'il soient mis el torment* (*Saint Eust.*). — 2° Orage, tourmente. — 3° Machine de guerre : *Il fist dresser ses pierres [...] et autres manieres de tourmens* (*Chron. Saint-Denis*). ◆ **tormenter** v. (déb. XIIᵉ s., *Ps. Cambr.*). 1° Torturer. — 2° Déchaîner la tourmente. — 3° Etre agité par la tourmente. ◆ **tormente** n. f. (XIIᵉ s., *Thomas le Martyr*). 1° Torture. — 2° Orage. ◆ **tormentement** n. m. (fin XIIIᵉ s., Guiart), **-ine** n. f. (1150, *Saint Evroul*). Torture. ◆ **tormental** n. m. (XIIIᵉ s., *Sept Est. du monde*). Tourmente. ◆ **tormenteor** n. m. (1190, J. Bod.). Bourreau. ◆ **tormentos** adj. (XIIIᵉ s.). Rempli de tourment, tourmentant.

torn n. m. V. TOR, instrument de tourneur, tour.

tornaderie n. f. (XIIᵉ s., poés., G.; forme mérid., de la même racine que *torner*). Perfidie, infidélité. ◆ **tornadis** n. m. (XIIᵉ s., G.). Mauvaise foi, excuse hypocrite.

torneboele n. f. (1170, *Percev.*; composé de *torner* et de *boele*, boyau). Culbute. *A la torneboele*, à la renverse.

tornele n. f. (fin XIIᵉ s., *Alisc.*; v. *torele*, altér. par *torner*, tourner). Tourelle. ◆ **tornelete** n. f. (1253, *Lettre*). Toute petite tour, sorte de cage en maçonnerie entourant un pilier.

torner v. (1080, *Rol.*; lat. *tornare*, façonner au tour). 1° Travailler au tour. — 2° Se diriger vers, prendre une direction. — 3° *S'en torner*, s'en aller, partir. — 4° *Torner le vermeil de l'escu*, abandonner le service d'un seigneur. ◆ **torne** n. f. (XIIIᵉ s., *Ass. Jérus.*). 1° Retour, dédommagement. — 2° *Torne de bataille*, gage de bataille, de duel judiciaire. ◆ **tornee** n. f. (XIIᵉ s., *Chast. d'un père*). 1° Échange. — 2° Tour, retour. ◆ **tornerie** n. f. (XIIIᵉ s., Fr. Angier). 1° Manière de se tourner. — 2° Action de tourner. ◆ **tornement** n. m. (XIIᵉ s., *Proth.*). 1° Tournoi, combat. — 2° Tour, le fait de tourner, mouvement rotatoire. ◆ **torncure** n. f. (fin XIIIᵉ s., J. de Meung). Détour. ◆ **tornature** n. f. (1306, Guiart). Tour. ◆ **tornaille** n. f. (1308, *Arch.*). Détour, contour. ◆ **torniole** n. f. (XIIIᵉ s., *Durm. le Gall.*). 1° Détour. *A torniole*, en faisant le tour. — 2° Bouleversement (J. de Vignay). ◆ **tornoir** n. m. (1316, *Invent.*). Tournebroche. ◆ **tornet** n. m. (XIIIᵉ s., *D'un mercier*). Dévidoir. ◆ **torneis** adj. (1120, *Ps. Oxf.*). 1° Tourné, fait au tour. *Pont torneis*, pont tournant (*Eneas*). — 2° En proie au vertige : *Endormi et tornic me sent* (Percev.). — 3° Atteint du tournis (1265, *Charte*). ◆ **tornant** adj. (1138, *Saint Gilles*). 1° Changeant. — 2° Agile, dispos. ◆ **tornable** adj. (fin XIIIᵉ s., Macé). 1° Fait au tour, arrondi. — 2° Qui peut se tourner, qu'on peut tourner. ◆ **tornel** adj. (XIIIᵉ s., *Petit Voc. fr.*). Qui tourne. ◆ **tornatil** adj. (1335, Deguil.). Tourné, fait au tour.

torniquel, -et n. m. (XIIIe s.; dimin. de *tornicle*, altér. de *tunique*). Vêtement de dessus.

tornoier, -ier v. (déb. XIIe s., *Voy. Charl.;* fréq. de *torner*). 1° Tourner souvent, de tout côté. — 2° Tourner, faire tourner. — 3° Faire des détours, louvoyer, contourner. — 4° Retourner. — 5° Tordre, enrouler. — 6° Agiter, secouer : *Si te púisse tornoier fievre!* *(Ren.).* — 7° Participer à un tournoi, combattre : *J'irai as paiens tornoier (Part.).* ◆ **tornoi** n. m. (XIIe s.). 1° Action de tourner. — 2° Tournoi. ◆ **tornoiement** n. m. (1169, Wace). 1° Tournoi, combat. — 2° Circuit, tour. ◆ **tornoierie** n. f. (1308, *Charte).* 1° Redevance annuelle. — 2° Contribution volontaire. ◆ **tornoieor** n. m. (1160, *Athis).* Celui qui prend part à un tournoi, combattant.

tornois n. m. (1283, Beaum.; lat. *Turonensis,* monnaie frappée à Tours). Épithète de *denier* ou de *livre.* ◆ **tornesel** n. m. (1298, M. Polo). Denier tournois.

toron, tolon n. m. (XIIe s., *Chétifs;* dér. de *tor,* tour, lieu élevé). Colline, éminence : *Veient le maistre tre roial* [...] *sor un toron (G. de Palerne).* ◆ **toronet** n. m. (1247, Ph. de Nov.). Petit tertre.

toroul boroul loc. (XIIIe s.; loc. hébraïque *tohou oubohou,* désignant le chaos). Tohu-bohu.

torpié n. m. (1220, Coincy; mot composé de *tort* et *pié,* pied). Croc-en-jambe.

torque, torche n. m. et f. (XIIe s., Evrat; lat. *torquis,* collier). Collier des Barbares pour les Romains.

torquillon n. m. (1190, Garn.; v. *tortoillier,* infl. par le lat. *torquere).* Tortillon : *Nis torkeilluns d'estrein unt upres lui gettez* (Garn.).

I. tors adj. (XIIe s.; p. passé de *tordre).* 1° Tordu, contrefait, estropié : *Les aveugles enluminoit Et lez tors fesoit aler droit (Livr. Pass.).* — 2° De travers. — 3° Détourné. ◆ **tors, tros** n. m. (1190, Garn.). 1° Objet tordu. — 2° Paquet. A

tors, par paquets. — 3° Tresse. — 4° Flambeau, torche. — 5° Détour, sentier détourné. — 6° Action de tordre. ◆ **torse, trosse** n. f. (1170, *Percev.).* 1° Objet empaqueté, paquet : *Peres, bailliés moi ça le borse, Soz ciel n'a si legiere torse (Court. d'Arras).* — 2° Botte de paille, de foin pour se torcher le derrière. — 3° Poche de selle, malle, charge d'une bête de somme (E. Boil.). — 4° Trousse. — 5° Torsade (J. Lefebvre). ◆ **torsel, trossel** n. m. (1160, *Eneas).* 1° Pièce (d'étoffe). — 2° Trousseau (déb. XIIIe s.). — 3° Paquet, faisceau. ◆ **torser, trosser** v. (1080, *Rol.).* 1° Empaqueter. — 2° Charger des bagages. — 3° Relever en pliant, retrousser (XIVe s.). ◆ **torseure** n. f. (1215, *Vie saint Martin).* 1° Ruse, fourberie. — 2° Charge, paquet. ◆ **torsion** n. f. (1314, Mondev.). Torsion de ventre, colique. ◆ **torsis** adj. (1170, *Fierabr.).* Tordu.

II. tors, tros n. m. (déb. XIIIe s., R. de Beauj.; lat. *thyrsum,* tige, du grec). 1° Tige, tronc. — 2° Tronçon, fragment : *De l'anste fist les tros voler* (R. de Beauj.).

tort adj. (1175, Chr. de Tr.; lat. *tortum;* v. *tordre).* 1° Tordu, contrefait : *Une lettre est tourte et crampie (ABC).* — 2° Détourné : *Ne ne vet mie voie torte, Mais* [...] *la plus droite* (Chr. de Tr.). ◆ **tort** n. m. (déb. XIIe s., *Voy. Charl.).* 1° Ce qui est tordu. — 2° Acte contraire au droit, à la justice. — 3° Détour. ◆ **torte** n. f. (XIIIe s., *Arch.).* Espèce de pain commun de forme ronde. ◆ **tortel** n. m. (XIIe s., *Gloss.).* 1° Sorte de gâteau. — 2° Sorte de pain bis. — 3° Figure de blason. ◆ **torteleor** n. m. (XIIIe s., Tailliar). Celui qui fabrique des tourtes, des tourteaux. ◆ **torteure** n. f. (1190, saint Bern.). 1° Action contraire à la droiture, injustice, tort. — 2° Distorsion (Mondev.). — 3° Supplice, torture. ◆ **tortil** n. m. (fin XIIe s., *Ogier),* **-in** n. m. (XIIe s., *Chev. deux épées),* **-is** n. m. (1170, *Percev.).* Flambeau, torche. ◆ **torton** n. m. (1304, *Trav.).* Meule de moulin. ◆ **tortuel** n. m. (1260, A. de la Halle). *Saint Tortuel,* surnom comique du vin. ◆ **tortir** v. (1306, Guiart). Se tordre. ◆ **tortoillier** v. (déb. XIIIe s.).

Tordre, tortiller. ◆ **tortis** adj. (1220, *Saint-Graal*). Tortueux, sinueux, entortillé.

I. **torte** n. f. V. TORTRE, tourterelle.

II. **torte** n. f., pain de forme ronde. V. TORT, tordu.

tortre, torte n. f. (1120, *Ps. Oxf.*; lat. *turtura*). Tourterelle. ◆ **tortole** n. f. (1277, *Rose*). Tourterelle. ◆ **torterole** n. f. (1277, *Rose*). Tourterelle.

tosdis, todis adv. (XIIᵉ s., *Chev. cygne*; comp. de *tot*, tout, et de *di*, jour). Toujours : *Bien soiez vous venu tozdis* (*Fabl.*). A tosdis, à jamais, éternellement. *Todis mais*, à jamais.

toser v. (1176, E. de Fougères; lat. pop. *tonsare*, pour *tondere*). 1º Tondre (en parlant de brebis). — 2º Couper, raser les cheveux : *Il a les cevels si messles Qu'il volroit mout estre touses* (*Part.*). ◆ **toset** n. m. et adj. (1160, Ben.). 1º adj. Coupé ras. — 2º n. m. Chevelure coupée *(Clef d'Am.)*. ◆ **tose** n. f. (1176, E. de Fougères). Jeune fille. ◆ **tosel** n. m. (1160, Ben.). Jouvenceau. ◆ **tosart** n. m. (1160, Ben.). Jeune homme : *Jo li dei ben aider K'il me nurri tusart* (Horn). ◆ **tosete** n. f. (XIIIᵉ s., *Durm. le Gall.*). Jeune fille qui porte les cheveux coupés. ◆ **toseter** v. (XIIᵉ s., poés.). Faire la cour à une jeune fille.

tosjors adv. (1080, *Rol.*; comp. de *tot*, tout, et de *jorn*, jour). Toujours. ◆ **tosjorsmes** adv. (1255, *Cart.*). A toujours, éternellement.

tossique n. m. (1160, *Eneas*; lat. *toxicum*, du grec). Poison.

tossir v. (1270, Ruteb.; lat. *tussire*). Tousser. ◆ **tos** n. f. (XIIᵉ s.). Toux.

tost adv. (Xᵉ s., *Eulalie*; lat. pop. *tostum*, neutre, employé comme adv., de *tostus*, grillé, brûlé). 1º Tôt. — 2º Bientôt, sans tarder. ◆ **tostein** adj. (1260, Br. Lat.). Rapide, qui arrive tôt : *tosteine victoire* (Br. Lat.). ◆ **tosteinement** adv. (1298, M. Polo; les deux mots ne se trouvent que dans des textes italianisants). Rapidement.

tostens adv. (1150, Wace; composé de *tot*, tout, et de *tens*, temps). 1º Toujours : *Qui totans ert et totans fu* (Wace). *A tostens*, à toujours. — 2º Toutefois : *Mais tostans dist li dus : Je n'en ferai noient* (*Chans. d'Ant.*).

toster v. (fin XIIᵉ s., *Alisc.*; lat. pop. *tostare*, fréq. de *torrere*, griller). 1º Griller, rôtir, brûler : *Enfer [...] Qui mainte ame graille et toste* (Coincy). — 2º v. réfl. Se chauffer (J. de Condé). ◆ **tostee** n. f. (XIIᵉ s., *Auberi*). Tranche de pain rôti trempé dans du vin.

tot adj. indéf. (980, *Passion*; lat. *totum*). 1º Tout, indiquant la totalité, l'intégralité. — 2º Tout, indiquant la généralité. — 3º Employé sans article, plein, entier : *An la mer furent tot avril Et une partie de mai* (Chr. de Tr.). ◆ **toz, tuit** n. m., **totes** n. f. (XIᵉ s., *Alexis*). 1º Tous les hommes, toutes les femmes : *Et sachiez bien toutes et tuit* (Coincy). — 2º Toute chose, toute sorte de chose : *Tut est muez* (Alexis). — 3º *Del tot, du tot*, tout à fait, complètement. *De tot en tot*, entièrement. ◆ **tot** adv. (XIIᵉ s.). 1º Entièrement, sans exception : *Sa nue char parmi pareit Tut des la centure en amont* (H. de Rotelande). — 2º S'accorde avec le pluriel : *Et Bertran avoit bien XVI. as tous accomplis* (Watriquet). — 3º S'accorde avec le fém. : *Vos amez, tote an sui certainne* (Chr. de Tr.). — 4º *Tot*, le long de : *Et Aloris s'en fuit tout le gravier* (Aden.). — 5º *Tot le pas*, tout de suite. — 6º *A tot*, avec. — 7º *E tot*, quoique. ◆ **totage** n. m. (fin XIIIᵉ s., Macé). Total, tout, totalité.

totevoies adv. (1160, Ben.; composé de *tot*, tout, et de *voie*, chemin, moyen). 1º Toutefois : *Demorant totevois la rente principal en sa fermeté* (1284, G.). — 2º De toute façon.

tproupt tproupt interj. (1190, J. Bod.; orig. onomat.). Exclamation de dédain, de désinvolture.

trab n. m. V. TREF, poutre.

trabuc n. m. V. TREBUC, chute, ruine, piège, machine de guerre.

tracier v. (1170, *Percev.;* lat. pop. *tractiare*, pour *tractare*, de *trahere*, tirer). 1° Passer un trait sur, rayer, effacer. — 2° Suivre à la trace, poursuivre. — 3° Chercher, fouiller, traquer : *Les millors maitres por tressier Descouplerent li veneor (Dolop.).* — 4° Guider. — 5° Errer, voyager : *Et vont traçant parmi ces rues, Por veoir, por estre veues (Rose).* — 6° Tracier fors, enlever. ◆ **trace** n. f. (1120, *Ps. Oxf.*). 1° Suite. — 2° Trace. — 3° Action : *Et li prestres fu en la place qui a faite tante mal trace (Fabl.).* ◆ **tracete** n. f. (déb. XIVe s., *Mir. Saint Louis*). Petite trace. ◆ **traçant** n. m. (1335, Deguil.). Instrument servant à tracer. ◆ **traçant** adj. (1335, Deguil.). Qui sait suivre une trace.

trade n. f. (1280, *Reg. aux bans Saint-Omer;* orig. obsc.). Jeu de boules.

tradition n. f. (1291, G.; lat. *traditio*, action de transmettre). Livraison, transmission : *por la tradiccion de ces presentes lettres* (1291, G.).

traille n. f. V. TREILLE, treillis, grille.

trainer v. (déb. XIIe s., *Voy. Charl.;* lat. pop. *traginare*). Traîner. ◆ **train** n. m. (1160, Ben.). 1° Action de traîner. — 2° Traînée, trace. — 3° Traîne, queue de la robe. — 4° Retard. — 5° Nécessité, embarras qu'entraîne une chose : *Or me roffrez Nerbone et son train, Que encor tiennent .XX. mile Sarrazin (Aym. de Narb.).* — 6° Bêtes et instruments destinés au transport : *Le jor i ot de curs mult grant train* (Mousk.). *En train,* en route, en arrière. — 7° Société, compagnie : *Mal acointas tu sun train, El te fera le chief enclin (Adam).* — 8° Genre de vie, manière d'agir : 9° Poursuite, mauvais traitement : *Li rois de France nos a en train mis, Tolu nos a le castel de Belin (Loher.).* ◆ **traine** n. f. (fin XIIe s., saint Grég.). 1° Retard : *Lors li dist sans longue traine* (saint Grég.). — 2° Trace. — 3° Prison : *Por Gautier son ami geter de lor trahine (Part.).* — 4° Charrette, traîneau. ◆ **trainement** n. m. (1295, *Arch.*). Action de traîner.

trair v. (1080, *Rol.;* lat. pop. *tradire*, pour *tradere*, transmettre). Trahir. ◆ **traiement** n. m. (1080, *Rol.*), **traissement** n. m. (1160, Ben.). Trahison. ◆ **trais** n. m. (fin XIIe s., *Gar. Loher.*). Trahison. ◆ **traine** n. f. (XIIe s., *Auberi*). Trahison, ruse : *Dist a Guiborc : Je vos di sans traine, Ceste est loiaus et de bone orine (Auberi).* ◆ **traitor** n. m. cas rég., traître cas suj. (1080, *Rol.*). Traître. ◆ **traitel** n. m. (1190, *H. de Bord.*). Traître. ◆ **trai** n. m. (XIIIe s., *Atre pér.*). Traître. ◆ **traitos** adj. (XIIIe s., *Sept Est. du monde*). Traître. ◆ **traiteement** adv. (1170, *Fierabr.*). Traîtreusement.

traire v. (XIe s., *Alexis;* lat. pop. *tragere*, pour *trahere*, tirer). 1° Tirer en général : *Et traient fors les armes* (J. Bod.). — 2° Lancer, tirer à l'arc : *Va, si m'aporte les saetes que jo ci trarrai (Rois).* — 3° Traîner : *Li enperere devent sei l'ad fait traire (Rol.).* — 4° Attirer : *Com la leuve sauvaige Ki des leus d'un boskaige Trait le pieur a li (C. de Béth.).* — 5° Entraîner : *Que puis la trairoit a putage (Athis).* — 6° Produire, citer en justice : *Hom trast en tesmoignage .I. clerc* (1248, *Arch.*). — 7° Endurer, souffrir : *Et moult d'anois li covient traire (Saint Brand.).* — 8° Différer : *Et je les ferai sans plus traire (Pass. Palat.).* — 9° Se retirer. — 10° Aller, s'acheminer, se diriger. — 11° Arriver, aboutir : *Quant froidure trait a fin (Chans.).* — 12° Tirer du liquide, soutirer. — 13° Porter (en parlant de l'arme) : *Plus qu'uns ars ne trassist (Loher.).* — 14° *Traire as avirons,* ramer. — 15° Ressembler : *Granz est e forz e trait as anceisurs (Rol.).* — 16° v. réfl. Sortir, partir, disparaître : *As baisers qu'il firent d'amors Del cuer se traient les dolors* (R. de Beauj.). ◆ **traiement** n. m. (1160, Ben.). 1° Action de tirer. — 2° Le trait lancé. ◆ **traieis** n. m. (1160, Ben.). Action de tirer des flèches. ◆ **traierie** n. f. (1160, Ben.). Tir à l'arc. ◆ **traiant** n. m. et f. (1162, *Fl. et Bl.*). 1° Téton : *N'aveit encor le sein ne triant ne mamele* (Wace). — 2° Sorte de filet. — 3° Fourche. — 4° Corde, trait (E. Boil.). ◆ **traioir** n. m. (1315, *Charte*). Ouvrier qui extrait de la houille. ◆ **traieor** n. m.

(fin XIIe s., *Loher.*). 1° Celui qui tire, lanceur de flèches. — 2° Celui qui trait. — 3° *Traieor de vin, de godale,* celui qui tire le vin, la bière. ◆ **traiant** adj. (1220, *Arch.*). De trait : *Li chevals trahianz* (1220, *Arch.*).

trait n. m. (1160, *Eneas;* v. *traire* et *traitier*). 1° Action de tirer. — 2° Ce qu'on avale de liqueur d'une seule haleine : *A molt grant trait beveit le vin* (*Eneas*). — 3° Portée d'un trait, d'une flèche. — 4° Instigation : *Gent qui .I. trait de vilonie Pas mult volentiers ne fesissent* (Gir. d'Amiens). — 5° Terme de jeu, coup. — 6° *A trait,* lentement, posément. — 7° Ce qui caractérise une personne ou une chose : *Ne te di je les traiz d'amer? (Eneas).* — 8° *Trait de disme,* seconde dîme. ◆ **traite** n. f. (1119, Ph. de Thaun). — 1° Action de tirer. — 2° Chemin parcouru. — 3° Poursuite devant le tribunal. — 4° Exemple.

traitier v. (1190, saint Bern.; lat. *tractare,* fréq. de *trahere*). 1° Tirer à l'arc. — 2° Traîner. — 3° Produire, traduire en justice. — 4° Négocier, traiter. — 5° Gouverner, conduire. — 6° Susciter. ◆ **traitement** n. m (1190, saint Bern.). 1° Négociation, délibération. — 2° Accord, convention, traité. — 3° État de choses. — 4° Travail. ◆ **traitiee** n. f. (1160, *Eneas*). Portée d'une flèche. ◆ **traitis** n. m. (XIIIe s., Chardry). 1° Traité. — 2° Récit. ◆ **traitin** n. m. (1330, *B. de Seb.*). 1° Suite, train. — 2° Manière d'être. — 3° *Faire son traitin,* combattre. ◆ **traiteor** n. m. (1180, G. de Saint-Pair). 1° Conducteur, guide. — 2° Négociateur, ambassadeur. ◆ **traitable** adj. (1259, *Arch.*). 1° Qui peut être traduit en justice. — 2° En forme de traité : *ce volume traictable (Vie saint Jérôme).* — 3° Ductile (*Rose*).

traitis adj. (1160, *Ben.;* lat. pop. *tracticium*). 1° Fait avec art, bien tourné, fait à plaisir : *Blanc front avoit, sorcil tretiz (Percev.).* — 2° Allongé, ovale. — 3° Doux, agréable : *dous sons traitis (Chans.).* — 4° Régulier : *les grant galos traitis (Rom. d'Alex.).*

trallier n. m. (fin XIIe s., *Ogier;* orig. incert.). Treuil.

trametre v. (XIe s., *Alexis;* lat. *transmittere*). 1° Transmettre. — 2° Envoyer : *Por vo confort m'a chi tramis* (J. Bod.).

tramoier v. (XIIe s., *Chev. deux épées;* forme fréquentative à partir du lat. *tremere*). Trembler, chanceler : *Et aloit trestous tramoiant Sour le cheval et ert embrons (Chev. deux épées).*

tranchier v. V. TRENCHIER, couper, miner, décider.

trançon n. m. (1318, G. de la Bigne; v. *trenchier,* infl. par *tronçon*). Tranche, morceau. ◆ **trançoner** v. (XIIe s., *Parise*). Couper, trancher, tailler en pièces.

transcrit n. m. (1221, *Charte;* lat. *transcriptus*). Copie, transcription.

transfreter v. (1350, G. li Muisis; lat. *transfretare,* de *fretum,* detroit). 1° Faire une traversée, traverser. — 2° Transporter.

transglotir v. (1150, *Thèbes;* lat. *transglutire*). 1° Engloutir : *Enfer ovre, qui les transglote! (Trist.).* — 2° Avaler rapidement et gloutonnement, dévorer. ◆ **transgloter** v. (1119, Ph. de Thaun). Engloutir.

transir v. (1190, Garn.; lat. *transire,* aller au-delà). 1° Passer, partir : *E transera du mund a gloire (Ed. le Conf.).* — 2° Trépasser, mourir. *Transl de vie,* mort. ◆ **transe** n. f. (XIe s., *Alexis*). 1° Trépas. — 2° Transe de la mort. ◆ **transer** v. (XIIIe s., Beaum.). Etre transi, avoir peur, trembler. ◆ **transition** n. f. (XIIIe s.). 1° Passage de la vie à la mort. — 2° Transe de la mort. ◆ **transite** n. f. (XIIe s., *Blancandin*). Trêve. ◆ **transitif** adj. (1260, Br. Lat.). Passager, changeant.

translancier v. (1180, *Rom. d'Alex.;* v. *lancier*). Transpercer d'une lance, transpercer en général.

translater v. (déb. XIIe s., *Ps. Cambr.;* dér. verb. de *translatum,* p. passé de *transferre*). 1° Transférer, transporter.

— 2° Traduire. ◆ **translatement** n. m. (XIIIe s., Th. de Kent). 1° Transition, passage en d'autres mains. — 2° Traduction. ◆ **translateor** n. m. (déb. XIIIe s., D.). Traducteur.

transmarin adj. (1169, Wace; v. *marin*). Situé au-delà des mers.

transmuer v. (1265, J. de Meung; adapt., d'après *muer,* du lat. *transmutare,* déplacer). 1° Déplacer, transférer, transporter. — 2° Changer, transformer. — 3° Traduire : *Telz choses transmuer a parfait latin* (J. de Vignay). — 4° v. réfl. Se transformer, se métamorphoser. (J. de Meung). ◆ **transmuement** n. m. (1324, *Arch.*). 1° Changement de place. — 2° Changement.

transverser v. (XIIIe s., Th. de Kent; v. *verser*). Traverser.

trapan, -ant n. m. (1331, *Arch.;* orig. incert.). Ais, planche.

trape n. f. (1160, Chr. de Tr.; francique *trappa*). 1° Embûche, piège. — 2° Souricière. — 3° Cachette.

trastre, treste n. m. (1170, *Fierabr.;* lat. *transtrum,* poutre). Tréteau, poutre, poteau : *Il a fait une table sor .II. trastres poser* (Fierabr.).

I. **trau** n. m. V. TREU, redevance, tribut, taxe.

II. **trau** n. m. V. TROU, trou.

I. **travail** n. m. (1235, *Arch.;* v. *tref,* poutre). 1° Poutre. — 2° Catafalque (Froiss.).

II. **travail** n. m., travail, fatigue, tourment. V. TRAVAILLIER, peiner.

travaillier v. (1080, *Rol.;* lat. pop. *tripaliare,* propr. torturer avec le *tripalium*). 1° Molester, tourmenter, importuner, en parlant des personnes : *li fains moult le travailla* (R. de Moil.). — 2° En parlant des choses : *Par tantes terres ad sun cors travailliet* (Rol.). — 3° Amener quelqu'un à prendre une décision, le décider. — 4° Souffrir une peine : *Orgueus fait le gent travaillier En art de bel appareillier* (R. de Moil.). — 5° Etre prise des douleurs de l'enfan-

tement, enfanter. *Travaillier d'enfant,* enfanter. — 6° Souffrir la douleur de l'agonie. — 7° Travailler, peiner. — 8° v. réfl. Employer tous ses efforts, se tourmenter. ◆ **travail** n. m. (fin XIe s., *Lois Guill.*), **-aille** n. f. (1160, Ben.). 1° Travail, fatigue : *Grant grevance i u san faille E grant painne e grant travaille* (Ben.). — 2° Tourment, peine : *Qui a traval et a duel vif (Trist.).* ◆ **travaillement** n. m. (1119, Ph. de Thaun). Travail, fatigue : *Repos sans nul travaillement (Horn).* ◆ **travaillerie** n. f. (XIIIe s., Th. de Kent). Grand travail. ◆ **travailleor** n. m. (XIIIe s., *Livr. de Jost.*). Celui qui fait souffrir, qui tourmente, ennemi. ◆ **travaillos** adj. (1160, Ben.). Pénible, fatigant.

trave n. f. (XIIIe s., *Tr. écon. rur.;* orig. incert.). Meule, meulon, tas de grains.

traverser v. (déb. XIIe s., *Voy. Charl.;* lat. pop. **traversare,* pour *transversare*). 1° Placer de travers. — 2° Traverser. ◆ **travers** n. m. (1080, *Rol.*). 1° Action de traverser, traversée. — 2° Chemin de traverse. — 3° Droit de passage, de transit. — 4° Traverse, poutre. ◆ **traverse** n. f. (1160, *Eneas*). 1° Traversée. — 2° Ce qui est placé en travers. *A la traverse,* de travers, par le côté. *A traverse,* par le flanc, à la traverse. — 3° Traversin. — 4° *Faire la traverse,* se cabrer. ◆ **traversier** n. m. (1200, *Mort Aym. de Narb.*). 1° Traverse. — 2° Traversin de lit. — 3° Sorte de tonneau. — 4° Partie de la charrue. ◆ **traversin** n. m. (fin XIIe s., *Loher.*). 1° Chemin à traverser. — 2° Trajet, distance. — 3° Pièce de bois pour entraver un prisonnier (Ph. de Nov.). ◆ **traversier** n. m. (1295, G.). Celui qui lève le droit de *travers.* ◆ **traversain** adj. (1180, *Rom. d'Alex.*). De travers, qui traverse, transversal : *Et tant cop traversain, maint autre droiturier (Rom. d'Alex.).* ◆ **traversier** adj. (1315, *Cart.*). 1° Qui traverse. — 2° Contraire, ennemi : *Ne respont mot d'orgoil ne traversier (G. de Rouss.).*

traveter v. (1321, *Arch.;* v. *tref,* poutre). Garnir de poutres. ◆ **travetel**

n. m. (1150, Wace). 1° Poutre, traverse de bois. — 2° Appentis, hangar (Wace). ◆ **travetier** n. m. (1180, G. de Saint-Pair). Boutiquier, constructeur de baraques.

I. **treble** adj. (1190, saint Bern.; lat. *triplum*). 1° Triple (en parlant de mailles). — 2° A trois voix, en trois parties (en parlant d'un morceau de musique). ◆ **treble** n. m. (1180, G. de Saint-Pair). 1° Morceau de musique à trois voix, en trois parties. — 2° Trois fois autant : *gagner vouloient au treble (Godefr.)*. ◆ **trebloier** v. (1220, Coincy). Chanter à trois voix, en trois parties.

II. **treble** n. f., herse. V. TRIBLER, broyer.

trebuc n. m. (1120, *Ps. Oxf.*; voir *buc*, tronc du corps, doté d'un préf. *tre-*, du lat. *trans-*). 1° Chute. *Mal trebuc*, mal caduc, épilepsie. — 2° Ruine. — 3° Piège (G. d'Arras). — 4° Trébuchet, machine de guerre (Aimé). ◆ **trebuchier** v. (1138, *Gorm. et Is.*). 1° Culbuter, envoyer rouler par terre, renverser : *jus le trebuchet a la terre (Gorm. et Is.)*. — 2° Tomber. — 3° Peser avec le trébuchet (déb. XIVe s.). ◆ **trebuchement** n. m. (1120, *Ps. Oxf.*). 1° Action de renverser, chute. — 2° Précipice. ◆ **trebuchage** n. m. (XIIe s., *Enf. Godefr.*), **-erie** n. f. (fin XIIe s., *Loher.*). Action de renverser, chute. ◆ **trebuchance** n. f. (1160, *Eneas*), **-eure** n. f. (XIIIe s., G.), **-eis** n. m. (1306, Guiart). Chute, ruine. ◆ **trebuche** n. f. (XIIIe s., *Pastor.*). 1° Lutte, bataille : *Et la y avoit grans trebuches De bergiers et grant fereis (Pastor.)*. — 2° Trébuchet, machine de guerre *(Menestr. Reims)*. ◆ **trebuchel** n. m. (fin XIIe s., *Ogier*). Trébuchet. ◆ **trebuchet** n. m. (1175, Chr. de Tr.). 1° Piège. — 2° Lieu où l'on trébuche. — 3° Croc-en-jambe. — 4° Petite balance pour peser la monnaie. — 5° Machine de guerre (J. de Priorat). ◆ **trebuchable** adj. (1130, *Job*). 1° Exposé à trébucher. — 2° Qui fait trébucher, glissant.

trebuil n. m. (1160, Ben.; orig. incert.). Partie du costume d'un moine.

trebus n. m. (XIIe s., *Horn;* orig. incert.). Sorte de chaussure ou de chausse.

trece, tresce n. f. (fin XIIe s., *Rois;* orig. obsc.). Tresse, barbe tressée. ◆ **trecier** v. (1160, *Eneas*). Tresser. ◆ **treceure** n. f. (XIIe s., *Part.*). Tresse, cheveux tressés. ◆ **treceor** n. m. (1160, Ben.), **-oir** n. m. (1277, *Rose*), **-on** n. m. (1263, E. Boil.). Tresse, ruban, cordonnet, galon, peigne. ◆ **trecel** n. m. (XIIIe s., Bretel). 1° Tresse de cheveux. — 2° Ornement de tête. ◆ **treçonel** n. m. (1326, *Ord.*). Panier tressé.

trecens n. m. (1260, *Arch.;* v. *cens*, doté d'un préf. *tre-*, du lat. *trans-*). Loyer, prix d'un bail à terme. ◆ **trecensage** n. m. (1285, *Arch.*). Prix d'un bail à terme. ◆ **trecensoir** n. m. (1301, *Charte*). Somme payée par celui qui tient une ferme à *trecens*. ◆ **trecensier** n. m. (1220, *Arch.*), **-eur** n. m. (1288, *Arch.*). Celui qui tient une ferme.

I. **trechier** v. V. TRICHIER, tromper.

II. **trechier** v. V. TRESCHIER, danser, trépigner.

I. **tref** n. m. (1080, *Rol.;* germ. *troef*, tente). Tente, pavillon.

II. **tref** n. m. (1150, Wace; lat. *trabem*). 1° Poutre, solive. — 2° Mât, vergue. *A plein tref*, tous les mâts garnis, à pleines voiles.

trefeu n. m. (1347, *Invent.;* v. *fou*, feu, doté du préf. *tré-*, du lat. *trans-*, au-delà de). Chenet, trépied.

treie n. f. (1160, Ben.; orig. obsc.). La drenne, espèce de grosse grive.

treille, traille n. f. (XIIe s., *Macch.;* lat. *trichila*, berceau de verdure). Treillis, treillage, grille. ◆ **treillier** v. (1167, G. d'Arras). 1° Disposer en treillis. — 2° Garnir d'un treillis, grillager. ◆ **treilleure** n. f. (XIIIe s., Th. de Kent.). Treillis.

treime n. f. (1342, *Arch. Llège;* dér. de *treis*, trois). Épiphanie. ◆ **tremedi** n. m. (1276, *Lettre*). Épiphanie.

trelis adj. V. TRESLIZ, tissé à mailles.

I. **tremble** n. m. (XIIᵉ s.; lat. *tremulum,* propr. tremblant). Tremble. ◆ **trembloi** n. m. (1237, *Arch.*). Lieu planté de trembles.

II. **tremble** n. m., tremblement, peur. V. TREMBLER.

trembler v. (1175, Chr. de Tr.; lat. pop. **tremulare,* pour *tremere*). Trembler. ◆ **tremble** n. m. (fin XIIIᵉ s., *Sydrac*), -or n. f. (1120, *Ps. Oxf.*), -oison n. f. (XIIIᵉ s., *Amis et Am.*). Tremblement, crainte. ◆ **tremblable** adj. (XIIIᵉ s., *Fabl. d'Ov.*). Tremblant.

tremerel n. m. (1204, R. de Moil.; v. *merel, meriel*). Sorte de jeu de hasard qui se jouait aux trois dés, une variante probable de trictrac. ◆ **tremeler** v. (1204, R. de Moil.). 1° Jouer au *tremerel*. — 2° Tricher. — 3° Tromper, séduire : *Velt deable [...] La bone dame encenbeler Et guiler s'ame et tremeler* (Coincy). ◆ **tremeleor** n. m. (1220, Coincy). 1° Joueur de *tremerel*. — 2° Trompeur.

tremois n. m. (XIIᵉ s., D.; lat. *trimensem*). Blé de trois mois que l'on coupe au printemps.

tremor n. f. (XIIᵉ s., *Thomas le Martyr;* lat. *tremor*). 1° Crainte, terreur. — 2° Tremblement de peur. ◆ **tremaire** adj. (fin XIIIᵉ s., *Mir. saint Éloi*). Tremblant.

tremper v. V. TEMPRER, modérer, mélanger, tremper, accorder. ◆ **trempis** n. m. (1350, *Ord.*). Action de laver, lavage.

tremuie n. f. (XIIIᵉ s.; lat. impér. *trimodia,* plur. pris pour fém., pour *trimodium,* vase contenant trois muids). Trémie.

trenchier v. (déb. XIIᵉ s., *Voy. Charl.;* lat. pop. **trinicare,* couper en trois, de *trini,* trois par trois). 1° Couper, tailler. — 2° Enlever l'usage de : *Ses diols li trence son parler (Part.).* — 3° Miner, faire sauter. — 4° Faire l'office d'écuyer tranchant. — 5° Décider. ◆ **trenche** n. f. (1175, *Chr. de Tr.*). 1° Action de couper, de tailler. — 2° Le

fait de décider. *A tranche,* absolument. ◆ **trenchaison** n. f. (fin XIIᵉ s., saint Grég.). Incision. ◆ **trencheis** n. m. (XIIᵉ s., *Barbast.*). 1° Coupure, entaille. — 2° Abattis. — 3° Tranchée, retranchement : *Puis fait trancis et fosses comencier (Ogier).* — 4° Décision. ◆ **trencheure** n. f. (XIIᵉ s., *Am. et Id.*). 1° Coupage, partie coupée d'une étoffe. — 2° Émondes d'une forêt. ◆ **trenchiee** n. f. (1292, *Hist. des Bret.*). Décision. ◆ **trenchier** n. m. (1170, *Percev.*). Tranchée. ◆ **trenchon** n. m. (1160, *Eneas*). Instrument tranchant. ◆ **trencheor** n. m. (déb. XIIIᵉ s., Villeh.). 1° Celui qui tranche, qui coupe. — 2° Mineur, sapeur. ◆ **trenchif** adj. (1312, *Arch.*). Qui peut être coupé, tranché.

trençon n. m. V. TRANÇON, tranche, morceau.

trente n. de nombre (1080, *Rol.;* lat. pop. **trinta,* pour *triginta*). Trente. ◆ **trentisme** adj. num. (1119, Ph. de Thaun). Trentième. ◆ **trentil** n. m. (1178, E. de Fougères), -ier n. m. (fin XIIIᵉ s., J. de Meung), -enier n. m. (1265, *Lettre*). Nombre de trente messes qu'on fait dire pour un défunt. ◆ **trentage** n. m. (1340, *Arch.*). Obligation de donner au seigneur une certaine mesure de vin, etc.

treper v. (1169, Wace; germ. **trippon*). 1° Frapper du pied, trépigner en signe de joie ou d'impatience. — 2° Sauter, danser : *S'a tele joie qu'il trepe et saut (Percev.).* ◆ **treperie** n. f. (fin XIIIᵉ s., *Mir. saint Éloi*). Sauterie, danse. ◆ **trepeter** v. (1277, *Rose*). Sauter, trépigner. ◆ **trepeteor** n. m. (1298, M. Polo). Danseur, sauteur. ◆ **trepignier** v. (1355, Bersuire). Trépigner, faire du vacarme. ◆ **trepaignon** n. m. (1170, *Percev.*). Mêlée. ◆ V. TREPILLIER, TREPOIER.

trepider v. (1327, J. de Vignay; lat. *trepidare*). S'agiter.

trepillier, -eillier v. (fin XIIᵉ s., *Loher.;* fréquentatif de *treper,* sauter, danser). Sautiller, se démener, danser. ◆ **trepillement** n. m. (XIIIᵉ s., *Doon de May.*). Action de sauter. ◆ **trepeil** n. m.

(1150, *Thèbes*). 1° Cliquetis, vacarme, bruit de la mêlée, mêlée. − 2° Agitation, trouble, inquiétude : *Amor l'ot mis an grant trepoil (Eneas)*.

trepoier v. (XIV⁰ s., fréquentatif de *treper*). 1° Frapper du pied, trépigner. − 2° Danser, sauter. ♦ **trepoi** n. m. (1160, Ben.). Bruit, vacarme, tapage : *Paien lor vienent qui mainent grant trepoi (Anseis)*.

I. tres prép. (XI⁰ s., *Alexis;* lat. *trans*). Préposition de lieu, Proche, auprès de : *Tres sei la tint (Alexis)*.

II. tres, tries, triez prép. (1150, *Thèbes;* lat. *trans?*). 1° Prép. de lieu, Derrière : *Pris fui et toz nuz despoilliez Et les poinz tres .le dos liez (Eneas)*. *Tres un, tres autre,* l'un derrière l'autre, l'un après l'autre *(G. de Dole)*. 2° Adv. de lieu, En arrière : *Succurre volt ses amis Ki trefs erent remis (Conq. Irl.)*.

III. tres adv. (1080, *Rol.;* lat. *trans*). 1° Adverbe de temps marquant le rapport avec le passé, Dès, depuis : *Qui m'at apris a chanter tres m'anfance* (C. de Béth.). *Tres puis,* depuis lors. *Tres or, tres ore,* dès lors. − 2° Marque l'aspect inchoatif ou le rapport temporel. *Tres maintenant,* dès maintenant. *Tres orendroit,* dès maintenant. *Tres dont en avant,* dorénavant. 3° Forme des loc. conj. *Tresque,* dès que : *Antenor les conduisit de Troie tresqu'il perduc i out sa joie.* Avec une nuance causale, Puisque, si bien que : *Trop est granz pitiez tresqu'il pleure* (G. d'Arras). *Tres ce que,* dès que, parce que. *Tres puis que,* depuis que. − 4° Marque le rapport temporel avec l'avenir, jusque. *Tres a,* jusqu'à. − 5° *Tresque,* conj. Jusque *(Lois Guill.)* : *Nul mot ne die tresque on li comant (Cour. Louis)*. *Tresqu'a, en,* jusqu'à, jusqu'en.

IV. tres adv. (1160, Ben.; lat. *trans*). 1° Adverbe intensif : *la plus tres belle riens* (Ben.) − 2° Précédé de *si,* Tout à fait : *Tuit cist estoient si tres privé (Chron. Saint-Denis)*. − 3° Précisément, justement : *Et costoient la mer tres parmi le sablon (Gui de Bourg.)*.

tres- préf. (lat. *trans-*). 1° Indique le mouvement au-delà de la norme, de la limite : *Tresuler,* disparaître, périr. − 2° Indique le passage au travers, à travers : *Tresnoer,* traverser à la nage. *Trescolper,* traverser. − 3° Indique le dépassement, soit dans le sens de la perfection ; *tresoir,* entendre parfaitement, soit dans celui de l'excès : *tresfremir,* frémir tout entier.

tresaive n. m. (1150, *Thèbes;* v. *aive,* aïeul). Trisaïeul.

tresaler v. (1080, *Rol.;* v. *aler*). 1° Aller au-delà, passer tout à fait, s'enfuir. − 2° Disparaître : *Sa doleur li assouage Et ses maus touz li tresala (Saint-Graal)*. − 3° Tressaillir, se pâmer : *La roïne de joie trestoute tresala* (Aden.). − 4° Périr.

tresbatre v. (XII⁰ s., Herman; v. *batre*). 1° Battre, frapper excessivement. − 2° Suinter : *Al siste jor li arbre de sanc tresbateront (Herman)*.

I. tresce n. f. V. TRECE, tresse.

II. tresce n. f., ronde, danse. V. TRESCHIER, danser.

treschangier v. (1160, Ben.; v. *changier*). 1° Changer, transformer. − 2° Etre changeant.

treschier v. (XII⁰ s., *Asprem.;* germ. *thriskan*). Danser. ♦ **tresche, tresque** n f. (fin XII⁰ s., *Gar. Loher.*), Ronde, danse; bal, assemblée : *Robin, ses tu mener le treske? (A. de la Halle)*. *Hors de tresche,* hors de jeu, hors de cause. ♦ **trescherie** n. f. (1350, G. li Muisis). Danse. ♦ **treschoier** v. (XIII⁰ s., *Rom. et past.*). Danser.

treschignier v. (1155, Wace; francique **kinan,* doté du préf. *tre-;* cf. *rechignier*). Grincer : *Sorcils lever, sorcils baissier, Dens treskigner (Wace)*.

trescolper v. (fin XII⁰ s., *Loher.;* v. *colper*). Couper, traverser : *Faisons trescoper cel rochier (Loher.)*.

trescorre v. (1150, *Thèbes;* v. *corre*). 1° Parcourir, traverser. − 2° Courir partout, se répandre. −

3° Faire erreur : *Sire Otes, trescoru aves (Thèbes).* ◆ **trescorement** n. m. (XIIIe s., *Doon de May.*). Manière d'accomplir son cours, parcours.

tresdont adv. (1170, *Fierabr.;* composé de *tres,* et de *dont*). Depuis, depuis lors : *Tres dont ai mes en cest manoir (Fierabr.). Tresdont que,* loc. conj. Dès que, aussitôt que.

tresel n. m. (1247, G.; orig. incert.). 1° Fraction de l'once. — 2° Sorte de tonneau.

tresfiner v. (XIIe s., *Parise; v. finer*). S'arrêter : *Onques ne tresfina jusc'a la court (Aiol).* ◆ **tresfin** n. m. (XIIIe s., Th. de Kent). Confins : *As tresfins del monde* (Th. de Kent).

tresfoncier v. (1274, *Arch.; v. fons*). Vendre une propriété à titre de tréfonds. ◆ **tresfons** n. m. (1236, *Arch.*). 1° Fonds qui est sous le sol et qu'on possède comme le sol même. — 2° Bien-fonds, héritage, biens immeubles. ◆ **tresfonsage** n. m. (1320, *Hist. Meaux*). Redevance due au propriétaire d'un bien-fonds.

tresforer v. (1190, saint Bern.; v. *forer*). Transpercer.

tresfremir v. (XIIIe s., *Fabl.;* v. *fremir*). Frémir tout entier.

tresgeter, -giter v. (1150, *Thèbes;* v. *geter*). 1° Jeter au-delà, transporter, traverser. — 2° Jeter hors. — 3° S'élancer pour prendre un coup. — 4° Couler dans un moule, fondre. — 5° Jeter un sort. — 6° Faire des · passes, escamoter. ◆ **tresgiet** n. m. (1169, Wace). 1° Action de lancer. — 2° Enchantement, magie : *Qui mout d'engien et d'art savoit De trejet d'enfantomerie* (Coincy). ◆ **tresgiteure** n. f. (1162, *Fl. et Bl.*). Ornement fondu, sculpture. ◆ **tresgeteor** n. m. (1155, Wace). 1° Bateleur, escamoteur. — 2° Magicien, enchanteur. ◆ **tresgeteis** adj. (1160, Ben.). 1° Fondu, ciselé, coulé. — 2° n. m. Ouvrage fondu *(Rom. d'Alex.).*

treslancier v. (1160, Ben.; v. *lancier*). 1° S'élancer. — 2° n. m. Élan, combat.

treslarder v. (1200, *Ren. de Montaub.;* v. *larder*). Déchirer.

tresliz adj. (1160, *Eneas*), **treillis** adj. (XIIIe s.; lat. pop. **trilicium,* pour *trilix,* à trois fils, la seconde forme étant infl. par *treille*). 1° Tissé à mailles, formé de mailles entrelacées. — 2° n. m. Tissu à mailles *(Atre pér.).*

treslue n. f. (1180, *Rom. d'Alex.;* v. *luire?*). Tromperie, mensonge, fausseté : *Por moi retraire arriere diroit une treslue (Rom. d'Alex.).* ◆ **tresluer** v. (XIIIe s., *Chans.*). Tromper.

tresmontaigne, -aine n. f. (fin XIIe s., Guiot; ital. *tramontana stella*). Étoile polaire.

tresmuer v. (1155, Wace; lat. *transmutare*). Se changer, changer de visage, de couleur.

tresmuter v. (1295, G. de Tyr; lat. *transmutare,* changer dans un certain sens). Répandre l'effroi.

tresnoer v. (1167, G. d'Arras; v. *noer*). Traverser à la nage.

tresnoter v. (fin XIIIe s., B. de Condé; v. *noter*). Retentir avec cadence.

tresoir v. (1164, Chr. de Tr.; v. *oir*). Entendre parfaitement.

trespasser v. (1080, *Rol.;* v. *passer*). 1° Traverser, passer à travers, se diriger vers : *A tan li rois de Catanasse Jusqu'a la roine trespassa* (Chr. de Tr.). — 2° *Trespasser de,* sortir, quitter. *Trespasser de cest siecle,* mourir. — 3° Passer d'une chose à une autre : *Trespassons del mal al bien (Comm. Test.).* — 4° Passer, s'écouler, en parlant du temps. — 5° Guérir, revenir à la santé : *Sui jo garris e trespassez* (Lai del Desiré). — 6° Franchir, dépasser : *S'a la fontaine trespassee (Fl. et Bl.).* — 7° Surpasser, outrepasser, transgresser : *Car son commant n'oserent trespasser (Loher.).* — 8° Passer sous silence. — 9° Épargner : *Mais la mors ki rien ne trespase* (Mousk.). — 10° Finir, achever : *Quant trespassé ot cel afere (Fabl.).* ◆ **trespas** n. m. (1155, Wace). 1° Passage, dans tous les sens de ce mot : *El chastel a un mal trespas* (Chr. de Tr.). — 2° Détroit. — 3° Droit de passage. — 4° Espace de temps : *Ensi dure cest ataine Un lonc trespas* (Ben.). — 5° Chose passagère. *Par un trespas,* en passant, rapidement. *Trespas de vent,* souffle du vent qui passe. — 6° Vie passagère, vie de pécheur. — 7° Pas. — 8° Transgression, violation d'un ordre, crime : *akuns trespas et exces* (1272, *Lettre*). *Sans trespas,* sans faute. — 9° Digression. ◆ **trespassement** n. m. (1160, Ben.). 1° Action de passer, passage. — 2° Omission, retard. — 3° Action de dépasser le terme fixé. — 4° Espace de temps. — 5° Transgression, violation. — 6° Chose qui passe les bornes, excès, crime, félonie. ◆ **trespasseor** n. m. (fin XIIe s., saint Grég.). Transgresseur. ◆ **trespassant** n. m. et adj. (1175, Chr. de Tr.). 1° Passant. — 2° adj. Qui passe, passager. ◆ **trespassable** adj. (1160, Ben.). 1° Passager, transitoire. — 2° Que l'on peut passer.

trespenser v. (1160, *Eneas*; v. *penser*). 1° Méditer, être plongé dans ses pensées. — 2° Etre soucieux, s'inquiéter : *Amors le faisoit trespanser* (*Eneas*). ◆ **trespensé** adj. (1150, Wace), **-if** adj. (fin XIIe s., M. de Fr.). 1° Préoccupé, triste. 2° Outrecuidant.

trespercier v. (1167, G. d'Arras; v. *percier*). 1° Transpercer, fendre de part en part. — 2° Se faire jour. ◆ **trespercison** n. f. (XIIe s., Herman). Trous des mains et des pieds percés de part en part. ◆ **tresperçoier** v. (XIIIe s., *Doon de May.*). Transpercer.

tresporter v. (1204, R. de Moil.; v. *porter*). 1° Transporter, transférer. — 2° Enlever : *Dieus a ja tresporté de toy Ce grant peché* (Macé). ◆ **tresportement** n. m. (XIIIe s., *Livr. de Jost.*). Transport, transfert.

tresprendre v. (1080, *Rol.*; v. *prendre*). Prendre entièrement, saisir.

tressaillir v. (1080, *Rol.*; v. *saillir*, sauter). 1° Sauter, rejaillir, rebondir : *Par les ieus en tressaut li feus* (*Florim.*). — 2° Franchir en sautant, traverser : *Tressaut la table, s'est a Garin salli* (*Loher.*). — 3° Transgresser : *Car ce dont a grant desir Fait bien mesure tressaillir*

(*Chans.*). — 4° Dépasser, surmonter. — 5° Passer sous silence, laisser de côté.

tressi prép. (XIIe s.; composé de *tres,* jusque, et de *si,* du lat. *sic*). 1° Jusqu'à. *Tressi en,* jusqu'au. — 2° *Tressique a, en,* loc. conj. Jusqu'au.

tressuer v. (1080, *Rol.*; v. *suer*). 1° Etre couvert de sueur : *De grant savoir fu la roine, D'ire tresue sa persone* (*Trist.*). — 2° Suer, transpirer. — 3° Etre violemment agité.

trestant adv. (1175, Chr. de Tr.; composé de *tres* et de *tant*). 1° Tant, autant. — 2° Tout à fait : *C'un trestent seul ne s'en esquippe* (Guiart).

trestel n. m. (fin XIIe s., *Loher.*; lat. pop. **trastellum,* dim. de *transtrum,* poutre; v. *trastre*). Tréteau. ◆ **trestelet** n. m. (fin XIIe s., *Éd. le Conf.*). Petit tréteau.

trestorner v. (1080, *Rol.*; v. *torner*). 1° Tourner tout à fait, retourner. — 2° Changer, altérer : *Dex! com est tost mués Mes corages et trestornés!* (Percev.). — 3° Détourner, écarter, cacher : *Desoz la chape a mis l'aumuce, Qant qu'il puet la trestorne et muce* (*Trist.*). — 4° Débarrasser. — 5° Renverser, précipiter : *Mort le tresturne del destrier espaneis* (Otinel). — 6° Forcer à se retourner, faire fuir. — 7° Tourner le dos à l'ennemi, s'enfuir : *Nos somme ci emmi le sien pais, Ne li porrons trestorner no guenchir* (Gar. Loher.). — 8° Se retourner pour faire face, pour lutter. ◆ **trestor** n. m. (1112, *Saint Brand.*). 1° Détour, empêchement : *Tant errerent Sains nus trestors* (Part.). — 2° Chemin détourné. — 3° Action de tourner. — 4° Retour. — 5° Tour d'adresse, ruse, finesse : *Par fei, tu es de tel age Que tu deis bien saveir d'amors Et les engins et les trestors Et les reguarz et les cligniers* (Eneas). — 6° Retard, délai, faute. — 7° Figure de danse. ◆ **trestorne** n. f. (1250, *Ren.*). Action de détourner, d'esquiver. *Savoir de la trestorne,* être très habile à esquiver un danger. ◆ **trestornee** n. f. (1169, Wace). 1° Action de se tourner. — 2° Détour, chemin détourné. — 3° Changement. ◆ **trestornement** n. m. (XIIIe s., *Doon de May.*). Action d'éviter, d'échap-

per. ◆ **trestornable** adj. (fin XIIIᵉ s., Macé).
Qui se tourne, qui tourne.

trestrembler v. (1160, Ben.; voir
trembler). Trembler violemment, de
crainte ou de colère.

trestuer v. (XIIIᵉ s., *Chans.*; v. *tuer*).
Tuer, épuiser : *Amours trop me trestue*
(*Chans.*).

tresvirer v. (1150, *Thèbes;* v. *virer*).
Faire tourner.

tresvoir v. (XIIIᵉ s., Fr. Anger; voir
veoir). Entrevoir, apercevoir.

I. **treu** n. m. (XIIᵉ s., *Florim.*; lat. *tribu-
tum*). Toute espèce de droit seigneurial,
tribut, redevance, corvée, taxe. ◆ **treuage**
n. m. (XIIᵉ s., *Trist.*). Tribut.

II. **treu** n. m. V. TROU, trou.

treuillier v. V. TROILLIER, pressurer,
dévider.

trever v. (XIIIᵉ s., *Chans. d'Ant.;* voir
trive, trêve). Conclure une trêve.

triacle n. m. ou f. (XIIᵉ s., *Asprem.;* lat.
méd. *thêriaca*, du grec). 1° Animal fabuleux qui fournissait un des éléments cons-
titutifs de la thériaque. — 2° Thériaque,
remède contre la morsure des serpents.

triant, traiant n. m., bout de la
mamelle. V. TRAIRE, tirer.

I. **trible** adj. et n. m. V. TREBLE, triple,
à trois voix.

II. **trible** n. f., herse. V. TRIBLER,
broyer.

tribler v. (1120, *Ps. Oxf.;* lat. *tribulare*, briser les mottes de terre). 1° Broyer,
piler : *Yl fist tribler un herbe e la mist en
sa bouche* (F. Fitz Warin). — 2° Harceler,
battre. — 3° Tourmenter. ◆ **trible, treble**
n. f. (1265, J. de Meung; la parenté n'est
pas définitivement assurée). Herse : *Les
Romains semoient* [...] *par tout le champ
tribles, c'est a dire chausse trapes* (J. de
Meung).

triboler v. (1176, E. de Fougères; lat.
eccl. *tribulare*). 1° Tourmenter, vexer,
affliger. — 2° Ravager : *Mes pais est
durement tribolés* (Ogier). — 3° Troubler.

— 4° S'agiter. ◆ **tribol** n. m. (1160, Ben.).
1° Tribulation, peine. — 2° Trouble, agitation. ◆ **tribolement** n. m. (1314, *Vœux
du Paon*). Agitation, confusion, désordre.
◆ **triboleor** n. m. (1220, Coincy). 1° Celui
qui joue de mauvais jeux. — 2° Escamoteur. — 3° Agitateur.

tribucion n. f. (XIIIᵉ s., *Maug. d'Aigr.;*
lat. *tributio*, partage, paiement d'une
contribution). Récompense, retour, réciprocité.

tricat adj. (1204, R. de Moil.; cf. lat.
tricare, soulever des difficultés). Trompeur, fourbe : *Tout li markeant sont tricat* (R. de Moil.).

trichier v. (1170, *Percev.;* lat. pop.
triccare, pour *tricare*). Tromper. ◆ **triche**
n. f. (XIIᵉ s., *Cant. des cant.*). Tricherie,
tromperie. ◆ **tricherie** n. f. (déb. XIIᵉ s.,
Ps. Cambr.). Tromperie, ruse, mensonge.
◆ **tricheson** n. f. (XIIᵉ s., *Asprem.*). Tromperie. ◆ **tricheor** n. m. (1155, Wace).
1° Trompeur, fourbe. — 2° Imposteur. ◆
tricheros adj. (déb. XIIᵉ s., *Ps. Cambr.*).
Qui trompe. ◆ **trichart** adj. (XIIIᵉ s., *Fabl.*).
Trompeur.

tricoises n. f. pl. (1314, Mondev.;
altér. de *turquoises*, le changement
sémantique étant obscur). Tenailles.

I. **trie** n. f. (1313, G.; francique *thresk*).
Jachère.

II. **trie** n. f. V. TRIVE, trêve.

triege n. m. (1169, Wace; lat. pop.
trebui, d'orig. gaul.). Carrefour, route. ◆
triez, tries n. m. (1225, *Arch.*). Carrefour.

trier v. (1160, Ben.; prob. du bas lat.
tritare, de *terere*). 1° Choisir et séparer
des autres certains objets de même
nature : *Que il seust le tort del dreit Trier
e conoistre et sevrer* (Ben.). — 2° Se
trouver : *Oiez, triez et termines noz
chalenges et demandes* (1291, G.). ◆
triement n. m. (1260, Br. Lat.). Choix,
préférence.

tries prép. V. TRES, derrière.

trieve n. f. V. TRIVE, trêve.

trifoir adj. (1160, *Eneas;* bas lat. *tri-
forium*, à trois portes). Incrusté, ciselé,

travaillé à jour. — 2° Qui est en forme d'arceaux, à arcades. ◆ **trifoire** n. f. (1150, *Thèbes*). 1° Incrustation, ciselure. — 2° Œuvre magistrale d'orfèvrerie. ◆ **trifoiree** n. f. (XIIᵉ s., A. Neckam). Ouvrage incrusté.

trigaler v. (1176, E. de Fougères; orig. obsc.). Mener une vie de débauche. ◆ **trigalerie** n. f. (1176, E. de Fougères). Débauche : *L'aute ordre fu chevalerie Mes or est ce trigalerie* (E. de Fougères).

triné adj. (1335, Deguil.; lat. *trini*, trois par trois). Composé de trois éléments. ◆ **trinalment** adv. (1160, Ben.). Au nombre de trois.

triolaine n. f. (1220, Coincy; seul le premier élément *tri-* est reconnaissable). Jeûne de trois jours.

I. **tripe** n. f. (déb. XIVᵉ s.; orig. obsc.). Sorte d'étoffe de velours. ◆ **triperie** n. f. (1275, texte de Tournai). Manufacture où l'on fabrique ce genre de velours de laine.

II. **tripe** n. f. (XIIIᵉ s.; orig. obsc.). Boyau.

triper v. V. TREPER, frapper du pied, sauter, danser. ◆ **tripot** n. m. (XIIᵉ s., *Trist.*; étym. non assurée). 1° Embarras, mauvaise situation. — 2° Intrigue : *Dex! la franche ne se gardoit Des felons ne de lor tripot* (*Trist.*). — 3° Acte amoureux, tripotage.

tripudier v. (1361, Oresme; lat. *tripudiare*, danser, bondir). Danser, sauter. ◆ **tripudie** n. f. (1350, J. Lefebvre). Sorte de danse, branle. ◆ **tripudial** adj. (fin XIIIᵉ s., *Mir. saint Éloi*). De danse, qui se manifeste par la danse.

triquemer n. m. (XIIIᵉ s., *Garç. et Av.*; orig. obsc.). Pauvre diable : *Preudons, se Jhesus me doint joie, çou est uns povres triquemers* (*Garç. et Av.*).

I. **triste** adj. (Xᵉ s., *Saint Léger;* lat. *tristem*). Triste. ◆ **trister** v. (XIIIᵉ s., G. de Cambr.). Attrister, affliger. ◆ **tristor** n. f. (1150, Wace), -**ance** n. f. (XIIᵉ s., Herman), -**ece** n. f. (fin XIIᵉ s., M. de Fr.). Tristesse, affliction, horreur. ◆ **tristos** adj. (1160, Ben.). Triste, affligé. ◆ **tristoier** v. (1204, R. de Moil.). S'attrister, s'affliger.

II. **triste** n. m. V. TRISTRE, affût, aguet.

tristran n. pr. (XIIIᵉ s., *Fabl.;* cf. nom propre *Tristran*). *Chanter le Tristran*, être triste.

tristre, triste n. m. (1138, *Saint Gilles;* orig. incert.). Affût, aguet : *A un triste s'estut li rei E vit venir la bisse a sei* (*Saint Gilles*).

triu n. m. V. TREU, tribut, taxe, redevance en général.

I. **trive, trieve, trie** n. f. (1160, *Eneas;* francique *trinwa, sécurité). Trêve.

II. **trive** n. m. (XIIIᵉ s., *Bat. sept arts;* lat. *trivium*). Le trivium (grammaire, rhétorique et logique), subdivision des sept arts libéraux.

trobler v., mélanger, agiter, violer. V. TORBLE, trouble.

troche n. f. (1220, Coincy; lat. pop. *traduca, pour *tradux*, sarment). 1° Faisceau, bouquet. — 2° Troupe, assemblage, quantité : *De chevaliers une grant troche* (Coincy). — 3° Réunion de pierres précieuses et de perles en joyaux : boutons, fleurs, etc. ◆ **trochet** n. m. (XIVᵉ s.). Assemblage, bouquet de fleurs sur un arbre.

troef n. m. (1265, *Charte;* déverb. de *trover*). 1° Épave. — 2° Droit d'épave appartenant au seigneur.

troer v., trouer. V. TROU, trou.

trofloie n. f. (XIIIᵉ s., H. de Méry; orig. incert.). Raillerie : *Troufloie et gas Vi en la contenançe Yveresce* (H. de Méry).

I. **troillier** v. (1256, *Arch.;* lat. pop. *torculare*, presser). 1° Presser, pressurer. — 2° Dévider, tisser. ◆ **troil** n. m. (1282, *Arch.*). 1° Pressoir. — 2° Pression, presse, confusion (G. de Tyr). ◆ **troilleor** n. m. (XIIIᵉ s., *Cart.*). 1° Fabricant de pressoirs. — 2° Celui qui gouverne le pressoir et en perçoit les droits.

II. **troillier** v. (XIIIᵉ s., *Fabl.;* germ. *trölla*, charmer). Tromper, duper. ◆ **troille** n. f. (XIIᵉ s., *Proth.*). Tromperie, ruse, finesse. ◆ **troilleor** adj. (1220, Coincy). Trompeur, faux, dissimulé.

troine n. f. (1150, *Thèbes;* orig. incert.). Instrument de musique, sorte de trompette.

II. **troine** adj. (1277, *Rose;* francique **trugil*). 1° De troène, de bois blanc. — 2° De peu de valeur.

troivois, troisvoies n. m. (fin XIIᵉ s., M. de Fr.; composé de *trois* et *voie*). Carrefour.

troller v. (1180, *Rom. d'Alex.;* lat. pop. **tragullare*, suivre à la trace, de *trahere*). 1° Promener çà et là, chercher la trace. — 2° Courir çà et là.

trompe n. f. (fin XIIᵉ s., *Aymeri;* francique **trumpa*, de formation onomat.). 1° Trompe. — 2° Tube. — 3° Toupie (compar. à cause du bruit?). — 4° Tromperie (J. Lefebvre). *Baillier la trompe,* tromper. ◆ **trompiere** n. f. (XIIIᵉ s., *Tourn. Chauvenci*). Trompe, trompette. ◆ **tromper** v. (1167, G. d'Arras). 1° Sonner de la trompe, jouer de la trompette. — 2° Annoncer à son de trompe (Sarrazin).

tronc n. m. (1170, *Percev.;* lat. **truncum*, de *truncare*). Tronçon. *Tout tronc,* tout de suite. ◆ **tronchier** v. (1265, J. de Meung). Couper, couper par morceaux, enlever un tronçon de. ◆ **tronche** n. f. (1304, *Arch.*). 1° Grosse souche de bois. — 2° Tronc d'arbre coupé. — 3° Bûche, poutre. ◆ **tronchet** n. m. (XIIIᵉ s., *Chron. Reims*). 1° Petit tronc d'arbre, petite bûche. — 2° Billot de bois. ◆ **trons** n. m. (XIIᵉ s.; lat. pop. **trunceum*). Tronçon, morceau, éclat, bout. ◆ **tronçon** n. m. (1080, *Rol.*). Morceau coupé ou rompu d'un objet plus long que large. ◆ **tronçoner** v. (1170, *Percev.*). 1° Couper par le bout, casser par tronçons, tronquer. — 2° Se briser en tronçons, voler en éclats.

trondeler v. (1330, *B. de Seb.;* form. obsc.). Tomber en roulant : *Quant vit le Haus Assis qui avul irondela (B. de Seb.).*

tronesie n. f. (1330, *B. de Seb.;* dér. de *trone*, lat. *thronus*, du grec). Action de trôner, souveraineté, domination.

trop adv. (1080, *Rol.;* francique **throp*, entassement). 1° Beaucoup, suffisamment, assez : *N'est guaires granz ne trop nen est petiz (Rol.).* — 2° Excessivement, extrêmement : *Mei est vis que trop targe (Rol.).* — 3° n. m. Excès : *tuit li trop font a blasmer* (R. de Blois).

trope n. f. (fin XIIᵉ s., D.; bas lat. *troppum*, du francique *throp*, entassement). 1° Troupe, foule. — 2° Troupeau. ◆ **tropel** n. m. (1190, *Garn.*). 1° Troupeau. — 2° Foule : *Dunc fu lit li escriz, oiant tut le tropel* (Garn.). — 3° Troupe. ◆ **tropele** n. f. (XIIᵉ s., *Mainet*). Troupe, troupeau. ◆ **tropelet** n. m. (1306, *Guiart*). Petite troupe, troupeau. ◆ **tropeler** v. (1219, *Guill. Le Maréchal*). 1° Réunir en foule, en troupeau. — 2° Lever les troupes.

tropier n. m (1119, Ph. de Thaun; cf. lat. *stropha*, du grec). Livre d'heures contenant les strophes.

I. **tros** n. m. V. TORS, tige, tronçon, fragment.

II. **tros** n. m. V. TORS, paquet, torche, détour.

trosque prép. et conj. (fin XIIᵉ s., *Cour. Louis;* orig. obsc.; v. *tresque*). 1° Jusque : *Je vos conduirai trosqu'a l'uis (Part.).* — 2° *Trosque ci,* jusqu'à maintenant : *Encore a ele assez eu Trusque ci et bien et honor (G. de Dole).* — 3° *Trosque,* conj. (1160, Ben.), Jusqu'à ce que.

trosser v. V. TORSER, empaqueter, charger des bagages.

I. **trot, tropt** interj. (1220, Coincy). 1° Interjection d'indignation : *Mais a mot vous en dit trout, De loin ahen mes de pres prout* (Coincy). — 2° Exclamation d'encouragement : *Corne tru tru quant tu voulras* (Deguil.).

II. **trot** n. m., trot. V. TROTER, trotter.

troter v. (1160, *Eneas;* anc. haut all. *trottôn*). 1° Trotter. — 2° Sens grivois. — 3° *Trote a pié* n. m. (1220, Coincy). Valet. ◆ **trot** n. m. (1190, J. Bod.). Trot. *Aler le trot,* aller rapidement. ◆ **trotoi** n. m. (1200, *Quatre Fils Aym.*). Trot. ◆ **troton** n. m. (1080, *Rol.*). 1° Un grand trot. — 2° *En mal trot,* mal en point, dans une position critique. — 3° Celui qui fait les courses. — 4° Garçon d'écurie. ◆ **trotonoi** n. m. (1210, *Ren. de Montaub.*).

Trot. ◆ **trotier** adj. (fin XII° s., *Aiol*). 1° Se dit d'un cheval qui va au trot. — 2° *Garçon trotier,* garçon d'écurie.

trou n. m. (XI° s.; lat. pop. **traucu,* d'orig. préceltique). Trou. ◆ **troer** v. (1160, *Eneas*). Faire des trous, trouer. ◆ **troeure** n. f. (XII° s., *Pir. et Tisb.*). Cavité, fente. ◆ **trosiere** n. f. (XIII° s., Th. de Kent). Trou.

trover v. (fin XI° s., *Lois Guill.;* lat. pop. **tropare,* de *tropus,* fig. de rhétor.). 1° Inventer, composer, faire des chansons. — 2° Découvrir, trouver. ◆ **trovement** n. m. (1120, *Ps. Oxf.*). 1° Action de trouver, découverte. — 2° L'invention, en rhétorique (Br. Lat.). ◆ **trovage** n. m. (1229, *Ord.*). Découverte, trouvaille. ◆ **troveure** n. f. (fin XI° s., *Lois Guill.*). 1° Poésie, composition littéraire. — 2° Action de trouver, trouvaille. ◆ **troveor** n. m. (1160, *Ben.*). 1° Celui qui trouve, imagine. — 2° Trouvère. — 3° Menteur.

truant adj. et n. m. (1175, Chr. de Tr.; gaulois **trugant*). 1° Misérable, méprisable : *Et que ribaut chetif et truant m'apeles (Doon de May.).* — 2° n. m. Mendiant, gueux. ◆ **truander** v. (1175, Chr. de Tr.). Mendier. ◆ **truanderie** n. f. (XII° s.). Action de mendier. ◆ **truandie** n. f. (1277, *Rose*). Mendicité, acte de truand. ◆ **truandise** n. f. (1175, Chr. de Tr.). 1° Mendicité. — 2° Troupe de truands, canaille. ◆ **truandaille** n. f. (1306, Guiart). Ramassis de truands, canaille. ◆ **truanderet** adj. (1220, Coincy). De truand, de mendiant.

truble n. m. (1277, *Rose;* orig. incert.). Sorte de filet de pêche. ◆ **trublier** n. m. (1335, *Arch.*). Pêcheur qui se sert du *truble.*

trucider v. (1327, J. de Vignay; lat. *trucidare,* tuer). Massacrer.

trueve n. f. (1220, Coincy; v. *trover*). 1° Action de trouver. — 2° Objet trouvé, trouvaille, épave. — 3° Poésie, composition littéraire : *Guillaumes ll clers truit a fin De sa matere et de sa trueve (Fergus).* — 4° Fiction, mensonge : *Tout tient a truffe, tout a trueve Quanque reson li mostre et prueve* (Coincy).

trufe, trufle n. f. (XIII° s., *Fl. et Jeh.;* orig. obsc.). 1° Tromperie. — 2° Moquerie. ◆ **trufer** v. (XIII° s., *Trois Aveugles*). 1° Tromper. — 2° Railler : *Le service de sainte Eglise escoute devotement et sans truffer* (Joinv.). *Trufer de,* se moquer de. ◆ **trufoier** v. (av. 1300, poèt. fr.). Tromper, se moquer souvent. ◆ **truferie** n. f. (1220, Coincy). Moquerie, badinage, plaisanterie. ◆ **trufeor** n. m. (XII° s., *Horn*). 1° Diseur de futilités. — 2° Menteur, trompeur : *Ne vueil les trufeeurs ensivre* (Guiart). ◆ **trufos** adj. (1288, J. de Priorat). Trompeur. ◆ **trufable** adj. (XIII° s., *Pastor.*). Trompeur, menteur.

truiart adj. (1220, Coincy; v. *truand,* avec chang. de suffixe). Truand : *Por pereceus et por truiart Le tient son cuer* (Coincy).

truie n. f. (1150, *Thèbes;* bas lat. *troia,* fém. tiré de *porcus troianus,* porc farci). 1° Truie. — 2° Sorte de catapulte lançant de grosses pierres. — 3° Sorte de tonneau. ◆ **truiete** n. f. (1338, *Arch.*). Petite truie.

trumel n. m. (fin XII° s., *Loher.;* francique **thrum,* morceau). 1° Gras de la jambe. — 2° Jambe. *Pour les trumiaus Dieu,* juron *(Saint Eust.).* — 3° Jambon (1348, *Arch.*). ◆ **trumeliere** n. f. (XIII° s., *Tourn. Chanvenci*). Jambière. ◆ **trumelier** n. m. (1292, *Taille Paris*). Fabricant de jambières.

tu pron. pers. 2° pers. (X° s., *Fragm. de Valenc.;* lat. *tu*). Tu.

tube n. f. (XIII° s., Th. de Kent; lat. *tubus*). Trompette.

tubiane n. f. (XII° s., *Barbast.;* altér. de *timoine, timiame*). Encens, parfum à brûler. ◆ **tubie** n. f. (XII° s., *Blancandin*). Encens.

tue adj. et pron. poss. fém. V. TOE, ta, tienne.

tueil, teil n. m. V. TIL, tilleul.

tuel n. m. (1190, J. Bod.; francique **thuta,* trompette, tuyau). Tuyau, tige. ◆ **tuelet** n. m. (1160, *Ben.*). Petit tuyau.

tuen, toen, tien adj. et pron. poss. masc., forme accentuée, cas rég. sing. et cas sujet plur., **tuens,** cas sujet sing. et cas rég. plur. (980, *Passion;* lat. *tuum*). 1° Adj. poss., en fonction d'épithète : *Li sire guart le tuen entremet e tun eissiment (Ps. Oxf.).* — 2° Adj. poss., en fonction d'attribut : *Kar il sunt toen, la terre tue* (Ben.). — 3° Pron. poss., doté de l'article : *Tu menz, li tuns est morz e li miens vit (Rois).* ◆ V. TABLEAU DES POSSESSIFS, p. 422.

tuenart n. m. V. TOENART, bouclier.

tuer v. (1160, *Eneas;* lat. pop. **tutare,* pour *tutari,* protéger, d'où en bas lat. éteindre). 1° Éteindre. — 2° Étourdir, assommer. — 3° v. réfl. Etre ivre mort : *Tant ont beu, tuit sont tué (Eneas).* — 4° Abattre, tuer. ◆ **tueis** n. m. (1155, Wace). 1° Action d'égorger. — 2° Tuerie, massacre. ◆ **tueison** n. f. (1180, *Rom. d'Alex.*). Tuerie, massacre.

tuet n. m. (1138, Gaimar; orig. incert.). Bout, extrémité : *Sa lance prist par le tuet si com ceo fust un bastonet* (Gaimar).

tuhuter v. (XIIIᵉ s., *Pastor.;* d'orig. onomat.). 1° Jouer d'un instrument de musique. — 2° En particulier, sonner du cor.

I. **tuison** n. f. (fin XIIᵉ s., *Rois;* bas lat. *tonsionem,* de *tondere,* tondre). Toison.

II. **tuison** n. f., tuerie, massacre. Voir TUER.

tuit pron. indéf. masc. plur. V. TOT, tout.

tuition n. f. (1335, *Arch.;* lat. *tuitio,* protection). Protection, défense, garantie.

tumer v. (1175, Chr. de Tr.; francique **tûmon,* partiellement confondu avec *tomber*). 1° S'agiter, se démener. — 2° Gambader, sauter, danser. — 3° Tomber, s'enfoncer : *Rien sai ke s'ame in infer tume Qui ne t'aime de tot son cuer* (Coincy). — 4° Faire tomber, renverser. ◆ **tumee** n. f. (XIIIᵉ s., *Gaydon*). Chute. ◆ **tumerel** n. m. (1260, Mousk.). 1° Piège. — 2° Machine de guerre, trébuchet. ◆ **tumeor** n. m. (1150, *Thèbes*). Faiseur de culbutes, saltimbanque, danseur.

tupin n. m. (1318, *Charte;* orig. obsc.). Vase, pot en terre ou en fer.

tupinel n. m. (XIIIᵉ s., *Bat. sept arts;* dimin. de *turpin*). Espèce inférieure de soldats : *La baniere comme liepart Sivoient tuit cil tupinel (Bat. sept arts).* ◆ **tupineis** n. m. (1277, *Rose;* v. *trepignis*). Joute, tournoi.

turabim n. m. (1162, *Fl. et Bl.;* adapt. du lat. *terebinthus,* du grec). Térébinthe.

turc adj. et n. m. (1213, Villeh.; nom de peuple). Turc. ◆ **turcois** adj. (1170, *Fierabr.*). 1° Turc, fait à la façon des Turcs, appliqué à arc, selle, tapis, etc. — 2° Qualifie une sorte de machine de guerre pour lancer les pierres. — 3° n. m. Turc (*Chev. cygne*). — 4° n. f. pl. Tenailles (1314, Mondev.). ◆ **turcople** n. m. (XIIᵉ s., *Asprem.*). 1° Soldat turc. — 2° Soldat, turc ou non, armé à la légère. — 3° Turc (Mousk.).

I. **turcois** n. m. (1169, Wace; cf. pers. *tarkash,* carquois). Carquois.

II. **turcois** adj., fait à la façon des Turcs, turc. V. TURC.

turelure n. m. (XIIIᵉ s.; orig. onomat.). 1° Cornemuse. — 2° Refrain de chanson. ◆ **turluele** n. f. (1160, Ben.), **-ete** n. f. (1160, Ben.). Cornemuse. ◆ **turlueter** v. (1160, Ben.). Jouer de la cornemuse.

turme n. f. (1308, Aimé; lat. *turma,* escadron). Escadron, bataillon, troupe.

turnicle n. m. et f. (1160, *Eneas;* altér. de *tunique*). Vêtement de dessus, sorte de bliaut à l'usage des hommes. ◆ **turniquel** n. m. (1260, Mousk.). Vêtement de dessus.

turpin n. m. (1204, R. de Moil.; orig. obsc.). Sorte de soldat : *Cloistriers ont lor robe escourtee; Escuiier sanlent et turpin* (R. de Moil.).

turquet n. m. (1318, G. de la Bigne; v. *turc*). Oiseau de fauconnerie. ◆ **turquie** n. f. (1317, G.). Espèce de drap d'or. ◆ **turquement** n. m. (1282, *Arch.*). Sorte de bête de somme.

tuter v. (1350, G. li Muisis; lat. *tutari,* protéger). Défendre, protéger. ◆ **tuterie** n. f. (1283, Beaum.). Tutelle. ◆ **tuteor** n. m. (XIIIᵉ s., *Livr. de Jost.*), -**eresse** n. f. (1301, *Charte*). Tuteur, tutrice. ◆ **tutoire** adj. (1336, *Arch.*). Qui appartient à la tutelle.

I. tuteler v. (XIIIᵉ s., *Sermons;* d'orig. onomat.). Jouer d'un instrument de musique, en particulier d'un cor.

II. tuteler v. (1210, *Dolop.;* v. *title*). Revêtir, décorer d'une inscription, pourvoir d'une dédicace.

u

ue adv. V. UI, aujourd'hui.

uef n. m. (1119, Ph. de Thaun; lat. *ovum*). Œuf. ◆ **ueve** n. f. V. OVE, collectif d'œufs.

ueil n. m. V. ŒIL, œil.

uel adj. V. IVEL, égal. ◆ **uelin** adj. 1119, Ph. de Thaun). Égal, pareil.

uele n. f. V. OLE, marmite.

uer n. m. V. OR, bord, lisière.

ues n. m. (1112, *Saint Brand.*; lat. *opus*). 1° Œuvre, ouvrage : *Et si l'establis lui sur les wes de tes mains* (Ps.). — 2° Usage, service : *Que l'en nos envoi a cel hues* (Trist.). — 3° Pouvoir, puissance : *Quar ne poroit mais tenir terre, Ne n'avoit oes de faire guerre* (Wace). — 4° Besoin. *Avoir ues*, avoir besoin : *Sor les cevaus monterent lues, Si com mestier lor fu et woes* (Mousk.). — 5° Profit, intérêt. *A ues, à l'ues*, au profit de, dans l'intérêt de. *A mon ues*, pour moi.

uevre n. f. V. ŒUVRE, action, corvée.

ui, ue, oi adv. (1080, *Rol.*; lat. *hodie*). Aujourd'hui. *Hui cest jor*, aujourd'hui même. *Hui jor d'hui*, aujourd'hui. *Hui et le jour*, désormais.

uil n. m. (XIII⁰ s.; lat. *oleum*). Huile.

uimain, umain adv. (1190, J. Bod.; composé de *ui* et *main*, matin). Aujourd'hui au matin, ce matin.

uimais, uimes adv. (1162, *Fl. et Bl.*; composé de *ui*, aujourd'hui, et de *mais*, davantage). 1° Désormais, dès maintenant. — 2° Maintenant, de suite.

uis n. m. (déb. XII⁰ s., *Voy. Charl.*; lat. pop. *ustium*, pour *ostium*). 1° Porte. — 2° *Huis et fenestre*, moyen, condition :

Ses voloirs est huys et fenestre Par u ilh entre en damage (Trouv. belges). — 3° *Metre huis contre fenestre*, s'opposer aux desseins de q'un. ◆ **uisse** n. f. (1286, *Cart.*). Porte. ◆ **uisset** n. m. (déb. XIII⁰ s., *Chast. Vergi*), **uisselet** n. m. (1277, *Rose*). Petite porte, guichet. ◆ **uisseure** n. f. (1220, *Saint-Graal*). Porte. ◆ **uisserie** n. f. (1160, *Eneas*). 1° Ouverture, entrée, porte. — 2° Boiserie de porte. ◆ **uissine** n. f. (1330, *H. Capet*). 1° Entrée. — 2° Petite maison, cabane. ◆ **uisaige** n. m. (XIII⁰ s.). Droit sur les portes. ◆ **uissier** n. m. (XII⁰ s., *Florim.*). Véhicule à porte pour le transport des chevaux. ◆ **uissier** n. m. (1138, *Saint Gilles*). Portier. ◆ **uisserain** n. m. (1167, G. d'Arras). Portier.

uisdif adj. V. OISDIF, qui ne fait pas quelque chose, oisif, oiseux.

uisine n. f. V. USINE, ustensile du ménage, travail.

uisos, uiseus adj. V. OISOS, paresseux, lâche, inutile.

uit n. de nombre (fin XI⁰ s., *Lois Guill.*; lat. *octo*). Huit. ◆ **uitme** adj. num. (XII⁰ s.). Huitième. ◆ **uitisme** adj. num. (1213, *Fet Rom.*). Huitième. ◆ **uitante** n. de nombre (déb. XII⁰ s., *Voy. Charl.*). Quatre-vingts.

ul adj. indéf. (1215, *Gr. Charte*; lat. *ullum*). Aucun, quelque : *Ule veve ne seit destreite de sei marier* (Gr. Charte).

ulage n. m. (1150, *Thèbes*; germ. *utlag*). Homme mis hors la loi, banni, pirate, voleur : *Et li ullage les ocient, Et li chaitif braient et crient* (Wace). ◆ **ulagier** v. (1215, *Gr. Charte*). Mettre hors la loi, bannir. ◆ **ulagarie** n. f. (1314, *Year Books*). Mise hors la loi, bannissement.

ulcion n. f. (1220, Coincy; cf. lat. *ulcisci*, venger). Vengeance, châtiment.

I. **uler** v. (1160, Ben.; lat. *ululare*). Hurler, vociférer. ◆ **ulement** n. m. (1160, Ben.). Hurlement. ◆ **ululacion** n. f. (1220, Coincy). Hurlement.

II. **uler** v. V. USLER, brûler, rôtir.

um n. de nombre et article. V. UN, un, semblable, équivalent.

umain adv. V. UIMAIN, ce matin.

umanité n. f. (1120, *Ps. Oxf.;* lat. *humanitas*). 1° Nature humaine. — 2° Vie : *Comme plusieurs deffuns, ou temps que il avoient humanité* (1340, *Arch.*). — 3° Parties naturelles.

umect, umé adj. (1277, *Rose;* lat. *humectus*). Humide.

umele adj. (1080, *Rol.;* lat. *humilis*). Humble. ◆ **umelios** adj. (1335, Deguil.). Humble. ◆ **umeliable** adj. (1130, *Job*), -iant adj. (1160, Ben.). Humble. ◆ **umelité, umleté** n. f. (xᵉ s., *Saint Léger*). 1° Modestie. — 2° Humilité. — 3° Bonté, douceur, affabilité : *rois plains d'umilité* (Aden.). ◆ **umeliance** n. f. (1160, Ben.). Humilité, courtoisie, rapport amical. ◆ **umblece** n. f. (fin xiiᵉ s., saint Grég.). Humilité, modestie.

umelier v. (1119, Ph. de Thaun; voir *umele,* humble). 1° Rendre humble. — 2° Etre humble. — 3° S'incliner humblement devant qu'un, saluer. — 4° S'apitoyer sur : *Moult a dur cuer qui n'umilie Celui c'on voit qui le supplie (Rose).* ◆ **umeliement** n. m. (1190, saint Bern.). Humiliation.

umer v. (xiiiᵉ s., *Garç. et Av.;* orig. onomat.). Boire : *Mais du sien assés humerai et as compaignons en donrai (Garç. et Av.).*

umor n. f. (1119, Ph. de Thaun; lat. *humorem,* liquide). 1° Liquide. — 2° Humidité : *Moult est la terre dure Sans eve et sans humor* (C. de Béth.). — 3° Humeur (méd.) : *Toilt fevre e les males umurs* (Marb.).

un, um n. de nombre et art. (xᵉ s., *Eulalie;* lat. *unum*). 1° Le nombre un. — 2° Semblable : *D'ire, de mautalent sospire, De ce que tos tems li est une, Pesme, senz trestorner, fortune* (Ben.). — 3° Équivalent : *Cose qui n'est pas une* (G. li Muisis). — 4° *A un, en un, par un,* ensemble, d'accord : *Que an lui mist trestot a un Ce que par parz done a chascun* (Chr. de Tr.). — 5° Article présentatif, dit indéfini : *Apres i vint uns paiens Climborins (Rol.).* — 6° L'article employé au pluriel lorsqu'il s'agit d'objets allant par paire ou par collections : *Avoit unes grandes joes ... et unes narines lees (Auc. et Nic.).* — 7° *Un et un,* l'un après l'autre. *D'un et d'autre,* d'une chose et d'autre. *Ne d'un ne d'el,* ni d'un côté ni de l'autre. — 8° En emploi pronominal avec *le, la,* une des personnes, une des choses dont il s'agit : *Par grant saveir parolet l'uns al altre (Rol.).*

uncor, uncore adv. V. ONCOR, encore, maintenant.

unicorne n. f. (1260, Br. Lat.; lat. *unicornem*). Licorne, animal fabuleux.

univers adj. (mil. xiiᵉ s., D.; lat. *universum*). Entier, complet, universel. ◆ **université** n. f. (1218, *Arch. Mos.*). 1° Commune, communauté de ville, assemblée. — 2° Collège. — 3° Totalité, universalité.

urler v. V. ULER, hurler, vociférer.

us n. m. (1164, Chr. de Tr.; lat. *usum*). 1° Usage, emploi : *Ne n'en retenoient sanz plus* (d'avoir) *Fors tant seulement por lor us* (G. de Metz). — 2° Habitude, coutume. — 3° Existence : *Qui en infer soeffre mal us* (Chr. de Tr.). — 4° Usufruit.

usefruit n. m. (1279, *Arch.;* lat. jur. *ususfructus*). Usufruit. ◆ **usufruitier** v. (1345, *Cart.*). Posséder en usufruit.

user v. (1080, *Rol.;* lat. pop. *usare;* v. *us*). 1° Faire usage de, employer. — 2° *User sa vie,* passer péniblement sa vie. *User son tems,* passer sa vie : *Charles li magnes a molt son tens usé* (Cour. Louis). — 3° Exercer, pratiquer. — 4° Mener, conduire : *Et en ceste guise useroient leur guerre* (1295, *Charte*). — 5° Prendre habituellement, manger : *Vous userés ce pain que entre mes mains veés* (Livr. Pass.). — 6° *User le cors Dieu,* communier. — 7° Avoir coutume. — 8° *User mal,* souffrir du mal : *Moult i use mal et endure* (Chr. de Tr.). — 9° Jouir du droit d'usage. ◆ **usement** n. m. (xiiiᵉ s., *Arch.*). 1° Usage reçu. — 2° Redevance d'usage. ◆ **usaire** n. m. (1215, *Arch.*). 1° Usage. — 2° Droit d'usage. — 3° Bois soumis au droit d'usage. ◆ **usage** n. m. (xiiᵉ s., Herman). 1° Habitude, manière d'être : *Ele ot une seror qui fu de saint usage* (Herman).

Mener fol usage, mener mauvaise vie. — 2º plur. Coutumes. — 3º plur. Usufruit. — 4º plur. Impôt, redevance. ◆ **usagier** v. (1308, *Franch.*). User, jouir d'un bien. ◆ **usagié** adj. (1289, *Cart.*). Usuel, usité, en usage. ◆ **usaire** adj. (1311, *Charte*). Où l'on a le droit d'usage. ◆ **usable** adj. (1318, G. de la Bigne). 1º Qui est en usage, conforme à l'usage. — 2º Dont on peut user. ◆ **usal** adj. (1300, G.). Usuel, ayant cours.

usine, uisine n. f. (1274, *Charte;* altér. de *œuchine,* du lat. *officina,* atelier). 1º Le total du bien que chacun possède, ustensiles de ménage, biens de campagne. — 2º Travail en général.

I. **usler** v. (1119, Ph. de Thaun; lat. *ustulare*). 1º Brûler, rôtir. — 2º Animer, enflammer. ◆ **uslor** n. f. (1112, *Saint Brand.*). Feu, brûlure. ◆ **usleis** n. m. (XIIIᵉ s.). 1º Brûlure. — 2º Goût de brûlé, goût de rôti.

II. **usler** v. V. ULER, hurler, vociférer.

ussir v. V. EISSIR, sortir.

usuaire n. m. (1239, *Arch.;* dér. du lat. *usus*). 1º Droit d'usage, servitude. — 2º Usufruit.

usure n. f. (déb. XIIᵉ s., D.; lat. *usura*). Intérêt de l'argent. ◆ **usurer** v. (XIIᵉ s., Herman). Prêter à usure, pratiquer l'usure. ◆ **usureor** n. m. (1204, R. de Moil.). Usurier.

usurper v. (déb. XIVᵉ s.; lat. jur. *usurpare,* de *usus* et *rapere*). Usurper. ◆ **usurpant** n. m. (1349, *Lettre*), **-eur** n. m. (1321, *Arch.*). Usurpateur.

utage, -ange n. f. (1138, *Saint Gilles;* orig. incert.). Cordage qui dans un vaisseau retient l'antenne à l'arbre.

utdis, -duc n. m. (1285, *Lettre;* d'orig. flamande). Digue, terre formée par les jets de la mer.

utle adj. (fin XIIᵉ s., *Rois;* lat. *utilem*). Utile : *e utle e profilables a mun os (Rois).*

uve n. f. (1295, G. de Tyr; lat. *uva*). Raisin.

uvel adj. V. IVÉ, IVEL, égal.

va interj. (XIIᵉ s., *Trist.*; impér. de *aler*). Formule d'exhortation, d'encouragement : *Va, si li di que ne s'esmait (Trist.)*.

vacant adj. (1207, Delb.; lat. *vacans, -antis*, p. prés. de *vacare*, être vide). Oisif.

vacel n. m. V. VALCEL, vallon.

vache n. f. (fin XIᵉ s., D.; lat. *vacca*). 1° Vache. — 2° Cuir de vache (XIIᵉ s.). ◆ **vachete** n. f. (1204, R. de Moil.). Petite vache. ◆ **vacherie** n. f. (1150, *Thèbes*). Troupeau de vaches. ◆ **vachage** n. m. (1248, *Cart.*). 1° Pâturage des champs. — 2° Droit de faire paître les vaches. ◆ **vachin** n. m. (fin XIIIᵉ s., *Cart.*), **-on** n. m. (1295, *Cart.*). Cuir de vache. ◆ **vacheron** n. m. (XIIIᵉ s., *Pastor.*). Petit gardien des vaches. ◆ **vacheresse** adj. (1255, *Arch.*). 1° Des vaches. — 2° n. f. Vachère (1318, *Arch.*).

vaegner v. (1260, A. de la Halle; var. de *galgnier*). Engendrer : *Chiex viex leres le* (l'enfant) *vaegna* (A. de la Halle).

vaer v. V. VEER, défendre, interdire.

vagant adj. (1155, Wace; lat. *vagans, -antis*, de *vagari*, aller çà et là). Errant : *Vajant aloent par cez plaines* (Wace).

vagine n. f. (XIIIᵉ s., G.; lat. *vagina*, gaine). Gaine.

I. vague adj. (fin XIIIᵉ s., Macé; lat. *vagum*, errant). Errant, vagabond : *Les mauves et les soudeans Et les vagues et les fuens* (Macé). ◆ **vaguer** v. (1130, *Job*). Errer, aller çà et là.

II. vague adj. (1230, *Cart.*; lat. *vacuus*, vide). 1° Vide, vacant, dépourvu de titulaire. — 2° Inculte, désert : *Estoit la terre le roy si vague* (Joinv.).

III. vague n. f. (XIIᵉ s., *Trist.*; anc. scand. *vâgr*). Vague. ◆ **vaguier** v. (XIIIᵉ s., *Doon de May.*). Faire des vagues.

vai adj. (1204, R. de Moil.; lat. *vagum*, errant). 1° Errant, vagabond. — 2° Frivole : *Plus fort neu ne sai Pour reliier cuer vain et vai* (R. de Moil.). — 3° Trompeur. ◆ **vaier** v. (1160, *Eneas*). Errer.

vaillant adj. (XIᵉ s., *Alexis;* p. passé de *valoir*). 1° De grande valeur, doué de

grandes qualités : *Biaus nies, dist il, ceste pucele Est mult vaillans, si com je croi* (Gauvain). — 2° Qui attache, qui intéresse : *une estoire vaillant (Cour. Louis).* — 3° Capable de résistance, puissant : *un chastel vaillant et fort* (M. de Fr.). — 4° Fort, robuste, violent. — 5° Haut placé : *Des plus vaillans et des plus rikes* (A. de la Halle). ◆ **vaillant** n. m. (1080, *Rol.*). 1° Vaillant combattant : *de nos meillurs vaillanz (Rol.).* — 2° Bien, avoir, fortune. — 3° La valeur d'une chose, son équivalent : *Je n'en averai de vus le vaillant d'un butun (Horn).* ◆ **vaillantissime** adj. (1308, Aimé). Très vaillant. ◆ **vaillance** n. f. (1160, *Eneas*). 1° Valeur, prix d'une chose. — 2° Action de valeur, exploit. — 3° Qualité, vertu : *Oi parler de vo samblanche, De vo biauté, de vo vaillanche* (G. de Montr.). — 4° Équivalent. — 5° Inventaire. — 6° Sorte de redevance. ◆ **vaillandie** n. f. (fin XIIᵉ s., *Loher.*), **-antie** n. f. (XIIIᵉ s., G.). Vaillance. ◆ **vaillable** adj. (1345, *Arch.*). 1° Valable : *Pour ce que vo soit chose ferme et vaillable a touz jours* (1345, *Arch.*). — 2° Fort, puissant. ◆ **vaillissant** adj. (1180, *R. de Cambr.*). 1° De la valeur de : *Ne le doton vallissant .I. denier* (Loher.). — 2° n. m. Valeur, prix (Ben.).

I. vain adj. (1138, *Saint Gilles;* lat. *vanum*, vide). 1° Faible, épuisé : *Lor char pali et devint vaine (Trist.).* — 2° Vide. *Vaine pasture* (XIIIᵉ s.), terre où il n'y a ni semences ni fruits. — 3° *Vaine fievre*, langueur (Garn.). — 4° Mou, liquide : *Les fumees* (du cerf) *qui vaines sont* (la *Chace dou cerf*). ◆ **vaine** n. f. (1220, Coincy). Faiblesse. *En vaines*, en vain (*Thèbes*). ◆ **vaineté** n. f. (1175, Chr. de Tr.). 1° Faiblesse, défaillance. — 2° Vanité.

II. **vain** n. m. V. GAAING, pâturage.

vaindic n. m. (1248, *Cart.* en lat. méd.; 1391, texte français; anc. nor. *venda,* tourner). Pièce de terre.

vainquir v. (fin XIIᵉ s., *Loher.;* formé sur le passé simple de *veintre,* vaincre). Vaincre.

vaintre v. V. VEINTRE, vaincre.

vair adj. (1080, *Rol.;* lat. *varium,* varié, tacheté). 1º Variable, mobile : *Qui moult par ert vairs et joiaus (Trist.).* — 2º Changeant, avec sens péjor. : *Fausse, plus vaire ke pie* (C. de Béth.). — 3º De différentes couleurs, bigarré. — 4º Luisant, brillant : *Les ioex ot vairs conm a serpens* (Wace). — 5º Gris-bleu, clair (en parlant des yeux). — 6º Gris pommelé, en parlant d'un cheval. ◆ **vair** n. m. (1138, *Saint Gilles*). 1º Cheval tacheté. — 2º Fourrure de l'écureuil du Nord. — 3º Fourrure de diverses couleurs. ◆ **vaireure** n. f. (XIIᵉ s., Herman). Vérole. ◆ **vairet** adj. et n. m. (1138, *Saint Gilles*). 1º Bigarré, tacheté. — 2º Cheval pommelé. — 3º Méteil (1309, *Arch.*). ◆ **vairon** adj. et n. m. (fin XIIᵉ s., *Auc. et Nic.*). 1º De deux couleurs, tacheté. — 2º Cheval pommelé *(Saint Gilles).* ◆ **vaironet** n. m. (1170, *Percev.*). Petit poisson de rivière. ◆ **vaironé** adj. (1170, *Fierabr.*). Tacheté. ◆ **vaireté** adj. (1180, *Rom. d'Alex.*). 1º Tacheté. — 2º Garni de *vair.* ◆ **vairié** adj. (1220, *Saint-Graal*). 1º Bigarré, tacheté. — 2º Garni de *vair.* — 3º Terme d'orfèvrerie. Orné ou doré par parties, par bandes. — 4º Terme de blason (en parlant des parties de l'écu), Chargées de *vair.*

vais n. m. (1328, Watriquet; v. *vase*). Bourbier.

vaissel n. m. (1155, Wace; bas lat. *vascellum,* dimin. de *vas,* vase). 1º Vase, récipient. — 2º Navire, barque (XIIᵉ s.). — 3º Cercueil (Mousk.). — 4º Ruche *(Chev. cygne).* — 5º anat. V᎐ısseau (Mondev.). ◆ **vaisselet** n. m. (1150, Wace), -ot n. m. (1307, G.). Petit vase. ◆ **vaisselee** (1350, G.). Contenu d'un vaisseau, d'un navire. ◆ **vaisselement** n. m. (1210, *Dolop.*). 1º Vase, vaisseau. — 2º Vaisselle, ustensiles de ménage. ◆ **vaisselemente**

(1170, *Percev.*). 1º Vaisselle, argenterie. — 2º Toutes sortes d'ustensiles de ménage.

vaitier v. V. GAITIER, guetter, observer.

val n. m. (1080, *Rol.;* lat. *vallem,* n. fém.). Val, vallon. ◆ **valet** n. m. (1175, Chr. de Tr.). Vallon. ◆ **valiere** n. f. (XIIIᵉ s., *Fabl.*). Petite vallée, creux. ◆ **valer** v. (déb. XIVᵉ s., *F. Fitz Warin*). Faire descendre. ◆ **valce** n. f. (fin XIIᵉ s., *Ogier*), **valcel** n. m. (XIIᵉ s., *Barbast.*), **valcele** n. f. (1180, *Rom. d'Alex.*). Vallon. ◆ **valcelete** n. f. (XIIIᵉ s., Th. de Kent). Tout petit vallon. ◆ **vaucelu** adj. (fin XIIIᵉ s., Guiart). Cannelé.

valcrer v. V. GALCRER, vaguer, naviguer.

valdenier n. m. (XIIIᵉ s., *Doon de May.;* composé de *valoir* et de *denier*). Vaurien : *Que est ce, vaudenier, que ales vous querant? (Doon de May.).*

I. **valet** n. m. V. VASLET, enfant mâle, jeune homme, apprenti. ◆ **valot** n. m. (XIIIᵉ s., *Fabl.*). Jeune homme, valet. ◆ **valeton** n. m. (1160, Ben.). Petit valet. ◆ **valeterie** n. f. (fin XIIIᵉ s., *Livre des métiers*). Service de valet. ◆ **validire** n. m. (fin XIIᵉ s., Ruteb.). Valet qui fait des messages, raccrocheur de femmes : *Je sui por maqueriaus tenuz : L'en vous retient a validire* (Ruteb.).

II. **valet** n. m., vallon. V. VAL, vallon.

valoir v. (1080, *Rol.;* lat. *valere,* être bien portant, fort, valoir). 1º Avoir de la valeur, de la force : *Je commenç, car mius de ti vail* (J. Bod.). — 2º Servir à, être utile à : *Que vaurroit mentirs?* (J. Bod.). — 3º Fortifier ; *Por vos valeir e aidier* (Ben.). — 4º Défendre par sa valeur : *Et ses peres l'avoit toudis Soucouru, nouri et valu* (Mousk.). ◆ **val** n. m. (1347, *Test.*). Valeur. ◆ **valance** n. f. (1247, Tailliar). 1º Valeur. — 2º Objet de valeur. — 3º Fortune. ◆ **valissance** (1300, *Arch.*). Valeur. ◆ **value** n. f. (fin XIIᵉ s., D.). 1º Prix, valeur. — 2º Valeur, équivalent. *Value a value, a la value,* proportionnellement. — 3º Valeur morale. — 4º Vaillance. — 5º *A la value que,* à mesure que. ◆ **valant** adj. (1260, Mousk.). Qui vaut, qui a tel talent, telle qualité. ◆

valable adj. (XIIIe s., *Ass. Jérus.*). 1° Qui vaut, qui a de la valeur. – 2° Qui a les formes requises.

I. van n. m. (1175, Chr. de Tr.; lat. *vannum*). Panier d'osier. ◆ **vanee** n. f. (1347, G.). Contenu d'un van. ◆ **vaner** v. (v. 1100, D.). Nettoyer les graines à l'aide d'un van. ◆ **vanier** n. m. (1226, *Arch.*). Ouvrier qui fait des vans, des corbeilles d'osier. ◆ **vané** adj. (XIIe s., *Barbast.*). 1° Purifié. – 2° D'élite, noble : *Moult fust ore pure et bien vanee Fame qui n'anuiast tieus hon* (Coincy).

II. van adv. V. OAN, cette année, présentement.

vane n. f. V. VENE, vanne. ◆ **vanil** n. m. (1328, *Arch.*). Vanne.

vaneglorios adj. (1260, Br. Lat.; comp. de *vane*, vainement, et de *gloriosus*). Vantard, fanfaron.

I. vanter v. (1080, *Rol.*; bas lat. *vanitare*, être vain). 1° S'attribuer des qualités qu'on n'a pas. – 2° Tirer vanité de. – 3° Se faire fort de : *De Dieu servir me veuil vanter* (J. Bod.). – 4° Louer, exalter. ◆ **vante** n. f. (1180, *Rom. d'Alex.*). Bruit, louange. ◆ **vantement** n. m. (1170, *Percev.*), **-ance** n. f. (1080, *Rol.*), **-ise** n. f. (1190, saint Bern.), **-ison** n. f. (1180, *G. de Vienne*). 1° Action de se vanter, vantardise. – 2° Vanité, orgueil. ◆ **vanteor** n. m. (XIIe s., *Asprem.*). Vantard. ◆ **vantant** adj. (1204, R. de Moil.). Vantard.

II. vanter v. V. VENTER, souffler, attiser.

vaquer v. (1260, Br. Lat.; lat. *vacare*, être vide). 1° Etre vacant. – 2° *Vaquer a*, s'occuper à (déb. XIVe s.).

varaingle n. f. (1160, *Charr. Nîmes*; orig. incert.). Partie du harnais d'un cheval.

varcolet n. m. (XIIIe s., Tailliar; comp. de *garer*, protéger, et de *colet*). Étoffe et vêtement servant à protéger le cou. ◆ **varcoletier** n. m. (1342, *Arch.*). Fabricant et marchand de *varcolets*.

varec n. m. (déb. XIIe s., D.; anc. angl. *wraec*; cf. *wrec*). Épave.

varlet n. m. V. VASLET, enfant mâle, jeune homme, apprenti.

varier v. (1150, *Saint Évroul;* lat. *variare*). 1° Faire changer : *Dame sainte Marie, Mon corage varie Ainsi que il te serve* (Ruteb.). – 2° S'altérer, se corrompre : *Li tans se pourrait varier* (*Saint Évroul*). – 3° Se détourner. – 4° Hésiter, vaciller, tergiverser : *Croy çou que je te dy et ne va variant* (Chev. cygne). – 5° Contester. ◆ **varie** n. f. (1190, Garn.). Variation, changement, interrruption. ◆ **varieté** n. f. (1160, Ben.). Bigarrure, ornements variés. ◆ **variement** n. m. (fin XIIe s., *Chev. cygne*), **-ance** n. f. (XIIIe s., Chardry). 1° Variation, changement d'état, de disposition. – 2° Hésitation, doute.

varol n. m. V. GAROL, loup garou.

vase n. f. (1396, texte de Dieppe; moy. néerl. *wase*). Vase. ◆ **vasier** n. m. (1282, *Cart.*). Lieu vaseux, terre formée par la vase de la mer. V. VAIS, bourbier.

vaslet, varlet, vallet n. m. (1160, Ben.; lat. pop. *vassellittum*, dimin. du bas lat. *vassus*, serviteur, d'orig. celtique). 1° Jeune homme non encore armé chevalier, page, écuyer : *Uns bacelers jonez, touzes, N'est pas chevaliers, mes vallez* (Gilles de Chin). – 2° Jeune homme en général. – 3° Enfant mâle, garçon : *Dous enfanz de sa femme aveit : L'uns ert vuslez, l'autre danzele* (Ben.). – 4° Aide du maître, apprenti. – 5° Domestique (XIIe s.).

vassal n. m. (1080, *Rol.;* bas lat. *vassallum*, dér. de *vassus*, d'orig. celtique). 1° Homme noble qui suit son seigneur à la guerre et lui porte aide et assistance dans des cas prévus par la coutume. – 2° Jeune homme noble et vaillant en général. – 3° Interpellatif servant à s'adresser à un jeune homme, à un compagnon. – 4° adj. Vaillant, courageux, brave : *En tot le monde ne sai taus si corajos ne si vasaus* (Ben.). ◆ **vasselage** n. f. (1080, *Rol.*). 1° Qualités d'un vassal, vaillance, fidélité, courage guerrier : *Riches oem ert de halt parage, Et molt aveit grant vasalage* (Eneas). – 2° Acte de bravoure, prouesse : *N'a pas grant vasselaige Fait, s'ele m'a trai* (C. de Béth.). ◆ **vassalté** n. f. (XIIIᵉ s., *Chron. Saint-Denis*). Devoir du vassal. ◆ **vasselor** adj. plur. (1270, *Arch.*). Des vassaux. ◆ **vassalment** adv. (1080, *Rol.*). Bravement, avec ardeúr : *Le chastel unt pris vassaument* (Ben.). ◆ **vasseor** n. m. (1225, *Sept Sages*). Vassal. ◆ **vassorie** n. f. (1337, *Arch.*). Arrière-fief tenu par un vavasseur.

vasse n. f. (1169, Wace; cf. francique *wazo, motte de terre garnie d'herbe). Jachère : *La terre esteit en vasse, li pais esteit mol* (Wace).

vaster v. V. GASTER, dévaster. ◆ **vastation** n. f. (1327, J. de Vignay). Dévastation.

vaucrer v. V. GALCRER, voguer, naviguer.

vauntparleur n. m. (déb. XIVᵉ s., *F. Fitz Warin;* composé de la forme apocopée de *avant* et de *parleur*). Homme trop hâtif à parler, faiseur de boniments.

vauti adj. V. VOLTI, voûté, cambré.

vautre n. m. V. VELTRE, chien de chasse.

vautrer v. V. VOLTRER, se rouler, se vautrer.

vavassor n. m. (1150, *Thèbes;* bas lat. *vassus vassorum,* vassal d'un vassal). 1º Homme pourvu d'un arrière-fief. — 2º Vassal en général. ◆ **vavassore** n. f. (1180, *G. de Vienne*). Femme qui est sous la domination d'un prince souverain. ◆ **vavassorie** n. f. (1279, *Cart.*). 1º Arrière-fief ou tènement vilain d'étendue médiocre, relevant d'un fief noble. — 2º Rente ou redevance due sur ce fief. ◆ **vavassier** n. m. (XIIᵉ s., Herman). Vavasseur.

I. **vé** n. m. (1220, Coincy; lat. *vae*, malheur à). Menace, malédiction : *Quar touz est plain de fiel, de tristece et de vé* (Coincy).

II. **vé** n. m., prohibition. V. VEER, refuser, défendre.

veals adv. V. VELS, du moins.

veant adj. et n. m., qui voit, qui a la vue; vue, présence. V. VEOIR, voir.

vecié adj. V. VEZIÉ, avisé, rusé.

vedve n. f. V. VEVE, veuve.

veel n. m. (déb. XIIᵉ s., *Ps. Cambr.;* lat. *vitellum*). Veau. ◆ **veelet** n. m. (XIIIᵉ s., *Chans.*). Jeune veau. ◆ **veelier** n. m. (1305, *Arch.*). Marchand de jeunes veaux.

veer v. (1169, Wace; lat. *vetare*). 1º Refuser : *Ne li sera ja puis veiee* (G. de Saint-Pair). — 2º Enfreindre : *lui commans je n'os veer* (Chans.). — 3º Contredire : *Qui ne l'osent le roi desdire ne veer* (Floov.). — 4º Défendre, interdire. ◆ **vée, vié, vé** n. m. (1160, Ben.). 1º Défense, prohibition : *Bernars i entre sanz ves et contredit* (Loher.). — 2º Ban public pour interdire une chose. ◆ **veison** n. f. (1180 *G. de Vienne*). Défense, interdiction.

vehir v. (1304, *Arch.;* adapt. du lat. *vehere,* transporter). Charrier.

veie n. f. V. VOIE, route, pèlerinage.

veier n. m. V. VOIER, officier de justice.

I. **veille** n. f. (1155, Wace; lat. eccl. *vigilia*). 1º Le fait, l'effort de rester éveillé. — 2º Jour qui précède une fête religieuse. — 3º Le fait de surveiller. ◆ **veillier** v. (1120, *Ps. Oxf.*). 1º Ne pas dormir. — 2º Etre de garde. ◆ **veillance** n. f. (1260, A. de la Halle). Vigilance. ◆ **veillier** n. m. (1295, G. de Tyr), **-iee** n. f. (déb. XIVᵉ s.). Veille, veillée. ◆ **veilleor** n. m. (1199, J. Bod.). 1º Celui qui surveille. — 2º Celui qui garde des dangers : *Soiés pour vostre home veilliere* (J. Bod.). ◆ **veillant** adj. (1204, R. de Moil.). 1º Vigilant, actif. — 2º Qui veille. ◆ **veillable** adj. (1260, Br. Lat.). Attentif à veiller, vigilant. ◆ **veillantif** n. m. (1080, *Rol.*). Nom du cheval de Roland.

II. **veille** n. f. (déb. XIVᵉ s.; lat. *viticula,* vrille de la vigne, de *vitis,* vigne). Outil servant à percer le bois.

veine n. f. (1160, Ben. lat. *vena,* vaisseau sanguin). 1º Veine. — 2º Cours d'eau, bras du fleuve. — 3º Influence : *Ja est tochié de la veine Dont les altres font les forfeiz* (Ben.). ◆ V. VENELE.

veintre v. (xᵉ s., *Eulalie;* lat. *vincere*).
1° Remporter, gagner, sortir vainqueur
de. — 2° Surpasser, lutter avec : *Ne poust
vaintre sa blanchor Ne se beautet ne sa
color* (Wace). — 3° Avoir l'avantage sur. —
4° Convaincre (au sens jur.). ◆ **veinture**
n. f. (xiiiᵉ s., *Lapid. fr.*). Victoire.

veir v. V. VEOIR, voir.

veison n. f., interdiction. V. VEER,
refuser, défendre.

veiz n. f. V. FEIZ, fois.

velé adj. (1328, *Arch.;* v. *veel*, veau).
Qui a mis bas, en parlant d'une vache.

veler v. (1169, Wace; lat. *velere*). Couvrir d'un voile. ◆ **velé** adj. (1180, *G. de
Vienne*). Couverte d'un voile, en parlant
d'une religieuse.

velos n. m. (1155, Wace; anc. prov.
velos, du lat.). Vêtement de velours. ◆
veloset n. m. (1150, *Thèbes*). Vêtement de
velours. *Faire le veloset*, faire le câlin,
faire patte de velours (A. de la Halle).

velre, viaure n. m. (1204, R. de
Moil.; cf. lat. *vellere*, arracher la laine des
brebis). 1° Toison. — 2° Chevelure.

vels, veals, vials adv. (xiᵉ s.,
Alexis; lat. *vel*, doté d'un *s* adverbial).
1° Du moins : *Et que cil voie veals s'amie
qui plus fera cevalerie* (Part.). — 2° *Vels
non*, du moins : *Qu'on ne paroit de mei
toz tens Vels non entre les Troiens*
(Eneas).

veltre n. m. (1080, *Rol.;* lat. pop.
vertragum, du celt.). Vautre, chien qui
chasse l'ours et le sanglier. ◆ **veltrier** n.
m. (xiiᵉ s., *Trist.*). Gardien et valet des
vautres.

velu adj. et n. m. (déb. xiiᵉ s., *Voy.
Charl.;* bas lat. *villutum*, pour *villosus*).
1° Velu. — 2° n. m. L'étoffe appelée autrement *tripe*. — 3° n. m. Couverture.

velve n. m. (1314, *Arch.;* cf. angl. *vel-
vet*, velours). Velours. ◆ **velvel** n. m.
(1268, E. Boil.), **-is** n. m. (1311, *Arch.*).
Velours.

venable adj. (xiiᵉ s., *Mainet;* lat.
venalis). Vénal.

venangier v. (1190, J. Bod.; voir
vendengier). Vendanger. ◆ **venange** n. f.
(1256, *Arch.*). Vendange.

venche n. f. (xiiiᵉ s., *Garç. et Av.;* lat.
pervinca, la première syllabe sentie
comme préfixe). Pervenche. *Une fuelle
de venche*, un pied de pervenche.

venchier v. V. VENGIER, venger.

vendengier v. (1210, H. de Dam-
martin; lat. pop. *vindemiare*). 1° Vendanger. — 2° Ravager, piller : *Tout est ven-
dengié et grapé (Ren.)*. — 3° Détruire,
mettre à contribution. ◆ **vendenge** n. f.
(1190, J. Bod.). 1° Vendange. — 2° Vin :
*Hé! Dieus, chi a bonne vendenge, Mais je
n'en puis men soif restraindre* (J. Bod.).

vendoise n. f. (1190, J. Bod.; gaul.
*vindesia, du celt. *vindos*, blanc).
1° Poisson d'eau douce du genre des
carpes. — 2° Un rien, peu de chose : *Je
n'ai vaillant une vendoise (Houce partie)*.

vendre v. (1080, *Rol.;* lat. *vendere*).
Vendre. ◆ **vençon** n. f. (1176, E. de Fougères), **venençon** n. f. (xiiiᵉ s., *Livr. de
Jost.*). Vente. ◆ **vendicion** n. f (1299,
Charte), Vente. ◆ **vendesme** n. f. (1236,
Charte wallonne). Vente. ◆ **vendage** n. m.
(1112, *Saint Brand.*). 1° Le fait de
vendre, marché. — 2° Le fait de se
vendre, de se prostituer : *venduge de sen cors
(1337, Arch.)*. ◆ **vente** n. f. (fin xiiᵉ s.,
Aubert). Droit qui se perçoit sur les denrées vendues sur les marchés. ◆ **ventier**
n. m. (1264, *Cart.*). 1° Préposé chargé
de la perception des droits de vente et de
la surveillance de l'étalon des mesures. —
2° Garde forestier, celui qui dirige la vente
du bois. ◆ **vendece** n. f. (1239, *Arch.*).
Vente. ◆ **venderet** adj. (1331, *Ord.*).
Destiné à la vente. ◆ **vendeor** n. m. (1204,
R. de Moil.), **-eresse** n. f. (1204, R. de
Moil.). Vendeur, vendeuse, marchand,
marchande.

vendres n. m. (1382, *Arch.;* lat. *Veneris [dies]*). Forme parallèle de vendredi.

venefice n. m. et f. (fin xiiiᵉ s., Macé;
lat. *veneficium*). Empoisonnement, poison.

venel n. m. (1190, *H. de Bord.;* lat. *venalem*). 1º Tout ce qui se vend, marchandise. — 2º Droit payé pour la vente des marchandises.

venele n. f. (1138, *Saint Gilles;* dimin. de *veine*). Ruelle, petite rue.

vener v. (1160, *Eneas;* lat. pop. **venare*, pour *venari*). Chasser, aller à la chasse. ◆ **venerie** n. f. (1155, Wace). Chasse. ◆ **venoison** n. f. (1175, Chr. de Tr.). Chair de grand gibier. ◆ **veneor** n. m. (1155, Wace), **-eresse** n. f. (1160, *Eneas*). Chasseur, chasseresse.

veneter v. V. VENOTER, vendre.

vengier v. (1080, *Rol.;* lat. *vindicare*). Venger, se venger. ◆ **vengement** n. m. (1160, Ben.), **-ison** n. f. (1160, Ben.), **-eure** n. f. (fin XIIIe s., *Anseis*). Vengeance.

venim n. m. (1119, Ph. de Thaun; lat. pop. **veninem* pour *venenum*). Poison, venin. ◆ **venimer** v. (fin XIIe s., *Alisc.*). 1º Envenimer, empoisonner. — 2º Gâter, corrompre. — 3º Mettre à mort, détruire. ◆ **venimos** adj. (1160, Ben.). Venimeux.

venir v. (Xe s., *Eulalie;* lat. *venire*). 1º Venir. — 2º Revenir, partir : *Al arcesvesque en est venuz atut (Rol.).* — 3º Sortir de : *Quant sont de pamisson venu* (R. de Beauj.). — 4º Devenir. — 5º Convenir, plaire : *Ne ja ne savrai, se Dé vient (Rose).* — 6º *Venir mieus,* valoir mieux, être préférable. — 7º *Venir au dessus de,* vaincre, se rendre maître de. — 8º *Avant venir,* s'avancer. — 9º n. m. Le fait de venir, de revenir, d'arriver : *Biax venir et biax alers* (Couci). ◆ **venement** n. m. (1180, G. de Saint-Pair). Action de venir, arrivée, venue. ◆ **venant** adj. (XIIIe s.). 1º Qui va venir, qui est prochain. *Bien venant,* bien venu, bien accueilli. *Malvenant,* mal venu, dont l'arrivée est malheureuse. — 2º *Sauf venant* n. m. (fin XIIIe s., *Menestr. Reims*). Sauf-conduit. ◆ **venue** n. f. (1155, Wace). 1º Ce qui vient, ce qui arrive, aventure, mésaventure : *Sa dame sei bien Par bobert toute la venue* (Couci). — 2º Ce qui vient régulièrement, revenu (1339, *Arch.*).

venne, vane n. f. (1266, *Arch.;* lat. tardif *venna,* peut-être d'orig. celt.).

1º Haie, clôture, palissade. — 2º Vanne, porte mobile d'un canal.

venoter v. (1119, Ph. de Thaun; fréquentatif de *vendre*). 1º Porter au marché pour vendre. — 2º Vendre en général : *Et sun cors venoter* (Ph. de Thaun).

vent n. m. (1080, *Rol.;* lat. *ventum*). Vent. *N'oïr ne vent ne voie,* n'avoir aucune nouvelle, ne pas entendre souffler mot de quelque chose ou de quelqu'un. ◆ **venter** v. (1160, *Charr. Nîmes*). 1º Souffler, en parlant du vent. — 2º Attiser. — 3º Ventiler. — 4º Jeter au vent : *Faire ardoir et venter la cendre (Trist.).* ◆ **ventement** n. m. (XIIIe s., *Fabl. d'Ov.*). Action du vent, le vent. ◆ **ventet** n. m. (XIIIe s., *Chans.*), **-elet** n. m. (1175, Chr. de Tr.). Petit vent, bise. ◆ **venteler** v. (1080, *Rol.*). 1º Flotter au vent, voltiger : *Et ces banieres ventelerent ou vent (Loher.).* — 2º Vanner. ◆ **ventelement** n. m. (fin XIIe s., *G. de Rouss.*). Action d'agiter, vacillation. ◆ **ventele** n. f. (1237, *Cart.*). 1º Écluse, vanne. — 2º Ouverture du casque. ◆ **ventail** n. m. (1144, *Cart.*). 1º Vanne. — 2º Ouverture dans le heaume permettant la respiration. ◆ **ventaille** n. f. (1080, *Rol.*). 1º Ouverture dans le heaume pour permettre de respirer. — 2º Capuchon de mailles porté sous le heaume *(Rol.).* — 3º Collet du haubert couvrant la gorge (R. de Beauj.). — 4º Écluse, vanne. 5º Éventail (*Rest. du Paon*). ◆ **ventiseau** n. m. (1247, *Charte*). Petite vanne, vannellerie. ◆ **ventoire** n. f. (fin XIIIe s., Guiart). Van. ◆ **ventole** n. f. (XIIIe s., *Atr. pér.;* cf. *venvole*). Objet qui s'agite au vent.

I. **venter** v. V. VANTER, se vanter, se faire fort de.

II. **venter** v., souffler, attiser, jeter au vent. V. VENT, vent.

ventiler v. (1260, Br. Lat.; lat. jur. *ventilare,* même sens). 1º Examiner une question. — 2º Discuter, débattre, plaider.

ventre n. m. (1080, *Rol.;* lat. *ventrum,* estomac). 1º Ventre. — 2º Peau du ventre d'une bête (E. Boil.). ◆ **ventree** n. f. (1167, G. d'Arras). 1º Ce qui remplit le ventre, nourriture. — 2° Ventre. — 3° Excréments. — 4° Portée d'une femme. ◆ **ventraille** n. f. (1169, Wace). Entrailles, intestin. ◆ **ventresche** n. f. (1268, E. Boil.). 1° Ventrière, sous-ventrière. — 2° Peau du ventre. ◆ **ventreil, -oil** n. m. (1190, Garn.). 1° Ventre, entrailles. — 2° Ventricule du cerveau (Mondev.). ◆ **ventreillier, -oillier** v. (1169, Wace). 1° Se coucher sur le ventre : *Suvent s'estent, suvent ventroille* (Wace). — 2° S'enfoncer jusqu'au ventre, se vautrer. — 3° Aller à la selle. ◆ **ventreillons** loc. (1170, *Percev.*). A ventreillons, à plat ventre, sur le ventre. ◆ **ventriere** n. f. (1160, *Eneas*). Matrone, accoucheuse. ◆ **ventré** adj. (1250, *Ren.*). 1° Qui s'est rempli le ventre, rassasié. — 2° Ventru. ◆ **ventrier** adj. (1263, *Arch.*). Ventru.

venvole n. f. (XIIᵉ s., *Thomas le Martyr;* composé de *vent* et de *voler*). 1° Chose légère qui vole à tout vent : *Et il me tenoit trop a fole Et a legiere et a venvole* (*Part.*). — 2° Parole oiseuse, mauvaise raison : *Et par ses vanvoles s'escuse* (*Ren.*).

veoir v. (Xᵉ s., *Saint Léger;* lat. *vîdere*). 1° Voir. — 2° n. m. Action de voir, vue, lumière : *Lor tolt le veoir et l'oir* (Guiot). ◆ **veance** n. f. (XIIIᵉ s., H. de Méry). Vue. ◆ **veor** n. m. (XIIᵉ s.). 1° Guetteur. — 2° Inspecteur, expert (1336, *Arch.*). ◆ **veant** adj. et n. m. (déb. XIIᵉ s., *Ps. Cambr.*). 1° Qui a la vue. — 2° Qui se voit. — 3° n. m. Vue, présence. *Mon veant, vostre veant,* en ma présence, en votre présence. ◆ **veable** adj. (1112, *Saint Brand.*). Visible, apparent.

I. ver n. m. (1080, *Rol.;* lat. *verrem,* verrat). 1° Sanglier, verrat. — 2° Dragon, serpent, bête malfaisante : *Onques n'avoit veu tant fieres, De serpens* [...] *Et de venimos vers volans* (*Part.*).

II. ver n. m. (1119, Ph. de Thaun; lat. *ver*). Printemps. ◆ **vernal** adj. (1119, Ph. de Thaun; lat. *vernalis*). Qui appartient au printemps.

III. ver n. m. V. VERM, ver.

IV. ver adj. V. VAIR, changeant, de différentes couleurs.

verai adj. (1080, *Rol.;* lat. pop. *veracum,* pour *veracem*). Vrai. ◆ **verace** adj. (1308, Aimé). Vrai. ◆ **veror** n. f. (XIIᵉ s., *Trist.*). Vérité. ◆ **verable** adj. (1190, Garn.). Véridique, vrai.

verbe n. m. (XIᵉ s., *Alexis;* lat. *verbum*). 1° Mot. — 2° Suite de mots prononcés, parole. ◆ **verble** n. m. (1220, Coincy). 1° Parole. — 2° Habileté à se faire entendre, à s'exprimer. ◆ **verbloier** v. (1220, Coincy). Parler à haute voix, discourir.

verberacion n. f. (fin XIIIᵉ s., Macé; lat. *verberatio,* même sens). Action de frapper, coup, correction.

verchiere n. f. (1229, *Charte;* orig. obsc.). 1° Terre attenant à la ferme. — 2° Fonds de terre assigné à une ferme.

verde adj. f. V. VERT, vert, qui a de la sève, jeune. ◆ **verdor** n. f. (1180, *Rom. d'Alex.*). 1° Verdure. — 2° Couleur verte. ◆ **verdoier** v. (1175, Chr. de Tr.). Devenir vert, rendre vert. ◆ **verdoiable** adj. (XIIIᵉ s., *Fabl. d'Ov.*). Verdoyant. ◆ **verde** n. f. (1321, *Arch.*). Marchande de légumes verts. ◆ **verdel** n. m. (1288, *Ren. le Nouv.*). Surnom de perroquet. ◆ **verdcric** n. f. (1340, *Ord.*), **-iere** n. f. (1340, *Arch.*). Étendue de bois soumise à la juridiction d'un *verdier.* ◆ **verdier** n. m. (1200, *Charte*). Garde-forestier.

vereil, -oil n. m. (fin XIIᵉ s., *Aiol;* lat. *verruculum, vericulum*). Verrou, cadenas, barre de fer. ◆ **vereillier** v. (1170, *Percev.*). Fermer au verrou. ◆ **verel** n. m. (1288, *Ren. le Nouv.*). Verrou, cadenas. ◆ **verele** n. f. (1311, *Arch.*). Verrou, cadenas.

verge n. f. (1080, *Rol.;* lat. *virga,* verge). 1° Verge. — 2° Verge, mesure de terre. — 3° Vergue (M. de Fr.). — 4° anat. (*Ren.*). ◆ **vergel** n. m. (XIIIᵉ s., *Fregus*). 1° Petite baguette. — 2° Mesure de terre. — 3° Verge. ◆ **vergant, -jant** n. m. (1167, G. d'Arras). Verge. ◆ **vergelete**

n. f. (1285, Aden.). Petite verge, petite barre. ◆ **vergine** n. f. (1290, *Cart.*). Verge, mesure de terre. ◆ **vergiee** n. f. (1275, G.). Étendue d'une verge carrée, le quart d'un arpent. ◆ **vergier** v. (1240, G.). 1° Couper des verges. — 2° Jauger avec une verge. ◆ **vergié** adj. (1138, *Gorm. et Is.*). Rayé, bigarré, ciselé.

I. **vergier** n. m. (1080, *Rol.*; lat. *viridiarium*, jardin planté d'arbres). Verger. ◆ **verget** n. m. (XIIᵉ s., *Trist.*). Verger.

II. **vergier** v., couper des verges, jauger avec une verge. V. VERGE.

vergoigne n. f. (1080, *Rol.*; lat. *verecundia*). 1° Honte, déshonneur. — 2° Pudeur. — 3° Parties naturelles (*Artur*). ◆ **vergoignier** v. (déb. XIIᵉ s., *Ps. Cambr.*). 1° Couvrir de honte, déshonorer. — 2° Avoir honte, témoigner de la pudeur : *Et si ne m'en vergoin de rien* (Ben.). ◆ **vergoin** n. m. (XIIᵉ s., *Afait. Cat.*). Vergogne, honte.

vergonde n. f. (XIIᵉ s., *Trist.*; lat. *verecundia*). Honte, déshonneur. ◆ **vergonder** v. (XIIᵉ s., *Adam*). 1° Couvrir de honte. — 2° Avoir honte. ◆ **vergondir** v. (1120, *Ps. Oxf.*). Etre couvert de honte. ◆ **vergondos** adj. (1160, Ben.). 1° Honteux, timide. — 2° Déshonoré. ◆ **vergondier** adj. (1175, Chr. de Tr.). Honteux. ◆ **vergondal** adj. (XIIᵉ s., *Horn*). Honteux, déshonorant.

veritel adj. (1204, R. de Moil.; formé avec chang. de suff., à partir de *veritable*). Véritable, vrai, sincère : *Qui fu ses amis veriteux (Rose)*. ◆ **veritelment** adv. (1277, *Rose*). Véritablement.

verm n. m. (xᵉ s., *Fragm. de Valenc.*; lat. *vermen*). Ver. ◆ **vermet** n. m. (1220, *Best. div.*). Petit vers. ◆ **vermiete** n. f. (1277, *Rose*). 1° Petit vers. — 2° Petit animal. ◆ **verment** n. m. (1119, Ph. de Thaun). Ver. ◆ **vermain** n. m. (XIIIᵉ s., *Chans.*). Vermine. ◆ **vermee** n. f. (fin XIIIᵉ s., *Son. de Nans.*). Vermine. ◆ **vermer** v. (1180, *Rom. d'Alex.*). Etre mangé par les vers, pourrir. ◆ **verminer** v. (1138, *Saint Gilles*). Etre véreux (en parlant d'un fruit). ◆ **vermenir** v. (1295,

Sydrac). Se remplir de vers. ◆ **verminiere** n. f. (1277, *Rose*). Fosse où l'on fait se développer les vers servant à la nourriture de la volaille. ◆ **vermenos** adj. (1220, Coincy). Où il y a des vers, mangé des vers. ◆ **vermenuisier** v. (fin XIIIᵉ s., J. de Meung). Entamer par les vers.

vermeil adj. (1080, *Rol.*, lat. *vermiculum*, vermisseau, cochenille). Rouge, rose. ◆ **vermeillant** adj. (XIIᵉ s., *Pr. Orange*), -et adj. (XIIᵉ s., *Part.*). Rouge, vermeil, légèrement rouge. ◆ **vermillece** n. f. (XIIIᵉ s., Beaum.). Couleur vermeille. ◆ **vermeillier** v. (1080, *Rol.*). Rendre rouge, rougir, rendre rose. ◆ **vermeillir** v. (XIIᵉ s., *Floov.*). Devenir rouge : *La terre vermoilt dou sanc (Floov.)*.

verne, vergne n. m. (1080, *Rol.*; gaul. *vernos*). 1° Aulne. — 2° Vergne. — 3° Gouvernail fait du *verne*. — 4° Gouverne (au fig.).

verniz n. m. (fin XIIᵉ s., *Loher.*; du lat. médiév. *veronice*, par l'interm. de l'italien). 1° Vernis. — 2° Partie de l'écu : *Grant cop li done sur l'escu a vernis (Loher.)*. ◆ **vernisseure** n. f. (1170, Percev.). Éclat de ce qui est verni.

veroil n. m. V. VEREIL, verrou, barre de fer.

veronique n. m. (1330, *B. de Seb.*; n. propre *Veronica*). L'image du Christ empreinte sur le saint-suaire, pièce sculptée ou peinte représentant cette image.

verpil n. m. V. GOLPIL, renard.

verre n. m. (1155, Wace; lat. *vitrum*). 1° Verre. — 2° Verre à boire (Joinv.). ◆ **verrine** n. f. (1112, *Saint Brand.*; lat. *vitrina*). 1° Verre. — 2° Verrière, vitrail. ◆ **verrin** adj. (1170, Percev.). De verre. ◆ **verré** adj. (XIIᵉ s., *Part.*). Garni de verre, de verrières, vitre. ◆ **verrier** n. m. (1265, *Arch.*). 1° Fabricant de verre. — 2° Celui qui peint les vitraux.

I. **vers** n. m. (1138, *Saint Gilles*; lat. *versum*, p. passé de *vertere*, tourner). 1° Couplet, strophe, verset. — 2° Chanson. — 3° État, situation : *Des ore est* *moult changié li vers (Rose).* ◆ **versier** v. (1270, Ruteb.). Composer en vers, versifier. ◆ **verseillier** v. (1112, *Saint Brand.*). 1° Chanter, réciter. — 2° Chanter des versets, des psaumes. ◆ **verseille** n. f. (1138, *Saint Gilles*). Psalmodie. ◆ **versifier** v. (déb. XIIIᵉ s., D.). Faire des vers. ◆ **versefieor** n. m. (XIIIᵉ s., *Bat. sept arts*). Versificateur.

II. **vers** prép. (1080, *Rol.*; lat. *versus,* anc. p. passé de *vertere,* tourner). 1° Du côté de, dans la direction de : *Je os regarder vers lui* (Chr. de Tr.). — 2° Envers, à l'égard de : *Vers els a mult lo cuer ameir* (Wace). — 3° Contre : *Seul a seul vers un chevalier* (Chr. de Tr.). — 4° Pour, en faveur de. — 5° Chez : *Vers chiaus croist li poivres tous blans* (G. de Metz). — 6° Auprès de, en comparaison de : *Mais lor biauté moult poi valoit vers la biauté la fille au roi (Florim.).* — 7° Entre, parmi : *C'on ne congnoist pas les loiaus Vers ceulz qui sont faintis et faus* (Couci).

verser v. (1080, *Rol.*; lat. *versari,* fréquentatif de *vertere*). 1° Renverser, précipiter, abattre : *Franceis sunt tuit verset, ne se poent tenir (Voy. Charl.).* — 2° Etre renversé, se répandre : *Qu'il ne puisse ne verser ne cheir (Loher.).* — 3° Etre retourné, se retourner, se changer : *Trop verse mal et turne Qui se part de bone costume* (Guiot). ◆ **versement** n. m. (fin XIIIᵉ s., *Anseis*). 1° Action de verser, de répandre. — 2° Action de renverser, de culbuter. ◆ **versage** n. m. (XIIᵉ s., *Barbast.*). 1° Action de verser. — 2° Culbute. ◆ **verseis** n. m. (fin XIIᵉ s., *G. de Rouss.*). Chute. ◆ **versee** n. f. (1119, Ph. de Thaun). 1° Renversement, chute. — 2° Terme d'astronomie. ◆ **versure** n. f. (1307, G.; lat. *versura,* emprunt). Frais, déboursés. ◆ **versaine** n. f. (1160, Ben.). 1° Terre qui se repose après avoir donné deux récoltes. — 2° Terre préparée pour la semence. ◆ **verseret** n. m. (1322, *Cart.*), **crent** n. m. (1340, *Arch.*). Saison du premier labour des terres. ◆ **versatile** adj. (1335, Deguil.). A deux tranchants. ◆ **versant batant,** loc. adv. (1260, Mousk.). En toute hâte.

vert adj. (1080, *Rol.*; lat. *viridum*). 1° De couleur verte. — 2° Qui a encore de la sève (XIIIᵉ s.). *En vert et en sec, sur pied et en grange.* — 3° Jeune (A. de la Halle). ◆ **verte** n. f. (1175, Chr. de Tr.). Jeu de la cotte verte qui consistait à jeter une fille sur l'herbe en folâtrant avec elle : *Au jeu de la verte l'a prise* (Chr. de Tr.).

verté n. f. (1190, J. Bod.; lat. *veritatem*). Vérité. *De verté,* avec certitude : *Que jou de verté sai que sen secours aras* (J. Bod.). ◆ **verteier** adj. (1160, Ben.). Franc, sincère : *Li dux respunt : Frans chevalers, Or gart que seies verteiers E leiaus senz decevement* (Ben.).

vertel n. m. (XIIIᵉ s., *Ger. de Blav.*; lat. *verticulum*). Bondon, bouchon, couvercle. ◆ **verteillier** v. (1347, *Ord.*). 1° Débiter (en parlant du vin). — 2° Saillir, en parlant d'une femelle. ◆ **vertel** n. m. (XIIIᵉ s., Tailliar). Bondon de tonneau, bouchon.

vertevele n. f. (XIIIᵉ s., J. Le March.; lat. pop. **vertibella;* pour *vertibulum,* pivot). Anneau qui retient le verrou de la porte, loquet d'une porte. ◆ V. **VERVELE,** même sens.

vertir v. (XIᵉ s., *Alexis;* lat. pop. **vertire,* pour *vertere*). 1° Tourner, retourner. — 2° Faire passer d'un sentiment à un autre, faire changer d'opinion : *M'a il tote a joie vertie (Part.).* — 3° Se tourner, aller : *Je ne sai que je puisse faire ne ou je puisse vertir ne tourner* (Chron. Saint-Denis). — 4° Disparaître : *Ne sourent quel part il verti (Livr. Pass.).* — 5° Retourner, revenir : *Vertom a ce qu'avom a dire* (Ben.). — 6° Etre changé : *Tut faiseient vertir en cendre* (Ben.). ◆ **vertin** n. m. (XIIIᵉ s., Beaum.). Vertige. ◆ **vertillier** v. (XIIIᵉ s., *Fabl. d'Ov.*). Faire tourner de côté et d'autre.

vertiz n. f. (1120, *Ps. Oxf.*; lat. *verticem,* sommet). Haut de la tête, crâne. ◆ **vertice** n. f. (XIIIᵉ s., Bible). Sommet.

vertu n. f. (980, *Passion*; lat. *virtus, -utem,* force virile). 1° Force, courage, puissance physique ou morale : *De leiprus*

cui revient et santez et vertuz (Garn.).
Par vertu, de vertu, avec force : *Tant
chevalchierent par vertut Que au roi
Medon sont venut (Florim.).* — 2º Qualité,
propriété, mérite : *Des bonnes pierres
ki i sont Et des vertus que eles ont*
(Beaum.). — 3º Pratique habituelle du
bien. — 4º Remède. — 5º Miracle : *Par
Carlemagne fist Deus vertuz mult granz
(Rol.).* ◆ **vertuel** n. m. (1170, *Percev.*).
Vertu, efficacité. ◆ **vertuable** adj. (1080,
Rol.). 1º Valeureux, vaillant, qui a telle
vertu. — 2º Résistant, solide, en parlant
d'une armure. ◆ **vertuos** adj. (1080,
Rol.). 1º Fort, vigoureux, valeureux :
Mes Ogier fu vertuous et poissant
(*Otinel*). — 2º De bonne qualité, efficace :
erbes si tres vertueuses (G. d'Amiens).
◆ **vertuoseté** n. f. (XIIIᵉ s., *Fabl. d'Ov.*).
Vertu.

veru n. m. (fin XIIᵉ s., M. de Fr.; orig.
incert.). Ramure du cerf.

verve n. f. (1167, Chr. de Tr.; lat.
pop. **verva,* pour *verba,* plur. pris pour
fém.). 1º Proverbe. — 2º Exposé d'un
messager (déb. XIIIᵉ s.).

vervele, vrevele n. f. (1175,
Chr. de Tr.; v. *vertevele*). 1º Anneau
fixé à une porte pour retenir le verrou.
— 2º Large anneau qu'on passait au pied
d'un faucon pour le retenir.

ves n. m. (1175, Chr. de Tr.; lat. *vas,*
vase). Récipient. V. VAISSEL, vase, navire.

vesci V. VEZ, voici.

vescie n. f. V. VESSIE, vessie, objet
sans valeur.

vescochier v. V. BESCOCHIER,
mal tirer.

vesdie n. f. V. VEISDIE, adresse, ruse.

veslaie n. f. (1260, Mousk.; orig.
incert.). Indemnité.

vespellion n. m. (fin XIIIᵉ s., *Mir.
saint Éloi;* cf. lat. *vespertilio,* chauve-
souris). Croque-mort.

vespertille n. f. (XIIIᵉ s., *Fabl.
d'Ov.;* lat. *vespertilio*). Genre de chauves-
souris.

vespre n. m. et f. (1080, *Rol.;* lat.
vesper, soir). 1º Tombée du jour, soir.
Bas vespre, commencement de la soirée,
de la nuit *(Eneas).* *Haut vespre* (Chr.
de Tr.), *hautes vespres (Artur).* Tard
dans la soirée. — 2º plur. Office du soir
(Villeh.). ◆ **vespree** n. f. (1080, *Rol.*).
1º Soir, après-midi. — 2º Office du soir.
— 3º Soirée, veillée. — 4º Cessation de
travail à des heures fixes, selon les métiers
(E. Boil.). ◆ **vesprer** v. (XIIIᵉ s., Fr.
Angier), **-ir** v. (XIIIᵉ s., *Artur*). 1º Commencer à faire nuit. — 2º *Vesprer* n. m. (1180,
G. de Vienne). Soir. ◆ **vesprage** n. m.
(fin XIIᵉ s., *Ogier*). Soir. ◆ **vespertinel**
adj. (1120, *Ps. Oxf.*). Du soir.

vesque n. m. (1213, Villeh.; forme
apocopée de *evesque*). Évêque.

vessie n. f. (1190, J. Bod.; lat. pop.
*vessica, pour *vesica*). 1º Vessie. —
2º Objet sans valeur, à valeur minimale :
Ne vous prisons une vessie (J. Bod.).
— 3º Ampoule : *Une vessie li leva souz
l'ueil (Mir. saint Louis).* ◆ **vessee** n. f.
(XIIIᵉ s., *Fabl.*). Vessie. *Vendre la vessee,*
tromper. ◆ **vessier** v. (1220, Coincy).
Crever : *S'il en devoit tot vessier De
mautalent, d'ardeur et d'ire* (Coincy).
◆ **vessieus** adj. (XIIIᵉ s., J. Le March.).
1º Gonflé comme une vessie. — 2º Plein
d'enflures.

vessir v. (XIIIᵉ s.; lat. pop. *vissire*).
Émettre des gaz fétides, sans bruit, par
l'anus. ◆ **vesseus** adj. (XIIᵉ s., *Ysopet,* I).
Qui lâche des vesses. ◆ **vesniere** n. f.
(XIIIᵉ s., *Fabl.*). Anus. ◆ **vesele** n. f.
(XIIIᵉ s., J. de Garl.; même orig.?).
Belette.

vestir v. (Xᵉ s., *Fragm. de Valenc.;*
lat. *vestire*). 1º Habiller. — 2º Revêtir
de l'habit religieux. — 3º Investir d'un fief,
d'une charge *(Rol.).* — 4º n. m. Vêtement, habillement (Ben.). ◆ **vest** n. m.
(XIIIᵉ s., *Arch.*), **-ison** n. f. (1312, *Arch.*).
Investiture, mise en possession d'un
héritage. ◆ **vesti** n. m. (1208, *Cart.*).
1º Fondé de pouvoirs. — 2º Curé en titre
◆ **vestaille** n. f. (1150, *Saint Evroul*).
Vêtement. ◆ **vestement** n. f. (1277,
Rose). Vêtement. ◆ **vesteure** n. f. (1155,
Wace). 1º Vêtement, objet de toilette.

— 2° Peau, pelure, en parlant d'une pomme. — 3° Récolte sur pied. — 4° Investiture (1242, *Arch.*). — 5° Droit payé pour une investiture. — 6° Revêtement. ◆ **vestant** adj. (1257, *Arch.*). Dont on se revêt, qui revêt. ◆ **vesti** adj. (1160, *Ben.*). 1° Muni de sa toison, en parlant d'un mouton. — 2° Dense (en parlant d'une foule). — 3° Garni. *Cour vestie,* cour composée de nombreux juges. — 4° Couvert d'herbes et de fruits. ◆ **vestu** adj. (XIIᵉ s., *Trist.*). Rempli de monde : *La Blanche Lande fut vestue, Maint chevalier i out sa drue (Trist.).* ◆ **vestue** n. f. (1138, *Gorm. et Is.*). 1° Ce dont la terre est garnie, récolte sur pied. — 2° Saisine, possession.

vestiaire, vestuaire n. m. (v. 1200, *D.*; lat. *vestiarium,* armoire à vêtements). 1° Armoire, coffre, enfermant les habits sacerdotaux. — 2° Territoire, juridiction d'un curé, d'un abbé (1269, *Test.*).

vesure n. f. (XIIIᵉ s., Th. de Kent; orig. incert.). État : *Et demeinent grant joie et vesures et gas* (Th. de Kent).

I. **veue** n. f. (1160, *Eneas;* p. passé subst. de *veoir,* voir). 1° Clarté, lumière : *En enfer a po de veue (Eneas).* — 2° Ce qu'on voit, étendue. *Une veue,* à perte de vue : *An la mer sui une veue (Eneas).* — 3° Ce qu'on voit, ce qui est présent. *En veue de, en la veue de,* en présence de (1304, *Arch.*). — 4° Accord (1308, *Cart.*).

II. **veue, voe** n. f., employé avec *male,* désastre. V. VOER, faire tel vœu.

veule adj. (1190, J. Bod.; lat. pop. *volum,* qui vole au vent, de *volare,* voler). 1° Volage, frivole. — 2° Vain, inutile : *Mes li cors fu et vains et voles* (Ruteb.). ◆ **veulie** n. f. (1260, A. de la Halle). Aveuglement, mollesse.

veure n. f. (1294, *Arch.;* gaul. **wabero,* rivière). Terre inculte, bord, lisière.

veve, vedve n. f. (XIᵉ s., *Alexis;* lat. *vidua,* privée de). Veuve. ◆ **vevete** n. f. (1210, *Dolop.*). Veuve. ◆ **vevé, vedvé** n. m. et f. (XIIᵉ s., *G.*). 1° Viduité, veuvage. — 2° Droit de veuf

ou de veuve sur les objets mobiliers. ◆ **vevee** n. f. (1243, *Arch.*). Veuvage. ◆ **veveté** n. f. (1169, Wace). 1° État de veuf, veuvage. — 2° Droit sur les objets mobiliers du conjoint décédé. — 3° État d'une femme qui a perdu son fils (saint Grég.). ◆ **vevé** adj. (fin XIIᵉ s., saint Grég.). Devenu veuf.

vexer v. (1327, J. de Vignay; lat. *vexare*). Tourmenter.

vez particule (1080, *Rol.;* contr. de *veez,* de *veoir,* voir). Particule présentative, Voici : *Vez les riches forez* (J. Bod.). ◆ **vezci** particule (1175, Chr. de Tr.). 1° Indiquant un objet rapproché. — 2° Se présente encore longtemps sous forme discontinue : *Vez son avoir qu'il a ci amassé (Charr. Nîmes).* — 3° *Vez me ci, vez le ci,* me voici, le voici *(Rol.).* — 4° *Vez en ci,* en voici (Aden.). ◆ **vezla** particule (1283, Beaum.). Voilà (pour présenter un objet plus éloigné).

vezconte n. m. (1080, *Rol.;* lat. médiév. *vice-comitem*). Vicomte.

vezier v. (1169, Wace; lat. *vitiare,* corrompre, infl. par la famille *vis-, vois-,* sage). User de ruse, tromper. ◆ **vezieure** n. f. (fin XIIᵉ s., M. de Fr.). Tromperie, subtilité. ◆ **vezié** adj. (1160, Ben.). 1° Avisé, rusé, habile : *Salemons le fist faire, qui mult fu visiies (Rom. d'Alex.).* — 2° *Vezié de,* habile dans. — 3° Fourbe, vicieux.

viage n. m. (1298, *Arch.;* lat. pop. **viaticum,* de *vita,* vie). 1° Temps de la vie, durée de la vie. — 2° Revenu viager. ◆ **viagere** n. f. (1291, *Cart.*). Bien viager. ◆ **viageur** n. m. (1333, *Arch.*). Celui qui jouit d'une rente viagère. ◆ **viager** adj. et n. m. (1332, *Cart.*). Usufruitier sa vie durant.

viaire n. m. et f. (déb. XIIᵉ s., *Voy. Charl.;* orig. obsc.). 1° Visage. — 2° Image, apparence. *Estre viaire,* sembler : *Ço vus fust viarie ke tuit fussent vivant (Voy. Charl.).* — 3° Avis, manière de voir. *Venir a viaire,* venir à l'esprit, paraître bon : *Et se lui venoit a viaire, Qant vos serez de lui loiaus, Au loement de ses vasaus, Preist sa feme la cortoise*

(*Trist.*). — 4° Terme d'archit., Face, façade.

vial adj. (fin XIIe s., saint Grég.; lat. *vitalem*). Vital, de la vie. ◆ **viailles** n. f. pl. (XIIIᵉ s., Fr. Angier). Organes essentiels à la vie : *Il chait par vive destrece El mal qui les viailles blesce, Celui qui la grezesche gent Sincopin cleime proprement* (Fr. Angier).

vials adv. V. VELS, du moins.

viande n. f. (XIᵉ s., *Alexis;* lat. pop. *vivanda*, pour *vivenda*, de *vivere*). 1° Ce qui sert à vivre, nourriture. — 2° Ensemble des aliments. — 3° Provisions. ◆ **viander** v. (1360, *Modus*). Nourrir. ◆ **viandier** n. m. (1160, Ben.), **-eor** n. m. (1200, *Aye d'Avignon*). 1° Celui qui procure, qui fournit la nourriture. — 2° Homme hospitalier, généreux : *C'il est bon viandieres et larges despandans* (*Aye d'Av.*).

vianeis adj. et n. m. (1080, *Rol.;* dér. du nom propre). 1° Viennois, de Vienne en Dauphiné, en parlant de *brant*, d'*acier*. — 2° n. m. Monnaie de Vienne.

viaure n. m. V. VELRE, toison, chevelure. ◆ **viaurier** n. m. (1315, *Ord.*). Mégissier qui travaille la laine de mouton. ◆ **viaurice** adj. fém. (XIIIᵉ s., *Ord.*). De toison : *laine viaurice* (XIIIᵉ s., *Ord.*).

viaz adv. (1119, Ph. de Thaun; lat. pop. **vivacium*, pour *vivacem*). Vite, avec empressement : *La roche en devale vias, Si emporte le chevalier* (*Fregus*). *Viaz que*, loc. conj., avant que (*Part.*).

I. vice n. m. (1138, Gaimar; lat. *vitium*, défaut). 1° Défaut, vice. — 2° Injure, reproche : *Assez distrent del roi vices et maldiçuns* (Wace).

II. vice adj. V. VISE, rusé, habile.

vicinité n. f. (XIIᵉ s., *Pir. et Tisb.;* lat. *vicinitas, -atem*). Voisinage, proximité.

vidame n. m. (1213, Villeh.; lat. eccl. *vicedominum*, propr. lieutenant d'un seigneur). Représentant temporel d'un évêque, d'un abbé. ◆ **vidamesse** n f. (1339, *Charte*). La femme d'un vidame.

I. vide n. f. et adj. V. VISDE, habileté, ruse, expérience; fin, rusé.

II. vide adj. V. VUIT, inoccupé, abandonné, faible.

videcoc n. m. (fin XIIᵉ s., M. de Fr.; le Iᵉʳ élément n'est pas assuré). Coq de bruyère, grosse bécasse.

I. vider v. (XIVᵉ s.). V. VUIDIER, vider, quitter. ◆ **vide escuele** n. m. (fin XIIIᵉ s., B. de Condé). Grand mangeur (littéralement, celui qui vide les écuelles).

II. vider v. V. VISDER, visiter.

vidue n. f. (1308, Aimé; lat. *vidua*). Veuve.

vié, veé n. m., interdiction. V. VEER, refuser, interdire.

vieil, viel adj. (1080, *Rol.;* lat. *vetulum*, dimin. de *vetus*, vieux). Vieux. ◆ **vielet** adj. (1270, Ruteb.). Vieillot. ◆ **vieillart** adj. (fin XIIᵉ s., *Loher.*). De vieillard, vieux. ◆ **vieillune, -ume** n. f. (1220, Coincy). Vieillesse. ◆ **vieillete** n. f. (1175, Chr. de Tr.). Vieille femme. ◆ **vieillart** n. m. (1155, Wace). Vieil homme.

viele n. f. (1160, *Eneas;* var. de *viole*). Vielle, instrument de musique. ◆ **vielette** n. f. (fin XIIᵉ s., *Loher.*). Petite vielle. ◆ **vieler** v. (déb. XIIᵉ s., *Voy. Charl.*). Jouer de la vielle. ◆ **vieleure** n. f. (XIIIᵉ s., H. de Méry). Air de musique, son de la vielle.

vierel n. m. (1250, *Ren.;* dér. de *viria*). Anneau servant à fermer une porte.

vies, viez adj. (1160, Ben.; lat. *vetus*). Vieux. *De viez*, depuis longtemps. ◆ **viesir** v. (1169, Wace). Vieillir, empirer par la vieillesse. ◆ **viesé** n. f. (1190, saint Bern.). Vieillesse, vétusté. ◆ **viesine** n. f. (XIIᵉ s., *Comm. Ps.*). État d'une chose vétuste, vieille. ◆ **vieserie** n. f. (1301, G.). 1° Vieillerie, friperie, vieux haillons. — 2° Endroit où l'on les vend. ◆ **viesier** n. m. (1270, *Arch.*). Fripier, raccommodeur, vendeur de vieux habits. ◆ **viesure** n. f. (1357, *Arch.*). État de ce qui est vieux, endommagé. ◆ **viesurer**

v. (1283, Beaum.). Empirer, s'abîmer par la vieillesse. ◆ **viesvare** n. f. (1348, *Arch. Valenc.*; composé de *vies*, vieux, et d'un mot germ. ayant le sens de « marchandise »). 1° Friperie, vieilles hardes. − 2° Boutique de fripier. ◆ **viesvarier** n. m. (1263, *Arch. Tourn.*). Marchand fripier.

vieuté n. f. V. VILTÉ, bassesse, mépris.

vif adj. (980, *Passion; lat. vivum*). 1° Vivant : *Quant encor sui la merci Deu tos vis (Chev. Vivien).* − 2° Vif de, issu de, qui a reçu la vie de : *Homme nul qui de mere soit vis (H. de Bord.).* ◆ **vif** n. m. (1155, Wace). 1° Personne vivante. − 2° En fonction de renforcement de négation : *Ne se sevent vif consoillier (Eneas).* − 3° Chair vive (Joinv.).

vigne n. f. (1120, *Ps. Oxf.; lat. vinea*, de *vinum*, vin). Vigne. ◆ **vigner** v. (1356, *Arch.*). Cultiver la vigne. ◆ **vignage** n. m. (1262, *Cart.*). Récolte des vignes, vendange. ◆ **vignoingne** n. f. (1338, *Arch.*). Vignoble, lieu planté de vignes. ◆ **vignon** n. m. (1260, *Mousk.*). 1° Vigne, vignoble. − 2° Vigneron. ◆ **vignel** n. m. (XIIIᵉ s., *Conq. Jér.*). Vigne, vignoble. ◆ **vignole** n. f. (1204, R. de Moil.). Petite vigne. ◆ **vignete** n. f. (1272, Joinv.). 1° Vigne, cep de vigne. − 2° Ornement représentant des branches et des feuilles de vigne. ◆ **vigneron** n. m. (1204, R. de Moil.). 1° Vigneron. − 2° Cloche qui, dans certaines villes du Nord, annonçait le commencement et la fin du travail, qui avertissait aussi les buveurs de quitter les tavernes. ◆ **vigneroner** v. (XIIIᵉ s., *Fabl. d'Ov.*). Cultiver la vigne. ◆ **vignier** n. m. (XIIIᵉ s., *Sept Est. du monde*), **-or** n. m. (1331, G.), **-eus** n. m. et adj. (1337, *Cart.*). Vigneron.

vigor n. (1080, *Rol.; lat. vigor*). Force, vigueur. ◆ **vigorer** v. (1180, *Rom. d'Alex.*). Donner de la vigueur, fortifier. ◆ **vigorance** n. f. (1080, *Rol.*). Vigueur. ◆ **vigoré** adj. (fin XIIᵉ s., *Ysopet Lyon*). Vigoureux. ◆ **vigoros** adj. (déb. XIIᵉ s., *Ps. Cambr.*). Vigoureux. ◆ **vigoreuseté** n. f. (1288, J. de Priorat). Vigueur.

viguier n. m. (1260, Br. Lat.; anc. prov. *viguier*, du lat. *vicarium*). Remplaçant, lieutenant. ◆ **vigerie** n. f. (1311, *Arch.*). 1° Charge, fonction de viguier. − 2° Territoire soumis à sa juridiction.

vil adj. (1080, *Rol.*; lat. *vilem*, à bas prix). 1° Vil, méprisable. − 2° Vil, déshonorant. − 3° De basse condition. ◆ **vilté** n. f. (1080, *Rol.*). 1° Bassesse, état misérable, abjection : *Car tout ades ai habité en luxure et en la vilté de cet monde (Saint-Graal).* − 2° Mépris : *Orguellous, ki m'a en viuté (R. de Moil.).* ◆ **viltance** n. f. (1170, *Percev.*). 1° Action ou chose vile. − 2° Mépris : *Veez le mort a grant viltance Entre deus larrons crucefiez (Pass. Palat.).* − 3° Affront, vilenie, déshonneur. ◆ **viltage** n. m. (1155, Wace). 1° Honte, opprobre, vilenie : *Viltage est, quant tu es ainés, que le plus en ait li puisnés (Wace).* − 2° Basse condition. ◆ **viltoier** v. (1220, Coincy). 1° Insulter. − 2° Mépriser, avilir. ◆ **vileus** adj. (déb. XIVᵉ s., J. de Condé). Vil, abject. ◆ **vilissime** adj. (1308, Aimé). Très vil.

vilain n. m. et adj. (XIᵉ s.; lat. *villanum*, habitant de la *villa*, domaine rural). 1° Paysan, manant, homme de basse condition. − 2° n. m. Laid moralement (Wace). − 3° Laid physiquement (*G. de Dole*). ◆ **vilanel** n. m. (XIIIᵉ s., *Chans.*). Paysan. ◆ **vilenaille** n. f. (1160, *Eneas*), **vilonaille** n. f. (XIIIᵉ s., *Chans.*). Ramassis de vilains, de gens de rien. ◆ **vilener** v. (1170, *Percev.*), **-oner** v. (XIIᵉ s., *Trist.*). 1° Traiter avec mépris, injurier. − 2° Agir comme un vilain, faire une chose vile : *Mes ceulz vilainent Qui vilenie font (B. de Condé).* ◆ **vilenage** n. m. (1283, Beaum.). Tenure de vilain ou paysan chargée de cens et de prestations. ◆ **vilenie** n. f. (1119, Ph. de Thaun). 1° Action, conduite vile, bassesse : *Et porquant, s'il a fait folie, Il n'i entendoit vilonie (Part.).* − 2° Condition de vilain. − 3° Ordure. ◆ **vilenas** adj. (1220, Coincy). Vilain : *Hons qui par est vilenas, si femenins, si gelinas (Coincy).* ◆ **vilenastre** adj. (1240, H. d'Andeli). Infâme, ignoble. ◆ **vileneus** adj. (1346, *Franch.*). Vilain, insultant.

vile, ville n. f. (980, *Passion;* lat. *villa,* maison de campagne, domaine rural). 1º Ferme, maison de campagne : *Bien loinz sur le destre aveit oi Chiens abaier ... Iluec purra vile trover* (M. de Fr.). — 2º Ensemble des villages ou hameaux qui se groupaient autour de la cité. — 3º Charte de commune (1265, *Arch. Moselle*). *Jurer la vile,* jurer la charte de franchise d'une commune. — 4º Ville non fortifiée, par opposition à la cité. ◆ **vilel** n. m. (1190, J. Bod.). Village. ◆ **vilele** n. f. (1295, G. de Tyr). Petit village. ◆ **vilete** n. f. (1190, saint Bern.). 1º Petite maison des champs, ferme. — 2º Village, petite ville. ◆ **viloi** n. m. (1230, G.). 1º Village, banlieue. — 2º Les villages et les villes qui dépendent d'un chef-lieu. ◆ **viloir** n. m. (1338, *Hist. Metz*). Village. ◆ **vilotiere** n. f. (1167, G. d'Arras). Coureuse, femme de mauvaise vie.

I. **ville** n. f. V. VEILLE, vrille. ◆ **villier** n. m. (1313, *Livre taille*). Fabricant de vrilles.

II. **ville** n. f. V. VEILLE, veillée. ◆ **villir** v. (fin XIIᵉ s., *Ogier*). Veiller.

III. **ville** n. f. V. VILE, ferme, village, ville.

vimaire n. f. (XIIIᵉ s.; lat. *vis major,* force majeure). 1º Force majeure. — 2º Dégâts survenus par force majeure.

vime n. f. (XIIIᵉ s.; lat. pop. *vimina,* plur. de *vimen,* pris pour fém.). Osier. ◆ **vimel** n. m. (XIIIᵉ s., *Fabl.*). Osier, jonc. ◆ **vimele** n. f. (XIIIᵉ s., *Durm. le Gall.*). Branche d'osier, de jonc. ◆ **vimois** n. m. (fin XIIIᵉ s., *Fabl. d'Ov.*). Oseraie.

vin n. m. (980, *Passion;* lat. *vinum*). Vin. ◆ **viner** v. (déb. XIVᵉ s.). Mettre le vin en tonneaux, débiter du vin. ◆ **vinee** n. f. (XIIIᵉ s., *Fabl.*). 1º Produit d'une vigne. — 2º Vendange. ◆ **vinerie** n. f. (1344, *Arch.*). Commerce de vin. ◆ **vinier** n. m. (av. 1300, poèt. fr.). 1º Marchand de vin. — 2º Moine chargé de la distribution du vin. ◆ **vineresse** adj. fém. (1190, saint Bern.). Relative au vin, où l'on met le vin. ◆ **vineus** adj. (1277, *Rose*). Qui contient du vin, du vin. ◆ **vinage** n. m. (1231, *Charte*). Droit seigneurial sur les terres plantées en vigne. ◆ **vinagier** v. (1247, *Lettre*). Percevoir le droit de vinage. ◆ **vinagement** n. m. (1234, G.). Perception du droit de vinage. ◆ **vinagier** n. m. (1253, *Arch.*), -**eur** n. m. (1315, *Ord.*). Percepteur du droit de vinage.

vindas n. m. V. GUINDAS, treuil, grue.

vint n. de nombre (1080, *Rol.;* lat. *viginti*). Vingt. ◆ **vintisme** adj. num. (1155, Wace). Vingtième. ◆ **vintaine** n. f. (1260, Br. Lat.). Collectif de vingt. ◆ **vintcinquaine** n. f. (1306, Guiart). Collectif de vingt-cinq.

vioge adj. (1176, E. de Fougères; dér. de *vita,* vie, avec suff. *-oticum*). 1º Vaillant. — 2º Plein de vie, de gaîté.

viol adj. V. VIL, bas, abject.

viole n. f. (fin XIIᵉ s., *Auc. et Nic.;* anc. prov. *viola*). Viole. ◆ **violer** v. fin XIIᵉ s., *Alisc.*). Jouer de la viole.

I. **violer** v. (1080, *Rol.;* lat. *violare*). 1º User de violence. — 2º Prendre de force une femme *(Rois)*. ◆ **violement** n. m. (XIIIᵉ s., *Fabl. d'Ov.*). Violence, viol.

II. **violer** v. Jouer de la viole. V. VIOLE.

violet adj. et n. m. (1200, G. de Dole; adapt. du lat. *viola*). 1º Violet. — 2º Drap violet (1318, *Arch.*). ◆ **violat** n. m. (fin XIIᵉ s., Guiot). 1º Médicament au sirop fait avec des violettes. — 2º adj. Parfumé à la violette (Mondev.).

viot n. m. (1260, Mousk.; contr. de *vieillot*). Vieillard.

vipre n. f. (1260, Br. Lat.; lat. *vipera;* v. *vivre, guivre*). Vipère. ◆ **viperan** adj. (1308, Aimé). De vipère.

viqueire n. f. (fin XIIᵉ s., D.; lat. *vicarius*). Gouverneur à la tête d'une subdivision de diocèse ou de province. ◆ V. VIGUIER.

vireli n. m. (1275, Aden.; form. onomat., à partir de *virer*). 1º Refrain de danse. — 2º Air de danse. — 3º Jeu accompagné de danse. — 4º Sorte de jeu de badinage, parfois fort libre : *Par la main sans atargier Prant chascuns s'amie*

Si ont fait grant veirelit (Pastor). —
5° Petit poème de vers courts, sur deux
rimes, virelai.

virer v. (1125, *Gorm. et Is.;* lat. pop.
*virare, pour *vibrare*, faire tournoyer).
1° Tourner sur soi-même. — 2° Faire
tournoyer. ◆ **vire** n. f. (1277, *Rose*).
1° Action de tourner. — 2° Trait d'arbalète rotatif. ◆ **vireton** n. m. (1358, G.).
Flèche rotative.

virgine n. f. (XIe s., *Alexis*), **virge**
n. f. (1175, Chr. de Tr.; lat. *virgo, -inis*).
1° La Vierge, au sens eccl. — 2° Vierge en
général. ◆ **virginel** adj. (XIe s., *Alexis*),
-**ein** adj. (1190, saint Bern.). Virginal.

virir v. (1350, *Ars d'am.;* lat. *vir*). Avoir,
prendre de la force, de la virilité : *li cors
virist (Ars d'am.).* ◆ **virant** adj. (1306,
Guiart). Plein de force, vigoureux.

virol n. m. (1160, Ben.; lat. pop. *virio-
lum*, du gaul. *viria*, bracelet). Virole. ◆
viroler v. (fin XIIe s., *Alisc.*). Garnir d'une
virole.

viron n. m. (1170, *Percev.;* v. *virer*).
1° Rond, cercle. — 2° Le pays d'alentour.
— 3° adv. A peu près, environ (1248,
Arch.). — 4° prép. Autour de : *Aus dames
qui sont viron li* (Chr. de Tr.).

I. vis n. m. (XIe s., *Alexis*; lat. *visum*,
p. passé de *videre*, voir). Visage, face :
*Carles out fier le vis, si out le chief levé
(Voy. Charl.).* ◆ **visage** n. m. (1080,
Rol.). 1° Visage. — 2° Portrait : *L'uns
d'eus une femme savoit ki de lui un visage
avoit (Saint-Graal).* — 3° Façade. —
4° *Fol visage*, masque (J. de Condé). —
5° *Vostre visage*, vous : *Or en serai
demain delivres, Maugrez en ait vostre
visages* (Ruteb.). ◆ **visagiere** n. f. (1306,
Guiart). Visière. ◆ **visele** n. f. (XIIIe s.,
Rom. et past.). Visière d'un casque, d'une
coiffure. ◆ **visiere** n. f. (mil. XIIIe s.).
visière. ◆ **visuré** adj. (déb. XIVe s.,
F. Fitz Warin). Qui a le visage couvert
d'une visière, masqué.

II. vis n. m. (XIe s., *Alexis;* lat. pop.
visum est, pour *videtur*). Avis, opinion.
Estre vis, sembler : *Ce li ert vis et li sembloit que ...* (Ben.).

III. vis, viz n. f. (XIe s., D.; lat. *vitis*,
vrille de la vigne). 1° Escalier tournant. —
2° Vis.

visalment, viselment adv.
(1160, Ben.; d'un adj. *visal*, lat. *visualis*).
Visiblement, manifestement. *Esgarder
viselment*, regarder avec attention *(Saint
Eust.).*

visarme n. f. V. GISARME, GUISARME,
hallebarde.

visce n. m. V. VICE, défaut, injure.

visconte n. m. V. VEZCONTE, vicomte.
◆ **visconté** n. f. et m. (1268, E. Boil.).
Ressort et étendue de la juridiction d'un
vicomte. *Visconté de l'eau*, juridiction
relative à un fleuve. ◆ **viscontal** adj.
(XIIIe s., *Arch.*). Qui appartient au
vicomte, relatif à la vicomté.

visde, vide, vuide n. f. (1160,
Ben.; d'orig. germ.; cf. all. *weise*, sage;
v. *vise*, rusé, *voisdie*, adresse). 1° Habileté,
finesse, prudence : *Li esquiers fu de
grant vide* (Chr. de Tr.). — 2° Expérience :
*Mes enfes est si jovenes n'a point de vides
(Aiol.).* — 3° Ruse, bon tour : *Il a pis
conté qu'il ne cuide, Car ses sas a fait
une wide!* (J. Bod.). ◆ **vide, vuide** adj.
(1160, Ben.). Savant, fin, rusé.

visder v. (1120, *Ps. Oxf.;* lat. *visitare*).
Visiter.

vise, vice adj. (1160, Ben.; d'orig.
germ.; cf. all. *weise*; v. *visde* et *voisdie*).
Rusé, habile : *Qu'il est sachanz e proz e
vice De paiz tenir e de justice* (Ben.). ◆
visement n. m. (1160, Ben.). Prudence,
adresse, habileté. ◆ **viseus** adj. (1175,
Chr. de Tr.). Avisé, rusé : *La dame fu
sage et viseuse* (Chr. de Tr.).

viseer v. (1150, Wace; v. *viseter*). Venir
voir, visiter.

viser v. (1169, Wace; lat. pop. *visare,
fréquentatif de *videre*). 1° Observer, regarder. — 2° Examiner. — 3° Viser (un but). ◆
visee n. f. (1219, *Guill. le Maréch.*).
1° Regard attentif et dirigé. — 2° Indication. ◆ **viseor** n. m. (1222, *Cart.*). Éclaireur.

viseter v. (Xe s., *Saint Léger;* lat.
visitare, fréquentatif de *visere*, aller voir).

1° Visiter. — 2° Observer, prendre garde à.
◆ **visetement** n. m. (XIIe s., Herman).
Visite. ◆ **visitance** n. f. (1277, *Rose*).
Visite. ◆ **viseteor** n. m. (1271, *Arch.*).
1° Celui qui visite. — 2° Inspecteur
(XIVe s.). ◆ **visiteus** adj. (XIIIe s., *Auberon*).
Qui visite.

vision n. f. (1120, *Ps. Oxf.;* lat. *visio*,
action de voir). 1° Vue, présence : *A une
part de la meison S'estoit tornez en ma
vison, Ne s'aprismoit mie de moi* (Ben.). —
2° Avis : *Dist lur quels est sa visiuns*
(Wace).

visné n. m. (1167, G. d'Arras; lat. pop.
vicinatum, de *vicinus*, voisin). 1° Voisinage. — 2° n. plur. L'ensemble des
habitants d'un endroit, les voisins (institu-
tionnalisé dans les pays anglo-normands).
◆ **visnage** n. m. (déb. XIIIe s., *Court.
d'Arras*). 1° Voisinage. — 2° Ensemble
des voisins : *et manderons nostre visnage*
(*Court. d'Arras*). — 3° Beuverie, vin à
boire : *Troi turpin m'assaillirent, ainz
n'i trovai visnage* (*Gaut. d'Aup.*).

visquens n. m. cas sujet. Voir
VISCONTE, VEZCONTE, vicomte.

visqueus adj. (fin XIIIe s., *Mir. saint
Éloi;* bas lat. *viscosus*). 1° Perfide : *Vis-
keus, pervers, injurieus* (*Mir. saint Éloi*).
— 2° Remuant : *Une amie wiqueuse Seroit
moult bien aveuc moi* (*Chans.*). ◆ **vis-
quier, vuisquier** v. (XIIIe s., *Fabl.*). Échapper en glissant.

I. **viste** adj. (1160, Ben.), **vite** adj.
(1250, *Best. amour;* orig. incert.). Rapide,
agile. ◆ **vistelet** adj. (1277, *Rose*). Vif.
◆ **visté** n. f. (1260, Mousk.). Rapidité.
◆ **vistement** adv. (déb. XIIIe s., R. de
Beauj.). Rapidement.

II. **viste** n. f. (XIIIe s., *Ass. Jérus.;* ital.
vista). Vue : *La viste dou soleil* (*Ass.
Jérus.*).

vit n. m. (1260, Mousk.; lat. *vectis*, barre,
levier). 1° Membre viril : *Qu'il deit aveir
copé le vit o toutes les coilles* (*Ass. Jérus.*).
— 2° S'applique parfois aux animaux.

vitaille n. f. (XIIe s., *Ami et Am.;* lat.
pop. *victualia*, plur. neutre devenu fém.
de *victualis*, adj., « relatif aux vivres »).

1° Victuailles, vivres, provisions de
bouche. — 2° Vie, nourriture spirituelle
(saint Bern.). ◆ **vitaillier** v. (déb. XIVe s.,
F. Fitz Warin). Ravitailler, fournir des
vivres.

vitre n. m. (1265, J. de Meung; lat.
vitrum). Verre (matière). ◆ **vitrin** adj.
(1256, Ald. de Sienne). 1° De verre, en
verre. — 2° Clair, transparent comme le
verre. — 3° Fragile comme le verre. ◆
vitreus adj. (1256, Ald. de Sienne). Qui
ressemble au verre fondu.

vituperer v. (Xe s., *Saint Léger;* lat.
vituperare). 1° Mutiler. — 2° Injurier,
outrager. — 3° Blâmer fortement. ◆ **vitu-
pere, -ire** n. m. (1270, Ruteb.). 1° Blâme,
injure : *Par gros moz ou par vitupires*
(Ruteb.). — 2° Honte, déshonneur. ◆
vituperacion n. f. (1120, *Ps. Oxf.*). Blâme,
reproche.

viuté n. f. V. VILTÉ, bassesse, mépris.

viutrer v. V. VOLTRER, se rouler, se
vautrer.

vive adj. f. V. VIF, vivant. ◆ **vivece** n. f.
(1180, *Rom. d'Alex.*). Vivacité, ardeur :
*Quant jou vois me mesnie plaine de grant
vivece* (*Rom. d'Alex.*).

vivendier adj. et n. (1162, *Fl. et Bl.;*
dér. du lat. *vivenda;* v. *viande*). Hospitalier, généreux : (Il était) *hardi guerriers,
Et biax et sages vivendier* (*Fl. et Bl.*).

vivier n. m. (1138, *Saint Gilles;* lat.
vivarium, endroit où l'on garde des animaux vivants). Étang. ◆ **vivorou** n. m.
(1289, *Charte*). Vivier, étang, garenne.

vivis loc. (1160, Ben.; mot lat.). *Jusqu'a
vivis*, tant que la vie dure.

I. **vivre** n. f. (1080, *Rol.;* lat. *vipera*).
1° Sorte de vipère, couleuvre blanche. —
2° Sorte de poisson de mer en forme
d'anguille, animal fabuleux.

II. **vivre** v. (Xe s., *Saint Léger;* lat.
vivere). 1° Vivre, exercer les fonctions
vitales. — 2° n. m. Ce qui sert à la subsistance (Ben.). ◆ **vivable** adj. (1190, saint
Bern.). 1° Qui donne la vie, vital. —
2° Digne d'être vécu.

vivree n. f. (1350, *Ars d'am.;* d'orig. probabl. prélatine; cf. *givre,* XVᵉ s.). Givre.

viz n. f. V. VIS, escalier tournant, vis.

vo adj. poss., 2ᵉ pers. plur. (fin XIIᵉ s., *Cour. Louis;* forme du singulier refaite sur le pluriel *vos, voz*). 1° Adj. poss. singulier, cas sujet et cas régime : *Se vo Deus a nul poeir qu'il le face (Cour. Louis).* — 2° Adj. poss. cas sujet du pluriel (analogique, d'après le paradigme de la déclinaison) : *Et tuit vo frere (Cour. Louis).* ◆ V. VOS, VOSTRE, VOZ.

vocal adj. (1260, Br. Lat.; lat. *vocalis,* doué de voix). Contenant une voyelle (en parlant de syllabe).

I. vochier v. (XIᵉ s., *Alexis;* lat. pop. **voccare,* pour *vocare,* appeler). 1° Appeler à haute voix. — 2° Invoquer, nommer. — 3° Prétendre, soutenir, déclarer. — 4° Dénoncer, condamner. — 5° Faire le vœu de quelque chose. ◆ **vochement** n. m. (1337, *Charte*). Appel en justice, assignation. ◆ **vocheor** n. m. (1292, *Britton*). Celui qui appelle en justice, réclamant.

II. vochier v. V. VONCHIER, vomir, cracher.

I. voer v. (1120, *Ps. Cambr.;* lat. eccl. *votare,* de *votum,* vœu). 1° Faire tel vœu, promettre : *A Deu vo je que jel feroie (Trist.).* — 2° Jurer : *J'ai et voui et proumis (Chev. Vivien).* — 3° Appeler de ses vœux, désirer. — 4° Entrer en religion (G. li Muisis). ◆ **vo** n. m. (1175, Chr. de Tr.). Vœu. ◆ **voe, veue** n. f. (1080, *Rol.*). N'est employé que précédé de *mal,* au sens de « désastre », « perdition » : *De chrestiens voelt faire male vode (Rol.). A male voe,* pour son malheur. ◆ **voement** n. m. (déb. XIIᵉ s., *Ps. Cambr.*). Émission d'un vœu. ◆ **voee** n. f. (1314, *Vœux du Paon*). Vœu. ◆ **voerie** n. f. (1338, *Rest. du Paon*). Émission d'un vœu. ◆ **voé** adj. (fin XIIIᵉ s., *Fille du comte de P.*). Engagé par un vœu.

II. voer v. (XIIᵉ s.; lat. *vocare*). 1° Appeler en justice. — 2° Appeler en général. ◆ **voement** n. m. (XIIIᵉ s., *Livr. de Jost.*). 1° Aveu. — 2° Déclaration. ◆ **voé** n. m. (1190, saint Bern.). 1° Défenseur, protecteur, avocat. — 2° Avoué (1220, *Arch.*).

voerie n. (1221, G.). 1° Juridiction d'un avoué ecclésiastique ou civil. — 2° Condition roturière : *homme de voerie* (1221, G.). — 3° Terre tenue par un roturier, redevance due par ce tenancier. — 4° Tutelle (1336, *Arch.*). — 5° Dépendance, domination en général : *Mors et amors sont de grant seignorie [...] Car tout le mont ont pris en vouerie (Chans.).*

voi interj. (XIIIᵉ s., *Fabl.;* impératif du verbe *veoir,* voir). Exclamation d'exhortation : *Ouvres, ouvres! Voi, par Saint Gille, Fait li prestres ... (Fabl.).*

voiage n. m. (1080, *Rol.;* lat. *viaticum,* provisions de route, voyage). 1° Chemin, voie, passage. — 2° Pèlerinage : *Pour un voiage faire a Saint Eloy, a Noian* (1304, *Test.*). — 3° Expédition militaire, croisade.

voide adj. V. VUIT, vide, vain, faible. ◆ **voidive** n. f. (1204, R. de Moil.). Paresse : *Mais le leu n'est pas a voidive* (R. de Moil.).

voidie n. f. V. VOISDIE, adresse, ruse.

voie n. f. (1080, *Rol.;* lat. *via*). 1° Route, chemin. Haute voie, grand-route. *Tenir voie ne sentier,* suivre les chemins. — 2° Voyage : *Mout fust la voie et boine et deliteuse* (C. de Béth.). — 3° Pèlerinage : *Li boins chevaliers pramist la voie a monseigneur saint Jake (Fille du comte de P.).* — 4° Jeter en voie, jeter loin de soi. ◆ **voiete** n. f. (1260, G. d'Amiens), **-elet** n. m. (1341, G.), **-elete** n. f. (1286, *Arch.*). Petite voie, sentier, passage. ◆ **voier** v. (1167, G. d'Arras). 1° Conduire, guider, diriger : *De mauvais encontrer se dame Dieu me voie* (Ysopet, II). — 2° Cheminer, marcher : *Si a bien voié quatre jors* (G. d'Arras). — 3° Envoyer. ◆ **voieret** adj. (1330, *Cart.*). Frayé; par lequel on passe souvent.

I. voier v. (1160, Ben.; v. *veoir,* voir). Voir, examiner, regarder attentivement : *Ses cors vaut bien un paradis Qui voier la porroit souvent (Chans.).* ◆ **voiement** n. m. (1119, Ph. de Thaun). 1° Faculté de voir, vue, regard. — 2° Ce qu'on voit, vision. — 3° Manière de voir, de comprendre une chose : *Sulunc le veement A ceste* *humaine gent La cue* (du lion) *signefie Qu'il at de grant baillie* (Ph. de Thaun).

II. voier v. V. VEER, défendre, interdire.

III. voier v., conduite, cheminer, envoyer. V. VOIE, route, voyage.

IV. voier v. V. VUIER, vider, quitter.

V. voier, veier n. m. (1080, *Rol.;* lat. *vicarium*). 1° Officier de justice d'humble condition : *Fill a prevost ne de fill a veier* (*Cour. Louis*). — 2° Officier préposé à la police des chemins (d'où la contamination de sens par *voie*). ◆ **voieur** n. m. (1342, *Lettre*). Officier préposé à la police des voies publiques. ◆ **voierie** n. f. (fin XIIᵉ s., D.). 1° Fonction de voyer. — 2° Voie publique, route, place publique. — 3° Endroit où l'on jette les ordures.

voieul n. f. (1260, Br. Lat.; adapt. de *vocalem*, d'après *vois*, voix). Voyelle.

I. voil n. m. (XIIᵉ s., *Trist.;* lat. *velum*). 1° Tenture. — 2° Voile de nonne, voile de femme. — 3° Voile de bateau. ◆ **voile** n. f. (1155, Wace). Voile de bateau. ◆ **voilet** n. m. (XIIIᵉ s., *Fabl.*). Petit voile, ornement de femme. ◆ **voilage** n. m. (1293, *Lettre*). Péage levé sur les bateaux à voiles. ◆ **voilé** adj. (1160, Ben.). 1° Qui fait voile. — 2° Qui porte une certaine voilure.

II. voil n. m., volonté, désir. V. VOLOIR, vouloir.

voine n. f. V. VEINE, veine.

I. voir adj. et adv. (XIᵉ s., *Alexis;* lat. *verum*). 1° Vrai, réel, sincère : *Chrestiene est par veire conoisance* (*Rol.*). — 2° adv. Vraiment, en réalité : *C'est veir la flor De tuz princes e le meillor* (Ben.). *De voir, en voir, par voir, pour voir, tot por voir,* vraiment. *Non voir,* non vraiment. *Voir que,* de sorte que. ◆ **voir** n. m. (1162, *Fl. et Bl.*). 1° Le vrai, la vérité : *Car voirs est proves* (R. de Moil.). — 2° Histoire véridiquc : *En lieu de fable vos dirai Un voir* (*Fabl.*). — 3° *Metre en voir,* établir juridiquement la vérité d'une chose. ◆ **voire** n. f. (1170, *Percev.*). Vérité. ◆ **voire** adv. (1169, Wace). Oui, certes, bien entendu. ◆ **voirement** adv. (1080, *Rol.*). Vraiment, réellement. ◆ **voirableté** n. f. (XIIIᵉ s., *Fabl. d'Ov.*). Vérité. ◆ **voirdisant**

adj. (1160, Ben.). Véridique, qui dit la vérité. ◆ **voirdit** n. m. (1276, *Arch.*). Témoignage sur la foi du serment. ◆ **voirjuré** n. m. (1235, Tailliar). Juge des causes civiles, membre du collège des prévôts et jurés. ◆ **voirsemblant** adj. (1260, Br. lat.), **-able** adj. (1260, Br. Lat.). Vraisemblable.

II. voir n. m. V. VER, printemps.

I. voire n. m. (1277, *Rose*). V. VERRE, verre.

II. voire n. f., vérité. V. VOIR, vrai.

III. voire adv., vraiment. V. VOIR, vrai.

I. vois, voiz n. f. (980, *Passion;* lat. *vocem*). 1° Son : *Sunent cil graisle, les voiz en sunt mult cleres* (*Rol.*). — 2° Nom, mot. — 3° Parole. *Faire entendre sa voix,* parler : *Onques ne fist voix en riant N'ensi que li parussent dent* (G. de Metz). — 4° Suffrage. — 5° Autorité, droit. *Avoir vois de, avoir le droit de :* *Ne t'en plain pas, tu n'en as vois* (R. de Moil.). — 6° *A voiz,* en donnant de là voix.

II. vois n. f. V. FEIZ, fois.

voisdie n. f. (1080, *Rol.;* d'orig. germ.; cf. angl. *wisdom;* v. *vise,* et *visde*). 1° Adresse, habileté, finesse : *Fame est de molt mal voisdie* (*Eneas*). — 2° Ruse, astuce : *Que ne puissum le rei par veisdie suprendre* (Wace). ◆ **voisdieté** n. f. (XIIIᵉ s. *Chans. d'Ant.*). Ruse, habileté, adresse. ◆ **voisdie** n. f. (XIIᵉ s., *Trist.*). Habileté, ruse. ◆ **voidision** n. f. (XIIᵉ s., Herman). Habileté, ruse. ◆ **voisdive** n. f. (1220, Coincy; cf. *oisive*). Ruse, malice. ◆ **voisdier** v. (1169, Wace). User de ruse, tromper.

voiser v. réfl. (XIIIᵉ s., *G. de Warwick;* v. *envoisier*). Se divertir : *A la riviere vodra aler Pour luy dedure e veiser* (G. de Warwick).

voisié adj., avisé, rusé, habile. Voir VEZIER, user de ruse.

voisin n. m. (1155, Wace; lat. *vicinum,* de *vicus,* village, quartier). Voisin. ◆ **voisiné** n. m. (1150, Wace), **-eté** n. f. (1180, *Rom. d'Alex.*), **-ois** n. m. (XIIIᵉ s., *Fabl. d'Ov.*). — 1° Voisinage. — 2° Les voisins, la réunion de tous les voisins. ◆ **voisiner** v. (1190, J. Bod.). 1° Etre le voisin de. — 2° Fréquenter en voisin. ◆ **voisinable** adj. (1343, *Arch.*). Qui avoisine. ◆ **voisinal** adj. (1291, *Arch.*). Voisin, proche.

voisos adj. (1150, *Thèbes;* v. *viseus,* avisé, rusé). 1° Sage, prudent, avisé, rusé (épithète couplée souvent avec *hardi* et *sage*). — 2° *Voisos de,* habile à. ◆ **voisouté** n. f. (1190, saint Bern.). Habileté, prudence, ruse. ◆ **voiseor** adj. (XIIIᵉ s., *Artur*). Habile, trompeur.

voit adj. V. VUIT, vide, dépourvu, vacant, vain, faible.

voitrer v. V. VOLTRER, se rouler, se vautrer.

voiture n. f. (v. 1200, D.; lat. *vectura*, transport). 1° Transport. — 2° Mode de transport. — 3° Charge transportée. ◆ **voiturer** v. (fin XIIIᵉ s., B. de Condé). 1° Transporter. — 2° Aller en Terre sainte. ◆ **voitureor** n. m. (1298, *Charte*). Voiturier.

voivre n. f. V. VIVRE, sorte de serpent; animal fabuleux.

volage adj., ailé, qui s'envole, passager. V. VOLER, voler en l'air.

voldre v. (1112, *Saint Brand.;* lat. *volvere*). 1° Construire en forme de voûte. — 2° Recouvrir tout autour. ◆ Pour les dérivés, v. VOLS, VOLT I.

volenté n. f. (980, *Passion;* lat. *voluntas, -atis*). Volonté, désir. *A volonté,* d'un commun accord. ◆ **volentif** adj. (1112, *Saint Brand.*). Qui a de la bonne volonté, désireux, empressé : *Quant il le vit si volentif de ce, il ... (Mir. saint Louis.).* ◆ **volenteus** adj. (1150, Wace). Désireux, qui a une forte volonté : *ni riotous ni volenteous de plaidoier (Ass. Jérus.).* ◆ **volentiers** adv. (Xᵉ s., *Saint Léger*). Volontiers, facilement. ◆ **volenterif** adj. (déb. XIIᵉ s., *Ps. Cambr.*). 1° Désireux, empressé, ardent : *Tuit volenterif de bataille (Ben.).* — 2° Volontaire : *li volenterive simpliciteiz* (saint Bern.). — 3° Bienfaisant : *Pluie volentrive eslevas (Ps. Cambr.).* ◆ **volenterin** adj. (1302,

Arch.). 1° Volontaire. — 2° *Volonterins* adv. (fin XIIIᵉ s., Macé). Volontairement.

volequin n. m. (1330, *B. de Seb.;* d'orig. germ.; cf. all. *Wolle*, laine). Sorte de vêtement de laine.

voler v. (Xᵉ s., *Eulalie;* lat. *volare*). 1° Voler dans l'air. — 2° Sauter violemment : *L'espaulle li vola hors du liu (Auc. et Nic.).* — 3° Pratiquer la chasse au vol, au faucon. ◆ **volement** n. m. (1220, Coincy), **-eis** n. m. (XIIIᵉ s., H. de Méry). Action de voler, de se mouvoir dans l'espace, vol. ◆ **volet** n. m. (fin XIIIᵉ s., Guiart). Sorte de voile porté sur la tête, partie flottante d'une coiffe. ◆ **volant** adj. (XIIᵉ s., *Florim.*). 1° Qui a la faculté de voler : *gutvre volant (Florim.).* — 2° Volage, léger : *cuer volant* (R. de Moil.). ◆ **vole** adj. V. VEULE, volage, vain. ◆ **volif** adj. (1180, *Rom. d'Alex.*). Volant, ailé. ◆ **volable** (1119, Ph. de Thaun). 1° Volant, qui peut voler, ailé. — 2° Qui se communique, contagieux (en parlant d'une maladie). ◆ **volage** adj. (1080, *Rol.*). 1° Volant, ailé : *oisel volage (Rol.).* — 2° Passager : *ceste vie volage* (G. de Metz). — 3° Qui s'envole facilement : *Mais muebles est cose volage* (R. de Moil.). — 4° *Poil volage,* poil follet (Ruteb.). — 5° *Mal volage,* goutte en l'aine. — 6° n. m. Vol : *Amors l'a pris par son volage (Athis).* — 7° n. m. Légèreté (Chardry). — 8° n. m. Volaille (1317, G.). ◆ **volagos** adj. (déb. XIVᵉ s., *F. Fitz Warin*). Volage, dissipé. ◆ **volatille** adj. (1160, Eneas). 1° Léger, inconstant : *Une chace volatille (Eneas).* — 2° n. f. (1155, Wace). Ensemble des oiseaux; oiseau destiné à la table (XIIIᵉ s.). ◆ **volaille, -eille** n. f. (1162, *Fl. et Bl.*). Ensemble des oiseaux. ◆ **volatisse** n. f. (1170, *Fierabr.*). Volaille. ◆ **volise** n. f. (XIIIᵉ s., *Charte*). Volaille. ◆ **voletaire** n. m. (1170, *Fierabr.*). Volatile, volaille.

volgrener v. (1164, Chr. de Tr.; comp. de **volus,* volant, et de *granum,* grain). Réduire en grain, écraser : [Le cheval] *dessoz ses piez volgrenoit* (Chr. de Tr.).

voloir v. (Xᵉ s., *Eulalie;* lat. pop. **volere,* réfection du classique *velle*). 1° Vouloir, désirer. — 2° n. m. Vouloir, volonté (1175, Chr. de Tr.). ◆ **voil, vueil** n. m. (XIᵉ s., *Alexis*). 1° Volonté. — 2° Vouloir, désir. *Mon vueil,* suivant ma volonté, selon mon désir : *Mon wel seroie jou orendroit morte (Atre pér.).* Ton voil, son voil, par ta volonté, selon son désir : *Car ja ton vuel nel conoistras (Thèbes).* ◆ **voillance** n. f. (1160, Ben.). 1° Volonté. — 2° Désir : *Or me dites vostre voillance* (H. de Cambr.). ◆ **volor** n. f. (XIIIᵉ s., G.), **-ier** n. m. (1220, Coincy). Vouloir, volonté.

voloper v. (XIIᵉ s., Marb.; lat. médiév. *faluppa,* d'orig. probabl. gaul.). Envelopper : *En linge drap seit volopee* (Marb.).

volpil n. m. V. GOLPIL, renard. ◆ **volpe** n. f. (1298, M. Polo). Renard.

vols adj. (1160, *Eneas;* lat. pop. **volsus,* p. passé de *volvere,* v. *voldre).* 1° Courbé en voûte. — 2° Recouvert : *Vols fu de porpre anperial (Eneas).* ◆ **volsé** adj. (1200, *Mort Aym. de Narb.).* Voûté, bombé, enroulé. ◆ **volsu** adj. (1180, *Rom. d'Alex.).* 1° Voûté. — 2° Recourbé : *ars de cor volsus (Ogier).* — 3° Bombé : *Ses mantiaus ... volsus (Rom. d'Alex.).* ◆ **volsure** n. f. (1160, *Eneas).* 1° Courbure d'une voûte. — 2° Côté extérieur d'un vêtement : *Molt fu chiere la forreure Et molt valut mialz la volsure (Eneas).* ◆ **volsoir** n. m. (1213, *Fet. Rom.).* Pierre qui forme la voûte.

I. **volt** adj. (1160, Ben.; p. passé **volvitum* ou **voltum,* de *volvere;* v. *voldre).* 1° Voûté : *la chambre qui est volte (G. de Rouss.).* — 2° Courbé : *Janbes ot droites, vous les pies* (Ben.). — 3° Bombé : *Les vous escus (Loher.).* — 4° Enroulé. ◆ **volt** n. m. (1250, *Gui de Bourg.).* Voûte. ◆ **volti** adj. (1170, *Fierabr.).* 1° Voûté, arrondi en forme de voûte. — 2° Courbé, arqué. ◆ **voltif** adj. (fin XIIᵉ s., *Loher.).* Voûté. ◆ **voltis** adj. (1080, *Rol.).* 1° En forme de voûte, cintré : *sa cambre voltice (Rol.).* — 2° Bombé, arqué, cambré : *escu volt voltis (Cour. Louis).* ◆ **volteis** adj. (XIIᵉ s., *Florim.).* Voûté, cintré. ◆ **voltu** adj. (1180, *G. de Vienne).* Voûté. ◆ **volture** n. f. (XIIᵉ s., *Trist.).* Voûte, partie voûtée, arcade. ◆ **volte** n. f. (fin XIIᵉ s., *Cour. Louis).* Salle voûtée, bâtiment voûté. ◆ **volter** v. (1213, *Fet Rom.).* 1° Courber, voûter. — 2° Baisser, incliner (Aimé).

II. **volt** n. m. (1120, *Ps. Oxf.;* lat. *vultum,* visage). 1° Visage, aspect : *Od simple vult saintismement* (Ben.). *Volt a volt,* face à face. — 2° Image figurée, idole : *Acheta en la dite eglise un vout de cire a la semlance d'une cuisse (Mir. Saint Louis).* Le vou de Lucques, la Sainte Face vénérée à Lucques *(Ogier).* — 3° Forme : *Quant la mer avec la terre Et le ciel qui tout cuevre et serre Estoit un seul voult de nature* (Ovide).

I. **volte** n. f. (1176, E. de Fougères; lat. pop. **volvita,* de *volvere,* tourner). 1° Danse exécutée en tournant. — 2° *A voltes,* en faisant des tours dans des sens divers (Br. Lat.). — 3° Révolution d'un astre (Br. Lat.).

II. **volte** n. f. salle voûtée. V. VOLT, voûté, courbé.

voltor n. m. (1160, *Eneas;* bas lat. *vulturem,* accentué sur la 2ᵉ syllabe au lieu de la 1ʳᵉ). Vautour. ◆ **voltoir** n. m. (1260, Mousk.). Vautour.

voltrer v. (1160, *Eneas;* lat. pop. **volutulare,* de *volvere,* tourner). 1° Se rouler, se vautrer. — 2° Au sens grivois : *Se ne vous irés plus monstrer Por vous faire as ribaus voustrer (Rose).* ◆ **voltrillier, -oillier** v. réfl. (fin XIIᵉ s., saint Grég.). Se vautrer.

volu adj. (1150, *Thèbes;* p. passé de *voldre,* construire en forme de voûte: v. *vols, volt).* 1° Voûté. — 2° Recourbé.

vomir v. (1190, Garn.; lat. *vomere).* Vomir. ◆ **vomite** n. m. (1204, R. de Moil.). 1° Vomissement. — 2° Ce qu'on vomit. — 3° Vomitif (Mondev.). ◆ **vomiture** n. f. (XIIIᵉ s., *Fabl. d'Ov.),* **-issure** n. f. (XIIIᵉ s., Bible). Vomissement, ce qu'on vomit. ◆ **vomissable** adj. (fin XIIIᵉ s., Macé). Qui doit être vomi.

vonchier, vochier v. (1220, *Saint-Graal;* lat. pop. **vomiccare;* lat. class. *vomere,* vomir). 1° Vomir. — 2° Cracher, saliver, avoir des nausées : *Et a vouchié et a vomi (Fabl.).* — 3° *Vochier l'ame,* rendre l'âme (Coincy).

vooge n. m. et f. (1180, G. de Saint-Pair; bas lat. *vidubium,* d'orig. gaul.). 1º Serpe, faucille. — 2º Hallebarde, épieu, pique.

vorage n. m. (1355, Bersuire; lat. *vorago, -inis*). Gouffre, abîme. ◆ **voragine** n. m. (1130, *Job*). Gouffre : *Plonchier el voragine de luxure (Job).*

vore n. f. V. VEURE, bord, lisière.

vorer v. (av. 1300, poèt. fr.; lat. *vorare*). Dévorer.

vorpil n. m. V. GOLPIL, renard.

I. **vos** pron. pers., 2ᵉ pers. plur. (980, *Passion;* lat. *vos*). Vous.

II. **vos, voz** adj. et pron. poss. 2ᵉ pers. plur. (déb. XIIᵉ s., *Voy. Charl.;* forme abrégée de *vostres*).

I. 1º Adj. poss. pluriel de *vostre : De voz saintes reliques (Voy. Charl.).* — 2º Adj. poss. cas sujet singulier (analogique, d'après *vo,* forme abrégée de *vostre*) : *Bien li sera voz mesage contés (Aym. de Narb.).*

II. Pron. possessif pluriel de *voste* (plus rare) : *E le ne semble pas des vos (Beaum., Manekine).* ◆ V. TABLEAU DES POSSESSIFS, p. 422.

vosti adj. (XIIᵉ s., *Barbast.;* p. passé de *voldre;* altér. de *volti,* infl. par *volsé, volsu*). Bombé : *L'escu vostiz (Barbast.).*

vostre adj. et pron. poss., 2ᵉ pers. plur. (980, *Passion;* lat. pop. *voster,* refait, d'après *noster,* sur le classique *vester*).

I. 1º Adj. poss. en fonction de déterminatif, sans article. — 2º Même fonction, précédé de l'article : *Tot al vostre comant (Voy. Charl.).* — 3º Même fonction, précédé d'un démonstratif : *Aiez pitié de ce vostre barné (Aym. de Narb.).* — 4º En fonction d'attribut : *Sire, de çou dont perte est vostre (Eracle).*

II. Pron. possessif : *Ne fut itels barnez com le soen senz le vostre (Voy. Charl.).* ◆ V. VOS, VOZ, plur. ◆ V. VO, forme refaite sur le plur. ◆ V. TABLEAU DES POSSESSIFS, p. 422.

votoier v. (XIVᵉ s., *Chron. Saint-Denis;* pron. pers. *vos,* vous). Dire vous, en parlant à qq'n.

voz adj. et pr. poss., 2ᵉ pers. V. VOS, vos, les vôtres.

vregier n. m. V. VERGIER, verger.

vreté n. f. V. VERTÉ, vérité.

vrevele n. f. V. VERVELE, anneau de porte pour retenir le verrou.

vueil n. m., volonté, désir. V. VOLOIR, vouloir.

vuide n. f. et adj. V. VISDE, habileté, ruse, expérience; fin, rusé.

vuier v. (1155, Wace; lat. pop. *vocitare,* de *vocitus,* pour *vacuus*). 1º Vider : *Tot le chastel trovera vué (Ben.).* — 2º Quitter, déguerpir. ◆ **vuié** adj. (1150, *Thèbes*). Vidé, vide. ◆ **vuiant** adj. (980, *Passion*). Vide.

vuignier v. V. HOGNIER, grogner.

vuisquier v., échapper en glissant. V. VISQUEUS, remuant, perfide.

vuit adj. m., **vuide** fém. (1155, Wace; lat. pop. *vocuum,* pour *vacuus*). 1º Qui ne contient rien, inoccupé. — 2º Dépourvu : *Bien est vuiz de gens le pais (Guiot).* — 3º Qui n'a pas d'argent. — 4º En parlant d'un cheval dont le cavalier a été désarçonné : *Par le champ vont voit li destrier* (Ben.). — 5º Vacant : *Pour les sieges vuiz raemplir (J. de Meung).* — 6º Vain, oisif. *Passer en vuit,* faire rendre un jugement qui ne profite pas. — 7º Faible. 8º Pipé, creusé (en parlant d'un dé). — 9º n. m. Le vide (XIIIᵉ s.). ◆ **vuide** adj. (1284, *Cart.*). 1º Sans culture, en jachère (en parlant d'une terre). — 2º Entier, exempt de tout assujettissement (1297, *Arch.*). — 3º *Vuide main,* les mains vides (Bretel). ◆ **vuide** n. f. et m. (1190, J. Bod.). 1º Trouée, creux. — 2º Perte : *Fait il a sa mere une wide (Manekine).* ◆ **vuidier** v. (1160, Ben.). 1º Rendre vide, dégarnir. — 2º Évacuer, quitter : *Mais widiés me tost me maison! (J. Bod.).* — 3º Quitter, partir. *S'en vuidier,* s'éloigner. *Faire vuidier la ville a qq'n,* le bannir. — 4º Faire la vidange de, débarrasser, purger de. — 5º *Vuidier les arçons, vuidier la sele,* être renversé de cheval. — 6º Laisser vide, abandonner. *Vuidier de,* être privé de. —

7° Régler, terminer, juger. ◆ **vuidement** n. m. (1256, Ald. de Sienne). 1° Action de vider, de mettre hors. — 2° Action de quitter. ◆ **vuidance** n. f. (déb. xive s., J. de Condé). 1° Départ, éloignement, séparation. — 2° Vide, espace vide. ◆ **vuidage** n. m. (1230, *Arch.*). 1° Action de vider, de nettoyer. — 2° Enlèvement, transport. — 3° Action de partir, de quitter : *Que les dis marchans aient .LX. jours frans de widage* (1339, *Arch.*). ◆ **vuidange** n. f. (1286, *Arch.*). 1° Sortie, passage. — 2° Ce qu'on sort en vidant, déblai. — 3° Écoulement, égout. — 4° État d'un récipient qui n'est pas plein.

◆ **vuidison** n. f. (xiiie s., *Chans.*). Affaiblissement. ◆ **vuideor** n. m. (1250, *Ren.*). Celui qui vide : *Le bon voideor d'escuelle (Ren.).* ◆ **vuidif** adj. (1204, R. de Moil.). Inoccupé, oisif.

vuivre n. f. V. GUIVRE, sorte de serpent.

vulgal adj. (1265, J. de Meung; lat. *vulgarem,* avec substitution de suffixe). 1° Vulgaire, commun, qui arrive généralement. — 2° n. m. Le vulgaire, les gens du commun (déb. xive s., *G. de Rouss.*). ◆ **vulgalement** adv. (1286, *Charte*). Vulgairement, généralement.

wagee n. f. (fin XIIe s., *Ed. le Conf.;* v. *vague*). Vague.

waildel n. m. (XIIIe s., *ABC;* d'orig. germ.). Sorte de chien : *Quant li waildiaus vieut rongier l'os (ABC).*

walcrer v. V. GALCRER, errer sur mer, vagabonder.

walfre n. m. (1190, *H. de Bord.;* néerl. *wafel*). Gâteau. ◆ **walfret** adj. (1334, *Arch.*). Qui sert à faire des gaufres.

walmoné adj. (fin XIIe s., *Auc. et Nic.;* orig. incert.). Blet : *La bataille de poms de bos waumonnés (Auc. et Nic.).*

wandelart n. m. (XIIIe s., Chardry; d'orig. germ.; cf. all. *wandeln*). Pillard, voleur.

wanelace n. f. (XIIIe s., Chardry; orig. incert.). Perfidie, trahison.

warant n. m. V. GARANT.

warat n. m. (XIIIe s., *Gaut. d'Aup.;* orig. incert.). 1° Mélange de paille et de roseaux; bourrée. — 2° Fourrage de féveroles, pois et vesces.

ware n. f. (1190, J. Bod.; d'orig. germ.; v. *viesvare*, vieux habits). Trousseau, nippes : *Le ware d'une espousee (J. Bod.).*

warescais, -ait n. m. (1250, *Charte, Arch. Nord.;* cf. lat. *vervactum,* jachère). 1° Terres vagues. — 2° Place publique, grand chemin. ◆ **wareschel** n. m. (1283, G.). Terres vagues, lieux destinés à la pâture. ◆ **warescape** n. m. (1286, *Cart.*). 1° Terres vagues. — 2° Place publique.

wareter v. (1255, Tailliar; orig. incert.). Couvrir de chaume. ◆ **wareterie** n. f. (1347, *Arch. Tournai*). Chaume.

warlousketer v. (1288, *Ren. le Nouv.;* cf. *losche,* louche). Loucher, regarder de côté.

wassen n. m. (1268, G.; à rapprocher de *jaschiere,* du bas lat. *gascaria,* d'orig. celtique). Seigle.

wastel n. m. V. GASTEL, gâteau.

welcomer v. (1138, *Saint Gilles;* cf. angl. *wellcome*). Accueillir avec bienveillance.

welque n. f. (fin XIIe s., M. de Fr.; orig. incert.). Tortue.

wende n. f. (1323, *Arch. Liège;* cf. all. *wenden,* retourner). 1° Rame à sécher le drap. — 2° Séchoir en plein air.

wenelot n. m. (1190, Garn.; orig. incert.). Tromperie.

were n. f. (fin XIe s., *Lois Guill.;* d'orig. germ.). 1° Amende qu'un meurtrier devait payer aux parents de la victime. — 2° Composition, réparation du dommage causé.

werp n. m. (1243, *Arch. Tournai;* cf. le francique **werpan,* guerpir). 1° Abandon, cession, délaissement. — 2° Vente, marché. — 3° Minute de vente. ◆ **werpicion** n. f. (1288, *Arch. Liège*). Abandon, cession.

wibete n. f. (1169, Wace; orig. obsc.). Sorte de flèche.

wihot n. m. (déb. XIIe s., *Ignaure;* orig. incert.). Cocu, mari trompé : *Ki ont fais wihos lor maris (Ren. le Nouv.).* ◆ **wihote** n. f. (XIIIe s., *Chans.*). Femme trompée par son mari. ◆ **wihoter** v. (1350, G. li Muisis). Se faire des infidélités mutuelles. ◆ **wihoterie** n. f. (XIIIe s., *Chans.*). Cocuage : *Viltes est et vilenie De vivre en wihoterie (Chans.).*

willecome interj. et adj. (1190, J. Bod.; mot angl.). 1° Exclamation de salutation, bienvenue! — 2° adj. Bienvenu *(Ren.).*

wirewire n. f. (1169, Wace: dédoubl. de *vire;* v. *virer,* tourner). Girouette.

witart adj. (1220, Coincy; v. *vit?*). 1° Méprisable : *Se tant par estes fol witart Et pechiez faites tant amer* (Coincy). — 2° n. m. Homme méprisable *(B. de Seb.).*

wite n. f. (1180, *R. de Cambr.;* orig.

obsc.). Long voile dont les femmes se couvrent le visage.

wivre n. f. V. GUIVRE, serpent, javelot, flèche.

wrec n. m. (XIIe s., *Horn;* d'orig. germ.). 1° Naufrage, pénurie, dénuement : *Car en wrec ne lerra mie* (Chardry). — 2° Épave *(Britton).*

— Édition 1988 —
Imprimerie Hérissey, à Évreux.
Dépôt légal : Novembre 1979.
44864. — Nº de série Éditeur 14361.
Imprimé en France *(Printed in France)* — 710 002 F-Avril 1988.

extrait du catalogue
LAROUSSE

DICTIONNAIRE DE LA LANGUE FRANÇAISE - Lexis

(Nouvelle édition illustrée)

sous la direction de J. Dubois, professeur à l'université de Paris-X.

Instrument idéal pour tous ceux qui veulent comprendre le fonctionnement de la langue française et acquérir la maîtrise des moyens d'expression. Il est caractérisé par :

● sa richesse en mots : plus de 76 000 mots des domaines courants, classique et littéraire, technique et scientifique, néologismes, locutions...

● sa richesse en renseignements sur les mots : étymologie et datation, sens et utilisations, définitions, exemples, citations contemporaines et classiques, constructions usuelles...

● la clarté de classement du vocabulaire : regroupement et dégroupement selon les différents sens ;

● la construction raisonnée des articles : mise en ordre systématique des acceptions, indication des synonymes et contraires après chaque sens, présentation méthodique de l'analogie, séparation claire entre les sens actuels et les sens classiques et littéraires ;

● l'introduction, pour la première fois dans un dictionnaire, d'une grammaire complète, par ordre alphabétique et traitée sous forme de tableaux synthétiques et comparatifs ;

● l'actualité de son information, due aux sources scientifiques les plus récentes, à la large place accordée aux termes nouveaux ;

● ses 90 planches d'illustrations thématiques.

Un volume relié (15,5 × 23 cm), 2 126 pages dont 64 de grammaire.

GRAND DICTIONNAIRE DE LA LANGUE FRANÇAISE - 7 volumes

sous la direction de † L. Guilbert, R. Lagane et G. Niobey ;
avec le concours de H. Bonnard, L. Casati, J.-P. Colin et A. Lerond.

Un dictionnaire unique parce qu'il réunit :

● la description la plus complète du vocabulaire général, scientifique et technique, classique et littéraire, avec tous les renseignements sur : prononciation, catégorie grammaticale, étymologie, datations des différentes acceptations, définitions avec exemples (nombreuses citations d'auteurs classiques et contemporains), conditions d'emploi, relations lexicales (synonymes, contraires), remarques grammaticales...

● la documentation la plus riche sur la grammaire et la linguistique : près de 200 articles (à leur ordre alphabétique) donnant une analyse détaillée des diverses théories, passées et actuelles, sur les principaux concepts grammaticaux et linguistiques : accent, analogie, argot, champ sémantique, connotation, discours...

● un traité de lexicologie, au début de l'ouvrage, décrivant les principes de la formation des mots et les structures du vocabulaire dans la double perspective diachronique et synchronique.

7 volumes reliés (21 × 27 cm).

DICTIONNAIRES
ENCYCLOPÉDIQUES

DICTIONNAIRE ENCYCLOPÉDIQUE LAROUSSE EN 1 VOLUME - L1
Élégant, grand par son format et par la qualité de son illustration, ce grand dictionnaire encyclopédique rassemble en un volume tout le vocabulaire de la langue courante contemporaine, écrite et parlée, dans les médias, dans les grands domaines de la culture et des disciplines spécifiques. Ses développements sur les faits historiques et sur la géographie, sur les notions scientifiques, sur les idées, sur les hommes et leurs œuvres, permettent de saisir les réalités du monde actuel.

Un volume relié (23 × 30 cm), 1 536 pages, près de 4 300 illustrations.

DICTIONNAIRE EN DEUX VOLUMES LAROUSSE - L2
Ce dictionnaire encyclopédique en deux magnifiques volumes offre toute la richesse du "L1", dans une présentation encore plus luxueuse, encore plus maniable. Il comporte, en plus, 180 hors-texte en couleurs qui apportent, sur les grands pays du monde, une précieuse documentation photographique accompagnée de légendes descriptives.

Deux volumes reliés sous jaquette (23 × 30 cm), 1 520 pages.

HISTOIRE DE L'ART

sous la direction d'Albert Châtelet, professeur d'histoire de l'art à l'Université de Strasbourg-III, et de Bernard Philippe Groslier, directeur de recherches au C.N.R.S.

Cet ouvrage s'appuie sur les divisions imposées par les «styles» dans le but d'exposer une approche de l'art dans son évolution historique, plutôt qu'une histoire de la production artistique. Toutes les époques de la création artistique dont abordées, en donnant une large part aux arts non européens.
Les nombreux spécialistes qui ont contribué à sa réalisation apportent une information sûre et actuelle, dans un langage clair et accessible. Illustrations très fournies et d'une grande qualité.

2 volumes reliés sous jaquette (23 × 29 cm). 400 pages chacun, environ 1 000 illustrations.

HISTOIRE DE LA FRANCE

sous la direction de G. Duby, de l'Institut.

Nouvelle édition revue et mise à jour pour les époques anciennes, et augmentée (jusqu'à nos jours) pour la période contemporaine. Cette histoire de la civilisation française consacre une large place à la vie quotidienne et à l'histoire économique et politique.

3 volumes reliés (23 × 30 cm), très illustrés.

DICTIONNAIRE DE LA PEINTURE

sous la direction de Michel Laclotte, conservateur en chef
du Département des peintures au musée du Louvre, et de
Jean-Pierre Cuzin, conservateur au Département des peintures
du musée du Louvre.

Un dictionnaire qui présente le monde de la peinture occidentale,
depuis le Moyen Âge jusqu'à ses modes d'expression les plus contemporains.
1 300 articles sur :
● les artistes et leur œuvre,
● les écoles, les mouvements et les tendances,
● les termes techniques du métier de peintre,
● les procédés d'exécution et de représentation,
● les différents lieux de présentation des œuvres...
Environ 700 reproductions en couleurs.

Un volume relié sous jaquette (19 × 28 cm), 992 pages, 665 illustrations
en couleurs.

DICTIONNAIRE DE LA MUSIQUE

sous la direction de Marc Vignal.

Les clés de l'univers de la musique, à toutes les époques et dans le monde entier. Ses multiples notices fournissent de riches informations sur les compositeurs et leur place dans l'histoire de la musique, les formes et les genres, les instruments et les interprètes, les écoles et les grands courants, les éditeurs et les facteurs d'instruments, les historiens de la musique et les critiques... Il rassemble depuis les plus anciens témoignages musicaux jusqu'aux plus récentes manifestations contemporaines, dans une perspective internationale qui s'appuie sur un cadre historique, géographique et esthétique. Illustré de nombreux hors-texte en couleurs, très à jour.

Un volume relié sous jaquette (18 × 28 cm), 840 pages dont 60 pages hors-texte en couleurs.

DICTIONNAIRE DU CINÉMA

Réalisé sous la direction de Jean-Loup Passek, assisté de Michel Ciment, Claude-Michel Cluny et Jean-Pierre Frouard, et par une équipe de 55 spécialistes.

Cet ouvrage rend compte de l'évolution d'un art presque centenaire, à travers les cinématographies du monde entier. Il aborde, dans plus de 4 700 articles classés alphabétiquement, les domaines artistique, historique, technique, économique, sans oublier les festivals, les prix cinématographiques...
Il comporte également
- un lexique des termes techniques,
- les fiches techniques de 2 001 films,
- une bibliographie internationale,
- 250 photos, 68 dessins.

Un volume relié sous jaquette (19 × 28 cm), 808 pages.